中国广播电视年鉴

CHINA RADIO & TV YEARBOOK

2008

国家广播电影电视总局
中国广播电视年鉴编辑委员会编纂

中国广播电视年鉴社

2008 · 北京

《中国广播电视年鉴》

获首届中国年鉴奖

获历届全国年鉴综合质量评比一等奖

获第四届、第五届全国广播电视学术专著评比一等奖

中国广播电视年鉴（2008）

（1986年创刊）

国家广播电影电视总局主管

中国传媒大学主办

中国广播电视年鉴社出版

地址：北京市朝阳区定福庄东街中国传媒大学

电话：(010) 65779245　65779365

传真：(010) 65766415

邮政编码：100024

国际标准刊号：ISSN 1671—7325

国内统一刊号：CN 11—4069/G2

印刷：深圳中华商务联合印刷有限公司

开本：889×1194毫米　大16开　正文41印张

彩页10印张　字数　1500千字

2008年10月出版

定价230元

国 家 广 播 电 影 电 视 总 局

2007
广播电视数字

截至2007年底，全国共批准设立广播电视播出机构2587座，其中，广播电台263座，电视台287座，广播电视台1993座，教育电视台44座；开办的广播、电视节目分别为2477套、1283套。

广播、电视人口覆盖率分别为95.43%和96.58%。

收音机、电视机社会拥有量分别为5亿台、4亿台。

全年播出广播节目1127万小时，其中新闻资讯类节目223万小时，专题服务类节目253万小时，综艺益智类节目326万小时，广播剧类节目48万小时，广告类节目103万小时，其他类节目172万小时。

全年播出电视节目1455万小时，其中新闻资讯类节目171万小时，专题服务类节目149万小时，综艺益智类节目126万小时，影视剧类节目652万小时，广告类节目190万小时，其他类节目165万小时。

2007年，我国使用10颗卫星53个转发器传输242套电视节目、199套广播节目，卫星收转站200多万座；微波传输线路10.2万公里，微波站2749座；广播电视发射台、转播台6.6万座，发射机7万多部；有线电视网络约300万公里，有线电视用户1.5亿多户，其中数字电视用户2600多万户，全国有线电视传输干线网300多万公里。

全国有广播电视节目制作机构2874家，电视剧制作许可证（甲种）机构117家。

全年制作电视剧529部14670集、动画电视234部10239集；生产故事片402部、科教片34部、纪录片9部，生产影视动画片10万多分钟、动画影片6部、特种影片9部。

2007年，全国广播电视总收入达到1316亿元。全国广播电视广告收入601亿元，其中,广播广告收入65亿元,电视广告收入519亿元。全国有线电视网络收入为307亿元，其中有线电视收视费收入为212亿元，付费数字电视收入8.34亿元，其他网络增值服务收入86.66亿元。

2007年，中央电视台广告总收入达到110.2亿元，比上年增长17.5亿元，是历年增长额最高的。

2007年，中央电视台品牌价值得到国际国内的广泛认可，再度入选世界品牌500强，排名跃至71位，比2006年提升了228位。

广播电视事业建设得到了各级财政有力支持，中央财政补助资金45.05亿元，地方专项资金30.15亿元，同比分别增长了19%和288%。

到2007年底，全国广播电视系统从业人员64万余人，其中编辑、记者11万人，播音员、主持人2.3万人，工程技术人员11.8万人，管理人员10万人。

2007 广播电视言论

2007年1月，中共中央政治局常委李长春在广东考察时强调：

构建农村公共文化服务体系，必须加强政府主导的公共文化服务工程建设。要不断提高广播电视村村通工程的水平，加快全国文化信息资源共享工程建设，切实抓好农村电影放映工程、农家书屋等文化惠农工程，提供更多更好适应农村群众需要的公共文化产品和服务。要高度重视乡镇综合文化站建设，深入调查研究，明确职能定位，提出管理办法，完善保障措施，确保公益性质，推动乡镇综合文化站建设健康有序进行，充分发挥乡镇综合文化站提供公共文化服务、指导基层文化活动、加强文化市场管理的积极作用。

（据新华社广州2007年1月17日电）

2007年5月16日，李长春在湖南考察时强调：

要把公共文化服务体系建设纳入经济社会发展规划，坚持公益性、均等性、便利性、基本性的原则，以政府为主导、以财政投入为保障、以城乡区域均衡发展为基本要求、以满足人民群众基本文化需求为主要目标，鼓励社会力量积极参与，加强公共文化基础设施和服务网络建设，提高公共文化产品供给能力，保障好广大人民群众看电视听广播、读书看报、公共文化鉴赏、参与大众文化活动等基本文化权益。要坚持向基层、农村和中西部地区倾斜，优先安排关系人民群众切身利益的重大公共文化服务项目。

（据新华社长沙2007年5月16日电）

2007年8月24日晚，李长春参观了正在北京举行的2007中国国际广播影视博览会影视节目展。他指出：

要努力构建覆盖全社会的广播影视公共服务体系，突出和体现公益性质，保障人民群众看电视、听广播和农村群众看电影等基本文化权益。要充分利用现代科学技术特别是数字、网络技术的发展成果，大力推动广播影视内容生产、传输覆盖、播出放映的数字化进程，促进新兴产业发展和业态创新，大幅度提升我国广播影视业的整体实力和水平。要加快实施“走出去”战略，培育一批有较强实力和国际竞争力的影视企业和企业集团，大力开拓国际广播影视产品市场，推动中华文化走向世界。

（据新华社北京2007年8月24日电）

2007年6月4日，中共中央政治局委员、书记处书记、中宣部部长刘云山出席全国网络文化建设和管理工作会议并讲话。他强调：加强网络文化建设和管理，要坚持以邓小平理论和“三个代表”重要思想为指导，深入贯彻落实科学发展观，按照积极利用、大力发展、科学管理的要求，在建设中加强管理，以管理促进健康发展，努力把互联网建设成为传播社会主义先进文化的新途径、公共文化服务的新平台、人们健康精神文化生活的新空间、对外宣传的新渠道，走出一条中国特色网络文化发展之路。建设中国特色网络文化是党中央从中国特色社会主义事业总体布局和文化发展战略出发作出的重大部署。加强网络文化建设和管理，是发展社会主义先进文化、满足人民群众日益增长的精神文化需求的迫切需要，是占领思想文化阵地、促进社会稳定和谐的迫切需要，是顺应人民群众强烈愿望、保护青少年身心健康的迫切需要，是树立国家良好形象、增强国家文化软实力的迫切需要。

（据新华社北京2007年6月4日电）

2007年11月8日至12日，中国电视艺术家协会第四次全国代表大会在北京举行。刘云山在会议上强调：广大电视艺术工作者要始终坚持先进文化前进方向，努力把社会主义核心价值体系的要求体现到电视艺术创作生产的各个方面，更好地传播先进文化、塑造美好心灵、弘扬社会正气、讴歌人间真情。要进一步增强精品意识，把提高作品和节目的质量放在突出位置，尊重电视艺术创作生产规律，努力打造艺术精湛、传之久远的精品力作。要认真贯彻“三贴近”原则，深入基层、深入生活，使电视艺术作品更好地满足人民群众多层次、多样性的精神文化需求。要积极顺应文化发展潮流，大力推进内容形式、体制机制和传播手段创新，不断提高电视艺术创作生产的整体水平。要按照德艺双馨的要求，弘扬职业精神和职业道德，坚持对人民负责、对社会负责、对未来负责，努力成为人民喜爱的电视艺术家。

（据新华社北京2007年11月12日电）

2008年1月27日，中宣部副部长、国家广播电影电视总局局长王太华在全国广播影视局长会议上的讲话中指出：

要更加自觉、更加主动地推动广播影视大发展大繁荣。必须抓住机遇，应对挑战，切实做到六个“始终坚持”：

始终坚持以科学发展观指导大发展大繁荣。进一步深化对广播影视性质地位作用的认识，明确广播影视发展的方向、思路、目标和动力。把发展作为第一要务，主动转变发展方式，努力实现又好又快发展。加强统筹，特别是要加快构建农村广播影视公共服务体系。始终坚持以人为本，真正做到大众传媒为大众，发展为了人民，发展成果由人民共享。

始终坚持以社会主义核心价值体系引领大发展大繁荣。坚持用社会主义核心价值体系引领广播影视大发展大繁荣，首先要坚持正确的政治方向，牢牢把握正确舆论导向。把社会主义核心价值体系贯穿到各项工作中，广泛深入、生动活泼、持续永恒地开展宣传，使之融入生活、走进群众，为人民群众理解、认同并自觉实践，进而以社会主义核心价值体系引领、包容多元多样多变的社会意识。深入贯彻“三贴近”原则，从内容形式、方法手段入手，采取更为有力的政策措施，加快建立完善相应的体制机制，真正把“三贴近”落到实处。

始终坚持以科技进步推动大发展大繁荣。从全局的、战略的高度，加强规划，完善政策，不断提高科学技术的研究、开发和运用水平，加快构建传输快捷、覆盖广泛的广播影视传播体系。重点是以数字化为龙头，充分利用高新技术改造提升传统媒体，发展新媒体新阵地，不断提高传输覆盖、安全播出水平，不断创新管理手段，推动广播影视实现跨越式发展。

始终坚持以改革创新促进大发展大繁荣。通过改革创新找到社会主义市场经济规律和社会主义文化发展规律的结合点，找到社会效益和经济效益的结合点，进而找准改革发展的用力方向和着力点，一手抓公益性事业，一手抓经营性产业，大力推动体制机制、内容形式、传播手段创新，解放和发展广播影视生产力。

始终坚持以科学依法、综合有效的管理保障大发展大繁荣。坚持以管理促改革、促发展、促繁荣、保安全，更新管理理念，改进方式方法，创新体制机制，综合运用经济、行政、法律和科技等多种手段，不断提高管理水平，努力实现科学管理、依法管理、综合管理。

始终坚持以队伍建设支撑大发展大繁荣。必须始终坚持人才资源是第一资源、事事依靠人才、人人可以成才的观念，抓住培养、吸引、用好人才三个环节，创新体制机制，扩大人才总量，提高人才素质，优化人才结构，努力造就一支政治硬、素质高、纪律严、作风实、结构优的宏大队伍。

（摘自《广播电影电视决策参考》2008年第2期）

2007 广播电视大事辑览

2007年，迎接十七大、宣传十七大、贯彻十七大的宣传报道工作是广播电视宣传的重中之重。按照中央部署，各级广电部门精心组织，全力以赴，统筹广播电视及网络、中央台和地方台、对内和对外宣传，以新闻、专题和影视等多类节目，以电视、网络和手机新媒体等各种载体，以全方位、立体化、多视角的宣传声势，充分展现了十七大的盛况，圆满完成十七大各项宣传任务。

2007年，全国广播电视媒体重点开展了“落实科学发展观”、“构建和谐社会”等重大主题宣传和“两会”、纪念香港回归10周年、中国人民解放军建军80周年、“中俄国家年”、内蒙古自治区成立60周年、嫦娥一号探月卫星等重要活动的宣传。

2007年，强力推进村村通工程。重点是加强农村中央广播电视节目无线覆盖工程建设，完成4200多部发射机及相关配套设备的招标采购，开播886部发射机，覆盖质量明显改善。各地扎实推进本地区无线覆盖工程建设。同时，组织建设村村通直播卫星节目上行平台，指导协调专用直播卫星接收机的批量生产，为20户以上自然村“盲村”建设做好了准备。

2007年，稳步推进西新工程。西新工程前三期中央财政投入超过100亿元，新建、扩建各类发射台站近千座，更新改造发射机2600多部，西藏、新疆等边远少数民族地区广播电视覆盖明显扩大，实验和监测能力大大加强，少数民族语言节目译制和制作水平提高。西新工程第四期第一阶段建设已经启动。

2007年，数字化进程加快。一是城市有线电视网络加快由小容量单向传输向大容量双向交互转变，30个城市完成数字化整体转换，有线数字电视用户超过2600万。广西、陕西、江西、吉林等完成全省区网络整合，中国有线完成海南重组。二是无线广播电视数字化扎实推进。颁布了移动广播电视行业标准，完成37个大中城市频率规划并在8个城市试验播出。研制了地面数字电视国家标准的相关配套标准。三是电台电视台数字化、网络化水平进一步提高。四是手机电视等新媒体业务进一步发展，“移动广播电视系统研究开发与规模技术试验”等被列为国家“十一五”科技支撑计划重点项目。

2007年，“走出去”迈出新步伐。一是大力推动广播电视节目海外落地。长城平台覆盖扩大。中央电视台法语和西班牙语频道独立播出，中文国际频道亚洲、欧洲和美洲分版播出，海外用户总数达8400万。中国国际广播电台新建8座境外整频率电台。新疆、西藏、内蒙古、云南、广西等省区积极扩大节目在周边国家落地。二是积极扩大影视产品和服务出口。电视节目海外销售和国产影视动画出口都有新突破。三是切实加强国际交流合作。积极参与俄罗斯“中国年”、“中日文化体育交流年”等活动和国际重要广播影视节展，加强与亚广联、亚太广播发展机构的交流与合作。

1月，为贯彻落实中央关于“村村通”工程的文件精神，财政部、国家税务总局印发了《财政部、国家税务总局关于广播电视村村通税收政策的通知》(财税［2007］17号)。《通知》明确，自2007年1月1日起，对经营有线电视网络的单位从农村居民用户取得的有线电视收视费收入和安装费收入，3年内免征营业税。对经营有线电视网络的事业单位从农村居民用户取得的有线电视收视费收入和安装费收入，3年内不计征企业所得税；对经营有线电视网络的企业从农村居民用户取得的有线电视收视费收入和安装费收入，扣除相关成本费用后的所得，3年内免征企业所得税。

2007年3月30日，第十五届中国国际广播电视信息网络展览会（CCBN2007）在北京国际展览中心隆重开幕。CCBN 是亚太地区规模最大的广播影视展览会，更是世界排名首位的数字电视和宽带网络行业盛会。CCBN 的展览内容包括广播电视采、编、播、传、收、测各类设备与技术，编播网络与传输网络建设，媒体资产管理，高清节目制作，用户管理系统等多个方面，特别是汇集了全球范围内数字电视与宽带网络方面的创新成果、新业务应用、设计与开发技术。共有来自世界上 30 多个国家和地区的 1000 余家企业和机构参展。

2007年4月9日，广电总局和财政部在安徽联合召开全国农村中央广播电视节目无线覆盖工作会议。会议要求各级财政部门要充分认识这项工作的重要性和紧迫性，把加强和保障中央节目无线覆盖、进而推进全国农村广播电视无线覆盖，作为当前和今后一段时期的重要任务，积极争取当地党委、政府的大力支持，密切配合广电部门扎实推进。

同月，为切实推进农村中央广播电视节目无线覆盖工程建设，确保广大农民群众收听收看好2008年北京奥运会，广电总局与全国31个省（区、市）、新疆生产建设兵团、5个计划单列市广电局签订了《加强农村中央广播电视节目无线覆盖工程建设任务》责任书。

2007年4月9日，国家广电总局在南京召开2007年全国广播电视抵制低俗之风工作会议。中宣部副部长、广电总局局长王太华，广电总局副局长胡占凡出席会议并发表讲话。王太华要求，抵制低俗之风要坚持反复抓、抓反复，在狠抓快速反应机制建设的同时，完善选题管理、播出管理、分级审查、责任追究等行之有效的规章制度体系，做到用制度保证，受制度管束，形成抵制低俗之风的综合长效机制，真正从源头上管好刹住低俗之风。4月27日，总局发出《关于开展抵制低俗之风专项行动的通知》。

2007年8月24日晚，中共中央政治局常委李长春参观了正在北京举行的2007中国国际广播影视博览会影视节目展。本届博览会以“展示广电发展成果，迎接北京奥运盛会”为主题，全面展示了党的十六大以来我国广播影视宣传、文艺创作、产业发展等方面取得的丰硕成果。作为博览会主体活动的影视节目展，集中展示了近年来我国创作生产的优秀影视剧目。

刘云山、陈至立、张克辉等同志随同参观。

2007年8月25日晚，第26届电视剧飞天奖颁奖晚会举行。本届飞天奖共有50个奖项。《亮剑》、《恰同学少年》、《乔家大院》、《八路军》、《任长霞》、《插树岭》、《西圣地》、《诺尔曼·白求恩》获长篇电视剧一等奖；《走进石锁沟》获中短篇电视剧一等奖；《家有儿女》获少儿电视剧一等奖；《凤阳情》获戏曲电视剧一等奖。本届飞天奖共有151个参评剧目，突出特点是主旋律作品唱主角，现实题材剧目占绝大多数，军事题材剧进步大，长篇电视剧制作水平稳步提高。

2007年9月7日晚，第十届精神文明建设“五个一工程”奖颁奖晚会在中央电视台举行。李长春、刘云山、陈奎元同志出席颁奖晚会，并为获奖代表颁奖。

由中宣部组织实施的第十届精神文明建设“五个一工程”奖共评选出268部优秀作品。其中，电影《张思德》、《云水

谣》、《太行山上》，电视剧《恰同学少年》、《延安颂》、《插树岭》、《亮剑》，话剧《立秋》等8部作品获得特等奖，电影《我的长征》、电视剧《八路军》、话剧《黄土谣》、歌曲《吉祥三宝》等122部作品获得优秀作品奖，电视剧《红旗谱》等138部作品获得入选作品奖。同时，在综合各地、各部门入选作品质量和数量的基础上，评选出一等组织工作奖15家、组织工作奖10家。

2007年9月11日，是中国国际广播电台英语广播开播60周年纪念日。

2007年10月15日和10月21日，分别为中国国际广播电台波斯语广播和土耳其语广播开播50周年纪念日。

2007年10月23日，全国人大常委会副委员长司马仪·艾买提为国际台土耳其语和波斯语广播开播50周年发来贺电。

2007年11月3日，是中国国际广播电台阿拉伯语广播开播50周年纪念日。

2007年11月14日,全国影视动画工作会议在湖南长沙召开。会上举行了第三批国家动画产业基地和第二批国家动画教学研究基地授牌仪式，并公布了国家广电总局关于2005年度、2006年度少儿精品和国产动画精品评审结果。

2007年12月4日,全国广播电台台长座谈会在北京落幕。本次座谈会以“强化纽带，合作共赢，共谋发展”为主题，来自全国各省、自治区、直辖市、计划单列市及部分省会城市的45家广播电台台长就北京2008奥运会的宣传报道和推动全国电台合作展开了深入的探讨。

2007年12月7日，为期5天的2007中国（广州）国际纪录片大会圆满结束。这一届纪录片大会，以奥林匹克之路为主题，来自24个国家和地区的44部作品参加了评选，其中波兰拍摄的《散打斗士》获得本届纪录片大奖，中国的《农业水乡》获得评委奖，加拿大的《乔治主席》获最佳创意奖，日本的《奥运少女的祈祷》获最佳叙事奖。同时，大会还为纪录片展播中的四部优秀作品《美丽的四季》、《告诉我为何》、《孔夫子》、《张纯如，南京大屠杀》分别颁发了评审团特别奖。另外，大会还颁发两个特别奉献奖，分别由中国导演张文庆和加拿大纪录片制作人彼得·温托尼克摘得。

2008年新年前夕，国家主席胡锦涛通过中国国际广播电台、中央人民广播电台、中央电视台发表题为《共同推进人类和平与发展的崇高事业》的新年贺词。

2007年12月26日，胡锦涛主席在录制新年讲话后与中央人民广播电台记者合影。

2007年9月，全国政协主席贾庆林结束访日回国途中，在专机上与随同采访报道的中国国际广播电台记者在一起。

中共中央政治局常委李长春（左二）在国家广电总局副局长张海涛（右二）、青海省广电局局长巨伟（右一）陪同下，深入青海省海南藏族自治州基层农村调研广播电视“村村通”工作。

2007年11月10日至12日，中国电视艺术家协会第四次全国代表大会在京召开。中共中央政治局委员、书记处书记、中宣部部长刘云山出席大会开幕式。

全国广播影视局长会议

王太华局长作重要讲话。

赵实副局长作总结发言。

胡占凡副局长传达全国宣传思想工作会议精神。

分组讨论。

2008年1月27日至28日，国家广播电影电视总局在北京召开2008年全国广播影视局长会议。学习贯彻党的十七大和全国宣传思想工作会议精神，总结2007年工作，研究部署2008年工作。王太华、赵实、张海涛、胡占凡、雷元亮、田进、王莉莉、赵化勇、王庚年、王求出席了会议。王太华代表总局党组作了重要讲话，赵实作了总结发言，胡占凡传达了全国宣传思想工作会议精神。会议认为，党的十六大以来，广播影视系统高举邓小平理论和“三个代表”重要思想伟大旗帜，贯彻落实科学发展观，按照中央关于实施国家“十一五”时期文化发展规划纲要、深化文化体制改革等一系列重要部署，围绕中心、服务大局，面向基层、服务群众，牢牢把握正确导向，充分发挥广播影视引导社会、教育人民、促进发展的作用，坚持继承、改革、创新，坚持求实、务实、落实，以宣传为中心，各项工作都取得显著成绩，为全面建设小康社会、构建社会主义和谐社会提供了强大的思想保证和精神动力，营造了良好的舆论氛围。2007年，各级广播影视部门以迎接、宣传、贯彻党的十七大为主题，舆论导向正确、引导水平提高，安全播出迈上新台阶，影视内容生产繁荣发展，农村广播影视重点工程扎实推进，数字化进程加快，改革进一步深化，“走出去”迈出新步伐，管理力度加大、水平提高，队伍建设进一步加强，各项工作在巩固中发展，在规范中提高，在创新中进步，保持了良好的发展态势。

各省（区、市）广电局和新疆生产建设兵团广电局、计划单列市广电局主要负责同志，总局机关各司局、直属各单位主要负责同志，以及广播影视系统“双先”代表和十七大安全播出代表出席了会议。各省（市）广电集团（总台）主要负责同志和中组部、中宣部、中央宣传思想工作领导小组秘书组、国家发改委、教育部、国务院法制办等单位有关负责同志参加了会议。

大会主席台。

全国广播影视系统“双先”暨十七大安全播出表彰会议

2008年全国广播影视局长会议期间，国家广播电影电视总局同时召开全国广播影视系统“双先”暨十七大安全播出表彰会议。王太华作讲话，人事部副部长杨士秋宣读“双先”表彰决定，张海涛宣读十七大安全播出表彰决定，雷元亮主持会议。4名先进集体、先进个人代表发言。

王太华在讲话中指出，这次表彰的先进集体和先进个人立足本职工作，为广播影视作出了突出贡献。他们的思想和行动，体现了中华民族的优良传统，反映了改革创新的时代精神，是我们宝贵的精神财富。他们不愧为广播影视系统的时代先锋、行业典范和广大干部职工的楷模。全国广大广播影视工作者，要努力形成向先进学习的热潮，学习他们忠于党、忠于人民的政治信念，学习他们锐意进取、开拓创新的时代精神，学习他们爱岗敬业、无私奉献的崇高品质，学习他们求真务实、严于律己的优良作风。以更加坚定的信心和高涨的热情，投身到推动广播影视大发展大繁荣的伟大事业中去。

①王太华局长作重要讲话。

②人事部副部长杨士秋宣读“双先”表彰决定。

③张海涛副局长宣读十七大安全播出表彰决定。

④雷元亮副局长主持会议。

⑤ 获奖代表上台领奖。

⑥ 获奖代表发言。

CNR 中央人民广播电台

王求台长在全国电台台长会议上讲话。

赵子忠副台长出席全国台长会议。

赵忠颖副台长在2007广播华语论坛开幕式上。

赵铁骑副台长与地方电台台长交流。

王晓晖副台长在广播新闻创新研讨会上。

纪检组长赵慧在中央电台第七次党代会上讲话。

王宴青副总编辑在中央电台三项学习教育培训班上讲话。

钱岳林总工程师听取中央电台机房改造情况汇报。

李兰田总会计师在中央电台务虚会上。

李国君副总编辑在中央电台经济之声与南方报业传媒集团举行的合作签约仪式上讲话。

杜嗣琨副总编在海峡两岸广播研讨会上。

↑2007年8月28日，由中央电台主办的2007（中国）广播发展论坛暨全球华语广播协作网年度会议在北京召开。

↑2007年11月4日，“倾听中国　奥运同行”中国之声08奥运大直播季启动仪式在中央人民广播电台举行。

↑2007年12月24日，中国之声开始全天24小时不间断播音。

↑2007年12月29日，中央电台经济之声“2007寻找最有魅力的声音”活动颁奖典礼暨经济之声开播五周年庆典在北京举行。中央电台王求台长等领导与获奖选手合影。

↑8月22日，中央电台第十届台湾听众联谊会在北京举行。

↑5月16日～5月22日，保加利亚国家电台少儿合唱团与中央电台少儿合唱团同台演出、愉快交流。

↑2007年8月10日，中央电台在新疆举办第三届港澳听众联谊会。

↑2007年11月13日，中央电台音乐之声举办开播五周年纪念活动暨“我要上学”公益活动。

↑2007年9月，中央电台举办第二届青年职工歌手大赛。

↑中央电台记者采访少数民族十七大代表。

←中央电台中国之声全力报道十七大盛况，图为后方报道组在研究选题和报道方案。

→2007年9月3日，中央电台中国之声与河南人民广播电台推出科学发展中国行“节能减排 全民行动”主题直播。

←2007年8月8日，中国之声推出北京奥运会倒计时一周年特别直播《和谐神州奥运来》。

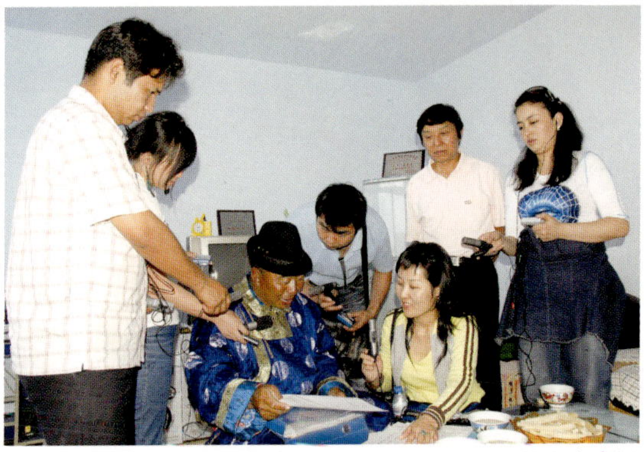

↑为纪念内蒙古自治区成立60周年，中央电台民族之声广播组织联合采访团赴内蒙古采访。图为采访蒙古族牧民。

↑中央电台自主策划大型报道《穿越三北风沙源》。图为报道组部分成员在库布齐沙漠合影。

↑2007年10月24日，中央电台记者在西昌卫星发射中心现场报道嫦娥一号发射实况。

↑2007年7月6日，都市之声在首都机场设置的直播间正式开播。图为开播仪式现场。

↑2007年5月至6月，中央电台文艺之声举办第一届“宝宝故事秀”活动，吸引了三百多位小朋友参加。

↑中央电台中国之声时政采访部获2007年全国新闻工作先进集体称号。

↑中央电台创作的广播剧《深山信使》获第十一届麦鲁利奇奖、第八届伊朗国际广播节特别奖、第十届精神文明建设“五个一工程”优秀作品奖和2006~2007中国广播影视大奖。

←中央电台《穿越青藏高原》获第十七届中国新闻奖广播现场直播一等奖。

→中央电台与北京电台合作录制的儿童节目《倾听自然》获2007年亚广联儿童节目奖。

↑中央电台广播剧《你好，我是向菲》获第十届精神文明建设“五个一工程”优秀作品奖。图为向菲与剧组人员交流。

↑中央电台采制的消息《求知于实践　问计于群众》获第十七届中国新闻奖广播消息一等奖。

↑中央电台军事中心《国防时空》栏目获第十七届中国新闻奖新闻名专栏称号。

↑中国广播网《“落实科学发展观”大型主题宣传报道专题》获第十七届中国新闻奖网络专题一等奖。

↑中央电台民族广播朝鲜语播音员朴青竹获第二届中国播音主持金话筒奖。

→中央电台音乐之声主持人章莹莹获第二届中国播音主持金话筒奖。

CRI 中国国际广播电台

CHINA RADIO INTERNATIONAL
中国国际广播电台

一、事业发展

①2007年12月6日，国务委员陈至立等领导出席广播孔子学院揭牌仪式。

②2007年4月6日，国际台与中国联通联手推出的“CRI手机广播电视”业务启动，王庚年台长与联通董事长常小兵签署合作协议。

③2007年12月17日，国际台台长王庚年与中国传媒大学校长苏志武共同出席《中国传媒大学、中国国际广播电台共建非通用语专业人才培养基地的协议》签字仪式。

④国际台与国家汉语国际推广领导小组办公室、俄罗斯国立职业师范大学文化交流工作室共同签署合作备忘录，决定在俄罗斯开设“广播孔子课堂”。

⑤国际台领导张富生（右）与日本长野县日中友好协会会长井出正一出席“广播孔子课堂”揭牌仪式。

⑥中肯双方有关部门领导共同为国际台肯尼亚“广播孔子课堂”揭牌。

⑦蒙古乌兰巴托“广播孔子课堂”签字仪式。

二、对外交流

2007年7月4日，国际台知识竞赛颁奖仪式在人民大会堂举行，全国政协副主席罗豪才等领导向国外听众颁奖。

2007年11月30日，国际台台长王庚年与希腊雅典广播电台台长安塔纳西奥斯·卡费扎斯共同签署合作协议。

2007年8月1日，国际台副台长陈敏毅会见来访的韩国广播委员会和韩国广播公司代表团团长文贤锡。

2007年7月26日，国际台副台长夏吉宣会见来访的斯里兰卡驻华大使阿穆努加马。

国际台副台长王明华会见到访的伊朗驻华大使曼苏里。

国际台副总编李忠尚会见来访的乌干达广播公司主席卡图拉姆。

2007年12月5日，国际台副总编马为公会见到访的苏丹主流报纸代表团团长埃勒辛迪·伊扎勒丁一行。

2007年7月16日，国际台总工程师周毅会见日本听众长岛优香一行。

三、大型采访

①俄罗斯驻华大使拉佐夫、国务院新闻办副主任钱小芊、国际台台长王庚年出席在俄罗斯驻华使馆举行的“中俄国家年”摄影比赛优秀作品展开幕式。

②2007年9月12日，国际台台长王庚年会见奥地利记者中国行记者团成员。

③2007年4月25日，国际奥委会委员萨马兰奇·萨利萨奇出席国际台举办的“西班牙行”联合采访活动媒体见面会。

④“中俄友谊之旅·中国行”全体队员。

⑤“中俄友谊之旅·中国行”采访团在地方采访时受到热烈欢迎。

⑥“中国－东盟合作之旅”采访团在马来西亚受到当地民众欢迎。

⑦“中国－东盟合作之旅”采访团从广西友谊关出发。

四、开播纪念

王庚年台长与英语广播元老张庆年共同切开生日蛋糕。

国际台副台长夏吉宣向土耳其听众代表穆斯颁发获奖证书。

国际台奥运广播一周年庆典。

国际台波斯语广播部工作人员在开播50周年纪念大会上。

国际台阿拉伯语部工作人员在开播50周年纪念大会上。

国际台土耳其语广播部工作人员在开播50周年纪念大会上。

CCTV

中国中央电视台

中央电视台台长赵化勇作工作报告

在香港回归十周年之际，中央电视台新闻频道播出了10集大型纪录片《新香港故事》。图为摄制组在工作中。

自2007年10月24日嫦娥卫星发射，中央电视台新闻节目中心连续推出16场直播特别节目，完整报道了我国嫦娥绕月探测工程圆满成功。

2007年9月18日晚，“道德的力量——全国道德模范评选表彰颁奖典礼”在中央电视台一号演播大厅隆重举行。

淮河抗洪期间，新闻节目中心全面、及时、准确地报道了淮河一线抗洪救灾的真实情况。

2007年5月17日，中央电视台承办第二届全国电视台台长论坛取得成功。

2007年1月1日，中文国际频道分为亚洲、欧洲、美洲三版播出。

2007年10月1日，西法语频道分频播出，开播法语、西班牙语国际频道。

在中央电视台驻欧美中心记者站的建设中，技术部门建成了三讯道、多视窗等功能，具备完成录像和直播任务的全功能数字演播室。

建设中的中央电视台新台址主楼

2007年9月22日，中央电视台海外节目中心在加拿大温哥华成功举行了“中加手拉手——为奥运喝彩”大型文艺演出。

“法律服务你——12.4普法大接力”法制宣传周的节目录制现场，专家正在进行普法讲解。

2007年11月6日，“2007‘中国骄傲’”人物李圣豪和他收养的孩子们在晚会录制现场。

2007年12月16日，“春暖2007”之《我的老师——希望工程园丁奖颁奖晚会》举行。舞台上是乡村教师和他们的学生们。

中央电视台《百家讲坛》栏目在2007年世界文化遗产日期间，推出“我读经典”系列节目。

2007年4月，《同一个世界　同一个梦想》摄制组在美国盐湖城拍摄攀岩运动。

记录我国森林版图的自然资源类电视纪录片《森林之歌》的拍摄场景。

2007年7月7日～29日，中央电视台体育频道全程直播2007年亚洲杯足球赛。图为摄影记者在追拍。

2007年2月，中央电视台播送中心承担了亚冬会“U型槽”项目的公共信号制作任务。为了确保安全直播，技术人员将电缆埋在半米深的雪沟里。

2007年中国电视报单期最高发行量突破560万份，全年累计发行1.4亿份报纸。

纪录片《大国崛起》获得文化部颁发的国产音像制品优秀出口节目奖一等奖。

纪录片《再说长江》获新闻出版总署颁发的首届中国出版政府奖、国家音像制品奖的“提名奖”。

电视连续剧《铁血坚持》海报

2007年中央电视台中央新闻电影制片厂与美国合作发行的纪录片《南京》海报。

30集电视剧《香港姊妹》海报

26集动画片《马兰花》获2007年中央电视台电视节目视频图形制作技术质量奖动画片类一等奖。

2007年1月28日，广东电台南粤之声潮流前线直播室启播仪式。

2007年5月30日，广播配乐纪实作品《黄宗英自述》开播仪式在上海图书馆举行。

2007年12月28日，四川省星空购物频道正式开播，图为开播仪式。

新疆维吾尔自治区广播电影电视局与土耳其YON广播交流公司签署广播节目合作协议。

2007年9月12～16日，由中国电视艺术家协会、日本放送协会、韩国电视制作人联合会、天津电视台共同主办的“第七届中日韩电视制作者论坛”在天津举行。

2007年9月28日，西藏电视台在堆龙德庆县成功举办“和谐西藏”心连心慰问活动。图为观众观看演出。

2007年10月8日，湖北省广播电视总台湖北卫视开展"公益福彩"和谐社区行活动。

2007年7月，上海文广新闻传媒集团电视新闻中心组织的庆祝《新闻透视》开播20周年系列活动现场。

吉林省有线电视数字化整体转换全面启动，图为办公现场。

2007年12月18～21日，由中国东盟协会、中国电视艺术家协会、云南省政府新闻办公室、云南省广播电视局等部门联合举办的"2007中国—东盟电视合作峰会"在昆明举行。

甘肃省张掖电视台《张掖新视线》栏目组工作掠影。

湖北省广播电视总台新闻综合广播开展"青年记者老区行"活动，图为2007年9月25日，新闻综合广播青年记者深入监利革命老区周老嘴镇瞻仰革命遗迹。

2007年6月，北京人民广播电台与《解放军报》联合推出“走进军营”纪念建军80周年系列采访活动。

2007年8月8日，北京电视台、中央电视台、奥组委宣传部门主办中外知名电视媒体采访北京活动。

2007年3月13日上午10时23分，福建顺昌县发生4.9级地震。图为顺昌广电系统技术人员在双溪街道土垅村现场抢修受地震破坏的广播电视线路。

2007年，北京歌华有线电视网络公司为奥运会馆和奥运村铺设数字电视专网。

2007年10月24日，北广传媒城市电视通过街头大屏幕转播“嫦娥一号”火箭发射盛况。

甘肃省张掖电视台《少儿天地》栏目组工作掠影。

2007年8月18日上午，由河南人民广播电台、中央人民广播电台等联合推出的《谁点燃我心中圣火　广播为我们架起桥梁》——奥运火炬手选拔特别直播节目在河南广播大厦举办。

中国农村广播协作网联合直播。

吉林乡村广播电台《黑土地》节目形象大使在做直播。

天津电视台《男人世界》栏目录制现场。

2007年8月1日，江西人民广播电台等十省市电台举办纪念建军80周年大型联合直播“八一军旗红”。

2007年12月26日，广西电视台“手拉手”艺术团赴隆林县慰问演出。

2007年7月，内蒙古广播电视艺术团为庆祝内蒙古自治区成立六十周年展演《阳光洒满草原》。

为庆祝建军80周年，天津电视台《中国人》栏目制作的特别节目《我是一个兵》现场。

2007年7～9月，河南电视台《武林风》栏目赴日本演出。

天津电视台卫视频道打造的大型原创相声娱乐节目《笑傲江湖》节目现场。

2007年2月1～2日，中国电视艺术家协会组织影视艺术家到革命老区西柏坡慰问老区人民。

2007年12月18日，上海文广新闻传媒集团等单位联合创意制作的《吉祥中国——中国2010年上海世博会吉祥物揭晓晚会》在上海大舞台举行。

2007年10月19日，吉林省首个数字付费电视频道“东北戏曲频道”在吉林电视台举行开播仪式。

沈阳电视台《逗你乐翻天》栏目现场。

2007年12月13～15日，由中国电视艺术家协会、中国广告协会、三亚市人民政府联合举办的第三届中国（三亚）国际电视广告艺术周在三亚举行。

2007年6月8日，首届海峡两岸闽南语歌星选拔赛在福建泉州市广电中心落幕。

上海文广新闻传媒集团综艺部制作的综艺节目《非常有戏》现场。

2007年6月12日，上海文广新闻传媒集团制作的第十三届上海电视节开幕式主题活动《我们在场——中国纪录片三十年》在东方艺术中心举行。

2007年9月20日，上海文广新闻传媒集团承办的《同一星空下——第九届亚洲艺术节开幕式文艺晚会》在南通举行。

2005年10月，内蒙古广播电视艺术团举行大型民族交响合唱音乐会《天赐故乡》。

天津电视台文化娱乐频道在开播4周年之际，推出的《青春·友谊·艺术》音乐会现场。

内蒙古包头市广播电视局组织创作的大型情景音诗《风情包克图》剧照。

由天津电视台承办的2007中国广播电视播音主持金话筒奖颁奖典礼在北京梅兰芳大剧院举行。

中国传媒大学

2007年是中国传媒大学改革与发展十分关键的一年。全校师生员工以邓小平理论、“三个代表”重要思想和科学发展观为指导，全面学习贯彻党的十七大精神，胜利召开了中共中国传媒大学第一次代表大会，通过了教育部专家组对学校的本科教学工作水平评估，修订实施了“十一五”规划，牢牢把握迎评创优工作、国家重点学科考核评估、“十一五”“211工程”建设启动、人事分配制度改革，重点推进了领导班子和队伍建设，基层党建创新和改善办学条件，在教学、科研、管理、服务及党建与思想政治工作等方面取得了新的成绩。

↑6月2～3日，中国共产党中国传媒大学第一次代表大会胜利召开，这是学校更名为中国传媒大学后召开的第一次党代会。

→4月21日，前外交部部长李肇星应邀来校为师生做了一场关于当前国际形势、我国外交政策的精彩报告，图为校党委书记陈维嘉代表学校为李部长颁发学校特聘荣誉教授证书。

←9月24～28日，教育部本科教学工作水平评估专家组对学校本科教学工作进行检查评估，得到专家组充分肯定和较高评价，取得了优异成绩。图为苏志武校长作工作汇报。

→11月24日，“中国传媒大学第二届董事会第二次全体会议”在广西桂林召开，来自全国各地的61家董事单位代表参加了会议。国家广电总局副局长、中国传媒大学董事会董事长张海涛在会上作重要讲话。

①

②

①12月19～21日，学校非通用语种本科人才培养基地顺利通过教育部专家组验收。

②5月25日，中国传媒大学校长苏志武与中国电影集团董事长韩三平签署战略合作协议。

③9月13～19日，由中国传媒大学和韩国高等教育财团联合承办的“2007亚洲传媒论坛国际学术活动周”在中国传媒大学举行。

③

中国广播电视年鉴第23届年会

中国广播电视年鉴第23届年会于2007年9月25至26日在甘肃省兰州市举行。年鉴编委、国家广电总局法规司司长王云鹏受国家广电总局副局长、年鉴编委会主任胡占凡同志委托参加会议，年鉴编委会副主任：中央人民广播电台副总编王宴青、中国国际广播电台副台长陈敏毅、中国传媒大学副校长丁俊杰，年鉴编委会副主任兼主编赵玉明，中共甘肃省委宣传部副部长张瑞民，甘肃省广播电影电视局局长孙伟，甘肃省广播电影电视总台台长武来银等领导同志，以及来自全国各地广播影视局的年鉴编委、特约编辑共80多人出席会议。

①

②

③

①年会主席台
②年会会场
③领导为年鉴先进工作者颁奖
④与会者集体合影

④

年鉴编纂培训班在京举行

↑国家广电总局办公厅主任、总局新闻发言人朱虹主讲

↑特约编辑作自我介绍

2007年4月23～25日，中国广播电视年鉴编辑部在北京举办了年鉴编纂培训班，来自全国的部分年鉴工作人员参加了培训。国家广电总局办公厅主任、总局新闻发言人朱虹主讲了“我国广播电视行业‘十一五’发展规划”和有关广电行业的管理政策和措施；国家语言文字工作委员会（教育部）语言文字应用研究所研究员厉兵主讲了“出版物上容易出现的语言文字问题及解决办法”；中国版协年鉴研究会学术委员会副主任、中广年鉴编辑部主任曲宗生主讲了“我国年鉴出版现状及创新发展的战略思考”。学员反映，这次培训班的内容扎实有用，对于做好年鉴组稿供稿工作有着极大的帮助。

国家广播电影电视总局
中国广播电视年鉴第三届编辑委员会

王书伟　中国广播艺术团
刘　军　中国爱乐乐团
梁刚健　中国广播电视出版社
张　聪　中国广播电视协会
夏一强　国家广播电影电视总局驻香港记者站
杨　杰　国家广播电影电视总局驻澳门记者站
李金荣　中国广播电视国际经济技术合作总公司
沈向军　中国有线电视网络有限公司
王　锋　中国电视艺术家协会
康　宁　中国教育电视台
卢文兴　海峡之声广播电台
雷跃捷　中国传媒大学电视与新闻学院
曲宗生　中国广播电视年鉴编辑部
洪　兵　北京市广播电视局
胡兴华　天津市广播电视电影局
何振虎　河北省广播电视局
梁志祥　山西省广播电视局
王　增　内蒙古自治区广播电影电视局
李厚朴　辽宁省广播电视局
任凤霞　吉林省广播电影电视局
吴学明　黑龙江省广播电视局
朱咏雷　上海市文化广播影视管理局
薛沛建　上海文化广播影视集团
李德田　江苏省广播电视局
肖　泉　江苏省广播电视总台
胡瑞庭　浙江省广播电视局
钟桂松　浙江广播电视集团
聂庆义　安徽省广播电影电视局
傅祖桂　福建省广播电视局
梁　勇　江西省广播电视局
吉保邦　山东省广播电视局
高世铭　河南省广播电影电视局
曾　婕　湖北省广播电视局
吕焕斌　湖南省广播电视局
陈一珠　广东省广播电影电视局
阳建国　广西壮族自治区广播电影电视局
林光强　海南省文化广电出版体育厅
温俊华　重庆市文化广播电视局
尹长征　重庆市广播电视总台

贾玉刚　四川省广播电影电视局
钟叙昭　四川广播电视集团
李新民　贵州省广播电视局
李　凡　云南省广播电视局
张崇银　西藏自治区广播电影电视局
李选政　陕西省广播电影电视局
崔新生　甘肃省广播电影电视局
巨　伟　青海省广播电视局
王政敏　宁夏回族自治区广播电影电视局
安思国　新疆维吾尔自治区广播电影电视局
万卫平　新疆生产建设兵团广播电视局
王忠玲　大连市广播电视局
邹大鸣　宁波市文化广播电视新闻出版局
曾碧心　厦门市广播电视局
楼树军　青岛市广播电视局
刘焯铿　深圳市广播电影电视局

中国广播电视年鉴

主　　编　赵玉明
副 主 编　曲宗生
李　宏
臧具林
吴克宇
雷跃捷
编辑部主任　曲宗生
副 主 任　罗建平
责任编辑　曲宗生　吕鸿雁　刘书峰　邸兰君
张绍红　罗建平　韩同慧
美术编辑　吕鸿雁
办公室主任　张绍红
编　　务　李江伟

中国广播电视年鉴特约编辑

黄　炜　国家广播电影电视总局办公厅综合处
肖党荣　国家广播电影电视总局宣传管理司宣传处
刘朝荣　国家广播电影电视总局社会管理司办公室
熊智辉　国家广播电影电视总局人事教育司办公室
蔡　轩　国家广播电影电视总局计划财务司办公室
杨晓东　国家广播电影电视总局科技司办公室
励　彬　国家广播电影电视总局国际合作司
任丽平　国家广播电影电视总局电视剧管理司综合处
刘　俐　国家广播电影电视总局法规司综合处
温秋阳　张连城　中央人民广播电台研究室
于　旋　王　霞　中国国际广播电台总编室
习亚起　中央电视台研究处
邓秋艳　国家广播电影电视总局无线电台管理局办公室
刘　颖　国家广播电影电视总局广播电视监测中心办公室
易　凯　国家广电总局广播影视发展研究中心综合办公室
王志芹　国家广播电影电视总局广播科学研究院人力资源部
胡　旻　国家广播电影电视总局广播电视规划院综合办公室
田　捷　国家广播电影电视总局科技委秘书处
吴　强　中广电广播电影电视设计研究院办公室
周红文　中国电视艺术委员会组联部
孙永忠　中国广播艺术团办公室
杨小平　中国爱乐乐团人保部
樊丽萍　中国广播电视出版社广播影视编辑室
刘瑞玫　中国广播电视协会综合办公室
温明亮　国家广播电影电视总局驻香港记者站
何东波　中国广播电视国际经济技术合作总公司办公室
章　为　中国有线电视网络有限公司综合办公室
赵平英　中国电视艺术家协会信息资料室
黄秀根　中国教育电视台总编室
王佩瑶　海峡之声广播电台编辑部办公室
寇洪亮　中国传媒大学
马广胜　段燕燕　北京市广播电视局史志办公室
窦秀珍　天津市广播电视电影局宣传管理处
马光复　河北省广播电视局研究室
王　珽　山西省广播电视局办公室
李宝国　内蒙古自治区广播电影电视局广播电视科研所
韦　冰　张锡瑞　辽宁电视台、辽宁省广播电视协会
刘逢亮　吉林省广播电影电视局史志办公室
姚宝山　刘　扬　黑龙江省广播电视局史志办公室
杨　菊　上海市文化广播影视管理局党政办公室
谢春林　上海文化广播影视集团办公室
任　桐　江苏省广播电视局办公室
严义英　江苏省广播电视总台宣传管理部
严萍英　浙江省广播电视局宣传管理处
庄临安　浙江广播电视集团总编室
罗时金　安徽省广播电影电视局办公室
戴晓红　福建省广播电视局史志办公室
周晶星　江西省广播电视局总编室
周　军　山东省广播电视局新闻研究所
吕天恩　河南省广播电影电视局总编室
李利克　湖北省广播电视学会
丁高潮　湖南省广播电视协会
赵　平　广东省广播电影电视局宣传管理处
谢向东　广西壮族自治区广播电影电视局史志编辑室
文先和　海南省文化广电出版体育厅广播电视社会管理处
江卫宁　重庆市文化广播电视局宣传处
周　莉　重庆市广播电视总台总编室
丁时君　四川省广播电影电视局史志办公室
李治陶　四川广播电视集团《西部电视》杂志
李　讯　贵州省广播电视学会
段　瑛　戴美政　云南省广播电视局总编室、史志办公室
任友明　西藏自治区广播电影电视局宣传管理处
贾　丽　陕西省广播电影电视局总编室
郝　平　甘肃省广播电影电视局宣传管理处
刘恩龙　青海省广播电视局史志办公室
张　梅　宁夏回族自治区广播电影电视局安全播出管理处
王学英　新疆维吾尔自治区广播电影电视局办公室
唐　林　新疆生产建设兵团广播电视局广播电视处
张连荣　大连市广播电视局总编室
李迪斐　宁波市文化广播电视新闻出版局广播影视处
田苏晶　厦门市广播电视学会
汤兆仁　青岛市广播电视局办公室
胡红昱　深圳市广播电影电视局广播电视处

编辑说明

一、《中国广播电视年鉴》是全面反映中国广播电视事业基本情况和发展变化风貌，客观记述上一年度全国广播电视系统各方面新情况、新资料的大型年刊。本刊坚持实事求是的编辑方针，贯彻落实科学发展观和“贴近实际，贴近生活，贴近群众”的宣传原则，为广播电视从业人员、教学科研人员、决策管理人员以及社会各界了解和研究中国广播电视事业提供可靠信息。

二、本刊自1986年起，每年出版一卷。2008年版为第22卷。本卷共设20个栏目：1.特载、2.专辑、3.概况、4.节目设置与播出、5.新媒体传播、6.受众调查、7.科技开发与应用、8.产业发展、9.经验、10.学术研究与出版、11.评奖与表彰、12.机构与社团、13.人物、14.大事记、15.文件与法规、16.统计、17.香港澳门台湾的广播电视、18.对外交流与合作、19.附录、20.图片。

三、本刊2008年版主要发表2007年的资料，但在《特载》、《图片》等栏目中也收入了2008年初的有关资料。

四、有关广播电视宣传报道及事业建设的情况是本刊的主要内容，着重在以下各栏目中反映：

卷首插页——年度广播电视言论，年度广播电视数字，年度广播电视大事辑览。

《特载》——党和国家领导人、国家广电总局领导对广播电视的重要讲话，国家广电总局本年度的工作要点等。

《专辑》——年度重大宣传活动；年度重点会展情况。

《概况》——中央及地方广播电视宣传及事业建设等方面的情况综述。

《节目设置与播出》——广播电台、电视台频道频率介绍和优秀节目、栏目、剧目介绍。

《新媒体传播》——广播电视新媒体传播情况。

《受众调查》——广播电视收听收视调查及受众反馈情况分析。

《产业发展》——广播电视产业发展方面的进展情况。

《经验》——广播电视宣传改革、节目制作、经营管理等方面的经验选载。

《学术研究与出版》——反映广播电视学术研究与广播电视出版情况，有年度广播电视学术研究综述、论点摘编和书报刊辑览。

《评奖与表彰》——广播电视获奖作品目录、人事表彰和荣誉称号授予名单、科技奖项等。

《人物》——介绍广播电视系统的负责人员、先进工作者及具有正高级专业技术职称的人员。

《图片》——综合反映广播电视系统及行业年度各方面情况。

五、关于广播电视技术发展和广播电视各项指标统计的情况，主要在《概况》、《科技开发与应用》、《统计》等栏目中介绍。

六、香港、澳门特别行政区和台湾的广播电视情况，在《香港澳门台湾的广播电视》栏目中介绍。本刊所列全国性统计数据，均未包括香港、澳门和台湾地区。

七、本刊自2001年版起改为大16开本，自2003年版起配套出版电子版。

八、本刊发表的所有信息资料均由权威部门提供并经权威部门审定。

五月，我们告诉世界

——2008年版《中国广播电视年鉴》卷首语

本刊编辑部

公元2008年5月12日，历史必将铭记，这是发生在当今中国的震撼世界的一天。这一天，中国四川省汶川县发生8.0级大地震，随即在第一时间，中国政府展开了一场感天动地的大救援：一场中国式的集结，一场中国式的救援，一场中国式的涅槃，永远铭刻在2008年的五月间。

2008年五月，正是本卷《年鉴》最后统理稿件的时候。按年鉴出版惯例，有关广播电视媒体在这次抗震救灾中的表现，需要明年才能记载。但在这样一个五月，我们无法平抑内心的感伤与激动。此时此刻，中央电视台“抗震救灾，众志成城”的24小时不间断直播报道仍在继续，一幕幕可歌可泣的故事络绎不绝地映入我们的眼帘，冲击着我们的心扉。此时此刻，让我们单纯平静地回顾2007年的历史，似乎显得那么不合时宜。情之所至，我们愿意将这样一篇即时感受的文字放在卷首，并以此告慰所有被震魔夺去生命的同胞，缅怀那些被震魔蹂躏摧毁的秀美山川……

五月，我们告诉世界——中国以她的人民的生命安全为最高利益。大震发生后，山川变色，举国同悲！从最高领导人到普通士兵，人们心中只有一个信念：“救人，救人！”“千方百计进去，早一秒钟就可能救活一个人！”“不惜采取任何手段，不惜任何代价！”“只要有一线希望，就要尽百倍努力！”“不抛弃，不放弃！”拯救生命成为高于一切的目标，废墟之上的生命呐喊撼人心魄。十三亿中国人在同死神进行殊死的抗争，生命的奇迹一次又一次划亮夜空。气壮山河的生死营救，令世界动容。

灾难折射出人性的光芒，见证着社会的成长。5月19日，全国哀悼日。共和国的旗帜第一次为她的普通民众低垂。当警报响起、汽笛长鸣、亿万国人垂首而立的那一刻，泪水洗净了中国的天空，也洗净了人们的心灵。那一刻，全中国爆发出同一个悲壮而雄浑的声音：“汶川挺住！中国加油！”那一刻，中国人，从来没有像今天这样感到生命的尊严和神圣。那一刻，天地间有一种东西在冉冉升起，这就是亿万人心中共同的大爱：爱这个国家，爱这个民族，爱每一个普通的生命。那一刻，国人与国家产生强烈共鸣：国家以拥有这样百折不挠的人民而自豪，人民以拥有如此尊重生命、“以人为本”的国家而骄傲，人民热切希冀一个更强大的国家，并对此充满信心。那一刻，我们感觉到国家有一颗悲悯的心在与民众共鸣，我们感觉到社会在自觉担荷一种共同的记忆。愿这颗心永远属于中国，属于我们自己；愿这种记忆与世长存，并不断浇铸我们民族共同的信念；愿每一双泪眼在抬起之后，看见的是一片充满关爱的纯净透明的天空。

五月，我们告诉世界——灾难让我们汲取进步的力量。我们不会忘记，震后第一时间，温家宝总理即赶赴重灾区，亲自指挥救援，并泪洒救援现场！我们不会忘记，胡锦涛总书记在废墟前动情地振臂一呼：“任何困难也难不倒英雄的中国人民！”我们不会忘记，当大震来临、房倒屋塌之际，老师用自己的血肉之躯为学生打开生命之门！我们不会忘记，当余震发生、一位年轻的消防员被劝阻离开救援现场时跪地恳求：“让我再救一个，我还能再救一个！”我们不会忘记，一位年轻的母亲用身躯护住怀里的婴儿，在手机上留下遗言：“孩子，如果你有幸活下来，一定记住我爱你！”我们不会忘记，一架救援直升机在震中映秀为生而逝，英勇无畏的壮士们将自己的鲜血化作蓝天上绚丽的彩虹……五月的故事惊天地，泣鬼神；五月的中国感动着自己，也感动着世界。

忧患生民，多难兴邦。灾难不仅修复人性，重塑人性的光辉，更可以弥合分歧，增进社会的和谐。五月的日子里，震惊、焦急、悲伤带动着奋不顾身的救援、献血、捐款、捐物、做“志愿者”，亿万中国人众志成城，共克时艰，经历了一场“意识震撼”和“集体顿悟”：仿佛一夜之间，我们比以往任何时候都更加懂得痛惜，懂得反省；懂得纯洁，懂得珍爱；懂得呵护，懂得尊严；懂得慈悲，懂得亲密；懂得给予，懂得慷慨。我们也比以往任何时候都更加厌恶自私之卑下，贪欲之丑陋，冷漠之寡情，无为之无耻……

五月，在地震灾区，许多在这一特殊时刻出生的孩子取了一个共同的名字：震生。这是一个稚嫩生命迎接世界的特殊方式，这是灾区同胞对命运所做出的最质朴、最有血性的抗争，这是中国人与生俱有的坚韧品质和隐忍的力量。

五月，留给我们太多的感念和沉思；五月，我们铸造着崭新的“中国精神”！

愿这种崭新的“中国精神”从此在神州大地永驻；愿这种崭新的“中国精神”从此荡漾在中华民族伟大复兴的历史进程。

五月，我们告诉世界——中国媒体在抗震救灾中表现出前所未有的开放与透明，中国人以感受到前所未有的信息最大化而备受鼓舞，信心倍增。

震后不到20分钟，新华社和中央电视台相继向全世界发出中国四川发生大地震的消息；当晚，中央人民广播电台中国之声推出24小时不间断特别直播节目《汶川紧急救援》，中央电视台新闻频道启动24小时不间断特别直播节目《抗震救灾，众志成城》：空前的大直播，充分发挥了广播电视危急时刻独领风骚的魅力，创造了广播电视直播报道的多项第一；网络媒体发挥触角广泛、服务便捷的平民化特点，激情投入，凝聚人心……大灾大难面前，信息的公开、透明与快速，是展开救援的第一保障。随着成千上万记者涌入灾区，随着各种媒体空前的信息联动，灾情迅速明朗，为救援提供了及时、科学的依据。这是中国信息传播的历史性大突破，由此搭建了一个全国乃至世界瞩目的信息大平台：

这是一个关于大震灾情预警的平台；

这是一个国家高层获取震区情报、了解民意、提供决策参考的平台；

这是一个各地区、各部门掌握情报、组织救援的平台；

这是一个公众获取信息、表达意愿的平台；

这是一个媒体监督政府部门有关行动的平台；

这是一个全世界获取地震灾情、观察中国灾情处理情况的平台……

毫无疑问，中国媒体对汶川地震的倾力报道，在我国信息公开、透明的进程中具有里程碑式的意义。公开而透明的报道，是对人民的信任，是对公民知情权的尊重，更是对生命的尊重；公开而透明的报道，极大地凝聚起全国人民愈挫愈勇、自强不息的民族精神；公开而透明的报道，极大地激发起全国人民对遇难同胞的同情，对救援人员的感佩，对政府举国动员、全力以赴的高度赞扬和引以为傲；公开而透明的报道，为抗震救灾夺取胜利做出了巨大贡献，也为中国赢得了世界的尊重。

五月，我们告诉世界——华夏儿女比以往任何时候都更加热爱自己的祖国：

“假如我是一只鸟，
我也应该用嘶哑的喉咙歌唱：
这被暴风雨所打击着的土地，
这永远汹涌着我们的悲愤的河流，
这无止息地吹刮着的激怒的风，
和那来自林间的无比温柔的黎明……
——然后我死了，
连羽毛也腐烂在土地里面。

为什么我的眼里常含泪水？
因为我对这土地爱得深沉……”

（艾青《我爱这土地》）

中国广播电视年鉴（2008）

CHINA RADIO &TV YEARBOOK

简　目

CONTENTS

目　录

CONTENTS

1．特载

Important Notes

2．专辑

Compilation of Special Events

重大宣传活动

"两会"宣传报道

纪念香港回归十周年

纪念建军八十周年

重点节展

3．概况

Overview of Radio & TV

全国概况

4.节目设置与播出

Programming

5. 新媒体传播

New Media

6. 受众调查

Audience Survey

广播类

电视类

7. 科技开发与应用

Development & Application of Technology

8. 产业发展

Development of Radio & TV Industry

9. 经验

Experiences

10. 学术研究与出版

Academic Research & Publication

11.评奖与表彰
Awards

人事表彰

12. 机构与社团

Institutions & Associations

国家级广播电影电视机构

省、市(地)、县级广播电视机构

计划单列市广播电视机构

13. 人　物

Figures

中央人民广播电台

中国国际广播电台

14. 大事记

Memorabilia

15. 文件与法规

Documents & Statutes

16. 统计
Statistics

17. 香港澳门台湾的广播电视

Broadcasting in Hongkong ,Macao and Taiwan

18. 对外交流与合作

Exchange & Cooperation with Foreign Countries

19. 附录

Appendixes

索　引

新闻图片

彩色专页

1.特 载
Important Thesis

1. 特　载

责任编辑　曲宗生
审 稿 人　丁俊杰

国家主席胡锦涛发表2008年新年贺词
共同推进人类和平与发展的崇高事业

新年前夕，国家主席胡锦涛通过中国国际广播电台、中央人民广播电台、中央电视台，发表了题为《共同推进人类和平与发展的崇高事业》的新年贺词。全文如下：

新年的钟声即将敲响，2008年就要到来了。在这个充满希望的美好时刻，我很高兴通过中国国际广播电台、中央人民广播电台和中央电视台，向全国各族人民，向香港特别行政区同胞和澳门特别行政区同胞，向台湾同胞和海外侨胞，向世界各国的朋友们，致以新年的祝福！

2007年，世界发生了新变化，中国也取得了新进步。中国各族人民万众一心，继续推动全面建设小康社会进程。中国的综合国力进一步增强，人民生活进一步改善。中国人民加强同各国人民的交流合作，积极致力于国际热点问题的妥善解决，努力推动建设持久和平、共同繁荣的和谐世界。两个多月前，中国共产党召开了第十七次全国代表大会，描绘了在新的时代条件下继续全面建设小康社会、加快推进社会主义现代化的宏伟蓝图。中国各族人民正以自己的勤劳和智慧，为谱写美好生活新篇章进行着新的奋斗。

2008年，对中国人民来说，是十分重要的一年。我们将隆重纪念改革开放30周年。1978年开始的改革开放，是决定当代中国命运的关键抉择，使社会主义中国的面貌发生了历史性变化。我们将坚定不移地高举中国特色社会主义伟大旗帜，深入贯彻落实科学发展观，继续解放思想，坚持改革开放，发展社会主义市场经济，发展社会主义民主政治，发展社会主义先进文化，继续以改善民生为重点加强社会建设，努力使全体人民学有所教、劳有所得、病有所医、老有所养、住有所居，促进社会和谐。我们将坚持“一国两制”、“港人治港”、“澳人治澳”、高度自治的方针，同广大香港同胞、澳门同胞一道，共同维护香港、澳门长期繁荣稳定。我们将坚持“和平统一、一国两制”的基本方针，牢牢把握两岸关系和平发展的主题，始终不渝地为两岸同胞谋福祉、为台海地区谋和平，坚决维护国家主权和领土完整。

当前，国际形势总体上保持稳定，同时全球经济失衡加剧，国际安全形势更加复杂，人类面临诸多难题和挑战。共同分享发展机遇，共同应对各种挑战，推进人类和平与发展的崇高事业，是各国人民的共同愿望。借此机会，我愿重申，中国将高举和平、发展、合作旗帜，始终不渝走和平发展道路，始终不渝实施互利共赢的开放战略，继续致力于推进国际关系民主化，推动经济全球化朝着均衡、普惠、共赢方向发展，促进人类文明交流互鉴，呵护人类赖以生存的地球家园，维护世界和平稳定。

此时此刻，我们深深挂念世界各地身受战火、贫困、疾病、灾害煎熬的人们。中国人民深切同情他们的遭遇，愿尽己所能帮助他们早日摆脱困境。我们衷心希望各国人民自由、平等、和谐、幸福地生活在同一个蓝天之下，共享人类和平与发展的成果。

2008年奥运会和残奥会将在北京举办。我们将以最大的热情、尽最大的努力，让这届奥运会和残奥会成为增进中国人民同世界各国人民相互了解和友好合作的盛会。我们热忱欢迎各国体育健儿来中国参加奥运会和残奥会，也热忱欢迎各国朋友来中国观看奥运会和残奥会。

最后，我从北京祝大家在新的一年里幸福安康！

（据2008年1月1日《人民日报》）

胡锦涛同全国宣传思想工作会议代表座谈并发表讲话

中共中央总书记、国家主席、中央军委主席胡锦涛2008年1月22日上午在北京同全国宣传思想工作会议代表座谈。他强调，要牢牢掌握宣传思想工作的领导权和主动权，高举伟大旗帜，唱响奋进凯歌，振奋民族精神，服务人民大众，以更深刻的认识、更开阔的思路、更有效的政策、更得力的措施，着力建设社会主义核心价值体系，着力巩固壮大主流思想舆论，着力推进改革创新，推动社会主义文化大发展大繁荣，提高国家文化软实力，为继续解放思想、坚持改革开放、推动科学发展、促进社会和谐营造良好氛围，为夺取全面建设小康社会新胜利、开创中国特色社会主义事业新局面提供强大思想文化保证。

中共中央政治局常委李长春主持座谈会。中共中央政治局常委、中央书记处书记习近平出席。

胡锦涛在讲话中指出，党的十六大以来，中央在聚精会神搞建设、一心一意谋发展的同时，高度重视宣传思想工作，制定了一系列方针政策，作出了一系列重大部署。宣传思想战线认真贯彻中央精神，各项工作在整体推进中实现重点突破、在改革创新中焕发新的活力，宣传思想工作保持了积极健康、蓬勃向上的良好态势。

胡锦涛强调，党的十七大站在继续解放思想、坚持改革开放、推动科学发展、促进社会和谐的战略高度，从全面建设小康社会对文化建设的新要求和各族人民对文化工作的新期待出发，强调要更加自觉、更加主动地推动社会主义文化大发展大繁荣，兴起社会主义文化建设新高潮，提高国家文化软实力，使人民基本文化权益得到更好保障，使社会文化生活更加丰富多彩，使人民精神风貌更加昂扬向上。这充分反映了我们党对当今国际国内发展大势和我国文化建设地位的准确把握，也对宣传思想工作提出了新的更高要求。

胡锦涛指出，我们要科学分析国际国内形势，准确把握党和国家工作大局，全面审视面临的机遇和挑战，充分认识做好新形势下宣传思想工作的重大意义。宣传思想工作是党和国家工作的重要组成部分，在中国特色社会主义事业全局中具有重要地位，发挥着不可替代的作用。实现党的十七大描绘的宏伟蓝图，宣传思想工作担负着统一思想、凝聚力量的重大任务，担负着推动社会主义文化大发展大繁荣、兴起社会主义文化建设新高潮的重大使命。

胡锦涛强调，做好当前和今后一个时期的宣传思想工作，在新的历史起点上开创宣传思想工作新局面，要坚持高举旗帜、围绕大局、服务人民、改革创新。高举旗帜，就是要把深入学习宣传贯彻党的十七大精神作为首要政治任务，高举中国特色社会主义伟大旗帜，坚持以邓小平理论和"三个代表"重要思想为指导，深入贯彻落实科学发展观，把坚持马克思主义基本原理同推进马克思主义中国化结合起来，用党的理论创新成果武装头脑、指导实践、推动工作，巩固马克思主义在意识形态领域的指导地位。围绕大局，就是要认真贯彻中央的决策部署，紧紧围绕经济建设这个中心，坚持正确导向，把社会效益放在首位，一手抓繁荣、一手抓管理，大力倡导一切有利于国家富强、民族振兴、人民幸福、社会和谐的思想和精神，着力推动科学发展、促进社会和谐，为改革开放和社会主义现代化建设提供有力的思想保证、营造良好舆论氛围。服务人民，就是要坚持以人为本，贴近实际、贴近生活、贴近群众，充分发挥人民主体作用，把人民是否满意作为根本标准，尊重差异、包容多样，努力满足人民多层次、多方面、多样化的精神文化需要，让人民共享文化发展成果，促进人的全面发展。改革创新，就是要用时代要求审视宣传思想工作，以改革精神推动宣传思想工作，积极创新内容形式、方法手段、体制机制，增强吸引力和感染力，努力做到体现时代性、把握规律性、富于创造性。

胡锦涛指出，要高举中国特色社会主义伟大旗帜，进一步巩固全党全国各族人民团结奋斗的共同思想基础；推进社会主义核心价值体系建设，进一步增强全民族团结和谐、奋发向上的精神力量；提高舆论引导能力，进一步为改革发展稳定营造良好氛围；加强思想道德建设，进一步培育文明风尚；建设公共文化服务体系，进一步保障人民基本文化权益；深化文化体制改革，进一步提高文化发展活力；做好对外宣传工作，进一步展示和提升国家良好形象。

胡锦涛强调，只有把握时代脉搏、反映时代精神、贴近现实生活、引领人民思想的文化，才能始终赢得人民，才能始终成为社会进步的先导。要立足中国特色社会主义伟大实践，从波澜壮阔的现实生活中汲取养分，准确把握人民精神文化需要的新变化，深入把握新形势下宣传思想工作的特点和规律，改进宣传思想工作的领导方式、组织方式、工作方式、管理方式，形成鼓励创新创造的法制保障、政策体系、激励机制，充分运用先进技术手段丰富文化的生产方式和表现形式，极大丰富文化品种、样式、载体、风格，让一切创造活力竞相迸发，让一切创新才华充分施展，让一切创新成果得到尊重，努力使精神文化产品和社会文化生活更加丰富多彩。

胡锦涛指出，坚持物质文明和精神文明两手抓、两手都要硬，是中国特色社会主义的显著特征。高度重视宣传思想工作，是党在长期革命、建设、改革实践中形成的优良传统，也是中国特色社会主义的一大优势。各级党委要按照中央要求，加强和改善对宣传思想工作的领导，全面做好宣传思想工作。要加强对宣传思想文化领域全局性、前瞻性、战略性问题的研究，大力弘扬求真务实精神，把长远目标与阶段性任务结合起来，把原则要求与具体措施结合起来，加强督促检查，狠抓工作落实，确保宣传思想工作扎实推进、富有成效。

(据2008年1月23日《人民日报》)

全国广播影视局长会议在北京召开

2008年1月27日至28日，国家广播电影电视总局在北京召开2008年全国广播影视局长会议，学习贯彻党的十七大和全国宣传思想工作会议精神，总结2007年工作，研究部署2008年工作。王太华、赵实、张海涛、胡占凡、雷元亮、田进、王莉莉、赵化勇、王庚年、王求同志出席了会议。王太华代表总局党组作了工作报告，赵实作了总结讲话，胡占凡传达了全国宣传思想工作会议精神。

会议认为，党的十六大以来，广播影视系统高举邓小平理论和"三个代表"重要思想伟大旗帜，贯彻落实科学发展观，按照中央关于实施国家"十一五"时期文化发展规划纲要、深化文化体制改革等一系列重要部署，围绕中心、服务大局，面向基层、服务群众，牢牢把握正确导向，充分发挥广播影视引导社会、教育人民、促进发展的作用，坚持继承、改革、创新，坚持求实、务实、落实，以宣传为中心，各项工作都取得显著成绩，为全面建设小康社会、构建社会主义和谐社会提供了强大的思想保证和精神动力，营造了良好的舆论氛围。2007年，各级广播影视部门以迎接、宣传、贯彻党的十七大为主题，舆论导向正确、引导水平提高，安全播出迈上新台阶，影视内容生产繁荣发展，农村广播影视重点工程扎实推进，数字化进程加快，改革进一步深化，“走出去”迈出新步伐，管理力度加大、水平提高，队伍建设进一步加强，各项工作在巩固中发展，在规范中提高，在创新中进步，保持了良好的发展态势。

王太华指出，当前和今后一个时期，广播影视系统要把深入学习宣传贯彻党的十七大精神和全国宣传思想工作会议精神作为首要的政治任务，坚定不移地高举中国特色社会主义伟大旗帜，以邓小平理论和“三个代表”重要思想为指导，深入贯彻落实科学发展观，更加自觉、更加主动地推动广播影视大发展大繁荣。要紧密结合广播影视实际，切实做到六个“始终坚持”：始终坚持用科学发展观指导大发展大繁荣；始终坚持用社会主义核心价值体系引领大发展大繁荣；始终坚持以科技进步推动大发展大繁荣；始终坚持以改革创新促进大发展大繁荣；始终坚持以科学依法、综合有效的管理保障大发展大繁荣；始终坚持以队伍建设支撑大发展大繁荣。

王太华在讲话中明确了2008年工作的总体要求：“高举旗帜，围绕大局，服务人民，改革创新。”要以学习、宣传、贯彻十七大和全国宣传思想工作会议精神为主线，围绕兴起社会主义文化建设新高潮的战略任务，大力推进广播影视内容形式、体制机制、传播手段创新，牢牢把握正确舆论导向，确保安全播出，切实加强管理，大力繁荣创作，加快事业产业发展，更好地满足人民群众日益增长的精神文化需求，为全面建设小康社会营造良好的舆论氛围。

王太华强调，2008年要着力做好十一个方面的重点工作：一要以十七大精神宣传为主线，认真做好各项宣传工作。按照中央的部署和要求，把党的十七大精神的宣传不断引向深入。精心组织好纪念改革开放30周年和北京奥运会、残奥会等重大宣传报道活动。二要进一步加强安全播出工作。三要统筹传统媒体、新媒体发展，大力加强阵地建设。要正确处理传统媒体和新媒体的关系，电台电视台要成为广播影视发展新媒体的主力军。同时要切实加强对新媒体的管理，积极探索发展新媒体的有效途径。四要以重点工程为载体，加快构建农村广播影视公共服务体系。继续着力抓好村村通工程、农村电影放映工程、西新工程等重点工程。五要以内容产业为重点，促进广播影视产业大发展。紧紧围绕提高市场竞争力，加快繁荣国产电影。按照稳定数量、提高质量的要求，促进电视剧持续健康发展。坚持鼓励原创、综合开发，加速影视动画产业升级。六要以数字化为龙头，加快科技创新步伐。继续加快大中城市有线电视数字化，加快电台电视台数字化网络化发展，加快无线广播电视数字化，加快电影数字化发展。七要解放思想、转变观念，积极稳妥推进改革。八要加快“走出去”步伐。着眼于提升国家文化软实力，完善规划、突出重点、创新方式、提高实效，进一步推进广播影视节目的海外落地，进一步扩大电影电视剧和影视动画等重点文化产品的出口，进一步加强对外合作交流。九要认真履行职责，切实加强和改进管理。强化节目和宣传管理、播出机构和影视制作机构管理，积极研究探索建立违规退出机制。同时要加强法制建设，要充分运用高新技术改进和创新管理。十要切实加强反腐倡廉建设和行风建设，加强各项监督检查工作，以职业道德建设为重点扎实推进行风建设，以健全惩治和预防腐败体系为重点加强反腐倡廉建设。十一要坚持以人为本，切实加强人才队伍建设。

会议期间，还召开了2008年全国广播影视系统“双先”暨十七大安全播出表彰会议。王太华作讲话，人事部副部长杨士秋宣读“双先”表彰决定，张海涛宣读十七大安全播出表彰决定，雷元亮主持会议。4名先进集体、先进个人代表发了言。王太华在讲话中指出，这次表彰的先进集体和先进个人立足本职工作，为广播影视作出了突出贡献。他们的思想和行动，体现了中华民族的优良传统，反映了改革创新的时代精神，是我们宝贵的精神财富。他们不愧为广播影视系统的时代先锋、行业典范和广大干部职工的楷模。全国广大广播影视工作者，要努力形成向先进学习的热潮，学习他们忠于党、忠于人民的政治信念，学习他们锐意进取、开拓创新的时代精神，学习他们爱岗敬业、无私奉献的崇高品质，学习他们求真务实、严于律己的优良作风。以更加坚定的信心和高涨的热情，投身到推动广播影视大发展大繁荣的伟大事业中去。

赵实最后作了总结讲话。赵实强调，全系统要用党的创新理论统一思想、凝聚力量、指导实践、推动工作。要加大力度，加快发展，在服务大局、服务人民中把握工作重点。要转变作风，深入实践，以改革创新和求真务实的精神狠抓工作落实。各地各部门要抓紧组织传达贯彻这次会议精神，并及时向地方党委政府做好汇报，努力争取地方党委政府领导的重视和支持。要抓紧做好动员部署，确保今年各项工作的如期完成。

各省（区、市）广电局和新疆生产建设兵团广电局、计划单列市广电局主要负责同志，总局机关各司局、直属各单位主要负责同志，以及广播影视系统“双先”代表和十七大安全播出代表出席了会议。各省（市）广电集团（总台）主要负责同志和中组部、中宣部、国家发改委、教育部、国务院法制办等单位有关负责同志参加了会议。

（国家广电总局办公厅）

王太华在全国广播影视局长会议上的讲话

(2008年1月27日)

一、2007年广播影视工作取得显著成绩

2007年，各级广播影视部门以迎接、宣传、贯彻党的十七大为主题，把握正确舆论导向，确保安全播出，依法加强管理，加快事业产业发展，各项工作在巩固中发展，在规范中提高，在创新中进步，保持了良好的发展态势。

1.舆论导向正确、引导水平提高。一是按照中央部署，把十七大宣传作为重中之重，精心组织，全力以赴，统筹广播电视电影及网络、中央台和地方台、对内和对外宣传，圆满完成各项宣传任务。二是扎实做好“落实科学发展观”、“构建和谐社会”等重大主题宣传和“两会”、香港回归10周年、建军80周年、“中俄国家年”、内蒙古自治区成立60周年、“嫦娥一号”发射升空等重要活动的宣传。三是认真贯彻“三贴近”原则，改进宣传内容、形式和方式方法，更加注重反映基层的实践和生活，新闻信息量进一步增加，针对性、时效性进一步增强。电台电视台等主流媒体积极发展网络广播影视等新媒体，占领新阵地，影响越来越大。

2.安全播出迈上新台阶。紧紧围绕确保党的十七大的安全播出，按照中央部署，加强与中央相关部门合作，争取地方党委政府支持，充分发挥系统优势和基层的主动性、创造性，突出抓好转星调整工作，圆满完成所有节目转星、地球站上行并发和两千多万个卫星接收设施的调整，从技术上解决了卫星节目安全传输问题。同时，全面加强安全播出制度、设施和技术手段建设，完善监测和调度指挥系统，加强有线、无线防范和重点单位、设施的安全保卫，打击破坏广播电视设施行为，有效保证了各项安全播出任务的完成。由此，我国广播电视安全播出技术保障更加有力，防范能力明显提高，安全播出水平迈上了新台阶。

3.影视内容生产繁荣发展。坚持正确创作方向，加强创作题材引导和备案公示、市场准入、播映调控及引进管理，落实资金奖励等各项扶持政策，影视内容生产进一步繁荣发展。电影年产量超过400部，票房超过33亿元，综合收入超过67亿元，《集结号》等主旋律影片叫好、又叫座。电视剧产量超过14000集，涌现出《恰同学少年》等一大批优秀作品。影视动画保持强劲增长，年产量突破10万分钟，《福娃奥运漫游记》等国产原创动画竞争力明显提高。《复兴之路》、《香港十年》等理论文献片取得良好效果。各级电台电视台制作播出一大批优秀专题、综艺、社教类节目，丰富了人民群众的精神生活。

4.农村广播影视重点工程扎实推进。强力推进村村通工程。重点加强农村中央广播电视节目无线覆盖工程建设，完成4200多部发射机及相关配套设备的招标采购，开播886部发射机，覆盖质量明显改善。各地也扎实推进本地区无线覆盖工程建设。同时，组织建设村村通直播卫星节目上行平台，指导协调专用直播卫星接收机的批量生产，为20户以上自然村“盲村”建设做好了准备。

农村电影放映工程进入新阶段。认真贯彻国办《关于做好农村电影工作的意见》，工作思路更加明确，政策举措更加有力。全年中央资助数字放映设备2000多套，中央财政提供公益性放映场次补贴2亿元。全国组建股份制农村数字电影院线公司22家，数字电影放映点达5000多个。全年农村共放电影460多万场，观众15亿人次，超额完成年度任务。

西新工程前三期中央财政投入超过100亿元，新建、扩建各类发射台站近千座，更新改造发射机2600多部，西藏、新疆等边远少数民族地区广播影视覆盖明显扩大，实验和监测能力大大加强，少数民族语言节目译制和制作水平提高。西新工程第四期第一阶段建设已经启动。

5.数字化进程加快。一是城市有线电视网络加快由小容量单向传输向大容量双向交互转变，30个城市完成数字化整体转换，有线数字电视用户超过2600万。广西、陕西、江西、吉林等完成全省区网络整合，中国有线完成海南重组。二是无线广播电视数字化扎实推进。颁布了移动广播电视行业标准，完成37个大中城市频率规划并在8个城市试验播出。研制了地面数字电视国家标准的相关配套标准。三是电台电视台数字化、网络化水平进一步提高。四是电影数字化取得重要进展，数字放映技术标准体系初步确立，中影集团国家电影数字制作基地建设扎实推进，数字电影技术平台发挥作用，完成影片胶转数500多部，城市数字电影银幕达200块。同时，手机电视等新媒体业务进一步发展，“移动广播电视系统研究开发与规模技术试验”等被列为国家“十一五”科技支撑计划重点项目。

6.改革进一步深化。一是电台电视台等事业单位内部机制改革特别是“三项制度”改革不断深化，频道频率专业化品牌化建设切实加强，制播分离稳妥推进。二是围绕培育市场主体、完善市场体系，积极推进产业体制改革。上影集团和广西电影制片厂等基本完成转企改制，民营影视制作企业活力增强，电影院线制改革进一步深化，各类影视产业基地发展步伐加快。中影集团、陕西广电网络等在利用资本市场方面进行了积极探索。三是引导和规范播出机构改革，积极推进县对乡广播电视垂直管理。

7.“走出去”迈出新步伐。一是大力推动广播电视节目海外落地。长城平台覆盖扩大。中央电视台法语和西班牙语频道独立播出，中文国际频道亚洲、欧洲和美洲分版播出，海外用户总数达8400万。中国国际广播电台新建8座境外整频率电台，在肯尼亚、日本等建立国际广播孔子课堂。新疆、西藏、内蒙古、云南、广西等省区积极扩大节目在周边国家落地。东南工程扎实推进，第一期任务基本完成。二是积极扩大影视产品和服务出口。电影海外销售额超过20亿元，电视节目海外销售和国产影视动画出口都有新突破。三是切实加强国际交流合作。积极参与俄罗斯“中国年”、“中日文化体育交流年”等活动和国际重要广播影视节展，加强与亚广联、亚太广播发展机构的交流与合作。

8.管理力度加大、水平提高。一是切实加强宣传管理。重点开展抵制低俗之风行动，集中治理娱乐类、购物类和涉性节目特别是选秀节目，有力遏制了低俗之风。配合全国整治虚假违法广告专项行动，强化广告播放监管，受到普遍欢迎。境外节目引进播出管理得到加强。二是切实加强对播出机构和频道频率的管理。结合换发核发许可证，全面检查地级以上播出机构运行情况，严肃查处擅自开办频道频率和非法无线发射等违规行为。三是认真开展境外卫星电视传播秩序专项整治，在案件查处、建立长效机制等方面取得明显成效。四是切实加强新媒体新业务管理。认真贯彻中央《关于加强网络文化建设和管理的意见》，明确任务分工和工作措施，加快监管体系建设，重点查处了一批非法网络电视台和网络色情淫秽、暴力、盗版节目。与信息产业部联合出台了《互联网视听节目服务管理规定》。五是立法、普法和法律咨询服务等法制建设切实加强。新闻发布、政府网站、行业统计等工作扎实推进。

9.队伍建设进一步加强。认真学习贯彻党的十七大精神，巩固先进性教育成果。切实加强领导班子建设、队伍作风建设，深化三项学习教育活动，突出加强了职业道德教育。扎实推进党风廉政建设和反腐败工作，严肃查处违纪案件，有效开展巡视工作。编制实施《广播影视“十一五”人才规划》。举办各类培训班38期，培训3200余人次。会同人事部制定实施《关于广播影视事业单位岗位设置管理的指导意见》。规范开展广播影视从业人员资格考试和执业资格注册工作。认真开展全国广播影视系统先进集体和先进个人评选表彰活动，举办全系统“激情·奉献”先进事迹报告会。精神文明建设、工会、离退休干部、后勤服务和对口帮扶等工作切实加强。

在肯定成绩的同时，也要清醒看到，我们的工作还存在一些薄弱环节和问题。主要是：从思想认识、体制机制、政策措施等方面推动“三贴近”原则的深入贯彻不够，“三性”统一的精品佳作偏少；改革有待深化，制约发展的体制机制性障碍尚未消除，还面临一些深层次的矛盾和问题；少数部门和人员不能正确处理社会效益和经济效益的关系，逐利违规现象时有发生；管理有待加强，不想管、不会管、不去管的现象依然存在，特别是新媒体管理需要进一步探索加强；科技运用和创新不够，积极主动利用高新技术提升传统媒体、发展新媒体有待加强；队伍素质仍待提高，人才特别是复合型、专业拔尖人才还比较缺乏，等等。这些，都必须引起高度重视，并在今后工作中切实逐步加以解决。

二、认真学习贯彻党的十七大和全国宣传思想工作会议精神，更加自觉主动地推动广播影视大发展大繁荣

党的十七大是我们党历史上一次十分重要的会议。十七大报告是在新的历史起点上推动中国特色社会主义事业不断向前发展的纲领性文件。全国宣传思想工作会议是贯彻十七大精神的重要举措，为做好新形势下的宣传思想工作，推动社会主义文化大发展大繁荣指明了前进方向，提出了明确要求，作出了重大部署。深入学习宣传贯彻党的十七大精神、全国宣传思想工作会议精神，是广播影视系统当前和今后一个时期的首要政治任务。

胡锦涛总书记在党的十七大和全国宣传思想工作会议上，都突出强调了加强宣传思想工作和文化建设、提高国家文化软实力的极端重要性，鲜明提出了要兴起社会主义文化建设新高潮、推动社会主义文化大发展大繁荣。长春同志、云山同志也都作了深刻阐述、重要部署，并提出了明确要求。广播影视是党的宣传文化事业的重要组成部分。贯彻落实党的十七大和全国宣传思想工作会议精神，最根本的就是要高举中国特色社会主义伟大旗帜，以邓小平理论和“三个代表”重要思想为指导，深入贯彻落实科学发展观，更加自觉、更加主动地推动广播影视大发展大繁荣。

推动广播影视大发展大繁荣，机遇前所未有，挑战也前所未有，但总的是机遇大于挑战。党的十七大在新的历史起点上，对文化建设提出了一系列重大创新理论观点、重大战略思想、重大工作部署，广播影视前进方向更加明确，政治保证更加有力。这是广播影视面临的最大机遇、最有利条件。我国正处在历史上最好的发展时期，综合国力显著增强，社会主义市场经济体制进一步完善，人民生活水平不断提高、精神文化需求日益增长，科技创新步伐加快，广播影视发展的活力不断增强，空间不断扩大。经过多年的建设，广播影视无论是节目制作还是传输覆盖，都已取得长足发展，在探索中国特色广播影视发展道路方面积累了有益经验，特别是广大干部职工谋发展、思进取、求真务实的风气日渐浓厚，工作基础更加扎实，工作氛围更加有利，广播影视发展繁荣的基础更加坚实。同时，我们也要清醒看到，当今世界，综合国力、文化软实力竞争日趋激烈，广播影视既要应对日益复杂的国际意识形态领域斗争，抵制西方敌对势力实施西化、分化的图谋，维护国家文化安全，又要应对国际传媒特别是跨国传媒与我争夺市场、争夺阵地的激烈竞争。我国正处在改革发展的关键时期，经济社会深刻变革、加速转型，社会思想意识日益多元、多变，人民群众的精神文化需求日益多样化、多层次，广播影视既要以社会主义核心价值体系引领社会思潮，又要求同存异、包容多样，既要加快公共服务体系建设、保障人民群众的基本文化权益，又要大力发展产业，满足人民群众多样化、个性化的精神文化需求，任务十分繁重。广播影视自身还面临不少深层次的矛盾和问题。特别是如何通过改革创新把精神文明建设规律和社会主义市场经济规律结合起来，如何运用高新技术拓展新领域、占领新阵地、不断发展壮大自己，如何适应相关行业竞争日趋激烈、新媒体新业态层出不穷的新形势，进一步巩固和发展广播影视舆论宣传主力军地位，任务还十分紧迫。

抓住机遇，应对挑战，推动广播影视大发展大繁荣，必须紧密结合广播影视实际，认真贯彻十七大和全国宣传思想工作会议精神，切实做到六个“始终坚持”：

始终坚持以科学发展观指导大发展大繁荣。科学发展观是马克思主义关于发展的世界观和方法论的集中体现，是我国经济社会发展的重要指导方针，是发展中国特色社会主义必须坚持和贯彻的重大战略思想。我们必须深刻认识科学发展观的科学内涵、精神实质和根本要求，用科学发展观总揽广播影视工作全局。要进一步深化对广播影视性质地位作用的认识，明确广播影视发展的方向、思路、目标和动力。要始终坚持把发展作为第一要务，主动转变发展方式，努力实现又好又快发展。要加强统筹，特别是统筹城乡发展，把农村作为事业发展的重中之重，加快构建农村广播影视公共服务体系。要始终坚持以人为本，真正做到大众传媒为大众，发展为了人民，发展成果由人民共享，不断满足广大人民群众日益增长的精神文化需求。

始终坚持以社会主义核心价值体系引领大发展大繁荣。社会主义核心价值体系，是我们党在思想文化建设上的重大理论创新，是中国特色社会主义理论体系的重要组成部分。建设社会主义核心价值体系是贯穿中国特色社会主义建设全过程的重大战略任务。坚持用社会主义核心价值体系引领广播影视大发展大繁荣，首先要坚持正确的政治方向，牢牢把握正确舆论导向，这是广播影视最大的政治、最硬的道理、最根本的任务。要把社会主义核心价值体系贯穿到各项工作之中，广泛深入、生动活泼、持续永恒地开展宣传，使之融入生活、走进群众，为人民群众理解、认同并自觉实践，进而以社会主义核心价值体系引领、包容多元多样多变的社会意识。实现这一点，最根本的是要深入贯彻“三贴近”原则。必须从广播影视宣传的内容形式、方法手段入手，采取更为有力的政策措施，加快建立完善相应的体制机制，真正把“三贴近”落到实处。

始终坚持以科技进步推动大发展大繁荣。广播影视是科技进步的产物，科学技术是广播影视发展的强大动力。随着科技进步的加速，广播影视技术基础深刻变革，业务形态深刻变化，体制机制深刻调整，文化环境深刻变迁，已进入发展变革的关键时期。越是在技术变革时期，我们越要从全局的、战略的高度，加强规划，完善政策，不断提高科学技术的研究、开发和运用水平，加快构建传输快捷、覆盖广泛的广播影视传播体系。重点是要以数字化为龙头，充分利用高新技术改造提升传统媒体，发展新媒体新阵地，不断提高传输覆盖、安全播出水平，不断创新管理手段，推动广播影视实现跨越式发展。

始终坚持以改革创新促进大发展大繁荣。改革创新是民族进步的灵魂，是事业发展的不竭动力。广播影视是最需要改革创新的领域，改革创新是广播影视繁荣发展的强大动力和必由之路。我国广播影视是党和人民的喉舌，既有鲜明的意识形态属性，同时又有产业属性。在社会主义市场经济条件下推动广播影视繁荣发展，既要遵循社会主义文化发展规律，也要遵循社会主义市场经济规律。要善于通过改革创新找到社会主义市场经济规律和社会主义文化发展规律的结合点，找到社会效益和经济效益的结合点，进而找准改革发展的用力方向和着力点。要站在时代的高起点，解放思想，深化改革，大力推动体制机制、内容形式、传播手段创新，解放和发展广播影视生产力。要坚持一手抓公益性事业，一手抓经营性产业，促进事业产业协调发展、共同繁荣。

始终坚持以科学依法、综合有效的管理保障大发展大繁荣。管理是永恒的主题。改革越深化、科技越进步、事业产业越发展，管理越重要。要坚持以管理促改革、促发展、促繁荣、保安全。要更新管理理念，改进方式方法，创新体制机制，综合运用经济、行政、法律和科技等多种手段，不断提高管理水平，努力实现科学管理、依法管理、综合管理。要按照建设服务型政府的要求，把加强管理和搞好服务紧密结合起来，努力做到在服务中实施管理，在管理中提高服务水平。

始终坚持以队伍建设支撑大发展大繁荣。事业成败，关键在党，关键在人。广播影视是知识密集型、技术密集型行业，人才队伍建设尤为重要。人才工作始终是广播影视基础性、战略性、决定性工作，必须始终坚持人才资源是第一资源、事事依靠人才、人人可以成才的观念。要紧紧抓住培养、吸引、用好人才三个环节，创新体制机制，扩大人才总量，提高人才素质，优化人才结构，努力造就一支政治硬、素质高、纪律严、作风实、结构优的宏大队伍，为广播影视发展繁荣提供有力的人才保证和智力支持。

三、扎实做好2008年各项工作

做好今年的工作，对于贯彻落实党的十七大和全国宣传思想工作会议精神，推动广播影视大发展大繁荣，意义十分重大。今年工作的总体要求是：“高举旗帜，围绕大局，服务人民，改革创新。”要以学习、宣传、贯彻十七大和全国宣传思想工作会议精神为主线，围绕兴起社会主义文化建设新高潮的战略任务，大力推进广播影视内容形式、体制机制、传播手段创新，牢牢把握正确舆论导向，确保安全播出，切实加强管理，大力繁荣创作，加快事业产业发展，更好地满足人民群众日益增长的精神文化需求，为全面建设小康社会营造良好的舆论氛围。

1.以十七大精神宣传为主线，认真做好各项宣传工作。要紧紧围绕党和国家工作大局，大力宣传科学发展观，大力宣传社会主义核心价值体系，深入贯彻“三贴近”原则，全力做好各项宣传工作。

一要深入做好党的十七大精神的宣传报道。要按照中央部署，全面准确地宣传党的十七大的历史任务和重大意义，宣传党的十七大提出的重大理论观点、重大战略思想、重大工作部署，及时报道各地各部门贯彻落实十七大精神的新思路新举措，充分展示各条战线取得的新进展新成效。要继续组织好“高举旗帜科学发展”大型主题宣传，办好相关节目栏目，形成多层次、多角度的宣传声势，把宣传党的十七大精神不断引向深入。

二要精心组织好纪念改革开放30周年和北京奥运会、残奥会等重大宣传报道活动。要按照中央统一安排，制定好改革开放30周年纪念活动报道方案，努力在展示辉煌成就、突出思想教育上下工夫，深入宣传改革开放的伟大历史进程和宝贵经验，展示改革开放以来中国共产党人波澜壮阔的创新实践和伟大成就，进而更加自觉、更加坚定地坚持改革开放。要精心组织，加强协调，中央台和地方台互相支持、形成合力，确保完成好奥运会、残奥会各项宣传报道任务，特别是重点做好奥运会开幕式闭幕式、重大赛事的现场直播和转播，宣传奥运精神，展示人民风采，增强中华民族凝聚力，树立我国良好的国际形象。要认真组织好“两会”报道，做好宁夏回族自治区、广西壮族自治区成立50周年，海南经济特区建立20周年，纪念刘少奇同志、周恩来同志诞辰110周年和井冈山会师80周年等重大活动的宣传报道。同时，要加强和改进舆论监督，积极主动做好热点问题的舆论引导。

2.进一步加强安全播出工作。安全播出是广播电视的生命。要认真总结安全播出工作特别是确保党的十七大安全播出的宝贵经验，推进安全播出工作由重点防范向安全运行转变，在巩固已有安全播出成果的基础上，进一步加强思想建设、队伍建设、设施建设、制度建设，严肃纪律，严格管理，完善监测体系和应急调度指挥系统，加快构建广播电视安全运行保障体系，确保广播电视节目在任何时间、任何情况下的安全传输和播出。今年重大宣传任务多，特别是奥运会现场直播任务多、涉及面广，必须提前谋划，综合考虑各种可能出现的情况，扎实做好各种应急预案，严格执行现场直播规章制度，确保反应快捷、处置及时、万无一失。

3.统筹传统媒体、新媒体发展，大力加强阵地建设。宣传是广播电视的中心工作，阵地建设是搞好宣传的基础和前提。要在壮大传统媒体的同时，按照“加快发展、主动占领、兴利除弊、加强管理”的要求，加快传播手段创新，把新媒体、新阵地建设好、发展好。

第一，要正确处理传统媒体和新媒体的关系。以网络技术为代表的新媒体发展使宣传思想文化工作的领域大大延伸，为传统媒体的发展既带来新的机遇，也带来前所未有的挑战。传统媒体必须抓住新技术快速发展的有利时机，充分发挥自身优势，积极主动地发展新媒体、抢占新阵地，利用新媒体提升传统媒体，不断延伸拓展发展空间，增强发展活力，占领信息传播制高点。同时，新媒体的发展也要以传统媒体为依托，结合自身特点，充分利用传统媒体长期积累的内容、品牌、人才和资金等方面的优势，加快发展速度，壮大自身实力。传统媒体与新媒体是相互依赖、相互促进、共同发展、共同提高，并最终走向融合的关系。我们要抓住新技术革命的机遇，积极统筹传统媒体和新媒体发展，牢牢把握未来发展的主动权。

第二，电台电视台要成为广播影视发展新媒体的主力军。新媒体，无论利用何种传输网络，无论技术如何变革，无论业务形态如何更新，都具备媒体的性质和功能，都必须坚持以我为主、为我所用。刚刚出台的《互联网视听节目服务管理规定》明确规定，从事互联网视听节目服务的，必须是国有独资和国有控股单位。对此，我们必须从党管媒体、加强阵地建设的高度，认真贯彻落实。电台电视台要切实把新媒体建设纳入发展规划，充分发挥自身优势，加快发展新媒体。中央三台要依托央视国际、国际在线、中国广播网，坚持走多媒体综合集成的发展道路，不断扩大辐射力和影响力。总局将在规划布局、资格准入、资源配置等各方面向电台电视台等主流媒体重点倾斜，今后，将加快审批主流媒体申办传播网络视听节目业务。

第三，要积极探索发展新媒体的有效途径。新媒体是新生事物，必须以创新谋发展，树立新的观念，采用新的技术，创新体制机制和运行方式。要适应受众的分众化趋势，深入研究新媒体受众分布和收听收视习惯，创作生产出更多适合新媒体传播的内容作品，形成一批具有民族特色、中国气派、体现时代精神、品位高雅的网络广播影视文化品牌，更好地贴近受众，为受众服务。传播力决定影响力。要高度重视新媒体传播渠道建设，充分发挥有线、无线、卫星、互联网的各自优势，坚持统一规划、分类指导、稳步推进、适度竞争，大力发展网络广播电视、手机电视等新媒体，积极稳妥发展IP电视。

第四，要切实加强对新媒体的管理。中央明确规定，广电是互联网视听节目服务的行业主管部门。这是职责，是任务，也是挑战。要贯彻落实《互联网视听节目服务管理规定》，加强机构建设、技术建设、制度建设，从主体审核、内容监管、处罚措施等各个方面，努力探索建立符合我国实际的管理体系。特别是要充分运用高新技术加强管理，加快建设全国信息网络视听节目技术监管体系，重点加强总局信息网络视听节目监管中心建设，推进地方监管机构建设。今年，要从加强内容监管入手，重点查处淫秽、暴力、侵权盗版等违法违规网络视听节目，务必使网络视听节目有一个大的改观，努力营造文明健康的网络环境，让人民群众满意，让广大家长放心，真正使新媒体成为传播社会主义先进文化的新阵地、建设社会主义核心价值体系的新平台。

4.以重点工程为载体，加快构建农村广播影视公共服务体系。村村通工程、农村电影放映工程和西新工程，是广播影视贯彻落实科学发展观、为“三农”服务的具体体现，是广播影视发展公益性事业的重要途径。我们必须着眼于建立长效机制，加快由工程建设向农村公共服务体系建设转变，使广播影视发展成果惠及最广大人民群众。

要突出抓好村村通工程。今年的重点，一是确保在6月30日前完成农村中央广播电视节目无线覆盖工程建设，对4000多部发射机进行更新改造和运行维护。这项工作涉及遍布全国的无线发射台站和转播台站，时间紧、任务重，必须采取有力措施，强力推进。同时，各省(市、区）要抓好本地区节目的无线覆盖工程建设。二是要扎实推进20户以上已通电自然村村村通。认真做好直播卫星开播前的各项准备工作，直播卫星成功发射后，要按照要求加大力度，加快进度，确保按质按量完成任务。

农村电影放映工程，今年要在扩大覆盖范围、提高服务质量上取得更大进展。要加大政府投入，完善投入机制，积极探索“政府买服务”的有效方式。无论是设备资助还是场次补贴，都要与放映场次、服务质量挂钩，不搞终身制。要创新发行放映体制机制，特别是要加快培育国有、民营、个体等各类发行放映新主体。要积极推广数字化放映，加快构建农村数字电影服务体系。要加快建立完善片源保障机制，切实做好国家资助影片的生产以及公益放映版权的购买、发行工作，更好地满足农村电影公益性放映的需要。

西新工程，对于促进边境地区和少数民族地区的经济社会文化发展，对于加强民族团结、维护社会稳定，对于保障国家安全、促进和谐社会建设，都具有十分重要的意义。要坚持“建养并重”，抓紧实施第四期第一阶段建设任务，坚持基础设施和节目内容并重，办好中央和地方民族语言广播电视节目，大力提高民族语言节目译制和自制水平。同时，要主动工作，争取进一步扩大西新工程范围。

5.以内容产业为重点，促进广播影视产业大发展。广播影视的核心优势是内容生产，必须充分发挥这一优势促进产业发展。要认真贯彻十七大精神，坚持“二为”方向和“双百”方针，坚持正确导向，贯彻“三贴近”原则，坚持走正道、出精品、出人才、出效益，做大做强电影电视剧和影视动画等内容产业。

紧紧围绕提高市场竞争力，加快繁荣国产电影。要面向群众、面向市场，从艺术创新、体制机制创新、营销手段创新入手，大力提高国产影片的思想艺术质量和发行传播能力。一要突出抓好重点影片创作。着力发展主流大片，创作出更多反映人民主体地位和现实生活、群众喜闻乐见的精品力作，积极推进主旋律影片大众化、市场化。二要加快现代企业制度建设。加快国有电影制片单位事业转企改制步伐，推进规范的公司化改造。要着眼于增强国有经济的控制力，壮大国有电影企业和企业集团，特别是要充分利用资本市场，扩大融资渠道，带动机制创新和管理创新。同时，要大力发展民营企业，巩固以公有制为主体、多种经济成分共同发展的产业格局。三要加快培育多层次电影市场。继续深化电影院线制改革，着力发展由国有企业控股的主流院线市场，积极培育二级院线市场和农村放映市场，大力开发电视播映、音像放映和网络新媒体传播等市场，扩大国产影片发行放映，加快形成多层次的电影市场体系。

按照稳定数量、提高质量的要求，促进电视剧持续健康发展。一要优化电视剧题材结构。认真落实备案公示管理制度，强化对创作生产的引导，重点加强现实题材电视剧创作。抓好纪念改革开放30周年电视剧创作。二要加强审查管理。进一步完善审查办法，规范审查程序，重点加强对低俗、暴力等不健康内容以及敏感问题的审查，确保导向正确、内容积极健康向上。三要加强引进管理和播出调控。认真执行总局关于引进管理和播出调控的各项措施，特别是中央电视台、各省级电视台上星频道黄金时段，必须以播出现实题材、三性统一的电视剧为主。

坚持鼓励原创、综合开发，加速影视动画产业升级。一要抓创意研发。要坚持“抓创意、促原创”，引导企业加大资金、人才、技术投入，强化创意研发，培育核心竞争力。特别要充分挖掘和利用中华传统文化，创作生产出更多更好的传承中华文明、体现“中国特色、中国风格、中国气派”的影视动画作品。要从资金支持、推荐播出、知识产权保护等方面，进一步加大原创生产扶持力度。继续严格执行黄金时段国产动画播出规定，切实加强境外动画引进管理。二要抓衍生产品综合开发。紧紧围绕核心品牌、核心产品，积极探索运用直接开发、委托生产、授权经营等多种方式，大力开发图书、玩具等各类衍生产品，延伸产业链条，提高产品附加值。三要抓市场营销。紧紧围绕品牌建设，深入研究市场需求，加大宣传推广力度。要积极开拓国际市场，努力打造一批有影响的中国影视动画品牌。四要加快建立我国影视动画公共技术服务平台，为企业特别是中小企业提供技术支持和设备服务，加快企业成长步伐。此外，要进一步办好中国国际动漫节，抓好中国动漫原创大奖评定和动画精品专项资金使用等工作。

6.以数字化为龙头，加快科技创新步伐。数字化是促进国民经济和社会信息化的重要途径，也是广播影视由传统媒体向现代媒体迈进的必然选择。我们必须以数字化为龙头，全面提升广播影视科技水平，统筹无线、有线、卫星、互联网络等多种传播手段，加快构建传输快捷、覆盖广泛的广播影视传播体系。

一要继续加快大中城市有线电视数字化。按照“大容量、双向交互”的要求，加快推进大中城市有线电视网络的升级改造和数字化发展。坚持以人为本，强化服务、创新服务、规范服务，切实执行价格听证制度，确保维护好群众特别是困难群众的基本合法权益。坚持互惠互利、存量保值、增量分成，从实际出发推进网络整合。坚持网络建设和业务开发并重，积极发展付费电视、视频点播等新业务，拓展电子政务、电子商务、信息服务等增值业务。

二要加快电台电视台数字化网络化发展。以数字节目生产为核心，加快改造工艺流程，改进运行和管理方式，着力构建数字技术新体系，带动体制机制创新，努力实现电台电视台的数字化、网络化、现代化。

三要加快无线广播电视数字化。积极推进地面数字电视国家标准的推广实施，力争三到五年全面实现我国无线数字广播电视覆盖。加快奥运城市数字电视频率规划和标清数字电视播出。按照“天地一体、星网结合、统一标准、全国漫游”的要求，加快移动广播电视发展，特别是奥运城市要认真做好移动广播电视试点，确保按时为奥运会提供服务。同时，积极探索移动广播电视运营和管理体制。

四要加快电影数字化发展。紧紧跟踪国际数字电影发展趋势，积极推进数字技术在电影制作、发行、放映、存储等各环节的应用。加强数字电影制作基地建设，中影数字电影制作基地力争8月投产运营。加快构建多层次的数字电影放映体系，大力发展城市数字院线，积极推广农村数字化流动放映。抓紧实施资料影片数字化修护工程。

这里，我要强调一下技术标准问题。技术标准是科技创新水平的重要体现，决定着广播影视的发展方向和发展途径，关系到国家利益。从某种意义上讲，谁掌握了技术标准，谁就掌握了发展主动权。要根据广播影视发展实际，重点完善移动广播电视标准和数字电影标准，以标准研发促进自主创新，以标准制定完善科技规划，以标准实施规范科技管理，把技术标准工作提高到一个新水平。

7.解放思想、转变观念，积极稳妥推进改革。要贯彻中央关于深化文化体制改革精神，按照总局改革方案，坚持“区别对待、分类指导，循序渐进、逐步推进”，一手抓公益性事业，一手抓经营性产业，积极稳妥推进改革。

一要解放思想、转变观念。思想解放的程度决定改革的力度，进而决定发展的速度。我们过去取得的成就靠改革，今后发展仍然要靠改革。要进一步推进思想解放，坚决克服畏难情绪和观望心理，坚定改革的决心，提高改革的本领。要破除安于现状、不思进取的思想，树立改革创新、锐意进取的观念；破除回避矛盾、畏惧困难的思想，树立迎难而上、敢于改革的观念；破除墨守成规、急躁冒进的思想，树立科学决策、按规律办事的观念。改革是动力，发展是目的，必须把改革与发展有机统一起来，把发展这个主题贯穿于改革的全过程，通过改革激发发展的活力，以发展的成果检验改革的成效。

二要突出重点，积极稳妥把改革引向深入。电台电视台要按照“增加投入、转换机制、增强活力、改善服务”的要求，突出公益性质，深化内部机制改革。今年，要重点做好制播分离改革试点，努力降低节目制作成本，不断提高节目质量，带动电台电视台机制创新。电影电视剧和影视动画等经营性产业，要按照“创新体制、转换机制、面向市场、壮大实力”的要求，加快产业发展步伐。今年，重点要加快经营性电影事业单位转企改制，积极推进广播影视企业利用资本市场直接融资，加快总局批准的各类影视产业基地建设，促进规模化、集约化、现代化发展。

三要严格按规矩办事。各地广播影视重大改革措施和方案的出台，必须严格按规定和程序报批，改革中出现的重大问题要及时请示报告。各级广播影视管理部门要加强调查研究，加强对改革的指导，完善落实配套政策，确保改革沿着正确方向顺利推进。

8.加快“走出去”步伐。一要着眼于提升国家文化软实力，抓紧制定完善“走出去”规划。党的十七大明确提出了提升国家文化软实力的重大战略任务。广播影视是国家文化软实力的重要组成部分，必须进一步提高认识、统一思想，深入研究提升国家文化软实力的目标、任务和措施途径，从战略高度抓紧制定“走出去”发展规划。要紧紧围绕党和国家的工作大局，坚持与外交、外援、外宣紧密结合，坚持软件与硬件并重、落地与节目并重，统筹中央和地方特别是边疆地区“走出去”，统筹广播电影电视“走出去”，统筹传统方式和高新技术方式，进一步扩大重点国家、边国家和地区有效覆盖，大力推进广播影视产品和服务“走出去”，不断增强我广播影视国际影响力和竞争力。

二要突出重点，全面推进。继续扩大中央电视台国际频道海外落地。加强长城平台运营和建设，完成拉美平台建设，努力建成东南亚平台。加强国际台环球广播网建设，完成在部分亚非国家整频率落地，推动在美国、欧洲、拉美整频率落地，实现在欧美主要国家和其他重点国家租时段播出。积极推进中央电台全球华语广播网建设。支持新疆、西藏、内蒙古、云南、广西等省区开展在周边国家的落地工作。电影电视剧和影视动画是中华文化走向世界的重要载体，要切实加大政策扶持力度，加快“走出去”步伐。今年要突出抓好电影的“走出去”，倾力打造精品，精心组织营销，力求我国电影在进入发达国家主流院线和电视网络方面取得明显进展。继续实施“东南工程”，尽快启动第二期工程建设。做好中央电视节目在港澳落地工作。

三要创新方式，提高实效。要以北京奥运会为契机，积极加强与国外媒体的交流与合作，特别是要多做境外主流媒体的工作。要高度重视、积极采用互联网、IP电视、手机电视等现代传播手段扩大海外落地。要积极探索实施本土化战略，充分利用当地人才资源，加快建设境外区域性新闻采编中心，更好地适应国外受众需求，切实增强对外宣传的针对性、有效性。要认真把握广播影视国际贸易规律，特别是要采取合资、合拍、以进带出等多种方式，推动我国广播影视产品和服务更多地进入国际市场。

9.认真履行职责，切实加强和改进管理。管理是广播影视行政管理部门法定的基本职责。今年，要把加强管理摆在更加突出的位置，做到力度更大、措施更实、效果更好。

一要强化宣传管理。宣传管理是广播影视管理的根本任务，必须从人力、物力、财力等方面，切实把宣传管理的职能落到实处，着力加强节目审查和收听收看等工作，确保导向正确。要继续深入开展抵制低俗之风行动，重点加强制度建设，建立长效机制，防止低俗之风向地面频道特别是市、县台转移。要切实加强广告管理，重点清理整治虚假违法广告。这里我要强调，省级广电行政部门要切实加强对电台电视台特别是集团、总台的宣传管理。

二要强化播出机构和影视制作机构管理，探索建立违规机构的退出机制。频道频率是广播电视的核心资源，是我们履行职责、加快发展最重要的物质载体，必须加强管理、严格管理。今年总局将依据《广播电视管理条例》等法律法规，针对频道频率、节目栏目运营过程中存在的突出问题，研究建立退出机制，对违规者坚决查处，直至撤销其频道频率许可证或停播其节目栏目。这里再次重申，频道频率作为国家专有垄断资源，绝不能搞公司化、企业化，更不能与广电系统外搞任何形式的合资合作。要建立健全电影电视剧和影视动画制作机构的退出机制。此外，要继续加强无线频率播出秩序管理，加强境外卫星频道落地管理，继续开展境外卫星传播秩序专项整治。

三要充分运用高新技术改进和创新管理。以内容监管为中心，以技术监管体系为保障，创新管理的方式方法，不断提高管理水平。要以强化互联网视听节目、有线数字广播电视和卫星广播电视节目监管为重点，加快建设完善内容监管技术系统，逐步实现对传统媒体和新媒体的全面监管。要继续完善广播电视监测网络和调度指挥系统。要加快统计信息系统建设，为科学决策提供支持。要加快电子政务建设，办好政府网站，推进政务公开，探索逐步实行行政审批项目的网上办理。

四要加强法制建设。积极推进《广播电视传输保障法》、《电影促进法》的起草制定，主动参与《广播电台电视台播放录音制品支付报酬办法》的制定，做好推动国务院129号令的立法解释工作，抓紧《广播电视广告播放管理暂行办法》、《电视剧审查管理规定》等部门规章的修订工作。要进一步加强法制宣传教育，积极落实“五五”普法规划。要加大执法力度，开展执法监督，切实推进行政执法责任制的贯彻落实，认真开展行政复议工作。

10.切实加强反腐倡廉建设和行风建设。要认真贯彻十七大和中纪委十七届二次会议精神，扎实抓好反腐倡廉建设和行风建设，为广播影视大发展大繁荣提供保证。

一要加强各项监督检查工作。要坚持把维护党的政治纪律放在首位，督促广大党员特别是领导干部坚决落实十七大确定的各项任务。要严格宣传纪律和保密纪律，做到有令必行、有禁必止，确保广播影视导向正确和各项事业顺利推进。要加强对村村通、农村电影放映等重点工程实施情况和执行广播影视法规政策等方面的监督检查。

二要以职业道德建设为重点，扎实推进行风建设。要巩固行风评议成果，深化“三项学习教育活动”，引导广播影视从业人员树立正确的世界观、人生观，树立马克思主义新闻观，恪守职业道德，规范职业行为，培育敬业精神。要充分发挥行业协会作用，强化行业自教自律。要针对广播影视行业存在的突出问题，加大专项治理力度，解决纠正损害群众利益的不正之风。要坚决抵制虚假新闻、有偿新闻，发现一起，查处一起。

三要以健全惩治和预防腐败体系为重点，加强反腐倡廉建设。坚持标本兼治、综合治理、惩防并举、注重预防的方针，进一步加强反腐倡廉工作，更加注重治本，更加注重预防，更加注重制度建设。

严格执行党风廉政建设责任制。进一步做好巡视工作。扎实开展反腐倡廉教育，加强领导干部廉洁自律教育。继续保持查办案件工作力度。

11.坚持以人为本，切实加强人才队伍建设。一要加强和改进党的建设。要全面贯彻落实党的十七大精神，巩固和发展先进性教育活动成果，从思想、组织、作风、制度和反腐倡廉等方面，全面加强和改进党的建设。进一步加强领导班子建设，努力使各级班子政治上靠得住、工作上有本事、作风上过得硬、广大群众信得过。要加大干部交流力度，做好青年干部培养选拔工作。切实加强基层党组织建设。认真做好离退休干部工作和工会工作。

二要进一步加强人才队伍建设。坚持尊重劳动、尊重知识、尊重人才、尊重创造，大力加强宣传艺术人才、科技拔尖人才、经营管理人才特别是复合型人才的培养和使用。要积极探索建立以业绩为依据，由品德、知识、能力等要素构成的各类人才评价指标体系。继续深化事业单位人事制度改革，积极推进聘用制和岗位管理制度，建立有利于人才脱颖而出的体制机制。

三要进一步加强教育培训。充分发挥各级各类教育培训机构的作用，着眼于提高实效、增强针对性，创新内容，改进方式，整合培训资源，提高培训质量，切实加强对各级领导干部、各类专业技术人员以及重点工程等从业人员的培训。要把学习领会十七大精神作为培训的重点内容，同时进一步抓好广播影视基本知识、基本情况、基本规律的培训，不断提高广播影视队伍的整体素质。

（国家广电总局办公厅供稿，本刊略有删节）

2008年广播影视工作要点(摘要)

2008年是全面贯彻落实党的十七大精神的第一年，是隆重举办奥运会、纪念改革开放30周年的重要一年。今年广播影视工作的总体要求是：“高举旗帜，围绕大局，服务人民，改革创新”。要以学习、宣传、贯彻十七大和全国宣传思想工作会议精神为主线，围绕兴起社会主义文化建设新高潮的战略任务，大力推进广播影视内容形式、体制机制、传播手段创新，牢牢把握正确舆论导向，确保安全播出，切实加强管理，大力繁荣创作，加快事业产业发展，更好地满足人民群众日益增长的精神文化需求，为全面建设小康社会营造良好的舆论氛围。

一、认真做好宣传工作

学习宣传贯彻党的十七大精神，是今年广播影视宣传工作的首要任务。坚持正确舆论导向，围绕主题、把握灵魂，积极、全面、准确、深入地宣传十七大提出的重大理论观点、重大战略思想、重大工作部署，及时报道各地各部门贯彻落实十七大精神的新思路新举措，充分展示各条战线取得的新进展新成效。系统上下、媒体之间、栏目节目，要密切配合、形成合力，开设一系列精品专栏专题，办好一批重点栏目节目，全面营造学习宣传贯彻十七大精神的热烈氛围，不断把学习宣传贯彻十七大精神引向深入，广大干部群众的思想和行动统一到十七大精神上来。不断创新宣传报道内容、形式和方式方法，着力提高舆论引导水平。继续组织好“高举旗帜 科学发展”大型主题宣传，进一步加强和改进成就宣传和典型宣传，改进会议和领导同志活动报道，健全突发性事件报道、社会热点报道和舆论监督报道的机制，增强宣传的实效性和针对性。

按照中央统一安排，组织好改革开放30周年纪念活动的宣传报道，深入宣传改革开放的伟大历史进程和宝贵经验，展示改革开放以来中国共产党人波澜壮阔的创新实践和伟大成就，宣传改革开放是实现中华民族伟大复兴的强国之路。精心组织好奥运会、残奥会各项宣传报道，重点做好开幕式闭幕式、重大赛事的现场直播和转播，宣传奥运精神，展示奥运成果，增强中华民族凝聚力，树立我国良好的国际形象。认真组织好“两会”报道，做好宁夏回族自治区、广西壮族自治区成立50周年，海南经济特区建立20周年，纪念刘少奇同志、周恩来同志诞辰110周年和井冈山会师80周年，“神舟七号”发射等重大活动的宣传报道。

二、切实提高安全播出水平

认真总结安全播出工作的宝贵经验，推进安全播出工作由重点防范向安全运行转变，在巩固已有安全播出成果的基础上，进一步健全机构、完善设施、加强培训、强化演练、严格管理，完善安全播出监测体系和应急指挥调度系统，构建广播电视安全运行保障体系。扎实做好奥运会等重大活动的应急预案，严格执行现场直播规章制度，确保奥运会安全播出工作万无一失。

加强安全播出的质量监督，研究制定新的质量考评办法，提升安全播出保障水平。加强事故分析，建立跨部门的应急预案，缩短处置时间，减少责任事故和技术事故。开展应急灾备规划和全国地球站备件共享工作，提高各卫星地球站备件的利用率，提升全国卫星广播电视的应急灾备能力。

三、积极发展建设新媒体新阵地

按照“加快发展、主动占领、兴利除弊、加强管理”的要求，在壮大传统媒体的同时，充分发挥广播电视机构在内容、品牌、人才等方面的优势，把新媒体建设纳入发展规划，根据以我为主、为我所用的原则，积极主动地发展新媒体、抢占新阵地。认真贯彻落实中办发[2007]16号文件精神，大力扶持和推进主流媒体占领网络文化阵地，在规划布局、资格准入、资源配置等各个方面向电台电视台等主流媒体重点倾斜，加快审批主流媒体开办传播网络视听节目业务。中央三台要进一步办好央视国际、国际在线、中国广播网网站，坚持走多媒体综合集成的发展道路，不断扩大辐射力和影响力。充分发挥有线、无线、卫星、互联网的各自优势，坚持统一规划、分类指导、稳步推进、适度竞争，大力发展网络广播电视、手机电视等新媒体，积极稳妥发展IP电视。

从党管媒体、加强阵地建设的高度，认真贯彻落实《互联网视听节目服务管理规定》，努力探索建立符合我国实际的管理体系。充分运用高新技术加强管理，加快建设全国信息网络视听节目技术监管体系，重点加强总局信息网络视听节目传播监管中心建设，推进地方监管机构建设。从加强内容监管入手，重点查处淫秽、暴力、侵权盗版等违法违规网络视听节目，务必使网络视听节目有一个大的改观，努力营造文明健康的网络环境，让人民群众满意，让广大家长放心，真正使新媒体成为传播社会主义先进文化的新阵地、建设社会主义核心价值体系的新平台。重视和规范车载电视、楼宇电视、户外显示屏等公共场所视频传播业务的发展。

四、加快构建农村广播影视公共服务体系

大力推进广播电视村村通工程，切实保障农民群众享受广播电视公共文化服务的基本文化权益。一是确保在6月30日前完成农村中央广播电视节目无线覆盖工程建设，对4000多部发射机进行更新改造和运行维护。各省(市、区)要切实加大投入，努力抓好本地区节目的无线覆盖工程建设。二是扎实推进20户以上已通电自然村村村通。认真做好直播卫星开播前的各项准备工作，直播卫星成功发射后，要按照要求加大力度，加快进度，确保按质按量完成任务。

大力抓好农村电影放映工程，切实解决广大农民看电影难的问题。认真按照《国务院办公厅转发广电总局等部门关于做好农村电影工作意见的通知》(国办发[2007]38号)要求，加大政府投入，扩大覆盖范围，提高服务质量。要完善投入机制，积极探索“政府买服务”的有效方式。设备资助、场次补贴要与放映场次、服务质量相挂钩，不搞终身制。创新发行放映体制机制，加快培育国有、民营、个体等各类发行放映新主体。积极推广数字化放映，加快构建农村数字电影服务体系。加快建立完善片源保障机制，切实做好国家资助影片的生产以及公益放映版权的购买、发行工作。

进一步抓好西新工程。坚持“建养并重”，抓紧实施第四期第一阶段的建设任务。坚持基础设施和节目内容并重，办好中央和地方民族语言广播电视节目，大力提高民族语言节目译制和自制水平。

五、积极发展广播影视内容产业

坚持“二为”方向和“双百”方针，坚持正确导向和“三贴近”原则，坚持走正道、出精品、出人才、出效益，重点发展电影、电视剧和影视动画等内容产业。

加快繁荣国产电影。一要突出抓好重点影片的创作发行。着力发展主流大片，创作生产出更多反映人民主体地位和现实生活、人民群众喜闻乐见的精品力作。扩大国产影片发行，积极推进主旋律影片大众化、市场化。二要加快现代企业制度建设。国有电影制片单位，要加快事业转企改制的步伐，推进规范的公司化改造；要充分利用资本市场，扩大融资渠道，增强国有经济的控制力，实现机制创新和管理创新。大力发展民营企业，巩固以公有制为主体、多种经济成分共同发展的产业格局。三要加快培育多层次电影市场。继续深化电影院线制改革，加大院线整合和建设力度，着力发展由国有企业控股的主流院线市场，积极培育二级院线市场和农村放映市场，大力开发电视播映、音像放映和网络新媒体传播等市场，加快形成多层次的电影市场体系。加强电影综合信息管理系统的开发与建设，完善电影统计和考核奖励机制。

促进电视剧持续健康发展。一要优化电视剧题材结构，多出精品。认真落实备案公示管理制度，强化对创作生产的引导，避免题材雷同。继续抓好重大革命历史题材电视剧创作生产，重点引导现实题材电视剧创作。抓好纪念改革开放30周年电视剧创作，规划并实施好迎接新中国成立60周年电视剧创作生产。二要加强审查管理。进一步完善审查办法，规范审查程序，重点加强对低俗、暴力等不健康内容以及敏感问题的审查，确保导向正确、内容积极健康向上。三要加强引进管理和播出调控。认真执行总局关于引进管理和播出调控的各项措施，中央电视台、各省级电视台上星频道黄金时段必须以播出现实题材、三性统一的电视剧为主。

加速影视动画产业升级。一要抓创意研发。要坚持“抓创意、促原创”，引导企业加大资金、人才、技术投入力度，强化创意研发，培育核心竞争力。充分挖掘和利用中华传统文化，创作生产出更多更好的传承中华文明、体现“中国特色、中国风格、中国气派”的影视动画作品。从资金支持、推荐播出、知识产权保护等各个方面，进一步加大原创生产的扶持力度。继续严格执行黄金时段国产动画播出规定，切实加强境外动画引进管理。二要抓衍生产品综合开发。紧紧围绕核心品牌、核心产品，积极探索运用直接开发、委托生产、授权经营等多种方式，大力开发图书、玩具等各类衍生产品，延伸动画产业链，提高产品附加值。三要抓市场营销。紧紧围绕品牌建设，增强营销意识，深入研究市场需求，加强营销队伍建设，加大宣传推广力度。积极开拓国际市场，努力打造一批有影响的中国影视动画品牌。四要加快建立我国影视动画公共技术服务平台，为企业特别是中小企业提供技术支持和设备服务，加快企业成长步伐。进一步办好中国国际动漫节，抓好中国动漫原创大奖评定和动画精品专项资金使用等工作。

六、加快推进广播影视数字化

按照“大容量、双向交互”的要求，加快推进城市有线电视网络的升级改造和数字化转换，推动有线数字电视多功能网的建设和应用。做好有线数字电视整体转换单位的验收工作。坚持以人为本，强化服务、创新服务、规范服务，切实执行价格听证制度，确保维护好群众特别是困难群众的基本收视权益。坚持互惠互利、存量保值、增量分成，从实际出发推进网络整合。坚持网络建设和内容开发并重，稳步发展付费电视，积极发展视频点播业务，积极拓展电子政务、电子商务、信息服务等增值业务。

加快电台电视台数字化网络化发展。以数字节目生产为核心，更新电台电视台数字化设备、系统，加快工艺流程再造步伐，积极改进运行和管理方式，带动体制机制创新，着力构建系统互联、资源共享的数字技术新体系。加大高清晰度电视节目制作力度。

加快推进无线广播电视数字化。积极推进地面无线数字电视国家标准的实施，尽快制定无线数字电视相关配套标准。加快奥运城市数字电视频率规划和高清、标清数字电视播出。按照“天地一体、星网结合、统一标准、全国漫游”的要求，加快移动广播电视发展，将地面网络建设扩大到37个城市，开通试播信号，确保奥运会前提供服务。逐步建立覆盖全国城乡、面向多种移动终端的移动广播电视服务体系。同时，进一步完善移动广播电视标准，积极探索移动广播电视运营和管理体制。

加快电影数字化发展。逐步建立我国电影技术资源信息系统，完善电影技术质量市场准入体系。积极推进数字技术在电影制作、发行、放映、存储等各环节的应用。加快建设数字电影制作基地。加快构建多层次的数字电影放映体系，大力发展城市数字院线，积极推广农村数字化流动放映。抓紧实施资料影片数字化修护工程。

七、积极稳妥推进广播影视改革

认真贯彻中央关于深化文化体制改革精神，按照总局改革方案，坚持“区别对待、分类指导，循序渐进、逐步推进”，一手抓公益性事业，一手抓经营性产业，积极稳妥推进改革。

按照“增加投入、转换机制、增强活力、改善服务”的要求，着力深化电台电视台内部机制改革，进一步突出电台电视台的公益性质，保障人民群众的基本文化权益。做好电台电视台制播分离改革试点，努力降低节目制作成本，提高节目质量。

按照“创新体制、转换机制、面向市场、壮大实力”的要求，加快电影电视剧、影视动画等经营性产业发展步伐。推进经营性事业单位转企改制，重塑市场主体。积极推进广播影视企业利用资本市场、上市直接融资。做好中国电影集团公司上市的筹备工作。加快广播影视产业结构调整和资源整合，着力培育国有或国有控股骨干企业和战略投资者，以重大产品项目带动广播影视整体发展。运用高新科技创新广播影视生产和传播方式，培育新的业态，加快构建传输快捷、覆盖广泛的广播影视传播体系。加快总局批准的各类影视产业基地建设，促进规模化、集约化、现代化发展。

八、加快广播影视“走出去”步伐

着眼于提升国家文化软实力，大力推进广播影视“走出去”工程，不断增强我广播影视的国际影响力和竞争力。要进一步统一思想，提高认识，加大力度，加快步伐，坚持扩大落地和提高节目质量并重，争取我广播影视海外落地取得新进展新成效。进一步扩大对重点国家、周边国家和地区的有效覆盖。加强中国电视长城平台建设和运营，完成拉美平台建设，推动东南亚平台建设。继续扩大中央电视台国际频道海外落地。实现英语国际频道亚洲、美洲、欧洲三版播出。启动欧洲美洲中心记者站。加快推进中央电视台法语频道和西语频道的落地入户工作。做好中央电视节目在港澳落地工作。紧紧围绕构建现代国际广播体系，加强国际台环球广播网建设，完成在部分亚非国家整频率落地，推动在美国、欧洲、拉美整频率落地，实现在欧美主要国家和其他重点国家租时段播出。加快推进汉语国际推广工作，加大广播孔子学院对外推介力度，力争在瑞士、法国、意大利等国开设广播孔子学堂。大力推进电视孔子学院建设。积极推进中央电台全球华语广播网建设，进一步完善华语广播协作机制。加强整合资源，积极支持新疆、西藏、内蒙古、云南、广西等省区开展在周边国家的落地工作。积极推动有条件的省级电台电视台走出去。进一步发挥中国广播发展论坛的作用，加强同海外华语广播、国际知名媒体的交流。积极利用互联网、IP电视、手机电视等现代传播手段扩大海外落地。

加快影视产品和服务走出去。加大对电影电视剧和影视动画的政策扶持力度，引导企业充分利用国内外影视节展，开展开拓海外市场。认真把握广播影视国际贸易规律，加大国际营销力度，加强营销网络建设，采取合资、合拍、以进带出等多种方式，推动我国广播影视产品和服务更多地进入国际市场。把电影出口作为突破口，加大扶持力度，精心组织营销，使我国电影更多地进入发达国家主流院线和电视网络。扩大电视剧版权贸易。以北京奥运会为契机，积极加强与国外媒体的交流与合作，做好国外重点媒体和驻华记者的工作。

九、着力加强和改进广播影视管理

强化宣传和节目播放管理。着力加强节目审查和收听收看等工作，确保导向正确。继续深入开展抵制低俗之风行动，重点加强制度建设，建立长效机制，防止低俗之风向地面频道特别是市、县台转移。切实加强广告播放管理，健全和完善广告审查制度。重点清理整治虚假违法广告，强化对违规播放广告的责任追究，研究制定“广播电视广告播放信誉评定制度”，推动公益广告制作播出。切实加强节目版权管理，加大知识产权保护力度，整顿节目播放秩序，严肃查处各类侵权、盗播行为。省级广电行政部门要切实履行职责，加强对电台电视台特别是集团、总台的管理。

加强广播电视播出机构和影视节目制作经营机构的管理。依据《广播电视管理条例》和《电影管理条例》等法律法规，针对频道频率、节目栏目运营和影视剧创作生产运营过程中存在的突出问题，切实加大对违规者查处的力度，研究建立频道频率及节目栏目的退出机制，建立健全影视剧和动画片制作机构的退出机制。完善电影制片管理体制和机制，加强对网络传播电影的管理。继续加强无线频率播出秩序管理和卫星广播电视技术监管，加强境外卫星频道落地管理和引进播出管理，开展境外卫星传播秩序专项整治。

充分运用高新技术改进和创新管理。以内容监管为中心，以技术监管体系为保障，创新管理方式方法，不断提高管理水平。强化互联网视听节目、有线数字广播电视和卫星广播电视节目监管等，加快建设完善内容监管技术系统，逐步实现对传统媒体和新媒体的全面监管。继续完善广播电视监测网络和调度指挥系统。加快统计信息系统建设，为科学决策提供支持。加快电子政务建设，办好政府网站，探索逐步实行行政审批项目的网上办理。推进政务公开、信息公开、新闻发布工作，编制《广电总局政府信息公开目录》，按时在总局政府网站发布。

加强法制建设。大力推进《广播电视传输保障法》、《电影促进法》的起草制定，参与《广播电台电视台播放录音制品支付报酬办法》的制定，做好国务院129 号令的立法解释工作，抓紧《广播电视广告播放管理暂行办法》、《电视剧审查管理规定》等部门规章的修订工作。进一步加强法制宣传教育，积极落实“五五”普法规划。

加强内部管理。细化部门预算，完善结余资金管理。加强内部审计工作，开展绩效考评试点工作。切实加强国有资产管理，开展资产管理信息系统建设。积极推进行业统计工作管理信息化、网络化。进一步加强建设项目管理，做好中央广播电视节目无线覆盖工程、西新工程和总局直属项目的督察工作。完善广电行业工程建设标准管理体制和管理机制。落实建设项目逐级监督责任制。着力加强广播影视理论、政策和改革发展重大问题研究，继续编写好中国广播影视发展年度报告。

十、切实加强反腐倡廉建设和行风建设

加强对执行党的政治纪律、宣传纪律、保密纪律情况的监督检查。坚持把维护党的政治纪律放在首位，督促广大党员特别是领导干部坚决落实十七大确定的各项任务。严格宣传纪律和保密纪律，加强对广播电视村村通、农村电影放映等重点工程实施情况和执行广播影视法规政策等方面的监督检查，做到有令必行、有禁必止，确保广播影视导向正确，确保各项事业顺利推进、健康发展。

以职业道德建设为重点，扎实推进行风建设。巩固行风评议成果，深化“三项学习教育活动”，引导广播影视从业人员树立正确的世界观、人生观，树立马克思主义新闻观，恪守职业道德，规范职业行为，培育敬业精神。充分发挥行业协会作用，强化行业自教自律。针对广播影视行业存在的突出问题，加大专项治理力度，解决纠正损害群众利益的不正之风。坚决抵制虚假新闻、有偿新闻，发现一起，查处一起。

以健全惩治和预防腐败体系为重点，加强反腐倡廉建设。坚持标本兼治、综合治理、惩防并举、注重预防的方针，进一步加强反腐倡廉工作。从源头上拓展反腐败工作领域，更加注重治本，更加注重预防，更加注重制度建设。严格执行党风廉政建设责任制。进一步做好巡视工作。扎实开展反腐倡廉教育，加强领导干部廉洁自律教育。继续保持查办案件工作力度，坚决惩治腐败。

十一、大力加强广播影视人才队伍建设

加强和改进党的建设。全面贯彻落实党的十七大精神，巩固和发展先进性教育活动成果，从思想、组织、作风、制度和反腐倡廉等方面，全面加强和改进党的建设。进一步加强领导班子建设，努力使各级班子政治上靠得住、工作上有本事、作风上过得硬、广大群众信得过。加大干部交流力度，做好青年干部培养选拔工作。切实加强基层党组织建设。

进一步加强人才队伍建设。坚持尊重劳动、尊重知识、尊重人才、尊重创造，大力加强宣传艺术人才、科技拔尖人才、经营管理人才特别是复合型人才的培养和使用。积极探索建立以业绩为依据，由品德、知识、能力等要素构成的各类人才评价指标体系。继续深化事业单位人事制度改革，积极推进聘用制和岗位管理制度，建立有利于人才脱颖而出的体制机制。

进一步加强教育培训。充分发挥各级各类教育培训机构的作用，着眼于提高实效性、增强针对性，创新内容，改进方式，整合培训资源，提高培训质量。进一步抓好广播影视基本知识、基本情况、基本规律培训，切实加强对各级领导干部、各类专业技术人员以及重点工程等从业人员的培训，不断提高广播影视队伍的整体素质。

认真做好离退休老干部和退休职工工作。切实搞好安全消防保卫、保密和后勤服务工作。做好信访工作，继续办好局长接待日活动。做好人大议案、政协提案的答复工作。做好对口帮扶工作。关心群众生活，切实维护职工群众合法权益，注重解决群众特别是困难群众的实际问题，继续做好送温暖等工会活动。

（国家广电总局办公厅）

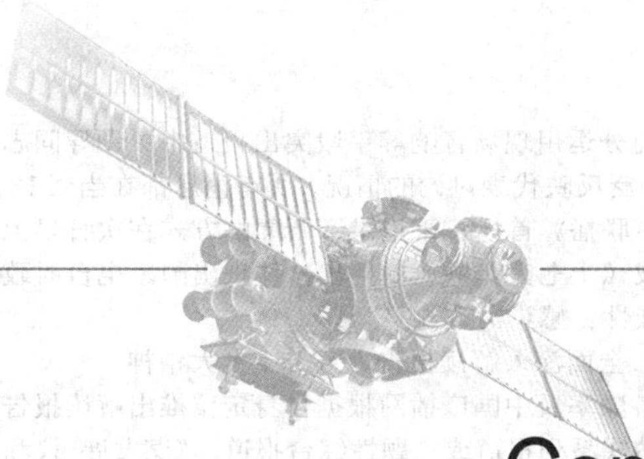

2. 专　辑

Compilation of Special Events

2. 专　辑

责任编辑　张绍红
审 稿 人　金德龙

重大宣传活动

中共十七大宣传报道

中央人民广播电台十七大宣传报道综述

中央人民广播电台的十七大报道发挥广播和网络综合传播优势，完整、及时地报道大会议程，全面深入地解读报告精神，圆满完成了各项报道任务，赢得了广泛好评。

为及时、准确、全面地报道十七大各项议程，中央电台延长了《新闻和报纸摘要》、《全国新闻联播》（以下简称《报摘》、《联播》）的播出时间；在第一套节目中国之声、第二套节目经济之声的早中晚黄金时段开辟了《十七大专题》；9套节目及中国广播网共推出74个各具特色的专栏，形成了以新闻为主体，专题、文艺相配合，广播与网络联动的多媒体综合传播格局。

截至10月22日，9套节目共播发各类报道10530篇，总时长760小时，采访代表457人次；现场直播总时长750分钟；播出大会重要议程的录音新闻、录音剪辑11个，总时长1092分钟。中国广播网首页及专题共刊发各类稿件1409篇，图片890幅，音频、视频1200分钟。中国广播网主页及十七大专题页面的点击量超过2200万，在线收听总人数超过300万，日均新闻报道量和点击数均创网站新闻专题站点新高。

为了圆满完成十七大报道任务，中央电台直接投入采、编、播及技术人员近200人。第一次派出年仅9岁的少儿记者吴梓曼采访，中国之声经典栏目《小喇叭》特别推出小记者采访十七大专栏报道，中国广播网还为吴梓曼开通了博客，少儿记者报道十七大被认为是大会开放透明的标志之一。

一、把握全面，重点突出

1.圆满完成十七大开幕式和新一届中央政治局常委会见中外记者两场重大活动的现场直播。

全国31个省级电台主频率同时转播了中央电台的直播节目，开幕式广播现场直播，在总书记报告结束后立即对报告要点进行了归纳和回述；中国广播网视频、音频、图文现场直播，套红突出刊发，及时对报告进行摘要，方便网民及时掌握中心内容。广播的收听率和网站的点击率在直播时达到高峰。

2.展现了党和国家领导人与代表们亲切交流的风采。充分运用现场音响等手段突出报道中央领导同志的活动，广泛反映代表讨论的情况。所有消息都在当天18点30分的《联播》首播，采用录音新闻的方式在次日早上《报摘》或《十七大专题》中播出，体现出国家电台时政报道的权威性、感染力。

3.全面深入解读报告，宣传十七大精神。

各频率及中国广播网根据自身定位推出解读报告观点的集纳式系列报道或主题性综合报道。《谋发展 议和谐》、《代表访谈》、《基层声音》、《作客中央台》等专栏播发了《十七大报告首次提出2020年人均GDP翻两番》、《40次掌声表达党心民意》、《十七大报告新提法》等多篇特色报道，从多个角度分析了报告中的新提法、新变化。报道分量重、形式活、特色鲜明，引发听众和网友的高度关注。

二、强化评论，引导有力

结合报告精神《报摘》推出系列录音述评《执政境界》，全面反映中国共产党作为执政党的水平、能力和战略眼光。述评主题鲜明、立意高远、说服力强，为解读报告提供了权威视角。中国广播网推出感悟十七大系列评论，解读十七大报告的丰富内涵和现实意义，如《当好中国这个家》、《40次掌声背后的期待》、《民主政治的新跨越》等评论被多家网站转载。

三、内外互动，视野开阔

中央电台的十七大报道是会内讨论与会外反响同步进行，着力表现大会团结、和谐、民主、开放的会风。

1.沟通代表群众，联结会场内外。

大会开幕当天和第二天，《联播》、《报摘》组织30多家驻地记者深入基层，广泛采集各界群众收听收看的感言与心声，与代表会内讨论形成热烈互动。《十七大专题》开设《代表访谈》、《观点互动》小栏目，使听众得到了更多信息，增强了节目吸引力。

2.报道国内反响，兼顾世界关注。

中央电台十七大报道的视角更加开阔，采访境外记者、连线华语电台、海外媒体，这在重大会议报道中是开创性的。《联播》、《报摘》推出录音特写《敞开的胸怀》，再现了34个代表团分组讨论向中外媒体开放的热烈场面。此次报道十七大的境外记者1146人，创历史新高。录音特写《境外记者聚焦盛会》反映了境外对十七大的高度关注以及党代会更加开放透明的风貌。录音报道《十七大万众瞩目 互联网魅力独特》展现了中央各大网站报道十七大的新手段，反映了国内外通过网络新媒体关注大会、评议报告的盛况。

3.拓展台网互动，促进携手共赢。

中国广播网将全台十七大专题节目在网上同步播出，

全程音频、视频直播《作客中央台》及《十七大专题》中的“代表访谈”。中广论坛和银河网络电台的音频节目《来自网络的声音》在《联播》、《报摘》等栏目播出。《报摘》十七大报道专栏《基层声音》引入了网民的声音。

四、创新编排，提高实效

十七大开幕及一中全会闭幕当天的《联播》和次日《报摘》，中央电台分别作了延长播出时间的处理，创新编排。如开幕式报道，《联播》、《报摘》做到了四个结合：一是新闻性和政治性结合；二是程序报道与自主策划结合；三是宏观报道与细节亮点结合；四是大会报道和日常新闻结合。

经济之声打破以往“条式均衡分布”的编排体例，做到了常规报道与特色报道结合、软与硬结合、长与短结合、报道与自我宣传结合，使节目听起来内容丰富，既有扎实的会议新闻，也有数据、花絮、相关题材的公益片花，既传递了会议精神，又有分量且不失生动。

五、特色鲜明，异彩纷呈

中国之声全方位强化新闻手段，同步报道大会进程。第一时间插播大会闭幕消息及新的中央领导机构名单和简历；强化《报摘》、《联播》、《十七大专题》、《国防时空》、《做客中央台》等名专栏的有效传播和品牌延伸，将代表团讨论、国内外反响和大会进程有机结合，以突出主题、深度解析，反映民意、小中见大为特长，主题鲜明，信息量大。经济之声贴近会议、瞄准经济、面向基层，以专业视角、民生观点解析十七大报告，彰显财经频率特色。都市之声开设专题栏目《党员在身边》，凸显服务，倡导和谐。对台湾广播中华之声、神州之声发挥直接入岛的宣传优势，围绕民生经济和对台政策这两个台湾同胞最为关注的热点进行报道，利用“你好台湾”网站加强互动，形成了台湾听众的舆论热点。华夏之声突出“一国两制”特色，生动展现港澳同胞积极参与祖国建设发展的热情。民族之声整合新闻资源，采用汉语普通话、蒙古、藏、维、哈、朝六种语言报道大会，有效地扩大了在境外的影响，突出了民族特色和外宣特色。

中国广播网通过图文、音视频多媒体全方位报道大会盛况，通过评论、电子杂志、社区论坛、博客、网络电台多角度解读大会主题，尝试汉语普通话、闽南话、广州话多语言网上直播党代会，扩大对香港、澳门和台湾网友的传播范围，形成“音频与视频同步，图片与文字相映”的品牌特色。

广播和网络充分发挥特色，综合运用现场报道、录音新闻、专题报道、侧记、特写、述评、文字综合等传播手段，音响报道占了节目内容的90%以上，创作了一批录音特写精品，受到听众好评。如，录音侧记《十月听潮》展现了十七大开放民主的会风；录音特写《热烈的探讨 真情的交流》记录了胡锦涛同志与江苏代表团深入讨论、真情互动的场景，体现了总书记心系百姓、情牵人民的深厚感情。

六、高度关注，反响热烈

中央电台十七大报道引起广大听众网友的广泛关注和积极反响，得到各级领导的高度评价。十七大期间中央电台共收到听众短信263000余条，电子邮件175600件，来信6876封，电话及传真5890件。270万网友访问中广论坛《你说我说十七大》专区、《寄语十七大》主题帖，受众反馈数量超过以往党代会报道。

（孙树凤）

中国国际广播电台十七大宣传报道综述

中国国际广播电台按照中央指示精神和中宣部、外宣办、广电总局统一部署，圆满地完成了中共十七大宣传报道任务。

2007年10月14～22日，国际台采用英语、汉语普通话、日语、蒙古语、朝语、阿拉伯语、俄语、德语、法语、西班牙语等10种语言对十七大开幕式进行了现场直播，使用英语和汉语普通话对新一届政治局常委会见中外记者、十七大新闻发布会和4场记者招待会等重要活动进行了现场直播，总时长52小时，从语种、场次到时长，均创历届党代会对外直播报道之最。全台43种语言广播和网站共播出有关十七大的新闻5万余条，约1400小时；专题2万余篇，约1700小时。全台共有近千个频率约600个栏目投入到十七大宣传中。“国际在线”多语种网站共发布有关十七大的消息、专题5162条（篇），图片4860余幅，制作多媒体音频节目8500余分钟，视频节目300余分钟，在线收听“国际在线”节目的受众达132万人次。通过手机广播播发5种语言的十七大新闻120余条，音频260余分钟。12家环球网络电台播出十七大相关音频节目1320分钟。

海外受众对国际台有关十七大的报道积极反馈，收到来自160多个国家和地区海外受众来信、传真、电子邮件10万余封（件）。

一、多语种采访形成宣传合力

国际台采用10种语言对十七大开幕进行了无线、在线广播的音频图文直播，及时、准确、充分报道大会议程，取得显著实效。十七大开幕当天就收到来自160多个国家和地区受众来信来电5万余封（次），“国际在线”中文网页面访问量在580万页基础上增长10.6%，外文网站页面访问量在620万页基础上平均增长34.6%。全台43种语言广播和30个驻外记者站用外语采写了独家新闻80余篇。新闻发稿部门开辟《媒体聚焦十七大》，“国际在线”网站开辟《海外视点》专栏，积极报道海外舆论的正面评价，及时编发全球主流媒体对十七大及中国未来发展的报道和反映。

二、多媒体播出体现规模效应

1.多种传播手段报道有声势。

（1）43种语言短波广播保持传统优势。新闻节目滚动播发消息，专题节目形式多样，通过连线上会记者报道会议动态，人物专栏讲述基层代表故事，请外国人士谈中国印象和十七大感受等方式吸引了传统广播受众和短波爱好者关注。

（2）4个对内外宣频率十七大报道各具特色。环球资讯广播（FM90.5）各时段节目滚动播出消息和报道，报道大会盛况；英语综合广播（FM91.5）报道十七大各项重大议题，及时汇总播报中央媒体相关权威评论；奥运广播（AM900）侧重报道与奥运和体育事业有关内容；国际流行音乐广播（FM88.7）在英语、法语、俄语、西班牙语、德语、日语、朝语、阿拉伯语等8种外语的整点新闻中进行滚动口播报道，成为在京外籍受众了解十七大的窗口。

（3）海外落地节目规模效果直观。153家海外合作台转播了国际台对十七大的报道。11家境外整频率广播在十七大报道中发挥了规模大、时间长、信号清晰的优势。在法国、芬兰、瑞典、丹麦等国的境外“本土化”落地节目充分报道十七大。

(4)“国际在线”多媒体报道优势明显。在35种语言网站上开辟十七大专题，通过播客、网络电台、音视频点播、现场图片、论坛、留言等多角度、多形式报道十七大，营造了集团式外宣声势。

(5)新媒体外宣实效初显。环球网络电台、手机广播、手机电视、IPTV、网络电台、网络图文等新媒体发挥“快、准、多、新”优势，全方位、多角度、多载体报道了此次盛会。

2.与地方媒体联手报道富有成效。

联手30多家地方媒体在华语广播《中国之窗》和《城市之光》栏目中，启动配合十七大报道的“主题报道月”，发挥地方台报道的生动性、灵活性、贴近性，增强了节目的可听性；在华语广播新闻板块的十七大挂牌专栏中为各地方媒体开辟广阔的信息平台，取得了资源共享、互补共赢的实效。

3.与海外主流华文媒体联合报道创先河。

华语环球广播打造全球华文媒体信息平台，通过新闻专题《中国2007》联手全球20余家主流华文媒体，每天连线海外主流华文媒体负责人和华人华侨代表，在节目中及时呈现海外华人华侨的反响和评价，丰富了十七大报道的内容和手段。

三、新媒体应用打造外宣亮点

1.构建了新媒体联动平台。

“国际在线”搭建集文、图、音、视一体的新媒体联动大平台，整合对内对外广播及网站资源，通过手机广播、手机电视、环球网络电台、IPTV、网络图文等形式，首次实现了同一主题在多媒体平台的联动播出。

2.丰富了新媒体播出手段。

在环球网络电台基础上推出了手机广播、手机电视、IPTV等新媒体手段。CRI手机广播电视使用英语、日语、俄语、德语、西班牙语等5种语言，播出十七大多语种新闻和环球资讯广播直播节目。国际台IPTV集成电视、互联网及多语种信息优势资源，参与了《十七大代表做客国际台》采制，将内容整合成网上视频节目；推出《网上讲堂》栏目，邀请专家做客网站与网民开展互动。12个环球网络电台每天使用10种语言播报十七大相关新闻，收集国际社会反应，吸引了来自全球五大洲外宣重点城市的受众。

3.加强了新媒体内容建设。

中文网和网络电台推出的特色栏目《英雄之声》采用Flash技术，融合图片、音频、文字等形式，声像结合、图文并茂地再现了优秀共产党员在战争与和平年代作为革命丰碑和楷模先锋的主题意义，实现了一个主题内容的多媒体联动发布。

四、特色报道彰显核心竞争力

1.广播特色明显增强。

上会记者发挥广播优势，采发大量录音新闻、录音报道和口播报道，新闻性、时效性、现场感兼具。开掘“广播传播”与“网络传播”结合的优势，以“国际在线”为载体，加强广播与网站互动，使声音媒体文字化、视觉化，发挥网上广播视听一体、实时交互的全息效应，打破国际传播的地域界限，使投入很小的节目迅速传遍全球。

2.外宣特色更加鲜明。

各语言广播和各语种网站根据对象受众需求，打造知识性、说明性、趣味性、鲜活性各异的十七大专题，体现了“外外有别”。注重十七大报道与中国报道的结合，推出一批旅游、文化、人物、生活类配合性报道；注重中国立场与世界眼光的结合，外宣与外交的结合，推出一批特别报道，提升了外宣内涵。

3.特色专题成效显著。

开设3个全台性系列专题《十七大代表做客国际台》、《十七大代表风采》和《百姓纪事》，形成专题节目品牌效应。多媒体栏目《十七大代表做客国际台》邀请十七大代表到直播间接受专访，针对受众普遍关注的问题解疑释惑。《代表风采》通过讲述代表个人经历，反映其所在地区、所在行业在中国经济社会发展中的作用，以小故事反映大主题。“软性系列专题”《百姓纪事》重在以讲故事的方式记录百姓生活，反映历史变迁。各语言广播开辟特色专题，打造报道亮点，扩大了国际传播综合效应。

（国际台总编室　卜伟才）

中央电视台十七大宣传报道综述

一、重大直播恢弘大气，画面精巧流畅

1.十七大开幕式直播。

10月15日，中央电视台圆满完成十七大开幕式现场直播，并向全球电视、广播及网络媒体提供了高质量的公用信号，综合频道、新闻频道、中文国际频道(亚洲版、欧洲版、美洲版)及英语、西班牙语、法语等频道同步推出特别节目。全球400余家电视机构及人民网、新华网、新浪网在内的网络媒体和手机电视等新媒体都引用了中央电视台节目信号报道盛会。

2.转播及专题制作高效、高质。

十七大期间，成功完成了大会新闻发布会和4场记者招待会转播、新闻和专题节目的制作播出，共有80个国家和地区的286家海外媒体对新闻发布会进行了转播。时长20分钟的专题片《辉煌中国》回顾和总结了五年来中国共产党走过的非凡历程，节目立意高远。此外，在人民大会堂现场设置大屏幕播放相关重点节目，赢得代表高度评价，并引起境内外媒体的关注。

二、新闻栏目传播视角新，内容实

《新闻联播》自8月22日起开设了“十七大代表风采录”、“党旗更鲜艳·党的建设巡礼”、“科学发展·促进和谐”、“经典中国·辉煌成就”四组专栏，与《百姓纪事》、《永远的丰碑·红色记忆》等专栏节目共同营造了热烈的氛围。

十七大报道期间，除大会开幕式、闭幕式、一中全会3天的《新闻联播》按规定延长时间播出以外，其余时段均以30分钟不变的篇幅，首次实现了《新闻联播》在党代会会议期间播出不延时。同时，《新闻联播》还播出“今天的生活”专栏，将当天大会动态延伸到会外，通过寻求新闻事件之间的关联，深度关注各地建设小康生活的成果与百姓的切身感受。报道还开设了“数字生活”小板块，在数字变化中折射出国家的发展成就。

9月25日～10月10日，《焦点访谈》连续推出16集大型系列节目《新起点》，通过选取发生在百姓身边的故事，回顾改革开放29年来的成就，凸显了十六大以来五年间我国建设的新成就，改革发展的新思路、新理念。推出8集特别报道《开创新局面》，开设了"焦点回放"、"议论风声"等板块，以多视角传递、解读报告的重要精神。

《东方时空》在《东方之子》和《时空连线》中分别推出"先锋故事"和"愿生活更美好"两个系列节目。"先锋故事"选取来自不同行业的基层代表，叙述扎实，人物鲜活，体现了代表们的风采。"愿生活更美好"用百姓生活中的小故事折射出十七大的内容，关注和解决社会普遍存在的民生问题。

三、新闻频道全面作战，亮点频现

十七大报道是新闻频道第一次以整体形象参加党代会报道，组织了24档整点新闻和5档专栏节目全面参与报道。

自2007年8月31日起，新闻频道以周为单位连续推出6集大型特别节目《和谐中国行》，节目播出后，同时段收视率增长10%。

新闻频道对重点新闻进行滚动播出，确保大会内容能及时传递给观众。其中，2007年10月15日19:00～16日18:00，新闻频道对所有整点新闻播出版面扩充，连续对时长28分07秒的大会开幕式新闻进行了21次播出。

《360°》、《朝闻天下》分别开设了"十七大全接触"、"民生新举措"报道专栏。其中，《360°·十七大全接触》改变会议的常态报道模式，以每天30分钟的篇幅贯穿整个会议期间。

《小崔会客》既轻松、幽默又不乏适度的质疑和充满人文精神的关怀，将重大主题寓于轻松交流中，贴近性强，取得了很好的收视效果。

四、经济频道贯彻民生视角，创新报道形态

经济频道推出《小算盘·大算盘》等系列节目，以"算账"方式见微知著，由小账带出国家大账，揭示每一个故事背后的国家重大政策。先后推出"家庭餐桌的变化"、"青藏铁路通车"、"列车6次大提速"等典型事例，从不同角度、不同层次全面回顾了近年来各地群众生活水平的变化。

经济频道在《经济与法》栏目播出6集系列节目，通过人民调解员、业委会主任等6位普通人身上发生的法律故事，折射出近年来我国法制建设取得的进展。节目以纪实的手法、百姓的视角，将普通人的法律故事与一部法律的出台、一套制度的实施相结合，内容涉及《物权法》、《法律援助条例》、《未成年人保护法》、《劳动合同法》等。

十七大期间《经济半小时》栏目推出系列节目《中国制造新版图》，选择经济发展鲜为人知的最新成果，由社会知名人士、经济学家的现场体验展现"中国制造"新成就，报道深入浅出。

《中国财经报道》栏目推出特别节目《小康纪事》，通过革命老区农民致富、农村科技带头人、农民减负等故事勾勒出农村小康建设的缩影。

《对话》栏目推出特别节目"金秋的约会"，选取社会普遍关注的话题，制作播出4期特别节目。节目分别以"意想不到的故事"、"关口纪事"、"第四极猜想"和"感受小康"为题，通过具体的实例阐释政策，展现国家发展与人民生活紧密相连的关系。

五、央视国际网络以新技术、新媒体为手段，形成强大报道合力

央视国际网络首次实现超大规模（7家P2P系统和2家海内外CDN服务商）全球化多语种网络视频直播，视频画面清晰流畅，传播效果良好；首次实现中、英、西、法4个语种现场图文实时报道，通过更多渠道向世界传播中国的声音，为海外网民了解十七大提供更多选择方式；首次实现人民大会堂现场图文直播和嘉宾访谈，第一时间、第一现场传递党代表心声和对大会的切身感受；首次实现网络、手机、电视3大平台联动报道，形成强大的报道合力；首次推出我国第一个视频手机杂志，带来全新的视听体验。

央视国际网络适时推出大型时事论坛《复兴论坛》，开启了民众参政议政的新通道；独家开通6位小记者博客，让广大网民通过孩子的视角观察盛会；创建了"全国电视台网络视频联盟"，打造了最大的视频集成平台，聆听来自百姓的声音；手机电视、手机视频杂志、WAP全方位报道十七大。

央视国际网络共发布中、英、西、法报道8154篇，图片3112张，视频 4212条，时长约19586分钟。手机发布文字报道615篇，图片615张，手机视频点播节目581条。

央视国际网络日均访问量7322万次，最高日访问量突破1.05亿，比平时增长了75%，首次实现单日页面浏览量过亿，专题总访问量高达2533万。CCTV手机新媒体报道覆盖4000万手机无线网民，总访问量达到4791.5万次。

（新闻节目中心、广告经济信息中心、央视国际网络）

"两会"宣传报道

广播电视"两会"宣传报道综述

十届全国人大五次会议和全国政协十届五次会议3月5日和3月3日在北京召开。从2月28日起，中央三台开始"两会"宣传报道工作，截止到3月16日，共播出现场报道161场，总时长283.7小时，其中现场直播78场，播出"两会"新闻16981篇，时长474.4小时；播出"两会"专题3965篇，时长381.4小时。共开办272个"两会"专栏。中央三台共采访代表委员7831人次，其中省部级以上领导干部338人次，邀请嘉宾进入演播室访谈1791人次。

中央三台网站开办"两会"报道栏目216个，发布文字稿27821篇，发布图片11804张，总访问量4.6亿人次，日访问量3309万人次，播发音视频节目261小时。央视国际、中国广播网和国际在线在"两会"期间全天24小时提供音视频节目同步直播。

一、突出重点，把握导向

1.深入解读政府工作报告。

3月5日，在直播开幕式和温家宝总理政府工作报告后，中央电视台新闻频道《"两会"之窗》等节目对温家宝总理政府工作报告进行全面翔实的解读，专题片、演播室、互动平台相互配合，摘选代表委员关于政府工作报告的精彩言论和点评，围绕构建和谐社会、关注民生、推进新农村建设等话题展开讨论。经济频道推出《共建和谐》系列公益片，引入政府工作报告中的最新数据、理念，通过鲜活的人物和故事对政府工作报告进行全新解读，表达重视民生、共建和谐社会的理念。

中央电台《新闻和报纸摘要》"两会"特别节目《国是论坛》播出专题报道《开局良好 任重道远》，报道代表委员讨论政府工作报告，热议"十一五"规划开局之年我国国民经济和社会发展取得的巨大成就。录音报道《贯彻落实科学发展理念 加强改善宏观调控》围绕落实科学发展观这一重大主题，把科学发展的理念延伸到诸多领域，节目总揽全局，鼓舞人心。

3月5日，国际电台根据政府工作报告的内容和重点编发《温家宝表示 中国已基本解决拖欠农民工工资问题》、《今年中国经济增长预期目标仍为8%，首次确定节能环保为其前提条件》等30余篇新闻，用43种语言播出。

2.做好《物权法（草案）》和《企业所得税法（草案）》等法案的报道。

中央电视台各频道相关节目通过新闻报道、记者特写、专家点评、嘉宾访谈等形式多角度聚焦"两法"报道。《焦点"两会"访谈》对《物权法（草案）》的起草、征求意见和修改过程进行梳理，围绕物权的概念、立法的意义、老百姓关心的内容三个观察点展开论述。经济频道《"两会"三人组》重点从"两税合一"的角度出发，分析中国经济环境变化。英文国际频道在黄金时段推出人大代表对"两法"的评论和"两法"出台的背景解读，挖掘两部法律草案的要点和百姓的关注点。

中央电台《全国新闻联播》、《新闻和报纸摘要》节目及时播出人大会议听取和审议"两法"草案的录音新闻，《"两会"专题》播出20分钟的实况录音剪辑。中国广播网开设直播页面，全程图文直播。各频率节目对制定"两法"的必要性、"两法"草案的主要内容及影响进行了全面深入的解读。

国际电台43种语言无线广播和48种语言在线广播播发有关"两法"草案审议的新闻。《中国时事》突出《物权法（草案）》对国家、集体和私人的物权给予平等保护，介绍《企业所得税法（草案）》出台的背景、意义等。英语中心《中国商务》采访中外企业家，对《企业所得税法（草案）》出台的积极意义做正面、深入的报道。国际在线英文网"两会"专题开设《物权法》和《企业所得税法》两个栏目，对"两法"进行重点报道。

3.关注民生，解疑释惑。

中央电视台中文国际频道重点推出《永蔚独家访问》栏目，记者追访省部级官员，共采访10多位部长，回答有关医疗体制改革、廉租房建设、农民最低生活保障制度建立等民众关心的热点问题。社会与法频道《小撒探会》、《互动在12》和《代表建议追踪》联袂制作"两会"特别节目，围绕医疗改革、住房、社会保险等民生议题展开报道。央视国际利用"两会"论坛和留言板征集网民关于热点问题的意见和建议，"两会"论坛访问达345万多人次，比去年增加15%，日均发帖量2940条，最高同时在线人数60577人。

中央电台《新闻和报纸摘要》特设《倾听基层》专栏，围绕百姓普遍关心的问题，请代表委员进行解答。3月9日《全国新闻联播》节目播出录音特写《我给总理爷爷写封信》，报道生动感人，体现了党和政府对教育事业的重视。3月10日，《倾听基层》专栏就"看病难、看病贵"这一热点话题进行了报道。

国际电台俄语广播等8个语言广播与在线广播的"两会"专题节目播出8集"两会"特别系列节目《永乐小区的故事》，节目涉及普通百姓的住房、医疗、子女教育等社会热点问题，由代表委员或专业人士进行剖析阐释，反响良好。

4.积极宣传人大、政协工作，展示我国民主政治建设成果。

中央电视台中文国际频道《中国新闻》栏目推出《追访提案议案》，聚焦获得切实解决的民生问题。英文国际频道推出《十一届人大选举变化及其意义》，报道本届代表名额和选举中将有农民工代表、女代表比例要求、港澳代表选举不进行预选等重要变化。

中央电台《新闻和报纸摘要》用录音报道形式集中报道了人大代表听取和审议"两会"工作报告的情况。

二、全面创新，力求实效

1.直播水平高。

中央电视台综合频道、新闻频道、中文国际频道、英文频道和西法语频道圆满完成"人大会议开幕式及温总理作政府工作报告"、"外长记者招待会"等重要活动的现场直播，并对大会提供的十几场直传信号的内容进行了新闻栏目内直播。直播（直传）场次达57场，总时长超过80小时。央视国际同时对上述活动进行网上直播。

中央电台第一、五、七套节目也对上述活动进行了直播或连线直播。中国广播网对上述活动进行了同步音频直播。

国际电台使用汉语普通话、英语对一系列重要活动进行现场直播，首次同时使用汉语普通话、英语、法语、德语、西班牙语、日语、俄语等7种语言对"人大会议开幕式及温总理作政府工作报告"进行直播，先后有2万多人次在线收听国际在线多语种直播。国际在线网站也对上述重要活动进行了同步直播。

2.着力创新，打造亮点节目。

中央电视台《新闻联播》开设《"两会"一年间》、《数字"两会"》等"两会"报道专栏，加强了"两会"信息解析。《新闻联播》之后的"一档专题时段"变换为《焦点"两会"访谈》；《新闻30分》、《"两会"之窗》对《代表议案》、《委员提案》、《声音》等老品牌进行全新改造。《360° "两会"全观察》增设《国策解码》、《"两会"全球看》等板块，消息和评论结合，强化内容和形式的融合，形成当日新闻总览的格局。据不完全统计，"两会"期间综合频道和新闻频道主要栏目共播出特别节目60余期，总时长超过700分钟。经济频道《老外看两会》联手全世界的媒体力量，聘请全球顶级财经要人担任频道国际观察员，全面展示世界对"两会"的观察与思考。社会与法频道"两会"特别节目《小撒探会》利用信息资源，通过网络新闻、移动电视、工作博客等形式进行"二次传播"，成效明显。央视国际《网眼看会》在电视上读网友帖文、评记者博客、说名嘴播客，将网络特色带进电视，为"两会"报道注入新鲜元素。

中央电台《全国新闻联播》、《新闻和报纸摘要》节目推出12期《两会时评》，约请《人民日报》、新华社等各大媒体的专家及资深评论员就两会重大主题发表口播评论。

同时，还开设了《国是论坛》、《强国方略》和《倾听基层》专栏，围绕经济社会发展的全局性问题请代表委员答疑解惑。《整点新闻》、《第一报告》和《新闻直播间》推出专栏《“两会”连线》，通过记者的话筒向听众传递“两会”最新动态。3月5日起，《做客中央台》栏目由早中两档改为早中晚三档，专访参加两会的高层领导和企业界代表委员，解读和评析社会热点问题。中国广播网同时进行视频和图文直播，首次通过手机广播电视频道推出《“两会”直播室》、《高端访谈》、《百姓播客》等直播点播栏目。

国际电台英语中心对非洲落地的直播节目《脉动中国》以主持人现场讨论的形式报道“两会”期间百姓关注的热点问题；《中国商务》栏目在报道《企业所得税法（草案）》时选取国外听众关心的角度，采访外企人员，对该法出台的意义做正面、深入的报道；各语言通过广播和网站在会前推出“两会”调查，了解受众关注点，普什图语网站组织的“两会”有奖问答正确率达到63%。国际在线推出大型专题《“两会”和你》，通过播客、论坛等新媒体形式推出《我向总理提问》、《我的提案议案》等互动类栏目。

3.加强中央领导同志下团组活动的报道。

中央电视台《新闻联播》完整报道了9名政治局常委参加25个团组和18个界别审议讨论的情况，利用同期声配画面等手段做到减量不减信息，捕捉领导人与基层代表交谈的画面，传递党和国家领导人与代表委员共商国是、平等交流的民主气氛。

中央电台“两会”期间共报道45场中央领导同志下团组参加讨论和审议的活动，3月6日，《新闻和报纸摘要》播出录音报道《让农牧民得到更多的实惠》，报道了胡锦涛主席第五次走进西藏代表团，同代表们一起审议政府工作报告。

国际电台首次获准参加党和国家领导人下团组讨论采访报道，共采发《胡锦涛 温家宝与全国人大代表共商国是》等10余篇新闻和录音报道。

4.把镜头和话筒对准基层代表委员，反映建言献策的典型事例。

中央电视台《新闻联播》播出364名代表委员的同期声，其中基层代表委员190人。3月6日，《新闻联播》播发了《促进科学发展 共建和谐中国》，报道北京、广东、青海等15个代表团审议政府工作报告的情况，并采用了9名来自基层代表的发言，现场感强，内容深入。

中央电台中国之声“两会”期间报道了1900多人次的基层代表委员，占报道代表委员总数的86%。《新闻和报纸摘要》、《全国新闻联播》、《“两会”专题》节目接近2/3的报道空间反映基层代表委员建言献策、履行职责的心声。3月11日，中国之声播出《社会和谐重在建设》，选取14名基层代表委员的发言摘录，综述建设和谐社会的重要性和必要性，说理透彻，可听性强。

国际电台英语中心“两会”专栏推出《我当人大代表这五年》、《我当政协委员这五年》等报道，讲述五年中印象最深的经历和对下一届代表委员的期待。日语、德语、印地语网站推出《代表委员心声》、《代表委员风采》等栏目，介绍基层代表委员参政议政的典型事例，说服力强。

5.改进程序性报道，提高影响力。

中央电视台突出审议与讨论等程序性报道的主题化，聚焦代表委员，注重主题和细节的设计，形成“以事件或关键情节为核心，背景与新闻故事为环绕”的报道特点。3月11日，《新闻联播》播出《人大代表分组审议人大常委会工作报告》，在2分44秒内播出了14名基层代表的同期声。

3月6日，中央电台中国之声《直播中国》对安徽代表团的小组审议进行直播，使广大听众近距离地感受到人民代表行使权利的情况，体现了国家政务公开、国事公开的发展变化。

三、加强外宣，注重实效

“两会”期间，共有96个国家和地区的347家电视机构转播或部分使用了中央电视台的节目信号，比2006年增加了17家。中央电视台中文国际频道、英文国际频道和西法语频道推出《中国焦点2007》、《我有问题问总理》、《永蔚独家访问》、《民生与民意》等栏目，搭建了民意与政府的沟通平台。中文国际频道与中国新闻网、《人民日报》海外版及国际电台等多家外宣媒体联动合作，推出15期“两会”特别节目《中国焦点2007》，鼓励海内外观众积极关注“两会”焦点及中国建设发展热点问题，共有10余万人参加了调查和讨论。英语频道在黄金时段推出“两会”特别节目《民声与民意》，把新闻和访谈结合在一起，突破以往特别节目先新闻后访谈的窠臼。“两会”期间，共邀请来自中国内地、港澳及海外的官员、学者、委员、代表45人次，其中19人为外方嘉宾。西法语频道开辟《外国使节谈“两会”》、《对话》系列节目，反映“两会”最新动态及热点问题。

国际电台通过43种语言广播在世界60多个国家直接落地播出。各语言广播加强受众调研，深入浅出地回答国外受众关于“两会”的问题，介绍中国的政治制度和民主政治建设的成果。英语广播根据“两会”热点问题采写了《香港政协委员表示将加大与内地的合作》、《政协委员表示中国的房地产市场应该降温》、《外国投资者表示统一企业所得税不会减弱外企投资热情》等报道。各语言广播还开设了《我当人大代表这五年》、《2007，和谐中国》、《永乐小区的故事》等有针对性的专题节目。

四、相互配合，形成合力

中央电视台通过台网互动充分发挥节目优势。央视国际为中央电视台“两会”特别报道制作23个大型专题，并特别为新闻频道、经济频道、中文国际频道、社会与法频道制作“两会”报道集合页面，实现“两会”报道“零时差”上网。央视国际与国际在线携手推出《中国焦点2007》，对和谐社会、奥运、教育等热点问题展开网友调查，实现互联网与电视的直接互动。央视国际还以手机电视、WAP专区以及互动短信等移动多媒体丰富“两会”的报道手段。

中央电台在中国之声、经济之声早中晚三个黄金时段开辟《“两会”专题》节目，各频率及中国广播网开设“两会”报道专栏或专题，全台广播与网络互动，频率节目间联动，全方位、多媒体、多视角报道“两会”。中国广播网互动专区《我向高层提建议》共收到网民建议2340个，网民提案议案2110件。

国际电台对外对内广播、海外落地节目、国际在线网站、《世界新闻报》等全面参与“两会”报道，形成了音视网报协作、多媒体联动的大传播格局。

中国教育电视台《“两会”进行时》共播发各类新闻

200余条，演播室深度访谈20期，累计播出节目1000余分钟，“两会”期间收视率提高42%。全国大部分省级电台、电视台开办了“两会”专题栏目，如北京电视台《元元说“两会”》、上海东方卫视《骆新“两会”视点》等，从不同的角度展示地方代表委员心系国计民生、积极参政议政的风采。

五、效果显著，反响热烈

广播电视对“两会”全面及时、生动深入的报道，受到了各级领导、代表委员和广大受众的充分肯定，也赢得了海外媒体的高度评价。

各界群众纷纷通过电子邮件、短信、电话、来信等形式表达对广播电视“两会”宣传报道的赞扬和感谢。中央电视台《我有问题问总理》栏目共征集网友提问20万条，总点击量超过1000万；中央电视台社会与法频道《小撒探会》突破三个“100万”；“图说一日工作博客”累计点击量突破110万人次；独家专访政协委员吴敬琏单条网络新闻点击量超过100万人次；《公交车上探两会》移动电视受众接触量超过100万人次；中央电视台经济频道特别编排播出的大型公益活动报道《春暖2007》，关注弱势群体，受到代表委员的高度评价。

境外主流媒体和受众纷纷对中国“两会”召开和广播电视“两会”报道给予充分肯定。路透社、法新社、俄通社·塔斯社、美国有线新闻网（CNN）、德国之声、英国广播公司（BBC）、日本广播协会（NHK）、阿拉伯半岛电视台等均以不同篇幅报道“两会”消息。特别是温家宝总理政府工作报告体现了中国作为世界大国的影响力。“两会”期间，国际电台共收到近百个国家及港、澳、台地区听众来信、电话及传真1万多件。“国际在线”日均页面访问量达到近700万，单场直播在线收听人次最高接近5万，各语种网站的各项留言总数达到30万条，共收到网络投票2.5万余张，网络电台点播收听人数达到5.8万人次。

（国家广电总局宣传管理司）

纪念香港回归十周年

中央人民广播电台纪念香港回归十周年宣传报道综述

2007年纪念香港回归十周年宣传，中央人民广播电台对纪念日重大庆典及重要活动进行了现场直播，全台新闻、专题、文艺及网络宣传各展所长，全方位回溯香港回归十年来政治、经济和社会的发展历程，讴歌“一国两制”的伟大成就，赢得各界好评。第一套中国之声、第二套经济之声、对台湾广播第五套中华之声、第六套神州之声、对港澳广播第七套华夏之声、第八套民族之声等6套广播节目发稿总篇目为3532篇，开办专栏38个，播出总时长6192分钟；中国广播网推出《庆祝香港回归十周年》专题网页，开办专栏11个，共发稿546篇，图片933幅，音频23小时，视频180分钟。

一、重大直播彰显广播传播优势

中国之声、中华之声、华夏之声三套节目并机现场直播了《庆祝香港回归祖国十周年大会暨香港特别行政区第三届政府就职典礼》、《庆祝香港回归祖国十周年文艺晚会》、《深港万名青年大联欢》三场重大活动，总时长为510分钟。7月1日，现场直播庆祝大会暨就职典礼实况，首次采用4位主持人的主持模式，既保证了庄重性，又增强了灵活性。根据现场进程，主持人灵活地介绍胡锦涛主席的实时活动和会场场景，及时根据临场变化用普通话同步解说香港特首曾荫权的粤语讲话，整个直播达到了让听众身临其境的效果。

中国之声12小时大型直播节目《潮涌香江》把中央台香港回归十周年报道推向了高潮。在北京、香港、深圳设有多个直播点、4个直播间，中央电台、上海电台、深圳电台三台同步直播，8位主持人风格各异，整体基调浑然一体。直播贯穿“一国两制成功实践”这一主题，以现场直播香港回归十周年庆祝大会为重点，逐次展开；以庆祝活动为主线，将香港大巡游、西部通道开通仪式、翻山越岭挑战杯、维多利亚港烟花燃放等贯穿其中，并现场报道了京沪深港四地特别是香港当地的庆祝活动；此外，还穿插了《香港专访》、《难忘九七》、《回归十年》等专栏以及与香港有关的音乐歌曲，展开嘉宾访谈，全面反映了香港回归十年来的巨大变化，香港与内地关系的发展以及经济合作的历程和前景。《潮涌香江》多点直播、现场直播与演播室直播衔接紧凑，采用多种互动手段，全程吸引听众参与。直播当天有近7000名听众发来短信或者打电话祝贺香港回归十周年，祝福祖国。

《潮涌香江》与中国广播网资源共享，形成合力。中国广播网在6月30日、7月1日推出4个直播页面，全天头条，首页导读，全面聚焦《潮涌香江》，以文字和图片为中国之声的声音增添魅力。网友同步点评，与中国之声短信平台呼应，共同祝福香港。

华夏之声于6月30日～7月1日采用双语频率和普通话频率并机播出大型直播节目《辉煌十年荣耀香江》，全面报道了香港、深圳、北京等各地庆祝香港回归十周年的重大活动；重点突出香港回归十周年大事多、重点多、成就多的特点，内容涉及香港政治、经济、人文和香港市民生活等各方面，节目风格追求庄重大气，贴近香港听众的收听习惯。特别是直播节目从5000多分钟的音响素材中精选了各重要时刻的录音，使听众在声音的再现中回顾香港十年中的社会变化和观念变化。节目还邀请了香港问题专家解读“一国两制”、“港人治港”、高度自治的国策和《香港基本法》，解析中央政府在支持香港方面的各项政策，让听众进一步了解香港十年来稳定、发展、繁荣的原动力，同时也预示了香港未来的美好前景。每天的直播节目都安排了《香港我知道》《香港风采》等板块，介绍香港的人文、风情和旅游，拉近了内地与香港听众的距离。

二、专栏报道内涵丰富，特色鲜明

中国之声充分发挥频率专业化统一运作的优势，各档节目内容各有侧重，角度形式各异。《新闻和报纸摘要》推出系列报道《回归十年看香港》，播出《一国两制，不变与变》、《紫荆花开，明年更好》、《祖国情，心回归》等重点篇目，视野开阔，思想性强。《新闻纵横》推出《和特区共同成长》，以香港回归日出生的孩子和其家庭的成长、变迁，反映香港回归十年的发展历程；中国之声与深圳电台联合在《第一报告》中制作播出19集系列专题报道《深港这十年》；《人物春秋》推出系列报道《香港风云人物》，讲述了范徐丽泰、曾宪梓、胡经昌、郭兆明等人的传奇经历、奋斗故事以及为香港回归所作出的贡献。《娱乐新干线》播出音乐专题节目《你好，香港》，节目以祝福香港为题，与听众密切互动，表现香港的繁荣、稳定以及人们对香港的深深祝福。

经济之声开辟《经济之声记者眼中的香港》、《香港故事》专栏，通过记者讲述在香港的见闻，多视角展示香港回归十年来的变化。15集系列节目《香港故事——讲述香港最有故事的人》讲述香港同胞的创业故事，展示了他们白手起家、自强不息的创业精神和香港回归10年来的发展成就。

对台湾广播中华之声和神州之声及时报道有关香港回归十周年的各项活动，同时推出多个系列访谈节目，从政治、经济、文化、社会生活等多个角度反映香港回归十年来取得的成就。

华夏之声通过《香港回归整点新闻播报》、《香港回归十年有奖征文》、《风云香港》系列专题、《歌声中的十年》音乐专题等多种形式对这一盛事进行宣传。

民族之声在蒙古、藏、维、哈、朝等5种民族语言节目中及时报道中央领导在香港的重要活动以及香港回归十年来取得的成就。

三、台网联动，多媒体报道突出亮点

中国广播网推出《回归十载春华秋实庆祝香港回归十周年》专题，通过图文音视频直播，全程报道中央领导人在港活动，实时报道有关庆祝香港回归十周年的各项重大活动。7月1日，实现与中央电台、上海电台、深圳电台、香港电台12小时同步网上直播，开辟“直播香港”、“最新报道”、“香港新貌”等18个栏目，刊发文字稿467篇，图片640幅，音频报道18小时，视频报道180分钟，在线调查《香港回归十周年大事评选》参与者36510人次，留言板《网友寄语》241篇，手机短信2173条，新闻跟帖8800条，专题浏览量达到16697736次。

中国广播网全力配合中央电台三场直播，推出《我爱香港这十年》四个主题策划，《港味飘飘》聚焦生活，《香港制造》聚焦经济，《今日烟花特别多》聚焦欢庆盛典，《香港潮流谱》聚焦旅游，通过聚焦香港文化、经济、旅游三大变迁及庆典活动盛况，充分展示香港独有的魅力。《直播香港》栏目与中国之声《第一报告》“深港这十年”和华夏之声双语广播“港澳2007”节目同步，与听众网友一起走进香港。中广网还协助华夏之声、军事中心先后推出《我看香港回归十周年征文》及《军旗耀香江——庆祝解放军进驻香港十周年》两个系列专题，让人耳目一新。中国广播网专栏报道内容与形式贴近网民，实时快讯与综合报道相结合，与各频率广播和门户网站合作形成合力。6月7日，推出“在线调查：香港回归十周年大事评选”，通过香港回归十年来各方面取得的成绩和令港人难忘的事件，重温了香港回归后的各个历史瞬间。6月15日，推出“网友寄语”互动板块，网民参与积极热情，留言寄语献出祝福。

（孙树凤）

中国国际广播电台
纪念香港回归十周年宣传报道综述

根据中央统一部署，国际台准确、及时地向海外报道了香港回归十周年相关活动。

一、启动时间早，报道密度大

香港回归祖国十周年报道是国际台2007年的报道重点之一。从5月中旬开始，推出了全台性栏目《回归十年看香港》，通过采访香港特区政府的主要官员、知名人士及普通百姓，报道了香港回归祖国十年来各方面的变化和发展，香港各界为迎接回归祖国十周年所展示的喜庆祥和气氛，国际社会的积极评价和反应等，共编发报道20余篇。

国际台除常规性的报道外，还注重报道的贴近性和针对性。华语中心推出的系列报道《香港十年》共16期，每天30分钟，用创新的手法，将事件与人物报道相结合，或访谈、或连线，采访了30多位海内外嘉宾，概括回顾了香港回归祖国十年来的16件大事。

国际台英语广播采制了系列专题《我们的香港故事》，对香港回归十年间与内地各方面的交流与交往进行全面报道，涉及教育、旅游、金融等方面，通过一系列故事反映香港回归十年两地日益紧密的合作关系。同时，在街头对香港普通居民进行实地采访，制作成系列片花《香港表情》，配合《我们的香港故事》陆续播出。英语广播还在名牌时政访谈节目《专家论坛》中推出高端访谈系列节目《香港这十年》。

国际台编发了大量的相关文艺节目。其中包括：在《现代创作》、《民族乐曲》、《中国音乐》、《流行中国》等栏目中配发纪念香港回归的音乐稿件，精选十年来作曲家、词作家们为香港回归创作的歌曲，通过歌声梳理历史。在纪念回归十周年庆典活动前，北京等地举办了多场不同形式的音乐会及晚会，文艺部选择部分场次进行实况录制，并及时发出实况音乐稿件。同时选发配合性音乐及片花、间奏乐供语言部选用。

国际台各语言广播部均开设了形式多样的“香港回归祖国十周年”相关栏目，介绍香港回归祖国后社会经济和百姓生活的变化。

国际台对内广播—环球资讯广播在重要节目时段对“香港回归祖国十周年”进行了全面充分的报道。《世界新闻报》于6月28日推出了“香港回归十周年纪念专版”。

二、网络报道形式多样，图文并茂

“国际在线”中文网为报道“香港回归祖国十周年”开设了大型专题节目，利用文字、图片、音频等多种形式进行全方位报道。其中，《回归盛典》报道7月1日前后的庆典活动；《庆祝活动》报道中央、香港、各地举行的各种庆祝和纪念活动；《繁荣依旧》报道回归十年来香港在“一国两制”、“港人治港”、高度自治政策的背景下，继续保持繁荣稳定的状况；《鼎力支持》报道十年来中央政府通过采取各项措施对香港的支持及产生的积极效果，以及中央有关继续坚持对港的一贯政策、继续支持香港发展的表态；《港人之声》报道港人对香港十年来发展状况的积极评价和他们对未来的美好展望；《认知香港》介绍香港的历史、发展、“一国两制”、“港人治港”、高度自治政策等背景资料；《图说香港》用图片展现香港今昔，体现香港的繁荣与发展；《香港·内地》展示回归十年来港人对祖国的认同感不断增强，两地之间的互动交流不断加深。

在线互动活动有《我眼中的香港》网友主题图片征集活动，精彩内容推荐进入新闻频道的《图说香港》栏目；《我生活中的香港痕迹》发动网友述说自己在成长过程中与香港有关的经历以及所受到的香港文化的影响，精彩内容推荐进入新闻频道的《香港·内地》栏目。

新闻时事报道内容主要有"一个家园叫中国"、"曾荫权庄严保证：将竭尽所能为香港、为国家做出最大贡献"、"胡锦涛：广大香港同胞一定能够创造香港发展的新辉煌"、"胡锦涛：我们要向邓小平先生表示深深的怀念"、"胡锦涛：香港回归祖国是彪炳中华民族史册的千秋功业"、"香港特区行政会议成员宣誓就职"、"曾荫权宣誓就任香港特区第三任行政长官"和"香港回归十周年庆祝大会文字直播全文"等。

华语广播网策划并推出《紫荆花开的十年—香港回归十周年》专题，该专题设计了《香港回归十周年有奖知识竞赛》、《香港回归十周年十件大事》、《香港回归十周年网民调查》、《香港回归十周年网民感言征集》、《"我在香港的日子"网友数码照片征集》、《香港回归十周年网上论坛》六项网络互动活动。专题栏目开设期间，参加华语广播网知识竞赛的网民来信超过万封，参加票选活动、网上调查和留言活动的网民数量也超过万余人次。大量的网民留言发自肺腑，流露出对祖国强大的自豪感以及对"一国两制"方针的赞许和支持。

三、发挥多语种特色，圆满完成庆祝大会直播报道

7月1日，国际台使用英语、汉语普通话、广州话3种语言，并通过"国际在线"中文网、英文网在香港成功直播了庆祝香港回归祖国十周年纪念大会暨香港特别行政区第三届政府就职典礼。

在现场直播的40多分钟时间里，用英语、汉语普通话和广州话分别报道了香港特区行政长官曾荫权先生宣誓、胡锦涛主席在庆祝香港回归祖国十周年大会暨特别行政区第三届政府就职典礼上的讲话等。"国际在线"中文网和英文网全程直播，仅中文网在线收听人数达1446人次。

7月1日，香港回归祖国十周年纪念大会前国际台还对胡锦涛主席赴港出席相关活动进行了全面、充分的报道，特派记者发回了《录音报道：共享庆祝香港回归祖国十周年的喜悦》和《中国时事：庆祝香港回归祖国十周年大会在香港隆重举行》等专稿。（国际台总编室）

中央电视台纪念香港回归十周年宣传报道综述

2007年6月30日~7月1日，中央政府和香港特别行政区政府在香港举办系列活动，隆重庆祝香港回归祖国十周年。中央电视台全方位、多角度地进行宣传报道，生动阐释了"一国两制"的伟大实践，全面展现了香港回归祖国十年来的发展历程，在海内外观众中引起强烈反响。据统计，在直播各项重大活动期间，共有95个国家和地区的331家电视机构转播或部分使用了中央电视台的公共信号，央视国际网络的视频专题直播访问量达300万页次。

一、现场直播气势恢弘，营造了香港回归十周年良好的舆论氛围

6月30日晚，中央电视台第一、三、四、九套节目和新闻、西法语频道对"庆祝香港回归祖国十周年文艺晚会"进行了并机直播。晚会主题鲜明、内容精彩，烘托了香港回归祖国十周年的热烈气氛，受到中央领导的高度评价和广大观众的好评。7月1日上午，庆祝香港回归祖国十周年大会暨第三届香港特区政府就职典礼在香港隆重举行，中央电视台第一、四、九套节目和新闻、西法语频道并机直播，中文国际频道美洲、欧洲、亚洲版分别滚动播出，使全球各地华人都能在第一时间收看到大会盛况。7月1日晚，中央电视台第三、四、九套节目现场直播深圳和香港万名青年大联欢晚会的盛况。

二、新闻报道全面深入，充分反映"一国两制"取得的成就

6月29日~7月1日，中央电视台新闻频道推出时长50小时的大型直播特别节目"香港十年"，以胡锦涛主席在香港出席的活动为主线，连续对10余场庆祝活动进行直播报道。节目还设置多个境外分演播室，充分反映国际社会对"一国两制"在香港成功实践的热烈反响。此外，从6月中下旬开始，中央电视台在综合频道、新闻频道《新闻联播》、《新闻30分》、《晚间新闻》等重点时段的新闻栏目中，分别挂标推出"香港十年"、"新香港故事"、"情满香江"等系列报道，《焦点访谈》、《东方时空》、《面对面》、《实话实说》等栏目也推出多个专题节目，展示香港回归十年来的发展历程。

6月29日~7月1日，中文国际频道推出54小时大型直播节目《香港·香港》；《新闻60分》、《今日关注》、《中国新闻》等分别播出系列节目；英语国际频道、西法语频道结合演播室访谈和背景宣传片，关注国际社会对香港回归祖国十年的评价；经济频道推出专题节目《紫荆花开》，并在《经济信息联播》、《中国财经报道》、《经济半小时》等栏目中进行了全面深入的报道。

三、重点节目丰富多彩，展示香港十年来的发展历程和巨大变化

中央电视台综合频道6月23日起播出8集大型纪录片《香港十年》，围绕"一国两制"成功实践的重大主题全方位、多角度地记录香港回归十年来的历程。6月中下旬起，第一、八套节目分别播出30集电视剧《香港姊妹》和60集电视剧《岁月风云》，充分展现香港人的顽强奋斗精神。6月29日，《同一首歌》在香港举办《庆祝香港回归十周年》大型演唱会，组织海峡两岸、香港、澳门歌手大联欢。7月1日，《艺术人生》播出《相聚2007》，从文化艺术的角度关注香港的变化。音乐频道在香港举办了《庆祝香港回归十周年交响音乐会》。此外，央视国际在50小时网络直播的基础上推出7个大型新闻专题。CCTV手机电视还推出"香港十年大事记"等节目，受到手机电视用户的欢迎。

四、观众反响强烈，激发了炎黄子孙的爱国热情和民族自豪感

中央电视台推出的系列直播和重点节目在海内外观众中引起了强烈反响。内地观众普遍反映中央电视台的系列直播场面宏大，内容精彩，充分展现了香港回归十年来的发展成就，有力证明了“一国两制”构想的强大生命力，令世界为之瞩目和称赞。香港一名观众表示：系列直播和特别节目深深打动了香港民众的心，作为一名香港人，从节目中深切地感受到香港与祖国密不可分的联系。美国观众看了直播节目后感慨地说：“香港的今天向世人展现了香港十年的发展。香港不仅没有死亡，而且变得更有活力了。香港的成功证明了“一国两制”的构想是伟大的，具有世界意义。”日本观众中村清打来电话说：“通过收看CCTV-4的直播节目，我感觉最大的变化是香港人的价值观和思维方式在变化，现在的香港人特别是年轻人越来越具有社会责任感，富有理想，积极向上。我认为这个变化要比经济好转更为重要，这个重要变化应当归功于香港回归中国。”

（中央电视台办公室秘书处）

纪念建军八十周年

中央三台纪念建军八十周年宣传报道综述

2007年8月1日是中国人民解放军建军八十周年纪念日，中央三台以新闻、专题、文艺等多种形式，全方位、多角度地进行配合宣传，舆论氛围浓厚热烈。

一、直播节目隆重热烈，营造良好舆论氛围

2007年8月1日，庆祝中国人民解放军建军八十周年暨全军英雄模范代表大会在人民大会堂召开，中央电视台第一、四、九套节目和新闻频道并机直播了大会盛况。其中综合频道、新闻频道的直播节目时长75分钟，中文国际频道亚洲版、欧洲版、美洲版的直播特别节目时长80分钟。直播完成后相关新闻在新闻频道滚动播出。

中央人民广播电台成功地对大会进行了现场直播，中国之声在8月1日制作了“走进英雄城南昌”、“人民军队的法制建设”等直播节目。中国国际广播电台使用汉语普通话、英语及在线广播对大会进行了现场直播。

2007年7月30日晚，中央电视台一套、综艺频道并机直播了大型庆祝文艺晚会《八一军旗红》，中央人民广播电台也对该晚会进行了现场直播。

二、新闻报道充分深入，生动展示我军建设成就

2007年7月，中央电视台在《新闻联播》开设“军旗飘扬”8集系列报道，反映了军队建设成就；《新闻30分》、《晚间新闻》、《360°》、《朝闻天下》等新闻栏目及时播发庆祝建军八十周年相关新闻；《焦点访谈》、《东方之子》、《新闻会客厅》、《人民子弟兵》、《军情连连看》、《实话实说》等专题栏目播出一批特别制作的专题节目。第七套节目《军事报道》、《军事纪实》等军事栏目推出了《中国将帅》、《父辈的旗帜》等系列节目和《回望硝烟》、《使命与光荣》等反映人民军队光荣历程的专题节目。

自2007年7月26日晚，中央电视台综合频道晚间黄金时段播出6集文献片《脚踏着祖国大地》。自7月30日，中文国际频道《今日关注》栏目推出3集特别节目《风雨见证钢铁长城》。自8月1日，中文国际频道《中国新闻》栏目推出3集系列报道《中国维和报告》。西法语频道《综合新闻》栏目制作特别节目“庆祝建军八十周年”。法语《对话》栏目推出“光荣八十年”。西语《对话》栏目邀请拉美记者协会前主席安东尼奥先生做客演播室。

中央人民广播电台自2007年6月全面启动纪念建军八十周年的宣传报道，在重点新闻节目《新闻和报纸摘要》、《全国新闻联播》及《国防时空》和中国广播网播出，截至8月15日，《新闻和报纸摘要》播出军事新闻183篇，其中录音报道125篇。包括庆祝中国人民解放军建军八十周年大会、大型文艺晚会“八一军旗红”、“和平使命—2007”上海合作组织成员国武装力量联合反恐军事演习等一系列重大活动的新闻报道。在《报摘》节目中播出了《汇聚在军旗下》、《向英雄敬礼》等多篇录音特写。

中国国际广播电台新闻中心圆满完成纪念大会上党和国家领导人讲话、建军节招待会等活动的报道，并将系列专题节目作为发稿重点，通过采访老红军、解放军高级将领、军事专家，通过八一起义、解放战争等重大事件，回顾解放军八十年来的建军历程，介绍当前中国的防御性国防政策。在《社会生活》、《中国时事》等栏目中陆续发出多篇稿件，包括《中国推动新军事变革》、《中国积极参与国际军事合作》等，全方位反映中国军队建设和发展情况。

三、重点节目丰富多彩，歌颂我军建设发展成就

2007年7月下旬开始，中央电视台综合频道相继播出电视剧《井冈山》、《英雄虎胆》；《夕阳红》栏目自7月23日，推出20集系列节目《永远的军魂》；综艺频道《电视诗歌散文》栏目自7月14日，推出特别节目《铁军》系列；7月24日～8月1日综艺频道每晚19:30播出由中央电视台与总政宣传部联合制作的纪念建军八十周年特别节目《军旅文化周》；经济频道《商务时间》推出特别节目《商界里的退伍兵》；《鉴宝》栏目播出“八一专场”；少儿频道推出系列节目《光荣之旅》；《影像地带》栏目推出8集特别节目《闪闪红星小勇士》。

中央电台策划了大型系列报道《军旗飘扬》，完成了以有“铁军”之称的济南军区某红军师为代表的一大批军队重大典型的宣传任务，制作了录音报道《今日铁军更辉煌（上、下）》、录音专题《雄狮铁军新征程（上、中、下）》以及中央台评论《强化军魂意识　弘扬铁军精神》。在《报摘》中推出了“优秀军转干部的楷模”林强等一大批优秀个人和集体典型。《国防时空》编辑部策划组织了10集广播文献特别节目《背负着民族的希望》，22集系列录音报道《走进英雄连队》。《军旅人生》栏目播出了20集特别节目《军旅英模》。《名家谈军事》栏目推出了19集特别节目《中国人民解放军著名将帅录》。《一南军事论坛》栏目制作了8集特别节目《影响我军历史的战略抉择》五大系列节目。

国际广播电台文艺部制作了一组军旅歌曲供各语言部选用。

四、多媒体平台发挥优势，网站图文并茂展现建军成就

央视国际在庆祝大会之时开通了新闻频道、综合频道、中文国际频道、英语国际频道的网络视频直播入口，确保广大网民能同步观看庆祝大会盛况，并编辑整合数十篇文稿，制作图片集、视频集，总访问量超过1万人次。央视国际还推出了大型新闻专题《中国人民解放军建军八十周年》、《荧屏里的军装变迁》、《建军视频点播间》三个系列报道，从军事装备、军队建设等角度报道八十年来人民军队建设的巨大成就。此外，引导网友就“纪念建军八十周年”展开讨论。其中，《震撼世界的中国军人，因你们中国才更强大！》一文访问量突破6万人次，回帖数近1000个。

中央电台积极与中国广播网合作，请来“铁军”代表做客中广网，通过在线直播的方式与网友互动，开通士兵博客，开设了《我是一个兵》栏目，让广大士兵以日记的形式抒发当代军人的情怀，语言平实，感情充沛。同时，中国广播网还开设多个专题，先后推出了《纪念中国人民解放军建军八十周年》、《军旗飘扬——济南军区铁军红军师》专题。《声音里的八十年——军歌嘹亮》专题通过各个时期歌颂解放军歌曲为主线，让网友在歌声中感受我军所走过的光辉历程。铁军红军师专题中记者博客栏目“记者之见”以记者的视角展示了我军的新风貌。宣传中还请听众和网友走进网上铁军军营，发表感言、参与讨论。

国际在线中文网在7月中旬推出大型纪念专题开设了《纪念活动》、《辉煌的八十年》等报道栏目，推出了《缔造者》、《经典战役》、《他们铸就军魂》等专题栏目，通过图文、音视频全方位地展示我军八十年的历程。同时，开展了网上征文和调查活动，在论坛上开设《建军八十周年》活动专区，汇总各地的纪念活动情况。此外，国际在线中文网还利用播客、手机电视等新媒体手段对建军八十周年进行了图文并茂的报道。（国家广电总局宣传管理司）

重点节展

第十五届中国国际广播电视信息网络展览会

一、概况

中国国际广播电视信息网络展览会（CCBN）是由国家广播电影电视总局主办，国家广播电影电视总局广播科学研究院、中国有线电视网络有限公司和全国各省自治区直辖市广播电视厅局共同承办的一年一度的专业性、世界级行业盛会，受到国内外广大专业人士和大众的热切关注。2006年被《国家“十一五”时期文化发展规划纲要》列为政府重点支持的八大文化会展之一。2007年又被中共中央宣传部《文化体制改革经验70例》列为全国文化体制改革工作经验之一。经过十五年的努力，CCBN已发展成为亚太地区规模最大的广播影视展览会，是世界排名首位的数字电视和宽带网络行业盛会。

CCBN的展览内容包括广播电视采、编、播、传、收、测各类设备与技术、编播网络与传输网络建设、媒体资产管理、高清节目制作、用户管理系统等多个方面，特别是汇集了全球范围内数字电视与宽带网络方面的创新成果、新业务应用、设计与开发技术。CCBN2007共有来自世界30多个国家和地区的 1000 余家企业和机构参展，展览面积逾6万平方米，覆盖12个展馆。

作为国家广电总局主办的大型国际展览年会，CCBN受到了总局领导的高度重视。2007展会期间（3月30～31日），国家广电总局局长王太华，副局长赵实、张海涛、胡占凡、田进参观了CCBN。

CCBN除了全国各地广电及相关行业800余个代表团5000余名代表前来参观外，同时也吸引了大量世界各地的专业观众。CCBN2007共接待亚洲、欧洲、美洲等国外参观机构达300余家，参观代表团超过3000人。2007年专业观众数量达到了历史最高峰，达7万余人，累计参观人数超过23万人次。在广电行业推行数字化、网络化、高清化的关键阶段，作为CCBN的开幕盛典与核心组成部分，CCBN2007主题报告会成为引领中国广电发展趋势的重要推动力量，国家广播电影电视总局张海涛副局长的主题报告吸引了超过3000人的各行业专业听众以及超过百家的专业和大众媒体的高度关注。

CCBN由过去单一的以展览为主，现已发展成为学术交流与展览并重，使CCBN政策发布、技术交流的辐射面显著加大。CCBN2007期间技术交流会以及各种研讨会、论坛共计30余场，各界人士围绕广电热点话题、新技术、新趋势展开热烈研讨。众多行业高层次焦点会议的举办丰富和拓宽了CCBN平台的内涵，提高了CCBN作为行业前沿推动力量的水准。

二、专题交流活动

展会期间召开了 ISBT第十二届国际广播电视技术研讨会；举行了“电视美术、灯光设计工程奖”、“声音制作优秀作品奖”颁奖典礼；召开了“CCBN 2007数字电视中国峰会”；“电视台数字化网络化建设白皮书（2006）宣贯会”；“金帆奖播出技术质量奖评审办法说明会”；“村村通技术研讨会”；“把握机遇—电视台迎接新媒体时代的到来研讨会”；“广播电台数字化网络化建设白皮书（2006）宣贯会”；“CCBN2007第四届数字电视技术创新论坛”；“《奥运节目声音制作培训、演练与研讨》项目推介会”。

3月31日，国家广电总局局长王太华（左三）等领导参观第十五届中国国际广播电视信息网络展览会

（广播科学研究院）

第三届中国国际动漫节

第三届中国国际动漫节由国家广播电影电视总局、浙江省人民政府主办，杭州市人民政府、浙江省广播电视局、浙江广播电视集团联合承办。是亚洲规模最大的影视动画、漫画出版及汇集各类卡通产品的国家级、国际性博览会。本届国际动漫节于2007年4月28日～5月4日在杭州国际会展中心举行，这也是中国国际动漫节

固定落户杭州后的第一次动漫盛会。

第三届中国国际动漫节的宗旨是"动漫的盛会，人民的节日"，主题是"多彩动漫，和谐生活"，重点内容主要有：动漫产业博览会、"美猴奖"大赛、动漫产业高峰论坛和开幕式暨动漫狂欢巡游四大项目活动。动漫产业博览会展馆设动静分区，整个展位面积4.6万平方米，约1540个展位，设立了"最具创意展位"、"最佳视觉展位"、"最具中国特色展位"等奖项。场馆内外设立电子竞技、反斗城、COSPLAY等活动，以营造氛围、烘托人气。"美猴奖"大赛邀请国际动漫界顶尖专家担任评委，广泛征集中外动漫原创作品，通过评委的专业性和高额度奖赏进一步提高征集的力度和作品的质量。奖项设置参照法国昂西动画节动漫大赛，进一步与国际接轨，并提高奖金额度，增设"年度贡献奖"。COSPLAY活动邀请日本、韩国和中国香港地区的选手参赛，并在网络上视频直播决赛和颁奖晚会。动漫产业高峰论坛邀请了国际一流的动漫业界专家、学者参与，也邀请了动漫产业发展迅速的政府官员，介绍政府如何推动动漫产业发展、开发产业链的理念和经验。论坛采用主、分论坛模式，突出专业性、多样性、大信息和高起点。着力体现动漫原创、生产、研发的产业链形成，抓住投资热点、创意热点、产品热点，交流国内外典型经验。开幕式暨动漫狂欢巡游邀请全国动漫基地和各大动漫企业派出的彩车方阵，着力展现中国原创动漫形象，集中展示中国动漫发展历程，展望中国动漫产业发展的美好前景。巡游突出专业展示与群众参与互动，既展示艺术品质与艺术内涵，又体现了人文与娱乐共生。

第三届中国国际动漫节吸引了众多中外来宾。动漫产业博览会的参展企业达280余家，其中包括韩国漫画家协会、法国动画电影协会以及近20家港台动漫机构和团体；在"香港日"、"杭州·朱德庸日"和"法国日"三个主题日中，约20名中外著名漫画家进行了现场签售活动；作为香港动漫节模式移师大陆的首次尝试，香港动漫节暨香港电玩展也在这次动漫节上进行了推介。

自2005年以来，杭州已成功举办了两届中国国际动漫节，受到各级领导、专家学者和社会各界的广泛好评，特别是得到了国家广电总局的充分肯定。第三届中国国际动漫节按照国家广电总局提出的"国家级、国际化、专业化"的目标和"面向世界、面向产业、面向群众"的要求，努力树立动漫节的三大品牌。一是树立我国以发展动漫产业推动文化产业、增进中华文化与世界文化交流的世界会展品牌。二是树立凸显原创作品、丰富学术交流、扩大项目合作、发展衍生产品的动漫专业品牌。三是树立社会欢迎、百姓满意、参与广泛、品位高雅的大众文化品牌。努力把中国国际动漫节办成亚洲第一、国际一流，在海内外享有广泛影响力和美誉度的动漫节。

第十三届上海电视节

第十三届上海电视节于2007年6月11～15日举行。本届电视节首次与上海国际电影节错开连办，让大众在活动中分享电视文化产业发展带来的精神享受，强调了专业发展中电视人的社会责任，并在国际交流合作中扩大了中国电视节目的推广力度。在主体活动中"白玉兰"奖新增电视连续剧和动画片奖，凸显了对产业热点的关注。国际电视论坛继续发挥对中国电视业的前瞻引领作用。国际影视节目市场以及国际新媒体与广播影视市场交易火暴。此外，中外优秀电视节目展播、"动画日"、"我们在场—中国纪录片30年"、"新娱乐华语主持论坛暨群星会"及"群星耀东方"电视歌会等亮点频现，令观众目不暇接。

一、奖项多元丰富，评选权威公正

2007年电视节评奖增加了电视连续剧、动画片的评选。共有37个国家和地区275家公司、电视台报名选送462部电视节目，其中电视剧116部、纪录片243部、动画片103部。在所有报名节目中境外节目占81.3%。

本届电视节"白玉兰"奖国际评委人数创历史新高，共有电视电影、电视连续剧、纪录片、动画片4个评委会，16位评委分别来自中国内地、台湾、香港、意大利、墨西哥、韩国、澳大利亚、法国、瑞士、美国等10个国家和地区。评委会选出各类别27个奖项的得主，其中上海文广新闻传媒集团的《马戏学校》和《闲着》分获纪录片评委会大奖和亚洲纪录片银奖，电视电影金奖、电视连续剧评委会奖、海外动画片金奖、中国动画片金奖分别由《大迁移》（德国）、《福贵》（中国）、《丹麦诗人》（挪威）、《中华小子》（中国）获得。

二、论坛务实前瞻，推动合作发展

本届"白玉兰"论坛通过论坛、报告、调查等多种形式的呈现和新旧媒体多元内容的整合，体现了论坛对中国电视业的前瞻引领作用。高峰论坛通过全民关注的话题、全民参与的活动为聚焦热点，以2008年奥运会、2010年世博会为背景讨论传媒对国家文化活动的推广作用，雅典奥运会新闻中心主任阿里斯特·尼古拉吉斯、NHK爱知世博会新闻总监椿雅昭等专家应邀与中国电视同行一起探讨"电视及其他媒体如何在大型国际文化活动中推广国家形象、促进地区经济发展"，引起了强烈反响。论坛还组织新旧媒体通过网络对话，围绕WEB2.0时代新旧媒体、专业与大众对媒体制作多种可能性的探讨延长了论坛时间，扩大了影响力。

此外，电视节期间还发布了《2007–2008中国电视新闻节目市场报告》及《第十三届上海电视节国际影视节目市场报告》。

三、参会商家踊跃，知名展商云集

2007年，国际影视节目市场共有17个国家和地区的近180家机构报名，实际参展机构为164家，包括中央电视台、SMG、中视传媒、海润影视、金盾影视、BVITV（迪斯尼）、NHK、KBS、GERMAN FILM等，来自中国大陆以外的展商占40%。

新媒体及国际广播影视设备市场共吸引了近90家国内外广播影视公司前来参展，参展面积超过4000平方米。

其中有来自9个国家25家海外机构参展，整个展台面积90%为特装展台，包括松下、索尼、JVC、池上、汤姆讯、傲威、安恒利等。国内著名的企业有新奥特、大洋、索贝、永达等公司。（上海文广新闻传媒集团）

第九届四川电视节

四川电视节由国家广播电影电视总局和四川省人民政府共同主办，四川省广播电影电视局和四川广播电视集团承办，电视节取得圆满成功。

一、本届四川电视节力求主题创新、内容创新、机制和模式创新

1.创新主题和形式，加强合作与交流，努力提升四川电视节的品牌影响力。

本届电视节围绕“电视影响生活”这一主题来策划、设计和开展，采取“专业与大众相结合、交易与展示相结合、线上与线下相结合”三结合的方式，推出了九大类共20多项主体及配套活动。成功举办了新颖独创的开幕盛典暨招待晚宴；在国际影视节目交易市场首次推出酒店商务洽谈参展模式；新增了“加拿大主题日”和“德国主题日”等特色主题活动。这些创新使本届电视节更加符合国际惯例和具有国际化特征，更适应影视行业及市场的发展需求，提升了四川电视节的品牌形象。

2.贴近群众，专业与大众相结合。

本届电视节坚持专业与大众相结合的方针，除开展丰富的节目展播、展场电视直播、开办网络电视节等线上活动外，还利用节目制播体验与展示、主题酒吧等多种线下活动延展活动，吸引大众参与。这些活动增强了四川电视节的吸引力，拉近了群众与电视的距离，有效提升了电视节的人气指数，把电视节由影视界的专业盛会转变为影视界与大众共同参与的节日。

本届电视节的创新特色引起中外媒体的广泛关注。来自国内外76家媒体的357名记者对本届电视节进行了全面深入的报道，产生了良好的传播效果和社会反响。

二、电视节成果丰硕，实效显著

1.国际影视节目交易市场。

有19个国家和地区1222家中外影视机构的2750名代表光临本届节目交易市场。其中海外机构179家、海外代表316人。据不完全统计，在为期3天的节目交易中达成意向性签约的各类海外电视节目1323部（集）；向海外输出各类电视节目1850部（集），成交额300多万美元，是上届的2.8倍。国内影视机构之间的销售也十分活跃，销售各类电视节目9521部（集），成交额达6.26亿元人民币，较上届增长40%。

本届国际影视节目交易市场采用展场、酒店商务洽谈间、活动区相结合的展览模式，获得中外来宾的广泛好评。国家广电总局领导对首次在国内电视节上采用酒店商务洽谈模式给予了高度评价，交易市场代表纷纷反映这种办展形式方便、经济、务实，为他们提供了非常好的洽谈环境。

2.“金熊猫”国际动漫数字博览会。

本届动漫数字博览会以活动项目为主线，分为COSPLAY盛典、竞技游戏体验、“金熊猫”奖优秀动画作品展播和顶级漫画作品展示四大板块。在为期3天的动博会上22支表演队伍共280余人参加了COSPLAY动漫真人秀表演，6万余名观众观看；两大热门游戏吸引了将近5万余人参与到PK竞赛和游戏体验活动中；20部优秀动画作品在动漫展映馆进行循环展映，新颖的展区和优秀的作品吸引了3万余名观众；100幅选自“金龙奖”的获奖作品在展区作了专区展示；300余幅中国原创优秀作品在展场开始了“中国原创之旅——成都巡展”之行。这一系列活动为动漫产业发展和大众参与提供了良好的平台。

3.国际广播电视设备展览会。

本届电视节共有76家广播电视网络设备生产厂家、销售商带来了具有世界先进水平和领先地位的广播电视、网络设备参加展览。

4.“金熊猫”奖国际电视节目评选。

参加本届“金熊猫”奖国际纪录片评选活动的713部作品来自38个国家和地区。有13个国家和地区的37部纪录片获各项大奖。参加本届“金熊猫”奖国际动画作品评选活动的1018部作品来自39个国家和地区，有 8个国家和地区的16部动画作品分获20个大奖。本届“金熊猫”评奖活动参评国家和参评数量创下历届之最，涌现出一批代表了当今世界影视节目最新发展方向的佳作，“金熊猫”奖的国际性、专业性、权威性得到进一步加强，使其成为中外影视文化交流的重要平台。

5.论坛及其他相关活动。

在电视节期间来自众多影视机构的代表参加了系列论坛活动和其他相关活动。相关活动有“纪录中国”节目制作及“市场营销”电视论坛、“娱乐中国”电视论坛、“电视的故事化论坛”、“加拿大主题日活动——中加影视合作论坛”、“德国主题日活动——中德影视论坛”、“韩国主题日活动”、“国际影视节（协会）著名品牌媒体发布会”。在成都地区9所高校进行了为期1周的“金熊猫”奖国际电视节目评选活动国际优秀纪录片、动画片巡展，举行获奖作者高校见面会，参与的高校师生约800人。

（四川广播电视集团）

中国（广州）国际纪录片大会

2007中国（广州）国际纪录片大会由国家广电总局和广东省政府主办、市政府和省广电局承办，于2007年12月3～7日在广东省广州市召开，大会取得了圆满成功。

一、纪录片评选活动紧扣2008北京奥运主题

评审团从来自24个国家的44部作品中评出了10个优秀奖项，突出奥林匹克“更快、更高、更强”的精神，展现了在奥林匹克主题下不同国度的人们对文化差异的包容和理解。其中波兰拍摄的《散打斗士》获本届纪录片大奖，中国的《农业水乡》获评委奖，加拿大的《乔治主席》获最佳创意奖，日本的《奥运少女的祈祷》获最佳叙事奖。

二、国内影视机构转变角色

广州电视台、四川电视台作为媒体买家寻找购买优秀的纪录片；中央电视台、五洲传媒以投资者的身份来此寻找合作伙伴和好的投资方案；上海文广集团将“真实导演计划”进行到底，他们由原来的观看、观摩转变为买家、投资者。

同时，本届大会有国际知名买家和发行商参加。包括：SBS（澳大利亚特别电视节目服务公司）、EDN（欧洲纪录片网络）、Planete（法国行星频道）、ZDF/ARTE（德国二台/文艺台）、NHK（日本国家广播公司）、BBC（英国广播公司）等。

三、信息交流，探讨纪录片国际制作走向

本届大会举办了“国际纪录片市场信息交流”和“国际制作人日”等活动，来自中国、法国，澳大利亚等国的47位制片人聚集在一起，介绍各自的制作历史、经验和新的方案、国内市场情况，以及对联合制作的可能性进行详细和深入的交流，为国内外纪录片业界提供相互了解、增强合作的机会，从而推动中国纪录片产业走向国际市场。

四、纪录片由专业化走向生活化

交流环节从单一的业界人士之间的交流扩展到业界人士、媒体和纪录片爱好者之间的交流，各大媒体积极推介和宣传优秀纪录片展播，院线展播促进了纪录片市场的良性循环，大会精选高质量的优秀纪录片在会议期间集中展播。本届大会发布了2006年Discovery中国“新锐导演计划”的获奖纪录片，并精选其中两部进行首映，在展播现场有多名国内外知名导演与观众见面交流。

五、举办多项文化活动

大会期间举办了《广东日》的隆重开幕，及“德国之夜”、“阅读城市、阅读广州—08广州城市形象影视推介方案国际征集”、“水晶石数码日”等活动。

本届大会共有来自近20个国家的独立制片人、导演、国际知名买家和发行商代表，以及中国业内300多名专家和100多家媒体，大会不仅为国际纪录片界人士提供了展播、观摩、评优、交流的平台，也为纪录片业界和广大市民奉献了一场高质量的纪录片“文化盛宴”。

中国（广州）国际纪录片大会颁奖典礼暨闭幕式

2007上海之春国际音乐节

2007上海之春国际音乐节于4月28日开幕，为期16天。本届音乐节继续坚持“力推新人新作”和“群众性音乐活动”的宗旨，不断开拓创新，突出特色，提升水平，举办了一系列形式多样、内容丰富的音乐演出、比赛活动。音乐节聚焦“城市”主题，通过打造当代优秀音乐作品展示交流平台和举办各个类别、层面的音乐比赛，为2010上海世博会积累了一批有质量、有水准的音乐新作，选拔了一批有潜力、有才华的音乐新人。

音乐节期间来自法国、俄罗斯、美国、德国、意大利、日本、韩国、澳大利亚、阿根廷、芬兰等十多个国家的音乐团体、音乐家欢聚上海，通过文艺舞台和广播电视等多种媒体奉献了9台新作品音乐会、3大类音乐比赛、25台经典音乐演出以及几百场群众性音乐活动，涌现出几十部优秀的音乐新作品，有力地推动了音乐创作。新华社、《人民日报》、《光明日报》、中央电视台、中央人民广播电台和上海广电媒体以及人民网、东方网、新浪网等网络媒体都对音乐节的举办进行了新闻报道，报道数量累计达到千余篇。

本届音乐节的开幕音乐会为“城市·交响”多媒体新作品音乐会，指挥家郑明勋执棒法国国家广播爱乐乐团奉献了音乐节闭幕音乐会。音乐节期间，还举办了“感受上海·呈现中国——外国作曲家写中国”系列活动，全国中小型钢琴新作品征集活动，“海上新梦”上海作曲家交响乐、声乐作品原创音乐会以及“世博号角”行进式管乐展演等特色项目。本届音乐节的亮点主要有“新人新作”力度强、亮点多，群众文化活动“以点带面”特色突出，聚焦“城市”主题，主动接轨世博会。上海文广新闻传媒集团旗下的东方卫视、文艺频道、音乐频道、经典947等广播电视媒体和新浪网等网络媒体对包括上述项目在内的10余场演出活动进行了现场直播或转播，进一步促进了中外音乐艺术交流。

（曾晓萌）

3.概 况

Overview of Radio & TV

3. 概 况

责任编辑 刘书峰 曲宗生
审 稿 人 罗建辉 陶世明

全国概况

全国广播电视概况

2007年，全国广播影视系统坚持以邓小平理论和“三个代表”重要思想为指导，自觉同以胡锦涛同志为总书记的党中央保持高度一致，全面贯彻落实科学发展观，以迎接、宣传、贯彻党的十七大为主题，把握正确舆论导向，确保安全播出，依法加强管理，加快事业产业发展，各项工作在巩固中发展，在规范中提高，在创新中进步，保持了良好的发展态势。

新闻宣传

1.牢牢把握正确导向。坚持正确导向，注重宣传艺术，注重宣传效果，着眼于巩固马克思主义对广播影视宣传工作的指导地位，着眼于服务经济建设这个中心和全党全国工作大局，着眼于促进社会进步和人的全面发展，牢牢把握团结奋进、昂扬向上、开拓创新、安定和谐、求真务实的宣传基调，大力弘扬以人为本、全面协调可持续的科学发展观，弘扬以爱国主义为核心的民族精神和以改革创新为核心的时代精神，大力营造解放思想、实事求是、与时俱进的良好舆论氛围。认真贯彻“三贴近”原则，进一步改进宣传内容、形式和方式方法，更加注重反映基层的实践和生活，新闻信息量进一步增加，针对性、时效性进一步增强。

2.精心组织好十七大宣传。做好迎接十七大、宣传十七大、贯彻十七大的宣传报道工作是2007年广播电视宣传的重中之重。按照中央部署，各级广电部门精心组织，全力以赴，以广播、电视、网络和手机等各种载体，以全方位、立体化、多视角的宣传声势，充分展现了十七大的盛况，圆满完成十七大宣传任务。

3.积极组织协调重大宣传战役。2007年全党全国的重大活动较多，广播电视宣传任务重，责任大。准确、及时、充分、安全地做好“落实科学发展观”、“构建和谐社会”等重大主题宣传和“两会”、纪念香港回归10周年、中国人民解放军建军80周年、“中俄国家年”、内蒙古自治区成立60周年、嫦娥一号探月卫星等重要活动的宣传。

4.积极扩大对外宣传。紧紧围绕外宣工作的中心任务，进一步加强和改进广播电视对外宣传工作，广播电视对外交流和宣传渠道进一步拓宽，与地方广播电视部门及其他相关部门的团结协作进一步加强。积极创新宣传报道形式，打造具有国际影响力的外宣节目品牌。协调组织了“中俄友谊之旅·中国行”、“中国－东盟合作之旅大型广播电视联合采访”、“中西文化之旅”、“奥地利记者中国行”等大规模实地采访活动。与国家对外汉语推广办公室沟通协调，推动国际台广播孔子课堂、孔子学院在肯尼亚、日本等国家的建设。

艺术创作

1.电视剧不断健康发展。通过精品战略的实施，2007年电视剧整体质量和水平进一步提高，电视剧创作继续呈现繁荣发展的良好态势。全国国产电视剧审查通过529部14670集。数量上趋于稳定，整体质量和水平有进一步的提高，涌现出一批思想精深、艺术精湛、制作精良的优秀电视剧，如《恰同学少年》、《士兵突击》、《戈壁母亲》、《金婚》、《喜耕田的故事》、《文化站长》、《乡村爱情》、《守候幸福》、《奋斗》等等。这些作品内涵深刻，导向健康，贴近生活，生动感人，受到观众的广泛欢迎。

2.原创动画竞争力明显提高。2007年，国产动画在生产数量、艺术质量、制作技术、播映效果、市场环境、产业结构等方面都取得了令人瞩目的发展成绩。国产动画生产和交易数量大幅增长。国产动画产量达到101900分钟，比2006年同期增长2万余分钟。国产动画片创作水平、艺术质量也随着动画产量的增长不断提高。全国34个少儿频道和4个动画频道成为推动国产动画健康发展的主力，每天播出国产动画片约8000分钟。其中，中央电视台少儿频道年首播国产动画片达65000分钟，观众规模超过6亿人。《虹猫蓝兔七侠传》、《小鲤鱼历险记》、《中华小子》、《蓝猫淘气三千问》、《天眼》等一批原创国产动画企业在衍生产品综合开发方面进行了积极探索，取得了良好效果。

3.重大理论文献影视创作丰富多彩。重大理论文献影视创作导向正确，选题恰当，形式多样，秩序良好，有力地配合了党和国家重大活动的主题宣传，成为宣传党的思想理论、党和国家重大方针政策、革命历史与革命精神的重要形式，是重大活动、纪念日电视宣传不可或缺的一个重要内容。《脚踏着祖国大地》、《粟裕大将》、《秋收起义》、《回望硝烟》、《香港十年》、《中国蓝盔》、《党章的历程》、《重托》、《见证南京大屠杀》等40部616集批准立项；24部理论文献片在中央电视台等各级电视台播出。

此外，2007年中央电视台春节晚会以“欢乐和谐中国年”为主题，坚持“开门办春晚”，中央台和地方台还举办了“五个一工程”颁奖晚会、全国道德模范评选表彰颁奖典礼、“心连心”艺术团慰问演出等多台文艺晚会。

事业产业发展

1.强力推进村村通工程。重点是加强农村中央广播电视节目无线覆盖工程建设，完成4200多部发射机及相关配套设备的招标采购，开播886部发射机，覆盖质量明显改善。各地扎实推进本地区无线覆盖工程建设。同时，组织建设直播卫星村村通上行平台，指导协调专用直播卫星接收机的批量生产，为20户以上自然村“盲村”建设做好了准备。

2.稳步推进西新工程。新建、扩建各类发射台站近千座，更新改造发射机2600多部，西藏、新疆等边远少数民族地区广播影视覆盖明显扩大，实验和监测能力大大加强，少数民族语言节目译制和制作水平提高。西新工程第四期第一阶段建设已经启动。

3.数字化进程加快。一是城市有线电视网络加快由小容量单向传输向大容量双向交互转变，30个城市完成数字化整体转换，有线数字电视用户超过2600万。广西、陕西、江西、吉林等完成全省区网络整合，中国有线完成海南重组。二是无线广播电视数字化扎实推进。颁布了移动广播电视行业标准，完成37个大中城市频率规划并在8个城市试验播出。研制了地面数字电视国家标准的相关配套标准。三是电台电视台数字化、网络化水平进一步提高。四是手机电视等新媒体业务进一步发展，“移动广播电视系统研究开发与规模技术试验”等被列为国家“十一五”科技支撑计划重点项目。

4.安全播出迈上新台阶。紧紧围绕确保党的十七大的安全播出，按照中央部署，加强与中央相关部门合作，争取地方党委政府支持，充分发挥系统优势和基层的主动性、创造性，突出抓好转星调整工作，圆满完成所有节目转星、地球站上行并发和两千多万个卫星接收设施的调整，从技术上解决了卫星节目安全传输问题。同时，全面加强安全播出制度、设施和技术手段建设，完善监测和调度指挥系统，加强有线、无线防范和重点单位、设施的安全保卫，打击破坏广播电视设施行为，有效保证了各项安全播出任务的完成。我国广播电视安全播出技术保障更加有力，防范能力明显提高，安全播出水平迈上了新台阶。

2007年8月29日，国家广电总局局长王太华在安徽省岳西县主薄镇余畈中心社区实地考察转星调整工作

5.“走出去”迈出新步伐。一是大力推动广播电视节目海外落地。长城平台覆盖扩大。中央电视台法语和西班牙语频道独立播出，中文国际频道亚洲、欧洲和美洲分版播出，海外用户总数达8400万。中国国际广播电台新建8座境外整频率电台。新疆、西藏、内蒙古、云南、广西等省区积极扩大节目在周边国家落地。二是积极扩大影视产品和服务出口。电视节目海外销售和国产影视动画出口都有新突破。三是切实加强国际交流合作。积极参与俄罗斯“中国年”、“中日文化体育交流年”等活动和国际重要广播影视节展，加强与亚广联、亚太广播发展机构的交流与合作。

6.广播电视创收增加。2007年全国广播电视总收入达到1316亿元。2007年，全国广播电视广告收入601亿元，同比增长14%，占总收入的45.7%。其中，广播广告收入65亿元，电视广告收入519亿元，分别比上年增长10.2%和14.6%。电视剧交易年成交额达到50亿元左右。全国有线电视网络收入为307亿元，占总收入23.3%。其中有线电视收视费收入为212亿元，同比增长15.2%；付费数字电视收入8.34亿元，同比增长59.5%；其它网络增值服务收入86.66亿元。

截至2007年底，全国共批准设立广播电视播出机构2587座，其中，广播电台263座，电视台287座，广播电视台1993座，教育电视台44座；开办的广播、电视节目分别为2477套、1283套，全年播出广播节目1127万小时、电视节目1455万小时；微波线路将近10万公里，微波站2700多座；有线电视用户1.5亿多户，其中数字电视用户2600多万户，全国有线电视传输干线网300多万公里；广播电视人口覆盖率分别为95.43%和96.58%；全国有广播影视节目制作机构2442家，制作电视剧529部14670集、动画电视234部10239集；生产故事片402部、科教片34部、纪录片9部，生产影视动画片10万多分钟、动画影片6部、特种影片9部。

全国广播影视系统现有在职职工85万人，其中广播电视58万人，电影27万人。

体制机制改革

1.进一步明确改革思路。按照《广播影视改革工作实施方案》，明确广播影视改革要按照围绕中心、服务大局、面向基层、服务群众，立足于导向把握、安全播出、事业产业发展和依法加强管理这四项基本任务，坚持区别对待、分类指导、循序渐进、逐步推开，坚持“两手抓、两加强”，坚持把社会效益放在首位、实现经济效益和社会效益相统一。强调要着眼于增强宣传的吸引力、感染力和影响力，突出抓好宣传改进创新；着眼于增强发展的动力和活力，突出抓好电台电视台内部机制改革；着眼于保障人民群众基本文化权益，突出抓好广播影视公共服务体系建设；着眼于增强产业竞争力和文化软实力，突出抓好影视剧和影视动画产业改革。

2.进一步推进电台电视台内部机制改革。继续推进电台、电视台“制播分离”改革，深化劳动人事、收入分配和社会保障等内部管理制度改革，建立激励机制，增强内部活力，加强成本核算，完善运行机制，电台电视台等事业单位内部机制改革特别是劳动、人事、收入“三项制度”

改革不断深化、频道频率专业化品牌化建设切实加强，制播分离稳妥推进。

3.深化广播影视产业改革。围绕培育市场主体、完善市场体系，积极推进产业体制改革。推进广播影视节目制作、网络传输等领域企业化转制，培育和重塑市场主体。充分利用股份制、公司制等现代企业制度，按照现代产权制度要求吸纳社会各方力量，完善内部经营管理机制，建立富有活力的生产经营体制，推动内容产业和网络产业发展。国有电影制片企业的集团化、公司制改革迈出坚实步伐，竞争力进一步增强。各类影视产业基地发展迅速。陕西广电网络等在利用资本市场方面进行了积极探索。到2007年底，先后批准建立2个影视产业实验区、17个国家影视动画基地，6个影视动画教学研究基地。

4.加快投融资体制改革。依法吸纳国有资本和非公有资本，充分利用上市、债券等资本市场的杠杆作用，不断在影视制作、有线电视网络、移动多媒体广播电视等领域塑造龙头企业，形成一批大型的有竞争力的广电企业集团，增强我国广电产业的整体实力和国际竞争力。目前，已有6家广电系统企业上市。

5.进一步推进事业单位岗位设置管理改革。与人事部一起制定了《广播影视事业单位岗位设置和管理指导意见》，作为广播影视系统事业单位进行岗位设置管理和收入分配制度改革的规范性文件。认真开展岗位设置方案制定工作。

行政管理

1.切实加强宣传管理。先后印发了《关于加强对综艺娱乐类电视节目管理的意见》、《关于进一步加强和改进综艺娱乐节目的意见》、《关于加强群众参与的选拔类广播电视活动管理的通知》、《广播电视节目监看细则》等文件，有效规范了广播电视宣传报道，提高广播电视的公信力，确保了广播电视宣传任务得以完成。

重点开展抵制低俗之风行动，集中治理娱乐类、购物类和涉性节目特别是选秀节目，制定出台了《关于开展抵制广播电视低俗之风专项行动的通知》等十余项规范性文件，一些低俗问题得到了明显遏制。先后停播了9省区10家广播电台19套广播的涉性节目。同时，根据群众举报，分别给全国28个省、自治区、直辖市广播影视局下发了42份《督查通知》。

2.规范动画片管理制度。2007年，继续完善和切实执行动画片发行审查制度、国产动画片题材备案制度、优秀国产动画片推荐播出制度、引进动画片播出调控制度等动画片规范管理制度。有效地把握了我国动画片制作和播出的导向、内容、数量、趋势及发展情况，剔除了宣扬凶杀暴力、封建迷信、崇洋媚外等不良思想的动画题材，削减了相同内容的动画题材的制作数量，调控了同一题材类型动画项目过多的现象，加强了优秀国产动画片的推广力度，强化了信息交流，在播出机构和制作机构之间建立了有效衔接，根本改变了境外动画片充斥我国动画市场的状况。

3.切实加强对播出机构和频道频率的管理。结合播出机构换发许可证审核登记工作，切实加大对播出机构的监管力度，按照换发播出机构许可证和核发频道许可证的规范要求，加强对地市以上播出机构的检查工作。总局共对2506个符合条件的播出机构换发了《广播电视播出机构许可证》，对1931个符合条件的频率频道核发了《广播电视频道许可证》。完成了广播电视有线数字付费频道许可证换发工作。全面检查地级以上播出机构运行情况，严肃查处擅自开办频道频率和非法无线发射等违规行为。首次对省会市以上电台的节目组织了监听。进一步规范专业频道播出运行。在专业频道管理方面，重点加强了对少儿频道的规范工作。同时，对付费频道的规范力度也进一步加大。

4.继续强化广告播放监管工作。重点整顿上星频道广告违规现象，进一步加强对各级广告播放和管理的监督检查。下发了《关于进一步加强广播电视广告播放管理工作的通知》，明确规定凡属虚假违法、内容不良、格调低下的医疗、药品、性保健品广告和各类性暗示广告一律不得播出。9月25日，召开了“全国广电系统清理整顿不良广告电视电话会议”，全面部署清理整顿。加强日常监看，督促省局发挥作用对广告超时、发布违法医疗广告、播放游动字幕广告、在转播和传输节目中插播广告的投诉转有关省局核查处理，并对整改情况进行后续检查。

5.认真开展境外卫星电视传播秩序专项整治。以解决执法和协调两大问题为重点，推动专项治理工作取得较大进展。与16家成员单位形成全国境外卫星电视传播秩序专项整治工作部际联席会议制度，初步形成卫星电视接收设施定向专控管理思路。顺利完成中央境外卫星电视监管平台转星调整工作。2007年在案件查处、建立长效机制等方面取得明显成效。同时进一步加强对境外卫视落地管理，对外完善管理机制，对内做好服务，确保安全播出。

6.切实加强新媒体新业务管理。一是认真贯彻中央《关于加强网络文化建设和管理的意见》，明确任务分工和工作措施，加快建设全国网络视听节目监管体系。二是与信息产业部联合出台了《互联网视听节目服务管理规定》，提出了建立互联网视听服务准入退出、分类指导、节目制作、内容审查、境外剧引进管理、从业人员资格、广告管理、监管体制建立的全方位管理框架。三是开展全国依法打击网络淫秽色情专项行动。全国广电系统累计出动32985人次，查处违法违规网站465家，删除有害节目5021个。推进了视听节目网站调查摸底工作，全国广电部门累计登记网页35万多，发现了18000个视听节目网站地址，对其中3930家网站进行了登记造册，建立了数据库。持证机构自律意识增强，逐渐成为模范遵守法律法规的行业标兵。四是履行监管职责，查处非法网络电视台。明确规定广电系统内各机构不得与非法网络电视台合作，并同国务院新闻办、信产部采取措施，对拒不停止违法活动的网站注销互联网信息服务经营许可，通知相关机构停止接入服务。五是做好有害视听节目清理、封堵工作。与信息产业部电信管理局制定了两部局共同实施的《境外有害广播电视节目网站监控实施办法》。重点查处了一批非法网络电视台和网络色情淫秽、暴力、盗版节目。六是推动扶持主流媒体发展网络视听等新业务。先后批准4家广电机构在全国、7家在本省建设手机电视集成平台，批准117家广电机构开展互联网传播视听节目业务，批准7家中央、11家地方重点新闻网站开展网络电视业务，批准2家系统外重点新闻网站（中国网、新华社）通过合法的手机电视平台开办手机电视节目业务。七是规范移动数字电视管理。下发了《关于加强移动数字电视试验的通知》，进一步明确了管理规范，关于加强车载、楼宇等公共载体播放视听节目管理的通知。

7.切实加强电视剧管理。一是大力促进精品电视剧的创作，电视剧整体质量和水平进一步提高。首先从现实题材的创作入手，确保了现实题材剧目在年度制作总量中保持60%以上的比例，戏说剧、言情剧等充斥荧屏的状况得到彻底扭转，现实题材电视剧已成为电视剧的主流。其次，从电视剧拍摄备案环节开始，对一些题材好、剧本好、创作队伍水平高、制作能力强的剧目给予重点关注，鼓励和扶持一批有成长潜质的电视剧成为精品电视剧。二是加大对存在低俗化倾向电视剧管理力度，净化电视剧荧屏。严把审查关，注重前端管理，及时提示、告诫。举办了"全国电视剧审查工作经验交流会暨电视剧审查管理干部培训班"。召开"全国电视剧创作座谈会"，在全行业中切实贯彻落实十七大精神，推动电视剧的大发展大繁荣。三是做好重大题材电视剧的审查管理。一年来，重大革命和历史题材电视剧创作管理工作进一步改进，明确了管理程序，提高了管理效率，确保了导向正确。调整了重大题材电视剧的创作管理程序，尤其是重大革命历史题材电视剧在审批程序和题材区分方面都有较大变化。2007年以来，基本确定了重大革命历史题材电视剧剧本立项及完成片审查的工作细则。提出了《关于重大题材电视剧立项和制作备案公示的各管理环节的工作建议》，明确各自在重大革命历史题材剧本立项、制作备案公示、剧本审查各个管理环节的职责分工。

8.推进广播影视立法工作。立法、普法和法律咨询服务等法制建设切实加强。2007年，《广播电视传输保障法》被列为国务院2007年重点立法项目。开展国务院129号令的修订工作。开展《互联网视听节目服务管理规定》的制订工作。配合国家版权局，开展《广播电台电视台法定许可播放录音制品支付报酬办法》制定工作。进一步推动《广播电视传输保障法》的制订工作，用法律手段确保广播电视传输安全。积极推进总局部门规章的制定工作。制定了国家广电总局2007年立法计划，并积极落实。配合商务部要求，根据CEPA修改相关规章的规定，制定了《<中外合作制作电视剧管理规定>的补充规定》(总局令第54号)；对总局部门规章进行了全面清理，颁布出台了《关于废止部分广播影视规章的决定》（总局令第55号）。加强法制宣传教育工作，加强普法宏观指导，开展各类培训，提高各级广播影视工作人员法律素质。举办全国广播影视系统法制工作领导干部培训班。举办广播电视法律研修班。

（国家广电总局办公厅）

广播电视行业管理概况

一、召开全国社会管理工作会议，进一步统一思想、提高认识，为全面落实管理任务、不断提高管理水平打好基础

2007年初，总局召开了全国广播电视社会管理工作会议。各省、自治区、直辖市广电局分管社管工作的局长、职能处室负责同志和总局相关司局、直属单位负责同志105人参加了会议。王太华局长在讲话中充分肯定了社管工作的成绩，从确保健康有序发展、确保深化改革、确保导向正确和文化信息安全的高度，对加强社管工作的重要性、必要性进行了深刻的阐述，强调管理是广播影视部门的重要职责和永恒主题，要求各级切实增强做好社管工作的坚定性和自觉性，依法管理、强化服务、突出重点、创新手段、加强队伍建设，综合运用法律、行政、经济和科技等多种手段，实现依法管理、科学管理、综合管理。田进同志在对会议进行总结时，强调要按王太华同志的要求，坚定信心，明确目标，理直气壮地加强管理，并对提高社管工作水平提出了明确要求。

会议还重点传达了中央领导对加强广播电视社会管理工作的重要指示、批示精神；总局社管司、国际合作司通报了有关工作情况和下一步工作的思路，监管中心负责人介绍了监管中心技术监管系统建设的情况；安排广西、重庆、浙江、安徽、山东5省（自治区、直辖市）局负责人就本省工作情况作了大会发言；对广告管理工作成绩突出的上海、北京、安徽、内蒙古、贵州、河南、山西7省（自治区、直辖市）局职能部门进行了表彰。

这次会议取得了显著成效。与会代表深切体会到中央高度关注广播影视管理工作，认为会议对广告管理成绩突出的部分省局管理部门进行表彰是前所未有的开创之举，体现了总局推进社会管理的新思路新举措。会后，各地贯彻落实会议精神，大部分省专门召开了社管工作会议，调整、制定2007年社管工作计划，一些省局管理部门开展普查调研和治理整顿，全年工作有了良好开端。

二、结合播出机构换发许可证审核登记工作，切实加大对播出机构的监管力度

1．按照换发播出机构许可证和核发频道许可证的规范要求，加强对地市以上播出机构的检查工作。广播电视播出机构许可证制度是广电依法行政，对播出机构和频率频道规范管理的重要保障。从5月起，总局开展了《广播电视播出机构许可证》审核换发工作，首次对地级以上播出机构经批准开办的频率频道颁发了《广播电视频道许可证》。同时，对地级以上播出机构遵纪守法、规范运行情况开展了全面检查，除了继续组织力量对各级电视台进行抽查和有针对性的监看外，还首次对省会市以上电台的节目组织了监听。从5月至8月，共监看382个地市以上电视台的1340个频道，监听73个电台的343个频率。结合各省局上报的换证审核报告，逐省进行抽查，发现26个省、自治区、直辖市存在172例播出机构及频率频道违规问题。其中，19个电台和28个电视台擅自增加节目套数，34个电台和81个电视台擅自调整节目定位、名称和呼号，部分电台擅自使用未经规划的频率，扩大发射功率，7个电视台擅改台标和频道标识，违规的播出机构达138家，一些违规问题集中发生在省或省会市台。总局要求26个省局对本省的检查情况重新核报，对138个播出机构下达了责令整改函，对违规严重的21个广播电台进行了通报批评，对多次督办仍未整改到位的部分电台、电视台的违规频率频道实施了停播处罚。由于监管到位，督促有力，各地普遍加大了整改力度，在换证检查工作中发现的违规问题基本得到了纠正。截至11月20日，总局共对2506个符合条件的播出机构换发了《广播电视播出机构许可证》，对1931个符合条件的频率频道核发了《广播电视频道许可证》，除个别问题外，播出机构许可证换发工作已基本完成。11至12月，总局又对广播电视有线数字付费频道进行了许可证换发审核工作。

通过开展播出机构许可证审核换发工作，不仅进一步整顿了播出秩序，提高了播出机构管理的规范化和标准化程度，同时也为总局下一步将许可证管理与违规违纪查处相结合，探索建立播出机构退出机制打下了基础。

2. 规范专业频道播出运行。在专业频道管理方面，重点加强了对少儿频道的规范工作，针对部分少儿频道内容偏离专业定位等问题，总局重点监看了15个省、地级少儿频道，发现一些少儿频道少儿节目比例偏低，个别频道还存在盗播海外剧、播放暴力凶杀等少儿不宜节目的问题，播放违规医疗资讯、电视购物节目的情况也比较普遍。总局通过通报批评、责令整改等方式督促整改，并对违规机构和相应的管理部门进行了诫勉谈话。

在付费频道监管方面，对违规开展对外合作、在模拟网络传送数字频道节目的13个付费频道下达了责令整改函，对违规播放广告、影视剧的9个付费频道进行了通报批评，还撤销了节目质量差、投入不足的2个付费频道。

三、以规范上星频道广告播放为重点，继续强化广告播放监管工作

1. 重点整顿上星频道广告违规现象，进一步加强对各级广告播放和管理的监督检查。总局将覆盖面广、影响大的上星频道作为重点，加强监看和督查。对违规发布挂角广告、违规插播广告、播放违规电视购物节目的10个上星频道下达了整改通知单，对利用医疗资讯服务类节目发布违法医疗广告的5个上星频道和相关省局进行了诫勉谈话，对违规严重的2个上星频道给予了暂停发布所有商业广告一周的处罚，并进行全国通报。一系列有针对性的整治工作，特别是对2个频道实施停播广告的处罚，有力传递了总局严肃纪律、依法行政，加大广播电视法规规章执行力度的意志，对一些心存侥幸的违规者形成了强烈的震慑作用，社会反响热烈，对全国整治虚假违法广告专项行动产生了积极影响。

年中，总局下发了《关于进一步加强广播电视广告播放管理工作的通知》，组织各省管理部门抓落实、抓自查自纠，逐一监看了1200余套节目，对213个（次）违规频道进行了口头或书面告诫，诫勉谈话百余次，发出整改通知单54份。党的17大召开之前，总局组成由部分司局和各省局人员参加的检查组对10个省（自治区、直辖市）落实通知情况进行了交叉检查。检查情况表明，清理整顿工作效果良好，各地停播和修改违规药品、医疗、保健品广告近2000条，涉及广告金额超过20亿。第三季度国家工商总局公布的上星频道广告监测报告也显示，所有频道违规率均低于3%，远远好于同期被监测的其他媒体。对此，中央领导和社会各界给予了充分肯定。

为巩固管理成果，9月25日，总局专门召开了"全国广电系统清理整顿不良广告电视电话会议"，对前一阶段日常监管和专项治理工作进行了总结，对巩固管理成果、继续推进清理整顿作了全面部署。

2. 加强日常监看，充分发挥各级管理部门的作用，落实查处工作。全年对所有上星频道及部分省地级电台、电视台生活类频率、频道共计320余个（次）全天24小时广告播放情况组织了监听监看，在相关省局管理部门配合下对违规问题进行了纠正，同时还及时核查、妥善处理了1680件群众关于广告超时、发布违法医疗广告、播放游动字幕广告、在转播和传输节目中插播广告的投诉。

3. 组织培训活动。总局于11月上旬举办了自17号令实施以来的第4期广告管理培训班，总局社管司和工商总局广告司、卫生部医政司、药监局市场司、中医药局法规监督司负责人就清理整顿虚假违法医疗、药品、保健品广告和其他不良广告工作进行授课培训，详解相关政策和管理要求。8省（直辖市）的管理部门及省级电台、地市级电视台广告部门负责人110余人参加了培训。

四、以贯彻落实中央关于加强网络文化建设和管理的意见为契机，全面加强网络视听媒体管理。

1. 贯彻落实中央关于加强网络文化建设管理的意见，全力推进出台《互联网视听节目服务管理规定》，谋划网络视听媒体管理工作布局。6月份中央明确提出互联网信息发布平台属于网络文化建设的一部分，应按照宣传文化政策法规实行行业准入和管理，要求广电部门在IP电视、手机视听、播客等方面履行管理职责。按照中央要求，总局对管理职责进行了分类和细化，落实牵头和责任部门，并制订工作方案，提出了建立互联网视听服务准入退出、分类指导、节目制作、内容审查、境外剧引进管理、从业人员资格、广告管理、监管体制建立的全方位管理框架。

在中宣部的大力支持和协调下，在多年调研起草的基础上，《互联网视听节目服务管理规定》经多次修改，于12月20日以总局第56号令由广电总局和信息产业部联合发布，将于2008年1月31日起正式施行。《规定》对互联网视听节目服务的发展和管理进行了全面规范，明确了广电部门在发展和管理网络视听业务中的地位和职责、作用，使广电部门依法实施互联网视听节目服务管理有了依据和保障。为确保《规定》顺利实施，总局制订了《广电总局贯彻落实〈互联网视听节目服务管理规定〉工作方案》，确定了加强舆论引导、开展集中清理、完善配套制度三项目标，确定了各阶段的工作任务、工作要求，提出了相关保障措施。同时总局还起草了互联网视听服务分类目录、法规解读等。

2. 加快建设全国视听节目监管体系。按照中央领导关于互联网视听节目管理工作要提高认识、加强监控体系建设、依法管理的要求，总局监管中心对原有公共信息网络视音频监控系统进行升级优化，逐步明确业务流程；组织召开了互联网视听节目监管技术交流会，对国内相关单位的研发实力和关键技术的储备情况有了全面的了解，编写完成了《全国互联网视听节目监管系统技术方案》。目前，互联网视听节目监管技术系统搜索范围由原来的4万家网站扩大至100多万家。通过公共信息网络视音频监控系统分布式架构的实现，为建设由中央和区域监管分中心构成覆盖全国的监管体系积累了工程经验，打下了良好的技术基础。

3. 开展全国依法打击网络淫秽色情专项行动。针对网上淫秽色情内容和网络色情违法活动蔓延的情况，会同有关部门对互联网淫秽色情等有害视听节目进行了持续5个多月的清理整顿：一是为公安部门查处色情网站发现和提供了大量线索。二是清除了一批有害节目，查处了一批违规网站。据统计，全国广电系统累计出动32985人次，查处违法违规网站465家，删除有害节目5021个。三是结合专项行动推进了视听节目网站调查摸底工作，全国广电部门累计登记网页35万多个，发现了18000个视听节目网站地址，对其中3930家网站进行了登记造册，建立了数据库，为进一步规范互联网视听节目传播秩序打下了坚实基础。四是持证机构自律意识增强。五是借助专项行动的声势，督促各网站建立健全节目内容审查制度、播出管理制度，有效促进了网站的播出管理。

4. 举办网络视听媒体发展与管理高级培训班。8月上旬，总局举办了首届网络视听媒体发展与管理高级培训班，内容主要是网络视听新媒体在国内外的发展现状、趋势及相关立法、管理情况，各级广电部门和有关电信运营商、网络视听节目服务机构人员140余人参加了培训。田进副局长以《建设文明健康的网络视听新媒体》为题讲话。培训取得了很好的成效。

五、坚持依法行政，规范审核审批，促进事业产业发展

1.做好广播电视播出机构和频率频道开办、调整审批工作。基于“调整结构、优化布局”的原则，完成了114项播出机构及频率频道开办和变更调整审批，其中新增广播频率44套、电视频道17套，调整广播频率16套、电视频道9套，变更台名、台标28项。受理审核了67套付费频道申办方案，批复新增付费电视频道12套。对一些播出机构撤并调整、西新工程地区部分县级播出机构解决“空白点”问题、部分地级电视台长期压缩不到位问题，分别提出了具体处理方案。批准陕西电视台与陕西杨凌农业示范区合办1套上星传输的农林科技频道，满足了“三北”地区对农业类电视节目的需求；此外，还批准云南、黑龙江、广西柳州等8个省、地级电台各开办1套对农节目。

2.完成广播电视节目制作经营机构业绩审核工作。按期对广播电视节目制作经营机构和《电视剧制作许可证(甲种)》机构进行了2006年度业绩审核。经审核，目前全国共有《电视剧制作许可证（甲种)》机构117家，各类广播电视节目制作机构2442家。这些机构中，混合所有制（包括国有资本参股或其他所有制形式的)有限公司1900余家，占有限公司总量的77.8%左右；所有制作机构注册资金总量超过304亿元，固定资产接近230亿元；全年制作电视节目总量接近722万分钟，电视剧产量13000余集。总体看，无论机构规模还是节目产量，都较上一年度有稳步增长。

3.推动扶持主流媒体发展网络视听等新业务。先后批准4家广电机构在全国、7家在本省建设手机电视集成平台，批准117家广电机构开展互联网传播视听节目业务，并且大力支持重点新闻网站拓展新业务，批准7家中央、11家地方重点新闻网站开展网络电视业务，批准2家系统外重点新闻网站（中国网、新华社）可通过合法的手机电视平台开办手机电视节目业务。在总局支持下，中央电视台对网站进行了全新改版，开播了手机电视，网络视听业务收入逐年增长，同时还拓展了移动电视业务，与巴士在线合作，利用互联网定点下载及无线局域网接入技术开办车载电视；中央人民广播电台也在“两会”期间开播了手机广播电视，获得代表好评；国际广播电台的“国际在线”已成为国外网民收听最多的国内网络电台。

（国家广电总局社管司）

广播电视事业建设概况

2007年，全国广电系统以迎接、宣传、贯彻党的十七大为主题，全面贯彻落实科学发展观和构建社会主义和谐社会的重大战略思想，围绕中心、服务大局，以重点项目为依托，以扩大公共服务覆盖面、提高公共服务水平为目的，大力推进广播电视事业建设。

目前，我国已基本建成了广播电视节目传输、覆盖、接收基础设施体系，无线覆盖、有线电视网络等基础设施规模指标均位列世界前列。广播和电视综合覆盖率分别达到95.43%和96.58%，同比分别增长了0.39%和0.35%。全国现有中短波转播发射台802座，调频转播发射台10582，电视转播发射台18249座，微波线路10万公里，有线电视网络传输线路301万公里。广播电视事业建设得到了各级财政有力支持，中央财政补助资金45.05亿元，地方专项资金30.15亿元，同比分别增长了19%和288%。

一、“村村通”工程扎实推进

一是继续实施全国农村中央广播电视节目无线覆盖工程。为了加快工程建设，让广大农民群众及时收听收看到北京奥运会的节目，根据中央的统一部署和要求，该工程建设方案由2006～2010年5年完成调整为2006～2008年6月底2年半完成。与财政部联合下发了加强全国农村中央广播电视节目无线覆盖工程建设任务，通过中央财政转移支付下达了建设及维护专项资金25亿元。完成了全国31个省区和新疆兵团的2188座发射台站改造和设备采购任务，5602部发射机全部招标采购了国产设备，结束了大功率电视发射机长期进口的局面。全年新开播发射机886部，全国农村中央无线广播节目和中央电视节目覆盖人口78198.24和75858.93万人，覆盖率达到87.96%和85.33%；二是启动20户以上已通电自然村“盲村”建设。下达20户以上“盲村”村村通建设任务和国家对中、西部地区的5亿元补助资金。新开通20户以上自然村92306个；三是实施村村通直播卫星节目上行平台建设。完成了可行性研究报告和初步设计前期审核、申报工作，落实了前期建设资金0.65亿元。指导协调专用直播卫星接收机的批量生产，为20户以上已通电自然村“盲村”建设做好了准备。四是各地对省级广播电视节目的无线覆盖工作进一步加强。

二、西新工程顺利实施

新建、扩建各类发射台站近千座，更新改造发射机2600多部。广电总局受国家发展改革委委托，对西新工程第三期一阶段三个重点建设项目、二阶段所有建设项目投资概算开展调整，全年先后批复无线局594台、2022台、西安监测台、成都监测台及新疆、西藏、内蒙古、广西、福建、江苏等项目的投资概算调整。目前西藏、新疆等边远少数民族地区广播影视覆盖明显扩大，监测能力大大加强，少数民族语言节目译制和制作水平有较大提高。西新工程第四期第一阶段建设全面启动。

三、广播电视事业建设管理措施进一步完善

国家广电总局认真执行国家基建程序，严格新开工项目和在建项目管理，加强对政府投资项目的监管力度，落实建设项目逐级监督责任制，加大重点建设项目的跟踪管理。做好日常标准管理工作，完成了广电行业的国标复审工作，编制了行标复审工作规划，建立了标准审查专家库，及时下达标准编修计划，广电行业标准管理体系初步形成。

（国家广电总局计财司）

广播电视安全播出概况

确保十七大安全播出是2007年全国广电系统压倒一切的中心工作，面对严峻的安全播出形势，科技司紧紧围绕这一中心工作，在中央的统一部署和各级党委、政府的高度重视下，采取多种措施有效提高安全播出保障水平。

一、全力以赴完成了新中国成立以来最大规模的广播电视转星调整工作

科技司克服时间紧、范围广、任务重的实际困难，短时间内安全平稳地完成了新中国成立以来第一次大规模进行的广播电视卫星传输和地面接收设施调整，使卫星广播电视安全保障能力实现了质的飞跃，完全扭转了卫星广播电视被动防范的不利局面。

为确保新旧星并发期间广播电视安全播出，在原有卫星应急预案的基础上，编写了卫星广播电视并发节目安全播出应急预案，于8月1日下发有关单位执行。转星调整工作启动前，积极落实卫星需求方案，为实现卫星广播电视转星调整奠定必要基础。同时，扎实做好卫星接收设施的调查摸底工作，制订科学的转星调整实施方案，为指导地方制订具体实施方案发挥了很好的作用。还精心组织召开全国转星调整工作会议，落实转星调整各项任务，并利用广播、电视、报纸和网络公布转星调整技术参数，印发技术手册，编辑制作转星调整教学光盘，公布24小时热线电话等措施，确保了转星调整各项技术准备工作的顺利开展。

2007年8月，张海涛同志在云南检查转星调整工作

7月31日，全国35个卫星地球站顺利完成了全部卫星节目的上行调整任务。8月7日，全国广电系统各电台、电视台、发射台、转播台、监测台、有线电视前端的3.852万个卫星接收设施调整任务全部完成。截至9月24日，全国各地所有需要调整的地面接收设施绝大多数均按要求完成了调整，总共调整地面接收设施2004多万个，实际调整数量比原摸底统计数超出了400多万个，湖南、贵州、云南、四川、湖北、甘肃和陕西等7省调整数量均在百万以上。转星调整工作后期，科技司精心落实转星调整督察各项准备工作，科学推动转星调整任务全面完成。

在完成系统内转星调整任务的同时，积极配合地方党委政府和有关部门，面向社会、面向广大用户，大力加强宣传，加强协调配合，主动做好技术培训和服务，为调整工作做出了积极贡献。据不完全统计，全国共培训约82.1万人次，全国共有45万技术服务人员深入到山区、牧区、海岛等广大农村和偏远地区，逐个帮助用户进行转星调整。

二、建立了管理机制和技术手段相适应的指挥调度体系

大力推动各地安全播出指挥调度体系建设工作，经努力，目前全国广电系统已建立了省、地、县三级贯通的安全播出指挥调度体系，各级广电部门均成立了安全播出指挥部，20个省正式成立了省级安全播出调度指挥机构。与此同时，还建立了与指挥调度机制相适应的技术支撑平台，构筑起监测、告警、通讯、预警系统等为一体的全国安全播出调度指挥网络，实现了中央对全国广播电视安全播出的统一指挥、统一调度，形成了上下沟通、指挥有力、调度灵活、配合紧密的整体系统，为确保日常及十七大安全播出发挥了极大的作用。

三、广播电视播出事故处理力度不断增强

今年起，加大了对事故调查、统计和分析的力度，设置专人对事故进行分类统计和管理，通过对事故的分析，找出影响安全播出的关键环节和突出问题，及时提出加强管理的措施和建议，特别是对重大事故及时进行全国通报，并密切跟踪事故的整改情况，督促事故单位及时消除隐患。9月起，恢复了北京地区安全播出例会制度。

四、大力开展了播出系统与支撑系统的技术革新与改造

无线局地球站、各省及相关地球站配合转星调整工作，积极开展播出系统的技术革新与技术改造，使各卫星地球站的技术保障实力得到了大幅度提升。在运行维护支撑系统方面，无线局开发了中央地球站的自动调度和监测系统，总局调度中心开发了安全播出调度平台，总局监测中心的卫星监测错损系统和总局调度中心的电话调度系统、全国预警发布系统等也根据使用需求在原有基础上进行了升级和改造。这些支撑系统的建立使卫星广播电视运行维护和管理的手段得到了大幅度增强。

（国家广电总局科技司）

中央人民广播电台概况

2007年，在党中央的关怀和广电总局的领导下，中央人民广播电台高举中国特色社会主义伟大旗帜，以邓小平理论和“三个代表”重要思想为指导，深入贯彻落实科学发展观，继承传统，开拓创新，圆满完成了十七大报道等中央和总局交付的各项任务，广播宣传和改革发展等各项工作都取得了新的成绩。

一、宣传报道与节目改革

2007年，中央电台将十七大宣传报道作为工作的重中之重，贯穿于全年宣传报道的始终，按照中央提出的指导方针和工作要求，服从服务于党和国家中心工作的大局，努力提高舆论引导能力，不断加强和改进新闻宣传，各项报道有声有色，为深入贯彻落实科学发展观和构建社会主义和谐社会营造了良好的舆论氛围。全台各套节目、中国广播网精心策划、周密组织，开办了重点专栏74个，推出了一大批形式新颖、内涵丰富的报道精品，以全方位、立体化、大容量的报道布局和多元化报道手段，全面、准确、及时地报道了十七大各项议程，充分展现了全国各地喜迎十七大、学习贯彻十七大的热潮，节目导向正确，播出安全，重点突出，特色鲜明，受到中央领导的充分肯定和广大听众的广泛好评。十七大新闻组多次表扬中央电台报道"充分发挥了广播容量大、时效快、贴近听众、感染力强"的特点。

围绕十七大，2007年，中央电台积极做好学习胡锦涛总书记"6 · 25"和"12 · 17"两次重要讲话的宣传报道，圆满完成了"两会"、香港回归10周年、建军80周年、内蒙古自治区成立60周年、两岸经贸文化论坛、上海特奥会、"嫦娥一号"卫星发射等重要活动的报道；精心组织了"科学发展　共建和谐"等重大主题宣传，以最有分量的节目资源、最丰富的报道手段，把重大主题宣传做新、做深、做实、做活，唱响了主旋律，打好了主动仗；自主策划了《奥运进行时》、《穿越三北风沙源》等大型系列报道，传达党的声音，反映人民意愿，引导社会舆论，树立了权威、公正、理性、负责的主流媒体形象，进一步增强了国家电台的影响力感染力。

2007年，中央电台立足广播特色，发挥权威优势，大力推进节目改革，创新报道形式，节目的感染力和吸引力全面提高，主流媒体的传播力和影响力显著增强。中国之声实现24小时全天候不间断播出，《全国新闻联播》恢复直播，推出《全球华语广播网》，自主策划能力大大增强。其他各套节目围绕节目定位，重点打造了一批名牌栏目。中国广播网进一步调整节目板块，推出一批有特色的网络专题。中央电台驻各地记者站和军事记者站的发稿量及在重点新闻节目的发稿力度不断增强。

二、领导班子新老交替和改革发展新思路

2007年6月，中央任命王求同志担任国家广电总局党组成员、中央电台分党组书记、台长，顺利完成了中央电台主要负责同志的新老交替。随后，中央电台领导班子顺利完成调整，新一届领导班子年富力强，求真务实，得到了全台同志的一致拥护。

在新的历史起点上，中央电台新一届领导班子按照中央和总局交付的重要任务，围绕国家电台的使命与责任，正确认识当前广播改革发展的机遇与挑战，全面总结以往自身改革的宝贵经验，深入分析中央电台内部、外部环境及资源状况，统一了思想，确定了以"世界眼光、开放胸怀、内合外联、多元发展"的新思路全面推进中央电台新一轮改革发展的战略构想。"世界眼光、开放胸怀"强调战略思维和心态，只有胸怀天下，才能吸纳百家优长、兼集八方精义，才能站得高望得远，才能认清世界发展的动态，辨识历史前进的走向。"内合外联、多元发展"，目的是发展，实质是创新，基础是中央电台的品牌影响和资源优势，基本要求是变革体制机制、加强核心竞争力体系建设，根本方法是推进内部资源整合、加强外部资源开发与合作，走多媒体综合集成的多元发展之路。根据新的改革发展思路，中央电台从2007年10月起开始进入新一轮改革的研究论证设计阶段。为了更好地推动改革，中央电台邀请中华财务会计咨询有限公司深入到全台各个环节，提炼管理中的经验和不足，有针对性地提出战略调整建议。同时，还组织调研小组赴各省市调研，为新一轮改革提供了有效的理论参考和实践依据。

三、安全播出和节目覆盖

2007年，中央电台认真落实"安全播出年"的工作部署，细化各个环节的落实目标和工作日程，对各部门的工作提出了明确标准和要求，加大了管理力度，提高了管理水平。全台认真检查工作中存在的不足，从思想认识、规章制度、操作技能等多个方面进行了深刻总结，进一步建立健全了《安全播出管理规定》等一系列制度，制定了详细完备的《十七大转播技术保障方案》，开展了全面的培训工作和安全演练。针对数字化播出的新形势，重新调整了技术系统的责任分工和保障流程，对技术设备进行了全面的检查和维护。加强了对重点技术部位的管理，加大了技术系统排查的力度，广泛开展队伍的思想和技能建设。通过行之有效的周密措施和各部门的共同努力，中央电台实现了十七大期间各套节目的"零秒"播出目标。全年安全播出工作也基本保持了平稳有序的状态。

厦门闽南话编辑部和福州、厦门调频发射台、梅州客家话编辑部筹建工作正在抓紧落实，广播工艺技术方案正在完善。"你好，台湾"网获得300M独享网络出口，从根本上克服了祖国大陆与台湾互联网带宽的瓶颈问题。"503工程"继续推进。"中央电台节目覆盖监测工程"技术方案正在制定之中。

四、内部管理与机制改革

2007年，中央电台以加强管理为突破口，逐步摸清全台节目、行政、人力、财经、技术资源情况，重新调整和理顺管理运行机制，在调整台编委会职能的同时，新成立了台安全播出和技术工作委员会、行政管理工作委员会和财经工作委员会，把相应的工作归口统一管理和推进。目前，四个委员会的职能在工作中已经初步显露出机制调整后的新成果，有效地提升了管理水平。与此同时，中央电台资产清查、落实工资套改政策等工作取得明显成效。合同签审制度进一步完善，完成了中央电台使用作品情况的统计与测算，起草了《版权工作三年规划》。大力强化行政的决策服务和保障能力，办事流程与管理规章得到完善。

五、事业建设与产业开发

积极把握新媒体新技术的多元化发展趋势，加快推进在线网络、数字广播电视、移动多媒体等业务的开展。中国广播网技术平台不断升级，网络直播、点播数据量达到5TB，日点击量达到1600万人次。"家庭健康"频道用户达到4100万户，鼎视平台的融资工作也取得突破性进展。数字广播、手机广播电视业务也已启动了相关市场运作。

扎实推进经营创收工作，央广传媒发展总公司的经营主体地位得到实质性的增强，广告总收益又取得新突破，经济效益和职工待遇实现了较大幅度的提高。一手抓清理，一手抓投融资取得成效。对长期经营不善的企业进行的清理、注销工作已经基本完成。吸引社会资本参与中央电台产业开发的工作进展顺利。完成了对央广传媒发展总公司增资工作。完成了授权央广传媒发展总公司经营中央电台数字音频广播的相关工作。此外，著作权合同的试点在文艺之声、中国之声文艺部推行，原有的平面媒体和音像出版资源也开始了新一轮的规划开发。

初步完成了中央电台综合信息网的技术建设；全台采编播系统、自动化办公和自动化播出得到全面推进。启动5层机房改造工程、多媒体报道指挥中心建设工程和部分会议室改造工作，部分记者站机房改造工程陆续完成，工作环境得到改善。

六、对外协作与队伍建设

2007年，中央电台按照王太华同志提出的“以改革开放为动力、以联合互利为原则、以促进发展为目的”为指导，成功举办了全国广播电台台长座谈会，在构建中国广播合作平台的道路上迈出了重要步伐，为中央电台加强同全国广播系统的合作奠定了重要基础。会议以北京奥运报道合作为主要议题，开发中央电台的外部资源，积极争取同各兄弟台的合纵连横之势，壮大广播的声威，得到了全国广播系统的积极响应。中央电台已经与亚广联、亚太广播发展机构等组织建立了良好的合作关系。去年成功举办了全球华语广播协作网年度会议，全球华语广播协作网逐步走向成熟，协作内容不断丰富，联系更加紧密。

积极加强队伍建设。第七届党代会胜利召开，选举产生了新一届的机关党委和机关纪委，提出了“构建中央电台核心价值理念”等新的工作思路。按照中宣部统一部署，在全台中层干部中，举办了迎接十七大“三项学习教育活动”培训班。机关党委认真开展十七大精神的学习活动，通过举办讲座、座谈、研讨的形式，掀起学习贯彻的热潮。各部门开展了多种形式的思想业务培训，不断提高队伍整体素质。同时全面推进党风廉政建设，努力构建惩防体系格局，巡视工作进入制度化阶段。大力加强精神文明建设，开展了多种形式的“送温暖、献爱心”活动，2007年中央电台获得首都、中直机关和总局精神文明标兵称号。离退休工作扎实深入，理论学习、文化活动都开展得有声有色。和谐记者站建设工作得到加强，建立了站务公开制度，职能更加明确，经营创收行为更加规范，在中国广电广告协会年会上，中央电台被评为优秀单位。

中央人民广播电台2007年十件大事

一、坚持正确舆论导向，圆满完成十七大等重大宣传报道任务

2007年，中央人民广播电台以“迎接十七大、报道十七大、宣传和贯彻十七大精神”为主线，按照中央提出的指导方针和工作要求，不断加强舆论引导能力、提高新闻宣传水平，以全方位、立体化、大容量的报道布局和多元化报道手段，全面、准确、及时地报道了十七大各项议程，充分展现了全国各地喜迎十七大、学习贯彻十七大的热潮，节目导向正确，播出安全，重点突出，特色鲜明，受到中央领导的充分肯定和广大听众的广泛好评，充分发挥了广播的优势。围绕十七大，中央电台还积极做好学习胡锦涛总书记“6 · 25”和“12 · 17”两次重要讲话的宣传报道，圆满完成了“两会”、香港回归10周年、建军80周年、内蒙古自治区成立60周年、两岸经贸文化论坛、上海特奥会、“嫦娥一号”卫星发射等重要活动的报道；精心组织了“科学发展，共建和谐”等重大主题宣传，把重大主题宣传做新、做深、做实、做活；此外，中央电台还自主策划了《奥运进行时》《穿越三北风沙源》等大型系列报道，传达党的声音，反映人民意愿，引导社会舆论，树立了权威、公正、理性、负责的主流媒体形象，进一步增强了国家电台的影响力和感染力。

二、顺利完成新老领导班子交接，确立改革发展新思路

2007年，中央人民广播电台顺利完成了新老领导班子交接工作。为全面落实党的十七大提出的文化大发展大繁荣的战略目标，新一届领导班子站在新的历史起点上，正确认识当前广播改革发展的机遇与挑战，全面总结以往自身改革的宝贵经验，深入分析中央电台内部、外部环境及资源状况，统一了思想，确定了以“世界眼光、开放胸怀、内合外联、多元发展”的新思路全面推进中央电台新一轮改革发展的战略构想。同时，中央电台还引入社会机制，借助“外脑”，服务决策，邀请知名咨询公司深入到全台各个环节，提炼管理中的经验和不足，有针对性地提出中央电台战略调整建议。同时，中央电台还组织调研小组赴上海、江苏、广东等7省市调研，为新一轮改革提供了有效的理论参考和实践依据。

三、斩获国内外奖项创历史新高，节目改革取得新突破

2007年是中央人民广播电台谋求跨越式发展的一年，节目质量普遍提高，涌现出许多精品节目和精品栏目，在国际、国内各类评奖中成绩优异。据统计，2007年，中央人民广播电台共参加国际、国内28个奖项的评选，115件作品获奖。其中，国际级奖项5个，创历史新高；国家级奖项也取得了新的成绩，共有45件作品获得殊荣。特别是广播剧《深山信使》广受国际国内评委的好评，同时获得第十一届布鲁利奇奖、第八届伊朗国际广播节特别奖和“五个一工程”优秀作品奖、中国广播影视大奖优秀广播剧奖等4项大奖。此外，中央电台还在参评的22项全国性行业奖中获得各类奖项83个。

2007年，中央人民广播电台立足广播特色，发挥权威优势，大力推进节目改革，创新报道形式，节目的感染力和吸引力全面提高，主流媒体的传播力和影响力显著增强。中国之声实现24小时全天候不间断播出，《全国新闻联播》改为直播，推出《全球华语广播网》，自主策划能力大大增强。经济之声调整节目定位，改进投人机制，重点打造了《天下财经》等一批名牌栏目。音乐之声创新节目推广模式，推出主持人话剧《大大大明星》，有效强化品牌形象。都市之声联合数十家城市电台，共同开辟资讯性栏目《中国城市报道》，实现了多台的资源共享。对台湾广播中华之声、神州之声紧密配合中央对台工作任务，重点推出《两岸交流20年》等一批节目，集中力量反对、遏制台湾当局“法理台独”。华夏之声扩大与港澳媒体的合作，《魅力中国》栏目继香港电台播出后又在澳门电台播出，节目时间扩大为原来的一倍。民族之声开辟《热点关注》，有效加强对热点新闻的舆论引导。文艺之声提升对象性节目的比重，增设了针对学龄前儿童的《睡前故事》、针对青少年的《青春密码》两个栏目。

四、圆满完成“安全播出年”任务，安全播出保障有力

2007年是中央人民广播电台确立的“安全播出年”。一年来，中央电台认真落实“安全播出年”的工作部署，细化各个环节的落实目标和工作日程，对各部门的工作提出了明确标准和要求，加大了管理力度，提高了管理水平。全台认真检查工作中存在的不足，从思想认识、规章制度、操作技能等多个方面进行了深刻总结，进一步建立健全了《安全播出管理规定》等一系列制度，制定了详细完备的《十七大转播技术保障方案》，开展了全面的培训工作和安全演练。针对数字化播出的新形势，重新调整了技术系统的责任分工和保障流程，对技术设备进行了全面的检查和维护。加强了对重点技术部位的管理，加大了技术系统排查的力度，广泛开展队伍的思想和技能建设。通过行之有效的周密措施和各部门的共同努力，中央电台实现了十七大期间各套节目的“零秒”播出目标，全年安全播出工作基本保持了平稳有序的状态。

五、调整建立四大委员会，进一步理顺管理机制

2007年，中央人民广播电台以加强管理为突破口，逐步摸清全台节目、行政、人力、财经、技术资源情况，重新调整和理顺管理运行机制，在调整台编委会职能的同时，新成立了台安全播出和技术工作委员会、行政管理工作委员会和财经工作委员会，把相应的工作归口统一管理和推进。目前，四个委员会的职能在工作中已经初步显露出机制调整后的新成果，有效地提升了管理水平。与此同时，中央电台资产清查、落实工资套改政策等工作取得明显成效。合同签审制度进一步完善，完成了中央电台使用作品情况的统计与测算，起草了《版权工作三年规划》。大力强化行政的决策服务和保障能力，办事流程与管理规章得到完善。全面清理现有规章制度，通过“立”、“改”、“废”，建立一套相对完备、具有前瞻性又有可操作性的规章制度体系的工作全面展开。

六、成功举办全国广播电台台长座谈会和全球华语广播协作网年度会议，对外交流全面加强

2007年，中央人民广播电台坚持以国家广电总局局长王太华对中央电台提出的“以改革开放为动力、以联合互利为原则、以促进发展为目的”的原则为指导，成功举办了全国广播电台台长座谈会。全国广播电台台长座谈会以北京奥运报道合作为主要议题，努力开发中央电台的外部资源，积极争取同各兄弟台的合纵连横之势，壮大广播的声威，得到了全国广播系统的积极响应，取得了阶段性成果，在构建中国广播合作平台的道路上迈出了重要步伐；为中央电台加强同全国广播系统的合作奠定了重要基础。同时，中央电台与亚广联、亚太广播发展机构等组织建立了良好的合作关系。2007年成功举办了全球华语广播协作网年度会议，全球华语广播协作网逐步走向成熟，协作内容不断丰富，联系更加紧密。

七、事业建设扎实推进、经营创收取得新进展

2007年，中央人民广播电台厦门闽南话编辑部和福州、厦门调频发射台、梅州客家话编辑部筹建工作进入实施阶段，广播工艺技术方案现已基本完善。对台湾广播中心“你好，台湾”网获得300M独享网络出口，从根本上克服了祖国大陆与台湾互联网带宽的瓶颈问题。“503工程”继续推进。“中央电台节目覆盖监测工程”技术方案正在制定之中。初步完成了中央电台综合信息网的技术建设；全台采编播系统、自动化办公和自动化播出得到全面推进。启动5层机房改造工程、多媒体报道指挥中心建设工程和部分会议室改造工作，部分记者站机房改造工程陆续完成，工作环境得到改善。扎实推进经营创收工作，广告总收益2007年又取得新突破，经济效益和职工待遇实现了较大幅度的提高。

八、顺利把中广达广播发展总公司重组为央广传媒发展总公司，产业开发稳步增强

2007年，中央人民广播电台顺利完成了对央广传媒发展总公司增资工作，建立公司治理结构，通过增资等方式将原有的中广达广播发展总公司重组为央广传媒发展总公司。完成了授权央广传媒发展总公司经营中央电台数字音频广播的相关工作。对长期经营不善的企业进行清理、注销工作已经基本完成。吸引社会资本参与中央电台产业开发的工作进展顺利。此外，著作权合同的试点工作在文艺之声、中国之声文艺部推行，原有的平面媒体和音像出版资源也开始了新一轮的规划开发。

九、新媒体业务得到进一步拓展

2007年，中央人民广播电台加快推进中国广播网、银河网络电台、有线付费电视“家庭健康”频道、数字广播、手机广播、手机电视等新媒体业务的拓展。中国广播网技术平台不断升级，网络直播、点播数据量达到5TB，日点击量达到1600万人次，新创刊电子杂志《行色》，邀请著名播音员为杂志诗歌内容配音，延伸了传统广播的服务，月下载量达到20万。中国广播网教育网镜像站点成功开通，银河网络电台走进校园工程进展顺利，全国高校广播联盟已经发展成为拥有197家会员的机构。数字电视“家庭健康”频道用户达到4100万户，鼎视平台的融资工作也取得突破性进展。数字广播、手机广播电视业务也已启动了相关市场运作。

十、胜利召开中央人民广播电台第七届党代会，和谐团队建设步入新轨道

2007年12月，中央人民广播电台第七届党代会胜利召开，选举产生了新一届的机关党委和机关纪委，提出了“构建中央电台核心价值理念”等新的工作思路。按照中宣部统一部署，在全台中层干部中，举办了迎接十七大“三项学习教育活动”培训班。机关党委认真开展十七大精神的学习活动，通过举办讲座、座谈、研讨的形式，掀起学习贯彻的热潮。各部门开展了多种形式的思想业务培训，不断提高队伍整体素质。同时，中央人民广播电台全面推进党风廉政建设，努力构建惩防体系格局，巡视工作进入制度化阶段。大力加强精神文明建设，开展了多种形式的“送温暖、献爱心”活动。离退休工作扎实深入，理论学习、文化活动都开展得有声有色。和谐记者站建设工作得到加强，建立了站务公开制度，职能更加明确，经营创收行为更加规范，在中国广电广告协会年会上，中央人民广播电台被评为优秀单位。2007年中央人民广播电台获得首都、中直

机关和总局精神文明标兵称号。（中央人民广播电台）

中国国际广播电台概况

一、基本情况

截至2007年底，中国国际广播电台每天使用43种语言（38种外语和汉语普通话及4种方言）通过本土发射、海外发射以及互联网在线、卫星、有线等多种方式向全世界播出节目累计已达1411小时。共收到来自世界160多个国家和地区的听众来信、电子邮件等260多万封。遍布世界各地的听众组织达3158个。

2007年，中国国际广播电台节目在境外60多个国家和地区落地，每天播出总时数达556.5小时，播出语言为35种（包括30种外语、汉语普通话和4种汉语方言），落地项目包括11家整频率调频电台、149家调频／中波合作电台（其中117家调频合作台，32家中波合作台），1家北欧网络电台和1家北美镜像站。

2007年，中国国际广播电台“国际在线”日均页面浏览量达1300万，其中境外约800万，处于全球同行业网站领先地位。2007年，国际台新媒体发展成果显著，12家环球网络电台启动，新型的多语种境外网络电台初具规模；3月16日推出网络电视平台，实现24小时滚动播出；4月6日和8月30日，分别在中国联通和中国移动平台启动国际台手机广播电视业务。2007年网上广播日均播出时数达263.5小时，环球网络电台日均收听人数为70万。

中国国际广播电台目前拥有英语综合广播(FM91.5)、国际流行音乐广播(FM88.7)、环球资讯广播(FM90.5)、奥运广播(AM900)、外语教学广播等5套节目，共10个对内外宣广播频率（6个调频、4个中波），每天播出节目208小时，初步形成了与我国对外开放格局相适应的对内外宣广播频率群，整体传播效应显著增强。

中国国际广播电台主办的《世界新闻报》，以报道国际新闻为主，面向全国发行，发行量稳步上升。中国国际广播电台还办有《国际广播影视》杂志以及英文《信使报》、德文《信息与回声》、西班牙文《友谊花坛》、乌尔都文《友谊之声》等39个文种的外文报刊。中国国际广播出版社和中国国际广播音像出版社承担着国际广播电视类书籍和音像制品的出版业务。

2007年，中国国际广播电台电视中心每天制作和传送上星的电视节目5个多小时，用户遍及全国300多个频道、台。开办的数字电视付费频道《环球奇观》进行了改版。

中国国际广播电台在世界重要国家和地区建有30个驻外记者站，并在国内各省、市、自治区以及香港、澳门特别行政区建有记者站，拥有庞大的信息网。

中国国际广播电台逐步形成了一支高素质的人才队伍。2007年，共有38种外语干部近1000人，编辑记者以及专业技术人员等近600人，外籍工作人员100余人。

二、主要业绩

1.重点宣传报道出新出彩，舆论影响力得到提升。迎接十七大、宣传十七大、贯彻十七大，是国际台2007年宣传工作的重中之重，贯穿全年宣传报道始终。“两会”报道、香港回归十周年、建军80周年、内蒙古自治区成立60周年、奥运倒计时一周年、上海“特奥会”、嫦娥一号探月卫星发射升空等20多项重点宣传，成效显著。涉疆、涉藏、涉港澳台报道，针对性强，引导有力。直播手段常态运用，38场重大直播，强化了时效，丰富了信息。全年宣传导向正确、编播安全、特色鲜明、亮点纷呈，得到中央领导肯定、广大受众好评。

2.自主策划活动突显优势，联合多方广受好评。联合中俄两国16家主流媒体，成功实施“中俄友谊之旅·中国行”。这是继2006年“中俄友谊之旅·俄罗斯行”之后，国际台自主策划实施的又一重大跨国境、多媒体联合报道活动，引起了两国元首、社会各界以及国际舆论的广泛关注和热烈反响，是外宣配合外交的成功尝试。胡锦涛总书记以及李长春、刘云山、吴仪等中央领导，对活动给予高度评价。联合境内外4家媒体，组织实施“中国—东盟合作之旅”大型广播电视联合采访活动，创造了中国媒体对东南亚国家，单次联合采访时间最长、国家最多、参与媒体最多、记者人数最多、发稿数量最多的纪录，实现了外宣策略由“零散被动型”向“规模主动型”转变。“中国西班牙文化之旅”、“奥地利记者中国行”等多媒体采访活动，丰富了走出去工程内涵，拓展了对外宣传渠道。四次“中日网络对话”，引起了日本主流社会的高度关注，初步实现了影响主流社会、影响主流媒体的目标。组织中外记者多语种联合采访组，分赴西藏、安徽、辽宁、河北等省区采访，受到当地政府和社会舆论的欢迎和关注。

3.广播孔子学院揭牌组建，拓展对外宣传新领域。与国家汉办合作，12月6日，广播孔子学院正式揭牌组建。学院以3000多个海外听众俱乐部为基础，用对象国母语和43种语言网站教授汉语，开创了国际台以中国文化为核心、以教授汉语为内容的外宣新形式，形成了汉语国际推广与现代外宣手段的有机结合。目前，已建和在建的共有10家，分布在亚、欧、非三大洲外宣重点地区。经国家汉办授权，第一批38种语言版本《汉语900句》广播教学节目，已制作完毕，在国际在线试播。

4.八家境外整频率电台开播，节目海外落地渐具规模。在澳大利亚珀斯、摩纳哥、尼日尔、巴拿马、瓦努阿图维拉港、桑托岛、马拉库拉岛等地，开办8家整频率广播电台，创建了“合作办台”、“代理建台”等落地新模式。珀斯调频台，首次实现了在西方发达国家的整频率落地。全年共完成13个节目境外落地项目，每天新增播出时间125.5小时。目前，国际台在境外已有11家整频率海外调频台，149家调频／中波合作电台（其中117家调频合作台，32家中波合作台），1家北欧网络电台和1家北美镜像站，总时数达556.5小时，语种达35种（30种外语、汉语普通话和4种汉语方言），覆盖全球60多个国家和地区，初具规模效应。

5.十二家环球网络电台启动，在线广播本土化策略发挥优势。在多语种网络电台基础上，建设了华盛顿、伦敦、莫斯科、柏林、悉尼、首尔、东京、开罗、安卡拉、里约热内卢、布宜诺斯艾利斯等11个新型多语种境外网络电台，涉及英、俄、德、韩、日、阿拉伯、土耳其、葡萄牙和西班牙等9个语种，受众遍布五大洲重点城市。

6.“国际在线”保持领先势头，手机广播电视上线播出。“国际在线”日均页面浏览量达1300万，其中，境外约800万，处于全球同行业网站领先地位。3月16日，推出网络电视平台，整合了新闻资源和技术优势，实现24小时滚动直播。4月6日和8月30日，国际台手机广播电视业务分别在中国联通和中国移动两个平台上启动。该业务标志着以国际在线为基础，以网络广播电视、环球网络电台、手机广播电视为依托的新媒体业务格局基本形成。十七大期间，手机广播电视使用英、日、俄、德、西班牙等5种语言，播出新闻和环球资讯广播直播节目，受到中央领导和大会新闻组的充分肯定。

7."人才兴台"战略加速实施，后备人才培养形成梯次。加快高端人才、核心人才、后备人才培养步伐。聘任首批9名岗位首席，制定详细首席项目。实施"四个一批"人才培养工程，首批选拔出93名培养对象。改革驻外记者选派机制，面向全台选拔12名待派记者。共举办全台性培训班6期，编写《国际台新闻培训纲要》，260余名干部职工通过培训，提高了素质。人事办公室成立了人才处。

国际台领导视察国际台专家公寓工程

8.外籍员工管理深化改革，对外合作交流领域扩大。制定和实施了外籍工作人员分类分级及薪酬管理改革方案。按照国际惯例和我国医疗改革方向，完善了外籍员工意外伤害和医疗保障制度，对新签和续签合同的外籍员工实施社会化医疗保险。严格规范外籍员工聘用程序，确保新聘外籍员工人员结构和待遇合理。加快对外交流合作步伐，完成外事出访和接待项目224个，新签续签合作协议40多份，与世界主要媒体进行了人员、节目和信息的对口交流。

9.重点工程建设稳步实施，基础设施日趋完善。外国专家公寓基本竣工，装修工程、设备安装、系统调试已经完成，各项质量要求验收合格，预计奥运会前可投入使用。办公室改造基本完成。多媒体共享平台及直播机房、传输系统等技术手段和设施的改造，网络平台及其整体安全、电力增容改造等项目，已完成或正在进行之中。

10.科学管理成效初现，团队和谐悄成风气。行政部门强化"讲规矩、讲程序"意识，建立健全规章制度。法律事务工作不断加强，审核合同737件，处理法律事务305件。党团部门通过"构建和谐电台"网络知识竞赛、"电波牵手山里娃"、职工运动会等活动，加强了党的组织建设，增强了职工凝聚力。纪检监察部门以加强领导干部作风建设为主线，通过专题讲座、学习教育、信访办案、重点监督、内部审计、制度建设等方式，从源头上加大反腐倡廉的力度。后勤部门逐步推进服务市场化、规模化、企业化、社会化改革，不断创新管理方式，提高服务质量。在各部门的共同努力下，"规矩、公平、友爱、活跃、有序、向上"的和谐氛围，正在国际台悄然形成。（国际台总编室）

中国国际广播电台2007年十件大事

一、圆满完成党的十七大宣传报道任务。

中国国际广播电台近1000个频率、600个栏目投入十七大宣传，43种语言广播共播出十七大新闻5万多条次、约1400小时，专题2万多篇次、约1700小时；"国际在线"多语种网站共发布有关消息、专题5162条（篇），图片4860多幅，制作多媒体音频节目8500多分钟，视频节目300多分钟，在线收听人次达132万；12家环球网络电台及60多个国家和地区城市的中波、调频电台及有线入户平台向海外受众播送十七大报道节目，圆满完成党的十七大宣传报道任务。

二、成功组织"中俄友谊之旅·中国行"中俄媒体联合采访活动。

5月25日～6月25日，由国家广电总局和国务院新闻办公室主办、中国国际广播电台和俄通社—塔斯社共同承办的"中俄友谊之旅·中国行"中俄媒体联合报道活动成功举行。胡锦涛主席和普京总统在德国"8＋5"峰会上会晤时，积极评价两国新闻交流和'中俄友谊之旅'活动，一致认为两国媒体加强相互报道增进了两国人民的相互了解和友谊。李长春、刘云山、吴仪、王太华等领导同志也分别作出批示，充分肯定"中俄友谊之旅·中国行"活动。

三、广播孔子学院揭牌。

12月6日，国务委员、孔子学院总部理事会主席陈至立在国际台为"广播孔子学院"揭牌。广播孔子学院由国家广电总局、中国国际广播电台、孔子学院总部、国家汉语国际推广领导小组办公室共同建设，率先尝试利用广播等先进传播手段，以实体广播孔子课堂、无线广播、在线广播、新媒体等为载体，依托中国国际广播电台外宣优势，全面搭建多媒体、多语种、多形式、全球化的对外汉语推广和文化外宣传播体系。

四、成功举行"中国－东盟合作之旅"大型跨国采访活动。

4月21日～6月10日，中国国际广播电台与广西壮族自治区广播电影电视局联合主办的"中国－东盟合作之旅"活动成功举行。来自中国国际广播电台、广西人民广播电台、广西电视台和香港凤凰卫视等媒体40多位记者组成的采访团，历时50多天，行程2万多公里，先后对越南、柬埔寨、老挝、泰国、缅甸、马来西亚、新加坡、印度尼西亚、文莱、菲律宾等东盟10国进行了采访报道，创造了中国媒体对东南亚国家单次联合采访时间最长、国家最多、参与媒体最多、记者人数最多、发稿最多的纪录。活动受到了相关各国政要的高度评价。

五、新增8座境外整频率电台。

2007年，中国国际广播电台新增8座境外整频率调频台。6月18日，国际台西澳大利亚珀斯调频台104.9FM开始播出，成为我国在西方发达国家开办的第一家整频率调频台。9月10日，国际台瓦努阿图维拉调频台102FM、桑托调频台102FM和马拉库拉调频台106FM正式开播。10

月1日，国际台在摩纳哥中波AM702和调频FM96.0落地节目正式开播。其中AM702中波落地项目是在境外实现的第一家整频率中波落地项目，FM96.0是在欧洲实现的第一家整频率落地项目。10月1日，国际台尼日尔尼亚美调频台106FM正式开播，这是在非洲第二家、非洲法语区国家第一家整频率调频台。10月2日，开始通过巴拿马中文台AM1180中波频率对巴拿马城整频率播出落地节目，这是在中美洲地区首个整频率落地项目。目前，中国国际广播电台已经拥有11座整频率境外调频电台。

六、CRI手机广播电视上线。

4月6日，CRI手机广播电视开播新闻发布会暨中国国际广播电台与中国联通合作签约仪式在京举行，国际台手机广播电视在中国联通正式上线。CRI手机广播电视业务集成了国际台广播、电视、互联网以及多语种信息资源优势，通过中国联通CDMA1X无线数据网络，采用流媒体技术，为手机用户提供丰富的音视频节目的直播、点播和下载服务。7月1日，国际台手机广播电视在中国移动平台正式上线。手机广播电视的开播，标志着中国国际广播电台多媒体业务迈出了重要一步。

七、十二家环球网络电台开播。

9月14日，中国国际广播电台环球网络电台在北京启动，涉及英语、俄语、德语、韩语、日语、阿拉伯语、土耳其语、葡萄牙语和西班牙语等9种语言，分布在东京、首尔、莫斯科、伦敦、柏林、安卡拉、开罗、悉尼、华盛顿、布宜诺斯艾利斯、里约热内卢等11个世界主要城市。环球网络电台的开播，象征着中国国际广播电台从单一广播的传统媒体，向集无线广播、在线广播和多媒体传播于一体的综合性现代媒体的转变；标志着中国国际广播电台在线广播建设与新媒体事业发展，由网络广播、网络电台进入到环球网络电台的新阶段。

八、"首席制"和"四个一批"人才培养工程开始实施。

2007年，中国国际广播电台大力实施人才发展战略，努力构筑现代人才高地的领导干部和核心人才培养模式初步形成。国际台于2007年1月推出了岗位首席制，首次聘任了9位岗位首席，代表了国际台在相应领域和相应岗位的最高水平。

国际台在青年职工中实施了"四个一批"人才培养工程，即在全台范围内选拔40岁以下、德才素质好、发展潜力大的优秀青年人才，加大培养力度，争取在五到十年内造就一批国际问题研究专家、国际时事观察员、评论员，一批名播音、名主持，一批名翻译、名编辑、名记者、名版主，一批技术应用和管理专家（简称"四个一批"）。2007年首批培养对象共确定93人。

九、"中日网络对话"成功举行。

由中国国际广播电台主办、日本放送协会（NHK）协办的"中日网络对话"在北京和东京两地同时举行。"国际在线"日文网、中文网与日本NHK国际广播电台中文广播节目对网络对话同步进行直播报道。这是国际台首次与境外主流媒体联合举办大型跨境网络对话直播活动。网络对话分别在春（3月29日）、夏（6月27日）、秋（9月29日）、冬（12月24日）四季进行，主题分别为"中日国民相处之道"、"体育拉近中日距离"、"文化加深中日理解"和"青年——中日友好的未来"，使网络对话成为中日网民的有效交流平台。

十、外籍员工管理改革显成效。

10月19日，《中国国际广播电台外籍工作人员分类分级及薪酬管理办法》在全台范围正式实施。这一改革举措旨在打破传统的"大锅饭"式分配方式，建立科学、合理的激励机制。根据《办法》，中国国际广播电台外籍工作人员分为外国专家、外籍专业人员和临聘外籍工作人员三个类别，按照市场需求、对象地区人才市场价格水平和实际工作能力确定基本薪酬，按照工作表现和工作绩效确定浮动薪酬。（国际台总编室）

中央电视台概况

突出十七大主线，创新报道形式，充分发挥"第一传媒"的引领作用。紧紧围绕迎接、宣传、贯彻党的十七大这一主线，精心策划、精心组织会前、会中、会后报道。全台各频道全方位、多视角展现十七大盛况，营造了隆重、热烈的舆论氛围。首次派出小记者上会采访，手机电视、网络电视等参与现场直播，成为报道的新亮点。陆续推出《高举旗帜科学发展》等专栏和大型政论片《复兴之路》等，引起热烈反响。综合运用多种传播手段，成功组织嫦娥探月工程、庆祝建军八十周年、香港回归祖国十周年、内蒙古自治区成立六十周年，以及"两会"、两岸经贸文化论坛、中俄"国家年"、北京奥运会倒计时一周年、上海特奥会等重大宣传报道。做好贯彻落实科学发展观、构建和谐社会、"三个代表"重要思想、社会主义核心价值体系，以及节能减排等主题宣传，亮点频现、高潮迭起。面向受众、关注民生，成就宣传、政策宣传、典型报道引导有力、卓有成效。加强和改进舆论监督，突发事件报道应对能力进一步提高。随着北京奥运会的临近，体育频道突出奥运元素，对所有奥运节目、栏目进行了统一整合，总冠名为《北京2008》，多个板块各有侧重，形式多样，以集群效应突出了奥运元素，凸显中央电视台奥运报道的权威性、专业性。

深化品牌战略，倡导"绿色收视率"，充分彰显国家电视台的竞争优势。继续深化宣传改革和品牌化战略，完善综合频道的品牌维护机制，狠抓专业频道和栏目的日常建设，综合频道旗舰地位更加巩固，专业频道特色和品质更加凸显。《新闻联播》推出新面孔，精心组织春节联欢晚会、元旦和中秋双语晚会、"六一"晚会，主持人大赛、模特大赛、民族器乐大赛、少儿曲艺大赛、海峡两岸知识大赛，以及"五个一工程"颁奖晚会、全国道德模范评选表彰颁奖晚会、感动中国、平安中国、你就是火炬手等品牌晚会、赛事和活动，品牌集群效应更加凸显。引入"电视档期"和"播出季"概念，努力向编排要效益。推出《恰同学少年》、《井冈山》等优秀电视剧和《香港十年》等精品专题片，"精品工程"成效显著。整合、规范赛事活动和选秀节目，倡导"绿色收视率"，自觉抵制低俗之风，强化国家电视台的示范效应，优化节目综合评价体系，中央电视台继续保持竞争优势和领先地位。2007年，中央电视台再度入选"世界品牌500强"，排名跃居71位。2007年，除中文国际频道(欧洲版、美洲版)、法语频道、西班牙语频道以外的15个频道总体收视份额达34.97%，全年共有349天日收视份额超过32%，比2006年多出5天。2007年中央电视台节目覆盖全国人口97.28%，观众规模达11.72亿。2007年广告总收入为92.7亿元人民币。

优化外宣格局，加快向海外进军，增强外宣影响力。积极推进"走出去工程"，加快构建外宣新格局。中文国际频道分亚、欧、美三版播出；西法语频道分为法语和西班牙语国际频道独立播出，电视外宣的针对性、时效性显著增强。加快海外落地，四个国际频道在137个国家和地区落地。创新"走出去"模式和途径，开播长城(加拿大)平台，试播长城(拉美)平台，各长城平台均保持良好发展态势。筹建欧洲、美洲中心记者站。外销网络拓展到70个国家和地区。成功举办第五届广博会及各种国际文化交流活动，国际交流合作呈现范围广、层次高、规模大的特点。

创新制播流程，确保播出安全，巩固国家媒体的技术领先地位。以技术革新推动制作升级、以强化管理确保播出安全，技术保障能力和安全播出系数进一步提高。圆满完成"十七大"等重大活动期间安全播出任务。全年安全播出创历史最好成绩。完成新台址电视系统框架设计，制定完善北京奥运会技术保障方案。欧、美中心记者站技术系统基本搭建完成。顺利实施转星调整和电力系统改造。成功研发节目文件暂存系统并投入试运行，真正实现全台网络化制播流程，确保技术始终保持领先地位。

规范职能管理，提升服务水平，逐步实现管理的规范化和精细化。职能系统服务电视宣传中心，加快推进"两个转变"。规范用工，完善薪酬管理制度，加强人才培养培训，加大优秀播音员主持人激励力度。《中央电视台财务管理改革方案》获得批复，财务管理改革实现新的突破；规范固定资产管理，健全预算管理体系和财务预警机制。强化审计监督，提高资金使用效益。规范节目预算分配，启动节目国际版制作，深度开发节目资源。规范信息刊物管理，防范法律风险，加强督查督办和调研工作，后勤服务保障有力；成功举办第二届台长论坛。认真学习贯彻十七大精神，深化"三项学习教育"，加强职业精神、职业道德教育，队伍建设和文化建设呈现新气象。中央电视台获得"2005～2006年度中直机关文明单位"荣誉称号，并连续14年被评为"首都文明单位标兵"和"广电总局精神文明标兵单位"。

2007年10月9日雷元亮检查中央电视台十七大安全播出情况

强化品牌营销，推进新台址建设，壮大事业产业发展实力。创新广告营销策略和模式，优化创收格局，加强奥运会广告前期营销，电视广告收入再创历史新高。巩固传统优势产业，网络和手机电视等新媒体加快发展，成功进军移动传媒新领域。推进海南数字电视整体转换，增值业务、数据业务取得突破。改革加密电视节目用户管理模式初见成效。加强企业经营管理，完善经营业绩考评体系，台属企事业单位均实现稳健增长，为电视事业发展奠定了坚实的物质基础。同时，大力推进新台址建设，主楼成功实现两座塔楼封顶和悬臂合龙；电视文化中心进入内装饰阶段；服务楼正式交付使用。（中央电视台台办室）

中央电视台2007年十件大事

一、党的十七大宣传任务圆满完成，创新报道手段和形式

中央电视台全力以赴、全神贯注，创造性、高质量地圆满完成了党的十七大宣传任务，精心策划、精心组织会前、会中、会后报道，成功直播各项重大活动。引用直播信号的境外媒体机构数创历届党代会新高。中央电视台在此次宣传任务中，创新报道手段和编排方式，丰富信息量，增强感染力。推出大型政论片《复兴之路》获各界好评，并首次派出小记者上会采访。手机电视、网络电视等新媒体参与现场直播，成为报道的新亮点，国家主流媒体的传播效果更加显著，社会影响更加广泛。

二、强化主题宣传报道，舆论引导力显著提高

中央电视台综合运用多种传播手段，成功组织"嫦娥探月工程"、庆祝建军八十周年、香港回归祖国十周年、内蒙古自治区成立六十周年，以及两会、两岸经贸文化论坛、中俄"国家年"、北京奥运会倒计时一周年、上海特奥会等重大宣传报道。中央电视台坚持"三贴近"，积极做好贯彻落实科学发展观、构建和谐社会、"三个代表"重要思想、社会主义核心价值体系、新农村建设、节能减排、食品质量安全等主题宣传，报道艺术、舆论引导水平显著提高。

三、积极构建电视外宣新格局，向海外进军步伐不断加快

中央电视台以提高覆盖面和收视率为重心，构建电视外宣新格局。2007年1月1日，中文国际频道分为亚洲、欧洲、美洲三版播出。2007年10月1日，西法语频道分频播出，开播法语、西班牙语国际频道。中央电视台改进外宣语态，电视外宣的针对性、本土性、时效性显著增强。四个国际频道在137个国家和地区落地，覆盖海外用户8380万。中央电视台创新"走出去"模式和途径，2007年4月17日正式开播长城(加拿大)平台，2007年10月1日试播长城(拉美)平台。中央电视台全年向70个国家和地区销售9000余部(集)、7400多小时电视节目。CCTV.com海外浏览量日均750余万。中央电视台积极筹建欧洲、美洲中心记者站。此外，中央电视台成功举办第五届广博会、亚广联儿童节目交换会、首届亚洲青年艺术节及多个国际电视周、主题性文化交流活动，推动中华文化更好地走向世界。

四、持续深化品牌战略，"第一传媒"作用日益彰显

中央电视台深化宣传改革和品牌化战略，扩大品牌集群，综合频道旗舰地位更加巩固，专业频道特色和品质更加凸显。中央电视台继续坚持"开门办春晚"，精心组织假日编排和各类大型活动，《香港十年》等精品专题片和《恰同学少年》等优秀电视剧不断涌现。中央电视台整合规范赛事活动和选秀节目，坚决抵制低俗之风，彰显“第一传媒”的责任和作用。中央电视台优化节目综合评价体系，提高“绿色收视率”，全台平均收视份额达34.91%。2007年，中央电视台再度入选“世界品牌500强”，排名跃居71位，综合实力、品牌价值和国际影响力日益增强。

五、创新生产播出流程，安全播出再创佳绩

中央电视台以技术创新推动制作升级、以强化管理确保播出安全，通过改造供电系统、完善应急播出手段、强化业务培训，使技术保障能力和安全播出系数进一步提高。中央电视台圆满完成十七大等重大直播技术保障任务。19套公共频道总计播出17.53万小时，安全播出总事故率为0.99秒／百小时，创历史最好成绩。中央电视台高质量完成新台址电视系统框架设计，并进入深化设计、系统集成和实施阶段。成功研发节目文件暂存系统并进入试运行阶段，真正实现全台网络化制播流程，节目生产播出方式发生革命性变化，处于国际领先地位。

六、不断规范职能管理，“两个转变”顺利推进

中央电视台服务于电视宣传这一中心任务，加快推进“管理型”向“服务型”、“粗放型”向“精细化”转变。中央电视台规范用工，完善薪酬管理制度，加强人才培养和员工培训，加大优秀播音员主持人激励力度；规范资产管理，健全预算管理体系和财务预警机制；规范节目预算分配，强化综合频道品牌维护，改进节目综合评价和频道考查评估办法；规范信息刊物管理和法律风险防范。中央电视台调研工作成果显著，后勤服务保障优化，成功举办第二届全国电视台台长论坛，反响良好。中央电视台深化“三项学习教育”，队伍建设和文化建设呈现新气象。

七、着力强化品牌营销，全年总收入达171.37亿元

中央电视台创新广告营销策略和模式，全年电视广告创收突破百亿大关，达到110.22亿；优化创收格局、拓展国内国际渠道网络取得新进展；加强北京奥运会广告前期营销，2008年黄金资源广告招标达80.28亿，再创历史新高。中央电视台巩固传统优势产业，大力开发新兴产业，网络电视、IP电视、手机电视、付费电视、动漫、体育等新兴产业加快发展，成功进军移动传媒新领域。中央数字节目平台继续保持市场领先地位，推进海南数字电视整体转换和增值业务，数据业务取得突破。中央电视台改革加密电视节目用户管理模式初见成效。中央电视台加强台属企业经营管理，完善经营业绩考评体系，各企业经营收入实现稳健增长。全台全年总收入达171.37亿(其中，事业收入121.88亿，企业收入49.49亿)，比上年增长24.12亿。

八、牢牢把握关键环节，新台址建设取得重大进展

中央电视台牢牢把握施工安全、工期保证、质量达标、造价控制四个关键环节，大力推进新台址建设。主楼成功实现两座塔楼封顶和悬臂合龙。电视文化中心主体结构竣工。服务楼土建及设备安装全部完成。中央电视台扎实推进新台址电视系统工艺设计和施工，为2008年北京奥运会报道积极做好前期准备。

九、稳步启动财务管理改革，事业发展获得新动力

《中央电视台财务管理改革方案》获得批复，明确中央电视台在保持公益性事业单位性质不变的前提下，实行财务企业化管理，标志着中央电视台财务管理改革进入新的历史阶段。具体落实改革方案《中央电视台财务管理办法》有利于规范财务管理、提高资金使用效率，促进中央电视台事业实现跨越式大发展。

十、积极筹备北京奥运会报道，成功获得新媒体转播权

中央电视台抓紧筹备，完善2008年北京奥运会报道总体方案，力争全方位、多渠道地实现转播效益最大化，全面启动北京奥运会预热报道，营造“迎奥运、讲文明、树新风”的良好氛围。同时，中央电视台积极努力，获得北京第29届奥运会中国内地和澳门地区唯一的电视和新媒体转播权。CCTV.com成为北京奥运会官方互联网及手机转播机构，这是国际奥委会首次将互联网、手机等新媒体作为独立的转播平台，具有重要意义。

（中央电视台台办室）

广播剧概况

2007年，中宣部精神文明建设“五个一工程”评奖恢复了广播剧奖项，全国广播剧工作者及时总结经验，更新广播剧创作理念。一手抓精品，一手抓市场，多方面满足群众的娱乐需求。

一、在题材开掘的深度和广度上进一步提高

一大批充满时代精神，关注现实生活，风格多样，节目形态上有所探索的精品佳作涌现出来。如中央人民广播电台的《深山信使》取材于优秀共产党员、“感动中国”十大人物之一、四川省木里藏族自治县山村邮递员王顺友的真实故事，歌颂了一名普通乡邮员非凡的奉献精神，赢得了第十届精神文明建设“五个一工程”广播剧优秀作品奖、中国广播影视大奖2005～2006年度广播电视节目优秀广播剧奖、第十一届麦鲁利奇奖和第八届伊朗国际广播节特别奖等四个奖项。

二、创作产量上升、队伍逐步壮大、原创作品增多

据粗略统计，2007年广播剧产量总计近万部(集)。广播剧原创作品日益增多，创作队伍逐步壮大，一些年轻有为的创作骨干在实践中日渐成熟。这既显示了广播剧自身造血功能日趋活跃，也是广播剧进入一个上升阶段的可喜标志。

三、已形成以主旋律精品为主导，多风格、多品种通俗剧共同发展的走向

在“五个一工程”推动下，以弘扬中华美德、鞭挞丑恶现象、演绎老百姓自己的故事为主要内容的新型通俗广播剧大量涌现。如十分钟短剧、小说剧、轻广播剧、情景剧、警探类系列剧以及与网络结合的网络广播剧等。如深圳广电集团交通频率创作的都市情景剧《发发士多》，1992年开播，共播出3300多集，是深圳广播播出时间最长的文艺节目。广播剧呈现出与其它新媒体融合、共赢，类型化、专业化电台根据不同服务对象的需要而发展的可喜现象。

四、较发达地区的地市县级电台初步形成了一支广播剧的新兴力量

广播剧艺术从老台、大台，走向地市台、甚至县级台，这支新生力量有闯劲、有热情、肯钻研，经济上有实力，是广播剧发展中的生力军。有的台在开掘附加效益和市场化运作方面进行了比较成功的尝试。

五、优势互补，联手双赢，已形成一种广播剧的创优特色

广播剧已逐步形成一些台的生产基地优势和人才优势、策划优势，各台联手共同为广播剧艺术创新、创优而努力。

六、进一步强化自身建设，积极扩大外延的开拓性态势

黑龙江台的广播剧人在进一步强化自身，发挥生产基地作用的同时，还开始了制作电视剧的初步尝试，成功拍摄了电视剧《文化站长》。除此之外，他们又开始了公司化、跨媒体经营的探索，展现出颇有意义的开拓性态势。

七、中国广播剧研究会工作扎实推进，成效显著

1.完成了第七届广播剧专家评析工作

由中国广播剧研究会主办、深圳广播电影电视集团承办的中国广播剧研究会第七届广播剧专家评析会7月13日在深圳召开。共收到全国会员台选送的52部百余集不同类型、风格多样的广播剧作品。评出一等奖14部，二等奖18部，三等奖17部。还评出了最佳编剧、导演、责编、音乐、音响、制作等8个单项奖。评委们认为应大力提倡、扶持贴近生活、雅俗共赏、有市场前景的多种形态的长篇系列剧和连续剧，对一些日常播出的、低成本制作并深受听众欢迎的广播系列剧给予充分的肯定。在各台的支持下，精选近两届获奖剧目共160集，刻成光盘提供给各台。

2.按期出版《中国广播剧研究会双月报》

目前，《中国广播剧研究会双月报》已累计出版了27期(其中有两期是双期合刊本)，2007年出版6期。除了在信息平台和新戏介绍栏目中介绍广播剧生产的最新动态、新剧目概况外，还在《广播剧故事》新栏目中，连续介绍一些篇幅较长的优秀广播剧，用讲“故事”的形式把节目讲述给读者。《双月报》还及时在《专家论坛》中连续两期选载了在北京召开的中国广播剧发展座谈会暨宝安广播剧现象研讨会上，中宣部、广电总局等有关部门的领导和到会专家的发言。

3.完成《中国广播剧精品选》编辑工作

《中国广播剧精品选》是新中国成立后广播剧界最大规模的一次剧本收集出版工作。编辑组在各台的支持下，克服重重困难，完成了四百万字的剧本收集、核对、编辑等大量的繁杂工作。目前八卷本的《中国广播剧精品选》已全部出版。广电总局胡占凡副局长专门题词：贴近群众，贴近市场，开创中国广播剧新天地。

4.组织、主办了“广播剧生存与发展”研讨会

5月16日，中国广播剧研究会和中国广播杂志社、深圳宝安区委宣传部在北京联合主办了中国广播剧发展暨宝安广播剧创作现象研讨会。中宣部文艺局副局长孟祥林、广电总局电视剧司司长李京盛及二十多位专家学者应邀参会并作了发言。《中国广播》杂志集中刊登了研讨会发言。

5.继续发展扩大研究会队伍

会员台的总数保持在八十家以上。新加入广播剧研究会的会员台当年就拿出作品参评，而且成绩突出，显示了这些电台的实力和全国广播剧内在的潜力。

6.召开2007年中国广播剧研究会年会

2007年10月26日，由中国广播剧研究会主办、四川人民广播电台承办的2007年中国广播剧研究会年会在四川省平武召开，来自全国各地45家会员台的70余名代表参加了会议。中广协会秘书长王敬松代表中广协会在开幕式上高度评价了研究会的工作。常务副会长何善昭在开幕式上代表会长安景林作2007年研究会工作报告。（高坦）

少数民族语言广播概况

中央人民广播电台

2007年，中央人民广播电台少数民族语言广播全面贯彻党的宣传方针和民族政策，以重大节日、重大事件、重大活动的宣传报道为重点，圆满完成了党的十七大等各项重大宣传任务，蒙古、藏、维吾尔、哈萨克、朝鲜5种民族语言节目的凝聚力、影响力、感染力进一步增强。

1．春节节目丰富多彩

各语言部根据各自不同的情况，制作出39集，总计1170分钟富有民族特色、针对性强的春节特别节目。蒙语部特别制作播出了大拜年节目《遥远的问候》；藏语部制作了春节、藏历火猪年的特别节目和文艺节目；维语部推出了专题节目《良友的祝福》；哈语部制作了特别专题节目《温暖的手》；朝语部制作了各地朝鲜族迎新春特别节目。

2．两会报道特色鲜明

“两会”期间，民族广播中心共派出11名记者报道两会，采制了一批质量高、民族特点和广播特点鲜明的两会专题节目。

2007年2月28日清早，西藏的代表委员第一次乘坐青藏铁路的火车抵达北京参加全国两会。藏语部的记者提前赶到火车站等候采访，让听众在第一时间就听到了藏族代表委员抵达首都北京的声音。两会开幕之前，哈语部到中国民族语文翻译局采访制作了录音报道《民族语文翻译让少数民族代表委员享受语言文字平等的权利》，让少数民族听众了解党和国家对少数民族的照顾和尊重。听众来信反映说，“我国专门为两会配备这样庞大的民族语文翻译队伍，真正地体现出了民族平等和民族语言文字的平等。这一点，就连国外人士也很欣赏。”

3．十七大宣传动手早，效果好

从年初开始，各语言部加大民族地区迎接十七大的建设成就宣传，分别采访录制了大型系列专题节目。藏语部采制播出了44集迎接党的十七大系列专题节目《科学发展在藏区》，哈语部录制播出了以边疆民族地区的经济社会发展和提高民族整体素质为主线的《时代在召唤着我们》10集系列专题节目，让听众述说新疆经济、社会各个领域的新发展、新变化、新成就；维语部开展了迎接党的十七大有奖征文活动。

党的十七大召开期间，蒙、藏、维、哈、朝5个民族语言节目准确、及时、全面报道大会的各项重要内容。驻会记者通过话筒深入报道少数民族代表参政议政的风采，有的还邀请少数民族党代表在《做客中央电台》专题中接受记者的专访。各语言节目还及时反映对象地区听众对党的十七大的反响，反映各族群众对十七大的期望和感想，使党的十七大精神深入人心。

4.内蒙古自治区成立60周年宣传活动规模大，影响广

4月初，蒙语部派记者到内蒙古各地采访，并与记者站和地方台合作，从5月1日起，推出60集大型系列报道《孕育希望的草原 和谐腾飞的内蒙古》。7月1日至11日，民族广播中心组织记者深入内蒙古牧区、企业、机关、学校、社区、边境口岸等地采访报道，行程数千公里，取得了“六种语言讲述内蒙古60年变迁，不同视角报道大草原神奇风采”的良好效果，受到广泛好评。

5.第八届全国少数民族传统体育运动会报道数量多、质量好

11月10日至18日，第八届全国少数民族传统体育运动会在广州举行，民族广播中心派出蒙、藏、维、哈、朝、汉各节目部门的8名记者前往采访报道。其间共发稿100余篇，多数是现场录音报道。报道数量和质量均创历史最高水平，受到组委会和听众好评。

6.推出《热点关注》新栏目

为了加强对热点新闻的舆论引导，由民族广播中心统一组织在5个民族语言节目里推出了《热点关注》新栏目。此栏目每周一期，每期10分钟。通过拓展热点新闻的深度和广度，做好社会热点问题的舆论引导，为边疆民族地区的稳定和构建社会主义和谐社会贡献了力量。

（中央人民广播电台）

吉林省少数民族语言广播（朝鲜语）

延边人民广播电台（朝鲜语）中波播出频率：1206千赫；调频播出频率：94.9兆赫、89.5兆赫。中波节目早晨5点开始至24点结束；调频节目每天早晨5点30分至午夜11点10分播出。

2007年，共制作各类节目三千多小时。采写4100篇新闻稿、80篇专题稿，编译4000多篇国内外新闻，向中央人民广播电台朝鲜语部传送稿件235篇。录制播出了《赵南起》、《延边苹果梨》、《蝴蝶巢》、《金笠》、《阳光下》、《没有落后生》、《经九号》、《青春期的苦闷》、《董存瑞》、《寻母记》等朝鲜语广播剧和广播小说、广播童话；组织创作了三十首朝鲜语歌曲；编辑制作了七十首朝鲜语歌曲在《每周一歌》节目播出，编辑出版了《延边广播歌曲700首》。精心打造了《四季故乡》、《经济之窗》、《金大用热线》等品牌栏目。

延边广播电台（朝鲜语）记者在滑雪场采访

在第三届全国朝鲜语广播电视播音、主持优秀节目评审中，徐太文、金桂月、崔宝今、姜菊兰的作品分获一、二、三等奖；新闻部荣获“2007年吉林省新闻工作先进单位”称号；《情系图们江的朝鲜族百年歌曲》获2007年首尔优秀节目广播类大奖。

2007年，延边人民广播电台（朝鲜语）购进三十多万的直播、播出设备，投资一万元更换卫星转播设备，有效地保证了中央台节目安全播出。（吉林广电局）

黑龙江人民广播电台朝鲜语广播

2007年，黑龙江人民广播电台朝鲜语广播全面报道了广大朝鲜族干部群众认真贯彻十六大精神的成果、迎接十七大以及全面建设小康，构建和谐社会和社会主义新农村建设等新闻。这方面的新闻和专题节目共编发一千多件，内容涉及朝鲜族比较集中的乡镇（民族乡），宣传落实中央有关建设社会主义新农村典型，三农政策，反映农民种田积极性，畜牧业发展的成就等，积极营造了朝鲜族乡村“努力快发展，全面建小康”的舆论氛围。

对内宣传：

朝鲜语广播2007年民族新闻（消息）自采稿共计340多篇，比去年增加了10%；民族专题节目自采稿共计达280多件，比去年增加了13%。中央台今年播出朝鲜语广播选送的新闻稿件数142件；中国国际广播电台播出朝鲜语广播选送的新闻稿件数151件。结合广播文化下乡，朝鲜语广播在哈尔滨、牡丹江举办了《激情歌曲大家唱》大型活动，这在国内朝鲜语广播界属首创，活动录像在朝鲜语广播网站访问率极高。

在2007年9月第12届全国少数民族广播电视研究会朝鲜语广播好稿评选中，黑龙江朝鲜语广播共获一类作品奖4件，二类作品奖3件。10月，黑龙江朝鲜语广播承办了第三届全国朝鲜语广播电视播音、主持评稿会，并获一等奖一件，二等奖一件。

朝鲜语广播已基本完善了朝鲜语文字编辑系统，实现了办公自动化。逐步完善朝鲜语广播网站建设，基本实现了朝鲜语广播节目网络播出，并试播了《激情歌曲大家唱》等视频节目。

对外宣传：

朝鲜语广播积极争取韩国广播公司（KBS）的支持，自1994年12月17日以来，这家韩国国家电台定期播出184件黑龙江朝鲜语广播的节目。新闻的内容以经济报道为主，对省内外的重大活动，如哈尔滨韩国周及哈洽会、哈冰雪节、滑雪节等给予了特别关注，对绿色食品，旅游等优势产业也给予了充分关注。

朝鲜语广播充分发挥传媒及语言优势，积极宣传黑龙江独特的地理人文环境和日益完善的投资环境，成为全省对外宣传，对外开放的重要窗口之一。（黑龙江广电局）

云南少数民族语言广播

云南少数民族语言广播包括云南人民广播电台民族语广播和红河、文山、西双版纳、德宏、迪庆等少数民族自治州的民族语广播两大部分，开办了藏语、西双版纳傣语、德宏傣语、拉祜语、景颇语、景颇载瓦语、傈僳语、苗语、壮语、瑶语、哈尼语、彝语、佤语等13种少数民族语言节目和汉语节目。其中，省电台民族语广播用德宏傣语、西双版纳傣语、傈僳语、景颇语、拉祜语、汉语6种语言轮流播出（中波、短波），节目覆盖全省，部分周边国家也能收听。

2007年，云南人民广播电台民族语广播积极参与报道全国及省"两会"、残运会、宁洱地震、昆交会等重大事件及大型活动。"两会"期间，各语部在民族语广播新闻节目中编译播出了"德昂族委员建议对人口较少民族学生实行全免学杂费" 等90多篇（条）新闻。昆交会期间，派出8名记者重点报道对象地区参展团的交易及招商引资情况，采制播出"思茅市打造普洱茶产业群"、"民族民间医药亮相昆交会"、"版纳州作好准备迎接国际大通道贯通"等有特色的报道。重点抓好"三农"工作、民族工作、扶贫开发、民族地区经济社会发展、民族区域自治法、禁毒防艾工作和重视扶持人口较少民族加快发展等方面的宣传报道工作，播出相关报道1000篇（条）。此外，还播出有关少数民族民生问题的报道365篇（条）。还在5种民族语节目中开设专栏，对云南边疆民族地区各少数民族在贯彻落实科学发展观和构建和谐社会中的新人、新事、新风貌进行如实报道，共编译播出相关新闻500条（次）。

2007年，云南电台民族广播开设"喜迎党的十七大"、"来自十七大的报道"、"学习贯彻十七大精神"3个栏目，做好党的十七大宣传报道。十七大开幕当天，派出记者采访云南民族大学、省民委等有关部门，及时报道边疆地区少数民族干部群众认真收听收看十七大开幕式的情况。十七大期间，先后播出各类报道150多篇（条）。十七大刚闭幕，及时将十七大报告译成西双版纳傣语、德宏傣语、景颇语、傈僳语、拉祜语等5五种少数民族语播出，并制作录音光碟1000套3600多张，发送到各少数民族群众手中。第一批5种民语十七大报告录音光碟累计翻译达45万多字，时长19小时。受到省委宣传部等上级领导表扬，被新华社、中央电台、央视、中国民族报等多家媒体报道。此外，还联合全省9家民语广播州市电台，11月1日起用13种语言进行"不同的民族语言、共同的宣传主题"十七大宣传报道活动。2007年，云南电台民族广播"父子党代表的共同心愿"等8件作品获省级好新闻一、二、三等奖；通讯员来稿比上年大幅度增加，首次突破万篇，采用率也明显增加。

8月1日，西双版纳人民广播电台民族语广播改版，播出总时间不变。傣语广播保留《道德与法制》，将《对农村广播》、《科技服务》调整为综合性栏目《好曼勐傣》和娱乐性栏目《时尚傣乡》，新设《双语双学》栏目。到11月20日，傣语广播共采、译、编、播《西双版纳新闻》315组1251条，译编《国内外新闻》1100多条。傣语文艺专栏《密林歌声》、《周末文艺》、《傣乡之花》播出了230多人次点播的傣族赞哈、傣语歌曲等。哈尼语节目对节目重新包装，统一称作《哈尼之声》，增加哈尼语文艺专栏《新歌快送》。全年共播出西双版纳新闻354组1770条，译编国内外新闻354组1980条，采录哈尼语文艺节目28组20小时。

迪庆人民广播电台少数藏语广播用调频、中波两种频率广播，每天播音2小时，办有藏语新闻、专题、文艺三大类节目。年内开设的藏语栏目有《迪庆新闻》、《国际国内新闻》、《云南新闻》、《香格里拉艺苑》、《生活空间》、《跟我学藏语》、《雪域欢歌》等。在做好日常新闻宣传报道的同时，重点对迪庆州50年州庆、党的十七大、社会主义新农村建设等重大事件进行宣传报道。在藏语新闻中开设"辉煌迪庆"、"以优异的成绩迎接十七大"等专栏，制作播出"不同的民族语言，同样的宣传主题——让党的十七大传遍云岭千家万户"系列专题节目。同时，该台藏语编辑参与了十七大报告的译制，通过与省电台及各州市电台合作，制作了100张傈僳语十七大报告CD，送给维西傈僳族同胞。全年共翻译新闻类稿件1470条，制作播出节目近720小时。

（帕安福　罕秋云　包雪锋）

西藏自治区少数民族语言广播

一、藏语新闻综合频率：

2007年藏语频率出色完成各项新闻宣传工作。开辟各种新闻、专题栏目《安居工程在西藏》、《2006和谐创辉煌》，《来自两会的报道》、专题节目中开辟了《面对代表》等专栏。在全区党员代表大会和自治区党员领导干部期间共播发有关会议和各地、各级党组织落实学习会议精神的稿件20多条。7月藏语频率派出记者参加了与国际广播电台和《深圳商报》联合举行的《和谐西藏纪行》的活动。

"十七大"宣传有声有色：会前推出了喜迎"十七大"的专栏《迎接十七大，展示新成就》和专题节目《红色记忆·永远的丰碑》。藏语频率对大会的开幕进行了藏语版的较为全面的广播宣传，成为第一个用藏语声音把党的十七大开幕的消息传遍西藏高原的媒体。会后推出了《"十七大"精神宣讲园地》和《学习"十七大"、贯彻"十七大"、落实"十七大" 》专栏。

2007年6月荷兰听众戴夫德·马丁收听到《圣地西藏》节目之后，来到西藏旅游，并专程到节目组表示感谢。2007年，对外广播受到了自治区主要领导的批示，《人民日报》也在显著位置进行较为全面的报道。2007年6月30日藏语频率受自治区党委宣传部等上级单位委托，在堆龙羊达乡举办了《歌声传情》节目"颂路爱路、共创和谐"主题听友会。当天近2万名农牧民群众参与了此次活动。7月26日与中国国际广播电台一同在拉萨成功举办了英语节目听友会。

2007年，藏语频率《格桑美朵》少儿栏目2007年被共青团中央、中央综治办、国家广播影视局联合授予全国优秀"青少年维权岗"称号；藏语频率报送的论文《略谈汉藏翻译问题》在第12次全国民族语文翻译学术研讨会论文评奖中获一等奖；藏语频率报送的《多元家庭的和谐生活》获得中国国际广播电台《中国之窗》合作类新闻专题二等奖。

二、康巴方言频率：

康巴方言频率是以康区百姓为服务对象的专业化频率。康巴方言频率的全天播出总量为17小时50分钟，其中自办节目8小时30分钟（新闻20分钟、专题140分钟、文艺340分钟、服务类10分钟）；转播2小时30分钟，重播06小时20分钟，广告30分钟。直播节目80分钟。播出频率：中波594千赫，立足西藏昌都，面向川、青、甘、滇等省区听懂康巴方言的广大听众。主要节目包括《新闻10分钟》、《今日西藏》、《科教园地》、《妇女与儿童》、《人生漫谈》、《健康药箱》、《西藏旅游》、说唱《格萨尔》、《色吉卓热》、《音乐天堂》、《西藏风韵》、《文学新苑》、《阳光西藏》、《月光曲》等。

（西藏广电局）

甘肃少数民族语言广播

甘肃省甘南电台用藏语、汉语两种语言广播，以藏语广播为主，全天播音9小时，其中转播中央台藏语节目1小时，各类自办节目8小时，自办节目中，藏语节目6小时30分，汉语节目1小时30分。设置的藏语新闻类节目主要有：《甘南新闻》、《新闻译播》，藏语社教及服务类节目有：《绿原彩虹》、《农牧天地》、《法制园地》、《少儿乐园》、《藏、英语讲座》、《空中七彩服务台》、《气象服务》等，设置的藏语文艺节目有：《牧民乐》、《说唱格萨尔》、《综艺百花园》、《音乐荟萃》、《雪域妙音》等。藏语节目占70%，汉语节目占30%；新闻、社教类节目占65%，文艺类节目占35%；新闻、社教类节目中，地方新闻、专题占60%，译制节目占40%。

甘南电台努力发挥藏语记者及翻译力量优势，在办好本台藏语新闻、专题各节目的同时，积极向中央和青海、西藏、四川等省级民族台传送各类藏语节目，收到了良好的宣传效果。藏语新闻和专题部年内向中央台、青海、西藏、四川等省台和阿坝、海南、海西等民族州台选送藏语节目382件，采用298件。文艺部全力组织，精心策划，深入7县市采录300多分钟藏族文艺节目，在此基础上，以建设和谐社会为主题，运用朴实、真诚、平和的语言，精选制作成130分钟甘南电台2007年春节文艺节目《春之歌》，春节期间除在本台安排播出3次外，正月初七、十四两次在中央台《乡音荟萃》文艺栏目中整体播出，青海台卫星频率和青海广播网也先后播出多次，受到整个藏区听众的欢迎。

（甘肃广电局）

青海人民广播电台藏语广播

一、宣传报道重点突出

提早安排迎接十七大报道工作，开辟专栏翻译播出新闻中心记者采写的稿件。十七大期间，翻译播出新闻、消息90分钟。闭幕后，开辟《解读十七大报告》专栏，翻译播出32篇稿件，开辟《认真学习贯彻党的十七大精神》专栏，翻译播出《人民日报》评论员文章等稿件38篇。

“两会”期间，播出有关消息26篇，专题节目8档。全国“两会”召开期间，藏语广播在新闻节目中播出57篇报道，编播《青海日报》刊载的专栏文章12篇。在“青海省结构调整暨投资贸易洽谈会”等重大活动举办期间，除编发新闻中心记者发回的全程跟踪报道外，还连线现场嘉宾，为广大听众奉献了主题鲜明、形式多样、生动鲜活的系列报道。

二、文艺节目异彩纷呈

青海藏区蕴藏着独特的民俗民间文化、多彩的音乐舞蹈文化。2007年春节和藏历年期间，藏语广播举办了《在和谐的阳光下》大型文艺直播演唱会。还走进农村牧区举办了《走进藏区——春色满园》、《走进藏区——祁连山下好牧场》等大型文艺演出，感染力很强。并在甘南藏族自治州玛曲县举办了《“格萨尔”杯第三届多康地区藏族弹唱大赛》，初赛分别在青海、甘肃、四川等六个赛区进行，复赛和决赛在玛曲县举行，藏语广播和网站对颁奖演唱会进行了现场直播。

三、联办节目特色鲜明

藏语广播的每一档联办节目都与藏族地区的风土人情或藏族群众的生产生活息息相关，以展现藏族地区发展状况、传承藏族地区优秀传统文化为宗旨。与祁连县、甘南藏族自治州玛曲县、青海省文联、青海省电视台藏语部、西宁市喜玛拉雅歌舞大世界、海南藏族自治州共和县以及青海省藏医院、青海省红十字医院等5家医院等单位联合，在专题、文艺演出、比赛等方面制作了一批优秀节目栏目。

（王海红）

新疆少数民族语言广播

2007年，新疆人民广播电台四种少数民族语言广播在新闻宣传、文艺创造、精品生产、节目创新、对外宣传等方面取得新的突破和进展。

一、新闻宣传重点突出　配合重点宣传，开设《创造新业绩，喜迎十七大》、《高举旗帜，承势而上》、《共产党员之歌》、《建设新农村》、《和谐家庭》等专栏。播出各种稿件300多篇。蒙语广播新开办了《以优异成绩迎接党的十七大》、《贯彻十七大精神，建设美丽的新疆“十七大报告解读”》等栏目。维、哈、蒙、柯四种少数民族语言广播同时报道了建设社会主义新农村、共建和谐社会、民族团结为主题的稿件、录音报道、录音访谈等。

二、文艺体制机制创新　维、哈、蒙、柯四种少数民族语言制作广播剧20部（维语4部72集，哈语8部32集，蒙语2部14集，柯语6部37集）。今年蒙语广播文艺节目延长了听众参与的热线节目的播出时间，增加了直播节目。柯语广播文艺节目采录220首歌曲，编写“帕米尔之女”、“阿曼吐尔”、“艺人生涯”等37集广播剧。

三、精品生产再创佳绩　2007年，有32件广播节目在自治区和全国获奖。

四、节目改革创新、创优　维语综合广播对部分节目进行了调整和改版，开办了《国际时讯》节目等。哈语综合广播在重大宣传活动中开辟了热线电话、现场直播。蒙语综合广播新开办了“午间听吧”、“晚间听吧”，减少了录播和重播。

五、对外宣传进一步扩大　2月15日，拉脱维亚听众收到新疆人民广播电台维语广播。2月17日，美国听众收到电台柯语广播。7月1日新疆人民广播电台每天　小时的维语《中国之声》广播节目在土耳其YON广播交流公司调频广播中播出　。

（靳红莉　王学英）

对台湾广播概况

中央人民广播电台

中央人民广播电台对台湾广播把反对和遏制台湾当局推动“法理台独”，争取台湾民心作为首要任务，完成一系列重大涉台活动的报道，成功举办第十届台湾听众联谊会，对台节目贴近性、亲和力进一步强化，受到大批新老听众的欢迎。2007年，对台广播共收到岛内外听众来信、来电、短信、电子邮件14496封，来信、来电总量较上年同期增长13%。

一、集中力量反对、遏制“法理台独”，争取台湾民心，对台入岛宣传取得新成果

1．直接抨击“法理台独”，揭露“台独”分子言行的荒谬，使民众充分认识台独的本质和危害

中央人民广播电台对台湾广播把反对和遏制“法理台独”放在各项宣传工作的首位，针对陈水扁的言论，及时采访台湾学者以及岛内的普通百姓，深入分析“台独”的危害性，揭露“入联公投”的欺骗性。圆满完成40场国台办新闻发布会现场直播，同时配发时评，增强言论反击的有效性。

2．做好重大涉台活动报道，宣传祖国大陆促进两岸交流交往，为台湾同胞谋福祉的重要举措

2007年，涉台重大活动多。圆满完成第三届两岸经贸文化论坛、第九届海峡两岸经贸交易会、春节包机、端午节包机、台湾中南部乡镇里长大陆参访等大型活动的报道。充分报道第三届两岸经贸文化论坛所取得的成果，播出《胡锦涛总书记希望两岸同胞携手维护共同美好家园》、《连战表示：国共达成的五点愿景受到两岸人民欢迎》、《贾庆林：两岸往来和交流要把握机遇，突出重点，脚踏实地，再接再厉》、《郁慕明呼吁两岸交流要尽快实现双向开放》、《教育部、公安部、人事部、交通部、民航总局和国家旅游局宣布了进一步促进两岸交流交往与合作13项政策措施》等专题节目，大力宣传祖国大陆促进两岸交流交往，为台湾同胞谋福祉的多项举措，收到很好的效果，在岛内影响很大。

3．精心策划制作一批重点节目，加强中华传统文化的宣传

对台湾广播中心在做好日常宣传工作的同时，还精心制作了大型系列广播《两岸交流20年》、《奥运点将台》、《中国传统文化经典讲堂》、《台湾名人祖地巡礼》、《水流云在——中国经典文学名著遗踪采风》、《神州行》等一批重点节目，紧密配合对台工作大局，拉近台湾民众与祖国的距离，播出后收到了很好的效果。

二、加大创优力度，不断提升节目质量，创优效果显著

节目创新和创优是对台湾广播一贯追求的目标。对台广播中心努力营造业务研讨氛围，提高采编人员创新、创优、创名牌的意识和动力，制作出一批精品节目。《胡锦涛会见连战和台湾各界人士》和《北京台北笑在一起》获2006年度中国广播影视大奖；《走向明天——两岸和平发展大思考》、《人生风景别样好——访京剧表演艺术家孙毓敏》、《寻找客家山歌》《雨中的风景——曹文轩和他的新作〈天瓢〉》和原创歌曲《眺望》获2006年度中国广播影视大奖提名奖；《亲子童谣唱游》获2006年国家广播电影电视总局优秀原创少儿广播节目专项资金奖励一等奖；另有10件作品获得第20届对台港澳广播作品奖，其中4件作品获一等奖。记者谢际争获全国优秀新闻工作者称号。

三、成功召开了第十届台湾听众联谊会，充分发挥人际传播作用

2007年8月，对台湾广播中心举办了第十届台湾听众联谊会，来自宝岛的14位高校电台主播、专业指导老师和中广宝岛网闽南话节目主持人参加了这次活动。国台办新闻局副局长范丽青、国家广电总局港澳台事务办公室副主任周桂珍出席了联谊会开幕式并作重要讲话。

参加联谊会的台湾听众认为，中央人民广播电台对台湾广播节目公益性、权威性很强，值得台湾借鉴；收听中华之声、神州之声节目能打开青年学生的视野，使其受益匪浅。与会的台湾高校专业指导老师还郑重宣布，要把中央人民广播电台对台广播中华之声、神州之声写入课程大纲，作为广播专业学生的必修内容，鼓励同学多听中央人民广播电台节目，增进对大陆的准确了解，让青年人认识到两岸交流的必要性和重要性。联谊会的成功举办扩大了对台广播节目在岛内的影响。（李建文）

海峡之声广播电台

2007年，海峡之声广播电台以中央对台方针政策为指导，继续深入贯彻胡主席关于“加大宣传力度，坚持入岛入心”的重要指示精神，以打赢应对“台湾法理独立”这一硬仗为主线，按照“改进创新显特色”的思路，不断深化编播改革，节目调整改进迈出新步伐，媒体横向合作取得新进展，受众服务工作实现新突破，网站入岛宣传拓展新途径，各项参评活动创造新佳绩。

截至12月底，派出记者600多人次，自采稿件9000多篇，征文、征歌2100篇(首)，完成重点选题和系列报道90项。收到岛内来信111封，电话1238个，被岛内及海外媒体转载专稿4596篇次。网站点击总数19393万人次，其中岛内点击数约2759万人次，共收到网友反馈帖子3109个，美国和台湾成为来访最活跃地区，目前已有5家岛内主流媒体网站将海峡之声网站设为链接。编播人员获全国性各类奖项34个，发表在全国性学术刊物上的论文7篇，省部级以上刊物的论文26篇。

一、不断调整理念，节目改进创新有亮点。

2007年，节目改革分频道、多波次地进行调整改进，全年新办节目29个，共办节目118个。各频道都增强了服务意识，受众指向更加明确，宣传内容更加丰富，涵盖了政治、经济、军事、科教等方方面面；同时主动让岛内受众参与改革。年初，给每一位登记在册的台湾听友寄发“我和春天有个约会”征集意见函，并根据听众要求新办了《健康新主张》、《史记中国》、《40分钟杂志》、《心灵对话》、《台商故事》、《台湾海峡渔业气象与海况预报》等节目。不少新节目一推出就受到了听众的欢迎。台北的赵复中听友说：“爱听健康节目，就是为了多活几年，好看到祖国统一。”台中的王富川听友说：“每天早上听健康节目，给他一天的生活都带来好兆头”。《台湾海峡渔业气象与海况预报》节目的开办，岛内10多家媒体作了突出报道。

二、紧贴受众需求，重大选题宣传有影响。

2007年共完成了90个重点选题的宣传和17次重大活动的直播报道。策划这些重点选题，特别注意针对台湾受众在信息上的需求和缺失，有的甚至是直接来自台湾听众的要求。如《嫦娥探月》报道，就是根据台北刘芳育等台湾听众的建议，加大了宣传力度，派出2名记者深入现场采访，发回了大量现场感极强的报道。“嫦娥”卫星发射直播时有16名台湾听众打进热线电话，抒发感言。台湾非凡音联播网和马祖生活资讯电台还同步播出海峡之声节目。“两会”报道，组成了21人报道组，采制录音报道354篇，网络稿件500篇，其中20余篇被海外媒体转载。香港回归10

周年宣传，推出8个系列报道，播发新闻3100多篇。录音报道320多篇。接到台湾听众来电33个，短信120多条。纪念建军80周年，推出8个系列专题。其中《中国军魂》征文，收到军内外1000多篇手稿。军歌征集活动，收到1100多首歌词，且有不少名家名作。“十七大”报道，采访了数十位代表，播发专题50篇，消息200多篇。“2007黄帝故里拜祖大典”，联合中国国际广播电台、澳大利亚3CW中文电台、香港电台、澳门电台、新加坡新传媒电台等上百家海内外媒体，向全球华人直播了拜祖大典盛况。从听友反馈来看，这些重大宣传都得到了台湾听众的高度评价和积极回应。

三、突出“反独”任务，对台舆论斗争有声势。

2007年以来，陈水扁当局通过“宪改”谋求“台湾法理独立”的活动已步入实质性阶段，我们多次召开相关会议，分析形势，研究对台舆论斗争策略，提出“高度警觉、密切注视；不受其扰，不随其舞；充分准备，从容应对；讲究策略，注意效果；严密组织，严守纪律”的思路和要求，在全年的广播和网络宣传中，坚决做到“五不”：不超前反应，不过度炒作，不简单生硬，不介入纷争，不授人以柄。使反“台独”宣传始终保持主动，既有声势，又符合上级部署要求。5个频道每天播出近40个新闻、评论、军事节目，播出稿件数百篇，全年播出12000多个新闻、评论、军事节目，播出相关稿件10多万篇，未出现任何政治性差错和导向性问题。《海峡广角镜》、《景艳看台湾》、《两岸观察家》等评论性节目，今年播出500多档，都能紧跟两岸时事热点，并大量引用新闻原始录音，增强现场感和可听性，受到了台湾听众的好评。

四、发挥区域优势，两岸关系报道有特色。

全国各地的对台宣传资源丰富，且各有特色。特别是福建，作为对台工作前沿，闽台经贸交流与人员往来频繁，有着与岛内相通对接的地域文化，如闽南文化、客家文化等。根据大多数台湾人都喜欢听闽南话广播的特点，我们把加强闽南方言广播，作为“扩大入岛入心规模”的重要手段。一方面将普通话重要节目《海峡广角镜》、《两岸故事》，重点选题《跨越海峡情——两岸交流20年》、《两岸农业合作纪事》，用闽南话进行了重新制作、播出。另一方面新开办了族谱对接、宗教交流节目《寻根》、《心灵家园》，引进了《海峡风情》、《方言故事》、《学讲闽南话》等节目，讲述闽台民间故事、历史掌故、习俗信仰、家族姓氏，反映闽台两地浓厚的历史、文化及血缘关系，用最乡土的文化唤起台湾民众内心深处最朴素也是最本质的情感和记忆。同时加强“海西”建设报道。对在八闽大地举办的“台交会”、“海交会”、“海博会”、“旅博会”、“茶博会”、“花博会”、“闽商大会”、“武夷山文化旅游节”、“中国投资贸易洽谈会”、妈祖进香直航、海上试点直航10周年等活动，均给予重点宣传。全年播发福建的稿件上万篇。

2007年，对两岸青年大联欢、台湾学生夏令营、两岸“双百”城市论坛、两岸记者草原行、海南行、台湾优质农产品巡回展，以及各地与台湾的经贸文化交流活动作了重点报道。推出“台湾文化名人在上海”、“情系黑土地”、“南宁民歌节”等富有地方特色的系列报道，受到了台湾听众的好评。

五、重视互动交流，宣传入岛落地有突破。

2007年，与岛内媒体和受众的互动交流频繁，宣传入岛入心有5个方面的突破：一是8月份，我们首次以主办方的身份，组织台湾连合通讯社、台湾非凡音联播网、马祖生活资讯电台等媒体8名记者，赴厦门、泉州、漳州等地，进行《台胞看海西》联合采访活动，反映闽南地区台商的创业和生活状况，节目在岛内3家广播媒体共同播出。二是今年9月22日至27日，我们在厦门市举办了建台50年来首届台湾听友联谊会。11名台湾听友与主持人虽然是初次见面，却似久别重逢，敞开心扉，畅谈感受，介绍了大量情况，提出了20条建设性意见和建议。三是10月24日，马祖生活资讯电台和台湾非凡音联播网主动转播海峡之声制作的《嫦娥探月，中国梦圆》90分钟大型直播报道，扩大了宣传效果。四是台湾非凡音联播网从11月1日起每天两次摘播海峡之声制作的《666新闻特快》节目部分内容，共40分钟。这是建台50年来台湾广播媒体首次长期固定转播我们的节目。五是岛内联合报网、全球台商服务网、旅游网、全华军护网和欣伯网等5家岛内主流网站首次将海峡之声网设为链接。还先后与岛内12家广播频率负责人进行了接触交流，商谈了节目互换、联播、系列专题播出、新闻内容提供、联合采访、广播时段购买、广告相互代理、人员互访等初步的合作意向。为了增强受众工作的主动性，我们建立了台湾听友档案。春节期间，主动给岛内听众寄去贺卡；节目改版，及时给他们寄去节目表、收听卡、宣传册；还先后为台湾听友寄去国旗23面。台湾听众在寻根、购房、旅游、求学等方面的要求，也竭尽所能给予帮助。

六、重视专业训练，参评获奖有突破。

上半年举办了新进编播人员上岗培训、组织专人编写专业训练大纲、制定专业训练纲要。开展了形式多样的业务学习和训练，下半年着重请专家学者作台情知识讲座和党的对台方针政策辅导报告；组织业务骨干编写专业知识题库；选派业务干部参加各级业务培训。以科室为单位进行业务研讨。有40多位同志撰写了业务论文，并在《中国广播电视理论动态》、《军事记者》、《中国广播》等杂志上发表论文7篇，在省部级以上刊物发表论文26篇。

全国对台港澳广播创优评析，选送32个节目，获奖17个，一等奖3个，二等奖5个，三等奖9个。获中国广播影视大奖1个、提名奖7个，获中国新闻奖三等奖1个。全国对台港澳广播论文评析，共有5篇论文获奖，一等奖2个，二等奖2个，三等奖1个。

（海峡之声广播电台）

文艺广播概况

2007年全国文艺广播在做好日常节目的同时，以丰富多彩的节目有力地配合了党和政府的各项重大宣传任务。

在庆祝香港回归十周年时，中央电台中国之声文艺部《娱乐新干线》安排了音乐专题节目《你好，香港》，以“祝福香港”为题，与听众密切互动，展现了香港的繁荣、稳定以及对香港的深深祝福。北京电台音乐广播制作播出了《东方之珠，真情十年——香港回归十周年特别节目》，先后派出了两批共11人的采访小组专程前往香港，对郭富城、黄耀明、谢霆锋、陈奕迅、容祖儿在内的香港歌坛最具代表性、十年来极具影响力、地位最为突出的10多位一线歌手和音乐人进行全方位的采访，展示香港乐坛十年来整体面貌的最强阵容，剖析回归十年间香港歌坛的风云变幻，从音乐的角度展现香港民众在这十年中的经历和体会。

十七大期间，中央人民广播电台中国之声文艺部重点播出了一系列专题节目。10月13日到20日，集中采录、制作、播出了由中国文联和总政联合主办的《党的旗帜高高飘扬》大型系列演唱会。同时，《娱乐新干线》制作了7集音乐专题节目《庆祝十七大，高歌颂辉煌》。文艺之声的短故事栏目《广播故事会》从9月起在每周六的节目中播出《百姓记事专栏》，讲述改革开放给人民带来的幸福生活。从2007年9月17日～11月14日，文艺之声在每天的《精彩长篇》栏目中，安排播出了反映社会主义新农村建设的长篇小说《湖光山色》；10月17日～11月17日，在《畅销书屋》栏目中播出反映产业工人生活的优秀小说《机器》。云南人民广播电台音乐广播在黄金时段开设“迎接十七大，唱响主旋律”音乐专题；新推出《动听云南》栏目，通过音乐展示云南“十六”大以来的发展变化和文化风貌，从正面塑造云南地方或企业的良好形象。

在建军80周年之际，中央人民广播电台中国之声文艺部策划、制作、采录了一批专题节目和文艺晚会。《娱乐新干线》栏目重点报道了为纪念建军80周年而创作的歌曲、文艺演出和影视剧，还制作播出了6集专题节目《军旅欢歌》。《天地喜洋洋》栏目特别制作播出了《八一特辑——欢乐军营》，集中安排了一批最新采录的军事题材的新作品。《长篇连播》栏目播出了解放军文艺出版社出版、刘静创作的军旅题材长篇小说《戎装女人》。此外，为配合中宣部、解放军总政治部关于“铁军”的宣传报道，中国之声文艺部派记者到解放军驻洛阳某部深入采访，录制并播出了济南军区前卫文工团新编文艺晚会《铁军、铁军》。2007年7月30日，中国之声文艺部还现场直播了在人民大会堂举行的纪念中国人民解放军建军80周年文艺晚会《八一军旗红》。贵州人民广播电台录制了以长征时期为群众治病而牺牲的红军卫生员故事为原型的4集戏曲广播剧《红军妹》；同时，与省委党史研究室联合录制了反映贵州革命先烈、英雄模范光辉业绩的30集大型系列配乐广播专题——《热血英魂》。

在奥运宣传方面，中央人民广播电台文艺之声以“迎奥运、讲文明、树新风”为主题录制播出了《五环之路——何振梁传》、《奥林匹克回忆——萨马兰奇回忆录》。北京音乐广播《彩铃乐翻天》栏目开展了“‘铃’听奥运·传递微笑——志愿奥运公益彩铃征集活动”。

在其他大型活动方面，中央人民广播电台中国之声在2007年除夕10：00至大年初一凌晨1：00给全国人民献上一台长达15个小时的超长直播互动综艺晚会《和谐中国年》。北京电台音乐广播2007年1月23日在北京世纪剧院举办了2006年度“北京流行音乐典礼”。贵州人民广播电台启动了一部反映贵州省非物质文化遗产的以17个世居少数民族音乐为主体的25集（每集20分钟）系列音乐专题《天籁神韵》。现已完成该专题的第一集——《苗族古歌寻踪》。青海人民广播电台把直播室搬到农村的田间地头，举办了“走进庄户人家”等直播节目，并且圆满地完成了“首届西宁市农民文化艺术节”的节目采制工作。吉林人民广播电台在全省大专院校范围内开展第三届“动感地带杯”校园原创艺术大赛，分为校园原创歌曲大赛（校园歌手大赛）、校园原创小品大赛、校园原创环保时装设计大赛、校园原创街舞大赛四项赛事。

在频率专业化、类型化方面，中央电台文艺之声“故事频率”继续保持特色鲜明，节目更上层楼，对节目内容、节目布局和各类节目的比例做了相应的调整，全年共播出近60部长篇小说和评书，近10部电视剧录音剪辑，增加了针对学龄前儿童的《睡前故事》栏目、针对青少年的《青春密码》栏目，使对象性节目更加完整，再加上原有的长篇连播类节目、相声小品节目、读书类节目、短故事类节目，使语言类文艺节目在文艺之声得以充分展示，取得了理想的收听效果。根据中央电台听工部综合央视索福瑞的调查数据显示，文艺之声在北京的所有广播媒体中，综合收听率排在第6位，在中央电台仅低于中国之声，排在第2位，听众忠诚度则始终名列前茅。上海文广新闻传媒集团音乐部的经典音乐频率和音乐频道联手播出了《星期广播音乐会》创办25周年、恢复举办50期庆典活动，在社会上取得了良好的反响。在活动的推动下，《星期广播音乐会》收听率连年攀升，广播直播节目的收听率从2004年的0.1%上升到2007年的1.7%，创下了近年广播节目收听率的最大涨幅纪录，实现了收听率和口碑的双赢。而云南人民广播电台则在半年多的时间里，不断调整频率呼号和改版定位，从“缤纷97”改为“经典调频”，从“经典调频”又回归为“音乐广播”，如此频繁的变动说明在频率类型化设置、节目时钟化编排的既定目标方面，该台尚有很长的路要走。山西文艺广播集音乐、文学、文化为一体，汇严肃和通俗、引导与娱乐为一身，体现大文艺特质。全天24小时不间断播出，在山西所有调频广播频率中，率先实现全球同步在线收听，为海内外广大听众倾情呈现“风雅文化，品质生活”。

（张凤铸　王宝民）

对内外语广播概况

2007年，中国国际广播电台环球资讯广播、英语综合广播（轻松调频、CRI EasyFM）、国际流行音乐广播（劲曲调频、CRI HitFM）、奥运广播和外语教学广播等5套对内广播整体传播效果显著增强，呈现频率类型化，内容专业化的发展方向，在保证安全播出、节目宣传推广、编播人才队伍建设和频率运行管理方面开展了很多工作。目前，上述频道的节目已在北京、上海、广东等地区的6个调频频率和3个中波频率中全天候播出，节目覆盖拉萨、乌鲁木齐、石家庄、厦门、连云港、成都、合肥、芜湖、烟台、沈阳等十几个全国大中城市和沿海开放城市。

2007年，国际台各对内广播频率借助听众调查数据和专家评议等方法对节目内容和栏目设置进行科学调整，通过增强社会公益宣传、组织宣传推广活动以及增加与听众之间的互动联络建立媒体公信力和树立对内外宣广播的品牌形象。

一、环球资讯广播（FM90.5）

2007年，环球资讯广播坚持新闻资讯广播的定位，秉承“世界在你耳边”的广播口号，已经成为国际新闻最快速和最可靠的来源。

王庚年台长在环球资讯广播成立两周年庆祝会上发表讲话

1.不断提高节目质量。以《第一资讯》节目为重点，增加信息量，加强深度报道，根据不同时段的收听特点做出各个时段第一资讯的差异化。突出精品意识，打造《老外看点》、《环球名人坊》、《档案揭秘》等听众喜爱的专题节目。开辟全新的报道源，加强与研究机构和兄弟媒体的合作。《第一资讯》节目已经成其他媒体确定国际新闻报道选题的重要参考标志之一。

2.节目实现全面改版。2007年9月28日，环球资讯广播在开播两周年之际进行全面改版。新推出的《环球新闻周刊》、《世界，您早》、《环球资讯之旅》、《记者说世界》等节目受到好评。

3.积极推动宣传推广工作。结合北京及落地地区重大国际活动和节目定位举办一系列听众见面和推广活动，提高在市场和听众中的知名度和竞争力。

二、英语综合广播（FM91.5）

英语综合频道（CRI EasyFM）轻松调频使用英语和辅助性中文每天24小时播出资讯、娱乐和英汉教学等节目，“WE ARE THE DIFFERENCE”,是现代都市一种轻松、国际化的双语生活方式的代言。

1.适应时长需求和广播规律推出新栏目。综合市场需求和广播规律，对节目形态和编排进行了调整，3月1日推出的晚间节目《心声场（The Pulse）》在音乐和主持风格上都更年轻和专业化；12月1日推出的午间强档《摩天轮（Third Wheel）》在教学节目领域进行探索，用中英双语畅谈中西文化差异。

2.扩大品牌，增加知名度。5月，轻松调频在“北京市民讲外语活动周”期间于朝阳公园举办了教学节目的大型推广会；6月，于北京师范大学举办听众见面会；8月，以全球热门音乐剧《Mamma Mia》庆祝国际台英语广播60周年，陆续推出了音乐剧知识竞赛、征文等活动，并邀请获奖听众与众多外国使节、英语广播人以及其他媒体同行一起观看了专场演出；8月底，组队前往西藏拉萨举办了首次高原听友会，吸引了从兰州和北京等地赶来的热心听众；12月，成功举办了“圣诞劲爆听迷会”，现场有来自北京、上海、兰州、厦门等地的听众，国际在线联手互联星空网上直播了此次完全由轻松调频工作人员呈现的反串演出，美国、加拿大的在线听众也一饱眼福，并在轻松调频的网站论坛里热烈评论。

三、国际流行音乐广播（FM88.7）

国际流行音乐广播（CRI HitFM劲曲调频）采用国际上最成熟、最专业的类型化音乐电台操作模式，每天24小时滚动播出当今国际流行乐坛最动感、时尚的热门金曲。

1.节目调整。国际流行音乐广播把时长为4小时的节目板块调整为2至3个小时。引进了由美国偶像电视主持人主持的《American Top 40》节目。增加了由中国听众票选的《欧美流行音乐排行榜（Hit FM Top 20 Countdown)》节目。更加凸现了此套广播作为国内唯一欧美流行音乐电台的地位。

2.宣传推广。2007年7月9日独家转播全球巨星“Live Earth”演唱会。4月16日开播纪念日，广播节目部在北京星光现场举行了“CRI HitFM 开播四周年音乐派对”，与应邀的1000多名听众共同庆祝生日。8月4日在紫竹院公园举办的“绿树传友谊、同心迎奥运”公益活动中，号召听众植树为2008年北京绿色奥运增彩。在为期两天的2007年北京流行音乐节中，国际流行音乐广播作为承办方之一设立“HitFM舞台”，邀请国内外13支优秀乐队进行了长达18个小时的演出。此外，还在“摩登天空音乐节”和圣诞节开展宣传活动。在北京地坛公园举行的“2007秋季地坛书市”上，组织向贫困山区儿童捐书献爱心活动，获捐图书上千册，文具上百件，捐赠给广电总局扶贫基地——四川省甘孜州的贫困小学。

3.获得殊荣。2007年国际流行音乐广播获得由中华全国学生联合会、中国广告协会、中青校园先锋文化有限公司、CTR市场研究共同颁发的“2006年校园先锋媒体榜电台类媒体Top 5”奖杯。此外，作品《Party Animal(派对动物)》、《开车现场秀：与mike D面对面》等节目在全国广播娱乐节目评选中分别获得奖项。

4.加强管理。2007年，国际流行音乐广播制定和修改了广播管理条例和方案。主持人前往江苏南京，与江苏音乐台和南京音乐台同仁座谈交流，还邀请中国传媒大学教授来开办讲座。

四、奥运广播（AM900）

1.2007年奥运广播先后进行了两次改版。2007年3月，奥运频道汉语普通话节目改版，以全方位反映北京奥运会筹备工作进展的《奥运进行时》取代《魅力北京》节目，以讲述奥运历史故事的《奥运传奇》取代《奥运故事》节目。英、法、日、德、朝鲜、俄语、西班牙、意大利、阿拉伯等语言节目也于今年奥运倒计时一周年之后实现了改版，加大了奥运新闻和专题的报道量。

2.奥运广播积极组织奥运推广活动。2007年9月，奥运频道在北京隆重举办了开播一周年庆典。北京奥组委媒体运营部部长孙维佳在活动中对奥运广播在奥运报道中发挥的积极作用给予了很高的评价。此外，奥运广播还在北京文化创意博览会中进行展示推广。

五、外语教学广播

外语教学广播在北京地区AM1008和AM846频率播出，以英语教学为主24小时全天候播出，内容涉及新闻、专题、电影、音乐，以对话、采访等各类模式为平台。

2007年，外语教学广播为英语初学者开设了《Happy Rainbow》和《Let's Talk in English》栏目；为已经具备基础英语水平的听众开设了中级水平的《Studio Classroom》栏目；为高水平的英语爱好者开设了《Advanced English》，以及《News and Reports》和《Features》栏目。（赵飞飞）

对海外华人华侨广播概况

一、基本情况

中国国际广播电台华语环球广播中心使用汉语普通话及广州话、客家话、闽南话和潮州话4种方言对海外华人华侨广播。截至2007年底，国际台华语中心每天播出213小时，其中本土发射播出102小时，海外落地节目111小时。听众来信突破10万封（件），创国际台华语广播历史新高。

2007年，国际台华语中心对节目进行了全面改版，汉语普通话广播开设了《中国2007》、《全景中国》、《CRI会客厅》、《中国往事》、《孔子学堂》、《动感奥运》等栏目；广州话、客家话、闽南话和潮州话等方言广播，分别开设了《今日侨乡》、《两岸同心》、《神州风采》、《华夏之窗》、《聚焦粤港澳》、《岭南掠影》、《客家天地》、《龙的传人》、《闽江茶座》、《走进宝岛》、《潮汕艺苑》等对象性很强的栏目。

2007年，国际台华语广播新增10套海外落地节目，并根据海外整频率落地节目的需求，分别开设了1小时单元、3小时单元和6小时单元的整频率节目，其中包括《中文环球》（6小时单元）和《海峡飞虹》（3小时单元）两套整频率原创节目。

二、圆满完成各项重大宣传报道

2007年，华语环球广播中心圆满完成了党和国家领导人重要出访、"两会"、党的十七大、纪念香港回归祖国十周年、建军八十周年、世界第十二届特奥会、2008奥运前期宣传、中国首颗探月卫星嫦娥一号发射、两岸经贸文化论坛报道、达沃斯论坛、博鳌亚洲论坛2007年会报道、第42届非洲开发银行理事会年会等一系列重要外宣任务。相继推出了"纪念香港回归祖国十周年华人论坛"、"2006十大华人华侨重大新闻事件评选"、"节日系列特别节目"等特色鲜明的项目。

在2007年新年和春节期间，华语中心汉语普通话及广、客、闽、潮4种方言广播精心策划和制作了20多台大型特别节目，在海外华人社会中引起了强烈共鸣。

三、与世界主流华文媒体联手报道重大活动

2007年2月8日，国台办领导到国际台参观调研，并与国际台华语广播工作人员座谈

华语广播着力打造全球华文信息平台，联手联合国电台中文广播、欧洲的《欧洲时报》、意大利《世界中国》，大洋洲澳大利亚3C墨尔本中文电台、新西兰中华电视网华人之声电台、美国纽约美国中国广播网、美国洛杉矶AM1300电台、（休斯敦）美国时代华语广播电台、《芝加哥华语论坛》、《美国侨声报》、温哥华华侨之声电台，亚洲的《亚洲日报》、《星岛日报》、泰国《星暹日报》、印尼万隆美声广播电台，非洲的南非《侨报》、毛里求斯广播电台等20多家世界主流华文媒体，及时呈现海外华人华侨对中共十七大的反响和积极评价，有效扩大了十七大在全球的影响力。

四、加强合作，"开门"办外宣实效显著

一年里，汉语普通话及广、客、闽、潮4种方言广播积极联络海外侨领，联手海内外媒体及海外华侨华人社团以及听众俱乐部，分别对世界潮团年会、世界客属大会、第九届世界华商大会、第三届海峡两岸图书博览会、厦门国际投资贸易洽谈会等涉侨涉台重大活动进行了及时充分的报道。丰富了节目资源，扩大了影响力和规模效应，取得显著的外宣实效。

五、《海峡飞虹》网络音频节目正式开播

2007年1月1日华语普通话原创3小时的《海峡飞虹》网络音频节目正式开播。根据中央对台工作部署，《海峡飞虹》节目紧紧围绕两岸同胞关注的热点和重点展开报道，特别对包括"两岸经贸文化论坛"、两岸交流20周年大型系列活动等一系列重要涉台项目进行了及时而充分的报道。

六、积极推进华语环球广播工程及东南工程建设

2007年9月，原创6小时的《中文环球》整频率节目正式推出。通过新闻类、文化类、服务类、人物类、时尚类、音乐类等丰富的内容，满足了遍及世界各地的华人华侨听众朋友不同层面的收听需求。

2007年上半年，华语中心开始对《海峡飞虹》网络节目进行全面改版，8月，原创5小时包含两岸文化、财经、音乐、奥运等内容的整频率网络节目《海峡飞虹》正式推出。

《中文环球》和《海峡飞虹》两套整频率原创节目的推出，实现了华语广播发展历史上战略性的转变。

七、听众来信大幅增加

2007年，华语中心共收到听众手复信、电子邮件、传真等听众反馈突破10万封（件）。在合作交流方面，华语中心汉语普通话及广、客、闽、潮4种方言广播充分利用现有的合作资源进行积极拓展，通过合作办节目，传送节目等形式，与世界各地的华人电台、华侨华人社团进行积极的沟通与交流。

八、节目改版取得实效

新闻板块《中国2007》抓深度报道，节目的时效性、针对性和可听性大大增强。人物访谈节目《CRI会客厅》在人物、选题方面抓深度挖掘，开播以来分别制作了一系列外宣特色鲜明的系列高端人物访谈节目。这些独家节目具有较强的针对性和权威性，听众反响热烈。

九、贴近资源、积极推进方言节目前移

以广州话为试点的方言广播为节目前移进行了积极的探索和多方的努力，与国际台广州工作站共同制定了节目前移方案。2007年10月起，广州话部分专题节目移交给广州工作站负责采集制作。一方面主动加强与侨乡各界之间的密切联系；同时，积极参与侨乡、海内外侨界、侨团的各项活动，并与侨乡地方政府、侨务组织和媒体建立长效的合作机制。

十、境外整频率节目落地实现跨越式发展

一年来，华语广播实现了对西澳（通过国际台澳大利亚珀斯调频广播电台）日播4小时汉语普通话节目、对希腊（通过希腊国家广播电台）日播1小时普通话节目、对瓦努阿图维拉港、桑托岛、马拉库拉岛（通过国际台瓦努阿图调频广播电台）分别日播3小时普通话节目、对法国日播6小时普通话节目、对摩纳哥日播8小时普通话节目、对尼日尔（国际台在西非的第一个调频台）日播2小时普通话节目、巴拿马日播6小时普通话节目、洛杉矶日播1小时普通话节目。在当地华人社区引起了高度关注和热烈反响，已经有了一定的影响力。

广播电视海外落地概况

中国国际广播电台

2007年，国际台紧紧围绕构建现代国际广播体系的战略目标，以推进节目海外整频率落地为重点，初步实现了节目整频率落地的规模化。

截至2007年底，国际台共完成13个落地项目，其中有8个是整频率项目；落地节目的每天播出时间新增125.5小时，落地语言新增丹麦语。目前，国际台在海外已有11家整频率海外调频台，149家调频/中波合作电台（其中117家调频合作台，32家中波合作台），1家北欧网络电台和1家北美镜像站；累计落地总时数达556.5小时，现有英语、法语、西语、俄语、德语等30种外语和汉语普通话及4种汉语方言共35种语言节目实现境外落地，覆盖全球各大洲60多个国家和地区。

一、整频率境外落地工作初步取得规模效应

国际台今年成功实现的节目整频率落地项目包括：在澳大利亚以“合作办台”落地新模式建成的、国际台在西方发达国家的第一座整频率电台——CRI珀斯调频台；在摩纳哥整频率播出的15小时中波节目和18小时调频节目；在瓦努阿图建成的CRI维拉调频台、桑托调频台和马拉库拉调频台；以“代理建台”落地新模式在尼日尔建成的CRI尼亚美调频台；国际台在中美洲地区的第一套整频率节目——巴拿马10小时中波节目。

从布局上看，在欧洲、中美洲、澳洲和南太平洋地区取得了突破性进展，并首次在西方国家成功实现整频率落地；从宣传效果上看，已初步形成了规模效应，有力地配合了国家涉外工作大局和十七大等重要宣传任务，增强了国际台对外广播的整体传播能力，对树立我国良好国际形象，增进各国对我国的理解和信任，澄清西方对我的不实宣传和歪曲起到了积极作用；从落地模式上看，成功创建了“合作办台”与“代理建台”两种落地新模式。李长春同志和总局领导充分肯定了国际台节目整频率落地成果，多次作出批示。

二、扩大节目的“本土化”落地

5月1日，国际台成功实现了节目在丹麦的“本土化”播出，每周播出和重播共计8小时，覆盖丹麦南部12个大中城市及周边地区45万人口。填补了国际台丹麦语广播的空白。

国际台通过“本土化”落地模式，已经实现了在芬兰、法国、瑞典和丹麦等西方国家的节目落地，使国际台对北欧广播达到了三种语言——芬兰语、瑞典语和丹麦语。

三、推进重点租时项目

2007年，国际台继续通过租用外国电台调频/中波时段，有效扩大了节目落地范围。如：将在澳大利亚墨尔本调频频率播出的英语节目增加到每天1小时，进一步在当地英语听众中扩大了国际台影响；将在泰国播出的泰语调频落地节目覆盖范围从原来的25个府（省）扩大到53个府（泰国共有76个府），约覆盖了泰国国土的70%，扩大了在泰国青年知识阶层和高端听众群中的影响；完成了在美国洛杉矶地区使用中波播出3小时汉语普通话、英语和西班牙语节目的项目，覆盖了整个洛杉矶地区，在当地听众中产生了良好影响；在希腊雅典国际台外语调频频道每天播出1小时汉语普通话节目，覆盖雅典及其周边地区；此外还恢复了我在蒙古首都乌兰巴托的调频落地。

同时，国际台还继续与美国、英国、澳大利亚、芬兰、加拿大、泰国、巴西等合作伙伴展开良好的节目落地合作。

四、充分发挥落地节目优势，取得良好宣传实效

国际台境外调频台和落地节目的日益增多，逐步打破了西方主流媒体长期垄断欧洲、美洲、非洲、大洋洲国际舆论的状况，使对象国和对象地区受众第一次直接听到了中国政府和人民的声音。节目播出以来，听众越来越多，受众反馈成倍增长。从政府部门、商贸、金融、交通、旅游界的从业人员，到大中学生与教师、技术工作者、新闻工作者及华人华侨等各个社会阶层人士，都有国际台境外调频台的忠实听众。

在一些重大宣传报道中，国际台境外调频广播彰显了贴近当地听众的优势。例如，在党的十七大召开前，国际台加大整频率项目推进力度，完成了4个整频率境外建台任务，为十七大报道增添了新的播出平台。在十七大宣传中，国际台充分发挥境外整频率节目规模大、时间长的优势，在第一时间将有关十七大的报道传播给听众，使大量当地听众将国际台节目作为他们了解十七大的首要新闻来源；充分发挥境外“本土化”落地节目贴近当地听众思维与接受习惯的优势，采取多媒体方式使当地听众及网民能够随时了解十七大的相关信息，并加深对改革开放和科学发展、建立和谐社会的理解；充分发挥其他合作落地节目范围广、语言多、传播及时、音质良好等优势，将十七大相关报道传向世界各地，吸引了众多听众，特别是主流社会听众。

目前，国际台境外调频广播已成为对象国听众更全面、客观、真实地了解中国、认识中国的重要渠道，为有效增强中国的声音，扩大国际广播传播能力，营造有利于中国和平发展的国际舆论氛围，发挥了积极作用。（温飚）

中央电视台

2007年，为贯彻落实中央领导有关“向海外进军”的指示精神，中央电视台进一步加大了CCTV国际频道全球传播战略的推广力度。年初，CCTV-4分为亚洲、欧洲、美洲三版播出；10月1日，西法语频道分为各自独立的频道播出。

一、新增落地项目

2007年，已完成的国际频道新增落地项目共有19项：

1. 2007年1月，与佛得角信诺立数字电视公司签约，CCTV-4和CCTV-E&F在佛得角通过地面数字电视系统落地，信号覆盖佛得角全境，用户3.5万。

2. 2007年1月，与玻利维亚COTEL有线电视公司签约，CCTV-E&F通过COTEL有线网播出，覆盖7万用户。

3. 2007年2月，加拿大长城平台开播，CCTV-4作为9个频道之一进入罗杰斯有线网落地播出，覆盖加拿大东部地区，现已发展到1万用户。

4. 2007年2月，与韩国KBS公司签约，CCTV-9通过KBS代理推广，进入韩国44个有线网数字频道播出，覆盖用户43万。

5. 2007年3月，与苏里南ATV/Telesur电视公司签约，CCTV-9部分节目进入其地面无线频道播出，信号覆盖苏里南境内11.4万用户。

6. 2007年3月，与巴基斯坦VOLTAS有线电视公司签约，CCTV-9进入其有线网播出，覆盖巴中东部城市5万用户。

7. 2007年5月，与以色列最大的有线电视运营商HOT公司签约，CCTV-9进入其有线网落地播出，覆盖以色列全境90万用户。

8. 2007年6月，墨西哥Cablevision有线网开始播出CCTV-E&F，该有线网拥有50万用户。

9. 2007年7月，与新加坡电讯公司签约，CCTV-4/9进入其IPTV平台落地播出，目前用户正在发展之中。

10. 2007年7月，与荷属安的列斯群岛库拉索有线电视公司签约，CCTV-4/9两个频道进入其有线网播出，目前有2000用户。

11. 2007年7月，与瑞典Borderlight公司签约，CCTV-9通过其IPTV网络服务播出，覆盖瑞典大学校园网络及部分公寓家庭用户共50万户。

12. 2007年8月，与印尼第一媒体公司签约，CCTV-4/9进入其有线网落地播出，目前用户数为31万。

13. 2007年8月，CCTV-4/F随长城欧洲平台进入法国电信的IPTV平台，其中CCTV-F在其基本层覆盖74万用户，CCTV-4用户正在发展中。

14. 2007年9月，与塞舌尔广播公司签约，CCTV-9部分节目(每天2.5小时)通过其地面无线频道落地播出，覆盖2.3万用户。

15. 2007年9月，与冰岛沃达丰公司签约，CCTV-9进入其MMDS系统落地播出，覆盖4.5万用户。

16. 2007年10月，与内蒙有线网络公司签约，CCTV-4/9通过对方在蒙古乌兰巴托拥有的桑斯尔有线网落地播出，覆盖4万用户。

17. 2007年10月，与内蒙有线网络公司签约，CCTV-4/9通过对方在俄罗斯乌兰乌德市拥有的贝加尔有线网落地播出，覆盖1万用户。

18. 2007年10月，巴拿马CTV电视公司将CCTV-E纳入其新开播的IPTV平台上播出，可覆盖巴拿马城2万用户。

19. 2007年10月，南美精宇卫星直播平台开播长城拉美平台，CCTV-4和CCTV-E进入其平台落地播出，现有3000用户。

二、续签协议项目

1. 肯尼亚KBC转播CCTV-9节目项目：原协议已于2006年9月过期，目前已续签了三年协议，对方在其地面无线频道每天转播CCTV-9节目2小时。

2. 俄罗斯NTV Plus直播平台转播CCTV-4/9项目：原协议2007年7月到期，目前正在就续签协议文本与对方进行具体商谈。

3. 美国IN公司代理CCTV-4在全美进入有线网落地项目：该协议已于2006年11月到期，已于2007年8月由中视国际传媒公司与对方重新签署了三年协议。

4. 菲律宾Cable BOSS代理推广CCTV-9进入菲有线网落地项目：原协议到期后，已于2007年2月续签。

5. 挪威电信Canal Digital直播平台转播CCTV-9项目：原协议到期后，已于2007年4月续签。

三、亚太地区传输信号转星工作

2007年8月至9月，开展了中央电视台国际频道在亚太地区传输信号的转星调整工作。任务涉及地域范围广，境外合作机构数量多，限定时间紧，工作难度大。到卫星信号并行期结束时，在亚太地区已签约的31个国家的67个项目（约1387万用户)中，共确认有27个国家和地区的53个项目已经完成转星工作，确保了1160万原有项目的用户没有因转星而流失。同时对CCTV国际频道节目在亚太地区所有落地项目的现状做了一次全面调查了解，为今后更好地开展落地和联络工作积累了有益的经验。

四、其他海外落地相关工作

1. 及时申报并按时对外支付落地项目费用。2007年度，中央电视台向外方支付的节目落地项目费用总计为7316万元。本年度向财政部申报的新增项目10项，费用1690万元。

2. 建立健全对外援建落地项目的内部报批程序。中央电视台与相关部门共同协商制定了对外援建落地项目在电视台内部的立项报批程序，为今后对这类落地项目的科学规范管理和加速推动实施铺平了道路。

3. 申请相关国家的落地许可：自2006年印度政府颁布了相关法规后，CCTV-9在印度的落地项目被迫中断，正在重新申请落地许可。

4. 核查并终止未实际执行的落地项目：2007年7月，根据我驻阿根廷使馆的建议，中央电视台再次派出工作小组赴阿根廷对与阿根廷Commonwealth公司合作的项目进行了核查并终止该协议。

5. 对外提供电子节目指南信息。另外，中央电视台还定期向海外20余家电视机构、新闻报刊、杂志提供CCTV国际频道的中英文节目单。这些也是做好落地项目服务工作的一个不可或缺的重要环节。

6. 重大活动直播报道的对外联络和收集反馈。一是直播报道前对外发布信息，让尽可能多的境外合作媒体提前知晓我们将要有重大活动进行直播，以便及时做出安排，转播我们的报道；二是直播报道后的收集反馈，包括境外媒体转播情况的反馈和观众对于这些重大活动报道的反馈，并把反馈信息及时上报各级领导。今年国际频道对党的十七大开幕式和新一届常委与记者见面的直播报道，境外转播或选用的媒体分别达到了295家和302家。

(中央电视台海外中心联络部)

重庆市

通过卫星平台，国际频道24小时向海外播出一套完整的、拥有自主版权、符合海外观众收视习惯的电视节目。投入巨资与香港电视广播公司合作，通过电视广播（澳洲）公司的翡翠互动电视平台在澳洲全境播出，同时，还通过美国麒麟电视公司IPTV网络在美国东西部分地区播出。

重庆电视台国际频道每天自制节目6小时，全年已播出电视剧约2000小时，电视栏目约6000小时，电视宣传片约300小时（每天约播出50分钟）。重庆直辖10周年期间，国际频道集中播出了16小时4分钟的宣传重庆的电视节目。在澳大利亚收视观众达2.0100万人次。（重庆广电局）

电视对外宣传概况

一、中文国际频道分亚、欧、美三版

2007年元旦CCTV-4分成亚洲版、美洲版、欧洲版三个版本播出。首播节目量由45%增加至50%。

二、西、法语频道分频播出

2007年10月1日凌晨四点开始，中国中央电视台原西法频道正式分成西班牙语频道(呼号为CCTV-E)和法语频道(呼号为CCTV-F)两个独立的频道播出。

三、圆满完成重大报道和特别报道任务

CCTV-4从2007年6月24日起至7月1日，推出为期一周的香港十周年特别节目——《香港·香港》。在北京、香港设置主演播室，同时在纽约、伦敦、巴黎设置分演播室，从不同的角度同步观察全球瞩目下的“一国两制”是如何在国际政治中发挥它的巨大影响力。其中，与香港亚视通力合作，联手打造香港演播室，开创了两地媒体在重大新闻事件报道中的合作先河。

CCTV-9与香港TVB的英语频道合作，于6月25日至7月1日期间在香港设立演播室，并在英语频道每日重点新闻栏目和访谈栏目中与北京演播室对接直播。

2007年的十七大报道，全世界共有83个国家和地区的295家电视机构转播或部分使用了CCTV-4(中文)、CCTV-9(英语)、CCTV-F(法语)和CCTV-E(西语)四个国际频道的直播节目信号。比十六大期间增加了80家媒体，多了十几个国家。中文国际频道推出了《使命与责任》、《聚焦十七大》等特色系列报道和节目。

英语频道为配合十七大报道特别制作了系列节目《变化与挑战—共产党领导下的中国》。《对话》栏目也制作了“战略与选择”系列访谈节目。

为配合卫星发射阶段的特别报道，海外节目中心推出了“嫦娥奔月”特别报道。同时组织专家队伍撰写并推出50分钟专题片《奔月——人类探月全纪录》。

四、制作大型电视纪录片，加强对外合作交流

2007年6月23日至30日，8集各50分钟大型电视纪录片《香港十年》在综合频道、中文国际频道、英语频道、西法语频道播出。除此之外，香港无线电视还在无线电视新闻台等播出《香港十年》普通话版、粤语版、英语版，这是中央电视台摄制的反映重大题材的大型系列片第一次在香港主流电视媒体完整播出。

六国合作拍摄的20集大型电视纪录片《同饮一江水》正进行最后的精编修改。该系列纪录片拟在合作各国电视台同步播出。

五、举办大型活动，打造国际知名品牌

2007年9月22日在加拿大温哥华成功举行了《中加手拉手—为奥运喝彩》大型文艺演出。此外，“手拉手”艺术团还在卡尔加里成功举办了第二场演出。晚会除在中央电视台CCTV-4、CCTV-9播出外，还在加拿大国家电视台CBC黄金时间段播出。

2007年1月1日，以“和谐、和睦、和平”为主题的《七彩云南魅力中国—2007元旦双语晚会》、2007年9月25日晚，由中央电视台、河北省委宣传部、承德市委市政府联合主办，海外节目中心承办的《山庄月·中华情》通过CCTV-1、CCTV-4、CCTV-9向全球进行了现场直播。

由国家广电总局和教育部主办，中央电视台、台湾中天电视台，厦门广电集团承办的《第六届海峡两岸知识大赛》及《第六届“CCTV杯”全国英语演讲大赛》由英语频道和外语教学与研究出版社联合主办的比赛内容形式上都有所创新，对于有效提升全民英语水平也有积极作用。

六、“走出去”工程取得新进展

2007年，四个国际频道的海外落地覆盖及扩大用户都取得新的进展。截至目前，中央电视台已就四个国际频道海外落地业务与世界各地的213家电视媒体合作，实施了252个整频道或部分时段的落地项目，总共在137个国家和地区实现了节目的落地入户播出，其中整频道落地项目的用户总数约为8200万户。其中，2007年已完成国际频道新增落地项目共有19项。（中央电视台海外节目中心）

电视文艺概况

2007中国电视各级媒体人体围绕两条主线开展工作，即宣传引导和市场探索，电视文艺也不例外，在完成以上两个方面任务的同时也酝酿着新的转型，但整体趋于平稳。

一、晚会类节目：凸显主旋律，在地域性、公益性和行业性方面进行新的探索

晚会类节目依然是电视文艺最具影响的类型节目，它一方面以鲜明的主题高扬主旋律；另一方面在公益性、地域性和行业性方面作出了新的探索。

主旋律。大型节庆晚会中影响最大、最具代表性的还是已有24年历史的中央电视台春节联欢晚会，《2007年春节联欢晚会》以歌舞《花开中国年》为开场，以一组歌曲《欢乐和谐民族情》、《欢乐和谐流行色一》、《欢乐和谐家乡美》、《欢乐和谐四季风》、《欢乐和谐流行色二》、《欢乐和谐军旅魂》、《欢乐和谐好光景》、《欢乐和谐闹新春》为线索，穿插相声、小品、杂技等节目，紧紧围绕“欢乐和谐中国年”的主题，产生了很好的宣传效果。上海文广新闻传媒集团大型活动部联合相关频道和部门，全年共完成将近

200台晚会的制播任务。广东电视台五一特别系列节目等综艺节目和大型文艺晚会，都是思想与艺术结合的佳作。天津电视台春晚创作以新为主，实现了收视率和美誉度的双重丰收，《笑在新春》获得中国电视艺术家协会春晚评奖的一等奖。

地域性。一方面，中央电视台的节目、栏目更多地体现地方文化特色，加强与地方媒体的合作。节目层面上，"开放办春晚"的呼声越来越高，地方电视台的优秀节目越来越多地被采纳；栏目层面上，《同一首歌》、《欢乐中国行》等名牌栏目走出演播室，走进祖国各地，地方文化特色自然而然地就融入晚会中；频道层面上，联合举办晚会，如2007年河南电视台和中央电视台联合举办的《第二届中国中部贸易投资博览会晚会》，浓缩了中部六省的地方文化艺术精华。另一方面，地方台大力举办富有本地域特色的晚会。如2007年，北京利用自己的国家首都、奥运会主办城市的优势，上海利用自己的国际化优势，湖南利用自己大众娱乐的文化资源优势，举办的春节晚会，在明星阵容、主持阵容、晚会场面和节目内容等方面上，不逊色于中央电视台春节联欢晚会，影响较为广泛。再如云南电视台2007年共录播或现场转播大型文体节目或晚会34台；青海电视台举办了黄河极限挑战赛、首届青海湖国际诗歌节、国际清真食品及用品展览会等一系列重大节庆活动；西藏春节、藏历年新年电视综艺晚会《大美西藏》等，都具有鲜明的时代感、地域特点和民族特色

公益性。为了扩大社会影响力，一些慈善活动纷纷与大型晚会相结合。如《2007新春公益晚会》、《2007圣诞公益晚会》、《春暖2007—我有一个梦想》等等，尤其是后者，它是中央电视台经济频道与中国青少年基金会，为2000万进城务工人员的子女筹集助学善款，帮助他们改善上学条件而联合举办的公益晚会。甘肃电视台也赴陇南徽县录制了大型公益晚会《岁月如歌》。

行业性。行业性的庆典、纪念以及奖励等活动也以晚会形式呈现，例如《2007年度经济人物颁奖晚会》、《2007年度感动中国人物颁奖晚会》、《2007年度娱乐大典》等等。利用晚会对那些为行业做出突出贡献的人物、团队、企业进行表彰，是对各个行业杰出的代表们的鼓励，更是对相关行业很好的宣传。

二、选秀类节目：回归理性，趋于多元

2007的电视选秀节目整体降温，传统的三驾马车《超级女声》、《加油！好男儿》、《梦想中国》虽没延续过去的火爆，但依靠品牌的力量已然具备了很强的市场号召力。伴随着来自政府的引导，娱乐选秀节目更多的与现实生活内容结合起来，不只是漫天的炒作，不仅要考察选手的专业技能，也增加了对选手品德、品行、品味等基本素质的考量。

娱乐选秀节目良好的收视效果形成各大媒体复杂的竞争格局。娱乐选秀节目在形式层面继续有所创新，主要表现在"谁在秀"和"秀什么"上：

秀的主体多元化。主要有三种类型：一是"平民选秀"如《快乐男声》、《星光大道》等；二是"明星选秀"如《名声大振》、《舞动奇迹》等；三是"明星＋平民选秀"如《名师高徒》等。前者依靠自己的平民性、草根性和以往超强的人气依旧在电视娱乐选秀节目中占据着重要的位置；后两者充分利用明星的号召力和话题效应，制造诸多"卖点"吸引观众的眼球，如秀明星鲜为人知的技能，让演艺明星、体育明星秀歌，歌星秀舞、秀戏等等。总之，选秀主体的职业、身份、性别、年龄都呈现多元化局面。

秀的内容多元化。随着选秀主体的多元化，选秀点也趋多元化。不仅要"秀音乐"，还要"秀舞蹈"；不仅要"秀身体"，还要"秀演技"；不仅要秀"知识"，还要"秀武术"。在市场利益的驱动下，各种各样的选秀点被开发，电视荧屏俨然成为一个大"秀场"。

娱乐选秀节目在节目的形态创新方面已经向前发展一步，由模仿创新到继承创新，再到原始创新，以湖南电视台和上海卫视为例，打造了"湖南制造"与"上海制造"的概念，为综艺娱乐节目特别是"真人秀"节目的创新发展提供了有益的借鉴。

三、故事类节目：备受关注，种类丰富

本年度故事类节目以其传奇性和悬疑性，吸引了观众的眼球和注意力。由于此类节目具有相对投入成本较低，而相对市场收益较高的优势，在中央电视台、省级卫视、地方电视台各个层级的电视媒体迅速趋热走红，成为荧屏一道亮丽的风景，如中央电视台的《财富故事会》、江西的《传奇故事》、重庆的《雾都夜话》、江苏的《人间》、湖南的《真情》、浙江的《大家》。这其中有名人故事，也有普通人故事，有历史故事，也有现实故事，有文艺故事，也有财富故事，有法律故事、也有情感故事，等等。"故事"不仅成为各种节目的内容，更是节目的讲述方式，甚至是植根于其中的观念、理念。

四、赛事活动：影响力有所下降

与娱乐选秀节目相比，本年度文艺类赛事活动延续了以往的方式与形态，在评委元素、评委与选手互动元素等方面加大了力度，如"青年歌手大奖赛"、"电视主持人大赛"等。这些赛事活动有一批相对稳定的观众群，但整体创新不够，影响力也有所下降。 （胡智锋、周建新）

电视剧概况

2007年，获得国产电视剧发行许可证的剧目为529部、14670集，与2000年相比，电视剧年产量翻了一番，电视剧创作水平和质量也有了显著提高，涌现出一大批优秀电视剧，得到了广大观众的认可、专家的好评，产生了良好的社会影响，在建设社会主义核心价值体系、构建社会主义和谐社会、弘扬中华文化、丰富人民群众精神文化生活中发挥了重要作用。近年来电视剧的发展，有以下五个突出特点：

第一，主旋律电视剧产生广泛的社会影响。

主旋律题材电视剧创作不断开掘新的题材、不断丰富思想内涵、不断创新艺术表现手法，出现了一批思想性、艺术性、观赏性统一的优秀作品。以《闯关东》、《士兵突击》、《恰同学少年》、《戈壁母亲》等作品为代表的一批主旋律电视剧在各电视台播出时的收视率均名列前茅，不断引发着收视热潮，成为人们街头巷尾议论的话题，观众普遍反映，现在的主旋律电视剧好看了、耐看了。

第二，现实题材电视剧成为当前的创作主流。

全国制作生产现实题材电视剧数量连续三年保持稳步

增长。2005年，全国共制作生产现实题材电视剧339部、7245集，分别占电视剧生产总数的66%和58%；2006年全国共制作生产现实题材电视剧356部、9468集，分别占电视剧生产总数的71%和67%；2007年，全国共制作生产现实题材电视剧388部、10394集，分别占电视剧生产总数的73 %和71%；现实题材电视剧保持了强劲的发展势头；以中央电视台为例，2007年，中央电视台一、八套黄金时段共播出现实题材电视剧30部750集，占总数的一半以上，收视率前10名中，有5部是现实题材电视剧；据调查显示，有95%的观众表示喜欢看现实题材电视剧。现实题材电视剧一方面开始真正地关注现实生活，反映社会实际，与国家的发展和民族的进步同呼吸、共命运，另一方面能够切实地贴近普通百姓，关心他们的衣食冷暖，反映他们的喜怒哀乐，这正是现实题材电视剧的独特艺术魅力，也是广大观众真正认可和喜爱现实题材电视剧的重要原因。

电视连续剧《士兵突击》

第三，各类题材电视剧出现百花齐放的繁荣局面。

近年来，电视剧的创作在题材与体裁上都可以用百花齐放来概括，老百姓几乎可以找到任何自己喜欢的电视剧。形式多样、风格各异的电视剧满足了不同层次的观赏需求，是电视剧创作者在以人为本、服务群众、贴近民生上开拓的可喜成果。

第四、电视剧产业呈现健康的发展态势。

近年来，电视剧年产量基本稳定在500部以上、14000集左右，从2000年的455部、7535集，经过八年的发展，2007年年产量达到了529部、14670集，电视剧产量翻了一番，目前，全国平均每天生产电视剧40集左右；在全国1974个电视频道中，播放电视剧的频道有1764个，占总数的89.4%，中国已经成为世界第一的电视剧生产大国、播出大国；电视剧制作机构数量由2001年的432家发展到今天的2511家，增长了近六倍；电视剧广告收入占全国各级电视台广告总收入的50%以上，成为大多数电视台举足轻重的经济来源。全国电视剧的观众数以亿计。此外，电视剧产业已经形成了包括投资、制作、交易、播出和广告经营五大环节、有电视剧制作方、购买方、播出方、观众和广告客户等多方参与的基本完整的产业链形态。可以说，电视剧产业是整个电视媒介中产业化程度最高的行业。

第五、观看电视剧成为老百姓重要的文化生活内容。

观赏电视剧是我国人民最主要的文化生活方式之一，也是电视台播出的主要艺术种类和节目内容。据数据调查公司提供的资料，全国人均每天收看电视剧的时间为1小时。同时，电视剧艺术所表达的思想内容、审美取向和情感格调对人们的世界观、价值观、思维方式、行为方式甚至着装打扮、流行用语无不产生着重要的、潜移默化的影响，一部优秀电视剧播出，立即会成为观众街谈巷议的话题，成为人们交流思想，沟通感情的载体。从这个意义上说，电视剧的繁荣发展是中国文化大繁荣大发展的重要标志之一。

（国家广电总局电视剧司）

广播电视艺术团体概况

中国广播艺术团

一、加强队伍建设，开展多种形式的教育活动，努力提高演职人员的素质

1.及时传达和学习有关中央和总局的指示精神。年初召开了工作总结大会，春节前夕召开了民主党派人士迎春座谈会。

2.党的十七大胜利闭幕后，先后分三批人员参加“学习贯彻落实党的十七大精神学习班”。

3.积极参加捐款捐物活动。开展的“为党旗添光彩、为广电做贡献”主题活动，被总局机关党委评为《“我为党旗添光彩，为广电做贡献”主题实践——最佳党日活动》二等奖。

4.开展多种形式的教育，努力提高全体演职人员的思想道德素质。组织党员、团员50余人赴江西井冈山、南昌、庐山等地进行革命传统教育，并组织了一系列参观展览、参加报告会、观看专题片、组织答卷活动等。

5.《艺园》杂志创刊，全年共出刊两期，创建了学术交流的平台。

6.注重全体演职人员的思想道德教育，全团许多单位和个人先后获得了不同类型的表彰和奖励。

二、推出新作品，培养新人才

创作出一台《喜迎十七大，和谐千万家》——新相声小品晚会，受到了观众及业内人士的广泛好评。为迎接党的十七大胜利召开，创作了一台《赏啊，亲爱的妈妈》—时代歌声大型演唱会。中央电视台在十七大召开的当晚黄金时段播出了此节目。

各个分团通过反复的挑选和考试签约了一批声乐演员、相声演员和演奏员，注重对他们的培养，为他们创造舞台演出的机会，施展他们的才华。

三、树立服务大局的观念，积极参与各种公益性活动

先后两次随广电总局扶贫慰问团演出。举办和参加了多场由北京市公安局公共交通安全保卫总队、西城区政府、北京市老干部局、广电总局离退休老干部、北京市纪委以及中共中央统战部等举办的公益性活动。

为庆祝“三八”妇女节，参加了由全国妇联、中央电视台，中央直属机关妇女工作委员会、中央直属机关工会联合会以及总局举办的各种演出活动。

艺术团演员冯巩、巩汉林、朱时茂、王馥荔、姜昆等人参加了中央电视台拍摄的迎奥运广告宣传片。艺术团组织参与了“喜迎奥运”系列活动；奥林匹克艺术节闭幕式的大型演出活动，西城区政府主办的“同迎奥运盛会，共育和谐西城”文艺演出以及中央电视台体育频道举办的《奥运城市行》大型录像演出活动等。

送文艺下乡下基层是促进基层农村文化建设和满足农民群众文化需求的有效途径和有力手段。2007年艺术团组织参加了多场下基层演出活动。

艺术团2007年先后举办了三场“打开音乐之门——暑期系列音乐会”。同时还参加了“北京大学生古典音乐节”。

2007年艺术团还参加了《盛世华章 光影传颂——香港回归十周年电影界庆祝晚会》；庆祝中华人民共和国建国五十八周年国庆晚会，统战部中秋慰问党外专家、学者招待会；全国政协2007年中秋晚会；中央电视台音乐频道开播3周年庆典音乐会；外交部亚洲司举办的亚洲司消夏晚会；中国环境科学学会主办的“绿色财富”之夜文艺晚会；广电总局党校建校十五周年校庆联谊会；北京市交管局主办的交通安全宣传日活动；庆祝内蒙古自治区成立60周年慰问演出活动。

四、建设和谐文化，积极推进多渠道、多形式的文艺演出

中国广播民族乐团在连续三年举办“音乐季”的基础上，今年继续举办音乐季演出活动，全年音乐季演出9场。中国电影交响乐团坚持走市场、多演出的原则。先后赴河北、山东、河南、安徽、广东、山西、重庆、深圳等省市地区演出，全年演出近百场。中国广播合唱团举办了十余场合唱音乐会。中国广播说唱团与中国广播电声乐团强强联合举办了近20场歌舞相声小品晚会。

2007年中国广播艺术团“艺术周”于9月15日至18日，在北京展览馆剧院和民族宫大剧院成功举办。经过了三年的倾力推出和精心打造，已成为中国广播艺术团的标志性演出。其中包括：《党啊，亲爱的妈妈》——时代歌声大型演唱会；《重温岁月情·我心中的旋律》——大型影视金曲视听音乐会、《布拉格之春》的回旋——访欧巡演归来大型民族交响音乐会、《喜迎十七大，和谐千万家》——相声小品新作品晚会。

五、加强对外文化交流，扩大对外影响

2007年艺术团加大了对外文化交流的力度，多次组团赴国外访问演出。赴日本、捷克、俄罗斯、美国、加拿大、韩国和澳门等国家和地区进行演出。

六、发挥自身优势，不断丰富文化产品

中国广播艺术团作为综合性的文艺团体，具有众多的艺术人才，以及艺术创作、电视栏目制作、影视剧拍摄和音乐录音等多项功能。

艺术团正式提出申请相声艺术为国家级非物质文化遗产名录。目前正在审批当中。艺术创研室参与了大型歌舞晚会的串台词的撰写，编写了许多相声段子和小品；参与重大晚会的策划、节目编排以及歌曲和音乐的编配等。制作部担负着中央电视台《艺苑风景线》栏目的拍摄和制作，录制了10余场电视晚会，100多段作品，并适当增加了歌舞类节目的比重，全年播出共计52期。长城艺术中心与青海电视台合作的青海电视台综合频道于2005年11月份开始试播，每天播出17.5小时，其中包括7小时藏语节目和10.5小时的汉语节目，节目的类型有电视剧、综艺栏目、音乐节目、专题节目等。目前已在青海省内地区、四川省、云南省、甘肃省的部分藏族居住区逐步覆盖，在上海、武汉、温州、郑州、天津、湘西等地区落地。中国广播民族乐团应国务院新闻办公室邀请，与五洲传播中心合作摄制了《中国民乐》DVD专题片。广播民族乐团应邀与著名二胡演奏家闵惠芬合作，录制了最新版“闵惠芬二胡独奏专辑”。中国电影交响乐团参加了中央电视台、河北、安徽、河南电视台影视频道录制了节目，并为歌唱家腾格尔录制了最新唱片专辑。艺术团和亚洲艺术教育论坛组委会于11月12日在北京联合举办了“彭修文中国民族管弦乐艺术国际论坛”。于12月20日在北京召开著名相声艺术家马季先生艺术研讨会，纪念马季逝世一周年。

2007年中国广播艺术团全年演出达230场。

（中国广播艺术团）

中国爱乐乐团

2007年，中国爱乐乐团全年演出59场。其中音乐季演出41场，商业性和公益性演出16场，出访演出2场。观众人数达15万人次。

一、业务建设取得新进展

（一）圆满完成音乐季的演出任务。

音乐季演出是乐团业务工作中的重中之重，2007年9月1日，乐团推出了第七个音乐季，主要演出有：

1.2007年1月1日，在北京保利剧院举办新年音乐会，邀请著名青年钢琴家郎朗、小提琴家朱丹、歌唱家廖昌永、王霞与乐团合作，主要曲目有：格什温《蓝色狂想曲》、关峡《激情燃烧的岁月》主题曲、拉威尔《达弗尼与克洛埃》第二组曲，以及爱乐乐团邀请作曲家专为本次新年音乐会编配的民乐《云之南》组曲，由5个古筝与交响乐队合作。

2.2007年6月3日，在中国首演音乐会版歌剧《特里斯坦与伊索尔德》，德国指挥家克劳斯·韦瑟任指挥，中国歌剧舞剧院合唱团担任合唱，演出时间共5个多小时。

3.2007年9月1日，在音乐季首演音乐会上演唱由中国作曲家郭文景、叶小钢创作的命题交响诗《江山多娇》、《巍巍昆仑》。

在07音乐季的演出中，增加了歌剧、合唱和芭蕾舞伴奏的演出。如12月9日，演出了中国四幕经典歌剧《原野》，由指挥家李心草任指挥，万山红、孙健、孙禹、金郑健等担任独唱。还与多位著名指挥家、独奏家和歌唱家进行了合作，包括钢琴家郎朗、指挥大师夏尔·迪图瓦和女高音歌唱家蕾妮·弗莱明等。

（二）圆满完成公益性和商业性演出任务

1月24日，中国爱乐乐团应长春一汽－大众汽车有限公司的邀请，来到车间为工人们演出《红旗颂》、《春节序曲》、《良宵》等脍炙人口的曲目。

6月16日，乐团与中国文学艺术界联合会、中国音乐家协会、中共太原市委合作举办了《谐音和韵》民族交响音乐会。中央政治局常委、国家副主席曾庆红等出席并观看了演出。

8月8日晚，奥运会倒计时一周年，中国爱乐乐团在天安门广场参加了奥运倒计时一周年的大型文艺演出，乐团与著名钢琴家郎朗合作，在天安门广场演出了震撼人心的钢琴协奏曲《黄河》。

9月6日，乐团参加了第十届精神文明建设“五个一工程”颁奖晚会的演出。

为做好普及交响乐、弘扬主旋律的工作，乐团还多次走进大学校园，举办公益性演出，为社会做出了贡献。

（三）圆满完成出访演出任务

为庆祝香港回归十周年，7月1日乐团受邀赴港参加“香港回归十周年专场庆祝演出”。演出曲目有鲍元恺《炎黄风情》组曲和郭文景B小调英雄交响曲。

二、管理工作取得新进步

乐团的行政部门积极配合各项业务工作，始终以排练、演出工作为第一要务，出色地完成了各项后勤工作。制定完善了各项规章制度，包括《中国爱乐乐团编制内聘用人员的管理规定》、《中国爱乐乐团关于固定资产报废处置规定》、《关于购买办公用品的有关规定》等，使各项工作的管理逐步走向规范化和制度化。在总局“精神文明办”的指导与帮助下，计划生育工作、绿化工作、交通安全工作、无偿献血工作、综合治理工作都取得了可喜的成绩。

三、思想建设取得新动力

一年来，乐团在紧抓艺术生产的同时，对思想工作的要求丝毫没有放松。通过多种方式组织学习、座谈、参观，不断提高全体演职人员的政治素质和思想觉悟。在赴重庆演出间隙，乐团党总支组织全体人员到红色教育基地——白公馆和渣滓洞参观；在赴四川广安市演出前，组织全团人员参观了邓小平同志故居。党的十七大召开后，乐团党总支及时组织学习，不断增强大家的使命感和责任感。

（中国爱乐乐团）

天津广播影视艺术团

天津广播影视艺术团创建于1979年11月1日，隶属于天津广播电视电影集团，现有演职人员51人，60%以上具有高级专业技术职称，现任团长沈玉华。

在天津广播电视电影集团强有力的支持和帮助下，天津广播影视艺术团始终坚持“面向文化市场，服务企业文化建设”的办团方针，演出足迹遍及全国，受到观众和业内同行的好评。

2007年，天津广播影视艺术团确立了以大型演艺活动的策划经营、音乐表演、艺术培训为主的内部运行机制。作为天津市唯一一支以演奏“新纪元音乐”为主的演出队伍，利用高科技电子手段和特色民族乐器，创作并演绎了具有空间感、时代感的写实音乐，为创造文化品牌化探索出一条成功的经验。

为了进一步开拓文化市场，天津广播影视艺术团整合广电集团内外艺术人才资源，组建了天津爱乐室内乐团、爱乐合唱团以及国内外文艺演出的市场化经营运作，不断拓宽面向社会的艺术培训工作半径，为今后的事业发展，增强核心竞争力，奠定了良好的物质基础。（天津广电局）

内蒙古广播电视艺术团

年初，广播电视艺术团创编、排演了大型合唱组歌《阳光洒满草原》。5月22日，作为被邀请参赛团在法国图尔市举行的36届国际合唱大赛中取得混声合唱银奖，自由式合唱银奖，传统音乐大奖。参加了自治区宣传部主办的迎自治区成立60周年大庆晚会“草原上升起不落的太阳”的音乐录制，在北京展览馆剧场举行的“仰望草原”大型演出及内蒙古音协的献礼音乐会。

全年还完成了内蒙古人大会闭幕联欢晚会、内蒙古北方盛会联谊会、与中国爱乐乐团同台参加中国建行题为“交流合作、创新共赢”大型演出等16场演出，并赴沈阳、银川、合肥、北京、奥地利、澳门、昭君艺术节等进行了大小型演出近40场。9月，应邀赴挪威参加了“第二届中挪文化交流活动”演出三场，并举行了两场有关草原音乐文化的学术研讨会，受到国际友人好评。

王百仑、王淑琴、金璐、袁连英等在自治区第三届室内乐大赛中分别获铜管重奏组一等奖和民乐重奏组一等奖；马头琴演奏员麦拉苏、宝勒尔分别获马头琴独奏组三等奖和优秀奖；创作组黄毅的歌曲《草原河·母亲河》获自治区“萨日娜”奖。

全年组织录制完成了布林、刘良慧、宝力格个人专辑。

（李宝国）

吉林省延边广播电视艺术团

1952年9月4日，延边人民广播电台演出组成立。1978年，扩编成立延边广播艺术团。延边电视台自办文艺节目后，改称延边广播电视艺术团。

2007年，延边广播电视艺术团剧部完成电视译制剧《家有九凤》26集、《乔家大院》45集、《我主沉浮》35集、少儿广播剧《董存瑞》、《青春期苦恼》等共35集、创作录制童话、小品、相声6件、《科学爷爷》等广播少儿节目104件、电视少儿节目4件、《汉字宫》420件、《看神州》180件、《世间万象》190件、广播文艺节目2件、广播剧《当男人爱上女人时》8回、《将军之歌－赵南起篇》20回、《金笠》14回、《延边苹果梨》（韩国KBS参赛作品）等共65回、广播小说《夜空的沉默》、《生命》等153回总共 1265件。部分演员还参加了延边电视台台庆晚会的小品节目演出。

2007年，延边广播电视艺术团器乐部共录制80首音乐作品，参加了“2007年延边TV春节晚会”、“阿里郎剧场”、“庆九、三音乐会”等12场联合演出。

延边广播电视艺术团演员朴洪哲连续5届参加在朝鲜平壤举办的“四月之春”国际艺术节屡次获得金奖和特别奖。

（吉林广电局）

广东电视台艺术团体

广东电视台青年艺术团和“舞乐天使”国际组合是活跃在广东电视荧屏及社会文艺舞台的两个优秀文艺团体。

广东电视台青年艺术团是广东电视台团委组织的业余文艺团体，成立于2003年，团长孙金华、常务副团长刘佳佳，成员汇聚了台明星主持和有艺术特长的青年文艺骨干约60人。2007年，该团举办了省广电局“环市东大院游园迎春晚会”；4月29日，为纪念中国共青团成立85周年，与共青团增城市委员会、增城市青年联合会等单位联合举办了“我为增城增光，增城以我为荣”大型青年文化文艺晚会；11月，为“第三届青少年发展论坛”在广东增城市召开而协办了“唱响新时代之歌增城青年文艺晚会”。此外，该团还多次送戏下乡，赴广东各地进行慰问演出。

“舞乐天使”国际组合是广东电视台于2005年8月组建、2006年7月1日正式成立的；2007年演职人员为20人，乐队总监赵兵，音乐总监方奕。2007年，“舞乐天使”国际组合被广东电台等单位联办的“9+2音乐先锋榜”评选为“06年年度最佳乐队组合”。2月，该团代表广东赴澳大利亚悉尼参加“盛世华夏·活力广东”春节大巡游，并获“优秀演出奖”，其间还为中国驻澳大利亚大使馆开放日演出；4月，作为国内唯一受邀演出团队赴海南“博鳌亚洲论坛2007年年会”，为来自50个国家和地区的国家元首、政要及官员和我国主要国家领导人进行专场演出；7月1日，受香港无线电视邀请参加“香港回归10周年大巡游活动”演出；8月7日，在参加《中华心·奥运情》北京奥运倒计时一周年晚会演出中，获得了北京奥组委颁发的“演出特殊贡献奖”。（张恩明、陈卫红）

广播电视广告概况

广电总局在2006年出台了《“十一五”时期广播影视科技发展规划》。2007年大量基于新技术，分众和聚众资源的新广告形式不断涌现，推动广告业进入一个以精准化、分众化、互动经营等新兴传播形式为特点的传播阶段。以上2007年电视广告营业额为442.95%亿元，相比2006年的404.02亿元，增长9.6%，较之2006年电视广告营业额13.72%的增长率减少了4个百分点；电视广告营业额占广告总营业额比重为25.4%。广播广告营业额62.82亿元，相比2006年广播广告营业额57.17亿元增长9.8%，与2006年营业额47.17%的增长幅度相比，大幅下降。广播广告营业额占广告总营业额的3.6%。2007年电视广告经营额增长速度虽然低于2006年和2005年，但中国电视广告的龙头地位并未动摇。2007年电视和广播媒体经营单位户数锐减，电视经营单位数量减少6.98%，广播电台经营单位数量减少29.96%。

一、广播电视广告经营的新秩序

（一）广播电视广告稳中有进，不断优化

从总体上看，2007年广播电视媒体的广告经营取得了较好的业绩。中央电视台持续聚集和整合资源，打造品牌。省级卫星电视继续实现个性化定位，不断摸索。城市台在衡量优势与劣势中调整取舍。2007年中国电视台台长论坛发表了《北京宣言》，进一步树立了电视作为广告优质媒体的形象。广播媒体区域性发展优势明显，净化行业，提高素质，紧跟技术新趋势，在打造节目内容、树立公信力中找到定位和市场空间而再度表现出强势，其表现大大超出人们的预期。

2007年，广电行业应总局要求净化广告市场、整顿医疗保健品广告后，广播电视广告经营部门给予积极配合，积极自律。对广告经营的思路、内容、编排、制作进一步开拓和调整，把房产、建材装饰、汽车等热点行业作为工作的重点，取得了较好的社会效益和经济效益。

（二）广播电视广告迅速拓展新媒体领域，“以合为贵”

2007年广播电视广告经营继续面临着新媒体强劲挑战，同时又在各层次上进行融合、聚合。2007年，互联网广告的营业额增长34.37%，总量达到116亿元人民币，仅次于户外媒体排第四位。而传统五大媒体市场份额中，电视以12%的增幅依旧保持领先地位，广播9%的增长速度明显减慢，近年蓬勃发展的户外媒体受到城市整治和户外新媒体的诸多影响，也结束了连续的高速增长势头，出现了6%的负增长。在新媒体的崛起之下，广播电视走的是“融合”之路。

一方面，传统媒体纷纷试水新媒体，进行资源整合和资本的重新分配。2007年12月18日，央视国际移动传媒有限公司正式宣告成立，在全国范围内开展基于公共交通工具的移动电视业务；凤凰卫视开通博客争夺网络公共市场；上海文广与大唐移动签署TD流媒体战略合作协议。一向低调的广播媒体也于2007年4月携手中国联通，在CDMA网络上开通手机电视。

另一方面，数字技术成为广播电视的普遍技术和核心技术。截至2007年12月底，中国有线数字电视的用户已经达到2796万户，有线电视数字化程度达到24%。移动电视方面，移动终端的种类不断丰富，公交移动电视，楼宇电视，候机电视，地铁电视蜂拥而起，竞争也越来越激烈。

（三）政策法规

2007年，监管部门对广播电视广告的监督和管理加大了管理力度。3月13日，国家工商总局和国家食品药品监督管理局联合颁布了《药品广告审查发布标准》（后简称《标准》），对药品广告相关内容，播出时段、广告时长、广告媒体、表现手法等都做出了具体规定。广电总局再次发出通知，禁止播放虚假违法的医疗、药品、保健食品广告以及内容不良、低俗的性药品、性保健品广告；禁止播放违规广告和在影视剧中违规插播广告，禁止超时播放广告。同时，各地转播、传播机构不得在转播过程中插播任何形式的广告。

二、电视广告：增幅减缓，不断创新

（一）总体走势

2007年是电视媒体快速变化的一年，电视广告的份额较2006年同期上升3个百分点达80%。电视广告经营额在全国广告经营额继续调整中保持增长，但增幅有所缓解。电视媒体广告已进入一个新的全盘调整时期，竞争急速加剧。

2007年电视广告的持续增长与增幅的回落，意味着电视行业正处在机遇与挑战同时并存的时代。媒体竞争的压力促使媒体将更多精力与资源放在活动的策划和运营上，2007年各电视台的火热选秀类“真人秀”节目全部叫停，独播剧、栏目剧、大型活动等差异化战略依然持续。各家电视台在资源聚合、覆盖区域上激烈竞争的同时，电视受众呈下降趋势。

（二）电视台的广告经营

1．奥运战略

2008年，对于所有想在奥运年借助央视平台向全世界展示自己企业和品牌的企业和广告代理公司来说，是一个广告年。

中央电视台作为2008年奥运会的独家电视转播机构，其体育频道更名为奥运频道。凭借奥运核心资源，从2006年就开始实施奥运品牌延伸战略，与奥运概念相关的前期项目已经带来了可观的收益。2007年11月18日备受瞩目的题为“2008，中国有我”的中央电视台第14届黄金资源广告招标会落幕。招标总额80.2861亿元，比上年增长18%。从2007年开始，部分奥运赞助商在卫星电视频道平均每个月广告投放情况来看，奥运赞助商普遍加大了广告投放，各地方卫视也纷纷提前启动奥运营销。

2.坚持创新，再造诚信

(1) 形式创新

《新闻联播》后的7.5秒广告是2007年中央电视台开创的一种新广告形式。它代替了以前的5秒广告，得到了企业、广告公司的高度认同。而企业越来越发现与其和一部一部电视剧合作，不如和整个黄金剧场合作。2007年众多企业选择黄金剧场长单投放的方式，而且集中在年初早早签订长单，这一形式突破对改变中国广告主的电视剧广告投放习惯，有一定意义。

(2) 内容创新

公益推进：在和谐社会的大环境下，越来越多的企业开始关心公益事业，电视台因势利导，在做好公益事业的同时也取得了良好的广告效益。举办了《圆梦2008》、《美梦成真》等大型公益电视活动节目。

电视购物：电视购物不仅可以弥补目前电视媒体经营单纯依靠广告的缺陷，又可以盘活闲职的频道资源。2006年底，央视进军电视购物产业，其直属的中视电视购物有限公司已经是一个零售业公司。目前中国电视购物界还处在建立信任的过程，随着电视购物市场的进一步扩大和电视购物品牌的成长，电视购物将对走出目前电视剧广告营销过度的局面非常有益。

3.积极拓展网络新媒体业务

2007年2月18日，中央电视台在北京正式与国际奥委会签约，宣布CCTV的新媒体平台CCTV.com成为北京奥运会官方互联网／手机转播机构，这也意味着CCTV.com成为唯一一家拥有中国内地和澳门地区奥运新媒体转播权益的机构。电视媒体的“触网”目前还处于起步阶段，它面临的内容和传播问题仍待解决，广告盈利模式也在不断探索之中，但这些变化将改变传统的电视广告经营格局。

三、广播广告：稳健发展，积极推进

2007年中国的广播广告市场经历巨大的转折，前三季度曾保持一贯增长的势头，但下半年，作为广播广告重要组成部分的医疗广告开始受限，广播广告遭遇了前所未有的严峻局面，这直接导致了全年的广告收入停滞或下降，然而，总的来看，广播广告还是保持了良好的发展势头。广播继续沿着“宽播”走向“窄播”的思维方向前行。广播媒体不仅抓住了奥运商机，而且为自身品牌宣传和广告收入带来了积极的效应。

(一) 广播广告市场

据不完全统计，2007年中国广播广告市场已经成为一个超过50亿元的庞大市场。广播广告正逐步向良性发展。广播媒体已经达到以广告主需求为切入点，真正实现市场化运作的跨区域联合的深度合作阶段。2007年广播广告经营额的小幅增长和经营单位的大幅减少，说明广播广告的经营方式已经趋向小而精的集约化趋势。2007年，全国广播广告投放排名前8位的行业依次为：药品、医疗服务、保健食品、食品、房地产、汽车、医疗器械和家用电器。新增长点的出现和行业结构的优化都显示出广播广告的经营走向多元化的良性发展之路。

(二) 广播广告经营

2007年广播广告在经营制度模式上开始发生变革。独家代理、多家代理、内部代理机制成为各家电台选择的不同方式。

2007年，全国有20家左右的电台年广告收入过亿元，其中省级电台占了绝大多数，北京电台，广东电台，上海电台和天津电台等传统亿元大户表现依旧良好，其他大部分省级电台的广告收入一般也保持在5000万元以上。其中深圳电台、南京电台和佛山电台的广告收入都在亿元以上，在市级电台中位居前茅。但是全国各地的广告市场发展仍不均衡，国家工商总局的统计数据显示，全国广播广告经营位居三甲的地区依次是上海，北京，广州。这些地区的广告经营总额达到了767.5亿元，占全国广播广告经营总额的48.8%。

进入“后医疗时代”广播行业的结构正在发生变化，据广州SMR塞立信媒介研究公司2007年全国无主调查综合数据显示，金融保险、通信等行业成为广播听众收听最多的广告，广告综合到达率超过40%，其次是食品餐饮、汽车、房地产等，广告到达率超过30%，其中品牌广告所占的比例继续得以提升，而医疗保健则退居第六。广告客户对电台的信心越来越高，广播广告从单一化走向多元化。

(三) 坚决治理医疗广告

医疗广告一直是电台广告收入的重要来源，而各种非法的不良广告对社会危害极大，形成了恶性循环。国家广电总局在2007年7月发布《关于进一步加强广播电视广告播放管理的通知》，对一些有违规现象的电台进行了严厉处罚。广电总局这一系列举措虽然给广播行业发展带来暂时困难，但是改善了广播广告的发展环境，提高了广播的公信力，也迫使广播广告的行业结构需要做出重大调整并寻求突破。

(四) 广播广告积极应对数字化的挑战

2007年，广播媒体除了和电视媒体之间加强合作和交融外，数字化技术更为广播提供了新的发展空间，成为传统媒体与新媒体结合的范例。2007年8月2日，东广电台的动感101正式宣布成为全国第一家网络视频广播，利用广播优势实现了与网络平台的无缝结合，数字广播将迅速成长成为极富发展潜力的广告媒体。 (刘英华、戚璇)

广播电视培训工作概况

2007年，广播影视教育培训工作紧密围绕总局中心工作，认真贯彻落实《干部教育培训工作条例（试行）》，按照《2007年广电总局教育培训项目计划》，集中力量开展大规模培训干部工作，培训人数持续增加，培训效果进一步增强。

一、配合总局中心工作，在全系统开展大规模培训。

配合广播影视数字化工程，开展数字化普及培训。全国广播影视系统各级领导干部、管理人员、采编播人员、技术人员近19万人参加培训，学习广播影视数字化的基本知识，了解数字化的基本情况，掌握数字化的基本规律，有力地普及了广播影视数字化知识，推动了广播影视数字化工作。

迎接党的十七大，开展广播电视安全播出培训。党的十七大召开之前，在北京集中举办了5期安全播出示范性培训班，对全系统的调度指挥中心、地球站及监测中心的关键岗位骨干人员进行业务培训和考核。总局直属单位和各省、区、市广电部门组织培训安全播出岗位工作人员5万多人，有力地保障广播电视安全播出。

二、落实年度教育培训计划，全年共举办各类短期培训班38期，培训3159人次。

结合广播影视改革发展实际，加强对总局机关公务员和直属单位领导干部、县以上广电局局长以及各省、区、市管理干部的培训。面向机关和直属单位举办3期广播影视管理业务系列讲座，培训441人次。举办党校培训班2期，培训处级干部82人。举办党务干部培训班1期，培训96人。举办局长培训班2期，培训省、地、县广电局长96人。举办管理干部培训班4期，培训383人。

以确保正确舆论导向，提高职业素质，加强队伍管理为主要内容，加强了对编辑记者、播音员主持人和藏语、维语等新闻采编、译制人员的培训，举办培训班5期，培训464人。

以广播影视数字技术和安全播出应急处置为主要内容，加强了对安全播出、技术监测、卫星地球站、数字电影技术骨干等安全播出管理人员的培训，举办培训班9期，培训595人。

围绕农村广播影视公共服务体系建设，加强了村村通工程、西新工程、农村电影放映工程人员的培训，面向少数民族地区和西部地区中波发射台台长、中波发射台技术人员、少数民族地区农村电影流动放映人员，举办培训班8期，培训667人。

围绕提高经营管理水平，加强了对广播影视经营管理人员的培训。面向广播电视节目制片人、广播电视节目营销人员和城市影院经理，举办培训班4期，培训335人。

三、围绕走出去工程，加强了外宣人才培养。

积极与国家留学基金委协调沟通，在国家公派留学政策调整的情况下，争取录取各单位业务骨干24人公派留学，主要被派往发达国家，留学专业对口。

四、利用系统内资源开展学位教育。

委托中国电影艺术研究中心举办影视管理专业硕士学位课程进修班，总局机关和直属单位20人参加学习。

五、教育培训基础建设得到加强。

为加强编辑记者、播音员主持人岗位培训，编辑出版了《广播影视业务教育培训丛书》一套四本，即《广播电视综合知识》、《广播电视基础知识》、《广播电视业务》、《广播电视播音主持业务》等教材。为配合推进广播影视数字化进程，编辑出版了《广播影视数字化普及读本》。为迎接奥运年，做好奥运广播电视宣传报道，组织编写了《奥运广播电视业务英语》教程。（国家广电总局人教司）

无线电台管理局概况

1. 以系列活动为载体，圆满完成党的十七大传输发射任务

坚持以安全播出为中心，开展了时间跨度最长、规模最大、业务覆盖面最广、效果最为显著的“坚持科学发展观、全力确保党的十七大安全传输发射”系列活动，圆满完成了十七大安全传输发射任务。全局全年共播出广播电视节目1719909.9小时，停播率为6.4秒／百小时，优于计划91.5%，取得了建局以来的最好成绩。同时，系列活动的开展，对提高全局整体管理水平，增强技术保障能力，加强人才队伍建设，促进无线传输发射事业又好又快发展起到了积极的推动作用。

2. 以转变观念为突破口，全面改进领导作风和机关工作作风

继续巩固先进性教育成果，加强班子建设，带头遵守和执行分党组议事规则；严格执行干部选拔聘任组织程序，优化了干部结构，提高了领导班子的管理水平和战斗力，为安全播出中心工作提供了强有力的组织保障。

坚持中心组理论学习，着眼于解决传输发射事业改革发展稳定中的实际问题。局台两级中心组学习已成为提高领导班子理论修养、管理水平和执政能力的一条重要途径。

深入开展巡视工作，对掌握基层情况，解决基层实际困难，促进干部职工队伍稳定，推动各项工作有序开展具有重要的积极意义。

3. 以网络建设为平台，全面规范基础管理工作

加大各项制度和评估办法的执行力度，使工作、行为、检查、考核有了标准，使全局管理工作逐步走上制度化、规范化和科学化的轨道。

加大信息化平台建设力度，实现了对台站基础信息、运行状态信息、效果反馈信息的管理和查询，初步构建了全局资金、物资信息化管理的框架，积极推广“智能物资管理系统”、“经济项目管理系统”及“固定资产管理系统”等智能管理软件，为全面实现信息化、科学化管理奠定了良好基础。

加大培训力度，形成了以岗位培训、短期培训、学历教育、教材建设等为依托，符合无线局实际的职工教育培训体系，营造了“全员学习、终身学习”的氛围。

4. 以创建工作为动力，全面开创精神文明建设新局面

积极发挥局文化在鼓舞人心、凝聚力量方面的重要作用，深入开展和谐型电台创建活动，全面推动全局政治文明、物质文明、精神文明建设协调发展。无线局第11次被评为“首都精神文明单位标兵”，第14次被评为总局“精神文明标兵单位”，全局获得区县级以上各类精神文明奖项达近百项。491台姜涛同志为韩国一名白血病患者慷慨地捐献造血干细胞，成为北京市首例向国外捐献造血干细胞的人。

（邓秋艳）

广播科学研究院概况

2007年，广科院在总局党组的领导下，在总局各级领导的关心支持下，全院职工谦虚谨慎，奋勇拼搏，开拓创新，坚持“围绕中心，服务大局”，以“科技创新，应用服务”为指导方针，继续积极推进科研体制改革，加强科研、管理和经营工作，努力提高管理水平和自主创新能力。

一、围绕数字化，加强自主创新，取得显著成果。

在移动多媒体广播、新一代卫星传输、数字电影流动放映等核心技术上取得突破性进展，研制出了具有自主知识产权的技术体系。

（一）移动多媒体广播，简称CMMB，是采用STiMi技术研制，面向移动多媒体广播的卫星与地面覆盖相结合的广播信道传输技术。此项技术申请并取得多项专利，形成完整的自主知识产权的框架体系。

（二）直播卫星系统是我国自主研发的新一代卫星直播传输体制－先进卫星广播系统（ABS-S），应用于广播电视村村通工程，大力推进了我国直播卫星业务的发展，具有良好的社会效益。

（三）数字电影流动放映系统，简称dMs，是由广科院重点参与，根据我国国情自主研发，具有自主知识产权的电影放映系统，实现了国内电影流动放映影片制作、分发、放映和管理等全面数字化。截至2007年底，在全国30个省建立了36家dMs院线，拥有放映点4600多个，建立院线卫星接收中心站26个，累计放映场次：公益放映845525场，商业放映77143场，观众超过2亿人次。

（四）无线覆盖技术是利用电视精密同步广播技术作为解决农村广播覆盖的有效技术手段。应用于广播电视村村通工程，使我国无线电视覆盖网在大幅度提高有效覆盖率和服务运行质量的同时，发掘出更多的无线电视频道资源，亦为今后模拟向数字的过渡创造了更好的条件，具有极大的社会经济效益前景。

二、加强项目申报能力，提高科研实力、科技支撑和科技产出能力。

积极向国家发改委、科技部、财政部和国家广电总局等部门申报国家科技支撑计划项目、国家数字电视产业化专项项目和国家863科技计划等项目；着重开展创新性、孵化性、战略及前期探索性研究。2007年共申请到科技部863科技计划重大科技项目1项课题立项，总局重大科技项目3项课题立项。在研部级项目20项，基本科研业务费项目15项；新增科研项目10项，申报发明专利6项，正在实审的专利5项。

三、加强学术机构建设、促进技术交流。

在学术机构建设方面，成立了学术委员会；完成了院科学技术委员会换届工作。这两个委员会的人员组成更多的吸纳了电信、军队和外国技术专家，有利于促进广科院科研项目的科学立项的科学性和前瞻性，有利于促进科研项目领域的拓展和交叉学科的研究。

四、利用自身优势，建设开放共享机制和交流平台。

根据“开放、流动、竞争、协作”的原则，充分挖掘社会资源，开放广播电视数字实验室；积极开展对外交流与合作，2007年对外出访55人次，来访近百人次；与中国传媒大学联合培养硕士研究生4名。

CCBN作为总局大力支持的技术交流与展览盛会，2007年再一次取得成功。展商数量、观众用户再创新高，被中宣部列入文化体制改革成功案例。

五、加强内部制度建设，建立长效机制，为科研工作顺利开展保驾护航。

按照建设现代科研院所制度的要求，及“科学管理，规范实施”的原则，从科研、财务、人事和行政等各方面完善和建立新的制度体系，2007年共制订和完善了相关内部管理制度十余项。加强对基本科研业务费专项资金管理，出台多项科研项目管理办法，通过体制创新，使科研管理过程规范统一、公开透明，提高了工作效率和项目质量，也给青年科技人才提供了机会，保持科研工作的可持续发展。

（国家广电总局广科院）

中广电广播电影电视设计研究院概况

中广电广播电影电视设计研究院成立于1952年，是国家工程师联合会成员协会会员单位。具有电子通讯广电行业广电工程类甲级、电子工程类（电子系统）甲级、通信工程类（通信铁塔）甲级、建筑行业建筑工程甲级设计证书，及建筑智能化系统工程设计甲级、工程测量甲级、工程监理甲级企业、工程造价咨询甲级等资质，并具有对外承包工程经营资格。设计任务遍及全国和世界40多个国家和地区，先后成立了海南、台州、四川、广州、安哥拉分院和山东分部，是广电行业中一支专业性强、技术水平高、各项实力雄厚的综合建设队伍。到2007年底，全院共有在职职工300人，其中专业技术职称人员245人，高级工程师106人，5位国家级工程设计大师，64名国家级各类注册师。

一、经济实力稳步增长，自主创新能力和竞争力显著增强

1.生产经营稳中有升，实现质的飞跃

设计院生产经营工作向广电行业纵深发展，不断拓宽民用设计业务范围。截至2007年12月31日，共签订合同223份，合同金额12785.96万元（首次突破亿元，创历史新高），完成全年经营合同指标（8000万元）的150%，实现财务收入9122.67万元，生产经营收入稳中有升。

2.业务范围不断扩展，业务结构进一步完善

2007年，设计完成了一批国内外具有社会影响力的工程，如：中央电视台新台址工艺系统框架设计、农村无线覆盖工程、东南工程、奥运场馆专项设计、天津数字电视大厦、新首都电影院室内装修和音视频设计、安哥拉国家情报大楼等工程，扩大了设计院的社会影响力，树立了设计院品牌形象。设计院业务领域进入了基本建设领域的各个环节，工程总承包、全业务咨询等业务不断扩大，新兴业务比重逐年增加。

3.国际交流与合作大大增强，海外市场不断拓展

2007年，设计院围绕国家“走出去”的战略部署，加强与商务部及对外经援相关单位的联系，国际经济合作和援外项目平稳推进，援毛里求斯广电大楼项目和老挝CH3电视中心项目被商务部列为年度的重点项目，签订了安哥拉国家情报大楼工程总承包合同。2007年，设计院共派出工程技术团组10个，近百人次，业务领域涉及项目考察、勘察、工程设计、前期咨询、设计监理、设备配单等，业务范围遍布亚洲、非洲、南美洲、大洋洲共几十个国家，在国际广电建设领域的影响不断扩大。

4.加强技术质量管理，企业自主创新能力显著增强

配合院庆五十五周年，组织了中央电视台工艺系统设计和公安部办公楼设计技术交流和设计小结活动，参加对外技术交流，开展技术讲座，出版《广播影视工程技术》，出版公安部办公大楼设计文集、袁文博设计与管理文集、马家骏探索与回顾文集。重新认定审定人、审核人、项目负责人的任职资格，组织年度内审，统一审核标准，严把项

目质量关。其中，"黑龙江省广播电视中心"工程获"第十二届全国优秀工程勘察设计奖"铜奖；"西安电影资料库4号库"、"国家标准《厅堂扩声系统设计规范》编制"和"中国人民解放军电视大楼视音频工艺系统"三个项目获"第三届中国电影电视技术学会科学技术奖"三等奖；"公安部办公楼"工程获"第五届中国建筑学会优秀建筑结构设计奖"二等奖。

5.人才储备拓宽，教育培训进一步增加

2007年，共招聘建筑、结构、音视频、环境艺术、法学等专业应届毕业生13名，人才引进趋于多元化。加大教育培训投入，完成总局组织的各项培训工作，组织注册师执业资格培训、岗位资格培训、语言培训、新员工岗前培训等，大大提高了院职工的专业技术水平，增强了员工的团队合作精神。完成了在职职工工资套改、工资补发、薪级工资晋升、奖金预发等工作，提高了职工满意度。

与中国传媒大学、浙江传媒学院签订合作协议，分别设立中广电奖学金和中广电奖学奖教金。

6.信息化建设取得新突破

2007年，修订并颁布了《信息化建设规划纲要（2006–2010)》，投入30余万元建立了综合办公信息管理系统，软件系统涉及企业门户、综合办公、人事管理、市场管理和档案管理，提高了办公效率、信息共享和领导决策力，为设计院向现代企业迈进发挥了重要作用。

二、积极履行企业公民责任，服务广电，服务社会

1.积极投身广电重点工程

设计院"中央电视台新台址工程、东南工程、奥运场馆工程、村村通工程、CMMB工程"已成为设计院服务广电事业建设的五大项目。

2.热心社会公益事业

设计院始终热心于社会公益事业，为贫困地区提供社会人道服务。2007年，在"送温暖、献爱心"无偿捐助活动中，全院捐款人数共计138人、金额总计3500元；捐物19人、合计117件过冬衣物。设计院承担了河北涉县广电中心的对口支援和北京怀柔庙上村的定点科技扶贫工作，特别是为涉县广电中心提供免费技术支持，为怀柔区九度和镇庙上村解决有线电视收视、开通党建频道等实际问题提供帮助，做出了积极的贡献。

三、加强管理，全面创新，努力建设成为中国最具专业特色的设计研究院

1.深化内部改革，推进体制机制创新

2007年，设计院立足实际，创新企业管理模式，推进体制机制创新，转换机制，实施院所两级经营，各部门独立核算，形成了自己独特的利益格局。坚持目标管理和360度综合考核的基本方法，细化院的各项规章制度，实现了企业规范化管理。设计院从业务转型、技术转型、组织和人力资源转型入手，以企业文化、精确管理、信息化支撑和战略管控为手段，全面推动企业战略目标实现。

2.弘扬企业文化，建设和谐企业

2007年，设计院通过计算机网络、出版刊物、宣传橱窗、宣传册、音像片、论文集、作品集，逐步形成具有设计研究院特点的品牌和企业文化宣传，树立了组织形象。

设计院始终注重以人为本，落实群众关心且亟待解决的问题，2007年，投入一千多万元实施了办公楼加层加固改造工程。积极推进职工代表大会和院务公开制度建设。加强党风廉政建设，努力构筑教育、制度、监督并重的惩治和预防腐败体现，全面推进廉洁自律、查处案件等工作。强化审计监督，促进了企业经济活动的规范有效进行。

（中广电设计研究院）

广播电视监测中心概况

2007年，监测中心以确保"十七大"广播电视安全播出为核心，紧紧围绕党的广播影视工作大局和广播电视监测中心任务，适应广播电视监测事业发展和确保广播电视安全播出服务的要求，全面贯彻"全方位、全业务、全频段、全天候"的广播电视监测工作总方针，推进"西新四期"建设，不断拓展监测业务，积极推动广播电视监测事业发展，全面提升监测工作服务能力与水平，圆满地完成了广播电视监测业务、遥控站点技术维护、业务培训、标准制定、台站管理和事业管理等工作。

一、以"十七大"安全播出为主线，努力做好全年的监测工作。

按照中央对"十七大"期间广播电视安全播出工作提出的"两个确保"的目标，高度重视，全面启动应急预案，加强值班，严阵以待，加强对设备的运行维护，重点加强对卫星和有线广播电视以及实验效果监测，全面加强安全播出管理，为确保党的"十七大"安全播出做出了应有的贡献。

1.中央台对内、国际台对外广播质量监测情况。全年共监测中央台对内、国际台对外广播质量161.93万频时、发现重大异态615次，累计时间158小时39分钟34秒。

2.中央台对内、国际台对外广播效果监测情况。对中央台、国际台各种短波频率和调频广播频率进行了251.52万频时的效果收测。通过对一座海外直属发射台和9座海外转播台每天播出的57个频率、94个频时的广播质量进行监测。全年共发现重大异态115次，累计107小时30分钟。

3.卫星广播电视监测任务完成情况。监测7颗卫星，202套节目（共248路节目信号）。全年共监测194.66万频道小时，发现播出异态7942频次，共计952小时46分52秒。

4.有线电视监测任务完成情况。全年共监测31个省、直辖市、自治区的325个地级以上城市333个有线前端播出的1527套有线电视节目（共计13068频道），总计监测5834.16万小时，发现异态累计时间1.56万小时。

5.地方台中波"三满"播出监测情况。全国广播监测网共监测226个中波台、797部发射机，总播音时间412.51万小时，累计发现异态时间4.9万小时，总合格率98.81%。

6.受理投诉情况。接到全国31个省、直辖市、自治区及境外受众投诉53374件，比去年增加了44023件。

二、积极响应总局"转星"的统一部署，做好监测与服务工作。

根据总局的统一部署，成立了监测中心转星工作领导小组，研究制定《全国卫星广播电视转星调整广播电视监测实施方案》，组织监测中心各部门、各单位加强转星期间广播电视安全播出工作，进行了多次应急事件处理流程和应急预案的演练，确保在紧急情况下启动预案进行快速处理，杜绝、防范重大突发事件的发生。确保向总局和有关部门提供准确、及时的监测信息，顺利完成转星期间卫星广播电视监测任务。

三、周密安排，严格管理，强调技术创新，稳步推进工程项目建设。

启动了两座监测台的建设工作，完成了海外监测网一期站点调整，互联网音视频监测系统建设，全国有线广播电视监测网应急查询检索系统建设，完成广播电视监测资源共享系统（一期）专家论证工作，搭建了数字电视监管平台系统。

本着推进技术进步革新的精神，顺利完成“中短波接收天线和遥控接收机设备”、“广播遥控采集站点设备及广播监测车集成”、“广播电视监测车改装与系统集成”的招投标工作。完成了数据处理中心扩容工程、国内数据采集点工程、边境地区广播电视监测系统、海外广播监测网项目、国内广播遥控监测站项目、中短波广播信号跟踪与定位系统项目等项目的可研编制工作。

四、加强科技管理，为广播电视监测事业的持续发展奠定基础。

报送了2006～2007年新增三个行业标准项目《地面数字电视广播监测技术规程》、《有线数字电视网络监测规范》、《监测用广播接收机技术参数与测量方法》的编制计划。

推荐“广播电视监测的语种识别和语音综合处理系统”、“中短波广播综合监测系统”、“广播监测网通信接口协议的研究与应用”三个项目参加本届“王选新闻科学技术奖”的评选。“全国网络化智能广播监测系统”、“广播电视监测网安全管理平台”以及“全国有线广播电视监测网应急查询检索系统”等9个项目参加总局科技创新奖的评选。

继续编辑总局科技委监测专业委和监测中心联合创办的《广播电视监测技术》杂志。

五、加强干部队伍建设、交流与管理工作，深化人事制度改革。

随着监测事业的快速发展，加之监测工作专业性强的特殊性，通过干部调动和加强培训，自己培养了一批技术业务骨干。这一年提出并启动了“培养总工人才计划”，采取异地交流，加强技术队伍的培训与岗位锻炼。目前，已有多个单位的中层干部进行轮岗交流。

（国家广电总局监测中心）

广播电视规划院概况

一、加强党的建设，完善组织机构，为规划院事业发展保驾护航

2007年，召开了第一次党员代表大会，成立了规划院第一届党委、纪委；召开了第一次全院职工代表大会，成立了规划院第一届工会委员会；成立了规划院精神文明委员会和规划院离退休工作领导小组。在院党委的领导下，认真组织广大干部职工学习贯彻十六大以来党的一系列方针政策，十七大召开以后，在院内网上开辟“十七大精神学习园地”交流学习体会，召开不同类型的研讨会，组织全院分层次、分批次学习和领会十七大报告精神。认真实施《党支部建设目标管理工作细则（试行）》和《党支部工作达标检查办法（试行）》，全院87名党员都参加了党员评议。举办了首批入党积极分子培训班。

按照总局直属机关党委《关于开展“下基层、进工厂、看广电”活动》的通知要求，7～9月组织职工分批到青海和新疆艰苦台站考察西新工程；党委纪委对基建项目和仪器设备招标项目进行全程跟踪，保证招标工作的公开、公平、公正；在院内网上开辟专栏刊登反腐倡廉文章，组织党员干部参加总局组织的“激情·奉献”先进事迹报告会等教育活动，不断提高党员干部廉洁从政意识和拒腐防变能力。

重新调整了机构，成立三个管理部门和五个业务部门，在科研管理部和事业发展部的基础上新组建技术管理办公室，并新成立了标准所；成立了院属全资公司——北京广电天地信息咨询有限公司，为现有的广告业务、咨询业务和科技成果的转化搭建了运营平台。

二、围绕中心，服务大局，积极主动地开展业务工作

2007年初，总局张海涛副局长在规划院新一届班子任命会上提出明确要求：要紧紧围绕服务于科技创新和事业发展的大局，积极主动开展工作，为总局工作服务，为科技创新服务，为事业发展服务，要突出规划院的特色，发挥规划院的优势，要重点在标准、规划、检测和信息方面上下工夫，发挥软科学的作用。

2007年，圆满地完成了总局的五项重点工作。第一，为配合总局卫星广播电视转星调整，自筹资金完成了转星操作手册的编制、配合科教片的拍摄和在转星调整前后三个月期间开展网上咨询等技术咨询工作。第二，按照总局全国农村中央广播电视节目无线覆盖工程的总体部署和工程进展，开展了发射机设备生产过程的监造，高质量完成技术监督组工作。第三，为推动我国地面数字电视国家标准的应用，完成了地面数字电视推广应用的技术准备工作，包括技术试验测试、配套标准制定和频率规划三个方面的工作，确保了2008年元旦北京地面数字电视的试验播出。第四，配合总局移动多媒体广播的总体部署，完成了技术系统评估、系统和设备的测试、北京试验网测试、室内覆盖技术试验、35个城市频率规划工作和标准宣贯工作。第五，根据总局直播卫星工作计划安排，配合总局完成直播卫星数字广播电视系统（ABS-S）信道和信源的测试工作。

2007年，结合有线数字电视整体转换及网络双向化改造的需要，自筹资金启动了有线电视双向接入新技术研究工作；根据科技司的要求，参加了电台电视台数字化网络化专项工作，与其他单位共同编写07版的广播电视台数字化网络化白皮书，参加了总局试验基地和示范基地的评定等一系列工作；完成了《广播与电视技术》期刊全面改版；密切关注国内外发展动向，及时更新维护《广播影视信息平台建设》系统，为总局和行业提供广播影视技术信息咨询服务。

在2007年BIRTV展览会上，全面系统地展示了规划院广播电视技术实力和成果，同时举办了以广播电视数字化为中心的报告和座谈会等技术交流活动。

2007年，全院的财务工作方面加强预算管理工作；顺利平稳地完成了发改中心从规划院划转资产的工作；对财务管理制度进行制订、修订工作；根据国家的财政方针政策要求，加强了财务部内部工作流程的控制程序；按照总局的部署，圆满地完成了资产清查工作；配合科研工作进度，开展政府采购工作，并圆满地完成了电磁兼容实验室的基建建设任务。

三、团结合作，优势互补，工作全面协调共同发展

加强了和总局各司局的合作。科技司和计财司在科技和经费方面给了规划院大力支持；总局无线局、监测中心、中央三台等主要牵头承担了规划院开展的许多项目；我们与广科院和设计院的合作也得到了加强，特别是和广科院的合作，由于历史的渊源，两院的技术队伍和体制基本相似，虽有分工，但难免有业务重叠的方面，2007年，两院在竞争中共同进步。

加强了与行业和产业间的合作。为各地地面数字电视、有线数字电视、广播电视台的数字化网络化提供技术咨询和技术测试得到了广泛认同；联合相关企业，完成了地面数字电视和移动多媒体广播测试仪器的开发，刚开发的测试仪器在地面数字电视和移动多媒体广播技术试验的测试工作中就发挥了重要作用。地面数字电视和移动多媒体广播测试仪器得到总局和行业的广泛关注，已列入院广电天地公司2008年的重点开发的项目之一。

各部门间的合作得到有效的加强。综合办公室、财务部和技术管理办公室充分发挥其职能作用，积极配合业务工作。地面数字电视试验在工作最紧张的时候，有线所、中心所都派出了技术骨干给予支持，移动多媒体广播也是几个业务所合作完成，信息所也围绕院中心工作，积极协助开展工作，组织技术交流、开展针对性的信息研究等。

2007年，按照总局的要求平稳完成了老302小区的配售住房工作；根据人教司的要求，完成了工资套改工作；按照总局精神文明委的要求，组织开展各项有益职工身心健康的活动，关心老干部生活、组织形式多样的老干部活动；通过互联网和总局值班日报等多种方式，开展多种渠道的对内对外宣传，扩大了规划院知名度和影响力。

2007年，规划院在各方面工作中取得了丰硕的成果，在多个方面都获得了多项奖励：

六项集体奖：无线研究所获得全国广播影视系统先进集体和总局“巾帼建功文明岗”先进集体；信息研究所获得全国“巾帼建功文明岗”先进集体；院工会获得总局运动会优秀组织奖；院工会妇工委获得总局工会“三八”好活动优秀奖；院党委获得总局“最佳党日”评比二等奖。

个人奖有16个项目和50人次获奖，广电总局十七大安全播出先进个人二等功1人，三等功1人；2007年度全国广播影视系统优秀科技论文一等奖3项，二等奖3项，三等奖4项；2006年度总局科技创新奖：二等奖1项；第三届中国影视学会技术学会科学技术奖一等奖1项，二等奖1项；第三届“王选新闻科学技术奖”二等奖1项，三等奖1项；中直机关“奥运平安行”演讲比赛二等奖1项，这个项目同时获得总局“奥运平安行”演讲比赛第8名。

（国家广电总局规划院）

中国有线电视网络有限公司概况

一、基本情况

中国有线电视网络有限公司（简称中国有线）成立于2001年12月。2004年引入战略投资重组，现股东为广播影视信息网络中心、中央电视台、中央人民广播电台、中国国际广播电台和中国电子信息产业集团公司。2005年7月，广电总局党组决定，将广播影视信息网络中心和中国有线整建制划转中央电视台。公司董事长赵化勇，总经理沈向军。

中国有线拥有4万多公里的国家广播电视光缆干线网，联通全国300多万公里的省、市有线电视网，连接了1亿多有线电视用户，负责国家重大活动电视信号传送的重要保障任务，承担着中央电视台13套电视节目全国覆盖传输任务、长城平台22套节目和30个省市新闻回传的节目收集任务。承担着中央人民广播电台和中国国际广播电台节目共13套广播节目的全国覆盖传输任务。为国家广电总局监测中心、监管中心、无线局和指挥调度中心等提供联通30个省市广播电视机构的网络传输服务。为中数传媒、鼎视传媒、文广互动和中影集团等集成平台提供52套数字付费电视节目的传输服务，并为旅游卫视、凤凰卫视、中华卫视、华风气象等频道运营商提供长期视频传送服务。每年为各省广电机构提供直播、体育赛事、新闻素材等近2200小时的临时节目传送服务。此外还承接来自中办机要局、中国教育科研网、中国传媒大学和沪深股票交易所等单位的业务。目前，共开通了33项465条各类业务。

中国有线是全国唯一的专业级跨区域广播电视光缆传输运营商，为广播电视节目进入千家万户发挥着广电网络传输主渠道的作用。目前，公司主要开展广播电视节目传输、带宽批发、内容托管、虚拟专网（VPN）、数字媒体内容分发等业务。

中国有线下设综合办公室、人力资源部、财务部、投资融资管理部、资产管理部、业务规划部、技术规划部、市场部、用户网业务部、安全运行中心、工程维护部等11个部门。中国有线整合重组海南省有线电视网络，并设立海南分公司。

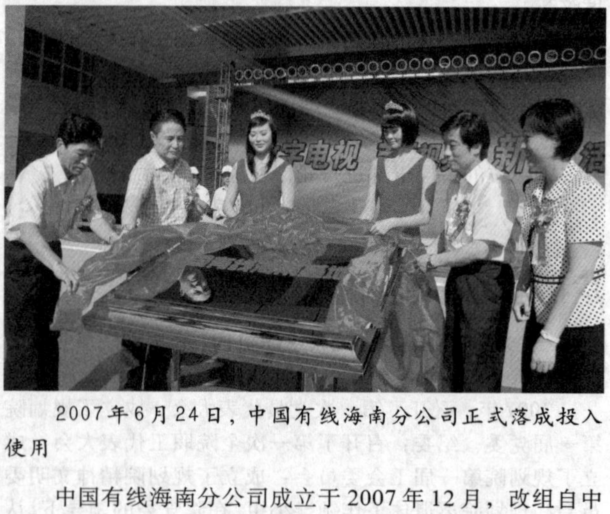

2007年6月24日，中国有线海南分公司正式落成投入使用

中国有线海南分公司成立于2007年12月，改组自中国有线在海南全资并购的海南广电有线网络有限公司，是海南省唯一具有有线电视经营权、收费权、建设权和管理

权的企业。中国有线海南分公司下设海口、三亚等18家市县分公司，截止到2007年底，在海南全省拥有有线电视用户83万户。中国有线对海南有线电视网络的整合重组，为构建从节目源到终端用户的完整产业链作出了有效探索。

中国有线海南分公司根据海南有线电视业务发展和网络改造的需要，投资建设海南有线电视干线光缆和支干线光缆，实施用户分配网的数字化改造。目前，已经完成了海南3纵2横主干线和支干线光缆的建设，连接全省18个市县，连通346个乡镇农场，覆盖有线电视用户100万。光缆干线上建设完成了2.5G光传输系统，并实现了与国家广电光缆干线网的互联互通。

中国有线海南分公司依托中国有线贯通全国的网络优势和中央电视台的节目资源优势，按照“全双向、全业务”模式发展数字电视，为海南全省人民提供多元化、多层次、全方位、个性化的有线数字电视服务，使有线数字电视成为百姓家中沟通社会、生活娱乐的多功能信息平台。

海南有线数字电视整体转换项目是海南省重点项目，得到中央电视台及海南省各级政府和有关部门的高度重视。中国有线海南分公司作为项目承担单位，积极稳妥推进数字电视整体转换，搭建了EPG、NVOD、CA等业务运营支撑平台，开发了天气预报软件和新华社信息接收系统，构建了中央平台与海南分平台业务传输通道，编制规范了机顶盒、遥控器的操作界面和功能。目前已完成海南全省城镇居民50万户数字电视整体转换，2008年底前将完成全省有线电视用户的数字化整体转换。

中国有线借助海南有线数字电视整体转换项目，积极探索数字电视增值业务新模式，引进专业付费频道共33套，开设“精彩回放”、“文化共享”两个影厅，并提供本地化信息服务。以视频点播、互联网接入和节目互动为代表的双向增值业务也已正式投入运营。

二、安全传输与经营情况

2007年，公司不断完善国家干线网运行维护体系，圆满完成了各项安全播出和业务传输任务，同时加大网络整合力度，扎实推进海南数字电视整体转换，全方位开展市场立体营销，超额完成了台下达的任务指标，实现中国有线划转中央电视台以来两年收入翻一番。

（一）强化政治意识，确保节目安全传输

2007年，公司坚持“安全播出是生命线”的基本原则，圆满完成了“元旦”、“春节”、“五一”、“十一”的节目保障任务，以及“十七大”、“两会”、“长春亚冬会”、“第七届全国残运会”、“香港回归10周年活动”、“内蒙古自治区成立60周年大庆”、“海南博鳌论坛”、“武汉城运会”等专项现场保障任务，同时，完成两会新闻信号传送、北戴河重要政治新闻素材、南宁“东盟首脑会议”等重大业务素材传送保障任务，没有发生责任性事故。

2007年，国家干线网共运行30项399条业务。广电总局、CCTV-1节目流、CCTV-3节目流、中央人民广播电台、呼市地球站、付费电视、长城平台、国际台、监测网、机要局等主要安全播出业务运行情况良好。

（二）创新管理模式，提高线路维护质量

2007年，公司以实施国家630工程、总局安全播出工程和完成党的“十七大”等重要保障任务为契机，创新管理模式，强调“过程管理”，对国干网线路、机房维护情况进行不定期检查，加强现场维护的管理和监督力度，强化对代维工作的日常考核，推动例行维护工作的周期化、制度化。同时，狠抓巡线制度的落实，做好施工盯防，有效地降低了施工阻断指标。2007年，公司以“线路维护社会化、设备维护专业化”为指导原则，将系统内维护向社会维护转移，推进线路维护社会化进程，成熟一段转变一段，逐步调整公司的维护系统结构，进一步提高广电系统内维护工作的社会化意识，从根本上提升了国干网的维护质量和网络运行安全系数。

（三）努力拓展市场，超额完成任务指标

2007年，公司主营业务快速增长，市场拓展实现新突破，超额完成了中央电视台下达的1.8亿元年度经营指标，实际收入达到2.05亿元，比上年同期增加了5393万元，增长幅度为35.72%。年度净利润较上年减亏4263万元。

年初，公司将经营业务工作一分为三，改变了原来单一部门抓市场的经营模式，在稳固提升传统业务收入的同时，主动出击，以客户为导向，以服务为宗旨，全面落实项目负责制，加大催缴欠款力度，使销售工作综合指标得到全面提升，数据业务收入达到1956万元，占公司总收入的9.5%，较2006年增加了5.4倍。

2007年，公司开展了人力资源专项工作，初步建立了以业绩为导向的绩效考核激励机制；同时，开展“开源节流”专项工作，清退了部分公务用车，理顺了通讯费补贴办法，达到了节约增效的目的。通过一年的努力，各部门更加注重内部挖潜，成本意识得到普遍加强，预算执行情况和收支不均衡等问题均得到明显改善。

（四）树立整合标杆，扎实推进海南项目

2007年，海南数字电视整体转换进展顺利。3月份，开始全省示范小区转换，6月份，海南数字电视运营平台正式开通，9月份，完成了海南数字电视运营平台中13个子系统的初验测试工作。2007年底，共完成50万用户整转，开通了数字电视、数据广播、电子节目指南、NVOD等业务，并自2008年1月1日起，开始执行新的数字电视基本收视费标准。

为实现全网全双向的目标，公司从9月份开始启动海南有线电视双向网改造试点工程。截至2007年底，已在海口市和三亚市分别完成103个和34个光节点、约6万户的双向改造任务，并开通了数字电视、增值互动、VOD等业务。双向整转试点工程不仅在技术上验证了设计方案，为大规模改造实施积累了经验，还对业务模式进行了有效探索。目前，中国有线增值业务推广模式已构建成型，全程全网的有线电视运营局面初具形态。

（中国有线电视网络有限公司）

中国广播电视国际经济技术合作总公司概况

中国广播电视国际经济技术合作总公司（简称：中广国际总公司，英文缩写：CRTV）共有员工165人，具有机电设备安装工程专业承包一级资质证书和建筑工程甲级、电子通信广电行业广电类和电子工程类甲级设计资质证书，通过了ISO9001标准质量体系国内认证和国际认证。

四十年多来，中广国际总公司在国内外完成了近千项广播电视工程的建设，在亚洲、非洲、拉丁美洲和欧洲等50多个国家和地区承建了广播电视发射台、广播电视中心、卫星广播电视地面站等，还承担过大量的会议中心、体育场馆等大型建筑设施的扩声、同声传译、有线电视传输、广播电视转播系统、舞台设备和灯光系统的设计、安装和调试等工程项目。

中广国际总公司与国内外主要广播电视设备生产厂商建立了长期的业务联系，与国内各省(市)广播影视局、广播电台、电视台和网络传输运营机构保持着良好的合作关系，为国内广播电视系统进口了大量成套设备，在专业进口市场上占有相当的份额。出口产品远销欧洲、非洲和亚洲等国家。内贸亦具相当规模。

中广国际总公司在中央电视台的领导下，每年承办一次亚洲广播电视行业规模和影响最大的国际性展览会——北京国际广播电影电视设备展览会(BIRTV)，在世界同类展览会中排名第三。同时中广国际总公司还在国内外举办了多种促销会、中小型展览会以及国际广播电视技术交流和学术研讨活动，并派遣广播电视专业技术人员赴境外考察、参展、设备验收和技术培训。

作为中广国际总公司的全资子公司，中广国际建筑设计研究院是目前我国广电行业内仅有的两家甲级设计研究机构之一，在全国广播电影电视工程建设领域，完成了150多项大中型工程项目，在功能、造型、结构、声学、灯光、环境、节能、消防和弱电等方面均达到专业级的设计水平，在国内外享有良好的声誉。

中广国际总公司仓储业务担负着国家广播电影电视总局建设物资的调拨和储运任务。随着国家对外开放，业务范围和形式也在与时俱进，向市场和社会提供优质的仓储物流服务。

中广国际总公司还在阿尔巴尼亚等国家开办了独资企业或代表机构，正朝着国际化、集团化的方向发展。

（中国广播电视国际经济技术合作总公司）

国家广电总局科学技术委员会概况

一、深入组织专题调研、论证，充分发挥决策咨询作用

针对广播影视科技发展中的基础性、全局性、前瞻性的重大问题，科技委和各专业委员会积极组织调研和技术论证，在此基础上集思广益，共向总局科技委年会提交了4份建议书（草案）、2份报告书（草案）和4份建议（草案）。

科技委继续牵头组织了“数字广播影视新技术发展动态分析”软课题研究项目，以高清晰度电视、模拟地面电视向数字电视转换、数字电影为重点，2007年共编辑出版了3期《广播影视科技参考》，供总局领导和相关职能司局及时了解国内、外广播影视及相关行业高新技术发展动向，受到了领导的好评。2007年8月9日，科技委组织了“600kW全固态中波广播发射机国产化技术方案论证会”；10月29日组织了“全国互联网视听节目监管系统技术方案专家咨询会”。每次会议都经过了认真、充分的讨论，最终形成了专家意见。并于会后将意见上报总局，起到了决策咨询与参谋作用。

广播专业委员会向总局科技委提交了《关于加强录音制品数字版权管理技术研究的建议》建议书（草案），以及《广播电台数字化、网络化模式的研究与思考》和《音频制播网和互联网之间安全、高效信息交换的研究》2份报告书（草案），并组织修改了《国家广电总局广播节目技术质量奖（金鹿奖）奖励实施办法》。

电视专业委员会主要工作有：(1) 继续参与中央电视台牵头组织的“高清晰度电视节目试行字幕制作和播出分离的研究”，从技术上为节目交换和再利用创造条件，并探索字幕应用规范与标准。(2) 继续做好确保广播电视信息安全和播出安全的研究，开展了两方面工作：一是研究影响广播信息通道安全管理方面的问题，目前广播电视信息安全评价体系基本框架形成，已进入抽样数据收集阶段；二是研究在数字化、网络化环境下影响广播电视信息安全通道的因素，重点从技术层面研究提出可行性解决方案。(3) 继续开展了广播电视数字版权管理的研究，8月底在北京召开了第十六次中国广播影视数字版权管理论坛大会。2007年底，在调研、论证取得成果的基础上，向总局科技委提出了《关于建立电视台数字化、网络化制播环境下的技术质量控制体系》建议（草案）。

无线专业委员会通过认真调研和广泛讨论，向科技委提交了《关于开展我国地面数字电视频率规划的建议》、《关于完善中波同步广播设备技术要求，确保中波同步广播网安全运行的建议》和《关于2008年对外短波广播开播DRM节目的建议》等3项建议书（草案）。

监测专业委员会积极参加广播电视监测领域的一些重要规划、重大项目、重要决策的咨询活动：(1) 继续完成《全国广播电视监测网“十一五”发展规划和2020年远景目标》的编制工作；(2) 积极参加广播电视监测中心“十一五”事业发展建设规划、“西新四期”、“安全播出保障工程”、“东南工程”和“走出去工程”等专项规划的讨论和编制工作；(3) 继续跟踪“中、短波广播信号跟踪与定位系统”工程，同时继续参与广播电视监测信息平台、广播电视监测网安全体系、中短波广播智能监测系统以及卫星电视信号安全预警系统的技术咨询工作；(4) 参与了总局的“广播电视信息安全保障评价指标体系试点工作”。向科技委年会提交了《广播电视监测网络安全策略研究》、《语种识别和语音综合处理技术应用研究》和《下一代广播电视遥控监测系统研究》等3项建议（草案）。

战略专业委员会承担的《下一代通信技术和计算机技术对广播电视发展的影响》项目于2007年5月通过了广电总局科技司组织的项目验收，并于2007年11月获得了中国新闻技术工作者联合会颁发的第三届“王选新闻科学技术奖”一等奖。同时，承担的“无线移动技术及应用调研”和“高清晰度电视发展战略和产业链的研究”调研项目已完成主要研究工作，准备申请项目验收。

二、积极开展学术交流，营造良好学术氛围

2007年3月和8月分别组织科技委的特邀高级顾问（院士）和特邀委员参观“2007年中国国际广播电视信息网络展览会”（CCBN 2007）和“第十六届北京国际广播电影电视设备展览会”（BIRTV 2007）。专家们参观了台内制播数字奥运、有线数字电视、数字新媒体、移动多媒体广播、村村通等展区，观看了移动多媒体广播、有线电视双向交互业务、高清晰度电视等功能演示，听取了广电数字化、网络化发展及设备国产化的情况介绍。两院院士对总局近年的科技创新工作给予了高度评价。

专业委员会学术交流成效显著，营造了良好的学术氛围。广播专业委员会与上海文广新闻传媒集团技术运营中心联合举办了“广播电台新技术应用研讨会”；电视专业委员会积极跟踪数字技术发展动态，组织开展多种形式的新技术、新产品交流活动，加强与企业间的信息沟通，提高对技术发展的洞察力，进一步开拓了工作思路；电影专业委员会在京举办了“电影数字制作技术国际研讨会”，探讨新技术对电影制作发展的影响；战略专业委员会组织召开了“第七届全国互联网与音视频广播发展研讨会”(NWC2007)。在CCBN 2007展览会期间，电视专业委员会、广播专业委员会分别举办了2006年度“金帆奖”精品节目观摩与技术交流活动和广播节目技术质量奖获奖节目听评与技术交流会。

三、继续加强高新技术培训，提高科技决策咨询水平

2007年总局科技委继续抓好广播影视高新技术培训工作，分别在北京、江西庐山举办了“广播影视科技发展战略与现代管理”与“地面数字电视与移动多媒体广播”两期广播影视高新技术培训班，共培训科技委委员、专业委委员及其他技术领导约260人。总局副局长、科技委主任张海涛同志还以“广播影视科技创新的主要思路和重点工作”为题亲自为培训班授课。为办好两期培训班，科技委秘书处组织编印了《广播影视高新技术培训讲义（十）》。

四、不断改进科技评奖工作，促进科技人才队伍建设

2007年科技委组织完成了第三次“全国广播影视系统优秀科技论文评选”。本年度科技论文评奖共收到全国27个省（市、自治区）、计划单列市和17个总局直属单位上报的论文286篇，比前两次参评论文数量明显增多。经资格审查、专家初评和终评，共评出105篇获奖论文，其中一等奖7篇、二等奖29篇、三等奖69篇。

受总局科技司委托，广播专业委员会、电视专业委员会分别组织完成了2007年度总局广播节目技术质量奖(“金鹿奖”)和2006年度电视节目技术质量奖（“金帆奖”）评审工作。

五、精心筹备、组织科技委年会，认真做好科技委换届工作

2007年1月14日，在深圳组织了总局科技委七届四次会议，全面回顾和总结了2006年广播影视科技和事业工作，重点分析了当前面临的形势，阐述了2007年的工作思路和主要任务，对科技委的工作提出了明确要求。代表们实地参观、考察了深圳广电集团和深圳有线数字电视系统。会议讨论、审议了各专业委提交的建议书（草案）、报告书（草案）和建议（草案），颁发了2005年度总局科技创新奖和2005年度、2006年度全国广播影视系统优秀科技论文奖。

2007年是总局科技委员换届年，经广泛征求意见、多次修改，科技委提出了2007年科技委换届工作方案及委员名额分配方案，本着“开放、贴近、年轻化和专业化”的原则，组织了委员人选的推荐、审查、报批工作。经过充分酝酿、协商，广泛征求意见，提出了第八届科技委员会组成人员人选，顺利完成了换届的筹备工作，为新一届科技委工作打下了良好的组织基础。

此外，科技委还编印《科技委简报》12期，编辑出版了《国家广电总局科技委员会文件汇编》第23卷，组织了“2007年全国广播影视系统科技委秘书工作座谈会”，并编印了《全国广播影视系统科技委秘书工作交流材料》。

（国家广电总局科技委员会）

中国广播电视协会概况

2007年是中国广播电视协会向行业社团方向探索改革，稳步前进的一年。按照王太华同志提出的中广协会“要发挥党和政府联系广大广电工作者桥梁纽带的作用、发挥广电行业和从业人员自教自律组织的作用、发挥依法维护广电行业和从业人员合法权益的作用和发挥广电学术理论研究阵地的作用”等四个方面的要求，协会努力开拓，行业组织的特殊作用进一步显现。

一、多渠道宣传推广自律维权工作

按照《国家“十一五”时期文化发展纲要》精神，协会把自律维权定位为基本职能工作之一，通过召开文化产业系统协会学习《纲要》座谈会，举办“职能转变培训研讨班”，建立协会维权工作专家顾问团队，组织编写《中国广播电视行业自律与维权报告书》等，不断强化对协会新的性质、职能、任务、作用的认识，促进转变观念意识。这些以及相继开展的树立、践行社会主义荣辱观学习研讨活动、《广播电视节目准则》研讨制定过程等，都为广播电视行业自律意识的提升营造了良好的氛围，为行业自律工作制度化和长效机制的建立奠定了基础。

2007年，电视经济、电视文艺、电视体育、电视评论、电视外宣、电视美术、电视受众、广播文艺、对农广播、理论广播、军事电视、高塔等专业委员会先后制订和公布了本领域的自律公约；自律维权部还与央视青少中心共同完成了《从事未成年人电视宣传工作自律公约》的宣传推广工作。

在协会工作的影响下，湖北、山东、河北、甘肃、四川、河南、重庆、内蒙古、北京等开办健康节目的电视台主动制订了相关自律公约。甘肃省协会召开广播电视广告从业人员自律学习座谈会，发起了广告从业人员自律倡议书；湖南省协会制订了《湖南省广播电视新闻从业人员抵制虚假新闻自律公约》；西藏协会协助区广电局制订了《舆论监督准则》及《六个不准和二十六个问题》、《关于在全区广播电视从业人员中开展防范虚假新闻的通知》等；福建省协会制订了《福建省广播电视从业人员自律公约》。近三年，全国半数以上的省级学会更名为“协会”，自律维权工作越来越受到各地协会和专业委员会的重视，有的已经产生了良好的效果。

二、进一步扩大学术理论研究工作的影响

2007年学术理论研究工作十分活跃，与中心工作贴得更紧，与实践结合得更为密切。按照《2003～2007年广播电视理论研究纲要》的规划，出版了《中国电视史》等重要著作。完成第五届全国广播电视学术著作评选、第三届“十佳百优”广播电视理论人才评选活动。先后完成《宣传创新指导思想与方法》、《受众市场调查公司现状研究及发展对策》等立项课题，编制完成《中广协会2007～2010年发展规划》。“中国广播电视节目评估体系”课题稳步推进，组织召开“主体评估子课题研究报告（初稿）论证会”、“主体评估与客体评估指标方案协调会"等。特别是产生了《中国有线电视网络企业成本核算体系研究报告》等一批紧密联系广播电视改革发展需要的扎实的调研报告，受到有关方面的高度评价。

2007年，学术部先后组织召开了2007年度全国广播电视学术年会、中广协会课题成果推广报告会、"泰祥杯"广播电视征文活动；组织编写《媒体经营与文化传播》、《媒介影响及控制》、《品牌打造与节目创新》、《传媒理论先锋》等理论书籍。初步建成了广播电视理论人才库；着手筹建协会中南学术研究基地，并对其他研究基地进行组织改造。响应业界要求，"理论动态"更名为《中国广播电视理论动态》，改版后刊物在内容和形象上有较大提升，进一步体现快速、广泛汇集学术精华的定位，为业界提供了更为优质的理论服务。

三、进一步扩大学刊影响力

2007年10月，《中国广播电视学刊》创刊20周年、出刊200期。学刊编辑部组织了座谈会，王太华同志专门发来贺信。指出，学刊要按照十七大提出的推动社会主义文化大发展大繁荣的要求，围绕广播电视一系列重大而紧迫的课题，组织广播电视战线的广大工作者和理论研究者进行深入研究探讨，探索广播电视的发展规律，切实把握广播电视的新动向、新趋势，为推动我国广播电视大发展大繁荣提供理论支撑和建设性意见，为广播电视服务中国特色社会主义建设、实现中华民族伟大复兴贡献力量。这为学刊点明了当前和今后一个时期的研究工作用力方向和着力点，也是对协会整个学术理论研究工作提出的要求。

2007年，学刊尝试了内部改革，试行了栏目主编负责制，加大了主题策划的力度，推出了一批有影响的论文；还举办了以"和谐社会"、"学习宣传贯彻十七大精神"等为主题的征文和研讨活动。

四、积极开展评优创优工作

2007年是协会的"评奖年"。在中央三台分会、各地协会（学会）和各专业委员会做了大量基础性工作及充分支持下，中国播音主持"金话筒奖"如期举办，评出优秀播音作品、主持作品，优秀广播播音员主持人、电视播音员主持人各10个（人）。并开展了"爱心传播"活动。两年一度的中国广播影视大奖广播电视节目奖评选工作顺利完成，评出124个大奖和477个大奖提名。

协会在总局指导下，不断完善评奖程序，改进评奖方法。2007年，就适当增加奖项数额与缩短新闻评奖周期提出了报告。在各专业委员会布置、开展了创优评析工作，保证了评优工作的连续性，为中国广播影视大奖评出精品提供制度保障。

五、全面扎实地推进协会工作内部刊物

2007年，协会全面加强了政治理论学习，强化组织建设，全面推进工作。先后组织了学习胡锦涛同志在中央党校的讲话、学习贯彻落实党的十七大精神、学习国办《关于加快推进行业协会商会改革和发展的若干意见》以及年度务虚会等一系列会议，提高认识，统一思想，齐心协力推进工作。

2007年5月13日，国务院办公厅颁发《关于加快推进行业协会商会改革和发展的若干意见》（国办发[2007]36号）。文件指出，"行业协会改革与政府职能转变相协调"。"各级人民政府及其部门要进一步转变职能，把适宜于行业协会行使的职能委托或转移给行业协会"。中广协会迅速组织了学习，并提出要从以下三方面切实加强自身建设：一是加强组织建设。二是加强制度建设。三是加强思想作风建设。协会这些认识和意见得到总局领导的高度评价，成为今后一个时期协会推进组织建设的指导思想。

2007年，协会继续建立健全各项规章制度，进行了固定资产清查工作；继续改进、加强对分支机构工作的指导、管理与服务，完成分支机构的更名、换证、换章工作，提高扩大通联工作平台的建设水平。还对已经建成的信息收集、信息发布、电子办公平台进行升级，提升工作效率。

（中国广播电视协会）

中国教育电视台概况

2007年，中国教育电视台以邓小平理论和"三个代表"重要思想为指导，深入贯彻落实科学发展观，牢牢把握十七大优先发展教育、建设人力资源强国和推动社会主义文化大发展大繁荣的战略机遇，坚定不移地继续推进各项改革事业，为教育的改革与发展营造良好的舆论氛围，为构建覆盖全社会的公共教育文化服务体系、建设全民学习终身学习的学习型社会提供有力的媒体支持与平台保障。

一是宣传工作紧密围绕构建社会主义和谐社会的主题，导向正确，质量提高。

2007年以来，根据中宣部、教育部、国家广电总局2007年的宣传工作要点，坚持"三贴近"和"三深入"原则，以全面宣传贯彻中共十六届六中全会和十七大精神为首要任务，突出特色和重点，舆论引导水平进一步提高。先后开设了《共创和谐—和谐校园采访纪行》、《为了太阳下最光辉的职业》、《十七大代表风采录》、《道德模范》、《同在党旗下——高校党建巡礼》和《走向和谐—办好让人民满意的教育》、纪念恢复高考三十周年活动、2006中国教育年度新闻人物评选活动等系列报道。大力做好奥运主题宣传和对孟二冬、方永刚等先进模范人物宣传报道。新闻宣传报道重点在"教育"特色上下工夫，宣传教育战线改革与发展的成就，深入细致地做好教育热点难点问题的宣传解释工作，形成了浓郁的教育特色。

二是顺利完成"转星"工作，为保证十七大安全播出、构建覆盖全社会的公共教育文化服务体系做出贡献。

在教育部党组领导下，全国32个省（区、市、新疆生产建设兵团）和8个相关单位全部完成教育系统、全国远程教育系统、文化系统、军队系统近40万个站点的调整，圆满完成转星调整工作，达到了中央及国家广电总局转星办对全国转星调整工作的统一部署要求，为党的十七大胜利召开提供了媒体播出安全保障，获得广电总局先进集体称号。顺利完成农村党员干部现代远程教育、农村中小学远程教育、"绿网工程"、"蓝网工程"、"文化资源共享工程"等传输任务以及中小学师资和职业教育培训等工作。

三是频道和品牌建设取得新的突破。

2007年，创办了一批符合"三贴近"要求，适应青少年学生及其家长需要，符合办台定位，有广泛社会影响力的教育品牌节目、栏目和大型活动，得到广泛认同。一频道强化"就业、就学"为主的幸福频道定位，《国视资讯》、

《教育人生》、《科学人生》、《西部教育》、《国视导航》、《师说》等节目质量和品牌影响力正在提升，央视2007年度对全国45个上星频道的满意度调查显示，一套从2006年的总体排名第41位提升到第9位。三频道在总局的指导下以教育历史人文传播为主题，努力形成一个有特色的中国教育纪录影视品牌。2007年摄制的《迁徙的人》获得第9届四川金熊猫电视节大奖。《非常24小时》获得“五个一工程”提名奖。《我的太阳》获得2007年第十五届北京电视“春燕”奖，获2007年社会主义新农村建设小康电视节目工程奖。与教育部社科中心联合摄制了专题片《社会主义核心价值体系纵横谈》，在十七大前播出，营造了良好的宣传氛围。

四是关注文化产业的业态创新对教育受众的影响，实现由传统经营向新媒体、多媒体、跨媒体运营的新突破。

在国内主流传媒界率先成立了教育新媒体中心，制定教育新媒体发展规划，提出进军教育新媒体的发展战略和实施路径是：认清阵地，整合资源，借助外力，以点带面，分步推进。创作300集新媒体短剧《先下后上》，获得了国务院新闻办、共青团、中国联通颁发的绿色手机文化建设成就奖；与山西广电网络集团公司建立了“山西数字电视教育信息网”，借助新型数字媒体传播技术及合作各方的优势资源，共同打造新媒体教育服务平台，服务山西教育事业；积极开展“学习超市”的规划和论证工作，明确了“学习超市”教育新媒体平台的概念、内涵、定位、愿景、使命、宗旨、服务人群和目标，确定了学习超市总体架构。

五是强化安全大局意识和制度保障，确保全年播出安全。

2007年，十七大重要安全播出保障期时间长，加上转星任务，安全播出面临新课题、新挑战。广大干部员工克服各种不利条件，通过创造条件，实现武警顺利入驻，严格执行节目编审程序，强化员工的政治意识、责任意识，建立重要安全播出保障期值班制度等，取得了全年电视信号传输畅通，无重大安全责任事故，节目导向正确，覆盖率稳中有升的可喜成就。

六是以事业单位人事制度改革和收入分配制度改革的要求为基础，进一步深化人事制度改革，组织凝聚力显著加强。

以贯彻落实即将实施的《劳动合同法》为契机，进一步规范和完善员工队伍，为促进台的事业健康发展创造了有利条件；2007年2月开始，进行了深化分配制度改革工作，强化了激励机制，加大了激励力度，体现了干部员工岗位贡献程度，打破了内部平均主义，达到了预期效果；采取推荐每周岗位之星、评比岗位工作能手、评选年度有突出贡献的员工等措施，加大对业绩突出的员工的激励力度，促进贡献与利益分配的逐步均衡。

七是坚持抓管理、保安全、促改革、促发展的原则，全力做好管理创新工作，不断提高经营创收能力，完善基础设施建设。

补充完善《中国教育电视台成本核算管理暂行办法》，充分调动全台各部门与全体员工控制成本支出的积极性，全面提高各部门控制成本支出的财务管理能力和资产使用效率。进一步增强广告创收“效率”和广告形象的提高，在“保量提质”的广告经营策略下，实现新一年的经营目标。

（杨春光）

中央广播电视大学概况

中央广播电视大学是教育部直属高等学校，是基于计算机网络、卫星电视网络，运用文字教材、音像教材、多媒体课件、网络课程等多种媒体，面向全国开展现代远程教育的开放大学。

中央电大和全国44所省级电大、956所地（市）级电大分校、1875个县级电大工作站、51665个教学班（点）组成了一个统筹规划、分级管理、分工协作的现代远程教育教学系统。

2007年，经教育部批复、备案，中央电大开放教育本科（专科起点，下同）、专科、教育部“一村一名大学生计划”共开设专业67个，其中开放教育本科（专科起点）专业18个、专科专业34个、教育部“一村一名大学生计划”专业15个。

2007年，经教育部批准，中央电大进行了机构调整，现设有文法学院、经济管理学院、工学院、教育学院、外语学院、农林医药学院等6个学科学院和直属学院、继续教育学院以及西藏学院、八一学院、总参学院、残疾人教育学院，专设中国电视师范学院、中国燎原广播电视学校、中央广播电视中等专业学校。

截止到2007年，中央电大开放教育在校生205.00万人，其中本科72.76万人，专科125.11万人，教育部“一村一名大学生计划”7.13万人。开放教育2007年度招生77.87万人，其中本科24.91万人，专科49.24万人，教育部“一村一名大学生计划”招生3.72万人。毕业生56.56万人，其中本科20.93万人（授予学士学位5709人），专科34.11万人，教育部“一村一名大学生计划”毕业学生1.52万人。

中央电大教职工总数439人，其中专任教师131人（教授、副教授87人）。图书馆藏书7.8万册，电子图书5.9万种。

（中央广播电视大学）

广播电视高等教育概况

中国传媒大学

2007年6月2至3日，中共中国传媒大学第一次代表大会胜利召开，这是学校更名为中国传媒大学后召开的第一次党代会，提出了坚持“以人为本、全面发展、特色发展、创新发展”的四个发展理念，选举产生了新一届党委和纪委。顺利召开了第一届教代会暨第一次工代会，选举产生了新一届教代会执委会及5个工作委员会和新一届工会委员会及3个工作委员会，讨论通过了《中国传媒大学“十一五”发展规划》。学校认真贯彻“以评促建、以评促管、评建结合、重在建设”的方针，提出了“师生为本、学术至上、创新为魂、发展为要”的办学思想、“质量立校、人才强校、科研兴校、特色制胜”的发展战略。顺利通过了教育部组织的本科教学工作水平评估，评估专家组对学校本科教学工作给予了充分的肯定和较高评价。学校在国家“高等学校本科教学质量与教学改革工程”申报中，本年度学校有四门课程入选国家级精品课程；新闻学、播音与主持艺术入选国家级第一类特色专业建设；广播电视新闻学、动画、非通用语人才培养基地语种入选国家级第二类特色专业建设；《电视新闻导论》入选国家级双语教学示范课程建设；传媒艺术人才培养模式创新实验区、动画人才培养模式创新实验区入选国家级人才培养模式创新实验区建设。非通用语种本科人才培养基地顺利通过教育部专家组验收。新闻学、广播电视艺术学、传播学和语言学及应用语言学等4个原有的国家级和北京市重点学科全部通过了教育部和北京市的验收。在此基础上，成功增列传播学为国家重点（培育）学科，并申报增列了新闻传播学为北京市重点一级学科、通信与信息系统为北京市重点二级学科、动画艺术与技术为北京市重点交叉学科。目前，博士学位二级学科授权点已达24个，硕士学位二级学科授权点达48个。"中国语言文学"博士后科研流动站获得批准，博士后科研流动站增至4个，已累计招收博士后研究人员50名。在教育部、国家外国专家局共同组织实施的"高等学校学科创新引智计划"(111计划)第三批建设项目中，学校申报的"数字媒体工程创新引智基地"获得批准。新建了广播产业研究所。在北京国际文化创意产业博览会上，校文化创意产业发展研究中心连续第二年被评为"中国十佳最具投资价值创意产业基地"和"中国最具创意研究中心"。2007年，学校文科协议科研经费2399.36万元，人文社科科研立项92项，其中国家级7项，教育部基地重大项目2项，省部级29项；发表论文597篇，其中CSSCI78篇，获省部级科研奖8项。此外，在中国广播电视学会评奖中，有6部成果获奖，7人获得中国广播电视协会第三届"十佳百优广播电视理论工作者"称号（十佳1人，百优6人）；北京市双十佳称号1人。理工科科研立项64项，协议金额869万元，其中国家自然科学基金项目1项（合作研究4项），教育部重点科技项目2项；共完成各类理工科科研成果49项，其中发表在SCI和EI检索刊物上的学术论文共有18篇。建立了北京中关村开放实验室——数字音视频技术中心，实现了优势学科融入中关村创新体系建设。

2007年，学校录取本科生2193人，其中普通本科招生专业及方向28个，916人；艺术类本科专业19个，809人；非通用语专业9个，202人；第二学士学位班专业2个，66人；新闻学专业大专学历在职人员本科班，200人。此外，高职4个专业，200人。录取全日制硕士生1498人，全日制博士生154人；有1088名硕士生、105名博士生通过论文答辩获得学位。

实践教学工作明显加强，广播电视与新媒体实验教学中心入选国家级实验教学示范中心建设，形成了较为完整的实践教学体系，目前共建有校、院两级教学科研实习基地80余个。启动本科生访学项目，遴选出46名本科生赴山东大学学习，并接待了40名来校学习的山东大学本科生。成立了对外汉语教育学院，与加拿大和法国等地共建孔子学院建设取得实质性进展，拓宽了对外合作渠道。国际交流合作持续快速发展，接待了83个国家及地区的1045人次；向22个国家和地区派出团组49个，360人次；共举办5个国际会议（含1个双边会议）；与11个国家的17所大学和机构签署合作协议；聘请长期外籍教师12人。亚洲传媒论坛、中国（北京）国际大学生动画节等国际会议已形成品牌。组织召开了"中国传播学论坛"，这是我国传播学界首次与国际最大的传播学学术组织——国际传播学会合作举办的大型学术会议。年内向英国、新加坡、美国、韩国、日本、西班牙、尼泊尔、以色列、巴西、荷兰、法国、马来西亚、德国、台湾等14个国家和地区23所大学和机构派出学生209人次。召开了中国传媒大学第二届董事会第二次全体会议，与中国电影集团、泰德时代集团、黑龙江广播电视局、吉林广播电影电视局、凤凰卫视、中国国际广播电台等5家单位签署战略合作或共建协议。

（中国传媒大学）

浙江传媒学院

浙江传媒学院是目前全国培养广播影视及其他传媒专门人才的两个主要基地之一。建校以来已经为中央和地方各省、市、自治区电视台、电台，为市、县级的电视台、电台及社会影视制作单位输送了大批专业人才。学院现设有新闻与文化传播学院、影视艺术学院、电子信息学院、动画学院、播音主持艺术学院、管理学院、国际文化传播学院、音乐学院和社科部、公体部等8个二级学院和2个教学部，开设了广播电视新闻学、播音与主持艺术、广播电视编导、广播电视工程等26个本科专业和部分专科专业。经浙江省教育厅批准，学院开设了"3+2"专升本专业，面向浙江省高职高专优秀应届毕业生招生，学制两年，公办标准收费，学生毕业后发全日制普通本科毕业证书，毕业后享受国家普通本科毕业生待遇。

学院目前全日制在校生逾9000人。学校拥有在职在编专任教师495人，正高职称的有42人，副高职称的有127人，有7名教师享受国务院特殊津贴。省151人才工程第二层次培养人选1名，第三层次12人。省高校青年教师资助计划项目人选22人。省第二批宣传文化系统"五个一批"人才1名。省中青年学科带头人6人。目前学校有广播电视艺术学、广播电视新闻学等2个省级重点学科、4个院级重点学科（应用语言学、戏剧戏曲学、广播电视工程学、艺术学（电视节目制作））及"新闻传播研究所"、"节目主持人研究发展中心"等6个校级重点研究所和个人工作室。省级以上研究机构有国家级动画教学研究基地、浙江省传播与文化产业研究中心（省哲社重点研究基地）、浙江广播电视研究院、中广学会媒介素养研究基地、浙江省非物质文化遗产研究基地等5个，形成了相对稳定的、先进的教学和科研人才培养基地。学校创建了首批国家级人才培养模式创新实验区和浙江省人才培养模式创新实验区，目前有省级重点建设专业2个，校级重点专业6个。省级精品课程9门，省级新世纪教改项目10项。省级教学成果奖二等奖1项，省级优秀教材6部。省级教学名师2人，省教坛新秀2人，省级教学团队2个。

学校专业特色鲜明。配有先进的教学实验设备，现有虚拟演播实验室、非编实验室、音视频综合实验室、MIDI制作实验室等50多个实验室。目前学院单价在800元以上的教学仪器设备总值近亿元。已建成使用的22层演播大楼投资1.3亿元，总建筑面积3万多平方米，有1200平方米、400平方米、300平方米、200平方米等各种规格演播厅17个，是集教学、科研、社会服务三大功能于一体的广播电视节目生产基地。学院图书馆建筑面积2.2万平方米，各类文献馆藏量为65万册，其中音像资料近2万件，已成为我国区域性广播影视资料中心。

近年来，学校按照中共浙江省委关于加快建设文化大省的决定，确立了产学研一体化战略目标，通过对外合作、扩大开放，采取了一系列措施，加快实践步伐，努力提高社会服务能力。学校深入开展与省广电集团的合作。建立市场化运作机制，成立了浙广传媒有限公司。成立了浙江传媒学院实验艺术剧院。努力攻关广电科技研发项目。积极参与动漫产业。与杭州经济技术开发区合作携手打造传媒文化创意产业园。学院坚持开放办学，拓展国际交流合作空间，先后与英国考文垂大学、德国敏斯特大学、新西兰南海影视学校、澳大利亚维多利亚艺术学院、美国密歇根州立大学、美国德克森大学、美国波士顿大学、新加坡特许科技学院等多所大学建立了友好合作关系。

（浙江传媒学院）

广播电影电视管理干部学院

广播电影电视管理干部学院是国内最早独立设置的广播影视类院校，由国家广播电视总局与山西省人民政府共建。学院面向全国招生，目前在校生4000人；拥有以全国高职高专评估专家、国家级精品课程评审专家、全国高职高专广播影视类专业教学指导委员会主任委员为龙头，以优秀中青年专业带头人和骨干教师为核心，以“双师型”教师为主体的特色鲜明的教师队伍。

学院设有制作系、艺术设计系、动画系、编播系、传媒管理系、基础部和影视制作中心、影视信息中心等八个教学机构，开设了电视摄像、影视广告、影视动画、主持与播音、广播电视网络技术等22个专业及专业方向。毕业生分布在中央人民广播电台、中国国际广播电台、中央电视台及全国各省、市、自治区广播电台、电视台等单位，且多数已成为本行业的骨干。

学院现有较完备的教学设施和功能齐全的教学实训基地，教学仪器设备总价值6000多万元，生均1.5万余元。同时在全国的电台、电视台建立了100余个校外实训基地，其中与cctv-5、黄河电视台等建立了长期战略合作伙伴关系。学院建有近万平米的图书馆，藏书40多万册，其中，影像资料15万余盘（盒）。学院近年来创作影视作品600余部（集），大多数已在中央电视台及省市电视台播出。其中，多部作品在国际国内获得大奖。

学院以“团结、求实、严谨、创新”的校训和“发展、福利，工作、身体，做人、求知”十二字方针为学院的管理理念指导各项工作，坚持“解放思想，深化改革，稳步发展，办出特色”的办学方针，大力开展“育人工程”、“读书工程”、“形象工程”和“环境工程”，形成了良好的育人氛围。近年来，学院先后获得“山西省劳动模范单位”、“全国繁荣发展动画事业特别荣誉奖”、“太原市文明单位标兵”、“山西省文明单位”、“山西省民主管理先进学校”、“高职高专院校人才培养优秀单位”和教育部“依法治校示范校”等荣誉称号。

2007年，学院在省委省政府和省教育厅的正确领导下，在学院党委的带领下，全体教职员工深入学习贯彻党的十七大精神，坚持科学发展观，以提升办学层次、提高教学质量为目标，同心同德，开拓创新，圆满完成了年度工作计划，取得了好的成绩。

（广播电影电视管理干部学院）

地方概 况

北京市广播电视概况

一、基本情况

2007年，北京市拥有市级广播电台和电视台各1座，区县级播出机构10个，广播影视制作经营机构发展到570家，从业人员1.47万人，资产总额245亿元。

北京人民广播电台办有8套无线广播节目，日播出162小时，开办移动多媒体广播（DAB）播出16套广播节目和6套电视节目。北京电视台办有11套电视节目，日播出236小时。北广传媒集团办有1套移动电视节目，日播出17小时；办有数字电视付费频道22个，每个频道每日24小时循环播出；付费频道落地城市92座。

全市广播电视有线传输网集成数字广播电视节目67套，网络总长126188公里，其中光缆19674公里，电缆106514公里；收视用户（注册）总户数345万户，其中新增数字化转换（机顶盒用户）80万户，总计达120.2万户。

二、宣传工作情况

1.圆满完成十七大等各项重大宣传报道任务。2007年，全市各媒体紧紧围绕构建和谐社会和“新北京、新奥运” 战略构想，以新闻、专题、评论、系列报道和文艺节目为主要形式，圆满完成党的十七大、全国和北京市 “两会”、庆祝香港回归10周年、纪念建军80周年等重大宣传报道任务，全年宣传热点不断、高潮迭起。北京电台和北京电视台等媒体创新运用生动活泼的报道方式，推出《科学发展新北京，喜迎党的十七大》、《科学发展，共建和谐》、《解读十七大报告》专题报道和系列报道，效果好、影响大。北广传媒移动和城市（楼宇）电视根据公交车、街头流动人群的特点，采取实时转播办法，编辑制作一批“短平快”式的节目，发挥出新媒体的应有作用。

2.奥运宣传继续升温。各媒体成立专门机构，加大奥运宣传力度，为宣传奥运和转（直）播赛事积累实战经验。北京电台推出《迎奥运、讲文明、树新风——我参与、我奉献、我快乐》、《奥运五环路》、《奥运全知道》等新栏目，并播出广播剧《奥运到我家》。北京电视台在北京卫视打造中午、傍晚、晚间三大奥运时段，推出 “BTV奥运时间”等新栏目，组织和播出一批大型直播、转播活动；努力开发赛事资源，积极为奥运练兵。北广传媒移动和区县广播电视等媒体根据各自特点，以开办专题栏目等形式加强奥运宣传。

3.精品工程取得新成绩。各媒体积极完善和创新频率频道的功能定位，不断推进专业化、品牌化建设，在节目创新、内容创新、形式创新上努力增强宣传的吸引力和感染力。北京电台的《一路畅通》、《城市零距离》、《市民热线》继续得到听众的喜爱；北京电视台《法制进行时》、《七日七频道》、《真情互动》继续受到观众的好评。区县广播电视媒体努力打造品牌化节目栏目，在地区宣传中的表现力、影响力也日渐增强。

4.影视创作持续繁荣，内容产品更加丰富多彩。继续实施扶持公益题材力度的政策，推动影视创作的繁荣与发展。全市共生产电视剧74部2015集，比上年同期分别增长57%和46%，生产水平继续位居全国前列；生产国产电视动画片10部770集3143分钟，文明礼仪电影短片10部。以《集结号》、《黄土谣》、《士兵突击》、《家有儿女》、《金婚》、《福娃奥运漫游记》为代表的一批优秀影视作品深受社会各界好评。230多部（次）广播影视作品（含剧目、节目等）获国家和市级奖项，其中10部作品获得第十届“五个一工程”奖，8部作品获2005、2006年度中国广播影视大奖，18部作品获提名奖。

5.对外宣传进一步拓展。北京电台、北京电视台精办对外节目，累计向BBC、CNN等60多家境外媒体输出中文节目4万多分钟、英文节目1千多分钟，有12个广播栏目、47个电视栏目分别在30多个国家和地区播出。

三、事业产业发展情况

1.多种新媒体平台进一步构成。北广传媒移动电视累计在10000辆公交车上安装显示屏20000块；北京电台移动多媒体广播（DAB）已经播出16套广播节目和6套电视节目，北京广播网开通在线点播频道，搭建起以音视频播客、博客、社区论坛为主的综合网络互动社区平台。北京电视台手机电视媒体运营平台继续在建设中，网络电视业务——北京宽频正式改版上线。全市通过互联网传播视听节目的持证机构达到13家。

2.数字化建设取得重大进展。累计完成1181个小区120.2万户数字化转换。北广传媒集团依托北京数字电视平台开办和集成数字广播电视节目67套，开通数字电视多媒体平台《北京党建》；北京电台、北京电视台进一步提升广播电视的数字化水平。大部分区县广电中心投资更换部分设备，加快制、播、存一体网建设。

3.“村村通”建设进一步提升广播电视覆盖能力。完成4个区县136个运行10年以上的广播电视村村通系统升级改造工作，解决了5个区县228个村浅山区电视信号弱问题，惠及7.8万多农户22万多人，在建的5个无线广播电视转播站已完成土建施工任务，广播电视综合覆盖率继续保持在99%以上。专为解决驻京基层部队看电视难的“连连通”工程完成收尾工作。

4.广播影视产业布局初步形成。制定《北京市促进广播影视产业发展的相关政策》等措施，进一步优化发展软环境。到2007年底，广播影视制作经营单位比上年增加161家，达570家。北京电视台卡酷动画卫视开发和制作的多档动画栏目，为探索产业化运营迈出积极的一步。歌华文化集团中标的奥运票务运营和特许产品宣传推广项目正在实施。中国怀柔影视基地、国家新媒体产业基地、北京数字娱乐示范基地和宋庄原创艺术与卡通产业聚集区被认定为四个产业聚集区。

据统计，全市广播影视创收总收入（不含电影票房收入）65亿元(2006年51.87亿元)。其中广告收入31.74亿元(2006年24.01亿元)，比2006年增长32%；其他收入33.26亿元(2006年27.86亿元)，比2006年增长19.4%。

5.会展和大型活动成为亮点。再次成功举办京港洽谈会的影视合作论坛、第二届北京国际文化创意产业博览会的广播电影电视展览和论坛；中国电影博物馆正式开馆后组织一系列公益活动，全年接待观众17万多人次；北京歌华文化发展集团成功举办“伟大的世界文明”、“中国非物质文化遗产精品展”等50多个会展项目，完成“俄罗斯文化年”等大型活动的组织运作。

6.重点工程基本完工。中国电影博物馆、歌华大厦、北京市广播电视局政务大厅、延庆县广电中心改扩建工程、丰台区广电中心600平方米演播厅全面竣工并投入使用，北京电视中心、北京广播大厦基本完工，其他一批区县广电基础设施工程取得新进展。

四、行业管理情况

1.依法行政加强服务与管理。宣传管理继续实施重点栏目（节目）重点监管，全年编发《收听收看报告》等刊物107期，审查电影4部、电视剧75部2015集、引进剧2部52集、动画片15部、7852分钟。组织“北京广播电视奖”活动，共评出（节目类）一二三等奖作品171个。继续推行广播电视技术质量标准，加强境外卫视专项整治和视频点播运营管理，办理节目制作经营行政许可204项、电视剧制作许可55项。完成2007年度北京地区3042名广播影视编辑记者、播音员主持人资格考试。

2.安全播出保障有力。精心组织和实施安全播出工程，建立安全播出预警信息发布系统，细化安全播出应急预案。节目发射、户外直播、节目录制等环节的技术指标居同行前列。北京电台年播出52867小时，总停播率为0.1秒／百小时，北京电视台年播出86216.82小时，总停播率为0.0069秒／百小时，继续保持优质播出水平。

3.继续推进体制机制改革。新组建的北京市广播影视作品审查中心、北京市广播电视监测中心（加挂市广播电视信息网络视听节目传播监管中心、市广播电视安全播出调度中心）和北京市广播影视信息中心运行一年后，有效地配合了宣传管理、科技管理、安全播出管理，以及综合行政等方面的管理。北广传媒集团继续深化体制机制改革，促进了数字电视及鼎视传媒的向前发展。北京电台创新机制，试行制播分离体制改革的举措，使新成立的节目制作中心实现节目推广和销售稳步进行。北京电视台规范编外人员管理，推进卡酷动画卫星频道和京视传媒等一批公司的发展。北京歌华有线电视网络公司进一步健全客户体系，客服工作取得新的进步。

（马广胜　孙树公　吴彤）

天津市广播电视概况

一、宣传工作

1.重点宣传报道。坚持正确舆论导向，以党的十七大和天津市第九次党代会为重点，紧密围绕全国和天津“两会”、滨海新区开发开放、“同在一方热土、共建美好家园”等中心工作，发挥媒体联动优势，先后开设了《学习十七大，解读十七大》、《以实际行动迎接党的十七大》、《迎接党代会，再创新辉煌》、《科学发展看滨海》、《同在一方热土、共建美好家园》等专栏、专题节目和系列报道，内容实、内涵深、形式新、效果好。

2.宣传管理。广播电视新闻宣传导向正确，宣传监管机制更加完善，广播电视节目收听收看监播平台建成使用，全年共监播广播电视节目1100小时，有效遏制了虚假新闻、低俗之风；涉性医疗、药品、保健品广告及医疗资讯、电视购物节目重点治理取得良好效果，天津电视台上半年医疗、药品、保健品等类广告的播出比例较去年同期减少了50%，天津人民广播电台取消了全部频率总时长达每天885分钟的直播性保健品热线广告。

3.宣传能力发展。广播、电视新闻上中央台播出分别达近300条和600余条，数量保持全国前列；天津卫视频道全国平均收视率增幅超过50%，跃居全国省级卫视第7位。继续保持与澳大利亚墨尔本3CW中文台、美国有线电视新闻网（CNN）以及日本、新加坡等境外广播电视机构的良好合作，天津人民广播电台与墨尔本3CW中文台合作直播了天津东疆保税港区一期封关运作仪式，天津电视台向美国CNN供稿数量位列全国第一；《津港直航》、《阿里郎时间》等合作节目在境外影响进一步扩大，"中日韩电视制作者论坛"、韩国"天津电视周"、《鱼龙百戏》美国澳洲行、"塞纳河上的婚礼"等广播电视外宣活动取得良好效果。

4.广播影视艺术创作。全年共创作生产电影故事片4部、数字电影故事片5部、电视连续剧15部、动画片8部。一批影视作品、精品节目获得国家级奖项，电影《别拿自己不当干部》获中国电影"华表奖"优秀故事片奖，天津电影制片厂连续十四年蝉联该奖项；戏曲电视剧《凤阳情》获得"飞天奖"一等奖；电影《两个人的芭蕾》，电视剧《红旗谱》、《玉碎》，歌曲MTV《为祖国守岁》，广播连续剧《大校长张伯苓》荣获"五个一工程"奖；纪录片《解读皇粮国税》、《延安时代》、《中华魂》、《百年南开》分获"中国文献纪录片20年盛典"经典作品、精品作品、优秀作品奖。

二、事业发展

1.安全播出。全年完成广播电视安全播出约179.658万小时，播出质量达到国家甲级指标。特别是圆满完成天津市卫星广播电视转星调整工作和党的十七大安全播出工作，十七大期间共实现广播电视安全优质播出77959.1小时，确保了党的十七大精神通过荧屏声频顺利传达到千家万户。

2.广播影视公共服务。全市现有市级广播节目12套、公共电视节目9套、付费电视节目4套，广播、电视综合人口覆盖率分别为100%和99.83%；全市共有线电视用户213.29万户，其中数字电视用户达109.29万户，与去年同期相比分别增长6.5%和357.02%；天津卫视频道全国覆盖进一步扩大，收视人口达到4亿。

3.区县广播电视事业发展。各区县广播电视宣传工作更加深入群众，关注本土、国计民生宣传不断深化；技术水平进一步提升，区县广播电视采编播录系统实现升级改造，数字化水平和安全播出能力进一步提高；事业规模持续扩大，东丽区新农村广播"三进"工程和蓟县有线广播"村村通"工程的覆盖率和传播质量进一步提升。

三、行业管理

1.行政审批。全年共做出行政许可决定事项40件。

2.广播影视制作播出机构管理。完成全市24家广播电视节目制作经营机构、4家《电视剧制作许可证（甲种）》持证机构业绩考评，进行了许可证换发及资格调整；完成了全市14家播出机构的《广播电视播出机构许可证》和颁发《广播电视频道许可证》换发工作；批准涉外人员参与广播电视节目制作6批次。

3.广播影视行政执法。全面开展非法安装接收境外卫星电视节目接收设施专项整治行动，全年共出动执法检查人员40余人次，下发整改通知书11份；依法开展互联网传播视听节目监管，会同有关部门对《都市影院》等违法违规传播不良视听节目的网站进行了清理和整改；开展了有线网非法传送境外电视专项整治行动。

4.影视剧片审查。全年共审查通过国产电视动画片2部78集、国产电视连续剧11部322集，共审查上报国家广电总局并网上公示电视动画片6部451集、电视剧11部352集。

5.统一供片工作。全年共向区县播出机构和企业台（站）提供电视剧32部717集、电影365部，有效提升了区县广播影视剧片播出的质量和效果，乱播滥放影视剧现象得到遏制。

6.广播电视行业资格准入管理。圆满完成2007年度全国编辑记者、播音员主持人资格考试天津考区工作，有423名考生参加考试；顺利完成163人执业资格注册工作。

四、产业开发

1.数字电视整体转换工程。新完成数字电视整体转换90万户，累计达109.29万户，传送节目123套，经营收入同比增幅较大，整体工作走在全国前列。

2.新媒体产业。新媒体产业发展势头良好，车载移动电视完成装车累计达2250辆；天津人民广播电台手机短信增值业务量达到200多万条；东丽区、塘沽区广播电视宽带网迅速发展，宽带入户水平进一步提高，"东丽在线"网站实现入户1.7万户，创收超过1000万元。

3.广播影视节目销售。天津人民广播电台5000多集小说、音乐、相声、京剧、娱乐等节目销往全国20多家省市电台；天津电视台积极采用合资合作办节目方式，带动创收创优发展；天津电影厂积极拓展国际市场，影片《两个人的芭蕾》销往美国、加拿大。

4.广播影视创收。全市广播影视系统创收达到16.5亿元，比上年增长13%。区县广播影视系统创收能力进一步增长，全年创收总和超过6100万元，蓟县、东丽、塘沽创收突破1000万元。

（天津市广电局）

河北省广播电视概况

一、基本情况

截止到2007年底，全省共有广播电台12座；广播节目套数95套；全年自制广播节目243746小时，比上年增加35358小时，增长16.97%；广播综合人口覆盖率达到98.67%。共有电视台12座；电视节目套数178套；全年自制电视节目124242小时，比上年增加5105小时，增长4.31%；电视综合人口覆盖率达到98.58%。共有县级广播电视台139座。中波转播发射台30座；调频转播发射台132座。电视转播发射台233座，其中1千瓦以上（含1千瓦）电视转播发射台43座。数字微波线路总长1589公里。广电网络总长达到105786.71公里，新增有线电视用户94万户，达到661万户，同比增长16.58%。从业人员29544人，比上年增加914人，大专以上学历人员占62.15%。经营创收持续增长，年经营收入达到24.89亿元，同比增长8.57%，其中广告创收15.17亿元，同比增长5.14%。

二、主要业绩

1.宣传工作卓有成效

各级广电部门始终把坚持正确舆论导向作为头等大事来抓，围绕中心，服务大局，先后组织开展了迎接学习贯彻党的十七大、建设沿海经济社会发展强省、解放思想大讨论等一系列大型宣传战役和规模报道，做到了导向正确、特色鲜明、引导有力、效果显著。特别是对党的十七大的宣传报道，各级广电部门高度重视，提前策划，精心组织，周密部署，圆满完成了各项宣传报道任务，受到上级领导和广大人民群众的充分肯定。对外宣传不断拓展，河北电台、河北电视台在中央台发稿数量分别达到580篇和603条，双双同比增长30%以上，位居全国前列。河北电台联合保定、秦皇岛电台与中央电台合作，先后推出大型直播节目《走进保定》、《走进抚宁》和《走进奥运五环城市秦皇岛》；廊坊、秦皇岛分别与中央电视台合作推出了2007年廊坊春节文艺晚会暨吉尼斯颁证晚会、迎奥运倒计时一周年直播晚会；承德电视台协助中央电视台成功直播了2007年中秋晚会。全省各级广播电台、电视台按照"三贴近"要求，积极推进节目栏目改版创新，频率、频道的专业化、品牌化进一步增强。河北电台携手省内各级电台创新合作模式，组织策划了《强省之路燕赵行》大型系列报道，形成了全省广播优势和规模效应，有效提升了河北广播的影响力。河北电视台卫视频道5月份改版以来收视率稳步提升，成为本年度收视率和全国排名提升最快的省级卫视之一。衡水电台、电视台全新改版，张家口电视台各频道重新定位，石家庄、邢台电台、电视台关注民生、服务百姓的特色节目深受百姓欢迎，均收到了良好的社会效果。宣传创优成绩喜人、亮点频出。全省共有4部作品获得第十七届中国新闻奖，3部作品荣获第十届"五个一工程"奖；5部作品荣获中国广播影视大奖，18部作品获得提名奖；3部作品荣获第26届中国电视剧"飞天奖"；1部作品荣获第12届电影"华表奖"提名奖。河北音像资料馆、河北电视台分别投资摄制的电视剧《镇长》、《荀慧生》，作为开年大剧，先后在中央电视台一套、八套黄金时段播出，得到中央和省委领导的充分肯定。河北电视台投资拍摄的电视连续剧《洒满阳光的小院》作为十七大献礼剧目于党的十七大召开期间在央视八套黄金时间播出，收到了良好社会反响。河北影视制作中心摄制完成的电影《亲兄弟》被国家广电总局列为十七大献礼影片，得到领导、专家和社会各界的广泛好评。

2.事业产业稳步发展

完成了2007年20户至50户自然村"村村通"广播电视工程建设方案的调研论证。积极推进全省农村中央和省台无线覆盖工程，进一步巩固提高了中央台和省台各套节目的无线覆盖效果。河北电视台7个频道省内覆盖取得历史性突破，实现了在全省11个设区市、122个县的完整转播。河北卫视继续加强重点区域(城市)落地工作，有效覆盖人口达3.44亿，成为服务全省、面向全国的重要窗口。全省广播电视安全播出指挥调度系统建设完成并投入使用；完成了省监测网一期工程建设，实现了对全省5个设区市播出的广播电视信号的回传实时监测；717发射台和卫星地球站迁建工程全面展开。全省各级广电部门积极筹措资金，加快设备的数字化更新改造，河北电台全面启用新技术，河北电视台非线性编辑网项目被国家广电总局列为全国第一批数字化、网络化实验基地；承德、衡水和沧州等市局进一步加大投入，努力提高技术装备的数字化水平。积极推进全省有线电视数字化整体转换，石家庄、廊坊、唐山、保定等试点城市工作进展顺利，全省数字电视用户达到60万户。秦皇岛地面数字电视工程积极稳妥推进，奥运会开幕前将投入使用。积极谋划和推进了京东文化产业园区、数字移动电视、手机电视、手机广播、网络电视和可视广播等产业项目，产业发展空间不断拓展。

3.管理工作进一步加强

各级广电部门进一步强化对广播电视宣传的宏观管理和综合协调，切实加强了宣传管理工作。省局相继制定、出台了迎接党的十七大、学习贯彻党的十七大精神和省委七届三次全会精神及解放思想大讨论等多个宣传报道实施方案和意见，确保了广播电视宣传的正确导向，推动了舆论引导水平和节目质量的新提高。继续严格规范市、县广播电视播出行为，对不完整转播中央台和省台节目、乱播滥放等违规违纪行为进行了严厉查处。按照国家统一部署，在全省广电系统组织开展了抵制广播电视低俗之风专项行动，收到了良好效果。在全省范围内重点开展了广播电视广告播出、播出机构频率频道、卫星电视传播秩序专项整治活动，违规播放广告的现象得到有效治理，各市、县播出机构广播电视管理秩序得到有效规范，农村个人非法安装和使用卫星电视广播地面接收设施的势头得到遏制。加强了网上传播视听节目专项治理，与公安和通信管理部门合作，对擅自传播视听节目的网站进行了查封。完成了2006年度广播电视节目制作经营单位和电视剧制作单位的年检审核工作，取消了4家年检不合格单位的经营许可证。进一步完善了安全播出应急预案，突出加强了对一线值机人员实际操作技能的培训，有效防范了非法信号的插播和干扰，实现了在党的十七大等重要播出保证期内安全优质播出的工作目标，受到国家广电总局的表彰。按照国家统一部署，圆满完成了全省252080座卫星地面接收设施的转星调整任务，进一步提高了广播电视安全播出的保障能力。

三、问题与不足

主要表现在：一是干部职工对广电新形势、新机遇的认识还存在一定程度的不足，视野不够开阔，思想不够解放，缺乏开拓创新的气魄和胆量，缺乏更有效的工作思路和措施；二是广播电视节目整体质量和市场份额有待进一步提高，精品栏目、节目还不够多，资源浪费和制作成本偏高的现象依然存在；三是产业结构不合理，单纯的广告赢利模式蕴含着很大的市场风险，在适应新形势发展，大力拓展投融资渠道，开拓其他增殖业务方面还需进一步加强；四是自觉主动应对新形势下广播电视管理工作出现的新情况、新问题、新特点的意识不足，管理工作的超前性、系统性、创新性还有待进一步加强；五是内部机制创新的力度还不够大，干部职工的工作积极性、创造性还没有最大限度地调动和发挥出来。（李革文　娄　琳）

山西省广播电视概况

一、基本情况

2007年，全省共有广播电视播出机构119座（电台7座、电视台7座、广播电视台101座、教育电视台4座），开办205套广播电视节目（广播98套，电视 107套）。其中，省级广播播出7套节目；省级电视播出8套节目；市地级广播播出16套节目；市地级电视播出28套节目；县级广播开办75套节目，县级电视开办66套节目。

全省广播每天播出时间为913小时，其中，省级广播机构每天播出142小时，市地级广播机构每天播出261小时，县级广播机构每天播出510小时。全省每周电视播出时间为8497小时，省级电视机构每周播出时间894小时，市地级电视机构每周播出时间3544小时，县级电视机构每周播出时间4059小时。

全省广播综合覆盖人数达3112.69万，综合覆盖率为92.24%。电视综合覆盖人口数达3255.05万，覆盖率为96.46%。山西卫视省外覆盖130多个大中城市，覆盖人口2.6亿。全省有线网络总长71831公里，网络用户341.3万。

全省广播电视从业人员18919人，省级广播电视从业人员3086人，市级广播电视从业人员5687人，县级广播电视从业人员 10146人。全省广播电视从业人员中大专以上学历10995人，研究生及以上学历75人；专业技术人员8882人。到2007年底，全省广播电视系统资产总额为46.13亿元，其中省级广电14.78亿元。

二、主要业绩

1. 紧紧围绕十七大的主线，新闻宣传取得新突破

广播影视充分发挥喉舌功能，服务中心工作，确保正确导向，宣传报道呈现出四大亮点。

十七大的宣传浓墨重彩、扎实深入。全系统把做好十七大的宣传报道作为头等大事，分会前、会中、会后三个阶段，精心策划、周密部署、聚焦主题、打造亮点，形成了迎接、宣传、贯彻十七大的强大声势和浓厚氛围。

重点宣传主题突出、成效显著。一是主题宣传生动有力。二是“转变作风、狠抓落实”宣传注重实效。三是舆论监督把握适度。

“两会”宣传异彩纷呈、蝉联佳绩。“两会”宣传报道做到高度重视、整体联动、协同作战，创“四个历史之最”：一是宣传规模创历史之最，二是合作交流创历史之最，三是技术保障创历史之最，四是央视发稿创历史之最。

对外宣传力度空前、声势浩大。按照省委宣传部“建设新山西，展示新形象”的外宣部署，努力塑造山西改革开放的新形象。一是大型活动宣传生动精彩。“珠洽会”、“煤博会”等宣传报道声势大，气氛热烈。二是黄河台外宣实现突破。抓住全球“汉语热”机遇，SCOLA台发挥“黄河”汉语教学品牌优势，大力拓展汉语教学业务，节目进入北美和中南美地区400多所大学、7000多所中小学和40多家城市有线网，目前黄河汉语学校注册登记的学生达291825人；三是省外宣传力度加大。省、市两级广电不断提高在国家级广电媒体的报道力度和发稿质量，省台《节能减排下狠心，结构调整见效益》等多条新闻报道在央视《新闻联播》、中央电台《新闻和报纸摘要》头条播出。全年在央视发稿1000条以上。

2007年，山西省广电局安排转星调整工作

2. 紧紧围绕“两个确保”，安全播出迈上新台阶

全系统以确保十七大安全播出为契机，一手抓安全播出工程建设，一手抓日常管理，完善了全省广播电视安全播出保障体系。一是圆满完成调整转星任务，二是确保了十七大安全播出，三是提升了日常安全播出管理水平。

3. 紧紧围绕品牌建设，节目创新取得新成绩

以节目栏目品牌化、频道频率特色化和影视剧精品化为目标，大力实施品牌化战略，提升了山西广电的影响力。

频道频率凸显特色。各级台根据受众需求和专业化、分众化趋势，调整内部频道频率布局，整体上初步形成了具有本土特色、分布合理、合作互补的发展格局。山西卫视全力打造“文化中国、文化山西”的频道定位，晚间黄金时段收视率全国排名第9位，全天收视率全国排名第14位，早间娱乐节目《轻松一刻》市场份额位居省级电视媒体自办节目首位。

节目栏目全面创新。从调整节目结构入手，加强了节目栏目创新。一是改版老栏目。省总台对《走进大戏台》、《黄土地》等栏目全新改版，使之焕发了新的活力和生机，《走进大戏台》荣获2006年全国优秀电视文化（文艺）栏目称号。二是推出新栏目。省台影视频道推出方言栏目剧《醋熘故事》，将社会新闻和情景剧融为一体，以平民视角反映百姓生活，受到广泛欢迎。黄河台文艺广播推出《二人转转转》、《名人面对面》2档新栏目，频率收听率居全省第一。各市也新推出了《社会广角》、《新闻下午茶》（太原），《晋中观察》、《天天生活》（晋中），《吕梁时空》（吕梁）、《二黄毛讲故事》（忻州）、《晋城记忆》（晋城）等一批立意高、有深度的新栏目。三是做精精品栏目。坚持精品精办，以精品树品牌，巩固和完善了《山西新闻联播》、《直播山西》、《走进大戏台》、《都市外乡人》（省总台），《黄河全记录》、《倾诉》（黄河台），《新闻快车》、《并州之剑》（太原），《正在进行》（临汾）等20多个优秀栏目。

大型活动丰富多彩。推出全省电台“春之声”春节大联播、16省市元旦戏曲晚会、“山西记忆”十大新闻暨十大新闻人物评选、“魅力山西”公民道德建设十大系列先进典型人物评选等20项具有较大影响的大型活动。

影视剧创作喜获丰收。完成电影15部，电影《夜袭》

被列为十七大献礼影片。完成电视剧22部520集,《文化站长》(26集)、《喜耕田的故事》(19集)作为党的十七大的献礼剧在央视一套黄金档播出。共有17部影视剧获得国内外奖项34项,其中:《生死托付》、《乔家大院》、《八路军》获第10届全国“五个一工程”奖;电影《生死托付》、《王长喜来了》获第12届华表奖;电视剧《八路军》、《乔家大院》等5部获飞天奖;电影《剃头匠》获得美国雪城电影节两项最佳单项奖;电影《夜袭》获第26届金鸡奖;数字电影《雪狼》获第7届数字电影百合奖一等奖;《生死托付》、《吕梁英雄传》等10部影视剧获第7届省“五个一工程”奖。获奖数量和等级创历史最高水平。

4. 紧紧围绕科学发展,事业产业协调推进

结合山西广电实际,以深化内部改革机制创新为动力,大力推进广电基础工程建设和产业多元化发展,初步形成了事业产业多元并进的格局。

体制机制不断创新。一是参照广西、河南的经验,按照现代企业要求制定出电影厂改制及组建集团的具体实施方案,局党组会已通过。二是省台积极探索试行频道频率总监负责制,对宣传、人事、财务、经营权,分为总台宏观调控和频道频率自主运营两个层面进行合理配置,现已制定出具体实施细则和配套改革方案。省台选择《走进大戏台》栏目试行独立制片人制,对栏目制片人实行了公开竞聘,使节目、广告资源的市场配置最大化,初步形成了责权利关系相统一的运营机制。三是深化劳动、分配制度改革。全系统进一步深化用人、分配制度改革,太原台完善了全员聘用制,对临时用工实行了劳务派遣制度。临汾、大同等形成了绩效与收入挂钩、向一线岗位倾斜的分配机制。

事业建设不断强化。一是村村通工程。全省新增通有线电视行政村3311个,通有线电视行政村达14698个,超过半数;完成了全省1098个试点村和2000个重点推进村的“村村通”调查摸底,积极争取到省财政厅“村村通”维护费418万元,下达到各县,保证了长期通;中央广播电视无线覆盖两期工程进展顺利,完成了所有设备招标采购,制定了省级广播电视无线覆盖规划。二是扩大覆盖。山西卫视覆盖以每年10%的增长速度连续两年跻身全国卫视前5名,总覆盖人口超过2.7亿;省级4套地面频道合同用户比上年增长22.60%,达325.7万户,占全省有线用户的88.6%。三是数字技术改造。全省微波电路数字化改造全面竣工,11个中波发射机备机固态化改造全面完成。省总台设备数字化进入全国中上游水平。大多数市电台、电视台采、录、编、播、控设备数字化达到93%以上。

多元发展初步形成。一是内容、广告产业有新进步。省总台制作的大型文化专题系列片《精彩山西》音像作品举行了首发式,在全国产生了广泛影响。电视连续剧《暗哨》(24集)、《亲兄热弟》(30集)发行到北京、山东等省,收视率创当地新高。太原台《真实的故事》等120部系列专题片发行到上海、黑龙江等多家省级电视台,广播长书《乔家大院》发行至全国200余家城市电台,取得了较好的经济效益。二是网络产业有新突破。省网公司与中国教育电视台、山西移动、山西网通和山西电数广文化传媒公司正式签约,合作开发山西数字电视教育信息网项目。全省新增有线电视用户12.89万户,新增数字电视用户22.62万户,全省数字用户达到67.3万户。各市千方百计筹措资金,开展有线电视网络改造和数字化整体平移。三是新媒体、新业务开发有新成绩。省台音乐广播推出首家可视电台——“山西(音乐广播)可视音乐广播网站”。省台与山西移动签订了合作协议,共同开发全省广播沿高速公路同频覆盖、数字移动电视、数字广播、手机电视、互动电视等新业务。四是衍生产业开发有新进展。

5. 紧紧围绕依法行政,管理工作不断创新

根据新形势和新任务,强化行政职能,创新管理手段,保证了广电改革的稳步推进和事业产业的健康发展。

抵制低俗之风效果明显。全系统全面贯彻落实全国广播电视抵制低俗之风工作会议精神,扎实深入地开展了抵制低俗之风专项行动,各级都成立了领导组和专门机构,认真开展自查自纠,从源头抓起,一步健全了选题申报、播出管理、收听收看、监督审查、责任追究和奖惩6项制度,形成了抵制低俗之风的长效机制。

依法管理日益规范。宣传管理,以“四查四看”为重点,规范了新闻报道秩序;成立了省局收听收看工作领导小组和收听收看中心,建立了局收听收看监测系统,实现了对全省市级台以上63套广播电视节目的监听监看。社会管理,进一步完善行政审批制度体系,完成全省109家播出机构换证、13家节目制作许可证审查发放,查处、纠正50多家播出机构乱称台、乱呼号、乱改台标、乱开频率频道等违规行为;建成了互联网传输视听节目监管系统,监看网站100452个,查处淫秽网站8个;完成了对82家境外卫星节目接受单位和72家卫星节目接受设施安装单位的年度检查;开展境外卫星电视专项整治,共出动检查人员5391人次、车辆1257台次,检查了2284个单位和个人,查处87家非法销售市场和商店,查扣、拆除相关设备7889套。在全国整治办考评中名列全国前列。

内部管理得到加强。全系统制定了《工作目标责任制》,省局制定了《重点项目工作责任制》;省局开通了“山西省广播电视局网站”,晋中、阳泉开通广电门户网站,为政务公开、对外宣传、服务公众搭建了新平台。

(吕安生　王珽)

内蒙古自治区广播电视概况

一、基本情况

2007年,内蒙古自治区境内共有广播电台13座,电视台14座,实现数字化电台11座、电视台10座。局属58个中短波、调频电视发射台,197部发射机和1个地球站,播出节目1282300小时,停播时间为3726.31小时。12个盟市广播电视共播出366261小时,停播4.21小时。内蒙古人民广播电台播出52059小时,内蒙古电视台播出63239小时,全区有线电视播出2575208小时。全区共有广播电视节目制作经营机构15家,全年制作各类广播电视节目11682分钟,通过节目交换、交易向各级播出机构提供影视剧等各类节目近7000小时,经国家广电总局批准引进境外影视剧2部40集。2007年全区广播电视人口综合覆盖率分别达到92.98%和91.44%,比2006年增长0.14%和0.21%。

20户以上已通广播电视盲村为401869户。全区有线数字电视用户突破110万户,全区有线数字电视平台共传输

80套数字电视节目、10套广播节目、1套数据广播节目。全年共整合旗县、企业有线电视网络41个。

微波网共有站点137个，其中干线站81个；电路全长6139公里，其中干线电路4016公里；信号覆盖全区71个旗县。已实现数字化改造的有18个站，电路长602公里；其中干线站实现数字化改造的有8个站，342公里；尚未进行数字化改造的有73个站，3270公里。

2007年，全区广播影视创收总收入9.65亿元，比上年增加2.88亿元。其中广告创收3.17亿元，比上年增加6176万元。内蒙古电台收入3500万元，比上年增加960万元；内蒙古电视台收入2.19亿元，比上年增加5794万元。广播电视网络运营收入5.85亿元，比上年增加2.15亿元。其他创收收入6347.8万元。

二、宣传工作效果显著 成绩斐然

1.迎接自治区成立60周年大庆宣传高潮迭起，内容丰富、亮点频现

从年初开始，自治区各级广播电视宣传机构在主要节目中先后开设了迎大庆专题专栏，从不同角度展示了自治区60年中走过的光辉历程，展现自治区60年来特别是改革开放以来取得的巨大成就。内蒙古电台在蒙汉语广播《早间新闻联播》、《全区新闻联播》及其他重点新闻和社教、文艺栏目中先后推出《春秋六十颂辉煌》、《见证内蒙古》、《为内蒙古喝彩》、《伟大的实践、光辉的历程》等专题报道。内蒙古电视台蒙汉语《内蒙古新闻联播》先后推出“民族区域自治的伟大实践”等三组特别报道和“内蒙古辉煌60年”等五组主题报道。包头人民广播电台、包头电视台分别开辟了《建设大项目，向自治区60周年大庆献礼》、《以实际行动迎接自治区60周年大庆》等一大批新闻专题栏目。并推出了一系列贴近生活、贴近实际、贴近群众的节目和栏目，全面展示了自治区成立60年来包头市经济、社会、文化、百姓生活各方面取得的辉煌成就。巴彦淖尔人民广播电台、电视台，鄂尔多斯电台、电视台从新闻、专题、文艺节目入手，根据栏目定位，有计划、有重点、分阶段地采访播出了《辉煌六十年》、《家乡巨变》、《红色收藏系列—巴彦淖尔篇》、《走遍巴彦淖尔》、《和谐巴彦淖尔》、《跨越铸辉煌，大庆呈异彩》、《绿染鄂尔多斯》、《成吉思汗长眠地，鄂尔多斯蒙古风》，使整个大庆宣传节奏高潮迭起，形成了声势。

大庆期间，内蒙古广播、电视两台组织了一系列大型采访活动，形成了较大的宣传声势，内蒙古电台先后组织开展“绿色畅想——穿越三北风波源”、“环内蒙古边界行”、“百村纪事”等大型采访报道活动。内蒙古电视台与中央电视台联合，成功举办大型媒体行动《穿越内蒙古》。为提升内蒙古在全国的知名度和影响力，内蒙古广播电视两台与中央三台及区外媒体密切配合，掀起大庆宣传高潮。2007年初内蒙古电台与中央人民广播电台联合采制10篇综合报道，在《新闻和报纸摘要》中播发，并联合推出自治区成立60周年庆祝大会现场直播。与中央台《中国之声》联合推出《直播中国·走进内蒙古——美丽草原我的家》。内蒙古电视台与中央电视台联合采制10集大型系列报道《内蒙古辉煌60年》，从7月30日起在《新闻联播》连续播出。还共同采制播出了20集重点系列报道《光影互动内蒙古》，15集系列报道《走进内蒙古》，3集系列节目《见证草原60年》、两期《外国人看中国》、1期《实话实说·美丽草原我的家》、1期《焦点访谈》和《新闻会客厅》、《星光大道》、《快乐制造》等。巴彦淖尔人民广播电台仅6月份蒙语新闻就与中央台连线9次，播发稿件20多篇。

2. 党的十七大宣传报道力度深，扎实有效，成效显著

内蒙古广播电视两台从8月份开始，在《全区新闻联播》、《早间新闻联播》、《内蒙古新闻联播》、《晚间报道》等新闻节目中开设了“科学发展、构建和谐”、“喜迎十七大实现新跨越”等20多个栏目，集中宣传党的十六大以来自治区经济社会发展取得的辉煌成就，反映自治区各地各界以优异成绩迎接十七大的情况。十七大召开期间，内蒙古电台蒙汉语4名特派记者采用消息、访谈、特写、录音报道等多种方式对大会进行采访报道，同时播出系列报道《我与十七大》。共播发与十七大相关报道240多篇。内蒙古电视台在蒙汉语《内蒙古新闻》、《内蒙古新闻联播》中推出“聚焦十七大”等重点栏目。十七大北京报道组向《内蒙古新闻联播》传送报道32条，80多分钟，平均每天10分钟以上。《草原晨曲》、《午间新闻》及时编辑、播发记者发回的报道。蒙古语卫视频道开设了“党的十七大特别节目”，译制播出《十七大开幕式》、《十七大新闻专题》等节目。新闻综合频道开设特别节目“新征程、新观察”，与十七大召开同步播出。

十七大召开期间，内蒙古电视台在央视《新闻联播》播发有关内蒙古的改革开放、经济发展和三个文明建设的新闻15条。

3. 关注民生 加大构建和谐社会的报道力度

2007年，内蒙古广播电视宣传继续加大对民生新闻、构建和谐社会新闻的报道力度，更加注重发挥舆论监督职能。鄂尔多斯电视台围绕构建公共服务性政府，转变作风，服务群众，推出《百姓直通车》栏目，播出了549条关注百姓民生，曝光不文明行为的稿件。《鄂尔多斯聚焦》栏目制作播出了系列述评《衣、食、住、行看变化》、《构建和谐“防火墙”》等民生热点。鄂尔多斯电台《行风热线》收到反映问题的电话、信件、电子邮件460多件，节目组先后邀请40多名市区党政机关企事业单位负责人走进直播间，现场解答群众关注的热点难点。内蒙古广播电视两台2007年在新闻节目和相关专题节目中不断加大民生新闻报道力度，引起了强烈的社会反响。

三、无线覆盖工程和西新工程稳步推进

2007年，中央无线覆盖工程投入自治区建设基金1.42亿元，电费和维护费845万元，在88个旗县区的137个台站新增279部调频广播和电视发射机。确定了2007年全区中央广播电视节目无线覆盖第一阶段建设任务。5~6月制定工程建设方案，向全区各地下达建设任务书，签订责任状。经过各级广播电视部门的共同努力，截至年底，已有128部发射机开始试播。

2007年，国家启动了西新工程第四期第一阶段建设项目，向自治区投入3726万元用于扩建14个转播台，新建了口岸城镇调频台、扩建2个边境中波台，新建2个边境中波台、改造30个中波台供电。其中，3个新建调频台和2个新建中波台的资金已到位，5个台的项目前期准备工作已完成。

四、内蒙古电台、电视台加快数字化进程

2007年，内蒙古电台投资150多万元扩充了两套直播机房数字化设备，投资174万元订购了数字广播转播车。内蒙古电视台增加了电视节目网上监测系统，开通了网络直播新业务，搭建了IP 回传平台，完成投资3200万元购置高清车的招标工作，投资320万元购置了DSNC卫星车。

（李宝国）

辽宁省广播电视概况

2007年，全省广电系统解放思想、锐意创新，积极进取、扎实苦干，各项工作取得了显著成绩。

一、宣传工作导向正确，引导有力

一是全力以赴，圆满完成党的十七大宣传这一首要政治任务。省两台和全省各级广电播出机构以新闻宣传为主，上下协调，横向联动，整体报道气势恢弘，气氛热烈，社会反响强烈。二是以落实科学发展观、构建和谐辽宁为主线，成功组织了重大主题、重要活动和重大突发事件的报道，庆祝香港回归10周年、建军80周年、迎奥运、月球探测工程和抗击暴风雪等宣传导向正确、重点突出、基调昂扬、把握平稳。三是广电文艺繁荣发展，辽宁省新年音乐会、省电视春节晚会彰显品牌魅力，“同心乐”广电文艺轻骑兵下基层活动深受群众喜爱。四是宣传创优取得历史最好成绩，全省有23件作品入围2007年度中国广播影视大奖，其中6件作品获优秀奖；全省有4名播音员、主持人获中国播音主持“金话筒”奖。

二、安全播出工作不断强化

一是全省各级广电部门以高度的政治责任感，扩建更新省卫星地球站上行系统，确保全省卫星地面接收站在调整过渡期“双星并发”，仅用一个月时间就全面完成了转星调整工作。二是切实落实安全播出责任制，及时排除安全隐患，确保了重大节日、重要活动、重点时段没有出现任何安全播出事故，圆满完成了十七大安全优质播出任务。三是全省广电监测网三期工程全面完成，搭建了全省广电信息预警平台，省、市、县安全播出指挥调度实现三级贯通。

三、事业建设全面推进

一是广电覆盖工程进展顺利，圆满完成2007年度1000个20户以上已通电“盲村”的“村村通”任务，完成 2007年度中央和省级广电节目无线发射机更新、配套设备标采购工作。截至2007年底，全省广电综合人口覆盖率分别达到98．23%和98．22%。二是基础设施建设步伐加快，全省广电数字综合信息网光缆网络连通14个市和大部分县(区)，开通SDH站点61个，光缆干线长达4200公里。三是数字化稳步推进，各级播出机构广电设备的固态化、数字化、网络化改造进一步加快，大连有线数字电视用户已达92万户，沈阳、鞍山、锦州等市积极开展整体转换各项准备工作。省电视台2008年奥运高清电视项目全面完成设备招标采购工作，省电视台和省传输发射中心CMMB移动数字多媒体广播项目、大连市DAB数字音频广播项目成功试播。

四、管理工作进一步规范

一是省局建立全省宣传管理例会制度和专项宣传协调会制度，进一步加强了宣传管理。二是加强播出机构管理，坚决制止和查处擅自增设频率(频道)、随意更改呼号和侵权盗版、滥播乱放等违法违规行为。三是探索建立广告监管长效机制，重点整顿医疗资讯和电视购物类广告，广电社会公信力不断提高。四是大力开展“创建无非法卫星接收设施小区”活动，继续在全省范围内开展境外卫星电视节目接收秩序专项整治行动，有效遏制了擅自收转外星节目的反弹势头。

五、体制机制改革稳步推进

一是大力加强广电发展战略研究，省局全面规划和部署了“十一五” 期间全省广电发展的总体布局、主要目标和重点任务。二是改革试点工作成效明显，省电视台进一步完善频道制管理体制，稳妥推进宣传与经营分离，辽宁七星影业有限公司按照现代企业制度走向市场，迈出了整合优势资源、实现产业化发展的重要一步。沈阳文化市场综合执法、大连整合广电资源、锦州广电综合改革、抚顺广电垂直管理等试点工作，为全省广电改革的全面深化积累了经验。三是推进全省广电公益性事业单位“三项制度”改革，切实强化了内部管理，增强了活力。

六、产业发展势头良好

一是各级广电媒体大力推行广告招标制，积极调整广告结构，促进广告产业快速发展；积极发展网络产业，全省有线网络已具备开展产业项目的物质基础，省网络公司与有关单位联合组建了沈阳广联电视网络有限公司和沈抚有线网络公司。二是推进有线数字电视付费业务，省电视台组建辽宁北斗星空数字电视传媒有限责任公司，数据广播业务和股票广播业务已初见成效。三是省局全年审核、备案国产动画片32部3715集39131分钟，动漫产业发展势头良好。2007年，全省广电系统创收总额达到31．3亿元，比2006年增长4%。其中，广电广告收入同比增长3%达到18．8亿元，广电网络收入同比增长12．9%，达到10．5亿元，圆满完成全年广电经营创收任务。

（张锡瑞）

吉林省广播电视概况

一、基本情况

全省有广播电台10座，频率70个；电视台10座，频道75个。中波发射台和转播台31座，发射机59部。

吉林省广播电视大厦（效果图）

现有调频发射台和转播台61座，发射机182部。电视发射台和转播台184座，发射机295部。市（县）级有线电

视网50个，微波站85座。广播电视无线发射综合覆盖率分别达到97.59%和98.00%。

全省有线电视网络总长67561.26公里。地市级光缆干线网11822公里，县级以下光缆干线网35122.78公里。卫星信号接收站3551座，微波站85座，微波线路3218公里。

二、宣传工作

1.广电宣传质量和影响力持续增强

在大事多、宣传任务重的情况下，充分发挥局编委会统筹协调能力，创新宣传形式和管理模式，圆满完成了十七大、省九次党代会、亚冬会、第三届东博会、全省和全国“两会”等重大宣传报道任务和建军80周年、香港回归10周年等主题宣传报道。十七大、全国“两会”和省九次党代会期间，省电视台上央视《新闻联播》新闻81条，省电台在中央电台《全国新闻联播》、《新闻和报纸摘要》发新闻96条，质量、数量居各省、区前列。

开办了省电视台法制频道、省电台乡村广播和付费数字频道东北戏曲频道。省直属台已达7套广播节目（卫星广播、大众生活、交通文艺、东北亚音乐、健康娱乐、广播资讯、乡村广播），9套电视节目（卫视、都市、文体、影视、乡村、公共、法制、数字付费东北戏曲、移动数字频道）。

在保持省直两台品牌栏目影响力的同时，新打造出省电视台《二人转大观园》、《金色记忆》，省电台《林迪时间》、《青雪评书》等优秀栏目。省电台《中国·吉林之声》节目在美国洛杉矶双语广播电台、美国纽约中国广播网电台播出受到欢迎。省电视台在欧洲华语电视“无线卫星台”播出《成功》及《慧眼识吉林》栏目受到当地华人喜爱。

2.事业产业实现快速增长

加强财务监管，两台广告经营收入从2006年的4.4亿元，增长到4.8亿元。

省网络集团已在6个市州、41个县市实现了联网。完成了数字电视整体转换60万户的任务，网络产业收入4.5亿元。

局属事业单位精减编制48名。首批事业单位人事制度改革的11家中9家已完成岗位设置。

省影视集团加大电视剧品牌打造，广泛涉及各类题材，共制作和联合制作电视连续剧9部246集，其中《关东金王》、《没完没了的爱》、《交通警察》在央视一套和八套黄金时段播出。《插树岭》荣获“五个一工程”特别奖和第26届“飞天奖”一等奖，《都市外乡人》、《陈云在临江》获得国家级奖项；与中国电视剧艺委会、国家广电总局电视剧管理司、省委宣传部共同举办“中国吉林农村现实题材电视剧研讨会”，总结推广了创作经验。

3.基础设施建设取得新进展

坚持把社会效益放在首位，构建公益性服务体系，加强基础设施建设。

无线覆盖了2000个广播电视盲村，实现了“村村通”；西新工程延边朝鲜语节目上星覆盖了辽宁、山东、江西等19个省区和朝鲜、俄罗斯、韩国、日本等国家地区。

建成全省数字电视共享服务平台，实现VOD视频点播，完成了全省共享数字付费和卫星监控、码流监控和AV监控系统等工程建设，向全省用户传输65套数字平移节目、43套数字付费电视节目、13套立体声广播节目、吉林视讯和股票信息等数据广播节目。

建筑总面积近10万平方米、投资5.5亿元的吉林省广播电视中心工程9月28日竣工落成，完成搬迁工作。

4.强化管理，保障体系进一步完善

十七大召开期间，全省广电系统出动727组、3956名人员，465台车，日夜巡查有线网络，有效防范了敌对势力的干扰破坏。调整了全省31140面卫星接收设施。修订了《吉林省广播电视技术维护竞赛评比办法》，坚持开展安全播出月、平安吉林建设等活动。

完善了全省安全播出体系，修改了各项应急预案，搭建了全省指挥调度平台，贯通了各市州、县的无线监测网和有线电视监控系统。

吉林省获得总局技术抽查评比全国唯一的满分。在其他全国播出技术检查中，也受到总局通报表扬。年终安全技术运行维护评比列全国前十位。

调整了“创新立业”工程，优化了评比体系，使其成为科学、合理的竞争载体。

全年下发督办单27件、处理受众投诉12件次，有效遏制了虚假、不良广告；对存在问题的少数单位限期整改。促进和协助了县局对乡的垂直管理，及时制止了个别差转台私设前端、乱播乱放行为。

出动执法人员2400人次，强行拆除违规卫星接收设施6000套，清理非法安装单位20余家。发现涉嫌违规网站82个，协同省公安厅等删除关闭了非法网站15家。

起草《省有线电视管理条例》报送省人大确立为调研项目。办结4件人大代表建议和政协委员提案，满意率100%。

5.全面推进队伍建设和廉政建设

民主测评局机关及部分事业单位主要负责人。对部分处级领导岗位竞争上岗。完成了全省广播电视2006年度“十佳制片人、十佳值班员”的评选，表彰奖励了获国家级奖的先进个人和集体。

三、问题和不足

宣传影响力还不够大，吉林卫视的龙头地位需进一步提升；管理仍需加强，缺乏对新形势下管理机制改革的研究，节目低俗问题尚需进一步整治；安全播出形势依然严峻，传输播出任务重，对新媒体的冲击和挑战认识不足，缺乏应对的措施和手段；体制不顺、机制不活等问题依然存在，一些深层次矛盾及体制机制性障碍尚未清除；观念和状态还不能完全适应新形势新任务的要求，自我满足，缺乏争创一流、敢为人先的意识和负重前行的精神。

（吉林省广电局）

黑龙江省广播电视概况

一、基本情况

2007年，黑龙江省有省、市（地）级广播电台和电视台各14座，有县（市）级广播电视台66座，全省有中短波发射台、转播台44座；有调频发射台、转播台244座。全省广播人口覆盖达到98.55%；全省有无线电视台、发射台、转播台278座，有线电视入户397.6万户，比上年增加

35.6万户。有线数字电视入户147900户，比上年增加27900户。全省电视人口覆盖率达到98.75%。

黑龙江人民广播电台现有新闻、交通、生活、都市女性、音乐、97频道、乡村、朝鲜语8套广播频道。全省无线广播电台办有95套节目，全年播出总时间367621小时。

黑龙江电视台现有新闻综合、影视、文艺、都市、法制、公共、少儿频道7套节目。全省电视台办有121套节目，全年播出总时间616358小时。

2007年10月1日零时，黑龙江广播电视节目成功实现由亚洲3S卫星转至鑫诺3号卫星传输。截至10月15日零时，按时按要求完成了全省转星调整任务。累计完成转星调整的地面接收设施56825面，为确保十七大期间全省广播电视传输质量安全播出提供了技术保障。

2007年，全省广播电视经营收入为21.42亿元，同比增长11%。其中省电台实现收入1.1亿元，省电视台实现收入5.3亿元；全省市县完成13.9亿元，其中网络收入8.5亿元，广告收入4.82亿元，其他收入0.58亿元。

二、广播电视宣传工作与作品创优

1．宣传工作成效显著。省电台、电视台围绕中心，服务大局，牢牢把握正确舆论导向，积极弘扬主旋律，出色地完成了各项宣传报道任务。在党的十七大宣传报道期间，省电台推出了《百姓、代表点对点》等专栏，用记者的眼光、代表的声音、百姓的视角解读十七大关键词，并通过热线电话、短信平台、网上调查、开辟网络论坛等方式，与听众进行交流，使十七大的宣传报道与百姓的关注有机统一，增强了宣传报道的时效性。省电视台在北京设立直播室，对十七大盛况进行全方位报道，报道规模空前，报道形式新颖，贴近性强，得到观众认可，收视率节节攀升。在服务新农村建设的宣传报道中，省电视台与省农委、省质量技术监督局等有关部门合作，成功举办了“春雨行动”、“春雷行动”等大型助农公益活动，服务农民群众十余万人次。在“春雷行动”中，与有关部门配合，捣毁制售伪劣农资黑窝点49个，为农民挽回经济损失300余万元，使全省春耕农资市场得到了净化。“春雨行动”和“春雷行动”的成功举办，为媒体服务社会进行了有益探索，得到了省委、省政府主要领导的高度评价和国家有关部委的关注。省电台、省电视台还成功宣传报道了省十次党代会、纪念北大荒开发建设60周年、恢复高考30周年、香港回归10周年、建军80周年等重大主题报道，深入开展了贯彻落实科学发展观、振兴老工业基地、构建和谐社会、建设新农村、全面建设小康社会等重点工作报道，起到了鼓舞士气、营造氛围、促进发展的宣传效果。2007年10月8日，黑龙江人民广播电台乡村广播正式播出，乡村广播的开办对推进黑龙江省新农村建设和边疆文化大省的建设发挥了积极作用。在十七大宣传报道中，全省各地、市、县广播电台、电视台都以强烈的政治责任感和崇高的使命感，以出色的工作业绩，圆满地完成了各项宣传报道任务，在全社会迅速掀起学习贯彻十七大精神热潮，形成了良好的宣传态势。

2．品牌建设取得新成绩。2007年是省电台、省电视台品牌建设力度较大的一年。省电台整体收听率大幅度提升，其中都市女性广播的《叶文有话要说》节目始终保持收听市场绝对竞争优势；新开办的《财经2007》、《老来有伴》节目均取得良好的收听效果。省电台音乐广播初步建立了娱乐互动、娱乐资讯、校园音乐、平民音乐四个节目品牌带。省电视台按照全省广播电视工作会议上提出的将“黑龙江卫视打造成全省广电产业的龙头”这一要求，对卫视频道重新定位。确定将黑龙江卫视打造成集武术和公益两类活动的全国性平台，叫响“舞动中国，善行天下”的频道口号。现已成功举办了中俄散打对抗赛、中日散打对抗赛，推出了《快活武林》和《龙武堂》两档常态节目。卫视频道品牌建设起步良好，推进顺利，影响卫视竞争力提升的难题开始破解。省电视台都市频道改变以往以电视剧、引进节目、编辑类节目为主要竞争节目的做法，重点打造了《新闻夜航》、《天舒工作室》、《都市传奇》等高品质的自办节目，收视率全线飘红，省网全天时段和哈尔滨市网黄金时段，收视率和市场份额均翻了一番。省电台与中央电视台、省委宣传部联合拍摄的26集轻喜剧《文化站长》及省电视台与省委宣传部联合拍摄的大型电视政论片《为人民谋幸福》，均取得强烈的社会反响，进一步展示了黑龙江广播电视的整体实力。

3．创优工作成绩喜人。在2007年度评奖中，省电台《雨中送考》节目荣获中国广播电视新闻奖优秀现场直播；专题节目《好人王广军》荣获中国广播影视大奖优秀奖；《行风热线》荣获中国广播影视大奖十佳新闻栏目奖提名奖；另有7篇作品获中国广播影视大奖提名奖。省电台广播艺术中心制作的广播剧《逍遥津》荣获中国广播剧奖一等奖第一名，从而实现了黑龙江广播剧“十八连冠”的奋斗目标；广播连续剧《月亮走，我也走》、儿童广播剧《七七的城堡》分获“五个一工程”奖。朝鲜语广播在第12届全国少数民族广播电视研究会朝鲜语广播好稿评选中，有4件作品获一类作品奖、3件作品获二类作品奖。主持人邓辉、叶文获2007年度全国金话筒作品奖。省电视台《新闻夜航》栏目再度获得中国新闻奖新闻名专栏；《纪念中国人民抗日战争暨世界反法西斯战争胜利60周年大型文艺晚会——松花江上》荣获中国广播电视节目大奖；现场直播《胜利的日子》、评论《人世五年　大豆遇险》、纪录片《英雄岁月》荣获中国广播影视大奖优秀奖；另有7篇作品获中国广播影视大奖提名奖。省电视台在电视制作技术最高奖——金帆奖评选中，再获佳绩，荣获一个一等奖、两个二等奖、三个三等奖。从全省2006年度参评的黑龙江广播电视奖846件作品来看，其中592件作品获奖，占参评作品总数70%，参评作品展现了全省广播电视系统政治文明、精神文明、物质文明建设取得的成果；对科学发展观、和谐社会建设、改革开放和党的建设等方面取得的成就均有所报道和反映；对当地发生的重大新闻事件、重大典型均进行了不同角度的宣扬和跟踪报道；当地发生的腐败现象等社会阴暗面也程度不同的进行了揭露和剖析。

4．外宣工作拓展有力。省电台、省电视台采取围绕重点，紧追热点，捕捉亮点的方式，积极开展外宣工作。省电台全年在中央台新闻节目中发稿数量，在全国省级台中位居前列。朝鲜语广播在中央台、国际台以及韩国广播公司（KBS）发稿也取得新突破。省电视台全年在中央台各档新闻节目中发稿总量达到901条，其中在《新闻联播》中发稿188条，同比增长3.3%，再度荣获中央电视台“优秀通联集体”，成为全国唯一一个连续四年获此荣誉的省级电视台。省电视台卫视频道现已在全国31个省会级城市落地，在深圳等88个重点城市和500个县级城市落地，形成了三级覆盖、点面结合的落地格局，有效收视人口由2006年的三亿两千万增长到目前的四亿四千万，增长了一亿两千万收视人口。省电台、省电视台的外宣工作有力地扩大了黑龙江省的影响力，进一步提高了黑龙江的知名度。

三、广播电视事业建设不断加快

广播电视覆盖工程取得新进展。省电台全力实施"1365"广播覆盖工程，2007年在实现专业频率在佳木斯、鸡西、大庆三个城市的覆盖后，"1365"广播覆盖一期工程全部完成。省电台专业频率在省内所有市地级城市实现覆盖，交通广播和生活广播覆盖人口分别突破2000万。全国农村中央台广播电视节目无线覆盖一、二期工程和全省广播电视节目无线覆盖工程稳步推进，工程完工后将彻底解决黑龙江省无线台站发射机陈旧老化的问题，从根本上改变全省无线广播电视覆盖效果。

新媒体发展取得新突破。积极加快省干线传输网络连通、优化和升级，提升了省干线网的传输能力和运行安全。数字化综合业务平台一期项目建设全部完成，目前下传95套节目。积极推动广播电视数字化建设，全省有线数字电视用户发展到147900户，13个市地中有8个市地建成了有线数字电视前端。大力发展无线地面数字电视，在肇东和拜泉进行试点的基础上，发展了双鸭山、七台河、东宁、穆棱、克山5个试点市（县）。积极进行有线电视网络整合，整合了七台河、穆棱有线电视网络，龙视网络公司有线电视终端用户发展到45万户。省电台探索与尝试开办了手机广播、IVR语音互动等新业务。省电视台移动电视正式开播，节目覆盖哈尔滨市1000个公交车载终端，每天18小时不间断播出。亚布力国际广电中心工程建设进展顺利，为发展高清数字电视奠定了坚实的基础。

（刘扬　姚宝山　刘晓晶　朱连君）

上海市广播电视概况

一、基本情况

2007年，上海共有公共电视节目25套，其中市级16套、区县级9套，公共电视全年播出时间172277小时；共有公共广播节目21套，其中市级11套、区县级10套。付费节目1套，公共广播全年播出时间为130510小时。2007年，上海有线广播电视干线网络总长30200.54公里，全市广播电视覆盖人口1368.08万人，广播电视综合人口覆盖率达100%。2007年，上海有线广播电视用户达499.3万户，有线电视入户率为99.94%，比2006年增长10.8%；其中，农村有线电视入户50.5万户，入户率为49.9%。

2007年，上海市全年播出电视剧1183部31993集，其中进口电视剧59部2351集；全年动画电视播出311部22195集，其中进口动画片77部3580集；全年广播剧播出数为205部5158集。2007年，上海数字电视用户达31万户(其中付费数字电视用户达10.8万户)，比2006年增长99.94%。

2007年，上海市广播影视从业人员共计18136人。

2007年，上海数字付费电视平台已覆盖了全国170个城市，数字付费电视用户突破1000万。上海市广播电视2007年总收入1049369.84万元，其中市级广电收入989060.22万元，区县级广电收入60309.62万元。上海市广播电视2007年实际创收1043395.05万元，其中广告收入412323.14万元，网络收入170852.57万元，演出、报刊发行、广电节目销售、新媒体等其他创收收入达10750.83万元。

二、行业管理情况

管理和服务能力全面提升。2007年，上海市广播电视行政主管部门按照建设法治政府、责任政府和服务政府的要求，通过加强依法行政、推进服务延伸、创新管理机制、开展调查研究等务实举措，使广电影视各项管理工作在"面向全系统、涵盖全行业、辐射全社会、实现全覆盖"上有了新突破，在"统一计划、统一部署、统一信息、统一管理、统一服务"上取得新成效。2007年，上海市文化广播影视管理局连续第四次为社会影视制作公司组织举办法制专题培训班；积极指导区（县）有线电视中心和乡镇有线电视站健全管理制度，保障村村通工作的树立开展，使全市农村有线电视覆盖率达到83.58%；通过补贴或购买放映场次的办法，为农民采购基本电影文化服务，让农民看到和看好电影，连续三年确保了"2131工程"目标。

调查研究深入广泛开展。2007年，上海市文化广播影视管理局组织局机关、局属单位、区县文化（广）局和行业组织，注重立足工作实际，强化理论与实践结合，深入开展调研工作，确立了45个广播影视调研课题。

安全播出工作优质高效。2007年，上海市广播电视行政主管部门将安全播出工程列入8大重点工程予以重点推进，对全市的广播电视安全播出工作进行全面部署。一手抓转星调整，一手抓安全播出，确保了党的十七大等重要保障期上海市的广播电视安全播出，全年广播电视安全播出无事故。

广电播出秩序与内容监管成效显著。上海市广播电视行政主管部门着力加强广播电视播出秩序和播出内容管理，实施市、区两级播出机构、频道、频率换发许可证，有效清理关闭了区县未经批准的电视节目。严格实施对广告播出比例、广告内容、互联网视听节目播出机构、涉外广播电视节日、黄金时段引进电视剧和动画片播放比例的监管，加强对涉案题材电视剧和引进剧、合拍剧的播放调控。认真做好电视剧制作机构审批和内容审查工作。及时纠正违规播出行为，坚决抵制虚假新闻、低俗之风与泛娱乐化倾向。

打击非法网络视听节目取得阶段成果。按照广电总局关于开展依法打击网络淫秽色情专项行动的要求部署，上海市在历时两个月的深入调查后，出台了《关于依法打击网络淫秽色情专项行动的工作方案》。全市共查处涉及传播淫秽色情视听节目的网站8家、涉及传播淫秽图片文字及网络色情交易的网站6家、涉及传播政治有害视听节目网站7家；文化市场行政执法部门依法关闭了4家无备案的非法网站，并将10家网站提交公安机关处理。

三、事业发展情况

舆论导向昂扬向上。2007年，上海广播电视媒体积极唱响主旋律，打好主动仗，牢牢把握正确的舆论导向，努力提高节目质量，创新节目形态，抓好媒体品牌建设，增强正面宣传的影响力。围绕党的十七大、上海市第九次党代会、全国和上海“两会”、建军80周年、香港回归10周年、2007年世界特奥会、2010年上海世博会筹办等重大主题，广电媒体全方位、多角度、立体化地宣传了科学发展观、建设社会主义和谐社会等重大战略思想，宣传了全国和上海在经济建设和社会发展方面取得的新进展和新成就。2007年，广电媒体主题主线报道特色鲜明，涌现了一批有影响的优秀新闻作品和广播电视专题节目，各类新闻节目被中央电视台的采用率大幅度上升。

外宣工作实现拓展。上海广电媒体积极参与日本“上海周”世博推广活动，在筹办和宣传报道方面做了大量工作，确保了上海世博会首次海外推介活动成功举行，并继续做好向美国CNN、日本NHK等海外主流媒体供片工作，向海外主流社会传递中国声音。东方卫视在实现对全国直辖市、省会城市全覆盖的基础上，积极推动向中小城市的覆盖，可收视人口超过7亿，国内落地范围处于全国省级卫视前列；继在日本、澳大利亚、北美、欧洲及澳门地区落地之后，又实现了在南美和香港地区落地播出，成为辐射海外最广的省级卫视。2007年，东方卫视向CNN供片播出量继续位列国内供片机构之首。第一财经继续利用在CNBC上开设的播出窗口，宣传中国经济和社会发展方面取得的成就。第一财经频道已实现在香港整频道落地。东方宽频成功在全球最大视频共享网站You Tube设立了专区频道，扩大了上海和中国的国际影响。

影视创作繁荣活跃。2007年，上海电影集团制作完成了《大耳朵图图》等2部电视系列片，完成译制和配音制作17部电视电影、73集电视剧；完成电视剧《舞台姐妹》、《秘密》、《天涯歌女》等15部400余集；精心制作了为上海世博会而拍摄的专题纪录片《视觉上海》。在国内外重要奖项评选中，上影集团共获得包括中宣部“五个一工程”奖、中国电影华表奖优秀故事片奖、优秀动画片奖、优秀译制片奖和优秀出品人奖等在内的60多个重要奖项。电视剧《诺尔曼·白求恩》和《亮剑》双双获得“飞天奖”长篇连续剧一等奖。上海文广新闻传媒集团影视剧中心加强《大秦帝国》、《我是太阳》、《光荣岁月》、《上海往事》等重点电视剧的投拍，其中《我是太阳》被列入上海市重大文艺创作项目。

媒体品牌效应逐步显现。2007年，《新闻透视》、《新闻坊》等栏目入选“上海媒体优秀品牌榜”。在第十七届中国新闻奖评选中，上海文广新闻传媒集团获得3个一等奖、4个三等奖，获奖总数及一等奖数量为历届之最；在中国广播影视大奖评选中，传媒集团有14件新闻和文艺节目（栏目）获奖，位居省级电视台前列。2007年，上海广播文艺节目把握导向，提升品位，给听众带来了高雅的艺术享受，共荣获全国奖项16个，获奖总数在全国文艺广播界名列前茅。

广电村村通基本实现。截至2007年底，除崇明县将于2008年上半年实现有线电视村村通外，其余区县已全部实现有线电视“村村通”；目前，各郊区县均制定了2010年前实现有线电视“户户通”计划，其中，宝山、闵行、嘉定区计划在2008年基本实现“户户通”。

技术开发与应用成效显著。2007年，上海市文化广播影视管理局筹划建立的“上海区（县）电视节目监测管理系统”顺利通过专家验收，全面投入运行。该局由此实现了对9个区（县）电视台第1套电视节目的24小时实时监看。此系统的建立和应用不仅有效地强化了上海市各级文广行政部门对电视播出节目的技术监测和内容监管，还使政府依法管理的触角得到了延伸，效能得到了提升。2007年，在国家广电总局广播、电视节目技术质量奖评选中，上海文广集团技术运营中心共获得17个政府奖项。东方网在多媒体发布、网络电视、公共上网平台、下一代互联网等领域加大研发力度，提高自主创新能力，取得显著成效。

电视剧生产创作态势良好。2007年上海市电视剧生产再创历史新高，全市共有45部1536集电视剧获证许可发行（其中，国产电视剧为44部1475集，作为国产电视剧发行的合拍剧1部61集），部、集数与2006年同比分别增长了32.4%和21.9%。上海市影视制作机构贯彻中央提出的“三贴近”原则，现实题材影视剧创作取得了明显成效，2007年现实题材电视剧产量占当年生产电视剧总部数的近80%，现实题材电视剧集数是历史题材电视剧的4.3倍。伴随着机构总数与资金投入的不断增加，民营制作机构在电视剧生产中的作用更加凸现。2007年，上海市获得国产电视剧发行许可证的23家影视制作机构中，民营机构迅速增长至18家，占总数的78.3%；上海市民营影视制作机构的电视剧总计投资28174万元，是国有影视制作机构的1.86倍；全市9部总投资超过1700万元的电视剧中，有7部由民营机构生产并获得发行许可证，占总数77.8%。

动画产业发展取得进步。2007年，上海市电视动画片生产呈现五大特点，电视动画产业呈现出良好发展态势。一是产量显著增加。2007年上海市生产电视动画片18部971集11456分钟，部、集、分钟数与2006年同比分别增长63.6%、152.2%和97.6%。二是质量继续提高。上海市生产的《海贝贝》、《老呆与小呆》和《小青天司徒公》等3部104集1794分钟电视动画片被广电总局作为优品向全国各电视播出机构推荐发行。三是观众群实现拓展，明代民间故事题材的《小青天司徒公》、当代白领题材《外滩520》、高三生活题材的《考生之家》等动画片适合多层次年龄观众收看，实现了收视群体的延伸。四是动画片“走出去”取得进步。2007年，动画片《小康康》和《虫虫》被新加坡华语电视台购买，成交额约为21.4万美元；《小知了》、《快乐论语》已在日本卫星电视收费频道播出；上海今日动画影视文化有限公司的合拍动画系列片《中华小子》吸引了30多个国家预购，预售合同达4000万人民币。五是民营机构生产实现突破。2007年，生产电视动画片并取得发行许可证的民营机构由上年的2家增加至7家，民营机构的年产量为5884分钟，占动画片年产量的51.6%，民营机构产量首次超过国有机构。

（朱春霞　杨奕）

江苏省广播电视概况

基本情况

2007年，全省有广播电台14座，电视台14座，省级教育电视台1座，广播电视台66座。全省中短波发射台21座，调频转播发射台82座，电视转播发射台112座。全省有线电视用户数为1350万户（入户率为58%），总户数位居全国省级第一。其中，农村有线电视用户为1067 万户，入户率为53.8%，有线电视城乡差别不断缩小。全省有线数字电视用户总数达240万户，占全国总数2000万户的12%，南京、无锡两市实现有线电视整体转换并通过总局验收。全省2007年完成原创电视动画片30部15569分钟，产量位居全国第三，有6部动画片被总局向全国推荐。全省2007年完成电视剧25部719集，电视剧生产数量位居全国第四位，一批精品力作在全国获奖。成立了省监测台、收听收看中心和安全播出调度中心，进一步完善了监管手段。全省广电系统在注重社会效益的同时狠抓经济效益，2007年总收入为76.02亿元，较2006年同比增长24.78%，收入总数位居全国前列。全省广电系统从业人员为3.5万人。

主要业绩

一、贯穿"一条主线"，广播电视宣传充分有力，为十七大的召开营造了良好的舆论氛围

全省广电系统把迎接十七大、宣传十七大、贯彻十七大作为主线贯穿全年、统领各项工作。紧紧围绕党的十七大的召开，部署、策划、组织了一系列大型新闻行动，开展了内容丰富、形式多样的主题报道，展示了江苏率先发展的新成就、新经验，解读了十七大报告的新观点、新思想，及时推出了各地各部门贯彻十七大精神的实际行动，形成了强大的宣传声势。

省广电总台各新闻栏目以系列报道、专题报道、开辟专栏等多种形式，精心组织"直通北京"、"落实科学发展观"、"香港回归十周年"、"建军八十周年"、"落实省委十一届三次全会"等主题报道，特色鲜明，气氛热烈。

二、着力"两个推进"，确保广播电视导向正确，安全播出万无一失

一是着力推进抵制低俗之风工作的开展，确保广播电视导向正确。围绕为十七大召开营造良好氛围，省局严肃宣传纪律，切实加强监管，以整治虚假新闻、抵制低俗之风为重点，召开了全省宣传管理工作会议和全省广播电视宣传管理情况汇报会，坚决贯彻落实总局整治虚假新闻、抵制低俗之风工作精神。制定出台了《江苏省进一步整治虚假新闻工作方案》和《净化荧屏声频"回头看"检查工作方案》，明确了宣传管理22个方面的重点内容和要求。进一步完善采编播工作流程，加强对从业人员内部管理和社会监督。

省总台新闻中心在央视《新闻联播》用片655条，"头条"和"提要"位居全国第1，用稿数量持续增加，质量不断提升，效果更加显著；新闻广播部在中央电台《新闻和报纸摘要》用稿也稳居全国前列。

二是着力推进安全播出应急调度体系建设，确保广播电视安全播出万无一失。围绕十七大广播电视安全播出，全省广电系统共同努力，着力在转星调整和安全播出应急调度体系建设上下工夫。

省总台以十七大安全播出为契机，优化资源配置，创新工作流程，技术系统集中力量，后勤等相关部门通力配合，圆满完成十七大以及日常安全播出工作。

三、保持"三个领先"，广播电视事业产业齐头并进

一是有线电视进村入户总户数位居全国第一。作为新农村五件实事之一，省政府下达2007年全省发展农村有线电视用户90万户任务。通过层层落实责任制和考核。有力地推动了"苏南户户通、苏中组组通、苏北村村通"工作和有线电视县创建活动，全年新发展农村有线电视用户129万户，超额完成了省政府下达的目标任务，并连续4年每年新增农村有线电视用户数突破100万户。

二是全省原创影视动画生产总量继续保持全国前列。江苏拥有的国家基地占全国总数的24%。针对各基地发展特点，省局加强指导，主动服务，组织参会参展，实施国产动画精品工程，做好电视动画片的播出调控工作，江苏原创动画片的播出量不断增加，逐渐形成了全省影视动画播映的优势平台，衍生产品的开发也得到加强，延伸了产业链，提高了附加值，全省原创动画生产的竞争力和影响力不断提升。

三是广播电视经营创收仍处于全国第一方阵。全省广电系统在注重社会效益的同时狠抓经济效益，从优化管理、创新品牌、重视内容生产、开拓延伸产业、推进新媒体业务等多方面提高创收，经营收入不断增长，收入结构更趋合理。根据2007统计快报数据显示，全省全年创收总收入为76.02亿元，较2006年同比增长24.78%，继续保持全国省级第四位，其中广告收入位居全国第二位。网络收入增幅高达56%。

省总台在经济总量上大幅提升，全年实现经营收入21.68亿元，同比增长34.16%；经济规模在省级广电中的排名继续提升；收入结构更加优化，广告收入在稳定增长的同时，在总收入中的比重进一步下降，二三层面收入的上升到29.61%；支出结构不断改善，消费性支出在支出总量中的比重继续下降，基建、技术、对外投资等资本性支出得到加强。

四、实现"四项突破"，为广播电视可持续发展创造空间

一是广播影视精品生产有新业绩。全省广播电视播出机构坚持"三贴近"，唱响主旋律，全省广播电视宣传的吸引力、感染力和影响力进一步增强。《打造"蚯蚓王国"的台湾人》等21件作品获得全国广播影视大奖或提名奖；《三小时生命大营救》等675件作品获得省级广播电视政府奖，在总局全国少儿节目精品及动画精品评审中，全省共有12个作品获奖，省少儿频道获一等奖、南京少儿频道获优秀奖。承办了全国电视剧创作座谈会，进一步提升江苏电视剧创作生产水平和市场地位。

2007年，省总台共完成《明德绣庄》、《粟裕大将》、《哈皮父子》（第1部）等影视剧15部300多集，共投拍《南京！南京！》、《汤若望》、《哈皮父子》（第2部）等影视剧7部125集。28部影视剧获得了省"五个一工程"奖，获奖数量位居全省各参评单位第一；4部电视剧获得了全国"五个一工程"奖，扭转了电视作品连续两届无一获奖的局面，取得了良好的社会效益和经济效益。

二是有线数字电视整体转换有新进展。按照"政府领导、广电实施、社会参与、群众认可、整体转换、市场运作"的总体要求，通过出台《江苏省有线数字电视收费管理暂行办法》提供政策，召开会议统一思想，举办数字电视发展高峰论坛开阔视野，大力推进网络双向化改造、进行设备更新等措施，全省全年新发展有线数字电视用户139万户，总数已达240万户。

三是新媒体业务有新拓展。全省广电系统按照总局提出的主动占领阵地、积极拓展业务的要求，以新的技术、新的方式、新的理念、新的机制，从为老百姓提供更方便快捷的服务出发，进一步拓展新媒体、新业务市场。南京、无锡、扬州等台在有线网试验推出互动电视业务，南京、苏州、无锡、徐州、常州、泰州、连云港、淮安等台在互联网上传播视听节目，拓展了宣传阵地；苏州台的农村数字电影放映工作取得成功经验，实现了良性循环。

省总台广电移动新媒体有限公司正式成立，成功申请手机电视内容牌照，公交移动电视、手机电视同步开播，广传中心播ing网闪亮推出，作为江苏地区的试验主体成功加入总局CMMB试验小组，国标数字地面电视江苏平台建设与试验顺利推进。

四是队伍建设有新举措。省局进一步健全完善了干部培训工作机制。

省总台持续加强人才队伍建设，继续面向全国著名高校引进以硕士为主的应届毕业生，并面向社会引进有关核心骨干人才。

五、强化“五项管理”，广播电视依法行政成绩显著

一是在加强宣传管理上有新成效。省局先后组织了3次较大规模的暗访，对全省省、市台55个频率、58个频道和38个县级台播出的节目进行实时收听收看，指出问题，落实整改。进一步加强了对新闻类、法制类、综艺娱乐类和医药类专题节目的监管，收到明显成效。省收听收看中心被评为全国广电系统先进集体。

二是在加强频率频道管理上有新力度。省局依法严肃查处擅自开办频率、频道和擅自变更频率、频道名称、呼号、标识、节目设置范围等问题。召开了全省播出机构管理会议，讲清道理，明确要求，严肃纪律。全年共向相关违规单位发出《违规整改通知书》17份，加强了对播出机构的管理。

三是在加强广告管理上有新作为。省局积极开展对虚假违法广告、不良广告专项整治。广告播放秩序进一步好转，受到总局肯定。同时，还会同省有关部门积极开展以“迎奥运、讲文明、树新风”为主题的公益广告征集比赛活动，涌现出《用奥运精神去生活》等一批优秀公益广告作品。各市广电局严格执行总局部署，切实加强管理，取得明显成效。

省总台一方面优化广告管理机制，一方面优化广告结构，大幅度调整专题广告资源配置，同时积极拓展品牌广告市场，系统优化广告生态环境。

四是在加强境外卫星电视管理上有新亮点。省局积极推动全省广电系统在四个方面下工夫，即：以查处大案要案为抓手，在推动境外卫星电视专项整治工作上下工夫；以转星调整工作为契机，在治理非法安装行为上下工夫；以点带面，在推进“无小耳朵社区”创建上下工夫；以督办督查为抓手，在规范网络传输秩序上下工夫。

五是在加强互联网传播视听节目管理上有新探索。全省进一步加强了网络监测体系建设，明确专人负责监看全省传播视听节目的网站，协调有关部门对部分违规网站进行了查处。积极扶持“江苏广电网”、“南京龙虎网”等10家重点网站，形成网上正面舆论强势。全年协调呈报总局新批传播视听节目网站5家。出刊了《江苏网络视听动态》，及时向领导部门反映网络视听重要舆情。（施海华）

浙江省广播电视概况

一、加强广电宣传监管，增强舆论引导力

2007年度，广播电视行政部门加大了宣传管理力度，促进播出机构把握正确舆论导向，不断提高舆论引导水平。围绕省委省政府的工作大局，精心组织重大新闻报道和社会活动，加强热点引导，弘扬浙江精神，总结推广新经验，及时报道新典型，为全省实施“两创”总战略营造良好的舆论氛围，提供强大精神动力。

加强对农宣传，提高服务“三农”的能力与水平。全省81家播出机构共办有广播对农栏目140档、电视对农栏目101档，所有县级台都已按要求每周分别开办了一档以上广播和电视对农栏目。

推进制度创新，强化广播电视播出机构的规范化建设。在省委宣传部的统一部署下，组织开展了省本级和杭州市广电播出机构的综合评估试点工作，探索建立对播出机构监管的长效机制。按国家广电总局要求，在全省各级播出机构开展了抵制低俗之风、净化声频荧屏工作，停播或调整了一些容易出现低俗倾向的节目。继续推进电视民生类新闻栏目的转型升级，强化优化其新闻主体功能，增强舆论引导能力。继续做好对医疗资讯服务类、电视购物、虚假违法广告的专项整治。省局继续加强节目收听收看和视听评议工作。

二、影视动画创作及相关产业繁荣发展

进一步优化影视动画制作业发展环境。新批影视公司81家，新增注册资金4.9亿元，至2007年底，全省共有影视节目制作经营机构381家，总注册资金18亿元。省级和杭州还设立动漫影视制作业专项基金，有效调动动画影视企业投资生产的积极性。

推进影视动漫基地建设。横店影视产业实验区已经初步形成从剧本创作到影视制作、发行、放映和部分后产品开发、延伸产业经营等比较为完善的产业链；单落户横店影视产业试验区的218家影视制作及设备、服装租赁、道具布景制作等企业，年营业额就达12亿元；影视特色旅游500万人次，收入6亿元。杭州国家级动漫基地现有28家公司，从业人员3500余人，生产的影视动画片占全省总量的95%以上，形成较强的集聚效应和辐射力。

积极扶持影视动漫精品创作生产。2007年全省完成摄制电视剧32部808集，完成动画22部590集计10013分钟，优秀片总量居全国各省市第一位。

积极培育影视动漫市场体系。中国国际动漫节目前已成功举办三届，成为全国影视动画交易流通的最重要平台。第三届国际动漫节展馆面积达4.6万平方米，吸引了280余家动漫企业和机构参展，参观人数达43万人次，现场成交额6亿元。省局参与承办的第二届中国义乌文化产品交易博览会，共实现商品交易额17.5亿元。

三、农村广播电视重点工作扎实推进

积极推动新一轮“村村通”工作。自2006年实施新一轮广播电视“村村通”工程以来，已有65个乡镇、4247个行政村完成有线电视联网任务，9404个20户以上自然村完成了工作任务。全省乡镇和行政村有线电视联网率分别达到99%和97%左右。

大力实施无线覆盖工程。根据中央要求，浙江省从

2007年开始实施广播电视农村无线覆盖工程。到2007年底，全省基本实现中央广电节目农村无线覆盖"十一五"规划目标。

启动广播"村村响"工程。省局和省财政厅联合制定了《浙江省农村有线广播"村村响"工程实施意见》，省政府已批准了这项工作，建设资金原则上由当地政府负责，省级财政拨出专款1.06亿元，采用以奖代补的方式给予补助。

探索城乡广电公共服务均等化。2007年12月，吕祖善省长等省领导专门听取省局工作汇报，对开展广播电视"文化低保"工程给予充分肯定，并提出了具体要求。省十一届人大一次会议将广播电视"文化低保"列入了"全面小康六大行动计划"并作出部署，2008年将首先在全省低保户、困难户中开展该项工程。

积极打造农村信息化综合平台。继续利用数字电视功能优势和广电网络优势，拓展农村宣传文化阵地，丰富了农村文化生活。

四、安全播出工作进一步加强

确保了重要保障期的广播电视安全播出。认真做好"春节"、全国"两会"、党的十七大和省第十二次党代会等重要保障期的各项安全播出工作，全省广电系统广大干部职工按照中央和省委要求，精心组织，周密部署，坚守岗位，扎实工作，为确保广播电视的安全播出作出贡献。

圆满完成卫星广播电视转星调整工作。提前超额完成了任务，共转星调整各类卫星地面接收设施40000多面。

完善安全播出基础设施建设。进一步完善安全播出协调领导小组和指挥部的建设，建成有线数字广电监管平台，购置了移动监测车，有效应对全省各类安全播出突发事件。

五、广播电视数字化和有线网络联合发展进程加快

城市有线电视数字化工作全面铺开。到目前，全省11个市的市区和大部分县城开通了数字电视，播出70到100多套广电节目和部分政务、生活、商务信息类节目，用户数已达150多万。

继续开展农村有线数字电视试点。扩大农村有线数字电视试点，积极打造农村信息化平台。2007年镇海区完成了城市和农村9万多户有线数字电视整体转换，其中农村用户为5.5万户，被省局授予"城乡一体化数字电视整体转换示范区"。杭州、宁波、绍兴、嘉兴、衢州等地农村数字电视建设都取得积极进展，目前全省有农村数字电视用户20多万。

着力推进有线数字网络联合发展。省委、省政府高度重视有线数字网络联合发展，建立了隶属于省文化体制改革领导小组的"全省有线数字网络发展工作协调小组"，协调推进全省有线数字电视联合发展。浙江广电集团入股杭州华数数字电视公司，初步搭建了面向全省的省级数字电视平台。省委宣传部和省局牵头召开全省推进有线数字电视联合发展和安全播出专题会议。

数字广播影视新媒体新业务发展快速。全省广电系统大力扶持主流媒体开办网络广播、网络电视以及手机电视、移动电视等新媒体、新业务。积极推进"浙江网视联盟"的发展，目前已有30多家广播电视台加盟，通过"网视联盟"实现网上联播。车载电视发展较快，如广源网络传媒有限公司积极发展火车车载电视，占据了全国列车电视80%的份额。杭州文广集团与杭州公交公司合作开发移动电视，其中公交车安装率位居全国第一。

六、进一步加强行政执法力度

深入实施行政许可法，及时梳理、明确了省局行政管理职能及依据，重新界定文化体制改革后市县两级广电管理任务和执法职责。建立并推行行政许可、行政审批事项网上办事制度，加强和规范行政许可实施与监督。做好广播电视设施保护工作，确保广播发射工作安全有效。与省建设厅联合发文，在全省开展城乡广播电视设施布局专项规划编制。

七、体制改革和产业发展取得了新的进展

文化市场综合执法改革后续工作稳妥推进。综合执法力量得到加强，管理体制进一步理顺，杭州、宁波、温州等地完成了文化市场综合执法队伍定编定级和人员身份转换。

积极发挥规划和统计的指导作用。与省发改委制定并印发了《浙江省广播影视"十一五"规划》，促进全省广播影视业有序发展；进一步健全广电指标统计体系，加强成本核算管理，进一步搞活广告经营。

产业经营收入稳步增长。2007年全省广播电视业经营创收为80.68亿元，比上年增长18.04%，比全省生产总值的增幅高3.54个百分点。其中省本级19.15亿元，同比增长10.44%，11个市本级26.64亿元，同比增长7.42%，县(市)级为26.17亿元，同比增长13.93%；社会影视业14.72亿元，同比增长76.92%。 （浙江省广电局）

安徽省广播电视概况

一、基本情况

截至2007年底，全省共有经国家广电总局批准设置的广播电台17座、电视台22座(含教育电视台5座)，市级广播电视台1座，县级广播电视台61座。全省各级广播电台对国内开办公共广播节目101套，全年公共广播节目播出时间为437619小时。全省各级电视台对国内开办公共电视节目121套，全年公共电视节目播出时间为590843小时。

全省广播综合覆盖6334万人，人口综合覆盖率为96.07%，较上年增加0.02个百分点；电视综合覆盖6293万人，人口综合覆盖率为95.44%，较上年增加0.06个百分点。

全省共有中波广播发射台和转播台22座，电视发射台和转播台179座，调频广播发射台和转播台590座。全省建成微波线路总长5153公里，设立98座微波实有站。省级干线网总长4500公里，地、市级干线网2458公里，县级及县级以下干线网15576公里。全省共设卫星收转站22812座，上行站1座。全省有线电视用户337.3万户，入户率为17.76%。

省、市、县三级广播电视部门共有从业人员17093人，其中省级广播影视机构从业人员5472人。全省广电系统实际创收共计23.7亿元，同比增长20.62%。其中，省本级创收16.04亿元，同比增长23.06%。在省本级创收中，省电视台创收11.99亿元，同比增长27.06%；省电台创收1.01亿元，同比增长7.64%。

二、主要业绩

新闻宣传成效突出。全省各级广电部门把做好十七大宣传作为头等大事，精心组织，全力以赴，开展了迎接宣传贯彻十七大、落实科学发展观、中部崛起、全民创业、推进民生工程、抗洪抢险等重大主题、重大活动、重大典型的宣传，以生动的事例、鲜活的内容、翔实的数据，全方位、立体化、多层次宣传报道了安徽省经济社会发展的辉煌成就，营造了科学发展、加速崛起的良好舆论氛围，受到了省委、省政府的充分肯定和社会各界的好评。在突发事件和热点问题上，准确把握基调，有效引导舆论。关注民生，热情服务百姓，架起了政府与群众沟通的桥梁。向中央台供稿工作取得新突破，省电台、省电视台在中央电台、中央电视台发稿总量分别达706条、737条，同比增长3.5%、15%，其中在中央两台新闻联播栏目分别发稿243条、376条。对外宣传阵地进一步扩大，安徽人民广播电台、安徽电视台在海外的宣传阵地、定期栏目已分别扩大到5个和7个，安徽人民广播电台组织的"海外媒体看安徽"和全国30家省级电台直播奇瑞100万台轿车下线活动取得了较大影响，安徽电视台在阿根廷举办的"中国安徽电视周"，开全国省级电视台在南美举办电视周活动之先河。

精品生产成果丰硕。广播影视创作生产呈现出快速增长势头，整体质量明显提高，一批优秀作品在全国和全省各类评比中获奖。安徽人民广播电台、安徽电视台各有4件作品分获"中国新闻奖"；在"中国广播影视大奖"评选中，全省广电系统有5件作品获优秀奖、12件作品获提名奖，名列全国第8位。特别是在第十届全国"五个一工程"奖评比中，安徽人民广播电台《母亲的童谣》、安徽电视台《历史的天空》和淮北市广电局的《大姐》等三部作品囊括了安徽省 "五个一工程"奖全部优秀作品奖。在安徽新闻奖等一批省级奖项评选中，全省广电系统共有894件作品获奖。安徽电影制片厂摄制的《烽火岁月》被列为向十七大献礼影片并在央视播出。安徽人民广播电台及各市电台开办的《政风行风热线》栏目成为品牌栏目。安徽卫视收视排名居全国省级卫视第2位，举办的安徽年度新闻人物、经济人物、公益人物评选活动在省内产生了较大影响。由省委宣传部牵头主办、安徽电视台承办的"江淮情"大型慰问演出先后在巢湖、宿州、黄山等地成功举行，观众反响强烈。

安全播出再上台阶。全省各级广电部门紧紧围绕确保十七大安全播出，按照中央和省委、省政府的部署要求，精心组织，狠抓落实，突出抓好卫星地面接收设施转星调整工作，在不到两个月的时间内，印发宣传品33万份，培训技术人员15000人，圆满完成了全省517140面卫星地面接收设施的转星调整（其中，系统内1757面、系统外13168面、农村用户502215面），实施了省卫星地球站"双星并发"，受到了国家广电总局的充分肯定。同时，切实加强了日常安全播出工作，建立和完善了安全播出监测、指挥调度系统和各种应急预案，狠抓了值班制度和工作责任制的落实，强化了重点单位、重要设施的安全保卫和各个环节、各个部位、各个岗位的管理，确保了广播电视安全传输和播出。

重点工程进展顺利。按照省政府第11次省长办公会议要求，协调落实了全省20户以上已通电自然村"村村通"工程建设资金和运行维护资金4亿多元，完成了对黄山701、安庆702、淮南703、淮北704和滁州琅琊山5座电视调频转播台成建制上划任务。"村村通"工程被列入省民生工程。完成了128部发射机相关配套设备的招标和16部发射机的更新任务。安徽人民广播电台、安徽电视台被广电总局批准为全国第一批数字网络化实验基地。

经营创收持续增长。2007年，安徽省广电系统经营创收23.70亿元，同比增长20.62%。安徽人民广播电台、安徽电视台创收分别突破1亿元和11亿元大关，安徽省广播电视网络公司创收2.47亿元，实现扭亏为盈。安徽电视台新改版的"家家购物"节目和移动电视的发展成效明显。

管理工作更加规范。全省各级广电部门进一步加强了宣传管理，深入开展了抵制低俗之风行动，加大了对广播电视不良广告的治理力度，加强了法制类和娱乐类节目、手机短信参与有奖竞猜类节目的管理。查禁非法电视台站和查处非法安装境外卫星电视接收设施的专项整治行动出重拳、见实效，全省共查处和取缔非法发射点（台）23座、收缴非法安装的卫星地面接收天线1400多件。进一步加强了广播电视播出机构的管理，停播违规开办的节目13套。严肃查处了非法设置广播电视播出前端、非法开办或合办频率频道、违规播放广播影视节目和非法传播视听节目的行为，加强了对互联网传输视听节目的管理。

争先创优氛围浓厚。全省广电系统深入开展的落实科学发展观大讨论、效能建设、作风教育月和岗位练兵、技术练兵等活动取得了积极成效。省广电局举办了11期840人参加的各类培训班，组织925名播音员主持人参加了总局的资格考试。安徽人民广播电台、安徽电视台先后进行了新一轮处级领导职位竞聘上岗，改善了干部队伍结构，激发了创新活力，干部职工精神面貌焕然一新。在广电系统开展的争先创优活动中，4个单位、3人被评为全国广电系统先进集体和先进个人；39个单位、46人被评为全省广电系统先进集体和先进个人。省广电局和全省广电系统60人被国家广电总局授予"十七大安全播出"先进集体和先进个人荣誉称号。在全国电视技术质量最高奖"金帆奖"评比中，安徽电视台是唯一获得三个一等奖的省级台。安徽卫视和影视频道分别被评为"2007年度中国十大最具投资价值媒体"和"2007年度中国十大创新广电"，《安徽新闻联播》栏目组荣获全国新闻工作先进集体。安徽广播电视传输发射总台基层发射台站获得全国广播电视发射系统技术能手竞赛三个类别三个一等奖，总分全国第一。全省广电系统行风建设受到国家广电总局表扬。省广电局被评为第八届省级文明单位。

（安徽省广电局）

福建省广播电视概况

一、基本情况

2007年，全省共有广播电台10座、电视台10座，广播电视台59座。共开办公共广播节目86套、公共电视节目37套。其中福建人民广播电台东南广播公司、厦门人民广播电台闽南之声、泉州人民广播电台刺桐之声等3套广播节目和福建海峡电视台、厦门卫视频道等2套电视节目实现对外播出。

全省现有中短波发射转播台36座，调频发射转播台97座，电视发射转播台138座，微波站289座，卫星地球站1座，卫星收转站22.06万座，基本形成了城市与农村连通，有线、无线、卫星相结合的多层次、多形式的广播电视传输网络。全省广播、电视综合人口覆盖率分别达到97.05%、98.25%。全省无线广播电视人口综合覆盖率分别为92.73%、84.47%。全省有线广播电视传输干线继续延伸，达133780公里。微波传送线路9386公里，其中数字微波传送线路长度1573公里。

全省有线电视用户达490.59万户，全省有线电视入户率51.29%。2007年，全省正式启动有线电视数字化整体转换工作，整体服务水平得到提高，数字电视用户达75.81万户；全省农村有线电视用户252.88万户，其中有226.72万农户与全省有线广播电视网实现了联网，全省农村有线电视入户率41.70%。

全省广播电视行业实际创收29.14亿元，其中：广告收入14.75亿元，有线广播电视收视费收入7.56亿元；全行业实现增加值17.01亿元。

全省广播电视从业人员19747人，具备专业技术职称7657人，其中高级职称562人，中级职称1965人。

二、广播电视宣传报道

1.主题宣传突出、舆论导向正确。各级广电媒体突出做好迎接、宣传、贯彻十七大的一系列宣传报道，全省推出了《喜迎十七大、海西谱新篇》等543个专题（专栏）；突出宣传贯彻科学发展观、推进和谐海西建设的宣传报道；突出做好“5.18”、“6.18”、“9.8”、纪念香港回归10周年、建军80周年等重大活动宣传报道，主题突出，导向正确。十七大召开期间，省广电集团共制作新闻、专题、消息等近一千多条（篇），在中央电视台播出相关新闻22条。2007年的全国“两会”，省广电集团使用SNG卫星车，保证了节目的安全及时传送播出。制作了《两会进行时》、《共商国是 同谋发展》等特别报道，推出系列报道《履职》等各类节目200余条。在中央两台播出新闻70条，其中在中央电视台《新闻联播》和中央人民广播电视《新闻与报纸摘要》中播出18篇以上。

2.系列专题报道体现特色，影响较好。省广电集团与香港卫视等合作，组织报道《海西连四方》系列新闻宣传活动和《飞越海西》大型电视航拍活动。采访连线直播的形式，不定期在凤凰卫视《华闻大直播》中连线播出。福州电视台开办《直播福州》节目，先后与中央电视台合作拍摄《走遍中国——走进福州》等8部专题片在央视播出。厦门广电集团结合重大建设项目宣传，推出“重点工程巡礼”、“项目带动战略”、“推动节能减排，促进人与自然和谐”、环东海域综合整治大型系列报道《东进序曲》等230多集系列报道。围绕“两会”、台交会、马拉松赛、投洽会、园博园开园等重大宣传活动，全年共制作重大特别报道节目66次，直播新闻节目1500多分钟，其中“SNG在行动”特别节目96次。

3.快速反应，做好抗灾救灾宣传。在防“圣帕”等台风宣传中，省广电集团共派出记者400余批（次）近千人赴灾区一线采访，形成了以广播电视新闻中心电视新闻频道、交通广播等为主的其他频道（频率）紧密配合的抗灾宣传报道格局，做到反应快速报道及时，预警发布时效强。尤其新闻频道几次抗灾报道采取了大时段现场直播收效大，得到了省委领导和社会各界的好评。

4.突出民生，服务大众做好宣传。厦门广电集团围绕当前厦门在构建和谐社会进程中正全力解决的“四个加强”和“破解四难”，精心组织策划，从关注民生入手在报道中体现市委、市政府执政为民的理念，利用品牌栏目“视点”、“十分关注”、“沟通”，推出几十档针对治安、交通、教育、环保、安全、房价、道德等热点的新闻专栏，有效地宣传了党和政府的重要决策、方针，推动中心工作的开展。福州电台与市纠风办联办的大型直播节目《政风行风热线》，通过邀请市直有关部门领导与群众面对面交流，搭建起市政府与市民沟通的桥梁，成为很有社会影响的品牌节目。

5.对台对外宣传取得突破。2007年，省广电集团和台湾东森电视台在台中举办以“爱与和平”为主题的《妈祖之光 相约东南》电视晚会实况录播，收到较大反响；第二届《海峡情·2007梨园百花春》分别在中央电视台戏曲频道、海峡电视台、东南卫视同步直播；依托东南广播公司参与两岸春节广播文艺大联播，参加联播的4家台湾电台几乎覆盖全岛；同时，与台湾媒体合作制作了《萍水相逢》、《福建行·两岸情》和《嬉笑看戏曲·梨园百花春》等三档节目入岛播出。泉州电视台闽南语频道，积极寻求与台湾电视节目公司的合作，取得初步的进展。

6.节目创优取得成果。各级广电部门强化节目创优的措施，促进精品创作。全年共评出全省广播电视奖作品503件。各级广电媒体不断推陈出新，新设栏目154个，调整栏目195个，改版栏目82个，取得了可喜的成绩。广播剧《秋日里的野芒花》、电影《我的母亲赵一曼》、电视剧《施琅大将军》等作品获“五个一工程”奖，《金门日记》、《连战祖地行》等分获中国新闻奖和中国广播电视大奖。省局推荐上报的17个节目(频道、栏目)获得2005、2006年度全国少儿节目精品及动画精品专项资金奖励。福州市投拍的重大题材连续剧《船政风云》在中央台播出。厦门青鸟创作的动画片《嘿!星星狐》被广电总局作为优秀片推荐。

7.广播电视网络宣传得到增强。各级广电部门继续加强网络宣传工作力度，发挥主流媒体作用，引导网上舆论。厦门广电集团等三家媒体获批开展信息网络传播视听节目业务。

三、事业发展与安全播出

（一）村村通工作年度任务超额完成，广电公共服务体系建设扎实推进

1. 超额完成2007年村村通任务。省委省政府将启动20户以上自然村村村通任务列入2007年为民办实事项目之一。全年已投入省级建设资金2634万元，市级1297.6万元，全省共完成3785个村村村通，超额完成年度任务。

2. 无线覆盖工程建设有序推进。按照总局部署，认真做好全省高山台站的调查摸底工作，认真研究并完成了2007年省、市、县三级农村广播电视节目无线覆盖的频率规划。在组织实施并完成农村中央广播电视节目无线覆盖工程建设7个骨干高山发射台站的更新改造任务（投入1200万元）后，扎实推进2007年第一阶段任务的41座高山台站的改造工作，同时做好第二阶段任务的4个台站改造工作的规划，已启动改造建设。国家建设资金5204万元和省级建设资金1023万元已拨付各地，中央、省广电节目无线覆盖工程将于2008年6月份完成。

3.加强工程运行维护管理。省局研究出台《福建省"十一五"期间公益性广播电视工程建设管理规定》。省局及时下拨400万元村村通工程运行维护经费和602万元无线覆盖工程运行维护经费，并计划建立对全省各个高山发射台站运行情况的自动监控系统，着力推动各地公共服务体系的建立和完善。全省各级加强了广电抗灾救灾工作，全省各级共投入1871.59万元。

（二）强化保障措施，确保安全播出

1.顺利完成转星调整工作。全省各级共投入资金730万元，完成转星21.56万面。

2.完善安全播出工作制度和机制。按照发布实施的《安全播出应急预案》和《防范无线和有线插播工作应急预案》要求，经过各级共同努力，全省圆满完成164天的安全播出重点保障期工作，确保了包括十七大期间在内的全年广电安全播出。

3.持续推进技术防范的能力建设。一是加强安全播出指挥中心的建设，二是加大安播工程投入，并积极配合总局实施全国广播电视安全播出指挥调度平台预警信息发布系统工程建设，提高了全省应急工作的能力和效率。

（三）大力推进广播电视数字化改造

1.广播电视数字化工作取得较快进展。省政府2007年2月12日召开会议，正式启动全省有线电视数字化整体转换工作。省广电集团和各设区市广电部门加快信息、节目、传输、服务等平台建设，完成数字电视机顶盒招标和收视维护费标准的制定发布。截至年底，全省数字电视用户数达到74.05万。

2.积极推进有线网改造。结合有线数字电视整体转换和村村通工作，各地加快市、县有线网改造和联网进程，有线电视用户有了增长，全省有线用户达到476.75万户。

3.加快台内数字化及基础设施建设。按照总局发布的《电台、电视台数字化网络化建设白皮书》等要求，各级媒体加快采编播等设备的更新改造。

4.加强科技创新投入和服务。各级加大科技创新投入，全年投入资金10350万元，其中省局安排100万元用于扶持全省广电科技创新工作。全年有8个节目分获总局广播电视节目技术质量奖（二、三等奖），2名技术人员获得全国广电系统技术能手称号，4件作品获得总局科技创新科普类奖，2篇论文获得全国广电系统优秀科技论文奖。福州、厦门被总局确定为开展移动多媒体广播（CMMB）的试点单位。

四、行业管理

1.加强节目内容监管。各级广电行政部门加强对涉案法制节目、涉性广告节目、访谈节目的监督检查，开展了抵制低俗之风、虚假新闻等活动，加大对违规问题的查处力度。启动约谈工作制度，省局领导直接约谈存在问题的广电媒体机构负责人，从省级台抓起，确保在十七大之前全省广电媒体基本纠正了不良广告和低俗之风等问题。

2.开展专项整治工作。开展全省卫星电视传播秩序专项整治工作，开展区域性广电有线网非法接收境外卫星电视专项整治工作，开展打击非法推销境外卫星电视地面接收设施及安装服务的专项行动。开展依法打击网络淫秽色情专项行动，规范了全省互联网传播视听节目秩序。

3.加强影视管理。全省43家影视制作机构参加年度业绩审核。其中有2家持有电视剧制作甲种许可证，41家持有广播电视节目制作经营许可证。经国家广电总局业绩审核通过42家，自动取消1家。2007年新增影视机构9家，办理国产电视剧（含动漫）发行许可10项（10部290集）。全年共审查国产、引进、动漫剧64部432集，电视剧本5部115集，引进其他广播电视节目46050分钟。

（福建省广电局）

江西省广播电视概况

基本情况

2007年，江西全省有省、市两级广播电台12座，电视台12座，县级广播电视台81座，省、市教育电视台各1座。共办公共广播节目100套，全年公共广播播出时间325485小时，全年制作广播节目时间161762小时；共办公共电视节目111套，全年公共电视播出时间574615小时，全年制作电视节目时间73286小时。广播综合覆盖率为94.86%，电视综合覆盖率96.44%。全省有电视发射台和转播台349座。有线广播电视传输网络干线总长6.32万千米，有线广播电视用户366.67万户。全省广播电视从业人员17488人。全省广播电视总收入19.03亿元，其中事业收入8.52亿元，主营业务收入6.7亿元。全省广播电视实际创收收入15.73亿元，其中广告收入8.29亿元，收视费收入5.47亿元，其他网络收入0.8亿元。

主要业绩

一、宣传工作取得新成果

一是十七大的宣传浓墨重彩、高潮迭起、贯穿全年。各级广电媒体重点突出、中心突出，不但增强了新闻宣传，开办了专栏、专题，同时还加强了成就报道、典型报道，加强了对综艺节目、影视剧等各类节目的编排，加强了对宣传形式的创新。十七大会前、会中、会后的宣传报道，层层推进，亮点不断，分量重，影响大。

二是全省大好形势的宣传密集厚重、声势浩大、亮点突出。全省各级广电媒体紧紧围绕全国全省工作大局和重要部署，把握正确导向，精心组织了一批战役报道和系列报道，深入宣传各级党委、政府推进科学发展、和谐发展的重大举措，突出报道"创新创业、共建和谐"主题教育活动，积极宣传各地各部门促进经济社会又好又快发展的新风貌、新成效。放大了亮点，找准了兴奋点，主旋律响亮，主动仗漂亮。

三是大事要事的宣传准确及时、张弛有度、配合有力。圆满完成了中央领导到江西视察，江西党政代表团赴外省学习考察等重大活动的宣传报道，以及"三个80周年"、经贸活动、重点工程、林权制度改革、环保赣江行等重要活动、重要先进典型的宣传报道。对突发性事件的报道反应快速，把握有度。

四是江西新闻上中央台播出数量增长、渠道更多、影响更广。2007年，江西新闻在中央人民广播电台《新闻和报纸摘要》栏目播出212条（其中头条6个，录音报道78个），在中央电视台《新闻联播》栏目中播出369条（其中头条13个，提要121个）。各设区市台加大了新闻上省台和中央台工作力度。各级广电媒体还积极争取在中央台的其他频道和栏目中播出宣传江西的节目。如，全国“两会”期间，省主要领导做客央视《小崔会客》畅谈创业富民梦，中央电视台《焦点访谈》连续播出《红色井冈》、《红歌为什么这么红》等节目，景德镇市与央视合作现场直播《劳动最光荣——景德镇篇》，南昌市与央视录制播出《倾国倾城（南昌篇）》专场晚会，九江电台与中央电台联合制作播出《直播中国——走进九江》节目，抚州电视台邀请央视拍摄播出《中国傩舞之乡》、《千年流坑》，新余市协助央视拍摄播出《激情广场》、《欢乐中国行·魅力新余》，等等，较好地宣传了江西的新形象、新变化、新成就。

二、节目创优呈现新亮点

一是打造了一批有影响的名牌栏目。江西卫视的《传奇故事》是全国新闻名专栏，收视率稳居全国同类栏目前列；江西电台的外宣节目《中国之窗·江西专题》在中国国际广播电台播出的优秀率名列全国省级电台第一；全省各级电台、电视台开办的政风行风热线节目达85个，成为各级党政部门与群众联系沟通的平台。南昌电视台的《公民市民老百姓》、九江电台的《市民议事厅》、上饶电视台的《北纬28》、抚州电视台的《今晚十分》、宜春电视台的《明月访谈室》、吉安电视台的《直通吉安》、萍乡电视台的《九点一刻》、新余电视台的《直播新余》等，关注民生、民情、民意，受到群众欢迎。

二是创新了宣传传播的渠道和样式。各广电媒体充分发挥广电传播特点和优势，节目直播、互动、联动等越来越多，时效性、影响力大大增强。在十七大期间，省电台、电视台、今视网联合在北京设立直播室，共同推出《对话党代表》系列访谈节目，实现了广播、电视、网络的立体传播，在受众中产生热烈反响。省电台、吉安电台等联合中央电台及“中国城市广播联盟”50余家成员台推出特别直播节目《井冈精神 中国之路》，刷新了国内电台联播活动新纪录。全系统创新宣传的活动，都受到社会广泛关注和好评。

三是推出了一系列贴近社会、服务群众的媒体活动。各广电媒体还充分发挥大型宣传活动、公益活动的集中性、现场性、参与性、互动性等优势，结合节目特色和社会需求，精心策划一系列的大型活动，如，关爱母亲河活动、高考爱心车队活动，募捐助学圆梦行动，建设新农村江西百村万户助农在行动，以及举办各类节庆活动、文娱竞赛活动、义务献血活动，等等，将宣传与服务相结合，节目与活动相结合，活动与节目互动，媒体与群众联动，有力地配合了党和政府的中心工作，为社会及群众提供了周到的服务，产生了良好的社会反响，也有效地提升了媒体影响力、公信力。

四是唱响了红色文化品牌。江西电视台举办的中国红歌会，10多万人报名参加，在全国刮起了“红歌旋风”，社会广泛关注和赞誉，中央各大媒体纷纷聚焦报道，中央领导李长春给予高度评价，要求把“红歌会”做成弘扬先进文化的一个知名品牌。

五是有一批广播影视作品获全国大奖。其中，5件作品获得全国“五个一工程”奖，有2件作品获得中国新闻奖；有13件作品获中国广播影视大奖。

三、事业建设迈出新步伐

一是圆满完成了安全播出工程，实现了十七大期间安全播出。省局节传中心提前完成了省卫视节目、省6套广播节目的信号转星工作，全省广电系统齐心协力，克服困难，用一个月完成了33万多个卫星接收设施的转星调整工作，保障了广大群众的收视权益，确保了十七大安全播出，受到国家广电总局表扬。

二是稳步推进村村通工程和无线覆盖工程，广播电视覆盖进一步改善。全系统坚持把事业建设的重点向农村倾斜、向基层倾斜，扎实推进覆盖工程建设。江西卫视已在全国所有省会城市、1500多个县级以上城市及港澳地区落地，覆盖人口近6亿，在全国省级卫视中位居前10位。“十一五”期间江西省“村村通”工程建设资金得到落实，各级广电部门先后启动了新一轮村村通工程和无线覆盖工程建设。

三是新媒体业务发展加快。全省有线电视数字化整体转换平台已搭建完成；省电台、省电视台数字化改造及九江广播电视演播中心等工程建设进一步加快；省局节传中心完成了移动多媒体广播的试验工作；移动电视的接收终端进一步扩大。江西电视台红色经典频道、南昌市电台经济生活广播和抚州市、萍乡市电台交通音乐广播正式开播。

四、广电产业取得新进展

全系统积极推进产业发展。2007年全系统经营收入超过15亿元，较好地支持了广电事业的发展。江西国际影视文化城、江西数字影视产业中心和生态影视园被省委宣传部列入全省十大重点建设的文化产业项目。赣州市广电局整合资源合作开发创意产业。萍乡市广电局成立项目建设办公室，推出了一批开发与综合利用项目。

江西省广电局主办、今视网承办中国互联网视听文化产业发展论坛

五、宣传管理、安全播出管理、技术维护管理和社会行业管理得到新加强

强化了政务公开，推进了依法行政，加大了行业管理力度，规范了各类广电活动。开展收听收看、加强宣传管理的有关经验在广电总局召开的抵制低俗之风座谈会上作了经验交流，《收听收看简报》被评为同类“最佳刊物”之一受到总局表彰和奖励。

问题和不足

有影响的优秀节目和广播影视艺术精品佳作仍然偏少，宣传质量和引导水平有待进一步提高；节目创新意识还不够强，声频荧屏有待进一步丰富和繁荣；产业发展总量偏小，大力发展文化产业的力度有待进一步增强；各地各单位发展不平衡，在改革和发展中积累的矛盾和问题有待进一步理顺、化解；事业发展带来不少新情况、新问题，管理方式方法有待进一步完善；各类高素质人才总体偏少，队伍结构和整体素质有待进一步优化和加强。

（江西省广电局）

山东省广播电视概况

基本情况

2007年，山东广播电台数：广播有省级台1座，市级台17座，共18座；电视有省级台1座，市级台17座，共18座；节目套数：省级广播7套，市级广播46套，县级广播95套，共148套；省级电视9套，市级56套，县级89套，共154套。

制作节目情况，全省制作广播节目455106小时，总播出时间726001小时，全省制作电视节目149582 小时，总播出时间851858小时。

广播电视覆盖情况，全省广播覆盖人口8885.43 万人，覆盖率97.35%；全省电视覆盖人口8873.53万人，覆盖率97.22%。

全省发射台和转播台数量，广播34座，调频126座，电视151座。网络总长271284.40 公里。

有线广播电视户数1371万户，其中农村有线广播电视户数734万户，其中数字有线广播电视用户185万户，有线广播电视入户率49.92%。

全省广播电视从业人员34,179人，其中管理人员4627人，各类专业技术人员21050人，其他人员8502人。

全省广播电视系统收入情况，总收入589718.37万元，实际创收收入545702.03万元，其中广告收入306918.07万元，广播广告收入45371.22万元，　电视广告收入244059.76万元，网络收入209208.28万元；其中有线广播电视收视费收入150333.64万元。

主要业绩

一、主题宣传引导有力，向中央两台供稿蝉联省级台第一

2007年，圆满完成党的十七大、省第九次党代会等一系列重大宣传任务，广播电视对中央台供稿双双蝉联省级台第一。其中，省电台在中央电台发稿720条，在《新闻和报纸摘要》发稿300条；省电视台在中央电视台《新闻联播》中发稿634条，比去年同期增加了76条。

外宣工作不断加强。与中国国际广播电台华语中心、美国黄河频道、熊猫电视台节目合作取得新进展，与美国、印度尼西亚、韩国等国家媒体间交流富有成效，海外频道影响力进一步提高。

节目创新迈出新步伐。2007年，传统名牌节目栏目质量提升，一批新节目新栏目脱颖而出。省电台的《阳光政务热线》、《财富早班车》、《领舞生活》成为新的品牌节目；省电视台的《天下父母》、《先声夺人》等在全国产生了广泛影响，365集大型栏目系列剧《低头不见抬头见》制作播出后反响良好，文化栏目《新杏坛》引起社会广泛关注。有线电视中心的《派对》、《娱乐双响炮》，山东电视台齐鲁频道的《天下无双》、《开讲》等新栏目深受观众欢迎。

二、鲁剧创作实现新崛起，精品生产取得新成绩

52集电视连续剧《闯关东》在众多优秀电视剧中脱颖而出，被中央电视台作为央视一套2008年开年大戏首播，创造了“鲁剧”上世纪“三连冠”后的第二次辉煌。此外，开机拍摄了《沂蒙》、《女工》等8部203集电视剧，完成跨年度剧目《旱码头》等5部143集，生产电影7部，在央视等媒体播出《星星之火》等8部177集，数量质量都有新的提高。

一批优秀作品荣获大奖。2007年，在中宣部组织的第十届精神文明建设“五个一工程”奖评选中，电视剧《大染坊》、《铁道游击队》、广播剧《月照天山》荣获优秀作品奖，电影《上学路上》荣获入选作品奖，这4部作品还荣获省精神文明建设“精品工程”特别奖。另有11部作品荣获省精神文明建设入选作品奖。在第十七届中国新闻奖、广播影视大奖评选中，有19部作品获奖。在全省文化建设工作会议上，山东广电局荣获省精神文明建设“精品工程”组织工作奖和实施中宣部“五个一工程”奖突出贡献奖。

三、顺利完成转星调整任务，安全播出再创佳绩

2007年，圆满完成了95325座广播电视地面接收设施的调整卫星工作。

2007年，重要播出保障期时间长、任务重，达到8次94天。针对安全播出的新形势，技术部门早动手，早准备，修订了安全播出应急预案，组织开展了防插播演练，对省调度指挥平台进行了升级改造并与广电总局平台顺利联网，完成全国地面无线广播电视监测项目在山东的建设任务。山东电视台地球站成功抵御7.18特大暴雨袭击，确保了安全播出。经过全省广电系统的艰苦努力，十七大及各安全播出保障期的安全播出圆满完成，受到国家广电总局的表彰。

四、“村村通”超额完成任务，广播电视覆盖进一步扩大

2007年省委、省政府把“村村通”列入为农民群众办的12件实事之一和农村公共文化服务五大工程之首。到2007年底，全省开通自然村“盲村”1000多个，比计划多出300多个。全省99%的乡镇、80%的行政村已开通有线电视，总户数达到1300多万户，占全国的1/10。

山东省委书记李建国看望省局广播电视工作者

广播电视覆盖跃上新台阶。全省广播电视人口综合覆盖率达到97%以上，传输质量有新的提高。2007年，山东卫视全国可接收人口达8.3亿，成为唯一覆盖人口超过8亿的省级卫视。

到2007年底，全省数字用户达到200万户，约占全国1/10，继续走在全国前列。省电台、电视台全部实现录、编、播的数字化和网络化。局属高山台数字微波线路更新改造完毕。各市电台和济南、青岛、淄博等市级电视台、部分县级电视台实现了录、编、播的数字化和网络化。

五、广告创收持续增长，产业经营迈出坚实步伐

2007年，全省广播电视广告经营总额实现30.72亿元，比上年增长18.5%。

2007年，产业经营取得实质性进展。山东有线电视中心与乐拍公司合作的乐拍购物频道5月开播，5000平方米的大型电视购物综合平台和8000平方米、拥有200辆运送车的物流仓储配送体系建成并投入使用，到2007年底，订单销售2亿元，日最高营业额达440万元。动漫产业开始启动。山东电视台与其他合作方制作的动画片《福娃》已在全国播出；总台与中国孔子基金会等合作制作的动漫《孔子》11月签约，已开始制作。

六、重大基础设施建设进展顺利

截至2007年年底，山东广电中心东西两区土建主体工程封顶竣工，进入室内外安装装饰和配套设施工程建设，已完成工程量的80%。

山东传媒职业学院（筹）校区建设6.4万平方米的教学设施已交付使用，并顺利通过省教育厅组织的建校评估，2008年将招收新生。

七、管理工作大大加强

2007年，共撤销全省市以上电视播出机构违规设立的电视节目频道11个，规范省、市电视台标、频道标识和内容定位18个，集中开展了打击网络淫秽色情、境外卫星治理等专项行动，推进创建“无小耳朵社区”活动向“无小耳朵县区”延深，在中央、省台电视广告中插播自己广告的行为基本得到纠正，违规播出医疗、医药和保健品广告等问题受到遏制并基本解决。被总局确定为全国广播电视节目监管试点单位，收听收看工作受到总局通报表彰。

（山东广播电视新闻研究所）

河南省广播电视概况

基本情况

2007年，河南共有广播电台18座，中短波发射台30座，公共广播电视节目147套，广播综合人口覆盖率96.94%，全年广播节目播出时间599233小时，全年广播节目制作时间282592小时。共有电视台18座，电视转播发射台153座，公共节目165套，电视综合人口覆盖率96.87%，全年电视节目播出时间829522小时，全年电视节目制作时间128835小时，有线电视用户5447566户，有线电视入户率19.53%，有线广播电视传输网络干线总长106394.61公里。广播电视从业人员34656人，其中，专业技术人员13675人，管理人员6371人，其他人员14610人。全年广播电视整体收入达32.74亿元，同比增长21%，省级广播电视经营创收13.53亿元。

主要业绩

始终突出宣传这个中心，广播电视宣传实现新突破。坚持把唱响科学发展主旋律，打好正面宣传主动仗作为广播电视宣传的根本任务，为党的十七大胜利召开、为加快中原崛起，提供了强有力的舆论支持。重点做好了全省全国“两会”、省委“讲正气、树新风”主题教育活动、丁亥年黄帝故里拜祖大典、“三夏”、建党86周年等重大会议、重大活动、重大典型、重大节日的宣传报道，完成了党的十七大、学习贯彻胡锦涛总书记视察河南时重要讲话精神、第二届中国中部投资贸易博览会等重大宣传战役。党的十七大召开前和召开期间，广播电视共播发各类报道 970多篇，在中央人民广播电台、中央电视台重点新闻节目共发河南新闻146篇，其中头题8篇、提要45篇。在第二届中博会宣传中，广播电视进行了大规模、超常规、全方位、多层次、战役化的报道，广播电视共播发稿件622篇，总时长3812分钟，充分展示了新时期河南蓬勃发展和对外开放的良好形象，为大会营造了浓厚舆论氛围。坚持“两个频率、两个屏幕”一起抓，开创了利用中央广播电视媒体正面宣传河南的新局面。2007年广播新闻在中央人民广播电台《新闻联播》和《新闻和报纸摘要》栏目播发报道292条，其中头题26条，提要184条，在《新闻纵横》栏目播发专题23期。电视新闻在中央电视台《新闻联播》栏目播发30秒以上的报道198条，其中头题10条，提要60条，在《焦点访谈》节目播发专题10期。省电台举办了第三届“谁不说俺家乡好”大型宣传活动，省电视台成功承办了第二届中博会文艺晚会和2007年国际旅游小姐冠军总决赛。《梨园春》赴南美三国演出，在当地掀起了“中国热”、“河南热”。

事业产业两手抓、两加强，广播影视发展实现新跨越。努力繁荣广播影视创作，电视连续剧《红旗渠的儿女们》和《清官能断家务事》、《快乐星球》第三部以及大型电视纪录片《河之南》、《中原大发现》先后在中央电视台黄金时段播出。省文化产业重点项目百集电视连续剧《少林寺传奇》第一部已进入发行阶段，第二部已开机。以“村村通”为主要内容，健全广播影视农村公共服务体系。完成了涉及13个省辖市和扩权县、44个县（市）、18万农户、72万农村人口的“村村通”建设方案的编制工作。全年共投入建设补助资金3600万元，使省边远地区3600个20户以上已通电自然村通上了4套以上广播和8套以上电视节目，解决了省边远地区72万农民群众听广播、看电视难的问题。以省广播电视发射塔迁建为重点，大力推进广播电视强播强传强覆盖。累计完成投资3.5亿元，加快建设全省“十一五”重点项目广播电视发射塔工程。全年共新增调频广播发射机42部402千瓦，中波广播发射机8部21千瓦。基本实现了省电台主要广播节目的双频播出。投资6300万元建设 8个骨干发射台，使全省能够通过无线方式免费收听到省电台6套广播节目的人口由20%上升到80%，能够通过无线方式免费收看到省电视台3套电视节目的人口由15%上升到72.7%。加快全省有线电视网络整合和数字化改造，基本完成全省省辖市网络整合，实现全省一张网，网内有线电视用户近300万户，成为全国最大的省级有线电视网络。大力发展新媒体，新完成公交移动电视装机200台，在省会郑州市的移动电视总量达到900台。先后在7个省辖市建设开播了大屏幕电视。加大跨媒体、跨行业经营，拓展广播影视发展空间。精品演艺秀《大河秀典》成功上演。继续办好《东方今报》，经营创收达1.41亿元，广告收入稳居全省平面媒体第二位。加快建设广电数字化产业基地，主体全部封顶，安装工程已完成90%，三分之二工程进入验收阶段。省影视制作集团以出力作出精品为目标，2007年生产电影17部，电视剧7部221集不断深化文化体制改革，广播影视体制机制改革实现新进展。深化人事、收入分配和社会保障三项制度改革。制定了省电台交通广播、省电视台都市频道内部三项制度改革实施方案。完成经营性事业单位转企改制。省广播电视服务公司整建制转为河南广电招标有限公司。省广电局印刷厂并入省广电传媒印务有限公司，作为东方今报社下属单位。黄河音像出版社、省广电局招待所全部划转省影视制作集团。进一步加大对民营影视制作机构的鼓励、扶持力度，制定出台了《关于促进民营影视制作机构发展的若干意见》，全年共新批准民营影视制作机构6家，并对河南超凡影视制作有限公司投资400万元，扶持拍摄《快乐星球》第三部。

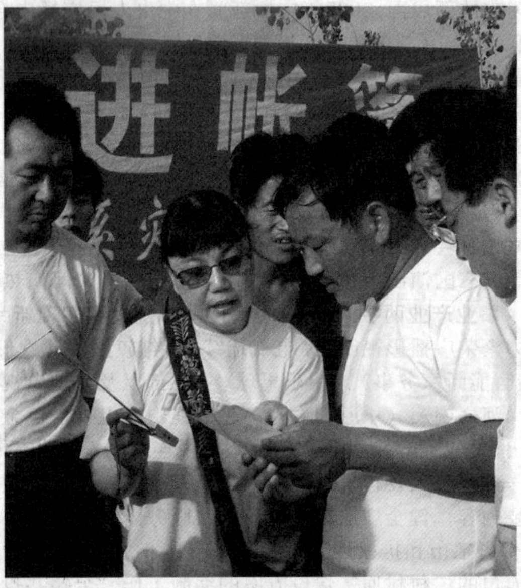

2007年夏季，河南省淮河流域遭遇严重洪涝灾害，河南人民河南电台推出“千台收音机进帐篷”特别行动

加强依法行政，广播影视管理实现新推进。安全播出由被动应对向主动防范转变。把十七大广播电视安全播出工作当作头等大事来抓。积极争取省编办批准，成立了局安全播出调度指挥中心，完成了指挥调度平台、预警信息系统和全省无线广播电视监测网的建设。在短短一个月时间内，圆满完成了全省28.1万套卫星电视广播地面接收设施的转星调整任务。严格规范广播电视播出机构频率频道开办秩序，组织开展全省市、县广播电视播出机构频率频道开办秩序专项整顿活动，先后对6家播出机构擅开擅改频率频道等违规问题进行了查处。继续深化境外卫星电视传播秩序专项整治工作，严密防范境外宗教卫视节目的非法落地，认真组织开展有线电视网络传输境外卫星电视节目专项整顿活动。加强了新闻类、直播类节目和娱乐类节目的管理，深入开展了抵制低俗之风，净化荧屏工作。队伍管理以建设和谐广电为主要内容，充分体现人文关怀。继续实施《和谐广电建设工程实施意见》，努力打造处处充满关爱、事事体现公道、机会人人均等的和谐向上的工作生活和制度环境。切实加强队伍教育培训。继续实施《省广电局2006－2008年干部职工教育培训规划》，认真开展了为期两个月的“讲正气、树新风”主题教育活动。进一步拓宽干部职工参与民主决策的渠道。印发了《省广电局“阳光办事”实施办法》，做到阳光办事，透明办事。2007年，省局再次被评为省级文明单位。

问题与不足

需进一步加强新闻宣传的管理力度、创新力度和资源共享力度，进一步深化人事和经营管理体制改革，采取切实有力措施提高工作积极性和工作效率。

（河南省广电局）

湖北省广播电视概况

基本情况

2007年，全省拥有广播电台11座（省级1座，市州级10座）、电视台12座（省级1座，市州级11座）、市级广播电视台2座、县级广播电视台69座。

全省共开办公共广播节目84套，全年共播出424812小时37分，平均每日播出时间1163小时52分。其中，省级电台现有新闻综合广播、经济广播、文艺广播、交通音乐广播等10套节目，全天播音214小时13分，武汉人民广播电台现有综合、文艺、经济、交通、少儿共5套节目，每天播音92小时26分。

全省共开办电视节目115套，全年共播出590752小时26分，平均每日播出时间1618小时30分。全省开办付费电视节目3套。其中，省电视现有新闻综合、经济、文艺、都市、影视、体育、教育、公共频道共8套节目，每天共播出132小时26分。武汉电视台现有新闻综合、文艺、科技生活、影视、体育休闲、外语、少儿共7套节目，每天共播出133小时54分。

全省广播、电视综合人口覆盖率分别达到96.31%和96.96%，分别比上年增长0.05%和0.20%。

全省分别拥有中波、调频、电视发射（转播）台26座、431座、1010座，卫星地面站1420045座。全省有线广播电视传输光缆上连国家广播电视光纤干线网，下连全省所有的市（州）、县(市)和90%以上乡镇，全省有线电视用户649.7万户，比上年增长12.74%。

全省广播电视系统从业人员30523人，其中，管理人员5159人、专业技术人员15252人、其他人员10112人。

主要业绩

一、宣传工作有声有色

重大宣传亮点纷呈。对党的十七大、全国全省“两会”、省九次党代会、第八届中国艺术节、第六届城市运动会进行了全景式、多样化的报道。特别是党的十七大宣传报道内容丰富，形式多样：湖北省广播电视总台新闻综合广播在重点新闻栏目中推出了“十七大代表风采录”、“崛起的诗篇”等5个专栏和系列报道；电视卫星频道推出“城市新视界”、“乡村新发现”等3个系列报道。武汉、宜昌、黄石、荆门、襄樊等地推出了《喜看身边事，迎接十七大》等专栏和系列报道。各播出机构还紧扣湖北的发展做文章，先后推出了“从田头看调整，从工地看启动，从车间看管理，从基层看开放，从社区看和谐”等系列报道，这些报道贴近实际，鲜活生动，群众喜闻乐见。

品牌建设迈开步伐。省广播电视总台召开了品牌建设动员大会，推出了十佳主持人、编辑记者评选、十佳栏目、十佳活动、主题宣传好稿等五大品牌建设活动，一批品质好、品位高的节目正在形成品牌。省广播电视局按照“节目要创新，活动要创新，服务要创新，品牌要创新”的要求，在全省积极推介荆州电视台《垄上行》节目的经验，引导各地拓展思路，加强策划，使全省广播电视品牌建设工作出现新局面。

二、事业产业发展取得新进展

1. 大力推进农村中央广播电视节目无线覆盖工程建设。湖北省农村中央广播电视节目无线覆盖工程涉及54个发射台、130部发射机。2006年，国家下达建设任务涉及14个发射台、21部发射机。到2007年6月，全部机房改造和设备更新任务全部完成并正式播出。2007年国家又下达的40个发射台、109部发射机更新改造任务，到2007年底工作进展顺利。

2. 全面启动20户以上广播电视村村通工程。2007年国家下达我省年度20户以上自然村“村村通”的建设任务为5485个村。全省广电部门在提高已建“村村通”工程入户率的同时，以现有有线电视网络和MMDS传输平台为基础，把广播电视信号向周边的20户以上自然村延伸，武汉、荆州、恩施等地已有700多个自然村实现了有线电视联网。

3. 经营创收和产业发展取得突破。2007年，省广播电视总台收入首次突破10亿元，比上年收入增幅达21%。新媒体产业发展迅猛——城市电视合同终端3000个；移动电视开通了1200多个收视终端；手机电视取得全国第二批手机电视网络实验许可；数字电视整体平移正抓紧推进；购物电视与韩国好丽友集团签约并完成工商注册；网络整合步伐加快。影视生产势头良好——全年共完成电视剧19部550多集，自拍4部79集，电影8部，方言剧2部110多集。

三、广播电视管理工作得到加强

1. 加强广播电视节目内容监管。一是深入开展抵制低俗之风专项行动。重点加强了对法制类、谈话类、有奖竞猜类、综艺娱乐类以及性健康类等容易出现低俗倾向的节目的监管，对一些存在隐患的节目进行了整改，叫停了少数存在低俗化倾向的节目。二是加强广播电视广告播放管理，加大对违规问题整治处罚力度。省广电总台取消了所有广播频率的性产品热线广告，武汉市电视台停播了违规广告。

2. 安全播出工作落到实处。省广播电视局成立安全播出工程领导小组，建设完善统一的调度指挥和预警系统，形成了中央、省、市（州）、县（市）四级贯通的预警体系，加强安全播出培训和演练，确保了广播电视的安全播出。同时，全省广播电视系统认真抓好卫星广播电视转星调整。7月31日，湖北卫星地球站完成双星并发；8月7日，全省广电系统内转星调整工作按时完成；截至9月30日，全省共计完成转星调整卫星接收设施134万座。

3. 加大对影视剧生产管理扶持力度。2007年全省独立生产和参与生产创作的电视剧共有269部（集），已经生产完成电视剧10部189集。在第12届中国电影华表奖颁奖礼上，电影《山乡书记》获最佳故事片奖、《留守孩子》获最佳故事片提名奖。

4. 加强广播电视播出和制作机构管理。一是规范广播电视播出机构管理。二是抓好影视制作机构管理。对69家单位进行了年检。吊销了14家广播电视节目制作经营机构的《广播电视节目制作经营许可证》。2007年新增广播电视节目制作经营单位9家，新增注册资本4300万元。

5. 加强广播电视科技管理工作。一是加强频率资源管理。对全省广播电视无线发射台站的频率频道进行了重新审核登记。二是严肃查处非法干扰卫星电视广播行为。先后对宜昌、荆州、荆门、孝感、襄樊、十堰等地开展了非法干扰广播电视接收专项整治查处。

6. 抓好卫星广播电视接收专项整治工作。武汉、宜昌、襄樊等地先后联合工商、公安等部门，破获非法销售、安装案件5件，暂扣卫星地面接收设施3000多台（套），行政拘留涉案人员6名。

四、广播电视监测体系不断完善

一是抓好广播电视节目内容监播。2007年，省广播电视局筹备成立了收听收看中心，每半月定期编发《湖北收听收看》专刊。同时，积极开展《广播电视节目监管细则》的试点工作，探索形成本台本地区的有效工作机制。二是抓好广播电视技术监测工作。2007年实现了对全省14个有线电视前端播出的有线电视信号同时进行在线动态监测，实现了对全省县级进行广播电视安全播出预警信息发布，完成了对24个无线台和武汉地区省市广播电视节目的监听监看。三是抓好网上传播视听节目监管工作，共查找出违规传播视听节目的网站116个，对违法违规的网站发出整改警告书100余份。通过开展专项行动，已有30余家网站关闭了视听节目链接。

（湖北省广电局）

湖南省广播电视概况

基本情况

2007年，湖南省共有广播电台13座、电视台15座、县级广播电视台96座，共有广播节目95套、电视节目137套。其中湖南人民广播电台下辖新闻频道、经济频道、文艺频道、交通频道、音乐之声频道、乡村之声频道，湖南电视台下辖卫星频道、金鹰卡通频道、购物频道、《天下情》杂志社，湖南经济电视台下辖经济综合频道、都市频道、生活频道、《金鹰之声》广播电台、《法制周报》编辑部、《金鹰报》编辑部，湖南电视台娱乐频道、湖南电视台影视频道、湖南电视台公共频道和湖南潇湘电影频道独立运行。全省14个市州办有电视台，12个市州办有广播电台。全省广播电台、县级广播电视台全年公共广播节目播出时间为323374小时23分钟，全省电视台、县级广播电视台全年公共电视节目播出时间为742109小时20分钟。全省拥有中、短波发射台和转播台26座，调频发射台和转播台103座，电视发射台和转播台329座。全省广播综合人口覆盖率89.03%，比2006年提高了0.65%。全省有线电视用户

5101201户，其中农村有线广播电视用户1660420户，比2006年增加了399817户。全省电视综合人口覆盖率94.69%，比2006年提高了0.69%。全省有线广播电视传输网络干线总长100633.62公里（其中省级干线网6600.00公里，地市级干线网17373.63公里，县级干线网74318.49公里），比2006年增加了10222.35公里。全省微波实有站141座，微波线路5301.10公里。卫星地球站1座，卫星收转站3195723座。全省广播电视行业从业人员30641人，其中管理人员5771人，专业技术人员14202人，其他人员10668人。

宣传工作情况

1.重大宣传导向正确，浓墨重彩。党的十七大胜利召开、湖南省第九次党代会精神的贯彻、第四届泛珠三角经贸论坛的举办、新农村建设的推进成为2007年宣传工作的重点。在党的十七大召开期间，湖南人民广播电台、湖南卫视、湖南经视在北京设置新闻直播室，准确、及时地宣传了十七大精神。湖南电台的《直通北京》、湖南卫视的《2007，十月的旗帜》、湖南经视的《十月华章》等特别报道导向正确、鼓舞人心，其他各媒体开设专栏、专题，做好配合报道。会后，电台、卫视、经视统一推出《贯彻十七大，开启新征程》等报道。新农村建设宣传亮点频现，电台、卫视、经视统一推出《富民强省　2007·农村篇》大型报道。新型工业化宣传重点突出，电台新闻频道推出《第一影响力》，卫视推出了《新型工业化论坛》，经视台有《图强湖南》。第四届泛珠论坛宣传报道声势浩大，湖南广电媒体通过荧屏与声频，在"珠洽会"期间向全社会成功地展示了"9+2"泛珠区域握指成拳、和谐共进的力量与风采，成功地推介了一个充满张力、动力和发展潜力的湖南。袁隆平院士先进事迹、"湘赣边界行"、"三湘鱼水情"等重大战役报道，有声有色。湖南旅游节、齐白石国际文化艺术节、红色旅游文化节、"建设和谐宗教"三大活动、芷江国际和平节、湘西自治州成立50周年、湘商大会、公祭炎帝陵等节会活动的宣传报道，热烈喜庆。2007年，经视台承办的"湖南十大新闻人物、十大新闻事件"的评选活动，已成为高规格的年度活动；年度公益慈善活动《爱心改变命运》共筹措爱心助学款2650.6万元，资助了全省5344名高考上榜的贫困大学新生。湖南电视台公共频道"善行2007"大型公益慈善系列活动，精彩感人，社会效果好。

湖南广播电视媒体全年在中央台上稿1600 多条，其中《新闻联播》327条（头条9条、提要77条）。特别是十七大期间，卫视重点报道部全力配合中央电视台开展会内会外报道，共在中央电视台《新闻联播》上稿26条，基本上做到天天有湖南的图像，位居各地方台在央视《新闻联播》上稿前列。

2.品牌继续创新，大片战略成果丰硕。2007年，从《快乐男声》到《名声大振》，从《舞动奇迹》到《八月红歌会》，从《征服》到《魔幻达人》，从《脱口而出》到《超级戏乐汇》，各个频道几乎月月有活动，周周有热点。《变形计》在2007年亚洲电视节上获得最佳真实电视节目奖，成为中国内地唯一获此奖的节目。《背后的故事》栏目组获全国广播影视系统先进集体称号。《快乐大本营》、《晚间》、《越策越开心》、《故事会》等老牌节目创新不断，收视稳居前列。优秀节目远销海外，《名声大振》、《舞动奇迹》在台湾、香港播出，《越策越开心》在马来西亚播出。电台交通频道的《丹阳读报》、《平安小精灵》拥有广泛的社会影响。

2007年，是大片生产的丰收年。全集团共生产电影8部、电视剧9部299集。《大明王朝》、《恰同学少年》、《又见一帘幽梦》、《血色湘西》、《悠悠寸草心》等一批优秀剧目深受观众喜爱，同时引发了众多专家学者关于湖南广电节目创新向高端转型的热议。《恰同学少年》获得第26届中国电视剧"飞天奖"一等奖、最佳编剧奖以及全国"五个一工程"奖。潇湘电影集团制作的《青藏线》、《革命到底》和《他们的船》均入选2007年优秀国产影片金秋展映片目。《青藏线》被列为十七大重点献礼片，《革命到底》荣获上海国际电影节"传媒大奖"和"最具探索精神"影片奖。

事业产业发展情况

1.转星调整工作圆满成功。顺利完成了全省311.2万座卫星地面接收设施的转星任务。其间，培训重要播出部门负责人、技术骨干约200人，督导市、县、乡、村层层培训转型技术人员达4万多人，并发动100万人次参与全省的转星调整。全省转星调整工程数量之巨、效果之好均在全国名列前茅。

2.无线覆盖卓有成效，村村通工程再创佳绩，有线数字电视工作稳步推进。2007年，通过努力使中央7306万元的2007年无线工程建设资金如期到位，并帮助全省14个市州77个台站共125台中央广播电视发射机完成了更新改造，建设速度与质量都处于全国领先水平。

2007年"村村通"工作首次列入省委、省政府民办8件实事之一。湖南全年共完成一万多个自然村的广播电视覆盖，解决了约115万人看广播电视的问题。全年稳步推进了广播电视数字化，尤其是有线数字电视的数字化。已完成长沙广达、株洲网络等8家市级有线电视公司的整体平移综合验收。

3.产业继续拓展。全局、集团尤其是湖南卫视广告业务保持强劲增长。2007年全局、集团实现经营创收34亿元，其中广告创收18.53亿元。湖南卫视广告创收突破12亿元，占全集团广告创收的70%以上，连续5年保持省级卫视广告增幅第一，连续3年保持省级卫视广告广告总量第一。湖南人民广播电台广告创收突破1亿元。湖南经视广告创收3.2亿元。2007年，新业态带来的巨大增量空间日益显现。购物频道的总订购金额突破11亿元，在全国建立起了17个区域市场，覆盖1450多万户，成为国内新型家庭电视购物行业的领军者。

（湖南省广电局）

广东省广播电视概况

基本情况

2007年，广东省共有广播电台22座，电视台24座，广播电视台78座；公共广播节目124套，比上年增加4套；公共电视节目139套，比上年增加14套；制作广播节目49.34万小时，比上年增加4.74万小时；制作电视节目13.17万小时，比上年减少0.67万小时；全省广播播出时间74.33万小时，比上年减少3228小时；全省电视播出时间64.31万小时，比上年增加3.09万小时；中短波转播发射台21座，电视转播发射台93座；有线广播电视传输干线网络总长

17.16万公里，比上年增加1.85万公里；广播综合人口覆盖率达到97.04%，比上年增加0.63%；电视综合人口覆盖率97.29%，比上年增加0.63%；全省有线电视用户1346万户，比上年增加98万户；数字电视用户355.93万户，比上年增加159.93万户；全省广播电视从业人员42988人，比上年增加1606人；全省广播电视实际创收101.6亿元，比上年增加6.9亿元。

主要业绩

完成四项重大宣传报道任务 在2007年党的十七大宣传报道中，广东南方广播影视传媒集团重点策划了《一切为了老百姓》和《把广东的事情办好》两大系列报道，将迎庆十七大的报道推向高潮；十七大召开期间，广东电台、广东电视台、南方电视台在北京设立了3个直播室，由59人组成的报道组通过新闻直播、代表访谈、专家解读等形式，全方位报道十七大盛会。期间，三台共播发新闻、专题近300条，三台主要频道共播发相关报道3000多条次；广东电台有9条录音报道在中央人民广播电台的《全国新闻联播》和《新闻和报纸摘要》等重要新闻节目中播出，广东电视台有10条采访报道被中央电视台《新闻联播》等重要新闻节目采用。

在2007年全国“两会”报道中，传媒集团属下三台由55人组成的“全国‘两会’联合报道组”，在北京设立了三个新闻直播室。据统计，全国“两会”期间，三台设在北京的三个直播室共播发稿件500多条次，加上各频道频率和栏目的配合报道，三台共播发各类新闻稿件1000多条次，超过上一年同期的发稿量。“两会”期间，联合报道组在中央台的发稿量再创历史新高：中央电视台一套、二套、四套以及新闻频道共播出报道组上送的与广东有关的新闻35条。

在2007年5月召开的广东省第十次党代会的宣传报道中，该传媒集团和属下的广东电台、广东电视台、南方电视台从3月开始，分别推出主题系列宣传，共播出300多篇报道；会议期间，广东电台、广东电视台、南方电视台共派出了100多人到现场进行采访报道和直播，共播出党代会新闻近300条。广东电台、广东电视台成功地对大会开幕式和新一届省委常委与新闻记者见面会进行了现场直播。

在庆祝香港回归祖国十周年宣传报道中，广东电台在新闻频道、珠江经济台、城市之声三个频道，同步推出大型系列报道《香江人家》，以香港人的视觉，讲述回归十年来“一国两制”之下的香港灿烂依旧的景象；广东电视台推出“回归人物访谈”，并在七一当天进行了五个多小时的现场直播；南方电视台推出了反映驻港部队的系列报道《驻港十年》；6月18日，由广东电台、广东电视台等单位联合主办的京粤港三地书法家庆祝香港回归十周年“东方之珠更璀璨”大型书法笔会在广东广播中心举行。

据统计，2007年度，在宣传类各项评奖项目中，该传媒集团属下的三个台共获得省级以上奖项231项。其中，在2005－2006年度中国广播影视大奖广播电视节目奖评选中，广东电台创作的《广东单位GDP能耗全国最低，张德江强调科学发展任重道远》荣获优秀广播消息大奖，广东电视台《百年留学》获优秀纪录片大奖，南方电视台《童话王国奇幻之旅》获优秀电视少儿节目大奖，《童话数学—多得啦大战巨头霸》获优秀电视动画节目大奖。

落实防范措施，确保安全播出 在2007年初，广东南方广播影视传媒集团就成立了安全播出领导小组和相应工作机构，制定了《2007年安全播出工程总体实施计划》，各单位加大投入，实现了省市县三级统一的广播电视光纤、微波、卫星接收三种信号源，实现了主备信号源的自动和手动切换功能，提高了安全播出的保障能力。

为确保党的十七大播出安全，广东省广播电影电视局组织全省各级广电部门和播出机构，如期完成全省11万面卫星广播电视接收天线转星调整；推进全省有线电视前端卫星信号接收自动监控系统工程建设，建成高精度电子识别和自动切换卫星信号接收监控系统，有线电视前端拦截非法信号攻击干扰成功率达100%，并顺利通过国家广电总局组织的技术鉴定。十七大会议期间，全省共传输和安全播出广播电视节目207396.4小时。

打造品牌，提升视听份额 2007年，广东电台新闻频道以《七点新闻》、《民声热线》为重点，打造广东广播节目品牌。广东《民声热线》先后有省卫生厅、省劳动和社会保障厅、省教育厅等14个厅局及行业单位上线。在内容与形式上，《民声热线》不断拓展和创新，先后有省司法厅、省水利厅、省林业局、省农业厅和省旅游局的多次节目做到了户外或农村乡镇，强化了媒体服务社会的功能。《民声热线》节目成为广东省纪委纳入的未来五年六大品牌之列。

广东电视台珠江频道以“打造第一粤语电视频道”为目标，拓展了品牌认知度和影响力，在《中国广播影视》主办的“TV地标（2007）”全国地面频道大型调研评比中，获“全国省级地面频道综合实力十强”第二名。

南方电视台经济频道推出以《今日一线》为龙头的全新版面；主流新闻《南方报道》改版为《第一时间》，并推出新节目《情牵一线》与《偏说奥运》；综艺频道推出了《爱宠笑园》、《全民放轻松》、《梨园艺坛》以及《最爱粤语金曲榜》等四档全新栏目，提升了“开心”电视的品牌形象与影响；南方影视频道以“四季主情”编排模式吸引观众，在《中国广播影视》举办的“TV地标（2007）”全国地面频道评选中，位居“全国省级影视地面频道”第四名。

据央视索福瑞调查公司数据显示，2007年，广东南方广播影视传媒集团在收视份额上进一步拉大了与其他电视媒体之间的距离。该传媒集团在广东全省的全天收视份额为29.35%，比上一年同期上升1%，超过香港电视14个百分点，超过中央电视台10个百分点。在广播收听市场，广东电台在广州地区拥有72.67%的市场份额，比上一年同期上升3.09%；在众多频率竞争中，广东电台有六个频率进入市场前十位。

拓展新媒体业务 2007年，广东广电系统的新媒体的业务主要是手机电视、地铁电视、移动车载电视、网络电视（IPTV）等，已获得了国内第四张IPTV牌照，手机电视、网络电视基本处于市场培育阶段。地铁电视、移动车载电视已开始商业运营。

广东电台完成了天网重组，以青少年网络电台为代表的新媒体及移动通讯增值业务顺利启动。广东电视台整合内部和外部资源，促进车载移动电视、手机电视、地铁电视、增值业务、新媒体内容研发等新媒体项目积极、稳妥发展。手机电视已在广州、佛山、中山、江门、珠海、东莞等市设立了发射基站，成为全国手机电视信号覆盖范围最大的区域；7月初开始逐步推出“掌中电视”，市场反应良好；IPTV项目向广东电信传送五路电视频道作为电信IPTV平台的测试信号，工作进展顺利；移动（车载）电视项目与广州市丰俐购物有限公司签订了电视购物经营的合作协议；互联网站2007年5月开通了3M网络专线，建立了手机电视平台和P2P视频直播点播平台：手机电视平台开辟了广东卫视、珠江、体育、公共4个频道，P2P视频直播点播平台开辟了广东卫视、珠江、体育3个频道，可供百万人以上同时在线观看；数字付费电视方面：《高尔夫》频道成功获得未来数年世界顶级高尔夫赛事中近85%赛事的独家转播权；《欧洲足球》频道经过竞投获得英超联赛未来三年的中国地区独家版权，并已通过了第二轮融资，积极着手上市前的准备。

加强管理，促进创作 2007年，广东省广电局在全省范围开展抵制低俗之风专项行动，加强对重点台的监控，全面监看2家省级电视台、21家地市级台和4个在广东落地的境外电视频道和部分广播频率；加大了广告、医疗资讯和电视购物节目的管理力度；加强了频道自审自播影视节目的把关。针对节目低俗化现象，及时提出整改意见，停播了群众反映强烈的个别节目。

2007年，广东省广电局、广东南方广播影视传媒集团在电视剧、电视动画片创作数量和质量仍保持在全国前列，全年摄制完成并审查通过电视剧35部1178集，电视动画片23部3021集15273分钟。一些影视剧和影视动画节目荣获“飞天奖”等国家大奖，被总局推荐在中央电视台及各级电视台播放。

联合发展联合经营再上新台阶 2007年，广东南方广播影视传媒集团已与7个地级市、51个县实现了联合发展、联合经营，其中：广东电台先后与四会、高要和恩平三家电台签署了联合发展协议，全台联合发展台已达20家；南方电视台有7个联合发展台；联合经营收入2.9亿元，比上一年同期增长181%。

根据2007年全省广播电视统计快报有关数据显示，集团本部及下属的市县广播台的总收入、实际创收收入、广告收入、有线电视用户数均保持较快增长，各项指标的增长率均高于全省平均水平。

广电“村村通”与有线数字电视转换 2007年，全省完成20户以上已通电自然村“村村通”一期任务3197个。通过光纤联网、MMDS、卫星公共接收、卫星接收小前端方案，全省部分广播电视盲村已能正常收听收看广播电视节目。据广东南方广播影视传媒集团调研检查统计，2007年，全省82.5%乡镇、71%行政村、62%自然村实现了光纤联网，该传媒集团有线电视用户约960万户。

2007年全省有线电视用户为1346万户，有线电视数字化继佛山、深圳在全国率先完成整体转换后，其他各地市也在积极推进网络双向改造、数字化整体转换。继广州、佛山等顺利开展地面数字电视技术试验后，广州、深圳还成为国家首批移动多媒体广播（CMMB）技术试验城市，为广东省开展移动多媒体广播奠定了基础。

构建外宣新平台 2007年，广东南方广播影视传媒集团在与境外广电传媒的合作方面也落实了多项成果。

（张恩明）

广西壮族自治区广播电视概况

基本情况

2007年，广西有广播电台9座，公共广播节目套数64套，其中对内广播63套，对外广播1套；对国内公共广播节目播出时间273012小时，对国外公共广播节目播出时间2920小时。全自治区广播综合人口覆盖率90%。广西有电视台8座，公共电视节目套数39套；对国内公共电视节目播出时间303198小时，对国外公共电视节目播出时间8557小时。全自治区电视综合人口覆盖率94%。

全自治区有线广播电视传输干线网络总长28821.5公里；中、短波转播发射台20座；调频转播发射台124座，电视转播发射台100座，卫星收转站702960座。

主要业绩

一、广播电视宣传影响力增强

广西广播影视部门始终把握正确的舆论导向，自觉服从和服务于党委政府的中心工作，强化新闻宣传，为广西的社会经济发展，为营造开放、发展、文明、和谐的广西新形象，提供强有力的舆论引导和智力支持。3月21日至29日，由广西人民广播电台策划组织的“全国各省（区）市广播电台关注北部湾”大型新闻采访活动在南宁、北海、钦州、防城港、崇左、玉林等市展开。来自全国29家省（区）市广播电台的54名台长、副台长、记者、编辑、主持人、播音员汇集广西，对广西北部湾经济区的开放开发建设情况进行为期十天的集中采访报道，通过广播媒体的舆论影响力，在全国掀起宣传报道广西北部湾经济区开放开发的热潮。10月28日至31日，2007第四届中国——东盟博览会“两会一节九论坛”在南宁举办。广西电台、广西电视台各频率频道圆满完成相关报道。广西电台、广西电视台现场直播第四届中国——东盟博览会开幕式、第四届中国——东盟商务与投资峰会开幕式以及南宁国际民歌艺术节开幕晚会《大地飞歌·2007》，并录播了中国——东盟港口发展与合作、第四届中国——东盟商务与投资峰会、越南——中国投资经营等专题论坛。按照出精品、创品牌的要求，不断探索创新宣传报道内容、形式，培育了《聚焦泛北部湾》、《连线东盟》、《新闻在线》、《政风行风热线》等一批受观众、听众喜爱，在广西区内外有影响的知名频道频率、栏目、节目。

二、广播影视外宣工作开创新局面

广西广播影视部门制定广播电视“立足广西、面向全国、辐射东盟”的外宣工作新思路。确定“外宣工作省级前列，广西广播电视成为区域性外宣强势媒体”的外宣工作目标。主要做法是，拓展广西广播电视对外宣传平台、不断扩大在东盟的覆盖。广西卫视在东盟五个国家成功落地播出节目，广西电视台在越南、印度尼西亚共和国等国家举办电视展播周和大型文艺晚会，南宁电视台与越南国家数字技术电视台联合举办《春天的旋律》迎春电视文艺晚会，进一步扩大广西广播电视在东盟各国的影响。特别是

2007年策划组织和举办了“中国——东盟合作之旅”和“聚焦广西北部湾”两个大型国际广播电视联合采访活动，开创了我国地方广播电视媒体与国家广播电视媒体和境外、国际广播电视媒体合作采访的先河。

三、广播影视艺术创作生产繁荣和发展

2007年，广西广播影视文艺生产发展势头良好，精品佳作迭出。主要表现在：推出一批有影响力的电视剧作品，多部电视剧在全国热播；电影生产逐步恢复；动画片生产首次实现广西本土制作出版；广播影视文艺栏目、节目质量不断提高；社会民营资金投资影视艺术生产日益活跃；一批广播影视文艺作品获得国家级奖、专项奖。广西生产完成电视剧12部327集，推出电影《希望》、《我们需要你》、《海瑶》、《清水的故事》、《东方狮王》、《村主任和他的女友》等6部，其中，《东方狮王》获第九届中国国际儿童电影节优秀影片奖，广西电影制片厂与广西接力天高动漫影视传媒有限公司合作摄制的反映希望工程题材电影《希望》播映后在全自治区掀起捐资助学的热潮。广西接力天高动漫影视传媒有限公司推出广西第一部本土产365集电视动画片《阳光少年》的前50集，标志着广西自主动画片制作迈上了一个新台阶。

四、农村广播电视公共服务体系逐步建立

一是完成广播电视无线覆盖工程建设第一阶段任务。全区110座无线发射台站改造新建项目，已经建成81座。二是广播电视覆盖正式纳入国家西新工程并扩大了实施内容和范围。实施内容从调频广播扩大到电视、中波、实验广播等；实施范围从边境口岸扩大到边境三个市八个县（市）内陆。西新工程新建的16座广播电视发射台如期开播。三是地处大石山区的马山、隆安、大化、都安、天等五个县（自治县）广播电视基础设施得到改善。在五个县投入建设资金2000多万元，建成6座无线广播电视发射台，建成30个乡镇的小功率调频广播发射站，实施622个自然村有线联网。四是发挥自治区光缆干线网的资源优势，做好50户以上自然村通广播电视的延伸工作，通过有线联网覆盖2634个自然村，新增广播电视用户157000多户。

五、广播影视科技工作成绩显著

2007年，广西继续完善广播电视安全播出和调度指挥于一体的安全播出指挥管理体系，完善监测系统建设，广播电视监测从市延伸到县；建成全区市一级有线数字电视安全播出监测系统。广西有线电视数字化工作重点是加强和规范服务。广西广播电影电视局和广西广播电视信息网络股份有限公司组织30多个工作组由领导带队，深入到各市、县检查指导加强和规范有线数字电视工作，走访群众4250多户，解决有线电视数字化整体转换中的问题。2007年，广西陆续启动13个县（市）有线电视数字化整体转换工作。全自治区有线数字电视转换户达205万户，转换率达98%以上。广西广播电视科技创新取得好成绩。参加全国广播节目技术质量评比中获二等奖2项、三等奖4项，参加全国电视节目技术质量评比中获二等奖1项、三等奖4项，参加全国广播电视技术能手竞赛获一等奖1名、二等奖1名。

六、行政管理工作进一步规范

一是全面推行局机关岗位目标考核管理，二层企事业单位双效目标管理，各市广电行政部门社会管理目标考核管理三项责任制，初步建立起广播影视目标管理和评价体系。二是加强宣传管理，集中治理娱乐类、购物类和涉性节目特别是选秀节目，遏制低俗之风；强化广告播放管理，降低违规广告播放的概率。三是加强广播电视播出机构和播出秩序管理、卫星电视广播地面接收设施和境外电视节目管理以及影视节目制作经营机构管理，规范各种广播影视行为。四是改革创新行政管理体制，转变政府职能，建立健全规章制度，行政效能得到明显提高。

2007年2月，广西广电局副局长朱日荣（右一）在天等县实地测试调频广播信号

问题和不足

从思想认识、体制机制、政策措施等方面推动“三贴近”原则的深入贯彻不够，精品佳作偏少；广西经济欠发达，广播电视人口综合覆盖率与发达地区相比，仍有一定差距，广播影视经济总量偏小，产业优势尚未形成；改革有待深化，制约发展的体制机制性障碍尚未完全消除，还面临一些深层次的矛盾和问题。（广西广电局）

海南省广播电视概况

基本情况

2007年，全省共有广播电视播出机构19个，其中，省级广播电视台1个，地(市)级广播电视台2个，县(市)级广播电视台16个。

全省共有广播电视发射台(1000瓦以上)的22座，其中省级骨干发射台5座，市县级广播电视发射台17座。

全省共设置广播电视节目34套，其中广播频率24个，电视频道10个。

全省全年广播电视节目制作生产51177小时，其中广播节目35675小时，电视节目15502小时。广播人口覆盖率为96．43%，电视人口覆盖率为95．39%。

全省有线电视用户7645976万户；有线电视传输干线总长5386公里。

全省共有从业人口3728人；全省广播电视总收入为39388．09万元。

宣传工作

广播电视宣传工作有声有色，导向正确，影视剧创作生产持续繁荣，少儿作品频出精品。

全省广播电视播出机构出色完成了各项重大的宣传报道任务，特别是在新闻宣传报道方面，开设新的栏目节目，采取多种报道形式，取得了较好的效果。海南广播电视台在党的十七大、全国全省“两会”、博鳌亚洲论坛、省第五次党代会、文明生态村建设、文化体制改革和文化产业发展、“大项目带动、大企业进入”、海防林建设、荣辱观教育等重大宣传活动中宣传报道力度大、效果好，体现了主流媒体的权威性和影响力。

2007年，全省广播影视生产部门创作生产了一批歌颂党、歌颂祖国、歌颂社会主义的主旋律广播影视作品。共创作生产16部283集。其中海南国际传媒公司和海南影业公司制作的32集《玫瑰绽放的年代》获中宣部“五个一工程”奖提名、北京天风和煦影视文化传媒有限公司和海口广播电视台制作的46集《大明王朝1566》获第26届飞天奖长篇电视剧三等奖。

少儿节目不断涌现精品，在全国少儿节目精品及动画精品评选中，海南台《快乐体验》获2005年优秀少儿电视栏目鼓励奖，《热带小记者》和《快乐体验》分获2006年度优秀少儿电视栏目三等奖，海口台《海岛贝贝》获2005年度优秀少儿电视栏目三等奖，《海南省首届少儿歌手决赛颁奖晚会六一晚会》获2006年度原创少儿电视节目鼓励奖。

行业管理

继续加强对广播电视节目的常规管理，按时报送黄金时段节目安排以及动画片播出、收看情况。按照总局工作部署，对涉农节目、鉴宝类节目、选秀类节目、电话和手机短信参与广播电视节目等情况进行了调研。开展了抵制低俗之风专项行动，对广播电视节目中存在的典型性、倾向性、苗头性的低俗问题及时予以遏止和纠正。组织全省播出机构开展抵制虚假新闻的检查工作，发现问题及时整改，加强管理，确保正确的舆论导向。9月，海南广播电视台新闻频率晚间《真情男女性情夜话》栏目因节目低俗收到总局的停播通知单，省厅立即全省通报，全面检查清理低俗节目栏目，再次重申各播出机构不得以任何理由和名目策划、制作和播出违背伦理道德、亵渎科学文明的节目栏目。经数次清理整顿，全省播出机构广播电视节目形态更加规范，荧屏、声频净化工作取得了明显成效。

2007年，省厅对广播电视广告播出进行了数次检查清理，坚持对广告播放进行监听监看。大部分不良广告已整改或停播，广播电视广告播出情况明显好转。

2007年，开展境外卫星电视传播秩序专项整治工作，防止有害卫星电视信号在海南省落地。完成境外卫星电视监管平台132面接收设施转到接收亚太6号卫星信号，严肃查处了81家没按转星调整要求仍接收亚洲3S信号的用户单位。举办了全省卫星电视广播地面接收设施管理培训班，共培训相关人员396名。

开展互联网视听节目摸底调查工作。

开展了依法打击网络淫秽色情专项工作。

安全播出与事业建设

完成海南卫星地球站C频段卫星上行系统的改造建设。配置并安装C频卫星上行天线1面，购置上行设备1套，并完善周边设备的配置。目前已具备上行并发能力。

开通卫视节目至北京的地面光缆通路。省政府投资413万元作为建设资金，购置一套编码器和复用器等设备，开通了海口至北京的地面光缆通路，传送旅游卫视节目。

完善省级指挥调度平台和预警信息平台建设。租用光缆路由，连接国家广电总局安全播出指挥调度平台，完成省安全播出指挥调度平台建设。

全省各级广播电视部门成立安全播出指挥机构，建立了协调机制，并根据实际情况，进一步制定和完善了《广播电视安全播出应急预案》，对日常值班、安全播出保障、日常防范措施、突发事件处理流程、责任制等进行了明确的规定，进一步建立健全了安全播出保障机制。

积极稳妥推进数字电视整体转换，2007年，共完成有线电视数字化整体转换40多万户。

完成海南省2006年农村中央广播电视节目无线覆盖工程。国家下达海南省2006年农村中央广播电视节目无线覆盖专项资金1591万元，用于更新省中一、中七发射机16部，更新中一调频发射机4部，更新改造12座发射台基础设施。从5月1日起，全省19座发射台44台发射机开始完整转播中央广播电视节目，结束了海南省广大农村群众不能完整收听收看中央广播电视节目的历史。

实施2007年一阶段中央广播电视节目无线覆盖工程。工程完成后，全省中一广播电视结合人口覆盖率可达95%以上，中七电视综合覆盖率预计可达75%以上。

实施完整转播省台一套广播电视节目无线覆盖工程。争取省财政资金257万元，用于东方、琼海等8个市县完整转播省一广播电视节目设备更新改造。

争取将西沙永兴岛调频广播发射台列入西新工程建设项目。经过多年的努力，争取西沙永兴岛调频广播发射台建设项目列入国家西新工程第四期一阶段。计划2008年开始实施，预计国家将投入资金650万元。

启动全省广播电视发射台自动化改造。对全省广播电视发射设备进行详细调研，摸清设备运行状态，制定发射设备自动监控系统技术方案，一阶段将完成全省8市县发射台自动化改造，年底即可完成招标工作。

问题与不足

广播电视节目整体水平不够高，精品作品偏少；广播电视广告经营收入不理想。　（海南省广播电视协会）

重庆市广播电视概况

基本情况

2007年重庆市有广播电台1座，电视台1座，区县广播电视台34座；公共广播节目28套，公共电视节目49套，付费电视节目8套；全年公共广播节目播出时间104378小时、全年制作广播节目时间58513小时，全年公共电视节目播出时间225140小时、全年制作电视节目时间52576小时；建有中、短波发射台5座，调频转播发射台64座，电视转播发射台45座；卫星地球站1座，卫星收转站762946座；广播综合人口覆盖率达92.63%，电视综合人口覆盖率达96.03%。

全市有线电视用户430.77万户，其中数字电视用户68.20万户，有线电视入户率达到41.80%。

圆满完成了6099个50户以上、10323个20户以上自然村广播电视“村村通”民心工程建设任务，村村通入户率达70%以上。

全市广播电视从业人员11679人。

2007年3月16日，按照中共重庆市委常委会决定，重庆市文化局(市文物局)、市广播电视局正式实行合并办公。对上接受国家广电总局等部委的业务指导，对下指导区县(自治县)的广电业务工作，对市属广播电视事业单位依法实施行政管理，实现了管办分开。重庆市文化广播电视局内设机构15个，定编84人。

重庆广播电视总台设有公共机构15个，广播专业机构7个，电视专业机构7个，直属单位6个，广电产业单位13个。从业人员4611人，其中研究生学历99人，本科及大专学历3243人，高级职称317人，中级职称645人。全年总收入突破15亿元(其中，广播广告创收7632万元，电视广告创收8.27亿元)，保持了三年翻一番的快速增长势头。

主要业绩

2007年，重庆市广播电视工作围绕中心，服务大局，面向基层，服务群众，抓重大活动宣传、广电设施建设、影视精品制作，安全播出保障、产业项目发展，不断加强管理，增强实力，各项工作都取得了新进展、新成绩，继续保持了繁荣发展的良好态势。重庆广播电视总台围绕“转型、转制、转向”的指导思想和“突围、防御、打援”的竞争策略，以强化执行力、提高竞争力为工作主题和重点，形成了“一体多元”的发展格局，实现了事业、产业的全面、协调和可持续发展。

一、完成了宣传工作目标

正确导向，圆满完成了中央领导来渝考察、党的十七大、市第三次党代会、全国“两会”和全市“两会”、重庆直辖十周年、重庆获批城乡统筹综合配套改革试验区、“嫦娥一号”发射直播、市首届文化艺术节等重大宣传报道工作(其中，卫视频道转播十七大开幕式更是创下了全国省级卫视同时段收视第一的佳绩)；精心组织，圆满完成了“2007年度感动重庆十大人物”颁奖晚会、中国广播影视大奖颁奖晚会、2006年争光贡献奖颁奖晚会、武隆国际户外运动公开赛、“走过十年”重庆直辖十周年广播电视大型直播活动等多项重大活动主承办或录制工作，为团结和凝聚全市人民建设和谐重庆创造了良好的舆论环境。 市级广播电台全年播出新闻资讯类节目4901小时，推出系列报道1160余集，在中央人民广播电台上稿400条，在中国国际广播电台上稿11组《中国之窗》；市级电视台全年播出新闻资讯类节目3549小时，推出系列报道500余集，在中央电视台各套节目上稿2198 条(其中《新闻联播》上稿318条)。

二、完成民心工程

2007年，重庆市完成2006～2007年度 20户以上自然村“村村通”工程和中央广播电视节目无线覆盖工程建设任务。全市10323个20户以上自然村通了广播电视信号，有31个台站纳入了中央广播电视节目无线覆盖工程的建设任务。其中，采取有线覆盖方式的7323个村，地面数字传输覆盖方式的500个村，无线覆盖方式的2500个村。新增农村有线电视用户22.8万户，其中80%以上的农户可以看到30套左右电视节目，其他农户至少可以看到中央和重庆的4套电视节目，听到2套以上广播节目。

2007年，重庆市被纳入国家农村电影“2131工程”试点地区，购买了88套数字电影放映机，17套普通35毫米放映机和59套16毫米放映机，同时购买了127部影片，共551个电影拷贝分发到各区县农村电影放映队，并举办了全市数字电影放映设备培训班。1至10月，全市农村电影放映惠民工程共放映电影10万多场，观众2600多万人次。

三、实现了产业发展目标

2007年，全市广播电视行业资产总额达到71.86亿元，全年总收入实现22.23亿元，其中广播电视总台收入总额达15.44亿元，在全国率先实现了产业收入超过事业收入的结构。

2007年，重庆市广播电视总台完成了数字电视整体转换68万多户，主城数字电视用户覆盖率达90%以上；完成了主城区范围双向网改造80万户和VOD系统建设；移动电视收视终端已覆盖100条公交线路、3000辆公交车、500辆出租车，以及100余个固定收视点。重视传媒公司全年累计生产节目1431小时，节目生产量位居西部之首。以视美动画公司为龙头的南岸区茶园新区被国家广电总局授予“第三批国家动画产业基地”，全市2007年制作完成电视动画片4699分钟，比2006年增长47%。其中重庆享弘数字影视有限公司还被国家授予“2007～2008年度国家文化出口重点企业”，并荣获“2007年度央视动画产业合作突贡献奖”。

四、实现了市场竞争目标

2007年，广播保持了80%以上的本地市场份额，进一步巩固了对本地市场的绝对控制；电视频道群本地市场份额在激烈的竞争中保持在40%以上；重庆卫视全年排名位列全国第三。

市场覆盖不断扩大。国际频道2007年3月1日顺利开播，已实现对香港、澳大利亚和美国的落地覆盖，成为西部地区中第一个走向世界的电视频道。国际频道每天自制节目6小时，全年已播出电视剧约2000小时，电视栏目约6000小时，重庆形象宣传片约300小时。重庆卫视收视覆盖继续扩大，全国可接收人口达到5.81亿，位列全国第五。广播通过库区和远郊区县及高速公路沿线补点覆盖工程，对库区和偏远贫困地区的覆盖得到有效延伸。电视通过与各区县业务中心传输覆盖协议的执行，保证了各套节目对本地市场的全覆盖。

媒体竞争力不断增强。广播通过频率专业化、市场细分化、节目(栏目)特色化，实现了各频率优势互补，频率竞争力不断增强，通过全年近80场次的户外主题宣传活动和现场直播活动，宣传影响力进一步扩大。电视制定并实施了地面频道竞争力规划，各频道通过差异化定位以满足广大受众的不同需求。卫视频道继续推行编播季概念，实行年度一个主题、分季营销，收视逐月攀升，已成功突出重围进入全国一流省级卫视行列。

品牌影响不断增强。《正点经济》、《城市播客秀》、《天天630》、《拍案说法》等栏目均有不俗表现。纪录片《江上风情》获西班牙马拉加电影电视节特别贡献奖，《远祖之谜》

获“2007年度中国十大纪录片”，并进入法国FIPA国际电视艺术节相关竞赛单元。电视剧《西圣地》先后获“飞天奖”一等奖和全国“五个一工程”奖。

问题与不足

2007年，重庆市广播电视管理工作中出现了监管不到位、重审批轻过程的倾向。个别广播电视节目存在低俗化倾向。节目总体质量不高，影响力不够，未形成社会化的节目产业链。（重庆市文化广电局、重庆市广电总台）

四川省广播电视概况

基本情况

截至2007年底，全省有广播电台20座、电视台21座、广播电视台114座。自办广播节目112套，其中：省级5套，市（州）级28套，县级79套；自办电视节目170套，其中：省级9套，市（州）级47套，县级114套。广播全年播出时间400104小时，电视全年播出时间789267小时。调频和中短波转播发射台1668座，电视转播发射台2469座，卫星地面接收站1250221座，有线广播电视传输干线网络总长357032公里，有线电视用户1120万户。全省广播综合覆盖率95.90%，电视综合覆盖率97.05%。

2007年度全省广播电视从业人员32747人，其中省级4743人，市级8720人，县乡级19284人；全省广播电视实际创收收入332394万元，其中省级100893万元，市级116634万元，县级114867万元。

主要业绩

一、圆满完成宣传任务

一是抓好重大宣传活动，确保正确舆论导向。全省广电系统始终严把舆论导向关，把提高舆论引导水平作为自己工作的中心环节。在搞好常规宣传报道的同时，重点抓了党的十七大、全国全省“两会”、省第九次党代会等重大宣传报道。香港回归十周年、“建设社会主义新农村”、“十大惠民行动”、“加快发展、科学发展、又好又快发展”、“城乡统筹”等重大活动、重大主题宣传的报道任务圆满完成。省电台、电视台着力节目创新，实施品牌管理、品牌经营，提升节目品质。四川卫视全年上送中央电视台《新闻联播》播出稿件435条，同比增长28%，全年收视排名在全国省级卫视中跃升为第八位。省电台打造出《阳光政务》等名频率、栏目，引起积极的社会反响。各市州电台、电视台结合当地实际，在导向正确、格调健康与生动鲜活上下工夫，推出了更多的老百姓喜闻乐见的新闻节目。10月，成功举办2007（第九届）四川电视节，来自49个国家和地区的5000多位中外来宾积极参与，达成意向性协议金额约8.9亿元。本届“金熊猫”评奖活动参评国家和参评数量创下历届之最。

二是开展抵制低俗之风专项行动。2007年，全省强化节目规划、播出审查、收听收看、视听评议制度，对综艺娱乐类、谈话类、法制类节目进行了清理和抽查。重点开展对“选秀泛滥”、“恶炒”、“博彩和迷信”、“夜间性话题”等问题的专项整治行动，对发现的问题进行了严肃查处和认真整改。

三是着力加强和改进视听评议和节目监测工作。省局视听评议组抽听抽看了四川电视台4频道、成都电视台都市生活频道、德阳、绵阳等地的广播电视日播节目，编发《视听评议》简报6期。省局正积极争取经费和编制搭建“四川省广播电视收听收看中心”，以强化节目监测手段。

四是繁荣影视创作生产。截至11月，报总局批准备案公示的电视剧有14部383集，动画片2部72集；审查通过电视剧6部145集；发放许可证4部，审查动画片2部78集。

五是完成了第27届四川广播电视节目评奖和由中广协会、中国记协等分别举办等的有关节目评奖作品的选送工作。

二、抓好事业建设和产业发展，广电生产力逐步壮大

1.“村村通”工程建设：全年省级投资3000万元，完成3583个村；市、县（区）政府财政投资4723万元，各级网络公司投资2500万元，完成8500个村；全年共完成“村村通”建设任务12000个村。

2.“西新工程”建设：全面完成了西新工程三期二阶段验收任务和第四期一阶段技术方案工作。总投资1800万元，建设白玉、德格实验台，同时还完成了更新改造甘孜、白玉、雅江等12座300W电视发射台。

3.农村中央广播电视节目无线覆盖工程建设：全省全年共完成发射台的建设任务51座，完成总任务数的55%，列全国第四位。

4.广电产业经营和新媒体开发：星空数字移动电视和长虹集团实现战略合作，合资公司挂牌运作，开通三套节目，移动终端达到3000个，与全省各级广电携手合作，扩大了在全川的市场占有率。星空电视购物公司成立，购物电视正式开播；电话收音机项目定型试播；移动数字多媒体广播（手机电视）试验获国家广电总局批准，开始试点。

5.完成了703台搬迁工程涉及的16个建设点的土建扫尾工程和全省SDH数字微波环线东、南、北线建设，全面打通全省数字微波通道。

三、推进县对乡镇广播电视的垂直管理运营体制，加强农村广电公共服务体系建设

德阳市罗江县在乡镇改革中建立以县为中心，县乡共管的乡镇广电机构模式。省局将此推广全省，取得很好效果。绵阳、射洪、船山和其他一些市县正结合自身实际扩大推广这一做法，农村广电公共服务体系得到加强。

四、进一步深化改革，逐步理顺管理体制

绵阳市决定调整市级广播电视管理体制，撤销市广播电视中心，将原中心所属绵阳电台、电视台等公益性事业单位合并，组建绵阳市广播电视台，作为绵阳市广播电视局直属事业单位。德阳市决定，市电台、电视台合并为市广播电视台，德阳市广播电视局对其实行行政管理。之后，广安、阿坝、雅安、巴中四个市州也相继由“局台分开”调整为“局台分设，局管台”。管理体制趋于顺畅。

五、依法行政，确保广播影视健康有序发展

一是继续加强卫星电视管理。新审批卫星节目接受单位19家，注销14家。二是开展依法打击互联网等信息网络传播淫秽色情节目专项行动。截至10月底，全系统共出动3840人次，清理整顿各类网站300余个，关闭违法违规网站131个，删除有害信息3653条。三是加强广播电视播出

机构管理。完成了甘孜、阿坝州所属31个县广播电视播出机构、频道许可证申报及发放工作。6月，对不符合换证要求的成都、巴中、广安、宜宾、雅安及巴中平昌县广电局发出整改通知。清理整顿擅自改动频道名称、擅自增设频道等违规现象。对全省广播电视不良广告进行了清理整顿。四是加强对广播电视节目制作经营机构的管理和服务工作。对擅自传播境外卫星电视节目、向社会发展用户或利用专业传输条件跨地区传播节目等问题进行纠正了和规范。

六、建立健全安全播出保障体系

省局成立安全播出管理处；制定了全省广播电视安全播出指挥、调度、监管系统建设方案；及时调整了指挥调度系统节点分配；抓好了全省预警信息接收屏网络参数设置，接收屏升级和新屏发放工作；组织了安全播出培训和演练，确保了安全播出。

七、超额完成“转星”任务

全省各市州广电部门完成了新中国成立以来最大的一次广播电视信号调整工作。全省共完成186万面卫星收面接收设施的转星工作，超额完成任务。

问题与不足

一是广播电视节目的整体文化品质还不高；二是原创节目、影视精品以及具有广泛社会影响的大型节目（活动）仍显不足，三是媒体品牌建设力度还不大，网络整合进展迟缓；四是新媒体发展不足，产业发展有待创新。

（四川省广电局　四川广电集团）

贵州省广播电视概况

基本情况

2007年，全省共有广播电台5座，节目套数23套，共播出节目113657小时，播出自制节目87727小时，全年制作广播节目67394小时。有中波发射台11座。有调频发射机204部。广播综合人口覆盖率84.12%，较上年83.72%增加0.4个百分点。

全省共有电视台5座，其中省级台1座，市(州、地)级台4座；有广播电视台77座，其中市(州、地)级台5座，县级台72座。全省有线广播电视传输网络干线总长65261公里，共有公共电视频道99套，全年公共节目播出时间299448小时，播出自制节目94315小时。有电视发射机2595部。全省有线电视用户数335.36万户，较上年增加8.51万户。有卫星地球站1座，移动卫星转播车1辆，卫星收转站2823609座（天线数）。电视综合人口覆盖率91.06%，较上年90.65%增加0.41个百分点。

全省广播电视从业人员11802人，较上年增加361人。其中研究生及以上62人，本科及大专7387人。按职业划分：管理人员2621人，专业技术人员6458人，其他人员2723人。

全省广播电视经费总收入135975.06万元。其中：行政事业单位收入11185.44万元，企业单位收入24159.62万元（含系统外收入684.52万元）。全省实际创收收入104609.67万元。全省广播电视广告收入49249.63万元。其中广播广告收入3535.84万元，电视广告收入45063.21万元，其他广告收入650.58万元。全省有线电视网络收入41367.78万元，其他创收收入13991.66万元。

全年，贵州人民广播电台播出新闻节目14600条，其中：本台记者采制的10,172条，占年播新闻节目总数的69.7%；通讯员来稿4428条，占年播新闻节目总数的30.3%。贵州电视台播出新闻节目7285条，其中：本台记者采制的3407条，占年播新闻节目总数的47%；各市（州、地）电视台送省电视台播出的3878条，占年播新闻节目总数的53%。

全省全年上中央台播出新闻1938条，其中：贵州人民广播电台206条；贵州电视台1195条；各市（州、地）、县台304条。

获中宣部第十届精神文明建设“五个一工程”入选作品奖1件。获中国广播影视大奖提名奖4件。获贵州省第十届精神文明建设“五个一工程”入选作品奖6件。有419个广播电视节目在省内获奖，其中：获2006年度贵州新闻奖120个；获2006年度贵州广播电视奖259个，获2006年度贵州播音员主持人作品奖40个。

全省录制播出广播剧3部；制作电视剧3部55集。

主要业绩

一、十七大宣传

迎接党的十七大召开的宣传。8月初，贵州人民广播电台《贵州新闻联播》，开辟专栏《喜迎十七大　推进新跨越》，共发稿129篇。《新闻大视野》播出新闻近200条，集中展示党的十六大召开以来贵州在政治、经济、文化、科技等方面取得的新成就。8月27日，贵州电视台《贵州新闻联播》推出《喜迎十七大之和谐贵州行》专栏，《喜迎十七大之先锋颂》专栏，《喜迎十七大之五年聚焦》专栏，从不同的角度报道了贵州省自党的十六大以来发生的变化及各项事业取得的巨大成就。党的十七大召开期间，贵州人民广播电台记者从北京发回报道21条；贵州电视台发回报道23条，在中央电视台《新闻联播》发稿12条，在中央电视台其他栏目发稿25条（次）。党的十七大闭幕后，贵州省广播电视局发出《贵州省广播电视局关于加强领导精心组织好党的十七大宣传工作的通知》，要求全省各级广播电视播出机构精心策划十七大宣传，深入基层扎实采访，多角度、深层次、集中地宣传报道全省各级各部门学习宣传贯彻落实十七大精神的情况。

二、建军80周年宣传

贵州人民广播电台的新闻广播在建军80周年宣传中，共播发新闻66条，连续播出大型配乐广播系列专题《热血英魂》。《午间关注》开办建军80周年直播节目39期，每期50分钟。7月10日，贵州电视台的《贵州新闻联播》开办《建军八十年巡礼》专栏，播出《贵州男儿在边关》等报道。8月4日，现场直播《再现四渡赤水　展示红军风采》大型军事学习活动，时长90分钟。

三、省人大、政协“两会”和全国人大、政协“两会”以及省十次党代会宣传

这些重要的会议期间，贵州人民广播电台、贵州电视台均作了大量的专题报道，营造了浓厚而热烈的舆论氛围。

四、深入宣传社会主义思想道德建设

2007年，全省各级广播电视播出机构开展了以社会主义荣辱观为核心内容的思想道德建设宣传，“迎奥运、讲文明、树新风”和“我为祖国增光，我为奥运添彩”主题活动宣传。此外，全省各级广播电视播出机构围绕“共铸诚信贵州”、“城乡共建”、文化科技卫生“三下乡”、“四进社区”、“创建文明风景旅游区”等进行了宣传。

五、外宣工作迈上新台阶

一是全省上中央台播出的节目总量有新的突破。据统计，全省上中央台播出的节目总量为1938条。贵州人民广播电台在中央人民广播电台播出节目206条；贵州电视台在中央电视台播出节目1195条；各市（州、地）、县广播电视播出机构在中央电视台播出节目304条。贵州人民广播电台系列节目《喀斯特的交响》在中央人民广播电台的6个栏目播出后，反响强烈。11月14日至22日，又与中国国际广播电台华语环球广播《中国2007》作了9个新闻连线节目播出。

二是圆满完成全省重大活动宣传。贵州人民广播电台积极参加泛珠三角11省区（市）广播直播、贵州到广州招商引资新闻发布会、荔波申报中国南方喀斯特自然遗产等活动，通过中央人民广播电台、中国国际广播电台发稿，宣传贵州。7月6日，贵州电视台和黔南电视台共同采制系列报道《十二年申遗路》，为观众详细展示荔波县美丽的春水河、茂密的茂兰森林、美丽的小七孔、雄壮的大七孔，对荔波县乃至贵州省的旅游、经济发展。还对在贵州举办的全国汽车拉力赛、国际皮划艇挑战赛、全国攀岩精英挑战赛、全国野钓大赛、文体明星在贵阳乘坐公交车倡导绿色奥运活动等进行了报道。

2007年“多彩贵州”活动的宣传是全省广播电视外宣工作的一个亮点。“多彩贵州”舞蹈大赛等产生广泛影响。贵州省委宣传部制作《多彩贵州风》系列片，到俄罗斯、英国、土耳其、美国等进行国际文化交流。此外，省电台、电视台对中国舞蹈“荷花奖”民族民间舞蹈大赛也进行了宣传报道。

六、制作播出一批喜闻乐见的节目

《贵州新闻联播》《阳光946》《午间关注》等一批节目的收听率得到有效提升，使该台作为省内三大主流媒体的地位得到提升，社会公信力得到听众的认可，如很多地区都流行这样一句话：“有困难，找《阳光946》”。省电台在抓好新闻报道的同时，开拓创新，打造精品，制作播出的广播剧《心灵中的记忆》获中宣部第十届全国精神文明建设“五个一工程”入选作品奖、贵州省第十届精神文明建设“五个一工程”入选作品奖；广播剧《信念》、《老乡警察》分别获第七届中国广播剧研究会专家奖银奖，并同时被列入广播剧优秀作品珍藏剧目，向全国广播电台推荐。广播大型联合报道《喀斯特的交响》播出后，中宣部的重点网站为节目推出了专页，刊发各类报道、评论及图片200余条（张），并且被多家网站大量转载。这个节目已成为贵州的一个传媒品牌。贵州电视台5月16日推出的《论道》，全国各界反响热烈，国内30多家媒体和1600多网上帖子热议《论道》，说它开创了政界、商界、学界精英与主持人谈经论道类节目的先河，能够消解电视节目泛娱乐化的倾向。《威宁印象》获“首届纪录中国”十大金牌纪录片节目奖；纪录片《MYLOVE嗄老》获2007（第九届）四川国际电视节“金熊猫”奖人文类最佳长纪录片提名奖、人文类最具人文关怀奖提名奖、人文类最佳创意奖提名奖、2007年度中国纪录片国际送片会十佳纪录片奖，并入选国际女性电影电视节节目竞赛单元；大型行业专题片《苗岭先行兵》获2007年度中国纪录片国际选片会十佳党建宣传节目奖；动漫作品《龙之梦》获“2007年亚洲青年动漫大赛”评委会奖。

贵州电视剧制作中心的4集音乐电视剧《侗歌声声》获贵州省第十届精神文明建设“五个一工程”入选作品奖。

贵阳人民广播电台的广播剧《虎啸玄天洞》获贵州省精神文明建设“五个一工程”入选作品奖、贵州省文艺奖二等奖。贵阳电视台《法制直通车》被中国广播电视协会评为2006—2007年度全国电视法制节目优秀十佳栏目提名奖。遵义电视台《田野》栏目2007年获第四届全国优秀农业电视栏目二等奖。黔南电视台新闻《深山里的一条“船”》获第十七届中国新闻奖二等奖。（贵州省广电局）

云南省广播电视概况

基本情况

2007年，全省有经国家广电总局批准的省地县级广播电视播出机构150个，其中，省地级广播电台16座（包括未单独设置的）计31套节目，电视台16座计45套节目；县级广播电视台119座（包括已批准建立正待完善或组建的县级广播电视台）。按新的统计口径，全省有1千瓦以上的中短波广播发射台56座，调频广播发射台201座，电视转播发射台132座，转星调整后的卫星地面收转站2729090座，形成了城市和农村联通，卫星、无线、有线结合的多形式多层次的广播电视传输网络。全省广播人口覆盖率92.65%，电视人口覆盖率94.02%，比上年分别增加0.63 % 和0.34% 。省电台和省电视台的节目通过卫星传送，可覆盖全省和全国部分省区和东南亚地区。全省有线广播电视传输网络干线网（按新的统计口径）总长54063公里，有线电视用户403.8万户。省电台现有新闻广播、民族广播、香格里拉之声、经济广播、交通之声、音乐之声、教育广播、少儿广播共8套节目，全年播音50430小时，日均播音138.2小时，比上年日均减少4.7小时。昆明市电台阳光频率、都市频率、城市管理频率3套节目，全年播音21900小时，日均播音60小时。除汉语节目外，全省各级电台开办了藏语、西双版纳傣语、德宏傣语、拉祜语、景颇语、景颇载瓦语、傈僳语、苗语、壮语、瑶语、哈尼语、彝语、佤语等13种少数民族语言节目及越南语节目。全省地县级以上电台（含未独立设置的广播频率和独立设置的县级电台）全年播音314606小时，日均播音861.9小时。云南电视台现有卫视、都市、娱乐、生活资讯、电影、公共、少儿共7套节目，全年播出49440小时，日均播出135.5小时，比上年日均增加15.5小时。其中，云南卫视每日24小时播出。昆明市电视台有新闻综合、经济生活、文娱、科学教育、影视、公共计6套节目，全年播出30822小时，日均播出84.4小时。全省地县级以上电视台全年播出670145小时，日均播出1836小时。2007年底，全省广电系统共有从业人员14767人（比上年增加982人），其中专业技术人员8110人（比上年减少37人）。2007年度，省广电系统全年总收入22亿元，其中，事业收入、经营收入、其他收入共8.37亿元，企业收入8亿多元，财政补助5亿多元。均比上年有所增加。

主要业绩

宣传工作 2007年，全省广播电视媒介开展“云岭喜迎十七大，党的光辉照心中”和“科学发展观，和谐彩云南”主题宣传报道活动。8月中旬起，云南电台联合全省州市电台，推出迎接十七大召开大型专题报道《云岭新气象和谐彩云南》，在《576早新闻》、《全省新闻联播》等重点节目中播出，全面反映本省构建和谐社会的成果和全省各地喜迎十七大的盛况。11月，省台联合全省13个州县电台，用德宏傣语、西双版纳傣语、傈僳语、拉祜语、景颇语等多种少数民族语言，翻译播出“十七大”报告，及时报道各民族学习贯彻“十七大”精神的情况和典型经验事例。制作发放5种少数民族语十七大报告光碟3600张。两台对全国和全省“两会”、第七届全国残运会、宁洱地震报道、全国旅交会等重大活动，以及保持共产党员先进性教育活动、加强经济工作、建设节约型社会、搞好就业和再就业、深化国企改革等许多方面，均作了卓有成效的宣传报道。云南电台全年共组织重大采访活动30多次，共播发新闻稿约41800条（组），全台共有120件广播作品（含栏目、节目）及8人获得国家级、省级奖项。被中央电台采用稿件100多篇，多条新闻在《新闻和报纸摘要》等重要专栏播出。云南电视台向央视传送新闻5266条，被采用1642条次，比上年增加210条次。该台共录播或现场转播大型文体节目或晚会34台，包括云南省春节文艺晚会、全国第七届残运会开幕式、迎十七大歌咏比赛暨文艺展演颁奖晚会、泛珠三角区域环保演讲大赛、迪庆州50周年州庆直播等。两台按照“三贴近”要求和频道专业化、栏目特色化、节目品牌化的目标，推进广播电视改版。其中，云南电台继续进行类型化改版，按照“新闻+谈话”的定位，当年10月推出时钟式新闻节目。并按照国家广电总局要求，规范了广播频率名称呼号。在广电节目整治低俗化方面，省局对宣传报道中存在的采访表面、以权谋私等问题进行了整改。全系统注重加强节目剧目的播出审批、审查和监督检查，改进节目监听监看方法，确保导向正确，内容健康。省局还成功承办了全国广播影视局长座谈会、2007中国——东盟电视合作峰会等重要会议。

事业建设 在“村村通”工程建设方面，结合“云南边疆解‘五难’惠民工程”作了有效工作。“西新工程”完成前三期工程建设的扫尾工作，制定了“西新工程”第四期一阶段工作计划并落实责任到人。中央广播电视节目无线覆盖工程全面铺开，完成设备招标工作，主要设备陆续运抵现场，部分台（站）工程进入地勘和基础设施建设阶段。全省完成广播电视转星调整270多万面。作为全国省级数字电视整体转换的5个重点省份之一，国家广电总局有关云南省有线电视数字化整体转换方案的批复下达后，省政府办公厅随即转发了实施意见，将此项工作列入全省国民经济和社会发展规划中，经多方努力，到年底，全省有线数字电视用户已达97.8万户。云南广电网络整合也在努力推进，多方协调网络整合工作，昆明地区的整合方案待上报省里批准后实施。地面（移动）数字电视完成国标转接。亚广传媒中心项目于12月底奠基，2008年3月开工建设。

本年，省委、省政府多次召开会议专题研究全省广播电视工作，省领导多次到广电部门单位调研指导工作，帮助解决困难。中央和省级财政对本省广播电视的全年投入超过以往18年投入的总和。

安全播出 在省委、省政府领导指挥和组织下，及时召开全省广播电视安全播出电视电话会议。对全省各重要播出传输关键岗位人员和调度指挥部门负责人进行培训考核。对全省各州市广电局（文广局）64个重点播出单位的安全播出进行全面检查。建成省级安全播出调度指挥平台，完成16个州市重点播出单位预警信息接收终端升级改造和129个县市（区）有线电视前端预警信息终端设备的安装开通工作。建成省局调度指挥中心、省广电网络公司、卫星地球站等单位的调度指挥系统和视迅系统。完成16个州市政府所在地开路电视、调频广播监测系统建设，将无线电视和调频广播节目纳入监测范围。加强了安全预警信息预报，有效防范和抵御对广播电视的非法攻击。

问题与不足

仍存在思想僵化、体制机制不活、不求进取等问题。宣传报道整体水平不高，广播电视节目栏目同质化、频率频道雷同现象较突出。事业建设基础薄弱，广播电视覆盖率与全国平均覆盖率还有差距，边境少数民族地区看电视、听广播难的问题还未根本解决。产业发展起步晚、规模小，队伍结构不合理、用人机制不够完善。 （*戴美政 凡同敏*）

西藏自治区广播电视概况

基本情况

2007年全区共有广播电台1座，广播电视台3座。广播节目播出语种3种，广播节目7套，卫星传送3套，全年播出公共广播节目时间36379小时，其中自制节目21040小时；全区共有电视台5座，计10套电视节目，全年公共电视播出时间42750小时，自制节目4615小时。除汉语节目外，全区各级广播电视台还开办了藏语以及藏语方言：拉萨话、康巴话节目及英语节目。西藏人民广播电台3套节目通过卫星传送，西藏电视台有藏汉语2套卫星节目和2套城市节目。全区广播电视综合覆盖率为87.8%和88.94%。全区有100瓦以上调频广播转播台79座，50瓦以上电视转播台80座，县以上有线电视转播发射台76座，中波广播发射台38座，电视专用上行卫星地球站1座，“村村通”广播电视台站9111座。

主要业绩

一、宣传工作主题突出，力度加大

一是圆满完成了十七大的宣传报道任务。十七大的宣传报道在2007年作为重中之重，分会前、会中、会后三个阶段进行策划、安排和组织实施。以抓好学习胡锦涛总书记“6.25”重要讲话精神宣传为标志，拉开迎接十七大宣传的序幕，十七大召开期间，两台除完整转播开、闭幕会议等以外，集中报道了西藏十七大代表参加会议活动和西藏广大干部群众收看收听十七大盛况、学习领会十七大精神的情况，十七大结束后，两台组织30多个采访组，深入全区7地市和75个县（市、区）采访报道，大力宣传了自治区组织的“万名干部下基层宣讲十七大精神和加强基层基础工作调研活动”，大力宣传了全区各级各部门各单位学习、宣传、贯彻十七大精神的实际行动。

2007年9月30日，西藏自治区领导参加西藏电视台藏语卫视24小时播出启动仪式

二是加强了贯彻落实科学发展观和经济建设、环境保护的宣传。局属两台在《西藏新闻联播》节目中全年开设了《贯彻落实科学发展观》专栏，各地市广播电视台积极报送各行各业贯彻落实科学发展观的典型，进一步营造了全区上下以科学发展观统领经济社会发展的浓厚氛围。大力宣传自治区党委、政府关于“一产上水平、二产抓重点、三产大发展”的经济发展战略和重点任务、政策措施、工作要求，大力宣传以旅游业为龙头的第三产业，大力宣传全区加强环境保护和生态建设的各项举措。全年共播出经济建设方面的各类稿件34000多篇。

三是加强了构建和谐社会、建设社会主义新农村和关注民生的宣传。各级广播电视台制作播出了大量的新闻节目和一大批理论性、实践性、针对性较强的专题节目。大力宣传了中央构建和谐社会和自治区党委构建和谐西藏的战略思想。突出了以安居乐业为突破口的新农村建设宣传，体现了正确的舆论导向。大力深入宣传了党和政府对西藏广大农牧民和城镇居民在住房、教育、医疗、社会保障等方面关注民生的各项惠民政策宣传。

四是深入扎实地开展了揭批达赖、反对分裂和加强民族团结的宣传。各级广播电视台以开设专栏的形式，采取新旧对比的方式，运用具体的事例和数字，进一步揭露了达赖集团政治上的反动性、宗教上的虚伪性和手段上的欺骗性，进一步增强了全区各族人民坚定信念跟党走、坚持社会主义道路奔小康、坚持民族区域自治制度大团结的信心和决心。西藏人民广播电台对外藏语广播《中国西藏之声》、英语广播《圣地西藏》和西藏电视台藏语卫视积极开展有理、有力、有针对性地对外宣传，收到了良好的社会效果。

五是精心组织了各个重要会议重要活动的宣传报道。全面报道了全区干部群众学习宣传贯彻落实自治区第七次党代会精神和中国特色、西藏特点的发展路子，推动经济社会发展、构建和谐社会、加强基层组织建设等方面的新思路、新举措、新成就。圆满完成了全国“两会”和全区“两会”的宣传报道任务。认真抓了纪念邓小平《立足民族平等加快西藏发展》重要讲话发表20周年、庆祝青藏铁路通车1周年、西藏和平解放56周年等重大纪念活动的宣传报道。圆满完成了自治区党政代表团赴援藏省市、中央骨干企业答谢考察活动和第四、第五批援藏干部轮换工作的宣传报道。

六是上送稿件采用率提高。2007年，局属两台上送中央三台稿件300多篇，被采用162篇。西藏人民广播电台向中央人民广播电台和中国国际广播电台送稿被采用70条。各地（市）广播电视台上送自治区两台稿件达5000多条，采用量达到65%，比2006提高9%。

七是对国内国外的宣传不断扩大。西藏人民广播电台与内地32家广播报纸媒体建立了宣传合作关系，与中国国际广播电台和深圳商报联合开展的“和谐西藏行”活动，与山南广播电台、日喀则广播电视台开展了《直播山南》、《相聚珠峰》采访报道活动，拓展了广播宣传的领域；西藏电视台藏语卫视实现24小时播出。与深圳广电集团建立了战略合作关系，以“挂双台标”的方式在深圳卫视B版（对港澳台宣传）每周播出一档宣传西藏的节目，有力地宣传了西藏，扩大了西藏的对外影响。

二、安全播出工作进一步加强

一是加强了安全播出技术措施和基础设施建设。新安装了抗干扰自动控制系统和电子报警接收系统。对全区的藏、汉语广播电视节目源进行了数字化改造和压缩编码系统改造。对广播电视播出的关键设备均采取了备份措施。完成了广播电视地球站KU频段到C频段传输的设备改造和西藏广播电视节目从西藏到北京地面光缆传输的设备改造。

二是进一步完善了《广播电视安全播出应急预案》，并进行了实战演练。

三是完善了全区广播电视安全播出调度指挥平台建设。实现了全区安全播出调度指挥平台节点与总局安全播出调度指挥中心核心节点的连接。

通过采取这些措施，有效地抵御了“法轮功”等敌对势力对广播电视的攻击破坏，实现了“十七大”期间和其他重大节日、重要活动、重点时段安全播出零差错的目标要求。

三、事业建设稳步推进

一是集中力量按时完成了卫星广播电视转星调整任务。按照中央和国家广电总局要求，西藏卫星广播电视节目分别于2007年8月1日至31日和9月7日至9月24日两个时段，在全区范围内实施了转星调整和转发器调整。这两项任务，涉及全区卫星广播电视节目乡级以上地面接收设施5484个，其中广电系统内3225个，广电系统外2295个，村级卫星广播电视节目接收设施6556个。

二是实施了农村中央广播电视节目无线覆盖工程。目前，已完成了2007年第一阶段技术方案的制订上报工作，完成了部分设备的招标采购工作，完成了全区各建设单位建设方案的审核工作。

三是村村通工程、西新工程建设继续进行。组织实施了515个20户以上通电自然村盲村“广播电视收转站”所需要设备的招标采购工作。完成了全区新建4座中波转播台和2座实验台的前期准备工作。完成了071实验台的建设任务。对22座中波台机房硬馈和倒换开关进行了改造更新。完成了新建9座中波台的收尾建设任务。

四是加快了有线广播电视数字化网络建设步伐。成功地启动了拉萨有线电视数字化工程，试点工作效果很好。扩展了有线电视新用户，仅拉萨市区新增有线电视用户8000多户。

五是广播电影电视藏语译制中心建成，顺利通过了竣工验收。

四、管理工作进一步加强

一是切实加强了行业管理。开展了广播电视播出机构许可证审核和换发工作。开展了“净化荧屏、整顿网络”活动。配合卫星广播电视节目的转星调整，开展了私自安装卫星广播电视接收设施的专项整治活动。加强了西藏影视资源管理和国产影视剧、引进影视剧的管理。加强了对娱乐类节目和广告播出的管理。

二是宣传管理工作进一步加强和规范。区局与局属两台和七地市广电局签订了宣传管理目标责任书，制定下发了《自治区广电局关于进一步加强广播影视宣传管理的意见》和《自治区广电局舆论监督准则》等规章制度，进一步重申和明确了宣传工作纪律。开展了净化荧屏和整治不良广告工作。启动了广播电视节目监听、监看工作。开展了防范虚假新闻工作。加强了对采编人员的职业道德教育。

（巴人）

陕西省广播电视概况

基本情况

全省共有广播电台11座，电视台11座，县级广播电视台88座。共播出100套广播节目，播出122套电视节目，全省广播年播出时间达到362986小时，较上年新增46438小时。制作广播节目181158小时，制作广播剧139部4125集。电视节目年播出时间达到532833小时，较上年增加27428小时。电视剧播出数达到7638部185445集。全年共制作电视节目64465小时，拍摄完成的电视剧22部580集。

广播电视网络干线网络（光缆）总长48651.81公里，系统内未纳入省网络公司的干线网络853.51公里，有线电视用户数389.01万户，较上年新增39.97万户，有线电视入户率达到35.96%，较上年提高2.9%。数字电视用户达到53.50万户，付费数字电视用户1.1万户。

全省农村有线电视用户98.47万户，较上年新增2.9万户，全省农村有线电视入户率达到13.99%，较上年提高0.43%。拥有中、短波广播发射台及转播台14座，省电台直属中波台2座。上划中波台10座未上划市级中波台2座。调频广播和电视发射台包括骨干发射台站15座，市广播局发射台10座，县级发射台80余座。

全省共有调频广播发射台136座，有电视发射台及转播台100座。全省微波线路总长2405.50公里，较上年减少590公里。卫星地面接收站849556座，全省广播综合覆盖率94.42%，电视人口覆盖率95.92%。

全省广电系统内从业人员16576人，广播电视行政事业单位总收入142013万元，较上年增幅约19.62%。全省广电系统财政补助收入33043万元，较上年增长约90%；事业收入91286万元，较上年增长约2%。全省广播电视行政事业单位实际创收收入达到95309万元，较上年增长约3%。

主要业绩

宣传 一是突出了主题活动宣传。形成迎接十七大、宣传十七大的亮点。围绕“科学发展，共创和谐”这一主题，重点推出了“胡锦涛总书记来陕考察”、“和谐奋进新陕西”、“永葆共产党员先进性”、“喜迎十七大”等一系列重大宣传活动。二是突出了重要活动的宣传。认真做好全国“两会”、省第十一次党代会等重大主题宣传，香港回归十周年、西洽会、农高会等重要活动的报道，充分报道了十六大以来全省经济建设和社会发展的新成就，成功举办了“中国原生民歌大赛”和中央电视台《〈鉴宝〉节目走进陕西》等大型文化盛事。三是突出了创新性宣传。准确把握现代媒体分众化、对象化的新趋势，以品牌建设为抓手，以频道专业化、栏目个性化、节目精品化为方向，突出频率频道定位特色，强化自主策划和整体运营，使《都市快报》、《开坛》等名牌栏目的品牌影响力得到了进一步提升。四是突出了贴近性宣传。深入贯彻“三贴近”原则，成功打造了一系列受众广泛认同、富于文化内涵的品牌佳作，全年在中央人民广播电台和中国国际广播电台发稿336篇，在中央台《全国新闻联播》、《新闻和报纸摘要》发稿15篇。在中央电视台《新闻联播》发稿250条，其中头条14条，提要40条，头条、提要发稿量与去年相比提高70%，广播电视对外宣传影响力不断扩大。

省局出台了《扶持广播影视重点剧本办法》和《广播影视作品、栏目奖励细则》，决定每年拿出100万元扶持精品佳作。对获得“五个一工程”奖和陕西省文艺作品大奖的作品进行了隆重的表彰和奖励。电影《图雅的婚事》荣获第57届柏林电影节金熊奖；电影《隐形的翅膀》荣获中国电影“华表奖”和印度国际儿童电影节最高奖“金像奖”。电视剧《热血兵团》分获陕西省和全国“五个一工程”奖；《老港正传》和《女检察官》分别获得优秀合拍片奖和优秀数字电影提名奖。

事业 1.全面加强广播电视覆盖工作。一是加快有线电视的覆盖工作。2007年完成数字电视转换用户31.8万户，发展有线电视用户约38万户。二是加快农村广播电视覆盖工作。启动了全省68座广播电视发射台更新改造工程，其中11座台站已建设完成并顺利开播。三是全面建设县、乡、村三级农村广播网工程。2007年建成690个村级广播室，全省已完成4710个行政村广播室的建设。2.认真做好安全播出“三大工程”建设。一是广播电视转星工程。全省共完成了124.58万面卫星地面接收设施的转星调整任务，二是安全播出调度指挥工程。将原来无线发送方式改为了有线与无线兼容，提高了指挥调度的响应速度和数据处理量，指挥调度工作由省到市拓展为省直达各市、县广电局、发射台、有线电视网络前端，信息发布通畅快捷。三是无线广播电视监测网工程。配合总局监测中心完成了十个市前端电磁接收环境与机房的勘测和设备安装任务。

3.重大工程项目进展顺利。一是省广电中心演播剧场总投资19000万元，项目已立项，被列为省2008年重点工程。二是省发射塔改造配电工程已完成。三是省广电中心前楼装修工程进展顺利。四是西影数码公司的设备配置以高清为主，既能满足电影电视制作的需要，又能确保设备升级换代。西影数码基地于年底前正式挂牌成立。

2007年，省电视台实现经营收入7.56亿元。省网络公司经营收入6.59亿元。省电台经营收入1.5亿元。

改革 1.不断深化电视频道专业化改革。一是改革陕西卫视。成立了陕西卫视运营中心。二是筹备开办的《陕西北方农林科技卫星频道》将于2008年元月正式开播。三是积极争取开办故事广播，省电台达到9个频率，成为全国开办广播频率最多的省级台之一。四是尝试制播分离，推进市场运作。陕西电视台创办了《百家碎戏》和《都市碎戏》栏目，实行委托承制、优质优价的收购方式，为80多家社会制作公司提供了合作平台，取得了广泛的社会反响。五是拓宽产业渠道，提高经营收益。省电视台自开办陕西电视台乐家购物频道以来，销售收入大幅攀升，2007年销售收入达到2.4亿元。2.不断深化广播专业化改革。一是陕西人民广播电台于2007年8月成立"陕西声媒广告有限责任公司"，二是陕西人民广播电台于2007年10月独资成立了陕西金号传媒有限责任公司。3.不断深化广电网络体制机制改革。一是整合全省广电网络资源，把事业性质的有线电视网转制为市场主体的企业，二是整合广电优势资源，借壳上市进入资本市场。在实现广电传媒增发融资成功后，将十一地市广电网络资产整体并购进入上市公司，盘活了资产，进一步扩大了再融资渠道。4.积极推进西部电影集团公司化改革。按照"产权清晰，权责明确，政企分开，管理科学"的要求，对西部电影集团实行规范化的公司制改造。

管理 坚持不懈抓好广播电视广告播放监管工作。深入开展境外卫星传播秩序专项治理，加强农村卫星电视接收设施管理工作，坚决杜绝有害卫星电视信号在辖区内落地。按时完成了全省广播电视节目制作经营机构和电视剧制作许可证（甲种）机构年审工作。加强网上视听节目传播的安全管理。确保重大宣传任务时期安全播出万无一失。

问题与不足

全省广播电视覆盖的总体水平还比较低，农村覆盖任务仍然十分艰巨。农村广播电视投入严重不足，部分县级调频广播停播，转播中央、省节目的发射台运行维护费难以落实。基层广播电视管理体制不顺，主要是全省的县、乡两级广播电视机构不健全。（陕西省广电局）

甘肃省广播电视概况

基本情况

2007年，全省有广播电台4座，无线电视台10座，广播电视台73座，调频发射转播台784座，电视发射转播台3205座。14个市、州已联通广播电视微波传输网，广播电视专用微波站102个，线路总长4214.95公里。建成甘肃省广电有线传输干线网3.6万公里。全省广播人口覆盖率达到91.23%，电视人口覆盖率达到91.50%。

全省共办广播节目84套，电视节目104套，2007年共播出自制节目时间为广播12.8万小时，电视11.7万小时。各市、州和县城所在地均能收到中央台和省台的广播电视节目；兰州地区可以收听到9套无线广播节目，并可收听到中国国际广播电台5个语种的外语节目，收看到6套无线电视节目，有线电视用户184.28万户。

甘肃广电总台现有6个电视频道，其中卫视频道电视节目覆盖到全国23个省、市、自治区，覆盖人口过亿。其他5个为地面电视频道，节目在省内14个市州落地入户。甘肃卫视、文化影视为主打电视频道。电视广告经营收入累计完成12395万元，同比增长12%。有6个广播频率，广告创收约2400多万元，实现了全年20%的增长率。

2007年，兰州市省网片区的有线模拟电视用户增加1.07万户。改造旧网用户1.02万户，架设支干线54公里，改造支干线33公里。有线网络全年完成创收任务5590万元，超额了590万元。全省系统内从业人员13481人，全年总收入10.3亿元。

主要业绩

一、导向正确，主题鲜明，广播影视宣传出新出彩

（一）周密部署，突出重点，圆满完成了学习宣传贯彻党的十七大精神等重要宣传任务。

1.学习宣传贯彻落实胡锦涛总书记的重要指示精神深入扎实。春节前后，广播、电视高度重视，精心组织，对胡锦涛总书记视察指导甘肃工作做了大时段的重点宣传报道。随后，对胡总书记视察过的地方、单位或亲切接见的代表进行采访，编发了六集电视评论，播发了多篇新闻专稿，制作了通讯专题《和谐之春——胡锦涛总书记视察甘肃纪行》，取得了很好的宣传效果。

2.省第十一次党代会宣传报道全面紧凑。开设《省第十一次党代会特别报道》等专栏20多个，广播编发稿件100多篇，电视播出新闻210多条，专题33期。

3.迎接党的十七大，学习宣传贯彻党的十七大精神浓墨重彩，亮点纷呈。全省广播影视系统把党的十七大的宣传报道作为新闻宣传工作的首要政治任务，周密部署，精心策划，制订方案，全力以赴，宣传报道，形成了强大声势和浓厚氛围。广播电视立足各自优势，丰富宣传报道内容，创新宣传报道形式，全面充分、准确规范地对大会盛况和会议精神进行了及时有力的宣传报道。

4.全国、全省"两会"宣传充分出彩。广播播发稿件166篇，采访人大代表、政协委员132次。电视开设《"两会"新闻快报》、《代表委员访谈》、《流云跑"两会"》等栏目，共播发新闻稿件186篇。全国"两会"期间，广播播发稿件130多篇，电视播出新闻92条，制作专题7期，上报中央电视台《新闻联播》14条。

5.开展广播影视宣传"五大战役"组织得力，效果突出。2007年重点打好迎接贯彻党的十七大和省十一次党代会的主题宣传战役；打好贯彻落实科学发展观主题宣传战役；打好和谐文化建设主题宣传战役；打好香港回归10周年、建军80周年等重大节庆主题宣传战役；打好"弘扬甘肃精神、再塑陇人品格"主题宣传战役。

（二）大力促进广播影视创新创优出精品

各级广播电视宣传单位集中力量创作摄制、组织引进

了一批昂扬向上、弘扬和谐社会主旋律的文艺节目、专题节目和影视剧，组织了向十七大献礼的数字电影《山那边的歌》、反映甘肃精神和陇人品格的电视连续剧《老柿子树》、《黄土女女》等影视剧的筹拍、拍摄工作。大型人文电视纪录片《长河星辰——中国西部少数民族》已经开拍，拍摄了22集文化专题片《历史兰州》。酒泉电视台拍摄了《拯救敦煌》等电视纪录片，其中《年轮之祁连夜光》在央视《探索·发现》栏目播出，5集大型电视纪录片《穿越黑戈壁》正在摄制。嘉峪关与中央电视台合作拍摄了7集专题片《走遍中国——寻访嘉峪关》，在央视国际频道黄金时段播出。庆阳市拍摄的皮影戏《盗草》赴法国参加了中国庆阳——法国巴黎文化周活动。

（三）广播影视宣传“走出去”工程扎实推进

一是充分利用大台优势，在中央各台栏目中宣传甘肃。二是积极借助区域合作，在其他省的广播电视上宣传甘肃。三是全力抓好上推稿件，在中央台新闻节目中宣传甘肃。四是紧紧抓住有利时机，在国外举办广播电视文化交流活动宣传甘肃。五是精心组织外宣活动，通过举办“甘肃广播电视对外宣传周”宣传甘肃。六是积极参与在国内举办的文化交流活动中宣传甘肃。七是发挥网络传播优势，依托网络平台宣传甘肃。八是积极扩大甘肃卫视覆盖。

（四）切实加强宣传管理，努力提高广播电视社会公信力

深入开展净化荧屏声频、抵制低俗之风的集中整治活动，严格把住节目发行关、进口关、播出关，依法查处违规问题，防止政治导向错误和庸俗、低俗、媚俗、恶俗节目的播出蔓延。在全省广电系统开展了禁止有偿新闻和虚假报道，大力整治广播电视涉性不健康节目和整顿不良广告，强化节目监管，建立了较为完善的节目审查体系。

二、精心组织，全面推进，事业产业发展取得新进展

进一步加强对全省广播影视事业产业发展的组织领导和规划指导，克服困难多、资金缺、任务重、压力大等困难，统筹安排，精心组织，整体推进，“村村通”工程、无线覆盖工程、“西新工程”、农村电影放映工程、有线电视数字化工程等重点工程建设取得了显著成绩。

（一）“村村通”工程。

编制上报了甘肃省“十一五”期间“村村通”总体建设方案，通过与国家广电总局、省委、省政府以及省发改委、省财政厅积极汇报、协调、沟通，调整并上报了甘肃省2007年、2008年全省20户以上“村村通”工程22400个自然村建设任务的意见。大力推进农村广播电视节目无线覆盖工程，完成了2007年一阶段农村中央广播电视节目无线覆盖8000多万元的建设任务。开展了省广播电视一套节目无线覆盖工程建设的前期调研摸底和技术方案的制订。

（二）西新工程。

积极争取“西新工程”项目建设资金560万元，主要包括建设资金50万元、每年7万元的运行维护费用和少数民族语言电影电视译制经费500万元。进一步加强“西新工程”专项经费的管理和使用，完成了2006年度“西新工程”专项经费决算审计工作，会同省财政厅、财政部驻甘专员办联合制订下发了《甘肃省西新工程专项资金财务管理暂行办法》。

（三）广播电视数字化工程。

多方筹集资金，加快网络改造，城市有线电视数字化整体转换步伐加快。全省已有7个市全面启动了有线电视数字化整体转换。数字移动电视发展势头强劲，在兰州市公交车、楼宇等接收终端设备安装达1000辆台。兰州市区移动数字多媒体广播被列入全国试点城市；建成了省一级广播电视光缆干线约2200公里的环网；省财政投资1000万元资金建设的总台节目制作网络数字化设备系统已经建成投入使用。

（四）理顺机制，加强合作，广告创收能力得到提升。

进一步理顺了省广电总台广告经营和管理的职能，确立了广告统一管理、频道承包经营模式，广告经营创收呈现稳步增长的良好态势。年底，省级广播影视创收突破2亿元。

三、严格执法，加强监管，依法行政和社会管理有了新突破

一是全面整顿播出秩序，严格规范播出行为。

二是强化广告管理。

三是大力加强广播电视新媒体业务管理。

四是加强广播电视卫星地面接收设施管理。

五是认真做好广播电视网络管理。

六是《甘肃省广播电视管理条例》经甘肃省人大常委会审议通过，于2007年8月1日正式颁布实施。

四、认真安排，周密部署，确保广播电视播出安全

一是全力以赴，圆满完成了全省新中国成立以来广播电视传输系统规模最大的一次卫星广播电视节目转星工作。

二是安全播出工程建设顺利实施。

三是认真做好安全播出日常维护管理工作。

问题与不足

宣传质量还不高，综合实力还不强，人才缺乏，队伍不够精，体制还不顺，机制还不活。　（甘肃省广电局）

青海省广播电视概况

基本情况

2007年青海省有省、地级广播电台4座，办有8套公共广播节目（通过卫星传送有3套）；全年共播出44106小时，比上年增加5054小时35分，全年制作广播节目39266小时。全省有省、地级电视台8座，县级广播电视台1座，共办有13套公共电视节目（通过卫星传输的有2套，即青海卫视和青海藏语卫视）；全年共播出电视节目66649小时41分，其中制作各类电视节目30998小时。青海人民广播电台设置四个频率，分别是：新闻综合频率，藏语频率，经济频率，交通音乐频率；青海电视台设置四个频道，分别是：新闻综合频道，经济生活频道，藏语综合频道，影视综艺频道。青海省共有中、短波发射台和转播台8座（除西宁市广播发射台外，其余7座为省广电局直属台），广播人口覆盖率为87.5%，比上年增长1个百分点。全省共有电视发射台和转播台1481座，在青海省“西新工程”继续实施和电视发射设备改造中，电视人口覆盖率达到93%，比上年增加0.5个百分点。农村广播覆盖人口296.45万

人，覆盖率达到85.47%；农村电视覆盖人口318.76万人，覆盖率达到91.90%。青海省有线广播电视网络实现了和国家广播电视主干线的连通，省广电网络公司、西宁市广电网络公司全面启动数字电视整体转换工作，省广电网络公司还完成了西宁、海东地区部分分公司网络数字化改造工作，青海广播电视基本形成了城市和农村、牧区连通，卫星、无线、有线相结合的多形式多层次的广播电视传输网络。

2007年，青海广播电视系统共有职工2744人，其中长期职工2530人，专业技术人员占长期职工总数的62%。2007年青海广播电视产业经营总收入36454万元。

主要业绩

一、舆论宣传亮丽多彩，满园春色

（一）新闻宣传唱响主旋律

1.做好十七大和全国全省重要会议的宣传报道。结合当地实际，深入持久地开展宣传工作，有效地发挥广播电视宣传主渠道、主流媒体作用。

2.以科学发展观为指导，强化经济建设和社会主义新农村新牧区建设的宣传。重点抓好全省各地锐意进取、加快发展和反映社会保障、资源开发与循环经济、环境保护、科技创新等方面的报道，为社会主义新农村新牧区建设营造良好的舆论氛围。

3.重大活动、重要节庆和向省外的宣传高潮迭起。以纪念香港回归10周年、建军80周年、迎奥运活动为重点，同时对青海省举办的“藏毯节”、“郁金香节”、“青洽会”、“民族文化旅游节”、“环湖赛”、“诗歌节”等重大活动，以及国庆节、元旦等重要庆祝节日，进行了全方位、多层次、多形式的报道，掀起一个接一个的宣传高潮。

（二）精品创作万紫千红

实施精品战略，以精品创作带动宣传质量的全面提升。2007年是青海广播电视精品创作大丰收的一年，在“中国新闻奖”、“中国广播电视大奖”、“长江韬奋奖”、“五个一工程”奖等多项有影响的评奖中频频获奖，获奖的名次和数量也为历年之最。有2件作品荣获“中国新闻奖”，有9件作品荣获“中国广播电视大奖”（其中两件作品为一等奖），有56件作品获“青海新闻奖”，297件作品获全省广播电视“新闻奖”、“文艺奖”、“播音与主持奖”、“学术论文奖”等。

（三）藏语广播电视闪烁异彩

青海藏语广播频率在全国“两会”期间制作播出专题30多期，播发消息57篇；还结合青海省藏区经济社会建设和藏区群众开展连线互动交流，举办《在和谐阳光下》等6场大型文艺演出，弘扬藏族民间文化，繁荣藏语广播文艺。青海电视台藏语中心在全国全省“两会”和十七大期间推出多种专栏和系列报道，还实现了室外直播和异地连线拍摄。全年制作节目365小时，创作了一部藏语安多话电视剧《醒悟》（5集），译制了100集电视剧，全年播出藏语节目65700分钟。青海藏语广播电视以独特的魅力，在省内藏区和周边的四川、甘肃、西藏、云南等省藏族地区产生了广泛的影响。

（四）社会舆论监督引人注目

青海广播电视着力办好舆论监督特别是涉及民生的节目，先后推出《创业就业促和谐》、《新闻聚焦》等栏目，和“我与社保”有奖征文专栏等，与群众进行广泛交流，围绕社会焦点、热点、难点问题策划播出了多组系列报道，还全面宣传了全省党风廉政建设和反腐败工作动态，《青海政风行风热线》全年共播出317期，有50个厅、局近400名处级以上领导干部参与节目，听取解答群众反映问题3200多条，回复解决率达90%以上，引起社会广泛关注，有力提升了广播电视宣传影响力。

（五）广播电视网站锦上添花

青海广播电视重视网站建设，通过互联网平台开展多种形式的宣传：省局机关依托政府门户网站专页及时发布全省广播电视各类动态信息、公告法律法规；省电台藏语广播网站亮点频出，在实现全天藏语广播节目在线同步播出同时，开设反映党和国家重要会议专页，还通过图片文字反映青海藏区发展，每日点击量在2000人次以上；省电视台开设了新闻、社教、文体、藏语、影视等窗口，设置重要新闻、收视指南等栏目，并通过文字、图片及早预告省电视台即将推出的精彩节目和大型活动。

二、事业建设硕果累累，形势喜人

一是“村村通”工作成效显著。完成了为民办实事的200个自然村的村村通广播电视工程建设；对1999年以来的全省村村通工作进行调研总结，并修订完善了“十一五”期间村村通工作方案；顺利实施农村中央广播电视节目无线覆盖工程，落实了专项资金，开展了工程招标，工程设备陆续到位。

二是“西新工程”再传佳音。积极筹划，将560台、566台和青海藏语广播电视无线落地等建设，列入了“西新工程”建设项目立项；落实了海北州、海南州等地8座新建中波台和贵德县、海北州2座新建试验台的建设任务，并完成上报了其中6座台的可行性研究报告。

三是完成海晏县等4县广播电视基础设施建设，并制定下达称多县等6县建设项目计划。

四是日元贷款项目进展顺利，完成了部分项目的招标。

五是完成了中央教育电视台第一套节目在全省县级有线电视前端的落地覆盖。

六是落实了国家广电总局在青海省会城市设置移动多媒体试点工作方案的申报、立项和覆盖方案的制订，配合协调总局赴青海调查组，开展了青海藏区广播电视调研工作。

七是完成了560台、566台、917台等6座发射台备用中波发射机的配置，天馈线系统改造，高压电台项目建设以及机房改造、驻军营房建设、基础设施维修等工程。

八是有线电视模拟向数字化转换取得成绩。省广电网络公司、西宁市广电网络公司全面启动数字化电视整体转换工作，省广电网络公司所属部分分公司完成数字化改造和开展有线付费数字电视业务。

九是广播电视网络建设迈上新台阶。完成连接海东地区6县的SDH传输网建设，完善了西宁市区数据骨干平台并推进有线电视双向网络改造，完成了西宁市至海南州、海北州两条省级光缆建设，加大城域网光缆改造新设光缆330公里并完成13家分公司光缆网改造，积极发展农村用户新增农网用户2372户。

三、体制改革焕发活力，生机勃勃

2007年，青海省全面推进广播电视体制改革和机制创新，加快组建青海广播电视台的步伐，完成了人员机构编制方案并上报待批；根据省人事厅有关文件精神，省广电局、省电台和省电视台进行了全面调查研究，省电台制定出《青海人民广播电台岗位设置和管理办法》，省广播电视网络公司完善了公司内部技术岗位聘任制度，省局所属各单位、各部门建立科学合理的激励机制，充分调动专业技术人员积极性，营造出人尽其才、才尽其用的良好工作氛围。

四、管理经营规范有序，和谐严谨

成立了省局安全播出指挥中心，实现了十七大期间全省广播电视播出传输“零停播率”的目标。圆满完成了全省卫星广播电视转星调整各项任务，确保转星期间安全播出，省广电局被评为“全省卫星广播电视转星调整工作先进集体一等奖”。省广电网络公司全年播出384280小时，系统内停播率为“零”。还建立了安全播出长效机制，省局建立了指挥调度中心，配置了完善设备；县级以上有线前端配置了预警终端屏幕；各发射台都有发射机备份设备，确保安全播出。

强化广播电视宣传管理，坚持正确舆论导向，成立了省局收听收看监测小组，加大对各频率、频道节目的监测和评议力度，还在全省开展了为期一个月的“抵制低俗之风，净化荧屏声屏”的自查自纠活动。

加大行业执法力度，加强广播电视节目发行初审、报批工作，规范节目审批程序，对报批节目从内容、导向、观赏性多方面进行审核；对违规广告播出机构下发了2份整改通知，叫停了11个违规药品广告；对全国省12家播出机构资质进行了重新审核认定；深化境外卫星电视专项整治，省局集中力量对西宁市120多家宾馆进行了拉网式摸底调查；认真对全省各播出机构、转播机构、企业等进行了年检年审工作。

2007年青海省广电局大力开展扩大藏区广播覆盖工作

问题和不足

青海省广播电视宣传水平、改革创新能力还有待进一步提高；广播电视的创收经营、产业化发展，也需要更进一步解放思想，放宽视野，采取有效措施，在借鉴全国先进省区经验的基础上，结合本省省情，走跨越式发展道路。（刘恩龙）

宁夏回族自治区广播电视概况

基本情况

2007年，全区共有广播电台3座、电视台4座，广播电视台16座。广播综合人口覆盖率91.42%，电视综合人口覆盖率96.67%。有线广播电视用户668078户。

全区广电系统在职人员3950人，其中，自治区属单位1733人。全区广电系统新闻从业人员1698人，具有高级职称223人，中级职称484人。

2007年，全区广电系统年行政事业总收入34698.64万元，其中财政补助16131.47万元。

主要业绩

一、宣传工作

一是按照中央和自治区党委的部署，把十七大和自治区第十次党代会宣传作为重中之重，围绕会前、会中、会后三个阶段，精心组织，全力以赴，圆满完成各项宣传任务。二是扎实做好“落实科学发展观”、“构建和谐社会”等重大主题宣传和全国、全区“两会”、香港回归10周年、建军80周年等重要活动的宣传。三是坚持“三贴近”原则，加大节目创新力度，改进广播电视节目宣传内容、形式和方法，创设品牌栏目，涌现出一批深受群众喜爱的广播电视名牌节目。在党的十七大召开期间，宁夏台首次在北京设立演播室，真正实现异地连线播报。200多件广播电视作品在区内外评选中获奖，其中《情满旱塬—温家宝中部干旱带考察纪行》荣获第十七届中国新闻奖一等奖，是宁夏有史以来的最高新闻奖项。四是走出去和对外宣传有了新突破。宁夏卫视覆盖不断扩大，新增重庆、昆明等5个重点城市，新增收视用户447万户，覆盖全国40个省会和地级城市，收视覆盖人口近3亿。中央三台采用我区新闻200多条，充分展示扩大了宁夏的对外形象和影响。

二、安全播出管理

紧紧围绕确保十七大安全播出，圆满完成转星调整任务，使广大群众更加平稳顺畅地收听收看党的十七大会议盛况。认真做好重要保障期安全播出工作，及时发布预警信息、启动安全播出应急预案，实行零报告制度。有效防范了非法插播和重大停播事故、事件的发生。进一步完善安全播出基础设施和技术体系，一年来全区投入安全播出技术改造资金达1400多万元，防范能力明显提高。

三、影视创作

全年全区共拍摄完成了5部 127 集电视剧，引进了2部40集电视剧，国家广电总局备案公示了4部电视剧、2部动画片，影视创作呈现稳健发展态势。摄制完成了《冯志远》、《你好，大腕》、《我爸爸的爱人》3部电影，其中《冯志远》得到国家广电总局高度评价，将其列为2007年度重点放映影片。宁夏台拍摄的《突破与跨越》、《守望贺兰》等5部大型电视系列片，播出后引起社会强烈反响。特别是《突破与跨越》作为自治区第十次党代会的献礼片，受到自治区党委的充分肯定。

四、事业产业发展

强力推进村村通工程。自治区政府将实施20户以上自然村通广播电视列入为民办的30件实事之中，并要求提前两年完成国家"十一五"期间村村通广播电视任务。在自治区财政的大力支持下，安排2200万元专项资金，着力实施了20户以上自然村广播电视村村通工程。成为全国第一个提前完成"十一五"规划20户以上盲点自然村通广播电视任务的省区，8套以上电视节目覆盖率和入户率继续保持全国领先水平。认真实施中央广播电视节目无线覆盖工程，积极主动向国家广电总局申报并获批无线覆盖工程项目15个，涉及12个台（局），更新发射机37台，2007年底基本完成11个台的建设任务，不仅提高了中央广播电视节目在宁夏的无线覆盖水平和质量，同时也大大改善了宁夏一批发射台的基础设施条件。

农村广播电视公共服务体系建设得到全面加强。与自治区财政厅联合制定了《农村广播电视公共服务体系考核实施方案》和《农村广播电视公共服务体系考核办法》，建立了考核奖罚激励机制，保证了财政资金的有效使用。各市、县（区）党委政府进一步重视农村广播电视公共服务体系建设，把公共服务体系建设纳入整体工作之中，实行目标责任制考核，同时不断完善各项管理制度，实行服务承诺制，公开举报电话，做到了"三级管理、四级服务"。

五、广播影视数字化

全区有线电视网络整合和数字电视整体平移工作有了新进展。宁夏广播电视网络公司先后整合了中卫市和青铜峡青铝集团有限公司、宁夏电力建筑安装公司等5家有线电视网络。同时，中卫市、灵武市、同心县、西吉县等市县数字电视整体平移工作相继展开，全区整体转换用户39万。银川市作为全国有线电视数字化首批试点城市，已实现整体平移，并通过了国家广电总局的正式验收。

各级广播电视台积极采用新技术，大力推进数字化进程，购置了数字摄、录、编、播设备，数字化、网络化水平进一步提高。宁夏台5个电视频道实现了数字硬盘播出，结束了宁夏在全国省级台中唯一使用模拟技术播控的历史。

六、广播影视改革

遵循"区别对待、分类指导，循序渐进，逐步推开"的重要原则，积极推进广播影视改革。各级广播电视台内部机制改革进一步深化。宁夏台继续推行处级、科级干部竞聘上岗、职工双向选择、全员聘用等干部人事制度改革，建立目标责任考核和相应处罚机制。全区有条件的局台积极探索频道频率专业化改革，大多数企事业单位强化内部管理，落实部门"双效"目标责任制取得了成效。

七、依法管理

加强广播电视宣传管理，强化节目监听监看，深入开展抵制节目低俗之风、净化荧屏工作，确保导向正确。不断强化全区广播电视播出机构综合考评、农村广播电视公共服务体系建设和农村电影放映工作考核；加强播出机构和频率频道管理，坚决查处擅自开办频率、频道违规行为，纠正了全区少数频率频道违规问题。同时，积极争取国家广电总局批准了银川市人民广播电台开办交通音乐和都市生活两个频率。加强广告播放管理，将宁夏广播电视监测中心监测范围由银川地区扩大到五个地级市，对7个地级市以上播出机构的广告内容实施监测，并与自治区工商局、卫生厅、药监局建立联席会议制度，集中对广播电视医疗资讯和电视购物广告等进行了专项整治。

加强境外卫视传播秩序整治。遵照自治区党委主要领导的批示精神，联合有关部门对银川居民小区非法安装卫星地面接收设施进行了专项整治，查处了宁夏最大的一起违法销售、安装卫星地面接收设施大案。加强广播电视节目制作经营机构管理，完成了广播电视节目制作经营机构年检工作。

加强网络与新视听媒体监管，与自治区通信管理局等部门密切合作，形成了互相配合、齐抓共管的局面。在石嘴山市举办了宁夏广播电视新媒体管理及业务发展论坛，就宁夏新媒体业务发展的新情况、新问题及对策进行探讨研究。建立互联网传送视听节目监管长效机制，局监测中心定期提供监测报告，对违规网站及时予以查处。

（宁夏广电局）

新疆维吾尔自治区广播电视概况

基本情况

2007年全疆共有省级广播电台6座，电视台9座，地市级广播电视台8座，县级广播电视台23座。开办公共广播电视节目套数分别为115套和139套。电视转播发射台934座，中短波转播发射台47座，全疆广播综合覆盖人口1728.68万人，广播人口综合覆盖率93.53%。全疆电视综合覆盖人口1727.63万人，电视人口综合覆盖率93.48%。全年全疆公共广播播出节目时间504663小时，全年公共电视播出节目时间526367小时。全疆有线广播电视传输干线网络总长23011.35公里，有线广播电视用户1620424户，其中数字电视用户176744户，付费数字电视用户2724户。全疆广播电视系统从业人员达13016人。2007年制作广播节目214615小时，制作电视节目53984小时。全疆广播电视行政事业单位总收入121508.8万元。

主要业绩

一、宣传工作

2007年，各级宣传单位把十七大宣传作为重中之重，精心组织，全力以赴，出色地完成了十七大转播、译播和报道工作。各台都开设了《创造新业绩，喜迎十七大》的专栏，新疆人民广播电台在十七大召开当天，推出了《欢腾大西部》、《十月，我们见证辉煌》两个现场直播节目，新疆电视台也推出了《颂歌献给亲爱的党》、《在希望的田野上》等大型专题文艺节目，全景式地配合了党的十七大的隆重召开。在这同时，深入开展了重大主题宣传和典型宣传，全方位、多形式反映了全疆各地在落实科学发展观和构建和谐社会、建设新农村、新型工业化建设等方面的生动实践和成功经验，推出了一批先进典型报道。完成了人大、政协"两会"、庆祝建军80周年和香港回归10周年等重要会议、重大活动的宣传报道。在整个宣传中，各级电台、电视台各类节目更加贴近实际、贴近生活、贴近群众，受到各族群众的喜爱。2007年，各地州市对外发稿量明显增多，在中央电台、电视台发稿达1247件。

二、精品建设

2007年，新疆人民广播电台《新广行风热线》栏目获中国新闻奖"十佳名栏目奖"，广播专题《我不能让我的孩子流血》获中国新闻奖三等奖，这是新疆人民广播电台第六次摘取中国新闻奖最高奖桂冠。在中国广播影视大奖评奖中，广播专题《跨越民族的爱》获“优秀广播专题奖”，另有6件作品获提名奖。新疆电视台完成了电视连续剧《大漠高墙》、《青树》等54部（集）新作，30集电视连续剧《冰山上的来客》获中宣部第十届“五个一工程”奖，这是新疆电视台连续三次获得“五个一工程”奖；专题片《大漠胡杨》获中国新闻奖一等奖，消息《祖国在我心中》获中国新闻奖二等奖，这是新疆电视台第五次夺得中国新闻奖一等奖。在中国广播影视大奖评奖中，《记者调查》栏目获“优秀电视栏目奖”，另有9件作品获提名奖。天山电影制片厂2007年制作生产了《风雪狼道》、《买买提的2008》两部故事片，24集电视剧《木卡姆传奇》已进入后期制作。电影《美丽家园》、《吐鲁番情歌》和电视剧《苍茫天山》获中宣部第十届“五个一工程”奖，天影厂在七届“五个一工程”评奖中，有9部影视作品荣获“五个一工程”奖，电视电影《男人上路》获第十二届中国电影“华表奖”、上海国际电影节“白玉兰奖”提名奖、第十届“金鸡奖”提名奖，《望山》获上海国际电影节提名奖。

2007年，全疆各译制机构共译制维、哈、蒙、柯四种少数民族语言影视剧4790集，其中维语3239集，哈语1296集，柯语148集，蒙语107集。

三、事业建设

“西新工程”第四期第一阶段6个建设项目全面展开。新一轮“村村通工程”建设有序推进。2007年，国家下达了新疆“十一五”期间“村村通工程”建设任务，核准新疆建设任务总数为11883个点。

农村中央广播电视节目无线覆盖工程进展顺利。2007年无线覆盖工程建设任务分两期进行，一是在全区62个县、20个乡镇和口岸及工业区共82个点，新安装124部转播中一、中七的电视发射机，新安装20部调频广播发射机，新建部分广播电视发射自立塔和拉线塔。二是更新改造南疆三地州6个乡镇广播电视站的电视发射系统和调频广播发射系统。

“走出去工程”取得重大进展。2007年2月，区局与蒙古国巴彦乌列盖省GCMM广播电视公司签署合作协议，将中央一套、九套、少儿频道和新疆电视台三套（哈语）、八套（哈语）及内蒙古的蒙语电视节目在该省落地播出，并合办1套调频广播节目，每天用10个小时转播新疆人民广播电台哈语节目。3月，新疆电视台一套（汉语）、二套（维语）、三套（哈语）节目同时在哈萨克斯坦DTV公司数字电视系统开始播出。7月1日，新疆人民广播电台每天1小时的维语《中国之声》广播节目在土耳其YON广播交流公司调频广播中开播。去年，天影厂摄制的影片《美丽家园》、《吐鲁番情歌》，随中国电影代表团在突尼斯、摩洛哥、日本、韩国、俄罗斯、南非、法国的中国电影周活动中展映。

乌鲁木齐地区有线电视数字化整体转换工作快速发展。2007年，乌鲁木齐地区的有线电视数字化整体转换工作先后完成了政府定价、批准立项、筹资融资等工作。到11月份，有线电视数字化整体转换行动全面铺开。到2007年底，乌鲁木齐地区已发展有线数字电视用户10.1万户，圆满完成了2007年的整转计划。2007年8月，随着巴州广电网络整合的完成，全疆地州广电网络整合的目标已基本实现。

2007年，新疆人民广播电台播控译制楼二期工程建成竣工。新疆电视台投资4500万元的数字化全硬盘播出系统改造工程全面完成，经自治区党委、人民政府批准建设的新疆电视台演播制作中心工程，目前已完成了工程设计招标。

四、管理工作

在宣传管理中，召开了“全疆广播电视提高舆论引导能力经验交流暨研讨会”等研讨会，严把宣传关口，加强视听评议、重大典型宣传报道和日常宣传审查。各级宣传单位建立和完善节目研讨机制、节目质量考评机制和收视率考核机制，进一步建立健全了宣传管理制度。开展了抵制低俗之风和反对虚假新闻行动，行业自律水平进一步提高。

新疆维吾尔自治区广电局与土耳其YON广播交流公司签署广播节目合作协议

在行业管理中，一是整改违规广播电视节目33套；完成了41个县（市）设立广播电视台和部分播出机构申办、变更广播电视节目的报批工作。二是依法取缔非法卫星电视销售安装点1015个，查处、没收非法设施4800多套。三是建立和完善了《广告监看制度》、《违规广告核查处理程序》等一系列广告监管制度，集中进行了4次专项整治，整改虚假违法不良广告146条。四是开展了广电有线网非法传送境外电视节目专项整治。五是加强了对节目制作经营机构和引进剧的审批和监管。六是加强网络监管，制定了《自治区广播影视行业加强网络文化建设和管理实施细则》，对全疆159个有线电视网络运营机构进行了调查、审核，对互联网传播视听节目进行了专项整治，依法查处了各种违纪违规行为。

在技术维护管理中，加强了无线电资源管理，积极开展了移动多媒体广播技术试验，对部分台站的无线电频率进行了检查整治。 （靳红莉　王学英）

新疆生产建设兵团广播电视概况

基本情况

截至2007年底，兵团共有广播电视播出机构6个，其中兵团电视台1座，师（市）广播电视台5座；团场（含13个独立企业）广播电视站188座，广播电视从业人员1800人。广播覆盖率为93.1%，电视覆盖率为96.9%。

主要业绩

广播电视宣传工作整体水平进一步提高

一是重大宣传活动扎实有效。兵团各级广播电视播出机构精心策划，周密安排，认真组织十七大、“两节”、“两会”、中国共产党成立86周年、香港回归10周年以及胡锦涛总书记视察新疆时的重要讲话精神和温家宝总理来新疆和兵团视察调研工作时的重要讲话的宣传，取得了明显的效果。

二是大力开展屯垦戍边新型团场建设的宣传。兵团电视台开办了《屯垦戍边新型团场建设巡礼》，各师广播电视台和团场广播电视站开设各种栏目，用纪实的手段记录和宣传各地各单位在屯垦戍边新型团场建设中典型经验和生动事例。

三是典型宣传有声有色。2007年3月至5月，兵团党委宣传部、文明办、文化广播电视局联合组织“2006感动兵团十大人物评选活动”，各级广播电视台，充分发挥自身优势，吸引广大职工群众积极参与，大张旗鼓地宣传各级评选活动产生的“感动人物”。同时，积极协调，认真组织参与了对农九师161团9连医生梅莲先进事迹的集中宣传报道，以电视报告会的形式在全兵团介绍梅莲同志的先进事迹。

四是常规宣传基调平稳。兵团电视台《新闻联播》和各师广播电视机构的新闻节目质量不断提高，针对性、时效性、影响力、感染力明显加强，信息量增加。配合全国开展的加强未成年人思想道德建设开展宣传教育工作，扩大少儿节目的覆盖落地和动画频道的转播工作。组织积极健康的广播电视节目丰富未成年人文化生活。进一步加强和改进舆论监督工作，努力把广播电视舆论监督提高到新水平。继续坚持以转播为主的方针，努力完成各项转播任务，保持宣传基调的一致性和稳定性。

五是外宣工作成绩斐然。2007年1～10月份，兵团电视台在中央电视台《新闻联播》发稿70条，在全部新闻节目中发稿317条。各师电视台在中央电视台《新闻联播》发稿200余条，与往年相比在数量和质量上均有大幅度提高。

重点工程建设取得新成就

一是全力完成兵团卫视节目上星工程。兵团电视节目上星工程于去年9月30日正式开工建设，于2007年国庆节开始试播。兵团节目上星后，兵团党委的工作部署更方便、更直接地为兵团职工群众所掌握，有力地推动了兵团政治、经济、文化、社会事业又好又快发展。

二是加快推进广播电视村村通工程建设。积极组织实施兵团广播电视“连连通”工程，进一步扩大兵团广播电视覆盖面。在完成国家下达的210个空白点建设任务的基础上，依靠兵团自身财力又完成了100个比较集中的村村通建设任务。

三是巩固和扩大西新工程建设成果。对西新工程三期二阶段兵团四市一垦区的调频广播发射台组织了认真严格的检查验收。对西新工程资金使用、设备购置、运行管理工作进行了一次全面详细的清理。

四是加强中央广播电视节目农村无线覆盖工程建设。2007年，国家在兵团40个台站投资3526万元，新增电视发射机63 部，以加强中央广播电视节目在兵团基层单位的有效覆盖。

安全播出保障能力进一步增强

一是切实加强安全播出工作。确保“两节”、“两会”、国庆、十七大期间广播电视的安全播出。

二是认真抓好安全工程项目的实施。

三是精心组织、认真实施转星调整工作。

社会管理工作不断加强，依法行政水平进一步提高

一是不断加大行政执法力度，严格管理。

二是引入科学的管理理念，先进的管理方法，有效的管理手段，不断提高行政管理和公共服务水平。

三是以制度建设为突破口，进一步加强各级广播电视台（站）的正规化建设。认真做好各级播出机构的年度检查审核工作。加强广播电视节目的监测工作和视听评议工作，积极开展广播电视节目的交流评比，促进了节目质量的提高。

四是继续做好境外卫星电视节目收视秩序的规范治理工作和利用网络传送视频节目的整顿工作。进一步规范基层单位和个人架设卫星地面接收系统的管理工作，结合全国转星调整工作和广播电视村村通工程，将个体卫星接收系统全部纳入各级广播电视管理机构的管辖范围之中。

五是在做好广播电视公共服务的同时，认真做好有偿服务的管理和监督检查、服务质量投诉受理工作，严格收费标准，提高服务质量，以优质服务赢得职工群众的信赖。

（唐林）

4. 节目设置与播出

Programming

4. 节目设置与播出

责任编辑　刘书峰
审 稿 人　李　宏

中央人民广播电台

一、频率频道介绍

台 名	频率频道名称	开播时间
中央人民广播电台	中国之声	2004年1月1日
	经济之声	2002年11月18日
	音乐之声	2002年12月2日
	都市之声	2003年6月16日
	中华之声	2003年12月29日
	神州之声	2003年12月29日
	华夏之声	1994年6月18日
	民族之声	2004年1月1日
	文艺之声	2004年8月18日
	网络电台：银河台	2005年7月28日
	数字广播—— 第一套古典音乐频率 第二套中国音乐频率 第三套评书联播频率 第四套相声小品频率	2003年7月1日
	手机广播—— 新闻频道 娱乐频道 信息频道	2005年9月
	数字付费电视—— 家庭健康频道	2004年11月28日

二、优秀节目、栏目介绍

《嫦娥奔月》节目　绕月探测工程是继人造地球卫星、载人航天飞行之后，中国航天活动的第三个里程碑，举世瞩目。记者在西昌卫星发射现场的报道与新闻事件同步进行，为听众营造了“身临其境”的收听效果。该节目在2007年度中央人民广播电台优秀节目评选中被评为新闻类短消息一等奖。

《外资银行从今天起开办人民币业务》节目　中国2001年12月11号加入WTO时，承诺5年后对外国开放金融等业务。中国银监会2007年4月23日上午10时30分宣布，允许汇丰、花旗、渣打和东亚四家外资银行在北京、上海、天津、深圳、青岛等地正式开办人民币业务。记者第一时间现场报道这一事件对银行业和百姓生活的影响，引起金融界和社会强烈反响。该节目在2007年度中央人民广播电台优秀节目评选中被评为新闻类短消息一等奖。

《十月听潮——十七大开幕式侧记》节目　这是一篇耗费五十位中央电台编辑、记者心血的大制作。出现在侧记中的人物和场景都经过编辑们精心策划，新开通的北京地铁五号线、奥运主会场“鸟巢”、“嫦娥一号”发射基地，展现祖国国力昌盛，历史纵深感强。该节目在2007年度中央人民广播电台优秀节目评选中被评为新闻类长消息一等奖。

《穿越三北风沙源》节目　针对我国沙漠化日益严重的现状，中央电台记者中心、中国之声、网络中心等部门，采访历时20天，近50名记者行程26000公里，穿越五大沙漠、四大沙地，途径10省区。此次报道活动创造性地采用了“培训式报道”方式，把丰富的新闻素材当作提高业务技能的大教材，变课堂听讲为现场演练，极大地提高了青年广播记者必备的基本技能，提高了他们的新闻业务素质。这次大型报道紧紧围绕防沙治沙这一重大主题，立体化、多层次，全方位反映了三北风沙源现状和50年来我国防沙治沙成就及存在的问题。节目播出后，在社会上引起强烈反响，引起了国家林业主管部门及当地党和政府领导的高度重视，成为2007年中央人民广播电台宣传报道的一个亮点。该节目在2007年度中央人民广播电台优秀节目评选中被评为新闻类系列报道特等奖。

中央电台自主策划的《穿越三北风沙源》大型报道部分成员在库布齐沙漠合影

《高举旗帜，科学发展》节目　是十七大后中宣部统一部署的2007年头号重点报道。为此，中央人民广播电台积极组织落实，由总编室牵头，倾全台之力，从全台各个频率及中国广播网抽调了50多名记者，分两批派往全国各地，深入工厂、农村一线采访。同时，由中国之声新闻编播部组织精兵强将，成立特别编辑部，对报道进行统一的策划、指挥、调控。这组系列报道从2007年11月7日在《新闻和报纸摘要》栏目推出后，到2007年年底，几乎没有中断，近80%的稿件编排在《新闻和报纸摘要》的头条位置。这组系列报道在播出过程中多次受到中宣部、中央电台听评员、地方各级政府和全国各地听众的好评。节目对深入宣传科学发展观，充分展现各地在贯彻落实科学发展观方面的经验、成就起到了良好的传播效果。该节目在2007年度中央人民广播电台优秀节目评选中被评为新闻类系列报道特别奖。

《两会时评》节目 2007年全国人大、全国政协"两会"期间，中央人民广播电台在《全国新闻联播》和《新闻和报纸摘要》中推出了全新评论节目——《两会时评》。《两会时评》紧扣"两会"热点，以本台短评为头，兼以融入中央各大媒体评论员的声音，不仅彰显了大广播兼容的原则，同时体现了不同媒体的风格，更体现了中央电台的权威性。它以"快、高、深"，抢占舆论高点，以口语化、音响化，突出广播传播热点。评论语言到位，字字珠玑，引入了一些特殊音响效果，增加了节目的可听性。该节目在2007年度中央人民广播电台优秀节目评选中被评为新闻类评论节目特别奖。

《全国铁路第六次大提速现场直播》节目 第六次中国铁路大提速标志中国进入高速列车时代。2007年4月18日，中国之声开辟了两个时段，早上7:00到9:00，晚上19:00到20:00，直播中国铁路第六次大提速。直播采用卫星车直播、行进式现场直播、记者现场报道和所有在线运行旅客列车转播等报道方式，这是中央人民广播电台新闻直播中的首创。该节目在2007年度中央人民广播电台优秀节目评选中被评为新闻类现场直播特别奖。

《生死抉择十六秒》节目 2006年11月14日，飞行员李剑英驾驶战机遭遇一群信鸽撞击，跳伞是最安全的选择，然而他发现如果直接弃机跳伞，飞机失控坠落地点特殊，造成的后果将不堪设想。短短16秒钟，他决定改为迫降。这篇新闻专题充分利用飞机黑匣子留下的三段音响，让听众更真实具体地感受到新闻事实的冲击力。总政宣传部领导打电话称其为典型报道新示范作品。南京政治学院等院校纷纷索取作品作为广播新闻教材。该节目在2007年度中央人民广播电台优秀节目评选中被评为新闻类专题节目一等奖。

《父亲的客家筝》节目 何松是20世纪二、三十年代客家筝代表人物何育斋的孙子，早年曾跟随祖父学习客家筝。晚年，为了客家筝的传承发展，老人不顾身患绝症，用生命中的最后时间整理祖父的遗稿，并努力练筝，录下筝曲，留下了珍贵资料。节目播出后，在听众中引起了很大反响，不少听众认为应该尽力保护和传承我们的民族文化。该节目在2007年度中央人民广播电台优秀节目评选中被评为新闻类对台港澳节目一等奖。

《两岸交流纪事》节目 35集系列节目，对台湾广播中心2007年制作。选择20多年来两岸交流交往中的重要事件和具有影响的人物为切入点，真实地记录了两岸关系二十年的巨变，揭示两岸从对立到融合到走向和平发展的必然，立体呈现两岸交流合作的整体风貌。从2007年12月20日起在中华之声播出，同时在"你好台湾"网在线直播，并将音频和文字在"你好台湾"网刊出。一个月内，网络节目的点击量达到173万次，其中来自台湾及海外的点击量约占32%。该节目在2007年度中央人民广播电台优秀节目评选中被评为新闻类对台港澳节目一等奖。

《英语大赢家》节目 为更好地为世界各地来参加奥运会的运动员和来访者提供服务，当好东道主，经济之声英语节目整合社会人才资源推出本节目。采用情景剧的手法，囊括了7个大场景，85个口语地点，320个话题，基本涵盖人们日常讲英语的场景和话题。节目开播当月，收听率就排在中央人民广播电台经济之声的前茅，被听众誉为中国版的"走遍美国"。该节目在2007年度中央人民广播电台优秀节目评选中被评为新闻类特别节目特别奖。

《"六·一特别直播"——我们都是好孩子》节目 《小喇叭》栏目联合全国18家省、市、自治区电台，在2007年6月1日制作的特别直播《我们都是好孩子》，不仅充分反映了全国各地孩子们的欢乐，也唤起了无数成年人对童年时代的美好回忆。该节目分"欢乐中国行"、"成长的快乐"、"关爱在行动"三部分。节目播出过程中，共收到短信2000多条。在2007年度中央人民广播电台优秀节目评选中被评为新闻类特别节目特别奖。

《背负着民族的希望》节目 军事中心为庆祝建军80周年制作的特别节目。以全新的史料，独特的视角，全面深入地再现了人民军队成长壮大的光辉历程。节目气势恢宏，荡气回肠，既注重还原历史的大气氛、大背景，又善于捕捉历史背后的人物命运和鲜为人知的史料细节。各种资料音响、采访声、影视音响剪辑等多种音响要素共融，信息含量高。在2007年度中央人民广播电台优秀节目评选中被评为新闻类特别节目一等奖。

《和谐中国年》节目 2007年春节联欢会《和谐中国年》于除夕上午十点开始播出，长达15个小时。其播出时间之早、播出时间之长、节目规模之大、影响范围之广和各界反响之热烈，在文艺广播史上都是开先河之举。从形式到内容都做出了突破性的、有益的尝试。15小时超长陪伴性直播，名流嘉宾整点报时，突出传统中国文化，营造浓郁春节气氛。在2007年度中央人民广播电台优秀节目评选中被评为文艺类综艺节目特别奖。

《山定权，树定根，人定心——温家宝考察集体林权制度改革》节目 长消息。是一篇把"硬"主题成功"软"化处理的时政报道。充分利用领导人和群众自然交流的笑语欢声，生动传达了国家在林业政策上的调整和改革。针对以往时政报道以领导人声音为主、记者很少出声的情况，作者认真研究记者旁白（非录音因素）在录音报道中的应用，用旁白更好地烘托气氛、更精炼地补充信息、更丰富地描绘现场细节，让听众不仅能闻其声，还能如见其面。让旁白为现场音响增色，现场音响和旁白各司其职，相得益彰。

记者从总理三天考察的众多主题中敏感捕捉到林权改革问题，在综合报道其它考察重点时将此单独成篇。总理在总结考察时特别强调了对林权改革的关注，证实了记者的新闻敏感。记者在返京的飞机上就赶制录音新闻，保证了当天《全国新闻联播》中能及时播出总理考察的生动报道。节目播出后受到听众和专业人士的好评。认为时政报道透出人文气息，做到个性化、风格化实属不易，为广播时政作品的多样化作出了有益的尝试。获第18届中国新闻奖二等奖。

《井冈精神，中国之路——庆祝井冈山革命根据地创建80周年特别节目》节目 以中央电台都市之声为主（中国之声给予主持等协助），联合"中国城市广播电台联盟"60家成员台共同制作的大型直播节目。都市之声克服自身覆盖小的弱势，利用联盟优势，实现60家电台同步转播。该节目直播室设在井冈山，用多种广播形式歌颂了井冈精神，声情并茂，反映良好。

《倾听自然》节目 儿童节目。本节目巧妙地运用了孩子们自己采制的原始音响素材，真实地反映了孩子们寻找自然、认识自然、了解自然的过程。同时也反映了孩子们对大自然的热爱和保护大自然的渴望。以孩子们自己采录的音响作为节目的主体音响，增强了节目的真实性、趣味性和可听性，也是吸引孩子们亲自参与广播的一个重要手段，提高了网络时代的城市孩子对广播的兴趣。此节目获得2007年亚广联大奖。

《金丝猴“大胆儿”的故事》节目 儿童节目。中央电台对台中心创作。作品用自然、通俗、活泼的手法和语言，向儿童讲述国家一级保护动物金丝猴的趣事，启发孩子们热爱大自然，爱护动物，实现人与自然和谐共处。作品通过一些珍贵的音响资料，加之主持人与小朋友生动的互动，达到寓教于乐的目的，充满童真、童趣。本节目获得2007年度中央电台优秀节目评选一等奖，2008亚太广播发展机构（AIBD）最佳少儿娱乐节目奖。

《“2007年度寻找魅力声音”全国总决赛特别直播》节目 现场直播，中央电台经济之声创作。这个长达三小时三十分的节目最大的亮点是，为普通群众搭建了展示声音艺术的平台，体现了最广泛的群众性和参与性。节目充分调动了广播可以使用的各种形式和元素，大量使用了同步现场连线，并长时间保持了三路连线同时在线。还运用了多媒体技术，中国广播网、新浪网、腾讯网全程同步视频直播。本节目获得2007年度中央电台优秀节目评选一等奖。

《辉煌十年 荣耀香江——庆祝香港回归十周年特别节目》节目 现场直播，中央电台华夏之声创作。这是庆祝香港回归十周年的大制作。该节目筹备充分，策划、构思、制作均具特色。不仅突出了重大庆祝活动的场面，而且通过现场采访、多点连线、资料回放、音乐穿插、专家诠释等多种方式，从政治、经济、社会、民生、娱乐诸多方面丰富多彩地展现了香港回归十年来的巨大成就，渲染了节目的欢乐气氛。该节目较好地发挥了广播优势，现场感强，具有较强的可听性。本节目获得2007年度中央电台优秀节目评选一等奖，并被推荐参评中国播音主持金话筒奖。

《中秋歌会—花好月圆》节目 中秋特别节目，中央电台中国之声创作，长达四个小时。第一次采用广播歌会的形式，在中秋夜紧紧围绕“花好月圆”这一主题，由总主持人整体串联，分主持人率领各队进行丰富多彩的竞歌表演。节目创意独到，形式新颖，歌曲好听，给听众以美的享受。本节目获得2007年度中央电台优秀节目评选特别奖。

《雪域新春》节目 中央电台对台中心专门为台湾同胞创作的春节晚会，在节目编排上突破了晚会固有的模式，以贺岁情景剧的方式，表现了剧中两位主人公“台湾女生”、“大陆男生”偶然相遇结伴而行的青藏之旅。节目运用技术制作、音效辅助、模拟出现场真实感等手法，通过人物对话以及戏剧性情节引出深受两岸同胞喜爱的文娱作品，向台湾同胞介绍了近年来祖国大陆各方面的发展及可喜的变化。剧中人物均由中央电台对台广播的主持人演播。节目体裁新颖，形式创新，将听众带入了一次奇妙而真实的青藏铁路快乐之旅。本节目获得2007年度中央电台优秀节目评选一等奖。

《贞观长歌》节目 长篇小说连播，与82集同名电视连续剧同步推出。第一次大胆使用电视剧演员王绘春演播，塑造了李世民等唐朝开国风云人物的英雄群像。故事曲折，内涵深刻，演播精彩，网络点击率达260万人次。获2007年度中央电台优秀节目评选一等奖。

《中国母亲风采》节目 百集系列纪实评书，根据全国妇联与中央电台、新华社等16家媒体评选出的第二届“中国十大杰出母亲”、首届“百名优秀母亲”事迹改编而成。由全国文联副主席刘兰芳录制演播。歌颂了热爱祖国，甘于奉献；珍爱家庭，潜心育子；崇尚科学，奋发有为的新时期中国母亲的风采。获2007年中央电台优秀节目评选一等奖。

《超音速》栏目 资讯服务栏目，2007年1月1日开播。都市之声每天早8点到晚8点，全天线性滚动播出18档，每档时长3至5分钟，遇特殊情况延长播出时间。日常节目以最新航班进出港、航班变更信息、最新民航资讯等为主要内容。2007年7月6日都市之声在首都机场一号航站楼搭建的直播间开播后，《超音速》便从这里编辑、播发，已经成为大众心目中了解机场动态的信息平台。2007年度中央人民广播电台优秀节目评选中被评为创新栏目。

《小喇叭》栏目 新中国成立以来第一个面对学龄前儿童广播的对象性专栏。创建于1956年9月4日，始终坚持正面教育为主的方针，坚持为幼儿服务的原则，坚持以故事为主的形式，坚持精益求精的态度，形成了《小喇叭》特有的欢乐、活泼、亲切、自然的风格，吸引着不同时期的孩子们，成为中国广播史上一个家喻户晓的品牌栏目，也成为国内少儿广播的标志性栏目。2007年，栏目组设计了一套新颖独特的节目形式，以幼儿为主要听众对象，兼顾小学低年级学生，使节目更加适应当代儿童的特点，更加贴近儿童生活。开创了“原生态”式儿童主持形式；加大了故事性，开办了以伴随性故事形式的“抱抱熊故事时间”。在2007年度中央人民广播电台优秀节目评选中被评为“十佳栏目”。

《睡前故事》栏目 语言类广播文艺。文艺之声2007年1月1日推出，每天21:05～21:30播出。主要面向3～7岁的孩子及他们的家庭，为孩子们的睡前时光营造和谐温馨的氛围。无论内容、形式还是时间安排都恰当地体现出对孩子、家长的贴心服务。2007年4月下旬，文艺之声组织了“宝宝故事秀”公益活动进行推广。半个月内，360多个家庭报名参加，另有一些幼儿园组织了90多名孩子参加比赛。最终十几个孩子成为“故事宝宝”。《睡前故事》全年累计播出儿童故事500余个，儿童小说（童话）20余部。在2007年度中央人民广播电台优秀节目评选中被评为十佳栏目。

《时尚消费排行榜》栏目 都市之声于2006年1月1日开播。每天12:00～13:00直播。涉及手机数码消费、家电家居消费、休闲旅游消费等等都市人生活消费方方面面，为消费者提供消费咨询及维权帮助，阐述消费政策、普及消法常识和相关知识。栏目以信息多元、时尚轻松、理性公正为风格。服务于城市主流消费者，促进城市理性消费，促进市场法制化健康发展。该栏目是中国城市广播联盟八十多家城市电台共同推出的重点栏目。目前，包括中央电台都市之声、浙江电台城市之声、重庆广播都市频率、河北电台生活广播、黑龙江生活广播等在内的十几家重点城市的都市频率都在黄金时段开设了《时尚消费排行榜》，定期进行互动。栏目建立了庞大的节目网络和嘉宾资源库，与京城的手机、家电、数码产品卖场和大型综合商场建立了稳定的合作关系，掌握第一手市场消费动态，并和国家工商总局、北京市工商局、中消协、北京市消协和北京市律师协会建立长期合作关系，是国家工商总局2007年重点宣传合作媒体。该栏目在2007年度中央人民广播电台优秀节目评选中被评为十佳栏目。

《民歌中国》栏目 中国之声文艺部于2006年7月29日推出，以弘扬民族文化精髓，推广民族民间音乐，让更多的人了解民族音乐为宗旨。每周六、周日19:00～20:00播出。广泛采用各地、各民族的经典民歌、原生态民歌以及新创作的民族风格歌曲，曾介绍王昆、郭兰英、胡松华、王洛宾、德德玛、彭丽媛、宋祖英等近百位著名民歌演唱家、音乐家、正在走红的民歌手以及各地各民族经典民歌，如"各地茉莉花"、"各地摇篮曲"、"各地山歌"、"西北花儿"、"民歌新唱"等。在2007年度中央人民广播电台优秀节目评选中被评为十佳栏目。

《超音速》栏目 中央电台都市之声播出。首次将电台直播间直接设在机场的栏目，开创了广播媒体与机场合作的先河，首次提出了在广播领域搭建陆空合一立体资讯平台的理念。《超音速》是一档以首都机场最新信息及周边相关信息为主的日播资讯节目，每天分18次直播，每次3～4分钟，目前在所有已知媒体中，已经形成了独一无二且又难以复制的直播运行模式。本节目获得2007年度中央电台优秀节目评选创新栏目奖。

《早知天下》栏目 中央电台中国之声2007年改革推出的重点新闻节目，由原来的两个谈话节目《今日论坛》和《世界报道》整合而成的早间综合性新闻资讯节目，追求快节奏的播报和大信息量的传播效果，更加符合早间新闻节目的特点；突出全球视野，使听众能够"一早起来，遍知天下"。《早知天下》以清新、明快的风格加快了中国之声早间新闻节目的节奏，丰富了新闻信息，已成为《报摘》和《新闻纵横》之后的又一个早间新闻品牌。本节目获得2007年度中央电台优秀节目评选创新栏目奖。

《魅力中国》栏目 2006年6月开办，华夏之声双语频率每周日12:00～13:00播出，香港电台普通话台每周日12:00～13:00播出，澳门电台每周六晚21:00～21:20播出。创办此栏目是为了使港澳民众进一步增加对祖国的了解，通过节目将听众带到祖国各地，领略和体会各地的历史遗迹、经济发展、文化气息、自然景观和风土人情。集知识性、趣味性、旅游性为一体，构思新颖，好玩有益，音响丰富，引起港澳听众的积极关注和热烈响应。与港澳电台联合播出，开创了国家级媒体对港澳广播的新路子。在2007中央人民广播电台优秀节目评选中获十佳栏目称号，获2007中央电台优秀节目评选创新栏目奖。

《证券广播网》栏目 开办于2003年11月，是经济之声精心打造的一个财经新闻、投资资讯类节目，是经济之声收听率最高的节目，也是国内财经界最有影响的节目。《证券广播网》以服务股民为主，覆盖全面又兼顾纵深，既有全面快捷的实时资讯，又有及时深入的在线点评；《证券广播网》与股市同步，对调控政策反应及时，具有较强的时效性和实用性，对股市操作具有一定的指导作用。此栏目获得2007年度中央电台优秀节目评选十佳栏目奖。

《天下财经》栏目 是经济之声打造的新闻资讯类节目，以"报道天下大事，传播财经资讯"为宗旨，采用轮盘式滚动播出的形式。《天下财经》以财经资讯为特色，在内容选择上却不局限于财经新闻，而是把全球的新闻资讯都收在其中；新闻报道时效性强，财经报道具有很强的权威性和专业性；内容丰富、信息量大、形式多样、编排精巧，循环滚动播出的方式，符合广播的收听规律。此栏目获得2007年度中央电台优秀节目评选十佳栏目奖。曾获得2005～2006年度中国广播影视大奖优秀栏目提名奖。获得第18届中国新闻奖新闻名专栏奖。

《体育沙龙》栏目 开办于1994年10月，是中央电台第一个大型直播谈话类节目，10多年来，始终围绕国际、国内体坛发生的重大事件及热点话题，邀请嘉宾及时做出深度报道及分析评说，先后有上百位体育明星和专家受邀做客；多点直播的赛事报道方式使得《体育沙龙》的听众能够第一时间获得最鲜活的信息。2006年1月，《体育沙龙》推出了自主创新的节目形态《体育评书》，以曲艺评书形式对当天的体育事件进行点评，并很快成为热门栏目。获得2007年度中央电台优秀节目评选十佳栏目奖。

《海峡军事漫谈》栏目 是中央电台军事中心创办的对台湾地区播出的军事言论性栏目，以军人的视角论说两岸关系及台湾岛内的重点、热点问题，采用访谈、电话连线、座谈讨论、分析述评等多种方式，遵循传播规律，把握舆论导向，注重新闻时效性，贴近岛内现实，突出宣传"一国两制"的大政方针，收到了较好的入岛宣传效果。此栏目获得2007年度中央电台优秀节目评选十佳栏目奖。

《广播故事会》栏目 前身是文艺之声的《故事新天地》，2007年1月1日更名为《广播故事会》。《广播故事会》是"讲短篇故事"的日播栏目，力求在尽量短的时间内给听众奉献精彩的故事，适应当今快节奏的都市生活。《广播故事会》在讲故事的内容和方式上都做了一系列的尝试，并形成了栏目固定的风格，受到了听众的喜爱。此栏目获得2007年度中央电台优秀节目评选十佳栏目奖。

《夕阳红》栏目 中央电台民族之声朝语广播近几年最受听众喜爱的代表性栏目，其宗旨是"关注老龄化社会，服务于老年群体，实现夕阳最美的童话"。栏目服务对象明确，针对性强，互动性强，不断追求创新，已成为朝语广播的特色栏目，有《老年协会动态》、《健康咨询》、《幸福晚年的心理保健讲座》、《美丽的夕阳》、《往事如烟》等子栏目。获得2007年度中央电台优秀节目评选十佳栏目奖。

三、优秀剧目介绍

广播剧《深山信使》 由中央电台学会组织创作，王宴青策划，阚平编剧、蔡淑文导演，吕中、韩童生主演。取材于我国四川省木里藏族自治县山村邮递员王顺友的真实故事，以主人公一趟邮路上所发生的事件为主要情节，充分运用广播超越时空的特点，讴歌了平凡的邮递员不平凡的精神品质。此剧得到了听众和专家的广泛好评，2006年获四年一评的中国人口文化奖一等奖；2007年5月连获两个国际奖——欧广联与克罗地亚国家电台联合举办的第11届麦鲁利奇奖和第8届伊朗国际广播节特别奖；2007年9月获得中国最高国家奖——第十届精神文明建设“五个一工程”优秀广播剧奖，11月获得中国广播影视大奖优秀广播剧奖。

《深山信使》是中央电台首个获得麦鲁利奇奖的广播剧。(从左自右：音乐焦虎林，制作王敏，编剧阚平，策划王宴青)

广播剧《龟兔赛跑新传》 是中央人民广播电台总编室组织的广播剧精品创作入选作品，此剧将一则古老的伊索寓言发展成“龟兔三次赛跑，最后互相帮助，和睦相处”的新寓言，表达了人与人之间的尊重之道：承认人各有所长才能相互尊重；相互尊重就能和睦相处，就能发挥人的各自特长，就能实现共赢。在竞争激烈的今日世界，让人们明白这样的道理，对实现人类“和谐世界”的理想不无裨益。在2007年度中央人民广播电台优秀节目评选中被评为一等奖。

广播剧《呼唤》 是中央人民广播电台中国之声文艺部于2007年8月1日根据真人真事制作播出的广播剧。它描写了缉毒警察罗金勇，为捉拿贩毒分子，只身与三名歹徒搏斗，身负重伤，成为植物人，600多天深睡不醒。而他的妻子罗映珍600多天陪伴在沉睡的丈夫床前，用日记记述了对丈夫的深情。广播剧生动引领听众回味英雄丈夫的壮举，体味痴情妻子的甘苦。在2007年度中央人民广播电台优秀节目评选中被评为二等奖。

广播剧《跨越空间之梦》 中央人民广播电台文艺之声为纪念影响人类历史进程的电话发明者亚历山大·格雷厄姆·贝尔诞辰160周年制作的大型连续广播剧。由北京科委立项，在科普与艺术的结合上做了有益的尝试。节目先后在中央电台中国之声、中华之声、文艺之声播出，得到科学家和听众的喜爱和好评。在2007年度中央人民广播电台优秀节目评选中被评为二等奖。

广播剧《你好，我是向菲》 中央电台总编室组织创作的纪实性广播连续剧，根据全国“三八”红旗手、全国优秀新闻工作者、全国“五一”劳动奖章获得者，中央人民广播电台中国之声《神州夜航》节目主持人向菲的经历和事迹创作。向菲从2004年开始，在一年多的时间里，用自己的真诚、智慧和勇气，劝说三名犯罪嫌疑人投案自首。这一举动充分表明了广播的巨大影响力和感召力，同时也体现了广播人的敬业精神和社会责任感，在社会上产生了广泛的影响和很好的社会效果。广播剧共3集，90分钟。全剧采用纪实手法，真实、细腻、生动、感人地记录了向菲劝说三名犯罪嫌疑人投案自首的曲折历程，很好地体现了广播剧声音语言的艺术和迅捷、快速反映现实生活的优势。是近年来少有的一部专门写广播工作者的好剧。2007年9月获得第十届全国精神文明建设“五个一工程”优秀广播剧奖。

广播剧《余香》 2007年5月4日播出，时长20分钟。此剧旨在通过青年志愿者帮助临终老人的经历和体验，传达一种“懂得如何面对死亡，会让人们活得更有价值”的人生态度，传播人与人之间的温暖情感。此剧清新，时尚，优美，温馨。获得2007年亚广联特别推荐奖。

中国国际广播电台

一、频率频道介绍

台　名	频率频道名称	开播时间
中国国际广播电台对外广播频道	日　语	1941年12月3日
	英　语	1947年9月11日
	广州话	1949年6月20日
	潮州话	1949年6月20日
	厦门话	1949年6月20日
	客家话	1950年4月10日
	印尼语	1950年4月10日
	越南语	1950年4月10日
	泰　语	1950年4月10日
	缅甸语	1950年4月10日
	朝鲜语	1950年7月2日
	俄　语	1954年12月24日
	汉语普通话	1955年12月15日
	西班牙语	1956年9月3日
	柬埔寨语	1956年12月15日
	老挝语	1956年12月15日
	波斯语	1957年10月15日
	土耳其语	1957年10月21日
	阿拉伯语	1957年11月3日
	法　语	1958年6月5日
	马来语	1959年3月1日
	印地语	1959年3月15日
	德　语	1960年4月15日
	葡萄牙语	1960年4月15日
	意大利语	1960年4月29日
	塞尔维亚语	1961年6月2日
	斯瓦希里语	1961年9月1日
	豪萨语	1963年6月1日
	泰米尔语	1963年8月1日
	蒙古语	1964年12月1日
	世界语	1964年12月19日
	菲律宾语	1965年10月30日

续表

台　名	频率／频道名称	开播时间
中国国际广播电台对外广播频道	乌尔都语	1966年8月1日
	捷克语	1968年8月27日
	波兰语	1968年8月27日
	罗马尼亚语	1968年8月30日
	孟加拉语	1969年1月1日
	阿尔巴尼亚语	1969年6月6日
	普什图语	1973年7月15日
	保加利亚语	1974年4月19日
	僧伽罗语	1975年1月1日
	尼泊尔语	1975年6月25日
	匈牙利语	1976年7月26日
中国国际广播电台对内广播频道	中国国际广播电台轻松调频 CRI EASY FM (FM91.5) (AM 1251)	1984年
	中国国际广播电台劲曲调频 CRI Hit FM (FM88.7)	1999年3月28日
	中国国际广播电台环球资讯 CRI News Radio (FM90.5)	2005年9月28日
	中国国际广播电台奥运频道（AM900）	2006年8月8日
中国国际广播电台电视频道	数字电视付费频道《环球奇观》	2006年5月8日

台名	项目名称	频率	播出语种	开播时间
中国国际广播电台境外整频率落地播出	肯尼亚内罗毕调频台	FM91.9	斯瓦希里、英语、汉语普通话	2006年2月27日
	老挝万象调频台	FM93	英语、老挝语、汉语普通话	2006年11月19日
	蒙古达尔罕调频落地节目	FM103.7	蒙语、俄语、普通话、英语	2006年3月1日
	澳大利亚珀斯调频台	FM104.9	英语、普通话	2007年6月18日
	瓦努阿图维拉港调频电台	FM102	英语、普通话、法语	2007年9月10日
	瓦努阿图桑托岛调频电台	FM102	英语、普通话、法语	2007年9月10日
	瓦努阿图马拉库拉岛调频电台	FM106	英语、普通话、法语	2007年9月10日
	尼日尔尼亚美调频台	FM106	法语、豪萨、普通话	2007年10月1日
	摩纳哥中波整频率落地	AM702	法语、意大利、普通话	2007年10月1日
	摩纳哥调频整频率落地	FM96	法语、普通话	2007年10月1日
	巴拿马中文台整频率落地	AM1180	普通话、广州话、西班牙语	2007年10月2日

二、优秀节目、栏目介绍

《中国东盟合作之旅》系列节目　大型联合采访连续报道。由国际台倡议发起，国际台、广西广播电影电视局联合主办，由国际台、广西人民广播电台、广西电视台和香港凤凰卫视等媒体的40多名记者组成的采访团，历时50天，行程2万公里，先后对越南、柬埔寨、老挝、泰国、缅甸、马来西亚、新加坡、印度尼西亚、文莱、菲律宾等东盟10国的35个城市进行了采访。采访团创造了中国媒体对东南亚国家单次联合采访时间最长、国家最多、参与媒体最多、记者人数最多、发稿最多的纪录。采访活动规格高、报道面广、内容丰富。先后采访了8位东盟国家领导人，20多位政府部长和我驻东盟10国的所有大使；还采访了东盟各国工商界知名人士、华人领袖进行专访，并深入各国的经济开发区、主要港口、华人社团、大型企业以及普通百姓的家中，围绕中外交流、各国自身建设、华文教育、各国旅游、风俗民情等逐日进行了广泛报道。采访团共在多家媒体播发相关新闻和专题1600多篇（条），刊发图片2400多张。活动突破了传统外宣模式，是中国国际广播电台在实施构建现代国际广播体系战略进程中的一次成功实践，为创新对外宣传思路积累了很多有益的经验。

“中国东盟合作之旅”采访团在马来西亚受到当地民众欢迎

《中俄友谊之旅·中国行》系列节目　大型联合采访特别报道。以2007年在俄罗斯举办“中国年”为契机，主动提出了“中俄友谊之旅”大型跨境联合采访活动策划方案，被列为“国家年”期间的媒体交流项目，由国务院新闻办、国家广电总局主办，国际台承办。活动于2007年5月至6月举行，邀请俄罗斯主流媒体记者对中国的15个省、区、市进行联合采访，期间采访了大量的现场新闻报道、时事报道、录音报道、专题报道、图片报道，国际台音、视、网、报等多媒体平台都进行了特别报道；国内主流媒体、网站也进行了大量转载报道。随行俄罗斯记者采写的报道在俄罗斯主流媒体的主要时段和重点版面进行了刊播，受到俄罗斯受众的普遍关注，受到中俄两国国家元首和民众的积极评价。

《香港十年》节目　华语广播为香港回归十周年特设系列节目。由香港回归十年大事记、专家点评和香港人士访谈三部分构成，力图从事件回顾、理性分析以及人物亲身感受来全面介绍回归十年来香港的发展历程。大处着眼、小处落笔，选材广泛、主题鲜明，音响使用丰富到位，16篇报道共同组成了一幅香港回归十年来政治、经济、文化、体育等各方面发展的全景展示图。获“中国国际广播新闻奖2007年度优秀对外广播节目优秀系列节目奖”。

《讲述》节目　阿拉伯语广播为开播50周年开设的系列特别

节目。共25期，每期15分钟。节目通过当事人讲述心情故事折射阿拉伯语广播50年发展历程。内容包括听众与CRI的感人故事、阿拉伯语部工作人员的工作经历和感想，老一辈阿拉伯语广播工作者的往事回首，以及一致关注国际台阿拉伯语广播发展的老朋友的感言等。获“中国国际广播新闻奖2007年度优秀对外广播节目优秀系列节目奖”。

《贝·布托遇刺身亡》节目　突发事件连续报道。12月27日，巴基斯坦前总理贝·布托遇害，国际台驻巴基斯坦记者第一时间将消息发回台内，新闻中心即发快讯，与此同时，前方记者开始撰写详讯，后方编辑部则着手整理贝·布托的生平资料。国际台要求驻英国、美国、俄罗斯、印度等与巴基斯坦关系相对密切的记者站发回驻在国对贝·布托遇刺事件的反应。在编发文字稿的同时，编辑部还采集了相关音响素材，并采访了中国南亚问题专家，制作了带有专家评论内容的录音报道，第一时间以最全面的报道形式，充分报道了这一突发事件。该组报道共包括消息、录音报道、人物资料等6篇稿件。全台43种语言广播都播发了相关消息和报道。获“中国国际广播新闻奖2007年度优秀对外广播节目优秀系列节目奖”。

《金色收获，杂交水稻在菲律宾》节目　菲律宾语广播系列特别节目。该节目以菲律宾语收获期为契机制作的3期系列节目。通过采访种植杂交水稻的菲律宾农民、中菲两国以及国际组织专家等人士，从不同层面介绍了这一鲜为人知，但已硕果累累的中菲农业合作项目典范。第一期，以现场连线的方式，逐层深入对话，展现出一个通过种植杂交水稻而生活发生变化的菲律宾农民形象；第二期，引入多个现场采访的对象音响，将视野扩展到中菲杂交水稻项目合作所取得的成果；第三期，回顾中菲杂交水稻合作历史、展望未来，并突出表现以袁隆平教授为主的中国农业科学家胸怀天下的高尚情怀。获“中国国际广播新闻奖2007年度优秀对外广播节目优秀系列节目奖”。

《亚洲金融危机10周年》节目　新闻中心开设的系列特别报道，发全台通稿。包括8篇报道，由国际新闻编辑部与国际台驻亚洲国家记者站共同采写。报道选择了金融危机发源地或受冲击较严重的国家或地区，包括泰国、新加坡、韩国、日本和中国香港等地的官员或学者作为采访对象，对亚洲金融危机爆发的原因及战胜危机的经验教训进行了分析总结。用事实说明了中国选择的和平发展道路是一条在维护世界和平发展自己的同时，以自身发展促进世界和平的道路。获“中国国际广播新闻奖2007年度优秀对外广播节目优秀系列节目奖”。

《罗马尼亚驻华大使的中国情结》节目　罗马尼亚语广播系列特别节目。该节目共三期，每期15分钟。分别向听众介绍罗马尼亚驻华大使维奥利尔·伊斯蒂奇瓦亚70年代在华留学、80年代在驻华使馆工作和2002年至今任驻华大使三个阶段的不同感受；通过外交官的个人成长历程透射出两国外交不同时期的发展，深层次地揭示了新中国发展过程中经历的三个特殊历史时期。节目还采访了维奥利尔·伊斯蒂奇瓦亚先生学生时代的老师、朋友以及工作中的同事等，从多角度展现人物的个人魅力。获“中国国际广播新闻奖2007年度优秀对外广播节目优秀系列节目奖”。

《成长在中国》节目　英语广播系列节目。该节目用广播纪录片的形式，通过生活在中国各地孩子的成长故事，从一个侧面展现变革的中国，在社会、经济以及文化生活方面的真实画卷。节目播出内容均为第一手采访的生动鲜活材料。节目经过精心策划，对如何制作贴近国外听众思维习惯的外宣节目进行了有益的探索。节目制作精良，在自然音响和采访音响的运用上，转换得当，可听性强，受到听众喜爱。获“中国国际广播新闻奖2007年度优秀对外广播节目优秀系列节目奖”。

《中国企业在非洲》节目　新闻中心系列报道，发全台通稿。该系列包括6篇报道，由新闻中心国际部编辑与国际台驻非洲的3个记者站共同采访完成。随着中国国力的增强，国际上出现了一股“中国威胁论”论调；而近年来中非经贸关系的密切发展也引起一些人说三道四。为了反驳这些论调，国际台重点策划了这组报道，国际台驻非洲记者站通过大量第一手材料，用事实反击西方国家对中国“新殖民主义”的指责，向世人证明在非洲的中国企业为当地的经济社会发展、为当地人民生活的改善发挥了积极作用。整个报道有深度，有规模，有说服力。获“中国国际广播新闻奖2007年度优秀对外广播节目优秀系列节目奖”。

《中国穆斯林文化之旅知识竞赛》节目　马来语系列节目。节目分5期播出，分别为《暮探纳家营》、《陶醉维吾尔风情》、《甘肃大河家的保安族腰刀》、《走进帕米尔高原上的人家－塔吉克族和柯尔克孜族》和《从白骆驼泉传说中走来的民族－撒拉族》。针对马来西亚、印尼等对象听众地区听众关注中国穆斯林文化和生活的特点制作，以文化为切入点，以记者的视角，以游记的叙述方式，向听众介绍了云南、新疆、甘肃、青海等信奉伊斯兰教的少数民族地区的风土人情和传统文化。听众不仅能从中了解中国各地穆斯林独特的风土人情，也能感受到在中国民族宗教政策下，各族人民和睦共处、共同发展的生活状况。5期节目风格一致，采用大量音响效果、充分发挥广播特点，让听众有身临其境的感觉。获“中国国际广播新闻奖2007年度优秀对外广播节目优秀系列节目奖”。

《艾滋病人李想的生活》节目　英语广播特别节目。于世界艾滋病日前一天播出，通过李想的博客内容，对他进行了面对面采访，并对他与周围亲人、朋友及女友的互动访谈，反映了一名艾滋病人在中国变革发展的大环境下正在经历的人生故事。节目充分利用纪录片的特点，音响运用自如，内容充实可信，让听众聆听李想经历的同时，也对中国政府在艾滋病防治方面所做的努力有所了解。该节目获得“中国国际广播新闻奖2007年度优秀对外广播节目优秀特别节目奖”。

《北京奥运会倒计时一周年》节目　日语广播特别节目。在北京奥运会倒计时一周年之际与日本NHK提供制作，节目时长1小时30分钟。节目根据8月8日当天在北京天安门举行的庆祝北京奥运会倒计时一周年庆祝活动，分别在北京和东京的演播室，以及北京天安门广场直播现场3地联动直播，充分报道了北京欢庆奥运会倒计时一周年的热烈场面。节目形式活泼多样，除主持人和嘉宾的对谈外，穿插了大量采访报道，其中包括政府官员、运动员、学生、教师以及奥运会志愿者等。节目主题突出、结构紧凑、音响丰富，受到听众的积极反响，纷纷来信表达他们感受到中国对举办奥运会的喜悦心情和期待。这是国际台日语广播首次与海外主流媒体合作，共同对重大活动进行的现场直播。扩大了节目在海外的覆盖面，进一步提升了国际台的影响力和知名度，被NHK

负责人称之为“中日媒体合作共赢”的典范。获“中国国际广播新闻奖2007年度优秀对外广播节目优秀特别节目奖”。

《不能忘却的记忆——纪念南京大屠杀70周年》节目 新闻中心全台性通稿，于12月13日南京大屠杀70周年纪念日当天采访制作。节目以南京大屠杀的电影作品为主线，穿插了对包括幸存者、日本老兵、影片观众、专家学者、日本律师等采访，客观而理性的向听众讲述了这个历史事件的真实经过。节目运用大量当事人的音响，真实地再现了战争的残酷和日本军国主义所犯的滔天罪行。节目采制简洁、流畅，表达内容深刻，感人至深，是一档可听性很强的对外广播节目。获“中国国际广播新闻奖2007年度优秀对外广播节目优秀特别节目奖”。

《“假如来到中国”征文颁奖礼特别节目》 保加利亚语特别节目。该活动从2006年10月开始，高潮集中在2007年6月1日在保加利亚卡斯比强市“国际台之友”听众俱乐部举行的听众见面会及征文颁奖仪式。特别节目采用主持人与嘉宾聊天的形式，再现了颁奖活动的盛况，向听众详细介绍了征文活动的情况，突出国际台保语广播与听众之间的友谊。节目表现形式新颖、活泼；节目音响丰富，广播特点较强。获“中国国际广播新闻奖2007年度优秀对外广播节目优秀特别节目奖”。

《世界首例“坑面”少女面部再造手术》节目 国际在线中文网现场直播节目。“世界首例‘坑面’少女面部再造手术”现场直播是国际在线首次进行的异地视频直播，直播时间长达4个小时。因手术时间长，直播前和直播过程中需要创造大量的内容来充实直播，给直播带来特殊难度。这场直播的总体框架设计得比较合理，嘉宾的选择比较成功，内容准备充分，主持人对演播现场的掌控比较得力。整体上流畅、自然、充实，在网友、主持人和专家（嘉宾）之间实现了良性互动，网友留言达数百条，网站流量达到了日常流量的8倍多。获“中国国际广播新闻奖年度网络优秀新闻奖优秀现场直播”。

《城里人 我咋了》节目 国际在线专题节目。以网民“北京政治老师”题为《疾农民如仇》的帖文在网络上引起论战为契机而制作。紧扣社会热点，立意促进城乡间的理解与融合，主题具有建设性。专题在展示多元声音、形成观点交汇的同时，也适度表露制作者的倾向，即呼唤城市人对农民兄弟的理解和接纳。专题内容布局合理，色彩选用得当，给人以阅读的舒适感。获“中国国际广播新闻奖年度网络优秀新闻奖优秀专题”。

《文化视点》栏目 专题节目，由新闻中心编发全台性通稿，每年发稿60篇，每篇节目时长10分钟。向海外受众全方位报道中国文化领域内发生的重要事件、思潮、现象，对外针对性较强，报道有深度、富有广播特色并具有一定的时效性。力求文学、艺术、文物、广播电视、出版、双边或多边文化交流等各领域的事件都有所反映。栏目受到各语言广播的欢迎，也受到国外听众的认可。获“中国国际广播新闻奖2007年度优秀对外广播节目优秀栏目奖”。

《中国往事》栏目 华语广播名牌专题栏目。创办于2006年11月。每周播出两期，每期25分钟。介绍在中国历史上有影响的事件、著名文化发展史迹、民族商业发展历史等。2007年播出的内容包括“百年老字号”、“文明之火”、“百年红十字”、“天人合一紫禁城”等系列。获“中国国际广播新闻奖2007年度优秀对外广播节目优秀栏目奖”。

《专家论坛》栏目 英语时政类访谈节目。每周播出5期，每期19分钟。采访中国和外国两名嘉宾，就同一话题展开深度分析。节目选题重大，时效性强，紧扣当前国内、国家发生的重大事件，涉及国内国家政治、经济、外交、科技、卫生、教育、文化等各个领域。节目内容深刻，观点平衡，以我为主，注重宣传中方立场，注重对外广播特色。该栏目已成为国际台英语广播的旗舰栏目。获“中国国际广播新闻奖2007年度优秀对外广播节目优秀栏目奖”。

《交流之窗》栏目 法语广播专题节目。在中法互办文化年之后推出的自采专题节目，每期时长10分钟。栏目一方面注重报道中国和法语国家特别是和法国之间双边或多边的活动。另一方面对在中国的法语国家人士以及在法语国家的中国人士进行专访。栏目涉及文化、教育、旅游、体育等各个方面。在法语广播增加了对非对摩纳哥落地调频节目后，选取大量适合欧洲和非洲听众的话题，节目质量有较大提升。获“中国国际广播新闻奖2007年度优秀对外广播节目优秀栏目奖”。

《中非彩虹》栏目 豪萨语专题节目。创办于1996年。2007年组织策划、制作了一系列对象性较强的节目，包括胡主席访问非洲、非行上海年会、党的十七大报道、豪萨语尼亚美调频台开播、非洲人在京感受奥运气氛、中非合作论坛成功举办一周年、外国专家河南行、探访尼日利亚豪萨语听众俱乐部等，内容涉及经济贸易、文化教育、医疗保健、农业、水利等方方面面，具有较强的针对性和贴近性。其中“中国和非洲－发展的伙伴”和“中非新型战略伙伴全面发展的加速器”节目，紧扣“友谊、和平、合作、发展”主题，采访了大量的中非政府高级官员、著名专家学者等人物，具有较强的权威性，让听众强烈地感受到，发展中非关系是中国的一项坚定的政策，中非友好关系发展的前景是广阔而美好的。获“中国国际广播新闻奖2007年度优秀对外广播节目优秀栏目奖”。

《流行中国》栏目 音乐类专题节目，创办于2002年。由新闻中心编发全台性通稿。《歌坛之星》、《专辑推介》、《新歌老曲》和《港台乐波》4个板块组成。每周一期，节目时长25分钟，以介绍中国内地和港台地区的流行歌曲为主要内容，从不同角度全面展现中国音乐的特色与魅力，对中国流行乐坛进行快速反应。2007年，专门制作了新年、香港回归10周年、嫦娥探月等重要节目和重大事件的配合性节目，参与了“北京流行音乐节”、“北京国际音乐节”、“中国艺术节”等大型文化活动的系列报道。获“中国国际广播新闻奖2007年度优秀对外广播节目优秀栏目奖”。

《孔子学堂》栏目 华语广播汉语教学类专题节目。创办于2007年9月。每天播出25分钟。集知识、文化与趣味为一体，与听众一起学习、分享中国文化。在主持人和嘉宾的文化漫谈中充分调动广播媒体的声音表现力，穿插意境清远的诗文朗诵和赏析，以及扣人心弦的小广播剧，并采用东方音乐贯穿始终，“润物无声”，深受海外华人华侨的欢迎。获“中国国际广播新闻奖2007年度优秀对外广播节目创新奖”。

《News茶座》栏目 结合网络特色的男女对播式的新闻解读

类节目。每周一到周五播出，每期19分钟。节目的定位是打造“民生新闻 个性解读”的网络互动平台。该栏目具有较强的时效性、互动性、贴近性和趣味性。目前已经成为一个网友对热点社会现象、焦点民生话题发表不同看法和观点的集散地。栏目主创人员在对新闻的解读和点评中，坚持以人为本，注重“平民视角、网友立场”。主持人热辣诙谐的语言、睿智幽默的风格，也使栏目受到众多受众喜爱。获“中国国际广播新闻奖年度网络优秀新闻奖优秀栏目”。

中央电视台

一、频道介绍

台名	频道名称	开播时间
中央电视台开路播出频道	第一套节目（综合频道）	1958年9月2日
	第二套节目（经济频道）	1973年4月14日
	第三套节目（综艺频道）	1986年8月25日
	第四套节目（中文国际频道）（亚洲）	1992年12月1日
	第四套节目（中文国际频道）（欧洲）	2007年1月1日
	第四套节目（中文国际频道）（美洲）	2007年1月1日
	第五套节目（体育频道）	1995年1月1日
	第六套节目（电影频道）	1995年12月1日
	第七套节目（少儿·军事·农业频道）	1995年12月1日
	第八套节目（电视剧频道）	1996年1月1日
	第九套节目（英语国际频道）	2000年9月25日
	第十套节目（科学·教育频道）	2001年7月9日
	第十一套节目（戏曲频道）	2001年7月9日
	第十二套节目（社会与法频道）	2004年12月28日 注:2002年5月12日开播《西部频道》
	新闻频道	2003年5月1日
	少儿频道	2003年12月28日
	音乐频道	2004年3月29日
	法语频道	2004年10月1日
	西班牙语频道	2007年10月1日
	娱乐频道(长城(美洲))	2004年10月1日
	戏曲频道(长城(美洲))	2004年10月1日
	电影频道(长城(美洲))	2004年10月1日
中央电视台付费电视频道	第80套节目（高尔夫网球）	2004年9月1日
	第81套节目（风云足球）	2004年9月1日
	第82套节目（风云音乐）	2004年8月9日
	第83套节目（第一剧场）	2004年8月9日
	第85套节目（风云剧场）	2004年8月9日
	第86套节目（世界地理）	2004年8月9日
	第87套节目（电视指南）	2004年11月1日
	第88套节目（CCTV娱乐）	2004年10月1日
	第89套节目（CCTV戏曲）	2004年10月1日
	第91套节目（精品频道）	2005年1月1日
	第90套节目（中国电影频道）	2004年10月1日
	第92套节目（怀旧剧场频道）	2004年11月1日
	第93套节目（国防军事频道）	2006年5月8日
	第94套节目（女性时尚频道）	2006年8月9日
	第95套节目（中视购物频道）	2006年12月28日
	第96套节目（高清影视频道）	2006年1月1日

二、优秀节目、栏目介绍

《脚踏着祖国大地》节目　为纪念建军八十周年，新闻节目中心特别制作六集文献片《脚踏着祖国大地》，每集四十五分钟，共六集，2007年7月26日20:10起于CCTV-1首播。由“一切听从党指挥的政治原则”、“勇敢顽强敢打必胜的战斗精神”、“与人民群众的血脉相连的关系”、“和平时期的军人奉献”、“支援地方甘愿吃苦”和“打得赢不变质肩承新使命”六个分主题组成。影像资料涵盖土地革命战争时期、抗日战争时期、解放战争时期、抗美援朝战争时期，今天的和平年代，全面展示了人民解放军取得的辉煌成就，同时也展现了人民解放军在保护国家领土完整、保护广大人民群众的生命财产，保卫改革开放以来的成果所做出的巨大贡献。获2007年军事节目评选委员会特别奖。

《祖国不会忘记》节目　新闻节目中心在建军80周年推出的特别节目，共十五集，每集三十分钟，2007年7月11日13:30起CCTV-新闻频道首播。每一集讲述一个人物或一个群体的故事，涉及我军各兵种、武警、民兵，预备役，支前模范。这些典型的人物和群体是在建军80年中，各个不同历史时期的战斗英雄和模范，有空军战斗英雄杜凤瑞，岳振华；海军战斗英雄麦贤得以及边防哨所，海岛女民兵和红色娘子军等。获2007年军事节目评选委员会系列片一等奖。

《2007——奠基》节目　2007年9月10日20:00在CCTV-10播出，时长90分钟，社教节目中心《人与社会》栏目与教育部联合制作的大型专题晚会。以“教育的力量”为主题，充分展示人民教师的时代风貌和高尚情操，热情讴歌广大教师以德立教，爱岗敬业，无私奉献的可贵品质。晚会从结构上分“启蒙”、“成长”、“成才”3个章节，分别由小学、中学、大学3个阶段的3组一线模范教师的勤勤恳恳、无私奉献的感人故事组成。获“2006～2007”年度教育部优秀教育新闻特别奖。

《榜上有名的落榜生》节目　由社教节目中心制作。时长20分钟，2006年12月24日12:38于CCTV-1首播。学生高亚洲因为获得了全国中学生物理竞赛河南省赛区一等奖，被通知保送上了郑州大学。但招生结束后却没有收到录取通知书。后来得知自己的获奖证书并不具备保送资格。高亚洲将河南省招办告上法庭，但法院判决高亚洲败诉。节目呼吁相关的部门在工作中应该切实负起责任。出现失误和纰漏后，更应该仔细反思，并及时采取补救措施，避免出现不可挽回的后果。获2005～2006年度全国法制好新闻电视专题类一等奖。

《大唐西游记》节目　时长共252分钟，2007年3月6日～3月11日21:25于CCTV-10首播。由社教节目中心制作的《大唐西游记》从破解中国神话故事《西游记》中的人物来历开始，以玄奘从唐朝都城长安出发，经过古代丝绸之路西行印度的旅程为故事主体，讲述玄奘一生的传奇经历。创作者致力于“影像刷新”，全新的手绘特效画面成为纪录片的影像主体。从现代心理学和新历史观的角度对玄奘法师的心路历程进行深度剖析、多方阐释。获2007年(第九届)四川电视节“金熊猫”奖国际纪录片评选人文类亚洲制作奖，和2007年度中国纪录片国际选片会最佳制作奖。

《第一线——逃亡十年后》纪录片 社教节目中心制作，时长20分钟，2集，2007年7月5日、6日20:20于CCTV-12首播。被警方通缉多年的逃亡犯罪嫌疑人姚锦理找到浙江电视台主持人范惠闵，告诉对方他决定投案自首，但希望范惠闵能帮助他在自首前，回家看望一下十年没有联系的父母。范惠闵陪他来到公安局自首，并在警方的陪同下来到了姚锦理的家乡。经过一番艰难的寻找，姚锦理终于见到了母亲和姐姐。本片全程跟踪拍摄，完全采用第一手的现场资料，真实生动地表现了一名逃亡十年的犯罪嫌疑人所面临的走投无路的困境，对亲情的渴望，对家人的愧疚，以及对自己罪行的悔恨。获2007年中国广播电视协会纪录片委员会国际选片会十优纪录片奖。

《飞车抢夺的标语之争》(上、下)节目 每集18分钟，共2集，2007年6月16日至6月17日20:00于CCTV-12首播。2007年5月，河南荥阳警方因为挂出“飞车抢劫当场击毙”标语，在公众中引发强烈争议，节目有针对性地挑选了社会学者、警察学专家、公共问题研究者作为嘉宾，通过他们唇枪舌剑的较量，鲜活地呈现了社会上对这一话题的多元看法；同时节目精心设计了当事人环节，还特别设计了连线全国打击两抢案件中最富有经验的公安民警，提供解决飞车抢夺案件的不同思路，增强了节目的感染力，让讨论更加扎实深入。

《废弃农药危害严重》节目 社教节目中心制作，内参片，时长15分钟。我国是世界上农药生产和使用大国，废弃农药以及使用过的农药包装物逐年增多，《绿色空间》栏目针对这一严重危害农村生态安全现象，在湖北、江苏、吉林三个省的七个县市采访，发现各地农业部门的仓库里都储存了大量的高、剧毒废弃农药，有些已经在仓库里存放了十几年。这些废弃农药就像一颗颗炸弹，如果处理不当，将对当地生态环境、农业生产和人畜健康产生严重危害。如何处理这些废弃农药和农药包装物已经成为目前亟待解决的一大难题。该片引起了国务院总理温家宝高度重视并作出重要批示。获2007年中央电视台优秀内参片奖。

《麻雀悲歌》节目 社教节目中心制作，时长27分钟。2007年6月23日23:30于CCTV-10首播。麻雀是典型的与人共居的鸟类，20世纪八十年代以前曾广布于四川各地，但八十年代以后，麻雀突然在四川盆地的农耕区和城镇中消失了。这引起了四川师范学院动物学教研室主任郭延蜀的注意。他发现麻雀的消失完全是由于近20年来四川农耕区普遍滥用有机磷等农药所带来的严重恶果。目前，在我国大面积的水稻产区，麻雀已成为罕见之鸟。四川麻雀消失之谜表明，滥用农药将摧毁整个生态金字塔，并危及人类的身心健康、农业生产和社会经济的持续发展，应该引起我们的高度警惕和深刻反思。获欧洲环保奖——斯洛伐克工业协会奖。

《难童》纪录片 社教节目中心制作，共10集，共计420分钟。2006年8月15日至8月24日21:25于CCTV-10首播。60多年前，中国儿童在日军炮火中或丧生或逃难。据《大公报》推算，在逃往四川等地的1500万难民中有难童400万，等待救济的至少百万。中国妇女界发出“欲救中国，先救儿童”的呼声。她们在废墟中成立中国战时儿童保育会，奔赴战争腹地抢救难童。在日军疯狂向武汉、长沙进攻中，她们用生命护送三万难童到达四川、贵州等地，并设立六十多所学校对难童进行长达八年的培养教育。这是抗日战争中鲜为人知的一段往事，是国共两党妇女界在抗战中谱写的悲壮的一曲。本片利用大量珍贵影像资料，重现了六十多年前那场惊心动魄的母亲行动，特别是当年难童血泪的回忆，使人身临其境，感人至深。获2007年度中国纪录片国际选片会十佳纪录片奖。

《骑虎难下》节目 社教节目中心制作，共100分钟，分5集播出，2007年5月14日20:20于CCTV-12首播。1988年，我国《野生动物保护法》出台，鼓励个人和集体养殖濒危野生动物。广西农民周伟森看准了虎骨在中医方面的药用价值，但在他养虎后的第五年，国务院又出台了一条关于禁止犀牛角与虎骨贸易的禁令。目前，债台高筑的周伟森可谓骑虎难下，天天翘首期待着法令能够早日解除。本片通过周伟森养虎的艰难、国内人工养虎技术的成熟、风湿患者对虎骨入药的渴望，及国内外动物保护专家对保护与利用这一物种的独到见解，客观真实地记录了一个人与老虎命运抗争的故事。获2007年中国广播电视协会纪录片委员会国际选片会十大纪录片奖。

《森林之歌》节目 共11集，每集50分钟，2007年12月1～11日22:40于CCTV-1首播。《森林之歌》是社教节目中心历时4年精心打造的11小时自然生态类纪录片。摄制组从2004年开始深入中国现有的典型林区，拍摄点遍布中国各主要森林分布地区，如：大小兴安岭、秦岭、塔克拉玛干沙漠、藏东南林区、神农架、横断山脉、海南热带雨林、南海红树林等，用精美的画面展示了森林的神奇与美丽，以及人、动物和森林的和谐共生关系。介绍红松、胡杨、云杉、银杏等珍稀的森林物种，展示中国特有的野生保护动物，如大熊猫、金丝猴、羚牛、东北虎及长臂猿等，以及那些围绕森林生活的人们的生活方式和文明流变。生动、写实，又不失浪漫的拍摄风格，精彩、奇妙，又不失深度的内容，让世界了解到中国真实的生态文明。获2007年中央电视台优秀节目一等奖。

《说法自护训练营》节目 社教节目中心制作，时长20分钟，5集，2006年8月1日～6日12:38于CCTV-1首播。以“未成年人自救自护拓展训练”为载体，让10个孩子在紧张刺激的体验和竞争中，通过诸多节目环节和障碍，学习自我保护的技能，掌握相关的法律知识。通过6天的比拼，选出真正的“自护小勇士”。已成为《今日说法》栏目又一重要的品牌项目。

《中国记忆——文化遗产博览月》节目 总时长4801分钟，2007年5月18日至6月9日10:00于CCTV-10首播。科教频道联合文化部、中宣部宣教局、国家文物局、故宫博物院以及广州、沈阳、成都、陕西等地政府部门制作推出的大型电视媒体行动。选取5月18日“世界博物馆日”和6月9日“中国文化遗产日”两个事关文化交流与遗产保护的重要节日为起止点，在两个节日当天分别推出了两场时长4小时的大型直播。在直播前后近一个月的时间中，调动《探索·发现》、《讲述》、《人物》、《百家讲坛》四个品牌栏目，统一以“保护文化遗产，建设和谐文化”为主题打通品牌，形成互动，进行配合宣传，共同打造大型电视行动月，最终形成具有广泛影响力的文化保护媒体品牌。获由国家文物局颁发的“文化遗产日组织奖”。

《追逐太阳的航程》节目 社教节目中心制作，17集，共714分钟，2007年1月1日至1月9日21:25于CCTV-10首播。完整、生动地记录了瑞典仿古帆船“哥德堡号”重返中国之旅的艰苦航程，是社教节目中心开拓节目选题，利用十个月时间跟踪记录具有国际性和独家报道权的新闻事件的一次大胆尝试。胡锦涛主席访问瑞典时，外交部礼宾司将节目光盘确定为礼品，由胡主席赠送给瑞典王室。本节目获得2007年度中国纪录片国际选片会最佳制作奖。

《繁花似锦—第十届精神文明建设“五个一工程”颁奖晚会》节目 2007年9月7日晚8时，在中央电视台一号演播大厅，隆重举行了“第十届精神文明建设‘五个一工程’颁奖晚会”。节目于2007年10月1日20:00在CCTV-1首播，共105分钟。中共中央政治局常委李长春同志，中共中央政治局委员、书记处书记、中宣部部长刘云山同志、全国政协副主席、中国社会科学院院长陈奎元同志出席了颁奖晚会。晚会由中宣部和中央电视台文艺节目中心共同主办。它是对党的十六大以来全国文艺战线的一次全面巡礼，是向党的十七大献上的一份精神文明建设的厚礼。整台晚会隆重热烈、高雅大气，自始至终贯穿了“繁花似锦”的主题，是一台能够代表我国最高水平的晚会。获2007年度中央电视台优秀节目一等奖。

《丽江印象》节目 文艺节目中心制作，共5集，每集30分钟，2006年1月28日～2007年5月27日7:45于CCTV-3首播。丽江古城始建于南宋末年，1997年被联合国教科文组织正式批准列入《世界遗产名录》。节目选取丽江春雪的美丽景色，神奇的纳西象形文字，古城日夜的情调变幻和黑龙潭春秋交替的旖旎风光。优美时尚的画面、心灵咏叹式的散文以及穿梭于诗画中的音乐和古城的流水，加之摄影作品的纷呈闪回，各种艺术元素交叉递进地呈现了古城800多年的岁月沧桑。获中国广播影视大奖·广播电视节目奖(第20届“星光奖”)优秀电视文学节目奖。

《千秋华宴——2007春节戏曲晚会》节目 文艺节目中心主办，共180分钟，2007年2月17日21:00于CCTV-3首播。“千秋”代表了梨园千秋万代、亘古永恒的传承；“华宴”意味着中华传统节气——春节的祥和、团圆、济济一堂的盛景。晚会汇聚了当今戏曲界顶级艺术家，让梨园雅韵尽展风华。涉及的剧种多达14个，包括京剧、黄梅、越剧、老腔、秦腔、豫剧、评剧、粤剧、川剧、晋剧、河北梆子、昆曲、锡剧、广东汉剧等全国各地方剧种的经典唱段。晚会样式丰富，反映了时代脉搏。晚会为了突出年味儿，整台录制走直播程序，加强了主持人、演员和观众的互动，老艺术家也给晚会增色不少。2007年获广播影视大奖·广播电视节目奖(第20届“星光奖”)优秀电视戏曲节目奖。

《越女争锋——越剧青年演员电视挑战赛》节目 为纪念越剧诞生100周年，文艺节目中心戏曲频道《梨园擂台》栏目联手上海文广集团综艺部、杭州电视台、绍兴广电总台共同推出。于2006年6月～10月于CCTV-11播出。活动吸引了来自江浙沪闽四省市200余名35岁以下的越剧青年演员报名参赛，最终决出金奖10名、银奖10名、最佳新秀奖3名，为越剧新生代提供了集体亮相的绝佳机会。同时引起了戏曲界轰动和社会各界的广泛关注。大赛以戏曲电视青春化、综艺化的理念，以“展示越剧艺术魅力、推出越剧新人新秀”为宗旨，不仅扩大了电视戏曲栏目的影响力、拉动了收视，更为戏曲艺术与电视传媒的良性结合打造了更好的发展平台。活动成功利用了中央电视台的品牌效应及传播平台，同时又借助江、浙、沪、闽各地电视媒体的地域优势，在极大范围内扩大了越剧的影响力和辐射力。2007年获中国广播影视大奖·广播电视节目奖(第20届“星光奖”)优秀戏曲节目奖。

纪录片《大国崛起》 广告经济信息中心制作，共12集，2006年11月13～24日21:30于CCTV-2首播。是中央电视台第一部以世界性大国的强国历史为题材并跨国摄制的大型电视纪录片。《大国崛起》立意高远、思想深刻，以历史的眼光和全球的视野，为当下中国的现代化发展寻找镜鉴。本片制作历时三年，创作者在浩如烟海的九国历史中进行了一次思想的长征，时间跨度有五百余年、空间跨度涉欧亚美九国。且首次与九国学术大家面对面，使本片具有相当的学术水准。本片七个摄制组分赴欧、亚、美九个国家进行深入采访和实地拍摄，拍摄了大量具有珍贵史料价值的历史档案、文物、遗迹等，获得了大量难得的第一手资料。很多观众来信、来电称赞该片给人以很强的教益和启迪，激发中国人奋起直追，实现民族的伟大复兴。此片在史学界引起轰动，世界史泰斗齐世荣给予较高的评价和肯定，北京大学历史系和其他一些学院把此片作为师生观摩的教材，社科院和其他院校的许多专家学者对此片给予了高度评价。西班牙驻华使馆、葡萄牙驻华使馆大使和馆员观看了片子后非常惊讶中国人能如此详尽了解和表现他们国家的历史；英国驻华使馆和德国访华代表团高度赞扬这部由中国人拍摄制作的电视片。《人民日报》、新华社等对此片做了肯定报道。获2007（第九届）四川电视节“金熊猫”奖国际纪录片评选（人文类）评委特别奖。

《第14届亚足联亚洲杯足球赛》节目 2007年7月7日～29日19:30于CCTV-5首播。体育频道全权负责制作第14届亚洲杯足球赛马来西亚赛区包括小组赛、1/4决赛和半决赛在内的共7场比赛。本届亚洲杯足球赛是亚洲杯历史上首次由非主办国电视制作队伍制作公用信号。除中央电视台外，英国负责英超的导演和澳大利亚电视同行承担了其他赛区的信号制作任务。面对高水平的国际同行和现实的竞争，由体育频道、播送中心和技制中心组成的34人制作团队在工作中表现出来的专业化，规范化和国际化的水准以及良好的合作风貌赢得了外国同行的交口称赞。负责本届亚洲杯电视事务的世界体育集团(WSG)电视部主任马克·哈迪斯先生和媒体主管詹姆斯·克拉克先生对中央电视台提供的公用信号质量给予了高度评价，一再强调中央电视台制作的信号是本届杯赛四个赛区当中最优秀的。这反映了中央电视台体育赛事电视公用信号制作整体实力的大幅度提高。

《天生我翔，王者大满贯》节目 体育频道制作播出。2007年8月在日本大阪举行的第11届世界田径锦标赛，为刘翔提供了实现110米栏历史上唯一包揽奥运冠军、世界纪录和世界冠军的大满贯获得者的机会。该片以第一时间、近距离、全方位地独家记录了刘翔在身患感冒、分道不利的情况下，顶住压力创造“第九道”奇迹，最终赢得世界冠军，从而实现大满贯的过程。通过镜头，刘翔敢于挑战压力、超越自我的拼搏精神极大地鼓舞了国人甚至是亚洲人民的民族自豪感。

《在黑暗中奔跑》节目 体育频道制作。英文版50分钟，中文版37分钟。2007年11月21日18:35于CCTV-5首播。它讲述的是一对热爱体育的父女训练和生活的故事。多数人认为父亲张健民每天让8岁女儿凌晨3点起床跑42公里马拉松的训练方法过于残酷。甚至有人批评他在自私地把自己的梦想强加在女儿身上，而让女儿没有了自由，没有了跟别的同龄人一样的正常的童年。本片没有华丽的画面，拍摄者和编导以自己的方式解读这个普通人家实现梦想的故事。获第25届意大利米兰电影电视节电视类提名奖。

《我家的房子》节目 由青少节目中心制作，时长23分20秒，2006年3月4日17:45于CCTV-1的播出。在广西阳朔的漓江边，十岁女孩黄婷婷与父母生活在一条木船上。爸爸是漓江游轮的驾驶员，妈妈是游轮的水手。婷婷最大的梦想就是有一天她家能在岸上建起一座房子，她能拥有一间自己的房间。为了实现这个梦想，一家人努力劳作着，其中有艰辛也有快乐。2007年5月该片入围第53届德国奥伯豪根国际短片节暨第30届青少年电影节，这是世界上最大的短片资源丰富的电影节，也是中央电视台的作品第一次参加此电影节并入围决赛。2007年10月入围四川国际电视节。2007年获广电总局2006年度少儿精品发展专项资金优秀电视节目奖。

《小记者十七大特别报道》节目 时长590多分钟，于2007年10月15～22日于CCTV-少儿频道和CCTV-1播出。根据中宣部的统一部署，中央电视台少儿频道小记者首次参与党的十七大采访报道工作。这是加强青少年思想道德教育的创举。青少节目中心调集精兵强将，从少儿频道40多名小记者队伍中选定了两名优秀小记者上会报道。同时确定了"用孩子的眼睛观察盛会；用孩子的视角报道盛会；用孩子的关注解读盛会"的小记者十七大报道的节目理念与方案，从儿童视角出发，采用"浅入浅出"的叙事表述方式，独家专访了全国人大副委员长、全国妇联主席顾秀莲、教育部长周济、国家体育总局局长刘鹏以及王楠、张怡宁、杨利伟等代表。精心制作播出《新闻袋袋裤》的"小记者十七大特别报道"，向广大少年儿童宣传十七大盛况，传播十七大精神，增进他们爱党爱国的思想情感。节目播出后，受到顾秀莲副委员长、周济部长、中宣部和中央电视台领导的充分肯定以及社会各界的好评和高度关注。收视较平时同时段有大幅提升，网络博客点击率突破240万人次，一度被各界媒体称赞"小记者博客红遍央视网"，大大提升少儿频道的社会影响力。此外，新华社、《光明日报》、《中国青年报》、《中国教育报》、人民网、《南方日报》等媒体刊发《小记者也上十七大》、《活跃在十七大报道现场的小记者》、《用孩子的视角报道盛会》等报道，认为小记者特别报道节目"清新自然，生动别样"。美国《侨报》、香港中评社、台湾东森新闻台等媒体也评价中央电视台小记者"尽管童言童语，但是相当有模有样"。由于小记者报道十七大取得了极大成功，中宣部又特批一名央视小记者继续参与报道10月24日举行的"嫦娥一号探月卫星发射"任务。央视小记者季家希代表全国少年儿童在北京指挥中心见证了卫星升空那最激动人心的时刻，并为全国少年儿童观众发回了相关报道。获广电总局2007年度少儿精品发展专项资金优秀电视节目奖、第十一届首都女记协好新闻评选优秀奖及2007年度中央电视台优秀节目一等奖。

《焦点访谈》栏目 创办于1994年4月1日。隶属新闻节目中心新闻评论部。每期13分钟。CCTV-1，CCTV-新闻频道每天19:38同时播出。《焦点访谈》既保持栏目特色，又不断开拓创新，不断提高节目的核心竞争力，拓展选题领域，改进表达方式，优化传播效果，围绕党和政府的中心工作，推出一系列导向正确、监督力度大的节目，在收视率等指标上始终名列前茅，保持了强势的影响力。国家统计局"第五次全国电视观众抽样调查"显示，在全国观众最喜爱的电视栏目中，《新闻联播》、《焦点访谈》名列前两位。

《百家讲坛》栏目 中央电视台社教节目中心制作，每期43分钟，每天12:45于CCTV-10播出。坚持"让专家、学者为百姓服务"的栏目宗旨，达到普及中国优秀传统文化的目的。2007年推出"红旗渠"、"陈嘉庚"、"杨子荣"、"焦裕禄"等红色经典系列，受到李长春、刘云山等中央领导的充分肯定和广大观众的喜爱。2007年2月，《人民日报》海外版连续七天整版报道《百家讲坛》引发的全民读经典的热潮；3月《人民日报》又连续刊发三篇长篇评论文章，盛赞《百家讲坛》栏目始终以传播经典文化为内核，始终瞄准大众文化需求制作节目，让传统文化在现代传播中复兴，让文化融入生活，使生活成为文化，通过人的素质的提高促进和谐文化建设与和谐社会建设。2007年12月获国家广播电影电视总局颁发的"中国广播影视大奖·广播电视节目奖(第20届'星光奖')优秀电视文艺栏目奖"及2007年中央电视台优秀栏目一等奖。

《今日说法》栏目 1999年1月2日开播，社教节目中心制作，每期20分钟。CCTV-1每日12:38首播。以"重在普法，监督执法，促进立法"为宗旨，以"点滴记录中国法制进程"为口号，以为百姓办实事为己任，被广大观众誉为"中国人的法制午餐"。始终秉承平民化风格，以朴素的文化定位满足广大百姓对法律的认知，提高观众法律意识。节目品质在不断摸索中变得更具人性化。取得了广泛的社会效益和良好的普法宣传作用，多次获得全国法制节目各类奖项。随着栏目影响力的逐步扩大，收视率也节节攀升，最好成绩达到了央视收视率排行榜第三名。《今日说法》因其在普及法律、监督执法、推进立法等方面作出的巨大贡献而获得第三届中国新闻名专栏称号，同时，党和国家领导人也对该栏目进行了多次褒奖。

《庭审现场》栏目 社教节目中心主办，庭审纪实栏目，2005年1月8日起每周六20:45在CCTV-12播出，时长40分钟。《庭审现场》通过对庭审现场的客观记录，客观透明地展示中国国情下的司法审判程序和法制的公正严明，以使观众深刻领悟中国社会的法制精神。庭审活动几乎综合了所有的司法程序，囊括了大量的法律知识，它是最好最生动的普法现场，也体现一个国家的司法公正与司法水准。栏目从每年全国约500万件纷繁的案例中选取典型案例作为报道重点，通过庭审现场直播式记录，演播室剖析，以及背景纪录短片，三种形式互动互补，相辅相成。力求做到时效性、现场感和纵深性、生动性的紧密结合，使相对冗长沉闷的庭审过程具有可视性。

《CCTV空中剧院》栏目 2007年由文艺节目中心主办的《CCTV空中剧院》栏目共播出剧目79台，其中直播29场，录播50场。包括传统戏25场；折子戏17场；现代戏2场；晚会、演唱会9场；新创剧目9场；整理改编剧目7场；地方戏7场；话剧3场。2007年，栏目为戏曲频道录制并播出了4台特别节目，开展了“河南行”和“福建行”，新增录像地点和演出城市有8个，新增剧场8个，新增演出单位3个，录制、播出(含直播)的京剧研究生班汇报演出31场。栏目积极制作并向社会赠送了第二批《CCTV空中剧院优秀剧目DVD光盘精粹选编》。

《电视诗歌散文》栏目 文艺节目中心1998年初创办，每期30分钟，CCTV-3每周六9:07首播。栏目宗旨是在众多的综艺晚会和娱乐节目中打造一个诗意化的空间，弘扬真善美，满足广大电视观众日益增长的对高品位文化的追求。以达到心灵的净化、精神的启迪和审美的愉悦。《电视诗歌散文》以其较高的审美品位和精良的电视制作，连续八届获得中国电视文艺“星光奖”优秀电视文艺栏目奖；并囊括了中国电视文艺“星光奖”第14届至20届所有的电视文学节目奖项。多部优秀作品由中国国际电视总公司发行音像制品，受到广大收藏者的喜爱，收到良好的社会效益和经济效益。获中国广播影视大奖·广播电视节目奖(第20届“星光奖”)优秀栏目奖。

《同一首歌》栏目 中国国际电视总公司主办，时长100分钟，每周五19:30播出，实施产业化运作以来，《同一首歌》持续品牌打造、注重节目质量，品牌的知名度、美誉度不断提高。2007年，《同一首歌》制作了走进美国、走进加拿大、庆祝香港回归十周年、内蒙古建区60周年、中俄文化年、奥运频道启动仪式等特别节目，取得了良好的社会效益，获得了观众的好评，在全国第五次电视观众普查报告中，被评为全国电视观众最喜爱的娱乐栏目第一名，观众规模全台第一名，满意度、知名度等紧随《新闻联播》、《焦点访谈》。

中国教育电视台

一、频道介绍

台名	频道名称	开播时间
中国教育电视台	一频道	1986年10月1日
	二频道	1988年11月1日
	三频道	1996年5月1日
	空中课堂	2003年5月19日
	早期教育频道	2005年10月1日
	农村党员干部现代远程教育IP频道	2004年1月1日
	农村中小学远程教育IP频道	2000年1月1日

二、优秀节目、栏目介绍

《2006中国教育年度新闻人物评选活动》栏目 与中国教育报联合发起主办，旨在展示教育战线广大教育工作者心系祖国，情系教育，为人师表，教书育人，开拓创新，刻苦学习的风采。评选活动自2006年12月20日启动，全国共有百余万读者、观众和网民，通过网络、短信、邮寄、传真、邮件等多种方式参与了评选活动，共收到260多万张选票。颁奖晚会于2月10日在CETV-1首播。

《千秋基业——邓小平与中国教育》文献纪录片 中央党史研究室、国家教育发展研究中心、中央电视台、中国教育电视台联合创作,反映邓小平与中国教育改革开放20年的大型文献纪录片。在“2007·中国文献纪录片论坛”作品评选中，本片被评为20年来纪录片最高等级的“经典”之作，是教育题材中唯一一部获奖作品。

《“阳光伙伴”(第二季)和“音乐伙伴”(第二季)》栏目 教育台联合全国14个省市区的教育部门和电视媒体共同举办的两个活动。《阳光伙伴》(第二季)是由教育部、国家广电总局、国家体育总局批准并指导的一项全国少年集体体育竞赛活动。旨在提高学生身体素质，磨炼坚强性格，培养团队精神。中央人民广播电台、部分联合承办电视台，以及新浪网、搜狐网、腾讯网等门户网站都对总决赛进行了直播。《音乐伙伴》融音乐、歌唱、舞蹈、表演于一体，孩子们自编自导自演，由孩子做评委自评自选，用孩子的眼光去看待儿童歌舞剧、选出他们喜欢的儿童歌舞剧，收视率在中国教育电视台同类、同时段节目中遥遥领先。

海峡之声广播电台

频率介绍

台名	频率名称	开播时间
海峡之声广播电台	新闻时政频率	2001年8月18日
	闽南话频率	2002年1月1日
	生活资讯频率	2006年5月18日
	音乐资讯频率	2004年1月1日

北京市

一、频率频道介绍

北京人民广播电台

台名	频率名称	开播时间
北京人民广播电台	新闻广播	1993年3月1日
	城市服务管理广播	2005年3月1日
	首都生活广播	2004年1月1日
	体育广播	2002年1月1日
	音乐广播	1993年1月23日
	文艺广播	1994年4月1日
	交通广播	1993年12月18日
	外语广播	2004年9月17日
	有线教学广播	2002年1月1日
	有线古典音乐广播	2002年5月1日
	有线通俗音乐广播	2002年5月1日
	长书广播	2002年5月
	有线戏曲曲艺广播	2002年5月
	欢乐时光广播	2006年9月6日
	怀旧金曲广播	2006年9月6日

北京电视台

台 名	频道名称	开播时间
北京电视台	北京卫视BTV-1	1979年5月16日
	文艺频道BTV-2	1988年12月30日
	科教频道BTV-3	1993年11月1日
	影视频道BTV-4	1992年5月4日
	财经频道BTV-5	1994年5月4日
	体育频道BTV-6	1994年11月18日
	生活频道BTV-7	1996年11月8日
	青少频道BTV-8	2002年1月1日
	公共频道BTV-9	2002年7月
	北京卡酷动画卫视BTV-10	2006年10月13日
	长城平台北京电视台国际频道（北美／亚洲／欧洲 频道）	2004年10月1日

北京北广传媒数字电视公司

台 名	频道名称	开播时间
北京北广传媒数字电视公司	京视剧场	2003年9月1日
	爱家购物	2003年9月1日
	动感音乐	2003年9月1日
	车迷频道	2003年11月1日
	考试在线	2003年11月1日
	亲亲宝贝	2004年1月1日
	四海钓鱼	2004年1月1日
	弈坛春秋	2005年3月18日
	环球旅游	2005年4月8日
	新娱乐	2005年7月22日
	置业	2005年7月28日
	戏曲广播	2003年11月1日
	爵士音乐广播	2003年11月1日

北京北广传媒移动电视公司

台 名	频道名称	开播时间
北京北广传媒移动电视公司	北京移动电视（无线）	2004年5月28日

北京北广传媒城市电视公司

台 名	频道名称	开播时间
北京北广传媒城市电视公司	北广传媒城市电视（无线）	2005年5月7日

二、优秀节目、栏目介绍

北京人民广播电台

《交通新闻·午间版》节目　FM103.9北京电台交通广播2006年1月3日中午12:00播出，时长14分钟。2006年1月3日凌晨，北京东三环京广桥南侧辅路突然发生大面积塌陷，首都数百万市民的交通生活面临突发危机。当天中午12点，北京交通广播在京城各媒体中率先策划并准点播出这套《交通新闻》午间版，有效地起到了沟通信息，引导舆论，稳定民心，指导出行的作用。获第十七届中国新闻奖新闻编排一等奖。

《信息公开透明　确保安全北京》节目　评论。AM828/FM100.6北京电台新闻广播2006年1月17日播出，时长5分35秒。京广桥辅路塌陷事故发生后，市政府采取一系列公开透明的做法，赢得事故的顺利解决。记者针对此事撰写了述评。获第十七届中国新闻奖广播评论二等奖，2005～2006年度中国广播影视大奖。

《南辛堡村土地确权调查》节目　专题。AM828/FM100.6北京电台新闻广播2006年5月20日播出，时长14分58秒。通过报道延庆县延庆镇南辛堡村土地确权问题，反映城市化进程中保护农民土地权宜的重要性。获第17届中国新闻奖广播专题三等奖。

《曹女士事件引发的思考》节目　专题。FM1039北京交通广播2006年3月12日播出，时长15分12秒。2006年3月9日上午9点20分，交通广播《一路畅通》直播中，交管局的艾炎警官突然冲进直播间，寻找在路上突发心脏病的曹女士。节目对曹女士事件的思考，其实就是在突发事件面前，我们每个人应该怎样献出自己的一份爱心。体现了广播媒体在突发事件中的重要作用和优势。获2005～2006年度中国广播影视大奖。

《音乐的宣言》节目　音乐节目。FM97.4北京音乐广播2005年12月20日播出，时长29分32秒。跟踪采访日本民间自发组成的混声合唱团，他们通过举办揭露日本731部队在中国犯下罪行的音乐会，向中国人民表示道歉。获2005～2006年度中国广播影视大奖。

《送给连战先生的特殊礼物》节目　消息。AM828/FM100.6北京电台新闻广播2006年4月14日《新闻2006》播出，时长2分36秒。独家报道北京电台台长汪良在北京饭店将新闻广播播出的纪实广播小说《青史青山》汇集制作而成的纪念光盘赠送给连战先生。获2006年度北京新闻奖一等奖。

《我们和总理交朋友》节目　社教类。AM828/FM100.6北京电台新闻广播2006年10月9日《资讯早八点》播出，时长10分钟。讲述温家宝总理给北京一家小学的孩子们回信的故事以及温总理当时到学校视察的情况，学校发生的巨大变化。

《一次心理危机干预》节目　中波603千赫北京电台首都生活广播2006年11月5日播出，时长24分22秒。这是一期典型的公众心理危机帮助节目。打来电话的女士已经有轻生的念头，但是在心理专家、主持人和众多听众朋友的帮助下，化险为夷。获2006年度广播社教公众性节目一等奖。

《一场必须打赢的战争——北京打响美国白蛾阻击战》节目　FM107.3/AM1026北京电台城市服务管理广播2006年5月31日播出，时长50分钟。节目介绍了什么是美国白蛾、该生物有何危害、为何有如此大的危害、如何防治等等市民关心的问题，并开通了百姓和专家现场交流的平台，出现了科技节目中不常采用的互动环节。获2006年度北京广播奖广播社教一等奖，北京市优秀科普作品奖一等奖。

《雪天行车公益广告》节目　FM103.9北京交通广播2006年2月28日播出，时长28分59秒。《一路畅通》播出时间是早晚高峰，路上的拥堵状况比较严重，这期节目是通过听众编辑短信创作雪天行车公益广告，做到互相提醒。听众的参与热情非常高，两个小时节目的短信量达到1000余条。获播音主持金话筒主持作品奖，2006年度北京广播奖播音主持一等奖。

《关于阿卡贝拉》节目 FM97.4北京电台音乐广播2006年5月16日播出，时长23分。“阿卡贝拉”是意大利文“A cappella”的音译，它起始于中世纪教堂中所发展出来的无伴奏人声合唱音乐。而“阿卡贝拉”发展到当代，它已经不单是无伴奏合唱或者重唱了，今天人声甚至作为了一样乐器来使用。节目选取了国内外歌手用阿卡贝拉的方式演绎的音乐。获2006年度北京广播奖广播文艺一等奖。

《我骄傲，我来自非洲》节目 AM774外语广播2006年10月播出，时长20分钟。在中非论坛期间采访非洲留学生捷盖，以一名外国人北京生活的视角反映中非之间的友谊。获2006年度北京广播奖境外播出类播音主持一等奖。

北京电视台

《北京新闻》栏目 新闻直播节目。1979年5月16日开播。BTV-1周一至周日18:30首播，时长30分钟。始终与市委、市政府保持一致，坚持正确的舆论导向。以“权威发布政策资讯，悉心关注百姓冷暖”为节目宗旨，每年向中央电视台传送新闻数百条，每年有数十篇报道在国内获奖。2007年平均收视率为8.89%，是北京地区收视率最高的一档新闻直播节目。

《法治进行时》栏目 法治专题节目。1999年12月27日开播。BTV-3周一至周日12:00首播，时长30分钟。以独特的新闻视角、第一时间的现场报道、鲜活生动的案例，帮助广大观众学法、守法、用法。2007年平均收视率为7.91%，稳居北京地区收视率榜首，获得科教频道日间节目的最高收视点。

《治安播报》栏目 2007年3 月18开播。法治专题节目。播出时间：BTV-3周日12:00首播；栏目时长30分钟。《治安播报》为《法治进行时》的周末版节目，在北京电视台科教频道午间档播出。《治安播报》以《法治进行时》日播的内容为基础，并针对日播节目播出后观众的反馈意见，在原有内容基础上加以的精编，使之具有系统性和针对性，以满足观众的更多需求。2007年平均收视率为7.11%。

《大城小事》栏目 专题类节目。2007年1月4日开播。BTV-7周一至周六20:00首播；时长30分钟。“说百姓身边事，演百姓身边人”，每期一个故事，演绎发生在北京老百姓身上的家长里短、人间真情、新闻事件、警示案例，突出栏目剧的社会责任感，由短剧和主持人演播室串播构成。2007年平均收视率为2.39%。

《这里是北京》栏目 专题类节目。2004年10月1日开播。BTV-1周二22:05首播。时长50分钟。主持人用一口标准的京腔，用独特的方式探访北京的古迹民风；用独特的视角反映北京的历史、文化、名人、掌故；用幽默的语言讲述北京积淀千年的历史。2007年平均收视率为2.07%。2007年获华彩杯北京广播电视奖、北京新闻奖、全国优秀电视文化（文艺）栏目奖和中国广播影视大奖。

北京北广传媒移动电视公司

《走吧》栏目 2006年3月21日开办，时长60分钟，周一至周五7:30～08:30、17:30～18:30播出。移动电视与交管局联合推出。以交通事件为主要线索，交管局警官通过在直播间的现场讲解，与主持人和观众形成互动，指导市民出行，在看节目的同时，观众还可以通过短信等联络方式参与到节目中来。

《出行导航》栏目 交通信息。2005年12月15日开办，17:00首播，时长10分钟。移动电视与北京市交管局联合推出，每天播出4次。建立全新的交通信息发布平台，使乘客能够直观地掌握城市交通服务内容的针对性，随时提供保障老百姓安全出行的道路交通信息。获取突发事件的第一手资料、对交通事故进行详细的分析和讲解，及时发布交管局的交通预告。

《96310》栏目 深度挖掘百姓关注的、政府重视的、社会反映强烈的城管事件的生活服务类节目。“全民参与城市管理的大型互动平台”。目前，“96310”已成为北京移动电视平台制作质量最好和收视率最高的生活服务类栏目，是面对北京地区受众的最佳宣传媒体。滚动播出，每天3次。

海淀区新闻中心

《红盾时空》栏目 2006年3月开播。电视专题节目。北京电视台公共频道海淀时段，每周三20:05播出；时长15分钟。从政府、媒体和公众三者关系的互动结构出发，坚持用事实说话，维护消费者权益。获2006年度北京广播电视奖优秀栏目奖。

丰台区广播电视中心

《百姓直通车》栏目 2006年3月开播。民生新闻。北京电视台公共频道丰台时段，每周日19:30首播。时长15分钟。充分体现了民生新闻节目的特点。栏目连续荣获广电中心季度优秀栏目评比一等奖，在2007年北京新闻奖评比中，获北京市广播电视播音、主持人二等奖。

房山区广播电视中心

《三农零距离》栏目 2004年4月开播。周三19:45播出；时长15分钟。房山广电中心与房山区委宣传部、房山区农委合办。2006年被北京市农委信息中心评为最佳节目奖；获北京广播电视奖郊区电视优秀栏目奖；获中国广播电视协会全国对农电视节目专题短片评选二等奖。

《龙乡行》栏目 1989年10月开播，广播专题。周六8:30播出，时长30分钟。为优化区域发展环境，振兴龙乡经济，构建和谐房山，提供强有力的思想保证、精神动力和舆论支持。2006年获北京好新闻评比优秀栏目奖。

怀柔区广播电视中心

《行风热线》栏目 时政类。怀柔电台2005年5月9日开办，时长20分钟，每周一、三、五上午7:40在电台FM101.3中首播。是北京郊区电台中第一个时政类直播节目。由怀柔区纪检会、区监察局和区广电中心合办。区政府29个职能部门主要领导轮流上线，直接受理群众投诉。获2006年度（华彩杯）北京广播电视奖郊区优秀广播栏目奖。

三、优秀剧目介绍

北京人民广播电台

广播剧《深情》 2007年10月10日～13日北京电台文艺广播FM87.6播出，时长22分钟，4集。该剧是为纪念邓小平同志逝世十周年，北京电台文艺广播创作录制完成的。反映“文革”时期邓小平、卓琳和儿子邓朴方之间的亲情故事。展现了一代伟人邓小平同志最平凡普通的一面，同时也从微观的故事情节里折射出了平凡中最伟大的一面——父爱的情怀。作品深情厚重、平实内在、鲜活生动，充满了朴素的真情和感动。获中宣部“五个一工程”优秀广播剧奖。

广播剧《代表中国》 2007年10月14日～2007年10月16日北京电台文艺广播FM87.6播出，时长22分钟，3集。再现了刘长春在国难当头的紧要时刻背负民族重托的崇高使命感，在孤军奋战的奥运征途中代表中国的凛然正气、强烈的爱国精神以及对奥运精神的领悟和传扬。剧作充分调动了语言、音乐和音响的艺术表现手段，极具广播剧魅力。此剧是献给为开辟中国的奥运之路而竭尽忠诚、英勇奋斗建立卓越功勋的体育先驱者，同时也是向举世瞩目的2008北京奥运会献上的一份厚礼。获中宣部“五个一工程”优秀广播剧奖。

北京电视台

电视剧《金婚》 50集现实题材连续剧。2007年9月13日至30日北京电视台BTV-4播出。北京电视艺术中心、东阳市世纪星润影视文化有限公司制作。导演郑晓龙，编剧王宛平，主演张国立、蒋雯丽。故事开始于新中国热火朝天的1956年，年轻漂亮的小学数学老师文丽（蒋雯丽饰）和重型机械厂的青年标兵、技术员佟志（张国立饰）在工友大庄的婚礼上相识，后结为夫妻。他们从年轻到年老，从相知到相爱，从热恋到婚姻中的柴米油盐锅碗瓢盆，以及为人父母直至祖父母，经历漫长而坎坷的五十年婚姻路。

电视剧《真情无限——继母》 25集现实题材连续剧。2007年3月30日至4月7日北京电视台BTV-4播出。上海千午投资管理有限公司、中国人民解放军南京军区政治部电视艺术中心制作。导演金韬，主演潘虹、李小萌、杨雪。父亲50岁生日时，早年丧母的笑笑在家中意外发现父亲有了新女友。笑笑宽容地表示愿意接受苗芳做自己的继母。然而一个好端端的家却变成了没有硝烟的战场，一切亲情都化成可以利用的武器，孤立无助的笑笑为了亲情和爱情而奋力抗争。一对母女不择手段夺取亲情、爱情，最终陷入犯罪泥潭落得众叛亲离的下场。

电视剧《继父》 29集现实题材连续剧。2007年3月20日至30日北京电视台BTV-4播出。大连天歌传媒股份有限公司节目分公司、风城市宏远文化艺术有限公司制作。导演陈家林，编剧林和平，主演李幼斌、郝岩、侯天来。死了丈夫的高秀兰，领着一女三男四个孩子日子过得十分艰难，几个孩子十分调皮。秀兰与锅炉工老关头(李幼斌饰)结婚后，两人感情很深。老关头用自己的方式爱着孩子们，但却不被孩子们接受，一直到死，也没得到和解。

电视剧《爱了散了》 33集现实题材连续剧。2007年11月30日至12月11日北京电视台BTV-4播出。北京北广传媒影视公司、浙江北广影视公司制作。导演乔梁，编剧徐兵，主演殷桃、邓超、冯远征、马雅舒。本剧讲述了男主人公因丧失性能力而造成心理上的扭曲，从而引发的一场婚姻悲剧。

电视剧《新上海滩》 42集近代题材连续剧。2007年5月28日至6月10日北京电视台BTV-4播出。东阳百艺影视制作有限公司制作。 导演高希希，主演黄晓明、孙俪、李雪健。本剧改编自香港TVB经典剧集《上海滩》。

电视剧《保姆》 24集现实题材连续剧。2007年5月9日至16日北京电视台BTV-4播出。上海蓝星广告传播有限公司制作。导演刘新，编剧王丽萍，主演陶红、奚美娟。内容提要：两年前，年轻单纯的马晓慧从外省小镇来到这个城市，认识了在酒吧吹萨克斯管的张小光。一年前信誓旦旦地说要和她结婚的同居男友张小光突然反悔，说她只不过是一个帮他带孩子做家务的保姆！马晓慧无家可归了，而她的父亲魏老根却兴致勃勃赶来参加女儿的婚礼。马晓慧只好把一切瞒着老父，为了生计，不得不真的走进了保姆公司的大门。

电视剧《常回家看看》 33集现实题材连续剧。2007年5月17日至27日北京电视台BTV-4播出。东阳普通人影视制作有限公司制作。编剧高满堂，导演董志强，主演张少华、祝士彬。内容提要：母亲姚老太家有七子。她的老伴故去多年，她一个人含辛茹苦，走过风风雨雨，把七个孩子拉扯成人。如今孩子们都大了，都有了各自的生活。该剧表现了具有中国传统特色的老母亲任劳任怨的伟大母爱。

电视剧《守候幸福》 26集现实题材连续剧。2007年10月20日至28日北京电视台BTV-4播出。东阳嘉艺影业有限公司制作。导演陈燕民，编剧张人杰、刘奎绪、陈燕民，主演李丁、杨立新。该剧讲述了一个三代同堂的大家庭里发生的温暖感人的故事。在医院，老中医许中冕的老朋友周大夫告诉孩子们，他们的父亲只剩下一年左右的时间了，在这最后的时间里，老人唯一的愿望就是孩子们多回来陪陪老人。为了满足父亲的愿望，孩子们都尽量每天回来。慢慢许中冕发现，他竟然十分不了解自己的孩子们，看上去孩子们似乎个个都事业有成，可谁知每个人都有每个人的难处，谁都不容易。于是老爷子尽心尽力地用他自己的方式为孩子们办力所能及的事。大家庭的关怀让每个人都生活地更温暖。

电视剧《狼毒花》 36集近代题材连续剧。2007年6月30日至7月11日北京电视台BTV-4播出。云南润视荣光影业制作有限公司制作。导演黄文利，主演于荣光、童蕾。抗日战争时期，威震敌胆的抗日英雄常发救了险遭日寇蹂躏的梅子。梅子以身相许，常发顺水推舟。常发离开不久，梅子便追到军区寻找常发。结果常发受到了军区司令员孟长胜和新来的副政委兼地委书记甄一然的严惩。该剧讲述了主人公常发在血雨腥风的抗战年代里成长的故事。

电视剧《悲情母子》 28集现实题材连续剧。2007年3月11日至20日北京电视台BTV-4播出。东阳盛视文化传播有限公司制作。导演李二威；编剧王培公；主演江珊、靳东。儿子为了维护社会的正义和法律的尊严，将自己犯了罪的亲生母亲送上了法庭。在这期间，他经历了亲人的误解、朋友的反目、外人的白眼。母亲终于走上法庭认罪伏法。母亲在服刑时被查出患了肝癌，儿子挺身而出，把自己的肝捐给生他养他的母亲。儿子的行为，震撼了身边所有的人。

电视剧《五号特工组》 30集近代题材连续剧。2007年8月24日至9月2日北京电视台BTV-4播出。苏州慈文影视制作有限公司制作。导演赵青、虎子，编剧潘军，主演刘琳、王丽坤。"卢沟桥事变"爆发后，在战事一触即发的上海，"8.13"事变的前夜，日军驻华间谍机关发布了一道暗杀蒋介石的密令。当时日军间谍猖獗密布，由此，国民政府国防部中校参谋、中共地下党员欧阳剑平，按照地下党组织领导冯先生的指示，召集4位身怀绝技的青年志士，秘密组成"5号"特工组与日军间谍组织对抗。

电视剧《双面胶》 22集现实题材连续剧。2007年11月16日至23日北京电视台BTV-4播出。东阳中申影业有限公司制作。导演滕华涛，编剧滕华涛，主演程樯、海清、潘虹。上海姑娘丽鹃嫁给了一个大学毕业后留在上海工作的东北小伙子亚平。夫妻亲密无间，恩爱无比。但婆婆到来后，温馨的小家生活开始发生质变。婆媳之间的矛盾与日俱增，摩擦不断升级。

电视剧《女人心事》 25集现实题材连续剧。2007年11月8日至16日北京电视台BTV-4播出。北京大唐辉煌影业投资有限公司制作。编剧万方，导演刘惠宁，主演陈小艺、冯远征。该剧探询不同年代的女人在爱情亲情友情等种种情景中，面对各种困惑和选择时如何呈现自己的心事。

电视剧《爱无尽头》 21集现实题材连续剧。2007年11月23日至30日北京电视台BTV-4播出。北京中联传动影视文化有限公司制作。导演张汉杰，主演徐帆、邢岷山。该剧讲述了一个从知青岁月中走过来的女人，经历的至死不渝的无尽头的爱。

动画片《福娃奥运漫游记》 100集奥运体育系列剧，每集11分钟。北京电视台、北京卡酷动画卫视制作，卡酷动画卫视2007年8月8日首播。出品人刘爱勤、帅民，总监制张晓，总策划张强，总发行人李果、缪东，总编剧邹静之，总导演曾伟京，总制片人帅民。经北京奥组委授权，集中国特色与奥运精神为一体的原创动画巨制，总投资近5000万元，是迄今为止规模最大的以奥运吉祥物为主角的动画片。2008年第29届奥运会开幕前夕，在邻近主会场"鸟巢"的一幢居民楼里，一个叫大友的小朋友收到了爸爸妈妈的生日礼物———套奥运吉祥物"福娃"。从此，"福娃"和大友原来的"卡酷"玩具之间发生了一系列有趣的故事，生动地体现了奥运体育项目的起源与发展、规则的制定与完善以及奥运史上的经典故事。具有很强的知识性、趣味性和可视性。获"亚洲青年动漫大赛"最佳作品大奖，"金熊猫"奖国际动画作品评委会特别大奖，"金手指"奖2007年度最佳动画片大奖，第四届"金龙奖"内地及港澳台年度最佳电视动画大奖，第四届"金龙奖"内地及港澳台年度最佳人气动画图书大奖，国家广电总局2007年度全国少儿节目精品及动画精品评审优秀动画片一等奖第1名，入围德国慕尼黑PRIX JEUNESSE INTERNATIONAL 2008国际大赛.

动画片《快乐东西》第三部 60集情景喜剧片，每集10分钟。北京卡酷动画卫视、北京其欣然传播机构、北京其卡通动画制作，卡酷动画卫视2007年8月8日首播。出品人帅民、王玮，总策划袁梅，策划李楠、侯莉、王云非，编剧司徒志岚、金增辉，总导演王云非，导演刘方邈，艺术监督雪松，责任编辑曾艺、杨柳，美术指导刘佳，制片人常伟力、郭晓蕾、雪松，监制李果、袁梅。在前两部人物设定的基础上，加入小北和南瓜两个角色作为小东和小西的朋友贯穿全剧，努力调动丰富的动画手段，表现了普通百姓风趣、幽默、平和、向善的生活状态，鼓励人们在简单平实的生活中把握快乐，追求幸福。获奖情况：第一部:2006年"华彩杯"电视文艺类二等奖，第一部:2005年度全国少儿节目精品及动画精品评审优秀国产动画片二等奖，第十九届中国广播影视大奖即电视文艺星光奖 优秀电视动画节目奖，第二部：第五届北京市文学艺术奖，2005～2006年度中国广播影视大奖广播电视节目奖优秀动画节目。

动画片《秦时明月之百步飞剑》 23集玄幻武侠片，每集10分钟。北京卡酷动画卫视、杭州玄机科技信息技术有限公司制作。卡酷动画卫视2007年2月18日首播。原著温世仁，出品人帅民、高海欣，总策划杨晓枫，总制片人常伟力、沈乐平，总监制李果、史昊，顾问曹正文，编剧沈乐平，责编曾艺，执行导演吴赟，技术总监周晓明，艺术总监唐宏宁，音乐监制胡彦斌，总导演沈乐平。由北京卡酷动画卫视和杭州玄机科技联合打造，讲述了荆轲的遗腹子荆天明，跟随秦国第一剑客盖聂闯荡江湖，联手各路豪杰，反抗秦始皇暴政的故事。该片动画制作精良，场景宏大，气势磅礴，名臣良将、诸子百家先后登场亮相。片中反面角色个性十足，正面人物也有性格缺陷。在目前众多国产动画中，是今年来不多见的有深度的作品。获第20届电视文艺"星光奖"优秀电视动画节目大奖，第四届"金龙奖"年度动漫榜中榜最佳人气动画大奖.

动画片《喜羊羊与灰太狼》第二、三、四部 215集幽默喜剧片，每集22分钟。广东原创动力文化传播有限公司制作，北京卡酷动画卫视2007年1月22日首播。出品人张颖，监制刘蔓仪，编剧黄伟健、罗剑雯、郭鹏、邵浩文、吴盛强、陈毅勇，导演黄伟明。主要描述了喜羊羊和他的伙伴们与灰太狼之间斗智斗勇的故事。强调的是孩子们在看的过程中愉悦开心，淡化其教育功能，"童趣但不幼稚，启智却不教条"，不仅赢取了收视率，还赢得了孩子和家长们的喜爱。

动画片《帽儿山的鬼子兵》 18集抗日历史片，每集23分钟。黑龙江新洋科技数码公司制作，北京卡酷动画卫视2007年1月18日首播。为了纪念反法西斯战争胜利配合青少年素质教育而策划制作的国内首部抗日题材的动画系列长篇，讲述了虎子、妞妞和铁蛋三个抗联娃娃与驻扎在这里的日本鬼子之间开展的一系列斗智斗勇的较量，表现了中国人民为抗击日本侵略者而进行的不屈不挠的斗争，弘扬了中华民族的传统文化，歌颂了中国人民热爱和平，呼唤和平的美好心愿。画面设计全部采用电脑制作，制作严谨、细腻，注重细节，具有个性化的风格，已达到国际动画片的制作水平。该片播出后受到了孩子们的喜爱，收视效果良好。获2006年度国家广电总局推荐第二批优秀国产动画片。

天津市

一、频率频道介绍

天津人民广播电台

台　名	频率名称	开播时间
天津人民广播电台	新闻广播	1989年1月1日
	滨海广播	2003年5月8日
	交通广播	1994年1月1日
	经济广播	1989年1月5日
	生活广播	1999年1月15日
	文艺广播	1987年3月30日
	音乐广播	1993年4月19日
	相声广播	2006年12月27日
	小说广播	2005年11月28日
	区县联盟广播	2006年12月30日

天津电视台

台　名	频道名称	开播时间
天津电视台	卫视频道	1998年12月28日
	经济生活频道	2003年5月1日
	文化娱乐频道	2003年6月16日
	影视频道	2003年4月7日
	都市生活频道	2003年4月7日
	体育频道	2003年3月1日
	科教频道	2003年5月1日
	少儿频道	2004年6月1日
	公共频道	2005年7月18日

二、优秀节目、栏目介绍

天津人民广播台

《建言议政》栏目　新闻，2004年 1月5日开办，新闻广播每周一7:30首播，中午12:00重播，时长20分钟。栏目以“传递人大代表、政协委员声音、表达群众愿望、体现政府职责”为宗旨，把法律监督、工作监督、民主监督和舆论监督有机结合起来。让人大代表、政协委员担当节目的主角，反映群众愿望更及时，发现问题更准确，探讨问题有深度，解决问题有力度。

《新闻909》栏目　新闻类，1992年开办，新闻广播7:00～8:00首播，时长60分钟。是天津人民广播电台最重要的一档时政新闻节目，设有《天津新闻》、《多媒体摘编》栏目。同时还有《建言议政》(周一播出)、《周三办公热线》(周三播出)、《新闻你我他（精粹版)》(周日播出)等每周固定播出的栏目。节目坚定执行党的路线、方针、政策，始终坚持正确的舆论导向，及时、准确报道天津市委、市政府的重大方针、政策，把党和政府的声音传达到全市的方方面面。一直位居天津广播电视电影集团十大名牌节目之首，收听率始终位居全台各个节目前列。

《刘云热线》栏目　新闻类情感谈话节目，2001年12月5日开办，生活广播周一至周六22:00～23:00播出，时长60分钟。针对现代人在社会转型期出现的各种心理、情感、价值观的迷失，提供一个情感交流、观念碰撞、心理减压的空间，帮助人们提升精神文化素质，梳理错综复杂的矛盾纠葛，理性地选择人生方向。

天津电视台

《胡锦涛在天津看望慰问基层干部群众》节目　新闻专题，新闻部制作，2007年12月31日播出，时长10分25秒。节目第一时间报道了中共中央总书记、国家主席、中央军委主席胡锦涛在岁末年尾来津看望和慰问天津基层干部群众，将党中央、国务院、中央军委的诚挚问候和节日祝福向全国人民传递，对天津的工作提出了殷切的希望。获2007年度天津电视新闻专题一等奖。

《空客A320系列飞机天津总装线开工建设》节目　消息，都市频道2007年5月15日播出，时长1分30秒。在滨海新区纳入国家发展战略的大背景下，报道了国家扶持滨海新区启动的第一个大项目——空客A320中国总装线开工建设的重大选题。记者在第一时间独家采访时任国务委员的唐家璇同志，他分析了空客项目落户天津以后为滨海新区的航空产业乃至整个环渤海地区航空制造业发展所产生的推动和辐射作用，阐述读到精辟，信息发布权威。获2007年天津电视短新闻一等奖。

《荒野上的足球梦》节目　社教节目，体育频道2007年12月12日播出，时长14分15秒。讲述一名基层足球教练在培养青少年运动员过程中先后遇到的场地上与人员上的“荒野”，深刻揭示了中国足球后备人才匮乏的深层原因。获中国广播电视协会优秀体育电视专题一等奖。2007年天津市优秀电视社教节目一等奖。

《走过世纪》节目　社教节目，卫视频道2007年6月27日播出，时长30分钟。节目记述了第一个拿到北京永久居留证的美国人—— 86岁的美国老人寒春的故事。1945年，她是曼哈顿计划中的女科学家，参与制造了人类第一颗原子弹。1949年，她在延安的窑洞中结婚，同爱人美国人阳早一起为中国的奶牛事业默默奉献。2003年丈夫去世，寒春一个人居住在北京郊区的牛场。节目以自然朴实的形式，采取抓拍、跟拍、隐拍等纪实手段，深入报道了一个长期生活在中国农村的美国老人的真实生活。获2007年天津市优秀电视社教节目一等奖。

《男人世界》节目　2007年4月12日天津卫视频道、天津电视台科教频道播出，科教频道制作，时长35分钟。主持人王刚第一次向外界披露他的内心世界。从王刚小时候给毛主席写信到塑造应反面人物的心理压力。以及心爱的女儿的异国情恋和做父亲的情感，王刚亲情讲述，动情处潸然泪下。对自己失败的婚姻没有回避，阐述了对自己婚姻、家庭的感悟。在《男人世界》中展现了真男人性情的一面，让观众感受到一个本色王刚。节目播出后收视率较高，反响强烈。获2007年天津市优秀电视社教节目一等奖。

《我们》节目　天津卫视频道、天津电视台文化娱乐频道2007年12月21日播出，文化娱乐频道制作，时长30分钟。曾执导《大明宫词》、《橘子红了》、《红粉》的第五代导演李少红，以唯美的艺术作品和鲜明的性格风采和雄厚的艺术功底称雄影视圈。《我们》利用上下两集的人物专访形式，通过工作和生活两条线索呈现了女性导演在社会角色中叱咤风云的一面，突出表现了李少红不为人知的生活侧面。节目播出后，不仅在观众中引起反响，也得到嘉宾李少红本人的高度评价。获2007年天津市优秀社教节目一等奖。

《我们》节目采访导演李少红

《时代智商》节目 专题，天津电视台经济生活频道2007年12月30日播出，时长27分钟。开创分众传媒的江南春已一度成为当今中国年青一代自主创新、把握商机的优秀代表。他走过了从校园诗人到广告业首富的历程。把诗人的浪漫意蕴与财富人物的商业智慧很好地融合起来，访谈自然流畅，高潮迭起。获2007年天津市优秀社教节目一等奖。

《我是一个兵》节目 主题晚会，科教频道制作，卫视频道2007年8月1日播出，时长106分钟。通过各个时期杰出英雄代表的讲述，把中国人民解放军80年的风雨历程贯穿起来，历史轨迹与独特视角相结合；通过对嘉宾的访谈，捕捉真实的战斗及生活细节，忆峥嵘岁月，抒老兵情怀；穿插运用大量珍贵的历史资料画面及历史歌曲，内容丰富、形式生动。获2007年天津市优秀社教节目一等奖。

《笑傲江湖》节目 综艺节目，卫视频道2007年7月8日播出，时长72分钟。节目邀请景岗山、周晓鸥、尹相杰等明星搭档说相声，相声表演艺术家常宝华、侯耀文、师胜杰、郭德刚、石富宽等点评，使"笑傲江湖"在众多大型活动中独树一帜，形成幽默欢乐的节目气氛。节目收视率连创新高，活动冠名商在天津地区销售成绩为全国第一，实现了节目收视与市场的双赢。获2007年天津市优秀电视艺术作品一等奖。

《快乐转转转》节目 综艺节目，少儿频道2007年6月1日播出，时长50分钟。节目是一档幼儿参与的电视文艺栏目，每期均邀请来自全国各地的儿童以及演艺界明星共同参与节目。在节目中贯彻真实、平等、快乐主旨。通过三个充满悬念的环节设置，让成年人和孩子平等沟通，快乐游戏，在团结协作中体现真实情感。为现代孩子打造一个展示自我的平台，为成年人营造一个回归同年的梦想世界。获2007年天津市优秀电视艺术作品一等奖。

《平民艺术家—郭振清》节目 纪录片，科教频道2007年9月播出。本片是在纪念著名表演艺术家郭振清诞辰80周年逝世2周年之际拍摄完成的，片中以他的艺术道路为主线，以经典形象的塑造为亮点，通过近二十位与郭老合作者的讲述，表达了这位电影艺术家的艺术追求和平民情怀。获2007年天津市优秀电视艺术作品一等奖。

《爱 睁开了眼睛》节目 卫视频道2007年6月6日播出，时长30分钟。以个人的主观视角和探寻的方式纪录了主持人去西藏寻找发明藏盲文并建设西藏盲童学校的德国盲女萨布瑞亚·田贝肯的过程。运用原生态的写实纪录与蒙太奇的电影手法，客观纪录并艺术再现了萨布瑞亚和盲童们在黑暗中的生活。该片极具张力的镜头叙事和扣人心弦的情节铺陈纪录了一次心灵的对话，光明与黑暗之间的没有界限的对话。获2007年天津优秀电视艺术作品一等奖。

《天津新闻》栏目 新闻类栏目，新闻部制作，卫视频道2007年3月4日播出，时长1分22秒。记者在第一时间赶到现场，报道本市有关部门为应对风暴潮所采取的措施，为群众在较短时间内了解风暴潮的相关情况，提供便捷条件。获2007年度天津电视新闻栏目一等奖。

《民生头条》栏目 新闻类，都市频道2007年7月8日播出，时长30分钟。"汇集全国看点 聚焦民生百态"，精选全国26家省级电视台最强势的频道、最热播的新闻，以"说新闻"的方式和观众聊发生在全国各地的、与老百姓生活密切相关的大事、小事和新鲜事。囊括了老百姓最为关注的就业、社会保障、收入分配、教育、医疗、住房、安全生产、社会治安、环境保护等热点问题。角度新颖，贴近生活，艺术性强，获2007年度天津电视新闻栏目一等奖。

《都市报道60分》栏目 新闻栏目，都市频道2005年11月11日播出，时长60分钟。以"关注都市发展，关心都市民生"为节目宗旨，节目包括都市资讯、社会直击、都市热线、新闻评论、百姓纪事、外省市新闻和国际新闻等板块。获天津市广播电视学会一等奖。

《沟通》栏目 社教栏目。天津卫视频道、天津电视台都市频道2007年11月21日播出，时长35分钟。记述了一位失去双臂的女孩雷庆瑶，第十二届中国电影华表奖获奖演员，她的阳光和自信同两个空空的袖筒形成了鲜明的反差。报道了这个坚强乐观的四川女孩儿，以她的经历诠释了信念的力量，也让一首《隐形的翅膀》在观众中有了生命力。荣获2007年天津市优秀社教节目一等奖。

三、优秀剧目介绍

天津电视台

电视剧《千钧一发》 公安题材，19集，天津电视台电视剧中心制作，天津电视台卫视频道2007年12月播出。讲述了青年民警肖海亮被错误地指认为罪犯后，在巨大的人生逆境中顽强不息，锲而不舍，最终抓获了真正的罪犯，捍卫了自己和警队荣誉。该剧制作精良、故事起伏跌宕，情节紧凑、悬念迭起。发行效果很好，在全国省市级电视台播出后受到观众的欢迎。2007年同类公安题材电视剧收视排名中位于前列。市场效益和经济效益双赢。获2007年天津市优秀电视艺术作品一等奖。

电视剧《高纬度颤栗》 反腐侦破剧，30集，每集45分钟，天津津源影视公司制作，天津电视台卫视频道2007年6月播出。该剧不仅表现了新时期反腐斗争的复杂性，同时对腐败的根源进行了深入的讨论，在剖析腐败者心理变异的同时，特别提出当代普通民众在为官者腐败变质的过程中起者什么样的作用。在为高官者敲响警钟的同时，也告诫每一个人都要力所能及地监督、防止腐败的滋生。该剧塑造了以劳东林、邵长水等为代表的新时期人民警察的光辉形象。获2007年天津市优秀电视艺术作品一等奖。

河北省

一、频率频道介绍

河北人民广播电台

台 名	频率名称	开播时间
河北人民广播电台	新闻频率	2003年6月
	经济频率	1993年10月1日
	交通频率	1996年1月1日
	文艺频率	1998年12月28日
	生活频率	2004年3月1日
	少儿音乐频率	2004年12月20日
	农村频率	2006年8月28日

河北电视台

台 名	频道名称	开播时间
河北电视台	新闻综合频道	1988年底上星播出
	文化娱乐频道	2001年7月16日
	都市频道	2004年5月17日
	少儿科技频道	2004年10月18日
	公共频道	2001年7月1日
	视频点播	2004年8月8日
	农民频道	2005年5月1日

二、优秀节目、栏目介绍

河北人民广播电台

《阳光热线》栏目　新闻热线类，河北电台新闻频率2002年6月3日开办，时长30分钟。该栏目于2006年9月新开辟了子栏目“阳光回访”，加大政府职能部门针对群众反映问题解决情况的追踪力度。栏目内设：“阳光论坛”，“阳光短信”等栏目。为解决人民群众生活和工作等问题起到了积极的促进作用。2004年、2005年连续两届获中国广播电视十佳栏目后，2006年再次获中国新闻界最高奖——中国新闻名专栏奖。

山西省

一、频率频道介绍

山西广播电视总台（广播）

台 名	频率名称	开播时间
山西广播电视总台	山西新闻综合广播	2005年5月1日
	山西经济广播	1992年12月6日
	山西交通广播	1997年12月29日
	山西健康之声广播	1995年6月1日
	山西农村广播	2006年8月18日

山西广播电视总台（电视）

台 名	频道名称	开播时间
山西广播电视总台	山西卫视	1998年5月23日
	山西经济频道	2005年5月1日
	山西影视频道	2000年9月18日
	山西公共频道	2002年9月28日
	山西科教频道	2004年6月1日
	山西少儿频道	2006年3月1日
	彩民在线数字付费频道	2005年10月8日
	老年福数字付费频道	2005年10月8日

黄河电视台

台 名	频率／频道名称	开播时间
黄河电视台	国际台(教育文化频道)	2004年10月1日
	SCOLA台	1991年7月
	文艺广播	1995年4月25日
	黄河电视台（国内台）	1992年

二、优秀节目、栏目介绍

山西广播电视总台

《2007年山西春节联欢晚会》节目　山西卫视及各地面频道2007年2月16日播出，时长150分钟。结合2006年山西省发生的大事，创作了大批歌曲和曲艺节目，相声《心愿》、《风采山西》、歌曲《收获梦想》等。本台晚会最大的亮点是舞蹈的编创、服装色彩的整体运用和现场舞台美术的创新，开场歌舞《春天的祝福》、结尾歌舞《相约春天》等节目，动用300余名演员，大量使用现场道具，使晚会高潮迭起。获第十五届山西电视艺术奖一等奖、全国春晚节目优秀奖。

《白鹭与狐狸》节目　少儿频道2006年6月3日开办，节目时长10分钟。故事讲述一棵橙子树上住着白鹭一家。每天白鹭爸爸和白鹭妈妈都要到外面去找食物，留下白鹭姐弟独自在家。一只贪吃的狐狸发现了两个小家伙，可橙子树太高了，狐狸想把白鹭姐弟骗下来。起初，白鹭姐弟相信了狐狸的话。后来，它们在橙树精灵的帮助下，不但识破了狐狸的诡计，还惩罚了狐狸。故事语言浅显，却蕴藏着严肃的人生哲理，给孩子们以心灵的启迪。获第十五届山西电视艺术奖一等奖。

《影视故事会》栏目　影视频道2006年3月17日开办，每周五晚21:30播出，时长30分钟。节目主要围绕频道热播剧及影视界热点现象及人物而展开谈话。主要内容包括影视剧制作的幕后花絮，演艺人员的拍摄心得以及相关故事。特别节目《魅力平遥》获山西省第十四届电视艺术评奖文化专题类一等奖。

《摇啊摇，摇到外婆桥》栏目　少儿频道2006年4月开办。节目时长2分钟。《摇啊摇，摇到外婆桥》是一首温馨的摇篮曲。讲述了外婆对小宝宝的关爱。在宝宝的梦中，外婆化作月亮、星星、彩虹、云朵等，用无处不在的爱，轻轻地化解心中的烦恼，让宝宝有更多的勇气，更加积极地面向未来。获第十五届山西电视艺术奖一等奖。

《秋天的春风》栏目　老年福频道2007年3月～12月开办。节目时长30分钟。老年人处于人生和生命的秋天，老年福频道要像春风一样充满温暖、希望、欢乐，感染、熏陶、激励全国的老年人焕发出新的青春，这就是老年福频道的理念：秋天的春风。该宣传片的基调以绿色为主，采用实景拍摄、时空交替转换的方式，并通过黑白画面的处理，表现了老年人曾经有过的青春、活力、健康和如今积极向上、与时俱进的精神风貌。获第十五届山西电视艺术奖一等奖。

黄河电视台

《吉祥鸟》栏目　1995年4月开办，中国黄河电视台文艺广播播出。周一至周日12:00～13:00播出。《吉祥鸟》是一档传递亲情、爱情、友情、乡情的点歌直播节目，内容形式多样，互动性强，以情感为轴线，突出人文关怀和服务性，具有极强的可听性和参与性，开播至今，一直深受不同年龄不同职业听众的喜爱。获得2006年度山西文艺广播电视奖广播文艺“十佳栏目”奖。

《心情冲浪》栏目　中国黄河电视台文艺广播周一至周日17:00～19:00播出。节目时长120分钟。是一档听众参与的娱乐性直播节目，由男女双人主持。形式活泼、内容以健康幽默的各类笑话为主，通过听众短信、帖吧、信件等多种方式与听众进行互动。主要针对移动人群及下班族。此节目根据内容的需求加入了新的元素“音效”，为节目增加了新的亮点。获得2006年度山西文艺广播电视奖广播文艺“十佳栏目”奖。

太原广播电视总台

《行风热线》栏目　2003年9月19日开办，太原人民广播电台FM91.2，AM1422频率周一至周五10:10～11:00播出。时长50分钟。《行风热线》充分发挥舆论监督作用，在政府与百姓之间搭建起沟通的桥梁，切实为百姓提供了服务和帮助，成为政府和百姓的连心线。节目中每天都有相关行业的主要负责人通过热线电话直接与听众交流，接受社会监督。节目开办已近五年，保持了旺盛的生命力。2007年，节目走进社区，推出了大型户外活动“直面维权”，受到百姓好评。获山西广播电视奖、省十佳新闻栏目。

大同电视台

《特别关注》栏目　2000年7月1日开办，大同综合频道每周晚7:35分首播。节目时长40分钟。节目特别关注全市科学发展中的大事小事，老百姓生产生活中的热点难点，和谐社会进程中的焦点亮点。节目定位为浓度研讨性的新闻评论节目。表现形式为大型谈话（400m²演播厅）和新闻调查两种模式。目标为引导与监督并举。开播至今已播出385期节目，连续七年在全台节目评比中排名第一，特别是从2004年承办《政风、行风面对面》节目以来，收视率多次创下历史新高。《特别关注》节目被喻为国策落实的窗口，政府决策的参谋，民生难点的桥梁，反腐倡廉的亮剑，也被人民群众亲切称为大同的《焦点访谈》。获山西省“五个一”工程一等奖。

忻州人民广播电台

《地方风情录》栏目　2005年开办，19:35调频105.7HZ播出。节目时长25分钟。通过邀请忻州各界名流以人性化的风格，人情味的话题，讲述触动听众心灵的鲜为人知的忻州风韵风情。让听众更加详细的了解忻州的文化脉络、风土人情、创业历程、发展变化。进一步传承地域文化，激发励志热情。引起听众广泛的收听兴趣。《走进残奥冠军——王云峰》荣获山西省社教类优秀节目一等奖。

晋中电视台

《百姓故事》栏目　2002年12月开办。晋中新闻综合频道每周二晚20:30首播，周三、周五、周六重播。节目时长12分钟。“讲述百姓故事，感悟百味人生”。人文关怀是栏目的灵魂，栏目自觉地把目光更多地聚焦在最普通的晋中人身上，以一种朴素的人文情怀和平民视角，在平凡中寻找着伟大，在伟大中弘扬精神，在报道中感悟着生活，在生活中探索着人生，关切百姓情感，关注百姓生活。获山西广播电视局、山西省文化厅等七部门颁发的栏目特别奖；第二届全国城市台优秀节目奖。

吕梁电视台

《和谐人车路》栏目　2004年5月开办。新闻综合频道每天20:30播出，节目时长13分钟。本栏目以普及法律知识，提高公民交通安全意识，倡导公众遵章守法、文明出行为主要内容，集中展示吕梁市公安交警严格执法、文明服务的良好形象，该栏目对全市每周发生的交通事件、交警资讯、政策法规进行全方位的报道，轻松明快、寓教于乐，对各种交通违法或道路上的交通事故及不和谐的交通行为进行针对性的深度解析。是一档与百姓沟通互动的桥梁，也是贴近百姓生活的交通资讯栏目。2007年9月获公安部“迎奥运、讲文明、树新风”公益广告评比一等奖。

长治广播电视总台

《上党夜线》栏目　2005年3月开办，公共频道每晚7:40首播。节目时长15分钟。主要讲述“百姓身边的小事，上党夜线的大事”这是《上党夜线》的节目宗旨，以发挥舆论监督为主线，关注民情、民生，反映群众呼声。节目以说新闻的主持风格，将新闻内容和思想以个性化的语言，亲切、自然、富有交流。获全省电视栏目一等奖。

《社会大视点》栏目　1998年开办，新闻频道周三20:15播出。节目时长15分钟。该栏目是一个开办10年的品牌栏目，以“关注法制进程，直击第一现场，透视焦点热点、服务大众百姓”为宗旨，突出了舆论监督、典型案例剖析、法制教育等特色，以纪实、访谈、评论等多种运用为表现方式。获全省电视栏目一等奖。

晋城人民广播电台

《整点新闻》栏目　2004年5月19日开办，中波585千赫每天上午9点、10点、11点；下午3点、4点、5点、6点播出。节目时长5分钟。《整点新闻》以其新闻的及时性（随时更新，每个整点都有新信息）、播出的灵活性（主持人直播，记者短信登录，连线记者现场口播）和大信息量（每个整点10条以上，每天7个整点）赢得听众的喜爱，成为新闻综合广播的一档名牌栏目。获2006年山西广播电视奖“十佳栏目”。

《交广双声道》栏目　2003年2月开办。调频FM93.5MH

每天9:00～10:00播出。节目时长60分钟。《交广双声道》以交通参与者为传播对象，以交通法规，文明出行，实用信息为主要内容，普及道路交通安全法律知识，提高大众交通安全意识。《洒下一片深情》获山西广播奖一等奖；《交广双声道》栏目被评为2006年度全省“十佳栏目”。

临汾人民广播电台

《临汾市在全国率先实行农民工工伤医保“一垫三优先”政策》节目 新闻综合广播2006年10月28日播出。节目时长3分58秒。农民工工伤医保问题是全国上下各地最关心的焦点问题，临汾市劳动保障局按照国家工伤保险政策法规，推出强硬措施，在全国率先实行农民工医保“一垫三优先”政策，切实为企业农民工工伤患者铸就了一道坚实的后盾，切实解决了临汾市农民工工伤患者看病难的问题，深受广大农民工的好评。获2007年山西广播电视节目奖消息类一等奖。

临汾电视台

《正在进行》栏目 新闻综合频道2003年4月开办。节目时长13分钟。该栏目是一档以深度报道为主、以舆论监督见长的电视新闻评论性栏目。在节目管理和制作上采用制片人制。在节目形态上采用演播室主持和现场采访相结合的结构方式，使报道有着落、评论有依据，述与评相互支持、相得益彰。节目开播以来深受广大电视观众的喜爱，成为临汾电视台收视率最高的栏目之一。获山西省电视新闻“十佳栏目”。

《论理说法》栏目 新闻综合频道2003年4月开办。节目时长15分钟。该栏目依托真实的法律故事，以案讲法，生动鲜活，把枯燥的法律知识寓于传奇的故事当中，好看实用。是法律故事加专家讲解的形式，同时加入互动环节，在网站上提前发布选题，收集观众观点，在演播室用连线网友和观众的方式，让观众参与到节目的讨论中来，真正变被动接受为主动参与，使观众成为节目真正的主人，多种形式的采用使《论理说法》栏目在观众中拥有很高的可信度和知名度，成为临汾电视台一档品牌栏目。获山西省社教类“十佳栏目”。

运城市广播电视台

《第一时间》栏目 2004年10月1日开办。百姓频道每天18:30播出。节目时长30分钟。《第一时间》是一档围绕百姓生活，群众需求而开办的快节奏大板块民生新闻类节目。它以平民化的视角，关注民生，倾听民意、贴近民情，充分体现贴近实际、贴近生活、贴近群众的原则和本土化的特色。自开办以来，就深受广大观众的欢迎，在非黄金段位创造了运城市广播电视台收视率的新高，是品牌栏目之一。2007年，荣获山西广播电视奖2006年度电视新闻节目优秀栏目奖；消息《农民工包机回家过年，企业来埋单》荣获山西广播电视奖2006年度电视新闻节目短消息三等奖、《运城盐池出现奇特景观——硝淞》荣获2006年度山西新闻奖消息三等奖、山西广播电视奖2006年度电视新闻节目短消息三等奖。

运城人民广播电台

《监督热线》栏目 2001年2月22日开办。新闻综合频率（广播版）11:00播出，新闻综合频道（电视版）19:50首播，8:00、12:25重播，公共频道 12:00播出。节目时长30分钟。该节目由运城市纠风办和运城市人民广播电台联合举办。以“为党和政府分忧，替人民群众解难”为宗旨，采用直播的方式，每天邀请一个政府职能部门或重点行业的负责人与拨打热线的群众直接对话，向群众介绍本部门、本行业的职能、职责和服务承诺，重点解答群众提出的问题，接受群众的监督。在电台直播的同时录像，次日以电视版的形式播出。2007年，该栏目荣获山西广播电视奖2006年度电视优秀栏目奖。

三、优秀剧目介绍

山西广播电视总台

电视剧《亲兄热弟》 30集现实题材电视剧。制作单位：山西广播电视总台、北京御景江山影视文化有限公司等。2006年12月于各省级卫视及地面频道、山西广播电视总台等播出。编剧彭三源，导演黄力加，主演张国立、邓婕、陈建斌、刘燕军、陶红。该片展示了一个四兄弟普通家庭中四个大男人之间的小感情，小人物里的大光辉。为了给身患白血病的三弟配上骨髓，下岗的大哥与做生意的二哥找到失散多年的四弟，而这个弟弟却恰恰蹲在大牢里。《亲兄热弟》讲述了团聚后的一家四兄弟如何相处的故事。2007年5月30日获山西省第十五届电视艺术评奖一等奖，2007年8月25日第26届中国电视剧“飞天奖” 获优秀长篇电视剧三等奖。

电视剧《八路军》 25集革命历史题材电视剧。中央电视台、中共山西省委宣传部、八一电影制片厂制作。2005年8月在中央电视台、山西广播电视总台及全国多家电视台等播出。编剧王朝柱，导演宋业民、董亚春，主演唐国强、王伍福、刘劲、卢奇。这是一部以艺术的形式全面、客观、形象地反映八路军抗战史的电视作品。它以中共中央军委领导下的八路军前方指挥部在山西境内及其周边地区的活动为主，立足于华北抗战，全方位、史诗性地再现了八年抗战的辉煌历程，表现了中共共产党领导的八路军在抗日战争中发挥的中流砥柱作用，讴歌了中国人民坚强不屈、不怕牺牲、敢于胜利的伟大的民族精神。获2006年10月28日第23届中国电视金鹰奖优秀长篇电视剧奖，2006年山西省第14届电视艺术评奖特等奖，2007年5月23日山西省第七届精神文明建设“五个一工程”优秀作品奖，2007年8月25日第26届中国电视剧“飞天奖” 获优秀长篇电视剧一等奖，2007年9月5日获中宣部第十届精神文明建设“五个一工程”优秀电视剧奖。

电视剧《吕梁英雄传》 22集革命历史题材电视剧。中央电视台、中共吕梁市委、市政府、山西广播电视总台制作。2005年8月30日在中央电视台、山西广播电视总台及全国多家电视台播出。编剧梦妮等，导演何群，主演于震、林永健。1942年春，晋绥边区吕梁山康家寨的村民饱受日寇的抢掠，雷石柱、康明理、孟二楞等许多热血男儿都参加了八路军、游击队，通过康家寨民兵抗日的故事，折射出晋绥抗日根据地乃至整个中国人民八年抗战的艰苦斗争。谱写了一曲广大农民英勇反抗日本侵略者的壮烈史诗。获2006年10月28日第23届中国电视金鹰奖优秀长篇电视剧奖，2007年5月23日山西省第七届精神文明建设“五个一工程”优秀作品奖，2007年8月25日第26届中国电视剧“飞天奖”优秀长篇电视剧三等奖，2007年9月5日中宣部第十届精神文明建设“五个一工程”入选电视剧奖。

电视剧《别拿豆包不当干粮》 25集现实题材电视剧。中央电视台、北京御景江山影视文化有限公司制作。2006年1月在中央电视台、山西广播电视总台及全国多家电视台等播出。编剧成孝湜，导演丁霄汉，主演潘长江、方青卓、李琦、黄晓娟。老村长为了彻底改变郭裕村领导思想落后的顽症痼疾，毅然下马。最不想当村长的赵喜富和最想成为村长的赵发从竞选到改革，从战胜自已到战胜贫穷，在轻松爆笑的戏剧情境中演绎着不同寻常的奔小康之路。获2006年山西省第14届电视艺术评奖一等奖，2007年6月7日第三届电视剧风云盛典收视季军，2007年5月23日山西省第七届精神文明建设“五个一工程”优秀作品奖。

电视剧《乔家大院》 45集历史题材电视剧。中央电视台、北京华晟泰通传媒投资有限公司制作。2006年2月在中央电视台、山西广播电视总台及全国多家电视台等播出。编剧朱秀海，导演胡玫，主演陈建斌、蒋勤勤。清朝末年，晋商世家祁县乔家面临内忧外患，二少爷乔致庸临危受命，担当起振兴家族事业的重任。在爱情与家族事业的两难取舍中，演绎出主人公悲欢离合的爱情故事和晋商不畏艰难，勇于开拓进取的精神。2006年10月28日获第23届中国电视金鹰奖优秀长篇电视剧奖，2006年8月29日获韩国首届首尔电视节最佳长篇电视剧，2007年6月7日获第三届电视剧风云盛典收视冠军，2007年8月25日获第26届中国电视剧“飞天奖”优秀长篇电视剧一等奖，2007年9月5日获中宣部第十届精神文明建设“五个一工程”优秀电视剧奖。

电视剧《乔家大院》剧照

内蒙古自治区

一、频率频道介绍

内蒙古人民广播电台

台　名	频率名称	开播时间
内蒙古人民广播电台	汉语新闻综合广播	1950年11月1日
	新闻广播	2007年1月1日
	蒙古语广播	1950年11月1日
	交通之声广播	2003年3月1日
	音乐之声广播	1999年5月1日
	经济生活广播	2000年3月8日
	评书曲艺广播	2006年3月27日

内蒙古电视台

台　名	频道名称	开播时间
内蒙古电视台	汉语卫视频道	1997年1月1日
	蒙古语卫视频道	1997年7月1日
	新闻综合频道	2004年5月1日
	文体娱乐频道	2001年5月1日
	经济生活频道	2001年5月1日
	影视剧频道	2001年5月1日
	少儿频道	2005年1月1日

二、优秀节目、栏目介绍

通辽人民广播电台

《追忆曲艺大师—毛依罕》节目 通辽人民广播电台科尔沁之声2007年8月20日播出，时长28分45秒。为纪念毛依罕诞辰100周年，追忆曲艺大师毛依罕的人生经历及一生追求曲艺艺术以及成就和对曲艺发展的贡献。全国八省区蒙古语广播优秀节目评奖一等奖。

《“引莫入通”工程通水》节目 新闻。科尔沁之声2006年8月17日播出，时长58分钟。2006年8月17日，内蒙古通辽市“引莫入通”工程正式通水，由莫力庙水库引入西辽河的水让自1998年开始干涸的西辽河通辽段再现碧波荡漾的美景。此工程总投资2.09亿元，是通过历史上规模最大，投资最多的工程。获全国八省区蒙古语广播优秀节目评奖一等奖。

《传统艺术瑰宝—芒古斯》节目 曲艺专题。科尔沁之声2007年6月28日播出，时长28分36秒。介绍蒙古族的传统的艺术形式，朝尔乌力格尔，就是现在的乌力格尔的前身，用古老的乐曲朝尔自拉自唱的形式，说唱英雄史诗。节目目的是挖掘和传承发展蒙古族的传统艺术，为建设文化大市而做一份努力。作者徐长河。获内蒙古广播影视奖一等奖。

《遵守交通规则 珍爱生命》节目 专题。科尔沁之声2006年4月1日播出，时长14分50秒。针对中小学生交通意识的淡薄，邀请了市交警大队的警察，详细讲述了交通知识和规则，使小朋友们懂得了遵守交通规则是珍爱自己和珍爱他人生命。作者凤英。获内蒙古广播影视节目奖一等奖。

《七彩校园》栏目 青少类。2006年6月开办，AM702 FM972 每天12:00～12:20播出。面向中小学生开办的一档对象性节目，包括“校园资讯”、“校园芳草地”、“青春的旋律”等板块。内容积极向上、健康活泼、节目形式多样，对通辽地区青少年儿童的思想发展有着积极的推动作用，具有较强的社会影响力。在2007年4月召开的中国广播电视协会青少年儿童节目（广播）评优评析会上，被评为“十佳栏目”之一。

通辽电视台

《通辽突降大暴雪是利是弊各有陈说》节目 系列报道2006年4月19日20:00通辽电视台-2播出，时长11分45秒。2006年4月，通辽地区下了特大暴雪。通辽电视台记者对这场暴雪所造成的交通、电力、供暖、园林等方方面面的不利影响和对农业生产的益处进行了全方位关注和报道。面对几十年不遇的大雪，记者们敏锐地抓住各种角度进行报道，在当天新闻节目中播出，为广大市民及时准确地评述了暴雪的利弊。自治区政府新闻奖一等奖。

《金色视野》栏目 社教类。通辽电视台-1于1993年开办，每星期一期，每期二十五分钟，14年来共播出专题756部，其中10部专题片获得了全国优秀电视节目评选一、二、三等奖。60余部专题片获自治区优秀电视节目评选一、二、三等奖。该栏目以其纪事、记录、讲述的表现手法，坚持“三贴近”，坚持健康向上，唱响主旋律，受到广大群众喜爱。自治区政府新闻奖优秀栏目奖。

《索亚力》栏目 蒙古语社教文化类栏目，通辽电视台-1创办于2001年，每星期一期，每期20分钟。该栏目宗旨是挖掘、继承、发展科尔沁优秀传统文化，采取纪事、记录手法挖掘整理民间叙事民歌、乌力格尔、好来宝、史诗及朝尔、四胡艺术及为挖掘继承和发展科尔沁文化做出突出贡献的文化人。该栏目开办以来共有六件作品获国家、自治区优秀节目评选的一、二、三等奖。第十五届自治区新闻奖优秀栏目奖。

呼伦贝尔人民广播电台

小说连播《五困瓦岗寨》节目 广播文艺。中波603、短波3900、调频99.9频率2006年11月至12月播出，每讲26分钟左右，共计55讲。讲述的是隋朝末年，以程咬金、徐茂功、秦琼、罗成为代表的瓦岗军高举义旗、揭竿而起，与几十万隋军展开殊死搏斗，给隋朝腐朽统治以沉重打击。集中描写了白袍将罗成两次下山搬兵的曲折故事。情节编设巧妙，演播生动传神，引人入胜。

《雪韵诗情踏歌行》节目 文艺类。2006年2月24日中波603、短波3900、调频99.9播出，时长30分钟。该作品以宣传“银色呼伦贝尔”，赞美“银色呼伦贝尔”为创作主线，依托于“银色呼伦贝尔”征文采风活动，结合对采风团成员不同角度的采访，展现了呼伦贝尔银色美景的雄浑壮观以及神秘瑰丽的地域文化内涵。深度的挖掘了本次活动的现实意义。

辽宁省

一、频率频道介绍

辽宁人民广播电台

台　名	频率名称	开播时间
辽宁人民广播电台	新闻广播	1954年9月1日
	经济广播	1987年10月20日
	文艺广播	1982年10月1日
	交通广播	1994年5月1日
	音乐广播	1998年9月28日
	乡村广播	2006年10月29日
	故事广播	2006年10月29日
	资讯广播	2005年10月19日

辽宁电视台

台　名	频道名称	开播时间
辽宁电视台	卫星频道	1997年1月1日
	综合频道	2004年10月8日
	影视频道	2004年10月8日
	娱乐频道	2004年10月8日
	青少频道	2004年10月8日
	生活频道	2004年10月8日
	公共频道	2006年4月28日
	数字频道	2005年12月1日

二、优秀节目、栏目介绍

辽宁电视台

《北京听到了我心声》节目 卫星频道新闻节目中心制作。以2006年全国两会为背景，通过辽宁青年参与制定国家《十一五规划纲要》这一事件，反映出我国广泛发扬民主，不断推进民主化进程的重大主题。获中国广播影视大奖广播电视节目奖优秀消息。

《创新中的辽宁装备制造业》节目 卫星频道新闻节目中心制作。紧紧抓住党中央、国务院振兴东北老工业基地的历史要求，是紧跟时代脉搏创作出的一部作品。获第十七届中国新闻奖“科技好新闻”专项奖。

《黑土地》栏目 三农专题节目，每天早晨5:30～6:08播出。涵盖天气预报、农产品价格、用工信息等大量涉农资讯，把握内容丰富、实用、热闹、朴实、节奏快的整体基调。是辽宁广播电视大奖评选的“十佳栏目”。

《生活导报》栏目 2006年1月改版为一档以“民生服务”为宗旨的节目。主持人在节目直播过程中，直接接听观众的热线电话形式，解决百姓们诸多实际生活中的困难，为群众排忧解难。在2006～2007年辽宁省新闻节目评奖中曾荣获两个辽宁省新闻一等奖集体创作二等奖。

《大海热线》栏目 青少频道2006年创办，栏目致力于在政府和百姓之间架起一座和谐的桥梁，在省内几个城市举办多场以节目为主体，以公益为主题的大型观众互动活动，节目准确的定位，幽默的风格，使它在众多同类节目中脱颖而出，品牌效应同渐显现。2007年在省十佳栏目评选中获得优秀栏目奖。

沈阳电视台

《沈阳新闻》栏目 时政新闻，1979年12月1日开播。新闻频道每天18:30首播，22:00在公共社会频道重播，节目长度为24分25秒。栏目坚持“发布重大新闻、诠释最新政策、追踪焦点事件、引导公众舆论”的节目定位。近五年来，《沈阳新闻》栏目共有20多篇作品获得中国广播电视新闻奖、辽宁新闻奖、辽宁广播电视新闻奖等奖项。

《逗你乐翻天》栏目 综艺娱乐类，2007年9月开办，综合频道每周日晚间19:30开播，时长1小时。传承、发展、弘扬土生土长的二人转艺术，将各种艺术手段有机地融合在一起，演员阵容强大，并聘请了吉林省著名二人转剧作家马金萍老师和作曲家杨柏森老师撰稿编曲。将主持现场搬到农家炕头上，深受辽沈地区广大电视观众的欢迎，创下沈阳电视台自制综艺娱乐类节目的收视新高。在2007、2008年春节期间，《逗你乐翻天》特别节目分别荣获辽宁省文艺娱乐类节目一等奖、全国春晚特别节目优秀作品奖(二等奖)。目前，栏目已稳居东北地区娱乐性节目收视率排行榜之前列。

朝阳人民广播电台

《利民热线》栏目　新闻。2001年1月开办，综合、经济频率并机播出，时长20分钟。“为百姓说话，替政府分忧”，充分发挥“民生线、连心桥、服务处、监督岗”的作用，依托行政监督，引入群众监督，开展舆论监督。2007年被省记者协会评为辽宁省首届广播类名牌栏目。

朝阳电视台

《今晚关注》栏目　民生新闻，2004年3月3日开办，每晚20点播出，时长20分钟。全天24小时开通电话和短信平台，对重要热线进行录音播出，及时反馈结果。是当地党委、政府和群众关注的电视节目。2007年被辽宁省记者协会评为电视类名牌栏目。

盘锦电视台

《海韵河风》栏目　专题类。2004年6月1日开播，时长10分钟，每周新闻综合频道和都市生活频道黄金时段播出。反映盘锦地域文化，风土人情和人文历史。2007年获辽宁省名牌栏目称号。电视散文《翩然野鹤》获2006年度全国百家电视台文艺节目金奖、最佳摄像奖；电视散文《野色芦花》获2007年度全国百家电视台文艺节目二等奖、最佳撰稿奖；纪录片《乡情未了》获2006年度中国十佳纪录片提名奖。

铁岭人民广播电台

《行风热线》栏目　由铁岭市纪律检查委员会、铁岭市监察局、市政府纠风办、市民投诉中心与铁岭人民广播电台共同主办。为百姓解愁、替政府分忧，是“老百姓说话的地方”。电台直播的同时，铁岭电视台和铁岭有线网络信息传输中心利用有线电视频道同步转播，《铁岭日报》、《铁岭晚报》、《铁岭广播电视报》登载主要内容。2007年获共青团铁岭市委“青年文明号”称号，获辽宁省新闻节目名牌栏目称号。

铁岭电视台

《长镜头》栏目　新闻专题类，创办于2007年1月1日，时长10分钟。介绍铁岭的历史、文化、人物。2007年获辽宁省新闻节目名牌栏目。

《民声110》栏目　民生新闻类，创办于2007年1月1日，时长15分钟。关注百姓衣食住行，宣传党和政府的惠民政策，帮助百姓解决实际问题，同时兼有新闻监督的职能。在2007年度辽宁省首届新闻“名版名牌”栏目评比活动中，被评为全省电视类“优秀栏目”。

辽阳电台

《新闻时空》栏目　1998年创办，播出频率为中波837千赫，新闻综合频率每天7:15首播，时长15分钟。关注民生、弘扬正气、针砭时弊，解决听众热点、难点、焦点问题，营造民主、文明、和谐的氛围。为听众解决热点、难点、焦点问题3000多个，在辽阳地区的收听率一直名列榜首。是辽阳市新闻系统的重点栏目，连续八年被辽阳市委宣传部和辽阳市新闻工作者协会评为“名牌栏目”。2006年获得辽宁广播电视新闻(首届) 广播“十佳栏目”。

三、优秀剧目介绍

辽宁电视台

电视剧《喜庆农家》　26集，春节期间在央视一套黄金时间段完整播出。是辽宁“农家系列”电视剧的第二部，取材于建设社会主义新农村的大背景，紧扣时代主题，获得了较高的收视率。该剧吸取了第一部《欢乐农家》的成功经验，继续沿用轻喜剧的风格，以靠山屯万家为故事的主要发生地，通过老人再婚、民事调解、乡村消防，修建洗浴中心，改善医疗卫生条件，开乡村奥运会等农村文化建设以及农村发展等故事，展现了对美好生活的更高追求和思考，在轻松愉快中展示了已进入小康社会的新农村的喜人面貌。获第26届电视剧“飞天奖”优秀系列剧奖。

电视剧《沙家浜》　30集红色经典剧，沈阳电视台制作，2007年沈阳电视台新闻频道播出。编剧高景文，导演沈星浩，领衔主演陈道明、许晴、任程伟、刘金山，联合主演程前、方子哥、刘仲元、张成好、张志彤、刘波。常熟面临着日本侵略者炮火的轰炸，离常熟不远的水乡小镇沙家浜也危在旦夕。远方炮声隆隆，百姓群情激奋，抗日呼声高涨，为沙家浜保安大队长胡传魁张罗婚礼的阿庆嫂也不失时机地鼓动着胡传魁的抗日热情。获辽宁省“五个一”工程奖。

电视剧《错爱》　28集家庭伦理剧，沈阳电视台制作，2006年沈阳电视台新闻频道播出。编剧高满堂、于漫洋，导演陈国星，主演徐帆、王姬、冯远征。获2006年度全国电视剧风云榜收视率大奖，央视索福瑞收视率调查全年全国收视率排名第四。

吉林省

一、频率频道介绍

吉林人民广播电台

台　名	频率名称	开播时间
吉林人民广播电台	新闻综合频率	1999年4月27日
	大众生活频率	1998年6月1日
	东北亚音乐频率	1994年1月1日
	交通文艺频率	1996年10月23日
	健康娱乐频率	2001年7月1日
	广播资讯频率	2005年1月1日
	乡村广播频率	2006年12月

吉林电视台

台　名	频道名称	开播时间
吉林电视台	卫星频道	1999年5月1日
	都市频道	2001年9月3日
	生活频道	2001年9月3日
	影视频道	2001年9月3日
	乡村频道	2001年9月3日
	公共频道	2003年5月1日
	移动数字频道	2003年12月28日
	法制频道	2007年8月6日
	数字付费东北戏曲	2007年10月19日

二、优秀节目、栏目介绍

吉林人民广播电台

《华夏民族歌曲榜》栏目　文艺类。2001年2月5日开办，FM92.7周一至周五早上8点播出，时长25分钟。以展现中国民歌魅力，弘扬中华民族精神为宗旨，推介传唱已久的经典老歌，评点不断涌现的原创新作，东北亚音乐广播制作。获吉林广播文艺奖栏目一等奖、吉林省广播电视播音主持评奖二等奖、2007年度吉林省精品栏目评比优秀栏目。

《12316新农村热线》栏目　对农服务类。2000年3月1日开办，FM103.8每天12:00～13:00播出，时长60分钟。吉林人民广播电台乡村广播与省农委、省网通公司联合主办。由吉林省408位著名农业专家组成的专家团根据需要轮流做客直播节目，解答农民群众在生产、生活中遇到的政策、法律、技术、市场等方面的问题。吉林省广电局2007年度精品栏目；吉林电台2007年度十佳节目；2007年吉林电台常态节目听评获专题节目第一名；该节目主持人获全国十大爱心记者提名，吉林电台2007年度十佳节目主持人称号。

《96118省长热线》栏目　社教类。2001年6月30日开办，AM738、FM91.6（每周一期）12:00～12:30 播出，时长30分钟，由“省长热线调查”、“一周省长热线情况”、“市州链接”、“政策解读”组成。综合广播制作。中国广播影视大奖优秀栏目提名。

《全省新闻联播》栏目　新闻类。1945年11月开办，AM738 FM91.6每天18:00～18:30播出，时长30分钟。当日省内新闻集合。包括主题报道，当日新闻，“738今日谈”，省内地方电台当日新闻。吉林人民广播电台综合广播制作。第十七届中国新闻奖、广播新闻节目编排铜奖、被评为2007年度吉林省广播电视精品栏目。

吉林电视台

《吉林新闻联播》栏目　新闻。1959年开办，吉林电视台卫星频道每晚18:00分播出，时长23分钟。是吉林电视台创办最早的新闻主打栏目，新闻中心制作。多次获得中国新闻奖、中国广播电视新闻奖、吉林广播电视新闻奖、宣传吉林好新闻奖等奖项。2001年荣获中国新闻界最高奖中国新闻奖一等奖。获2007年度吉林省广播电视精品栏目，收视率和市场份额一直名列吉林卫视各档栏目前茅。

《回家》栏目　文化纪实节目。2002年9月开办，吉林电视台卫视频道、文体频道播出，时长30分钟。用回家的方式构建节目框架。数十国家级新闻媒体、学术刊物对节目进行正面报道。中宣部文艺局对该栏目进行专题调研。文体频道制作获第17届中国电视文艺“星光奖”优秀栏目奖，在2007年度吉林省广播电视精品栏目评奖中被评为精品栏目。

《守望都市》栏目　社会新闻。2001年9月3日开办，吉林电视台都市频道每晚18:00分播出，时长90分钟。历经三次扩版，开辟了早间版和午间版两个重要时段，全天三档滚动直播，成为全省每天直播时间最长的电视栏目。调查显示，6年来，《守望都市》已经潜移默化地影响了长春百姓的维权观念，当长春市民感到自己的权利受到侵犯时，有48.8%的人会首先想到去找《守望都市》。2002年5月以来荣获省级以上各类奖项12项，其中2004年度荣获全国首届百佳电视栏目；当选“创新·创意制片人2004”全国百佳栏目；获2005～2006年度中国广播影视大奖电视节目奖优秀电视栏目提名奖。获2007年度吉林省广播电视精品栏目。

长春人民广播电台

《软环境和政行风热线》栏目　新闻现场直播类，2004年8月10日开办，新闻综合频率每周三8:00～8:45分播出，时长45分钟。由长春人民广播电台与长春市软环境办公室、长春市政府纠风办联合主办。市直参评部门领导及相关人员在直播间接听热线电话，现场回答和受理听众咨询或投诉。每期节目听众热线15个左右，热线办结率达94.3%。2006年8月，在国务院纠风办召开的全国软环境和政行风热线经验交流会上，《软环境和政行风热线》做经验交流。2006年获吉林省广播社教直播节目二等奖。2007年在吉林省广播电视“品牌竞优”精品栏目评比活动中，荣获优秀栏目奖，被评为2007年度吉林省广播电视优秀栏目。

长春电视台

《旗开得胜》栏目　综艺类。2004年6月开办，每周六21:25分播出，时长70分钟。采取多元化篇章组合的方式，使节目成为百姓乐于观看且带有强烈地方色彩的本土化综艺节目。2007年在第十九届吉林省电视文艺“丹顶鹤”奖评选中，《旗开得胜》获电视文艺栏目类三等奖。

延边人民广播电台

《百姓热线》栏目　社教类。2003年2月17日开办，汉语综合频率每早7:25至7:55分播出，时长30分钟。2007年1月2日起，《百姓热线》节目设置“百名处长做客直播间”节目，邀请驻延中省直、州直单位和延吉市各单位的主要负责人“在线解答”现场办公。2003年起，连续获吉林省广播电视精品栏目奖。

通化电视台

《心桥》栏目　社教谈话节目，2002年4月开办，新闻综合频道播出，时长30分钟。通化电视台与通化市纪检委联合开办。栏目强化了新闻媒体的舆论监督作用，加强了政府职能部门与人民群众的沟通与交流。2006年在吉林省“品牌竞优”活动中被评为吉林省精品栏目。

白城人民广播电台

《生活关注》栏目 新闻专题类。1998年开办，每天6时10分、13时20分、16时50分播出，每期10分钟。把话筒伸向百姓，关注他们的喜怒哀乐，记录他们的情感经历和奋斗历程，在细小的平常事件上，折射出时代的变迁。获2007年度吉林省第七届“品牌竞优”精品栏目评比活动广播“优秀栏目奖”。

白城电视台

《乡村致富经》栏目 社教科普类。2002年6月开办，每晚18时28分播出，每期20分钟。请农业专家传授科技知识，为农民朋友搭建信息交流的平台。获2007年度吉林省第七届“品牌竞优”精品栏目评比活动电视“精品栏目奖”。同时获2006～2007年度吉林省广播电视优秀节目评比“电视社教类节目一等奖”。

松原人民广播电台

《田野风》栏目 对农节目。1997年7月开办，中波1431千赫，调频89.9兆赫播出，时长60分钟。面向三农，帮助农民了解各地的农业信息，分析市场行情，寻找致富门路，学习农业知识，掌握农业技术。获2007年度吉林省精品栏目评比优秀栏目奖。

三、优秀剧目介绍

长春人民广播电台

广播剧《“小巷总理”——谭竹青》 三集纪实广播连续剧。长春人民广播电台录制，2007年10月6日，在中央人民广播电台中国之声《喜迎党的“十七大”第十届“五个一工程”获奖广播剧展播》节目中播出。2007年春节期间，在长春人民广播电台各系列台中播出，播出频率分别为AM585、FM88.9、AM1332、FM90.0、FM96.8、AM648、FM99.6、FM106.4。编剧李立、陈敏，总导演范冰，执行导演朱俊民，录音合成韩玉德，音乐李冶，主要演员潘玲、朱俊民，监制孙彦海、范冰，总监制崔永泉。根据全国优秀党务工作者、全国优秀社区工作者、全国劳动模范谭竹青的事迹创作而成。获中宣部第十届精神文明“五个一工程”优秀作品奖。

该剧总导演长春人民广播电台副台长范冰在北京颁奖台上领奖时的情景（左起第四人）

吉林电视台

电视剧《插树岭》 24集农村题材电视连续剧，中央电视台文艺中心影视部、吉林省影视剧制作集团公司、吉林市电视台电视剧制作中心制作，中央电视台1套、吉林电视台卫视频道、吉林市电视台播出。该剧表现了农民在改革大潮冲击下离开黑土地进城打工，给农村带回新思想、新文化、新技术，一心一意奔小康的故事。全景式的演绎了东北农村特有的人文环境、多彩的地方风情，鲜明的人物性格，原汁原味的乡土语言。领衔主演程煜、丁嘉丽，编剧郁晓，导演顾晶，制片人李建平。该剧2007年9月获“五个一工程”特等奖。

电视剧《都市外乡人》 23集乡村爱情戏。中央电视台文艺中心影视部、吉林省影视剧制作集团公司、吉林市电视台电视剧制作中心制作，中央电视台1套、吉林电视台卫视频道、吉林市电视台播出。主演赵君、闫学晶、何音、杜旭东、李晶、黄曼、侯岩松、张永祥、袁媛，编剧贺恒祥，导演顾晶，制片人李建平。2007年9月获“五个一工程”优秀作品奖。

电视剧《圣水湖畔》 20集乡村轻喜剧。松原电视台、松原市庆魁影视有限公司制作，中央电视台1套、吉林电视台卫视频道、松原市电视台播出。主演高秀敏、雷恪生、邹德江、郭铁成，出品人朱彤，制片人何庆魁、高秀敏，编剧何庆魁。2007年9月获“五个一工程”优秀作品奖。

黑龙江省

一、频率频道介绍

黑龙江人民广播电台

台名	频率名称	开播时间
黑龙江人民广播电台	新闻广播	2003年1月1日
	交通广播	1993年8月28日
	生活广播	2000年4月10日
	音乐广播	2003年1月28日
	都市女性广播	2000年10月1日
	97频道	2005年1月1日
	乡村广播	2007年10月8日
	朝鲜语广播	1963年2月20日

黑龙江电视台

台名	频道名称	开播时间
黑龙江电视台	卫星频道	1997年10月6日
	文艺频道	2001年3月5日
	影视频道	2001年3月5日
	都市频道	2007年3月12日
	法制频道	2001年3月5日
	公共频道	2001年7月1日
	少儿频道	2004年12月20日

二、优秀节目、栏目介绍

黑龙江人民广播电台

《双城周家镇发生送子车坠桥特大交通事故》节目 新闻类连续报道。交通广播11月21日、11月28日、12月30日播出。时长14分41秒。送子车存在安全隐患的现象在全国较为普遍，震惊全国的11.21送子车坠桥特大交通事故发生后，黑龙江交通广播发挥交通媒体专长，最先在省内媒体中播发了连续报道共7篇，多侧面报道了事故的发生、事故处理、事故带给人的思考及探讨消除送子车安全隐患的办法，社会反响强烈。获2006年黑龙江省广播新闻奖一等奖。

《医生手术要"红包" 的哥帮忙讨"说法"》节目 新闻类。2001年3月开办，交通广播2006年3月29日播出，时长40分钟。出租车司机偶然听说乘客求医被索要红包的遭遇，非常气愤，于是通过交通广播帮助讨说法。在交通广播的努力之下，红包被退回，相关责任人受到惩治。该节目情节紧凑，跌宕起伏，具有良好的社会教育意义。获中国交宣委一等奖、省十佳新闻栏目。

《叶文有话要说》栏目 谈话类。2005年1月18日开办，都市女性广播16:30～18:00播出，时长90分钟。2007年6月26日播出的《一次爱心救援活动》节目中，成功救助了一位被男友抛弃，利用煤气自杀的怀有身孕的19岁花季少女的生命。整个节目酣畅淋漓、一气呵成，具有很强的感染力，主持人叶文面对突发事件表现得临危不乱，思路清晰，语言流畅、生动、感人，成熟，机智，果断，开创全国广播直播救援节目的先河。2007年获中国播音主持"金话筒奖"广播主持作品奖。

《数码工厂》栏目 服务类。少儿广播97频道（FM97）《数码工厂》栏目开播于2005年，播出时间每晚17点（后改为18点）。时长60分钟。据央视索福瑞调查公司提供的收听率报告显示，该栏目是同时段7家省级广播、8家市级频率中忠诚度最高的优秀少儿栏目。栏目秉承着科技改变生活、科学引导进步的方式和态度，为黑龙江省青少年健康茁壮的成长打造出了更为优良的社会、文化气息。

黑龙江电视台

《爱在北大荒》节目 社教类。2003年1月1日开办，法制频道2006年5月1日播出，时长21分40秒。知青李文魁患上了精神障碍症并被家人遗弃，农场妇女主任康金环收留了无家可归的他，并以超乎寻常的耐心和爱心照顾他，至今已有二十八年。本片主题突出，故事生动感人，人物刻画深刻。突出了北大荒人与知青们之间的一份特殊感情，展示了北大荒人炽热朴实的情怀和宽厚无私的精神。获2005年～2006年度中国广播影视大奖提名奖，2006年度黑龙江广播电视学会电视优秀专题一等奖。

《龙江韵 黔山情》节目 综艺晚会。黑龙江卫视频道、贵州电视台2007年2月15日20:00同步播出，时长127分钟。晚会以两省得天独厚、反差性强的各种丰富资源为基础，紧紧围绕大联欢、大和谐这一主题思想，用艺术的手法充分展示黑龙江、团结奋进、勇于奉献、建设家乡的精神风貌，歌颂两省人民血浓于水的感人亲情，加深南北两省的了解。2006年度中国电视文艺学术奖最佳节目奖一等奖；2006、2007年度中国广播影视大奖优秀综艺节目提名奖。

《寒夜群星》节目 纪录片。卫视频道2005年8月17日播出，时长88分15秒。记述了抗日战争时期以萧军、萧红为代表的东北作家群在哈尔滨以文艺为武器与日寇斗争的抗日事迹。

《雪乡人家》节目 纪录片。卫视频道2006年9月7日播出，时长23分。此片纪录的是雪乡这个独具特色的北方小镇上的四户普通人家在春节期间的普通生活。反映出市场经济带来思想观念、行为方式及生存状态的巨大变化，揭示了普通百姓人家自强自立、勤奋劳动，走上共同富裕道路的主题。融重大主题于普通百姓日常生活之中，详略得当，纪录真实，手法简练，画面优美，构图讲究，特别是大量原生态的生活情景的展现，使本片更具亲和力。中国广播影视大奖提名奖。

《英雄岁月》节目 文献纪录片。卫视频道2007年10月6日，时长2小时40分。为纪念世界反法西斯战争胜利60周年暨中国抗日战争胜利60周年而拍摄。反映抗日战争时期，共产国际情报组织以中国共产党员、共青团员为骨干的中国支队情报人员的英雄事迹。揭秘了这段鲜为人知的历史及这些同志不平凡的人生际遇，记录了这些优秀共产党员和民族英雄的事迹，它昭示我们不能放弃对信仰的追求，信仰永远照亮人生。获中国广播影视大奖优秀奖。

《盛世童乐——2007年十省市少儿春节晚会》节目 少儿文艺。天津、黑龙江等十省市电视台少儿频道、天津卫视2007年2月17日播出，时长90分钟。节目分两条主线，一条是以一家人过大年的为主线，老少三代通过数字电视进行点播，晚会的节目以点播的形式呈现。另一条线是十省市少儿节目主持人和孩子作为被点播的节目表演，整台晚会喜庆、热烈，充满童真、童趣，富有创意。2007年获中国广播影视大奖广播电视节目奖（第20届"星光奖"）提名奖。

《新闻联播》栏目 新闻类。1980年开办，卫视频道18:30播出，时长20分钟。是黑龙江电视台创办最早的新闻节目，是黑龙江省各界掌握方针政策、获取经济信息、关注社会热点、了解社会动态的权威渠道之一，被观众誉为全省"舆论中心"和"信息总汇"。曾获1999年度全国电视新闻节目编排年赛铜奖；2000年度中国广播电视新闻奖三等奖；2002年度中国新闻奖一等奖、中国广播电视新闻奖一等奖。

《你好，俄罗斯》栏目 对外栏目。1993年6月1日开办，卫视频道每周一7:42播出，时长20分钟。是经中央外宣办批准成立的唯一一个代表国家向俄罗斯宣传的外宣节目。在2005～2006年度中国广播影视大奖评比中获"优秀对外电视新闻"提名称号。

《新闻夜航》栏目 新闻类。1999年6月开办，卫视频道、都市频道每周一7:42播出，时长20分钟。绝大多数篇幅报道的都是老百姓的苦辣酸甜、人情冷暖。坚持"以人为本"的报道理念和"三贴近"原则，运用百姓的语言，报道百姓的故事。形式以消息为主，内容丰富多彩，包罗万象。讲求品位，有强烈的社会责任感，通俗但不低俗。2006年度中国广播影视大奖"十佳栏目奖"；2006年度中国新闻奖"新闻名专栏"称号。

《行风聚焦》栏目 新闻类。2003年1月1日开办，法制频道、公共频道2006年5月1日播出，时长21分40秒。通过舆论监督，促使有关部门倾听群众的呼声，改进自身的工作作风和服务作风，真正为老百姓解决实际困难。2006年，由栏目组制作的评论《违规售药 监管无力》获省新闻奖一等奖；消息《法院反悔　百姓没辙》获省新闻奖二等奖；连续报道《国有资产变更的背后》获省新闻奖二等奖。获2006年度全省十佳新闻栏目。

《法制在线》栏目　社教类。2001年3月5日开办，法制频道周一至周六20:15播出，时长30分钟。以真实的法律纠纷和案件为依托，对法律问题进行透彻的剖析和评点。节目注重故事性，较好的包装增强了节奏感，具有较强的可视性和教育意义。2006年观众满意度列全省各类电视节目第二名。

《先锋派》栏目　少儿类。2004年12月20日开办，少儿频道周六19:20播出，时长20分。节目着重报道学生群体中出现的新事物、新现象、新问题，抓住青少年的流行脉搏，表达孩子们自己的观点、意见，同时起到引导他们做出正确判断，和引起社会重视其中问题的作用。设《先锋调查》、《先锋速递》、《TOP情报站》三个板块。获广电总局2005年度全国少儿节目精品评选优秀少儿电视栏目二等奖。

《小天鹅房车》栏目　少儿类。2004年12月20日开办，少儿频道每周一至周五18:30播出，时长15分。针对0~8岁儿童开办的幼儿杂志性节目。节目定位为快乐、关爱、展示、帮助。节目风格活泼欢快、跳跃时尚、色彩斑斓。主持人每天“开着”时尚炫彩的房车带领小朋友们走进不同的世界，突出贴近性、知识性、趣味性、参与性，寓教于乐，充满新鲜健康的元素。《房车宝贝总决选》获省广播电视奖二等奖；栏目获广电总局2005年度全国少儿节目精品评选鼓励奖。

三、优秀剧目介绍

黑龙江人民广播电台

单本广播剧《逍遥津》　新闻广播2007年6月28日播出。两集。编剧吕卉，导演王锐，主演修忠迪、赵震。通过没落贵族钮七爷和青雨父子的经历，展现出北京城抗战时期个人命运与国家命运的悲哀紧密相连的境况。除了曲折动人的故事，京剧、放风筝、斗蛐蛐、遛鸟和机灵活现的京片子等浓郁的老北京文化气息在这部广播剧中得到了充分的体现。反复出现的京剧《逍遥津》唱腔，时而凄楚哀伤，时而激愤异常，很好地融入了人物的当时情境和心态，与故事情节相互映衬。该剧应听众要求在黑龙江电台各频率多次重播。获2007年度中国广播剧奖一等奖。

单本广播剧《月亮走 我也走》　2007年3月21日新闻广播播出，两集。编剧芦兴跃，导演李明，主演侯冰玉、尹翰羿。一对在两个相邻城市打工的年轻夫妻，仅靠公用电话和很久才有一次的团聚来抚慰相思。中秋节这天，妻子意外地得到一天假期，于是坐火车去看望丈夫，想给丈夫一个惊喜。但与此同时，丈夫也坐上火车去了妻子打工的城市。夫妻俩在两个城市之间心急如焚地奔波却未能谋面。作品就在这绵长的铁轨上缓缓上演着他们的所见、所想，他们对过往的回忆、对未来的期盼。最后，在两列相对而驶的火车上，他们在列车交叉而过的瞬间终于相会了。让听众深深地感受到了那辛酸的浪漫，带泪的欢笑，卑微的温情。获第十届“五个一工程”奖。

单本广播剧《七七的“城堡”》　新闻广播2007年3月21日播出，三集。编剧张明媛，导演姜萍，主演齐芪、钟阳。民营企业家林涣之领养了孤儿院里的小女孩七七，然而富足的经济生活并没能填补她心灵的空白。在家里七七和养父处处为“敌”，在学校她哗众取宠，叛逆、另类。林涣之对七七毫无办法。一个网名叫暴暴蓝的女研究生优诺发现了七七的问题，给七七的生活增添了一抹靓色。七七和养父林涣之之间的矛盾愈演愈烈，优诺阻拦住了要自杀的七七自杀，但绝望的七七还是选择了离家出走。此时，林涣之已患胃癌晚期。经过优诺等人的努力，病榻上的林涣之终于盼来了七七，和七七一声撕心裂肺的呼唤“爸爸”。从此以后，七七捡回丢弃的课本。获第十届“五个一工程”奖。

上海市

一、频率频道介绍

上海人民广播电台

台名	频率名称	开办时间
上海人民广播电台	新闻频率	2002年07月10日
	交通频率	2002年07月10日
	戏剧频率	2002年07月10日
	文艺频率	2002年07月10日
	体育广播	2005年02月01日

上海东方广播电台

台名	频率名称	开办时间
上海东方广播电台	都市生活频率	2003年12月25日
	新闻资讯频率	2003年12月25日
	流行音乐频率	2002年07月10日
	经典音乐频率	2003年02月03日
	第一财经	2003年07月02日
	浦江之声广播电台	2002年07月10日

上海电视台

台名	频道名称	开办时间
上海电视台	新闻综合频道	2002年01月01日
	生活时尚频道	2002年01月01日
	第一财经频道	2003年07月02日
	体育频道	2002年01月01日
	纪实频道	2002年01月01日
	电视剧频道	2002年01月01日
	上海东方卫视	2003年10月23日
	上海东方电影频道	2003年12月28日

上海东方电视台

台名	频道名称	开办时间
上海东方电视台	新闻娱乐频道	2002年01月01日
	文艺频道	2002年01月01日
	音乐频道	2002年01月01日
	戏剧频道	2002年01月01日
	东方少儿频道	2004年07月18日
	炫动卡通频道	2004年12月26日

注：开办时间为国家广电总局予以批复时间。

二、优秀节目、栏目介绍

上海人民广播电台

《为奥运喝彩》节目 奥运倒计时一周年大型直播特别节目，体育广播2007年8月8日18:00～20:00播出。体育广播北京制作中心与上海本部联动，成为唯一一家进入北京奥运会倒计时一周年活动现场天安门广场的国内地方媒体，并通过北京奥组委的协助，记者在主转播机构席位的中央位置成功与上海连线。全景式的报道展现了上海人民喜迎2008年北京奥运的精神风貌，体现出全国共迎奥运的欢乐激情。

《纪录2007——记者支教日记》节目 新闻纪录片。广播新闻中心制作，新闻频率2007年5月8日至10日9:00首播，14:00重播，共3期，每期23分钟。记者杨孟潇作为上海市新闻工作者协会女记者委员会首批派出的6名女记者之一远赴云南黄茅岭希望小学支教。节目全程记录了记者支教过程中发生的点点滴滴。播出后帮助数十名贫困学生获得上海市民的捐助。上级主管部门撰文以“丰富报道形式的有益尝试”为题对节目进行表扬，提出“采用日记形式将记者的所闻所思告诉听众，听来真实、动人”。上海市新闻工作者协会女记者委员会专门写来感谢信，对记者的突出表现表示感谢。

《笑笑乐翻天》栏目 曲艺类，2006年开办，综艺部制作，戏剧频率当日17:00首播，次日8:00重播，时长1小时。以南方滑稽独脚戏、说唱为主。前身是老牌栏目《说说唱唱》，2006年更名。栏目挖掘库存资料，加强听众互动，推出笑星说趣闻、介绍滑稽艺术家、滑稽类别讲解系列等。周末版的《滑稽档案》中嘉宾的解说和剖析，给老段子赋予了新的生命力。

《政风行风热线》栏目 新闻谈话类，2007年1月27日开办，新闻中心制作，新闻频率周六12:10～13:00播出，时长50分钟。由上海市纪委与上海市委宣传部主办，市委副书记罗世谦提出，“政风行风热线”要真正解决和处理群众反映的各类问题，对于群众的咨询和投诉举报要限时答复、尽快答复，做到有询必答、有诉必答、有查必果、有果必复。市委常委、常务副市长冯国勤走进直播室，成为第一个接听市民来电的嘉宾。

《市民与社会》栏目 新闻谈话类。1992年10月26日开办，广播新闻中心制作，新闻频率周一至周五12:10～13:00播出，时长50分钟。是上海广播史上第一个有听众电话参与的新闻谈话类节目。曾获“中国新闻名专栏”奖，并先后涌现了两位“金话筒”奖主持人、两位“全国百优节目主持人”。以“信息交流的渠道、官民对话的桥梁、公众意见的论坛”为定位，内容涉及政治、经济、文化、体育、城市建设、环境保护等社会公共事务的方方面面。上海市领导和国内的30多位省部级领导，以及时任美国总统的克林顿都曾应邀到直播室担任嘉宾。2007年，获“2006～2007上海优秀媒体品牌”称号，《市民与社会——质疑“二期课改”》节目荣获中国新闻奖一等奖。

上海东方广播电台

《101不眠时间之“香港十年，你我的大城小事”》节目 文艺类，音乐部制作，流行音乐频率2007年6月25日播出，时长30分钟。以节目创作者香港旅行的亲身感受为线索，远赴香港和美国收集了珍贵的音乐资料，结合香港乐坛代表作品，并与香港的生活、文学、电影、经济以及香港人精神联系起来制作，深入浅出。节目播出时值香港特别行政区回归祖国十周年，获得听众的热烈反响和比较理想的收听率。

《丰收的喜悦》节目 长消息。2007年10月9日浦江之声广播电台制作播出，时长3分46秒。“台湾米种”首次由台商在上海崇明岛大规模生产，成功收割。记者在收割现场采访笑得合不拢嘴的父子俩，制作了一则可听性很强的报道。“台湾米种”在上海崇明岛大规模生产收割，显示出两岸农业合作的双赢意义。报道具有很强的新闻性，也是对台湾片面报道台湾农民西进大陆创业遭受失败的及时回应。

《调控是一个渐进的过程》节目 新闻述评。2007年5月4日第一财经广播制作播出。时长7分33秒。在《财经早班车》中播出。节目主创者一直跟踪股市的走势变化，及时抓住央行第四次上调银行准备金率等调控措施出台后市场变化的蛛丝马迹，从经济学原理出发，运用辩证唯物主义方法，综合分析了市场各方的不同观点，使评论言之有物，入情入理。述评具有的前瞻性体现了专业媒体的一种责任意识。

《理财应健中》栏目 财经类，2007年1月开办，第一财经广播制作，周六下午14:00～14:30、周日上午10:00～10:30播出，时长25分钟。是第一财经唯一用上海方言播出的栏目，借助理财专家、证券人士、作家应健中先生的专长和市场影响力打造的新品牌栏目。始终关注投资者最关心的问题，为群众理性理财、理性投资提供建议。节目还邀请黄金专家、基金专家、保险专家与应健中一起就金融领域中的投资误区进行分析指导。收听率保持周播节目的前列。

《黑马竞选》栏目 直播财经信息类，2000年开办，第一财经广播制作，周一至周五9:00～10:00播出，时长60分钟。以最新鲜的财经信息为切点，引入沪上一流专家作嘉宾点评信息。同时通过热线电话与听众互动，把普通投资者比较关注的市场新动态巧妙融入“信息点评”之中。栏目以证券市场为抓手，聚焦证券市场开盘的焦点时刻，涉及财经的各个方面。在历次收听信息反馈的调查中，收听率一直在财经类节目中名列前茅。

《东方风云榜》栏目 音乐类，1993年10月开办，音乐部制作，流行音乐频率周一至周五18:30～19:00，周六10:00～11:00，周日17:00～18:00播出。第一个真正属于内地流行音乐的排行榜。坚持以公平、专业的精神支持与挖掘内地原创音乐优秀人才和作品，为推动原创乐坛的发展起到重要作用。周一至周五每天半小时的日播节目中，为听众介绍内地歌坛最新最强的原创佳作，周六上午1小时的《东方风云榜》揭榜节目则带来当周上榜歌曲的排名情况。

《星期广播音乐会》栏目 音乐类，1982年1月开办，音乐部制作，经典音乐频率周六、周日10:00～11:30，19:30～

21:00播出，时长1小时30分。是上海历史最悠久的普及音乐会品牌，始终以“传播经典音乐、弘扬先进文化”为宗旨，坚持“高质量、低票价、普及型”的定位。2007年共举办26场，涉及交响乐、爵士乐、民乐、声乐等多种类型，上海交响乐团、上海歌剧院、上海爱乐乐团、上海民乐团、上海音乐学院等乐团轮流演出。还联手上海交响乐团在武汉、重庆、成都、西安、郑州、济南、天津、沈阳、广州、南京等十座城市举办全国巡演。2007年12月16日，上海市委副书记、市长韩正悄然率领市机关60位工作人员观看演出并表示高度肯定。2007年11月，在第二届媒体品牌评选中被评为“上海市优秀媒体品牌”。12月，在国际权威古典音乐杂志《留声机》(中文版)——《人民音乐·留声机》杂志举办的2006~2007年度上海演出季的评选中以评委会全票通过荣获“最佳普及活动”奖。

上海电视台

《对话科学》节目　访谈类，2007年10月8日开办，北京东方风尚广告有限公司制作，东方卫视前三周集中播出，周一至周四21:30~22:00；之后每周1集，周四晚21:30~22:00，时长25分钟。以访问、谈话及记录的形式，呈现科学领域最尖峰人物最感动的故事，激发人们对科学理论的探索和对国计民生问题的关注。诺贝尔经济学奖得主、博弈论大师约翰·纳什和罗伯特·奥曼，两位华裔诺贝尔物理学奖获得者杨振宁、丁肇中，“两弹元勋”、中国科学院院士、著名理论物理学家周光召，中国科学院院士、中国肝胆外科奠基人吴孟超等都曾是节目的主角。是目前中国唯一一档高品质杰出科学人物访谈节目，是东方卫视在引领中国媒体价值取向上做出的一大努力，同时也是东方卫视对科学发展观的一次有益的践行、提高全民科学素养的一次尝试。在北京上海两地举行的“对话科学”论坛也取得了良好的社会反响。

《群星耀东方——庆祝香港回归十周年走进香港演唱会》节目　音乐歌舞类，大型活动部制作，东方卫视2007年7月1日播出，时长78分钟。是除央视外国内唯一一家地方电视媒体在此期间走进香港实地举办活动。节目围绕“沪港两地情”的主题，以沪港两地血脉相连的人和事为脉络串联起整台节目，营造了香港回归10周年的浓郁喜庆气氛，表达了对香港美好未来的憧憬。收视率达7.0%(AC尼尔森)，为东方卫视全年收视之冠。此次活动成为《群星耀东方》节目“围绕重大选题和宣传热点，整合节庆资源，打造大型演唱会的高收视率以及营造广泛影响力”的成功典范，也为大力推进大型演唱会的品牌化建设探索出一条可行之路。

《揭秘精锐之师》节目　系列专题片，电视新闻中心制作，东方卫视、新闻综合频道2007年7月26日~8月2日播出，每集22分钟，共8集。为纪念中国人民解放军建军80周年，由电视新闻中心与新华社解放军分社联手推出。以实地探访的形式，揭秘我军精锐部队威武之师、胜利之师、文明之师的形象。播出后深受广大观众和部队官兵的好评。解放军总政治部领导也给予高度评价，并作为礼物在“八一”期间送给出席全军英模大会的各位代表。中国人民革命军事博物馆专门收藏了该片。

《马戏学校》节目　纪录片，纪实频道制作，2007年6月6日播出，时长50分钟。上海马戏学校学员们为了参加全国比赛投入了艰苦的训练，但在巨大的压力面前，倒立组选择了放弃，飞人组最终获得了英雄般的成功。表演柔韧的一位学员正在同自己的体重搏斗，屡次退却后，以惊人的毅力完成了一次完美的表演。获第十三届上海电视节白玉兰奖纪录片评委会大奖。

《旗帜与道路》节目　电视访谈系列片，电视新闻中心制作，新闻综合频道2007年9月11日~10月5日播出，每集25分钟，共5集。系为迎接党的十七大召开，由电视新闻中心电视理论专栏《时代》特别策划推出，邀请理论专家着重解读胡锦涛总书记“6.25”讲话精神，分为《解放思想》、《改革开放》、《科学发展》、《社会和谐》、《全面小康》等5集。为迎接党的十七大召开营造了良好的舆论氛围。

《非常有戏》节目　真人秀，2007年1月开办，综艺部制作，东方卫视2007年1月12日~4月20日每周五晚黄金时段播出，时长85分钟。先后有刘晓庆、王刚、李光羲、汪明荃、罗家英、张信哲、徐帆等60多位影视明星以参赛选手或表演嘉宾的身份登场，尚长荣、袁雪芬、梅葆玖、艾世菊、傅全香、杨华生、王盘声等100多位戏曲名家参与节目当场献艺。在观众中引发了对传统戏曲的关注热潮，在戏曲圈树立了良好的口碑。实现传统与时尚、文化与娱乐、社会效益和收视率的双赢。在民族戏曲处于低潮的今天，有分寸地吸收流行元素，借助偶像的力量感召年轻观众，为今后电视戏曲类节目的制作提供了新的方案。《人民日报》、《光明日报》载文予以高度评价。

《和谐之道》节目　系列纪录片，纪实频道制作，2007年10月9日~12日播出，每集45分钟，共5集，分别是《和谐兴邦》、《执中致和》、《和衷共济》、《政通人和》和《和谐共济》。以大量事实阐述了“和谐”是人的个性发展、社会全面发展的必备条件。论证了古今中外国家和则强、社会和则安、自然和则美、生命和则康的道理。“和谐”的提出，标志着中国在经过一百年翻天覆地的大变化之后历史发展的一个拐点。世界在瞩目中国，中国人在思考中国社会的全面进步。上海市委常委、宣传部长王仲伟在《传媒集团情况专报——〈人民日报〉刊发纪录片〈和谐之道〉评论文章》上批示指出：“《和谐之道》是近年来传媒集团的又一佳作，值得表彰嘉奖，并望继续努力！”

《新闻坊》栏目　新闻专栏，2002年6月24日开办，电视新闻中心制作，新闻综合频道每天18:00播出，时长25分钟。由“城市新闻”、“市民呼声”、“生活服务信息”等板块组成。最大特色是以社区视角开展舆论监督，反映市民心声，服务市民生活，深受各界好评。2007年获第十六届上海新闻奖名专栏奖，2006~2007年度上海优秀媒体品牌。

《真情实录》栏目　情感类新闻专题，2005年3月4日开办，电视新闻中心制作，东方卫视周二20:30~21:30播出，2007年7月从周播半小时扩版为周播一小时。以“真情温暖人生”为主旨，关注普通人的情感，弘扬平凡人生中的闪光人性，每期讲述一个真情故事。一年一度以《真情实录》为基础的“真情人物”年度评选活动，面向全国评选感动人心的真情人物，大力弘扬社会主义核心价值观，已连续成功举办了四届，成为上海地区具有一定影响力和美誉度的媒体活动品牌。选送的专题片《中国“洋妈妈”》在第四届中国纪录片国际选片会上荣获“十佳纪录片奖”。

《档案》栏目 纪录片栏目。1998年2月开办，纪实频道制作，每周六20:00首播，时长24分钟。前身是东方电视台名牌栏目《星期五档案》，2002年1月起在上海电视台纪实频道播出。立足今天、重温旧事，融时事、新闻与文化为一体，以记录历史、普及历史、保存历史的真实影像资料为宗旨。栏目开办以来，先后制作并播出了系列专题片《老电影，老上海》、《百年商海》、《民国遗案》、《谍战揭秘》等。2007年获首届“纪录中国”金牌纪录片栏目称号。

《经济观察》栏目 专题，2002年1月开办，第一财经频道制作，周四22:00播出，时长25分钟。“经济眼光看事件”。坚持以独特的视角关注社会生活中的经济热点，以敏锐的新闻眼光和权威评述，深入报道经济事件，透彻分析经济现象。对国内外发生的许多重大经济事件和人们普遍关注的经济热点进行深入报道。2006年《被高价“淹没”的经典廉价药》节目获得中国新闻奖三等奖、上海新闻奖一等奖。

《可凡倾听》栏目 谈话类。2004年2月开办，综艺部制作，东方卫视周二21:30～22:00播出，时长30分钟。由上海著名节目主持人、全国十佳电视节目主持人、“金话筒”奖获得者曹可凡担任主持。致力于弘扬人文精神，追求高尚的文化品格、品位、品质，寻求雅俗共赏的平衡点，力求访问者和被访者心灵和良知的交流。将精英式知性解读与电视的大众化传媒有机结合。被评为全国优秀电视文艺（文化）栏目；2006－2007年度上海优秀媒体品牌；中国广播影视大奖“优秀电视文艺栏目”奖；主持人曹可凡荣获“第五届全国德艺双馨电视艺术工作者”称号。

上海东方电视台

《相约星期六》栏目 综艺，1998年1月开办，综艺部制作，娱乐频道周六19:15播出，时长80分钟。内地最早的电视婚恋节目，“张扬真实的情感 构建和谐的生活”，为广大单身人群提供一个寻找爱情的平台，同时又充分体现了父母与子女间、兄弟姐妹间的亲情之爱、朋友之情。引导青年人建立正确的人生观、价值观、婚恋观，倡导和谐的爱情新风尚，收看《相约星期六》已经成为许多上海市民周末休闲娱乐的重要方式。根据AC尼尔森的统计显示，十年来节目的平均收视率高达8%，始终位于上海综艺节目的第一名。2006年度大改版后年平均收视率达到8.6%，受众覆盖了上海、江浙地区，约有一亿三千万。节目还远销至加拿大等北美国家。

《欢乐蹦蹦跳》栏目 幼儿娱乐节目，1996年6月开办，哈哈少儿频道制作，每天19:00～19:30播出，时长24分钟。以3～6岁儿童为主体，曾多次获全国性的大奖，是上海少儿节目中的旗舰栏目。节目培养勇敢、自信、善于表达的健康宝宝，在娱乐的同时帮助孩子健康成长。2006年度全国少儿节目精品和国产动画精品“优秀少儿电视栏目”二等奖；上海持续播出时间跨度最长的少儿节目，也是中国本土最具品牌价值的少儿节目之一。

江苏省

一、频率频道介绍

江苏省广播电视总台（广播）

台 名	频率名称	开播时间
江苏省广播电视总台	新闻事业部江苏新闻综合广播	1953年1月1日
	新闻事业部江苏新闻广播	2007年9月1日
	新闻事业部 金陵之声广播电台短波 金陵之声广播电台调频	 1986年11月12日 2007年9月10日
	交通事业部——江苏交通广播网	2001年7月21日
	音乐事业部音乐广播	1994年5月23日
	音乐事业部经典流行音乐广播	2007年9月1日
	生活事业部江苏健康广播	2004年3月26日
	生活事业部江苏财经广播	1992年5月4日
	文艺事业部文艺广播	1993年5月23日
	文艺事业部故事广播	2007年9月1日

江苏省广播电视总台（电视）

台 名	频道名称	开播时间
江苏省广播电视总台	卫视频道	1997年12月28日
	城市频道	2001年9月30日
	综艺频道	1994年12月28日
	影视频道	2001年6月28日
	公共频道	2001年7月1日
	体育频道	2004年5月18日
	国际频道	2004年9月30日
	少儿频道	2004年9月30日
	靓妆频道	2003年11月1日
	幼儿教育	2005年5月28日
	英语学习	2005年5月28日
	财富天下	2005年5月28日

二、优秀节目、栏目介绍

江苏省广播电视总台（广播）

广播传媒衷心喜迎十七大三大新闻行动节目 2007年6月至9月，江苏电台联合中央人民广播电台、中国江苏网、江苏广电网等连续推出了三大新闻行动——《到江苏，看小康》、《苏北崛起》和《苏中新跨越》。记者跨越江苏全境数千公里，苏南苏中苏北各市县的主要党政领导先后接受了联合采访组的采访，江苏卫视、江苏城市频道、《新华日报》、《扬子晚报》、《金陵晚报》、《现代快报》、《南京晨报》、新浪网、新华网、人民网都对本次活动予以了密切关注和报道。

《新闻早高峰》栏目 江苏新闻广播FM93.7早间推出，时长一个半小时。在播出海量信息的同时，注重新闻背景的深度解析。通过现场连线等方式诠释新闻。节目从2007年初开播后，收听率不断攀升，现已稳居南京500个节目收听率的前20位，并受到业内专家的高度评价。

《嘀嘀叭叭早上好》栏目　江苏交广网广告价格最高、品牌广告吸纳率最高、广告创收最多的娱乐类节目，已连续六年荣获江苏广播十大名牌栏目。主持人磊磊娜娜连续3年获得江苏省广播电视总台十佳主持人称号。

《投诉现场》栏目　消费维权节目，2005年推出，2007年加入江苏新闻广播，立足南京一小时都市圈，以关注消费维权、倡导理性消费、共建和谐社会为己任，致力于打造成相关维权部门的信息发布窗口、消费者的维权后盾和交流平台。荣获2006年度江苏广播十大名牌栏目，江苏广电总台现场直播类节目一等奖。

《锦绣江苏》栏目　金陵之声（短波5860/调频997）创办，2006年10月开播，并落地美国洛杉矶洛城中文台AM1370，以访谈为主要方式，通过嘉宾讲述展现江苏发生的经济文化事件以及现代江苏人的生活方式和精神面貌。在洛杉矶华人听众以及其他通过短波收听的华人听众中产生很大影响，和上百名在洛杉矶当地的华人听众建立了良好的交流关系。获江苏广电总台（2007年度）优秀栏目二等奖。

《江苏新闻联播》栏目　江苏新闻综合广播的主打新闻节目，是江苏省委宣传部重点监管的新闻节目，是党和政府喉舌，始终站在时代的前列，牢牢把握正确的舆论导向，为全省上下践行"三个代表"、推进"三个文明"、实现"两个率先"、构建和谐社会的伟大实践服务，唱响主旋律、唱准主旋律、唱好主旋律，真正做到"《江苏新闻联播》，江苏新闻，权威报道"。同时，注重"三贴近"，以独特的视角关注民生，成为百姓喜闻乐听的一档纯新闻节目。

《直播南京》栏目　江苏新闻广播FM93.7与江苏城市频道联办，立足本土、关注民生，着力从宏观和微观角度深入反映社会生活的方方面面，并以丰盛资讯、新颖编排、巧妙串联和睿智点评赢得受众的关注和喜爱。稳居南京同时段收听率的前两名。曾荣获"中国十大广播新闻节目"称号，五度蝉联"江苏广播十大名优节目"，从2004年起三度蝉联江苏广播新闻节目一等奖。主播美文以其具有亲和力和感染力的声音、知性大器的播音风格、时尚新锐的解读表达，在全国同行中脱颖而出，2007年度荣获"金话筒奖"广播播音作品奖。

《政风热线》栏目　江苏省纪委、省委宣传部、省监察厅、省政府纠风办、江苏广电总台联合举办，江苏新闻综合广播制作。倾听群众呼声，接受人民监督；加强政风建设，构建和谐江苏，在党和政府与人民群众之间架起沟通的桥梁，将机关作风的转变落实在为群众办实事、解决群众关心的问题、维护群众利益上。三年来厅局长200多人次走进直播室，受理群众各类投诉与咨询21800多件次，办结率90%以上。荣获2004年度江苏广播十大优秀节目，2005年度、2006年度十大名牌节目。

《交广双声道》栏目　江苏交广网专业交通投诉节目。五年多来成功解决近万件听众投诉，让节目拥有了广泛的社会影响力、美誉度以及良好的收听率，更成为全省司机的精神家园。2005年度、2006年度连续入选江苏广播"十大名牌"节目，获江苏省政府新闻奖一等奖一次、二三等奖多次。

《梨园漫步》栏目　江苏文艺广播一档综合性戏曲类大板块直播节目，每天14:00～16:00播出，是江苏最有影响力的戏曲节目。2005、2006和2007年连续三年入选"江苏十大优秀广播节目"，收听率在南京上空同时段所有广播节目中始终位于前五名。以戏曲节目为载体，以节目的互动性、娱乐性、欣赏性使戏曲节目"通俗化"、"平民化"，培养大家对戏曲艺术的兴趣。举办了"戏曲文化进社区"系列活动，丰富社区居民的业余文化生活，中央电视台曾经专门做过报道。

江苏省广播电视总台（电视）

《用爱架起希望之桥——怒江建桥行动》节目　2007年8月，江苏广电总台新闻中心《1860新闻眼》派出记者两赴怒江大峡谷，记录下了那里的孩子飞索求学的震撼一幕。随后，为怒江孩子建桥的行动在全国展开，短短一个月就募集到资金150多万元。2007年10月12日，第一座爱心桥破土动工。2008年3月12日，第一座爱心桥正式竣工，第二座、第三座桥的选址也随即展开。这次爱心公益活动体现了媒体的社会责任感，并荣获"江苏省第十一届精神文明建设新人新事奖"。

《第二届"铁鸽三项"信鸽公棚大奖赛》节目　江苏广电总台体育频道于2006年发起创办。2007年共接到来自全球各地鸽友的4300羽赛鸽，参赛人数及参赛鸽子的羽数均超过第一届。11月25日，"铁鸽"500公里决赛日，赛鸽健儿迎着浓雾在泰安腾空起飞，打破常规挑战赛鸽极限。2008年1月5日，冠军鸽创当年全国拍卖最高价格，以20万元人民币成交，全场拍卖成交总额突破120万元。大奖赛仅2年就打造成一个知名活动品牌。

《彭雪枫将军》节目　四集文献纪录片《彭雪枫将军》包括《志在红军》、《文武英才》、《受命中原》、《泽被长淮》四个部分，总片长共3时10分，由中共江苏省委党史工作办公室，安徽省新四军研究会，河南省南阳市委、市政府，河南省商丘市委、市政府，北京新四军暨华中抗日根据地研究会联合承制；中共中央党史研究室、江苏省广播电视总台联合摄制。2007年9月9日至12日中央电视台军事频道每晚8时播出；江苏广播电视总台卫视频道、河南商丘电视台也相继播出。

《昆曲六百年》节目　纪录片。诞生于明朝嘉靖年间的昆曲至今已有六百多年历史，被誉为世界戏剧的三大源头之一，中国戏曲的"百戏之祖"。江苏省广播电视总台、中央电视台、苏州市委宣传部、昆山市人民政府联合摄制的8集电视纪录片《昆曲六百年》以再现、纪实、动画等影像手段勾勒高雅经典的昆曲与沧海桑田的昆曲史，还原其历史与现实的真实处境。2007年5月在央视新闻频道、2007年9月央视十套播出，2007年4月28日江苏省广播电视总台城市频道、国际频道播出。

《早安江苏》栏目　是江苏省广播电视总台2007年1月1日推出的江苏地区唯一一档时长60分钟的全省性晨间大型新闻资讯直播节目。每天早上7:00～8:00在江苏城市频道直播，8:00～9:00在江苏财经频道复播，是目前南京地区同时段收视率最高的新闻节目。是一档真正意义上的“晨间节目”，昨夜今晨刚刚发生或正在发生，今天将要发生的新闻资讯的容量占到整个节目容量的80%以上。核心子板块有《今日早知道》、《昨夜今晨》、《财经晨讯》、《早报早点》等。

《江苏新时空》栏目　江苏卫视频道新闻主打栏目，是江苏重大时政新闻发布的权威窗口。充分体现新闻性、政策性、指导性、权威性，真正发挥“权威发布、信息管家、意见领袖”的主渠道功能。近年来，围绕不断提升影响力、美誉度进行了各种改革。2007年，《江苏新时空》再次获得江苏省“十大名牌栏目”奖项。这是自2003年起，该栏目连续第五年获得这一荣誉。

《1860新闻眼》栏目　是江苏广电总台新闻中心自办的一个民生类新闻节目，每晚17:45～18:30在江苏卫视频道播出，节目时长45分钟。始创于2003年10月28日。强化“情感新闻”的特色定位，推出“情感援助”、“情感新闻联播”、“情感访谈”等固定板块，坚持走全国路线。四年来，节目在全国省级卫视同时段收视率的排名位列前三，多次摘取“中国新闻奖”，并先后获得“中国电视十大名栏目”、“中国优秀原创电视栏目20佳”、“全国青年文明号”等多项殊荣。

《人间》栏目　是江苏广播电视总台卫视频道2007年3月5日推出的事件类栏目，每周一至周五晚间21:30～22:30在江苏卫视播出。在卫视频道原有的“情感地带”栏目群的基础上整合、创新而成，节目核心是呈现一个有悬念，有戏剧冲突，正在发生的情感故事。据央视索福瑞调查显示，节目开播第一周就成为全国所有卫视频道的同时段、同类节目的收视率第一，播出三周后更是持续成为全国所有频道(含央视)的同时段年度累计第一名。2007年有7期节目名列全国卫视收视周排行榜第一，平均收视率为1.2%。

《南京零距离》栏目　直播民生新闻资讯类。江苏广播电视总台城市频道2002年元旦推出，每晚18:50～19:50播出，时长60分钟，开创了全国电视民生新闻之先河。2007年，栏目加大了深度报道、调查类报道力度，着力打造现场出镜记者的个性风格；更多涉足重大时政新闻的宣传报道；同时与网站、广播频率逐步实现新闻资源多媒体多渠道同步发布和互动。被福布斯、史坦国际联合评为“中国最具投资价值媒体”。2007年先后获得中国广播影视“TV地标”全国省级地面频道综合实力十强、史坦国际第3届中国最具投资价值媒体，2007创新中国电视大奖年度最具影响力省级频道；2007创新中国电视大奖年度民生新闻节目；省新闻工作者协会颁发的江苏省新闻工作先进集体等荣誉。

《绝对现场》栏目　江苏城市频道2003年7月7日创办，是全国首个大量采用演播室—SNG卫星现场连线直播形式的日播类新闻栏目，每天17:50～18:50播出。将SNG连线作为一种常态播出，首次打破了非得重大事件才出SNG这个的固有观念，第一时间反映真实现场，彰显电视媒体的魅力。同时也锻炼了一批视角独特的导播、切换、现场制片、出镜记者。《绝对现场》与《南京零距离》共同构成江苏地区收视最高、品牌价值最高的2小时的新闻板块。

《非常周末》栏目　综合游艺类娱乐节目，江苏综艺频道1998年8月开播，每周六晚8点半播出，曾创造过42.6%收视纪录，多次获省以上各类奖项。2007年该节目打通原有板块，以小宝贝为主要线索贯串始终，新开辟“宝贝搜索线”、“大小逗一逗”等板块。栏目九周年期间，全省主要城市开展了小宝贝选拔活动，引起较大反响。2007年全年平均收视比上年有较大幅度提高，其中：索福瑞(CSM) 省网年平均收视达4.93；索福瑞(CSM) 市网年平均收视达4.80；尼尔森(AGM) 市网年平均收视达6.77。

《赛事周末大“屏”点》栏目　江苏体育休闲频道在其前身《体坛闲言录》基础上衍变而来。2007年主创人员依据最新电视触摸屏技术和网站资源，运用娱乐元素重新塑造体育素材，赋予体育节目全新形态。收视率升至同时段节目的最前列，并荣获2007年度“中国广播电视协会电视体育节目奖”栏目类二等奖。

《好朋友》栏目　江苏少儿频道以本省广大少年儿童为主要对象的少儿栏目，一周五档。主持人林颖在全国首创了主持人加手偶（嘟嘟蛙）的主持方式。在节目中，聪明伶俐的林子姐姐和帅气可爱的嘟嘟蛙一问一答，轻松幽默，亲和力强，把孩子们由一般的节目参与者提升为节目的主体。栏目获第五届江苏广播电视“十大优秀专栏”、2007年江苏省电视社教少儿节目一等奖、“2007全国优秀少儿电视栏目二等奖”等。

《动画天地》栏目　是江苏少儿频道晚间主打的一个精品动画栏目，一周七档，每档120分钟，收视始终稳居江苏地区同时段和同类节目第一，在目标观众中占有绝对市场，为江苏少儿频道赢得了“江苏第一动画频道”的美誉；2007年，《动画天地》被国家广电总局评为全国“优秀国产动画栏目”一等奖。

三、优秀剧目介绍

江苏电视台

电视剧《孝子》　江苏卫视2007年2月1日～2月15日播出。《孝子》选择了这样一个既平凡但却一直被影视剧忽视的切入角度，通过一家四个兄弟姐妹为父母养老送终的全过程，展现了中国人对亲情的重视，以及在这个过程中所经历的所有困难、争执、悲伤和爱。编剧薛晓路，导演杨克，主要演员严敏求、陈瑾、于和伟。获全国“五个一”工程奖，在全国35城市收视率0.51。

电视剧《孝子》剧照

浙江省

频率频道介绍

浙江人民广播电台

台　名	频道名称	开播时间
浙江人民广播电台	新闻综合频率	1949年
	经济频率	1989年
	文艺频率	1992年
	交通之声	1998年
	音乐调频	2001年
	城市之声	1998年(2003年改呼号)
	旅游之声	2003年

浙江电视台

台　名	频道名称	开播时间
浙江电视台	新闻综合频道	1960年
	钱江都市频道	1993年
	经济生活频道	2001年
	教育科技频道	2001年
	影视文化频道	2001年
	民生休闲频道	2001年(2005年改为现呼号)
	公共、新农村频道	2002年(2006年改为现呼号)
	少儿频道	2004年
	《留学世界》付费频道	2004年
	国际频道	2006年

安徽省

一、频率频道介绍

安徽人民广播电台

台　名	频率名称	开播时间
安徽人民广播电台	新闻综合广播	1952年6月
	经济广播	1994年1月
	音乐广播	1999年3月
	生活广播	2002年5月
	交通广播	2004年1月
	农村广播	2005年7月
	小说评书广播	2007年9月8日

安徽电视台

台　名	频道名称	开播时间
安徽电视台	新闻综合频道 (安徽卫视)	1960年9月30日开播 1997年10月6日上星
	影视频道	1993年12月1日
	经济生活频道	2001年7月1日
	文体频道	2001年7月1日
	科教频道	2003年12月29日
	公共频道	2002年7月1日
	安徽移动电视频道	2005年5月25日
	"人物"数字付费频道	2006年12月20日
	"家家购物"数字付费频道	2004年11月28日

二、优秀节目、栏目介绍

安徽人民广播电台

《只留清香在人间》节目　新闻纪实类。新闻综合广播2006年3月31日、4月1日、4月2日播出，时长14分58秒。刑警李庆为侦破案件，连续奋战四个昼夜，因劳累过度不幸牺牲。他在平凡的岗位上做出了不平凡的业绩，实践了"立警为公、执法为民"的宗旨，具有很强的典型性和时代意义。整篇报道饱含深情、叙述清楚、自然流畅，可听性和感染力较强。获2006年度全国社会治安综合治理优秀新闻作品奖一等奖。

《八年金牌梦多哈终得圆》节目　新闻类。2006年12月12日经济广播播出，时长11分08秒。2006年多哈亚运会的皮艇比赛中，李臻为安徽体育获得八年来亚运第一金。安徽人民广播电台记者现场解说了比赛，并在赛后第一时间对运动员、主教练及我省体育局官员做了现场采访。获2006年度"安徽新闻奖"一等奖。

《农村商品流通改革在安徽》节目　新闻类。2006年12月28日新闻综合广播播出，时长15分钟。2005年6月，商务部将安徽确定为"全国农村商品流通改革和市场建设首个试点省"。记者进行了长达一年的跟踪采访，掌握了大量第一手资料，真实记录了安徽省试点工作的现状和成效，并对出现的问题也进行了如实的反映。商务部门认为，稿件有说服力，对试点工作在安徽省的顺利实施起到了积极的促进作用。获2006年度"安徽新闻奖"一等奖。

《谁动了农民的补贴卡？》节目　社教类。2006年6月20日农村广播播出，时长10分16秒。安徽省实行了"涉农补贴"一卡式发放模式。然而六安市金安区孙岗镇的很多农户却没领到一分钱资金。记者发现孙岗镇财政所强行从涉农补贴卡里扣除了所谓的水费和"一事一议"费，严重违反了国家惠农政策，侵害了农民的利益。节目播出后引起很大的社会反响。获2006年度"安徽新闻奖"一等奖。

《梦笔绘就和谐景》节目　新闻类。新闻综合广播2006年12月12日播出，时长10分钟。黄山坚持"保护第一"的原则，协调山与人的关系、景区内与景区外的关系，营造出人与自然和谐相处的氛围，实现了黄山旅游的可持续发展。本篇报道从科技保护、人文保护的独特视角，用真实事例诉说保护黄山的故事。获2006年度"安徽新闻奖"一等奖。

《金色田园》栏目　专题类。2000年开办，新闻综合广播每天12:35播出，时长50分钟，是一档为"三农"服务的直播节目，节目强化服务内容的实用性和普遍性，充分发挥广播的互动优势，积极开展公益活动，受到广大农民听众的热烈欢迎和好评。获2006年度中国广播影视大奖，广播电视节目奖优秀广播栏目。

《新闻瞭望》栏目　新闻评论类。1995年6月1日开办，新闻综合广播每天7:25播出，时长10分钟。以深度报道和舆论监督类报道为主，服从和服务于党的中心工作，贴近实际、贴近生活、贴近群众为宗旨，把新闻的客观性和评论的说理性有机结合，节目内容导向鲜明、思想深刻、生动及时。获2006年度"安徽广播奖'优秀栏目奖'"。

《文艺你我他》栏目 综艺类。2004年1月开办。新闻综合广播周一至周五 16:00播出，时长40分钟。节目集新闻性、欣赏性、娱乐性和互动性于一体。涵盖多种艺术形式，包括音乐、文学、影视、曲艺等，以多种文艺形式愉悦听众身心。获2006年度“安徽广播奖‘优秀栏目奖’”。

安徽电视台

《精彩中国——江山如此多娇——安徽黄山篇》节目 新闻直播类。2006年5月1日中央电视台新闻频道播出，时长60分钟。第一次用直播的方式，全面、深入地展示一座山及其文化内涵。采用“演播室＋现场活动＋短片”的架构，向观众介绍了黄山的自然风光。2006年度中国新闻奖新闻现场直播铜奖。

《独臂英雄丁晓兵》节目 系列新闻报道。安徽卫视《安徽新闻联播》2006年1月2日播出，3集。从主人公众多闪光事迹中精心选材，注重运用细微之处打动人心，如塞在腰间的断臂、抗洪大堤上飘荡的空袖管、沾满蚊子血的墙壁等细节撼人心魄、感动中国。从做官、做人、信念三个角度刻画出英雄可信可亲、可敬可学的光辉形象。播出后在社会上引起强烈反响，掀起了全国范围的丁晓兵学习热潮。获2006年度中国新闻奖三等奖、安徽新闻奖一等奖、安徽电视新闻奖一等奖。

《安徽新闻联播》栏目 新闻类。1960年开办，卫星频道每天18:30播出，时长20分钟。每年在全省及全国新闻评奖中，栏目获奖数量与质量在各类新闻栏目中均名列前茅。2007年11月，栏目组被中共中央宣传部、中华人民共和国人事部、国务院新闻办公室、国家广播电影电视总局、中华人民共和国新闻出版总署、中华全国新闻工作者协会等六部门授予“2007年全国新闻工作先进集体”称号；《安徽新闻联播》播音岗被全国妇联授予“巾帼文明岗”称号。

《新安夜空》栏目 新闻类。2006年9月开办，卫星频道每天22:30播出，时长15分钟。由新闻板块和专题板块两部分组成。资讯板块在2006年9月开播到当年12月短短三个月时间内即有两篇新闻获得安徽新闻奖一等奖。

《家人》栏目 谈话类。2000年7月开办，经济生活频道每周日21:40播出，时长25分钟。节目运用多种电视手段，充分调动嘉宾谈话的情绪和状态，呈现出一个个跌宕起伏，真情实感的故事。国家广电总局《收听收看》多次对节目坚持健康的主题，用高尚情趣引导观众的做法给予充分肯定。还被国家广电总局指定为安徽电视台“思想道德建设类固定节目”。连续六年获得安徽广播电视新闻奖，两次获得“安徽新闻奖”。同时，被评为安徽广播电视新闻奖十佳栏目。

《剧风行动》栏目 综艺类。2005年3月开办，卫星频道每周六21:36播出，时长80分钟。作为中国第一档围绕着电视剧展开的综艺节目，定位于“以剧为本，时尚娱乐”，抓住了电视剧收视热点，节目围绕电视剧明星以及时尚娱乐人物进行了一系列有创意的访问和互动，迅速成长为全国具影响力的品牌综艺节目。2007年度，《剧风行动》获得中国电视艺术家协会颁发的优秀作品奖，获得腾讯“星光大典”最佳综艺节目的第三名。

《第一时间》栏目 新闻资讯服务类。2003年7月开办，经济生活频道每天18:30播出，时长60分钟。是目前安徽省内规模最大、最具影响力、最具公信力、社会效益和经济效益均取得突出成果的栏目，每天以最快的报道、最新的资讯、最真诚的服务，向全省观众提供海量的新闻服务资讯。连续4次荣获“安徽省十佳新闻栏目”称号，被安徽省委宣传部授予“第二届全省新闻名栏目”称号。

《案件调查》栏目 法制类。2001年1月开办，经济生活频道周一至周六12:30播出，时长15分钟。聚焦安徽本土重大法制事件和典型案件，致力于关注平常百姓的法律境遇、情感纠葛和命运变迁，以生动丰富的内容特色和鲜活互动的表现形式普及法律知识，树立法治观念，弘扬法治精神，为地方法制建设贡献力量。2007年电视专题《百日噩梦》获安徽新闻奖一等奖，安徽广播电视新闻奖一等奖。

合肥人民广播电台

《魂牵梦绕军人魂》节目 音乐类。文艺广播2006年8月1日播出。介绍了总政歌舞团一级编剧、安徽籍著名词作家贺东久和他的音乐，解读当今时代的军人魂，反映当代军人丰富的内心世界。获2006年度安徽广播文艺奖一等奖。

《童话亮晶晶——经典童话的现代启示》节目 故事类。故事广播2006年5月28日播出。以3～6岁儿童为主要收听人群，引导孩子去发现故事当中蕴涵的道理。节目语言浅显易懂，符合儿童的年龄特点。获安徽广播新闻奖一等奖。

《交广早班车》栏目 新闻类。2001年3月开办，交通广播每日7:00～8:00播出，时长60分钟。2006年改版，除最新国内、国际、交通及文体消息外，还加入本省本市的一些社会新闻和当前及时的路况信息。获2006年度安徽省十佳名牌栏目。

《教育在线》栏目 社教类。2002年5月开办，新闻综合广播每日13:00～14:00播出，时长60分钟。以高、中考为主，同时涉及其他多种学历和职业资格考试，提供权威、实用的服务。在高、中考期间，平均每天接听咨询电话200个、短信近200条。获2006年度安徽省十佳名牌栏目。

合肥电视台

《合肥新闻联播》栏目 新闻类。1982年11月开办，新闻频道每晚18:30播出，时长30分钟。以时政新闻为主的综合性新闻节目，传递新闻资讯，引导社会舆论。是合肥地区最有影响力的品牌栏目之一。

三、优秀剧目介绍

安徽人民广播电台

广播剧《母亲的童谣》 2006年11月30日新闻综合广播播出，时长150分钟。主创人员吕卉、王锐、张援春、丁麟生、牛求群、李治宇。该剧以新疆建设兵团的拓荒活动及时代变迁为经，以爱情、友情和亲情为纬，编织和绘就了半个世纪的恩怨离合，刻画出一个富有献身精神、有血有肉、深明大义的母亲形象，以及全体兵团将士的生动群像。获全国第十届精神文明建设“五个一工程”优秀作品奖；2006年中国广播影视大奖优秀广播剧奖。

安徽电视台

电视剧《大清徽商》 安徽省委宣传部、安徽电视台、中国国际广播电视节目交易中心制作，2007年9月中央电视台八套播出，40集。编剧黄维若。是一部反映徽商历史的巨作，该剧全景式地展现了清朝中期封建王朝由盛而衰的社会历史背景下，一代徽商的成长历史和人物命运。这也是一部浓缩晚清社会文化，特别是徽派文化的鸿篇巨作，剧中徽剧、徽菜、徽雕等诸多徽派文化的元素都有所表现。

合肥人民广播电台

广播剧《妹妹的鞋子》 文艺广播2006年1月6日播出。以成年杨娃温情的回忆讲述了少年杨娃及其妹妹在实现梦想的过程中互助互爱的故事。本剧尝试以“蹲下来”的姿势平视一个在贫困中长大孩子的眼睛，倾听他的声音，所以杨娃和妹妹的语言、思维、行为都力求自然真实。获安徽省第十届精神文明建设“五个一工程”作品奖。

福建省

一、频率频道介绍

福建人民广播电台

台 名	频率名称	开播时间
福建人民广播电台	新闻综合广播	1960年10月
	经济广播	1993年10月
	交通广播	1998年5月
	东南广播公司	1993年1月
	都市生活广播	2000年12月
	音乐广播	2004年6月

福建电视台

台 名	频道名称	开播时间
福建电视台	综合频道	1960年10月
	福建东南频道	1994年1月
	公共频道	1998年1月
	新闻频道	1999年5月
	电视剧频道	1993年12月
	都市时尚频道	2001年8月
	经济生活频道	2001年10月
	体育频道	1993年1月
	少儿频道	2005年6月
	福建海峡电视台	2004年10月

二、优秀节目、栏目介绍

福州电视台

《新闻110》栏目 新闻类。2000年1月10日开办，新闻综合频道每晚18:00～18:40播出，时长40分。福州电视台的收视率最高的一档新闻节目，以“快速反应，关注民生”为定位，直播各类社会新闻。获福建广播电视新闻奖栏目一等奖；蝉联三届福建省新闻名专栏；全国城市台十佳新闻栏目；《新闻110》栏目组荣获全国五一劳动奖状、全国青年文明号、全国优秀青少年维权岗、福建省广播电视先进集体等称号。

《法眼》栏目 2000年开办，新闻综合频道每天18:00播出，时长20分钟。关注社会热点问题，及时反馈观众提出的法律疑难问题；通过讲述老百姓身边一个个鲜活的案例，寓“法”于乐，在潜移默化中提高市民的法律意识，体现法制的尊严。栏目已经播出1000多期，其中有20多期节目在各类评比中获奖。据AC尼尔森对栏目的收视率调查显示，栏目的全年平均收视率为1.7，位居福州所有落地节目收视率的前20位，法制节目同时段第一位。

三明人民广播电台

《走进墟日·财富乡村》节目 对农广播。2006年1月15日播出。由三个板块组成：一是胡锦涛总书记2006年1月13日视察三明市永安小陶镇八一村；二是电台对农广播《走进墟日》节目组联合农业科技人员深入农村墟场办广播，为农民提供现场服务，并通过网络传送到全市各乡镇墟场的情景；三是反映致富后的农民对文化生活的追求，写小说的杨家源在新一代农民中具有典型性。于2007年6月被中国广播电视协会评为“全国优秀农村广播节目奖”一等奖。

《平凡人生》栏目 专题。2001年5月开办，周六、周日11:30播出。节目以访谈的形式讲述了故事大王王成凤的传奇人生：一位只读过4年小学年逾古稀的老人，以自己执着的追求和坚强的毅力，创作了著作等奇迹。在生命即将燃尽的时候仍然坚持创作和整理民间文学故事。为帮助故事大王完成最后的心愿，省、市、县有关部门倾情相助，为社会谱写了一曲动人的和谐乐章。获2006年度“福建广播新闻奖”一等奖。

泉州人民广播电台

《天路余音》节目 新闻。2006年7月18日播出，时长15分钟。在青藏铁路开通半个月后，从拉萨到兰州的天路“逆行”之旅中，作者通过与列车广播员的交流，充分运用广播的独特表现优势，以“追忆声音”为主线贯穿全文，表达天堑变通途之后，人类向往与自然界和谐共处的伟大主题。获2006年度福建省广播新闻奖一等奖。

《12.3刺桐大桥坠桥车辆打捞》节目 直播新闻。2006年12月3日播出，时长30分钟。一辆轿车撞坏泉州刺桐大桥护栏坠入晋江中，904交通之声全程直播了打捞过程。节目凸现了主持人的人文关怀、控制能力和良好的职业素养。获2006年度福建省广播电视播音与主持作品一等奖。

《唐风古韵吟乡愁》节目 曲艺节目。2006年12月1日播出，时长20分45秒。自始至终穿插了结合唐诗的南管乐，融入了对泉州移居台湾地区的艺术家王心心珍贵的录音采访。获2006年度福建广播电视奖（广播文艺、广播剧奖）一等奖。

泉州电视台

《午间新闻网》栏目 2004年8月1日开办，新闻综合频道每天中午12:00～12:30播出。设置了《国际扫描》、《午间特快》、《午间调查》、《直通县区》、《城市连线》、《资讯加油站》等子栏目。栏目平均收视率稳定在6.23%左右，观众忠诚度达到95%。收视率、市场占有率在同一时段泉州落地的电视频道、卫星频道中居第一。获2006年度福建省电视新闻优秀栏目一等奖。

《国家标准，我来定》节目 长消息。2006年10月1日播出，时长3分59秒。节目通过泉州的标准化之路，反映我国标准化战略实施的印迹及知识产权在国际贸易中的竞争力。央视2套《经济半小时》播发了这条新闻。获2006年度福建省电视新闻奖一等奖。

南平广播电视台

《见证2006闽北高考》节目 电视专题。2006年6月14日《今晚九点半》栏目播出，时长14分20秒。2006年的洪灾使福建省首次延迟高考，也使新中国恢复高考以来第一次使用B卷考试。节目见证了闽北人一往无前的抗洪精神，见证了政府对公共安全、对效率与公平的重视。获福建省广播电视奖（电视新闻奖）一等奖。

漳州电视台

《"双语"司仪》节目 短纪录片。2006年5月播出，获省广播电视奖、电视社教类一等奖。

建瓯人民广播电台

《一切为了考生》节目 2006年6月7日～2006年6月14日在《建瓯新闻联播》对建瓯延期高考进行了立体、全方位和人性化的连续报道。获2006年度福建广播新闻奖一等奖，并由省广播电视局、省广播电视学会推荐代表福建省直接参加中国新闻奖评选。

漳浦广播电视台

《关注亚运会 祝福谢荔梅》节目 广播新闻。2006年3月播出，获省广播电视奖广播新闻一等奖。

《直面爱滋》栏目 广播社教类。2006年3月播出，获省广播电视奖广播社教类一等奖。

三、优秀剧目介绍

泉州人民广播电台

广播剧《泉州事变》 主创人员张镇国、林培煌、沈文锋、曾飞、肖燕玲、苏仲泓。2006年7月1日播出，时长80分（三集）。根据真实历史事件创作，讲述了"西安事变"和平解决后，全国抗日民族统一战线迅速发展，1937年3月，国民党泉州驻军制造了震惊全国的泉州事件。获2006年度福建广播电视奖（广播文艺、广播剧奖）一等奖。

石狮广播电视台

广播剧《背起如山的爱》 编剧杨北星，音响效果劲松、李山、进军，导演李明轩、沈文锋，统筹、编辑吴晓霞，音乐喻权杰，监制薛文华、刘延钦，录音合成张劲松，总策划李丽月。获得2006年度福建省广播剧一等奖，并获中广协会专家奖银奖。

广播剧《我的大爹》 作者韩天航，编辑制作吴晓霞、柯珍珍，演播王波，总监制薛文华、刘延钦。获得2006年度福建省广播剧广播文艺评选一等奖。

漳浦广播电视台

广播剧《狼爱上羊》 2006年6月播出，获省广播电视奖广播剧类一等奖。

江西省

一、频率频道介绍

江西人民广播电台

台　名	频率名称	开播时间
江西人民广播电台	综合·新闻频率	1949年5月28日
	生活·经济频率	1993年11月7日
	文艺·音乐频率	1998年1月1日
	信息·交通频率	2001年3月31日
	科教·农村频率	2005年7月1日
	健康·老年频率	2005年7月1日

江西电视台

台　名	频道名称	开播时间
江西电视台	卫星频道	1970年10月（1997年7月上星）
	都市频道	1994年3月
	经济生活频道	1994年7月
	影视频道	1995年3月
	公共频道	1999年8月
	少儿·家庭频道	2005年11月28日

二、优秀节目、栏目介绍

江西人民广播电台

《政风行风热线》节目 2004年4月7日开办，每天12:00～12:55在综合·新闻频率播出。本节目以体现党和政府执政新理念和理政新风为己任，把"听取群众呼声，帮助百姓解难，密切党群关系，接受社会监督"作为工作的出发点和落脚点。通过直播互动，短信交流，省市县（区）上下连动，追踪反馈等方式，为群众解决了数以万计的实际问题。2005、2006连续两年被评为全省"十佳"广播节目和全省优秀名专栏。2007年获得中国广播影视大奖广播电视节目奖优秀广播栏目提名奖。

江西电视台

《中国红歌会》节目 为迎接党的十七大召开，纪念建军80周年、井冈山革命根据地创建80周年、秋收起义80周年，江西电视台举办了第二届"中国红歌会"。五一黄金周在井冈山启动，六、七月份在全国设立了北京、湘鄂赣、晋冀鲁豫、陕甘宁、云贵川五大唱区。八月份在江西卫视连续12天播出，九月进入晋级赛后，每期节目都围绕一个核心主题，讲述一个感人的红色故事。10月7日最后一场晋级赛"红色英雄"的现场直播在全国及本地收视均创出新高，据央视索福瑞提供的数据显示，在全国35城市收视达到867千人数，列全国省级卫视同时段第二名，南昌本地更是达到罕见的17.3%的收视率，创三年来收视新高。10月27日上午，中共中央政治局常委李长春接见红歌选手："你们用红歌会这种形式，创了一个很好的文化品牌，体现了先进文化的前进方向，希望你们把这个品牌做成江西弘扬先进文化的知名品牌。”并一再说“要把红歌唱红”。在中国传媒论坛学术委员会、史坦国际主办的2007年第四届中国传媒投资年会上获2007年最具投资价值媒体、2007年中国传媒产业模式创新大奖。

《中国红歌会》被称作“2007中国电视荧屏最特别的红歌盛宴”

景德镇市广播电视台

《大众呼声》广播栏目　该栏目1994年12月开办，每天7:30至8:00首播。紧扣民生热点、难点，开通热线电话，热情受理群众投诉，积极与有关方面沟通，运用媒体监督效能，竭力为老百姓解决社会生活诸方面的问题，投诉回复率达100%，问题解决率达70%强，群众夸该栏目为“民生热线”。2007年该栏目两位主持人双双当选为“最受群众欢迎的瓷都十佳播音、主持人”。

吉安人民广播电台

《行风热线》栏目　创办于2003年3月15日的一档新闻舆论监督类节目，由吉安市政府纠风办和吉安人民广播电台联合主办，每周一、周三、周五9:00至9:45直播。节目秉承“倾听百姓呼声、促进行风建设、服务经济发展、构建社会和谐”的宗旨，在为政府分忧、为百姓解难、促部门作风转变上，为政府与百姓之间架起了一座沟通的桥梁。2004年获全市广播类栏目一等奖；全省广播电视十佳栏目；2007年获全省优秀反腐倡廉宣传栏目（广播类）评选一等奖；节目组还先后获得省、市“青年文明号”殊荣。

吉安电视台

《今晚八点》栏目　创办于2003年5月8日，是一档以“关注百姓冷暖，展示百姓人生，服务中心工作，强化服务功能”为宗旨的民生栏目。一直是吉安电视台的主打栏目，收视率稳居各栏目之首，平均每天收到群众来信来电来访三十多次。荣获2004年江西广播电视奖十佳栏目奖；2006年10月荣获中国电视艺术交流协会颁发的全国第二届《城市之星》电视节目奖、优秀栏目奖。

山东省

一、频率频道介绍

山东人民广播电台

台　名	频率名称	开播时间
山东人民广播电台	山东广播新闻频率	1948年11月8日
	山东广播经济频率	1993年5月1日
	山东广播文艺频率	1992年5月1日
	山东广播生活频率	1998年12月1日
	山东广播交通频率	1999年5月1日
	山东广播第六频率	2004年4月15日
	山东广播音乐频率	2004年12月21日

山东电视台

台　名	频道名称	开播时间
山东电视台	卫视频道	1993年1月1日
	齐鲁频道	1995年1月1日
	体育频道	1995年7月1日
	农科频道	2002年4月20日
	公共新闻频道	2002年7月1日
	收藏频道	2003年11月1日
	少儿频道	2005年9月15日
	读书频道	2005年9月28日
	山东电视影视频道	1995年7月1日
	山东电视生活频道	1995年7月1日
	山东电视综艺频道	1995年7月1日

二、优秀节目、栏目介绍

山东人民广播电台

《兖州封存两亿吨大煤田，留给子孙美好家园》节目　广播消息。山东人民广播电台新闻频道2006年11月15日播出，时长3分50秒。山东兖州的决策者面对储量两亿吨的大煤田，不以牺牲环境为代价，不博取眼前利益，不为个人升迁增加砝码，立足长远做出正确抉择。作品视角独特，充分揭示出封存两亿吨煤田背后的重大新闻价值和典型意义，反映出科学发展观已经形成理念并转化为行动上的自觉。作品充分发挥广播特点，音响生动、丰富，语言文字简洁、朴实。获2006年度中国新闻奖二等奖。

《关注质量》栏目　山东人民广播电台新闻类栏目。2002年1月1日开办，每天7:40～8:00在新闻频道播出。时长20分钟。作为全国广播系统第一个以“质量”为核心内容的新闻节目，以服务经济、贴近民生、监督产品质量、维护消费者权益为主要内容，由质量新闻、质监在线、质量热线、生活提示等板块组成。连续两年获得“山东新闻名专栏”，连续三年获得“山东广播新闻十佳栏目”，并终身享有这两项荣誉称号。2006年获中国广播影视大奖优秀栏目提名奖。

山东省委副书记姜大明、省委宣传部长李群视察省广播电台及电视台

《阳光政务热线》栏目 山东人民广播电台热线直播类节目。2005年12月2日起每天在新闻频道播出。时长50分钟。栏目以提高执政能力、构建和谐社会、优化发展环境、架设沟通桥梁为宗旨，邀请省直部门主要负责同志介绍部门职能、宣传办事程序，接受群众热线投诉，现场回答群众咨询。重点打造《阳光论坛》板块。2006年获山东新闻奖山东名专栏称号。

山东电视台

《神六追踪》节目 2005年12月24日播出，新闻专题节目，时长19分36秒。本片在神舟六号发射中，以117天的采访时间，独家跟踪了全过程，深入挖掘了成功背后鲜为人知的故事。充分展示了科技人员慎之又慎，分秒必争，一丝不苟的科学工作态度和崇高的爱国主义精神。本片充分体现了中华民族的英雄气概和科学精神，令人深受鼓舞的同时倍长志气。获2005、2006年度中国广播影视大奖优秀专题大奖。

《长龙跨海—烟大铁路轮渡试运行现场直播》节目 新闻直播类节目。2006年11月6日播出。跨越渤海的烟大铁路是中国跨度最长的一条海上铁路轮渡，直接连接起了东北、环渤海和长江三角洲三大经济圈。齐鲁频道在大连和烟台设两个现场，分设两部SNG车和一台大型转播车，租用移动卫星上行设备，早、中和下午分三段全程直播试运行，总长度达三个小时。目前，齐鲁频道的新闻及娱乐节目已经全部实现了现场直播，被称为中国电视界的“直播常态化模式”。获2005、2006年度中国广播影视大奖优秀电视现场直播类大奖。

《“中国”老太牧琳爱》节目 对外电视新闻节目，2006年9月1日播出，时长14分50秒。2006年5月份，在山东农村生活了八年的美国老太太牧琳爱获得了“中国慈善大使”的称号，她把自己的全部精力投入到了慈善事业中去。本片抓住老人九十岁生日到来这样一个时机，真实纪录了这位美国老人在中国的生活和事业，将老人与当地人的情感互动表现得淋漓尽致。获2005、2006年度中国广播影视大奖优秀对外电视新闻大奖。

《第一亩秸杆藕》节目 科普节目。2005年11月25日播出，时长10分20秒。作品以一位农民科技人员指导下利用作物秸杆种出的第一亩秸杆藕为拍摄对象，抓住专家测产验收这一内容丰富的现场，将实景、采访、动画等组合在一起，巧妙地利用现场的快板说唱加以串联，向人们揭示了秸杆种藕这项极富创新性和推广价值的农业新技术的重要意义和科学道理，风趣幽默，通俗易懂。获2005、2006年度中国广播影视大奖优秀科普节目大奖。

《共创和谐——2007山东军民春节联欢晚会》节目 综艺晚会类。2007年2月15日播出，时长95分31秒。晚会以“和谐”贯穿始终，体现双拥共建、共创和谐、繁荣发展、欢度新春的主题。融歌舞、小品、曲艺等为一体，整体风格大气、热烈、火爆、喜庆，营造山东军民同贺新春的欢乐祥和的节日氛围，并以真实故事、事迹为依托，以小见大，以情感人。获中国广播影视大奖广播电视节目奖（第二十届“星光奖”）优秀综艺节目奖。

《龙腾盛世贺新年—2006年十六省市元旦戏曲晚会》节目 电视戏曲节目类。2006年1月1日播出。时长90分钟。晚会由黑龙江电视台、山东电视台、安徽电视台、北京电视台等十六家电视台联合主办播出。晚会汇集各地代表剧种，尚长荣、李维康、于魁智等著名京剧表演艺术家与各地名家新秀登台演出，并把戏曲与小品、舞蹈、流行音乐等艺术形式巧妙结合，增强戏曲的可视性。获中国广播影视大奖广播电视节目奖（第二十届“星光奖”）优秀电视戏曲节目奖。

《牵手》节目 纪录片。2007年7月播出，时长41分40秒，讲述了两个在生活中遭受突变打击的伤残青年奋进的故事，讲述了他们战胜身体和心理的种种障碍，最终以残缺的身体演绎出完美舞蹈的动人故事，揭示了心灵沟通、共建和谐这一深刻主题。作品内涵深厚，撼人心魄，形式新颖、手法独特，目前已被国际女性电影电视节和多个国外电视节选中。获第九届“金熊猫”国际纪录片社会纪录片大奖。

《天下父母》栏目 谈话类栏目。周播节目。时长45分钟。节目旨在弘扬中国优秀的传统文化，弘扬亲情孝道。嘉宾既有普通百姓，也有名人明星；既有感天动地的故事，也有充满浓郁时代气息的现代家庭的故事。截止到2007年底已播出170多期。栏目连续三年被评为山东省广播电视十佳栏目，多次获得牡丹奖。2007年获中国广播影视大奖广播电视节目奖（第二十届“星光奖”）优秀电视综艺节目奖。

济南电视台

《福家女儿出嫁了》节目 短消息。2006年9月20日新闻综合频道播出。节目时长1分30秒。在福利院长大的残疾人福群得到了领导和社会各界的帮助，新闻选取福群婚礼当天最为精彩感人的几个片断，烘托出党和政府对弱势群体的尊重和关爱。获山东新闻奖一等奖，山东广播电视节目奖一等奖。

《铜像背后的故事》节目 纪录片。2006年5月3日新闻综合频道播出。时长29分53秒。该片拍摄历时两年，两次往返新加坡，讲述了在济南“五三惨案”中遇难的外交官蔡公时烈士铜像漂泊异国78年，历经曲折最终回到祖国的感人故事。节目在“五三惨案”纪念日即安放烈士铜像的当天播出，时效性强，反响强烈。获山东省广播影视大奖广播电视节目奖一等奖。

《腾飞之翼》节目　新闻专题片。2006年4月新闻综合频道播出。时长28分钟。该片走访了十几位著名经济学者，解读了"省会经济"的新理念及给济南的发展带来的深远影响和变化，具有一定的史料价值和理论探索价值。在省会经济专题研讨会上，该片受到与会的全国有关领导、专家的关注和高度评价。获山东省广播影视大奖广播电视节目奖一等奖。

《第一现场——有请当事人》栏目　社教栏目。2006年1月1日开办。每天21:00生活频道首播。时长70分钟。法制杂志类栏目，宗旨是：传信息，说法理，维权益，解纠纷，全方位关注法治民生。由《法眼全搜索》、《热线追击令》、《小康有话说》、《有请当事人》四个板块组成。获山东省广播影视大奖广播电视节目奖十佳栏目。

《有一说一》栏目　文艺类栏目。2004年1月1日开办，影视频道每晚21:10分播出。时长20分钟。是影视频道日播文化娱乐杂志类节目。注重原创性、本地性、时效性、思想性、娱乐性，在济南地区同类栏目中，收视率和观众满意度都位居首位获得"济南十佳栏目"的称号。2007年，《有一说一》在山东省第19届电视艺术"牡丹奖"的评选中，再次获得电视文艺类一等奖。

《关爱——母女情深》节目　纪录片。少儿频道2007年播出。时长45分钟。以残疾母亲和女儿的日常生活为主线，通过细微的生活片段反映母女间的真挚感情，展示那些与艰难的生活斗争，自强不息的人们对生活积极向上的态度。获山东省第19届电视艺术"牡丹奖"一等奖。

烟台电视台

《大菱鲆：警钟为谁而鸣》节目　新闻评论。2006年12月新闻综合频道播出，时长15分。因违规使用禁药，山东大菱鲆被全国禁售，大批养殖企业破产倒闭。记者在探讨大菱鲆事件的同时，为中国加强食品安全，保护农民利益提供了积极的建议。

临沂人民广播电台

《跨出国门的沂蒙和平使者》节目　广播社教类，新闻频道2006年8月29日播出，时长30分钟。通过回忆临沂籍维和警察在海地长达8个月异常艰苦的维和战斗生活，用实际行动向全世界展示了中国公安和临沂警察的良好形象，唤起广大听众对和平生活的倍加珍惜。获2006年度山东广播影视大奖广播社教类一等奖。

三、优秀剧目介绍

山东电视台

大型情景栏目剧《低头不见抬头见》　山东卫视、北京深航宏颖视文化传播有限公司制作。山东电视台2007年2月开播，共365集。总编剧王宏、王伟民，文学统筹衣向东、王金明，导演黄宏，总监制刘长允，出品人韩国强，总策划祝丽华、黄宏，总制片张晶辉，领衔主演黄宏、郭达、魏积安。《低头不见抬头见》是一部百姓生活喜剧，幽默风趣，人物鲜活，情节曲折，韵味久远。一则则低头有情，抬头见喜的现代寓言向人们诉说着当今老百姓的追求，老百姓的情感，老百姓的生活，老百姓的喜怒哀乐。该剧为创建和谐社会，树立社会主义荣辱观，倡导符合中华民族传统美德的价值观念，打造社会主义文化艺术精品贡献力量。播出后，引起社会各界普遍好评。

济南人民广播电台

广播剧《飞向蓝天》　济南文艺广播2006年10月1日播出。时长54分。该剧讲述了由一群怀揣音乐梦想的少年歌唱爱好者组成的"雏鹰业余合唱团"，被德国国际少儿合唱节选中之后，为了能去德国参加比赛而发生的一系列感人故事。该剧制作精良，内容积极向上，所配音乐及歌曲也起到了较好的渲染作用。获山东省广播影视大奖歌曲类一等奖。

广播剧《爱国电脑》　济南文艺广播2006年3月17日播出。时长55分30秒。侵华日军细菌战中国受害者诉讼团团长路雪女士，意外在济南把存有重要资料的手提电脑遗失在出租车上。电台主持人芳芳积极帮助寻找，在出租车司机王师傅和众多热心人的帮助下，终于找到了这部手提电脑。该剧根据真实故事改编，弘扬了济南"诚信创新和谐"的城市精神。获山东省精品工程奖。

广播剧《水孩子》　济南文艺广播2006年6月17日播出。节目时长57分。该剧以细腻的笔触描述了某偏远农村，送水的哑巴孤儿水孩子与城里来的女孩小雨之间的一段天真无邪的纯真故事，刻画了人与人之间真挚的情感和美好的情怀，营造有利于未成年人健康成长的良好舆论氛围和社会环境。获中国广播影视大奖广播剧提名奖。

淄博人民广播电台

广播剧《原山情》　2006年8月26日14:00～15:00播出。四集。编剧炅文江，导演李山、郝东波，演播者陈迪、丁新安、段游、周丹、杨丽萍、吕永国、张维志、程晓光，编辑国磊、高佃国。根据真人真事创作而成。残疾人孙建博一心为公，一心为民，淡泊名利，无私奉献，为了让原山林场职工过上好日子，放弃了自己挣钱的机会，夜以继日，呕心沥血，用汗水、鲜血谱写了一曲新时期共产党人的奋斗之歌、创业之歌。2007年9月获第十届全国精神文明"五个一工程"奖并入选山东省第八届精神文明建设"精品工程"。

临沂人民广播电台

广播剧《一本讲解员的日记》　2007年1月8日文艺频道播出，时长2分21秒。2005年8月16日，沂蒙精神大型展览在中国国家博物馆隆重开幕。本剧通过讲解员、老人、将军、外宾等参观者的不同视角和心态，用日记的形式记录下了展厅内一幕幕感人至深、催人泪下的故事，再现了革命战争年代沂蒙人民保家卫国、英勇顽强的悲壮画面以及改革开放以来艰苦奋斗、科学发展所取得的新成就等，进一步阐述了沂蒙精神的历史和现实意义。获山东省第八届精神文明建设"精品工程"入选作品奖。

河南省

一、频率频道介绍

河南人民广播电台

台 名	频率名称	开播时间
河南人民广播电台	新闻广播	1950年9月
	经济广播	1989年10月
	交通广播	1993年3月
	戏曲广播	1995年1月
	音乐广播	2003年5月
	农村广播	2005年10月
	旅游广播	2005年10月
	信息广播	1994年6月
	影视广播	2004年4月

河南电视台

台 名	频道名称	开播时间
河南电视台	卫星频道	1996年6月1日
	都市频道	1997年10月20日
	民生频道	2001年4月1日
	法制频道	2001年12月31日
	电视剧频道	2004年6月1日
	精品博览频道	2005年11月18日日
	商务信息频道	2001年7月1日
	公共频道	2001年1月1日
	新农村频道	2006年6月9日
	数字付费频道	2004年11月24日

二、优秀节目、栏目介绍

河南人民广播电台

《木兰说》节目 综艺专题。由河南人民广播电台新闻广播制作，于2006年6月9日在综艺类节目《综艺广场》中播出，节目长31分13秒。以北朝民歌《木兰诗》为主线，融汇了戏曲、音乐、文学等多种艺术元素，以不同地域的不同声音演绎了传奇女英雄花木兰的故事。获2005～2006年中国广播影视大奖。

《禅·音乐·少林——听"禅宗少林·音乐大典"》节目 音乐专题。河南人民广播电台节目创作中心制作，2006年11月28日河南人民广播电台播出，《禅宗少林·音乐大典》是以中岳嵩山壮丽的自然景观为舞台背景，以禅宗文化和少林武术为底蕴的一台大型实景演出。突出表现了禅与音乐，禅与少林浑然天成的和谐以及中原文化的博大精深。获中国广播影视大奖文艺提名奖，河南省广播文艺一等奖。

《俄罗斯总统普京探访中国少林功夫摇篮——嵩山少林寺》节目 对外广播新闻。河南人民广播电台制作，2006年4月27日中国国际广播电台《中国之窗》栏目、《国际在线》播出，节目时长10分钟。主题重大，题材典型，报道既有背景交代，又有难以抓到的普京总统的活动细节；既有较为珍贵的现场录音，又有生动传神的情节，反映出了中俄的深情厚谊。获得2005～2006年度中国广播影视大奖。

《政府在线》栏目 时政类热线直播节目。新闻广播2003年推出，紧紧围绕河南省委、省政府的中心工作和普通百姓关注的热点问题，邀请党政领导干部走进直播室和群众直接交流，是新时期新闻宣传发挥喉舌作用的创新和拓展，也是广播媒体服务社会，开展舆论监督的新形态。被评为第十五届中国新闻奖新闻名专栏。

《河南新闻》栏目 创办于1950年9月，是新闻广播乃至河南人民广播电台的龙头节目，是新闻广播发挥喉舌作用和舆论引导作用的主阵地。围绕省委省政府中心工作和全省经济社会发展的重要新闻事件进行报道，以大容量、高品位、强时效、广覆盖的新闻服务配合党和政府的中心工作，推动河南的改革、发展稳定。新闻呈现有深度、时效性强、音响报道多等特点，以"快"著称于河南新闻界。获2006年中国广播影视大奖优秀栏目奖。

《谁是谁非》栏目 1994年《谁是谁非》在经济广播闪亮登场。她是一个热线直播节目，主持人随机接听投诉，巧妙弥合投诉和被投诉双方的分歧，成功化解了数千件疑难投诉和棘手纠纷，被听众朋友形象地称为"消法卫士"。她全心全意为普通消费者服务，是经济广播最具代表性的节目。《谁是谁非》收听率和单个节目的广告占有率一直在经济广播的各档节目中位居前列。2003年，被评为全国经济广播名栏目并荣获全国经济广播栏目一等奖。

《南方谈交通》栏目 交通广播一档专业交通服务类直播节目，以节目主持人"南方"名字命名，通过短信与热线互动，实现主持人与听众之间的双向交流，服务出行人群。宣传、普及道路交通安全法规、提高公民遵法、守法意识的节目宗旨，充分展示出交通广播的专业特色，2007年全省广播交通类节目收听率第一名。

河南电视台

《梨园春》栏目 电视晚会类节目，1994年开办，每周日晚20:05在卫星频道播出，时长100分钟。以推介传播河南地方戏曲文化为主，充分调动广大戏迷观众的参与积极性，2007年春节，《梨园春》远赴南美继续"梨园飞歌"世界性演出活动，这是继2006年9月17日在澳大利亚悉尼歌剧院成功直播戏曲交响音乐会之后第二次走出国门。先后获得"全国优秀节目奖"、"2006中国原创电视栏目20佳"、"第三届电视戏曲兰花奖"(8个奖项)、"2007创新中国电视大奖"、"全国青年文明号"、"河南省第四届文化成果奖"。

《武林风》栏目 武术、娱乐、竞技类节目，2004年1月开办，每周六晚8:05在卫星频道播出，时长85分钟。中国唯一一档真人武术、娱乐、竞技类电视直播节目，以弘扬中华武学宗旨。将传统武术和现代文明有机的结合，展示了河南深厚的文化底蕴，让观众领略了中华功夫的博大精深。获2006年中国广播电视协会、中国电视体育奖栏目类二等奖；2006年度中国原创电视栏目20佳称号；2007年中国教育网与中国财富网共同评选的最具投资价值的电视栏目第三名。

《沟通无限》栏目 谈话类，2000年开办，每周六晚21:30在卫星频道播出，时长50分钟，河南电视台四大品牌栏目之一。2007年11月改版。仍然以积淀了六年的访谈元素为根本，将"快乐沟通、精彩无限"的理念贯彻始终。曾获首届全国省市电视台专栏节目一等奖，2000年、2001年、2003年、2005年河南省广播电视新闻奖优秀栏目一等奖，2004年、2006年河南省广播电视新闻奖优秀栏目二等奖。

《华豫之门》栏目　大型文化娱乐节目，2004年1月4日开办，每周日晚21:51在卫星频道播出，时长55分钟，以知识、趣味、娱乐、时尚为构成元素，用游戏娱乐的形式展示华夏文化，让观众在游戏娱乐的氛围中了解更多的中原文化。据央视索福瑞公司2007年调查数据显示：《华豫之门》全国收视率在全国省级卫视同时段自办节目排名中排在前三位；河南省市场份额长期稳定在25～35%。

《今日关注》栏目　新闻专题，每周一至周五18:40在河南卫视播出，时长15分钟，2006年1月2日开播。节目以新闻性、故事性和趣味性为宗旨，探寻新闻由头，讲究故事细节。报道紧随时代脉搏，紧紧围绕百姓关心、政府关注的新闻事件进行深度剖析，既有专家精彩话语点击、百姓的反响，还有政策、措施等方面的链接，节目具有很强的思辨性、可视性。收视率一直位居全国同时段相关栏目前十位，在卫视新闻类节目中位居前列，每年都有节目在省、国家级评比中获得新闻大奖，受到了社会各界的广泛关注，赢得了观众的信赖和好评。

《都市报道》栏目　社会新闻栏目。都市频道1997年10月开办，每晚19:25现场直播，时长44分钟。栏目紧紧围绕“政府关注 群众关心 普遍存在”的原则进行节目策划，以丰富的资讯、深度的报道、灵活的形式、新锐的视角、切实的服务，使《都市报道》在河南新闻报道领域始终占据着领跑的位置。2007年获省广播电视优秀栏目一等奖。

《民生大参考》栏目　新闻节目，2004年1月1日开办，民生频道每晚19点30播出，时长50分钟。民生新闻始终坚持正确的舆论导向，关注百姓的生命、生存、生计、生活和情感状态。最高收视率达7.16%，平均收视率5%，收视数据高居全省同类民生新闻节目的前位，2005年、2006年被中国广播电视协会评为全国十佳新闻节目。

《致富招招鲜》栏目　资讯类，2006年11月17日开办，新农村频道每天19:45播出，每期15分钟，以介绍农民的致富经验和农村创富典型为主，节目寓教于乐，表现形式轻松、幽默，受到城乡观众喜爱，获2007年度全国对农电视节目优秀栏目类三等奖。

郑州人民广播电台

《549早间新闻》栏目　新闻节目，1981年4月开办。郑州新闻综合广播每天早上7:00～7:30播出。节目风格权威、大气、全面，具有很强的可信度。据索福瑞和尼尔森等权威调查公司的调查结果显示，《549早间新闻》的收听率位居同时段节目前茅。

郑州电视台

《周末大戏院》栏目　文艺类，2007年12月1日开办，文体频道每周六晚20:00首播。以河南地方戏种为主，荟萃戏曲名家。它区别于其它戏曲电视栏目戏迷打擂的形式，由专业演员演出，让戏迷足不出户在家看名家名角演出，过足戏瘾，也为专业戏曲演员提供了一个展示与交流的平台。收视率在自办栏目中名列前茅，为繁荣中原戏曲文化起到了积极的作用。

信阳电视台

《快乐1＋1》栏目　少儿类，2000年4月20日开办，信阳电视台公共频道每天18:20播出。“关注少儿快乐健康、益智教育、素质提高”，体现对少年儿童的关爱、尊重和支持。主要收视对象为3至16岁的儿童、少年。

濮阳人民广播电台

《亲亲宝贝》栏目　少儿类，2005年8月16日开办。接听热线电话5000多个，收到听众来信数百封，锦旗一面，举办社会公益活动十多次。

三、优秀剧目介绍

河南人民广播电台

广播剧《大海潮》　共三集，由河南人民广播电台制作。2006年在河南人民广播电台各频率多次播出，收到听众表扬信上百封，部分来信选登在《广播与受众》上。讲述了明清时期台湾回归祖国的故事。编剧杨北星、卢兴跃，导演宋冰、王波，责任编辑谦进，监制王岭群、赵景春。获2007年中宣部全国“五个一工程”奖和中国广播影视大奖提名奖。

湖北省

一、频率频道介绍

湖北省广播电视总台（广播）

台　名	频率名称	开播时间
湖北省广播电视总台	新闻综合广播	1949年5月23日
	经济广播	1997年9月
	文艺广播	1990年10月1日
	交通广播	1997年8月21日
	生活广播	2000年11月18日
	妇女儿童广播	2004年11月28日
	楚天交通体育广播	2002年1月1日
	楚天音乐广播	1995年10月
	楚天新闻广播	1989年9月14日
	楚天卫星广播	1999年4月4日

湖北省广播电视总台（电视）

台　名	频道名称	开播时间
湖北省广播电视总台	电视卫星频道	1997年2月1日
	电视综合频道	1960年12月1日
	电视经济频道	1988年12月1日
	电视都市频道	2002年6月1日
	电视影视频道	2002年6月1日
	电视体育频道	2002年6月1日
	电视教育频道	2002年6月1日
	电视公共频道	2002年7月1日
	孕育指南频道	2004年8月1日
	碟市频道	2005年10月9日
	职业指南频道	2005年10月9日

二、优秀节目、栏目介绍

湖北省广播电视总台（广播）

《焦点时刻》栏目　新闻评论类节目。创办于1993年，新闻综合广播（中波774千赫、1404千赫，调频104.6兆赫）播出，早6:20首播，晚18:20重播，时长10分钟。秉承“深入报道、公正评说”的宗旨，2007年荣获广电系统全国青年文明号、全国新闻工作先进集体和全省新闻工作先进集体。播出的节目6次获得中国新闻奖，13次获得中国广播电视新闻奖。

《活力大财经》栏目　经济广播开办十年的一档专业经济（证券）直播节目，每天16:30至18:00播出，时长90分钟。以直播为主，主体由经济热点权威专家对话访谈和证券、期货等财经投资咨询及时点评构成。节目秉承“雄踞理财前沿，锁定金融热点，发掘经营财智，倡导创新多赢”的主旨，创设“活力财经热点、正在经营、期货大轮盘、证券我做主、财经会客室”等栏目。获2006年度湖北广播电视十佳栏目称号。

《名家讲坛》栏目　社教类节目。开办于2004年9月19日，在楚天卫星广播（周日10:00）、楚天交通体育广播（周日15:30）、楚天音乐广播（周日9:00）、楚天新闻广播（周日17:00）播出，节目时长60分钟。节目以“在精英与大众之间建构文明助推器”为宗旨，邀请自然科学、社会科学、人文科学领域专家开坛设讲。2006年10月，《名家讲坛》第一辑由崇文书局正式出版，并作为省广播电视总台文化代表成果选送中国中部首届文博会参展。

湖北省广播电视总台（电视）

《天生我财》栏目　财经证券类。湖北卫视早、中、晚四档连播。全天四档节目同时段对位收视排名均进入全国前十位。其中有4周进入全国省级卫视全天排名60强。被广大股民和业内人士誉为2007年中国证券节目第一品牌和“最大的一匹黑马”。栏目品牌影响力和竞争力已经形成，稳居全国同类财经栏目收视前茅。

《今晚6点》栏目　社会新闻。湖北卫视2007年4月推出，每天18:00播出，节目长度为25分钟。坚持“聚焦热点，关注民生”的宗旨，在全国43个卫星频道中的排位从第26名上升到第15名，并进入全国新闻时事类栏目50强，排名第34位。

《创富英雄》栏目　电视综合频道2007年自主研发的湖北省第一个励志创业真人秀节目，通过各类创业培训和商业实战比拼，全面展现选手从普通人一跃成为一个具有商业智慧创富高手的全过程。节目以自主创业，自我创业为导向，密切结合了社会热点、难点；还以有条不紊的流程、规范的管理等为项目经理制创下了一个新的可供参照的节目制作模式。

《经视直播》栏目　电视经济频道大型民生新闻栏目，时长60分钟。每晚18:00～19:00播出。以贴近性、平民化、生活化为特点，突出服务和监督功能，快速反映百姓身边发生的新闻，解读百姓关心的政策问题，揭露社会不良现象，为百姓排忧解难。整个节目由主持人串讲，并辅以独到的见解和点评。

《非常关注》栏目　电视都市频道新闻访谈栏目。2006年3月开办，节目就老百姓最关心的新闻事件和社会现象，最热门的焦点、热点话题进行深入的剖析，揭示背后内幕和精神要领，以洞察生活新动向，解析新鲜事，引领新生活，维护消费者合法权益。

《拍案惊奇》栏目　法制类纪实栏目。电视公共频道2007年开办，时长23分钟。每天22:00播出。栏目以纪实性叙述风格讲述重大案件发生、发展、高潮、结束及侦破的完整过程。运用设疑、讲述、议论相结合的手法，将人物丰富的内心世界与刀光剑影、扑朔迷离的故事情节交织起来，在观众面前展现出“情、理、法”的冲突。

武汉人民广播电台

《行风连线》栏目　舆论监督热线直播节目，2005年5月12日开播，每周二、四早上7:15～8:00播出。55个政府职能部门和窗口服务企业的一把手轮流“上线”，接受市民的咨询、投诉。截至2007年底已播出282期，共接听市民电话4800多个，对各类投诉的办复率达100%、电话回访满意率达90%。先后获得“湖北省广播十佳栏目”、“湖北新闻奖”、“武汉市新闻名栏目”、“中国广播奖十佳栏目提名奖”、“湖北省广电系统先进集体”、“武汉市三八红旗集体”“武汉市巾帼文明岗”等荣誉称号。

武汉电视台

《武汉新闻》栏目　新闻节目。全年平均收视率居武汉市广播电视局（总台）所有自办栏目首位。2006～2007年度《武汉新闻》栏目部被评为“全国青年文明号”、“湖北省新闻工作先进集体”；《武汉新闻》荣获“湖北广播电视十佳栏目”、“武汉新闻名专栏”称号。

《都市写真》栏目　深度报道栏目。新闻综合频道每晚20:10首播，以反映社会问题和热点为主要内容、以舆论监督为特色。1995年开办以来一直受到广大观众欢迎，收视率与满意度均列武汉电视台自办栏目前茅。栏目先后荣获中国广播电视十佳栏目提名奖、两度获湖北省十佳栏目和武汉市新闻名专栏。多篇作品获全国性大奖，栏目总制片人胡桂林获湖北新闻名人奖提名奖。

《不能忘怀的嘱托》节目　电视专题。有6年吸毒经历的21岁武汉姑娘何嫒勇敢地面对媒体坦陈自己的一切，成为新中国第一个被共和国总理接见的戒毒者，2005年中国最受媒体关注的新闻人物之一。《都市写真》记者何嫒跟踪采访，采制了8集电视专题片。获2006年度中国新闻奖三等奖、湖北新闻奖一等奖。

《是民心工程还是面子工程》节目　新闻评论。通过对武汉市新农村建设首批试点村之一的江夏区法泗镇卫东村的跟踪采访调查，揭露了新农村建设的方针政策在一些地方打折变样的重大问题。节目引起了强烈的社会反响，引起了武汉市委、市政府的高度重视。市委、市政府及有关部门多次召开会议对报道提出的问题进行研究，迅速拿出政策措施纠正偏差。获2007年度中国新闻奖三等奖、湖北新闻奖一等奖。

荆州人民广播电台

《科普半小时》栏目 1996年开办。多次组织专家下乡，为农民解决生产、生活中的科技问题，在各类评奖中屡次获奖，是荆州广播科普的一面旗帜。节目2006年获得湖北省科协好新闻评比一等奖，也是全台节目质量考核优秀率最高的节目之一。

荆州电视台

《垄上行》栏目 "三农"节目。2002年创办，周一至周五每晚20:05播出，时长半小时。采取常态节目和每月一次特别企划活动，一年两度的春秋垄上行大型直播活动等形式，对荆州市内及江汉平原的农民生活，农业生产，农村建设产生了巨大影响。多次被评为全省十佳电视栏目，2006年还入选全国原创节目20强。

恩施电视台

《创业恩施》栏目 励志节目。以"关注恩施发展，支持创新创业"为主题，旨在为恩施州广大有志人士提供一个创业的平台，推动少数民族地区经济和社会发展。一年来，报名者超过400人，10名选手晋级年度总决赛。5名优秀选手获得州劳动就业局提供的5万元创业基金支持。

黄石电视台

《新起点》栏目 教育专栏节目。2005年4月开办，周六首播，每期20分钟。提供及时有效的教育信息，探索素质教育的经验，引导青少年健康成长，展示当代师生的精神风貌。2006年，《新起点》栏目荣获湖北省十佳电视栏目奖。

十堰人民广播电台

《行风热线》栏目 直播新闻栏目。2001年4月16日开办，早上7:20开播，时长30分钟，由十堰市纪委、市纠风办等单位主办，十堰人民广播电台新闻频率承办。"为百姓解难、为政府分忧"，共为群众解决各类问题和实际困难4029个，连续两年被评为"湖北省广播电视十佳栏目"。

襄樊人民广播电台

《洪亮夜话》栏目 夜间谈心节目，1998年12月1日开办，每晚十一点至十二点播出。以热线电话交流为主，涉及社会生活的各个方面，对缓解人的心理压力、排除思想困惑、化解矛盾和纠纷、创造和谐社会起到了积极的作用。在历年听众收听率调查中，排名第一。2007年被评为全省广播十佳社教栏目；主持人洪亮2007年获得全市十佳新闻工作者称号。

随州电视台

《社会全方位》栏目 2005年开办，每晚9点40分在新闻综合频道播出，节目时长20分钟。报道发生在百姓身边的新闻故事，第一时间，第一现场，用平视的目光关注民生百态、社会生活。2006被评为随州市十佳节目，2007年度被评为湖北省十佳电视栏目。

湖南省

一、频率频道介绍

湖南人民广播电台

台 名	频率名称	开播时间
湖南人民广播电台	新闻频率	1993年11月6日
	经济频率	1992年8月8日
	文艺频率	1995年3月28日
	交通频率	1997年12月8日
	乡村之声	2007年9月6日
	音乐之声	2007年9月6日

湖南电视台

台 名	频道名称	开播时间
湖南电视台	卫星频道	1970年10月
	湖南经济电视台	1996年1月
	影视频道	2000年5月
	娱乐频道	1999年6月
	购物频道	2006年3月
	公共频道	2003年12月
	金鹰卡通卫视	2004年10月
	潇湘电影频道	2004年12月

二、优秀节目、栏目介绍

湖南人民广播电台

《一分钟听股市》栏目 资讯播报，2007年开办，经济频道9:30～11:30、13:00～15:00每隔15分钟播出一次。节目从股市开盘到收市，每隔15分钟播报一次最新信息，体现了广播伴随性、及时性的优势，受到有车族和关注股市的受众的欢迎。获湖南广播电视局2007年度最佳栏目奖。

《我为祖国献热血》节目 2007年10月1日至2007年10月9日经济频道8:30～9:00播出，时长30分钟。国庆长假期间，湖南经广联合长沙市委宣传部、共青团长沙市委、市文明办、长沙血液中心共同发起了一场以"我为祖国献热血"为主题的无偿献血公益行动，共有2378人直接参与，800000毫升鲜血无偿奉献，刷新湖南单日无偿献血量及献血人数两项纪录。获湖南广播电视局2007年度最佳节目奖。

《五星红旗 我们的骄傲》节目 2007年10月1日至2007年10月14日经济频道7:30～8:30播出，时长60分钟。为迎接十七大，节目邀请天安门国旗护卫队来湘，长沙上百所中小学和企事业单位通过同步收听经济频道的节目，同时举行升旗仪式。百万长沙市民在同一时间共同表达了"国旗在我心中"的心声。连续7天的11场升旗仪式，9场报告会，天安门国旗护卫队走遍长沙五区四县，直接影响人群超过30万。获湖南广播电视局2007年度最佳节目奖。

《超级100》栏目 文艺类，2007年9月开办，音乐之声周一至周五每个整点播出，时长3分钟。以一个月为制作和播出周期，邀请著名节目主持人或明星、名人播讲，如仇晓的

100个爱心故事、张丹丹的100个励志故事、红胖子的100个幽默故事、魏哲浩的100个哲理故事等。收听率一直排名前列，得到局优秀重点节目提名奖。

《超级串流行》栏目　音乐类，2007年4月开办，音乐之声周一至周五每天早上7点半到8点半，19点到20点播出，每期1小时，每天两小时由主持人精心编排，选取歌曲最动听的部分串烧播出，一个小时播放五十首超级好歌，不仅有最时尚最新的歌曲，也有最经典的歌曲，直击各个年龄层的受众，节目主旨就是总有一首你喜欢，总有一首你会唱。频率收听率最高的节目之一。

湖南电视台

《洞穴之光》节目　纪录片，2006年12月25日开办，湖南卫视晚间黄金时段播出，时长45分25秒。六个令父母头痛不已、无计可施的独生子女，因为想挑战、尝试新的生活方式，从而自愿参加了由电视台举办的"以孩子影响孩子"，旨在改造独生子女的"洞穴之光"活动。他们被送到贵州一个奇特无比的山洞，山洞里有一个村落和一个小学，六个人两人一组与山洞小学的三个小孩，同吃同住同学习，短短七天，耳濡目染、潜移默化。其间有痛苦、有欢乐、有碰撞、有和谐、有悲伤，更有感动。获中国广播影视大奖、广播电视节目奖（第二十届"星光奖"）优秀少儿节目。

广东省

一、频率频道介绍

广东人民广播电台

台　名	频率名称	开播时间
广东人民广播电台	新闻频道	1989年11月15日
	珠江经济广播电台	1986年12月15日
	音乐之声	1991年1月23日
	城市之声	1996年4月18日
	南方生活广播	2005年11月9日
	交通之声	1993年7月30日
	股市广播	1993年4月8日
	文体广播	2005年10月5日
	南粤之声	2004年8月20日
	邮轮旅游频道（电视频道）	2006年4月11日
	开心购物频道（电视频道）	2006年4月11日
	广东青少年网络电台	2007年4月27日

广东电视台

台　名	频道名称	开播时间
广东电视台	卫星频道	1996年7月8日
	珠江频道	1988年2月14日
	体育频道	2001年7月1日
	公共频道	2002年7月1日
	新闻频道	2005年12月8日
	嘉佳卡通频道	2006年9月16日
	数字付费电视高尔夫频道	2005年8月28日
	数字付费电视欧洲足球频道	2005年10月10日

续表

台　名	频道名称	开播时间
	数字付费电视英语辅导频道	2005年10月10日
	数字付费电视会展频道	2007年12月1日
	数字付费电视快乐宠物频道	2006年10月1日
	数字付费电视房产频道	2006年4月11日
	数字付费电视岭南戏曲频道	2007年11月28日
	广东电视台移动频道	2004年11月1日
	广东电视台手机频道	2006年5月17日
	广东电视台地铁电视	2005年12月28日

广东南方电视台

台　名	频道名称	开播时间
广东南方电视台	经济频道（TVS1）	2001年12月20日
	粤语频道（TVS2）	2001年12月20日（2004年7月28日上星播出）
	综艺频道（TVS3） 影视频道（TVS4） 少儿频道（TVS5）	2001年12月20日

二、优秀节目、栏目介绍

广东电视台

《古劳水乡奥运梦》（又名《龙吟水乡》）节目　电视纪录片。2007年12月12日珠江频道21:35首播，时长49分38秒。本片讲述了全国少年游泳冠军李汉华因事故残疾后，在家乡人民的全力支持和爱的感召下重回泳坛，并决心冲刺2008残奥会的感人故事。海外中心纪录片创作室《珠江纪事》栏目制作。获2007年中国（广州）国际纪录片大会最高奖——"大会评委奖"和2007年广东省外宣节目纪录片一等奖。

《今日广东》栏目　新闻综合专题。2001年9月开办，广东卫视1997年与省政府外办合作，开始在美国、欧洲、大洋洲及中东阿联酋等国和地区播出。周日8:35播出，时长20分钟。广东电视台海外中心制作。是全国第一个在国外电视台、频道开办的，播出时间最长（10年）、播出国家和频道（亚洲、欧洲、北美洲、大洋洲、非洲50多个）最多、观众面（11亿）最广的电视外宣栏目。目前与广东省宣传部合办，是海外广大华人、侨胞了解广东、了解家乡的窗口。在2007广州国际纪录片大会《广东日》活动中，获2007年广东省电视对外宣传优秀纪实类栏目一等奖；2007年被广东省总工会授予"广东省工人先锋号"称号。

《广东卫视新闻》栏目　新闻类。创办于1996年，卫星频道每晚19:30播出，新闻中心制作，时长23分钟。前身是《全省新闻联播》，以时政经济新闻为主，以当天热点为辅，汇集国内外重大消息。是广东电视台最重要的新闻栏目之一，也是省委省政府对内对外宣传的重要窗口，栏目定位相当于中央电视台的《新闻联播》。栏目收视一直名列广东卫视频道的榜首。2006年7月16日播出的版面，获2006年度中国新闻奖铜奖。

《人大代表》栏目　新闻专题。2005年9月6日开办，新闻频道周一19:46播出，时长10分钟。与广东省人大常委会办公厅合办，旨在让群众更了解政府的职能，进一步宣传人民代表大会制度，宣传人大代表依法履行职责的活动。是省委省政府直接面对群众的窗口。《人大代表·十年追踪酸雨污染 人大代表促成沙角电厂脱硫》节目获2007年第16届全国人大好新闻一等奖和第16届广东省人大好新闻一等奖。

《第一访谈》栏目 人物访谈专题节目。2005年12月开办，新闻频道每周二、周三晚21:30首播，周四、周五11:30重播，时长23分钟。以“讲述名人的平常情感，凡人的非常经历，及时关注新闻事件，真诚地聆听新闻人物的非常故事”为宗旨，突出人性化、个性化、故事化，强调“第一时间，第一现场”。收视率名列频道前茅。获2007年中国广播电视协会首届“记录·中国”铜牌栏目奖。

《人在他乡》栏目 纪实性专题。2004年7月3日开办，卫星频道节目部制作，卫星频道、新闻频道星期五20:20分首播，新闻频道星期六19:30分首播，时长25分钟。以纪录片的形式，以外省人在广东、广东人在外省的故事为题材，以人物命运走向、生存状态特征、思想情感流露以及人生价值观的呈现为主体。获国家广播电影电视总局2006年度“全国优秀电视文化（文艺）栏目”称号。

《与法同行》栏目 专题类。1999年3月12日开办，卫星频道每周日11:10首播，周一6:05重播，时长20分钟。栏目旨在强化公民的法制观念，为人民群众提供良好的法律服务。通过实例让人民群众知法、懂法、守法，懂得如何运用法律来维护国家、企业和个人的合法权益。《零上访的启示》节目获2006年中国广播电视协会“创新节目一等奖”。《执行，现在开始》节目2007年获广东省高级人民法院“电视专题一等奖”和“广东法院好新闻一等奖”。

南方电视台

《城事特搜》栏目 生活资讯／趣味新闻。2002年6月17日开办，粤语卫星频道（TVS2）周一至周五19:00首播，时长45分钟。以演播室与现场互动、融生活资讯传播与社会热点问题透视于一体。搜罗粤港两地奇人趣事，关注现代生活新鲜话题。收视率和市场占有率持续位居南方台自办节目之首，南方粤语卫星频道王牌节目。获第十届广东省广播电视播音与节目主持作品奖一等奖，所选作品多次获得广东省广播电视新闻奖。

2007年6月17日，南方卫视《城事特搜》节目助残系列活动启航仪式

《今日一线》栏目 社会民生新闻，2003年10月1日开办，经济频道（TVS1）每天21:30首播，2007年11月11日改为周一至周日20:30播出，时长30分钟。以社会民生新闻为报道重点、以“个性化、标签化、明星化、娱乐化”为特色追求。凸现新闻节目的现场感和动感，突出新闻事件的第一时间、第一现场。2007年11月11日起，打造一个全新的“家访记者”概念，直接介入生活，影响生活。获第十届广东省广播电视播音与节目主持作品奖一等奖。

广州电视台

《广州电视新闻》栏目 新闻。1994年开办，综合频道18:30～19:05播出，时长35分钟。包括广州和珠江三角洲地区新闻、国内重大时政要闻、社会新闻、国际新闻和文体新闻。2006年度广东省广播电视播音主持奖二等奖。其中短消息《百届广交会明年更名 一字之增意义非凡》获2006年度电视新闻节目短消息类一等奖（中广协会城市台新闻委员会）；长消息《钛白粉厂发生泄漏 疏散及时居民无恙》获2006年度电视新闻节目长消息类二等奖（中广协会城市台新闻委员会）；连续报道《下塘西3.16特大交通事故系列报道》获2006年度电视新闻节目连续／系列类三等奖（中广协会城市台新闻委员会）；2006年度广东新闻奖电视新闻二等奖（广东省新闻工作者协会、广东省新闻学会、广东新闻人才基金会）。

《新闻日日睇》栏目 新闻。2004年2月2日开办，新闻频道周一至周六19:00首播，综合频道周一到周六23:20播出。时长60分钟。粤语播出。主持人陈扬列2006年央视市场研究股份有限公司公布的2006年全国主持人品牌价值排名第十位。

《9+2旅游大放送》栏目 资讯服务节目。2006年1月开办，综合频道周六22:40首播，新闻频道周日11:30、影视频道周六15:20重播，时长20分钟。广州电视台策划发起，组成九省区中心城市电视台和两个特区电视台的联播平台，进行各地旅游信息的互动传播。《红军会师地—甘孜》在首届中国旅游电视周优秀旅游电视节目获得红色之旅一等奖，2006年，《9+2旅游大放送》在首届中国旅游电视周优秀旅游电视节中获特别节目类一等奖。

潮州广播电视台

《城乡文化行》栏目 广播文艺节目。2004年3月开办，每月深入城乡基层组织一场文艺演出活动，通过潮州电台新闻综合频率进行现场直播。已举办34场次，遍及乡镇、学校、企业、军营，观众最多时创下近四万人的记录，被誉为“潮州的同一首歌”。获2006年度广东新闻奖三等奖。

《民生直播室》栏目 电视民生新闻节目。2005年5月9日开办，公共频道每天18:50～19:20首播。“新闻服务民生”。2007年首播的平均收视率为22.58%，居全省同类栏目前列。2006年被南方广播影视传媒集团评为精品栏目，并被评为2006年度广东省广播电视新闻奖三等奖。

阳江广播电视台

《省委书记与平地农民》节目 广播新闻专题类。2006年1月1日播出。以中央政治局委员、原广东省委书记张德江与阳江平地村农民的“情”为主线，突出了新时期党的高级领导干部求真务实、亲民爱民的形象。获2006年度广东省新闻奖二等奖、2006年度广东省广播电视新闻奖二等奖。

《阳江："派比安"中77万人安全大转移》节目 电视新闻专题类。2006年8月播出。台风"派比安"造成54人死亡，7人失踪，但登陆地阳江却无一人死亡。作品体现了阳江市委、市政府"以人为本"的抗灾指导思想，被中央电视台和广东电视台采用播出。获2006年度广东省新闻奖二等奖、2006年度广东省广播电视新闻奖二等奖。

湛江市广播电视台广播中心

《阿强阿花》节目 音乐节目。2006年1月17日播出。2006年度中国广播电视协会广播文艺委员会专家奖获一等奖，获2006年度广东省广播电视文艺奖三等奖。

佛山电视台

《小强热线》栏目 民生新闻类。2003年7月开办，每周一至周五晚19:45播出。是广东省较早开办的民生新闻类栏目，稳居佛山电视台收视榜首。2006年，获全国城市电视台十佳栏目殊荣。

《飞鸿茶居》栏目 粤语谈话类。2003年7月开办，每周日晚20:00播出，在佛山地区拥有较高的知名度和影响力。2006年制作的《让家庭远离暴力》获中国新闻奖三等奖。

梅州市广播电视台

《客家人》栏目 文化专题。2005年12月开办，每周六19:35播出。收视率在当地自办节目中一直位居前三位，被评为2006年度的广东好新闻栏目三等奖，节目被广东卫视海外频道和福建厦门卫视采用播出，反响良好。

三、优秀剧目介绍

广东电视台

系列情景喜剧《外来媳妇本地郎》 广东电视台电视剧制作中心制作，逢周六、日广东电视台珠江频道19:00首播，广东电视台卫星频道、广东电视台公共频道等已播出1300多集，正继续拍摄。编剧王萍、王丹丹、许丹华，导演陆晓光、徐智斌。2006年12月获得了中国广播电视协会颁发的创优电视栏目剧三等奖；2007年剧组被广电总局评为全国先进集体。

湛江市广播电视台广播中心

广播剧《拆墙》 2006年10月11日播出.2006年度中国广播电视协会广播文艺委员会专家奖获二等奖，获2006年度广东省广播电视文艺奖三等奖。 （张恩明）

广西壮族自治区

一、频率频道介绍

广西人民广播电台

台　名	频率名称	开播时间
广西人民广播电台	卫星广播	1994年10月1日
	经济广播	1992年10月28日
	教育生活广播	2000年1月31日
	文艺广播	1996年12月6日
	对外广播	1984年12月1日
	交通广播	2004年10月10日

广西电视台

台　名	频道名称	开播时间
广西电视台	卫星频道	1997年1月
	综艺（原文体）频道	1999年4月
	都市（原生活）频道	2001年9月
	影视频道	2002年7月
	体育频道	2002年7月
	资讯（原经济）频道	2002年7月
	公共频道	2004年6月

二、优秀节目、栏目介绍

广西人民广播电台

《追寻生命的太阳》节目 2006年12月20日开播的广播综艺专题节目，节目时长51分07秒。节目从壮族舞剧《妈勒访天边》切入。通过回忆民间传说《母子访太阳》，综合运用多种样式作品进行对比和列举等手法，采用多侧面、多视角的人物采访录音手段，展现壮族人民"不懈追求"的民族性格和崇高精神；以全新方式解读舞剧音乐，体现出独特的壮族人文内涵和深厚的精神底蕴。2007年获中国广播影视大奖优秀广播综艺节目提名。

《小螺号》栏目 教育生活广播少儿栏目。1994年10月1日开播。栏目采用少儿喜闻乐见的形式，用"孩子的语言"来讲孩子的事情。每周一至五17:00～17:30、每周六15:00～17:30直播。2005年、2006年获中国广播影视大奖"十佳新闻栏目提名"奖和全国少儿广播十佳栏目奖。主持人心子，2005年被全国城镇妇女"巾帼建功"活动领导小组授予全国城镇妇女"巾帼建功标兵"称号，中央宣传部、中央文明办、教育部、文化部、国家广电总局、新闻出版总署、国家体育总局、共青团中央、全国妇联、中国科协等十部委授予中国青少年社会教育"银杏奖"特别荣誉奖；广西壮族自治区党委宣传部、广西广播电影电视局授予第二届、第三届广西广播电视"十佳播音员、主持人"称号。

《东方彩虹》栏目 2004年7月22日开办的对外广播栏目，每周播出一期，每期两个常设栏目，越南语版本14分30秒，广东话版本15分。主要报道中国与东盟的交流合作。其中，"广西与东盟"栏目重点报道广西与东盟各国各方面的合作与交流，报道中国与东盟各国人民的交流以及在对方国家的见闻、印象、观感等。节目内容丰富，结构新颖，主持人主持风格鲜明，针对性强，取得了较好的对外宣传效果。2006年获广西广播电视优秀栏目奖。

广西电视台

《寻找金花》栏目 2004年1月开办的综艺类栏目，周日22:15播出。一档面向全国的民族风情时尚栏目，旨在寻找有着"金子般心灵，花儿一样容貌的美丽姑娘"。让观众了解国内外不同地域、不同民族的美丽人物、美丽风情、美丽故事等，用全新视角树立与众不同的"寻美标准"。栏目2006年获全国第二届"女性风采"优秀电视作品展播的"最佳女性栏目创意"奖、"2006中国原创电视栏目20佳"、第23届中国电视金鹰奖电视文艺栏目提名奖、第六届中日韩电视制作者论坛“最佳电视综艺节目奖”。

《新闻在线》栏目 都市频道2004年1月开办的新闻类栏目，21点播出。以社会新闻为主，秉承关注民生，反映民声的新闻理念，立足南宁，面向全广西，报道每天发生在百姓身边的新闻事件，反映百姓日常生活的酸甜苦辣。《新闻在线》获2004年中国广播影视大奖广播电视节目奖十佳新闻栏目提名，获2005～2006年度中国广播影视大奖广播电视节目奖十佳栏目优秀奖，2007年在第十七届中国新闻奖电视新闻节目编排复评中获铜奖。

《时尚中国》栏目 中国服装设计师协会、中国职业时装模特委员会与广西电视台2004年联合开办的服务类栏目，定位是中国本土的时尚产业，努力把握中国时尚产业的话语权，通过原创、主办“亚洲超级模特大赛”、“盛妆亚洲－广西电视台时尚春节晚会”等重大活动，与日本、韩国等国家行业协会建立合作关系，成为亚洲时尚交流平台。栏目获2006年中国原创电视栏目20强。

《夺宝奇兵》栏目 2005年1月开办的大型户外游戏竞技娱乐类栏目。在已建好的游戏区域内，通过紧张刺激的比赛展现团队精神，同时借助口号、广告横幅、服装等，展示企业品牌。栏目自开播起，在广西同类栏目中稳占收视头把交椅，吸引了各广告厂商竞相进行冠名和赞助。栏目收视群体囊括6～60岁各年龄层，在广西具有广泛的影响。2007年3月获“2006中国原创电视栏目20佳”，是当年唯一获此奖项的娱乐类栏目。

河池电视台

《法治前沿》栏目 河池电视台与河池市政法委联办的电视专题法治栏目，聚集在河池市发生的法制事件和出现的法制人物，举案说法，以普及法律知识，弘扬社会正气，倡导文明和谐为宗旨。通过主持人讲述方式，展现法制事件或人物故事。栏目长度15分钟。2007年3月改扩版，每周推出三期节目，其中周五推出周末版特别节目，周一、三推出杂志型节目，周二、四、六重播。曾获2004、2005年广西广播电视优秀栏目奖。

来宾市电视台

《法律在线》栏目 2005年5月开办的一档杂志型法治类栏目。每周一期，每期30分钟。栏目以“以案说法，关注法治”为宗旨，以普及法律知识、弘扬社会主义正气为出发点，以报道当地加快法治进程展现的新气象和典型案例为主要内容，在观众中有较高的收视率。该栏目获2006年度广西广播电视十佳优秀栏目奖。

梧州电视台

《黄金水道》栏目 2007年12月开播。栏目的主要内容是反映西江黄金水道的全貌，反映以梧州为重点的西江两岸的历史文化传承、力争上游的精神和社会民生、经济建设的巨变。该栏目2007年获广西广播电影电视局录制技术质量奖三等奖。

海南省

一、频率频道介绍

海南广播电视台（广播）

台 名	频率名称	开播时间
海南广播电视台	海南广播电视台新闻广播	1953年2月2日
	海南广播电视台经济广播	1992年8月30日
	海南广播电视台交通广播	1998年10月30日
	海南广播电视台音乐广播	2008年3月3日

海南广播电视台（电视）

台 名	频道名称	开播时间
海南广播电视台	旅游卫视	1999年
	海南广播电视台综合频道	1979年10月1日
	海南广播电视台公共频道	1990年
	海南广播电视台影视娱乐频道	2005年1月19日
	海南广播电视台少儿频道	2005年1月19日

二、优秀节目、栏目介绍

海南广播电视台（电视）

《直播海南》栏目 民生新闻。2004年7月12日开办，每天18:00综合频道播出，时长60分钟。主要内容是民生新闻，专题、系列报道、连续报道。获2005年度最具广告传播力电视节目奖、第十六届海南新闻奖名专栏奖、2004～2006年度海南广播电视优秀节目电视新闻专题类一等奖。

海口广播电视台

《椰城纠风热线》栏目 广播新闻专题。2005年5月14日开办，每周一、三、五早上7:30～8:30首播；FM101.8、FM95.4并机直播，时长60分钟。由市纠风办、市委宣传部、市监察局、市广播电视台联合主办。集咨询、投诉、监督于一体，一把手轮流走进直播间，与群众进行零距离交流，解答群众关注的热点难点问题，已播出122期。省委常委、市委书记陈辞对节目给予高度评价：“此节目办得很好，如同市长接待日一样，有助于密切党群、干群关系”。被评为海口市2007年十大新闻。

《海口新闻》栏目 电视新闻。1989年开办，海口一套每晚6:40首播，时长20分钟。报道时政要闻，纵览区域大事，引导社会舆论，全力打造海口第一新闻品牌。连续三年被评为全国城市电视台十佳新闻栏目，《纪念海南解放50周年》、《第四届海南岛欢乐节》在全国城市电视台新闻评奖中获得编排类一等奖，《海口电视主持人走近清淤官兵》获全国城市社教节目评析会特别节目二等奖，获海南省好新闻一等奖。

《踏歌走天涯》栏目 电视栏目剧。2005年2月26日开办，海口一套每周六晚上22:05首播，时长30分钟。以电视栏目为平台，借鉴了电影、电视剧的表现手法，以普通市民和观众群体为演员阵容，演绎发生在老百姓身边的故事。2007年获第二届全国栏目剧评优三等奖，海南省2006年度优秀广电节目评比三等奖。

重庆市

一、频率频道介绍

重庆人民广播电台

台　名	频率名称	开办时间
重庆人民广播电台	重庆人民广播电台	1950年1月4日
	广播新闻频率	2004年4月1日
	广播经济频率	1988年12月25日
	广播交通频率	2001年1月1日
	广播音乐频率	2002年5月1日
	广播都市频率	2003年12月6日

重庆电视台

台　名	频道名称	开办时间
重庆电视台	重庆电视台	1960年12月25日试验性播出
	重庆卫视	1998年10月1日
	影视频道	2004年4月
	新闻频道	2004年4月
	科教频道	2004年4月
	都市频道	2004年4月
	娱乐频道	2004年4月
	生活频道	2004年4月
	时尚频道	2005年12月
	少儿频道	2007年12月
	公共·农村频道	2007年12月25日
	国际频道	2006年3月1日

重庆电视台付费电视频道

台　名	频道名称	开办时间
重庆电视台付费电视频道	汽摩频道	2004年1月1日
	魅力时装频道	2004年1月1日
	彩标频道	2003年6月1日
	东方影视频道	2003年4月
	欧美院线频道	2003年4月
	首播剧场频道	2003年4月
	港台院线频道	2003年4月

二、优秀节目、栏目介绍

重庆广播电视总台（广播）

《阳光重庆》节目　新闻热线类。由重庆市纪委、市委宣传部、市监察局、市政府纠风办、重庆广播电视总台联合主办，关注民生和行风建设，2007年4月9日在新闻频率开播。全市93个市级机关和职能部门的主要负责人轮流走进直播间，通过热线电话与听众交流，提供政策咨询，受理群众投诉，就社会关注的热点问题作出解答。记者同步跟踪，纵深报道。节目得到市委常委、常务副市长黄奇帆，市委常委、宣传部部长何事忠，市委常委、市纪委书记徐敬业等领导的高度重视。徐敬业批示：“以小见大，服务百姓，开局良好，可喜可贺！”截至11月底，70期《阳光重庆》节目共接听市民热线电话2000余个，在直播间中播出的电话及短信近600个，对于听众所反映的问题，解决率在95%以上，群众满意率达到96%以上。

《早间新闻网》节目　广播新闻频率的龙头节目，已有50多年历史，拥有一支庞大而稳固的收听队伍。《早间新闻网》以清闲早间、资讯窗口为理念，立足重庆，面向全国，放眼世界，新颖、快捷、权威。每天把全市、全国乃至世界各个角落发生的重要新闻信息及时报告给听众。节目强调权威观点与群众视角、追求高雅格调与大众品位。政令与政策、改革与发展、市情与世象，是节目的主要报道内容。

《听说12点》节目　民生新闻，2006年12月3日广播新闻频率开播。每天中午12点到12点半播出。以关注社会百态，关心民生民情为指导思想，力图体现贴近性，服务性和可听性。内容包括民情、民生、民乐、民忧：不仅为市民提供衣食住行方面的各种资讯，还通过市民投诉热线及时为市民排忧解难；采用主播述评式说新闻、故事化的叙事方式，增强节目的可听性。

《新闻18点》节目　新闻节目，2004年4月1日广播新闻频率开播。每天18点到19点播出，由《时事特快》、《新闻通天下》、《时事评说》三档栏目组成，荟萃当天市内重大新闻，囊括国内、国际最新时讯，以独特的视角、客观的立场评说社会热点话题。2007年4月再度改版，设置听众参与社会热点评说环节，增强了节目的吸引力。

《吃在重庆》节目　美食节目。广播都市频率2003年12月6日开播。以服务听众、娱乐听众为宗旨，以方言为亮点，以海量的美食信息为卖点，以精彩的活动为焦点，取得了良好的经济效益和社会效益，市场份额位居广播同时段节目前列，广告年创收近百万元。“明星主持人”啾啾、蛊蛊哥和莽娃极富号召力和影响力。2007年7月，一场百年不遇的特大暴雨袭击重庆，节目号召全市餐饮商家为灾区捐款捐食物，送去2千多盒盒饭，并筹得善款7万多元修复铜梁县双山乡建新村暴雨冲毁的公路。这一活动鼓舞了全市人民的信心和斗志，扩大了节目和电台的影响，树立了良好社会形象。被评为重庆广电总台2007年最佳广播节目。

《生活3·15》节目　服务类。广播都市频率2006年2月开播，做消费信息的发布窗口，消费者维权的坚强后盾，消费者和经营者交流沟通的平台。节目强化追踪报道，对3·15热线消费者投诉的问题件件有回复，事事有落实。独家披露曝光了“波丽宝”减肥产品虚假宣传，使之受到查处，并引起央视关注。近年来，共受理消费者投诉咨询7135件，节目中答复3873件，节目后调解处理3169件，为消费者挽回经济损失96万元。2007年获重庆市十大消费维权贡献奖。

《955与你相随》节目　互动直播节目。广播交通频率2003年1月1日开播，周一至周五8:30～10:00播出。集路况信息、交通资讯、生活提示、话题交流等为一体，“用心交流，用爱沟通”，为听众提供交通服务的同时，关注爱心公益事业，并成立爱心公益组织“955爱心俱乐部”，在公益事业领域也拥有极高的公信力。获2006年度重庆市广播电视最佳栏目奖。CSM2007年度收听市场调查数据显示，该节目在重庆广播市场中收听率、市场份额指标均居于首位，也是商家投放广告的首选品牌之一。

《汽车世界》节目　专业类。广播交通频率1998年1月1日开播。周一至周五11:00～12:00播出。以汽车爱好者和汽车消费者为传播对象，内容涵盖汽车资讯、车型导购、试乘试驾、汽车文化、赛车信息等。主持人林海经过8年的积累，已成为业界资深的汽车节目专业主持人，2007年获中国播音主持金话筒奖，成为重庆市第一个获此奖项的主持人。节目在《重庆晚报》开设报纸版，在重庆电视台《科教频道》开设了电视版。根据CSM2007年度收听市场调查数据，节目在重庆广播市场中收听率、市场份额、忠实度指标均在同时段广播节目中名列前茅。获得2007年度重庆市广播电视奖一等奖。

《理财支招》节目 金融财经类。广播经济频率2006年1月开播，周一到周日直播，倡导科学、健康、文明、理智的生存观念和生活方式，深入洞悉银行、证券、保险、外汇、收藏等各个理财渠道，解决理财问题，探讨理财方式。节目强调可听性、服务性、实用性和互动性，风格轻松时尚，通过访谈、讲解等多种形式，深入浅出的将理念传播给普通的投资者。获2007年中国广播电视协会财经证券节目三等奖、第十届重庆新闻奖。

重庆广播电视总台（电视）

《重庆新闻联播》节目 电视新闻。1976年开播的《山城新闻》是其前身，1997年重庆直辖时，《重庆新闻联播》开播。《重庆新闻联播》坚守主旋律，服务市委、市政府的工作大局，具有很强的舆论引导能力。1998年上星播出，近年来始终注重改善话语体系，亲和播报样式，拓展新闻视野，发掘价值要素，努力实现节目兼具活力与价值，开始更多地关注重庆经济社会运行的亮点和特质。2007年，在全台卫视自办节目中始终稳居前三，保持稳定增长。

《重庆发现》栏目 电视新闻。2006年12月1日开播，每天晚上CQTV新闻频道9:30～10:30直播，时长一小时。内容第一板块是讲述一个内容曲折、有悬念并且贴近老百姓的新闻故事；第二板块是主持人“说新闻”。新闻来源除记者自采外，还包括网络及平面媒体。观众定位在20–50岁，可通过短信和热线电话直接对节目进行评论，并鼓励主持人树立独特风格。2007年1～10月平均收视率达2.5%。记者姜万川、李侗拍摄制作的专题《“火锅姑娘”的坎坷人生》获第十七届中国新闻奖三等奖，成为总台唯一获得十七届中国新闻奖的作品；记者刘玉婷、侯颖制作的《我们会赢》获全国2006年度残疾人事业好新闻电视类三等奖。为“2007感动重庆十大人物颁奖晚会”制作的VCR也得到了市委宣传部的高度赞扬。

《天天630》栏目 民生新闻。2004年4月20日开播，每天18:30播出，时长一小时。栏目始终坚持正确舆论导向，努力遵循新闻规律，坚持“三贴近”，高度关注民生问题，着力体现激浊扬清的社会责任，充分发挥“监督不添乱，解决不包办，到位不越位”的舆论监督功能，取得了很好的社会效益和经济效益。栏目收视率、收视份额持续位居本地第一。2005年~2007年，《天天630》连续三年在AC尼尔森全国各大城市新闻栏目收视排行中雄居榜首。2006年、2007年，栏目广告收益均达1亿元。近两年，《天天630》先后推出《新春欢乐送》、《请让我来帮助你》、《直辖十年十大感动故事市民海选大行动》、《姑娘小伙你真棒》等一系列媒体行动，既紧扣了主题宣传又拓展了栏目影响。同时，常态小栏目《我的亲情故事》、《重庆好心人》、《凡人歌》等也不断深入人心。2004年8月，该栏目被评为全国首届百佳栏目。

《拍案说法》栏目 2000年6月19日开播。卫视频道晚间10:30～11:00播出。紧扣卫视频道“故事中国，人文天下”的定位，坚持“故事为体，悬念为用，道德为宗，普法为根”的创作原则，把一个个法治故事讲述得悬念迭起，一波三折。2007年创下3.22%的全国份额，稳居全国同时段第二位，超过同期卫视晚间平均份额，多次进入全国所有节目前30，是全国收视率最高的电视法治节目，连续第三年获得全国十佳法治节目，《媒介》杂志中国原创电视栏目20佳。中国广播影视大奖2005、2006年度优秀电视栏目提名奖。重庆广播电视总台最佳电视栏目奖。

《巴渝人家》栏目 1994年10月1日开播。13年来，栏目播出2000多期，记录了数以千计的巴渝人物故事。通过时间的力量和真实的力量，用影像为变化中的中国社会存史留档，具有高品位的社会学、人类学价值。栏目一直关注人物，它的核心价值是人物的“情感命运”，并以短纪录片的手法将这种价值传播给观众。形成了鲜明的叙事风格和镜头语言，在具有浓厚码头文化和山地文化传统的族群中有着广泛的情感认同和审美认同，是少有的百姓、专家、官员雅俗共赏的栏目，在媒体泛娱乐化时代，尤其显得可贵和独具魅力。2002年3月18日起开始日播。有一支高素质的创作队伍和成熟的质量控制体系，良好的敬业精神和职业素养；拒绝浮躁、深入生活、精益求精的工作态度和浓厚的专业氛围。栏目是重庆地区获奖率最高的栏目之一，2000年以来已获中国广播电视新闻奖、中国播音学会奖、全国有线电视节目奖、金鹰奖（短片）、中华大地之光奖、中国视协百家电视文艺奖等国家级和省级各种奖次100多项，在第二届全国省市电视台优秀专栏节目奖评选中获纪录片栏目一等奖。

《巴渝新农村》栏目 2007年8月，《巴渝新农村》随公共农业频道开播，每天21:00～22:00播出，定位于服务三农，关注农村、关心农业、关爱农民。有指导生产实践的《天地农事》，有为农民朋友架起信息沟通的《致富金桥》，《三农热线》中还反映农民的呼声和关注的热点，《魅力乡村》则为大家展现新农村、新农民、新农业的新风新貌，《城乡连线》反映各区县经济社会发展的动态消息，《乡村故事》关注农村致富带头人、乡村能人的创业致富经历等。填补了重庆乃至西部电视媒体无农业专业节目的空白。

《纪录重庆》栏目 日播电视纪实栏目，2004年底开播。栏目以纪实风格，反映大重庆有关的人文经济、地理风情、百姓故事、政法案例等人物事件，真实记录各阶层人民全面建设小康社会的奋斗历程，展现重庆的时代风貌。几年来，栏目依凭题材的多样性，视角的独到性，故事的生动性，形成了自己独特的风格和特色，拥有了一大批固定的收视观众，在重庆已经成为了一个有一定影响力和知名度的品牌栏目。

《食在中国》栏目 生活服务类栏目，2001年1月开播，已经做了600余期节目，由最初的每周一播，到现在的每周一、三、五、六、日播出。陆续推出了美食侦探、渝菜渝风堂、渝菜亮剑、重庆厨娘、美食传奇等多个节目板块，既有厨艺交流、食俗礼仪、娱乐趣味，又有保健养生之教诲，也有介绍各地名特小吃的饮食文化，深受各阶层广大观众的喜爱。

2007年在重庆国际频道播出后，被电视广播(澳洲)有限公司TVB(Australia)Pty.Ltd和翡翠互动电视Jadeworld两家传媒机构，通过澳洲地区收视观众投票对TVB澳洲所辖频道节目评选，荣获2007年度“我最喜爱的节目”之一。

《直通现场》栏目 电视新闻栏目，2005年5月开播。前身是《重庆新闻午报》。时长30分钟，12:00CQTV－重庆和CQTV－移动频道同步首播时间，13:00在CQTV－新闻频道重播。栏目的口号是：大民生、大视野、第一时间、第一热点——直通现场。板块为今日要闻版，今日关注版，文体时尚趣闻版。近年来，相继播出了《生命的故事——世界罕见神经纤维瘤手术直播》,《上海车展全接触新闻连线直播》,《重庆“7.17”特大洪灾连续现场报道》,《重庆百年不遇抗旱连续现场报道》,《走过十年——重庆直辖十周年直播节目》,《刺激2007——武隆国际户外运动挑战赛现场直播》,《三峡库区清库最后一爆新闻直播》等，受到观众好评。栏目被评为2006～2007年度重庆市广播电视新闻奖最佳电视新闻栏目。

《刑侦档案》栏目 法制类，创办于2006年11月。以国内公安机关近年来侦破的重特大刑事案件为原形，选取经典侦破案例和出警的第一现场资料为素材，带给观众“第一现场”的真实感、探索的新鲜感，亲身的参与互动感、表达观点情绪的释放感。采用个性化的包装＋真实的现场VCR＋纪实性演绎穿插＋情节化的侦破过程，更新了以往传统的“完成时”案例进行刑侦分析和评论的模式。在模拟现场重现部分，采用群众参与电视剧式的角色扮演。还首次引入了公安机关的警情通报、有奖举报和通缉令等警方信息，搭建了警民联系的桥梁，为共同震慑犯罪、打击犯罪创造了有利条件。收视率在全国同时段位列第三。

四川省

一、频率频道介绍

四川人民广播电台

台 名	频率名称	开播时间
四川人民广播电台	新闻频率	1952年10月1日
	民族频率	1955年10月1日
	经济频率	1991年1月1日
	音乐频率	1994年10月8日
	交通频率	2003年12月28日

四川电视台

台 名	频道名称	开播时间
四川电视台	四川卫视	1994年9月
	文化旅游频道	1993年12月
	经济频道	2000年12月
	SCTV－4频道	1993年9月
	影视文艺频道	1993年9月
	体育频道	1999年3月
	妇女儿童频道	1995年
	公共频道	2002年

二、优秀节目、栏目介绍

四川人民广播电台

《吃在成都》栏目 服务类。2002年5月8日开办，经济频率Fm89.4（成都）每天17:30～18:30播出，时长1小时。《吃在成都》是蜀文化或吃文化的传承，已成为四川电台的品牌，成都的品牌、四川的品牌。获2007中国八大菜系广播美食节目银奖。

《公民热线》栏目 新闻类。2002年3月开办，经济频率Fm89.4（成都）播出，时长1小时。是四川电台经济频率一档维护公民权益、构建和谐社会的新闻类广播专栏节目。该节目以关注民生为价值取向，多年来努力为百姓做好事、实事，努力为政府有关部门与听众的相互沟通、理解搭建有效平台。多次荣获国家、四川省级优秀节目奖。2006年，连续报道“成都超期服役燃气表更换费用该由谁买单”获得四川省级政府奖，主持人王可也凭借该连续报道荣获2007年中国播音主持“金话筒奖”，这是四川广播电视系统获得的第一个“金话筒奖”。

四川电视台

《四川新闻》栏目 时政类新闻。2006年1月1日由《四川新闻联播》改版开办，四川卫视每日19:35播出，时长25分钟。发布权威信息，传播主流话语，坚持严谨风格，树立责任意识，展示四川形象。2007年，栏目圆满完成党的十七大、省委八届八次全会、四川省“两会”、全国“两会”和省第九次党代会、林强事迹宣传等一系列重大宣传任务，还密切关注四川省“坚持科学发展 构建和谐四川”、“实现四个跨越”、“十大惠民行动”等中心工作的开展情况，始终坚持正确的舆论导向。播出了一大批制作精良的重点报道。

《婚姻碰碰碰》栏目 谈话类。2006年5月19日开办，四川卫视周五22:30播出，时长30分钟。“看传奇婚姻，品情感人生”，每期节目请一对夫妻到演播厅讲述他们的婚姻故事。文艺中心制作，开播以来，最高收视率在本台同类节目中的排名为第一，在全国同时段节目中，收视和份额一直稳居全国前10名。

《黄金30分》栏目 电视专题类。1999年5月1日开办，文化旅游频道周一至周六20:00播出，时长50分钟。由人文板块《视线》和法制板块《焦点》组成。《视线》是纪实类故事节目，《焦点》是法制类专题节目。两个板块，一个人文、一个法制，有机结合、栩栩如生地展示了时代前进的步伐，百姓生活的变迁。在四川地区收视率一直名列前茅，取得了社会效益和经济效益的双丰收。

《帮忙》栏目 新闻类。2007年1月开办，文化旅游频道周一至周日19:20播出，时长40分钟。四川地区第一档集情感援助、矛盾调解、公益慈善服务于一身的民生新闻节目，由“胖姐帮忙”扩版而来。记者现场调解邻里关系、家庭情感纠纷，上门处理市民麻烦事和烦心事，解决疑难问题，关注弱势群体。帮助了1000多个有矛盾或有困难的家庭，解决了700多起纠纷，有效化解了人民群众内部矛盾。平均收视率达2.6以上，最高收视率达4.5以上，在四川地区新闻节目排名前五名。《孩子，未婚妈妈绝不放弃你》节目获得2006～

2007年度四川新闻奖，记者钟燕平获四川广电集团“特约主持人贡献奖”，并当选为四川省政协第十届委员。七名记者被成都市司法局授予了“特邀人民调解员”称号。

《开心21》栏目 综艺娱乐类。2006年春节开办，文化旅游频道周一至周五21:00播出，时长40分钟。节目融合了小品、笑话、哑剧、方言说唱等精彩内容，尤其是四川本土方言节目最受欢迎。收视率名列本土综艺节目第一。

《幸福耙耳朵》栏目 方言系列剧。2006年8月开办，经济频道周一至周五21:00播出，时长30分钟。2006年，《麻辣烫》栏目与巴蜀著名笑星合作，推出反映四川新农村建设中百姓生活变化的季播类方言栏目喜剧《幸福耙耳朵》，以四川新农村建设先进典型为原型拍摄，真实再现新农村普通百姓的百味人生，受到观众欢迎。四川地区第一档方言栏目系列剧，本土化，贴近生活、贴近普通百姓。

《麻辣烫》栏目 方言栏目剧。2004年3月开办，经济频道周一至周日21:00播出，时长25分钟。本土特色鲜明、草根文化浓郁。“老百姓自己演绎自己的故事”。至今已播出了800多个融新闻性、思想性、娱乐性于一体的百姓故事，题材涵盖百姓经济、社会、生活等各个领域，节目具有极强的亲和力、参与性和可视性。四川方言栏目剧第一品牌，语言幽默风趣，本土特色鲜明。

《新闻现场》栏目 民生新闻类。2001年1月开办，SCTV-4频道每日12:15～12:55（40分钟），18:10～19:50（100分钟），21:00～22:00（60分钟）播出。集感人事、突发事、有趣事、紧要事为一体的民生类新闻，快捷、现场、真情是《新闻现场》最鲜明的特色。自开办以来收视率一直保持成都地区前三甲的骄人成绩。

《亮眼睛卡通派对》栏目 青少节目。2005年1月开办，妇女儿童频道周一至周五12:00～13:00，周六、周日8:20～13:20播出。播出国内外的经典动画片，已经成为成都地区动画节目的品牌栏目，在中午及周末上午的收视份额排名在成都地区前三。

《亮眼睛之家》栏目 青少节目。2007年3月开办，妇女儿童频道每天17:30播出，时长25分钟。以播出国内动画片为主，穿插“看动画学历史”、“看动画学成语”等内容，周末特别推出真人秀节目《无敌NO.1》。获得2007年度国家广电总局优秀青少节目二等奖。《无敌NO.1》节目通过让小朋友在毫不知情的情况下完成系列有针对性的任务真实展现小朋友们的自理、自护和解决问题的能力，获得第20届“星光奖”颁奖提名荣誉奖。

《快乐一哈》栏目 青少节目。2007年7月开播，妇女儿童频道每天19:50播出，时长40分钟。定位于轻松、搞笑，以动漫的方式改编小品、相声、笑话，并穿插推出栏目自拍的情景短剧。是四川地区唯一一档以动漫方式制作播出的娱乐节目，形式新颖、内容丰富，深受青少年朋友喜爱，是目前四川地区最具成长性的动漫栏目。

《联播四川》栏目 新闻。2007年1月开办，公共频道每晚19:30播出，时长25分钟。周一至周三推出新闻故事板块《公共视线》，周四至周六推出西南地区首家帮助观众寻找遗失的亲人和亲情的社会公益性节目板块《寻》；还与四川省公安厅和四川省红十字会联办推出了《四川警务报道》和《博爱四川》板块。每周日晚播出周末版《新七天》，精编一周最受观众青睐、收视率最高的节目。

成都电视台

《成视新闻》栏目 综合新闻类。1986年开办，周一至周日19:35–20:00播出。《成视新闻》是成都电视台的王牌节目。采用演播室直播方式，以权威、公正、快速和信息量大为特点，以关注重大的政治经济社会事件、重大突发新闻事件为报道方向，成为成都人及时了解重要新闻的主渠道。《捐爱女角膜 下岗夫妻光明带给两孩童》等作品获2006年度全国城市台好新闻一等奖、2006年四川省好新闻一等奖。

自贡市人民广播电台

《行风热线》栏目 新闻类。2004年2月10日开办，每周二中午12:00～13:00首播；周六12:00～13:00重播。该栏目以“直接听取群众呼声，真诚解决群众疑难”为宗旨，是自贡市政府部门与百姓沟通的“连心桥”。先后被评为自贡市群众满意的十件实事之一和四川省广播电视新闻十佳栏目，《行风热线》进社区现场直播在四川省广播电视省级政府奖评选中获优秀奖。《中国监察》、中纪委网站等介绍了自贡市开办《行风热线》节目的经验和做法。

泸州电视台

《每日800》栏目 社教类。2002年开办，每周一至周五20点播出。该栏目于2003年度、2004年度连续两年获“四川省十佳栏目”奖。栏目中播出的节目曾获国家级奖8个，获四川省“五个一”工程奖1个，四川省级政府奖特别奖2个，一等奖16个，二等奖11个，三等奖7个。

德阳市广播电视台

《晚间播报》栏目 电视新闻类。2002年11月1日开办，每晚新闻综合频道10:00播出。为民生新闻栏目，力图突破传统新闻风格，以“贴近百姓、贴近生活”为宗旨，主持人用说新闻的方式表现普通百姓的生活和情感。设置《热点新闻》、《百姓故事》、《来电显示》、《城市点滴》等板块，独家深度报道充分体现了“民生、民情、民意”。获四川省政府奖。

绵阳人民广播电台

《小叮当》栏目 社教类。1999年6月开办，是绵阳人民广播电台的日播品牌栏目，播出了大量有益青少年健康成长的优秀节目，节目格调积极向上，形式活泼多样，可听性较强，多次荣获省、市优秀广播电视奖。2007年，获国家广电总局全国少儿广播电视节目精品扶持鼓励三等奖。

广元电视台

《成长》栏目 青少年类栏目。1993年开办，每周一、三、五、七的19:46播出。一直秉承“动手、动脑、动嘴，让孩子健康快乐成长”的理念，紧跟时代发展，不断创新，保持15年高收视率与节目参与率。获2006年全国优秀青年维权岗并保持至今、获2007年度全国少儿节目精品及动画精品评审优秀少儿电视栏目三等奖。

遂宁市广播电视台

《新闻零距离》栏目 2003年4月开办，星期一至星期六播出。主持人采用“说新闻”的形式，通过透视热点、舆论监督、反映老百姓身边的事和群众关心的热点问题，“关注社会、反映民生”。2007年现场报道了《中美滑水明星对抗赛》、《同一个梦想》等大型活动，举办了《暖春的问候：慰问帮扶特困人群》、《政府惠民在行动》、《“五、一”特别节目：向生活英雄致敬》等社会活动。收视率位居市各档电视节目前列。2005年和2006年度获全省十佳新闻栏目优秀奖、提名奖。

广安市电视台

《东方地平线》节目 电视专题类。2005年8月22日播出。推介邓小平故里景点，文笔雅致，画面优美，配音、配乐恰到好处。在邓小平同志诞辰101周年期间推出，引起很好的社会反响。第27届四川省广播电视节目奖优秀奖。

达州电视台

《经济新时空》栏目 经济类。2003年6月开办，每日二套20:50首播，次日早上达州二套8:00、中午达州一套12:30重播。以“经济改变生活”为栏目理念，以解析达州经济现象、展示达州经济事件、传递达州经济资讯、维护达州经济秩序为栏目定位。获2007年度四川省“十佳栏目”称号。

雅安电视台

《九点事实》栏目 社教类。2004年3月开办，每晚21:00播出。节目创办以来，连年获得雅安市优秀栏目奖，在四川省广播电视节目奖评选中也获得过优秀栏目奖。

资阳广播电视台

《新闻快车》栏目 新闻类。2006年1月1日开办，每晚21:45分播出以客观公正的报道立场，独特犀利的新闻视角，新颖活泼的表现手法报道与本地政治经济、社会生活密切相关的信息。2007年3月被评为电视十佳新闻栏目。

甘孜州广播电视台

《甘孜人文地理》栏目 风光风情电视片。2005年1月开办，每周一、三、五晚8:30首播，次日下午15:00重播。该栏目内容丰富，制作精良，生动形象地展现了甘孜州风光风情，节目播出后深受观众欢迎和好评。多次荣获四川省政府奖、全国少数民族题材骏马奖、“五个一”工程奖等多项国家级、省级奖项。

凉山电视台

《今晚8:00》栏目 社会新闻。1999年5月开办，周一至周日20:00在凉山新闻综合频道（12频道）首播。以心系寻常百姓生活，实施舆论监督为己任，是本台收视率最高的名牌栏目。《悬崖上的夫妻小学》获“金熊猫”奖国际纪录片评选社会类入围奖。

成都市金牛区广播电视中心

《魅力金牛》栏目 电视专题类。2004年3月18日开办。每周四晚20:00播出。《印象金牛》在《魅力金牛》栏目中制作播出，是金牛区对外形象宣传片，获得2006年度四川省广播电视节目奖对外新闻类优秀奖（一等奖），和2006年度成都市广播电视节目奖对外新闻类优秀奖（一等奖），广受好评。

内江市威远县广播电视台

《儿童乐园》栏目 广播社教类。1987年10月开办，每周一晚18:00播出，时长15分钟。播出的“谁是害虫”节目采用童话形式，通过动物们在法庭上的争辩，层层深入地告诉少年儿童要爱护环境，人与自然和谐相处。节目构思新颖，主题明确，情节和语言富有儿童特色，把知识性与趣味性有机结合。寓教于乐。在四川广播电视节目评奖会上获优秀奖。

贵州省

一、频率频道介绍

贵州人民广播电台

台 名	频率名称	开 播 时 间
贵州人民广播电台	新闻广播（FM94.6、AM765）	1949年12月
	经济广播(FM98.9)	1994年11月18日
	音乐广播(FM91.6)	1998年1月28日
	都市广播(FM106.2)	2005年7月30日
	交通广播(FM95.2)	2003年9月28日

贵州电视台

台 名	频道名称	开播时间
贵州电视台	卫视频道	1991年8月
	公共频道	2002年
	电视剧频道	2004年3月22
	大众电影频道	2005年4月28日
	时尚生活频道	2006年5月10日
	科教健康频道	2001年8月10日
	经济频道	2007年4月15日
	天元围棋频道	2004年5月1日
	摄影频道	2005年11月

二、优秀节目、栏目介绍

贵州人民广播电台

《岁月如歌》栏目 文艺类。1998年10月开办，FM91.6音乐广播每天14:00～15:00首播，00:00～01:00重播，时长60分钟。将港台专辑、内地专辑、回信专辑、音乐心情以及老歌排行榜贯穿于一周七天的节目之中，既丰富了节目内容，又有很强的可听性。在各次收听率调查中排名一直居于前列的一档品牌节目，也成为贵州广播界生命力最长的一档品牌音乐节目。

《午间关注》栏目 新闻专题类。2000年4月开办，FM94.6、

AM765每周一至周五12点13分～13点57分播出，时长44分钟。每一期节目选择一个话题，进行直播互动，主要围绕国际时事、国内大事、省内新闻、民生热点等问题展开。除了直播间主持人、嘉宾、听众互动交流的固定模式外，还开辟了走进乡村、走进学校、走进商场的大型户外直播形式及省外媒体连线形式，实现了"哪里有电话，哪里就有午间关注直播间"的概念。听众赞誉《午间关注》为一档启迪智慧的节目。

《阳光946政风行风热线直播》栏目 新闻专题类。2006年11月22日开办，FM94.6、AM765周一至周五上午10～11点播出，时长60分钟。阳光"946"政风行风热线节目采用直播形式定期邀请省直部门和单位的主要领导带领职能处室负责人到直播间，向听众介绍本部门、本单位的工作职责及政务公开实施情况，宣讲行业政策法规和相关法律法规，现场接听群众电话，解答群众疑问，受理群众投诉。倾听群众呼声，搭建政府与百姓沟通平台。

《凌云夜话》栏目 谈话节目。1998年开办，FM98.9每天00:00～2:00播出，时长2小时。通过短信热线交流，涉及情感、婚姻、人际关系等各方面心灵及社会问题。一位主持人，每日上节目，十年皆直播。迄今已逾3500期。所接热线总数已逾五万八千条，短信已达十万条以上，收到听众信件四万多封。为贵州收听率最高的广播节目之一。听众人群极广泛，分布均匀。主持人在节目中以其言简意赅、理性现实、一针见血式的冷峻风格独树一帜，在听众心中有极高的信任度和知名度。因此每日参与短信、热线爆满，许多忠实听众多年每日守候。

贵州电视台

《论道》栏目 演播室高端对话节目。2007年5月16日开办，贵州卫视播出，时长45分钟。由博鳌亚洲论坛秘书长担纲嘉宾主持，被媒体界誉为中国第一位"高官主持人"。栏目秉承"高度、深度、关注度"的制作理念，主打"时事巅峰对话、风口浪尖人物、当下敏锐话题"。节目邀请政界名流、商界明星、学界名家，就房地产、股市、宏观调控、人民币升值、外资并购、国际贸易摩擦、全球化进程中的文化冲突、黄金周改革、高考体制改革等敏锐话题发表见解，在泛娱乐化的趋势中另辟蹊径，开创政府高官作为"话语领袖"介人媒体、引领舆论的新时代。龙永图以《论道》栏目嘉宾主持的身份获了"07中国思想贡献奖"，《论道》栏目荣获"07年中国传媒产业模式创新大奖"。

《篮球小子》栏目 贵州电视台2007年8月开办的少儿节目，公共频道播出。节目长度22集/550分钟。该节目是一个以篮球为主题的大型校园竞技节目，旨在引领中学生积极健康向上，为迎中华奥运，增强学生的爱国热忱。节目利用篮球比赛竞技、人物专访、娱乐、谈话和新闻等多种电视手段，易于中学生接受。有较高的收视率。节目荣获2007年度全国少儿精品节目二等奖。

贵阳人民广播电台

《红帆船》栏目 1996年开办的少儿节目，每天17:30～18:00播出。组织的"乡村儿童逛新城"大型活动获贵州省新闻奖二等奖，获2006年度国家广电总局少儿精品栏目三等奖；获2007年度国家广电总局少儿精品栏目三等奖。

云南省

一、频率频道介绍

云南人民广播电台

台　名	频率名称	开播时间
云南人民广播电台	新闻广播	1999年1月
	民族广播	1955年7月
	香格里拉之声	1986年10月1日（原国际频率，2007年10月改现名）
	经济广播	1994年11月2日
	音乐广播	1995年12月
	教育广播	1995年12月18日（原音乐之声"青春100"，2007年7月改现名）
	交通之声	1999年4月1日
	少儿广播	2005年12月28日

云南电视台

台　名	频道名称	开播时间
云南电视台	云南卫视（一套）	1969年10月（开播）
	都市频道（二套）	1994年12月
	娱乐频道（三套）	1999年9月
	生活资讯频道（四套）	1996年7月
	电影频道（五套）	1998年12月
	公共频道（六套）	2002年7月
	猜猜少儿频道	2006年12月

二、优秀节目、栏目介绍

云南人民广播电台

《大通道带来大发展》节目 云南人民广播电台采制的专题连续报道，2006年12月25日至27日播出。云南是中国面向东南亚最直接的陆路水路出口之一，近年来积极推进国际大通道建设和次区域国际合作。节目真实报道了大通道建设进展及相关各国由此产生的经济社会效益。主题重大，内容翔实，时效性好。获2006年度云南广播电视奖一等奖。

《走出大山的苦聪一家人》节目 云南人民广播电台、思茅人民广播电台、镇沅县广电局联合采制的新闻专题报道，2006年10月12日在云南电台播出。该专题报道了一个苦聪家庭从大山中走出后建设新家园的事实，反映了新时期党和政府对少数民族的关爱和他们生活的巨大变化。报道以小见大，主题突出，同期声采录自然，有较好的广播特点。获2006年度云南广播电视奖一等奖。

《父子党代表的心愿》节目 云南人民广播电台采制的民族语节目，2006年11月16日播出。该篇通过对父与子两代党代表的访谈报道，反映了云南省第八次党代会展望的边疆民族地区社会经济发展前景和参会代表的激动心情。获2006年度云南广播电视奖一等奖。

《富裕起来的傣族“小轿车”村曼卡》节目 云南人民广播电台采制的对农节目，2006年11月16日播出。节目报道了云南省西双版纳傣族自治州远近闻名的斩车村曼卡村的新面貌和具有现代意识的傣族农民的精神风貌。获2006年度云南广播电视奖一等奖。

云南电视台

《第三届泛珠三角区域经贸合作洽谈会和2006年中国昆明进出口交易会特别报道》节目 云南电视台对这两次重大经贸活动的主题报道。2006年6月7日至9日在该台卫视频道连续播出。该报道形式有所创新，从主持人出境、解说、到播发现场述评，全部在现场录制完成，体现了记者较好的新闻敏感和报道水平。每集主题均由3位现场主持人的见闻、感受组成，现场气氛活跃，时效性和可视性均好。获2006年度云南广播电视奖一等奖。

《昭通盐津大关8·25地震系列报道》节目 云南电视台前后方记者快速采编、协同制作的新闻作品，2006年8月26日起在卫视频道连续播出。与以往的灾害性报道相比，这组报道视角独特，形式生动，突出了记者的现场体验和新闻细节，从多个侧面反映了灾区群众战胜灾害的积极心态，以及各级政府和社会各界对抗震救灾的巨大支持。播出后在全省乃至全国引起较大反响，社会各界纷纷捐款捐物，帮助灾区渡过难关。获2006年度云南新闻奖一等奖。

《情满基诺山——胡锦涛总书记看望基诺族群众纪实》节目 2006年5月16日，云南电视台卫视频道《云南新闻》播出，该节目真实反映了总书记走进基诺族群众中的亲民、爱民形象，通过总书记与基诺族群众的对话，表现出总书记对云南少数民族群众的深切关怀，也反映了基诺族群众对党和的领袖的热爱与信赖。节目多采用长镜头拍摄，抓拍了总书记对基诺族群众嘘寒问暖的感人瞬间，编辑中运用了大量同期声。拍摄细腻生动，特写镜头稳定，画面清晰干净，有较强的感染力。获2006年度云南新闻奖一等奖。

《民生关注》栏目 云南电视台新闻综合频道2004年10月18日创办、2006年8月29日改版的民生新闻类直播栏目，每日21:00首播，次日3次重播，每次60分钟，每期有5个新闻节目单元，加上小片场、美丽阴晴（天气）组成栏目整体。旨在关注民生、服务百姓。报道内容以民生新闻为主，采用平民化视角和讲述性语态播报新闻。运用直播连线、QQ视频连线、与省外媒体联动等多种手段，使节目亲近观众，迅速传播。2007年，该栏目平均收视率为1.6，收视最高点达到5.151，名列省电视网自办栏目之首。获2006年度云南广播电视奖“十佳电视栏目”奖。

《经典人文地理》栏目 云南电视台展现古老传统，多元文化交流融合的电视栏目。卫视频道周日至周五22:40播出，每次40分钟。以人文地理的理念观点，用巧妙方式向广大受众讲述云南，促进世界对云南的了解。该栏目遵循“新纪录片运动”理念，注重播出内容的文化品位，阐述人与自然、天人合一的关系。力图引发受众对人与自然关系的深层思考，和对社会与后代的责任。2007年该栏目收视率提升86%，单期最高收视达到0.42%，单期最高排第3名。获2007年第一届“纪录中国”栏目评选金牌奖。所播节目：《茶马古道》、《探秘鸡足山》获全国十佳优秀节目奖，《流浪者—小黄的故事》获2007“纪录中国”金牌节目奖，《幸福山谷》获2007年四川国际电视节最具人文关怀和最佳短片提名奖。

《绿色在线》栏目 云南电视台少儿频道与省环保局合办的青少年环保栏目，少儿频道每周六20:50播出，每期25分钟。栏目定位于“讲述环保故事，褒扬环保人物，传播绿色公益理念。”以青少年的视角报道环境状况，跟踪绿色行动，传播绿色环保公益理念，倡导降低污染、节约资源的健康生活方式，开办以来赢得青少年朋友的喜爱。所播节目《环保词典》获全国首届科普影视奖一等奖。

《爱心现场》栏目 云南电视台主办的大型公益性访谈节目，意在救助社会青少年困难群体，体现社会关爱精神，搭建爱心平台。采用演播室访谈、讲述与外景真实纪录结合的采编播方式，由主持人、爱心联络员、被救助者、爱心资助人士、现场观众共同参与。所播节目《一米阳光》获2007年度云南省广播电视政府奖社教节目二等奖，《追梦》获2007年度全国“金话筒”奖。

《全国少儿歌曲电视演唱大赛云南地区选拔赛》节目 云南电视台主办的活动类节目，2007年7月，每晚19:30播出，每期30分钟。意在为全国少儿歌曲电视演唱大赛选拔优秀人才，在广大少年儿童中推广优秀少儿歌曲。通过该节目选拔出的选手赴京参赛后，获全国少儿歌曲电视演唱大赛2项金奖、1项铜奖，并受省委宣传部表彰奖励。

曲靖人民广播电台

《四姐妹的凤凰梦》节目 曲靖人民广播电台采制的15分钟广播专题节目，2007年1月3日、4月6日分别在曲靖电台、云南电台国际频率、国际广播电台播出。该节目报道了下岗女工罗柳英带领姐妹4人从小吃店创业，发展为凤成金股份有限责任公司的历程，展现了新时期妇女下岗不失业的时代主题，获云南省外宣工作一等奖。

《爱心改变了我的童年》节目 曲靖人民广播电台、陆良人民广播电台（县级台）合作采制、2006年9月，2007年6月播出的12分钟专题节目，又在中央电台国际频率播出。节目讲述了因车祸失去双腿的小女孩钱红艳在社会各界帮助下安上假肢并健康成长的故事，这个残疾女孩因家庭贫困安装不起假肢，只能将身子套在半个篮球上，借助木把手行走。获“2006年度云南省广播外宣优秀节目一等奖”。

昭通人民广播电台

《著名摄影家吴家林访谈录》节目 昭通人民广播电台采编的20分钟专题报道，2006年9月28日播出。该篇通过对吴家林的访谈，反映了一位普通摄影爱好者成长为国际知名摄影家的历程，以及被访者关注民生、爱家乡、爱祖国的情怀。获2007年度云南省广播电视奖一等奖。

昭通电视台

《百万劳务输出助农增收》节目 昭通电视台采制、2006年

3月15日播出的电视新闻。该消息报道昭通市93万外出务工人员一年挣回26个亿的事实，从一个角度展示了当地在劳务输出方面的积极措施与明显成效。获2007年度云南省广播电视奖一等奖。

大理电视台

《白族过大年》节目 大理电视台与中央电视台新闻频道合作推出的10分钟新闻直播节目，2006年1月29日（农历正月初一）在央视和大理电视台4频道播出。该节目在大理古城南门广场和南城楼录制，由《欢乐大理》、《魅力大理》、《文化大理》、《奇趣大理》等单元和3分钟短片《洋人街上过大年》组成。展示了大理独特的春节民俗和民族文化，报道了当地各族人民共创美好未来的情怀。获2007年度云南省广播电视奖一等奖。

大理苍山电视转播台

《风中的故事》节目 大理苍山电视转播台制作的30分钟电视纪录片，2006年7月在大理电视台4频道和云南电视台播出。该片真实记录了中国海拔最高、自然条件最恶劣的电视转播台鲜为人知的工作和生活。30年来，无论是风雨雷电还是大雪封山，他们都克服重重困难坚守岗位，保证了电视信号的正常转播。获第九届四川电视节“金熊猫”国际纪录片社会类最佳短纪录片、最佳摄影2项提名奖。

楚雄州广播电台

《七色光》栏目 楚雄州广播电台滇中调频主办的广播少儿栏目，2004年2月9日开播，每天1组、每组30分钟。该专栏集知识性、趣味性、参与性为一体，采用孩子们喜爱的形式，讲述百科知识和趣味故事，并为孩子们展示自我、表现自我提供机会。获2005年全国优秀少儿广播栏目鼓励奖。

楚雄电视台

《幸福不遥远》节目 楚雄电视台制作播出的电视纪录片，该片打破了传统的纪录片制作形式，采用再现的手法，让主人公自己演自己，通过故事和情感两条线，真实生动地讲述了楚雄市残疾女青年樊翎13年来的人生历程、爱情生活和创业经历。获2007年第九届“金熊猫”国际纪录片评选入围奖。

迪庆人民广播电台

《走进香格里拉》栏目 迪庆人民广播电台2003年开办的访谈栏目，定位于“展示迪庆多姿多彩的自然人文风情，全面阐释迪庆香格里拉深刻的文化内涵”，每期30分钟，每日8:00首播，12:10重播。编播中注重选取有代表性、典型性和文化内涵的题材。所播节目多次获省级奖励，其中，《金沙江畔的藏族婚礼》获2006年度云南广播电视奖一等奖、云南广播外宣节目一等奖；《中国戏曲史上的活化石——大词戏》在国际广播电台国际在线播出。

《金沙江畔的藏族婚礼》节目 迪庆人民广播电台采编的12分钟广播通讯，2006年10月14日在《走进香格里拉》栏目首播。通讯报道了金沙江畔的藏族婚礼习俗，从而反映出新时期藏区物质条件改善、藏族群众生活水平提高的新面貌。获2006年度云南广播电视奖一等奖、2006年度云南省广播外宣节目一等奖。

迪庆电视台

《关注》栏目 迪庆电视台综合频道2006年7月开播的民生新闻类栏目，周二晚8:30分首播，周四、周六重播，每期15分钟，该栏目以关注民生为宗旨，多方报道迪庆州各族群众姓关心的热点、难点问题。被评为2006年度云南广播电视“十佳栏目”。

丽江市广播电视台

《丽江印象》节目 丽江市广播电视台制作的5集电视专题片，每集25分钟。2006年1月30日在央视《电视散文》栏目中首播，又在丽江市广播电视台、云南电视台《走遍云南》中播出。该片主要反映丽江不同季节的自然人文景观，画面美观流畅，景致细致生动，文字自然清新。获第20届“星光奖”等奖项。

曲靖市广电局麒麟分局

《魅力麒麟》栏目 电视形象片，曲靖电视台公共频道播出，时长1分30秒。麒麟区是爨文化的故乡，有悠久的历史，近年来随着曲靖市建设珠江源大城市的步伐加快，该区各项工作得到长足发展，2005年、2006年均被评为全国“十大宜居城市”。该节目拍摄制作中，以书法家用爨体书写“爨”字的过程为主线，着力表现城市风貌、市民生活、开放文化，塑造麒麟城“爨”乡福地、魅力麒麟的整体形象，被评为2006年度云南省广播电视奖一等奖。

《麒麟报道》栏目 新闻栏目，在曲靖电视台公共频道播出，1998年2月15日开播，每晚19:30首播，15分钟，旨在宣传方针政策、传递信息、沟通民意，由《时政快递》、《民生关注》、《一一发现》等小栏目组成，编播中力图体现贴近、亲切、服务的风格。获2006年度云南省广播电视奖“十佳电视栏目”奖。

沾益县广电局

《魅力珠源》节目 云南电视台卫视频道2006年6月5日播出，时长9分30秒，该节目以“第三届泛珠三角区域合作与发展论坛”开幕式在沾益举行为背景，介绍了沾益的历史文化、民族风情和经济社会发展情况，全片音乐画面浑然一体，剪辑紧凑，色彩明快，顺畅自然，给观众深刻印象和强烈感染力。获2006度云南省广播电视奖一等奖。

《心灵鸡汤》栏目 沾益人民广播电台2004年4月7日开播、2006年1月改版的社教类直播栏目，时长60分钟。设《人生感悟》、《真情留言》、《心情故事》等小栏目。周一至周五为常规版，周三为特别版（专为服刑人员开设），周六至周日为周末版。节目运行3年多来，深受听众肯定与喜爱。收到听众来信2100多封，稿件1800多篇。其中，有几千名服刑人员收听。在构建和谐社会，帮助教育特殊人群方面起到了积极作用。到2007年12月10日，共现场直播节目565期。被评为2006年度云南省广播电视奖“十佳广播栏目”。

三、优秀剧目介绍

云南电视台

电视剧《木棉花的春天》 云南电视台都市频道(二套)《新剧场》首轮剧，2007年1月10日至22日播出。昆明地区收视率达7.3936，收视率在该台所有频道播出的电视剧中排名第一。该剧由台湾电视制片人李鹏和上海中路影视公司筹划拍摄，台湾导演罗灿然担任导演。主演董璇、叶全真、谢祖武、魏宇澄。故事讲述在上世纪30年代，男主人公叶耀华（谢祖武）在开车去自己结婚现场的路上，偶遇方茹菡（董璇）和她的丈夫，出于好心，让他们上车和自己一起同行。结果意外发生车祸。从而引发一系列误会和纠葛。茹菡住院后被检查出血癌，后因病去世。丈夫也自杀身亡。叶耀华接受他的临终遗言，肩负起抚养他们唯一女儿的责任。

西藏自治区

频率频道介绍

西藏人民广播电台

台 名	频率名称	开播时间
西藏人民广播电台	汉语新闻综合频率	1959年1月1日
	藏语新闻综合频率	1959年1月1日
	康巴方言频率	2001年10月1日
	都市生活频率	1996年1月1日

西藏电视台

台 名	频道名称	开播时间
西藏电视台	藏语卫视频道	1999年
	汉语卫视频道	1985年
	影视文化频道	2002年

陕西省

一、频率频道介绍

陕西人民广播电台

台 名	频率名称	开播时间
陕西人民广播电台	新闻广播	2004年7月
	经济（财富）广播	1992年10月
	戏曲广播	2006年4月
	交通广播	1995年12月
	都市广播	2005年12月
	音乐广播	2003年3月
	农村广播	2003年3月
	少儿广播	2007年10月

陕西电视台

台 名	频道名称	开播时间
陕西电视台	陕西卫视频道	1997年3月18日
	陕西新闻综合频道	2002年1月1日
	陕西都市青春频道	2002年1月1日
	陕西家庭生活频道	2006年9月25日
	陕西影视娱乐频道	2002年1月1日
	陕西公共政法频道	2002年1月1日
	陕西电视购物频道	2006年1月19日
	陕西体育健康频道	2002年1月1日

二、优秀节目、栏目介绍

陕西人民广播电台

《秦风热线》栏目 陕西省人民政府纠风办和陕西人民广播电台新闻广播（一套节目）于2004年7月推出的一档舆论监督类新闻热线直播节目，AM693、FM106.6每天7:30～8:00播出。邀请全省59家参与行风评议的厅局及行业部门负责人做客直播室，通过热线电话的形式，和老百姓沟通对话，接受咨询，受理投诉。监督全省各行政执法、经济管理、公共服务以及与群众利益密切相关的政府主要职能部门、行业领域和窗口单位的政风、行风，真正发挥媒体的桥梁和纽带作用。2006～2007年度获中国广播影视大奖提名奖。

《新农村发现》节目 消息（系列报道）。2006年12月10日到14日新闻广播AM693、FM106.6播出，时长23分50秒。党的十六届五中全会提出建设社会主义新农村的重大历史任务。记者在大量的基层采访中，涉及农村生产发展、民主管理、文化建设、村容建设等多个领域，以新闻分析的视角来审视和处理这些新闻事件和新闻人物，故事性、可听性、说服力很强，展示了主流媒体的社会责任感和舆论引导力。获2006年度第十七届中国新闻奖三等奖、2006年度中国广播影视提名奖、2006年度陕西新闻奖一等奖、陕西广播影视奖一等奖。

《不要把群众“推”上上访路》节目 新闻述评。2006年11月1日新闻广播AM693、FM106.6播出，时长9分06秒。作者站在构建社会主义和谐社会的高度来审视越级上访“社会现象”，通过对具体新闻事实、典型“越级上访”事件的叙述来透视问题的深层原因。提出“真正落实行政责任追究制度”的观点，具有很强的现实针对性和思想前瞻性。几个月之后国家公布的《公务员处分条例》等制度法规和行政管理改革举措证明了这一点。评论缘事而发，层层推进。录音素材选择中蕴含着作者的正义情怀，具有一定的感染力。获2006年度中国广播影视大奖、2006年度第十七届中国新闻奖三等奖、陕西新闻一等奖、陕西广播影视一等奖。

《千年等一回——黄土地原生态艺术绝响品鉴会》节目 综艺类。2006年8月29日戏曲广播FM98.8 AM747播出，时长1小时38分。作为“CCTV陕西地方戏曲展播周”的开幕式演出，集中展示了陕西秦腔、眉户、碗碗腔、华阴老腔、兴平弦板腔、商洛花鼓、汉调二簧、陕北说书、华县皮影、合阳线戏、富平阿宫腔、陕北二人台等古老的陕西地方戏曲剧种，来自省内各地的近百名民间艺人以原生态的演唱和表演艺术形式，展示了一场原汁原味的陕西地方戏曲，是陕西戏曲真正意义上的一次大荟萃。晚会风格古老淳朴，沧桑厚重，充满深厚、迷人的黄土文化特色，震撼人心。获2006年中国广播影视大奖广播文艺提名奖、2006年度陕西广播影视奖一等奖。

陕西电视台

《和谐奋进新陕西》节目 系列报道。2006年8月29日陕西卫视、陕西一套播出，时长10分25秒。历时四个月，对正在发展中的陕西各地、各行业具有积极的指导作用和鼓舞作用，是近年来报道历时最长、表现内容最为丰富、涉及领域最广的大型主题报道。获2005～2006年度中国新闻奖三等奖，2006年度陕西新闻奖一等奖，2006年度陕西广播影视奖新闻奖一等奖。

《胡锦涛同延安人民一起过大年》节目 长消息。陕西卫视、陕西一套2006年1月28日播出，时长3分35秒。2006年春节，胡锦涛同志来到延安和老区人民一起过大年，记者成功地塑造了一个务实亲民的党和国家领导人形象。获2005～2006年度中国广播影视大奖提名奖，2006年度陕西新闻奖一等奖，2006年度陕西广播影视奖新闻奖一等奖。

《国家高速包茂线西安—陕蒙界全线贯通现场直播》节目 新闻现场直播。陕西卫视、陕西一套2006年9月30日播出，时长50分15秒。设置主演播室，延安通车仪式现场、洛川收费站、天下第一高桥洛河大桥三个直播点，围绕这条路对西部和陕西经济发展的带动作用和路本身的特色和亮点展开，让本身没有任何悬念的一条高速公路的贯通仪式变得充满故事性和戏剧性。获2005～2006年度中国广播影视大奖提名奖，2006年度陕西新闻奖一等奖，2006年度陕西广播影视奖新闻奖一等奖。

《都市快报》栏目 2002年1月1日开办，陕西电视台2套每晚21:30播出，时长45分钟。以"好看、有用"为宗旨，对市民关心的新闻、话题、人物进行报道，在西安地区自办栏目中的收视率一直高居榜首。2006被评为"全国百佳栏目"，节目主持人韩冰也凭借主持《都市快报》在2006年荣膺全国主持人"金话筒奖"。获2005～2006年中国广播影视大奖优秀栏目提名，2006年陕西新闻一等奖，2006年陕西广播影视大奖一等奖。

西安人民广播电台

《警界纵横》栏目 新闻专题。2007年1月1日开办，新闻广播11:00～12:00播出。与市公安局联办，在公安和群众之间架起沟通和互动的桥梁。主持人白璐的作品《中国法制名人 讨薪专家孙武胜》获中国广播电视协会颁发的"2006年中国播音主持金话筒奖"作品提名奖。

《宋东风的悠游天空》栏目 文化节目。2002年创办，资讯广播每周一至五18:30～19:30播出。资深主播宋东风策划主持。风格精致优雅，富于文化韵味。曾获全国专家奖一等奖、金话筒提名奖及省市多个专业奖项。

西安电视台

《直播西安》栏目 电视新闻杂志性节目，每天下午6:00播出。收视率一直居西安电视台自办栏目之首。获2007年度全国城市电视台优秀新闻栏目一等奖，陕西省优秀电视栏目等称号，播出的《体育彩票出现问题，刘亮一怒上了广告架》、《商家促销出怪招众女一脱抢商品》等二十余条节目获陕西省级全国城市电视台联盟电视新闻一、二、三等奖。

《好好生活》栏目 生活资讯类。2005年7月开办，每天17:49～18:27播出。市场份额和收视率在我台位居前茅，并相继获得了"陕西新闻奖优秀栏目二等奖"和"西安新闻奖优秀栏目一等奖"。

铜川人民广播电台

《政风行风热线》栏目 舆论监督类热线直播节目。2003年8月6日开办，每周三、四上午10:00～10:30播出。与市纠风办联合举办，开播时名称为《行风热线》，2007年6月26日改为此名。到2007年，先后有36个市政府部门和企业主要负责人计169人次走进直播室接受听众的咨询、投诉、举报。2005年、2006年被评为铜川新闻类二等奖，2005年、2006年先后两次参加省纪委举办的行风热线节目经营交流会，2006年人民网刊发了介绍该节目的经验体会文章。

《流行音乐网》栏目 音乐类。1999年9月开办，每天中午12:15～13:00播出。2006年"流行音乐网—冬日暖歌"获市广播电视节目稿件类三等奖；省广播主持类三等奖。2007年"五四特别节目'青春之歌'"获铜川新闻奖三等奖。

铜川电视台

《铜川新闻联播》栏目 新闻类。1993年4月开办，每晚19:40播出，时长15分钟。及时报道我市政治、经济、文化等重大新闻事件，获"陕西新闻奖"、"陕西广电奖"。

榆林电视台

《点击榆林——政风行风大家谈》栏目 谈话类。榆林电视台、榆林市政府纠风办共同创办。2006～2007年度，节目共播出9期。360多人走进电视参加了面对面评议，400多人亲自到电视台、纠风办反映问题，数千人拨打热线电话。节目对27个部门和行业进行了评议，播出后共查处不正之风等问题869起，给予当事人党政纪处分137人，解决了群众关心的具体问题100多件。《中国纪检监察报》2007年11月7日进行专版报道，陕西电视台2007年12月23日在陕西新闻联播中进行了报道。

三、优秀剧目

陕西人民广播电台

广播剧《为了幸福》 从2006年12月起先后在陕西人民广播电台各频率播出。时长1小时16分42秒。该剧讲述的是一个乡村医生的真实故事。2003年12月，共产党员刘易受命到被称作延安的"阿里"的贯屯乡卫生院任院长。他用高超的医术和高尚的医德赢得贯屯老百姓的尊重和爱戴，贯屯卫生院也由一个即将倒闭的单位一跃成为该系统的先进单位。2005年12月14日凌晨，刘易在出诊回来的路上不幸以身殉职。获2006年度全国第十届精神文明建设“五个一工程奖”入选作品奖、陕西第十届精神文明建设“五个一工程奖”优秀作品奖、陕西广播电视奖广播剧一等奖。

甘肃省

一、频率频道介绍

甘肃人民广播电台

台　名	频率名称	开播时间
甘肃人民广播电台	新闻综合广播	1949年9月7日
	都市调频广播	1996年6月18日
	交通广播	1996年8月28日
	经济广播	2001年1月1日
	少儿广播	2005年1月1日
	农村广播	2007年1月1日

甘肃电视台

台　名	频道名称	开播时间
甘肃电视台	新闻综合频道	1970年10月3日
	经济频道	1993年1月23日
	文化影视频道	2005年6月1日
	公共频道	1993年5月1日
	都市频道	2001年3月1日
	少儿频道	2002年1月1日

二、优秀节目、栏目介绍

甘肃人民广播电台

《政风·行风热线》栏目　监督类。2005年9月6日开办，交通广播每周播出4次，上午9:00～10:30，时长90分钟。在政府部委、厅、局和重点窗口行业与人民群众之间搭建了一个直接对话沟通的平台，接听群众热线，解决群众投诉。2007年受到了省广电局嘉奖，获得省广电总台年度优秀栏目奖；作品《关注通信消费》获得中国新闻奖现场直播类铜奖、甘肃省广播影视奖一等奖，《规范法律服务，营造和谐社会》节目获全国法制好新闻二等奖，并有其他作品获奖。

《严军传呼》栏目　新闻监督类。1996年2月1日开办，都市调频广播每天7:05～7:20，13:05～13:20播出。时长15分钟。以“为老百姓排忧解难的”宗旨，坚持正确的舆论导向，认真对待每一件投诉，坚持有节制的批评，以解决问题为最终目的。与省、市、县一些政府职能部门建立了“听众投诉解决网”，加大了投诉和问题的解决力度，使群众投诉能够快速有效解决。2007年荣获第十七届中国新闻奖优秀新闻栏目，有15篇稿件获得了省级以上奖励。

《人生驿站》栏目　谈话类。1996年2月1日开办，都市调频广播每周一至周四22:05～23:00播出。时长55分钟。节目秉承关注民生、关注社会、明事非、辨丑美、引导健康人生态度的宗旨，不媚俗、默默耕耘，拥有庞大的听众和深远的社会影响。疏导听众情绪，化解矛盾，在客观上起到了净化社会空气，褒扬社会正气的积极作用，为构筑和谐社会起到了积极的作用。多次获得省级以上奖励，主持人晓丹也多次获得全国百优主持人称号，中国播音主持金话筒奖，被选入甘肃省555创新人才工程。

甘肃电视台

《甘肃新闻》栏目　新闻类。1972年7月开办，甘肃省广电总台电视新闻中心制作，甘肃卫视频道19:32首播，甘肃公共频道21:30、甘肃卫视频道24:00重播。时长20分钟。以时政新闻为主，兼及文化、经济等各类新闻。集中报道全省经济社会发展中涌现出的典型人物、成功经验和建设成就以及人民群众物质文化生活方面的变化等，是甘肃省收视率最高的新闻节目，有众多稿件获国家和省级奖。2007年大型系列报道《看山·看水·看甘肃》、《沙海绿洲行》、《风景这边独好》等深受社会各界和观众的关注和喜爱。电视新闻《抢救民勤调水应急方案今天启动》荣获中国新闻奖二等奖。

《今日聚焦》栏目　新闻评论。1995年1月1日开办，甘肃省广电总台电视新闻中心制作。甘肃卫视频道20:00首播，甘肃文化影视频道次日13:00重播。时长12分钟。坚持以“您关心的就是我们关注的”为宗旨，将“政府重视、群众关心、普遍存在的问题”作为节目的选题标准。从1996年起每年都有作品获中国新闻奖和中国广播电视新闻奖，2007年被共青团中央授予“全国青年文明号”。

《大戏台》栏目　戏曲综艺类。2003年3月15日开办，甘肃省广电总台广播电视文艺中心制作，甘肃卫视每天22:30～23:12播出，时长42分钟。以宣传甘肃的地方剧种为主，着重发展甘肃文化产业，振兴戏曲艺术。节目收视率高，社会反响热烈。先后举办了“首届甘肃戏剧红梅奖大赛”、“情系陇原”等活动，为繁荣民族戏做出了贡献。2006年获中国视协新春好节目奖，甘肃省广播影视奖电视文艺一等奖。

《直面》栏目　新闻类。2006年8月28日开办，甘肃公共频道每天20:50播出，时长20分钟。节目以“直面事实 纪录历程”为宗旨，用纪实的手法来报道发生在全省各地的有影响有价值的新闻事件，贴近生活，贴近实际，选题涵盖重大新闻事件、文化探秘、法制案件、社会情感生活。目前与中国社会科学院中华慈孝活动组委会签订制播节目合作协议，与湖南、江西等兄弟电视台签订合作协议。2007年获甘肃省广电总台年度优秀栏目奖，入围全省十大精品栏目，作品《古墓探秘》入围四川电视节金熊猫奖。

兰州人民广播电台

《听众接待室》栏目　服务类，1999年1月1日开办，新闻综合广播每日7:30～8:00，12:30～13:00播出，时长30分钟。接听众来信、来访、电话，内容涉及社会各界的方方面面。2007年获甘肃省名栏目奖。多篇稿件在省、市各项评选中多次获得一、二、三等奖。

《与法同行》栏目　法制类，2005年10月1日开办，新闻综合广播播出。用特色说报的方式整合全天资讯，报道新闻热点，为大众提供全面、细致、及时生活信息的新闻资讯类节目。2006年子栏目《劳动维权热线》获“省级二等奖”，2006年获“市级优秀栏目二等奖”，2007年获“市级优秀栏目三等奖”。

兰州电视台

《兰州零距离》栏目 新闻综合类。2004年5月24日开办，新闻综合频道每日21:30～22:30，次日12:30～13:30播出，时长60分钟。2006年获"省、市优秀栏目一等奖"、"全国视协优秀民生新闻十佳栏目"；2007年栏目再获"省、市优秀栏目一等奖"，2007年被评为"省级青年文明号"；2008年被评为"全国广播电视系统先进集体"。

《"一把手"上电视》栏目 新闻综合类。2005年6月开办，综艺频道周一至周五20:20播出，次日中午12:00重播。时长30分钟。节目定位在"搭建平台、解决问题、交流思想、营造和谐"，获"2006年度甘肃电视节目新闻栏目三等奖"；"2006年度兰州市优秀电视节目新闻栏目一等奖"。

《兰州往事》栏目 纪实类。生活经济频道2006年12月11日开办。是兰州乃至甘肃地区第一档日播历史文化纪实栏目。《兰州大空战》获2006年度省、市优秀电视社教系列一等奖，《毛主席为皋兰三年计划作批示》获优秀纪录片省二等奖，《邱宅血案》获市优秀社教系列三等奖。

金昌电视台

《视点》栏目 民生新闻。2005年3月9日开办，每晚20:00播出。关注民生、反映民意、传递民情，被老百姓称为"新闻110"。2006年，在中国电视艺术交流协会"城市之星"电视节目评选中获优秀栏目奖。

《乖乖乐园》栏目 少儿专题类。2006年9月开办，周四20:00播出。

张掖人民广播电台

《政风行风热线》栏目 公众性节目，2006年3月开办，每周三9:30首播。《政风行风热线》广播直播节目获2006年度甘肃省优秀广播电视节目评选广播社教类三等奖，获2006年度张掖市优秀广播电视节目评选广播社教类三等奖。

张掖电视台

《张掖新视线》栏目 民生类。2005年6月16日开办，新闻综合频道星期二、星期五19:32首播，公共频道星期四、星期日21:00重播。被甘肃省广播电影电视局、甘肃省广播电视协会评为"甘肃广播影视奖"电视社教栏目三等奖。

《少儿天地》栏目 儿童文艺类。2005年6月17日开办，公共频道星期五18:30首播。

酒泉电视台

《新周刊》栏目 文化专题类.1996年6月开办,周六19:55播出。

定西电视台

《定西新韵》栏目 专题类。2003年5月开办。栏目播出的作品先后获全省敦煌文艺奖三等奖，全省首届电视金鹰奖二等奖，省市广播电视新闻奖一、二、三等奖，定西市"五个一工程"奖。2007年被列为"甘肃省十大精品栏目"候选栏目。

天水广播电视台

《直播天水》栏目 电视新闻综合类。2004年12月20日开办，每日18:30～19:00播出。两次荣获年度"甘肃省广播电视奖"电视新闻栏目二、三等奖，并被评为"甘肃省新闻名专栏"和"甘肃省十大精品栏目"。2007年，被共青团甘肃省委、甘肃省广播电影电视局命名为"省级青年文明号"。

青海省

一、频率频道介绍

青海人民广播电台

台　名	频率名称	开播时间
青海人民广播电台	藏语频率	1952年7月22日
	经济频率	1995年6月12日
	交通音乐频率	1999年12月16日
	新闻综合频率	2004年1月1日

青海电视台

台　名	频道名称	开播时间
青海电视台	新闻综合频道	1997年1月
	经济生活频道	1980年1月
	综合频道	2005年10月
	影视综艺频道	2001年7月

二、优秀节目、栏目介绍

青海人民广播电台

《奥运会吉祥物发布》节目 青海人民广播电台新闻综合频率采制的消息，2005年11月11日播出，时长3分59秒。通过记者现场采访吉祥物的设计者、扮演福娃的孩子、可可西里国家保护局局长才嘎等相关人员，将奥运会吉祥物发布这一事件第一时间展现给听众。2007年获得中国广播影视大奖优秀消息奖。

《让民间艺术品闯市场》节目 新闻中心采制的消息，2006年8月26日播出，时长1分52秒。作品通过中央领导视察工作的一个片段，反映了一个大主题——让民间艺术品闯市场。作者通过现场音响的应用，并穿插一定的背景材料，让听众从中感悟到在地域偏远、远离市场、经济滞后而又有着丰厚民族艺术底蕴的西部地区怎样走出一条发展壮大文化产业的新路子。作品短小、主题重大，对整个西部和少数民族地区发展文化产业有一定指导作用。获得第十七届中国新闻奖二等奖。

《沟通零距离——关注教育》节目 《青海政风行风热线》栏目首次推出的大型户外现场直播节目，2006年6月26日经济频率播出，节目时长120分钟。首次将舆论监督类节目搬出直播间，设立相关部门的咨询台，对广大百姓（特别是考生和家长）共同关心的问题，直接由记者现场向嘉宾发问。直播过程中，省市领导和各厅局一把手亲临现场观看节目直播，起到上情下达和下情上达渠道畅通的作用。该节目获得第十七届中国新闻奖现场直播铜奖。

《魏成伟的心思》节目 录音报道，2006年4月6日新闻综合频率播出，时长13分20秒。用白描的手法，勾勒出青海高原山区的孩子魏成伟和他的同学们学习、生活的场景，展现农村孩子身处艰苦环境而执着闻知求学的乐观向上心态。素材取舍得当、音响穿插富有特色、现场采访感染力强，使受众如临其境、至感其情。获得第十七届中国新闻奖三等奖。

《让平凡感动心灵》节目　现场直播节目，2006年6月28日新闻综合频率播出，时长2小时26分。结合“感动青海”评选活动，青海电台新闻综合频率会同青海省委宣传部、青海省总工会、青海大学、青海新闻网共同创意制作。参加现场讲演活动的六位高原普通劳动者是千千万万个默默奉献的劳动者的代表和缩影。2007年获得中国广播影视大奖提名奖。

《换位体验，畅想和谐》节目　专题节目，2005年6月6日交通音乐频率播出，时长19分20秒。为了配合“和谐社会”、“和谐青海”的宣传，2005年6月，《交广伴你行》栏目推出《和谐交通，携手共建》系列专题节目，组织四对交通生活中矛盾较突出的双方换位体验后做节目。《换位体验，畅想和谐》是其中一篇，邀请了交警和司机走进直播间，讲述换位体验的感受，使交警和司机之间增进理解，关系更加和谐。2007年获得中国广播影视大奖提名奖。

《天路》节目　系列录音报道，2006年9月28～10月4日交通音乐频率播出，每集4分钟左右。在青藏铁路全线开通运营近3个月的时候，青海台、西藏台、海峡之声广播电台三台联合组成采访组，沿青藏线深入铁路、经济、文化、旅游、环保等部门采访报道，得出了“青藏铁路本身就是一条环保铁路；青藏铁路是青藏地区人民的幸福路；青藏铁路是民族文化传播、保护的助推器”的结论。国庆节前后在福建台、西藏台、青海台同时播出，并向台湾地区辐射，社会效果良好。获得青海新闻奖一等奖。

青海电视台

《暖冬》节目　青少中心制作的专题类节目。于2007年1月14日在青海卫视频道《假日风景》栏目播出，时长20分钟。该片真实记录了位于世界“第三极”的青海高原的自然环境和牧民子女的生活状态。以朴素的情感、严谨的创作态度、巧妙的构思、原生态的风貌，彰显了自然环境寒冷和人情温暖这一主题。获得2005、2006年中国广播影视大奖一等奖，国家广电总局2006年度全国少儿精品及动画精品优秀原创少儿电视节目二等奖，2007年（第九届）四川电视节“金熊猫”奖国际纪录片评选社会类短片入围类，中国西部“国际电视纪录片制作”评选活动评委特别奖。

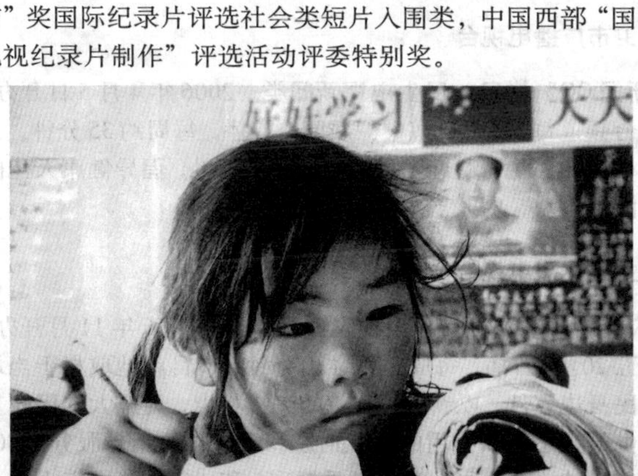

《暖冬》剧照

《一个和十三个》节目　青少中心制作的节目。于2007年4月15日、22日在青海卫视频道《假日风景》栏目播出，时长40分钟。节目记录了青海省平安县古城乡一座偏僻大山里一所只有1名教师和13名学生的小学的真实情景，这名教师用辛勤的汗水和无私的奉献照亮了这个贫困山村孩子们求学的梦想。获得2007年（第九届）四川电视节“金熊猫”奖国际纪录片评选社会类短片入围奖。

《五彩神箭》节目　藏语中心制作的电视专题。2006年12月8日在青海卫视频道播出，总时长38分33秒。该片以主人公华桑老人对射箭的迷恋和钟情为线索，通过记录青海省黄南藏族自治州尖扎县两个普通藏族村落之间的射箭比赛，展现了这一古老民间活动所蕴涵的文化内涵和诱人魅力，揭示了青海藏族农民的射箭情结和这一活动在青海藏族农区的不断传承、延续和弘扬。节目播出后引起极大反响，对濒临失传的藏族民间传统射箭运动的开展产生了积极影响。尖扎县因此而被国家体育总局命名为中国民族传统射箭运动之乡。该片获得2006年度中国广播影视大奖提名奖。

《高原寒·人情暖》节目　青少中心制作的节目。于2007年5月13日在青海卫视频道《假日风景》栏目播出，时长19分钟。节目讲述了青海民族学院一位来自云南省的名叫徐明强同学因患重病，他的同学、老师们用一双双真挚的手捧着沉甸甸的募捐箱，为他募捐医疗费的感人故事。获第十三届中国人口文化奖（广播影视类）电视专题片三等奖。

《新闻聚焦》节目　新闻中心开办的电视新闻评论性栏目，时长10分钟，青海卫视每周一到周五19:50播出。创办九年来，已经连续播出1930多期。通过记者的采访报道宣传相关政策，揭示突发事件背后的真实，追踪事件发展进程，向公众及时反映有关信息、消除疑虑。对行政执法以及公共管理部门的权力使用进行了相对有效的监督。获得第十七届中国新闻奖广电作品好栏目铜奖，2006年度“青海新闻奖”好栏目一等奖。

《青藏铁路穿越世界铁路的最高点——唐古拉山》节目　新闻中心制作的新闻类节目。于2005年8月26日在青海卫视频道播出，时长2分钟。节目记录了2005年8月24日青藏铁路穿越世界铁路的最高点——唐古拉山这一新闻事件。获2006年度中国广播影视大奖提名奖。

《走进三江源》栏目　青海电视台唯一一档旅游文化类栏目，创办于2003年5月4日，每周二19:31在青海卫视首播。旨在反映青海雄奇秀美的自然山川，绚丽多彩的民俗风情和丰实厚重的历史文化。制作播出了一批质量上乘、深受广大观众喜爱的节目，如《於菟》、《门源游记》、《碧水丹霞坎布拉》、《同仁六月会》、《冬日暖阳》、《徒步穿越柴达木》等。2005年下半年起，改为单一主题，面向社会公开招募体验者串联节目，更注重旅游者的个人心灵感受，同时加强资讯介绍，增强了针对性和服务性。获2006年度中国广播影视大奖提名奖、2006年“青海广播电视新闻奖”电视社教类一等奖。

《横空出世青藏线》节目　新闻中心制作的电视新闻专题类节目。于2006年6月22日～7月2日在青海卫视频道播出，共10集、总时长50分钟。青藏铁路通车前夕，这组大型新闻系列报道为青藏铁路的全线铺通和试运营营造了良好的舆论氛围。全景式地展现青藏铁路建设的历史以及现实意义，高原多样的自然景观和丰富的人文风貌。获得2006年“青海广播电视新闻奖”电视新闻类一等奖。2006年“青海广播电视新闻奖”电视社教类一等奖。

西宁人民广播电台

《美丽家园》栏目 社教部开办的社教类专题节目。于2006年6月16日起每天10:40～11:00新闻综合频率播出。栏目充分发挥广播快捷、及时、方便的特点，全方位关注全西宁市精神文明建设中的新动态。节目获得青海新闻奖一等奖。

《交通红绿灯》栏目 交通文艺节目部开办的资讯服务类节目。2007年6月1日起每天10:00 至11:00在西宁交通文艺广播直播，每晚22:00至23:00重播。栏目以帮助广大司机、乘客了解交通知识为基础，调节交通矛盾，架起交通参与者与交通管理部门之间的桥梁。节目获青海广播电视奖。

西宁电视台

《夏都零距离》栏目 西宁电视台开办的民生新闻类栏目。2001年1月1日起播出，节目主要反映西宁市老百姓民生方面新闻，践行“三贴近”，与“夏都”西宁市人民群众零距离。节目获得2006年度青海省广播电视节目一等奖。

湟源广播电视台

《乡土人文风情》栏目 电视新闻专题类2006年11月开办，每晚20:00播出。节目在本县有广泛影响并获得青海广播电视新闻奖。

海北电视台

《警坛时空》栏目 法制类。2000年1月开办，每周四晚7:50播出。2007年获中国电视艺术交流协会举办的第五届“城市之星”优秀栏目奖。

果洛电视台

《果洛新闻》栏目 新闻类。1986年6月开办，每周一、三、五19:30～19:50播出。“省长与基层教师共度教师节”节目获青海新闻奖一等奖。

格尔木电视台

《高原时空》栏目 栏目社教综合类。2004年5月开办，每日21:50播出。三年来多期节目获青海新闻奖、青海广播电视节目奖。

三、优秀剧目介绍

青海人民广播电台

广播剧《可可西里情愫》 青海人民广播电台制作的3集广播连续剧，2004年～2006年相继在青海人民广播电台经济频率、交通音乐频率、新闻综合频率播出。编剧刘恩龙、童慧，导演刘鹏、韩占春，主演王海咏、吴旭威、古城。讲述四位环保志愿者怀揣保护人类生存环境的崇高理想进入可可西里无人区，在险恶的环境中与盗猎分子展开殊死搏斗的故事。该剧立意深刻、制作精良，是青海人民广播电台践行“三贴近”的优秀作品。该剧从创意到录制历时两年，几易其稿。2007年获得青海省“精神文明五个一工程”奖。

宁夏回族自治区

一、频率频道介绍（省级资料暂缺）

二、优秀节目、栏目介绍

银川人民广播电台

《交通音乐同期声》栏目 专题类。1999年8月开办，2006年7月17日播出。2006年7月11日，一场突如其来的重大交通事故牵动着宁夏和河南人民的心，事故发生后，记者及时赶到事发现场，对抢救情况进行了详细深入的采访，报道了自治区相关部门齐心协力挽救伤员的场面。采写了《不惜一切代价，全力抢救伤者—7.11重大交通事故抢救纪实》整篇稿件充满了浓厚的感情色彩，以时间为顺序，突出了抢救的紧迫性，同时也弘扬了“一方有难，八方支援”的中华品德。

银川电视台

《新闻观察》栏目 新闻评论类。1999年1月13日开办，周一至周六20:13公共频道首播，每周约1小时10分钟。2006年5月，记者通过观众所反映的城郊大兴村农田退水沟变成臭水沟的新闻线索，采写了《城中村环境卫生谁来管》的评论，反映出城市发展的进程中普遍存在着城中村环境卫生状况堪忧的情况。《城中村环境卫生谁来管》获2006年度宁夏广播电视政府奖新闻评论类一等奖。

石嘴山人民广播电台

《百姓生活》栏目 社教类。2006年4月11日开办，设有“以案说法”、“家庭教育”、“心理访谈”、“政策解读”等板块，采取录音访谈、请嘉宾的形式，讲述法律知识、家庭婆媳关系等内容。获自治区好新闻三等奖。

吴忠市广播电视台

《方圆》栏目 电视社教类。2001年7月开办，综合频道每周4次19:55首播，每周约1小时。栏目以纪实的手法和专题片的表现形式，贴近观众、具有地方特色和民族特色。《李生贵与苦水河的故事》2007年度荣获自治区政府奖一等奖。

中卫市广播电视台

《新闻QQ》栏目 民生电视新闻类。2006年4月5日开办，综合频道每晚20:15《中卫新闻》首播，每周约35分钟。是一档关注民生、贴近民意、传递新闻资讯，倡导健康人生的新闻小板块，时长五分钟。

贺兰县广播电视台

《农科新天地》栏目 电视农业专题类。2006年11月开办，周五20:00首播，每周3次约30分钟。节目就地取材于当地农民身边事件，以新颖、独特的编排特点，为广大农民朋友提供最为迅捷和实用的农业信息和最新科技指导服务。2007年创作的《彩色甜椒温棚冬季管理》和《冬季菜农点土成金致富招》分别荣获第四届全国农业电视节目专题类二等奖和三等奖，并先后在《中国农民致富报道》栏目中播出。

平罗县广播电视台

党风政风栏目 电视社教类。2004年6月28日开办，每周20:00首播、每周3次约60分钟。栏目开办以来，受到了平罗县委、政府的高度重视，选题、策划、稿件均经县纪检委书记审核通过，充分发挥了媒体的引导、监督、警示、教育作用，在力促干部作风转变、优化经济发展软环境、加强党风政风建设方面起到了积极作用。2007年《村官为何如此多刁》获自治区纪委好新闻二等奖。

青铜峡市广播电视台

《乡村》栏目 电视农业服务类。2005年1月开办，每周三19:40首播，每周3次约60分钟。主要反映青铜峡市广大农民致富增收的典型事例、典型人物、典型经验，普及养殖种植等科普知识。

中宁县广播电视台

《财富民生》栏目 电视财经类。2007年6月1日开办，每周一至周五晚8:30～9:00播出。分《经视看点》、《杞乡人物》、《企业之光》、《杞乡农经》、《生活空间》五大板块，主要反映中宁县经济动态、企业形象、农村经济以及百姓生活等情况，栏目形式多样，反映内容全面。2007年获全区广播电视政府奖三等奖。

新疆维吾尔自治区

一、频率频道介绍

新疆人民广播电台

台 名	频率名称	开播时间
新疆人民广播电台	汉语频率	1949年12月21日
	维吾尔语频率	1949年12月21日
	哈萨克语频率	1955年2月15日
	蒙古语频率	1958年11月3日
	柯尔克孜语频率	1982年6月28日
	城市广播频率	2006年1月1日
	交通广播频率	2006年1月1日
	故事广播	2007年10月28日

新疆电视台

台 名	频道名称	开播时间
新疆电视台	汉语新闻综合频道	1972年7月1日
	维吾尔语新闻综合频道	1972年7月1日
	哈萨克语新闻综合频道	1985年9月22日
	汉语综艺频道	2000年1月28日
	维吾尔语综艺频道	2001年6月28日
	汉语影视频道	2001年6月28日
	汉语经济生活频道	2001年6月28日
	哈萨克语综艺频道	2001年6月28日
	维吾尔语经济生活频道	2002年5月1日
	新疆体育健康频道	2001年6月28日
	新疆11频道（法制类）	2001年6月28日
	少儿频道	2004年12月30日

二、优秀节目、栏目介绍

新疆人民广播电台

《新广行风热线》节目 新闻专题。时长一小时。2004年1月1日开办，961新闻广播每天9:00～10:00（夏）、9:30～10:30（冬）播出。与新疆维吾尔自治区人民政府联合开办，集舆论监督、群众监督和行政监督于一体。周一至周五为听众反馈和舆论监督。周六、日为《厅局长接待日》。节目直播时可直接联通投诉群众所在地区、县、市的行业系统负责人，及时处理和解决问题。获第十七届中国新闻奖十大名专栏奖。

《929紧急救援行动：谭曼生，你在哪里》节目 2006年8月4日，在新疆电台929城市广播播出。时长120分钟。8月4日上午一个偶然的电话，929城市广播立即组织了一场寻找轻生者谭曼生的紧急行动，反映出了929频率关注社会、关注生命的爱心责任感及人性化的节目方向，也体现了929的团体作战能力和现代广播传播迅速快捷．时效性强的特点。获2006年度新疆广播奖一等奖、全国经济台广播节目二等奖。

《金色年华》栏目 哈语广播社教类少儿节目 2005年1月1日开办。在哈语频率播出。时长40分钟。落实党中央"关于加强未成年人思想道德建设工作若干意见"的精神，对青少年进行思想道德和身心健康教育。已播出156期。"双语之子"一期在全国哈、柯广播电视节目评选中获得了优秀节目奖。

《法制与道德》栏目 专题谈话。1980年开办，北京时间13:10～13:40播出，时长30分钟，855维语综合广播每周播出四次。以《法制新闻》、《普法》、《法律讲坛》、《以案说法》、《法律咨询》等内容为主，对典型案例的分析和法律知识进行介绍，是我区宣传法律、普及法律知识、提高公民法制意识的窗口。是电台维语广播的名牌节目，获2006年度全国广播电视维哈柯语节目评比一等奖。

《青春旋律》栏目 面向广大青年学习、工作、就业、婚姻、家庭而开办的对象性节目。2001年1月开办。初期每周播出2次，2002年起每周播出3次，播出时长半个小时。以《青春与成功》、《心愿》、《创业之路》、《缤纷世界》、《温馨家园》等内容为主。主要介绍在基层艰苦创业、开拓创新、努力奋斗的许多优秀青年的先进事迹，为大学生树立榜样。节目开播六年以来，每年都在自治区、全国优秀广播电视节目评比中获得一、二等奖。

《博格达之声》栏目 经济类综合节目。1993年7月1日开播，维语综合广播每周直播7次，每期一小时。经过几次改版，突出了"博格达之声"节目作为经济类节目的特点。

新疆电视台

《新闻特写：祖国在我心中》节目 新闻特写。新疆电视台卫视一频道2006年8月1日播出，时长3分50秒。主要反映在新疆克孜勒苏柯尔克孜自治州的边境线上，年近70岁的柯尔克孜族牧民——布茹玛汗·毛勒朵几十年如一日守边爱军的质朴而又崇高的爱国精神。获2006年度新疆新闻一等奖，第十七届中国新闻长消息一等奖。

《大漠胡杨》节目　新闻专题。2006年8月4日，在新疆电视台卫视一频道播出，时长19分51秒。感动新疆十大人物候选人之一胡筱龙是一名出色的指挥官，是一个用智慧、用情感、用人性化的管理方式带兵的当代军人。他用自己短暂的一生，诠释了一位和平年代职业军人的价值和追求。获2006年度新疆新闻一等奖，第十七届中国新闻一等奖。

《放手，她是我妹妹》节目　新闻。中央电视台、新疆电视台2005年4月8日播出，时长3分03秒。面对持刀抢劫的歹徒，维吾尔族青年艾尼·居马将素昧平生的汉族女大学生王丽救出。在中央电视台《新闻联播》和新疆电视台《新疆新闻联播》中播出。随后艾尼·居马被中国见义勇为基金会评选为2005年见义勇为十大青年和当选为2005年感动新疆十大人物。节目先后获得中国广播影视大奖广播电视节目提名奖、2006年度共青团宣传报道优秀作品奖一等奖、新疆新闻奖一等奖。

《雪莲花》栏目　少儿节目。1983年开办，少儿频道星期六下午17:30分播出，时长30分钟。始终立足于挖掘孩子们的创造性思维和综合能力，提供一个展示新疆各民族少年儿童的学习、生活的窗口。在2007年11月公布的2005年、2006年度国家广电总局评选的全国优秀少儿频道和全国少儿节目精品及动画精品评比中，获2005年度全国优秀少儿电视栏目鼓励奖。获2006年度全国优秀少儿电视栏目三等奖。

乌鲁木齐电视台

维语《乌鲁木齐新闻》栏目　新闻。1992年开播，20:30在维语综合频道播出。时长15分钟。主要同步翻译新闻综合频道《乌鲁木齐新闻》，在第九届全国维语广播电视节目评比中，获栏目类三等奖。

《大事小事》栏目　民生类。2002年开播，20:15新闻综合频道播出，时长40分钟。关注弱势群体，关注凡人小事，倡导社会公德，引导健康生活，促进社会文明、进步。在2006年新疆广播电视新闻评比中，获省级一等奖。

《城市定向越野》栏目　特别节目。2005年开播，21:11在娱乐频道播出，时长40分钟。集运动、户外、探险、娱乐于一身。涉及内容新颖、轻松愉悦，又厚重鲜明。在2006年新疆广播电视新闻评比中，获省级三等奖。

《U视先锋》栏目　导视类。1999年开播，23：24在新闻综合频道播出，时长20分钟。总编室自办，如实反映观众的真知灼见，及时准确的介绍近期播出的电视节目和各频道的重大活动及新闻资讯，是乌鲁木齐电视台对外形象宣传的良好平台。在第三届“新疆电视文艺奖”评比中，荣获省级一等奖。

《乌鲁木齐新闻》栏目　新闻。1985年开播，20:00在新闻综合频道播出，时长15分钟。八组记者分别深入到党政、金融、文化、卫生、法制、交通、城建、农牧等相关部门，为市民传递最鲜活的报道。收视率稳居首府同类媒体之首，是首府电视传媒的品牌栏目。在2006年度新疆广播电视播音与主持评比中，荣获省级三等奖。

新源县电视台

《新源县请60名农民工吃年夜饭》节目　消息。2006年12月30日，新源县电视台汉语七频道播出，时长1分29秒。新源县总工会在贵宾馆宴请农民工，让他们在迎新年之际感受到社会主义大家庭的温暖。在2006年度自治区广播电视节目评比中获三等奖。

新源人民广播电台

《八旬老党员致富不忘乡亲》节目　消息。2006年9月21日，新源人民广播电台新闻节目中播出，时长1分28秒。哈萨克老党员包别克致富不忘乡亲，树立了党员的光辉形象。获2006年度自治区广播电视节目评比三等奖。

博尔塔拉电视台

《农牧天地》栏目　电视专栏。2001年开播，时长15分钟。主要有《农牧视角》、《乡村故事》、《致富顾问》、《民俗风情》、《信息广场》等板块。全面关注和反映博尔塔拉农业生产、农牧民生活。多部作品分别荣获国家、自治区等各类奖项，其中电视片“骑手的喜悦”还荣获国家骏马奖。

《赛里木湖畔》维语栏目　BTTV-2(维语)频道2003年正式开办。每月两期，时长20分钟。该栏目面向全社会、面向广大农牧民。每年6到8部作品在全国、全疆好新闻评选中分别获二、三等奖的好成绩。

克孜勒苏电视台

《今日克州》栏目　综艺类。2004年5月开办，3频道汉语播出。每月一期，时长15分钟。展现新时代克州的各种新生事物、自然风光及全州各族人民团结进取、开拓争先的精神风貌。共两个板块：《看家乡》、《帕米尔印象》。获新疆电视台“《天山鱼水情》－双拥共建”电视专题节目一等奖。

阿图什市人民广播电台

《阿图什市木纳格葡萄在上海获畅销产品奖》栏目　新闻。1999年开办，播出频率106兆赫。2007年8月播出。主要介绍农牧民科技致富知识，叙述发生在群众身边的故事。宣传党和国家的各项路线、方针、政策等。获国家级创优奖。

三、优秀剧目介绍

新疆电视台

电视剧《冰山上的来客》　新疆电视台2007年3月播出，共30集。这是一部在特定历史环境下，着力表现我边防部队和当地少数民族兄弟，历尽艰辛共同斗争，彻底粉碎了反动势力分裂祖国反攻倒算，谱写的一曲军民团结的民族颂歌和英雄故事。该剧荣获第十届全国“五个一工程”奖。

新疆生产建设兵团

频道介绍

台名	频道名称	开播时间
新疆生产建设兵团电视台	新闻综合频道	1993年6月

大连市

优秀节目、栏目介绍

大连人民广播电台

《行风热线》栏目 是大连人民广播电台与市监察局、市纠风办联办的一档热线直播服务栏目。2004年9月开播，每周三、四、六、周日的上午9:00～9:45在新闻广播播出。栏目定位于“替百姓办事，为政府分忧”。开播以来有60个部门和行业的领导走进直播间，接听市民电话、解决百姓问题。总计接听热线电话6300多个，回复率达100%，94%的问题都已得到解决。被评为2007年“辽宁省广播电视十佳栏目”，并连续三年荣获“大连市广播电视名牌栏目”。在连续三年的收听情况调查中，该栏目始终位居全台7套节目“收听率”与“满意率”前茅。

大连电视台

《法制天地》栏目 法制专题栏目，创办于1996年，每天19:00～19:20在公共频道播出。包括3个板块：《以案说法》、《法律帮助》、《每周断案》。栏目注重节目的故事性、服务性和互动性，一直以来深受观众的喜爱，多次获辽宁省十佳社教栏目，2006年、2007年被评为全国十佳法制栏目。

《今晚60分》栏目 大型民生新闻栏目，创办于2005年，每天18:00～18:52分新闻综合频道直播。由头条新闻组合、本市资讯、国内国际新闻、本市热线新闻、深度报道等组成。以民生视角关注国内外及本市重点、热点新闻、运用记者连线、观众热线、手机短信、现场访谈等即时直播方式，强化新闻时效性、现场感和互动性。获2006年度辽宁广播电视新闻奖十佳栏目奖。

《大连东瀛风》栏目 日语新闻杂志栏目，2004年5月23日新闻综合频道开播。每周日中午12:10播出，周日晚22:30和周一下午13:00重播。由中日两国主持人共同主持。节目的宗旨在于促进大连与日本间的经贸与文化交流，为在连的日本人提供投资政策和各种新闻信息，同时也为大连市民提供一个学习日语的环境。节目包括“周间新闻”、“经贸聚焦”、“第二故乡”、“走近朋友”、“文化彩虹”等板块。获2006年度辽宁广播电视“彩虹奖”栏目类一等奖。

宁波市

一、优秀节目、栏目介绍

宁波人民广播电台

《如意鸟有声杂志》栏目 文化艺术社教类。1993年开办，交通音乐频道FM93.9于12:00～13:00首播。时长60分钟。以声音为特写，具有一定个性和深度。设“有声杂志”、轻广播剧“剧说人间”、轻喜剧“娱乐篇”三个板块。贴近市民生活，反映宁波变化，体现宁波文化。栏目风格庄重、细腻、严谨，制作包装典雅、别致，富有感染力、亲和力和震撼力。2007年7月获2006年度浙江省广播电视品牌建设奖“广播优秀栏目”奖。

宁波电视台

《江南话语》栏目 文化类专题。2003年7月开办，都市文体频道每周日晚18:30–18:50播出，时长20分钟。以“江南”为轴心，涵盖历史人文、民风民俗、人物事件、经典作品等方面，运用各种电视艺术手段，用建筑、事物、人物、故事、传说、民谣、诗词及文学作品等凸显江南“神韵”与“意境”。获2006年度全国优秀电视文化（文艺）栏目称号、浙江省广播电视品牌建设优秀栏目一等奖。

《宁波万余市民争“抢”贵州贫困学子》节目 长消息。新闻综合频道《宁波新闻》栏目2006年8月18日播出，时长4分钟。通过对“抢”的展现，来表达对对口帮扶贵州黔东南、黔西南州的热情支持，反映东西部民众为构建“和谐”所付出的努力。获2006年度中国新闻奖二等奖、浙江省广播电视新闻奖一等奖、浙江新闻奖一等奖。

《天一阁》节目 电视艺术片。2006年11月9日都市文体频道《江南话语》栏目播出，时长18分钟。着重表现天一阁的浓郁文化气息，深入挖掘其所蕴涵的感人至深的人文内涵，将古色古香的藏书楼及其园林山水庭院的古典美呈现在观众面前。获2006年度浙江省广播电视文艺奖一等奖。

《宁波市2006年度“我身边的文明之星”评选活动》节目 品牌活动。新闻综合频道《看看看》栏目2006年11月～2007年1月播出。“我身边的文明之星”评选活动是构建社会主义和谐社会新闻主题宣传的有益尝试，2006年是该项活动的第二届。活动历时三个多月，参与人数近40万。从主题策划、活动视角到具体实施，都充分突出了组织推荐和群众参与相结合的特点，充分保证了评选的权威性、公平性和代表性。获浙江省广播电视品牌建设评比品牌活动奖一等奖。

《钟点菜场》节目 新闻专题。新闻综合频道《透视》栏目2006年11月11日播出。宁波市宁海城管局采取人性化管理，推出了“钟点菜场”，城管队员、摊贩、市民和谐共处。节目深入浅出地剖析了三者之间的复杂关系，分析矛盾症结和化解之道，折射出管理者以人为本的理念，体现了社会的和谐。获2006年度浙江新闻奖一等奖。

《爱的传递》节目 系列（连续）报道。新闻综合频道《看看看》栏目2006年11月～12月播出，时长12分钟。跟踪报道了尿毒症患者梁国华，从立志遗体捐献到接受爱心捐款，然后爱心反哺，向癌症患者捐出救命钱，最后宁波市民爱心行动再掀高潮，筹足手术费用的整个过程。获2006年度浙江新闻奖一等奖。

二、优秀剧目介绍

宁波人民广播电台

广播剧《淘气包马小跳》 上下集儿童剧。2006年2月交通音乐频道播出。编剧徐明鸣、郭英杰、周围，导演雪莉、姜萍，主演齐芪、刘俊婷、雪莉等。该剧从杨红樱同名小说中选取素材，通过马小跳和中队长路曼曼以及班主任秦老师之间似有还无的小矛盾，演绎出一连串诙谐幽默、好玩有趣的小故事，映射出当代儿童的生活现实与心理现实，探析成人世界与儿童世界之间的隔膜、误区，倡导理解、沟通，充满了对张扬孩子天性、舒展孩子童心的深情呼唤，对未成年人教育方法的探索和尝试有启迪作用。作品真切感人，制作精良，视角独特，具有较强的艺术性和创造性。该剧播出后，不仅得到孩子的喜爱，很多家长、老师也深受启迪。

厦门市

一、优秀节目、栏目介绍

厦门广播电视集团

《书香两岸情系中华—第二届海峡两岸图书交易会现场直播》节目 新闻广播频率（FM996/AM1107）2006年9月20日播出，时长1小时52分。第二届海峡两岸图书交易会在台北市世贸中心拉开序幕，厦门新闻广播派出团队与台湾亚洲广播网进行现场直播，实现大陆广播与台湾媒体首次共同在台直播。获2006年度福建省广播电视新闻奖（广播类）一等奖。

《生命在零点延续》节目 厦门新闻广播频率（FM996/AM1107）2006年9月2日播出，时长53分12秒。外来务工青年小曹在自杀前拨打热线，厦门新闻广播打破常规节目，组织心理医生和听众通过热线和他交流，派出记者赶赴现场徒步寻找近两小时后，终于挽救了他的生命。节目接到热线200多个，短信432条，几十位听友听到主持人的呼吁后组成搜救小组参与救助，还有国外的网友通过在线收听关注。获2006年度福建省广播电视新闻奖（广播类）一等奖。

《台湾人才的新选择》节目 对港澳台专题节目。《闽南之声》广播2006年4月9日播出，时长7分16秒。“首届台湾地区专业人才暨大学毕业生大陆就业洽谈会”在厦门举行，这是海峡两岸人力资源服务机构首度合作举办人才交流盛会，来自大陆和台湾的台湾籍学生们热情参与。获2005～2006年度中国广播影视大奖广播电视节目奖优秀对港澳台节目提名和福建省广播电视奖一等奖。

《跨越·海峡篇》节目 厦门新闻广播（FM996/AM1107）2006年12月22日播出的专题节目，时长23分48秒。对厦门特区建设25年的历程进行全面梳理，呈现了厦门在对台关系中的不可替代的作用。获2006年度福建省广播电视播音主持作品评选一等奖，2007年12月荣获中国播音主持金话筒奖提名。

《见义勇为？还是拒载？》节目 新闻资讯类。厦门经济交通广播（调频107/调幅1278）2006年8月6日播出，时长16分46秒。为抓骗子，反扒志愿者出租车司机让乘客中途下车。这究竟是见义勇为还是拒载行为？《早班直通车》节目就此问题展开讨论。获2006年度福建省广播电视新闻奖一等奖。

《欢乐QQ堂》节目 厦门音乐广播（FM909）2006年10月播出的综艺节目，时长26分。节目以轻松幽默诙谐的方式分析2006年最走红的文化名人易中天和他的三国热现象。获2006年度福建省广播文艺奖一等奖。

厦门电视台

《特区新闻广场》栏目 社会新闻。厦门广电集团1993年12月15日开办。每晚21时播出，时长20分钟。收视率一直列台自办栏目之首，并获福建省、厦门市“十佳栏目”称号。厦门广电集团首席主持人雄志从1998年起担任栏目主播，是厦门观众最喜爱的电视节目主持人之一。2006年获得福建省广播电视播音作品（电视播音）一等奖。

《2006海峡两岸高校赛艇挑战赛及北大—清华赛艇邀请赛》节目 现场直播。2006年9月2日在中央电视台五套、厦门电视台三套同时播出，时长52分钟。厦门台独立承担直播任务，使用10讯道转播车和5讯道转播车各一部，摩托艇移动机位在内另设5个单机点，包括户外演播室共使用18个机位拍摄。获2006年度全国体育节目评比电视直播二等奖；2006年度福建省广播电视新闻奖创新奖。

《印象纳西》节目 厦门电视台生活频道2006年12月30日播出的专题节目，时长48分35秒。让纪录的真实与原生态的民族歌曲合理穿插，构成了富有创新意味的音乐纪录片。2007年入选中国文化部优秀对外宣传纪录片，译为10国语言；2006国际选片会入围纪录片；2006年度福建广播电视奖电视社教类一等奖等。

《金门日记》节目 电视新闻系列片（三集）。厦门卫视2006年9月27～29日播出。全程跟拍在厦的金门籍老人借助厦门红十字会的“寻亲救助基金”，前往金门寻亲的过程，获得第十七届中国新闻奖二等奖、2006年度福建广播电视奖电视新闻类一等奖等。

《2005年“两岸关注”年度评选活动》节目 特别节目。厦门卫视2006年1月15日播出，时长2小时11分钟。第一次由两岸媒体共同举办，同步调查，以两岸关系热点新闻评选为主题的年度评选活动，之后由华艺出版社出版发行《2005台湾问题研究报告》。获2006年度福建省广播电视奖创新奖。

《我是中国人》节目 电视专题，厦门卫视2006年12月20日播出，时长33分34秒。用大量新闻素材，广泛采访台湾学者、政党人士、意见领袖乃至公共场所的民众，记录台湾被忽略的声音，让各个族群的台湾人共同回答一个问题——“是不是中国人”获得2005～2006年度中国广播影视大奖广播电视节目奖优秀专题提名，2006年度福建省广播电视新闻奖一等奖。

《海峡报道》栏目 电视新闻，厦门卫视于2002年3月3日开办，每周一至五晚10:00～10:25播出。据央视索福瑞提供的数据，栏目全年平均收视市场份额为5.36%，至2006年12月份，收视份额已高达15.2%。获得第十三届福建新闻奖新闻名专栏，2005～2006年度中国广播影视大奖广播电视节目奖优秀栏目提名。

《海峡报道》记者在厦门东渡客运采访两岸妈祖千人进香团

二、优秀剧目介绍

厦门电视台

动画片《嘿！星星狐》 104集，厦门青鸟动画有限公司创作。改编自著名儿童文学作家晓玲叮当"写给小读者"系列丛书，由林爱武、闵小玲、黄洁颖编剧，夏琮明、金鹏导演，王冬艳、涂飞、林小清、焦庆刚等制作。2007年5月，该剧第一部26集顺利通过福建省广电局审查，并获得国产动画发行许可证。这也是厦门第一部获国家广播电视行政部门颁发的发行许可证的电视动画片。2007年8月该剧在厦门电视台第二套节目中播出。2007年该剧被国家广电总局列为"优秀国产动画片"向全国电视台推荐播出，获得国家广电总局2007年度全国动画精品三等奖。

青岛市

一、优秀节目、栏目介绍

青岛人民广播电台

《牵挂》栏目 社教类。2005年12月开办，每周日8:00～8:30新闻频道播出。获2006年度山东广播影视大奖广播节目奖十佳栏目，第五届山东新闻名专栏奖。

《青岛早晨》栏目 经济新闻。1993年1月开办，经济频道周六、日7:00～7:30播出。获2006年度山东省广播电视协会十佳栏目。

《方圆时间》栏目 文艺频道综艺类。2004年2月2日开办，获2006山东省广播文艺十佳栏目。

《交通热线》栏目 投诉热线类。1999年12月28日开办。周一至周五8:30～9:30 播出。2007年获得山东新闻奖广播电视名专栏奖；2006年获得山东省广播电视奖十佳栏目奖。

青岛电视台

《今日60分》栏目 社会民生类新闻。2003年1月1日开办。周一至周六新闻综合频道18:00～19:00播出。2006～2007年度，栏目连续获得山东省广播影视大奖"十佳栏目奖"、"山东新闻名专栏"等奖项；栏目作品《寻找"微尘"》、《创新启示录》、《气垫床伤人之后》、《满城飞舞红飘带》等获得山东新闻奖一等奖；栏目主播李燕获得全国广播电视大奖"金话筒"奖、曲伟获"金话筒"提名。

《青岛新闻》栏目 时政新闻。1971年9月开办，周一至周日新闻综合频道19:30～19:50播出。节目曾五次获中国新闻奖一二等奖，栏目作品《"我也要向振超同志学习"》获得中国新闻奖一等奖、《中国芯 海信造》获得中国新闻奖二等奖了《青岛新闻》获得中国播音主持作品奖一等奖。

《今晚播报》栏目 综合新闻节目。2006年1月1日开办，21:45～22:15播出。2007年，《今晚播报》获得山东新闻奖节目编排"金奖"、中国新闻奖节目编排三等奖。

《理冰访问》栏目 访谈类新闻节目。2007年1月1日开办，21:45～22:05播出。主持人理冰主持的《QTV对话—平凡中彰显时代精神》获得2006中国广播电视金话筒播音主持作品奖，《理冰访问·心在航行》获得山东省广播影视大奖访谈类节目二等奖。

《校园风》栏目 少儿教育。1995年5月开办，2008年1月改版，每周六17:00新闻综合频道播出。连续两次荣获山东省优秀少儿栏目一等奖，荣获2006年全国优秀少儿栏目三等奖；2006年录制的"我们的明天—六一儿童晚会"荣获山东省第十九届电视艺术"牡丹奖"少儿类一等奖。

《生活在线》栏目 社会民生新闻。2000年1月1日开办，每周一至周日20:00～9:00生活服务频道播出。该栏目短消息《生死营救》获2006年山东省广播电视新闻奖一等奖。

《新说法》栏目 法制专题类。2005年5月开办，生活服务频道每周一至周六21:00播出。2006年栏目被评为"山东省广播电视新闻奖电视社教十佳栏目"。

二、优秀剧目介绍

青岛人民广播电台

广播剧《藏獒2》 2006年12月文艺频道播出。获2005～2006年度中国广播影视大奖广播电视节目奖优秀广播长篇连播节目类大奖。

全国电视剧收视排名情况

一、2007年全国样本市（县）电视剧收视率排名前20位

名次	名称	播出频道	收视率(%)	占有率(%)
1	51号兵站	中央电视台综合频道	5.3	12.1
2	星火	中央电视台综合频道	4.9	10.7
3	香港姊妹	中央电视台综合频道	4.7	10.9
4	戈壁母亲	中央电视台综合频道	4.6	10.6
4	大校的女儿	中央电视台综合频道	4.6	10.6
6	家事如天	中央电视台综合频道	4.4	10.3
7	喜耕田的故事	中央电视台综合频道	4.4	9.9
8	福星临门	中央电视台综合频道	3.8	8.5
9	贞观长歌	中央电视台综合频道	3.7	8.6
10	交通警察	中央电视台综合频道	3.7	8.5
11	喜庆农家	中央电视台综合频道	3.7	8.3
12	温暖	中央电视台综合频道	3.6	8.3
13	镇长	中央电视台综合频道	3.6	8.0
13	恰同学少年	中央电视台综合频道	3.6	8.0
15	柳树屯	中央电视台综合频道	3.5	11.0
16	特殊使命	中央电视台第八套	3.5	8.6
17	数风流人物	中央电视台综合频道	3.4	8.0
18	彭雪枫	中央电视台综合频道	3.4	7.9
19	五星大饭店	中央电视台综合频道	3.4	7.8
20	草原春来早	中央电视台综合频道	3.4	7.6

二、2007年黄金时段全国各城市电视剧收视率排名前10位

北京

名 称	播出频道	收视率	市场份额
金婚	北京台四套	11.54	30.07
真情无限继母	北京台四套	10.26	25.96
继父	北京台四套	9.67	25.22
守候幸福	北京台四套	9.40	23.77
双面胶	北京台四套	9.36	23.76
悲情母子	北京台四套	8.69	22.04
女人心事	北京台四套	8.54	22.10
爱了散了	北京台四套	8.44	20.98
保姆	北京台四套	8.40	23.52
常回家看看	北京台四套	8.31	22.44

沈阳

名 称	播出频道	收视率	市场份额
戈壁母亲	中央电视台综合频道	6.39	15.83
少年嘉庆	辽宁台都市频道	5.46	12.86
叫一声妈妈	辽宁台影视娱乐频道	4.70	13.33
交通警察	中央电视台综合频道	4.65	12.23
金婚	辽宁台影视娱乐频道	4.60	13.36
依靠	辽宁台都市频道	4.50	10.37
柳树屯	中央电视台综合频道	4.44	13.95
大校的女儿	中央电视台综合频道	4.24	10.55
刘老根大舞台	辽宁卫视	4.08	12.45
乡村爱情	辽宁卫视	4.04	9.93

大连

名 称	播出频道	收视率	市场份额
金婚	大连台一套(新闻综合频道)	16.98	29.88
笑着活下去	大连台一套(新闻综合频道)	16.32	28.44
亲兄热弟	大连台一套(新闻综合频道)	16.09	27.74
女人一辈子	大连台一套(新闻综合频道)	15.44	27.05
保姆	大连台一套(新闻综合频道)	15.17	25.46
换子成龙	大连台一套(新闻综合频道)	13.76	24.66
大过年	大连台一套(新闻综合频道)	13.54	23.24
新上海滩	大连台一套(新闻综合频道)	12.84	21.40
大工匠	大连台一套(新闻综合频道)	12.48	22.23
女人心事	大连台一套(新闻综合频道)	12.19	20.14

上海

名 称	播出频道	收视率	市场份额
爱无悔	上海电视台电视剧频道	9.36	24.35
金婚	上海电视台电视剧频道	9.10	23.28
一世情缘	上海电视台电视剧频道	8.66	22.79
笑着活下去	上海电视台电视剧频道	8.54	22.11
无法抗拒	上海电视台电视剧频道	8.41	21.58
一生有你	上海电视台电视剧频道	8.01	20.61
罪之缘	上海电视台电视剧频道	8.01	21.21
换子成龙	上海电视台电视剧频道	7.97	22.00
追	上海电视台新闻综合频道	7.72	19.54
悲情母子	上海电视台电视剧频道	7.68	20.31

杭州

名 称	播出频道	收视率	市场份额
春天后母心	浙江电视台教育科技频道	8.03	21.03
笑着活下去	杭州电视台影视频道	6.60	16.09
木棉花的春天	浙江电视台教育科技频道	6.28	17.23
冰山上的来客	浙江卫视	6.25	15.52
中国媳妇第五部—媳妇的眼泪	浙江电视台教育科技频道	5.60	14.49
五号特工组	浙江电视台教育科技频道	5.45	14.93
金婚	浙江电视台经济生活频道	5.33	13.13
雪在烧	杭州电视台影视频道	5.20	13.70
女人一辈子	浙江电视台教育科技频道	5.17	12.70
阿旺别传	杭州电视台西湖明珠频道	5.12	16.92

宁波

名 称	播出频道	收视率	市场份额
刻骨铭心的爱	宁波电视台二套(经济生活频道)	7.84	22.06
新上海滩	宁波电视台四套(影视剧频道)	6.63	20.42
雪在烧	宁波电视台四套(影视剧频道)	5.96	18.31
水中花	宁波电视台二套(经济生活频道)	5.56	16.45
保姆	宁波电视台一套(新闻综合频道)	5.55	18.82
女人一辈子	宁波电视台三套(都市文体频道)	5.41	17.46
追	宁波电视台二套(经济生活频道)	5.22	16.30
犯罪嫌疑人	宁波电视台二套(经济生活频道)	5.11	15.64
封神榜	宁波电视台四套(影视剧频道)	5.05	15.61
换子成龙	宁波电视台四套(影视剧频道)	4.91	17.12

合肥

名 称	播出频道	收视率	市场份额
隋唐英雄传之二	安徽电视台影视频道(三套)	8.97	24.90
我爱饭米粒	安徽电视台影视频道(三套)	8.35	29.12
八阵图	安徽电视台影视频道(三套)	8.02	22.17
八大豪侠	安徽电视台影视频道(三套)	8.00	21.13
夜光神杯	安徽电视台影视频道(三套)	7.67	20.29
碧血剑	安徽电视台影视频道(三套)	6.86	20.19
女人不哭	安徽一套	6.80	20.60
精卫填海	安徽电视台影视频道(三套)	6.70	19.49
人生拼图系列第三部	安徽一套	6.49	19.32
婆家娘家	安徽一套	6.32	18.90

厦门

名 称	播出频道	收视率	市场份额
青龙好汉	厦门卫视	10.64	25.64
狼毒花	厦门电视台综合频道	7.39	18.38
你一定要幸福	厦门电视台影视频道	6.67	16.37
别和陌生人跳舞	厦门电视台影视频道	6.60	16.23
一世情缘	厦门电视台影视频道	5.87	14.27
最后的子弹	厦门电视台综合频道	5.80	14.05
海上传奇	厦门电视台影视频道	5.45	13.70
生死十日	厦门电视台综合频道	5.20	13.00
女人一辈子	厦门电视台影视频道	5.16	12.79
真情无限	厦门电视台综合频道	4.90	12.88

青岛

名 称	播出频道	收视率	市场份额
女人一辈子	青岛电视台新闻综合频道	13.66	27.76
真情无限	青岛电视台新闻综合频道	10.94	20.83
保姆	青岛电视台新闻综合频道	10.31	20.19
新上海滩	青岛电视台新闻综合频道	9.82	19.16
媳妇	青岛电视台新闻综合频道	9.36	18.23
食人鱼事件	青岛电视台新闻综合频道	9.34	18.17
金婚	青岛电视台新闻综合频道	9.33	26.95
换子成龙	青岛电视台新闻综合频道	8.96	17.33
新结婚时代	青岛电视台新闻综合频道	8.46	16.55
桃花灿烂	青岛电视台新闻综合频道	8.12	16.33

长沙

名 称	播出频道	收视率	市场份额
真情无限	eTV 湖南经视综合频道	11.72	28.94
浪漫满屋	eTV 湖南经视综合频道	7.01	23.96
孝子	eTV 湖南经视综合频道	6.74	19.22
金婚	eTV 湖南经视综合频道	6.28	18.04
迷失的爱	eTV 湖南经视综合频道	6.18	16.35
一家老小向前冲	eTV 湖南经视综合频道	5.90	16.54
功夫状元	湖南电视台娱乐频道	5.84	15.86
双枪李向阳	湖南电视台娱乐频道	5.57	15.67
问情	eTV 湖南经视综合频道	5.33	16.08
又见一帘幽梦	湖南电视台卫星频道	5.25	18.00

武汉

名 称	播出频道	收视率	市场份额
真爱	湖北经视	5.35	15.67
51 号兵站	中央电视台综合频道	5.14	16.31
悠悠寸草心	湖北经视	4.33	17.45
大校的女儿	中央电视台综合频道	4.31	14.04
浪漫满屋	湖北经视	4.31	18.79
戈壁母亲	中央电视台综合频道	4.24	14.03
血色玫瑰	武汉电视台文艺频道	4.12	14.02
星火	中央电视台综合频道	4.04	11.70
家事如天	中央电视台综合频道	3.87	12.51
贞观长歌	中央电视台综合频道	3.86	11.82

广州

名 称	播出频道	收视率	市场份额
溏心风暴	市网翡翠台(中文)	11.88	29.19
赌场风云	市网翡翠台(中文)	11.85	27.57
十兄弟	市网翡翠台(中文)	11.46	25.24
奸人坚	市网翡翠台(中文)	11.42	26.48
外来媳妇本地郎	广东电视台珠江频道	11.16	27.34
师奶兵团	市网翡翠台(中文)	11.16	25.35
迎妻接福	市网翡翠台(中文)	11.04	26.50
通天干探	市网翡翠台(中文)	11.01	29.16
天机算	市网翡翠台(中文)	10.90	24.02
两妻时代	市网翡翠台(中文)	10.86	28.27

成都

名 称	播出频道	收视率	市场份额
保姆	成都电视台新闻综合频道(一套)	5.44	14.43
狼毒花	四川电视台影视文艺频道(五套)	5.09	15.25
金婚	四川电视台影视文艺频道(五套)	4.49	14.54
又见一帘幽梦	湖南电视台卫星频道	3.99	10.40
几度菊花香	四川电视台影视文艺频道(五套)	3.94	11.09
贞观长歌	中央电视台综合频道	3.84	9.98
明天我不是羔羊	四川电视台影视文艺频道(五套)	3.83	11.24
封神榜	成都电视台影视文艺频道(四套)	3.68	9.19
上门女婿	成都电视台新闻综合频道(一套)	3.68	9.31
悲情母子	四川电视台影视文艺频道(五套)	3.65	9.28

重庆

名 称	播出频道	收视率	市场份额
五号特工组	重庆电视台影视频道(一套)	9.39	26.78
暗哨	重庆电视台影视频道(一套)	9.17	24.50
兵变 1938	重庆电视台影视频道(一套)	8.98	24.53
最后的子弹	重庆电视台影视频道(一套)	7.85	22.49
新上海滩	重庆电视台影视频道(一套)	7.77	21.88
双枪李向阳	重庆电视台影视频道(一套)	7.60	21.86
中国媳妇第四部	重庆电视台影视频道(一套)	7.54	19.80
红幡	重庆电视台影视频道(一套)	7.53	21.37
大码头	重庆电视台影视频道(一套)	7.44	22.12
春天后母心	重庆电视台影视频道(一套)	7.33	20.06

贵阳

名 称	播出频道	收视率	市场份额
错爱	贵州电视台公共频道(二套)	10.17	17.73
换子成龙	贵州电视台影视文艺频道	8.54	15.59
红罂粟	贵州电视台公共频道(二套)	8.40	15.22
决不妥协	贵州电视台公共频道(二套)	8.24	14.29
走出监狱的女人	贵州电视台公共频道(二套)	8.16	14.82
女人不哭	贵州电视台影视文艺频道	7.52	14.25
食人鱼事件	贵州电视台影视文艺频道	7.46	13.58
爱在离别时	贵州电视台影视文艺频道	7.34	13.42
春天后母心	贵州电视台影视文艺频道	7.15	13.38
明天我不是羔羊	贵州电视台影视文艺频道	6.92	13.18

昆明

名 称	播出频道	收视率	市场份额
木棉花的春天	云南电视台都市频道(二套)	7.39	18.34
上门女婿	云南电视台都市频道(二套)	7.00	18.16
笑着活下去	云南电视台都市频道(二套)	6.99	18.42
继父	云南电视台都市频道(二套)	6.91	17.38
春天后母心	云南电视台都市频道(二套)	6.85	17.83
红粉	云南电视台都市频道(二套)	6.72	17.09
生死十日	云南电视台都市频道(二套)	6.71	19.77
大校的女儿	中央电视台综合频道	6.66	16.56
东寺街西寺巷	昆明电视台影视频道	6.32	19.70
51 号兵站	中央电视台综合频道	6.29	16.95

西安

名 称	播出频道	收视率	市场份额
笑着活下去	陕西电视台都市青春频道(二套)	7.33	20.99
戈壁母亲	中央电视台综合频道	7.23	20.11
大校的女儿	中央电视台综合频道	6.20	16.84
叫一声妈妈	陕西电视台都市青春频道(二套)	6.16	17.70
柳树屯	中央电视台综合频道	5.84	18.25
星火	中央电视台综合频道	5.75	15.57
51号兵站	中央电视台综合频道	5.47	17.99
浪漫满屋	西安电视台二套(白鸽都市频道)	5.41	13.95
香港姊妹	中央电视台综合频道	5.19	15.17
贞观长歌	中央电视台综合频道	5.12	14.85

兰州

名 称	播出频道	收视率	市场份额
大校的女儿	中央电视台综合频道	16.70	27.65
家事如天	中央电视台综合频道	16.23	30.42
星火	中央电视台综合频道	15.72	25.64
51号兵站	中央电视台综合频道	15.31	27.67
交通警察	中央电视台综合频道	15.16	25.33
喜庆农家	中央电视台综合频道	15.00	26.65
贞观长歌	中央电视台综合频道	14.90	25.90
福星临门	中央电视台综合频道	14.84	25.49
香港姊妹	中央电视台综合频道	13.90	25.41
戈壁母亲	中央电视台综合频道	13.79	22.92

5.新媒体传播

New Media

5. 新媒体传播

责任编辑 罗建平
审 稿 人 金德龙

中国广播网概况

2007年，中国广播网充分发挥广播网络互动优势，完成了十七大、"高举旗帜 科学发展"、"科学发展共建和谐"、胡锦涛访澳并出席APEC会议、"两会"、建军八十周年、内蒙古自治区成立60周年、香港回归十周年等一系列报道，派出记者采访了方永刚、袁隆平、罗金勇、罗映珍、铁军红军师等一批时代先锋全国典型，作为主流媒体的新阵地，丰富了中央电台广播宣传内涵，延伸了中央电台广播传播外延。

中国广播网实现了中央人民广播电台中国之声、经济之声、音乐之声、都市之声、中华之声、神州之声、华夏之声（双语）、民族之声、文艺之声等9套无线广播节目同步网上直播，全天播出200个小时，并自办银河网络电台五套节目，全天播出120小时，中国广播网每天网上直播累计320小时。

中国广播网提供包括汉语普通话及蒙古、藏、维、哈、朝五种少数民族语言和闽南话、客家话、广州话三种汉语方言同步网上直播服务，同时提供270个精品节目在线点播服务。

2007年，中国广播网发稿82万多条，图文直播视频直播访谈120次，网上直播、点数据量达到5TB，日点击量达到1600万人次，中广论坛注册会员升到152782人，日均点击量近300万次，月发帖量达到75000条，网民遍及美国、日本、英国、韩国、澳大利亚、印度等44个国家。

中国广播网负责组织的"全国高校广播节目联盟"已拥有全国197家加盟校台，依托这些加盟的校台，中国广播网银河网络电台的节目受到高校学生的欢迎。

十七大期间，在对台广播中心和华夏之声的支持下，中国广播网在与中央电台广播同步直播的同时，首次成功尝试对"十七大新一届中央领导集体会见中外记者"进行了闽南话、广州话两种方言网上音频直播。

中国广播网完成了中宣部《中央主要网站及国内门户网站主题宣传报道概况、特点、效果、不足及建议》、承担了国家广电总局首批社科基金课题《中国网络广播的实证研究》。

一、发挥主流媒体网站特色 影响力日益显著

（一）加强重大主题宣传策划创新，网站的影响力不断扩大

中国广播网创新报道党代会，通过文字、图片、音频、视频多媒体全方位报道十七大盛况，中国广播网主页及十七大专题页面的点击量超过2200万。

2007年4月，中国广播网派出记者参加了中央电台"穿越三北风沙源"大型报道，26天时间里穿越中国四大沙漠，行程1.6万公里，《记者亲历：内蒙古西部发生沙尘暴》、《阿拉山口：与风共舞的防沙最前线》、《插入沙漠深处的绿色利剑》、《莫高窟：繁华背后的生态危机》等报道图文并茂，新闻性、思辨性强，被新华网、人民网等60多家主流网站转载，受到各方好评。

中国广播网记者在"嫦娥一号"卫星发射现场报道

（二）台网互动向深层次发展，广播网络互为延伸，形成宣传合力

在全年各项重大报道中，中国广播网发挥图文音视频手段优势，与中央电台传统广播母体互动频密、将"台网互动"继续向深层次发展，形成"1+1>2"的宣传合力。中国广播网连续三年作为中宣部"科学发展观"大型系列主题宣传报道的指定网站，台网互动有声势，创优出新，形成品牌，中国广播网大型系列主题报道《落实科学发展观》专题获第17届中国新闻奖一等奖，获中宣部表彰的2007年度优秀作品奖一等奖。

（三）新媒介创新内容，新手段创新形式，创办时政新闻网络电子杂志，第一次试水手机广播电视

1. 创办网络新闻电子杂志，鲜活表现重大主题

2007年创办时政网络新闻杂志《身边》，从全国"两会"到十七大，开创出主流时政报道轻松趣味报道的新路，采用flash制作方式将音频、视频、图片、文字及动画等多媒体形式呈现，传播效果达到最大化。2007年9月推出时尚旅游系列电子杂志《行色》，在延伸广播和传统网络内容方面做了积极的尝试，总下载量达到1320154册。

2. 第一次试水手机广播电视新媒体，方寸小屏幕展现"两会"风采

2007年3月，中国广播网试验推出手机广播电视"两

会”特别报道，刊发各类稿件658条，4558人（机）通过手机媒体点击收听收看中国广播网“两会”特别报道。

3．加大评论力度，推出系列视点专栏《“两会”视窗》和系列评论《感悟十七大》，有效引导网上舆论

2007全国“两会”正式开幕后，中国广播网推出19期系列视点专栏《“两会”视窗》，受到专家肯定。十七大期间推出45篇《感悟十七大》系列评论，及时、鲜活、多角度解读十七大报告，多篇评论被人民网、新华网、搜狐等多家网站转载。

二、现代化管理日益规范　各项业务全面发展

中国广播网走上规范化、制度化道路，出台了《网络中心规章制度汇编》，让科学、规范的管理方法渗透到日常工作的每一个细节。

中国广播网地方分网达到15个，对扩大和延伸中国广播网在地方的影响发挥了良好作用。中国广播网受到多个省市区新闻办邀请，完成了一系列“中国网络媒体地方行”报道，中国广播网在各地的影响力不断提升。

中国广播网全力打造互动平台，新版中广论坛、博客纷纷上线，200多位著名的播音员、主持人开设博客，新论坛发布系统上线，中广论坛的访问量直线上升。

三、中国广播网传播平台升级　多媒体技术不断提高

中国广播网网络覆盖中央电台节目范围不断扩大，网络互动社区发展飞速，在听众、网友与中央电台各频率广播节目间搭建起有效的沟通交流平台。

1．搭建完毕中国广播网多媒体新平台，技术水平不断升级

2007年中国广播网融图文音视频、BBS博客播客、电子杂志于一体的新媒体技术平台不断升级，中国广播网多媒体新闻发布系统可同时满足300人在64个专业频道发稿，实现中央电台九套节目、中国广播网银河网络电台五套节目同时24小时直播服务。中国广播网完成银河台建设工程，3个音频直播机房、1个视频直播机房、1个主控机房和银河台网站投入使用。

2．中国广播网TRS采编播系统和CNR邮件系统功能逐步加强

中国广播网TRS新闻采编播系统进行优化改造，建立CDN页面加速平台，共制作页面模板2516个。中广邮箱用户升至2415名，在日常工作和重大报道活动中起到传递信息、记者传稿和沟通交流的作用。

3．中国广播网走进校园工程顺利，教育网镜像站点覆盖高校

2006年9月，中国广播网教育网镜像站点举行开通仪式，银河台走进校园工程顺利进行，目前，高校学生和老师访问中国广播网和银河台的每天流量达到60兆。

2007年5月，中国广播网荣获团中央、国家广电总局联合颁发的广电系统全国青年文明号称号。

2007年12月，中国广播网参加中央外宣办联合全国188家新闻网站组织的“科学发展 共建和谐”网络作品大赛获得最佳组织奖。

中国广播网电子杂志被国务院新闻办公室互联网新闻研究中心、中国互联网协会互联网新闻信息服务工作委员会评为中国互联网2007年度品牌推荐栏目。　（伍刚）

中央人民广播电台银河网络电台概况

2007年是中央人民广播电台银河网络电台（以下简称银河台）发展变化最大的一年。银河台在2007年进行了大规模的基础建设和制度改革。2007年，银河台共推出新的原创栏目12个，完成节目时长共7392小时，原创点播文件5436个，累计点击人次43800000人次。银河台网页推出各类报道27043篇，创办新栏目6个，开办各种网络专题62个，音视频访谈120余次。

一、内合外联，创新网络电台宣传报道

1．与中央电台广播节目的多形式互动

银河台拥有中央电台和中国广播网两大强势母体资源，拥有大量前方记者深入新闻现场进行采访，银河台在日常节目中注重与中央电台全面配合互动，既依托母体优势，增大自我宣传力度，又支持母体报道，将广播节目、网络专题、网络电台直播紧密结合，实现了传播手段和传播渠道的良好融合，形成了与中央电台广播节目良好的合作模式。

2．通过网络电台视角完成十七大特色报道

2007年10月，银河网络电台参与了中国共产党第十七次代表大会的报道。银河台与中央电台并机直播了十七大开幕式，推出了《银河台十七大特别报道》专题，专题内容精炼，主题明确，在十七大期间现场直播十七大报道两场420分钟，播放视频访谈5次，专题节目118分钟。

3．与各大网络媒体建立良好合作“超链”

银河台于2007年向多家网络媒体发出邀请，分别与人民娱乐、新华音乐、新浪播客、腾讯新闻等同类频道交换链接，初步建立以内容交流、传播整合、宣传互动、优势互补为基础的“超链”关系，扩大了银河台的知名度和影响力，为将来互联网外联合作奠定了基础。

截至2007年底，与40余家网站建立了链接，337家网络对银河台建立网络链接。

二、全面完善银河台基础建设，提升核心竞争力

1．改版网站内容，完善宣传体系

从2007年初开始，银河台着手从网站内容到播出节目进行了持续、系统的改版，在有意融合先进网络技术的同时，顺应网民需求，突出服务功能，力求把银河台办出水平，办出特色，办出权威。

首先，在2007年1月8日，银河台首页进行了改版，新首页力求突出银河网络电台的原创特色和定位目标，设计风格大气、时尚，一经推出就获得网友好评。

其次，银河台充分依托中国广播网流媒体技术优势，在2007年2月进一步完善了相关栏目资源，增设流行音乐、古典音乐、民乐以及相声小品与评书的点播视听栏目，收录各类音频文件10677个。到2007年底，超过5415649人次点击试听了这些音频文件。

2007年6月，银河台根据内容为王，原创为本的思路，继续改革步伐，对直播节目进行了整体改版，陆续新增《阅读欣赏》、《整点快报》、《三味聊斋》、《冲刺2008》等九个新栏目，每天力推以音频为主体，背景资料为衬托，多媒体方式汇集制作的重点原创稿件，让银河台的内容更加丰

富，定位更加准确，在网民和听众中形成了热烈反响。

2．抓好制度建设、配备人才队伍

从2007年初开始，银河台编辑部正式制定出了《银河台2007年内部管理规定》、《银河台采编播人员职业道德规范》、《银河台主持人播出安全制度》、《银河台预审及播发稿件管理办法》、《银河台对外合作注意事项》等多个可操作性强，有网络电台特色的规章制度和注意事项，管理日益科学、规范。

3．搭建技术平台，保障发展基础

银河台是网络新媒体中的新媒体，每一步发展都需要技术的支持。2007年，银河台建成新的专属技术平台，银河台直播机房正式迁至中央电台分部——国宏大厦；2007年10月，主要供银河台使用的三个直播、录播机房和一个视频演播室正式竣工，新机房共有100平方米，装配有业内领先的播音设备和专业软件，制作条件得到了巨大改善。

2007年9月19日，银河台教育网镜像站点在中国传媒大学网络中心数据机房正式开通，银河台的网页在教育网内部的打开速度和流媒体播出速度大大加快。

三、拓展新领域、占领新媒体传播前沿阵地

1．高校广播节目联盟实现银河台节目校园落地

截至2007年底，全国高校广播节目联盟已拥有全国197家加盟校台。依托这些加盟的校台传播范围广，到达率高的特点，银河台的声音传进全国高校学生的耳朵。

2007年，全国高校广播节目联盟努力扩大广播影响力，营造健康校园文化氛围，帮助并培养善于表达并有理想和能力的大学生为社会发展做出积极贡献。联盟在2007年运作了四大品牌项目：广播影响力项目、职场3加1项目、明星进校园项目、银河校园广播发展运作计划，还扶持了众多校园本土活动，不仅为全国高校校台的主持人提供专业沟通平台，也为银河台占领青少年舆论新阵地提供了一条清晰的道路。

中央人民广播电台银河网络电台全国高校广播节目联盟主持人

2．推出电子杂志《行色》

2007年9月推出系列时尚旅游电子杂志《行色》。为突出中央电台传统优势，杂志着力于突出声音元素，邀请中央电台著名播音艺术家为杂志诗歌内容配音，将厚重、苍凉、壮美的旅行文化完美演绎。《行色》注重跨平台的协作与推广，在延伸广播和传统网络内容方面做了积极的尝试：充分利用多媒体杂志互动和便捷的优势，对中央电台中华之声《万水千山走透透》、中国广播网旅游频道、中国广播网旅游论坛做了跨页动画推广。

《行色》电子杂志第一期、第二期总下载量已经达到1320154册。读者对这本集合情趣高雅、风格时尚、互动强烈的多媒体杂志颇为赞赏，纷纷留言，期望中国广播网《行色》电子杂志能够更多突出中央电台特色，体现优势和实力，加快完善品牌建设。（王非）

中国国际广播电台“国际在线”概况

一、2007年发展概况

2007年，中国国际广播电台“国际在线”网站继续在全球同行业网站中保持领先地位。2007年，“国际在线”的访问者来自世界160多个国家和地区；网站日均页面浏览量达到1300万，比2006年增长了62.5%。其中，境外页面浏览量约800万。网上广播日均播出时数达263.5小时，环球网络电台日均收听人数为70万，2007年国际在线网络电台荣获“中国互联网站品牌栏目（频道）”殊荣称号，成为“网络电台”栏目下唯一的三连冠品牌。此外，通过开展对外合作，转载国际在线稿件的境外网站不断增加。据不完全统计，世界范围内链接国际在线各语种网站首页的网站数量已经达到近15000个。

2007年，中国国际广播电台以“国际在线”为基础，以网络广播电视、环球网络电台、手机广播电视为依托的新媒体业务格局基本形成。3月16日，“国际在线”正式推出网络电视平台，实现24小时滚动直播。4月6日和8月30日，“国际在线”手机广播电视业务分别在中国联通和中国移动两个平台上启动，提供了集成中国国际广播电台广播、电视、互联网等多媒体及多语种信息资源的直播、点播和下载节目。9月14日，“国际在线”在多语种网络电台基础上，建成了美国华盛顿、英国伦敦、俄罗斯莫斯科、德国柏林、澳大利亚悉尼、韩国首尔、日本东京、埃及开罗、土耳其安卡拉、巴西里约热内卢、阿根廷布宜诺斯艾利斯等11个多语种环球网络电台，涉及英语、俄语、德语、汉语、日语、阿拉伯语、土耳其语、葡萄牙语和西班牙语等9个语种，受众遍布全球五大洲重点城市。

二、重点宣传报道

2007年是互联网对外宣传报道任务密集的一年。“国际在线”各语种网站先后圆满完成了胡锦涛主席新年讲话、党的第十七次全国代表大会、“两会”、胡锦涛主席对俄罗斯联邦进行国事访问并出席“中国年”开幕式、温家宝总理访问日本等国家领导人出访或参加国际会议、香港回归祖国十周年、建军八十周年、我国发射“嫦娥一号”探月卫星、第三届两岸经贸文化论坛、中日邦交正常化三十五周年、中日体育文化交流年、中俄国家年、中国西班牙年、中韩建交十五周年、上海特殊奥林匹克运动会、第四届中国－东盟博览会、第四届泛珠三角区域合作与发展论坛暨经贸洽谈会、朝鲜半岛核问题六方会谈、博鳌论坛、国际《道德经》论坛、八国首脑峰会、上海合作组织峰会、非洲银行年会，以及中国国际广播电台组织的外籍专家系列采

访“和谐安徽行”和“河南行”等报道。

1．党的十七大报道

2007年，在党的十七大开幕的报道中，“国际在线”使用汉语普通话、英语、法语、俄语、西班牙语、阿拉伯语、日语、德语、朝鲜语和蒙古语等10种语言通过互联网对党的十七大开幕式进行了在线直播，当天中文网页面访问量较前一天升幅达10.6%，所有外文网站页面访问量增加34.6%。十七大期间，“国际在线”在各语言网站推出了各具特色的十七大报道专题，其中包括《党的执政理念路线图》、《百姓纪事》、《英雄之声》、《十七大代表做客CRI》等特色栏目，向全球网民全面报道了党的十七大盛况，引起网民的普遍关注。在十七大报道期间，“国际在线”各语言网站页面访问量与平时相比均有不同程度的增加，其中，英文网日均页面访问量增长58.7%，西班牙语网站增长33.7%。

“国际在线”在十七大报道中还根据各语言特点开展网络互动，以网络征文、问题征集和网络调查等各种不同的互动形式来引导国外网民关注中国共产党的代表大会，回答受众感兴趣的问题。丰富的互动内容使网民对此次大会的参与程度超过了2007年“两会”。与2007年“两会”相比，各网站日均页面访问量均有大幅提升，其中西班牙语网站增幅最高，达305.2%，朝鲜语136.7%，越南语103.3%、德语92.6%、英语20.6%、俄语8.0%。

在十七大报道期间，“国际在线”还充分发挥了手机广播电视便携、快速、互动的优势，使用英语、日语、俄语、德语和西班牙语等5种语言，播出多语种“十七大多语种手机新闻”和环球资讯广播直播节目，受到中央领导和大会新闻组的肯定。

2．“两会”报道

2007年“两会”期间，“国际在线”43种语言网站分别在各自首页的突出位置推出了“两会”专题报道，中文网、英文网24小时滚动发布，其他语种网站每天即时发布会议的重要内容。共计发稿5014条（篇），图片4695张。音频节目265个，时长42.5小时，视频节目11个，时长1.5小时。分别对人大会议开幕暨温家宝总理作政府工作报告、温家宝总理会见中外记者、李肇星外长答中外记者问、政协和人大举行的新闻发布会等13场重要活动进行了在线音频图文直播，直播总计时长14.2小时。收听直播和点播实况的人次分别达到70176和85417。“两会”期间，国际在线43种语言网站整体访问量每日递增。网站总体日均页面访问量为6270323，与2006年3月份的日均页面访问量相比，增长4.8%。日均访问量排在前10名的外文网分别是英语、日语、法语、越南语、阿拉伯语、意大利语、俄语、德语、印尼语和西班牙语网。“两会”期间，“国际在线”部分语种网站推出了多项网上调查和BBS讨论话题，各类留言总数超过130000条，共收到网络投票11000余张。其中，“国际在线”中文网《我向总理提问》和《我的提案议案》栏目收到网友反馈信息40000多条。

3．“嫦娥一号”绕月探测飞行

2007年10月24日，“国际在线”用汉语普通话和英语同时对“嫦娥一号绕月探测飞行任务”卫星发射阶段进行现场音频报道，赢得广大网友的热烈反响。实时播报期间，音频累计收听人数达47000，同时在线最高峰7000人，最高峰流量达到143兆，均创“国际在线”音频报道记录。

三、实施中日网络对话

2007年是中日邦交正常化三十五周年，也是中日文化体育交流年。为了配合外交，做好对日宣传，中国国际广播电台“国际在线”精心策划实施了“中日网络四季对话”活动。分别于3月29日、6月27日、9月29日和12月24日进行了“中日国民相处之道——2007中日网络春季对话”、“体育拉近中日距离——2007中日网络夏季对话”和“文化加深中日理解——2007中日网络秋季对话”、“青年中国友好的未来——2007年中日网络冬季对话”四期跨洋网络直播。特别是从夏季对话开始，“国际在线”与日本主流媒体NHK共同进行网上对话直播活动。中日网络对话还尝试多媒体联动直播，中国国际广播电台“环球资讯”广播和《世界新闻报》也配合“国际在线”中文网和日文网，根据各自媒体的特点进行了直播和报道。

“中日网络四季对话”引起了中日两国使馆及政界、研究机构和媒体的高度关注，吸引了大批网民热心参与，仅对话直播期间的在线收听、参与人次就超过了30万。从网民反馈信息看，网络听众主要包括公务员、商务人士、大学生、学者、记者等。他们对网络对话活动给予了充分肯定，并希望有更多这样的活动，能够给中日两国民众提供直接交流沟通、增进理解互信的平台。“对话”达到了“影响有影响力的人”，“进入日本主流社会”的目的，为新媒体外宣探索了一条新路。

四、推出“环球网络电台”

2007年，中国国际广播电台在原有多语种网络电台基础上，建设了美国华盛顿、英国伦敦、俄罗斯莫斯科、德国柏林、澳大利亚悉尼、韩国首尔、日本东京、埃及开罗、土耳其安卡拉、巴西里约热内卢、阿根廷布宜诺斯艾利斯等11个网络电台，涉及英语、俄语、德语、韩语、日语、阿拉伯语、土耳其语、葡萄牙语和西班牙语等9种语言，受众遍布全球五大洲重点城市，涵盖互联网发达地区主流人群。

2007年9月14日，中国国际广播电台“环球网络电台”（CRI WebCast）正式对外发布，标志着国际台以本土化为目标的新型多语种境外网络电台全面启动，网络电台进入新的发展阶段。

中国国际广播电台“环球网络电台”，是完全立足于互联网，以本土化为发展目标的新型多语种境外网络电台，充分体现了互联网的特点，具有鲜明的交互性、参与性、服务性和本土化特征。网络电台从文化、生活、娱乐等受众喜闻乐见的节目内容入手，激发和满足受众认识中国、了解中国的需要。电台节目内容丰富，形式活泼，主要包括资讯、娱乐、服务、互动等四大类型。资讯类节目讲求针对性，重点介绍中国经济和文化信息，播发来自当地和中国的双边信息。娱乐类节目突出趣味性，以介绍中国流行音乐、民族音乐及电影电视最新音乐作品为主，开设有《流行音乐馆》、《明星访谈》、《影视世界》、《中国民族歌曲》等栏目。服务类节目追求贴近性，开设有《经济聚焦》、《到中国旅行》、《学汉语》、《文化广角》、《美食中国》、《到中国留学》等专栏，为听众到中国旅游、留学、经商等活动提供服务。互动类节目以增进交流，改善感受为重点，具有鲜明的体验性，提供了播客、互动社区、下载服务以及客户端软件等功能。

五、加快推进新媒体业务发展

2007年3月16日，“国际在线”正式推出“网络电视平台”，它整合了国际台的国际新闻内容和技术优势，实现了24小时滚动式直播。“国际在线”的“IPTV网络电视平台”是CRI品牌在新媒体领域的有力延伸。它以原创精品节目为主要特色，同时集成国际台拥有的电视、互联网以及多语种信息等优势资源，整合地方电视台、各节目内容制作单位优秀的节目内容，内容涵盖资讯、影视、文娱、体育、教育、互动等多个方面，致力于打造具有特色的网络电视。

2007年4月6日和8月30日，由国际台与中国联通和中国移动联手推出的“CRI手机广播电视”业务分别启动，这标志着国际台由传统媒体向新媒体领域又迈进了一大步。“CRI手机广播电视”业务集成了国际台的广播、电视、互联网以及多语种信息资源优势，通过中国联通CDMA1X和中国移动GPRS无线数据网络，采用流媒体技术，为手机用户提供丰富的音视频节目的直播、点播和下载服务。国内外广大手机用户可通过中国联通的“视讯新干线”和中国移动的“移动梦网”平台，随时随地收听收看国际台提供的《CRI快讯》、《世界TOP10》、《New茶座》、《不老歌》等不同于传统广播电视节目形态和内容的手机音视频节目，了解新闻资讯、学习语言和娱乐休闲。随着“CRI手机广播电视”业务的扩展以及与中国移动建立合作关系后，国际台还将不断推出手机广播电视的自办点播节目业务、自办频道业务和节目集成运营业务。

为加强对中国国际广播电台新媒体业务的管理，中国国际广播电台制订了《中国国际广播电台新媒体节目审核暂行办法》以及审核细则，并对手机广播电视业务和网络电视的节目设置、节目内容进行指导和审核。

六、推出基础汉语网络教学课件

2007年7月5日，“国际在线”正式推出《基础汉语》网络课件。《基础汉语》课件使用英语、法语、德语、日语、西班牙语、阿拉伯语、朝语、俄语和泰语9种语言向网民教授基础汉语，共30课。该网络课件以一个外国留学生为主角，以其到中国后的日常生活作为背景教授基础汉语。课件由生词、课文、难点、发音练习、测试和知识扩展几个模块组成。课件还提供了与课程相关的辅助学习资源包，即拼音包、生词包、句型包。学习者可以随时打开资源包学习拼音以及与课程相关的生词和句型。

《基础汉语》网络课件采用了统一的教材模式，这是国际台拥有的首个统一的对外汉语教学网络课件。课件推出后，受到了网民的普遍好评，各国网民纷纷来信表达了自己的喜爱之情，并且对今后的网络汉语教学工作提出了自己的建议。

七、进一步加强网上评论工作

2007年“国际在线”积极发挥专职和兼职网上评论员队伍的作用，围绕党和政府重点工作，撰写评论文章，开展正面宣传和引导；针对网上舆论热点，撰写文章，说明事实，阐明观点，解疑释惑；根据国内外网站论坛舆情，主动引导舆论。“国际在线”中文网《管窥天下》频道开辟了《管窥时评》、《深度撞击》和《焦点热评》等栏目。

（中国国际广播电台新媒体节目中心）

中国国际广播电台“国际在线”新媒体业务发展现状

一、多语种网络广播业务

“国际在线”在建设初期就把网络音频节目作为发展目标和方向之一。到2007年12月为止，“国际在线”43种语言网站每天更新在线收听节目263.5小时，并且每档节目保留一周。除此之外，“国际在线”目前还拥有502G、共计23240小时的音频节目供网民在线点播收听。

为适应事业发展的需要，“国际在线”于2007年9月14日开通了使用英语、俄语、德语、汉语、日语、阿拉伯语、土耳其语、葡萄牙语和西班牙语等9种语言播出的11个环球网络电台，分别在美国华盛顿、英国伦敦、俄罗斯莫斯科、德国柏林、澳大利亚悉尼、韩国首尔、日本东京、埃及开罗、土耳其安卡拉、巴西里约热内卢和阿根廷布宜诺斯艾利斯标志着以本土化为目标的新型多语种环球网络电台全面启动。“环球网络电台”立足于互联网，以本土化为发展目标，具有鲜明的交互性、服务性和本土化特征。实现发布、服务和运作的本地化，形成以CRI品牌为轴心的网络电台系列品牌，利用新媒体手段加强对外宣传、增强外宣效果。

“环球网络电台”节目内容主要包括：资讯、娱乐、服务、互动等四大类型。资讯类节目重点介绍中国经济和文化信息，播发来自当地和中国的双边信息；娱乐类节目以介绍中国流行音乐、民族音乐及电影电视最新音乐作品为主，开设有《流行音乐馆》、《明星访谈》、《影视世界》、《中国民族歌曲》等栏目；服务类节目开设有《经济聚焦》、《到中国旅行》、《学汉语》、《文化广角》、《美食中国》、《到中国留学》等专栏，为听众到中国旅游、留学、经商等活动提供服务；互动类节目以增进交流，改善感受为重点，具有鲜明的体验性，提供了播客、互动社区、下载服务以及客户端软件等功能。

目前，“国际在线”网络电台日均收听人次为70万，最高曾达到86万人次。访问量最高的10个国家和地区依次为：中国内地、中国香港、美国、中国台湾、日本、英国、加拿大、澳大利亚、新加坡和韩国。2005年、2006年和2007年，国际在线网络电台连续被评为中国互联网优秀品牌栏目。

二、多语种播客业务

2006年推出的为英语、日语、韩语和汉语受众服务的多语种播客平台(http://pod.cri.cn)，是我国首家由专业广播电台提供的多语种播客服务网站。“国际在线”多语种播客平台的推出有效地提升网络电台的互动性。目前，“国际在线”播客用户有传统电台的主持人、歌手以及“国际在线”的网民和中国国际广播电台的听众等。此外，中国国际广播电台广受欢迎的轻松调频(FM91.5)、劲曲调频(FM88.7)、环球资讯广播(FM90.5)以及INetRadio网络电台的部分节目也在播客平台上定期展播。

三、网络电视业务

为加强网站的多元化发展，“国际在线”从2005年5月开始推出嘉宾视频访谈。2006年，“国际在线”实现了嘉宾视频访谈的直播。此外，“国际在线”还不定期地推出视频直播节目，并逐步形成了网络视频节目的策划、制作和直播能力，为网络电视业务的发展奠定了一定基础。

2007年3月16日“国际在线”推出了“IPTV网络电视平台”(http://v.cri.cn/)。它结合了中国国际广播电台的内容、技术优势，实现了24小时滚动试直播。同时，根据节目属性将网络电视内容分为《新闻资讯》、《娱乐时尚》、《音乐流行》、《文化体育》、《生活艺术》、《电影》、《电视剧》、《科学教育》等8个频道。

“国际在线”IPTV是中国国际广播电台推出以PC端、TV端为接收终端的运营平台，是CRI品牌在新媒体领域的有力延伸。依托独特而丰富的内容资源优势，原创精品节目将成为“国际在线”IPTV的主要特色，同时“国际在线”IPTV集成了国际台拥有的电视、互联网以及多语种信息等优势资源外，还整合地方电视台、各节目内容制作单位优秀的节目内容，内容涵盖资讯、影视、文娱、体育、教育、互动等多个方面，致力于打造最具特色的IPTV电视台。

四、手机广播电视业务

2007年4月6日和2007年8月30日，由中国国际广播电台分别与中国联合通信有限公司和中国移动通信有限公司联手推出的CRI手机广播电视业务正式启动。此次推出的“CRI手机广播电视”业务集成了中国国际广播电台的广播、电视、互联网以及多语种信息资源优势，采用流媒体技术，为手机用户提供丰富的音视频节目的直播、点播和下载服务。目前，“CRI手机广播电视”业务提供了《CRI环球新闻聚焦》、《世界TOP10》、《New茶座》、《不老歌》等不同于传统广播电视节目形态和内容的手机音视频节目，广大国内和境外的手机用户可以通过这个平台随时随地了解新闻资讯、学习语言和娱乐休闲。

“CRI手机广播电视”是中国国际广播电台推出以手机为接收终端的全新媒体业务，是CRI品牌在新媒体领域的有力延伸。依托独特而丰富的内容资源优势，CRI手机广播电视除集成国际台自有的广播、电视、互联网以及多语种信息等优势资源外，还将整合地方电台、电视台、各节目内容制作单位优秀的节目内容，内容涵盖新闻资讯、短剧、音乐、影视、自然、人文等多个方面，致力于打造最具特色的手机广播电视台。

（中国国际广播电台新媒体节目中心）

中国国际广播电台《环球奇观》电视付费频道概况

中国国际广播电台《环球奇观》电视付费频道以“奇观”为核心概念，针对观众普遍存在的求知、求异和求趣的收视心理，力求以自然奇观、人工奇观、奇人奇事、奇技绝活这四个方面的内容，全方位、个性化的展示各类“奇观”。通过各种不同类型的节目满足观众的需求，充分体现频道定位所追求的趣味性、娱乐性、科学性、知识性、人文性。

2007年，《环球奇观》频道把受众定位为追求全球时尚、潮流新奇生活的年轻人，以及对幽默、轻松生活方式和生活状态有追求的乐观人群。因此对频道的内容定位和部分栏目进行了调整。

频道内容定位：让受众24小时同步感受全球新奇一面，带受众体验全球新奇生活乐园，欣赏地球幽默新奇之生活魅影。幽默、开心、刺激，是频道的主要风格。

频道框架结构：

首播4个小时。

频道以整点编排的方式进行结构设置，24小时滚动播出，每半个小时一档资讯，每小时两档专题节目。

频道栏目构成

资讯栏目

《环宇搜奇》（每小时2档，全天8档，每档10分钟）：环球新奇生活资讯第一时间滚动播报，全球奇闻逸事一网打尽。

专题栏目

全天8档专题节目（每小时2档，每档18分钟）

生活类：《乐酷生存》，呈现世界上最有趣、最新奇的生存之道。

人物类：《传奇人物》，讲述全球最具传奇色彩的人物故事。

自然类：《地球秘影》，叹为观止的自然奇观、扣人心弦的悬疑现象、鲜为人知的野外秘闻、难得一见的奇妙瞬间，破译地球最为神奇的结构密码。

探险类：《终极探索》以猎奇的精神，为观众演绎顶尖的人类探索活动，打开通往神秘的大门。

《环球奇观》频道节目改版后在2007年11月23日正式通过中央数字电视传媒有限公司上星开播。截至2007年12月31日，实现在杭州、嘉兴、金华、东莞、汕头、蛇口、海南、包头、泉州、扬州等10个地区落地播出。实现合同收入39万元，实现收视费收入19万元。

与携程旅行网达成战略合作意向，环球奇观频道作为目前携程旅行网唯一电视内容合作者，在频道中宣传携程网服务电话号码，通过此号码产生的旅行服务订单，频道按照双方约定收取一定比例的回报。同时携程网计划为频道旅游类内容提供一定的资金和内容支持。此项合作为频道2008年的运营开辟了新的盈利基础。

（国际台电视节目部　李静）

中央电视台央视国际网络网站综述

央视国际网络有限公司(以下简称央视国际)成立于2006年4月28日，是中央电视台网络新媒体业务的平台，是对中央电视台以电视节目为主的各类信息进行网络传播和推广的独家授权机构，拥有国家主管部门颁发的信息网络转播全业务资质，包括网络电视、手机电视、IP电视、公交移动电视等。

央视国际以视频为核心，整合中央电视台以及国内外其他传播机构优质节目资源，提供视频内容的直播、转播、点播、下载以及视音频搜索服务，是目前中国内地最具实力的互联网和手机视听节目传播机构，具有视频节目存储量最大、采集分发能力最强、合法用户数最多、市场占有率最大的优势。用户覆盖美国、英国、法国、日本、德国等150多个国家和地区。

央视国际旗下的央视网(www.cctv.com)创建于1996

年，是中国最早发布中文信息的互联网站之一，是国家重点新闻网站之一。

2006年12月11日，CCTV手机电视正式开播。CCTV手机电视以市场化方式运营，开展包括手机视频直播、点播、下载，手机互联网(WAP.CCTV.COM)图文报道，手机视频杂志，以及手机互动增值在内的移动多媒体业务。

2007年12月18日，CCTV移动传媒正式开播。CCTV移动传媒采用互联网定点下载技术，在全国范围开展基于公共交通工具的移动电视(传媒)业务，针对公交乘客需求制作播出新闻资讯、生活服务、文体娱乐等节目。目前，CCTV移动传媒已覆盖北京、上海、广州等30个大中城市3万多辆公交车的视频终端，每日受众达4000万。

2007年12月18日，央视国际成为北京奥运会官方互联网／手机转播机构，这意味着央视国际成为唯一一家拥有中国内地和澳门地区奥运新媒体转播权益的机构。

央视国际正在通过台网联动战略，将电视视频和品牌资源与网络互动功能相结合，打造精品社区。无论是通过PC、手机、电视机、客户端等终端，无论是有线还是无线的方式，用户都可以通过央视国际的新媒体平台得到更多互动体验。

网站建设

2007年，网络传播中心在2006年取得的网络资源整合、公司注册及挂牌运营、全业务资质获取等重大发展成果的坚实基础上，在重大宣传报道、奥运新媒体版权、新媒体运营等方面取得重大进展。十七大报道首次进入人民大会堂报道现场，网站单日浏览量也首次过亿；“嫦娥探月”报道在发稿实效性方面取得突破性进展。此外，央视国际还获得2008年北京奥运会新媒体转播权，并顺利开通车载移动电视，在新媒体发展的道路上又迈进一大步。

一、重大宣传报道取得突破性进展

央视国际圆满完成2006年“两会”、中国共产党第十七次全国代表大会、“嫦娥一号探月工程”、庆祝建军80周年、香港回归10周年、大型公益活动“圆梦行动”、内蒙古自治区成立60周年大庆、“慈善1+1”电视公益行动等重大主题报道活动，并在多次报道中使用特别首页。

十七大报道中，央视国际首次实现超大规模(7家P2P系统和2家海内外CDN服务商)全球化多语种网络视频直播，并第一次进入人民大会堂现场进行图文直播和嘉宾访谈，同时推出中国第一个视频手机杂志。十七大报道期间，央视国际网站日均访问量7322万次，最高日访问量突破1.05亿，有史以来首次突破单日浏览量过亿。十七大报道专题总访问量高达2533万。CCTV手机新媒体十七大报道覆盖4000万手机无线网民，总访问量达4791.5万次。

10月24日17：00—19：00，央视国际直播“嫦娥一号”卫星发射升空，海内外访问用户超过720万人次，最高同时在线收看人数达142.8万。10月24日，央视国际网站日访问量达到9063万，比平时增长51%，通过CCTV手机电视收看直播的人数也达到724万次。本日的总访问量达到913.7万次，创历史新高。从早8点到晚19点直播时间内，央视国际发稿514条，平均每分钟0.8条。火箭发射过程中，CCTV手机网图文报道更新速度达到条／30秒，短时间内收到大量短信和WAP留言5107条。

二、继续推进台网联动、网络联盟战略

12月21日至23日，2007全国电视台网络联盟年会在浙江杭州举行。此次会议由央视国际主办、浙江在线新闻网承办，旨在进一步加强全国电视台网站之间的沟通与合作，促进各网站之间的资源共享，探索以视频合作为切入点的共赢模式。会议对2007年全国电视台网络联盟工作进行了总结，研究讨论了网络视频联盟常态化方案，颁发了全国电视台网络联盟“2007年度杰出贡献奖”和“优秀组织奖”。全国电视台网络联盟成立于2006年10月，由央视国际牵头，全国省市级电视台网站积极参加。2007年，全国电视台网络联盟围绕2007年春节晚会、“两会”和十七大报道等，展开多层次全方位的合作，取得了良好成效。

三、获得奥运新媒体版权

2007年12月18日，中央电视台与国际奥委会正式签约，宣布CCTV的新媒体平台CCTV.COM获许成为北京奥运会官方互联网／移动平台转播机构。这是CCTV继获得北京奥运会电视转播权之后，获得的另一项重要奥运会转播权益；也是国际奥委会首次将奥运会新媒体版权与电视版权分开销售，在全球范围内首次以新媒体大规模传播奥运会。

四、新媒体业务长足发展

2007年2月15日，央视国际正式成立移动多媒体事业部，以市场化的方式运营包括手机视频直播、点播、下载，手机互联网(WAP.CCTV.COM)图文报道，手机视频杂志，以及手机互动增值在内的移动多媒体业务。在十七大及“嫦娥探月”报道中，CCTV手机电视率先在移动平台打造了集电视、杂志、网站、互动等各项传播功能于一体的手机全媒体平台。以“手机电视”、“手机视频杂志”、“手机互联网”、“短信互动平台”、“无线联盟”五大组合报道方式，全面覆盖4000万手机无线互联网民，总访问量达6575.5万次。

2007年12月18日，中央电视台移动传媒正式开播。央视国际车载电视使用CCTV移动传媒作为播出呼号，采用先进的互联网定点下载技术，在全国范围开展基于公共交通工具的移动电视(传媒)业务，针对公交乘客需求制作播出新闻资讯、生活服务、文体娱乐等节目。目前，CCTV移动传媒已覆盖北京、上海、广州、深圳等全国30个大中城市3万多辆公交车的视频终端，每日受众达4000万。

五、积极应用新技术与新产品，加强网络覆盖

2007年，央视国际在新媒体视音频生产、流媒体视频P2P分发、网络电视客户端等三个新媒体专业领域内，与业内领先的技术合作伙伴进行了深入的交流与设计，并全面展开合作，在新技术应用上取得了一定成效。此外，央视国际已于2008年春晚前完成北京网通、北京电信、教育网、上海电信、广州电信、成都电信、济南网通、天津网通、西安电信、武汉电信等分站点建设。

对外宣传

一、完成对外宣传任务，开创对外宣传新局面

1．做好重大活动对外主题宣传

(1)2007年2月，央视国际联合Mediazone、AOL、悉尼中文电视网三家国际大型网站，通过网络新媒体和手机电视新媒体，向海外及台湾地区推送2007年春节联欢晚会，在海内外引起强烈反响。据统计，晚会播出期间，共有1139万人次通过网络视频直播收看，最高同时在线人数为139.9万，其中近15万来自国外。通过手机电视收看的观众累计达到216万人次。此外，正月初一至正月十六，超过1600多万人次的海外华人通过轮播或点播收看了2007年春节晚会。

央视国际2007春晚节目的对外宣传，受到高度肯定。3月7日，国务院新闻办公室增发工作专报——《央视国际网站通过互联网直播春晚节目在国外及台湾岛内反响强烈》，认为这开辟了新媒体对外、对台宣传工作新思路。他们分别拨付专项经费80万元和5万元予以支持。通过2007春晚的海外多终端传播，央视国际获得了国家重点文化出口企业殊荣，2007春晚的海外多终端传播也成为国家文化出口重点项目。

(2) 2007年"两会"期间，央视国际外语频道直播"两会"开幕式、外长记者会、人大闭幕会及总理记者招待会等多项重要活动，并制作点播视频。同时，还邀请CCTV-9主持人等首次推出外语频道的"两会"主持人和记者博客，打造央视的独家声音。此外，充分整合央视独家资源，推出"两会会客厅"、"直通'两会'第一现场"以及专题类版块"跨越中国"等。

(3) 第三届两岸经贸文化论坛期间，央视国际外语频道对中共中央总书记、国家主席胡锦涛会见中国国民党荣誉主席连战，论坛开幕等重要活动进行直播，并制作成点播视频，同时对两岸嘉宾进行视频访谈。

(4) 2007年5月18日至6月11日，央视国际首次与中国台湾网、国际在线共同主办，联合采用多语种推送"一个中国、和平发展——中国台湾问题网络图片展"，在海内外引起强烈反响。许多海外华人和外国友人纷纷表示，展览让他们深刻了解台湾问题的由来、现状与发展，认清世界上只有一个中国、台湾是中国不可分割的一部分的法理性和事实根据，更加坚定地反对台独，支持13亿中国人民的和平统一大业。

(5) 在十七大外宣工作中，央视国际外语频道走出幕后，进入人民大会堂工作第一线，进行英语、西语、法语多语种图文加视频实况报道，在报道现场一枝独秀，开创了央视国际重大活动外宣工作的新模式。

(6) 央视国际"嫦娥探月"对外宣传报道工作延续十七大报道视频直播加滚动发布的报道模式，强化了宣传效果。在10月24日嫦娥一号发射的视频直播中，3个外语视频直播页面总访问量比"两会"开幕式视频直播页总访问量增长80%。

此外，央视国际还就"温家宝总理出访日本"、"胡主席出访俄罗斯"、"中斯建交五十周年"、"2007年中国保护知识产权行动计划"、"建军80周年"、"内蒙古自治区成立60周年"、"奥运倒计时一周年"、"大连达沃斯年会"、"上海特奥会"等进行了集中报道，或制作相关专题重点推荐。

2. 积极推进台网联动

(1) 从6月初开始，央视国际围绕《新香港故事》等庆祝香港回归十周年特别节目，精心制作香港回归十周年的大型英语专题，集新闻、信息、服务、视听和互动为一体，重点突出电视视听和网络互动特色，推出央视大型电视纪录片《香港十年》和CCTV-9特别制作的访谈节目《我在香港的十年》，及特别报道《外国人在香港》等节目的点播视频，并成功推送海外。同时，特别设置互动环节《寄语香港》，联合CCTV-9和国际在线，通过电视、广播和网络向网友征集文字、照片和影音资料，祝福香港的明天更美好。这次活动不仅在台网联动上进行了突破，也通过同兄弟台的合作，扩大了外宣合作阵线。此外，还特别制作《十年十事》，选取香港这十年发生的最具有里程碑意义的十件大事，以Flash形式向网友介绍香港的十年变迁。

(2) 在11月的CCTV杯英语演讲大赛中，央视国际突出嘉宾在线+记者采访的报道模式，扩展编辑业务领域。先后邀请2006年冠军做现场在线访谈，并派出全组编辑轮流深入现场进行报道，拍摄幕后花絮，采访导演和选手，发布原创作品。

二、配合央视进行改版，增加海外技术平台

根据外宣工作需要，网络传播中心／央视国际网络有限公司按项目制方式，筹建"海外拓展特别小组"。小组的主要任务是借春晚外宣的成功经验全面推进对外对台宣传工作，既加强内容建设，也加强海外覆盖，加强和海外机构的合作，使中央电视台的节目通过网络在海外产生更大影响。

2007年10月1日，CCTV.COM配合CCTV-9和CCTV-西法语频道分版播出，推出西班牙语、法语频道新版首页。新版首页推出当天访问量即突破10万人次。在进行首页改版后，网络西法语频道还进一步策划其他各级页面的改版，重新开发首页维护系统。

2007年，为提高央视国际尤其是外语频道在海外的覆盖范围，央视国际汇聚多方专家及多家公司技术部门，论证在中央电视台建设北美和欧洲中心记者站的同时为央视国际建设两个海外分站的方案，以提高北美和欧洲大部地区的访问速度及质量，受到台领导的肯定与支持。在十七大报道之前，央视国际对两家海外网络服务商的网络质量进行测试，并于大会期间进行试用。

对台宣传

一、以春节联欢晚会为契机，开创对台宣传新局面

2007春晚期间，央视国际联合中国台湾网、你好台湾网、台湾中时电子报、I'm tv、四家内地及台湾地区的大型网站，将2007春晚推送到台湾地区及海外主要国家和地区。正月初一至正月十六，有23.58万人次的台湾同胞以轮播或点播的方式观看央视2007春晚，访问量是2005年6533人次的36倍多。国新办和国台办领导对此予以高度评价，并分别拨付专项经费予以支持。

二、做好重大活动对台主题宣传

(1)"两会"期间，央视国际台湾频道直播"两会"开幕式、外长记者会、人大闭幕会及总理记者会等多项重要活动，并制作点播视频。此外，还认真整合涉台信息资源，开辟专区发布上网，有针对性地提供给台湾网友浏览。

(2)5月19日，由德国华侨华人中国和平统一促进会主办的"一个中国、和平发展——中国台湾问题图片展"在柏林开幕，央视国际台湾频道整合相关资料进行报道，并开设留言板，增加互动功能，加强与网友交流，获得网友积极反馈。

(3)第三届两岸经贸文化论坛期间，央视国际台湾频道突出视频特色，对中共中央总书记、国家主席胡锦涛会见中国国民党荣誉主席连战，论坛开幕等重要活动进行直播，并对两岸嘉宾进行视频访谈，同时将上述内容制作成点播视频。

(4)在十七大对台宣传工作中，台湾频道采取了图文加视频实况的报道模式，宣传效果得以强化。

(5)嫦娥探月的对台宣传报道工作延续了十七大视频直播＋滚动发布的报道模式，取得较好宣传效果。

(6)跟踪报道2008台湾地区领导人岛内各党派内部初选工作，及时报道最新消息，整合中央电视台《海峡两岸》栏目资源，编辑独家评论文章，客观报道岛内选情发展状况。

(7)5月16日，在北京人民大会堂北京厅全程网上图文直播《第六届海峡两岸知识大赛》新闻发布会。9月，改版《海峡两岸知识大赛》专题页面，及时报道大赛进程，并加大视频和图片在专题中所占的比重，凸显央视国际的视频优势和特色；此外，还为每个参赛学校开设博客，让各校发布相关资讯，增强学校与选手、选手与观众之间的沟通交流。

三、积极推送央视涉台节目及重要活动

2007年，央视国际台湾频道继续推进台网联动进程，配合台内重大活动进行报道，扩大宣传效果，突出服务功能。

(1) 全天同步直播中央电视台第四套节目，将《海峡两岸》、《天涯共此时》、《互动星期天》、《台湾万象》、《台商故事》、《缘分》、《海峡两岸知识大赛》等涉台节目及时发布上网，并制作成视频点播节目，年发布图文信息35000多条、视频节目4200多条，时长22000多分钟，较去年同期上升20%；同时，编辑独家评论文章280篇。此外，还对人民网、新华网等新闻网站进行调研，策划台港澳频道建设方案，并配合台《海峡两岸》、《缘分》栏目组改版要求，对栏目网页进行全新改版。

(2) 整合各方面资料，精心制作“河南省新郑市黄帝故里丁亥年拜祖大典”、“2007年绍兴公祭大禹陵典礼”、“妈祖诞辰1047周年暨妈祖金身巡游台湾十周年纪念活动”等新闻专题，全面介绍活动背景、活动安排，并与中央电视台同步网上视频直播活动盛况。此外，还与中国台湾网合作，为其提供视频直播链接地址，拓展了对台宣传渠道。

(3) 6月18日，推出香港回归十周年大型专题节目，并联合中国台湾网共同向台湾推送《新香港故事》。专题集新闻、信息、服务、视听和互动为一体，重点突出电视视听和网络互动特色，让台湾同胞了解香港回归祖国后所呈现出日益繁荣昌盛的局面，和未来发展的大好前景。

(4) 充分利用中央电视台电视资源，同步网上视频直播国台办新闻发布会，制作新闻专题。同时，整合近年来历次国台办新闻发布会图文及视频资源发布上网，方便网友查看。

此外，央视国际还联合中国台湾网、你好台湾网、台湾中时电子报、I'm tv四家国内及台湾地区的大型网站，通过链接方式将“第四届CCTV电视舞蹈大赛”、“动感2007—上海国际汽车展”、“博鳌亚洲论坛2007年会”、“第六届CCTV小品大赛”、“幸福生活”、“倾国倾城”等近十场大型活动，推送到台湾地区，共有近两万人次的台湾同胞收看了上述节目，并予以高度评价。

上网栏目统计

2007年上网栏目总数为286个，新上网栏目20个

2007年新上网栏目表

栏目名称	隶属中心
我的奥林匹克	体育中心
乡土	中国农业电影电视中心
科技人生	社教节目中心
新探索	海外中心
阳光大道	中国农业电影电视中心
人物	社教中心
奥运传奇	体育节目频道
武林大会	体育节目频道
篮球公园	体育节目频道
新探索(法语)	海外节目中心
中国新闻(法语)	海外节目中心
旅游指南(法语)	海外节目中心
外国人看中国(法语)	海外节目中心
亚洲新闻(法语)	海外节目中心
神州行(西班牙语)	海外节目中心
国际视点(西班牙语)	海外节目中心
今日亚洲(西班牙语)	海外节目中心
影视看台(西班牙语)	海外节目中心
体育时间(西班牙语)	海外节目中心
科技天地(西班牙语)	海外节目中心

2007年改版栏目14个

2007年改版栏目表

栏目名称	隶属中心
人口	总编室
聚焦三农	中国农业电影电视中心
科技苑	中国农业电影电视中心
挑战主持人	文艺节目中心
国际艺苑	文艺节目中心
乡村大世界	中国农业电影电视中心
生活567	中国农业电影电视中心
环球时讯	海外节目中心
天下足球	体育频道
足球之夜	体育频道
精彩F1	体育频道
赛车时代	体育频道
乡约	中国农业电影电视中心
奥运城市行	体育频道

据统计，2007年央视国际网站全年页面访问量(PV)总计215.2亿，全年日均页面访问量达到5896万，相比2006年一年日均4135万上涨42.59%。

2007年全年访问量增长情况：

2月，春节晚会网络直播，带动2月日均访问量出现较大幅度增长。

6月至8月，受到奥运子网上线，各种体育赛事热点报道，学生放假等因素对于网站流量的刺激，网站访问量出现第二次增长。

10月，网站对于十七大及嫦娥一号的成功发射进行了

大型全方位的报道，大幅提升了网站的访问量，带来大量新访者；并且在10月22日十七届中央政治局常委见面会时，出现年最高单日访问量1.05亿。

受到大活动的促进，第四季度网站访问量出现了持续增长，最终在12月日均页面访问量达到7433万/天。

中央电视台新媒体业务概述

手机电视业务

一、概况

CCTV手机电视于2006年4月经国家广电总局批准设立，12月11日正式开播。2006年6月21日，央视国际成立新媒体业务筹备组。2007年2月15日，央视国际正式成立移动多媒体事业部，以市场化的方式运营包括手机视频直播、点播、下载，手机互联网(WAP.CCTV.COM)图文报道，手机视频杂志，以及手机互动增值在内的移动多媒体业务。央视国际正努力打造“中国第一个全媒体形态的手机电视台”。

CCTV手机电视全国市场占有率第一：CCTV手机电视在中国移动和中国联通平台拥有8路直播信号，4路轮播信号。2007年7月，CCTV手机电视技术平台全面升级，在两个运营商平台共可支持48路直播信号和400路轮播频道。目前，运营平台的手机电视用户已经达到400万，在全国市场占有率超过50%，排名第一。

CCTV手机WAP网争做中国手机互联网第一门户：自主运营的CCTV手机无线互联网于2006年12月1日正式开通后，成功报道“多哈亚运会”、“2007春晚”、“3·15晚会”、2007年“两会”，并把握十七大、“嫦娥探月”等重大活动契机，使月点击量从7月份的不足50万次，提升到10月份的240万次，同时为2008年春晚、奥运会的报道做了全线筹备。

推出国内首家手机视频杂志《手边》：手机视频杂志业务推出十七大、“嫦娥探月”专刊，以“视频”“贴身”等特色作为手机报道亮点，用户反响热烈。

创建自主的手机互动参与平台：2007年6月，央视国际搭建完成自主的四网合一短信平台。在此平台上，央视国际成功承办了《手机短信文明公约》大型公益活动。此后相继完成十七大“我给总书记捎句心里话”、“相约十七大”、“嫦娥奔月——月亮代表我的心”等手机互动项目，受到电视观众和手机用户广泛好评。

二、重大宣传报道

(1) 2007年春晚报道中，央视国际采用手机电视、短信彩信、手机WAP网、视频分享社区(vshare. cctv. com)等多种方式进行报道，并首次尝试对海外进行手机传播，效果显著。

通过CCTV手机电视收看春晚直播、轮播、点播及下载的访问量，中国移动平台达38455次，中国联通平台达到12396次；手机WAP网(wap. cctv. com)春晚特别版访问量为275153次；视频分享社区节目访问总量180225次，节目上传总量315个，视频分类分为25种，用户的小组数量23个；手机业务首次参与台网联动与台新闻中心直播节目《过年啦》互动合作，获得栏目组、电视观众和网友好评。

(2) 积极配合2007年“两会”报道，推出“手机电视”、“两会快报”、“互动短信”三个主打产品，跟进“两会”动态，反映民意，收到良好效果。

手机电视“直击‘两会’”制作1060分钟精编节目，整合《小丫跑“两会”》、《柴静“两会”观察》、《数字“两会”》等品牌节目内容，并重点突出《总理政府工作报告》、《总理答记者问》、《“两会”开幕式》、《李肇星外长答中外记者问》、《国家发改委主任答记者问》等热点，首次实现轮播专题每日更新。手机WAP网开通“两会”专题“‘两会’快报”，内容包括快讯、房产、教育、财经等。短信互动活动“‘两会’之窗”与《“两会”之窗》栏目配合推出“我有问题问总理”、“我选‘两会’热点”和“你最想对决策者说”短信互动话题，共收到短信留言千余条。

(3) 为落实中央领导批示精神，加快移动多媒体事业发展步伐，2007年5月，央视国际承办了由中央文明办和信息产业部联合发起的《手机短信文明公约》有奖征集活动。

活动历时5个月，覆盖31个省市，引起社会广泛关注，共收到全国各地发来的应征作品近15万件，最高日征集数量达到7831条。筛选优秀作品两千余件，组织相关专家和领导对应征作品进行提炼，制定《手机短信文明公约》及优秀奖评审。6月底，通过电视、网络、手机WAP网、车载电视多渠道循环播放，覆盖近12亿电视观众、1.62亿中国网民、4430万手机网民、3000余万公交车乘客。中央人民广播电台、中央电视台以及中央主要报刊、国家重点新闻网站、商业网站、手机短信等多种媒体对本次活动进行了跟踪报道。

(4) 在十七大及“嫦娥探月”报道中，CCTV手机电视率先在移动平台打造了集电视、杂志、网站、互动等各项传播功能于一体的手机全媒体平台。

“手机电视”、“手机视频杂志”、“手机互联网”、“短信互动平台”、“无线联盟”五大组合报道方式，全面覆盖4000万手机无线互联网民，总访问量达6575.5万次。其中，CCTV手机电视独家视频直播十七大开幕式，直播访问量达63万次；“十七届中央政治局常委同记者见面会”直播访问量达396万次；10月24日“嫦娥一号”发射直播再掀收视高峰，直播收看访问量达到724万次。推出第一本手机视频杂志《手边》，每日向手机用户实时推送十七大及“嫦娥探月”重大新闻视频资讯。直播结束后，还及时向用户推送视频点播及后续解读性报道，浏览量超过173万。手机WAP网推出《复兴论坛》、《给总书记捎句心里话》、《小记者上大会》等央视国际十七大报道名牌栏目。《复兴论坛》在手机WAP网访问量超过55万次，其中热贴《给总书记捎句心里话》手机版访问量已超过70万次，收到短信20017条。此外，央视国际整合无线媒体资源，联合3G门户、空中网、掌上天涯、手机新浪网、手机搜狐网、手机TOM网等20家知名门户手机网站，结成以视频为核心、以央视手机网为主体、以手机用户为纽带的手机互联网“无线联盟”，共同报道十七大及“嫦娥探月”盛况，形成强大的手机报道宣传合力。

三、建立较为完善的业务形态，积极探索多种赢利模式

通过一年的探索实践，目前央视国际已拥有包括手机电视业务、无线增值业务、无线互联网业务在内的全线产品。以大力发展手机电视业务为主，迅速树立品牌形象，提高市场占有率，扩大市场份额；配合台内大型活动积极开展无线增值业务，同时吸收行业内先进的管理运营经验和平台，开发赢利产品，完成创收任务。目前央视国际在移动平台和联通平台都已经实现了节目的打包收费，中国移动平台累计登录用户数1050358个，联通平台截至2007年10月，累计总流量200210M，包月订购用户数51093个。

车载电视业务

一、概况

央视国际网络有限公司与巴士在线传媒有限公司(以下简称巴士在线)合作开展车载移动传媒业务，并向国家广电总局申请获得开展以车载多媒体为接收终端的《信息网络传播视听节目许可证》。车载电视业务由央视国际与巴士在线在全国范围内采用定点网络下载技术，合作开展基于公共交通工具的移动电视(传媒)业务，以中央电视台移动传媒(CCTV—移动传媒)作为播出名称，播出新闻资讯、生活服务、文体娱乐等视听节目。央视国际独家负责节目平台的建设、管理和运营及平台上所有内容的编排、审核、播出和监看，巴士在线负责传输系统的技术开发、建设和车载多媒体终端的安装、推广。

二、牌照批复及平台验收

2007年9月4日，广电总局批复《信息网络传播视听节目许可证》。9月17日，央视国际与巴士在线成立车载电视项目北京播控中心联合项目工作组。11月18日，完成传输系统的技术开发、平台建设，并开始试运行。

三、正式开播

2007年12月18日，中央电视台移动传媒正式开播。央视国际车载电视使用CCTV移动传媒作为播出呼号，采用先进的互联网定点下载技术，在全国范围开展基于公共交通工具的移动电视（传媒）业务，针对公交乘客需求制作播出新闻资讯、生活服务、文体娱乐等节目。目前，CCTV移动传媒已覆盖北京、上海、广州、深圳等全国30个大中城市3万多辆公交车的视频终端，每日受众达4000万。

四、常态运营

CCTV移动传媒秉承为全国公交乘客量身订制这一宗旨，积极推进平台内容建设。目前，在播栏目包括奥运、新闻资讯、生活服务、文体娱乐等四大板块12档栏目。

(1) 奥运板块

栏目定位宗旨：围绕“奥运是我的，我的奥运会”主题，以中央电视台丰富的节目资源为素材，整合制作富有原创性的奥运栏目，并分时段组合播出，突出公交移动平台“分众、特制”的特点，体现“见证、快速、聚焦、荣耀”的四大原则，打造富有特色、吸引受众眼球的奥运报道。

(2) 新闻板块

栏目定位宗旨：在梳理、报道有价值的新闻的同时，与观众一起用客观、新颖的视点来解读新闻。设置《热点》、《人物》、《瞬间》等栏目，分别解读热门新闻事件、观众最关心的新闻人物，捕捉体育赛事精彩瞬间。

(3) 娱乐板块

栏目定位宗旨：加强受众的节目参与感，更及时、全面地将娱乐内容展示给受众，打造娱乐新媒体的权威发布平台，为受众呈现跨平台互动的新媒体娱乐盛典。具体设置《爱乐随行》、《轻松驿站》、《放映厅》等栏目，分别推介新歌新人，集成央视相声、动漫小品、滑稽录像等内容，打造新媒体短剧制作发行的新平台。

(4) 资讯板块

栏目定位宗旨：贴近百姓民生，为百姓提供各种生活资讯。设置《美食家肴》、《为您服务》、《新风尚》等栏目。

IPTV 业务进展

CCTV IP电视合作项目进展

2007年1月，已于上一年年底全面部署完毕的CCTV IP电视项目在吉林省网通公司内部开始放号，进行业务测试。2007年底，长春市IP电视项目有500多个吉林网通内部测试用户在网，提供9套央视直播测试节目、20路轮播频道和约5000小时的点播节目。

2007年6月，与北京网通签署IP电视合作协议。因双方在用户认证和计费管理等环节存在分歧，合作进展一度停滞。2007年12月，合作重新启动，双方确定先在北京网通现有IPTV系统上开始测试IP电视业务，待业务割接到央视国际新建的中心制作播出系统后，IP电视业务正式商用放号。2007年底，在北京的IP电视项目已经完成业务流程划分、对接、业务接口定义等准备工作，已经具备测试放号条件。

2007年6月，与内蒙古网通签署为期3个月的IP电视测试协议，通过专线向内蒙古包头市的IP电视平台传送节目，对包头市IP电视平台进行测试，测试持续至2007年底。

2007年9月18日，与中国铁通集团签订IP电视业务合作协议，为中国铁通现有320万有线电视用户职工提供服务。按照“广电主导”的政策要求，双方协议约定央视国际完全掌控机顶盒、EPG、节目播控、内容管理、版权管理、统一对外合作签约等，双方共同负责用户认证、用户管理、节目计费、信息统计等。

北京人民广播电台DAB移动多媒体广播发展

2005年3月，北京人民广播电台DAB移动多媒体广播开始试运行。2006年9月6日北京人民广播电台DAB移动多媒体广播正式开播。截至2007年底，已播出的数字广播音频节目16套，视频多媒体节目6套。

2007年北京电台DAB数字多媒体广播在网络覆盖、市场推广、丰富节目内容等方面主要做了以下工作：

1. 加快覆盖网络建设，完成市政府任务，确保奥运服务

根据北京市政府要求，2007年完成了DAB数字多媒体广播覆盖网络的规划，并开展了相关设备的采购，以及向国家广电总局的报批工作，已陆续开始各新建发射点的施工工作。到2008年初完成新建4个发射点的建设工作。届时，数字广播信号将覆盖北京整个平原地区。

按照原定计划，2007年上半年完成了地铁信号覆盖的测试工作，并制定了地铁覆盖网络建设规划。为了促进数

字广播接收终端销售，2007年还重点进行了大型数码产品、手机产品卖场、连锁店的数字广播信号覆盖工作，目前已经完成了鼎好、海龙和中关村E世界的信号覆盖网络建设工作，百脑汇、金飞鸿、大中、国美、苏宁、中复、迪信通等卖场的覆盖工作也将陆续进行。

除了覆盖工作，还承担了北京市科委关于数字多媒体广播的部分研发项目，在交互式手机电视系统、用户授权和管理系统、电子节目单管理系统，以及数据传输系统等项目上进展顺利。

2．丰富播出节目

截至2007年底，已完成北京电台8套在播节目和中国国际广播电台3套在播节目由模拟广播向数字广播的平移，开播了4套全新内容的数字广播节目，转播了中央人民广播电台的“中国之声”，使播出的数字广播音频节目达到了16套。

在电视节目方面，除了继续原有3套电视节目转播外，北京电台和中国国际广播电台合作的《环球资讯》频道于2007年10月底开始试播。此外，为了能够给用户提供更丰富的内容，北京电台还以数据形式开播了两套图文广播——财经资讯频道和交通资讯频道，从而使多媒体节目频道增加到6套，丰富了节目内容。

3．努力推广DAB概念，积极促进接收终端销售

(1) 从2007年开始，利用北京电台自身的媒体优势，在8个专业广播中以每天15–20次的播出频率，滚动播出DAB移动多媒体广播的广告，加大数字广播概念的推广力度。

(2) 举办推广活动、派发宣传单、利用专业媒体和互联网等方式尽可能地提高数字广播的知名度，为发展用户奠定基础；同时，通过各种途径调动生产厂家和经销商的积极性，鼓励他们参与数字广播市场开发。

经过努力，北京市场上有10多种DAB数字多媒体广播终端开始销售。截至2007年底，北京地区DAB用户数量已经突破八万。（胡明）

北京广播网青檬网络电台概况

青檬网络电台是由共青团北京市委员会与北京人民广播电台共同创办的、面向以大学生为主的青少年的网络电台。网址：http://qmoon.bjradio.com.cn，是北京广播网的二级频道。

青檬网络电台于2005年12月20日正式建台、开通试播，于2006年6月16日正式开播。2007年4月，青檬网络电台正式开通“青檬校园台”、“青檬音乐台”、“青檬奥运台”3个24小时播出的专业频道。青檬网络电台拥有60余名在校大学生兼职主持人，每天原创的音频节目达30多小时。每天有8万多人通过不同方式收听青檬网络电台节目，平均每用户收听时长50余分钟，青檬网络电台网站的日均页面访问量达到200多万人次。

在2007年，青檬网络电台主要进行了以下几方面的工作：

一、进一步加强频道的类型化建设

2007年4月，青檬网络电台重新构建了节目架构体系，从原有的一个面向大学生的综合频道拓展为三个专业频道，分别为“青檬校园台”、“青檬音乐台”和“青檬奥运台”。青檬校园台继续以在校大学生听众为主要受众，节目设置以谈话类型节目为主，其办台方针是“说大学生想听的，听大学生想说的”，为大学生提供学习、生活等方面的各类咨询，同时也为大学生提供一个展示自己的舞台。青檬音乐台定位于“年轻人的流行音乐台”，从早上9点到晚上12点，提供全天15小时的直播流行音乐节目，强调节目的“伴随性”，为18–35岁的年轻人提供最新鲜的流行音乐。青檬奥运台则以北京奥运会志愿者为主要收听对象，为奥运志愿者提供各类咨询，同时构建起志愿者之间相互交流的平台。

二、构建专业的网络电台技术系统

2007年，青檬网络电台构建起一个较为完整的网络电台技术系统。在播出方面，青檬网络电台的节目可以通过自有网站、合作网站、QQ面板、MSN机器人、PC客户端软件、手机客户端软件等多种渠道对外播出。在互动方面，青檬网络电台建设完成了围绕自有节目的web2.0社区，同时提供页面丢纸条、彩信报道等实时互动功能。在节目制作方面，青檬网络电台通过与实践相结合，完成了节目数据库、素材数据库、远程直播、多点时钟同步、自动编播、图文同步显示等技术模块。2007年，青檬网络电台通过自主创新，已经构建起一个国内领先的网络电台系统解决方案。

三、线上线下相结合为青少年服务

2007年，青檬网络电台继续坚持网站、活动、节目三位一体的原则，开展了一系列青少年喜闻乐见的活动。“歌声与微笑——2007北京高校青春歌会”走进了10所高校进行“青檬微笑行”推广活动，通过网络报名、网络抢座、网络粉丝团等多种创新活动形式吸引北京数百名在校大学生参加，进入决赛的12名选手成为“奥运志愿心乐团”成员，并走进北京光爱学校进行公益演唱活动。此外，青檬网络电台还承办19场“奥运志愿心乐团”的演出活动。

（钟永健）

北京电视台新媒体发展情况

网络电视

北京电视台网络电视平台——“北京宽频”网络电视已于2006年8月21日试验运营，2007年11月1日正式改版上线播出。经过前期调研和筹备工作，北京电视台与北京天天宽广网络技术公司达成5年合作协议，由对方提供巨额硬件设备及技术服务支持（每年价值约3000—5000万元人民币），北京电视台提供节目内容，共同运营“北京宽频”，盈利由双方分成。目前“北京宽频”网站已经基本成型。

2007年6月，为配合龙的传人网络宣传，北京宽频及时开通和制作了相关网页，并与新浪、QQ、OPEN－V等多家机构进行了商业接触，就龙的传人网络赛区、网络推广活动进行了一系列的商务合作，为龙的传人项目更好的开展打下了坚实的基础。

2007年7月，北京宽频完成“龙的传人”、“完美拍档”等网页专区的设计，成为支持北京电视台大型活动的网络

电视传输平台。2007年，北京电视台还向社会上网络新媒体销售节目内容版权。为优秀节目找到了更宽广的出口，扩大了北京电视台在新媒体的影响力。

手机电视

2007年2月，北京电视台取得了国家广电总局颁发的流媒体手机电视牌照。3月，北京电视台与北京移动电视手机流媒体等领域合作，着力打造手机流媒体运营平台——“京视新视界”。“京视新视界”首页分为直播、点播和轮播。直播内容为北京卫视节目；轮播有奥运频道、新闻频道和娱乐频道节目；点播主要是新闻和娱乐节目。

4月，北京电视台与中交星网合作，建设以宣传奥运为主的奥运平台——“手机奥运服务网”，扩大北京电视台服务奥运、宣传北京的阵地。4月4日，北京电视台新媒体战略发布会在京都信苑成功举行。北京电视台宣布将全力实施新媒体战略，分阶段全面进入包括网络电视、手机电视(流媒体手机电视与广播式手机电视)、SP等新媒体领域，搭建北京电视台新媒体运营平台，致力于成为一家拥有丰富品牌内容、多种新媒体平台的中国最具整合力的跨媒体运营商。

5月，北京电视台手机电视申请加入中国移动多媒体广播技术研究工作组(CMMB)工作已完成，得到了CMMB组织的认可，并将参加中国移动多媒体广播技术研究工作组的相关工作，为具有自主知识产权的手机电视标准作出自己的贡献。

8月，北京电视台与中国国际广播电台合作，就CRI手机电视奥运频道方面的内容合作达成了协议。

11月，北京电视台参加了第二届国际文化创意产业博览会，参展的网络电视和手机电视受到广大与会人员的重点关注。（唐晓燕　姬佩）

天津市北方网概况

北方网是由天津市委宣传部牵头，天津人民广播电台、天津电视台、天津广播电视报社、今晚报社、天津日报社共同投入资金、信源组建的第四媒体。北方网于2000年12月18日开通，2001年被中宣部确定为全国十大主流新闻网站之一。

一、手机电视

2007年北方网进一步优化在联通CDMA 网络和移动GPRS网络上传输天津电视台的九套节目，使得手机观看天津电视台的节目更加流畅。同时针对目前手机电视几种推荐性行业标准，也做了相应的技术准备与试验，尤其是针对国家广电总局大力推荐的手机电视标准CMMB做了大量的技术储备。

二、天津手机新闻台

2007年12月16日天津手机新闻台成立，天津手机新闻台由中共天津市委宣传部、天津广播电视电影集团主办，是我国首批以独立品牌运作的移动新闻媒体之一。是天津首家具有独立新闻采访资质，并通过手机终端传播新闻信息的权威移动新闻媒体。天津手机新闻台是以手机为接收与交互终端，依托移动通信网络，综合手机短信、手机彩信、手机网站、手机视频等多种内容展现与互动形式，传播新闻信息并提供信息应用服务的新型移动新闻媒体。

为尝试新媒体的运作方式，实现大众用户通过手机拍照并上传信息报道即时的新闻事件，天津手机新闻台于2007年12月25日开通“我在现场”栏目。

三、互动平台号码的统一

2007年11月实现了互动平台短信服务代码的统一，电视台采用短信互动的节目均开始使用统一的服务号码。其中北方网服务代码统一为10621234，广电默博丰（北方网下属子公司）服务代码统一为10628728。

四、网上视频

为更好地弘扬中国传统文化，将书法艺术更好地传承发扬，北方网录制《每日一题 每日一字》书法系列讲座，每天大约有三千多的访问量，年平均访问量也达到了140多万。该网络视频节目计划摄制365集，将历时两年半。

2007年在天视网（天津电视台官方网站，由北方网代为管理）上开始向网民提供天津电视台节目的视频点播服务。

山西移动电视发展概况

山西移动电视于2004年12月25日试播。从2007年4月4日起，太原市开始安装楼宇电视，楼宇电视直转《新闻经济频道》，目前楼宇项目在积极的覆盖建设过程中，现已安装终端250余台，覆盖太原市的政府机关、医院、酒店宾馆、药店等多个场合。

从开播山西移动电视至今两年多的时间，成功地转播了许多重大新闻事件。在太原市召开“两会”期间，移动电视全程直转了60分钟的“两会”专题报道，并转播了太原广播电视台有关“两会”的新闻，专题采访等内容，让移动人群及时了解“两会”精神和太原改革开放成果和未来发展远景规划。在此期间，为积极搭建一个政府与市民沟通的“桥梁”，更准确地发布政府各部门的相关信息，把“新闻经济频道”临时调整为“城市资讯电视”，并采用了L屏等多种技术手段，努力推进“城市资讯电视”成为实用、有效、快捷的公共信息平台。随着移动电视的发展和乘客不断提高的欣赏水平。

公交移动电视的出现具有重要的意义，它变固定接收的方式为移动接收的方式，是一个重大的变革。目前，《新闻经济频道》主要以直转、录播中央电视台、山西电视台、

天津手机新闻台开通仪式现场

太原电视台的节目为主。《交通生活频道》主要以直转、录播、二次剪辑节目为主，内容包括新闻、资讯、娱乐、服务四大类。（太原广播电视台）

上海文广互动电视有限公司业务发展情况

2007年，上海文广互动电视有限公司以开展互动业务为发展目标，加速技术创新、整合优势资源、强化内容生产、提升制作能级，立足上海、服务全国，集成全国数字付费电视频道22套，信号覆盖了全国180个城市及地区，数字电视用户数达1000万户，成为中国规模领先的有线数字付费电视集成运营商和服务商。

2007年，上海文广互动电视有限公司以“产品优化”为经营主线，从制作、资源、编排、包装、管理各个环节入手，丰富节目内容、提升节目质量。2007年10月，与美国职业篮球协会（NBA）达成三年全面合作协议，双方通过“劲爆体育”全国数字付费电视频道，每天直播（转播）一场NBA比赛，直播赛事达800多场，成为中国唯一全程转播NBA比赛的电视平台。10月17日，采用高清直播了NBA 2007中国赛魔术队对骑士队的比赛，并与NBA共同在上海、北京两地举行了规模盛大的高清观球派对，邀请了李连杰、周笔畅等海内外知名演艺明星到现场与球迷互动。同时，为提升制作能级，互动公司于11月16日建成并启用了洛川东路数字电视制作基地，为体育资讯、游戏、汽车和高清节目的制作夯实了基础。

在节目引进方面，公司加大与国内外优质片商的合作，并垄断性地获得一些优质节目，先后与院线同步推出《门》、《红美丽》等优质影片，获得《异冢》、《误入歧途》、《醒狮》、《第十三棵泡桐》、《别拿我不当干部》、《武十郎》的中国数字电视及视频点播独家首映，并与韩国MBC、KBS、日本NHK、香港TVB、法国Fashion TV、Discovery、国家地理等片商合作，极大充实了数字电视媒资库。

2007年6月，上海文广互动电视有限公司与国内知名汽车媒体“51汽车”网结成战略合作伙伴，共同打造全国数字电视“极速汽车”频道，这是公司利用社会资源打造数字媒体专业频道的重要举措。“极速汽车”频道于2007年11月止式改版推出，集汽车赛事、资讯、文化、服务为一体，为数字电视用户提供了一个最具专业水准的电视节目及服务平台。

为配合上海地区的数字化整体平移，上海文广互动电视有限公司积极携手东方有线网络有限公司形成联营模式，于2007年9月28日推出"互动电视"联合品牌业务，逐渐在上海地区推广双向互动点播业务。互动电视业务为用户设置了点播型、录制型、全能型三种套餐资费，提供了回看、暂停、录制等功能服务，使上海拥有交互型机顶盒的数字电视观众体验到更自主、更个性化的电视娱乐方式。

为了以高新技术支撑数字媒体产业发展，上海文广互动电视有限公司站在数字技术、网络技术和信息技术的前沿，在完善技术研发及服务体系的基础上，积极参与国家重大科研项目的研究，打造3TNet炫视通平台，顺应未来宽带网络应用的发展趋势，为数字电视用户提供更多更好的互动电视增值业务。2007年，由互动公司承担的“面向宽带网络的互动电视信息发布技术及应用示范”课题被列入上海市科学技术委员会“重大科技攻关计划”以及上海市信息化委员会“2007年第一批软件和集成电路产业发展专项资金项目计划”，互动公司研发团队提前一年完成系统研制任务，并于11月8日成功配合3TNet炫视通平台向全社会进行发布。2007年完成专利申请3项，软件著作权申请2项，科研论文5篇，并获得“静安区科技小巨人企业”、“上海市科技小巨人企业”、“上海市高新技术企业”称号。（火向君）

上海东方宽频传播公司发展概况

上海东方宽频传播有限公司（以下简称东方宽频，英文缩写SMGBB）是上海文广新闻传媒集团（SMG）的全资子公司，独家拥有SMG所有版权视听节目的互联网推广和经营权。除运营主站www.smgbb.cn外，东方宽频还从事互联网视听节目版权经营、宽频网站技术、内容建设、运用维护及经营的系统解决方案，整合营销传播和国内外多媒体广告代理以及电子商务等业务。

东方宽频全力打造具有SMG特色的、融互动性和商务性于一体的宽频门户网站。迄今为止，东方宽频主站拥有新闻、娱乐、体育、股票、音乐、影视、动漫、购物、美食、财经、英语、电台、播客、社区、论坛等近20个网络频道，可在线收看的节目达数万小时。东方宽频2007年承办SMG各大品牌栏目官方网站和“加油！好男儿”、“我型我秀”等大型活动官方网站建设及运营，自行策划制作体育赛事、大型展会等直播及访谈类节目。

2007年，东方宽频在网络直播的原创性和互动性上取得一系列突破：上海国际工业汽车展、第十三届上海国际电视节、第十届上海国际电影节、第五届China Joy互动娱乐大展等展会直播，连续刷新了国内宽频网站直播总时长纪录和在线浏览量纪录。联合搜狐全程直播第14届亚洲杯足球赛全部31场赛事、女足世界杯和ATP上海网球大师杯等重大体育赛事直播也屡获佳绩。9月，东方宽频作为2007女足世界杯新闻发布会独家网络版权的拥有者、全程直播女足世界杯32场比赛，成为女足世界杯国内唯一官方网络播出平台。现场采用全新通讯传播技术，以优质的画音传输和稳定的播出效果令业界侧目，还独家直播上海赛区全部七场赛后新闻发布会，国内首家使用无线网络直播技术，首次实现网友、节目、现场三方互动，形成了“现场直播网络传输＋演播室多渠道内容包装合成”的网络特色直播，直播在线人数峰值高达10万。党的十七大召开期间，东方宽频全程多平台直播十七大开、闭幕式。东方宽频主站及各平台日均更新千余条各类视频节目和图文报道，全年自制节目及直播总量超过15000小时，主站日均视频PV200万，以创新的方式打造和传播互联网文化。

东方宽频承办2007《加油！好男儿》、《我型我秀》等SMG大型活动官网项目，创下日均350万浏览量、同时在线人数峰值18万的纪录，首次成功应用16路摄像头24小时直播真人秀，并在投票、评论、调查等各个方面与电视节目形成互补。东方宽频联合SMG广播频率、SMG音乐频道举办“燃情麦克风 K客争霸赛”活动，通过网络、地面、广播和电视四个层面多媒体的聚合效应，做出一档让网友、电视观众和广播听众都喜闻乐见的大型活动。12月，东方宽频与上海市禁毒委员会办公室联合制作国内首部禁毒题材网络互动剧《迷狂》，通过人民网、MSN视频、搜狐等门户平台同步推出，创新开设“在线投票”、“互动留言”、“专家访谈室”等网络互动环节，被禁毒办领导誉为“探索禁毒宣传创新模式的有益尝试”，各大视频分享类网站和播客网站纷纷转载，PV累计高达500万。

东方宽频与各大视频网站、门户网站积极开展各种形式的深度合作。6月20日，与北京知名门户合作运营“都市吃喝”频道上线；7月12日，“BB游戏频道”正式上线，联动国际国内各大游戏开发商和运营商，获得中国游戏“金翎奖”最佳游戏动漫视频媒体；9月7日，携手IPTV共同打造的“股评互动直播频道”，成功登陆MSN财经频道，一举成为全国权威网络股评内容供应商。借雄厚的资源优势和锐意进取的创新精神，东方宽频获得“2007中国宽频网站综合十强”。

东方宽频积极拓展对外宣传平台，通过海外主流媒体平台传递中国声音。除了继续与微软合作在线商店项目，与英特尔合作数字家庭项目，与美国在线（AOL）合作独家中文视频资讯服务，还与MSN中文网合作建设MSN财经频道并新推出MSN视频频道；在国内，为上海网通提供“宽带我世界”视听门户网站系统解决方案；4月18日，携手人民网合作建设并运营人民宽频频道，并在北京人民大会堂举办了隆重的开播仪式，受到各界强烈关注；6月17日，东方宽频与Google旗下著名视频网站YouTube深度合作，在YouTube上开通SMGBB专区，成为YouTube全球首个中文官方合作伙伴。

东方宽频与微软合作研发“东方宽频数字版权保护系统（DRM）”，在德国世界杯直播中得到充分应用，被认定为2007上海市高新技术成果转化项目。东方宽频获得上海市“高新技术企业”称号和上海市静安区“小巨人科技创新基金”，以三年1657.23%的收入增长率入选“第三届德勤中国高科技、高成长50强”第6位，同年入选“德勤亚太高科技、高成长500强”第23位。

上海东方龙新媒体有限公司手机电视业务发展

上海东方龙新媒体有限公司自2004年成立以来，经过3年多的运营，手机电视业务取得较大发展，用户增长迅速。截至2007年年底，手机电视用户数累计达200万以上，其中付费用户数超过20万。

2007年东方手机电视最大的特点是节目创新和技术创新。2007年6月，公司通过调研，针对手机用户对实时资讯的需求占据对手机电视内容需求的首位，且手机电视用户普遍集中在18—35岁年龄段的青年男性的实际情况，推出了世界上第一个专门为手机电视用户打造的资讯频道——第5媒体。第5媒体的节目内容重心更加倾向于手机电视收看人群的喜好，主打板块包括“新闻”、“体育”、“娱乐”、“数码”、“汽车”、“旅游”等，通过硬盘播放器24小时滚动播出，每条片子都控制在10秒左右，观众可以在任何时候进入观看。在5分钟内观众就可以获知30条资讯，其信息密度远远超过传统电视。在重大事件发生时，第5媒体会直接切入现场直播。此外，第5媒体还有“1分钟电影”、“1分钟MV”、“1分钟赛事”等作为串场，极大满足了观众各方面的收看需求。作为为手机用户定制的频道，第5媒体板块时长、背景音乐、片子连接、字幕条等都经过精心设计，无论从编排、播报、制作还是节目风格等方面都具有自己独特的个性，迥异于传统的电视。第5媒体还大量采用观众上传节目，真正体现新媒体的互动特性。目前第5媒体每日点击量超过1500次，并处于稳步上升中。正因为有第5媒体这样的媒体创新产品，东方手机电视在2007年11月的MTV超级盛典上获得“最具风格新媒体奖”的殊荣。

在技术创新方面，公司技术部选定手机电视业务的核心技术进行了基于AVS手机电视系统的研发。AVS是我国自有的视音频编码标准，使用这个标准可以在将来的手机电视运营中减少因支付国外专利费用造成的运营风险，同时可以大大改善用户使用手机电视的感受，增加手机电视业务的吸引力。这个研发项目分别得到了科技部和上海市科委的资金支持，目前已经完成了系统的初步开发，第一阶段的工作已通过了上海市重点软件实验室的测试，并成功申报专利1个、软件著作权2个。通过这些研发工作，公司2007年被评为上海市高新技术企业，并有一个技术成果成为上海市高新技术成果转化项目。此外，手机电视2007年上半年完成了中国联通手机电视直播系统建设，目前在联通全国手机电视平台上转播8路手机电视直播频道，并且完成了与澳门联通3G网络的直播频道测试，通过互联网传输两路直播频道到澳门联通；配合上海移动的手机电视系统升级，建设了H.264直播编码系统，改进了手机电视播出画面的质量。

（贺慧玲、范嘉春、杨治国、李薇）

江苏省广播电视总台新媒体业务发展

手机电视业务

2007年4月16日，经国家广电总局批准，江苏省广播电视总台获得以手机为接收终端开办信息网络传播视听节目业务的许可。12月29日，江苏省广播电视总台举行江苏广电手机无线网站（wap.jsbc.com）开通、手机电视试播仪式，正式进入手机电视业务和无线新媒体领域。手机用户可以登陆wap.jsbc.com浏览各类新闻、娱乐、生活等资讯，也可在线收看江苏卫视、江苏综艺、江苏城市、江苏靓妆等4套江苏广电总台的节目。江苏广电手机电视由3G门户网提供技术支持，将于2008年开展试运营，积极探索手机电子商务等盈利模式，多方寻找合作机会，力争打造一个有影响力的无线娱乐视听平台。

移动电视业务

2006年6月，国家广电总局批准江苏省广播电视总台开展地面数字电视试验。2007年12月29日，江苏省广播电视总台第一个移动电视频道——江苏动视在南京试播，正式启动移动电视项目。江苏动视与厦门世通华纳公司合作，频道定位为新闻资讯服务，每天播出16小时，节目以深受南京市民喜爱的民生新闻为主，以生活资讯、娱乐信息为辅。考虑到公交乘客的收视心理，江苏动视频道节目编排短小、精悍，单条节目多在3—5分钟左右。江苏动视占有南京市公交移动电视60%以上的份额，在一定程度上改变了南京移动电视市场的竞争格局。2008年起，江苏广电总台将稳步在全省范围内拓展公交移动电视项目。

江苏播ing网（www.iboing.cn）

是江苏广电总台广播传媒中心全力打造的网络广播运营平台。2007年8月10日江苏播ing网开播，这标志着江苏广播以积极的姿态从传统媒体向新媒体领域延伸。网络广播为名牌广播栏目、优秀节目主持人提供了一个全新的舞台和施展空间。通过建设“看得见的广播”，整合江苏广播最优质的资源，与最前沿的技术资源进行对接，培育新的运营模式和经济增长点，进一步提高广播的社会影响力。

经过几个月的初期运行，播ing网络平台逐步升级，后台系统不断优化、完善，江苏广播所有频率在线直播，实时互动区灵活便捷的线上、线下跨媒体交流，突破广播地域限制，无限放大了传播空间，吸引了更多高层次的网络受众。精彩纷呈的视频节目夺人眼球，屡创收视新高。

播ing网创立的全国首家“看得见的广播”模式，引起业界高度关注。一个以广播优质资源为核心竞争力的专业网站，凭借“看得见”的载体、一支努力勤勉的团队、一套探索创新中的运营模式，在短时间内迅速汇聚网络人气。内容生产的个性化、网络化、市场化，正在形成一股蓄势待发的网络强音。特别是由播ing网承办的2007金牌DJ全国选拔赛、2007年度十大广播名牌栏目网络票选两大网上活动，更是引爆网络，造就广播新的影响力。

江苏播ing网扬广播先锋之大旗，学习借鉴新媒体实践经验，独立建立起国内最具广播特色的专业网站，“看得见的广播”实现江苏广播新飞跃。

目前播ing网“看得见”的主要功能如下：

江苏广播各频率在线直播与互动

播ING网24小时直播频道

最新鲜的动态视频新闻发布

品牌栏目与优秀主持人风采展示

最抢眼的网络原创节目

各频率与主持人个人网站建设与管理

优秀影视剧在线点播

雅俗共赏的微视频点播

BBS论坛社区

经过不懈的探索、努力，江苏播ing网优秀广播节目网络视频化取得了可喜的成效。一批精彩的视频广播节目获得听众、网民热捧，一个个亮丽的广播主持人从幕后走向前台。iboys组合制作的三档视频音乐节目，令三位音乐小帅哥拥有了更多的粉丝群。权威股评节目《股市直通车》每天下午与股市收盘同步，其网络互动性、直观性、放大了节目的服务功能、拓展了新的赢利空间。情感交友类节目《今晚我是你的dj》也通过网络渠道有效促使品牌栏目网络资源的回归。亮丽登场的《男生宿舍》在节目形态、内容上均根据网络要求全面出新，视频化的优秀广播节目汇聚更高的网络人气，突破了地域限制，造就更大的影响力和品牌效益。

网络原创节目《星闻星8客》、《光影ORZ》吸引众多点击率，特别是《光影ORZ》通过电影、DV建立起播ing网独有的碟友、玩家、影迷QQ群热门社区，迅速在网络上形成影响。

2007年末，2007金牌DJ全国选拔赛随着赛事的不断递进，网络视频热播，人气指数骤升。12月3、4日进行的两天四场复赛直播，更是令网络看台异常火爆。作为金牌DJ选拔赛的操作平台，江苏播ing网除承担本届大赛全程网络直播外，还在比赛进行的同时，及时刷新参赛者照片、个人资料，拍摄制作赛场花絮、专题新闻、赛后点评及精彩片段等。目前，点播观看预赛、复赛等相关专题的在线人数和点击量依然不断上涨。天涯、西祠和猫扑等著名门户网站也纷纷上挂比赛的趣味画面和赛场花絮，新浪网上的一段比赛视频引发了数百位网友跟帖热议。从预赛到复赛，播ing网点击率一路高升，由过去的日均8000人次上升为日均85000人次，最高达110000人次，目前点击率仍呈上升趋势。（江苏广电总台）

山东省烟台市胶东在线网站概况

胶东在线网站开通于2002年4月28日，是经国务院新闻办公室批准，由烟台市委宣传部主管，烟台市广播电视局主办的综合性重点新闻门户网站，是以新闻宣传为龙头，集信息服务和技术应用为一体的区域性强势媒体，是烟台市对内和对外宣传的重要窗口。2007年胶东在线情况如下：

烟台广播电台两个频道25个自办节目实现网上直播。胶东在线网站充分发挥广电资源优势，扬长避短，创新广播节目形态、创新宣传形式，将烟台电台《新闻频道》、《经济生活频道》的“新闻早报”、“环境与发展”、“韩国语新闻”、“法制天地”等25个自办节目实现网上直播，由过去通过热线直播电话、短信参与又增加了网络参与，由通过收音机收听拓宽为网络在线收听。同时将以上节目加以整合，推出网络电台频道，内容设有电台简介、节目介绍、主持人介绍等栏目。

烟台电视台四个频道30个自办节目实现网上点播。胶东在线网站拓宽电视节目宣传新领域，将烟台电视台《新闻综合频道》、《经济生活频道》、《影视频道》、《公共频道》的“新闻直通车”、“民生大道”、“社会广角”、“视点”等30个自办节目实现网上点播，扩大电视节目的影响力和覆盖面，提高收视率。同时推出网络电视频道，设有电视台简介、节目介绍、节目表、主持人介绍等栏目。每天平均有2000多人访问4500多个视频页面。

胶东社区开设板块，进行网上互动。为使主持人了解网民对节目的看法和建议，促进节目的进一步优化。在网络电台、网络电视频道推出的同时，胶东在线在社区里开通了《欢乐蹦蹦跳》、《开心俱乐部》、《狂飙碰碰车》、《音乐不断》、《103驿站》、《相约在今宵》、《星夜港湾》、《801旅游杂志》、《广角论坛》、《新闻直通车》等互动节目，网民可以与自己喜爱的主持人进行网上无障碍沟通。电台节目主持人在直播室主持节目时，还可以与听众和网民进行即时互动交流，使听众参与电台节目又多了一条便利的渠道。《胶东在线》社区板块开通后，得到了广大网民和听众的热烈欢迎，电台的节目主持人很好地利用了这一阵地，与听众和网民进行互动，一些板块日发帖量接近1000，为社区注入了新的活力。

胶东在线积极策划、参与到重大活动当中，先后对《21届省运会》开、闭幕式、《APEC电子商务博览会》、《中国国际美食节》、《国际果蔬食品博览会》、《亚欧旅游论坛会》、《城市规划展》等60多个大型经贸和文体活动在第一时间，进行全方位、大容量的现场音视频、图文直播，并将音视频直播整合到专题里，特别是对"21届省运会"开幕式的直播，有3000多名网民在线收看开幕式，百名网民纷纷在网站上留言，表达对省运会开幕式的祝贺。进一步扩大了省运会开幕式、闭幕式的对外影响，充分展示了烟台成功承办这一大型活动的实力和水平。

胶东在线"网上民声"获得"2007年度中国互联网站品牌栏目（频道）"称号，这是全国唯一获此殊荣的地市级网站，在山东省也是首家。互联网专家、"网上民声"还引起了中宣部和新华社的高度关注和充分肯定，并分别在《宣传信息清样》、《国内动态清样》上刊发"网上民声"经验，不受时空、身份限制的独特优势和特点，在国内首创了"网上民声"栏目，四年多来不断丰富内容、潜心设计、大胆创新，先后进行三次全新改版，完善功能，强化特色。参与网上互动交流的部门从首批28个增加到94个，几乎涵盖了市直所有政府部门及中央、省属驻烟部门和热点窗口单位，并且延伸到县市区政府部门和窗口单位。共收到群众反映的问题18万多条，其中报送政府部门舆情内参22000多条，回复率始终保持在96%以上。

湖北省广电新媒体发展情况

手机电视

湖北广电手机电视有限公司于2007年6月8日正式注册成立，是湖北省省级专门从事手机电视业务的公司。

公司致力于经营的手机电视业务系指流媒体方式和所有广播式手机电视业务，包括未来国家手机电视标准所涉及的业务和广电总局命名的移动多媒体广播业务，含数字电视收视服务、数据广播、音视频点播、数字电视扩展业务、下载播放、互动业务、终端产品研发及销售等。通过移动通信通道和广播式技术通道覆盖湖北省全境的手机电视用户覆盖网，通过实现与移动通信的合作运营，为手机电视用户提供直播、下载播放、互动业务。

公司目前的主要任务是配合国家广电总局进行移动多媒体广播（CMMB）技术试验。湖北武汉作为全国第二批试点的城市之一，正以湖北广电手机电视公司为依托，全力搭建试验网的技术平台，包括技术方案制定、机房建设、设备选型、设备安装调试等，以确保能按时试播。力争在较短的时间内使手机电视业务平民化，成为湖北地区的强势媒体，实现社会效益和经济效益的和谐发展。

城市电视

湖北广电城市电视有限公司是于2007年3月15日注册成立的专业户外电视传播媒体。公司已完成技术传输、发射、覆盖工作，每天播出15小时节目；不到半年，签订终端3000多块，规模跃居全国第二，仅次于北京城市电视台。党的十七大期间，约有200万武汉市民和中外游客通过城市电视的公共液晶小屏电视网和户外大屏第一时间了解到党的大政方针和民生资讯。城市电视作为"权威新锐媒体、户外资讯先锋"的定位逐渐被观众所接受和认可。这一项目将打造一个崭新的产业发展平台。

网上视频广播

楚天新闻广播加强和其他媒体合作，促进共同发展，2007年和华夏网（www.fc510.com）合作，开通网上视频广播。

广东电视台网络电视的发展情况

广东电视台新媒体中心的网络电视分为两部分：一部分是以广东电视台官方互联网站为平台，业务已经在开展；另一部分将由广东电视台赛视商业网站负责，赛视网站正在建立当中。

2007年，网络组紧贴"以新闻为龙头、以服务为基础、以商务为支柱、以电视为依托的综合性多媒体网站"的定位，在政治导向正确的基础上，对网站内容板块、后台系统进行了调整，网站内容建设效果显著，后台系统日臻完善；充分利用自身电视的视频资源和网络媒介同时传播文字、声音、图像等不同信息形式于一身的优势，在传统媒介的界限逐渐模糊的背景下，充分发挥网络传播、互动的技术功能，利用多种传播渠道，给多种接收终端的用户提供多媒体信息和增值业务服务。同时，通过网络互动平台的搭建，"反哺"广东电视台的节目，增加节目对观众的"黏度"，提高收视率，最终能达到新旧媒体双赢的效果。全面采用P2P流媒体技术在网站首页实时直播四个开路频道节目，视频直播质量及稳定性得到了实质性的提高。网络组还勇于探索，拓宽思路，不断地寻求发展途径，促进合作，推动网站商业化进程。

2007年，广东电视台互联网站的发展具体包括以下几方面：

1．网站访问量平稳增长

网站访问量平稳提升，日浏览量约10万，国内同行业网站排前五位。宽频在线注册用户约26万。

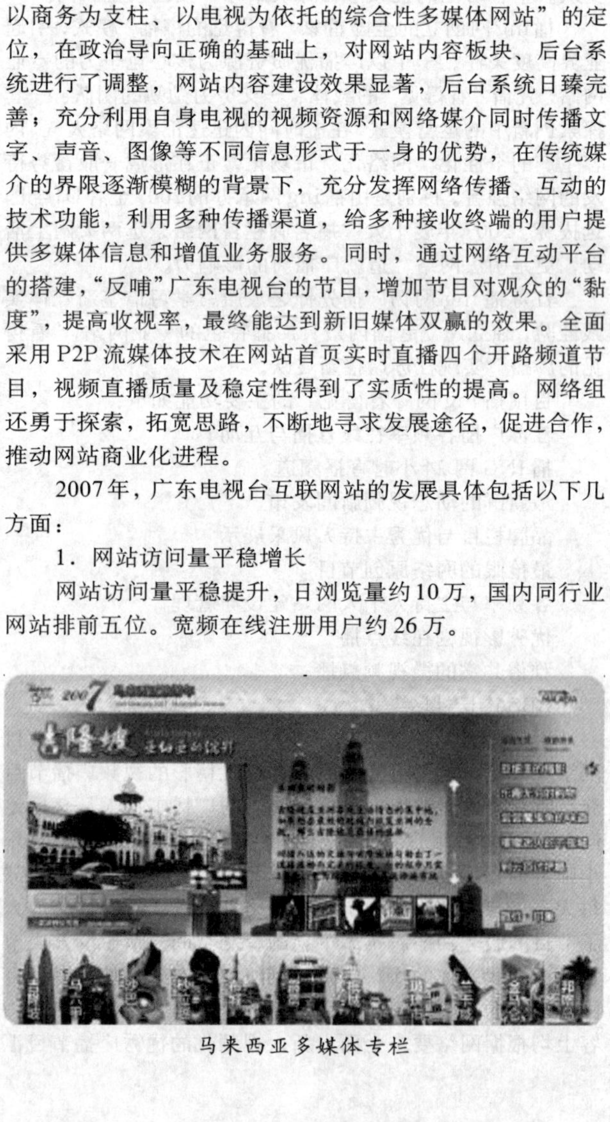

马来西亚多媒体专栏

2．网站庞大信息量

截至2007年12月5日，网站新发布采访报道及电视台相关信息1331条，发布新闻逾50万条，图片库新增图片逾10万张，发布视频逾7000小时。

3．网络专栏层出不穷

2007年，广东电视台互联网站配合台和集团不同阶段的宣传重点，积极主动地推出了一系列网络专栏、网络多媒体专栏，包括全国“两会”网络专栏、十七大专栏、禁毒人民战争专栏、公共频道美丽新约多媒体专栏、冠军乐队专栏、未来主播专栏、舞动羊城摄影大赛网络专栏、广东电视台首届创意广告周网络专栏、点心卫视点心网、构建和谐广东电视台专栏、2007年度广东电视台岗位之星专栏、马来西亚旅游年多媒体专栏、马来西亚TOC汽车学院多媒体专辑、马来西亚教育多媒体专辑试版等，网站内容更为丰富多彩。其中舞动羊城摄影大赛、今日关注文娱大广场竞猜送影票、美丽新约等的多媒体专栏，以活泼新颖的互动形式，吸引了大量网友的报名和热情参与，深受网友欢迎。马来西亚旅游年多媒体专栏，形式新颖，多媒体形式强烈，受到马来西亚有关方面的充分肯定，也更加稳固了广东电视台网站多媒体方面的优势与特点。

马来西亚多媒体专栏，形式新颖，多媒体特点浓厚，为网站的多样化形式及发展提供全新借鉴。

4．原创信息丰富多彩

截至12月5日，广东电视台网站记者采访发布本站原创信息1331篇，拍摄图片10万多张，发布图片逾3000张。对舞动羊城、冠军乐队、未来主播、美丽新约、百佳主持人等重点栏目、活动进行系列深入报道，同时还推出纪念中国流行音乐二十年粤港著名音乐人专访系列《对话音乐人》。同时，网站还不定时向《南方日报》、《南方都市报》、《广州日报》、《羊城晚报》、《新快报》等各大报社提供广东电视台和集团动向、近期播出电视剧、栏目动向的宣传文稿和图片，提高了广东电视台和集团及属下各大节目（栏目）的社会知名度和影响力。

5．成功搭建两大网络视频平台

2007年5月开通了3M网络专线，建立了手机电视平台和P2P视频直播点播平台：手机电视平台开辟了广东卫视、珠江频道、体育频道、公共频道4个频道；P2P视频直播点播平台开辟了广东卫视、珠江频道、体育频道3个频道，可供百万人以上同时在线观看以上3个频道的直播。

截至2007年11月，网站宽频注册人数突破26万人，日均注册人数达1000人。

此外，网站半年来根据台领导的指示，继续向马来西亚“嘉娱频道”，每日通过网络传送广东电视台珠江频道早、午、晚三档重点视频新闻，为广东电视台节目对外宣传搭建顺畅通道。

6．积极推动商业化进程

为使网站能保持持续发展，适应经济社会环境，促进市场化改革，网络组还不遗余力地探索网站商业化模式，寻求商业化途径，制定多份发展规划，不断吸纳各方社会力量，与投资机构进行合作商谈。据最新一份来自专业评估公司的评估报告表明，经过网站全体成员8年的努力奋斗，广东电视台互联网站资产评估价值达2772.62万元。我们坚信，未来网站将会有一番新的面貌及跳跃式发展。

广东电视台车载移动电视发展情况

为了扩大广东省主流电视媒体的收视覆盖率和市场占有率，加强应对境外强势媒体的竞争，填补广播电视移动宣传领域的盲点区域，从2003年起，广东电视台和广东省广播电视技术中心联手合作，利用管辖下的全省广播电视无线覆盖网，开展地面数字电视试验。2004年广电总局发出广发社字［2004］479号文，批准广东电视台试行开办一套移动电视节目，在珠江三角洲地区开展地面数字电视试验业务，2006年广电总局批准调整播出参数的申请，同意采用DS−28发射频道继续试验。

传输发射平台

目前暂时采用欧标DVB−T技术，组建了DS−28的多载波单频网络，取得了良好的覆盖效果和收视效果，共安装了六台发射机，它们分别是：广州市越秀山发射塔2.5kW、广州番禺卫星地球站800W、广州黄埔丰乐大厦600W、东莞乌石排微波站800W、鹤山大雁山发射塔800W、新会圭峰山2.5kW。其覆盖范围以广州市为中心，东至东莞莞城，西至佛山三水区，南至江门新会等，基本良好覆盖广州市区、佛山市区、江门市区及东莞莞城，同时良好覆盖部分广深高速、广佛高速、江中高速、部分佛开高速等。

节目集成平台

按广电总局的批复精神，于2004年11月推出广东电视台“移动频道”，精心制作出一套适合移动人群收视特点的节目内容，在广州市各交通工具、公众场所等地方接收播放，初步树立了移动电视的品牌效应。频道总体定位为“资讯服务”，内容设置上包含新闻、时尚、娱乐、体育、生活服务类等节目。同时还复用央视一套、广东卫视、广东体育、广东珠江共五套节目。

接收平台

经过两年多来接收平台建设，成功地占领了出租车、轮渡、私人轿车等交通工具及学校、医院、银行证券营业厅等固定场所，使移动电视深入人心，巩固了宣传阵地。目前接收终端包括广州市在内的公共交通平台7000多辆（含出租车、公交车、城际大巴、珠江夜游轮船等）、3000多辆私人轿车以及500多个固定场所，其中固定场所共安装屏数2000多台。

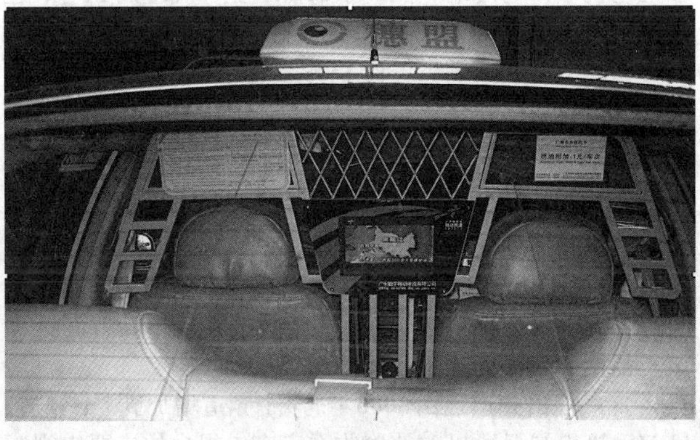

出租车上的车载电视

广州市地铁电视发展情况

广州地铁电视始终坚持社会效益先行，经济效益并重的经营思路，2007年，地铁电视在细耕本地沿线商圈广告市场的同时，通过品牌客户直销模式，北京、上海等外地大客户市场开拓初见成绩。

通过持续全年的终端数量建设与媒体内容建设，调研证实，地铁电视播出的广告，单个品牌不低于40%的广告到达率，逐渐获得广告主对媒体广告价值的认同，2007年广告经营收入较上年翻倍增长，引进了诸如可口可乐、百事可乐、安利、松下、索尼、阿迪达斯等国际一流品牌的客户投放，媒体价值逐步获得客户市场的认可。

因尚未出台能监测地铁电视媒体效果的科学的研究体系，地铁电视始终在“户外”与“电视”两个媒体板块中处于尴尬境地，客户对地铁电视普遍持好感态度，但缺乏支持他们选择地铁电视的硬性数据支持，因此，仍需坚持对地铁电视该类媒体的市场培育，即不断的“教育”市场地铁电视是能带给广告主高于传统电视、高于一般户外媒体的特殊媒体类别。

广州地铁电视将进一步细分市场，建立分行业的广告形式区隔，针对性的开发沿线商圈市场、会展市场、汽车与房地产市场，搭建多元化的媒体传播平台。

广东电视台手机电视发展情况

项目总体介绍

广东电视传播有限公司自2005年7月正式成立至今，已陆续成功完成了立项论证、公司筹建、试验网搭建、6地市运营网络建设、运营支撑系统（OSS）建设、服务界面及营销界面建设、服务产品的导入市场、服务品牌引入以及数款终端上市等多个阶段性成果。在基础网络、服务实现、营销推广及运营管理等方面积累了丰富的经验，现已具备向广东省经济最发达的小珠三角区域大规模推广业务和发展用户的条件和能力。

手机电视网络覆盖广州、东莞、佛山、中山、珠海五个地级城市，发射多套音频及视频节目。虽然有DMB手机入网证的影响、同时手机电视标准之争带来了产业的困惑和观望，但手机电视项目由于产品CAS集成问题的解决、网络覆盖效果的改善，增强了终端厂家进入的信心。参与手机电视项目的终端产品厂家81家、业务代理商11家；已开发出手机产品15款；非手机产品8款；同时参与手机电视终端制造研发的手机厂商13家；非手机厂商27家。

手机电视节目

2007年广东电视台手机电视项目，实现全年节目制作1631小时，自办频道播出8221小时。作为电视媒体家族中的新生事物，并无历史经验可以借鉴，因此手机电视节目的制作和播出都处于探索阶段，变化与调整成为全年最鲜明特点。手机电视节目的发展主要体现在以下几方面：

播出频道不断增加

日常播出频道已由2006年的4个频道增加到7个频道。目前手机电视已可以24小时收看广东电视台的主要电视频道，一些特色频道如：欧洲足球和嘉佳卡通频道，也已落户手机电视。

自办频道由综合频道向专业化频道转变

手机电视的唯一自办频道——天声频道最初的定位是综合频道，在2007年逐步向专业化频道转变，经过两次调整，现阶段的定位是：财经生活服务类频道。

节目形态由传统电视形态向更适合手机电视播放的新型节目形态转变

引进了深交所的大型直播类证券交易类节目《交易日》，为观众提供实时的证券交易信息；新开辟了几档专门为手机电视观众定制的新栏目，如：《图闻天下》，一档以图片为主的、富有知识性和娱乐性的短节目；《生活百事通》，一档以本地化、生活化、实用化为亮点的生活服务类资讯节目。这些节目都具有短小精悍、可滚动播出、互动性强的特点，特别适合手机电视观众收看。

广东电视台数字电视发展情况

广东电视台数字付费电视，是为高端专业人群设置的专业频道。2007年，作为广东电视排头兵的广东电视台，在数字电视领域积极进取、开拓创新，在频道建设上不断加快步伐，继续领跑中国数字电视产业，取得令人瞩目的成绩。

截至2007年底，广东电视台旗下经国家广播电影电视总局批准的数字付费电视频道达到七个，其中包括：《高尔夫》、《欧洲足球》、《英语辅导》、《会展》、《快乐宠物》五个全国性数字电视频道以及《房产》、《岭南戏曲》两个省级数字电视频道。预计2008年开办频道总数可望继续增加，新频道的开办将进一步壮大广东电视台数字电视阵营，吸引更多电视观众。

在频道运营方面，《高尔夫》频道成功获得未来数年世界顶级高尔夫赛事中近85%赛事的独家转播权，加上广东电视台与投资商两年来对节目的精心打造，使该频道成为全国发展最好的付费频道之一，吸引了国内外众多风险基金的关注。

《欧洲足球》频道的发展也同样迅猛。为了提高节目质量、吸引更多观众订购，《欧洲足球》频道投巨资在上海建立制作基地，聘请苏东等原ESPN的足球解说员，并做到国语粤语双声道播出，最大限度地满足广大球迷的需求，加上合作方天盛公司强大的市场营销团队，使该频道迅速在全国各大中城市落地入网，订户数迅速增长。

《英语辅导》和《快乐宠物》频道虽然没有《高尔夫》和《欧洲足球》频道的强势独家内容和大规模资本运作，但也立足本土、发挥各自的优势，扎扎实实做好频道内容与入网工作。

《会展》频道积极探索节目内容与市场效益相结合的道路，不断开拓新的节目源，陆续组建了几大栏目组，节目制作能力与水平不断提高。目前，该频道已在广东省网入网播出，并与华诚集成平台签约合作，将于2008年1月30日正式上星覆盖全国。

《房产》频道经过长期艰苦的谈判，终于与广州电视台达成合作协议，共同打造房产频道广州版，计划于2008年3月开播。

《岭南戏曲》频道于2007年11月在广东省网入网播出，

频道先后策划、开办了五档自办栏目并与省内戏曲界及高校相关专业院系进行广泛交流合作，推介《岭南戏曲》频道，此外，《岭南戏曲》频道自办的网站影响力不断提升，并开通网站视频服务，丰富了网站内容，也提升了频道影响力。

频道建设为广东电视台数字电视领域奠定了领先的优势基础，在这种情形下，广东电视台把加大数字电视的宣传推广作为拓展市场的重要经营手段。

自2007年以来，随着数字电视机顶盒在全国的大规模普及，有线数字付费电视频道为广大电视观众提供了越来越多的收视选择。阵容鼎盛的广东电视台数字付费频道，凭借大胆创新的节目理念和万丈雄心的进取姿态，全线登陆各地有线电视网。众多精心打造的个性化、专业化节目，涵盖了文化艺术、娱乐休闲、教育学习、产业经济等多个领域，全面进军全国数字电视市场，为了更好地配合各频道的市场拓展，广东电视台数字电视业务的整体宣传逐步深入、不断取得突破，目前已制作好一期全新的七大频道整体宣传片，拟春节前后在广东台卫视、珠江等主流频道播出，以扩大宣传攻势。

1．开办数字付费电视宣传网站

经过精心筹备和规划，广东电视台数字付费电视宣传网站于2007年2月正式开通，广大电视观众只需登陆www.gdsmd.cn便可及时、便捷、全面地了解《欧洲足球》、《高尔夫》、《英语辅导》、《岭南戏曲》、《会展》、《房产》、《快乐宠物》等七个数字电视频道的最新动态和节目资讯。

广东电视台数字频道网页

广东电视台数字付费电视宣传网的内容涵盖了“数字快讯”、“频道风采”、“新鲜指南”、“每周看点”、“每日节目预告”、“学术之窗”、“在线调查”等多个板块，经过近一年的试运营，内容正不断丰富和更新。

2．创办《数字频道简报》

《数字频道简报》自2007年3月创刊以来，已连续出版10期。《简报》紧密围绕“提供最新产业资讯、总结汇报工作经验、关注服务频道需求”的宗旨，不断探索办报方向，力求通过这扇窗口，更好地为上级领导提供决策参考，同时也为全台各数字付费频道的发展提供政策和资讯支持。

随着2008年的到来，全国数字电视产业发展的步伐不断加快，广东数字电视产业也将迎来更加广阔的市场和机遇。广东电视台数字电视频道，将在集团和台的领导下，进一步加强频道运营和管理，继续携手民营资本，积极整合数字电视产业链条上的各种资源，在不断摸索和创新中寻求更多突破，努力迈上新的台阶，在风起云涌的中国数字电视舞台上一展风采。

（广东局史志办　张恩明）

广西人民广播电台广播网站概况

广西人民广播电台广播网以广播为依托，2007年网站共更新各类信息超过两万条，照片近2000张，网站每天更新的多媒体音视频节目超过100条，全年更新的多媒体节目超过3万条。

在重大宣传报道方面，广西广播网在把握广西人民广播电台宣传方案的前提下，积极开拓创新，发挥广播网站的优势，加强多媒体信息和互动栏目的开发力度，让网站成为网民与广播沟通的桥梁。网站共开设了20个大型专题报道，重点抓了《贯彻落实十七大精神　建设富裕文明和谐新广西》、《八桂喜迎十七大》、《贯彻十七大　办好博览会》、《广西科学发展新报告》、《中国—东盟合作之旅》、《2007全国“两会”专题》等6个大型网络专题报道。网站在宣传上特别注重发挥自身的优势，较好的实现了台网互动，在网络宣传上不断创新。在全国人大、政协“两会”期间，广西广播网第一次在大型专题报道中开设了视频点播节目，共播出1小时24分的人大代表、政协委员视频专访和连线，圆满完成了全国人大、政协“两会”的宣传任务。在十七大和第四届中国—东盟博览会、第四届中国—东盟商务与投资峰会以及南宁国际民歌节的网络宣传上，广西广播网动员早、策划早，重创新、重组合，充分挖掘了网络多媒体的优势，先后推出了近20个子栏目，共刊发文字稿件近500篇，图片200多幅。为配合广西人民广播电台加大文艺宣传，迎接十七大的计划，广西广播网积极参与《八桂会战石山区》和《一路高歌迎太阳》等大型文艺晚会的宣传和报道，制作文艺晚会的网上点播节目14个，总计23小时，其中视频节目超过8小时。在中国—东盟博览会举行期间，广西广播网与经济广播共同打造博览会现场视频直播，通过广西广播网第一时间报道第四届中国—东盟博览会的盛况。

广西广播网在做好配合广西人民广播电台宣传计划的同时，办好《时尚》、《娱乐》、《体育》、《数码》、《财经》和《知行英语》等六个自办栏目，并逐步调整网站首页的栏目设置，使之更为贴近听众和网友的需要。根据互联网的特点开设的六个栏目是由编辑搜寻互联网上最新、最吸引人的内容自行组织的，经过近一年的运行，这六个栏目的点击率不断提高，受到网友和听众的好评。栏目《赏识的天空》是2006年至2007年初开设的栏目，是网站与系列广播栏目合作的成果。网站通过直接与广播节目合作，单独制作栏目页面，开设社区，实现广播栏目和网站的互动，提高了节目的收听率和网站的点击率。自开设《赏识的天空》栏目以来，该栏目的点击率已经超过三万人（次）。网站还从广大网友和听众的需要出发，自行开发的音频节目下载模块，使该栏目的功能更加全面。

（广西人民广播电台　黄志强）

重庆广电移动电视发展情况

重庆广电移动电视有限责任公司成立于2004年12月13日，移动电视频道于同年12月28日在主城区试播成功，2005年6月18日正式开播。三年来，移动电视公司从发展到壮大，跻身继上海、北京、深圳之后全国移动电视前列，成为西部第一、重庆最大户外电视媒体，被推选为全国移动电视协作体常务理事单位。

重庆独特的山、水、路、楼、洞地理特点，造就了相对发达的公共交通系统。根据统计资料，重庆市公交乘客规模占全市人口的73%，其中乘坐安装有车载移动电视媒体的公交线路的乘客达到乘客总人数的75%。移动电视的日接触人次超过600万，给重庆广电移动电视的发展提供了有利条件。

截至2007年底，重庆广电移动电视公交车终端规模已累计达到106条公交线路3000辆公交车以及22辆机场大巴。普及安装14个交警支队、3个车管所及主城区的朝天门码头、轮渡、两江索道、两路口皇冠大扶梯和近60个“爱心亭”共计133个固定收视点，签约3000辆出租车，前期500辆已安装到位。新购一台3.4kWR/S国标发射机，为公司下一步实施国标转换奠定了基础。

移动电视节目每天从早上7点到凌晨2点，全天播出19个小时。在全国率先推出了5+3（5分钟节目加3分钟广告）的节目编播模式和提出了电视广播化概念，形成了“资讯不断、娱乐为伴”的户外移动电视特有节目形态。在现有空录编辑、新闻（大型节目）转播、节目共用、社会联办的基础上，自办了《好运通看路况》、《爱在山城》、《音乐新势力》、《与你同行》等特色栏目。

重庆广电移动电视坚持“主流媒体要占领舆论宣传主阵地”的宗旨，大力发展网络建设和终端建设，被重庆市委、市政府纳入2005年度的“民心工程”，为重庆市委、市政府“公共信息发布平台”、“城市管理应急平台”和百姓生活的“资讯服务平台”。

云南电视台新媒体传播情况

2007年，云南省以数字电视传输为主的新媒体传播有了较好的进展，一些项目成效明显。此项工作主要由云南电视台控股的云南无线数字电视文化传媒有限公司负责。

公交无线数字电视

2007年，云南省公交车载无线数字电视的发展取得可喜成绩。到当年底，云南无线数字电视文化传媒有限公司已在省城100多条公交线路的1550辆公交车安装了公交车载移动电视，这些公交线路覆盖整个昆明市，公交车载电视每天受众达100万人次，成为昆明公交车上的主要媒体。

无线数字电视

除了大力发展公交移动电视外，该公司也大力发展使用无线数字电视的个人用户，无线数字电视可为个人用户提供30套高清晰的数字电视节目。2007年无线数字电视用户管理、节目加密、收费、电视节目指南发布、数字电视营销策划等工作，均围绕发展更多用户数的目标有序进行。

以家庭用户为主的无线数字电视销售

无线数字电视优势在于它的“移动性”，可以满足城市中有线电视无法到达或经常改变收看地点的用户收看电视节目的需求，还可作为“村村通”工程项目，为无法收看有线电视的农村用户提供电视节目。到2007年底，公司已经拥有家庭无线数字电视用户3259户，主要包括商铺、租房者、高校学生、部分有线电视无法到达的单位和企业，以及昆明周边有线电视无法到达的村落。同时在销售中，逐步完善用户管理、售后服务、电视收视费收回、经销商管理等工作。

以私家车为主的无线数字电视销售

随着昆明私家车数量的迅速增加，私家车成为发展无线数字电视用户一大市场。为此，云南数字无线电视公司花了很多精力在车载移动电视宣传方面。到2007年底，共有841户用户安装了车载无线数字电视。

无线数字电视标准的转换

2005年，云数传媒公司开发的无线数字电视在昆明开播，到2007年10月底这段时间，所采用的无线数字电视传输标准为DVB-T欧洲标准。2007年11月1日，在云南电视台传输发射中心的协助和不影响安全播出的前提下，该公司无线数字电视顺利实现从欧洲DVB-T标准到中国国家DMB-TH标准的转换。采用国家许可的传输标准，从前端发射设备到终端用户的机顶盒接收设备都需要进行更换。目前，此项工作正积极进行。采用国家标准的数字电视传输模式后，可以更放心的大力发展无线数字电视。全部转换工作完成后，昆明市近70多万辆私家车、2100辆公交车、6900辆出租车，以及成百上千处公共场所和数十万户因各种原因看不到有线电视的移动人群都能看到稳定、清晰、丰富的移动数字电视。

无线数字电视全省覆盖与国际合作

目前，云南省电视用户约有1000万户，60%的用户分布在山区和半山区，电视信号传输仍在一些问题，一些地区仍无法收看到高质量的电视。无线数字电视通过建立无线发射基站的方式来实现信号覆盖，是实现农村用户电视收看比较有效的方式，也是在自然灾害等非正常情况下最有效的电视覆盖手段。因其成本低、建设快、覆盖广、具有移动性和抗毁性的特点，对城市和周边以及边远地区用户的普及更具优势，这些电视用户也是无线数字电视潜在用户。2007年1月，云数传媒公司与云南电视台地面数字电视覆盖实验小组共同编写的《云南省地面数字电视农村覆盖初步设计规划》完成，全省农村地面数字电视覆盖工作开始；2007年6月，无线数字电视在西双版纳州勐海县正式开播，1500台无线数字电视机顶盒在当地发放，迈出了地面数字电视全省覆盖的第一步。

2007年1月23日，无线数字电视老挝公司正式成立，标志着云数传媒公司与国际同行业合作的正式起步。无线数字电视老挝公司由云数传媒公司、老挝电视台、老挝科技发展有限公司共同投资成立，旨在为老挝人民提供清晰的、价格合适的电视产品。2007年 4月3日，无线数字电视发射系统在老挝首都万象建设完成，云南省省长秦光荣到万象为老挝无线数字电视公司揭牌。2007年11月15日，无线数字电视在万象试播，为万象用户提供了33套清晰的数字电视节目。

（杜 颖 胡雪蕾 张 晶 尚之琦 秦 伟）

贵州人民广播电台"今日传播"网站

贵州人民广播电台"今日传播"网站(www.gzbs.cn)成立于2001年9月，贵州人民广播电台主办、主管。

该网站是一个为贵州人民广播电台提供网络在线直播、记忆点播、互动社区等服务的网站。2007年1月，网站为贵州省"两会"召开设计"两会"专题页面，共摄制了4条视频新闻，上载24条音频新闻、编辑文字稿件84条，有效进行了省"两会"的宣传报道。

2007年4月，贵州省第十次党代会召开。召开期间，制作"中国共产党贵州省第十次代表大会专题"页面，共上载省十次党代会新闻111条。9月，在迎接中国共产党第十七次全国代大会召开之前，贵州人民广播电台与中央人民广播电台联合推出《喀斯特的交响》大型专题节目，为做好这个节目的宣传工作，网站制作了"喀斯特的交响"专题页面，共上载播出稿、记者手记等相关稿件165条。9月底，将十七大专题页面上挂在"今日传播"网上，并组织上载了喜迎十七大的稿件233篇。目前，贯彻十七大精神的稿件每天都在更新中。10月30日，"今日传播"网站通过国家广电总局的审核，成为贵州省第一家获得《信息网络传播视听节目许可证》的网站。2007年，网站每天及时上载《贵州新闻联播》等新闻节目的文字稿件，目前已上载新闻3780多条；除了完成电台新闻节目的上载以外，"今日传播"网站记者还外出自采新闻124条，其中视频新闻52条。另外，还及时更新转载新华网、人民网、中广网的新闻稿件435篇。

贵州电视台网站

贵州电视台网站创办于2004年11月8日，2005年1月1日正式开通，贵州电视台主办主管，网址：(www.gzstv.com www.gzstv.net www.gzstv.cn)。

2007年，网站开设了《走进贵视》、《贵视资讯》、《好剧不断》、《贵视栏目》、《缤纷主持》、《贵视人物》、《今日导视》以及各频道和各栏目的简介等十余个栏目和板块，采集贵州电视台和国内外、省内外经济、旅游、娱乐等资讯。对进一步宣传贵州的改革开放，发挥了积极的作用，中央电视台及百度等知名网站已将贵视网站收入其中。

网站在十七大开幕式之前，在首页上设计了《喜迎十七大》的LOGO，并全部套红，为十七大的召开营造了良好的喜庆气氛。网站还在专栏《走进贵视》中推出《<贵州新闻联播>将推出专栏为十七大召开营造良好气氛》、《<百姓关注>推出专栏为十七大造势》、《我台派出精兵强将赴京报道十七大盛况》等多组新闻报道，圆满完成了十七大宣传任务。贵州的重大活动和事件进行宣传报道。如："多彩贵州"舞蹈大赛、"大地之舞"杯第六届中国舞蹈荷花奖民族民间舞大赛、《百姓关注》走遍贵州活动等，网站都进行了及时的跟踪宣传报道，有力地配合了这些活动的开展。2007年9月23日起，网站每天对《贵州新闻联播》(全片)、《百姓关注》(片段)、和《今日往事》(全片) 3个自办栏目实现了次日上传，每日视频节目的上载总时长超过了35分钟，弥补了电视传播的不足，进一步扩大了栏目的影响力。几年来共收集整理了"世界电视史"、"纪录片"、"故事"、"教材片"、"电视节目形态"等方面的影视作品4000部(集)、3000G的数据格式和1000套DVD光盘。新中国成立以来国内出版和编译出版的影视教材中的"电影史名导名片"和"纪录片名导名片"，一半左右已经被网站收集保存。

陕西广播新媒体发展状况

由陕西人民广播电台主办的金号网（www.sxradio.com.cn)是一个将传统广播与网络优势融为一体的新媒体形态。它依托互联网平台，精心打造"陕西广播的新媒体形象"。2007年全年上传的丰富内容中，专题、专栏90%有图片展示，50%以上有音频相伴，40%加入了视频形象。各类网上视频节目达到近6000分钟，而且作为广播的"视频新媒体"亮点频出，"看得见的广播，听得见的网络"已经显现。

一、网络媒体走上新闻宣传主阵地

金号网成立三年多来，把围绕党和政府的中心工作做好新闻宣传当作头等重要的任务来做。在新闻频道七个栏目中，不间断更新各类新闻计7万多条，配发图片近4千幅，设计推出配合中心工作的专题专栏32档。其中新闻频道《陕西新闻》版块的一些热点新闻、连续报道、系列报道等引起网友广泛关注，发表评论、留言者众多。新浪、搜狐、腾讯等大型商业网站及全国、省内许多网络媒体时常转载金号网的"陕西新闻"，与金号网相互链接的"联盟中国"每天都转载金号网的多条陕西新闻。通过这些渠道，金号"陕西新闻"日益受到关注，成为网站的一大亮点；所做新闻专题诸如每年的全国"两会"，中共十七大，第九、十、十一届"西洽会"，第十、十一、十二、十三届"农高会"，《科学发展，辉煌五年》(第十一次省党代会)，《党旗飘飘》(建党85周年)，《伟大的长征精神永存》(纪念长征胜利70周年）等。以2007十七大宣传专题为例：专题由十大栏目、一个当日焦点新闻图片区和三个静态页面组成。栏目包括"动态消息"、"理论阐述"、"蓬勃三秦"、"代表风采"、"书记访谈"、"村官论坛"、"中国希望"、"红色人生"以及"图片"、"视频"等。这些栏目立足本土现状，紧扣十七大主题，突出宣传陕西，彰显时代精神。大量的文字、图片和视音频报道使整个宣传呈现出丰富多彩、特色鲜明和全方位、立体化的特点。

二、网络互动大显身手

交互性强是网络传播的一大优势。金号网从2004年秋投入运行以来，以bbs论坛、聊天室、投票系统以及网友评论留言、大型活动主题调查等网络互动形式，提升访问量，扩大影响力。

论坛是金号网互动交流的主要阵地之一。在十多个板块的坛子里，许多广播主持人通发布节目信息、活动图片及音、视频文件，回复网友投诉，解答网友提出的疑难问题，这些一对一或一对多的互动交流，有的单贴浏览量创造了16000多次的纪录。据统计，金号网论坛目前已有会员17.7万人，最高日发帖量3379篇；在省电台一年一度的"听评月"活动中，专题网站和论坛的访问量超过80万人次。以2006年的听评月为例，网友在论坛中发表的有关本次"听评月"活动的主题帖文超过320篇，回复内容超过1300条；2007年，有17万人次参与了"听评月""十佳节目"、"十佳主持人播音员"和"十佳编辑记者"的投票，投票总数超过240万张。

2006年三月起，金号新闻频道增加了评论功能。网友在浏览新闻之后，可以将自己阅读某篇新闻之后的感受或新闻线索写在网上，与大家进行互动交流，很多网友积极参与其中，对一些热点新闻展开热烈讨论，目前已累计发布网民评论、留言2000多条。

另外，在省内许多大型活动中，金号网还集合广播、电视等传统媒体的功能优势，并联合其他网络媒体，使重大活动的新闻宣传以强大的交叉互动性产生出独特的吸引力和感染力。

三、视（音）频传播彰显特色

全面使用最先进的网络视频技术，使陕西电台这个有着近60年光辉历史的广播传媒，以多角度、多层次、大跨度、大容量地通过视觉传媒走进了千家万户，并将陕西广播的新媒体形象远播四方。

2007年是金号网重点发展视频节目。《秦风热线》"和谐论坛"、"财富新搭档"、"主持人贺岁"、"雪碧我型我秀"及明星访谈等节目的网上视频直播，使广播只闻其声、不见其人的缺憾得以弥补。网络将广播做成了电视，声音得以用图像展示。尤其是"首届广播主持新人秀"选拔大赛，从海选、晋级赛到决赛，从展示陕西广播雄厚实力的宣传专题片到8位播音主持专家的"名师讲堂"视频教学，从开始的单机位直播到后来的多机位直播，54集、长达2000多分钟的视频直播，不仅为金号网赢得了满堂喝彩，更为陕西电台传统广播的腾飞插上了视频新媒体的翅膀。

伴随着网络视频的滚滚热浪，金号网2007年全力打造的拥有陕西电台获奖广播作品、小说连播、评书连播、戏曲、广播剧、音乐专辑、散文诗歌朗诵等大量音频资料的"金号听吧"，于12月6日正式上线。这个荟萃省电台近60年广播节目精品内容、总计9个栏目、14个板块、1280部（集）的音频频道一上线，就吸引了大批网民，关注度一直保持前列，点击率占全站３０％以上，并呈增长态势。

（苏娅）

6.受众调查

Audience Survey

6. 受众调查

责任编辑 邱兰君
审稿人 张 聪

广播类

2007年中央人民广播电台听众调查综述

2007年，中央人民广播电台的听众调查工作延续2006年“以无主调查数据为主，以重点城市为主，以动态反映收听率变化为主” 的总体思路，主要购买了央视－索福瑞媒介研究有限公司的“2007全国5城市广播收听率调查”。

一、调查说明

“2007全国5城市广播收听率调查”是央视－索福瑞媒介研究有限公司于2007年全年在北京、上海、武汉、成都、深圳五个城市进行的无委托广播收听率调查。该项调查在每个城市根据基础调查（采用PPS抽样）的结果建立收听率调查固定样组，抽取300户约900个样本。调查覆盖所调查城市的所有非农人口比例大于45%的市辖区的10岁及以上常住人口，采用入户访问方法并留置日记表于受访者，受访者连续填写3～4周。具体的调查时间为：北京和深圳的调查时间为2007年1月1日～12月31日；成都全年调查4次：分别是2月25日～3月17日、5月27日～6月16日、8月26日～9月15日、11月4日～11月24日；武汉和上海全年调查3次，分别是3月25日～4月21日、7月1日～7月28日、10月14日～11月10日。

二、北京地区收听情况

1.北京市区十岁以上的578.2万广播人口中，每天都听广播占65.44%，有378.4万人，广播的收听率为6.56%，约37.9万人，人均每天收听94分钟。北京市听众收听广播的各项指标中除平均忠实度比上年同期略有上升外，其他各指标均有不同程度下降。从全年52周的收听率、平均到达率曲线看，除春节、“五一”和“十一”这三个黄金周的收听率、平均到达率有明显下降外，其他各周的收听率和平均到达率均稳定在6.5%和65%左右。

2.中央电台5个频率占北京地区可收听到的17个无线广播频率中24.91%的市场份额。其中中国之声的市场份额为8.17%，排第3名；经济之声收听率比上年上升了22.22%，市场份额上升到5.07%，排在第7位；音乐之声的市场份额为3.88%，排名第8；文艺之声的收听率比2006年有明显上升，上升了27.59%，市场份额上升到5.58%，市场排名上升到第6名；都市之声的收听率和市场份额比2006年有明显上升，上升幅度分别为16.67%和32.23%，市场排名为第12名。

3.在北京，中国之声全天的收听率在早晨6:00～9:00为最高，在中午12:00、傍晚18:00及晚上20:30有三个次高峰。但清晨6:30前的收听市场份额最高，均超过20%。经济之声上午6:00～11:00为全天的最高峰，收听率超过0.5%，其中9:00～10:00则接近1%，晚上20:00～22:30出现一个次高峰，收听率超过0.4%。音乐之声在上午6:30～11:00、12:00～13:00和20:00～22:00有三个收听率较高的时段。文艺之声白天的收听率比较稳定，特别是上午6:00～13:00长达7小时均稳定在0.6%左右、18:00～19:00有一个超过0.8%的高峰、14:30有一个收听率超过0.6%的小高峰。都市之声全天出现两个高峰，分别在6:30～10:00和18:30～21:00。

4. 在北京地区17个无线广播频率中，文艺之声听众的平均忠实度位列第2，为7.23；中国之声的平均忠实度为6.47，位列第5。

三、上海地区收听情况

1.2007年3波收听率调查中，上海市区十岁以上的748.1万广播人口中，每天都听广播的占71.87%，有537.6万人，广播的收听率为6.77%，约50.7万人，人均每天收听98分钟。2007年上海市听众收听广播的各项指标中除平均忠实度比上年同期略有上升外，其他各指标均有不同程度下降。从全年调查12周的收听率、平均到达率曲线看，27～30周略低，收听率为6.5%左右；平均到达率为70%左右；其他各周的收听率、平均到达率分别为7%、73%左右。

2.中央电台3个频率在上海地区18个无线广播频率约占4.36%的市场份额，中国之声的市场份额约为1.9%，排第11名。经济之声和音乐之声则分列第12、14名。

3.在上海，中国之声全天的收听率在早晨6:30～8:30为最高，在傍晚18:00有一个次高峰。经济之声在16:00～18:00、20:00～21:00有两个明显的高峰。音乐之声在10:30～12:30、16:00～19:00和21:00有三个明显的高峰。

四、成都地区收听情况

1.2007年4波收听率调查中，成都市区十岁以上的141.7万广播人口中，每天都听广播的占53.86%，有76.3万人，广播的收听率为4.72%，约6.7万人，人均每天收听68分钟。成都市听众收听广播的各项指标均比2006年同期有不同程度下降。从全年调查12周的收听率、平均到达率曲线看，36～37周最低、47周略低，其他各周收听率均稳定在5%左右。

2.四川广播电台(7个频率)在成都的市场份额为49.04%，成都电台（4个频率）为34.78%，中央电台即中国之声占据14.28%的市场份额，比2006年上升0.75个百分点。中国之声在14个无线广播频率中排名第2。在调查的4个波次、12周中，第3、4波次中国之声的市场份额上升明显，均超过15%，特别是在45周，市场份额高达18.18%。

3.在成都，中国之声全天的收听率在早晨6:00～9:00为最高，在中午12:00、傍晚18:00和晚上20:30有3个次高峰。但清晨4:00到早上8:00时段的市场份额最高，均超过30%。

4. 在成都地区14个无线广播频率中，中国之声听众的平均到达率为10.23%，仅次于成都新闻广播。平均忠实度排在第2名，为6.59。

中央人民广播电台记者深入藏区采访新农村建设情况

五、武汉地区收听情况

1. 2007年3波收听率调查中，武汉市区十岁以上的276.1万广播人口中，每天都听广播的占50.05%，有133.7万人，广播的收听率为3.8%，约10.1万人，人均每天收听55分钟。2007年武汉市听众收听广播的各项指标均比2006年有不同程度的上升。在全年调查的12周中，收听率和平均到达率在第1波的14周和第2波的27～28周略高于其他各周。

2.中央电台2个频率占武汉地区可收听到的16个无线广播频率中23.22%的市场份额，比2006年增长1.46个百分点。在武汉市可收听到的16个广播频率中，中国之声位居第1名，占17.32%的市场份额；经济之声的收听率和市场份额均比2006年有明显增长，分别增长了46.67%和35.63%，市场排名为第8名，上升3个名次。

3. 在武汉，中国之声全天的收听率在早晨6:00～9:00为最高，并且在6:45有高达5%的收听率，中午11:30～13:00、傍晚17:30～19:00还有两个超过1%的次高峰。经济之声6:30～10:00为全天的最高峰，特别是在7:30到达1%，在10:00～12:00、19:00～21:00出现2个小高峰。

4.在武汉地区16个无线广播频率中，中国之声听众的平均到达率和平均忠实度均为第1，分别为11.97%和5.49；经济之声也有较高的平均忠实度，为5.84。

六、深圳地区收听情况

1.2007年全年的收听率调查中，深圳市区十岁以上的303.2万广播人口中，每天都听广播占53.37%，有162.4万人，广播的收听率为5%，约15.2万人，人均每天收听72分钟。2007年深圳市听众收听广播的各项指标较之2006年的3波调查数据，除平均到达人数有明显上升外，其他指标均有不同程度的下降。从全年52周的收听率、平均到达率曲线看，除春节、“十一”两个黄金周的收听率、平均到达率有明显下降外，其他各周的收听率和平均到达率均稳定在5%和53%左右。

2.中央电台4频率占深圳地区可收听到的26个无线广播频率中15.13%的市场份额。其中，中国之声位居第5名，占4.55%的市场份额；音乐之声排第7名，有3.3%左右的市场份额；华夏之声双语频率则位居第9，有2.7%左右的市场份额；华夏之声普通话频率占有2.66%的市场份额，占据了第10的位置；经济之声、文艺之声、都市之声、民族之声等虽没有在深圳落地，但通过网络收听等途径，也占有一定的市场份额。

3.在深圳，中国之声全天的收听率为多峰型，即在早晨6:30～11:00有1个收听高峰，下午14:30、18:30、20:30各有3个收听小高峰；音乐之声则在8:00～10:30、20:00～22:00有2个高峰；华夏之声普通话频率、华夏之声双语频率都是多峰型，全天都有3个及以上的收听高峰。

4.在深圳地区26个无线广播频率中，中国之声听众的平均到达率位居第5，为4.05%；音乐之声、华夏之声普通话频率、华夏之声双语频率的平均到达率分别排在第7、8、9位。中央电台在深圳的4个频率均拥有较高的忠实度。

数据来源：央视－索福瑞媒介有限公司　　（施莉）

2007年中央人民广播电台受众信息反馈综述

2007年，中央人民广播电台共收到各类听众信息反馈10117650件／个。其中手机短信9773032件，约占96.6%；电子邮件等165170件，约占1.6%；电话、传真、信件、稿件等179448个／件，约占1.8%。

一、重大宣传报道，尽展广播风采

1.两会报道锐意创新，精益求精。听众认为，中央电台两会报道统筹规划，各频率注重围绕群众普遍关心的问题，从细微处入手，贴近实际，选题角度新颖，对重大题材的论述与解析深刻、全面，有高度、有深度，充分发挥广播优势，显示出国家电台的权威影响力。直播规模大，效果好，并首次直播人大代表小组审议，实现两会直播历史性突破。新闻节目和《两会专题》报道既有及时快捷的最新动态，又有深度挖掘的阐述分析；既有高层的言论、政策，又有百姓的呼声、反映；既关注解决大众的切身利益问题，又传递了国家的惠民政策。

2.十七大报道彰显国家电台风范。听众称赞中央电台的报道“隆重大气，形式活泼，气氛热烈，精彩纷呈”，体现了大会团结奋进、昂扬向上、开拓进取、民主开放的精神风貌。主要特点：一是会前营造了喜庆热烈氛围，鼓舞人心。二是现场直播音质清晰，内容介绍翔实。三是会中程序性报道做到“滴水不漏”，庄重大气。四是《十七大专题》等专栏性报道，从不同侧面解读十七大报告，反映代表、群众的心声，各具特色。五是台网互动，使广播、互联网迅速快捷的优势得以充分发挥。六是《新闻和报纸摘要》《全国新闻联播》延长节目播出时间，效果好。七是小记者首次亮相党代会，令人耳目一新。八是会后有关各地贯彻落实十七大精神、反映基层百姓心声的报道，特色鲜明，立意超前，是贯彻落实十七大精神的深层思考，有指导性。

3.香港回归十周年报道生动诠释“一国两制”。中央电台各个频率都开设节目或栏目，从不同角度，集中报道香港回归十年来的变化，赢得社会各界好评。听众认为，这些变化的展示，是对“一国两制”、“港人治港，高度自治”伟大构想最好的诠释，是对香港明天的最好祝福。回归十周年庆典活动等三场现场直播气势磅礴，围绕“一国两制，成功实践”这一主题，充分体现了港人爱祖国、爱香港的真挚情怀和迎奥运、庆回归的喜悦之情，讴歌了“港人治港、安定团结、繁荣昌盛、稳定发展”的可喜局面。

4.建军80周年报道全面展示人民军队的风采。中央电台多个节目开设专栏、制作专题节目，以丰富多彩的内容和形式，从不同角度展示了我国各军兵种将士的风采以及他们的成长历程，讴歌了我军80年来发生的巨大变化，颂扬了当代军人的使命感和敬业精神。听众反映，报道把我人民军队忠于党、忠于祖国、忠于人民、听党指挥、服务人民、战无不胜的红军精神展现得淋漓尽致。直播的《八一军旗红》文艺晚会和“庆祝建军80周年暨全军英雄模范代表大会”大气浑厚，解说精辟，声音清晰，衔接流畅，令人享受到现场祥和的氛围。

5.内蒙古自治区成立60周年报道，是对《民族区域自治法》最好的解读。8月8日，中国之声等频率和中广网同步直播了内蒙古自治区成立60周年庆祝大会。听众称赞这是一次展示在党的民族区域自治政策下，内蒙古60年创新、发展、巨变的大会。另外，《庆祝内蒙古自治区成立60周年》专题，《新闻和报纸摘要》播出的《内蒙古辉煌60年》，《人物春秋》播出的10集系列报道《草原之子》，以及蒙语部与人民网合作的共产党新闻网蒙文版等，都有利地配合了中央电台的整体宣传，为蒙族听众提供了更多的信息，进一步扩大了中央电台蒙语节目的影响力，受到听众欢迎。

6.《嫦娥奔月》激荡人心。10月24日，中国之声的专题节目《嫦娥奔月》，记载了“嫦娥一号”绕月探测卫星发射升空的全过程，听众说，记者现场精彩的讲解，与全国人民共同见证“嫦娥一号”的飞天，分享激动喜悦的时刻，中央电台各路记者不断发回有关火箭最新状态的报道，让守候在收音机前听众的心，跟随“嫦娥一号”遨游太空。12月12日，中央电台3个频率、中国广播网对“庆祝我国首次月球探测工程圆满成功大会”进行了直播。听众说，我国嫦娥奔月的千年梦想在改革开放的今天得以实现，令听众“激动的心情难以言表”。

二、重点宣传报道，再现广播魅力

1.《直辖十年看重庆》以小见大，内涵丰富。中央电台3月21至24日在《新闻和报纸摘要》中播出4集系列报道，选取生动事例再现了直辖十年中重庆市在移民安置、解决就业、发展民营企业等方面所做的大量工作。听众认为，报道深入浅出，从民生入手，充分发掘素材，用生动感人的事例，展现重庆的发展全貌，深刻揭示出改革创新的内涵。

2.节能减排报道转变了人们的传统观念。中央电台《新闻和报纸摘要》、《全国新闻联播》连续播发了一批节能减排的报道，既报道了各地有关部门和企业在“节能减排，科学发展”方面取得的典型经验，也对出现的违法事件进行了曝光。听众认为，报道对增强人们的环保意识，改变思维方法，引导全社会走节能环保的道路，都有极大促进作用。

3.《春耕第一线》、《三夏2007》栏目充分体现了政府对农民的关心。中央电台记者深入生产第一线，了解农民的需求，紧紧围绕生产中存在的问题、困难，邀请专家作答，为农民朋友解疑释惑，指导农民科学种田。听众感言：中央电台的报道角度新颖、说服力强，犹如一曲曲高亢的劳动号子，豪迈又耐听。

4.《穿越三北风沙源》、《2007中国海洋纪实》传达出人与自然和谐相处的主题。系列报道《穿越三北风沙源》从4月初在《新闻和报纸摘要》中播出后，引起各界关注。节目对我国在防沙治沙方面取得的经验、成就及存在的问题进行了报道和评述。系列报道《2007中国海洋纪实》，把我国依托海洋资源，开发、利用、治理海洋，造福人类的现状展现在听众面前。听众称赞这两组报道既是对保护自然生态知识的普及，也是提高全民生态保护意识的好教材，显示出新闻工作者的使命感和社会责任感。

5.加大打击网络淫秽色情报道的力度。中央电台重点新闻节目和中国广播网的《各地学生纷纷表示：从自身做起，自觉抵制网络色情》《打击网络犯罪扫黄在行动》《为青少年创造一个绿色网络环境》等节目和文章刊播后，受到听众网友的关注。听众反映，这些主题鲜明、用事实和数据说话、落脚点好的报道，起到了净化网络环境、维护社会主义精神文明、打击网络色情淫秽犯罪的积极作用。

6.井冈精神的弘扬和再唱红歌会，让人重温感人的瞬间。中国之声、都市之声纪念井冈山革命根据地创建80周年的90分钟特别直播节目气势宏大，记者从各地发回的报道，让听众“获取了更多革命圣地的知识和信息，加深了人们对今天幸福生活的珍惜”。中国之声播出的井冈山红歌会的实况录音，弘扬了革命精神，“唱出了听众的心声”，听到红歌，“仿佛又把人们带回到那个红色的革命年代，激发了人们的爱国之情”。

7.《五年新跨越 法治促和谐》、《和谐记忆》视角广、立意新。中国之声《法治中国》推出10集系列报道，分别从五年立法成就、反腐败工作、平安中国建设等方面突出展示我国十六大以来法制进程实现的跨越。2007年终专稿《和谐记忆》涉及了2007年我国国民经济增长和民生改善的诸多方面，听众反映，在看到我国法制建设取得的辉煌成就和政府加大宏观调控力度的同时，也看到我党反腐败和努力控制物价、改善人民生活的坚定决心，“这样以理服人、以事实说话的报道，我们乐意接受”。

三、黄金周报道，为节日营造了欢乐、祥和的氛围

春节、“五一”、“十一”黄金周，中央电台各套各类节目坚持正确舆论导向、坚持以正面宣传为主、坚持宣传大好形势，突出了欢乐、喜庆、和谐的主题，取得了较好的宣传效果，赢得了听众的称赞。

1.新闻性节目策划精心，内容生动翔实。三个黄金周期间，中央电台《全国新闻联播》、《新闻和报纸摘要》分别报道了胡锦涛等国家领导人到各地考察，看望群众的消息；《朝阳报告》、《记者亲历》时效性强、选题有特色、信息量大、可听性强，受到听众欢迎。听众说，中央电台很好地记录了党和政府不忘老区人民、心系困难群众的生动场景，展现了党和国家领导人亲民、爱民的形象，令人感受到“春天般的温暖”。

2.文艺性节目百花齐放，内容新颖多彩。春节文艺大联播《欢乐中国》首次与上海、辽宁、山东等13家电台联合制作了丰富多彩、特色鲜明的春节文艺节目。春晚《和谐中国年》创纪录地达到15个小时。春节文艺大联播连续7天每天安排3个小时的《浓浓故乡情》直播互动节目。“五一”黄金周的《欢乐中国》每天分三档播出《歌在五月》、《笑在五月》、《爱在五月》，各具风味，令人陶醉。“十一”黄金周的《喜迎党的十七大系列直播节目——十月颂歌》，《中国音乐地图》，“五个一工程”获奖歌曲、广播剧展播，广播情景喜剧《好运北京》等节目，用创新的编排形式和优美动人的歌声，表达了全国各族人民对党和祖国的热爱和对幸福生活的憧憬。听众说，中央电台的节目百花齐放，从不同角度给听众带来听觉享受，让人们再次领略广播的魅力、声音的魅力。

四、典型人物报道，唱响时代主旋律

中央电台在重要新闻节目中开设的《劳动者之歌》、《时代先锋》、《全国道德模范候选人事迹展播》、《道德楷模文明风尚》等栏目，以思想内涵深刻的主题，亲切平实的风格，赢得了听众的好评。听众说，从报道中，我们认识了无私奉献的庄仕华、用真情呼唤植物人丈夫的罗映珍，看到了优秀共产党员邓平寿的壮丽人生、著名杂交水稻专家袁隆平的精神境界，了解了来自基层的308位全国道德模范候选人的事迹。他们的事迹，闪烁着伟大的光芒，感召和潜移默化地影响着群众。配发的评论《忠诚于伟大的时代和事业》、《大德无碑》、《再说袁隆平》、《无愧于英雄辈出的时代》等，饱含深情、精彩生动，在对人物的无私奉献精神、人格给予高度概括和肯定的同时，把人物爱党、爱国、爱民、爱科学的朴素情怀点评得淋漓尽致。

五、紧跟社会发展步伐，不断调整改造节目，赢得听众称赞

新年伊始，中国之声推出《早知天下》，大容量、快节奏集纳国内外新闻；11月27日推出全新栏目《全球华语广播网》，《全国新闻联播》恢复直播；12月24日，中国之声实现24小时不间断播出。听众把中国之声的节目改革誉为“体现党和人民意愿，是解放思想、与时俱进的产物，是贯彻落实党的十七大精神，秉承‘三贴近’，推进广播宣传工作向纵深发展的具体行动”。

六、关注奥运，关注体育赛事，营造全民参与奥运的和谐氛围

在2008北京奥运会倒计时500天、一周年之际，中央电台的节目《期待2008》和直播“北京2008年奥运会倒计时一周年”庆祝活动，以及在中国之声10个半小时特别直播节目《和谐神州奥运来》中揭晓的“加油奥运，助威中国”——2008北京奥运会“拉拉队”十大加油助威口号和获奖名单，都大大激发了听众参与奥运的热情。听众认为，节目突出了全球性、全民性大合作的理念，反映出中国人民、全球华人参与奥运的热情，体现了国家电台风范。《谁点燃我心中的圣火，广播为我们架起桥梁》全国广播听众奥运火炬手公开选拔赛在10月份拉开帷幕，听众参与热情高，反响热烈。听众说，中央电台举办的活动，表达了全国广大听众梦想成为2008年北京奥运会火炬手的愿望和心情，充分展示了人们对奥运会的热情和各自的风采，直播气氛热烈，节目精彩。

中央电台对第七届全国残运会、2007年世界乒乓球单项锦标赛、2007年世界夏季特殊奥林匹克运动会等赛事的报道，在发挥广播优势、及时生动准确报道赛事的同时，注重弘扬运动员的拼搏精神，捕捉志愿者的爱心，展示出国家电台的高水平。

七、频率开播日纪念活动，形式各异，重点突出

作为庆祝经济之声开播5周年的系列活动之一、历时半年的“寻找最有魅力的声音”，开创了中央电台历史上以“声音”为评选内容的全国性选拔活动的先例。听众说，为喜爱播音的普通百姓搭建展示语言艺术的平台，对弘扬民族语言文化、提高语言艺术都有推动作用。音乐之声开播5周年举办的“2007我要上学”公益活动，受到社会各界广泛赞誉，大家称赞音乐之声为让更多急需援助的“留守儿童”能够早日步入正常的学习环境、受到良好的教育，奉献爱心，是以人为本、建设和谐社会的重要举措，也表现了新闻媒体强烈的社会责任感。8月份，文艺之声举行了开播三周年庆祝活动，听众反映，三年来一批批优秀节目在为听众带来高雅艺术享受的同时，也带给人们以人生的启迪。

（韩兰兰）

中国国际广播电台2007年听众来信综述

2007年，中国国际广播电台紧密配合对外宣传开展听众工作，树立“大听联”的工作理念，采取加强节目策划及与听众的互动，开展海外听众俱乐部、对象国听众以及世界主要国际广播电台听众工作的调研等一系列有效措施，积极强化听众工作，取得了良好成效。听众工作质量全面提升，听众来信达2602640封，再创历史新高。

一、2007年听众来信特点

1.听众来信数量继续稳步上升。比上年增长7.8%。

2.听众来信质量有所提高。点评节目、品评广播、评论时事、提出建议等对提高和改进节目有参考价值的听众来信，比上年增长了30%以上。尤其是对中国发生的重大事件报道（“两会”、香港回归十周年、中国共产党十七大、“嫦娥一号”卫星成功绕月飞行等）的听众反馈，比往年大幅增加。

3.听众电子信件增加显著。比上年增长39.1%。其中增长超过50%的语言部有：缅甸语11倍、豪萨语10.35倍、尼泊尔语4.61倍、华语2.38倍、捷克语1.93倍、斯瓦希里语1.55倍、乌尔都语1.48倍、僧伽罗语1.39倍、塞尔维亚语1.24倍、泰米尔语1.23倍；罗马尼亚语77.9%、老挝语74.7%、阿尔巴尼亚语70.7%、保加利亚语64.9%、蒙古语54.0%、印地语51.1%。

4.海外整调频落地节目使听众分布更加广泛。主流社会听众增加，一些未有来信或来信较少的国家和地区听众来信呈上升趋势。

5.年轻听众的来信数量逐渐增多。改变了以往以中老年短波爱好者为主的局面，使来信人群的年龄结构呈现多样化特点。

2007年7月4日，全国政协副主席周铁农向国际台国外获奖听众颁奖

二、2007年听众工作经验

1.加强策划，改进和创新节目，增加与听众的互动，吸引听众参与节目。

在"两会"、香港回归十周年、中国共产党十七大、"嫦娥一号"卫星成功绕月飞行等重大宣传报道中，各语言广播通过无线、在线和海外落地节目全方位、多层次地进行报道，同时注重与受众的互动，获得显著效果。

十七大报道期间，华语中心在无线和海外落地广播中推出大型系列节目《香港十年》，成功组织了大型网上互动活动，共收到网民电子邮件1万多封。华语广播网"迎接党的十七大专题报道有针对性地设计网上答卷，组织了《迎接党的十七大网上有奖知识竞赛》和《我向中国共产党提建议》大型网上知识竞赛和网络互动活动，有4000多网民参加了有奖知识竞赛，留言3000多条。美国华人听众张冬梅说："希望通过党的十七大的召开，把中国建设得国富民强，进一步提高中国人在国际舞台的良好形象。"

俄东中心重视节目策划，提高节目质量，吸引了更多的听众。2007年，俄东中心听众来信17665封，比2006年增长了32.5%，其中电子信件占总数的63.4%，比2006年增长了48.5%。为配合"两会"宣传，俄东中心组织策划、采访，所属8个语言部集体参与制作了"两会"特别节目——系列专题节目《永乐小区的故事》，内容以小见大，故事性和贴近性强，深受听众的欢迎。塞尔维亚听众玛尔科维奇说："我惊喜地发现今年的'两会'报道同往年大不相同。你们制作的'两会'特别节目《永乐小区的故事》，让听众很容易就能了解到中国的民生民情，进而了解到中国内部的发展和进步，并且对以前不理解的政策条文有了新的认识。"

乌尔都语部大胆尝试新模式，做好与听众互动的"相聚CRI"栏目。节目改变以往的主持人念稿方式，采用聊应景话题、对听众来信夹叙夹议以及电话连线等方式，使节目更加生动、鲜活，让听众听起来更加亲切，提高了听众参与节目的积极性，"相聚CRI"成为听众最喜爱的栏目之一。

在"两会"、十七大期间，泰米尔语部开设专栏，全面进行报道，吸引了众多听众，网页点击率比平时增加了数倍。他们还发来邮件畅谈感想，表示通过专栏了解到很多信息，对中国的民生问题、党内民主以及中国特色社会主义等问题有了更深入的理解。

阿拉伯语部通过增设"我问你答"小栏目和知识竞赛等方式为传统节目"听众信箱"注入新鲜血液，增加互动、激发听众兴趣、扩大听众参与，吸引了不少听众。据统计，2007年阿拉伯语部听众来信达19400封，比上年增长了33%。

2.在线广播成为吸引年轻受众、拓展高层次受众的重要传播形式和渠道。

网络受众具有年轻化、知识化和高收入的特点，对社会舆论有较大影响力和传播力，是各国对外宣传争夺的目标受众。各语言部充分利用新媒体，大力发展在线业务，积极与受众进行网上互动，加强与受众的联系和互动，以吸引年轻新受众和高层次受众，网上受众激增，电子信件迅速增加。

2007年，国际台举办了"中日网络四季对话"活动，引起国内外网民、听众的广泛关注和热心参与。4次对话直播期间的网络访问、在线收听、参与人次累计超过了30万，其中境外访问者的比例超过了一半，产生了良好的外宣效果。网民对此给予了充分肯定，希望举办更多这样的活动，为日中两国民众提供直接交流、增进理解互信的平台。日本听众大井直行说："日中两国关系的未来，取决于年青一代相互理解和交往的程度。希望两国青年能有更多交往的机会。感谢贵台能够探讨对两国关系发展具有深远影响的话题。"

土耳其语部通过网络开展境外受众调查工作，了解受众需求，吸引了不少听众参与，掌握了大量客观、真实的第一手资料，为加强有针对性的宣传，更好地贴近受众、服务受众提供了重要的参考。据了解，受众对此次调查的参与度大大超过了土耳其本土机构类似调查的平均参与度。

3.加强听联工作的统一策划、管理、调控和指导。

俄东中心从机制和管理上入手，将听联工作纳入奖惩范围，制定激励机制，设立主要责任人，收效显著。在2007年的听联工作考核中，俄东中心所属各语言部排名大幅上升；同时，还成立中心编委会下属的听联攻关组，帮助语言部设计自办知识竞赛，根据听联考核结果提出建议，研究听众反馈，开展业务研讨，将分析结论用于促进无线广播和在线广播节目。

英语中心则尝试让节目主持人、制作人参与听众工作，与听众进行互动与交流，吸引了许多年青听众。年青听众来信数量逐渐增加，改变了以往以老年短波爱好者为来信主力人群的局面，来信人群的年龄结构和知识层呈现更加多样化的特点。

4.知识竞赛各具特色，效果显著。

2007年，国际台举办了"天下四川·熊猫故乡"全台性知识竞赛以及41次颇具特色的语言部自办知识竞赛。

"天下四川·熊猫故乡"知识竞赛与四川省合办，取得了显著效果。这次知识竞赛注重了软性选题，激发了海外听众浓厚的参赛兴趣，同时也调动了地方开展外宣的积极性，加强了国际台对外宣传和交流的桥梁作用，对外宣传形成合力。德国听众赫尔穆特·马特说："'天下四川·熊猫故乡'知识竞赛系列节目中关于四川自然风光与人文景观的引人入胜的介绍，对听众来说不仅仅是生动的纪实性节目，更是对于四川风土人情活灵活现且颇具诗意的描述。那片土地绚丽的风景和璀璨的文化已经通过电波、网络名扬海外……”

各语言部结合对象国及听众特点，有针对地举办了各类知识竞赛，激发听众参赛兴趣。如印地语部的“蓬勃发展的西藏”知识竞赛和保加利亚语部的“假如来到中国”知识竞赛等。

5.通过受众调研提高受众对国际台节目的关注程度。

由总编室听众工作处牵头，对海外听众俱乐部和世界主要国际广播电台听众工作进行了调研。同时，各语言部也大力推进听众调研工作，了解听众需求和心理，不断改进和创新节目，扩大国际台影响。据统计，参与听众调查的听众来信数量比上年同期增加50%以上，反映了听众对国际台节目的高度关注。

各语言部利用网络迅速、便捷的特点，开展网上受众调查，为网站改版服务。普什图语部针对受众主体为移居美国、英国、德国以及新西兰等西方发达国家的阿富汗年轻网民，2007年第一季度通过网络对受众进行调研和分析后，对网站进行了改版，推出新栏目，受到广泛好评。热点问题的调查，吸引了受众的关注和踊跃参与。据统计，2007年4月至6月，网页浏览量迅速上升至29万多，比第一季度增长67倍，而全年网页浏览量则达200多万，比上年增长了9.66倍。

对落地节目进行调研，加强节目针对性和贴近性，争取新受众。英语中心为了加强对澳大利亚珀斯调频落地节目的针对性和可听性，在开播前进行了详细的受众调研，开播后及时发放调查问卷，实时监控分析听众反馈，据此调整节目，专门针对珀斯制作的大型直播节目《脉动中国》，以贴近性取得了满意的效果，赢得了受众。

6.加强对听众俱乐部的管理，依靠俱乐部配合国际台的听众工作，扩大国际台影响。

总编室听众工作处加强对各语言部听众俱乐部工作的有效指导和管理，依靠听众俱乐部开展听众工作，俱乐部对此给予了积极配合，帮助国际台进行俱乐部的摸底调查工作。如乌尔都语部加强对听众俱乐部的管理、整合，积极鼓励并配合在当地有一定影响的听众俱乐部举行CRI乌尔都语广播推广活动，在知识竞赛活动中设立俱乐部组织奖等。这一系列措施有效地促进了听众俱乐部的发展，2007年新增、调整的乌尔都语听众俱乐部达94个。

7.积极配合汉语推广工作和孔子课堂的建设，通过学汉语节目吸引听众，推广中国文化。

2007年，各语言部积极配合台里的汉语推广工作和广播孔子课堂建设工作，在对象国开展调查，了解听众对学汉语的意见和需求，精心编制学汉语教材，改进节目，吸引了众多听众，尤其是年轻听众。目前，学汉语已成为一些听众收听国际台节目的主要动因。他们通过学汉语节目，了解了中国和中国文化。加拿大听众琳赛·佩特里克说：“我很喜欢CRI英语广播的汉语教学节目，它们可以帮助我练习在大学学习的汉语，更好地了解中国文化及其语言。”

总编室听众工作处在听联工作考核中特别增加了“汉语教学”项目，统计有关汉语教学节目的听众来信数量，以更好地配合汉语推广工作。同时，还在台内刊物《国外听众》中开设新栏目《汉语桥》，为各语言部提供交流制作汉语教学节目的经验和心得体会的窗口。

8.节目海外落地扩大覆盖范围，改善了收听效果，吸引了更多的听众。

2007年，国际台新增了8家海外调频广播，进一步丰富了境外落地模式，扩大了落地覆盖范围，大大地改善了收听效果，增加了受众群。例如，澳大利亚听众保罗·史密斯说：“我很高兴地发现，你们在珀斯新增了FM104.9调频广播。我的工作大部分时间都需要在车上，现在，我全天都能在车上收听CRI了。我觉得我拥有了世界上最美好的东西。”瓦努阿图听众拉利说：“从CRI在我们这里的调频台开播以来，我就一直收听你们的节目。你们的节目内容很丰富，使我更好地了解了中国。”

肯尼亚调频台开播近两年来，在斯瓦希里语听众中引起了强烈反响，有1/3以上的斯语听众来信都要求增设调频台；2007年斯语听众来信达9321封，比上年同期增长21.8%，新听众增加明显。老挝万象调频台开播以来，新听众急剧增加，其中包括老挝总理等高端听众，2007年11月的电子邮件比开播前增加了3倍，手机短信也增长了大约3倍，其中手机短信数量占每月来信的半数以上。

9.大型跨国联合采访活动取得成功，在听众中引起了广泛影响。

2007年，国际台自主策划组织了“中国－东盟合作之旅”、“中俄友谊之旅·中国行”、“西班牙年‘中国行’”和“西班牙行”等大型跨国联合采访活动，扩大了国际台在对象国家和地区的影响，引起了听众的广泛关注。俄罗斯听众柳德米拉·洛金诺娃说：“我一直在网上关注着‘中国行’的进程。中国是一个有着悠久历史的伟大国家。真羡慕‘中俄友谊之旅·中国行’的参与者们能亲身感受中国的伟大！从他们的报道中我了解到：他们经历着多么非同寻常的旅途，在这个历史悠久的国家，历史与现代怎样共存着。”越南听众阮氏江说：“真正走进对方的国土，才能有更深刻的了解。这次中国媒体亲自来到越南采访报道，拉近了越中两国乃至东盟各国的距离。”

10.加强对海外监听员工作的管理和指导，取得成效。

2007年，总编室听众工作处修订、出台了《国际台在境外听众中聘用监听员暂行办法》，加强对海外监听员工作的管理和指导。海外监听员不仅对节目内容和播出频率进行监听，而且密切关注国际台对重大事件的直播，发挥了积极作用。巴西监听员艾尔德密切关注对十七大和中国“嫦娥一号”卫星成功绕月飞行等重大宣传活动的直播，及时发来电子邮件阐述他对这些事件的看法和关心的焦点问题，为改进重大宣传报道提供了宝贵的建议。　（黄玉）

中国国际广播电台海外听众俱乐部调查报告

2007年，中国国际广播电台开展了历史上首次海外听众俱乐部调查。调查结果显示，目前，由听众自发组织起来，并与中国国际广播电台保持联系的听众俱乐部分布在亚洲、非洲、欧洲、美洲、大洋洲的54个国家，总数达3158个。

此次调查的目的是全面摸清海外听众俱乐部分布状况，进一步挖掘、整合和利用丰富的听众俱乐部资源，在此基础上选择条件成熟的听众俱乐部设立孔子课堂，更好地配合中国国际广播电台的汉语国际推广工作。

调查主要采取问卷调查方式，内容包括俱乐部的规模，俱乐部成员的年龄结构和文化程度，俱乐部的历史、现状及未来发展计划，听众收听中国国际广播电台学汉语节目情况，俱乐部所在国的汉语培训及居民学汉语情况以及与中国国际广播电台广播孔子课堂相关的一系列问题。

一、调查范围

在近一年的调查工作中，国际台华语、英语、日语、朝语、蒙语、尼泊尔语、印地语、乌尔都语、泰米尔语、僧伽罗语、孟加拉语、越南语、印尼语、土耳其语、普什图语、阿拉伯语、豪萨语、斯瓦希里语、俄语、塞尔维亚语、罗马尼亚语、阿尔巴尼亚语、保加利亚语、匈牙利语、波兰语、德语、法语、世界语、西班牙语、葡萄牙语等30个语言部向分布在亚洲、非洲、欧洲、美洲、大洋洲的50多个国家和地区的中国国际广播电台听众俱乐部发送了近5000份调查问卷。各听众俱乐部积极配合，认真完成问卷，斯里兰卡、印度等国的一些听众俱乐部还自行复印了许多问卷参与调查。

针对俱乐部目前的状况、未来的发展计划等问题，各听众俱乐部都一一详细作答。通过收听中国国际广播电台的广播了解中国、认识中国，增进俱乐部所在国家与中国的友谊是各俱乐部共同的心声。对通过收听广播学习汉语、成立广播孔子课堂，大部分听众俱乐部都表示出浓厚的兴趣，同时也充满了期待。

二、听众组织名称及宗旨

调查结果显示，目前由听众自发组织起来，并与中国国际广播电台保持联系的听众俱乐部分布在亚洲、非洲、欧洲、美洲、大洋洲的54个国家，总数达3158个。这些听众俱乐部的名称分别为中国国际广播电台"听众俱乐部"、"听众协会"、"听众之会"和"中国之友"、"中国之声"等，都以收听中国国际广播电台广播，了解中国，开展与中国的友好活动为宗旨。

三、听众俱乐部规模

国际台听众俱乐部规模大小不一，其中小的有十几人至几十人；中等的有两三百人至七八百人；大型的有一两千人至上万人。不少国家成立有全国性听众俱乐部，设有主席、会长、秘书长、理事等，定期或不定期举行全国代表大会或其他活动，影响较大。一些听众俱乐部还有活动场所和自己的出版物。听众俱乐部大都在政府注册。许多听众俱乐部的负责人与政府官员有联系，有的听众俱乐部聘请政府官员、社会名流担任名誉主席或顾问，有的听众俱乐部的活动经费还得到当地政府或商界的支持。

四、听众俱乐部组织活动

听众俱乐部成员都是中国国际广播电台的热心听众，对中国人民和国际台有着深厚的友情。他们积极认真收听国际台广播，经常向国际台提供收听广播效果和改进节目的建议和要求；他们举办报告会、庆祝会和展览会，向当地百姓介绍中国改革开放和现代化建设的情况；他们还配合国际台的重大报道组织一系列活动。

2005年5月，全斯听众协会在中国国际广播电台举行仪式，代表斯里兰卡名人以及广大听众郑重转交"支持中国北京举办2008年奥林匹克运动会斯里兰卡2008名名人签名"的签名条幅

2001年夏天，拥有数万名会员的斯里兰卡中国国际广播电台听众协会（以下简称"全斯听众协会"）组织了5万多人的签名活动，支持北京申办2008年奥运会，并把两大卷签名簿送交瑞士国际奥委会总部。在北京成功获得了2008年奥运会举办权后，全斯听众协会又于2004年在全斯里兰卡范围内启动了"支持中国北京举办2008年奥运会斯里兰卡2008名名人签名"活动。斯里兰卡西方省省督、南方省省督、媒体部长、文化部长和副部长、农业部长、著名政治家以及知名媒体人士踊跃参加，在签名条幅上签下自己的姓名，表达了对中国北京成功举办世界最好一届奥运会的美好祝愿和坚定信心。2005年5月，全斯听众协会在中国国际广播电台举行仪式，代表斯里兰卡的名人以及广大听众郑重转交了签名条幅。

五、组织听众参与知识竞赛活动

中国国际广播电台近年来多次举办知识竞赛，各国听众俱乐部也都积极响应，纷纷在自己的刊物上刊登竞赛题目、配合性文章，集体组织收听广播、收集资料和答题，并代收听众答卷统一寄到国际台。

2007年，在四川省人民政府和中国国际广播电台联合主办的"天下四川·熊猫故乡"知识竞赛活动中，印度、斯里兰卡、巴基斯坦、蒙古等国的听众俱乐部，组织听众集体参赛，采取开会讨论、集中印制答卷、举办展览、讲座等多种形式宣传四川、宣传此次知识竞赛，激发了广大听众参与知识竞赛活动的热情。

各国听众俱乐部还积极组织各种活动宣传中国国际广播电台。全印（度）中国国际广播电台泰米尔听众协会为推介国际台，别出心裁，在印度南部四城市组织了听众轮滑巡回赛。一路上，中国国际广播电台的旗帜始终飘扬在轮滑队伍的前方，吸引了很多人观看。

遍布世界各地的中国国际广播电台的听众俱乐部是中国国际广播电台的重要资源，也是办好对外广播、扩大听众队伍、增进与听众相互了解和友谊的助手，是中国人民与各国人民联系的纽带。

（汪华）

2007年度北京地区广播市场收听情况

根据央视－索福瑞提供的数据，对2007年度北京地区广播市场收听情况作了如下分析研究：

一、基本收听数据

2007年，北京广播市场整体收听率比2006年下降6.9%。这一年，北京地区平均每天有378万人收听广播，比2006年的收听规模缩小了40万人，下降幅度达9.6%。同时，听众收听市场没有明显提升，2007年听众人均收听分钟数仅比上年增长了3.2分钟，达到了144.3分钟。听众规模的缩小是造成收听率下降的主要原因。

二、月度市场变化

2月份为全年收听率最低，之后呈上升趋势，6～9月的收听率均保持在较高水平，12月份达到全年收听率的最高峰。

表1 北京人民广播电台各频率在北京地区收视情况（十岁以上观众）

份额排名		北京人民广播电台各频率	市场份额%		
2007年	2006年		2007年全年	2006年全年	差值
1	1	北京人民广播电台－交通广播FM103.9	27.312	26.289	1.023
2	2	北京人民广播电台－文艺广播FM87.6	15.943	14.845	1.098
3	3	中央人民广播电台一套中国之声	8.178	10.962	-2.784
4	4	北京人民广播电台－新闻广播FM100.6/AM828	8.125	10.601	-2.476
5	5	北京人民广播电台－音乐广播FM97.4	6.897	8.722	-1.825
6	7	中央人民广播电台第九套文艺之声	5.584	4.107	1.477
7	8	中央人民广播电台第二套经济之声	5.069	3.865	1.204
8	6	中央人民广播电台第三套音乐之声	3.887	5.638	-1.751
9	10	北京广播电台－体育广播奥运之声FM102.5/AM927	3.516	2.979	0.537
10	9	北京人民广播电台首都生活广播AM603	2.663	3.150	-0.487
11	12	北京广播电台城市服务管理广播FM107.3/AM1026	2.459	1.571	0.888
12	11	中央人民广播电台第四套都市之声	2.204	1.663	0.541
13	13	中国国际广播电台FM91.5	2.048	1.529	0.519
14	14	中国国际广播电台FM88.7	0.956	0.788	0.168
15	15	中国国际广播电台环球资讯广播FM90.5	0.495	0.490	0.005
16	16	北京人民广播电台外语广播AM774	0.219	0.402	-0.183
17	17	中国国际广播电台奥运广播AM900	0.137	0.127	0.010

三、基本收听规律

2007年北京广播市场听众的收听仍然呈现早晚高峰的规律。在家收听仍然是最主要的收听地点，车上收听的规律和整体收听规律基本一致。

四、听众特征

2007年，北京广播市场上男性听众明显多于女性听众。从总体来看，40岁以上的中老年仍然比例较高。20～30岁的青年听众比例继续保持第二位，30～40岁的比例有所增加，60岁以上的听众比例有所下降。

听众中受过初中、高中教育的人居多，这里的“高中”包括高中、中专、技校等教育。其中受过高中教育的听众比例明显增加。

从听众的职业来看，退休人员比例最高。但工人、公务员白领等规律的上班族是广播的又一大听众群体，且这两类听众所占的比例有所上升。

五、广播市场竞争格局

北京广播市场中，北京电台和中央电台是市场上竞争的主要的两个台。北京电台2007年市场份额达到了67.4%，其他各项指标都列居榜首。中央电台市场份额为24.9%。中国国际广播电台市场份额达到3.6%。剩下的份额则被周边的河北、廊坊等电台瓜分

从市场份额的变化来看，交通广播在2007年依然表现很好，呈现一贯的增长趋势，市场份额继续保持第一位的位置。排名第2的文艺广播同样保持好的发展势头，市场份额继续稳步提升。中国之声和新闻广播的份额在2007年都有所下降。2006年排名第7和第8的文艺之声、经济之声在2007年分别上涨了1个名次。而音乐之声的份额排名则在2007年下滑两位。另外中国国际广播电台的3个频率市场份额都有所增长。整个市场竞争越来越激烈。

（北京人民广播电台）

2007年安徽广播电视受众调查报告

一、安徽人民广播电台收听率调查报告

2007年，安徽人民广播电台委托赛立信媒介研究公司在安徽地区进行了广播收听状况的调查。

调查结果显示：安徽地区的广播接触率为65.0%，高于全国59.2%的平均水平，是安徽地区最为普及和最具影响力的媒体之一。安徽人民广播电台在安徽地区占据超过60%的市场份额，远远高于其他竞争电台，在全省拥有绝对的优势；各套系列频率的平均收听率和平均占有率在全省广播媒体中居前十位；大部分时段的收听率均在2.0%以上，远高于省内其他电台，其中早上7:00的收听率在5.0%以上，按照安徽省6300多万人口估算，该时段收听安徽人民广播电台的听众高达325万多人。

从城乡差异来看，安徽地区广播在城市的竞争比在农村更为激烈。在城市，安徽人民广播电台占据了50%以上的市场份额，而在农村所占市场份额超过60%。从区域分布来看，安徽人民广播电台在皖南地区的竞争力最强，占据了60%以上的市场份额，听众到达率、平均收听率以及市场平均占有率等指标均具有明显优势。在皖中地区，安

徽人民广播电台占据了60%的市场份额，处于相当稳定的领先状态。在这一地区，合肥人民广播电台虽然有较强的竞争力，但受覆盖范围的影响，与安徽人民广播电台相比还有较大差距。在皖北地区，安徽人民广播电台的竞争力相对较弱，但仍然占据了约55%的市场份额。该地区的阜阳人民广播电台与淮北人民广播电台影响力较低，所占市场份额仅有10%左右。安徽人民广播电台音乐广播、新闻综合广播、农村广播等频率分别占据了皖北地区广播市场前三名的位置，其中尤以农村广播和音乐广播的表现最佳。

二、安徽电视台收视率调查报告

根据AC尼尔森公司调查数据显示，2007年安徽卫视的平均客户满意度高出了竞争频道客户满意度总体水平的12%，全国客户满意度排名第1。安徽卫视全国总覆盖人口达到7.7亿，位居全国省级卫视第3名；全台1～6套节目在安徽省县以上城市100%入网。

另据央视－索福瑞2007年第2期《收视中国》公布的全国154个样本城市组数据显示，安徽卫视2007年度市场份额由2006年度的1.6%上升至1.9%，排名由第8位上升至包括央视频道在内的全国所有上星频道的第7位，稳居省级卫视收视亚军之位。

数据来源：赛立信媒介研究、AC尼尔森、央视－索福瑞媒介研究

（安徽省广播电影电视局）

山东人民广播电台听众调研报告

2007年9～10月份，山东人民广播电台委托赛立信媒介研究公司在山东省进行了一次广播听众调研，目的是通过这次调研了解山东电台系列频率在其覆盖范围内的收听情况和各频率节目的收听情况。

一、山东电台在各地区的收听情况综述

1. 山东电台本期在全省的市场份额与上期基本持平，仍然占据了全省广播市场1/3多的份额。再从各地区来看，本期山东电台在鲁西南和济南地区的市场份额最大，在这两个地区山东电台都能占据四成以上的市场份额。而山东电台市场份额最小的地区则是鲁南地区，在这个地区山东电台仅占据了1/4市场份额。与上期相比，山东电台在鲁西和鲁北地区的市场份额出现大幅提升。而在济南地区的市场份额则出现较大下降。

2. 从时段收听情况来看，基本上山东电台还是保持了每天在早上8：00前、中午12：00前后和晚上20：00～22：59三个收听高峰。对比上期数据，我们可以发现，山东电台在上午、下午和晚上较晚时段到深夜的整体收听情况有所上升。不过在早上、中午和傍晚的收听情况则略有下降。再从山东电台在各地区的时段收听情况来看，山东电台在济南地区的时段收听情况最好，而在鲁南地区则略差一些。

3. 从山东电台各频率的收听情况来看，新闻频道的综合收听率和综合占有率分别为0.35%和12.4%，较上期分别下降0.01%和1.7%。而在除济南外的各覆盖区域中，新闻频道在鲁北的收听情况最好，在鲁东和鲁南则略差一些，这一点与上期变化较大。经济频道财富传媒的综合收听率和综合占有率分别为0.08%和2.6%，较上期分别上升0.02%和0.4%。而在除济南外的各覆盖区域中，经济频道财富传媒在鲁东的收听情况最好，在鲁南则略差一些。

4. 文艺频道的综合收听率和综合占有率分别为0.16%和5.5%，与上期基本持平。而在除济南外的各覆盖区域中，文艺频道在鲁北的收听情况最好，在鲁南则略差一些。生活频道的综合收听率和综合占有率分别为0.13%和4.5%，较上期分别上升0.02%和0.5%。而在除济南外的各覆盖区域中，生活频道在鲁西的收听情况最好，在鲁东则略差一些，这一点与上期变化较大。交通频道的综合收听率和综合占有率分别为0.24%和8.5%，较上期分别上升0.07%和1.8%。而在除济南外的各覆盖区域中，交通频道在鲁西的收听情况最好，在鲁东则略差一些。

5. 乡村频道的综合收听率和综合占有率分别为0.08%和2.8%，较上期分别上升0.02%和0.5%。而在除济南外的各覆盖区域中，乡村频道在鲁西的收听情况最好，在鲁东则略差一些。音乐频道的综合收听率和综合占有率分别为0.20%和6.3%，较上期分别上升0.10%和2.5%。而在覆盖的鲁东地区，音乐频道的收听情况也出现大幅提高。

二、山东主要电台收听情况分析

1. 本期山东电台大部分频率的收听情况都有所上升，其中交通频道的升幅最大。音乐频道、乡村频道和经济频道财富传媒的收听情况也有所提高。而文艺频道和生活频道的收听情况则是基本持平。只有新闻频道的收听情况略有下降。

2. 本期在山东电台的七个频率中，有五个频率的平均收听率和平均占有率位居山东全部电台的前10名，较上期增加了一个。其中新闻频道、交通频道和文艺频道仍然垄断了前三位。比较有影响力的电台还有济南电台Music88.7、聊城电台交通频道和济南电台新闻频道等。

3. 总的来说，在所有电台中，各项指标整体表现最好的是山东电台，其次是济南电台。再次则是临沂电台、潍坊电台、青岛电台、聊城电台、烟台电台、济宁电台。与上半年相比，本次的山东广播市场有所变化，但对山东电台的影响不算太大。

三、山东地区每小时收听优势电台情况

9：00以前——新闻类电台的收听优势最大，其次是交通类电台。以山东电台新闻频道和山东电台交通频道的优势最大。

9：00～11：59——交通类电台的收听优势最大，其次是新闻类电台，再次是文艺类电台。其中竞争优势较大的电台有山东电台交通频道、山东电台新闻频道和山东电台文艺频道。

12：00～14：59——新闻类和交通类电台的收听优势最大，其次是文艺类电台。其中山东电台新闻频道和山东电台交通频道的竞争优势最大。

15：00～17：59——交通类电台的收听优势最大，其次是文艺类和音乐类电台。其中竞争优势较大的是山东电台交通频道，其次是山东电台文艺频道和济南电台Music88.7。

18：00～20：59——新闻类和交通类电台的收听优势最大，其中山东电台新闻频道和山东电台交通频道的优势最大。

21：00～23：59——新闻类电台优势极大，其次是交

通类电台。其中以山东电台新闻频道、济南电台新闻频道和山东电台交通频道的竞争优势最大。

数据来源：赛立信媒介研究公司

（山东人民广播电台总编室）

广东人民广播电台2007年度收听情况

2007年，央视－索福瑞和赛立信媒介研究公司分别在广州地区进行365天的固定样组日记式调查，听众群包括：家庭听众和驾车人士、外来打工者、在校大学生；赛立信媒介研究公司还每半年进行一次广东省20多个城市的广播听众调查，调研的城市包括广州、深圳、佛山、东莞、江门、珠海、惠州、韶关、汕头、梅州、湛江等，有效样本量达2500个。以下是根据央视－索福瑞和赛立信媒介研究公司对广东广播全年的收听调查数据的综合分析。

一、广东电台是广东广播竞争实力最强的电台

广东电台是广东省最具影响力的电台，收听率一直居全省首位。广东电台在全省拥有5500万听众，听众比例达75%，广东电台在广东省拥有相当丰富的听众资源。

在连续两年的全省广播听众调查中，广东电台各频率的累计平均收听率一直稳居全省第一，并且呈上升趋势。2007年11月广东电台的平均收听率是3.88%，与2006年同期相比，增幅达50%，更加稳固了广东电台在全省范围的竞争地位。

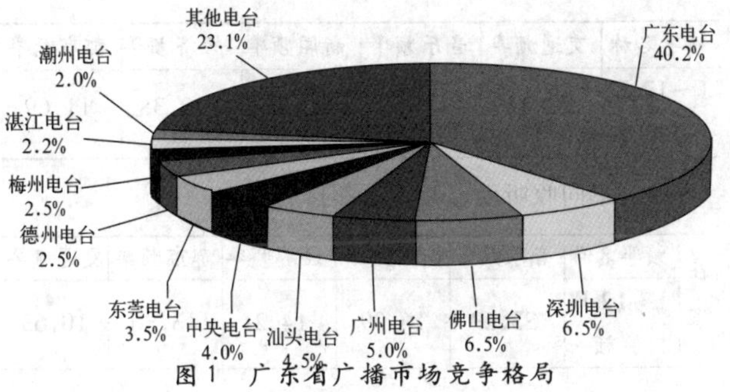

图1　广东省广播市场竞争格局

综合来看，广东电台在广东广播市场仍然占据霸主之位，而且连续多年，其竞争地位一直都相当牢固。其霸主之势主要表现在：1.广东电台在全省的听众比例75%，听众规模超过5500万；2.连续两年，广东电台的市场份额都接近40%，远远抛离了其他电台；3.广东电台是知名度最高的电台，在听众认知的频率当中，珠江经济台、音乐之声、交通之声等频率是知名度最高的频率；4.广东电台在珠江三角洲、粤西、粤北等地均占据了最大的市场份额。

二、广东电台在广州地区具明显的优势

广州是广东广播市场中竞争最为激烈的地区。在广州地区上空覆盖了近30个电台频率，除了广东电台和广州电台以外，还有中央电台和周边地方电台参与竞争。尽管如此，面对广州电台2006年全面改版后竞争实力上升的威胁、周边城市电台的虎视眈眈，2007年广东电台在广州广播市场中仍然占据着相当明显的优势，稳稳占据了超过2/3的市场，达到71%。此外，市场中的占有情况为：广州电台22.5%；佛山电台6.1%；中央电台5.9%。

广东电台有多个频率在广州地区保持了强劲实力。珠江经济台、音乐之声、交通之声全年的平均收听率和市场占有率稳居三甲之列。城市之声、南方生活广播均稳居收听率排名前十位。在2007年，受股票市场火热的影响，股市广播也跃升至前十位，在2007年12月，广东电台新闻频道也列入收听率前十位排行榜。可见，广东电台各系列台在2007年均有良好表现。

三、广东电台是广东知名度最高的电台

1．广东电台珠江经济台、音乐之声、交通之声是知名度最高的三个频率

据赛立信媒介调查公司在广州地区进行的电台频率知名度调查的结果显示，广东电台的珠江经济台、音乐之声和交通之声都是知名度排名最靠前的三个频率，此外，城市之声、南方生活广播和股市广播的知名度也在前十之列。可见广东电台的品牌影响力是相当大的。

2．广东电台多个系列频率都拥有较大的市场占有率

广东电台九个系列频率中，有六个频率的市场占有率均居广州广播市场的前十位，珠江经济台、音乐之声和交通之声更是位列三甲，拥有超过45%的市场占有率。可见，广东电台各系列频率都拥有不少听众。

3．听众对广东电台各系列频率有较高的评价

2007年6月赛立信媒介研究公司对广州地区听众满意度调查的数据显示，听众对广东电台各系列频率都给予了较高的评价，在七分制的评分中，广东电台各系列频率节目的综合满意度都超过5.5，有的接近6.0，说明听众对广东电台各系列频率的节目是相当满意的。

各系列频率能有这样的知名度，与广东电台一直致力于办“看得见的广播”、树立频率、节目的品牌是密不可分的。

四、在十七大的宣传中，广东电台起着举足轻重的作用

十七大是万众瞩目的盛事，聚焦了众多的眼球与耳朵，广东电台作为主流媒体，在十七大宣传的过程中起着举足轻重的作用。

赛立信媒介研究公司的调查数据显示，广州地区听众通过广播获取的十七大信息主要来自于新闻综合类频率。分频率类型来看，在排名前列的电台频率中，半数都是新闻综合类频率，累计选择率达60%之多。从电台来看，广东电台旗下频率的选择率明显见高，约达63.1%，是广州电台的两倍之多。就单个频率而言，珠江经济台可谓一枝独秀，有接近40%的听众通过这一频率了解十七大的资讯，广州电台新闻资讯广播、广东电台城市之声等频率也有比较好的表现。

为做好十七大宣传工作，广东电台在十七大期间制作了相当多的相关新闻节目，取得了很好的效果。在十七大期间，广东电台新闻节目整体收听率攀升，广东电台主体新闻类节目累计收听率由25.97%上升至26.56%，上升了近0.6%，明显大于广州地区主体新闻类节目的整体升幅。广州地区新闻类节目整体的收听情况也同时提高，但其提升原动力来自于广东电台，而同期广州电台主体新闻类节目的整体收听率则出现了回落现象。这在一定程度上反映出，广州地区对重大政治事件较为关注的听众群更为认同省级电台报道的权威性。表现较为突出的节目包括广东电台新闻

台报道的权威性。表现较为突出的节目包括广东电台新闻频道的《早晨新闻专辑》、《全省新闻联播》，珠江经济台的《珠江速递》、《广东广播新闻》等。

五、在竞争中发展，在竞争中强大

虽然广东电台在2007年有不俗的表现，但值得注意的是，与2006年相比，广东电台的市场份额略有下降。2007年上半年广东电台的市场份额均低于2006年同期，直到七月份才开始有所回升。上半年下降的原因来自广州电台的竞争力的上升：广州电台的主频率——新闻资讯广播2006年底全面改版，加强其新闻性与资讯性，全天24小时的广播中，大部分都是新闻资讯的内容，更明确了新闻资讯广播的定位，从而也吸引了不少听众；广州经济交通广播改版为交通广播以后，以其类型化的节目编排，不但在驾车人士中吸引了不少听众，同时在家庭听众也有越来越多的听众；广州青少年广播的开播，虽然上升的步伐还比较缓慢，但也在2007年逐步上升。

自2007年7月开始，广东电台的市场份额又开始回升，下半年的收听率一直呈上升趋势。广州电台与2006年基本持平。可见，广州广播市场的竞争，主要体现为广东电台与广州电台之争。

数据来源：央视－索福瑞媒介研究有限公司、赛立信媒介研究公司

（广东人民广播电台 黄冬　赛立信媒介研究公司 梁毓琳）

重庆地区2007年度广播收听分析

数据范围：2006年1月1日至2007年12月31日。目标观众：10岁及以上所有广播听众。采用日记卡数据采集方法。样本户：300户。推及人口：1092000人。

一、重庆广播本地市场整体收听概况

1. 总体听众规模：2007年1月1日至12月31日一年的收听数据显示，重庆地区收听人口（10岁以上所有人）中有93.6%的人收听过广播，日平均到达率为52.9%，平均每天有超过一半的人收听广播。下半年的到达率高于上半年，第三季度（7~9月）在2007年全年中的到达率最高。

2. 人均收听消费总量：听众平均每天收听广播的时长为53分钟。工作日的收听时长高于周末3分钟。第二、三季度平均收听时长相等，在四个季度中最长，第二、三季度平均每日收听分钟数比第一季度多了3分钟，第四季度多了6分钟。四季度收听分钟数最少。

3. 听众在不同地点收听情况比较：家庭的收听时长比其他收听方式的总和还要高，成为重庆广播市场的主要收听场所。其次是工作／学习场合，再其次是车上。在家收听广播的上半年收听情况好于下半年，第二季度收听分钟数和收听率都高，表现最好。在工作／学习场合第二季度的收听率和收听分钟数最高。在车上第一季度的收听率最高，收听分钟数四个季度都是7分钟。

4. 总体收听时段走势：全天的收听高峰在早间7:00~7:30，最高时段是7:15~7:30，8.6%，午间11:45~12:45时段有一个小高峰，最高12:00~12:15，6.7%，下午12:45~17:00走势偏低，在5.0%以下，17:45~18:15出现晚间时段的收听高峰，峰值在18点左右，6.5%，20:00~20:45，收听率回升，最高5.4%，21点以后收听率一直在5%以下。四季度中，第三季度的收听率整体最高，第四季度最低。四个季度及全年平均收听率分别为：3.58%、3.81%、3.83%、3.37%和3.65%。

5. 不同收听地点总体收听时段走势：家庭始终是最重要的收听场合。早间6:45~8:00，午间12:00~12:30，傍晚17:45~18:15，晚间20:15~21:00属收听高峰时段。峰值分别为7.2%，4.5%，4.4%，4.3%。21:00~24:00，收听率在4%以下并持续下降，0:00~6:00，收听率在0.6%以下。高峰出现较在家约晚一个小时，8:30左右达到最高，2.3%，随后下降，9:45~14:00收听率在1%以下，持续下降。14:00~17:00，收听率一直保持在0.6%~0.7%间波动。17:00~18:30的下班时间内，收听率上升到1%以上，随后一直下降。在工作／学习场合收听8点以前保持在1%以下，8:00~13:00间，收听率在1%~2%间波动，12点半左右达到最高点，1.9%，13:00~14:00间受午餐时间影响，降到1%以下，14:00~17:00又再次上升到1%以上，随后由于工作时间结束，收听率一直下降。其他场合的收听率在白天工作时间较高，午餐和晚餐时间降低，晚间20:00~21:00时段略高。

二、整体竞争格局及各频率市场竞争实力评价

1. 各频率市场份额比较：重庆收听市场中，重庆五个频率占有81%的绝对优势，0:30~5:00市场份额超过90%，随后一直66%~90%波动。

2. 各频率市场份额排名

频率名称	交通频率	音乐频率	新闻频率	经济频率	都市频率
1~12月份额	22.15	21.82	12.86	12.38	11.69

3. 不同收听地点频率份额排名

在家	频率名称	音乐频率	新闻频率	经济频率	都市频率	交通频率
	1~12月份额	23.69	16.09	14.21	13.80	10.63

车上	频率名称	交通频率	音乐频率	都市频率	经济频率	新闻频率
	1~12月份额	54.28	16.57	6.41	5.71	4.56

学习／工作场合	频率名称	交通频率	音乐频率	经济频率	都市频率	新闻频率
	1~12月份额	40.02	18.23	11.29	8.73	7.90

其他场合	频率名称	音乐频率	交通频率	新闻频率	经济频率	都市频率
	1~12月份额	27.69	13.40	11.97	10.02	8.65

4. 各频率竞争实力分析：全天时段重庆交通、音乐、经济频率都在第一象限，是强势媒体。新闻和都市频率处于第一、四象限交界处，需提升平均忠实度。6:00~9:00重

庆本地5个频率都处在第一象限即强势收听象限内。9:00～11:00的上午时段，交通、音乐、经济频率在第一象限，新闻和都市频率在第一、四象限交界处。11:00～14:00的午间时段，重庆本地5个频率除音乐、都市频率处于第一、四象限的交界处外，其他3个频率均处于第一象限，都是强势媒体。14:00～17:00是下午时段，除都市、新闻、经济频率处于第一、四象限的交界处外，交通和音乐频率均处于第一象限，都是强势媒体。17:00～20:00时段本地5个频率均处于强势象限。20:00～23:00时段，重庆交通频率处于最强的竞争地位，重庆其他4个频率音乐、经济、新闻、都市频率处于第一和四象限的交界处。

三、听众特征分析

1．总体听众结构特点：重庆地区男性听众、55～64岁老年听众、小学初中学历、个人月收入在1001～2500元的听众更喜爱听广播。

2．目标听众收听率：重庆收听率市场，男性收听率高于女性；55～64岁人群、小学及初中文化人群、家中收听设备3台以上的人群和已婚／同居听众收听率较高。个人月收入在1000～2500元的人群收听率相对较高。

3．主要频率听众特征：男性听众、35～44岁听众、小学学历、个人月收入 1501～2500元的观众更喜爱收听交通广播频率。15～34岁听众、初中高中学历、个人月收入在2501元以上的听众更喜爱听重庆音乐频率。男性、55岁及以上、小学初中文化、个人月收入在501～1000元的听众更喜爱听重庆新闻频率。男性、55～64岁、初中文化、个人月收入在2501元以上的听众更喜爱听重庆都市频率。女性、55～64岁、小学和大专学历、个人月收入在1001～1500元的听众更喜爱听重庆经济频率。

中国农村广播协作网联合直播

四、总结

本地频率组在重庆收听率市场占有绝对优势，单个频率能与之竞争的只有中央一套中国之声频率，在5个本地频率中，交通频率2007年全年平均排名第1，其次是音乐、新闻、经济和都市频率。第三、四季度，音乐超过交通频率排名第1；第二季度开始，经济频率超过都市频率，列第4位。

整体分析，平均每天有超过一半的人收听广播，第三季度的收听情况最好。早间、午间、傍晚和晚间是收听高峰时段。一周中，工作日的收听时长高于周末，家庭始终是最重要的收听地点，男性听众、老年听众、小学初中学历、个人月收入在1001～1500元的听众更喜爱听广播。

在家收听的主要频率是音乐频率，在车上和工作／学习场合交通频率占绝对优势，其他收听场合的主要收听频率是音乐频率。

重庆交通频率和新闻频率的全天收听高峰在早间，重庆音乐频率的全天收听高峰在午间、下午、傍晚和晚间；重庆都市频率的全天收听高峰在傍晚；重庆经济频率的全天收听高峰在早间、上午、傍晚和晚间。

重庆交通频率早间在车上、音乐频率晚间在家、新闻频率早间在家、都市频率傍晚在家、经济频率早间在家的收听情况最好。

数据来源：央视－索福瑞媒介研究有限公司

（重庆广播电视总台）

四川人民广播电台节目2007年市场调查概况

2007年央视－索福瑞媒介公司主要从四川人民广播电台的收听环境、听众特征、听众收听行为、频率竞争、节目竞争以及广播广告投放与竞争等方面进行全景式描述和分析。具体内容包括对新闻、经济、交通、音乐等几个主要频率的收听状况进行分析。

一、从市场调查发展特点看：

2007年，成都收听市场中四川电台以50.3%的市场占有率位居第1。从四川电台单个频率来看，四川台的新闻频率FM98.1／AM1116以及四川电台的音乐频率iRadio FM95.5在2007年成都所有频率中收视份额排名前5名的频率中分别位于第3名和第4名。

表1　四川电台各频率收听率与市场份额

频道	2005平均收听率%	2005平均市场份额%	2006平均收听率%	2006平均市场份额%	2007平均收听率%	2007平均市场份额%
四川电台新闻频率FM98.1／AM1116	0.27	7.11	0.55	10.14	0.53	11.21
四川电台经济频率FM89.4	0.21	5.4	0.28	5.12	0.22	4.72
四川电台音乐频率iRadio FM95.5	0.26	6.85	0.5	9.24	0.5	10.69
四川电台交通广播FM101.7	0.28	7.41	0.43	8.05	0.33	6.96

二、从市场调查特点看：

本数据采集方法为日记卡方法，调查对象为10岁及以上的听众，总调查户数为300户，约803个样本。推广人口为1417000人。

1．从收听时数的增加和收听时段的延长可以看出，听众对广播的忠诚迅速提升。生活水平的提高使受众有了更高精神追求，对于单纯地了解零散信息不是很满足了。受众现在需要的是有选择地获取自身需要，也就是说听众在接受节目内容的时候，越来越有个性了——越来越“挑食”了。

2．听众希望听到的是“我要听”的节目，而不再是广播安排的节目。听众需要的是简单到随时打开收音机就一定是“我要听”的节目，而这些一心想听“我要听”节目的受众群恰恰是广播电台的最核心、最忠诚的听众。

3. 通过听众信息的分析数据来看，近年来，四川电台各项工作从复苏到繁荣，各频率从收听指数到经济指数都不同程度的经历了上升行情。2007年更是稳步跨入高速增长期。

数据来源：央视－索福瑞媒介研究有限公司

（四川人民广播电台提供）

2007年云南人民广播电台收听概况

根据尼尔森媒介研究提供的每月一期的收听率数据，2007年昆明广播市场呈现出良好而平稳的收听走势，总体听众规模、听众每周收听广播时间以及听众的触达高峰时段等指标相对稳定。云南电台7套频率在整个昆明地区能听到的14套频率中收听表现突出，各项指标均处于领先，以下从三个方面来总结2007年云南人民广播电台的表现。

一、昆明广播市场收听特点

昆明地区总体听众人数保持在50万人左右，上半年高于下半年，1、2月份最高，达到了70万人以上。人均每周收听时间在7小时30分钟左右，下半年人均收听时间比上半年更长。

从全天15分钟听众收听情况来看，听众在以下几个时段人数最多、收听频率更密：早上7：00～8：00、正午12：00～13：00、上午9：00～10：00、夜间22：00～23：00和傍晚17：00～18：00。上午时段高于下午和夜间时段。

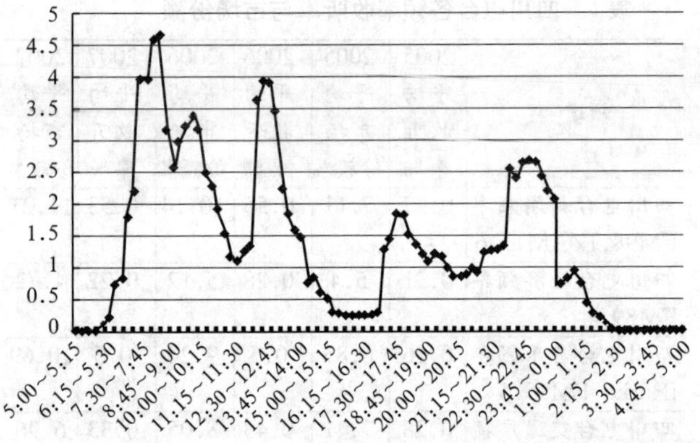

图1　昆明地区听众收听时间分布曲线

可以看出，昆明地区的听众资源丰富，全天除了惯常的下午时段是收听低谷外，其余时段都有不错的收听行为。

昆明市场男性听众多于女性，25～34岁听众比例在30%左右，55岁以上听众占到了25%左右。55岁以上的老年听众集中在早上收听；25岁以下的年轻听众在正午收听行为更突出；25～45岁的中年听众在早上、傍晚的上下班时段收听抢眼；25～34岁听众全天收听行为平均，但在夜间22：00后的收听表现更好。

二、云南电台收听优势地位明确

2007年是云南电台类型化改版继续深化的关键一年，各套频率逐渐找准方向、陆续改版，并且显示出了较好的改版效果。云南电台的整体优势更加凸显，强势广播军团的地位得到巩固。

2007年云南电台的市场份额保持在64%左右，最高达到68%以上，以较大优势始终占据昆明广播市场首位。云南电台听众人数也具有绝对优势，占昆明广播市场的3/4。听众每周收听云南电台的时间在5小时以上。在昆明地区排名前10位的节目中，云南电台的节目占到了7个以上，在收听率排名前50名的节目中，云南电台的节目占到了49 %。在占有率前10位的频率中，云南电台占到了7个。云南电台交通之声和民族广播市场占有率领先于其他频率。云南电台创造了昆明地区全天的多个收听高峰。比如早间高峰是云南电台交通和新闻广播创造，新闻广播的正午高峰也表现不错，云南民族广播和音乐广播在夜间时段表现突出。

随着云南电台类型化改版的全面推进，各频率定位逐渐明晰，不但避免了同质化竞争，并逐渐形成优势互补。音乐广播、教育广播、民族广播锁定15～34岁的年轻听众，这部分听众的比例占到了80%左右，其中，教育广播的女性听众占到了绝大多数，音乐广播和民族广播的听众则以男性居多；新闻广播、经济广播的听众主体是55岁以上的老年听众，新闻广播男性听众比例更大，经济广播则更受女性欢迎。

结合各年龄段听众的收听习惯，可以得到一些启发：定位于老年听众的新闻广播和经济广播在早上的收听表现自然更好，定位于年轻听众的音乐广播、民族广播在夜间时段常常创造收听高峰。出租车司机作为交通之声的忠实听众，对交通之声较高的收听率做出了主要贡献，所以交通之声在白天的表现要好过夜间。

三、2007年表现突出的频率及节目

2007年，云南电台交通之声的表现成为昆明广播市场的最亮点，听众占有率一度超过25%，长达半年多稳居昆明地区各频率占有率排行首位，而且交通之声拥有最大规模的听众群体，听众忠诚度也不错，早上7：00～8：00时段的高收听率长期稳固。全天各时段的占有率都在40%以上。《出行参考》《早间读报》节目稳居收听率排行前10位，尤其是《出行参考》节目长期领先于昆明广播市场其他节目。

云南电台民族广播8月份后表现突出，占有率达到17%以上，听众每周收听时间6小时多，高于其他频率。在整个夜间时段（19：00～0：00）收听率居高不下。在《背包心情》节目播出时段，收听率达到0.7%以上，占有率也达到40%以上。

《576早新闻》作为新闻广播的品牌节目一直保持着很好的收听表现，收听率保持在1%以上，长期处于收听率排名前3位。另外，《金色热线》节目也引领了午间的收听高峰。

音乐广播4月份起推行了新的节目时间表，频率占有率开始有所攀升，夜间21：00～0：00时段的高收听率很抢眼。《校园音乐新势力》节目闯入收听率排行前10位。

数据来源：尼尔森媒介研究

（云南电台发展研究部　彭莱、刘江利）

陕西人民广播电台受众调查情况

2007年陕西人民广播电台委托北京赛立信媒介研究有限公司负责调查设计（包括抽样设计、问卷设计），数据

录入、统计分析和报告撰写等。委托西安朗讯信息咨询有限公司负责调查访问，共同完成本次调查。全年共进行五次调查，分别在3月、5月、7月、9月、11月。

本次调查为两项调查：一项为电话访问，全面调查关中地区收听广播状况，获知陕西广播听众比例与陕西电台听众收听比例；二项调查是在一项调查的基础上，进行入户面访（包括一周留置日记卡访问）详细了解陕西省居民的媒体接触行为，全省广播市场情况，陕西电台各专业广播收听状况，陕西电台在全省媒体市场的综合竞争力。两项调查在全省共抽取样本户7000个。

调查范围是当地居住三个月以上，年龄在12～74岁之间，最近一个月收听广播一次以上的居民。市区采用分层多阶段抽样，县乡以下采用按人口正比不等概率系统抽样(PPS系统抽样)。访问结束后由北京赛立信媒介研究有限公司进行数据录入，并撰写分析报告。

调查分关中地区和西安地区。调查数据显示，陕西人民广播电台在关中地区所占市场份额为77%，在西安地区所占市场份额为78.4%。在听众接触时长上，比2006年有所的上升，听众的平均年龄为38岁。除农村广播外，其余各台城市听众所占比例都大于农村听众。稳定听众、高收入听众略有上升，陕西电台在1000元以上的收入人群中，上升比例较大。听众结构总体上年龄偏大、收入偏低、职业状况不理想。分析陕西电台听众结构，除戏曲广播外，其他六套广播性别上以男性为主，文化程度与2006年比较，初中文化程度下降10个百分点，中等、高等文化程度上升5个百分点。但是，年龄结构呈现两头大的局面，主力消费群体比例较小，和上一年持平。60岁以上人群比例有所降低，听众老化情况有所减弱。从职业构成来看，城市职员、农民、学生、离退休人员、司机仍是收听陕西电台的主力人群，农民、学生所占比例虽有所下降，但是离退休人员、司机有所上涨，高收入、高文化程度、高消费的人群占有比例很小。

从收听率、占有率数据上看，新闻广播、财富广播、农村广播收听率和上一年相比变化不大，新闻广播的占有率居于较高的水平，农村广播在陕西省农村占据了较高的市场份额。都市广播在收听率、占有率两个指标上较上一年略有上升，交通广播两项指标都有所上升。

从听众对各专业广播开办的节目的满意度来看，听众对陕西电台的节目满意度较高，听众喜爱的节目类型主要是新闻类节目、专题类节目、文艺类节目和生活服务类四大类。从听众从广播中获取信息和帮助生活的要求来看，主要集中在了解国内外大事，知晓党和国家的政策方针；获取对生活工作有帮助的交通、天气等信息；休闲娱乐、放松心情，了解生活时尚、流行文化和旅游信息；寻求知识，陶冶情操，满足获得知识获得美感的心理需要；寻求心理满足，获得现代人社会心理认同需要等五个方面。

从七套专业广播节目质量综合满意度来看，新闻、戏曲、都市、交通、音乐广播综合满意度略有上升，财富、农村有所下降。但是总体情况不能令人满意，根据七级量表显示，七个专业广播的综合满意度都在一般水平，农村广播在农村的喜爱度高达93.3%，说明农村广播在农村有较高支持度。

在全省媒体市场上广播所占总份额有所下降，陕西省居民日平均接触媒体时长最多的仍然是电视，其次是互联网，广播位居第三位，但是略有上升。在西安市广播市场上，陕西音乐广播在到达率和听众规模上都居首位，其次为陕西新闻、西安音乐、陕西财富。

在听众对互动节目、网络广播的评价及广告播出效果来看，陕西电台听众中有300万人拥有手机，占34.5%。同上一年相比知道陕西电台有短信互动节目的听众上升幅度不大，但是参与过短信节目的听众上升了0.7%。在电话参与、短信、来信、听众见面会的互动形式上，听众参与的比例比较小，这说明陕西电台的节目互动比较薄弱，听众参与的积极性不高，这要求陕西电台在节目的短信互动的形式、内容、与听众的沟通和短信参与宣传上还有待加强和提高。调查显示，听众参与短信互动节目的目的主要是“参加节目抽奖活动”和“关心节目”，这说明听众的参与积极性是很高的，对短信互动节目是比较认可的。但是听众对短信得不到及时的反馈或确认、短信没有在节目中体现反映比较普遍。陕西听众有73%的人平时不接触网络，有79.7%的听众不知道网络广播，收听过网络广播的人仅有20.8%。在对陕西电台网站的接触调查中，仅有7.1%的人登陆过金号网，这说明金号网的宣传力度不够。听众对财富广播、农村广播、交通广播网站了解和登陆的人数的较少，但在线收听和停留5分钟的比例较高。这说明陕西电台网站的宣传力度不够，在网站设计、内容、形式上还不能达到听众的要求。农村广播数据偏低的原因是农村听众的收听手段落后造成的。听众对网络广播的建议主要是“保证在线收听效果”、“下载节目”、“增设网络广播在线主持人”和“网上点播节目”四项。对网络广播增设的要求为新闻节目、相声小品和音乐节目，这反映了听众对网络提供了解信息，休闲娱乐的要求。

调查显示，广播广告是听众获取广告信息的主要途径之一。有60.5%的人选择了“从广播中听到广告”，仅排在电视媒体之后位居第二位，其选择比例远远高出后面的杂志和网络媒体。广播广告在说服购买上的效果不明显，仅有9.7%的听众会“按照广播广告去购买”，在“购买前留意广播广告”的选择上仅占9.7%，而电视广告更受青睐。电台听众的收听忠诚度远高于电视观众，但并不代表电台听众会照单全收。过长的广告时间会使听众产生心理厌恶感。调查显示：在两个节目之间，听众可以接受的广告时长2007年缩短为88秒，而在一个广播节目内插播的广告听众能接受的时长和上一年相同为40.34秒。当问及“在收听广播节目时，遇到广告您通常会怎么做”时，仅有5.7%的听众选择“换个频道，通常不再转回原来的频道继续收听”，有高达64%的听众不会换台。和2006年比较，不换频道的比例上升，“喜欢听广告，仔细听广告”的比例上升，这说明，陕西电台的广告在制作水平、吸引听众上有所提高。

听众对各类广告的关注度。陕西听众对日用品及保健药品、食品的关注度较高，占据前三位。此外，家电广告、通讯广告也受到听众较多的注意。听众最不关心的广播广告依次为房地产、IT广告和企业形象广告，这些广告要求的画面形象效果是广播所欠缺的。

数据来源：赛立信媒介研究有限公司、西安朗讯信息咨询有限公司

（朱继锴）

电 视 类

2007年中国电视收视报告

一、收视环境

1.家庭电视机拥有率达98.1%，拥有二台及以上电视机家庭的比例达30.3%

随着经济的发展和人民生活水平的提高，我国电视机的普及率已经基本上处于一个稳定的水平。2007年CSM媒介研究全国154个样本市县家庭的电视机拥有率已达98.1%，其中城市家庭的电视机拥有率达到98.2%，农村家庭的电视机拥有率也高达97.1%。拥有二台和二台以上电视机家庭的比例，154样本市县已经达到了30.3%，其中在城市为29.9%，在乡域达到36.8%。

2007年电视机更新换代速度进一步加快，黑白电视机已经基本上退出了家庭电视的舞台，CSM媒介研究全国154个样本市县彩色电视机的平均拥有率达到了98.4%。分城乡来看，城市彩色电视机的普及已经基本完成了，彩色电视机拥有率已经达到了98.6%，今后城市电视机的变化应该是向高清电视机、平板电视机过渡，随着城市数字电视信号的普及，这种电视机更新换代的速度将会大大提高。在农村，只拥有黑白电视机家庭占的比例仅为4.5%，比上一年的10.5%大幅下降，农村家庭大规模更换彩电过程已经基本完成。从不同区域来看，2007年只拥有黑白电视机家庭比例较大的华东、华中和西南地区，同上一年相比，也都有明显下降。

随着城乡居民收入水平的提高和高品质电视机价格的下降，城乡居民家庭电视机拥有情况从数量上的增加逐步过渡到质量上的改善，城市家庭乃至部分农村家庭开始追求电视机的更新换代，由原来的CRT电视机、传统的背投电视机，向等离子电视、液晶电视升级，即便是普通的CRT电视机也逐渐进入到高清时代。2007年CSM媒介研究基础调查结果显示，在新一代电视机中，拥有液晶电视家庭所占比例有渐渐增加的趋势。随着价格的不断下降，平板电视尤其是高清液晶电视在今后一段时期内将带动新一轮的电视收视设备的更新换代。

2.城乡居民家庭平均每户可以收看到40.6个频道

2007年，随着“村村通工程”和“西新工程”的建设发展，以及有线电视数字化建设全面推开，越来越多的有线电视网整体平移，导致了频道竞争的进一步加大，也使城乡居民家庭能够收看到的频道数量增加。根据CSM媒介研究2007年在全国154个样本市县的基础调查结果，在所调查市县中，平均每户可以接收到40.6个频道，整体比上一年有明显增加，其中城市居民家庭平均可以接收41.2个频道，比上一年增加3个左右，农村居民家庭平均可以接收30.2个频道，比上一年增加了9个左右。全国各大行政区中，数字电视推广比较快的几个地区可收看到的频道数量增加较多。

3.有线接收是城乡居民家庭接收电视信号的主要方式

根据2007年CSM媒介研究基础调查结果，在所调查的154个样本市县中，通过省市有线网接收电视信号的家庭户比例比上一年有小幅度提高，达到了83.4%。其中在城市，有83.8%的家庭接入了省市有线网，有线接收方式成为城市家庭收看电视节目的主要方式。在农村，通过有线网收看电视节目家庭的比例为74.9%，这个比例与上一年相比具有明显增加，农村中仍有20.8%的家庭通过室内外天线来接收电视节目。值得提出的是，沿海发达地区的农村，经济条件好，居住相对集中，有条件进行有线电视的普及，因此有线比例甚至要高于经济欠发达地区的城市。

4.88%的城市家庭和79.2%的农村家庭可收看到卫视节目

2007年调查样本市县增加较多，所增加的多是中小城市，因此，整体上可接收卫视频道的家庭比例比上一年有小幅下滑。农村能收看到卫星电视的家庭比例上升迅猛，比上一年增加了近7个百分点。在城市中有88%的电视家庭可以收看到卫星电视节目，在农村电视家庭中能够收看到卫视节目的比例达到了79.2%。

除华中外的六个大行政区能收看到卫星电视节目的比例在80%以上，其中华南和西南能收看卫星电视的比例超过了90%。

5.中央电视台继续扩大其覆盖优势

中央电视台依靠其强大的资源优势和特殊地位，在覆盖率方面仍然保持了绝对的优势。2007年在CSM媒介研究基础调查154个样本市县的数据显示，中央电视台各个频道的排名比上一年更加靠前，覆盖率排名前10位的频道全部是中央级频道，继上一年新闻频道排入第9后，中央电视台少儿频道也挤进了前10，而另外两个进入覆盖率前20名的中央电视台频道也紧紧跟在安徽、浙江、山东这3个省级卫视频道之后。在省级卫视频道中，安徽、浙江、山东这3个省级卫视频道排在最前面。覆盖率排名前20的频道虽然顺序发生了变化，但可以看到，整体覆盖比上一年有所上升，2006年排名第20名频道的覆盖率是60%，而2007年达到了66%。

与2006年相比，2007年农村地区卫视频道的覆盖情况变化较大。首先是频道覆盖率的整体提高，2007年排名前20名频道的覆盖最低已经达到了50%以上，而2006年这一数字才达到30%。这个结果同前面的农村家庭可收看卫视频道比例以及农村可收看频道个数大幅提高是一致的。可见2007年一年以来，我国的“村村通工程”和农村有线网络的建设取得了长足的进步。其次是频道排名的变化，山东卫视和江苏卫视以傲人的农村覆盖表现冲进了前5名，其他卫视频道虽然频道覆盖也有很大的增加，但排名仍然在原有位置停留。

由于中国地域广阔，各地区的文化风俗各不相同，因此各地区接收和转播卫星电视的频道种类也有一定的差异。从频道覆盖的排名来看，中央电视台在各地区的覆盖排名基本上是差不多的，前20名当中有12个左右中央电视台频道。各省级卫视的覆盖在东北、华北、华东、华南、华中、西北、西南各个地区差异很大，基本规律是本区的卫视频道覆盖较大。另外就是在样本地区不断增加的过程中，同一大行政区不同省份所包含的城市个数是有差异的，这也造成了该地区城市个数多的省份的省级卫视频道的覆盖会排在前面，例如东北地区的辽宁卫视、西南地区的四川卫视、华南地区的广东卫视都有这样一个特点。在全国范围内排名靠前的频道，在各地区的排名也都处于前列。

随着有线网络的普及，以及数字电视的不断推广，频道竞争日益加剧，为了能在收视率和收视份额中不落下风，保住原有的市场地位，各卫视频道都想方设法继续加大在各地区的频道入户覆盖，让更多的家庭户能够接收到。与2006年相比，2007年各大行政区的频道覆盖率都有较大的提高，说明上星频道在各地的整体入户状况都有了进一步的改善。值得注意的是华南地区，虽然是经济发达地区，除央视频道外，其他卫视频道的覆盖率都比较低。

二、电视观众特征

1. 全国电视观众规模达12亿2千4百万，观众规模增长略有提速

2007年是中国数字电视整体转换迅速推进的一年。在数字电视转换过程中受益的除了中国1.4亿的有线电视用户之外，还包括长期依赖于无线电视信号传播，收视内容和收视质量一直得不到保证的农村观众。2006年8月，数字电视地面传输标准的颁布，为自1998年推行“村村通”工程以来所面对的地形复杂和设备老化等问题提供了新的解决方案。在国家政策和资金投入的双重支持下，2007年中国农村地区的电视覆盖得到了明显改善，由此也促进了全国电视观众规模的扩大。CSM媒介研究2007年基础研究结果显示，目前中国内地年龄在4岁及以上的电视观众规模达到12.24亿人，占全国4岁及以上人口的97%。与2006年相比，2007年中国电视观众规模扩大了2500万，相较于前5年总共4900万的电视观众增量，可以一定程度上看出数字电视转换所引发的中国电视观众规模增长提速。

2. 全国电视观众性别结构维持稳定，与人口性别构成保持一致

在CSM媒介研究2007年进行收视调查的154个样本市县中，男性观众的比例为49.9%，女性观众为50.1%，与中国内地人口的性别比例基本保持一致（根据《2007中国统计年鉴》，2006年全国男性人口占总人口的50.67%，女性人口则占49.33%），也与2006年CSM媒介研究在127个样本市县的调查结果大致相同，说明目前我国观众的性别结构基本维持稳定。数据显示，城市观众的性别比例与整体的观众性别比例保持一致；农村观众中，男性群体所占比例为49.5%，女性群体为50.5%。

3. 中年群体为观众主体，青少年群体略有流失

35～44岁和45～54岁的中年群体一直是我国电视观众的主力群体，2007年，这两个群体在电视观众中的比例分别为18.6%和19.9%；34岁及以下的青少年群体在电视观众中占据了37%的比例，与中年群体平分秋色，不过相较于2006年的调查结果，25～34岁和15～24岁的青少年群体比例都出现了近1个百分点的下滑，一定程度上显示出在新媒体侵蚀下，青少年群体注意力流失的倾向；55岁及以上的老年群体在观众中占据了34%左右的比例，较上一年略有增加。将城市和农村观众的年龄构成进行对比，不难发现农村观众中青少年观众的比例明显高于城市观众，而中年观众比例则明显低于城市观众，这与农村青少年群体接触新媒体的机会较少，仍以电视为主要娱乐途径有一定关系。

4. 中等学历观众占据绝对优势，城市观众文化程度明显高于农村

从观众的文化程度分布来看，中等学历观众在规模上占据了绝对优势，其中初中文化程度观众比例高达35.7%，高中文化程度观众比例则为28%；小学和大学及以上文化程度的观众分别占据18.0%和13.0%的比例；未受过正规教育的观众所占比例仅为5.4%；和2006年的调查结果相比，可以观察到高中文化程度观众群体的比例有所下降，初中文化程度观众比例略有上升。对比城乡观众的文化程度构成，可以明显地看出城市观众的文化水平要明显高于农村观众，城市观众中高中以上文化程度观众比例高达42%，而农村观众中该比例仅为20%左右；城市观众中小学及以下文化程度观众仅占23%，而农村观众中低教育程度群体的比例则在37%左右。

5. 城乡观众职业构成呈现差异，无业群体占据较大比例

无论是在城市还是在农村，无业群体均在电视观众中占据了最大的比例，其中城市观众中有36%的无业群体，农村观众中该群体比例也高达23.5%。城乡观众职业结构最大的差异体现在农村拥有较高比例的农民群体，由此使得其职业类别为“其他”的观众高达21.9%。除此之外，城市观众中干部／管理人员和初级公务员／雇员的比例相对较大，农村观众中个体／私营企业从业人员以及工人的比例略高于城市。

6. 城市观众家庭月收入略高于农村，东南沿海地区观众收入水平相对较高

和前几年相比，2007年中国城乡观众的收入差距有所缩小。城市观众中家庭月收入在3500元以上的高收入群体比例为22.4%，比农村群体高5个百分点，而农村群体中家庭月收入在2001～3500元的中等收入群体比例则达到35%，比城市高出3个百分点。总体来说，城乡观众中家庭月收入在1200元及以下的低收入群体的比例均较前两年有所降低，其中以农村地区更为明显，由此使得城乡观众的收入结构进一步趋于相似。

观众收入的区域差异依旧比较明显。在经济相对发达的华南、华东和华北地区，观众家庭月收入水平在2001元及以上的占到了绝大部分比例，其中华东地区高达62.2%，华南地区达到59.3%，华北地区也达到58.4%；而在西南和西北等经济欠发达地区，这一比例仅在40%左右。区域观众收入水平的差异，对区域电视媒体的市场潜力有重要影响，也一定程度上决定了区域市场的竞争格局。

三、观众收视行为

经过近半个世纪的开发，中国的电视收视市场已经趋于成熟，观众收视时间和收视规律也趋于稳定。2007年，由于缺乏特殊事件的收视支撑，再加上新兴媒体渠道对观众注意力的分流，观众人均收视时间出现了下滑，年度收视率走势趋于平缓，以晚间黄金时段为代表的传统黄金收视资源也出现了小幅的萎缩。观众收视行为的上述改变，对我国电视收视市场的注意力存量形成了挤压，进而对我国电视市场的竞争结构形成影响。

（一）人均收视时间

1. 2007年全国电视观众人均每日收视时间为172分钟

自2001年以来，我国观众人均收视时间一直呈现出下

行的发展趋势。在2005年和2006年，由于各级电视台在新闻和综艺等节目形态上的大力创新和突破，以及世界杯等特殊事件的推动，观众人均收视时间曾一度出现回暖趋势。然而，到2007年，由于观众对选秀和民生新闻等新节目形态产生“审美疲劳”，以及缺乏特殊事件的收视支撑，观众注意力开始明显游离，人均每日收视时间由2006年的176分钟下跌至172分钟，创本世纪以来的新低。从总体收视规模来看，观众人数的增加未能弥补人均收视时间下降所带来的市场规模缩水。在收视存量不增反减的情况下，付费频道和视频点播等新服务的出现，势必进一步激化电视收视市场的份额竞争。

2．2007年全国七大行政区观众人均每日收视时间普遍较2006年有所下滑

电视市场整体收视规模下降和区域市场的收视变化密切相关。与2006年全国各大行政区观众收视普遍增长不同，在2007年，仅有东北观众的收视时间有0.51%的增长，其他六大行政区的观众收视规模都有不同程度的萎缩，其中西南地区的人均每日收视分钟数从2006年的183分钟下跌至173分钟，华南地区则从171分钟下降至163分钟。将区域市场收视变化情况与数字电视转换结合分析，进一步说明了以技术转换为主导的数字电视整体平移并未能有效促成收视存量的增长。目前收视出现增长的东北地区恰恰是有线数字电视转换进行得最缓慢的一个地区，而目前收视时间下降较多的西南和华南地区则是有线数字电视转换推进比较迅速的两个区域，缺乏内容和服务的保障，数字电视在与互联网等新媒体的注意力争夺战中并不占优势。

从各区域的收视规模来看，目前东北、华北和西北地区仍然是电视收视水平较高的区域，这很大程度上与上述地区冬季时间较长、气温较低、人们的室内生活时间相对较长有关。相比较而言，在气温相对较高、经济相对发达、人们业余生活相对丰富的华南、华东和华中地区，观众的人均每日收视规模明显较短。

图1　2007年全国电视观众人均每日收视时间区域差异

数据来源：CSM媒介研究

3．女性观众人均收视时间多于男性，且差距进一步扩大

数据显示，2007年中国女性观众人均每日收视时长为176分钟，男性观众为168分钟，女性观众平均每日收视时间比男性观众长8分钟。从近几年的数据来看，女性观众收视时间长于男性观众是一个规律性现象，而伴随着互联网等新媒体的出现，男性观众的注意力出现了更明显的游离，男女观众收视时间的差距有进一步扩大的趋势。

4．中老年观众收视维持稳定，青少年收视发生衰减

中老年观众除了在人数上是中国电视观众的主力人群之外，还因其较长的人均收视时长而成为电视收视的主要支撑。2007年55岁及以上老年人群体的人均每日收视分钟数为237分钟，45～54岁群体为209分钟，和前几年相比基本维持稳定。相比较而言，34岁及以下的青少年群体的人均每日收视分钟数仅为130～140分钟，较中老年群体少了近100分钟，其中15～24岁群体和25～34岁群体在2007年的人均每日收视分钟数与2006年相比，分别下降了10分钟和8分钟。年轻群体的媒体消费模式很大程度上影响着各类媒体在未来竞争中的效果和潜力，年轻群体电视收视时间的衰减值得重视。

5．中等学历观众收视时间较长，高学历观众收视下降相对明显

中等学历观众一直拥有较长的人均每日收视时间，2007年，初中文化程度的观众人均每日收视时间达到184分钟，明显高于其他学历群体；小学和高中文化程度群体的人均每日收视时长在170分钟左右；未受过正规教育和大学及以上教育程度群体每天大约用2.5个小时看电视。和2006年相比，2007年大学及以上教育程度群体的收视时间出现了相对明显的下降，减少了6分钟。

6．周天收视均有下跌，周末收视优势削弱

2007年中国观众在各周天的收视时间均有所缩短，其中周末收视下跌明显，周六和周日的人均每日收视分钟数较2006年分别下降了2.69%和3.08%。由于观众在周六和周日拥有较多的闲暇时间，因此，周末向来是电视收视市场的黄金资源，是份额竞争的重点所在。近几年来，各级电视台通过在周末推出强势综艺娱乐或大跨度的电视剧联播剧场来吸引观众的持续收视。不过，随着经济发展和人们消费能力的提高，观众周末的休闲娱乐选择也日趋丰富，周末收视规模下降明显，相较于工作日的优势出现萎缩。

（二）全年收视走势

1．全年时期收视整体下滑，缺乏热点事件支撑表现平淡

和2006年相比，2007年大多数时期，观众收视都出现了下滑，其中以春节、暑期和年末表现得最为明显。2007年春节较2006年推迟3周左右的时间，使2007年的时期收视曲线起点较低；在进入春节黄金周之后，观众收视虽有明显起色，但人均收视时间的峰值却从2006年的214分钟下降至199分钟，收视大幅萎缩；到2007年7月前后，由于缺乏类似于2006年世界杯这样的特殊事件来支撑收视，收视表现也趋于平淡。整体而言，2007年是一个电视收视小年，既没有可以吸引观众短期注意力的重大事件，也没有出现类似于2005年前后的突出的节目创新浪潮，抑制了时期收视高峰的形成。

2．北方地区时期收视普遍偏高，秋冬季优势最为明显

东北、华北和西北地区在全年各个时期的收视普遍高于华东、华南、华中和西南等地。由于北方冬季较长，户

外气温较低，人们比较偏向于在家收看电视，故而北方地区在“五一”之前和“十一”之后的收视要明显高于南方地区；暑假期间西南地区的观众收视有明显升高，一度超过北方地区，居于全国首位。

3．女性观众全年收视表现优于男性

2007年全年男女观众的时期收视走势基本相同，女性观众收视表现优于男性。与2006年不同，由于在2007年期间，并没有类似于世界杯这样的男性观众收视倾向明显的热点收视事件，故而男性观众的收视表现比较平淡，没有出现像2006年6、7月份那样的，超越女性观众收视的时期性收视高峰。

4．中老年观众收视规律相对稳定，青少年群体收视时期特征明显

45岁及以上中老年群体在全年各个时期的收视均高于年轻群体，且收视的时期波动性较小；24岁及以下的青少年群体在大多数时期的收视都相对偏低，不过在寒暑假，以及黄金周等特殊时期，此类群体拥有比较明显的收视高潮。在2007年，新媒体对年轻群体注意力的分化进一步体现了出来，例如在2007年暑期，原本构成暑期收视主力的4～24岁青少年群体的收视规模显著下降，其中15～24岁群体的收视率下降幅度达到10%以上，这某种意义上说明了在2007年暑期各大电视台以重播电视剧为主的暑期特殊编排，并没有能够阻止青少年观众的注意力向其他媒体转移。

5．中等文化程度观众拥有全年收视优势，低文化程度观众拥有时期收视高潮

中等文化观众在全年大多数时期的收视率都略高于其他群体，在小学和未受过正规教育群体的观众中，有大批的学龄儿童，他们的电视收视明显受到寒暑假等时期因素的影响，故而拥有相对明显的时期收视高峰。

（三）全天收视走势

1．全天收视规律基本稳定，黄金资源略有萎缩

2007年，观众的全天收视规律与前几年相比，基本维持稳定。全天收视率曲线呈现双峰形，最突出的一个高峰出现在晚间20:00～22:00，最高收视率水平接近46%；第二个收视高峰出现在午间12:30前后，最高收视率为15%左右。总体来说，观众全天收视率走势由于与观众日常工作和生活习惯相符，将长期保持稳定。

在收视规律基本稳定的情况下，2007年每日收视的黄金资源出现了萎缩，主要体现在18:00～22:00收视黄金时段的收视率下降上。从2007年我国观众的每日收视率走势来看，晚间18:00～22:00时段收视率的下降幅度达到1%左右，其中以19:00～19:30时段下降最为明显；19:00～19:30是大多数电视台固定的新闻节目时段，观众注意力的流失会对新闻节目的传播效果产生直接影响。晚间20:00～21:00时段的收视率也下降了1%左右，但该时段45%左右的收视率，还是让其成为电视频道竞争的焦点。2007年不少频道强调开发22:00之后的后黄金时段，虽然数据结果显示后黄金时段的收视规模并没有出现明显增长，不过在全天收视整体下降的情况下，该时段收视率下降有限，显示出了后黄金时段开发的效果。在2007年几乎全线下降的收视曲线上，早间6:00～9:00时段是一抹明显的亮色，时段收视率的正向成长昭示了早间收视时段的价值。

2．观众全天收视呈现区域性特征

中国幅员辽阔，不同区域的观众由于不同的工作和生活习惯而形成了不同的电视收视规律。数据显示，东北、华北和华东等地区由于地理位置偏东，日出时间较早，故而收视行为开始得比较早，其中东北地区在早间7:00就拥有了10%以上的收视率；同时上述地区由于天黑时间比较早，故晚间时段的收视高峰也开始得比较早，在18:00前后就出现了收视曲线的上升。相比较而言，地理位置相对偏西的西北和西南等地则在深夜时段拥有相对较高的收视。

3．女性观众多数时段收视高于男性，男性观众清晨和深夜收视略高于女性

男女观众全天收视的整体规律基本相似。女性观众在全天大多数时段的收视率都高于男性，其中以下午13:00～17:00和晚间19:30～22:00等电视剧和综艺娱乐节目播出的集中时段最为明显。男性群体则在早间7:00～8:00和深夜24:00之后的时段，拥有高于女性群体的收视率。

4．生活习惯影响不同年龄群体每日收视状况

55岁及以上老年群体拥有相对较长的闲暇时间和相对自主的时间安排，故而在全天大多数时段的收视都明显领先于其他群体，其中在晚间黄金时段老年群体的收视率高达60%以上。25～54岁的中年群体受工作安排的影响，在日间时段的收视率偏低，晚间黄金时段同样拥有比较突出的收视高峰，不过数据同样显示，相对年轻的观众群体更有兴趣接受看电视以外的娱乐休闲活动，其在晚间黄金时段的收视率会走低。25岁及以上的青少年群体和儿童群体受上学时间的限制，整体收视水平比较低，晚间收视高峰开始得相对较晚，结束得也比较早，全天收视峰值偏低。

5．不同文化程度观众每日收视呈现差异

不同文化程度的观众往往从事不同的职业，拥有不同的工作和生活习惯，故而每日收视曲线也会有一定差别。数据显示初中及以下中低教育程度的观众群体在全天大多数时段的收视率都比较高，其晚间收视高峰开始得比较早，在20:00前后就达到了收视高峰，到21:30左右就出现了收视曲线的下滑。相比较而言，高中和大学及以上的中高教育程度群体则在晚间21:00前后出现收视高峰，且收视高峰跨度比较大，在22:00深夜时段拥有明显优于中低教育程度群体的收视。

6．周末日间收视明显优于工作日

中国观众周末相对于工作日的收视优势主要体现在日间时段。根据2007年观众在周末和工作日的收视走势来看，周末在早间8:00至下午17:00期间的收视率要明显高于工作日，其中早间9:30～11:30优势最为明显。相比较而言，中国观众在工作日和周末晚间黄金时段的收视基本相近，周末略高。值得注意的是，与2006年相比，2007年中国观众在周末日间的收视有一定下降，这是导致周末整体收视规模下降的重要原因。

四、频道和节目竞争格局

（一）频道竞争格局：中央电视台仍稳坐头把交椅，省级卫视收视份额进一步提升

我们将所有能够覆盖全国的电视频道及其观众所组成的收视市场定义为全国电视收视市场。2007年，能够覆盖全国的电视频道共包括中央电视台15个频道、中国教育台2个频道以及省级卫视44个频道，共61个频道。与2006年相比，省级卫视中增加了北京卡酷动画卫星频道。

从2007年全年的频道竞争格局来看，中央电视台15个频道仍稳居全国市场收视竞争的头把交椅，共占据61.3%的市场份额，这一数字虽然较2006年的64.3%有所下降，但仍不失为该市场中竞争实力最为强劲的频道组。与2006年相比，省级卫视的市场份额增长了约3个百分点，达到38.1%，竞争实力进一步增强，在与央视频道的抗衡中攻势明显。相对而言，中国教育台2个频道仅占据0.6%的市场份额，较上一年增长了0.1个百分点，在三类频道的竞争中坚守着自己的收视份额。由此可见，在2007年全国市场的频道收视争夺中，央视的领导地位仍然是其他两类频道所难以撼动的，但省级卫视不断增长的收视份额也说明该类频道在力量的消长变化中逐渐积累力量，蓄势待发。早、午、晚时段中央电视台优势明显，上下午及深夜时段省级卫视力量增强。中央电视台更吸引高端收视群体收视，省级卫视观众更趋年轻活泼。中央电视台频道占据收视排行多数席位，四川卫视突围进入前15名。

表1 2007年全国电视收视市场收视份额（%）排名前15位的频道

排名	频道	2007年收视份额	2006年收视份额
1	中央电视台综合频道	16.2	18.3
2	中央台八套	7.3	7.4
3	中央台三套	7.0	7.0
4	中央台六套	6.4	6.3
5	中央台五套	5.3	6.8
6	湖南电视台卫星频道	5.2	5.6
7	安徽一套	3.5	2.9
8	中央电视台少儿频道	3.3	3.1
9	中央台一套	3.3	3.5
10	中央台四套	3.2	3.0
11	中央台十套	2.5	2.4
12	中央电视台新闻频道	2.4	2.7
12	江苏卫视	2.4	2.2
14	江西电视台卫星频道(一套)	2.2	2.0
15	四川卫视	2.0	1.9

数据来源：CSM媒介研究

（二）节目竞争格局

如果要用两个词来概括2007年中国电视市场的内容竞争，可以归结为“突破”与“适位”。所谓“突破”是指在经历了前几年的节目创新高潮之后，2007年电视节目创新已经有所放缓，在选秀和民生新闻等热门节目面对观众“审美疲劳”和社会价值拷问的时候，电视台开始寻求节目发展的新突破，寻求观众新的兴趣点。与前几年不同的是，2007年电视节目的突破更多地体现在内容选题而非节目形式上，借助真人秀等新兴节目形态，具有浓厚“以人为本”和“社会关怀”色彩的情感节目和公益节目大行其道，在内容市场上刮起爱的旋风，取得了社会效益和经济效益的双丰收。所谓“适位”则是指各级电视台根据自身的资源和地位境况，寻求适宜的内容策略，以适位于新的竞争环境。在2007年最典型的“适位”即是省级和地市级电视台为应对2008奥运会期间中央电视台的强势竞争，而不断尝试和寻求“擦边球”或“差异性”的竞争策略。随着中国电视市场份额竞争的加剧，“内容为王”的理念受到越来越多电视台的重视，渗透到电视台运营的各个环节，使得内容竞争的氛围日趋浓烈。

全国市场是中央级频道和省级卫视频道相互角力之所在，面对新媒体的竞争压力以及观众收视规模的连年下滑，拥有较强资源优势和覆盖优势的中央级频道和省级卫视频通过资源战、创新战和营销战推动节目竞争升级，连番引发中国电视节目内容、形态和编排创新的热潮，不断重构全国电视收视市场的节目竞争格局。在这个过程中，中央台凭借国家台的政策和资源优势，凭借强势的内容资源和明星主持人，在大多数节目市场上稳居霸主之位，省级卫视则通过在综艺娱乐、电视剧和专题等节目上的突破，而获得了更大的市场空间。

1．节目竞争格局大致稳定，服务性节目发展势头明显

2007年中国电视节目市场上，类型节目竞争格局大致维持稳定。电视剧、新闻／时事和综艺节目依然是电视节目收视的主导，三者共同占据52.59%的收视份额；专题、生活服务和体育节目以超过5%的收视份额，构建了节目收视的第二梯队；电影和青少节目由于其在细分市场的突出表现，而分别斩获4.8%和3.9%的市场份额；法制、音乐和财经节目的收视份额均在1～2%之间；戏剧、教学和外语节目仍然由于细分观众群体相对狭窄，没有太突出的收视表现。

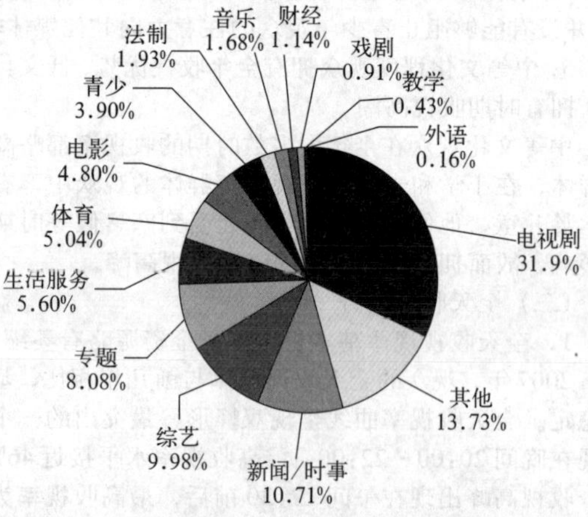

图2 2007年全国市场各类节目收视份额

数据来源：CSM媒介研究

与2006年相比，在全国市场上电视剧、专题、生活服务、青少、财经、戏剧和教学节目的收视份额有不同程度的增长；新闻／时事、综艺、体育、电影、法制和音乐节目的收视份额有不同程度的下降。从类型节目收视的整体变化趋势来看，偏重娱乐性的电视节目收视效果有下滑的趋势，而诸如生活服务、财经和教学等更具服务性的节目类型，则获得了日渐扩大的市场空间。

虽然从中国电视市场的整体发展态势来看，作为中国电视节目市场主要支撑的电视剧在收视上的发展已经透露出了疲态，甚至出现了负增长。但在全国市场上，凭借中央电视台和省级卫视在电视剧资源投入和营销推广上的不懈努力，电视剧相对于其他节目类型的竞争地位则表现出了一定的上升趋势，收视份额达到31.90%。在2007年中，以中央电视台、安徽卫视和湖南卫视等为代表的一批强势竞争者，在自制剧、独播剧和首轮剧等方面继续发力，不断扩大相对于地面频道和竞争对手的资源优势，屡屡在全

国市场上掀起收视高潮；与此同时，以江西卫视、重庆卫视和河南卫视为代表的部分省级卫视则针对观众市场需求，采取更有效的电视剧编排策略，改善电视剧的资源利用效率，也为电视剧节目市场地位的稳固作出了贡献。在中国电视频道份额竞争日趋激烈的大环境下，中央级频道及省级卫视对电视剧资源的进一步控制和整合利用将对中国电视节目市场竞争格局产生持续影响。

作为电视剧之外的、中国电视收视的另外两只领头羊，新闻/时事节目和综艺节目在2007年全国市场上的收视份额均较2006年有所下降。虽然在2007年，中央电视台和上海东方卫视等在新闻节目的策划和编排方面均有不少创新尝试，但新闻/时事节目收视份额在近几年来的连年下滑还是让人们看到了新闻节目在传播艺术方面存在的不足，值得关注。与新闻/时事节目传播艺术尚有缺陷相反，中国的综艺节目在近两年持续出现形式和内容的创新高潮，市场地位较前几年有明显提升。不过在综艺节目创新发展的浪潮中，出现了一些激进现象，引发了对电视节目低俗化和庸俗化的多次争论；为防止综艺节目过热和过激发展对社会文化带来的负面影响，2007年国家广播电影电视总局加强了对综艺节目的监管，从节目组织、内容选题、节目形式和播出时段对综艺节目进行了全方位规范，一定程度上限制了综艺节目的市场空间，引致了此类节目收视份额的下滑。

2007年中国节目市场上具有服务性的节目类型的收视份额的不同程度增长。随着中国经济的发展以及观众生活水平的提高，观众对服务信息的需求有一定程度提高；而2007年中国股市跌宕起伏的发展态势，则使得财经类节目获得前所未有的关注，收视份额上升至1.14%。从体育节目在近几年中的收视份额波动可以看出此类节目收视的时期性，诸如世界杯和奥运会等重大体育赛事对此类节目的收视具有极为重要的支撑作用。2007年由于缺乏重大赛事，体育节目的收视份额又跌回至了2005年的水平。虽然随着2008年奥运会的临近，不少电视台都在体育节目资源获取和播出方面投入了更大力度，不过从收视市场的反应来看，观众对于重大体育赛事的收视需求更多地集中在赛事本身，而非赛事前的预热。

2．中央电视台主导全国节目市场，省卫视多方面寻求突破

在2007年全国节目市场的竞争中，中央电视台依然占据主导地位，所有节目的收视份额达到61.52%。不过，面对省级卫视近几年来的咄咄竞争，中央电视台的市场地位实际上在发生萎缩，收视份额较上一年缩小了3%，而省级卫视则顺势而上，以37.84%的市场份额进一步巩固其市场地位。2007年中国教育电视台的收视份额为0.65%，和2006年0.5%的水平相比，有略微增长。

在各类节目市场中，中央电视台在电影和体育节目市场占据绝对优势，收视份额达到96%以上，凸现出中央六套和中央五套这两大专业性频道在全国市场上的统治地位。此外，中央电视台在教学、外语和法制节目市场上的收视份额也在90%以上，其中其在外语和法制节目市场上的竞争地位有所提升，而在教学节目市场上则有所下降。2007年，中央电视台在专题、音乐、新闻/时事、戏剧和青少节目市场上的份额超过了70%，在综艺节目市场上的份额为65.95%，在生活服务和财经节目市场上市场份额在55%左右，在电视剧市场上的份额仅为40.96%。和2006年相比，中央电视台在音乐、青少和综艺节目市场中的竞争地位有所改善，在新闻/时事和戏剧节目市场上的竞争力略有下滑，在生活服务、电视剧和专题节目市场中的势力也有所下降，在财经节目市场上则失去了超过20%的市场份额。

在几乎所有节目市场上，省级卫视和中央电视台都呈现出此消彼长的态势。曾让省级卫视在2006年的收视市场上大出风头的综艺节目在2007年并未为省级卫视增加太多竞争砝码，随着国家广电总局对选秀类节目举办周期、播出时段以及节目形式等诸多规定的出台，2007年以《快乐男生》和《我型我Show》等为代表的选秀节目的风头已大不如前；以湖南卫视等为代表的部分省级卫视在综艺节目方面的持续创新，并没有给收视市场带来太明显的冲击；受此影响，省级卫视综艺节目的收视份额仅为33.8%，较2006年还略有降低。与在综艺节目市场上的固步不前不同，2007年省级卫视在电视剧收视中取得了进益。尽管2007年开年时以湖南卫视的《大明王朝》和《悲伤恋歌》，安徽卫视的《天国阶梯》和浙江卫视的《商道》为代表的独播剧并没有在收视市场上力掀狂潮；但以重庆卫视和江西卫视等为代表的部分省级卫视在电视剧资源利用方面的创新努力，还是让省级卫视在与中央电视台的电视剧收视竞争中再获进益。

中国教育电视台在2007年各类节目市场上的表现没有太明显的突破，除了在教学节目市场上获得2.6%的市场份额，在电视剧和财经节目市场上的份额超过1%之外，其他节目类型在各自节目市场上的份额均在1%以下。和2006年相比，中国教育电视台在综艺、专题、音乐、电影、电视剧和财经节目市场的收视份额均有不同程度增长，帮助其在激烈的市场竞争中获得了整体地位的略微提升。

3．中央电视台均衡发展，中国教育台与省级卫视倚重电视剧

经过多年的发展，中央电视台频道专业化发展已经比较彻底，除中央一套作为综合频道之外，其他频道各司其职，在各类专业节目市场上迅速发展，由此为中央电视台构造了一个相对均衡的节目收视格局。2007年，电视剧在中央电视台整体收视中所占的份额为21.25%，较2006年下降近1个百分点；新闻/时事节目则贡献了12.78%的收视时间，较2006年也略有降低；综艺和专题节目对电视台的整体收视贡献在10%左右；体育节目的收视贡献从2006年的9.7%降至2007年的7.9%；电影节目的收视份额为7.7%；生活服务和青少节目的收视份额在5%左右。总体而言，大众类节目对中央电视台的收视贡献略有缩小，专业性、小众性节目对电视台的贡献有所增加。

和中央电视台相比，中国教育电视台的收视主要倚重于电视剧，其51.50%的收视时间均由电视剧贡献；专题和生活服务节目分别占据了其10.73%和7.30%的收视时间；专题和生活服务节目的收视贡献超过综艺和新闻/时事节目，这是中国教育电视台收视结构区别于中央台和省级卫视的重要特征；除此之外，财经、青少和教学节目分别为其贡献了2%左右的收视时间；电影和音乐的收视份额在8%左右。与2006年相比，中国教育电视台电视剧和新闻/时事

节目对频道整收视的贡献有所下降；与此同时，电视台的节目类型有所丰富，音乐和电影节目为其带来了新的收视。

省级卫视的收视也明显倚重于电视剧，2007年电视剧对省级卫视的收视贡献达到48.90%，较2006年略有下降；综艺和新闻／时事节目则分别为省级卫视贡献了8.91%和7.48%的收视时间，其中综艺节目对省级卫视的收视贡献较2006年下降了近1.5个百分点；生活服务类节目对省级卫视的收视贡献达到6.8%，较上一年也有所增长；借助《人间》和《真情》等情感话题节目，专题节目对省级卫视的收视贡献达到5.03%，较上一年明显提升；此外，青少节目对省级卫视的收视贡献达到2.79%；财经节目的收视份额明显提升，达到1.28%。从各类节目收视份额的消长来看，省级卫视的节目发展已经有从电视剧和综艺等传统节目类型向专题和服务性节目扩展的趋势。

4．观众分流趋于明显，类型节目各有所长

随着中国媒体产业的迅速发展，以及媒体内容的不断丰富，观众分流的趋势将日趋明显。以互联网和数字电视为代表的各类新媒体为观众提供了丰富的内容选择和消费主动性，使得观众根据自己的需求安排媒体消费时间的可能性增大。虽然有调查显示，观众在媒体消费过程中的惰性，有可能使其忽略在内容消费中的主动选择权；不过，媒体内容不断细分以及媒体技术便捷性的提高，还是会促进观众分流的发展，各类电视节目将因为满足了不同细分群体的收视需求，而逐步勾勒出自己的市场空间。

从目前的情况来看，男女观众对各类节目的整体收视结构大致趋同。男性观众将更高比例的收视时间用于收看电影、体育、新闻／时事和专题节目，女性观众则用更多的时间收看电视剧、音乐和综艺节目，两种性别观众分配在其他节目上的收视时间比例基本相似。在上述各类节目中男性观众在体育、电影和新闻／时事节目方面的收视比例优势明显，女性观众在电视剧和综艺节目方面也表现出了较明显的收视倾向，这几类节目是电视台开发以性别为依据的细分市场的重要突破口。

不同年龄的观众对各类节目的收视时间分配存在比较明显的结构性差异。对于4～14岁的少儿群体而言，电视剧和青少节目占据了其半数以上的收视时间；15～34岁的中青年群体则在电视剧和综艺节目上花费了近50%的收视时间；45～54岁的中年群体除了用30%左右的时间看电视剧之外，还分别用10%的时间收看综艺节目和新闻／时事节目；55岁及以上的老年群体在新闻／时事节目上花费的收视时间比例明显高于年轻群体，而其在电视剧和综艺节目上投入的收视时间比例则相对偏少。除了上述几类主要的节目之外，中老年群体在财经、电影、法制和专题节目收视上投入了较多精力；老年群体将明显多于青年群体的收视时间比例贡献给了戏剧节目；青年群体在音乐节目上投入了较高比例收视时间。

教育程度对观众收视内容选择的影响更多地表现在几乎所有节目类型上。目前，中国高中及以上教育程度群体将更大比例的收视时间用在了财经、法制、教学、体育、新闻／时事、音乐、专题和综艺节目上；小学和初中教育程度群体则将更大比例的收视时间贡献给了电视剧；未受过正规教育的群体则在青少和戏剧节目上花费了比其他群体更大比例的收视时间。不同教育程度群体对于信息和娱乐的不同需求，以及他们接受新鲜事物的意愿和能力，是导致群体收视结构差异的重要原因。

从个人月收入水平的角度来看，中高收入水平的观众把更大比例的收视时间用于收看财经、电影、法制、体育、新闻／时事、音乐、专题和综艺节目上；低收入水平的观众则在电视剧、生活服务和戏剧节目上投入了相对较大比例的收视时间。对各种收入水平的观众而言，电视剧、新闻／时事、综艺和专题节目都是构成其节目收视的主要节目类型，在娱乐性节目上各种收入水平观众的收视时间比例差异相对较小；在信息性节目上，高收入水平观众投入的收视时间比例明显高于低收入观众。

在从事各种职业的观众中，干部／管理人员群体花费了较高比例的时间收看财经、体育、新闻／时事、专题和综艺节目；个体／私营企业人员则在电视剧、电影和综艺节目上花费了较大比例收视时间；初级公务员群体在新闻／时事、专题、音乐和综艺节目上投入的时间比例相对较高；工人群体则在电影和音乐节目上花费了相对高于其他群体的时间比例；学生群体用10.14%的时间收看青少节目，明显高于其他群体；物业群体则对法制、生活服务、戏剧和新闻节目表现出了较大关注。

（央视－索福瑞媒介研究有限公司提供）

2007年中央电视台收视分析

第一部分　概述

2007年，中央电视台在各类型节目市场中继续保持了强势，满足了不同层次观众的收视需求。

在电视剧、专题、综艺、青少、体育等具有广泛观众收视需求的节目中，中央电视台的市场份额保持了相对稳定，综艺节目收视份额稳中有升。

一、中央电视台收视份额连续3年超出34%

2007年中央电视台15个开路频道总体收视份额达34.91%，连续3年超出34%；较2007年目标收视份额提高了2.91个百分点，比2006年下降0.22个百分点。单日最高收视份额达到45.99%（2月17日，农历除夕），最低收视份额为30.66%（4月30日）。2007年中央电视台总体收视份额超过32%的天数达到349天，比2006年多出5天。

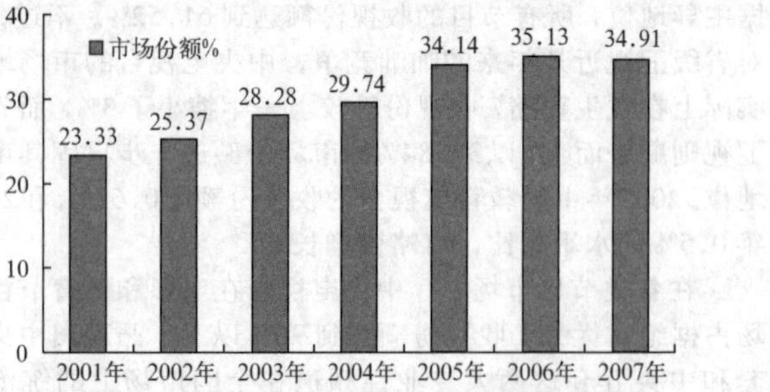

图1　近7年中央电视台收视份额示意图

二、2007年各频道对全台收视份额贡献情况

1．专业频道对中央电视台总体收视份额的贡献率提升

在中央电视台15个开路频道中，CCTV-1对中央电视台的收视份额贡献率为28.79%，比2006年的31.17%下

降2.38个百分点。

中央电视台其他专业频道对中央电视台品牌竞争力的贡献日益提高，CCTV-3、CCTV-4、CCTV-7、CCTV-8、CCTV-9、CCTV-10、CCTV-新闻、CCTV-少儿、CCTV-音乐这9个专业频道对中央电视台收视份额的贡献力度增幅较大。2007年这9个专业频道的贡献率达到42.85%，比2006年（39.8%）提高3.05个百分点。尤其是CCTV-少儿、CCTV-7和CCTV-3在2007年对中央电视台收视份额的贡献提升较为明显，提升幅度都超过0.5个百分点。

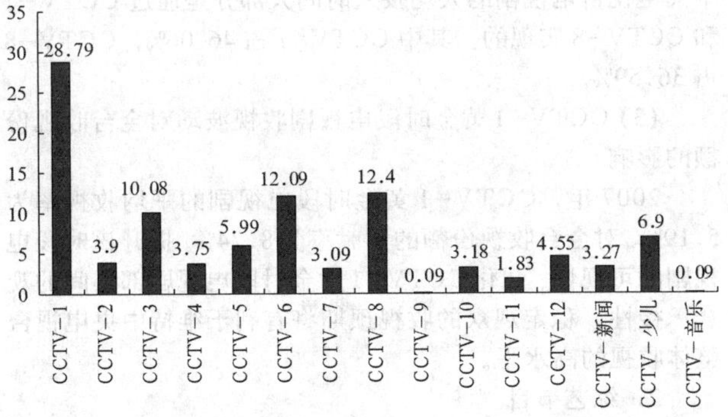

图2　2007年中央电视台各频道收视贡献率情况

2．各节目中心对CCTV-1收视份额的贡献

2007年各节目中心对CCTV-1收视份额的贡献情况是：文艺节目中心59.55%，新闻节目中心25.39%，其他由高到低依次为青少节目中心、社教节目中心、体育节目中心、广告经济信息中心和海外节目中心。

相对于2006年，文艺节目中心对CCTV-1贡献率提升幅度最为明显，由51.82%提升至59.55%，提高7.73个百分点。其次是青少节目中心，由6.30%提升至7.56%，提高1.26个百分点；其他各节目中心对CCTV-1贡献率与2006年相比呈负增长趋势，其中新闻节目中心对CCTV-1贡献率下降最为明显，由26.44%降至25.39%，下降1.05个百分点。

三、2007年中央电视台时段格局变化

2007年中央电视台在晚间黄金时段、午间时段、傍晚时段收视份额有所提升，尤其是13：00～15：00的收视资源得到有效利用，收视成绩比2006年有所提高。但是从全天总体收视成绩来看不容乐观，尤其是上午时段、21：00之后时段的收视成绩相对于2006年大幅度下降，其中，21：30～22：45时段是全天收视份额的最低点，平均收视份额只有26.98%，相对2006年同时段下降了1.66个百分点。

1．午后时段竞争力稳步上升

13：00～14：00的平均收视份额相对于2006年增长幅度为两个百分点以上。该时段竞争力增长幅度最大的是CCTV-6，其次是CCTV-3，中央电视台收视成绩的提升得益于电影和综艺类节目收视成绩的拉动。

2．上午时段收视成绩大幅度下降

2007年中央电视台在上午时段收视成绩相对于2006年下降幅度接近10个百分点。该时段下降幅度最大的是CCTV-1，其次是CCTV-8。

四、中央电视台在忠实观众群中保持强势地位，在年轻观众中竞争力有所提升

2007年中央电视台在男性观众、25～34岁以及45岁以上观众、高中文化以上观众、城市观众、管理人员以及专业技术人员、中高收入人员中，继续保持收视强势，收视份额均超过35%。

从地域分布上看，2007年中央电视台在乡镇观众中的竞争力有所提高，但是在城市观众中的竞争力不如2006年，其中CCTV-1下降最为明显，下降1.70个百分点，其余下降的频道分别是：CCTV-6、CCTV-5、CCTV-8、CCTV-2、CCTV-12、CCTV-11、CCTV-新闻。

从年龄上看，中央电视台在年轻观众中的份额有不同程度的提升，4～35岁观众的收视份额增幅明显。在年轻观众中收视份额的提升主要与CCTV-少儿、CCTV-3、CCTV-7、CCTV-10等专业频道收视份额提升有关。

从文化程度上看，未受学历教育和小学文化程度观众的增长幅度较大，在大学以上学历观众中的收视份额下降明显。

从收入上看，家庭收入在300～900元和2300～3200元的观众收视份额增幅明显。

第二部分　全国收视市场竞争环境

一、全国收视市场连续两年萎缩

2007年，观众人均每天收看电视的时间为152分钟，比2006年（153分钟）减少1分钟，比2005年（154分钟）减少2分钟。就观众总体投入时间而言，收看电视依然是观众闲暇时间中的主要活动选择。观众收视时间的连续微幅下降，与观众闲暇活动选择的多样化和新兴媒体的发展有一定关系。

二、中央电视台节目依然是观众重要的收视选择

2007年观众每天收看中央电视台节目的时间为人均53分钟，比2006年的54分钟减少1分钟，比2005年的52分钟提高1分钟，中央电视台的竞争力仍然保持平稳。

三、2007年全国收视市场仍呈“三足鼎立”态势

2007年中央电视台在全国收视市场中所占份额为34.91%，仍占据市场1/3的份额；地面频道的收视份额为37.43%，比2006年下降0.72个百分点；省级卫视频道在全国收视市场的份额为27.20%，比2006年提高0.81个百分点；其他频道收视份额仅占0.46%，比2006年提高0.13个百分点。

四、全国有21个电视频道收视份额超过1%，其中12个是中央电视台频道

在全国卫星电视频道中，中央电视台有12个频道收视份额超过1%。其中，CCTV-1在全国的影响力依然具有绝对优势，收视份额是排名第二的频道的2.3倍。省级卫视有9个频道收视份额超过1%。收视份额提升幅度居前的省级卫星电视频道分别是：四川卫视、河南卫视、辽宁卫视、天津卫视、重庆卫视。收视份额下降幅度居前的省级卫星电视频道分别是：山东卫视、湖南卫视。

第三部分　中央电视台节目收视特点分析

一、2007年观众对各类节目中的时间投入与上年基本

一致

根据CSM对全国测量仪所有样本点480个各类频道中节目的监测分析，2007年观众在各类节目中的收视投入格局与2006年基本一致，电视剧、专题、综艺、新闻、电影是观众收看的主要节目类型，观众在这5类节目中的时间投入占观众总收视时间的84.74%。电视剧在观众时间投入中的份额接近一半。

与2006年相比，观众在各类节目中的时间投入量存在一定的差异。财经节目尽管在观众收视总时间中的比重只有0.67%，但在2007年观众的时间投入明显增加。随着各频道加大了专题类节目的播出力度，2007年观众在专题类节目中的收视时间相对2006年增加了10.30%。另外，观众在外语、青少、影视剧上的收看时间也有所增加。2007年，观众在综艺类节目中收视时间的减少最为明显，相对上2006年的收视比重下降了5.16个百分点。另外在戏曲、体育、新闻等节目上，观众的收视总时间也有所下降。

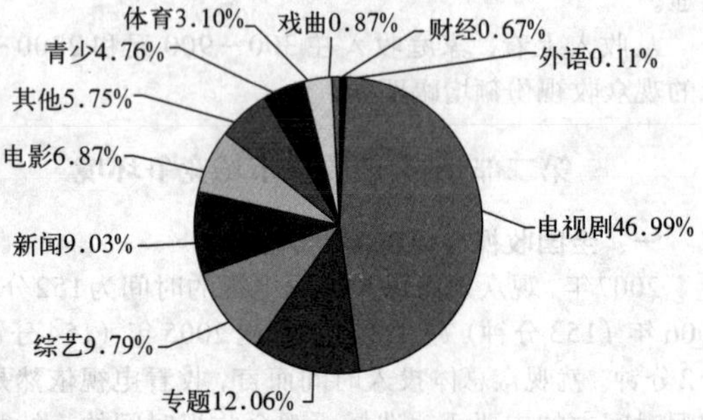

图3　2007年观众在中央电视台各类节目中的收视投入格局

二、中央电视台在各类型节目市场中仍然具有较强影响力

2007年中央电视台在各类型节目市场中继续保持强势竞争力。在电影、少儿、体育、外语、戏曲、专题、综艺这7类节目中，中央电视台在全国电视市场中的份额均超过了50%，明显高于2007年中央电视台总体收视份额(34.91%)。其中，电影、少儿、体育、外语类节目的市场份额更是达到或超过70%。

与2006年相比，2007年中央电视台外语、综艺等类节目优势有一定幅度提升。但是，2007年中央电视台在财经类节目中的收视份额下降幅度较为明显，相对2006年下降了9.09个百分点。

三、大众类型节目对中央电视台收视竞争力贡献居前

影视剧、新闻、综艺、专题等类型节目在历次各类调查中均是观众收视选择的主要指向，这些类型的节目也是中央电视台吸引观众的重要载体。电视剧、电影、综艺、专题、新闻等节目对中央电视台收视竞争力的贡献率在各类型节目中居前，这5种类型的节目对中央电视台收视竞争力总的贡献率达到了78.64%，成为中央电视台收视竞争格局的重要节目元素。外语、戏曲、财经等观众收视倾向较弱的小众节目对中央电视台收视竞争力的贡献率则相应较低。与2006年相比，专题、少儿、财经等类节目对中央电视台收视份额的贡献率有所增加；电视剧、电影、新闻、体育、综艺、戏曲等类节目对中央电视台收视份额的贡献率有所降低。

四、中央电视台在各主要类别节目中的收视格局

1．电视剧

(1) 在全国电视剧市场达到28.17%的份额

2007年，在观众收看时间有所减少的情况下，中央电视台在全国电视剧市场中仍然获得28.17%的份额，CCTV-1、CCTV-8、CCTV-12的市场份额相对较高。

(2) 收视份额近三成来自电视剧，部分频道对电视剧依赖度较高

2007年，中央电视台收视份额对电视剧的依赖程度是29.67%，相对2006年减少0.91个百分点。2007年观众对中央电视台电视剧的人均投入时间大部分是通过CCTV-1和CCTV-8实现的。其中CCTV-1占46.06%，CCTV-8占36.59%。

(3) CCTV-1黄金时段电视剧收视波动对全台收视份额的影响

2007年，CCTV-1黄金时段电视剧的平均收视率为5.19%，对全台收视份额的贡献率为8.74%。提升该时段电视剧的可视性、强化CCTV-1黄金时段电视剧部集间的观众承接性、稳定观众的收视预期将有利于维持中央电视台整体收视的高水平。

2．综艺节目

(1) 中央电视台在综艺类节目中的份额继续增加

2007年，观众在中央电视台综艺节目中日人均收视时间为5.5分钟，相对2006年增加了0.07分钟。在国内综艺节目市场中，中央电视台获得了54.91%的份额，相对2006年增加了1.20个百分点。综艺节目成为中央电视台市场份额提升幅度最多的大众化节目。

(2) 在全国综艺节目市场中CCTV-3具有明显优势

CCTV-3、CCTV-1、CCTV-2三个频道在全国综艺节目市场中占有比率较高，分别达到32.34%，7.07%，6.51%。

(3) 大型晚会类节目依然是全年最具收视号召力的综艺节目

大型晚会（大型活动）一般安排在传统节日或特定活动日播出，由于有鲜明的主题定位，又以CCTV-1为主要播出平台，均获得了较高的收视表现。2007年不仅《春节联欢晚会》继续成为观众的新年俗，《元宵晚会》、《中秋晚会》等也成为传统节日中观众的重要收视选择。

(4) 语言类综艺节目受到观众欢迎

CCTV-3在元旦、春节及其他长假期间，《欢乐今宵》、《小品总动员》等综艺特别节目成为假期观众的收视亮点。这些节目的最高收视率都超过2%。因特别节目的拉动，CCTV-3在2007年元旦、春节和“五一”期间的收视份额均超过5%。

(5) CCTV-3黄金时段综艺类节目收视竞争力高于上年

2007年CCTV-3黄金时间段节目平均收视率相对2006年有一定程度提升，排前10名的综艺栏目平均收视率都超过1%。

3．新闻节目

(1) 在全国新闻节目收视市场中占46.33%份额

在全国新闻类节目收视市场中，中央电视台拥有46.33%的市场份额。其中，CCTV-1、CCTV-新闻两个频道贡献率相对较高，分别为29.73%、10.36%。

相对2006年，中央电视台在全国新闻类节目收视市场中占有的收视份额减少了2.27个百分点。其中，CCTV–1的新闻类节目市场贡献下降4.47个百分点，而CCTV–新闻、CCTV–4两个频道则有所提升，CCTV–4增幅相对较大，增长1.34个百分点。由于2008年奥运会的临近，观众对CCTV–5的体育类新闻也较以往更为关注。

(2) 有9个栏目在全国新闻节目收视市场份额超出1%

2007年，中央电视台新闻类栏目中共有9个在全国新闻类节目市场的收视份额超过1%。《新闻联播》、《焦点访谈》仍然是黄金搭档，早间的《朝闻天下》和《第一时间》、午间的《新闻30分》、22：00的《晚间新闻》以及《东方时空》等栏目保持中央电视台新闻节目中的主力军地位，《新闻社区》以其贴近性取胜，逐步成为中央电视台新闻类栏目中的后起新秀。

(3) 观众对新闻消息类和新闻评论类节目的收视行为存在时段差异

新闻类节目的播出一般集中在早（7：00档）、中（12：00档）、晚（18：00～20：00）三个时段，夜间时段也存在一定的收视需求。晚间的收视量显著高于早间和午间。18：00～20：00是全国新闻类节目市场中重要的收视和播出时段，该时段新闻类节目播出量占全天的26.8%，收视量占全天的52.5%。

分析发现，综合新闻消息的播出和收视量最大，但综合新闻的主要收视集中在18：00～20：00，收看新闻的观众有七、八成在收看综合新闻。这两个小时中，大部分观众综合新闻方面的收视需求得到基本满足。

20：00～22：00是综合新闻收视量的相对低点，这一时段中新闻评论类节目的收视较为集中，收视比例明显高于其他时段。

另外，以新闻评论为定位的一些栏目如CCTV–4的《海峡两岸》及CCTV–新闻的《国际观察》在晚间黄金时段都容易形成稳定的观众群，获得较高的较稳定的收视率。2007年《海峡两岸》在20:30播出时段平均收视率达到了0.44%，最高收视率达到了0.86%。

(4)观众的新闻视点更容易聚焦于民生话题

CCTV–新闻的《共同关注》、《本周》、《新闻社区》、《社会记录》等栏目在全国新闻类节目市场中都具有一定的影响力。

4．体育节目

(1) CCTV–5在全国体育类节目市场中坐拥八成份额

在全国体育节目市场中，中央电视台获得了84.86%的份额。其中，CCTV–5的贡献率最高，达到79.47%。

(2) 体育赛事是观众的收视首选

体育节目从内容上大致可以分为体育新闻、体育专题和体育赛事三类。作为体育节目第一手资料的各项赛事，是观众最关心的重要选择。观众收看体育节目总时间的60%是收看赛事，14%收看体育新闻类节目，25%左右时间投入到专题节目中。

(3) 篮球类、足球类、体育新闻类节目

在观众收看体育节目的总时间中，收看较多的体育类节目为篮球类、足球类、体育新闻类、体育专题类、排球类等。其中，大型赛事更为吸引观众的收视目光，如NBA比赛的直播和录像，亚洲杯、世界杯足球外围赛。但一些项目由于普及程度低、竞技视觉效果不佳等原因还没有被观众更多地关注，如棋牌类、赛车类、体育教学类。

表1　2007年CCTV晚会、大型活动收视率前10名

排名	日期	节目名称	频道	开始时间	结束时间	收视率%	收视份额%
1	2007-2-17	2007年春节联欢晚会	CCTV–1	20:00	0:30	23.58	46.82
2	2007-3-4	2007年元宵晚会	CCTV–1	20:05	21:37	10.15	24.74
3	2007-2-17	特别节目 一年又一年	CCTV–1	19:39	19:44	9.05	22.44
4	2007-5-1	特别节目 共建和谐家园	CCTV–1	20:00	21:31	5.49	14.99
5	2007-9-25	中华情——2007年中秋晚会	CCTV–1	20:00	22:00	5.21	15.08
6	2007-2-16	特别节目 和风吹来万里春	CCTV–1	20:00	21:32	4.92	10.94
7	2007-2-19	特别节目 万家灯火平安夜	CCTV–1	20:03	21:44	4.85	12.72
8	2007-8-8	北京2008年奥运会倒计时一周年	CCTV–1	19:55	21:22	4.72	12.70
9	2007-9-16	特别节目 大地情深	CCTV–1	20:02	20:48	4.57	12.24
10	2007-2-20	曲苑杂坛——2007年正月正晚会	CCTV–1	20:53	21:39	4.51	12.24

(4)精彩赛事重播，收视依然精彩

2007年以来，CCTV–5加大了对精彩赛事的重播力度，获得了丰厚的收视回报。如《NBA赛场》白天直播时段收视率保持在0.7%左右，当日或者次日晚间在CCTV–5重播时段的最高收视率达到0.84%，丝毫不逊色于首播时段的收视成绩。分析首播和重播的观众特征发现，收看首播与重播的观众群相对独立，说明收看同一赛事首播和重播的观众基本为不同的观众人群。

(5) 体育娱乐节目逐渐形成品牌，成为非大赛期间吸引观众的重要节目内容

2007年CCTV–5的特别节目和常态栏目也形成了频道在非大赛期间的收视亮点，赢得了广泛的社会关注。《体育新闻》、《体坛快讯》、《奥运ABC》、特别节目《城市之间》单期节目收视率都超过1%。注重体育与娱乐要素的有机融合，成为CCTV–5大赛之外吸引稳定收视观众的一条新路。

5．专题节目

2007年中央电视台在专题节目市场中的份额相对上年下降了0.66个百分点，为61.70%。在专题节目各子类别中，中央电视台继续保持着强势。在法制（71.81%）、教学（80.80%）、科教文化（65.65%）等专题子类别市场中，中央电视台的份额均超过60%。在生活服务类节目中，中央电视台份额相对较低，为22.56%。

(1) 特别专题节目形成品牌效应，社会反应良好

在节目运作中，“感动中国”、“3·15晚会”、“法治的力量”、“中国经济年度人物评选”、“圆梦行动”等特别活动，已形成了主题晚会与日常节目的良性互动，成为特定

时期的观众收视热点与媒体的关注点，有效地扩大了节目的观众收视覆盖规模。“春暖2007”、“圆梦行动”均形成了良好的观众氛围，成为2007年社会公益活动类节目的响亮品牌。

（2）专题类品牌栏目成为中央电视台相关频道收视增长的驱动力

2007年中央电视台专题类节目强化了可视性，使故事化运作与节目的知识性、实用性及对情感与社会价值观的提升在中央电视台的品牌专题类节目中有效并重。CCTV-10、CCTV-12、CCTV-7在国内专题节目市场中的份额居于前列，分别达到10.12%、9.11%、9.11%。品牌专题栏目的收视率均明显提升，如CCTV-7的《致富经》、《乡约》、《每日农经》，CCTV-10的《走近科学》、《人与社会》、《家庭》，CCTV-12的《道德观察》、《法律讲堂》、《中国法治报道》等栏目。

2007年，品牌栏目在各专题子类别节目市场的强势地位也得到了进一步的巩固。《今日说法》、《法治在线》、《中国法治报道》等栏目在全国法制类节目市场中的份额均超过8%；《走近科学》、《探索.发现》、《夕阳红》等原创节目在全国科教专题类节目市场中的份额也均超过2%。

6．青少节目

（1）中央电视台在全国青少节目市场份额接近70%

2007年中央电视台在全国青少节目市场中所占份额为69.37%，比2006年下降0.29个百分点。CCTV-少儿已成为我国观众收看青少节目的主要渠道。2007年，CCTV-少儿在全国的入户率达到58.36%，比2006年提高8.92个百分点；在全国青少节目市场中的份额达到了50.69%。

（2）动画节目是观众收看中央电视台青少节目的主要内容

2007年，观众在中央电视台青少节目中收视时间的投入以动画片为主，有超过2/3的时间是收看动画片。其次是专题类节目以及其他青少节目类别。

（3）栏目影响力进一步增强

《大风车》、《动画梦工场》、《动漫世界》、《动画城》、《银河剧场》等是观众收视投入最多的5个青少栏目。这5个栏目在全国青少节目市场中的份额超过1/3。同时，2007年非动画类少儿节目在全国的影响也有明显优势。比如《智慧树》的市场份额达到了35.32%，由于形成了“动画＋专题＋动画”的良好收视连带局面，《智慧树》的收视率一直保持较高水平，2007年最高收视率达到1.41%。另外，青少专题类节目的良好表现为主持人影响力的提升提供了较好的平台。2007年全国电视观众调查数据显示，中央电视台少儿专题类节目的主持人，如“鞠萍姐姐”、“月亮姐姐”、“金龟子”、“董浩叔叔”、“红果果”等，都在孩子最喜爱的少儿主持人选择中位居前列。

7．戏剧节目

（1）在全国戏剧类节目市场中获得了56.29%的份额

2007年中央电视台在全国戏曲类节目中所占份额为56.29%，比2006年下降1.84个百分点。在戏曲类节目中，CCTV-11所占份额最大，达到55%。

2007年，CCTV-11年度平均收视份额为0.64%，人均收视时间为0.98分钟，其中戏曲类节目对该频道贡献率为62.25%，电视剧贡献率为25.66%。

（2）观众对戏曲节目收视需求呈现多样性特征

从开播以来收视率居前的戏曲节目排名可以看出，观众对戏曲节目的收视需求呈现多样化特征，京剧、黄梅戏、豫剧、越剧、评剧等具有广泛观众基础的剧种成为戏曲节目的收视热点。

2007年，CCTV-11在戏曲节目的播出中，注重兼顾观众对戏曲节目收视需求的多样性。比如《梨园擂台》栏目与地方电视台合作、加入群众参与性元素的黄梅戏节目成为2007年度频道戏曲类节目的收视次高，最高收视率达到0.60%。

（3）《第3届全国京剧戏迷票友电视大赛》成为频道品牌赛事

为进一步普及戏曲知识、发展戏曲观众队伍、繁荣京剧艺术，2007年CCTV-11自12月7日开始连续8天在晚间黄金时段播出《第3届全国京剧戏迷票友电视大赛》。这是继2001年和2003年举办两届之后京剧戏迷的又一次聚会，大赛设彩唱、清唱两种形式，分少年、青年、中老年3个组，不分行当，混合编排进行比赛。8场决赛的平均收视率为0.38%，比2003年《第2届全国京剧戏迷票友电视大赛》平均收视率0.20%提高0.18个百分点。

（中央电视台总编室观众联系处　刘志忠、李宾、王京、赵芳）

“五一”黄金周省级卫视频道全国收视市场分析

在2007年“五一”黄金周中，根据央视－索福瑞公司全国网数据显示，观众总量和人均收看时长较平常都有较大增长。“五一”期间，观众总人数比日常增加了12%。所有频道观众平均到达率为73.3%，人均收看分钟数149分钟，即七天长假中，每天有73%的观众收看了电视，平均每人每天收看约两个半小时，人均日收看电视时间比日常增加了约14%。毋庸置疑，“五一”黄金周已经成为各卫视频道提高收视率、采掘“收视黄金”的最宝贵的时段。如何把握时机、占领节假日，是各卫视频道提高竞争力和影响力的重要手段。

一、“五一”期间收视市场整体扫描

1.省级卫视十强呈现全新竞争格局

“五一”期间，各个频道形成了一个小小的竞争高潮。与四月份相比较，省级卫视排名前10名呈现出三升三平四降的格局。安徽卫视、山东卫视、河南卫视位居前三甲，这也是全国收视份额超过2%的3个省级卫视频道，其中安徽卫视继续保持首位，但份额略有下降。山东卫视表现最为抢眼，从四月份的第5名跃居第2名，市场份额升幅达27%，尤其在晚间时段，位列省级卫视收视榜首。

2.轻松、娱乐的节目成为荧屏主角

黄金周中，娱乐休闲类型的节目在荧屏上唱“主角”，无论是电视台的节目编播，还是观众的收视，娱乐性质的节目如电视剧、综艺、青少类的比例都明显上涨。相比4月份，综艺类节目播出比重由5.97%升至11.75%，涨幅达97%；电视剧播出比重由37.12%升至41.98%，升幅达13%。

而像新闻／时事、专题、法制、财经类节目所占份额则大幅下降，新闻／时事类节目播出比重由4月份的8.3%降至6.79%，降幅22%；财经类节目由1.22%降至0.16%。从收视比重看，电视剧、综艺节目在“五一”期间的收视比重超过其他节目；综艺类节目的收视比重翻了一番，从平时的5.7%一跃至13.85%，电视剧表现不俗，市场需求旺盛，收视比重比播出比重高出30%。而风格偏严肃的财经、社教类节目则成为假日里的“少数派”，收视比重明显下降。在这场轻松和严肃的风格对话中，轻松风格无疑更贴合“五一”假日春风拂面、娱乐休闲的主题。

3.全国网收视率前15位节目排行

从节日期间节目收视率排行来看，电视剧、综艺节目、专题是最受观众欢迎的节目类型。排名前15位的节目中，电视剧占到7位，文艺类节目占到5位，两者相加占到所有节目的五分之四。另外，排名前12位的节目中，专题节目也占到3位，并且排名比较靠前。

从排名前15位节目所属频道来看，安徽和山东卫视的电视剧、江苏卫视的专题节目、辽宁卫视的综艺节目占据优势地位。安徽卫视的电视剧占据首位，显示了其不俗的竞争力；山东卫视有两部电视剧排在前15位，排位比较靠前，显示出整体电视剧的较强竞争力；江苏卫视的专题节目《人间》周末版排名第四，日常版排名第11，异军突起，值得关注；辽宁卫视有两档综艺节目排名前15位，虽然位次靠后，但是也显示出多个自制综艺节目的实力。

二、前四强省级卫视频道竞争力的特点

1.安徽卫视：新剧集 新栏目 星歌会

一直以电视剧立台的安徽卫视，坚持电视剧的战略寸步不让，巩固并拓展电视剧先发优势，做足剧文章。第一剧场国内首部大型女性励志传奇剧《女人不哭》独家首轮上星，全国网收视率在“五一”期间省级卫视节目中排名第1，份额高达4%。

在坚持电视剧策略的同时，从2007年4月份起安徽卫视开始加大综艺节目的创办力度，希望在火红的综艺节目市场分一杯羹。最新娱乐综艺节目《周日我最大》和原有的两大娱乐节目《超级大赢家》、《剧风行动》周五至周日播出，三档节目联手打造周末娱乐板块。“辉煌星歌会”是安徽卫视有史以来规模最大、明星阵容最强的晚会。这台晚会既有鲜明的地方特色，又有浓烈的时代气息，“五一”黄金时段播出，在省级卫视节目中排名第5，份额达到2.73%。

2．山东卫视：打造强势品牌

山东卫视在文化定位上，紧紧围绕“情义”做文章，在频道设置、栏目编排上精心布局。山东卫视着力打造的“情义故事板块”，以弘扬祖国优秀文化，特别是弘扬儒家文化为己任，打造《天下父母》、《数风流人物》、《天下故事》、《天南地北山东人》等一系列契合自身文化定位、富有艺术感染力的精品节目，提高了自身的品牌影响力。同时，山东卫视很早就意识到节假日捕捉频道游离观众对收视提升的重要性，把节假日节目的特殊编排，作为重要的收视战役来打，从而把握了收视竞争的制高点。他们通过对观众构成进行分析，播出适合自身定位的电视剧和栏目，取得了良好效果。2006年在全国网省级卫视收视率排行中，山东卫视全天收视第3，晚间黄金时段收视第1；在2007年“五一”黄金周中收视又创新高，全天收视第2，晚间黄金时段第1名。

“五一”期间，山东卫视精心策划，主打被称为收视率“发动机”的电视剧和品牌节目。电视剧方面，针对受众的不同需求，科学合理编排，晚间“黄金剧场”推出首轮剧《天下第一媒婆》，在三家同时播出该剧的上星台中全国网收视率排名第1；份额排名与安徽卫视的独播剧《女人不哭》并列全国省级卫视节目排行第1。另外推出独播剧《地下交通站》，收视率良好。“五一”期间在19:40～24:00时段，山东卫视全国网份额3.08%，在省级卫视中排名首位。

在自办栏目方面，以才艺展示为主的品牌综艺栏目《阳光快车道》“五一”特别节目，在省级卫视节目中收视率排名第七。上午推出7天户外现场直播娱乐节目《老少乐翻天》，独创国内老少搭档形式；《天下故事》栏目也推出了系列主题节目“说出你的爱”，受到观众的喜爱。

3．河南卫视：创新编排前景可喜

河南电视台2006年提出“一大多强”口号，战略目标就是要打造全国强台。卫视频道持续性地进行版面调整，不断优化现有资源配置，通过结构性地调整赢得主动，收视排名从2006年的第五名升至2007年“五一”期间的第3名。

河南卫视根植丰厚的中原文化沃土，紧紧抓住地方特色，用自己独有的中原文化品牌栏目进行特殊编排，黄金周期间《梨园春》、《武林风》、《华豫之门》三个内容独特、形式各异的栏目相互带动、互为补充，构架了河南电视台卫星频道本土化、特色化的基本特质。其中，以戏迷擂台赛为形式的《梨园春》栏目在省级卫视节目中收视率排名第3，成为地方电视台坚持地方特色的一个成功典范。

河南卫视中午时分动画片的针对性编排在全国省级卫视中独一无二，相比大城市而言，在很多中小城市，孩子们中午有机会回家看电视，一个小时的动画片从11:00左右开始播放，成为其频道的独家优势。“五一”期间播出的动画片《四驱兄弟》，收视份额达4.43%，居省级卫视同时段节目排名首位。针对晚间精心选择的《少年包青天第三部》等剧对河南卫视全天的收视贡献也起到了极大的作用。

4．湖南卫视：“快男”高密度轰炸

“五一”期间，湖南卫视以“闪亮黄金周”概念为主打，以“快乐男声”贯通全线，做品牌，做高端，坚持锁定娱乐、锁定年轻、锁定全国的战略，追求最大化市场价值。在卫视频道排名前20位的综艺节目中，湖南卫视有7个之多，占据了绝对的优势。

品牌活动“快乐男声”六大唱区比赛在“五一”黄金周集中推出，从中午到深夜让观众在一个相对集中的时间了解一个唱区十强诞生的完整过程。每天中午12:30上演的快乐男声六大唱区预选赛，份额达到2.26%，午间时段成为湖南卫视全天收视率最高的时段；下午特别节目“男声学院”，份额1.78%；每晚19:30播出六大唱区的50进10晋级赛，份额1.25%。此外，次日凌晨0:30进行晋级赛的首轮重播，让更多观众重温这种紧张的快乐。从观众年龄层面看，《快乐男声》24岁以下观众份额达4.73%，远高于其他年龄段观众；从观众学历看，高中以上学历观众收视表现最好，高中以上观众平均收份额4.35%，这说明节目获得了年轻的高端收视群体热捧。另外，品牌娱乐节目《勇往直前》在“五一”期间省级卫视综艺类节目中份额排名第1。

2007年山东军民双拥春节联欢晚会

黄金周期间，在坚持娱乐路线的同时，湖南卫视充分利用电视剧聚拢人气，精心准备了《鹿鼎记》、《火花游戏》、《恰同学少年》和独播大戏《九指新娘》，不同风格满足不同欣赏口味的观众需要。

综观2007年“五一”期间各个省级卫视全国收视排名情况，可以发现一些卫视成功的共同之处。各个卫视要么通过独有的资源把优势不断放大，要么通过调整优化编排获取经济效益，而其中的关键就在于卫视是否真正愿意将自身放在全国收视平台之上检验实力。各个省内市场的竞争激烈，空间有限，简单依托本地人口经济优势的频道已逐渐显出疲态，因此几乎所有的优秀卫视都是以全国市场为导向来调整节目或制订改版方案。市场永远没有停止之时，参与全国竞争就是需要用明确的战略和扎实的执行做基础，用宏观的视野积极把握应对市场的变化并调整自己，用科学的方法挖掘自身优势，才能获得发展进步。

数据来源：央视－索福瑞公司研究公司4000测量仪户调查统计全国网收视率数据　　（山东电视台总编室）

河北地区收视市场分析

2007年河北收视市场悄然发生巨大变化，从全年收视份额的走势看，中央电视台各频道日渐失去其雄霸的地位，而地方频道逐渐成为收视主角。品牌栏目和品牌频道为赢得市场的法宝。

一、河北地区收视态势：市场主导发生逆转，地方强势日益凸显

从全年的收视份额看，中央电视台各频道的势力正在日趋减弱，而河北电视台各频道的份额逐渐增大，并成为市场的主导。

与上一年相比收视市场发生重大变化，2006年下半年的数据显示，中央电视台各频道无论是全天还是黄金时段均占有领先位置，占领市场35%左右的最大份额。而2007年全年市场份额下降为32.02%，下半年进一步萎缩到30.20%；而河北电视台各频道却是一路高歌，突飞猛进，全年的市场份额达到29.87%，下半年提高到32.12%，比上一年增加了5.52个百分点，成为河北地区收视的龙头老大。黄金时段这一变化更加明显，中央电视台的势力更加削弱，河北电视台的地位更加突出。中央电视台全年的市场份额减少为30.84%，下半年进一步缩小到28.80%；而河北电视台则分别上升到33.65%和35.57%，成为当之无愧的龙头老大。

从平均收视率来看，河北电视台一直处于大力攀升阶段。一改尾随中央电视台之后的历史，到下半年，河北电视台的平均收视率达到6.47%，明显超出中央电视台的6.08%。黄金阶段更是扶摇直上，全年平均达到16.50%，比中央电视台高1.28%；下半年更是遥遥领先，河北电视台达到18.39%，远远高于中央电视台的14.81%。

表1　河北地区收视竞争态势

类别	时间段	全天		黄金时段	
		中央电视台	河北电视台	中央电视台	河北电视台
市场份额(%)	全年	32.02	29.87	30.84	33.65
	2007年上半年	33.84	27.62	32.88	31.73
	2007年下半年	30.20	32.12	28.80	35.57
收视率(%)	全年	6.45	6.03	15.22	16.50
	2007年上半年	6.82	5.59	15.62	14.60
	2007年下半年	6.08	6.47	14.81	18.39

数据来源：中视广联河北省测量仪

数据表明，河北收视市场发生了显著变化，河北电视台日渐替代中央电视台成为河北收视市场主导，无论是从收视规模和收视占有率上看均占有优势地位。数据同时验证河北电视台2007年年中期的改版获得巨大成功。

二、河北电视台各频道收视分析

从总体看，观众收视份额向品牌频道倾斜。在省网的4个频道中，河北卫视表现最为突出，周平均市场份额达到7.28%，其次为河北经济生活频道和河北农民频道，分别达到6.06%和4.75%，河北影视频道为3.56%。

各频道在2007年4月份第18周改版后，收视效果明显提升。从市场份额看，河北卫视市场份额达到7.77%，河北经济生活频道为6.15%，河北农民频道达到5.17%，均有大幅增长。各频道整体市场份额较改版前增长17.97%，其中农民频道增长最快，涨幅达到30.95%，成为改版后的最大受益者，其次为河北卫视涨幅22.46%；

从全天平均收视率看，改版后除河北经济生活频道稍显失利之外，各频道均有不同程度的提高。河北农民频道增长最明显，涨幅达到23%，全天平均收视率达到1.04%。而全年频道收视冠军的河北卫视收视率提高到1.56%，提升14%，显示出更加强大的市场吸引力。

三、河北电视台各自办栏目的收视分析

在电视剧、新闻、综艺节目继续成为观众最爱之外，品牌栏目的收视效果十分突出。从栏目的占有率排名来看，河北卫视的品牌栏目《综艺黄金档》取得黄金时段的平均占有率达到13.64%的骄人成绩，成为2007年河北电视台的收视冠军；同频道同在黄金时段播出的《奥运小冠军》也以9.26%赢得众多观众的喜爱。

河北经济生活频道（河北二套）的强档节目《激情久久》以全年平均10.67%的占有率成为自办栏目中的翘楚；《今日资讯》栏目以7.46%的成绩，成为经济生活频道中的佼佼者。

河北农民频道的《露天电影院》以7.42%的市场占有率，登上该频道自办栏目的榜首。具有浓郁特色的《大地欢歌》表现优异，取得5.28%的市场份额。

从以上收视态势分析，品牌栏目拉动了品牌频道的收视率和市场份额，而品牌频道的突出表现，使得河北电视台的整体地位在市场上有了突飞猛进的变化，为河北电视台赢得更多的观众和更广阔的发展空间。

（中视广联研究部　王春霞）

山西广播电视总台、太原电视台收视简况

一、山西广播电视总台2007年收视简况

1．山西省网市场：

2007年，在山西省网收视市场山西广播电视总台整体收视基本与2006年相一致，观众的收视高点主要集中在三个时段，即在9：00～11：00、13：00～14：30、19：30～22：30有较好表现。

从全天趋势看，2007年上半年收视明显好于2006年同期，晚间黄金时段无线用户的收视也好于2006年，全年人均收视时长增加了3～4分钟。与其他在省网可收看到的省级卫视频道和中央级频道相比较，2007年总台的收视份额略降，外省级卫视上升明显，并且夺去了中央电视台各频道近9%的市场份额。其中，尤以安徽、湖南、江西和河南几省占有和提升最多。

在总台各频道整体收视人群中，45岁以上人群增加较多，初中以上学历观众是收看主体。在节目形态中，总台的电视剧、法制类、财经类节目受到一般观众欢迎；新闻、戏剧、青少类节目成为总台资源使用效率最好的节目。作为表现较为稳定和优秀的节目，《走进大戏台》《山西新闻联播》《影像世界》2007年收视表现一直平稳、较好，在同类型节目中继续保持了较高收视。

2．太原市网市场：

在太原市网市场，2007年山西广播电视总台经历了一个收视整体从下滑到逐步上升的过程。全年走势与上年趋同，但晚间黄金时段下降较多，全天收看时间人均减少了6～8分钟，市场容量缩水。其中，只有山西科教频道一枝独秀，不仅增幅明显、观众规模上升，而且2007年比2006年的市场份额一举提升了3倍多，达到了337.3%，成为表现最为优异的频道之一。

频　道	2007年1～12月	2006年1～12月
中央电视台综合频道	19.2967	24.4661
太原电视台影视频道	6.9438	6.1816
太原电视台新闻频道	5.211	3.645
中央台八套	4.2412	4.1796
中央台三套	4.1242	4.2449
山西卫视	3.7233	4.0446
太原电视台社教法制频道	3.4061	5.4505
中央台五套	3.2387	4.1167
山西广播电视总台科教频道	2.9287	0.6701

2007年下半年，山西广播电视总台整体收视扭转了下降的趋势，全天时段和晚间黄金时段由于到达率稳中有升、观众规模逐步扩大而实现收视提升。从观众群体来看，中等学历、中低收入人群占据了收视主体。

2007年，总台几档优势栏目《都市110》《走进大戏台》《公民与法》等继续获得目标观众好评，收视稳定、观众忠实。山西影视频道电视剧《金婚》还创下了12.80的当年收视最高峰，并拉动山西影视频道的整体收视稳步提升。但从整体来看，总台的频道内聚力仍然偏弱，所属各频道互相之间的重叠率、覆盖率指数只有63.7%，关联提升度较弱、不及太原市级频道群的表现。

进入2008年，在山西省网沿用原有日记卡调查的基础上，太原市网收视调查手段将由传统的每周日记卡式更换为每日测量仪，样本户和测量手段的变化会给总台的节目、频道和时段广告的监测带来更精细、更及时、更准确的反映，同时也对频道和栏目的制作能力、整体质量以及电视节目编播技巧提出了更高的要求和更大的挑战。

二、2007年太原电视台收视状况分析

央视－索福瑞媒介研究有限公司在太原的电视收视率调查始于1998年，采用日记卡填写方式，总样本量为300户，抽样范围涉及迎泽区、杏花岭区、万柏林区、小店区5个区，推及人口为226.7万人，其中收看有线电视人数占总调查户的92%。目前，太原地区落地电视频道已达104个，太原地方主要频道有13个，其中：太原台5个（新闻频道、百姓频道、法制频道、影视频道、文体频道）、山西台7个（山西卫视、黄河台、经济频道、影视频道、公共频道、科教频道、少儿频道）、教育台1个，中央落地频道有12个，其次为省级上星频道和数字付费频道79个。

随着电视频道市场竞争的加剧，电视从业人员希望通过市场收视反馈，获取更多更深层次的收视信息，以便为观众提供更好的电视服务。下面是根据央视－索福瑞媒介研究有限公司提供的调查数据对2007年太原电视台收视情况做的简要分析。

1．太原电视台总体收视表现：

太原电视媒体市场上存在着四大竞争媒体，太原电视台、山西电视台、中央电视台和其他省市卫视频道群（包括太原教育台）。2007年太原电视台以23%的权重占据了太原地区近1/4的收视市场。

2．太原电视台各频道的收视表现

太原地方电视频道中，太原电视台影视频道、新闻频道的市场份额分别为9.8%和6.4%，遥遥领先于其他频道，紧随其后的是太原电视台法制频道3.9%、山西卫视3.8%，山西科教频道3.3%。

由此可知：太视影视频道、太视新闻频道是不折不扣的强势频道；太视法制频道也有一定的优势，但与前2个频道相比则稍逊一筹；太视百姓频道的竞争力在逐年增强；太视文体频道的竞争力较弱。

3．太视影视频道、太视新闻频道之所以成为不折不扣的强势频道，在于：太视新闻频道推出的优质品牌栏目、精品电视剧带来了良好的效益。

在观众收视总量基本不变的前提下，竞争频道之间的收视率往往呈此消彼长的态势。竞争频道收视率上升常常是频道／节目收视率出现波动的最直接原因，但频道／节

目收视率出现波动时，首先要研究竞争频道同一时段播出的节目所带来的影响。如：太原电视台新闻频道打造了许多名牌栏目：《新闻快车》、《太原新闻》、《新闻对话》、《民营之道》等，通过合理的编排把以上栏目贯穿频道的黄金段位，前后呼应。一方面满足了观众在这一时段对时政、民生新闻的需求；另一方面从观众流理论的角度来看，保证了观众在频道内的顺流，从而使得观众收视得到提高，加强了该时段频道的竞争实力，也成为同时段其他频道／栏目收视下降的重要原因。

由于电视剧仍然是各个频道，甚至部分专业化频道收视比重最高的节目，电视剧在各频道的播出量居高不下，尤其在晚间观众收视最为集中的时段，各频道安排的是各式各样的电视剧场，节目类型十分雷同，所以晚间时段某些频道之间的竞争也可以说是不同频道播出的电视剧之间的竞争。如太原电视台影视频道一年中播出多部精品电视剧，因此加强了频道的竞争实力。而且，排名前20位的电视剧中太原电视台占有18部，其中影视频道有14部，新闻频道有4部。

数据来源：央视－索福瑞媒介研究公司

（山西广播电视总台、太原电视台）

2007年辽宁广播电视收听收视情况

一、2007年辽宁人民广播电台在沈阳广播市场整体特点

2007年辽宁电台加大投入，在原有尼尔森数据的基础上，引进央视－索福瑞媒介研究公司数据。据两家数据显示，辽宁电台2007年每日平均听众到达率为40.4%，超过沈阳收听市场整体规模的一半。辽宁电台2007年每日人均收听时间为45分钟，占整体市场广播收听时间近一半。

沈阳广播市场呈现出三分天下、两雄对峙的格局。2007年，辽宁电台占据沈阳地区广播收听市场最大份额，约48%；沈阳电台份额次之，占有37%；中央电台地盘相对较小，占有14.7%的份额。

辽宁电台2007年市场份额比2006年上升了5.6个百分点，市场份额上升至48%，以更大优势居于沈阳收听市场首位。辽宁电台的7套频率实力较均衡；其中交通频率占有14%的市场份额，为辽宁电台贡献了约三成的份额；另外辽宁新闻、故事、文艺、经济频率的份额也较高、实力均衡。辽宁乡村、音乐频率的份额目前相对较低。

二、辽宁电视台的收视情况

2007年辽宁电视台整体在辽宁全省收视市场全天时段收视率达到3.24%，市场份额达到25.04%，在沈阳市网收视市场全天时段收视率达到3.56%，市场份额达到26.23%，在两个市场均实现了四分之一以上的市场占有率。

此外，在辽宁省网有线用户收视市场全天时段收视率达到2.96%，市场份额达到21.36%。在3个市场上的收视表现较上一年均有较大幅度的提升。按照台“实施有效覆盖”的战略要求卫视频道继续保持全国重点城市和北方地区的有效覆盖。截至目前，辽宁卫视节目已在全国3个直辖市、21个省会城市、4个计划单列市(大连、深圳、厦门、青岛)、120个地级市实现了覆盖。全国能接收辽宁卫视频道节目的人口达到4.89亿，实现了全国覆盖人口的稳步增长，在全国省级卫视排名第16位，在东北地区3个省级卫视中排名第1。

三、2007年沈阳电视台收视情况概述

2007年沈阳收视市场总体有所增长。所有频道全年平均收视率为17.4%，比2006年增长了0.4%。其中，新闻频道2007年平均收视率为0.97%；综合频道2007年平均收视率为0.6%；影视频道2007年平均收视率为0.51%；生活频道2007平均收视率为0.16%。沈阳电视台第四套节目(原体育频道)于2007年11月改版为公共社会频道，其全年平均收视率为0.26%，比2006年的0.2%提升了0.06%。

综合上述情况，2007年沈阳电视台5个频道年平均收视率之和为2.5%。在市场份额方面，2007年沈阳电视台5个频道的总市场份额为14.5%。

数据来源：尼尔森、央视－索福瑞媒介研究有限公司

（辽宁省广播电视局）

2007年上海电视、广播市场回顾

一、2007年上海电视市场总体情况

（一）上海文广新闻传媒集团（SMG）是上海电视市场的主要媒体。集团下属13个专业电视频道依然是上海收视市场的“龙头老大”，2007年黄金时段整体收视占上海市场份额的69%，保持连续2年的平稳增长。2007年是上海电视发展关键的一年，现结合艾杰比尼尔森市场研究有限公司（AGB Nielsen）的收视率数据，盘点2007年上海电视市场的收视特点。

（二）2007年整体收视市场变化

2007年上海市场人均收视分钟数为每人每天184分钟，与2006年持平。

在市场份额上，SMG频道组无论在白天时段还是电视收视的黄金时段（18：00～23：00），都有1个百分点的增长，这也是从2005年开始的持续增长。

1.季节　2007年上海地区整体收视表现平稳，暑期仍是全年收视的最高峰期，从7月开始，至8月最后一周，保持了一个持续的上涨。与2006年相比，没有了世界杯赛事的预热，这个高峰来得稍晚一些。另外，春节、“五一”、“十一”长假也仍是全年收视的三大高峰，其中，“十一”长假较上年收视增长。

2.周末　2007年上海地区周末的收视时长较2006年略有下降，但没有明显的收视消费量上的变化。工作日的情况则与上年持平。

3.时段　2007年和2006年的全天收视走势基本吻合，表明上海地区观众的收视习惯稳定。晚间黄金时段和深夜时段的收视略低于上年，白天时段则有所上升。开机和关机时间基本保持稳定，晚间18:00～23:00依然是收视的黄金时段。

4.观众　2007年的上海电视男性观众较2006年继续减少，中老年观众数量有所增加，年轻观众减少。初中和大学学历的观众比重增加明显。

（三）2007年电视收视小结

2007年，上海文广新闻传媒集团进一步深化资源整合，电视新闻中心进一步做强品牌栏目，保持新闻节目的收视稳定，使得新闻节目依然保持上海市场各类型节目中

收视份额第一的位置。除传统品牌栏目外，2007年，电视新闻中心将原有品牌栏目《真情实录》登陆东方卫视平台，使得“真情”品牌在全国产生良好影响力，一年一度的“十大真情人物颁奖典礼”进一步扩大了栏目的社会影响。

综艺节目方面也有一些新品牌节目表现突出。由上海文广新闻传媒集团综艺部制作的《闪电星感动》坚持“明星慈善”理念，救助社会贫困人员。国家广电总局副局长胡占凡在总局年末的收听收看中心简报上批示：“明星慈善在电视上一直是弱项，《闪电星感动》是很好的尝试，既体现公益性，又有明星效应，一定要把它办好。”

SMG旗下的各个专业频道的节目定位比以往更明晰。以纪实频道为例，以纪录片为主要播出内容的该频道，锲而不舍地坚持品位、格调和文化，在上海地区保持了连续五年的收视增长，实现品牌、市场双丰收。

2007年上海电视荧屏上的娱乐节目更趋于理性，更富高雅性。全年多台大型晚会体现出上海电视人的文化素养和电视表达能力。特奥会闭幕式、中国2010年上海世博会吉祥物揭晓晚会、香港回归十周年庆祝晚会等一系列的大型晚会都掀起了收视热潮。

二、2007年上海广播市场总体情况

上海文广新闻传媒集团（SMG）在2006年初对旗下的11套广播频率进行专业化重组和资源整合，进一步巩固了在上海的收听市场地位。现结合央视－索福瑞媒介调查公司（CSM）的视听率数据，盘点2007年上海广播市场的收听特点。

2007年的上海广播市场依然保持较好的发展势头，在上海收听市场上，可收听到的频率主要有中央人民广播电台频率、中国国际广播电台频率以及隶属上海文广新闻传媒集团的上海本地11个频率，这三类频率占据了99%的收听份额，其中，SMG广播频率市场份额占94.3%，比2006年的市场份额有所提高。

2007年SMG广播有以下突出表现：

1．市场占有率和收听率较明显提升

上海地区广播市场上，SMG广播频率的市场份额依旧占绝对优势，由2006年的92.6%上升至2007年的93.4%。同时，收听率继续保持6.4%的高收听率。各频率的收听率也较上年同期有明显提高，除新娱乐调频与上年相比略有降低外，其他频率的收听率都与上年同期持平或有所提高。

2．重点打造的新节目和改版节目收听表现突出

自SMG资源整合后，各事业部和各频率推出的新节目或改版节目的收听率较上年同期同时段都有明显提升，对整个频率形成较好的带动作用。广播新闻中心新推的多档新闻专题节目表现不俗，如《记录2007》的年平均收听率为2.1%，相比2006年同期同时段的平均收听率1.4%，增长了0.7个百分点。交通台的下午新节目《交通新干线》2007年平均收听率0.6%，较2006年同时段的0.4%，增长了0.2个百分点。东广都市生活频率下午改版的大时段节目《常青树》2007年也取得了较好的收听表现，2007年平均收听率为0.4%，2006年同时段平均收听率仅为0.1%，可以看出，改版节目对时段收听贡献明显。东广音乐经典947频率自2006年以来收听率持续上升，2007年仍然保持较稳定的增长趋势，品牌节目《星期广播音乐会》在2007年依然表现突出，平均收听率为1.2%，较同时段0.9%的平均收听率有所提升。

数据来源：艾杰比尼尔森市场研究有限公司、央视－索福瑞媒介调查公司　　（郑晓峰、陈书昊）

江苏国际频道海外覆盖区域、用户及收视率情况

江苏国际频道于2004年10月1日随国家广电总局组织的中国卫星电视节目“长城（北美）平台”在美国正式开播。目前已进入美国第二大卫星电视公司ECHOSTAR公司（该公司在美国已经拥有1000万以上的订户）的直播卫星电视网，并覆盖美国全境（包括夏威夷和阿拉斯加）。到2006年底，北美地区用户约达60000户。

2005年2月1日，江苏国际频道又随同新开播的中国卫星电视节目“长城（亚洲）平台”，在亚洲落地，覆盖韩国、泰国、越南、老挝、缅甸、柬埔寨、菲律宾、朝鲜等国家和地区，日本、马来西亚、印尼等国家的部分地区，以及我国东南部（包括港澳台）沿海地区。目前，中国卫星电视节目“长城（亚洲）平台”通过“亚太6号”卫星向上述国家和地区传输信号，亚洲包括港澳台地区已有约12万用户。

2006年1月1日，江苏国际频道通过新西兰TV China公司在新西兰全境落地。江苏国际频道开始进入大洋洲。

2006年9月1日，随同中国“长城欧洲平台”，国际频道在法国利用IP电视网走进了千家万户。目前，平均每月订户4000户。

2007年3月，在加拿大落地，先期进入多伦多、温哥华地区。

2008年1月，江苏国际频道跟随“中国卫星电视长城（拉美）平台”，落地拉丁美洲地区（包括墨西哥、中美洲、西印度群岛和南美洲）。

根据国家广电总局统计数据，在“长城平台”17个频道的收视率排名上，江苏国际频道排名第6位，其收视率具体数据为：1.中央电视台娱乐频道79.2%，2.中央四套76.2%，3.湖南台70.3%，4.上海东方台58.4%，5.北京台52.5%，6.江苏台51.5%，其他排名为：7.美国华夏台，8.中央电影频道，9.中央戏剧频道，10.福建东南台，11.广东南方台，12.山西黄河台，13.香港亚视等。

江苏省广播电视总台举办《百姓聊斋》研讨会

根据国家广电总局在《中国电视长城平台工作简报》公布的数据，2007年，江苏国际频道在美国、加拿大、亚

洲、欧洲各平台的电子节目单点击量统计均进入了前5名，在所有的省级国际频道中综合排名第一。目前，频道每天都能接收到海外观众以电话、传真、电子邮件发来的信息反馈，表达他们收视节目的感受、看法和建议，国际频道在海外观众中的受关注程度在大幅提升。

（江苏省广播电视总台）

河南及郑州地区电视收视竞争状况

一、河南市场

2007年，河南媒体市场竞争日趋激烈，中央电视台、河南电视台及其他频道（地面频道）三足鼎立的局面发生了很大改变，河南电视台在竞争中取得了大丰收，竞争实力明显增强，占据了整个市场近1/2的份额；从单频道竞争来看，河南一套力压群雄成为最大的赢家，份额高达20%左右。

1．收视总量略有提升

2007年，河南地区电视媒体市场的收视总量较2006年略有提高。开机率：全天时段开机率为10.98%，较2006年提高了0.24个百分点；晚间黄金时段开机率为43.72%，较2006年提高了1.73个百分点。观众收视时间：观众全天人均收视时间为158分钟，较2006年增加了3分钟；晚间黄金时段观众每日人均收视时间为79分钟，较2006年增加了3分钟。

2．河南电视台频道集团竞争实力不断增强，份额接近50%

2007年，河南地区频道集团竞争格局没有太大变化，占有的市场份额顺序依然是河南电视台、中央电视台、其他频道和外省上星频道。在竞争中河南电视台频道集团是最大的赢家，市场份额为46.58%，较2006年提高了4.18个百分点。中央电视台频道集团市场份额为27.87%，较2006年提高了0.23个百分点；外省上星频道集团市场份额为5.25%，较2006年提高了1.42个百分点。与河南电视台、中央电视台、外省上星频道集团相比而言，其他频道竞争力有所下降，市场份额为20.3%，较2006年下跌了5.83个百分点。

在河南电视台频道集团中，河南一套和河南五套收视表现突出，份额较2006年分别提高了3.79%和2.79%。河南二套收视份额却有所萎缩，较2006年下降了2.43%。在中央电视台频道集团中，中央一套份额跌幅最大，较2006年下降了3.33%（跌幅为18.7%）。在外省上星频道中，湖南卫视和安徽卫视贡献最大，较2006年分别提高了0.28%（增幅为35%）和0.12%（增幅为32%）。

3.河南一套竞争排名跃居首位，中央一套份额小幅缩水

2007年河南地区收视排名前五				2006年河南地区收视排名前五			
排名	频道	收视率%	市场份额%	排名	频道	收视率%	市场份额%
1	河南一套↑	2.11	19.25	1	中央一套	1.91	17.77
2	河南五套↑	1.73	15.78	2	河南一套	1.66	15.46
3	中央一套	1.59	14.44	3	河南二套	1.43	13.30
4	河南二套↓	1.19	10.88	4	河南五套	1.40	13.07
5	中央八套	0.28	2.58	5	中央八套	0.25	2.37

二、郑州市场

回顾2007年，郑州地区媒体市场竞争进一步升级。中央电视台继续保持强势地位，河南电视台频道集团份额有所缩水，郑州电视台和省级上星频道竞争力大幅提升。

1．收视环境

全天收视总量略有提升，但晚间收视缩水严重。2007年郑州地区全天时段开机率略有提高，较2006年提高了0.43%，人均收视时长增加了3分钟；晚间黄金时段开机率下跌了9.44%（跌幅为22.3%），人均收视时长减少了17分钟。

2007年4月，河南电视台记者在现场采访炎黄二帝塑像落成典礼

2．频道集团竞争格局

2007年郑州地区强势频道的份额有所下降，竞争力相对弱的频道份额略有提升。虽然份额排序与2006年相同（排名是：中央电视台、河南电视台、外省上星频道、郑州电视台、其他频道），但2007年郑州电视市场整体竞争格局有所改变。郑州电视台和外省上星频道份额迅速扩张，而河南电视台频道集团份额萎缩严重。虽然河南电视台份额下降和郑州电视台份额上升与数据统计方式变化有一定的必然关系，但特别需要注意的是外省上星频道，2006年与河南电视台的份额差距近6个百分点，而2007年的差距已经缩小至不到1个百分点。（河南省广播电视局）

广东电视台2007年收视情况

一、广东电视台2007年整体收视情况

在广东全省（城乡），广东电视台收视表现出色。2007年六频道（广东卫视、珠江、体育、公共、新闻和嘉佳卡通频道）共占据广东频道市场35.755%的份额，接近香港无线台、央视（15频道）和南方电视台之和，凸显广东电视台在本省的收视优势。

在广东城域，广东电视台的收视走势同样不错。从2004～2007年整体市场份额增长情况来看，广东电视台整体市场份额连续四年稳步发展，2007年广东台六频道整体市场份额为16.587%，比2004年的12.117%提升近5个百分点，上升的幅度为36.89%，成为收视增长最快的电视媒体。

二、六个频道2007年整体收视表现

1．广东卫视

2007年广东卫视一方面稳步推进节目变革，除保留原有强档栏目外，不断更新编排，推出系列多元化的新栏目“博客奇谭”、“天使明星汇”、“明日之星”“空姐新人秀”；另一方面，广东卫视在本年度承担了大量的指令性、非常规性的节目（据统计全年共播出80多个此类节目），常规版面和常规栏目受到一定冲击。在广东城乡，广东卫视全年平均市场份额为4.474%，比上一年（2006年2～12月）下降18.57%。在广东城域，份额为2.092%，比上一年同期下降16.89%。

2.珠江频道

2007年珠江频道持续发展，除了强调版面的精心编排、强档栏目的完善设置外，不断提高节目质量和频道品牌影响力。

在广东城乡，除7、8月外，频道各月的平均市场份额均超过25%，全年平均市场份额达到27.151%，是境内外频道中占据份额最多的频道。在广东城域，份额与上一年同期持平，为9.438%。

在广州地区，频道取得9.062%较高份额，特别是12月份，在黄金时段推出“王牌电影”，吸引了较多的观众，录得全年最高月份额10.756%，是近四年该频道月平均份额最高的月份。

3.体育频道

2007年是体育小年，但体育频道却从平淡的小年中创造了不平凡的业绩。特别是四季度，“铁杆”球迷疯狂追看CBA篮球联赛、NBA篮球联赛、欧洲各国足球联赛，令体育频道份额迅速提升。

在广东城乡，体育频道全年平均市场份额为1.358%。在广东城域，频道连续三年增长，从2005年的1.445%上升到2007年的1.876%，上升幅度为29.83%。在广州地区，频道取得2.023%份额，12月份频道份额达到3.595%，成为全年份额最高的月份。

2007年11月16日，美国副国务卿卡伦·休斯接受广东电视台新闻频道《第一访谈》的专访

4.公共频道

2007年公共频道在倾力打造影视和娱乐内容的同时，推出了《五年级插班生》、《最爱主打星》、《亚洲新势力》、《心绘彩虹》等栏目，向观众展现了“活力成就魅力，爱心凝聚彩虹”的全新定位。暑假期间，吸引了年轻观众的收看，成为全年频道收视表现最佳的月份；但其他月份收视表现一般。

该频道全年整体份额均比上一年同期下降，在广东城乡，份额为1.951%。在广东城域，份额为1.755%。

5.新闻频道

作为省级新闻专业频道，广东新闻频道2005年开播至今，不断推陈出新，全面及时地满足广大电视观众对新闻和资讯的需求。2007年频道的《说案》、《新闻在线》等重点栏目收视表现理想，特别是在广州地区，观众反应尤为热情。在广东城乡，频道份额为0.547%；在广东城域，份额为0.648%；在广州地区，频道份额为0.895%，比上一年同期上升21.6%。

6.嘉佳卡通频道

嘉佳卡通频道作为广东电视台唯一的少儿频道，2007年在广东城乡，频道份额为0.274%；在广东城域，份额为0.778%。

数据来源：央视－索福瑞媒介研究

（广东电视台总编室 何皑莹）

2007年广州地区电视收视市场总结

2007年广州电视市场变化较大，一方面是观众收视时间减少，另一方面是观众可收看的电视频道增加，使市场竞争更加激烈。

一、2007年广州电视市场竞争格局变化

(一)市场竞争环境

广州市有线网数字电视整体平移，观众收看的电视频道总数增加，竞争加剧。广州市有线网数字电视整体平移带来两个方面的变化：一是频道的频率变更或置换，观众固有的收视选择发生变化，使市场必须经历观众选择频道和频道重新吸引观众的过程。二是可收看频道大量增加，市有线网共增加30个频道，使可收看的频道增至82个。2008年广东省有线网数字电视将进行整体平移，届时随着频道频率变更或置换在省有线网各频道的收视也将发生不同程度的变化。

(二)竞争格局

1．香港无线仍是竞争力最强的媒体，占据五分之一强的市场份额，与上一年相比不论全天和晚间均有所提升，尤其是晚间，增幅达4%。内地电视媒体很难与香港无线抗衡，只有南方台在春节和“五一”黄金周能有阶段性突破，2007年春节和“五一”南方台总体份额分别为24.1%和22.2%，超越了香港无线的21.2%和19.1%。

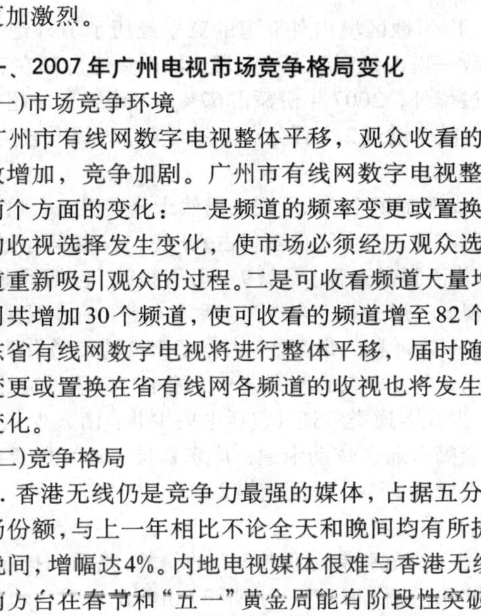

图1　2007年广州地区各电视台市场份额

2. 在本土三大电视媒体中，广州台竞争力增强，份额升幅为3.7%，排名升至第2，但晚间竞争力有所减弱，降幅为2.6%。南方台排名第3，同比竞争力有所下降，全天和晚间降幅分别为9.9%和5.8%，下降的主要原因是频道总数从2006年的6个减少为5个，原TVS5科教频道改为广东新闻频道划入广东电视台。广东台频道数增加两个：广东新闻频道和广东嘉佳卡通频道，竞争力有所提升。

3. 数字电视频道增加后，由于单个频道收视数据仍未符合释放条件而归类于“其他频道组”，从其他频道组收视份额同比翻两番可看出数字频道对开路频道的冲击。

4. 各省卫视（不含本省卫视）一直是广州收视市场的主力之一，虽然其份额不足8个百分点，但与上一年相比全天和晚间竞争力均增强。全天收视份额净增长最大的外省卫视是天津卫视和河北卫视，2007年份额分别为0.38%和0.25%，净增皆为0.12个百分点，增幅分别为46.2%和92.3%。而下降最为明显的是北京卫视和金鹰卡通，同比分别下降0.15个百分点和0.13个百分点，降幅分别为68.2%和12%。2006年底广东嘉佳卡通的开播使外省的金鹰卡通和炫动卡通的上升受阻。

5. 境外的凤凰卫视全天和晚间竞争力削减四分之一，亚视和华娱减幅在五分之一左右。星空和MTV竞争力有所提升。

6. 广州地区境内外频道的竞争经历了境外绝对强—势均力敌—境内绝对强三个阶段，境内频道份额在2005年首次超过境外，2007年份额占67%，已连续三年超越境外频道，份额净增近2个百分点。白天竞争力提升较为明显，幅度达2.6%。

7. 收视市场“二八”现象仍然十分突出，十强频道份额虽有所减弱，但全天份额仍占六成以上，晚间超过七成。

8. 普语频道走强。尽管9个粤语频道（包括香港翡翠、南方影视、广州34、广东珠江、香港本港、南方卫视、广州新闻、广东体育和广州竞技）占据了55%的市场份额，但普语频道以6个百分点的增幅进一步缩小与粤语频道的差距。

9. 少儿卡通类频道（包括中央少儿、南方少儿、广州少儿、金鹰卡通、炫动卡通、广东嘉佳卡通）增长势头迅猛，全天增幅35%，晚间增幅27%。

（三）频道竞争力

1. 竞争力五强频道保持54%的份额，格局和排序未变，依次是翡翠份额21.17%、广州34份额9.49%、珠江份额8.24%、南方影视份额6.96%和广州新闻份额4.42%，十强频道中南方台占4席，分别是南方影视、南方综艺、南方卫视和南方少儿。

2. 翡翠、广州34、珠江和广州新闻等强势频道晚间竞争力明显强于白天。

3. 外省卫视无一进入20强，外省卫视的三强是湖南卫视份额1.03%，排名第25；金鹰卡通0.95%排名第28；安徽卫视0.66%，排名第32。

4. 南方少儿、广州经济和珠江全天竞争力在境内外所有频道中提升最大，同比净增长分别为：0.65个百分点、0.52个百分点和0.43个百分点。南方影视、翡翠和广东新闻则在晚间明显走强，同比净增长分别为：1.06个百分点、1.02个百分点和0.47个百分点。

5. 香港本港、南方卫视和南方综艺全天竞争力下滑较大，同比分别净降1.23个百分点、1.06个百分点和0.73个百分点。晚间下滑明显的是南方卫视、本港和广州34，同比分别净降1.08个百分点、0.98个百分点和0.84个百分点。

香港本港的下降缘于股权变更和经营策略的改变，2007年5月股权变更后由香港查氏家族控股，亚视本港频道于8月10日改版，主要针对当地无线的翡翠频道进行，在19:00把老少咸宜的剧场改为香港本土资讯节目，收视大幅下降，这对内地来说，多少缓解了19:00各大剧场的竞争压力。

凤凰卫视竞争力下降也与改版有关，2007年频道大改版后，虽然观众平均触达率从13.8%提升至14.6%，但每观众平均收视时间则从27分钟下降至17分钟，并且各类目标观众收视时间均有不同程度减少。

二、2007年广州市场观众收视行为变化

1. 收视规模：2007年一方面电视观众减少，另一方面观众平均收看时间也在减少，使收视市场蛋糕萎缩10%。全天和晚间的平均收视率分别下降0.8和0.5个百分点。全天收看电视的观众减少6个百分点，但在晚间则增加0.3个百分点。观众平均收视时间全天减少16分钟，晚间减少10分钟。

2. 观众构成：35～44岁观众最多，占21%，其次是15～24岁和55岁以上观众，皆占18%。高中／中专学历观众比例最大，占36%。月收入2000以下的观众占78%，3000元以上的只占2%。

3. 目标观众收视变化：儿童及家长和高收入人士收视时间增加，15～24岁观众和低收入观众收视时间大幅减少。在全天，4～14岁、35～44岁和月收入3000元以上观众平均每天收视分别增加3分钟、6分钟和5分钟。其余观众均有不同程度减少。减量最多的是15～24岁，大专以上学历和月收入1000以下观众，分别为27分钟，22分钟和26分钟。在晚间，只有4～14岁和35～44岁观众收视时间分别增加3分钟和1分钟，其余皆减少，以15～24岁观众为甚，减少16分钟。

4. 目标观众对各台的喜好：4～14岁小学以下的观众最喜欢南方台。月收入3000元以上以及离退／无业的观众较关注广州台。其余观众较爱看香港无线。

三、2007年广州电视市场节目收视状况

1. 播出比重

播出量最大的四类节目是电视剧、综艺、动画片和新闻节目，分别占36%、25%、12%和11%，总量超过八成以上，与上一年相比，电视剧、综艺和动画节目所占的比例有所增加。2006年底嘉佳卡通频道开播，使市场的动画卡通专业频道由2个（金鹰卡通和炫动卡通）增至3个，2007年动画节目的播出量大增，超过了新闻节目，排名第3。

2. 收视比重

2007年，新闻节目的收视比重首次超过电视剧，成为观众最关注和喜爱的节目，电视剧和动画分别居第2和第3，而收视比重一直占据第3位的综艺节目则让位于动画和电影，且减少近一半。

3. 资源利用效率

从资源利用效率看，最好的是新闻、纪录片、电影和兴趣、消闲节目，且只有这四类节目实现产出大于投入。

相对2006年来说，2007年观众较追捧纪录片和教育资讯节目，纪录片的资源利用效率从0上升至2.5，教育咨询节目也从0.2上升至0.8，综艺和体育节目则下降较明显。

数据来源：AGB—Nielsen广州地区

（南方电视台总编室 魏萌）

重庆卫视全国收视表现

一、重庆卫视在全国的覆盖情况

重庆卫视在全国省级卫视中的覆盖排名，逐年提高，截止2006年，全国35个城市中，有三分之二的家庭可以看到重庆卫视的节目。城域、城乡结合部、乡域的频道覆盖率，分别达到66%、43%、20%。

二、重庆卫视全天平均收视

重庆卫视白天和晚间黄金时段的收视表现，2007年比2006年有大幅提升。各时段对比情况是：2：00～7：30时段，2007年和2006年相比，没有明显差异。8：00～18：45时段，2007年比2006年有大幅度提升，这一时段内，2007年的收视率最高达到0.27%，而2006年只有0.15%左右。19：15～22：30时段，2007年的收视率与2006年相比，大幅度升高，平均收视率达到0.4%以上，最高达到0.48%，而2006年该时段平均收视率只接近0.3%，最高收视率也只有0.38%左右。22：45以后，两年的平均收视率相比，又大体处于同一水平。

三、重庆卫视2007年在全国省级卫视全天排名

2007年在全国省级卫视全天收视排名第3，比2006年上升2位，收视率达到0.15%，且市场份额达到1.22%，比2006年有37.1%的增长。

四、重庆卫视2007年按周的收视走势

上半年收视平稳，4月末两周表现相对突出，市场份额达到1.7%左右。扩区扩户后，收视整体呈上升势态，9月市场份额达到2%。总体走势是市场份额走势与收视走势成正比关系，即收视走势平稳市场份额亦平稳，收视上升，市场份额亦相应上升。

五、重庆卫视在不同层级市场的竞争力变化

2006年全天平均份额为6.04%，2007年1～11月为4.89%。全国范围内的频道竞争力2007年与2006年相比，有很大的增强，全天几乎所有时段的收视表现都有不同程度的提升，但本地的竞争力2007年有减弱趋势，收视表现在晚间和凌晨下滑比较明显。

六、重庆卫视与省级卫视整体观众构成比较

重庆卫视男性观众占50.6%，女性观众占49.4%，观众性别差异不明显；省级卫视整体男为47.0%，女为53.0%，女性观众比男性观众高出6个百分点。35岁以上观众的比例，重庆卫视高出省级卫视整体3个百分点，高中学历观众的比例，重庆卫视低于省级卫视整体近3个百分点。其余各种观众的构成比例，重庆卫视与省级卫视整体大体相近。

七、重庆卫视不同节目类型的收播比重

重庆卫视专题和法制节目的资源都得到有效的使用。专题节目播出比重2.04%，收视比重5.12%；法制节目播出比重1%，收视比重3.09%，在不同层级市场它们的收视比重都高于其播出比重。播出比重近2/3的电视剧对外地观众具有更强的吸引力，能引发他们的收视热情。电视剧播出比重63.57%，本地收视比重仅为58.86%，而西南地区和35城市收视比重，却分别高达62.23%和69.21%，比重庆本地的收视比重，分别高出3.37%和10.35%。

八、重庆卫视主要自办栏目2007年收视表现

重庆卫视4个法制和电视剧类主要自办栏目中，《拍案说法》整体表现2007年比2006年有大幅提升，在省级卫视法制类节目中的排名从2006年的第3升至第1，达到0.32%的平均收视率和1.21%的平均市场份额。观众长期关注的《雾都夜话》2007年表现下滑，只有0.22%的平均收视率和0.6%的平均市场份额。2007年，《有你就有戏》的平均收视率和市场份额分别是0.1%和0.58%，《大戏当前》的平均收视率和市场份额分别为0.14%和0.89%，表现比较稳定。

九、扩区扩户后全天收视表现和观众构成变化

扩区扩户后，黄金时段收视表现大幅提升，收视率最高达到0.72%，早间和深夜的表现有小幅下滑，收视率最低只有0.05%左右。年轻观众的比例整体下滑，中老年观众比例上升。4～14岁、15～24岁和25～34岁3个年龄段差值分别为下滑2.9、3.2和3.3；35～44岁、45～54岁、55～64岁和65岁以上4个年龄段，上升差值分别为：2.7、1.7、3.2和1.8。（央视－索福瑞媒介研究提供）

2007年度四川电视台收视综述

一、四川卫视创收视新高

四川卫视作为四川广电集团的旗舰，2007年的收视继续看好。根据央视－索福瑞公司全国35中心城市组收视数据显示，2007年度，四川卫视全天时段收视率为0.114%，较2006年收视率增幅达26.7%，在省级卫视频道中排名第8，排名上升2位；情感故事会时段收视提升明显，带动白天时段排名上升至第6位；晚间时段收视也有所增长，排名第10。

进入2007年，四川卫视观众到达率上升趋势明显，在频道受众面不断扩大、触达迅速增长的同时，忠实度仍然保持稳定。

1.新闻栏目类型互补，收视表现良好

本省时政类《四川新闻》、风格活泼的《新闻连连看》与《新闻联播》这三档新闻节目在黄昏时段形成类型互补，以丰富的信息量、及时的资讯播报受到观众喜爱，2007年18：30～19：30时段收视较上年增长48%。

2.自办节目带定位准确，时段收视提升

2007年四川卫视在22：30打造的天下故事自办节目带日趋成熟：周一《真情人生》，用纪实的手法记录普通百姓身上的真实故事；周二《司法档案》是具有强烈人文关怀的精品法制类栏目；周三《一级设防》揭示生活中的安全隐患，提供切实有效的防范技巧；周四《魅力发现》讲述四川人文地理的壮美故事；周五《婚姻碰碰碰》，全方位展

示具备传奇特质的夫妻，畅谈相识相爱的点点滴滴；周六《星随我动》,以文艺娱乐圈的知名影视歌明星为关注对象，展现真实、快乐的明星。2007年《天下故事》自办节目带所在时段的收视率较上年增长20%。

3.电视剧场分众编排，收视持续提升

2007年度，四川卫视电视剧播出量为总播出量的65%。《经典故事会》、《情感故事会》、《合家欢故事会》、《英雄故事会》、《长夜故事会》等5档故事会针对不同观众群，有针对性地安排剧目，成为全天收视亮点。《经典故事会》、《情感故事会》在省级卫视同时段收视排名全年稳定在前8名，黄金时段《合家欢故事会》收视提升明显，较上年增长13.8%。周末的《超炫故事会》是省级卫视中少见的专门针对儿童、青少年观众开辟的周末剧场，重点播出国内外优秀卡通节目，该时段2007年全年收视较上年增长55.6%。

此外，《天下故事》（午间版）在中午时段深受观众喜爱，2007年度同时段排名稳定在前5名。

4.重视黄金周，特别编排收视效果明显

在2007年各黄金周期间，四川卫视适时推出了大量的特别编排节目，其中春节和“五一”期间在中午时段播出的《天下笑友会》节目，重温20余年来经典小品，收视率较平日提升1倍左右。

二、四川电视台地面频道占据竞争优势

四川台地面频道在2007年也有突出的收视成绩，AGB尼尔森公司成都市网测量仪的收视数据显示，2007年，四川台收视份额首次超过成都台，在与成都本土频道的竞争中占据上风。

1.频道收视保持较强竞争力

四川台地面频道包揽了本土频道收视前3名——四川台第4频道仍是本土频道中的收视冠军，文化旅游频道由2006年的第5位上升到第2位，影视文艺频道由2006年的第4位上升到第3位。

2.各频道收视份额大幅度增长

此外，四川台其他地面频道在本土的收视份额较上年也有较大升幅：经济频道上升46.2%，第6频道上升94.4%，妇女儿童频道上升69.6%，公共频道上升51.2%。

3.自办栏目注重创新、贴近生活，深受本地观众欢迎

2007年，四川台第4频道《新闻现场》、《晚报10点半》等品牌栏目继续受到观众青睐，收视稳定，居同时段之首。文化旅游频道2007年推出的新节目《胖姐帮忙》（后改名为《帮忙》)、《事说新语》等都有较好的收视表现。妇女儿童频道在暑期推出的“亮眼睛”特别编排也收效显著，收视率较2006年同期增长10倍。影视文艺频道的《汇声汇影》、《星夜剧苑》，经济频道的《快乐周末》、《麻辣大娱乐》、《麻辣大看台》、《百姓财经》，妇女儿童频道的《快乐一哈》、《音乐风云榜风云新人》等节目也有良好的收视表现。

数据来源：央视－索福瑞媒介研究有限公司

（四川电视台总编室）

2007年贵州电视台收视综述

2007年是贵州电视台精耕细作的一年，面对中央电视台、其他省级上星卫视、贵阳电视台以及逐渐普及的数字频道的有力竞争，贵州电视台对频道进行了全面改版和节目创新。

一、2007年，贵阳地区电视市场收视竞争激烈。

中央电视台市场占有率36.83%，虽较2006年（39.97%）减少3.14个百分点，但它以其资源和品牌的强大优势，在贵阳电视市场中仍是收视老大；贵州电视台市场占有率25.20%，比上年的24.43%提高了1.27个百分点，增幅5.2%，列第2位。

二、地面频道的竞争态势

在有限的贵阳电视市场中，除了中央电视台具有其独有优势外，地面频道的竞争则进入白热化。贵州电视台与贵阳电视台的地面频道各显神通，展尽绝招吸引观众。2007年，主要表现在平民化节目、电视剧、电影以及栏目剧上。

贵州公共频道18：30～20：00播出的90分钟大型民生新闻《百姓关注》仍是贵阳地区收视率最高的栏目，2007年全年平均收视率14.10%，虽比2006年有所减少，但节目全年平均市场占有率达到28.45%，是贵州电视台争取收视份额的收视法宝。公共频道更是在2007年实现了由品牌栏目《百姓关注》向品牌频道的迈进，市场占有率在地面频道中居第1。其次，定位为女性受众的贵州电视剧频道，板块化的设置仍延续良好的收视效果，其中以晚间的“好剧七点半”三集连播剧场最好，平均收视率5.26%，平均市场份额达10%，是2007年晚间黄金剧场收视率最高的频道。

贵州大众电影频道在2007年电影片源得到较大的充实，编排播出的人物系列电影周、悬疑电影周、外国电影周等，得到了观众的青睐。大众电影频道2007年在贵阳地区收视取得不错的成绩，全天市场占有率较2006年提高了0.42个百分点；而贵阳电视台播出的《天天说电影》《天天蒙太奇》也吸引了不同口味的观众，取得了较好的收视效果。

另外，栏目剧的发展正在走向成熟，除了贵阳台播出的《天天摆故事》外，贵州卫视也将于2008年隆重推出新的情景方言喜剧《六点开心帮》，该剧由两个独立单元构成，即《男左女右梆梆梆》和《钟记杂货铺》，故事独立、短小精悍，表现方式轻松、幽默。

三、贵州省电视市场收视态势

随着贵州电视台在全省覆盖工作的不断深入，贵州公共频道、贵州大众电影频道、贵州电视剧频道实现了全省较大范围的覆盖。贵州电视台在贵州省网2007年的收视也初见成效，与2006年相比，贵州电视台整体提升了6.29个百分点，增幅65%。其中，贵州电视剧频道和贵州大众电影频道提升幅度最大，分别增加了2.82和2.70个百分点，增幅分别为196%和321%。

中央电视台和其他省级上星频道在贵州省的市场占有率有所萎缩，但CSM贵州省网数据显示，其他省级上星频道仍占据省网43%的相当市场份额，说明其他省级上星频道的竞争力仍非常强。

四、贵州卫视晚间节目的收视表现

2007年贵州电视台对贵州卫视进行了全新改版，晚间节目实现了无缝连接编播。随着《论道》、《中国农民工》、《百万智多星》、《今日往事》一批新栏目的推出，贵州卫视

晚间节目充满了新鲜和活力，竞争力得到进一步加强。其中9月29日推出的益智公益类节目《百万智多星》表现突出，贵阳市网收视率最高达5%以上，节目市场占有率最高也达10%以上。另外，2007年贵州卫视加大了对电视剧的投资，晚间黄金剧场由2集连播延长为3集连播，晚间收视得到有效提升，以首播剧《狼毒花》、《新上海滩》表现最好，贵阳市网平均收视率约5%、平均占有率达10%。

CSM全国35城市网数据显示，贵州卫视在晚间收视排位有了长足进步，晚间播出时段由2006全年排名第23位，提升到2007全年第18位，2007年12月份更是排到第15位。

五、《论道》栏目热播的启示

在当前中国电视内容生产整体上创新乏力的情形下，贵州卫视2007年推出的电视谈话类栏目《论道》，确有令人耳目一新之感。该栏目开播3期即跃居贵州卫视自办栏目收视率首位，而且节目品质深受业界学界好评。

《论道》以“高度、深度、关注度”为制作理念，邀请龙永图作为固定的嘉宾主持，节目内容主要围绕热点事件、焦点人物、国际风云展开。从节目形态看，是一档较为“高端”的谈话节目。客观地说，从节目内容到节目形态，《论道》均算不上“独创”，但这样一档“高端”访谈节目，却出现在贵州这样一个欠发达省份，这是特别值得关注与研究的。

从电视内容生态的角度看，《论道》饱含的时代气息、审美品格和文化意蕴，不仅是对当前电视内容生产泛娱乐化的一种矫正，而且也是回归媒体责任、实现电视内容生态平衡的一种努力。《论道》追求“思想、品质、精致”，从某种程度上校正了失衡的电视内容生态，同时也启发中国电视媒体对电视的多重功能进行全面认识。片面、武断地认为，只有感官刺激的节目才能吸引观众，有思想性的节目一定不受欢迎，其实乃是媒体自身缺乏自信的表现。

从节目创新的角度看，《论道》之所以获得成功，在于突破性地理解“本土资源”并加以充分挖掘，完成从“内容为王”到“资源优先”的策略转变。《论道》的亮点在于龙永图的加盟，甚至可以说是为龙永图量身订制。在贵州卫视的节目策划者眼里，“本土资源”不仅包括了一般意义上当地的历史、地理、人文资源，而且将“人”这一要素作为资源囊括进去。龙永图就是这样一个“独一无二”、具有不可替代性的“人力”资源。

数据来源：CSM贵州省网数据 （贵州电视台）

用收视规模衡量昆明地区的强势频道

随着人们物质生活水平的提高和电视传播设施的普及，中国的电视观众总数已经趋于饱和。同时，由于娱乐、休闲方式的多样化，观众每天收看电视的时间呈逐年下降趋势。根据CSM媒介研究提供的数据，2000年全国4岁及以上电视观众数量就已经达到11.5亿，人均每天收看电视的时间是184分钟，到2005年，全国4岁及以上电视观众数量达到11.9亿，人均每天收看电视的时间是174分钟。在这六年中，电视观众规模增长不到5000万，而人均每天收看电视的时间反而下降了10分钟，根据这一现象，我们可以确定，电视媒体的收视竞争已进入份额竞争时代。

当收视竞争进入份额竞争时代，各电视频道成为竞争的主体，而频道的全天市场份额则是代表频道整体竞争力的具体指标。因此，各频道要了解自身在收视市场所处的地位，进而找寻出符合自己的定位、目标、发展方向以及所需选择的策略和措施，就必须运用频道的全天市场份额指标进行相关的分析研究。

本文采用频道的全天收视份额指标，通过对昆明地区收视集中度和最小收视规模两项内容的测定，希望能够对昆明地区各频道的竞争状况进行初步的探索分析，从而获得衡量本地强势频道的具体量化指标。

一、收视集中度

昆明地区的频道收视在2000年至2006年期间均属于较高度集中状态，而2003年以后昆明的频道收视集中度呈现逐年降低的趋势，这种下降趋势也可以从昆明地区收视份额最大的频道——中央电视台综合频道(CCTV-1)的全天收视份额变化情况得到印证：2000年至2006年，中央电视台综合频道在昆明地区的全天收视份额从25.4%下降到14.9%，同样呈现逐年降低的趋势。

频道收视集中度的降低说明以下几个方面的含义：

第一，2003年以后，昆明地区的各电视频道都已经充分认识到收视竞争的重要性，并着力打造自己的竞争优势，来重新切分“蛋糕”，从而引发了本地电视行业越来越激烈的收视争夺战。

第二，在激烈的收视竞争中，少数强势频道的垄断性在减弱，在昆明收视市场，强者越强、弱者越弱的“马太效应”并未出现。

第三，收视集中度的降低对于弱势频道来说是一个利好消息，也给弱势频道带来了许多市场机会，弱势频道如果能在这一阶段很好地抓住机遇，进行适合区域环境的频道定位，并针对市场需求制定切实有效的竞争战略，就会逐步取得较为有利的市场地位，并使其向有利于自己的方向发展，最终成为市场竞争的强者。

云南电视台都市频道(YNTV-2)就是抓住机遇在昆明地区收视竞争中由弱变强的典型案例。

2003年以来，云南电视台都市频道利用昆明地区收视集中度逐年下降所带来的市场机会，集中首轮电视剧资源，在黄金时段采取“强强对垒”的竞争编排策略挤压对手，并在次黄金时段打造出《都市条形码》、《大口马牙》等深受观众喜爱的名牌栏目，从而拉动了频道全天收视份额的持续上升，其全天收视份额从2003年的5.39%上升到2006年的12.22%，总增幅达126.72%，云南电视台都市频道成为近年来昆明地区收视增长最快的频道。

到2006年末，云南电视台都市频道在昆明地区的晚间市场份额居所有频道之首，全天市场份额逼近中央一套，已成为昆明地区名符其实的强势频道。

二、最小收视规模

收视集中度的降低给弱势频道带来了许多市场机会，弱势频道只要达到一定的收视规模就能够获得足够的竞争力，从而对整个市场产生结构性影响，因此这个收视规模也是衡量弱势频道发展成为强势频道的临界指标，但这个临界的收视规模到底是多大呢?

经济学中一般采用最小经济规模作为规模经济的主要测定指标，最小经济规模(MES)最常用的测算方法是：以占有50%市场份额的最大企业的平均工厂规模(总产值或总资产规模)作为最小经济规模指标(绝对MES)。运用同样的方法，测得昆明地区收视市场2000年到2006年频道的最小收视规模指标(全天市场份额)如下：

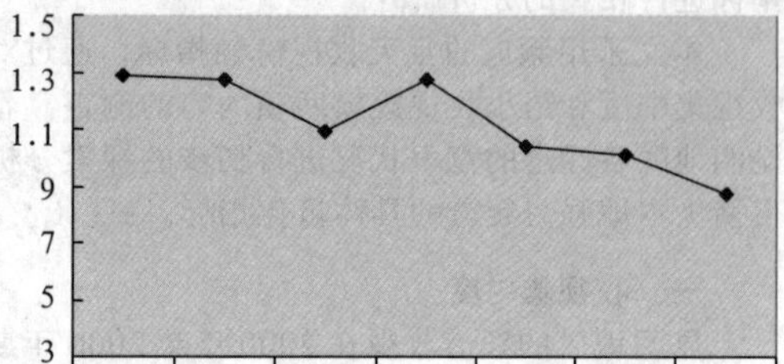

	2000	2001	2002	2003	2004	2005	2006
◆ 最小收视规模	12.85	12.75	10.96	12.7	10.41	10.12	8.75

图1　昆明地区最小收视规模曲线

数据来源：CSM媒介研究

可以看出，随着频道竞争的加剧和收视集中度的下降，昆明地区的频道最小收视规模也在逐步降低。这说明在昆明地区收视市场，独霸一方的“超级大国”的力量在不断减弱，整个市场正在由单极化向多极化演变。

最小收视规模是频道在收视市场中对多数观众产生影响能力的测量值，同时也是决定频道强弱的分水岭。也就是说，任何一个频道只要达到最小收视规模，就有实力与其他频道抗衡，并对整个市场结构变化产生一定的影响作用。比如，在2000年，获得昆明地区全天市场份额的12.85%，才有实力与最强的频道抗衡；但到了2006年，只要达到8.75%的全天市场份额，就能与所有频道展开直面竞争。

最小收视规模逐渐降低说明昆明收视市场进入强势频道的门槛在逐年下降，强势频道的数额在逐年增加，这给众多弱势频道带来了机会。2000年，CCTV-1在昆明收视市场的竞争力很强，占有了25.4%的全天市场份额，成为当时唯一的强势频道；到了2006年，CCTV-1在昆明收视市场的垄断性不断减弱，全天市场份额下降为14.9%，昆明地区的强势频道数上升为3个：CCTV-1，YNTV-2和KMTV-1，这3个频道分别是本地市场三级电视媒体中的佼佼者。

未来几年，昆明地区收视集中度和最小收视规模有进一步降低的趋势，在这种趋势下，昆明地区的强势频道数额有可能继续增加。

三、最小收视规模的实际应用

获得一定规模的观众是成为强势频道的必要条件，因此最小收视规模就可以作为定义强势频道的一个具体量化指标。研究最小收视规模也为研究频道发展和频道竞争提供了一条途径。

云南电视台在“十一五”规划中提出了“一大三强”的频道发展目标，“一大”指做大云南卫视，具体指标是全天收视率进入省级卫视排名前十；“三强”指做强云南电视台都市频道、电影频道和新闻综合频道，也分别提出了不同的排名指标。如果按照最小收视规模作为衡量强势频道的指标，2006年云南电视台都市频道的全天市场份额已经超过了最小收视规模，可以认为达到了强势频道的标准；云南电视台电影频道2006年的全天市场份额为5.04%，离最小收视规模8.75%还差3.71个百分点。换句话说，云南电视台电影频道的全天市场份额需要增长73.6%，才能达到现在的最小收视规模。云南电视台新闻综合频道是以省网数据进行衡量的，同样也可以用全省的最小收视规模考察其竞争力及达到强势频道的差距。

计算最小收视规模为弱势频道的发展提供了一个标杆，弱势频道只有达到最小收视规模，才能在市场中获得足够的影响力和竞争能力，也才能实现从量变到质变的飞跃，从而带来真正意义上的规模生产和社会经济效果。

(云南电视台发展研究部　丰云兵)

宁波2007年度收视回顾

本报告使用数据为2007年1月1日～12月31日宁波测量仪收视数据，调查区域为江东区、海曙区、江北区、镇海区，样本规模200户，推及人口938，000人。本报告将从时段，占有率，观众构成，节目表现方面对宁波电视市场做2007年度收视回顾。(说明：文中“2006年”指2006年1月1日～2006年12月31日，“2007年”指2007年1月1日～2007年12月31日。)

一、时段收视情况

1.平均日收视（4岁及以上人－全天平均收视分钟）

2007年宁波整体收视分钟数略有下降，较上年下降2分钟，降幅主要集中在中央电视台和浙江省台，其频道组分钟数纷纷较去年下降3分钟。宁波电视台在2007年度表现甚佳，频道组人均收视分钟数较去年增加3分钟，相比其他各频道组表现较突出。(说明：中央电视台指中央电视台的15个频道，当地省台指浙江电视台的8个频道，其他卫视指省外卫视)

2.所有频道不同时段收视率（4岁及以上人－所有台－平均收视率%)

晚间19:00～22:00在年初岁末的收视表现较好，TTV收视率保持在30%以上，尤以1月的31.6%为最高。年中的4～10月，收视形态略呈降势，至5、6月的27.1%为最低。

白天各时段的收视走势则与此相反，6:00～14:00的全年最高收视出现在7、8两月，在暑假收视习惯的调动下，TTV收视明显上抬2～3个百分点。14:00～19:00的全年较高收视则出现在1月和7月，但增幅不及前者明显。

3.17:00～24:00 不同频道类别总体收视（4岁及以上人－平均收视率 %)

2007年，宁波电视台频道组晚间收视率7.5%，为各频道组之最。中央电视台紧跟其后，以6.9%的收视率位居第2。具体而言，1～6月，宁波电视台和中央电视台竞争激烈，收视高度基本不相上下。7月起，宁波电视台形成明显的上扬走势，至第四季度的收视率始终保持在8%以上，较中央电视台高1个多百分点。

其他竞争频道方面，浙江省台在1月、5月、8月的收视表现尚佳，频道收视率超过4%；省外卫视在7月、8月的收视表现较好，频道组收视率高于2%。

4.全天收视率（4岁及以上人－所有台－平均收视率 %）

2007年的总体收视曲线基本与上年吻合。晚间20:00～21:00的总收视率超过30%，为全天收视最高的时段。

和上年相比，平日的晚间时段略有降幅，18:30～24:00的平均降幅为1个百分点。周末的情况略有不同，18:00～19:30的收视高度基本与上年持平，19:30～24:00则低于去年的收视水平，平均降幅在0.8个百分点左右。

二、主要竞争频道

1.全天 不同频道类别市场占有率（4岁及以上人－ 平均市场份额 %）

2007年，宁波电视台的总收视份额为29.6%，较上年增长近3个百分点，收视表现较突出。中央电视台和浙江省台的总份额则纷纷下降，降幅分别为1.1个百分点和1.8个百分点。

此外，宁波电视台与中央电视台的份额差距由10个多百分点缩小至6个多百分点，收视成效较明显。

2.17:00～24:00 不同频道类别市场占有率（4岁及以上人－平均市场份额 %）

17:00～24:00晚间时段，宁波电视台的总份额较上年增加2个多百分点，以35.7%的总份额位居首位，且高于中央电视台近3个百分点。和上年相比，中央电视台、浙江省台、省外卫视的总份额纷纷下降，3个频道组累计下降2个多百分点。

3.全天主要频道的市场占有率 前15位（4岁及以上人－全天平均市场份额 %）

2007年度，市场份额排名前3位的频道依次是宁波三套、宁波二套、宁波四套。和上年相比，宁波三套的进步尤其突出，频道份额由上年的4.2%增至7.5%，涨幅近80%一度跃居首位。其他竞争频道中，中央一套和中央八套的市场份额较高，分别位于第5、第6位，但其频道份额较上年略有下滑。具体各频道排名如下：宁波电视台三套、宁波电视台二套、宁波电视台四套、宁波电视台一套、中央电视台综合频道、中央电视台八套、中央电视台六套、中央电视台五套、浙江电视台教育科技频道、中央电视台三套、浙江卫视、宁波电视台五套、中央电视台四套、湖南电视台卫星频道、安徽一套。

4.17:00～24:00主要频道的市场占有率 前10位（4岁及以上人－ 平均市场份额 %）

17:00～24:00时段，宁波电视台4个频道占据排名前4位，其中3个频道的份额在8%以上，与其他频道相比竞争优势明显。宁波三套的份额涨幅十分突出，频道份额由上年的5.2%跃升至8.7%，排名位次由第4位上升至排名第1位。宁波二套、宁波四套、宁波一套虽分列第2至第4位，但频道份额略低于上年或与之持平。主要竞争频道中，唯独浙江教育科技频道的市场份额略有增长。具体各频道排名次序如下：宁波电视台三套、宁波电视台二套、宁波电视台四套、宁波电视台一套、中央电视台综合频道、浙江电视台教育科技频道、中央电视台八套、宁波电视台五套、中央电视台三套、中央电视台五套。

数据来源：央视－索福瑞媒介研究有限公司

（CSM媒介上海办）

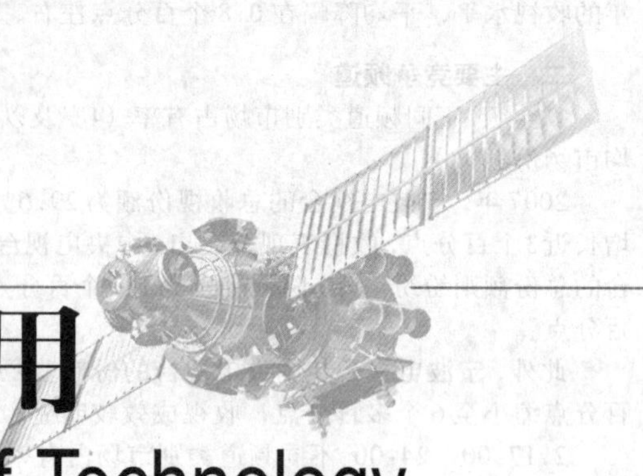

7.科技开发与应用

Development & Application of Technology

7. 科技开发与应用

责任编辑 张绍红
审 稿 人 周志强

广播电视科技工作综述

一、广播电视安全保障

1.完成广播电视转星调整

完成建国以来第一次大规模的广播电视卫星传输和地面接收设施调整，扭转了卫星广播电视被动防范的不利局面。

编写卫星广播电视并发节目安全播出应急预案，组织召开全国转星调整工作会议，制订、落实转星调整实施方案。

7月31日，全国35个卫星地球站顺利完成了全部卫星节目的上行调整任务。8月7日，全国各电台、电视台、发射台、转播台、监测台、有线电视前端共3.852万个卫星接收设施调整任务全部完成，共调整地面接收设施2004万多个。转星调整工作后期，落实转星调整督察各项准备工作，推动转星调整任务全面完成。在完成系统内转星调整任务的同时，做好技术培训和服务，据不完全统计，全国共培训约82.1万人次。

2．建立指挥调度体系

目前，全国已建立省、地、县三级贯通的安全播出指挥调度体系，同时还建立了与指挥调度机制相适应的技术支撑平台，构筑起监测、告警、通讯、预警等一体的全国安全播出调度指挥网，实现了对全国广播电视安全播出的统一指挥。

3．增强广播电视播出事故处理力度

加大对事故调查、统计和分析力度，设置专人对事故进行分类统计和管理，跟踪事故的整改情况。9月起，恢复北京地区安全播出例会制度。

4．开展播出与支撑系统的技术革新改造

无线局地球站、各省及相关地球站配合转星调整工作，无线局开发了中央地球站的自动调度和监测系统，总局调度中心开发了安全播出调度平台，总局监测中心的卫星监测错损系统和总局调度中心的电话调度系统、全国预警发布系统等也根据使用需求在原有基础上进行了升级和改造。

二、广播电视公共服务

1.广播电视“村村通”工作取得新进展

完成农村的中央广播电视节目无线覆盖工程第一、二期技术方案、工程技术管理办法和发射机生产技术监督实施规程的编制工作；编写2007年农村中央广播电视节目无线覆盖工程发射机招标文件中的技术要求部分；协助计财司和中技公司完成第一阶段3700余部发射机及600千瓦中波发射机的招标工作；组织规划院、广科院、无线局、监测中心及各相关省局成立11个技术监督小组，开展驻厂监督工作；完成对广西、云南、福建、吉林等4个省编制本省节目无线覆盖技术方案的审查工作；参加了云南边境地区的广播电视覆盖调研工作。

2.直播卫星产业化及卫星直播“村村通”平台建设

组织无线局、广科院、规划院和相关厂家按照ABS-S技术要求研制新的技术体系，推进直播卫星产业化进程。同时，卫星直播“村村通”平台建设进展顺利，相关设备的招标工作正在进行。

3.推进西新工程、东南工程和走出去工程

基本完成西新工程四期一阶段技术方案的制订；协助计财司完成西新工程491台、726台等工程验收；组织无线局完善调度系统，启动智能调度系统第二期建设；协调中央台的港澳覆盖；协助国际台拓展互转、租机业务；审核中央电视台在老挝建设电视节目发射台的技术方案；研究马里续签租机合同的技术方案；协调阿尔巴尼亚广播发射基地的相关技术问题。

三、广播电视数字化

（一）移动多媒体广播技术研究与试验

1．建立技术体系，发展产业化

初步形成具有自主知识产权的移动多媒体广播技术标准体系。已制订并颁布移动多媒体广播信道、复用、电子业务指南、紧急广播等4项行业标准。初步形成了端到端的移动多媒体广播设备产业链，目前已有150多家企事业单位参与产业化推进工作。

2．推进技术测试，建设试验网络

开展地面单点覆盖、单频网覆盖等多项技术测试工作，为发展规模性试验奠定了基础。完成全国直辖市、省会城市、计划单列市和奥运城市共37个城市的频率规划，进行组网规划。建设试验网络，在北京、天津等8个城市进行移动多媒体广播试验播出，其他29个城市试验网络进入设备招标阶段。

3．建立业务体系，开展业务试验

实现多种形态的多媒体业务，包括电视、广播、政务、商务等信息服务，将在37个城市进行全业务试验。建立运营支撑体系，包括加密授权、用户管理等系统，为产业化运营提供技术和系统保障。

（二）城市有线电视数字化整体转换

1．推进整体转换，全面实现有线电视数字化。通过有线数字电视试点单位的验收，采取多种形式推广试点经验，召开全国有线电视数字化整体转换暨网络双向化改造工作研讨会。据不完全统计，全国30个城市已经完成了整体转换，有线数字电视用户已超过2500万户。

2. 强化服务和质量意识。针对有线电视数字化过程中出现的服务问题，组织召开有线电视数字化工作座谈会，发布《关于进一步加强和规范有线电视数字化工作的通知》，规范有线电视数字化工作。

（三）地面无线广播电视数字化的技术准备

1. 组织开展国标系统的地面数字电视广播技术试验工作，申报北京地面数字电视试验平台产业化专项。

2. 组织广科院、规划院等单位研究地面数字电视的规划和协调方法，整理地面模拟电视数据库，开展试算分析和协调工作，为6个奥运城市和广州、深圳规划了1～3个频道，完成了29个省会城市和计划单列市分米波段频率规划的试算和分析，初步建立了相应的地面数字电视候选频道库。

3. 指导完成北京和南京地区的单频网建设任务，开展单频网覆盖测试工作。

4. 协同规划院完成地面数字电视主要配套标准的制订工作。目前，《数字电视中间件技术规范 第1部分：系统》等3项标准送审；《地面数字电视调制器技术要求和测量方法》等6项标准征求意见；《VHF/UHF频段地面数字电视广播频率规划准则》等5项在研究，3项形成初稿。

（四）广播电视数字化网络化

1.组织《白皮书》的研究与制定，组织召开4次电台、电视台数字化网络化工作会议，讨论2007年度白皮书的研究与编制，进一步修改完善。

2.评定数字化、网络化实验基地。科技司组织全国电台、电视台数字化网络化示范基地的申报及评审，选择示范基地，发挥引领作用。

四、广播电视科技管理

1.广播电视频率协调

组织总局直属单位与国家无线电频率主管部门，协调电台执照的管理和缴纳无线电频率占用费问题，参加奥运会无线电频率协调工作。开展国际和双边广播电视频率协调工作，参加中俄边界地区地面广播电视频率协调会，维护了我们的利益，为今后中俄边境地区广播电视频率协调工作创造了良好条件。组织参加A07高频广播协调会，制定参加B07会议的技术方案，保证对外短波广播的频率需求，全年共完成批文121份，批复频率／频道207个。

2.广播电视科研

完成了广播电视信息安全保障评价指标体系、广播电视传输系统安全风险评估等研究工作；研发了“全国技术能手竞赛”、“全国事故管理与上报系统”等软件系统；出台《有线电视网双向改造指导意见》，完成全国有线电视网普查工作；多项科研成果获得国家科技进步奖，其中《基于融合网络的流媒体集群系统》获得国家科技进步二等奖。

3.广播电视科技项目管理

组织申报两个国家“十一五”科技支撑计划项目：“中国互动新媒体网络与新业务科技工程”、“移动多媒体广播系统研究开发与规模技术试验”；组织申报发改委2007年数字电视研究开发及产业化专项；编写6项重点项目申报材料，其中《北京地区地面数字电视应用技术平台建设》项目已获得国家发改委批准立项；组织中央电视台、规划院申报《高清晰度电视测试图像标准研究》、《地面数字电视单频网试验与标准研究》等国标委标准研究项目。

组织落实总局CMMB科研项目经费，对2005～2006年度24个总局科研项目进行中期检查，督促和落实科研项目的进展工作。组织论证《全国互联网视听节目监管系统技术方案》、《中国国际广播电台在线工程方案》等大型项目。

4.广播电视标准化及质量监督

拟文近20份报送国标委，维护行业标准的权威性，争取广电系统的权益；协调落实50项2006年第一批国家标准制修订项目；对广电国家标准的分类提出修改意见，组织地面数字电视配套标准的制订；组织多项行业标准的专家评审会，颁布了《数字电视复用器技术要求和测量方法》、《移动多媒体广播》第3、4部分等10余项行业标准、技术要求。

编制《广播影视设备器材检测管理办法》（草案）；组织专家对7家广播电视设备器材检测测评实验室进行年度审核；受理广播影视设备器材的入网申请950余份，向750余家企事业单位审核批准并发放认定证书2187张；受理CAS/SMS申请30份，发放证书26份；颁布国家广电总局检测测评实验室审核证书7张。

5.国际电联对口研究和卫星网络协调

组织参加国际电联对口研究组SG6、SG1、SG3以及JTG6-8-9工作组、APT、ABU召开的会议，提出草案，阐明立场，保护卫星广播操作者利益、维护卫星广播网络资源；组织制订CPM-07和WRC-07参会预案，参加WRC-07会议，为保护我国S波段卫星网络做了大量工作。

与日本、韩国等国家开展空间资源协调工作，完成与全球在用频率重叠的3个运行网络的国际协调，取得卫星直播和卫星移动多媒体广播业务所需的空间资源，维护了我国在该领域的权益。

6.广播电视技术交流与培训

加强与系统内外及国际的技术交流，通过CCBN、BIRTV等重大展会平台，展现行业科技发展趋向。

组织2次全国技术培训，在京举办4次集中培训，各省举办关键岗位培训班，全年培训技术人员数万人次。

（国家广电总局科技司）

2007年度科技创新奖一等奖项目简介

《广播影视数字化普及读本》

当前，数字技术的快速发展给广播影视带来了历史上最大的一次技术变革，如何以最短的时间、最低的成本和最安全的方式推进实现我国广播影视系统由模拟向数字化的平稳过渡，是全国广电工作者肩负的历史责任。因此，从业人员要充分学习和理解数字化的基本知识，了解数字化的基本情况，掌握数字化的基本规律，才能做好推进广播影视数字化发展的工作。

《广播影视数字化普及读本》介绍了系统的理论知识、实用的推广方式和手段，向广播影视系统、全社会普及数字化技术。本书分为广播电视技术发展情况、广播电视技术系统构成及数字化、广播电视数字化原理及变革、电影技术及数字化以及广播影视技术管理5个章节，以数字化为主线，对广播影视由模拟向数字技术转换过程中需要了解的基本情况、掌握的基本知识和规律；数字化在节目业务、事业管理等方面的应用发展情况；数字化管理运行的基本技术程序、体系、技术标准、经验等都作了系统全面的论述，阐述了数字化对广播影视技术产生的深刻影响和重大意义，体现了广播影视数字化发展的时代特点。

《广播影视数字化普及读本》理论联系实际，使用凝练、通俗易懂的语言将高深、枯燥的技术理论表述的更加贴近实际工作，便于理解掌握，具有重要的科技里程碑价值。该书作为广播影视系统业务教育培训教材，已成为全国广播电视从业人员学习掌握广播影视数字化技术和指导实际工作的必读、必备工具书，同时该书也使社会人士能够了解和认知广播影视数字化的技术平台。

（国家广电总局广播科学研究院）

GY/T220.1-2006《移动多媒体广播 第1部分：广播信道帧结构、信道编码和调制》与GY/T220.2-2006《移动多媒体广播 第2部分：复用》

一、《移动多媒体广播 第1部分：广播信道帧结构、信道编码和调制》

随着数字广播电视技术的发展，特别是无线数字技术的日新月异，通过广播电视覆盖网开展移动多媒体广播业务，实现在手机、PDA、MP3、数码相机、笔记本电脑等小尺寸、小屏幕、移动便携手持式终端上随时随地接收广播影视节目和信息服务，拓宽广播影视的服务领域。

本部分根据国家广播电影电视总局科技司下达的科字[2006]272号文的任务，起草编制行业标准GY/T 220.1-2006《移动多媒体广播系统 第1部分：广播信道的帧结构、信道编码和调制》。

项目承担单位根据广电总局下达的重点科研项目《卫星多媒体广播移动接收技术》和《<移动数字多媒体广播系统—广播信道编码、调制和帧结构>标准研究》，开展了长期的研发和试验、测试工作。从我国实际出发，在充分研究移动多媒体广播业务特点的基础上，根据广电总局确定的移动多媒体广播系统标准体系，以自主研发完成的移动多媒体广播传输技术为基础进行了标准的编制。本部分涉及的技术经过了仿真测试、实验室测试和现场测试的验证。

本部分申请了自主专利21项，覆盖了物理层结构、LDPC编码、比特交织、星座映射、频域OFDM符号形成、成帧、组网、接收等环节，对本部分的核心技术形成了完整、有效的自有知识产权保护。

本部分支持卫星覆盖全国与地面覆盖和增补相结合的天地一体技术体制，采用了面向省电功能的基于时隙的帧结构和OFDM调制、先进的LDPC编码、可快速同步的信标、逻辑信道等具有国际先进水平的技术。

本部分于2006年10月24日由国家广电总局发布，2006年11月1日开始实施。目前符合该标准的移动多媒体广播试验系统已经在北京、上海、青岛、沈阳、秦皇岛、广州、深圳等城市开通，中兴通讯、联想移动、华旗资讯等多家企业已经开发出符合该标准的终端产品，北广科技、上海瑞高等多家企业开发出符合该标准的调制设备。目前围绕以该标准为基础的移动多媒体广播产业开发的企事业机构有130余家。

二、《移动多媒体广播 第2部分：复用》

本部分属于电子信息技术中的广播电视工程领域的内容。主要研究基于移动多媒体广播的多路复用技术、无线信道适配技术、窄带数据复用传输技术、多媒体数据复用技术及复用容错技术。

本部分研究成果为GY/T 220.2-2006《移动多媒体广播 第2部分：复用》，它完全匹配广播信道传输技术的时隙结构，可实现终端省电，具有很好的应用灵活性和可扩展性，可以承载多种音视频码流，支持灵活的数据业务，通过将关键的业务辅助信息和信道调度控制信息放置在专用的高保护率信道中传输，能够很好地适应无线传输的恶劣环境，具有很强的容错特性。

本部分包括多处创新点，标准为自主创新成果。该项目作为移动多媒体广播的基础性关键标准，基于该标准研制的复用器已在北京等多个城市的试验网中使用，情况良好。

（国家广电总局广播科学研究院）

电视台数字化网络化建设白皮书（2006）

为了贯彻落实我国广播影视“十一五”规划目标，推动全国各级电台、电视台网络化建设，2006年国家广电总局科技司组织了数字化网络化工作组，对台内网络化的关键技术进行研究，起草《电视台数字化网络化建设白皮书(2006)》，对台内网络化建设进行科学指导、规范要求。江苏省广播电视总台和上海文广新闻传媒集团作为主要起草单位，承担了白皮书的编制工作。

白皮书共分为两个部分。第一部分是理论篇，以大量的调研为基础，对电视台网络化的意义进行了阐述，对网络化现状、环境、影响因素进行了分析，提出了网络化实施纲要和风险规避方法。第二部分是实践篇，对电视台业务进行了梳理和规划，对电视台网的模型和总体架构进行了抽象，对典型要素和典型板块进行了凝练，提出了不同业务板块之间互联互通技术的建议，分析了台内网建设的安全与高可用性注意要点。白皮书具有以下技术创新：

1.引入板块、要素、要素群，通过对台网架构进行分析，并对总体网络架构和模式进行高度概括，凝练出典型要素和模式，为台内网络化的研究奠定了科学的理论体系。

2.将台网总体架构分为基础支撑平台、业务支撑平台、业务板块等几个部分，采用了SOA面向服务理念和最新的应用集成技术，具有较强的牛命力。

3.通过考察典型电视台各项业务并对其共性需求归纳总结，抽象出电视台网典型板块，并提出了进行台内资源整合、生产方式转型、业务流程再造的规范化思路。

4.对互联互通模型进行了深入研究，通过对板块要素群交互关系的分析，得出互联互通的几个层次，为制定相关标准规范奠定了理论基础。

5.对电视台网安全进行了系统研究，针对广播电视安全播出要求的特性，根据网络化制播特点，从系统、网络、数据、运维等层面建立了较为完善的安全防范体制。

2007年3月，国家广电总局作为技术政策正式颁布了《电视台数字化网络化建设白皮书(2006)》，白皮书的发布标志着我国全面推进电视台数字化网络化工作的开始，具有里程碑式的意义。

白皮书实现了各台网络建设运行经验的共享，已成为台内网各业务板块协同运行、互联互通、资源共享等工作的重要设计依据，对于全国电视台网络化建设具有重要的参考和指导作用。白皮书加快了我国电视台台内网络化进程，对促进广播电视从单一业务模式向多种业务形态和多元化媒体方向发展，开辟数字化时代具有战略和历史意义，同时，对广电技术产业、信息产业、现代服务业等相关产业和市场，也起到巨大的推动作用。

（江苏省广播电视总台、上海文广新闻传媒集团）

广播电视发射台集成监控管理系统

广播电视发射台集成监控管理系统(Transmitter Station Integrated Monitor and Management System，缩写TIMMS)的研制开发与建设实施，目的在于实现发射机的自动控制和优化管理，实现发射台远程监控，提高发射机工作稳定安全性，提高发射机安全播出率，实现发射台科学化管理，实现资源优化配置。系统结构可分为三层：实时控制层、监控管理层、远程监管层。

通过对比分析以及应用反馈，广播电视发射台集成监控管理系统（TIMMS）在技术、设计理念、系统结构等方面能够适应各类型发射台的需求。同时因为系统的开放性与可扩展性，能够随着某单项技术的进步而进步，针对不同应用做出适应性调整，体现出该系统的先进性。

主要技术创新：系统采用三层结构，技术先进，具有良好的开放性和扩展性；发射机实时控制层采用PLC，性能稳定可靠；实时控制单元可采集超过128个模拟量，能够全面了解发射机工作状态，并可准确定位故障；结合专家系统，可实现发射机故障辅助诊断；能够测量计算输出功率及反射功率的线性真值；完备的实时控制功能，包括多段定时自动播出、故障报警及处理、主备机倒换、停电后来电自恢复等；控制系统与发射机原有逻辑控制系统相互独立，原有逻辑控制系统可作为应急备份系统使用；经过优化的人机操作界面，界面简洁、操作简单、功能强大、具有高可用性；全面完整的发射台管理功能提供发射机运行数据记录、条件查询、报表打印功能；发射机故障记录、维护记录功能；值班员管理、值班管理功能；可以与发射台办公系统挂接，实现发射台管理自动化；针对不同环境及应用需要，提供C/S结构及B/S结构远程监控系统，通过IP网络可实现异地联网集中监控。

广播电视发射台集成监控管理系统（TIMMS）结构灵活、完整，能够应用于单一发射机、单一发射台、多发射台联网、区域发射台集中监控等多种不同应用需求中，能够满足国内大多数发射台的需求。该系统已经在山西省4个发射台及监测中心、安徽省1个发射台安装运行，最长已经运行4年，实践证明该系统运行稳定可靠，功能完善，完全实现了设计目标；提高了发射台工作效率和管理水平，提高了节目信号的安全优质播出率。

（中国传媒大学、山西广播电视无线管理中心）

广西广播电视发射台远程网络智能化监控系统

《广西广播电视发射台远程网络智能化监控系统》项目利用广西广播电视SDH传输干线内部构建的IP专网，以计算机管理系统为核心，以工业以太网、自动化控制、信息数字化、网络传输、数据库、GPRS传输、数据压缩和解压缩等信息工程技术为基础，采用“集散控制”设计理念、分布式的监控结构、B/S与C/S相结合的框架结构，以自治区监控中心、县监控分中心、发射台三级管理的模式，实现远程实时监测调频电视发射机、交流稳压器、柴油发电机、信号源、外电、空调等设备的参数和工作状态，实现调频电视发射机自动开关机和主备机自动倒换、信号源自动识别倒换、市电和自备电自动切换、远程实时监听监看播出效果的功能。具有发射机和柴油发电机的开关机、空调的开关机和温度调整、照明灯的开关、门禁开关，以及摄像头控制等远程控制功能；具有温度、湿度、浸水、红外、烟感、环境视频图像等环境参数监测功能；具有GSM专线及本地发射模块两种短信报警方式，以及报警联动录像和报表统计等功能。提供基于INTRANET技术的监控浏览方式，同时运用大型数据库SOL SERVER作日常系统数据的存储与检索，是一个能对发射机及其他附属设备和环境进行全方位远程实时监控的智能化网络平台，真正实现了“无人值班，有人留守”的要求，在技术上处于国内领先水平。

目前已实现了广西17个大、中、小功率等级（功率等级有300W、1kW、3kW）的广播电视发射台共41台调频发射机和18台电视发射机的统一远程监控管理。经过近三年来的运行，系统工作稳定，功能完整实用，实现了“遥控、遥测、遥讯”和设备故障的迅速自动切换，保证了发射台的安全播出。该系统是目前我国规模最大的广播电视无线发射台网络管理和控制系统，广播电视无线发射台新的技术体制和管理模式的创新实现了规模化、专业化管理，推动了无线发射台运行维护体制的变革，可推广到全国各类广播电视无线发射台中应用。

（广西广播电视信息网络股份有限公司）

基于有线数字电视的电子支付系统

基于有线数字电视的电子支付系统（以下简称“家付通”系统），是一种安全便捷、直接面向家庭用户的现代金融服务系统，是在广播电视通信技术、现代金融服务技术和信息安全技术领域开展的交叉学科研究成果。该项研究成果具有我国自主知识产权并拥有核心技术专利，填补了我国现代家庭金融服务网络建设的空白。

“家付通”系统由前端平台系统和终端系统组成。基于SOA体系架构的前端平台系统按功能分为多个独立的子系统，子系统之间通过后台ORM之间的无缝整合形成应用展示；终端系统主要包括数字电视机顶盒和可刷卡遥控器。前端平台系统和终端系统通过有线数字电视网络连接，提供了一个面向家庭的电子支付及商务运营的整体解决方案。有线数字电视用户在家中手持遥控器就可以刷卡完成银行卡查询、转账、信用卡还款；能够缴纳水、电等日常家用开支；同时，“家付通”业务平台还提供涉及餐饮、旅游、百货等多种门类的B2C服务；此外，系统实现了跨网络平台的电子支付，互联网的商业贸易也可以通过“家付通”系统来完成交易支付。

“家付通”系统具备了深入家庭、覆盖面广、易于推广等特点，不仅能够提供基于多媒体的丰富的业务功能，而且终端系统改造成本低廉（对于双向机顶盒没有额外的硬件要求），独有的安全控制体系和可刷卡遥控器保证了操作上的方便快捷。系统安全机制已经通过中国人民银行银行卡检测中心的安全认证。此外，系统采用了基于数字证书的安全电子凭证，使各交易环节有据可查，有法可依，为家庭用户提供了安全、可信、便捷的交易环境。

目前"家付通"系统已经在青岛投入商业试运营，业务覆盖近80个小区。同时，南京、广州、天津、北京等十几个省市的网络公司也开始筹备"家付通"系统的上线工作，未来，"家付通"系统将在全国范围内大面积普及应用。"家付通"系统的推出，标志着有线数字电视运营商在整体转换后，在产业可持续发展方面取得了突破性进展。未来有望形成一个包含广电运营商、商品零售商、服务提供商和金融服务商等在内的完整的新型现代服务产业链。

（青岛有线电视网络中心、北京嘉富通网络科技有限公司）

济南电视台全台制播网络

济南电视台全台制播网络系统的物理架构采用新型的IP-SAN结合网络架构设计而成。全网以核心万兆、边缘千兆的模式进行全网链路冗余设计。系统包含了140台服务器、182个功能站点，采用新奥特公司独创的双核（以节目单为核心，驱动全台节目生产；以节目代码为核心，驱动全台数字内容管理）、双总线（ESB企业服务总线、EMB企业媒体总线）驱动全台网络工作引擎。

在该系统中，创新地采用了IP-SAN存储技术为核心、以万兆以太网技术为平台作为全台网络基础架构，在保证了现有业务正常运行的情况下，具有良好的可扩展性和性价比。

系统由140台服务器组成，完成系统中网络素材共享管理、WEB服务、转码服务、调度服务、用户权限管理、数据库系统、应用服务、流媒体服务等任务。通过群集和HA等软硬件技术实现各服务器双机备份和冗余配置，提高了系统运行的可靠性。

业务系统架构由包含新闻直播室和新闻媒资系统的新闻网络子系统、演播室子系统、高标清制作网络子系统、收录子系统、媒体资产管理子系统、设备管理子系统、总编室子系统及数据交换平台八大部分组成。其中总编室既是全台业务的核心，也是本套系统最大的亮点之一，集中编排、调度全台业务生产工作流程，在保证各业务子系统能够独立运行的基础上，通过系统数据核心——数据共享交换平台的搜索引擎和数据交换引擎，实现数据传输和资源共享，从而真正实现了全台内部的网络化及节目制播一体化。

系统经过运行体现出"四高"、"四性"特点，即高可用、高质量、高效率、高控管，实用性、开放性、先进性、扩展性。广电行业专家鉴定委员会评价，济南电视台全台制播网络系统项目在国内外首次实现了企业媒体总线XFER系统、企业服务总线MFS系统以及面向服务的架构（SOA）等系统的技术集成，在全台业务流程整合和优化、系统运行监控管理的设计和应用软件开发上有所创新，适于全台网络系统建设的借鉴推广。

（济南电视台、新奥特硅谷视频技术有限责任公司）

江西省农村中央广播电视节目覆盖试点

该项目是具有系统创新和高科技应用的广播电视综合性技术工程，是一项具有自主知识产权的专利成果，为全国农村中央广播电视节目无线覆盖工程的开展起到了示范和推动作用。该项目由江西省广播电视局和国家广电总局广播科学研究院共同完成。

2005年10月，为充分发挥高山骨干台覆盖的优势，利用现有广播电视基础设施，加强农村中央广播电视节目覆盖，探索建立农村广播电视服务体系，国家广电总局在调查、论证和综合分析的基础上，决定在江西省农村进行中央广播电视节目覆盖试点工程，工程建设总投资3196万元。试点工程于2006年3月全面竣工，完成了江西省702台等13座高山骨干台以及景德镇、上饶等4座发射台的改造，配置了34部电视发射机、16部调频发射机，并对天馈、配电等配套设施进行了改造，新增中央电视台第一套、七套节目，中央人民广播电台第一套节目的无线覆盖，与原有的江西电视台第一套节目、江西人民广播电台第一套节目及设区市第一套电视节目共同构成"4T＋2R"农村无线广播电视覆盖网，实现了江西省70%以上的农村人口覆盖。该工程主要特点：

1.充分发挥了江西省现有高山台、骨干台在农村广播电视无线覆盖中的作用，制定了科学合理的技术和建设方案，充实并加强了中央广播电视节目在江西省农村的覆盖能力，建立了中央广播电视节目在农村覆盖的长效机制，为建立合理有序的农村广播电视服务体系积累了经验，为全国农村中央广播电视节目无线覆盖工程的开展起到了示范和推动作用。

2.应用高新技术，提升无线广播电视覆盖质量。首次大范围地采用了电视精密载频偏置技术，有效地降低了覆盖网同频道射频保护率要求，突破了频率资源瓶颈；采用了自主知识产权的北斗授时系统，对提升广播电视系统安全播出的可靠性、消除对GPS系统的依赖性是极其重要的探索；完成了具备载频精密偏置功能的电视发射机的产品开发，结束了工业制造部门不能大规模生产载频精密偏置电视激励器的历史；创造性地开展了电视精密同步广播技术研究工作，为进一步提高频率资源利用率提供了新的思路与方法；采用了电视分米波双工器实现共馈、共天线发射技术；采用发射机手机短信监测技术。

3.科学规划、周密安排，安全施工、严格管理，采取了塔桅先行、配电跟进、发射机重点、控制桌功能化以及机房专修同步的工作步骤，项目交叉推进，确保了工程安全第一、质量第一。

2006年9月，国家广电总局在江西省召开在全国农村中央广播电视节目无线覆盖工作现场会，充分肯定了江西试点工作取得的成绩，并向全国推广试点经验。

（江西省广播电视局、国家广电总局广播科学研究院）

太原有线电视数字化服务体系

按照总局《推进试点单位有线电视数字化整体转换的若干意见（试行）》的要求，作为有线电视数字化整体转换试点示范城市，根据《太原有线数字电视整体转换实施方案》，2003年9月~2006年9月，完成了市区43.5万用户的数字化整体转换，同时完成了太原有线电视数字化服务体系的建立。总局验收委员会在试点城市验收会议上对太原有线数字化服务体系给予了充分肯定和高度评价。

太原有线电视数字化服务体系主要包含运营管理、技术支撑、用户服务、品牌创建四个方面。

1.运营管理。成立了市区内3个分公司，整合了郊县5个分公司，并成立了数字电视节目分公司运营付费频道和提供其他数字电视增值服务产品。同时制定了《太原有线电视网络有限公司管理考核制度》和《太原有线工程（项目）验收程序》等一系列考核制度，进行规范和约束经营管理行为，标准化、规范化管理体系的建立确保了整体转换工作顺利完成。

2.技术支撑。遵循严格的设计、施工、质检、验收流程，进行了合理的频率划分，规划建设分中心18个；建成了由播出子系统等8个子系统组成的数字电视前端，实现可靠备份、安全传输；用户终端机顶盒达到硬件配置合理、可靠在线升级。已建成的双向HFC网络经总局组织的试点工程系统验收测试合格，认定网络性能优良。

3.用户服务。通过编制和制订《太原有线电视网络有限公司（中心）工作流程汇编》以及《太原有线数字电视业务实施细则》，确保整体转换工作顺利完成。功能健全的SMS用户管理系统、CTI呼叫中心系统、GIS网络资源管理系统，为用户提供了强有力的业务咨询、查询和障碍申告平台。

4.健全安全播出应急处理程序，确保了网络播出安全。完善市长办公电话的调度职能，做出全年天天营业的新的时间安排，方便用户申告和办理业务。

5.品牌创建。每年五月的“服务月”活动是升华服务理念，提高服务素质和能力，宏扬企业精神，建设企业文化的重要平台。

有线电视数字化服务体系的用户故障处理时限由过去的48小时缩短为24小时，故障及时修复率由70%提高到99.3%，平均每周投诉事件保持在1件以下，用户对维修服务的满意度达到90%以上。优良的服务在取得了良好的社会效益的同时创造了可观的经济效益，从2006年起，每年新增经济效益可达6000万元。

（太原有线电视网络有限公司）

无线局地球站自动调度系统

无线局地球站自动调度系统2005年开始建设并投入使用，该系统在总局直属的3个地球站之间建立了一套智能化调度系统，对三站的卫星上行播出系统实施日常播出调度管理、实施故障及突发情况的紧急应对。

地球站自动调度系统项目组总结了1995年以来中央广播电视卫星传输中出现的各种异态的客观数据和主观表现，经过大量科学统计分析，独创了完善的业务调度逻辑流程，综合应用了数字信号分析、专家诊断、智能仿真、自动控制、网络通信等技术手段，研制开发地球站自动调度系统，实现了对3个地球站共110多套卫星播出系统实施智能化调度管理，实现了对异态情况的智能判别、自动处置，在卫星安全播出中实现了自动干扰判断、站间自动代播、功率自动提升、自动并发等符合卫星广播电视安全播出要求的各项功能。

地球站自动调度系统包括综合逻辑判断、基带检测、信道检测、插播检测、频谱识别、设备检测、业务控制、自动电话发布、业务发布等8个模块，针对不同传输方式，多种业务类型，以综合逻辑判别为中心，以播出业务为调度主体，实现了地球站内和站间多业务、多系统、多层次的调度管理，从根本上符合广播电视安全播出效果管理的要求。

自动调度系统经过两年多的实际运行，稳定可靠，能够对各种播出异态正确判断、准确定位、有效处置，成功地解决了依靠人工判断无法克服的问题。

系统主要功能及特点如下：

1.对异态准确判别，快速、准确、有效处置，能够智能识别节目源异常、上行系统电路异态、干扰、雨雪天等造成的传输异态，支持多个异态并行快速响应，自动采取恰当措施。可提供业务的实时数据和状态发布，能够按照应急预案进行业务电话自动拨报和业务短信的自动发布。

2.以业务为对象进行调度管理，调度管理跨越设备、简便准确，业务配置管理灵活性强，地球站业务及系统状况信息获取快捷全面，表现直观。

3.故障定位支持个性化。系统具备调度逻辑图形化编制工具和执行引擎，满足地球站故障定位个性化需要，满足播出维护人员随时、灵活、便捷配置业务调度逻辑流程的需要。

4.系统适用于模拟、数字、单路单载波、多路单载波、广播电视信号、数据广播信号等多种业务、多种传输体制应用。系统能支持干结点、RS232、RS485、RS422、Socket、SNMP等多种接口、多种通讯协议的设备，支持软硬件便捷扩展、新增功能插件式扩展，扩展灵活方便，通用性强，国产化率达到百分之百。

系统采用分布式监控、集中管理的解决方案，重要操作一键完成。最大程度地保证了本地监控的可靠性和系统调度的有机协调性，大幅提升了广播电视卫星地球站播出运行安全保障等级。

地球站自动调度系统是在总结了广播电视卫星传输的特点和地球站长期运行维护管理经验，以及近年来抗击非法干扰及恶意攻击的实际经验基础上，综合未来发展需要研发建设完成。系统技术先进、创新性强、实用性强、自动化、智能化程度高，保证安全播出效果显著，整体技术处于国际领先水平，具有很高的推广应用价值。

（国家广电总局无线电台管理局）

下一代通信技术和计算机技术对广播电视发展的影响

该项目是国家广电总局下达、总局科技委员会战略专业委员会牵头承担的2005年度重点科研项目（项目编号：2005-24），其主要任务是：通过调研从多角度对下一代通信技术和计算机技术对广播电视的影响进行研究，在此基础上完成调研报告和若干分报告，为我国广电行业“十一五”的发展提供科技决策参考和管理依据。

主要内容包括：（1）下一代通信技术的发展趋势及其与广播电视技术的融合；（2）下一代计算机技术（硬件、软件）的发展趋势及其与广播电视技术的融合；（3）下一代通信技术和计算机技术产生的新业务及其与广播电视的关系；（4）下一代通信技术和计算机技术对广播电视发展（技术、业务、体制）的作用与影响；（5）因势利导、加快广电发展的对策与建议。

项目组由国务院发展研究中心、清华大学、北京大学、北京邮电大学、中国传媒大学、总局发展研究中心、总局广播电视监测中心、广播科学研究院、陕西省广播电影电视局、河南省广电信息网络有限公司等机构的专家组成，调研工作在项目组成员已有的专业背景和研究成果的基础上进行。系统内、外的专家们进行了深入的交流探讨，项目组广泛听取各方面的意见，查询、收集、分析了大量资料，在此基础上完成了调研总报告和11份专项（子课题）调研报告，共约30万字。

研究成果密切关注下一代通信技术和计算机技术的演进情况，总结了下一代通信技术和计算机技术的特征，分析了其技术发展对广播影视业务形态、管理模式、产业政策的影响，为我国广播电视行业“十一五”的发展提供科技决策参考和管理思路，对广播影视行业的发展有着十分重要的战略意义。

项目组十分重视调研成果的应用，在专项（子课题）调研报告陆续完成时，将其作为阶段性成果呈送国家广电总局领导及办公厅、法规司、社管司、科技司、计财司等相关职能部门参阅，调研报告全部完成后还将呈送范围扩大到中央台、国际台、中央电视台、无线局、监测中心等总局直属单位技术主管领导，并由科技司呈送国家信息化办公室参考。

在项目调研基础上提交的《下一代通信技术和计算机技术对广播电视发展的影响》报告书，经国家广电总局科技委全体会议审议通过，报送总局党组决策参考（报告书编号7-7-1）。项目调研报告被作为国家广电总局科技委会议文件下发科技委委员参考。

为进一步发挥调研成果的作用，项目组在全国性学术会议和科技期刊上发表论文17篇（次），并将调研成果汇编成《下一代技术及影响：通信、计算机与广播电视》一书，于2007年3月正式出版。

（国家广电总局科技委战略发展专业委员会）

重庆广播电视总台内容管理基础平台

重庆广播电视总台内容管理基础平台项目（Content Management Basic Platform）立足于广播电视媒体资产的数字化、网络化存储和再利用，在国内首家实现了内容管理系统的底层核心与上层应用完全分离，建立一个开放的内容管理基础平台并将其核心服务模块化后，由平台统一配置、调度，通过规范的接口向上层应用提供服务，而且不同厂家提供的核心服务模块或上层应用子系统遵循接口规范均可以无缝接入。

该项目根据媒体资产管理理论的最新发展，结合台方对媒体资产管理的目标与发展要求，在业界率先提出了媒体资产管理作为电视台最核心的业务，并使用平台与应用分离的技术架构，采用SOA架构对媒体资产管理最核心的媒资业务与流程进行封装，构成了全台网中的统一资源中心——内容管理基础平台。

该项目具备传统媒资系统的采集、转码、迁移、编目、存储、检索等全部功能。采用中心库、二级库、应用系统的三层架构分步建设全台网，使底层核心和上层应用分离。以内容管理基础平台为中心枢纽，实现全台异构网络的互联互通，实现业务应用系统的整合。制定接口规范，并基于接口规范的要求实现基础平台内多种功能的模块化。

该平台及其上层系统已经成功整合了由索贝、新奥特、捷成、安达斯等厂商提供的功能模块或业务系统，拟接入的由大洋、冠华等公司参与设计和集成的业务系统也正在规划建设中。

系统运行至今，中心库完成了18000小时的历史资料上载和16000小时的本地和异地编目。通过频道运营中心二级库成功地实现了与播出系统的整合，实现了集团11个频道从节目内容到播出系统的文件化传送与播出，同时，完成了20000小时电视剧类节目到中心库的归档。

广电总局计量检测中心对平台接口进行了标准符合性测试和系统测试，结果表明系统建设完全符合设计要求。2007年9月，重庆市文化广播电视局组织业内专家进行了项目鉴定，获得了国家广电总局科技创新工程技术类一等奖。

该项目为总台的全台数字化、网络化建设提供了一个坚实的平台，创新的技术思路和成功的实践模式为实现全台异构系统之间互联互通提供了范例，对全国正在进行的全台网建设有较好的参考价值。

（重庆广电总台、成都索贝数码科技股份公司）

淄博市双向有线数字电视整体转换

数字化是电视、语音、数据业务融合的开始，必将促进三网融合的进程，通过搭建双向新媒体平台互动全球资源是未来广电发展的必由之路。因此，有线网络采用EPON技术进行双向改造，用户终端采用双向交互机顶盒构建数字电视平台，实现双向整体转换。EPON技术标准基于IEEE802.3ah国际标准，采用点到多点结构无源光纤传输方式，可以在使用1根主干光纤的情况下通过无源分光器接入32根分支光纤，每根分支光纤又可分别接入不同用户，实现 FTTH或者接入楼宇实现FTTB。EPON的天然汇聚结构相比传统点对点光纤接入组网节省了大量设备和光纤，是一种经济高效符合广电光缆结构的组网模式。

淄博市双向有线数字电视服务平台包括数字电视前端系统、ITV互动电视系统、HFC网络、IP城域骨干网、EPON接入网、运营支撑系统等，是将IP网络与有线电视网络紧密结合，发挥各自技术特点在用户终端融合为一体的双向全业务精品网络服务平台，在技术上真正实现了电视、网络和语音业务的“三网融合”。在此平台上重点发展以视频为中心的数字电视、互动电视业务和以数据为中心的新媒体业务。

目前，淄博广电数字电视系统除了140余套基本数字电视节目和付费电视节目、44套数字广播节目、1套高清电视，还有7000小时的互动电视节目、6套IPPV、8套短信点播、6套数字影院。新媒体业务即数字电视公共信息平台是淄博数字电视的一大特色，内容具有实用性、权威性、及时性的特点，成为本地化的综合信息发布平台。现有网上支付、数字电视、医疗卫生等13个板块，50多个栏目，共计约5000多页资讯信息。

有线网络数字化让人们已不再满足于被动、线性地收看节目，而是对节目的内容、播放时间等提出了更高的要求。广电网络运营商必须根据观众的需要对现有的传统HFC网络的商业运作模式进行改造，在目前的网络上提供增值服务，使电视机成为家庭的信息终端，只有充分满足观众的个性化需求，实现三网融合才能使电视业务更具吸引力。（淄博广电天网视讯有限公司）

中央人民广播电台

2007年，中央人民广播电台加快实施503工程和记者站工程建设，利用新技术推进台内的网络建设和整合，注重行业标准的制定和项目研发。

一、记者站工程

2007年，中央电台记者站三期工程继续实施，经过各方面的努力，完成了山东、云南、宁波、河北、青海、陕西、安徽、江西各站的安装调试和人员培训，并于年底进行了音频技术指标和机房声学指标的测试和验收并已全部投入使用。

二、503工程

按照广电总局批复的技术方案，中央电台调频广播覆盖第二期工程涉及的27个市县：石家庄、六盘水、霍县、长春、哈尔滨、齐齐哈尔、宁波、合肥、黄山、福州、厦门、荥阳、开封、荆州、汨罗、常德、怀化、衡山、新会、桂林、海口、涪陵、华蓥、贵阳、西安、兰州、同心县陆续开工建设。2007年底27个市县的工程建设陆续完成并相继投入使用。

2007年，广电总局批复中央电台调频覆盖工程增加南京、成都、丽江和西双版纳，2007年底完成南京工程建设。

由于调频广播相对于中波和短波在广播质量上的巨大优势，中央电台节目调频覆盖工程已经开始产生极大的社会效益和经济效益。

根据国家统计局第五次全国人口普查公报和中央电台前期的调研结果，中央电台调频覆盖第二期工程可以覆盖2.07亿人口。

三、综合业务网

经过多年的广播技术数字化和电子信息化建设，中央电台计算机网络技术已经应用于行政办公、业务处理和节目播出等多个系统。

目前，除了内外网数据传递和共享的问题以外，由于系统分别独自建设等原因，中央电台还存在着文字和音频分开处理、应用系统孤立等亟待改进的问题。经研究决定，首先对业务网与播出之间数据信息传递和共享这个关键问题展开科研攻关，启动了“广播电台节目采集平台关键技术研究”科研项目，该项目的最终目标是在确保网络和应用系统运行安全的前提下，实现不同网络和系统之间数据信息的传递和共享。

中央电视台总工办技术人员通过调研，与相关科技公司进行技术研发合作，进一步明确了网络及系统整合的技术建设目标，提出了研发专用技术产品的设计原则，完成了“网络隔离安全传输设备（NISTD）”初步设计方案的制订。这一方案将为网络间数据信息的安全传递和共享提供可行的技术保证，能够防止各种类型的网络攻击和黑客破坏，保证在数据（目前仅限于纯文本数据和MPEG 1 Layer 2音频数据）传输后不带病毒。可提供数据的自动高效传输，具备较高的可靠性，能够方便管理和使用。这将为下一步全台数据信息网络间传递和共享平台的建设奠定坚实的技术基础。

四、标准及其他

中央电台负责编制的行标“数字音频信号在2048kbps线路中的传输格式”通过审定并发布（GY/T 227-2007）。

驻全国各地记者站的通信传输问题已经困扰中央电台多年。为解决这一通信传输瓶颈，经过多年调研总工办通信科与汇讯公司联合，充分运用数字技术成功开发了多用途数字通路传输设备。系统主要完成实时视频信号的压缩、语音信号和数据的编码，通过连接发送到E1接口传输以及从E1接口解压视频信号、分解数据和语音信号的功能。此套具有多用途的广普型高质量、高使用价值的传输设备充分利用数字技术的特点，在一条专用线路中采用不同的编码，建立多个传输通道适应多种业务需求，利用设备的高质量传输性能满足广播应用中的灵活性。设备用于广播音频、时钟、数据、IP电话等信号的专线传输，采用E1接口技术，利用数字传输特性建立各种不同的信号格式同时完成连接。系统特点是在SDH 2M线路上囊括音频、视频、语音信号、数据、IP电话以及广播系统常见的广播时钟信号等的匀速传输，自由分配时隙（带宽），使有限资源利用最大化。多用途数字通路传输系统通过了广播电视计量检测中心的各种性能检测及广电总局科技司组织的专家论证，并获得第三届“王选新闻科学技术奖”三等奖。

（赵永礼）

中国国际广播电台

2007年，完成了多项基础设施改造、境外落地项目的技术保障工作以及多媒体共享平台的搭建，直播机房和传输系统的改造，网络平台及其整体安全、电力增容等项目，为全台信息采集及多媒体播出和重大宣传报道的安全播出提供了技术保障。

一、直播、转播工作

1.完成“十七大”安全播出工作

“十七大”期间，国际台组织了全台范围的安全播出月活动，技术管理办公室加强了对规章制度、操作流程、应急程序等工作的监督检查，强化安全播出意识，保障了国际台“十七大”宣传报道和重要场次直播的安全播出。

2.完成“两会”期间13场直播、转播任务

“两会”报道直播场次多、时间紧、播出密集，为确保安全播出，配备了业务熟练、技术过硬的技术人员，圆满完成“两会”报道任务。

3.全年完成大型直播88场

2007年，国际台大型直播任务88场，创历史新高，实

现了直播手段的常态运用。

二、扩大对外覆盖，强化节目落地

2007年，国际台新增8座海外整频率落地调频台和中波台，使国际台海外整频率落地调频和中波电台达到11座，增强了国际台在海外播出的有效覆盖，提高了节目的收听率。为使海外调频台顺利安全播出，技术部门针对各个项目做好信号传输和技术保障工作。

在确保安全播出的前提下，利用现有各种可用的技术资源实现了环球资讯广播在北京、广东和全国版的广告分频任务。

三、配合发展新媒体业务

2007年，国际台新媒体业务发展迅速，相继推出了网络电视平台、开通了手机广播电视业务等。按照台里多媒体发展规划要求，技术部门完成了音频信号从直播间经采集、压缩、编码，发布到联通公司机房的5路手机广播信号通路的建设工作。

四、技术建设

1.开始机房和传输系统改造建设项目

计算机房改造、办公区建设、直播机房改造、高清演播室改造、转播车和直播车建设、传输系统改造、多媒体资源共享平台建设和网络平台建设等。

2.完成办公室改造工程

配合台里七层以上办公室装修改造工作，对录音机房进行了调整搬迁。共完成了45个语言录音机房、100余台音频工作站的搬迁，及时完成所有用户电脑的接入和跳线工作以及大量的电话调整工作，保障了编播部门尽快顺利地开展工作。

3.新建直播机房工程

根据英语直播节目的需要新建了直播机房，并进行了机房结构改建和声学装修以及安装音频制作、播出系统。

4.新建异地机房工程

配合国际台广州工作站和调频落地节目的需求，为广州工作站安装了3个音频制作、播出机房以及北京与广州之间的冗余传输通路。

5.完成向国际台专家公寓正式供电工作

6.启动国际台电力系统增容改造工程

五、技术管理

1.安全播出保障体系建设工作

完成《国际台技术系统安全播出检查情况报告》；完成《国际台安全播出整改措施》；完成国际台各部门安全播出应急联络系统；配合总局组织完成安全播出指挥调度平台建设；与国家无线电管理委员会协调办理并取得了国际台微波、调频广播和电视等业务的无线电台执照。

2.节目有效覆盖和频率调整工作

为了扩大节目的有效覆盖和收听效果，在无线局的支持下卫星通路扩容，将国际台对外广播播出时段做了相应的调整，增加了播出时间和频率。其中，完成国际台一亚、二亚中心相关语言频率调整技术方案并实施；与台总编室共同征求各语言中心对播向地区的需求，并开始制定43种语言对各播向地区频率调整技术方案；完成了国际台2007年冬季国际短波频率协调工作等。

3.标准和技术管理工作

完成国际台2007行业标准编制计划的申报，并获总局批复——国际台获批承担的行业标准3项；按《广播电台数字化网络化建设白皮书（2006)》要求，组织完成“总局广播电台数字化网络化示范基地”的申报工作；完成行业标准《广播中心系统技术要求和测量方法》起草小组的组建和起草工作。

4.工程管理工作

颁布《中国国际广播电台技术与技术工程类项目验收管理办法（试行)》；组织各类技术工程验收工作共计25项。　（国际台技术管理办公室　魏敏华）

中央电视台

全台节目暂存交换系统（SATA系统）建成

一、系统功能

全台节目暂存交换系统(SATA系统)主要功能一是节目备播，二是重大活动节目素材暂存。节目备播时它与全台各个网络化制作、音像资料馆、节目生产管理及播出系统紧密联系；重大活动节目素材暂存时它与网络化制作、体育中心节目制作(蓝光盘)、新闻共享系统发生联系。

SATA系统是台内各个网络化节目制作系统进行节目文件存储、入库、备播的中心，是成品节目的暂存库，是从磁带介质向文件介质转换的枢纽，也是各类数据文件交换的中心，它实现了异构系统的互联互通。同时，SATA系统还规划出一部分资源作为其他系统的临时存储空间。

二、系统业务框架

全台节目暂存交换系统(SATA系统)业务框架的功能是构建全台节目互联交换平台，成为一个成品节目备播缓存库系统，完成全自动的播出准备工作，最终实现播出系统全程无带化。系统的业务主要包括成品节目入库、播出串联单及播出节目整备、播出系统加载待播节目入播出系统、沉淀及播后节目归档资料馆、暂存库内部存储管理维护及暂存库系统监控管理业务。

三、系统结构框架

SATA系统内部结构主要是由MDS服务器、FTP服务器、存储管理服务器以及FC交换机和磁盘阵列构成，其数据库和应用服务器平台完全与节目生产管理系统共享。

SATA系统对外连接复杂，需要与台内所有网络化制作(蓝光、PII、AVID、APPLE)、播出、音像资料馆及节目生产管理系统连接，这些系统分别采用了APPLE的XSAN、AVID的UNITY、IBM的GPFS和SANERGY以及ADIC的SNFS作为网络文件共享的解决方案。由于这些系统采用的系统架构和网路技术不尽相同且分布在全台各处，因此，网络互连后数据交换的效率和安全是系统结构设计的关键。SATA系统是目前行业内最复杂、技术含量最高、规模最大、涉及接入系统最多的互联互通项目，该项目中提出的Webservice+FTP连接方案为异构系统互联提供了可资借鉴、开放、多方共赢的模式。

（技术管理办公室信息通信处　徐进）

扩充体育中心综合业务系统高清制播子系统

一、系统规模

根据高清综合频道的节目规划方案对体育节目的需求,体育中心综合业务系统高清网络制播子系统设计由2台高清收录媒体网关、2台高清播出媒体网关(替换原有标清播出媒体网关,使用高标清兼容模式播出,播控工作站使用原有设备)、2台高清精编工作站(同时支持上下载、素材挑选、节目生成、文稿功能)、1台高清配音工作站、1台素材挑选服务器(使用原标清播出媒体网关设备)、1台高清MXF打包服务器(使用原标清播出媒体网关设备)组成,高清制播的数据平台以目前体育中心综合业务系统为基础,不再单独配置相关设备。

二、系统流程

1.直播节目流程

(1) 高清体育节目外来信号经主控矩阵送至传送部100平方米高清演播室系统进行直播包装,同时,外来信号通过100平方米演播室系统分配给高清收录网关进行收录,除节目素材的文件归档外,直播时可通过高清精编工作站制作精彩集锦。此外,外录或外购高清体育节目源以及记者外拍高清素材可通过高清上载工作站上载到存储阵列;

(2) 编辑记者在高清精编工作站上完成文稿制作、节目编辑、配音等工作;

(3) 节目制作完成后在本地进行节目生成,合成指定格式的高清文件;

(4) 审片人员对成品节目进行审片;

(5) 审核通过后,成品节目送入演播室播出服务器本地硬盘播出(该播出系统支持高标清节目的分时段播出)。

2.录播及重播节目流程

(1) 与直播节目制作流程相同,成品节目完成后进行审片(直播赛事有重播需求时,由100平方米演播室系统送HD CLEAN版节目信号到高清收录网关进行收录后制作重播节目);

(2) 系统后台自动将节目文件转换成MXF文件包;

(3) MXF文件包推送到SATA系统中;

(4) 由SATA系统转送到高清播出机房相应播出服务器待播(在SATA系统未全面正式投入使用前,在审片结束后可选择由高清精编工作站下载磁带送播出)。

三、数据格式

(1) HD视频高码率格式:MPEG-2IBP GOP=4,100Mbps、1920*1080i压缩。

(2) HD音频高码率格式:PCM(16bit,48kHz,2/4/8),码率为1536Kbps=16 × 48K × 2(所选声道数量为2 CH下)。

(3) HD音频低码率格式:与高码率音频一致,MP3格式(音频码率为128～320Kbps)。

为降低系统复杂性,高清收录、上载时不使用单独的高清低码率文件,而是统一使用标清低码率文件。遇到节目需要同时收录高、标清版时,由总控给出2路信号(高标清信号)分别进入高、标清收录网关,然后统一由标清低码率对应高标清高码率素材,从而使归档后的高清素材在媒资系统中能统一通过标清低码率查询检索到相关画面并完成回迁。

四、带宽容量

1.带宽

序号	站点类型	数量(台)	单机峰值流量(Mb/S)	实际峰值带宽(Mb/S)
1	精编上下载	2	100*2轨	400
2	素材挑选	1	100*2轨	200
3	收录	2	100	200
4	播出	2	100*2倍速	400
5	应用服务器、管理工作站		与存储数据交换很少,流量可忽略不计	
			流量合计	150Mb/S

根据原有一期系统设计显示带宽需求为651Mb/S,而目前使用的存储能提供1600Mb/S的有效带宽,因此,此项目对现有系统影响很小,可直接在现有网络上使用。

2.容量

根据需求,每周赛事收录量约6小时(实际播出量约为5小时),另外,考虑到赛事重播需求,每周还需收录实际5小时的播出节目,收录素材暂定在线保留一周,峰值情况下需要在线存储容量约为:3600 × (6+5) × 100 ÷ 8=495 (GB)

目前体育中心一期系统高码率盘剩余平均水位在2TB左右,引入高清收录后对现有系统在线存储有一定影响,可根据高清收录的实际使用情况对在线存储周期进行适当调整以减少对现有一期系统的影响。

体育中心综合业务系统高清网络制播子系统的建设,将能更好地适配中央电视台高清综合频道对高清体育节目制播的需求,同时也为新台的高清网络化制播积累了经验。

(播送中心传送部 薛军洪)

新一代海事卫星电话终端设备——BGAN

2007年,传送部引进了4套新一代海事卫星电话终端设备——BGAN,具有体积小、重量轻、基于互联网、传输速度快、质量高、无地域限制等诸多特点,成功地应用于中央电视台南极科考、东南亚汽车拉力赛、上海合作组织军事演习等电视新闻回传中。

一、系统介绍

BGAN(Broadband Global Area Network)——海事卫星全球移动宽带局域网是具有全球(南、北极除外)无缝隙宽带网络接入、移动实时视频直播、兼容3G等多种前卫通信能力的新一代Inmarsat全球卫星宽带局域网。作为覆盖全球的移动卫星通信系统,它实现了宽带、多业务移动的融合,保证用户在全球任何地点(南、北极点区域除外)都可以得到高质量、可靠的通信服务,实现与各国电信运营网络的互联互通,并将以巨大的带宽满足用户对新一代数据通信的需求,视频会议、数据图像传输、电子商务等均在BGAN的宽带系统中得以实现。

BGAN设备的体积与重量较以前的海事卫星传输设备(B站)有较大改善,主机与天线轻巧灵便、重量约1～2.5公斤。它的适应性强,具有抗高低温、粉尘及湿度等性能,保证在恶劣自然条件下正常使用。BGAN设备提供方便、简单的操作界面和支持外接图像、语音、数据采集等各种设备的多种标准化接口；透明信道支持加密系统，充分保障信息的安全性；提供话音、传真、语音信箱、短信息、可选的数据业务（ISDN或64k、128k、256k、492k）；全面解决通信需求，可随时搭建理想中的"移动办公室"、"应急指挥部"、"新闻第一线"等等。

二、系统功能

1.文件、图像、图片及各种新闻素材的传输——BGAN的带宽满足用户实时传输高清晰度图像的要求，高质量数字图片以及大容量文件的传输更加轻松快捷，实现与同事、商务伙伴以及用户间的文件共享。

2.安全、高速上网——安全、高速登录互联网、获取在线信息。

3.Email——使用BGAN的用户，可以根据需要在任何地方、任何时候，可靠、便捷、快速地收发Email。

4.涵盖Inmarsat所有业务——BGAN继续提供高清晰、安全的4kbps语音、ISDN丽音及数据，支持G3、G4传真业务并提供GPS全球定位服务。

中央电视台在使用BGAN传输系统时，主要是弥补在偏僻区域由于各种原因而造成的信号传输能力的不足，在常规的电视信号传输设备不能到达的区域内对新闻报道回传提供技术支持。基于安全播出的考虑，BGAN传输系统在现阶段只开发了新闻延时传送功能，将来低码率信号的直播功能也将得到应用。（播送中心传送部　汪惟平）

大型B系列高清转播车

播送中心转播部在2007年圆满完成了中央电视台高清技术的重点工程项目之一——自主研发的大型B系列高清转播车的工程建设，2007年10月，该车正式使用在重大外场转播的直播中。

该车是中央电视台在国家颁布高清晰度标准后的第一辆大型转播车，是2008年北京奥运前夕高清外场转播系统的试点工程。转播部成立了专项工程小组，对该工程的功能定位、系统构成以及车体结构进行了充分的技术调研和反复论证。在技术构成特别是在车体功能设计方面，充分考虑外场转播制作多样性、复杂性的特点，在合理增加制作工位的同时，对制作工位的操作和监视界面的合理性、有效性进行了改进设计，对车体制作区进行了创新改造。工程组通过计算机三维动画设计，对关键部分进行实景模拟搭建，专家和导演实地感受，为新型设计提供理论数值和感性论据。该车不仅获得了台内各节目部门的一致好评，在2007年BIRTV北京国际电视设备展览会上受到了国内外同行的高度赞誉。

在2007年10月投入试运行阶段，该车完成了上海特奥会开幕式国际公共信号的制作；澳门亚洲室内运动会开、闭幕式直播；田径赛事公共信号的制作等。通过试运行，工程实现了对转播车自主设计上的功能定位，满足了外场转播节目制作的复杂需求，为中央电视台及国内高清转播车系统及车体设计提供了很好的范例，为转播车制作提供了可借鉴的经验、标准化的生产模式和可操作的模板。

一、车体

1.车体设计

转播车继续采用拖挂结构的方式。为了提高车内可使用高度，采用鹅颈式底盘结构。箱体部分采用后两轴方式，整车长16.5米，其中箱体长13米，宽2.5米，高4米。车体离地间隙≥20公分，离去角12度。箱体采用单侧拉箱结构，侧箱长6.8米，侧拉深度1.2米。车重≤30吨。采用4个独立分体式空调，各功能区实现独立温控，互为备份。

2.内部结构

传统的转播车由于车内空间的限制，车内功能区混叠，工位之间互相干扰，影响和限制了转播制作。科学合理地划分制作区以及具备完备的监视和操作面的制作工位是该车内部结构设计上的创新。该车有4个独立功能区：导演制作区、第二制作区、音频制作区和技术区，各个区通过拉门和结构实现相互隔离，并具有独立的监看系统和通话系统；制作区各工位具有很强的灵活性，慢动作、字幕以及视频副切换工位可以在导演区和第二制作区之间任意组合和更换；为了实现系统的可扩展性，在各区都留有扩展工位以便增加系统制作规模。

2.1 导演制作区

导演制作区是转播车制作区域的核心部分。导演工位和监视墙设计的合理性、人机界面的舒适度将直接影响到外场转播的制作水准。由于转播车内"寸土寸金"，可利用面积与工位增加以及舒适程度是设计中的难点。为了在长4.2米、宽3.7米的有限面积内达到最佳效果，使导演既可得到最佳的监视屏幕和讯道画面的虚实程度，同时又能满足大型制作讯道源数量增加的需求，充分体现高清制作的特点，采用了增大屏幕、拓宽视角、主导演制作排后移的创新设计。

主制作区分为前中后三排。前排是辅助制作排，工位主要用于字幕、微型摄像机操作以及慢动作扩展工位；中间排是主导演制作排，主要集中在视频切换台操作、导演指挥调度、导演助理提示以及大屏幕切换等工位；后排是制片人及节目监制工位。通过各节目中心导演们的使用，达到了预期效果，圆满地实现了设计初衷。

2.2 第二制作区

在长2.4米，宽约2.9米的空间内建立独立的制作区。制作区内各工种具有符合其工位操作需求的监视器、矩阵选切以及通话界面；为了实现各类节目的多样制作，第二制作区还设有与视频切换台主机相连的辅助卫星切换面板；在该区域里最大可容纳7个慢动作操作工位；另外，还可实现大屏幕切换、插播、精彩编辑等。由于具备独立的监视、通话及TALLY呼叫系统，第二制作区在视频系统可以独立完成第二套节目制作，对于体育节目制作，这种区域和制作工位的划分能够实现在制作主场信号的同时，对副场(如羽毛、乒乓球赛事)进行信号制作，降低了节目制作成本。

2.3 音频制作空间和视频通道监看环境

为了达到4.1音频制作监听环境，使调音师在独立的制作环境中监看到各视频通道的场景，在3米×2.5米制作空间里具有讯道选切的监视墙，最多可以监看16个信源，能够满足复杂大型节目转播制作的需要。

2.4 视频调控技术区

视频调控区是转播制作信号的检测和调控的核心区。技术区除了能实现OCP预调的功能外还具有外场制作光圈调整标准工位，每个工位由4个OCP、1个示波器、1个通话面板、1个四画面分格监视器以及1个PGM监视器组成。技术区还预留一组4个摄像机的OCP标准调整工位，该工位装卸方便，可以实现系统扩充。

在系统工程师(技术总监)的工位上有全车唯一的大屏幕高清晰度CRT监视器。系统工程师可以通过矩阵选切排和视频切换台母线随时监控输入/输出以及各制作区各种信号的技术质量，通过全功能通话系统实现对全车各工位的技术调度，通过MCP对摄像机全讯道进行调整。

2.5 工位互换和扩展能力

外场转播与演播室的制作最大区别在于外场转播要服务于各类节目制作形态。该车的制作功能定位是完成大型综艺节目和政治会议以及中型体育赛事。通过多年实践，制作工位的固定制约了节目制作的需求。因此，设计组对车体结构进行了大量的可行性研究，实现最佳的优化组合，根据节目形态进行合理的工位扩展和互换，得到了更多的可使用工位。

利用铺设网络冗余线、增加网络跳线盘来解决灵活性问题。通过网线转接成各种接口，使各工位都可实现慢动作遥控、AUX切换条、通话面板、电话以及网络等可操作界面。由于在各个工位都有各种控制、监看、通话及视频缆的预铺，这些信号又与可调度的矩阵和跳接盘相连，因此，增加设备和工位是非常简易便捷的操作，较好地实现了扩大规模的转播制作。

3.人机工程设计

3.1 导演区工作照明

为了正常的彩色还原及营造舒适的监看环境，各制作区采用了低色温、可调控亮度的射灯。射灯的位置经过计算和检验，使光线既不直接射人人眼也不会反射在屏幕上方造成反光，在导演席下方装有2个可调亮度的灯光开关，操作十分方便。另外，在导演和助理导演的工作台面上都安装有可调整亮度和位置的蛇皮管台灯，为导演的剧本照明提供方便。

3.2 便捷的导演通话装置

总导演是整个节目制作的核心，需要对车内外参与制作的工种进行有效的通话调度。因此，在切换台面下方安装了耳机插口，既保证了安全又使佩戴者能够有更大的活动范围，可在长时间工作时保持舒适的姿势。

3.3 符合人机工程的工作台面

每个工位台面的使用高度在正常坐姿进行操作时，腿部不会碰到桌面，同时还有一定向前伸展的空间；每个工位的右手边设有灯光调控开关，可以独立控制工作区上方的灯光亮度。

3.4 合理的机柜设备布局

将不具备操作面的设备放在机架的高处，具备操作或需要监控的设备放在“坐高”或“站高”的位置；为了设备检修和应急处理，在确保操作工位的同时留有人员出入通道；另外，利用LCD屏薄的特点，充分利用后空间作为备件抽屉或图纸存放空间。

二、视频系统

1.视频系统定位

该工程在2005年立项，经过认真研讨将该车的视频系统定位为优先考虑高清晰度节目的制作需要，创造16:9的制作环境，在系统的视频出口采用制式下变换的方式，同时具备标准清晰度电视直播及录制的能力。因此，视频系统的构建和主体设备的选型既要考虑优先高清制作，又要兼顾下变换后高标同播的安全性以及入口的融合性。

为了适应以上需求和定位，经过大量调研史诺伟思公司的KAHUNA视频切换台入选。通过上海特奥会开幕式复杂需求的制作，充分体现出该切换台的灵活性和兼容性，使用者感觉它就是一个强大的格式融合器，在切换台的输入端不进行任何格式变换直接参与制作；在输出端使用一个类似DVE的功能将高标清画面统一成一个格式，根据设置定义输出端的格式标准，特别是可以分级分层定义成为带格式融合的视频输出通道。在第二制作区使用切换台ME1卫星面板对标清和高清信号混合切换，根据需求对场内大屏幕输出标清信号。在切换台ME2的4个通道，通过AUX选择为4台标清录像机提供带格式融合的单挂录像。由于该节目为国际提供公共信号制作，节目输出端信号提供了高清16/9；标清16/9；标清4/3信箱模式；标清4/3切边模式以及为闭路电视提供了模拟视频信号等等。这是目前在高、标混合制作方面需求最高的制作模式，整个系统的扩展能力和适配能力达到了最大化。由于切换台功能强大以及周边系统使用到位，简化了视频系统的设计或转播制作在操作层面上的复杂程度，提高了高标清兼容的制作能力。

2.使用率的灵活性设计

在传统的转播车设计中，车内的转播设备是固定的。当节目制作需求发生变化时，通常因为配置不够满足不了制作需求，同时，一些价格昂贵的设备始终不变地安装在一套系统内，并不能在全部节目制作形态中发挥作用。为了低成本地适应多种节目形态制作要求，大幅度地提高设备使用率，除了在制作工位上置换和扩展之外，还要能满足与工位调度适配的功能，其中包括：机架预留、线缆预铺、矩阵调度等。

2007年初，广州世乒赛公共信号制作时，在车内灵活地增加了2个高速摄像机以及与之配套的EVS硬盘系统，使得慢动作工位得到扩展。

3.画出监视墙

为了在高清制作环境内加大监视屏幕尺寸，在导演主监视墙系统采用12块42寸PDP大屏，讯道显示的控制和分配通过EVERZ公司提供MVP画面分割器完成，这套系统的最大优势在于系统工程师可以通过计算机进行图形化界面的操作。MVP具有40路输入，其中32路标清输入及8路高清输入，12路DVI输出，其中4路具有G-LINK功能，该功能可以使用光纤进行远距离传输，实现远距离与转播制作有关的指控工位分屏显示的监看。MVP同时还包含监视器显示UMD单元，系统工程师可以任意定义各讯道信号的尺寸和显示位置，通过MVP的内部运算，将其定义到12块主导演监视屏幕上。

导演监视墙功能提高了节目制作的灵活性，成为一个完全可以“绘制”的画板，系统工程师可以根据节目制作需求、显示源数量的多少以及导演的监看习惯，绘制最适合节目制作、视觉效果最舒服的“蓝图”。

4.TALLY控制系统

外出转播制作的最大特点在于节目制作的多样性和复杂性。上述的工位扩展与置换、监视墙的任意调整，都是为了适配节目制作形式的变化，TALLY控制系统的灵活性、可靠性直接影响到系统变化是否能够实现。该车使用了TSL主机，通过开放式平台与相关设备相连，对视频系统中的切换台、矩阵、监视墙、摄像机讯道以及录制源实现TALLY信息交换，完成"红""绿"两种TALLY的控制显示。TSL虽然只有1个U高，却是车内系统一个绝对的核心设备。

5.自主开发的标准光纤传输模块

在转播应用中微型摄像机的使用是一个难点，主要问题集中在信号传输上。传统的微型摄像机控制信号由网线传输，视频信号由同轴电缆传输，同时还要提供单独的电源，不但架设起来非常复杂，传输距离也受到很大的限制。为此，自主研发了一套能够使用标准摄像机光缆，同时又能传输高清视频信号、摄像机控制信号以及220V电源的光缆模块。这套系统不仅简化了微型摄像机的架设过程，实现远距离的信号传输，提高了信号传输的安全性，同时还具有很强的通用性。模块不但可以用来连接微型摄像机，还可以用来传输通话、高标清视频甚至矩阵控制信号，变成了一个多功能的远距离传输模块。

（播送中心转播部　姜柏宁、赵伟、陈辰）

广播科学研究院

一、移动多媒体广播（CMMB）

2007年，广播科学研究院继续承担中国移动多媒体广播CMMB系统的重大科研项目。移动多媒体广播是通过卫星和地面无线广播的方式，供七寸以下的小屏幕、小尺寸、移动便携的手持类终端，如移动通信手机、PDA、MP3/MP4播放器、数码相机以及笔记本电脑等接收设备，随时随地接收广播电视节目和信息服务等业务的系统。移动多媒体广播的主要特点：突破以往的时空限制，随时随地接收广播电视；创造新的收视习惯和消费时尚；更加丰富的内容，更加有效的覆盖；快速传达信息，增加突发应急能力。

国家广播电影电视总局组织成立了中国移动多媒体广播（CMMB）技术研究工作组，集中相关企事业单位、机构的技术研发力量共同开展移动多媒体广播全系统技术规范的研究编制、试验系统建立和产业化准备的技术研究工作，建立我国移动多媒体广播系统标准体系，实现以自主知识产权为主的移动多媒体广播系统。广播科学研究院作为CMMB技术工作组的核心成员承担和参与了信道、信源、复用、协议、终端等一系列关键环节的研发任务。

CMMB的信道传输技术采用了具有自主知识产权的STiMi技术。STiMi是面向移动多媒体广播的卫星与地面覆盖相结合的广播信道传输技术，该技术采用了基于时隙的帧结构、OFDM调制、LDPC编码、逻辑信道、快速同步等先进技术。STiMi技术着重性能和效率结合，先进性和适用性结合，形成完整的自主知识产权的框架体系。

广播科学研究院牵头相关企业、科研院所等单位先后制定了CMMB的四个行业标准，分别是：《GY/T220.1-2006 移动多媒体广播第1部分：广播信道帧结构、信道编码和调制》、《GY/T220.2-2006 移动多媒体广播第2部分：复用》、《GY/T220.3-2007 移动多媒体广播第3部分：电子业务指南》、《GY/T220.4-2007 移动多媒体广播第4部分：紧急广播》。

目前，CMMB已经在北京、天津、深圳等8个城市实现播出试验信号并将在其他城市快速推广。

二、中国互动新媒体网络与新业务科技工程

中国互动新媒体网络与新业务科技工程是"十一五"国家科技支撑计划重点项目，委托国家广电总局在"十五"国家重大科技项目"高性能宽带信息网（3TNet）"技术基础上，进行深入研究，以广播影视业务为核心，充分发挥广播影视内容资源的优势，利用广电长途干线网实现互联，在6～10个试点城市率先建设相应的示范区，形成覆盖500万户的宽带、双向、多功能的互动新媒体网络，开展新业务试验。

本项目在大规模试验的基础上探索新的网络体系、运营体系及相关技术支撑体系，自主创新地提出中国互动新媒体网络的技术体制，研究相应的标准体系，为广播电视的跨越式发展提供技术支撑，带动内容产业、网络运营业、设备制造业以及相关民族工业的发展，形成百亿以上的产业规模，支撑和引领我国信息网络技术和文化产业、信息产业的发展。

本项目的主要任务是解决"互动新媒体网络与新业务"的共性问题，研发一套能支持多内容提供商和多内容运营商的视频节目交换和分发平台；研发统一开放的业务支撑平台；提出高性能低成本的双向有线电视网络改造和建设工程技术方案；选择6～10个城市作为试点城市，完成能够覆盖500万用户的大规模示范网络建设；选择条件适宜的试点城市，配合国家下一代网络试验床的研发工作，开展以互动新媒体网络为基础的数字化试验小区建设，提供多种增值服务。研究工作的重点在技术体制、标准化、互动业务需求与实现、系统结构等方面，开发工作的重点在系统平台和设备的研发，试验工作的重点是数字化小区试验和大规模示范试验，工程建设主要是互动新媒体网络示范工程。

受国家广电总局的委托，广播科学研究院完成了本项目的可行性研究、课题申请指南的编制工作，并协调配合相关企业、科研院所等单位完成了项目申报工作。

三、欧共体MODIBEC项目

MODIBEC项目即中欧关于数字广播与移动通信在融合方面的合作。由欧洲多家知名通信企业和国内政府机构、技术单位共同参与，旨在加强和促进欧洲与中国在数字广播技术，尤其是数字广播和移动通信融合方面的合作与交流，项目周期2年。

MODIBEC项目一共有14家参与单位，欧洲牵头单位为比利时ERTICO公司，中方牵头单位为广播科学研究院，其余包括英国的WorldDMB组织、北京悦龙数字广播传媒科技有限责任公司等。

2007年3月15～16日，该项目第一次全体会议暨项目启动会议在比利时布鲁塞尔召开，会议进一步明确了MODIBEC项目的目标：通过组织专题研讨会、技术演示

等方式建立一个密切合作的平台，通过项目的实施帮助欧洲和中国的主要数字广播和移动通信运营商了解在数字广播和移动通讯领域融合中潜在的商业机会和未来市场的发展趋势。会议成立了由ERTICO公司、广播科学研究院、WorldDMB组织、德国PTV公司组成的项目指导委员会(Steering Committee)，负责项目的具体实施。召开了项目指导委员会成员第一次会议，讨论了项目的分工及经费预算、具体实施等问题，明确了各自的责任和义务。同时会议通过了项目的具体实施计划，其中广播科学研究院负责协助研究中国在数字广播和移动通信领域内各项研究的优先级，协助项目召集单位制订项目实施计划，主持部分工作组的工作以及国内的相关活动。

2007年8月20～29日，MODIBEC项目组先后在北京、广州和上海举行了一系列专题研讨会，包括国内外政府机关、科研机构、大学、运营商、设备制造商等代表300余人参加了研讨会。其中北京研讨会重点讨论了数字音频广播、数字多媒体广播未来的发展趋势和产业发展方向；广州研讨会注重接收机生产和相关专利问题的探讨；上海研讨会的重点是基于数字广播的增值业务开发。研讨会对相关产业产生了积极的影响，达到了预期的目的。

（国家广电总局广播科学研究院）

广播电视规划院

全国广播电视标准化技术委员会工作

一、标准立项工作

根据国家广电总局科技司安排，全国广电标委会组织召开了2006、2007年广播电视行业标准立项审定会。会议对申报的60余项行业标准申请立项项目进行审查，通过44项广播电视行业标准建议立项项目，报总局审定。

1. 30MHz～3000MHz地面数字音频广播系统技术规范；

2. 地面数字音频广播发射设备技术指导意见(暂行)；

3. 卫星直播系统总体技术规范；

4. 先进广播系统—卫星传输系统帧结构、信道编码及调制；

5. 卫星直播系统一体化下变频器技术要求与测量方法；

6. 卫星直播系统接收机技术要求与测量方法；

7. 有线数字电视网络监测规范；

8. 广播电视名词术语(通用部分)；

9. 广播电视发射台自动化通用技术要求；

10. 数字电影农村公益流动放映管理系统技术规范；

11. 广播波形格式（BWF）文件的封装内容及编码格式；

12. 高清晰度电视主观评价用图像序列；

13. 数字多路微波分配系统技术要求；

14. 数字多路微波分配系统发射机技术要求和测量方法；

15. 数字多路微波分配系统转发机技术要求和测量方法；

16. 数字多路微波分配系统下变频器技术要求和测量方法；

17. 电视、调频广播发射天馈线维护规程；

18. 有线电视系统物理发泡聚乙烯绝缘同轴电缆入网技术条件和测量方法；

19. 广播影视数字版权管理系统技术规范；

20. IP封装器技术要求和测量方法；

21. 广播中心系统技术要求和测量方法；

22. 高清晰度有线数字电视机顶盒技术要求和测量方法；

23. IPTV通用技术要求与测量方法；

24. 广播电视中心播出安全监测规范；

25. 中波同步广播载频激励器技术要求和测量方法；

26. IP-QAM调制器技术要求和测量方法；

27. 有线数字电视机顶盒入网技术要求与测量方法；

28. 卫星地球站主要技术指标测量方法；

29. 卫星功分器入网技术要求和测量方法；

30. 监测用模拟广播接收机技术规范；

31. 电视发射机技术要求和测量方法；

32. 地面数字电视广播单频网技术要求和实施指南；

33. 地面数字电视广播信号覆盖评估测量方法；

34. 地面数字电视发射机技术要求和测量方法；

35. 地面数字电视标准接收机技术要求和测量方法；

36. 地面数字电视广播监测技术规程；

37. 地面数字电视传输流复用和接口技术规范；

38. 地面数字电视广播单频网规划准则；

39. VHF/UHF频段地面数字电视业务与固定、移动业务共用技术准则；

40. 地面数字电视调制器技术要求和测量方法；

41. 地面数字电视单频网适配器技术要求和测量方法；

42. 地面数字电视广播业务信息规范；

43. 数字电视广播电子节目指南规范；

44. 数字电视中数据广播技术要求和测量方法；

二、标准制、修订工作

1. 完成并发布实施的广播电视行业标准8项

(1) GY/T 223-2007《标准清晰度数字电视节目录像磁带录制规范》；

(2) GY/T 224-2007《数字视频、数字音频电缆技术要求和测量方法》；

(3) GY/T 225-2007《中、短波调幅广播发射机技术要求和测量方法》；

(4) GY/T 226-2007《数字电视复用器技术要求和测量方法》；

(5) GY/T 227-2007《数字音频信号在2048kbps线路中的传输格式》；

(6) GY/T 220.3-2007《移动多媒体广播 第3部分：电子业务指南》；

(7) GY/T 220.4-2007《移动多媒体广播 第4部分：紧急广播》；

(8) GY/T 228-2007《标准清晰度数字电视主观评价用测试图像》；

2. 已通过审查，并报送待批准的广播电视国家标准1项

《电视广播声音和图像的相对定时》

3.已通过审查，并报送待批准的广播电视行业标准6项

（1）《地面数字电视广播激励器技术要求和测量方法》；

（2）《地面数字电视广播发射机技术要求和测量方法》；

（3）《地面数字电视广播单频网适配器技术要求和测量方法》；

（4）《数字电视广播电子节目指南规范》；

（5）《数字电视广播业务信息规范》；

（6）《地面数字电视传输流复用和接口技术规范》；

4.完成送审稿，待审查的广播电视行业标准4项

（1）《虚拟演播室系统技术要求和测量方法》；

（2）《实时证券业务数据传输格式》；

（3）《时间信号的接口与测量方法》；

（4）《数字电视中间件技术规范 第1部分：系统》；

落实国家标准化管理委员会下达的2006年47项国家标准修订项目的起草单位，组织起草单位补充填写“制修订推荐性国家标准项目任务书”并确定标准修订任务。

三、国际标准化对口组织工作

参与并做好2007年度IEC/TC 100、ITU-R和ITU-T国际标准化组织的对口工作。参加了ITU-R、ITU-T、IEC/TC 100国际标准化对口组织召开的国际会议以及亚广联年会、亚太电信联盟无线论坛等区域性会议，向国内相关单位和企业通报国际标准化组织的研究信息，推动了我国广播电视标准化研究和新技术的应用。

本年度全国广电标委会IEC/TC 100国际标准化对口工作组代表我国处理了投票文件5份，非投票文件10份。

四、国内标准化工作

2007年，全国广电标委会组织专家对4项工程建设标准征求意见稿进行审阅并及时回复意见；参加5项工程建设标准的复审工作。组织部分委员参加其他相关标委会召开的国家标准和行业标准的审查会议，促进了标委会之间的相互交流。

标委会对《中国标准文献分类法》（征求意见稿）的广播电视部分进行了重新修改并及时上报修改意见。

五、标准信息及发行工作

标委会秘书处实时在（www.chinasarft.gov.cn和www.abp.gov.cn）上编辑刊登标准化工作信息；通过规划院网站（www.abp.gov.cn）电子发行和纸质出版发行广播电视行业标准共12项；组织、编辑出版了3期全国广电标委会工作简报。

（全国广播电视标准化技术委员会 秘书处）

中广电广播电影电视设计研究院

广播电视行业工程建设标准定额编制概况

一、基本情况

标准定额管理中心2007年度内编制完成（报批）标准共4项，其中已批准发布3项；完成建设部安排的广电行业5项国家标准复审工作；建立了“广电行业工程建设标准编审专家库”；按序推进各项在编标准制定工作。

二、标准编制取得的主要成果

1.颁布实施的标准

（1）广播电视播音（演播）室混响时间测量规范；

（2）广播电影电视工程技术用房一般照明设计规范；

（3）广播电视微波通信铁塔及桅杆质量验收规范；

2.对下列广电行业国家标准进行复审并提出保留或修订意见

（1）混响室法吸声系数测量规范；

（2）中、短波广播发射台与电缆载波通信系统的防护间距标准；

（3）架空电力线路、变电所对电视差转台、转播台无线电干扰防护间距标准；

（4）调幅收音台和调频电视转播台与公路防护间距标准；

（5）有线电视系统工程技术规范；

3.完成送审稿的标准

扩声译音系统安装工程施工及验收规范；

4.修改报批稿的标准

（1）广播电视工程监理规范；

（2）有线电视分配网安全设计规范；

5.编制或修改送审稿的标准

（1）广播电视传输网络系统安装工程预算定额；

（2）中、短波广播发射台建设标准；

（3）广播电视监测台（站）建设标准；

（4）卫星广播地球站建设标准；

（5）卫星电视地面接收站安装施工验收调试规范；

（6）广播电视传输电缆、光缆损坏损失计算标准；

（7）广播电视中心声学装修工程施工及验收规范；

（8）广播电影电视工程工艺设计文件编制规范；

6.编制或起草征求意见稿的项目

（1）工程设计文件档案管理规范；

（2）广播电影电视工程建设项目竣工验收规范；

（3）广播电视工程工艺接地技术规范；

（4）民用闭路监视电视系统工程技术规范；

（5）城乡通信工程规划规范；

（6）有线广播电视网络管理中心设计规范；

2007年标准定额管理中心积极筹备并初步建立“广电行业工程建设标准编审专家库”，已收到200多个推荐名单。12月中旬举办了第一期“广电行业工程建设标准编审专家培训班”，共有50位受推荐专家参加本期培训班。

广播电视工程建设

中央电视台新址电视工艺系统

中央电视台新台址电视工艺系统设计是设计院自2006年以来参与建设的最大工程之一。在数字电视技术飞速发展的时期，特别是IT技术的融入，对电视台的未来发展产生了重要影响。设计院结合自身特点和优势，参与新址电视系统全盘规划，与中央电视台联合组成设计项目部，

共同完成新台址电视系统的设计工作。

新台址电视工艺系统建设项目自2006年～2015年十年期规划。一期阶段自2006年～2009年计划四年完成，开通面积和生产能力达到设计能力的60%。正在进行建设的电视工艺系统一期项目有：与建筑安装适配的工艺系统建设；电视工艺系统框架设计；工艺系统的实施与应用开发。

2006年5月，成立项目部领导小组并部署落实具体安排。6月，项目全面启动，设计内容分为总控播送、新闻制播、综合制作、音频制作、网络和存储、业务支持六个部分。

项目组完成两个纲领性文件：《新台址电视系统框架设计范围和深度界定 》、《新台址电视系统框架设计文件目录》。审定IBM公司为IT架构委托设计单位，完成《新台址电视系统框架设计方案V1.0》和企业IT规划与IT基础框架设计，修改并完成《中央电视台新台址电视系统框架设计方案》（V2.0版）。完成一级项目的第一批总控以及传输系统、播出系统、网络制播、混合制作岛、审片系统、媒体数据交换平台、媒体资产管理系统招投标和项目启动工作，进入深化设计和设备测试阶段。

2008年3月底，将完成一级项目的第二批全台信号监控系统、新闻业务管理系统、演播室系统、非线性常规制作岛、非线性高端制作岛、音频后期网络系统平台、网络系统、存储系统、节目生产管理、人力资源管理系统、财务管理系统、版权管理、广告管理。数据中心进入深化设计和设备测试阶段。在此期间，设计组还完成了奥运转播系统的设计实施，并与一期系统设备的对应工作。

新址主楼分行政管理区、综合业务区、新闻制播区、播控区和节目制作区。有新闻演播室15个、综合演播室16个、空中演播室 2个，总计33个。

新址框架坚持全面高清、全程文件和网络制播的设计理念，坚持资源优化、前瞻设计、面向服务和可持续发展的原则。自制节目生产能力预估：CCTV年节目播出量约30～45万小时／年；自制节目生产量约240～360小时／天，7.5～11.25万小时／年。一期阶段在2010年前将达到：新闻节目70小时／天；综合节目130小时／天；总计260小时／天（满足240小时／天的需求）。设计能力2015年前将达到：新闻节目100小时／天；综合节目220小时／天；总计380～420小时／天（满足360小时／天的需求）。

（中广电广播电影电视设计研究院）

北京市

北京人民广播电台新技术应用和设备改造

北京人民广播电台圆满完成了安全播出、技术保障、技术建设和改造、技术管理和服务等各项工作任务。

一、安全播出工作

2007年，北京电台完成了8套开路广播节目、15套有线调频广播和16套数字广播的安全播出，全年总播出时间52867小时无事故。

年初，北京电台切实加强对安全播出工作的领导，进一步完善各项工作制度，逐一落实改进措施，并修订了应急预案，完善了备份技术手段，各项保障措施具体严密，提出了“零停播”、“零事故”的“双零”指标要求。

二、技术保障工作

2007年，向国家广电总局上报的播出通路运行技术指标均达到甲级标准，并荣获国家广电总局播出技术质量一等奖。通过卫星、ISDN和电话线路等传输方式完成台外现场转播任务近200场次，包括北京市“两会”、“中共北京市第十次代表大会开幕式”、“2008年北京奥运会倒计时一周年”系列宣传活动等重大转播工作。在台内综合演播室配合专业广播、北京广播网、北京网视完成音视频节目直播及视频节目的录制100多场次。完成音乐广播多次转播或录播境外大型音乐会的技术保障工作。同时，还完成了台外录音及会议室扩声等工作。

三、技术建设和改造项目

1.播出系统技术改造

完成广播中心矩阵系统至804发射机房的设备接入；完成城市服务管理广播播出机房播出系统部分功能的调整；完成交通广播交管局新播出机房的设计、订货、阶段性安装工作；完成主控机房机柜、UPS不间断电源设备的地面生根加固；完成主控机房停播补乐设备的换代试运行；为体育广播102.5MHz加装了音频处理器。

2.网络系统改造完成项目

主要完成项目：主控网络机房增加安装2台10kVA UPS不间断电源；21层微波机房增加安装1台10kVA UPS不间断电源；在804发射台搭建了音频数据容灾系统，对电台节目数据起到了备份作用；完成了大部分播出机房音频网络光纤链路工作站的更换。重点对中波天线网络进行调整改造，保证了与发射机良好的匹配，提高了网络的工作稳定性。从6月份起互联网接入带宽在原有30M的基础上扩展至电信和网通各20M，提高了互联网接入的可靠性；完成了对主控网络机房的空调系统改造，提高了音频网络及存储设备工作的可靠性。

3.录制、会议扩声系统改造完成项目

完成技术楼综合演播室安装yamaha-d5数字调音台；104、109、204、207、303等录制机房的设备改造；10层会议室20个话筒通路的扩声系统技术改造工作。

4.完成转播、传输、发射系统改造

按照广电总局的要求，配合北京电视台按期完成卫星广播转星调整的各项工作，保证北京电台新闻广播与城市服务管理广播两套上星节目的传送及卫星转播信号传输。

11月20日皂君庙发射台体育广播102.5MHz发射功率提升至3kW，并安装1台1kW发射机作为公用备份；完成发射机房更换4部调频发射机和加装多工器的工作，并实现了对发射机工作状态的网络监测；完成了对发射天馈线、发射机、传输监控等设备的更新改造；为新闻广播100.6MHz在建国门外增加一个同步发射点，改善了收听效果。

四、技术管理

重新修订并完善ISD9001质量管理体系中有关技术方面的管理规定及相关文件。配合“悦龙”公司完成DAB数字音频广播单频网组网的各项工作。进一步完善数字音频广播前端播出系统，完成视频播出系统安装工程。完成数字音频广播信号的地铁覆盖试验，以及数字音频广播信号楼宇深度覆盖试验和中关村多个电子卖场的覆盖工程。

完成台内办公自动化软件系统初期使用和二期的开发工作。开展大规模调频覆盖测试，配合北京市广电局实施调频100.6MHz的郊区覆盖工程建设。（章通　郭励）

北京电视台新技术应用和设备改造

一、加强技术设备的维修和调配，完成重点节目的制作和播出任务

“两会”之前，北京电视台对所有录制新闻节目的设备进行了全面的维护和检修，确保在线设备保持最佳状态。技术部门为新闻中心调配了2套精编、7套非线编辑、2套节目包装、2套配音、12套对编、1套光缆传送、2套大屏幕、26台摄像机、40套灯光等设备，满足了新闻报道对技术的需求。3月3～16日“两会”召开期间，又为新闻中心配备3套膝上编（其中1套带字幕）、1套非线制作系统、1套配音设备、1套微波传送设备，保障“两会”报道的顺利完成。

十七大召开期间，北京电视台新闻报道的部分节目需要在会议现场制作。技术部门及时调配了1套非线编辑、1套配音、5套对编、1套光缆传送等设备，搭建了会议现场制作机房，确保会议新闻报道的准确及时。

在举办“迎奥运倒计时500天大型活动”、“奥运会火炬发布”等重大活动时，北京电视台提前做好演播室、转播车以及采录设备的维修、保养和添置，确保节目安全直播。“2007年世界跆拳道锦标赛”于5月18～22日在昌平综合体育馆举行，技术部在体育馆配置了1套4讯道演播室设备作为前方播出平台，演播室系统内还配置了硬盘录像机、精彩画面实时编辑等设备，形成了可进行快速编辑播出节目的非线性新闻编辑网络。

为了保证“十一”期间的安全播出，北京电视台对重点设备进行了全面检修，检测和调试了204台数字摄像机、71台DV摄像机、32台监视器，更新了40个新闻采访灯；对视频服务器进行检修，更换了备用风扇和电源；对演播室延时播出功能的视频服务器进行调整，增添了服务功能。

2007年，北京电视台11个频道总播出时间为86216.82小时，停播率仅为0.0069秒／百小时。

二、应用高新技术，改造现有设备

北京电视台技术设备的数字化改造取得了新的进展，截至10月底技术设备改造已完成8项。如《红绿灯·路况直播》演播室搭建在北京市交通管理局大楼，将分离的演播室连成一个整体；原来4讯道数字演播系统改造成7讯道直播系统，改造时采用光纤、模拟、数字三同轴等多种传输方式解决了多种信号的传输问题；在交通指挥中心大厅及交通决策室预留了用于直播的摄像机、话筒及通话接口。北京电视台其他部位技术设备的数字化改造也在同步推进。

三、加快建设新大楼技术中心

加快了新技术中心的设备引进工作，完成了10余项大型招标项目，主要是新大楼新闻演播室、综合业务楼演播室、1000和600平方米高清数字演播室视音频系统、灯光及吊挂系统建设项目；新大楼制播网络系统主干及分支系统建设项目；新大楼办公信息化网络系统建设项目；12+6高清转播车建设项目；新大楼录音棚建设项目；新大楼技术系统播控软件、主干网辅助设备、信息系统网络、应用系统集成建设项目；新大楼生产网络布线工程、业务网建设项目；新大楼技术系统控制台、高清车三脚架、机柜机架采购项目等。（冯　平）

北广传媒移动电视新技术改造与应用

一、加强网络建设

2007年，北广传媒移动电视公司（以下简称 “北京移动电视”）在原有发射塔和直放站的基础上，完成3个室外信号补点和4个室内信号补点的直放站建设，形成了4+N的网络格局，六环内的有效覆盖总面积达6000余平方公里，覆盖规模大、效果好。同时，还对设在中央广播电视塔的演播制作系统进行了技术改造。

3月，北京移动电视作为唯一一家新媒体入住北京市交管局公安交通指挥中心，利用全市分布在道路上的监控摄像机画面实时发布道路交通服务信息，引导群众出行。

二、追踪应用新技术

2007年，北京移动电视推进数据广播试验，参与国家广电总局CMMB项目。完成了CMMB WP6D组地面增补网络的单点测试、多点测试和单频网测试，并已初步完成单频网组建，CMMB信号已覆盖五环内大部分地区。

三、确保安全播出

北京移动电视制定了严格的安全播出责任制度，将每月的第一个星期二定为设备系统检查日，对系统、设备、连线等重要环节进行大检查，确保各个重要时段的播出安全。进一步完善相关制度，增加系统全面大检查频次，全年播出无事故。

四、平台建设与维护

依托无线数字单频网，北京移动电视已建设了公交、出租、地铁、城市、户外大屏幕、社会车辆电视等六大平台，目前，移动电视在公交、出租平台上的终端总量已超过24000个，全部终端接收设备近40000个，移动电视日受众量超过1500万人次，具有较大的社会影响力。根据CTR 监控数据，终端全年平均合格率为96.69%。截至12月31日，累计完成安装公交车新车5500辆。

（北京北广传媒移动电视公司）

北广传媒城市电视技术特点与应用

一、楼宇电视

楼宇电视是城市电视的第一个运营平台，平台由前端播出系统和显示终端组成。播出系统于2005年8月1日正式投入使用，系统信号标准采用数字视频、模拟音频。视频服务器、切换矩阵及周边设备主要采用Leitch公司产品，北京北大方正电子有限公司是播出系统的系统集成商。系统增加了1套信息合成设备，可以在播出线上完成节目与实时信息的合成。显示终端由终端解码器和平板电视组成，平板电视有液晶电视和等离子电视两种，安装在医院、银行、酒店、写字楼等楼宇公共场所。目前，城市电视已拥有10000多个显示终端。

城市电视利用无线数字地面广播技术，通过中心播控系统播出发射无线信号，将所有终端LCD屏联成一张网络，实现实时同步播出，降低了传播成本，保障了传播的实时性和安全性。

经过3年的发展，城市电视（楼宇电视）联播网在北京地区已经建立起涵盖政府机关、写字楼、酒店、医院、银行等终端数量达11000屏的楼宇电视媒体网络。媒体终端分布于电梯等候厅、候诊室、大堂、营业厅等人流等候聚集区，每周覆盖4200万人次户外流动人群（央视CTR调查数据），是传统家庭电视的有效补充和延伸。

二、户外大屏幕电视

户外大屏幕电视采用了歌华有线公司多业务传输平台（MSTP）数据传输模式，既保障了传输安全又兼顾了个性化播出需求，同时将无线数字地面电视单频网信号作为备份信号，两种传输方式互为应急和补充。节目信号从播控中心传送到各个终端，具有实时传播、统一发射、安全清晰的特点，能满足多点、多路播出的带宽要求，最终形成由一个播出平台控制一个城市乃至多个城市的大屏幕电视的播出系统。

播出系统由节目直播子系统、节目编辑上载子系统、节目存储服务器、节目播出管理子系统和各终端播出服务器组成。终端播出由终端播出服务器完成，播出内容及播出节目单来自中心播出子系统，节目直播信号是通过MSTP网传输的IPTV信号。播出系统采用屏幕分割技术，可以根据大屏幕特点和节目要求将大屏幕分成几个区域，各区域播出不同的节目内容。为适应各大屏幕的不同比例，图像信号采用DVI（数字显示接口）输出。监控系统由终端网络摄像头和中心监控站组成，每台监控工作站可监控16个终端。

目前，城市电视通过自建、合作、托管运营等模式，在北京王府井工美大厦、保利剧院、世贸天阶、王府井好友商城、鼎好大厦、工人体育场北门共6处7块LED户外大屏幕电视实现联网播出，很多正在建设的户外大屏幕电视也都分布在北京市最主要的商业街、交通要道上，具有面积大（平均面积100平方米以上）、视觉冲击力强的特点。

（北京北广传媒城市电视公司）

上海市

一、高新技术应用

（一）大型高清转播系统

2007年，上海文广新闻传媒集团（SMG）技术运营中心电视转播部负责完成《SMG大型高清转播系统》的实施工作。该系统能够适应高清晰度电视制作的需要，作为主要的前期转播系统完成大型、重要节目的高清直播录制任务，能够适应现在标清转播的直播录制要求并达到奥运会转播的技术要求。

系统由12+2讯道高清转播车及辅助车、6讯道高清中小型转播车、转播级联系统、5.1声道音频车构成。具备完善的应急方案，可有效地避免主系统出故障时对备份系统造成影响。

系统完全适应大型节目转播要求，布局合理，功能完善，操作简单直观，维护管理方便。

系统具有良好的开放性，采用开放的接口技术，建立开放的结构，可以方便地与其他转播系统和音频系统进行信号交换，配合完成大型转播任务。

系统充分考虑了高清节目制作中的视音同步、5.1声道制作与普通节目制作的配合等全新问题，在国内第一次提出详细、有效的解决方案。同时，网管技术保证了系统运行过程中的各关键因素有严格的监控和管理手段，是IT技术与传统广播电视技术结合的完美体现。系统在桌面高度、人眼视角、五种不同的灯光、储物功能等设计方面，充分体现了人性化的设计理念。

2007年，是车体生产与集成阶段，转播车车体已经到达上海，预计项目在2008年3月完成集成工作。

（二）转码技术在播出系统中的应用

2007年，广播电视制作播出平台正在向网络化、无带化方向演进，但是现有系统存在着多种编码方式并存的问题，因而转码技术越来越重要。

转码可以通过硬件转码和软件转码来实现。硬件转码将算法固化在板卡芯片上，稳定性好，主要针对特定的源编码方式和目标编码方式，灵活性较差。软件转码随着计算机运算能力的增强和存储容量的日益扩大，可以满足视频数据处理的需求，已经成为主流。但是，目前转码技术在工作效率、可靠性、文件兼容性等方面还存在一些问题。

上海东方CJ播出系统是转码技术在播出系统中的一个实际应用案例。该项目于2007年5月启动，12月投入使用，成功地实现了将非编制作网或媒体资产管理系统的素材通过转码迁移到播出平台的功能，使东方CJ公司制播达到全程数字化、网络化、无带化，为集团全台网的建设与今后播控中心规划的大规模实施转码提供了有益的经验。

由于SONY视频服务器的文件格式不对外公开，技术人员首先要破解其文件格式，开发自己的转码算法，实现东方CJ媒资系统的格式到播出系统格式的素材文件转换，并开发相应的软件解码程序对转码以后的素材进行审看。

东方CJ播出系统是以转码方案为蓝本，按照安全播出的要求进行细化，最终形成一套可行的系统方案。

二、国家、省级立项项目

（一）广播总控数字化改造

广播总控数字化改造项目是以满足上海广播事业不断增长的运营、发展和管理需求为目标，按照广电总局关于推进广播电视数字化、网络化的要求完成对原有系统的改造。

广播总控数字化改造项目于2005年4月立项建设，项目组在确保安全播出的前提下，于2007年3月进行系统调试和验收工作。该项目将原有的总控和数控功能合并，采用广播领域流行的新技术、新工艺，建立一套集故障信号的采集、分析、判断、提示、手动甚至自动应急于一身的智能系统，为一线值班人员提供了一个实用而先进的工作平台，同时该方案借鉴了国内外广播电台技术系统组建的经验，结合上海广播电台的实际情况，在系统的成本、安全、人性化和先进性等方面进行综合考虑，寻求最佳方案。改造后的上海广播播控系统数字化率达到了100%，全面实现了数字化、网络化和智能化，达到国内外一流水平。

（二）地面数字电视国家标准上海高清播出项目

地面数字电视是最基本的数字电视传输方式，也是各国广播电视传输体系中最重要的组成部分。作为地面数字电视的主流应用，地面高清晰度数字电视在世界上众多发达国家已经取得了广泛的应用。2007年8月随着具有自主知识产权的国家地面数字电视传输标准的正式强制性实施，我国地面数字电视产业已全面启动。

为了配合国家的奥运高清战略，本项目计划用两年半的时间，在上海率先建设我国首个基于具有自主知识产权的国家地面数字电视传输标准的城市高清晰度数字电视频道，建成一个集体育赛事直播、新闻专题、纪实和影视剧节目于一体的综合性地面高清电视频道。该频道包括节目制作与播出、传输与发射系统，实现上海行政区域内的地面高清电视的复杂地形城域覆盖，每天播出时间在19小时以上。项目还将进一步进行多项综合业务的试验及拓展，主要包括探索并实践地面模拟电视的数字化转换过渡，实现现有广播电视有线网外用户的多套数字电视节目覆盖和城市车载欧洲标准系统的置换。

上海文广新闻传媒集团于2007年7月递交关于投建地面数字电视国家标准上海高清播出项目的申请，于11月得到正式批复并投入实施。本项目的实施将全面加快我国广播电视数字化进程并带动地面数字电视及高清晰度电视产业的发展，服务北京奥运、上海世博，提升我国自主知识产权的数字电视产业链的竞争力。

（三）媒体资产管理系统

上海文广新闻传媒集团中心媒体资产管理系统和资料媒体资产管理系统于2007年4月30日建成投入试运行，同年8月1日正式投入运行。该项目于2005年开始建设，通过调研分析、建立媒资系统构建的参考模型，为集团内部构建了内容媒资管理系统，有效地推进了集团内容资源的循环利用和价值开发。系统主要创新功能：

1.通过中心媒资系统的建设和系统架构，充分实现集团内容的增值保值问题；

2.根据集团媒资管理中存在的问题提出相应对策，媒资建设与生产系统同步建设充分结合，不同性质的内容区别对待；

3.首次提出了“分布式结构、集中式管理、共享式个性化服务”的构建思路；“一本档案、两条主线、三个层面、四种类型”的总体设计思路，首次实现“制作型媒资，生产型媒资，资料型媒资”的媒资三层构架，以及“内容管理信息化→内容管理全程化→历史资料数字化→资源流通合理化→内容资产效益化→内容服务智能化”的实施思路。

在本项目的基础上形成了《大型媒体资产管理系统构建方法研究》的软课题研究获国家广电总局科技创新奖二等奖。

（四）语音字幕自动生成技术应用研究

为了改善国内字幕总体加配水平不高的现状，按照国家广电总局要求，2007年6月上海文广新闻传媒集团技术运营中心联合北京大学视觉与听觉信息处理国家重点实验室、北京大学言语听觉研究中心共同成立了语音字幕项目组，进行有关语音字幕自动生成技术的应用研究。

项目组的主要研究内容：研究多种语音字幕自动生成技术，进行分析、比较、优化，提出语音字幕自动生成系统解决方案，级联相关系统开展试验，使用语音识别技术自动生成兼容标清与高清格式的标准字幕文本，实现计算机自动进行同期字幕的加配以及自动字幕纠错、自动伴音与图像的准确对应等。

2007年底，该系统按照任务书要求基本开发已完成。对于实现录入的字幕文本，系统可实现字幕文本与节目语音的自动同步。对于广播新闻语音，系统自动标注的时间点与人工标注的吻合率大于98%，误差在80毫秒以内；对于使用普通话的同期音（可带轻微口音），信噪比大于15dB的情况下，系统自动标注的时间点与人工标注的吻合率大于90%，误差在80毫秒以内；本系统的字幕语音识别模块的性能可达到同领域的世界领先水平。对于播音室环境下的标准普通话播音，系统自动识别的字准确率大于85%；对于使用普通话的同期音，信噪比大于15dB的情况下，系统自动识别的字准确率大于70%。

本项科研成果在广电行业的广泛应用将产生巨大的经济效益。节省了用于字幕制作以及对时间码进行反复同步校准所需的大量人力物力；加快了影视节目的制作速度，特别适用于有时效性的新闻内容；可广泛应用于楼宇电视、移动电视等对字幕有特殊需求的场合。

（五）数字音频及数据广播平台建设

为了推动上海广播的数字化，丰富数字广播的内容，探索广播新的发展道路，2005年初，上海文广新闻传媒集团正式确立数字音频及数据广播项目，该项目在DAB数字音频广播技术标准的基础上，深入对“数字音频＋数据广播”这种新型广播模式进行技术研发。经过两年多的努力，项目组已基本完成了“数字音频及数据广播”开播的各方面准备工作。

上海文广新闻传媒集团引进了全套标准DAB数字音频广播系统，并顺利完成与广播制播网、播控传输网的对接，在广播电台数字化制播的基础上实现了广播内容发布的数字化改造，使上海广播真正完成了全面数字化。

由于DAB标准对数据业务是完全开放的，没有可参照的实例，因此，上海文广新闻传媒集团在数字音频及数据广播的“数据业务”上投入了大规模的研发力量，并取得了可观的技术成果——自主制订了多项数据业务相关标准、自主研发并生产了专用数据编码器和数据解码模块，验证并实践了前述各项标准。

2007年10月30日上海文广新闻传媒集团召开了“数字音频及数据广播产业链会议”，数十家知名厂商共同加入由集团组织成立的产业发展联盟并签署《共同宣言》。产业发展联盟的成立预示着充满机会的数字音频及数据广播产业链已确立形成，并进入了发展完善的新阶段。

三、重要科研项目

（一）2007年度重要科研立项完成表

项目名称	立项单位	完成单位	主要完成人
《广播电台数字化网络化建设白皮书（07年版）》	国家广电总局	上海文广新闻传媒集团、江苏省广播电视总台	汪建强、刘建宏、徐济众、霍秋林、王波、邵勇、张云华、陈蓉
《电视台数字化网络化建设白皮书（07年版）》	国家广电总局	江苏省广播电视总台、上海文广新闻传媒集团	汪建强、刘建宏、徐济众、霍秋林、范金慧、陈晓芸、杨升
新闻摄录像机更新	上海文广新闻传媒集团	上海文广新闻传媒集团技术运营中心	沈坚清、王振、董耀、陈敏、钮春华、朱嘉华、杨飞飞、陈忠明
新闻生产媒资系统	上海文广新闻传媒集团	上海文广新闻传媒集团技术运营中心	唐惠荣、李泽强、寇佳、陈彦、卜静燕、周敏、刘梅、张德鹏、周冬烨
集团办公网安全	上海文广新闻传媒集团	上海文广新闻传媒集团技术运营中心	蒋龙根、刘欣珺、李霞、潘伟平、胡德昌、邓旭华、寇佳、陈明
新闻共享平台网络管理系统	上海文广新闻传媒集团	上海文广新闻传媒集团技术运营中心	李泽强、潘伟平、孙欣然、陈子建、谈新、何伟、寇佳、徐志亮
IPTV直播系统扩容(IPTV H.264编码器)	上海文广新闻传媒集团	上海文广新闻传媒集团技术运营中心	张烜晧、郐卓、彭成、陈迪
新闻协作网技术平台	上海文广新闻传媒集团	上海文广新闻传媒集团技术运营中心	李泽强、吴一凡、杨君蔚、杨雪、刘欣珺、甘炜、杨菲菲
卫星地球站上行系统转星并发	上海文广新闻传媒集团	上海文广新闻传媒集团技术运营中心	韩峻、陈忌、金惠美、武维青、王俊涛、李彬、顾建国、陆卫强、张宇
第一财经网站系统扩容	上海文广新闻传媒集团	上海文广新闻传媒集团技术运营中心	张韬、周海敏、胡德昌、夏俊、季根、徐伟鹏、邓旭华
第一财经卫星香港落地	上海文广新闻传媒集团	上海文广新闻传媒集团技术运营中心	关亚东、陈佳、张捷、夏俊、傅伟、余颖、盛轶骏、彭成、吕毅
新媒体播出平台	上海文广新闻传媒集团	上海文广新闻传媒集团技术运营中心	陈再现、吴志欣、李小康、陈建华、邱炜、王彤、张烜晧、彭成、郐卓、张维澜、宣玉栋、吕毅
计算机呼叫中心管理系统	上海文广新闻传媒集团	上海文广新闻传媒集团技术运营中心	蒋龙根、邓旭华、姚始埃、张慧娴、汤振华、吴云达、陈乐荣
集团中心媒资系统	上海文广新闻传媒集团	上海文广新闻传媒集团技术运营中心	梅国平、黄勤军、应启宏、朱爱华、陈欢、杨升、卜静燕、张德鹏、陈举名、董耀、陈亮、梅康诚、孙鸣、陈杰
广播总控数字化改造	上海文广新闻传媒集团	上海文广新闻传媒集团技术运营中心	邵勇、虞雷、徐焱、王益民、刘敏、吕德胜、肖力华、虞蔚菁、赵勤、高晓宇、倪学青
多媒体制作园区	上海文广新闻传媒集团	上海文广新闻传媒集团技术运营中心	黄奇志、李小康、尚峰、宋瑜、张炜、方嵘、罗楯、黄海、牛聪、余濛靓、许俊峰、陈祎、朱建芳、施栋、曹伊
广播直播室系统数字化改造	上海文广新闻传媒集团	上海文广新闻传媒集团技术运营中心	张华、于亦敏、华佳希、顾云峰、张云华、林嗣雄、武瑞

（二）2007年度重要科研立项表

项目名称	立项单位	完成单位	主要完成人
广播电台网络化制作关键技术应用研究	国家广电总局	上海文广新闻传媒集团、江苏省广电总台	汪建强、刘建宏、徐济众、霍秋林、王波、邵勇、张云华、陈蓉
电视台网络化制作关键技术应用研究	国家广电总局	江苏省广电总台、上海文广新闻传媒集团	汪建强、刘建宏、徐济众、霍秋林、范金慧、陈晓芸、杨升
网络化制播环境安全体系的研究	国家广电总局	江苏省广电总台、上海文广新闻传媒集团	徐志亮
广播电视台际之间网络互联互通交换应用技术研究	国家广电总局	文广科技公司、上海文广新闻传媒集团技术运营中心	吴晓东、陈杰

续表

项目名称	立项单位	完成单位	主要完成人
语音字幕自动生成技术应用研究	国家广电总局	上海文广新闻传媒集团技术运营中心、北京大学	吴晓东、刘晨
新闻摄录像机更新	上海文广新闻传媒集团	上海文广新闻传媒集团技术运营中心	沈坚清、王振、董耀、陈敏、钮春华、朱嘉华、杨飞飞、陈忠明
数字音频及数据广播平台建设	上海文广新闻传媒集团	上海文广新闻传媒集团技术运营中心	吴晓东、邵勇、赵勤
广告系统综合改造(一期)	上海文广新闻传媒集团	上海文广新闻传媒集团技术运营中心	李泽强、陈子建、康斌、张韬、夏俊、季根、陆乐、杨君慰、盛轶骏、胡德昌、秦赟、陶勇、吕毅
财经版块网络化建设	上海文广新闻传媒集团	上海文广新闻传媒集团技术运营中心	陈子建、唐惠荣、李泽强、陈林颐、张捷、关亚东、傅伟、陈佳、蒋龙根、胡德昌、郑皆敏、陈晓芸、谈新、周敏、徐志亮、陈洁、史时富、杨升、张德鹏
新闻协作网建设	上海文广新闻传媒集团	上海文广新闻传媒集团技术运营中心	李泽强、吴一凡、杨君蔚、杨雪、刘欣珺、甘炜、杨菲菲
数字微波及光纤信号传输	上海文广新闻传媒集团	上海文广新闻传媒集团技术运营中心	井浩、刘国伟、顾剑
卫星上行系统扩容	上海文广新闻传媒集团	上海文广新闻传媒集团技术运营中心	彭成、金惠美、张宇、韩峻、王史荣、徐巍、丁剑平、武维青、王俊涛、李彬、吕毅、裴朋
地球站转星并发	上海文广新闻传媒集团	上海文广新闻传媒集团技术运营中心	韩峻、陈忌、金惠美、武维青、王俊涛、李彬、顾建国、张宇、陆卫强
第一财经网站系统扩容	上海文广新闻传媒集团	上海文广新闻传媒集团技术运营中心	张韬、周海敏、胡德昌、夏俊、季根、徐伟鹏、邓旭华
广播电视播出监测系统	上海文广新闻传媒集团	上海文广新闻传媒集团技术运营中心	张烜晧、秦赟、邹卓、吕毅、陈迪、裴朋、李艳
集团办公网安全	上海文广新闻传媒集团	上海文广新闻传媒集团技术运营中心	刘欣珺、将龙根、潘伟平、胡德昌、李震、陈明、寇佳、陆乐、邓旭华

（上海文广新闻传媒集团）

江苏省

一、电视台数字化网络化建设白皮书（2007）

2007年，江苏广电总台作为主要起草单位参与了《电视台数字化网络化建设白皮书（2007）》的编写工作。《白皮书（2007）》立足电视台网的应用实践，对电视台在网络化发展过程中感到困扰、亟待解决的问题进行深入研究并提出解决办法，具有很强的操作性和指导性。

《白皮书（2007）》共分为四个部分。第一部分环境建设，研究为台内网的建设、运行、发展创造一个良好的环境，使其有序、科学地发展；第二部分互联互通，研究实现异构业务板块之间的融合与联通，实现资源整合发展和业务流程再造；第三部分安全保障，研究解决网络化环境下的安全问题，满足安全播出的要求；第四部分质量控制，研究解决台内网的技术质量问题，提高节目技术质量。

2008年1月，《白皮书（2007）》通过了广电总局的专家审定，被作为总局技术政策正式颁布（广发[2008]29号），用于指导全国电视台的台内数字化网络化具体工作。《白皮书（2007）》的发布标志着我国电台、电视台数字化网络化建设已经进入了深入推进阶段，在网络建设同时注重台内网的运行和管理，关注网络对业务的支撑和产生的效益，重视网络的“高安全、高效率、高质量、高管控、可扩展”要求，努力寻求最佳的实践方案。

审定委员会认为《白皮书（2007）》符合我国电视台发展的实际情况，对于电视台的数字化网络化建设具有重要的指导意义，达到了国内领先水平。

二、台内网络化建设

江苏广电总台以广电城建设为契机，启动了全台网项目。总体目标是：建立一个以内容产业为主体的数字化网络平台，实现素材采集、节目制作、资料存储、播出分发等各环节最优化的生产方式、最有效的资源整合、最精细的流程管理；通过互联互通、信息共享、资源共享，实现海量的节目生产能力、低成本的节目制作、可控的节目内容市场化运作；通过数字内容管理平台的构建实现新媒体与传统媒体的融合，为各种新媒体业务提供内容支持，开辟新的赢利模式，拓展新的产业空间。

全台网由主干平台和业务板块组成，主干平台是业务板块之间数据交互的调度中心、流程控制的管理中心，是全台网互联互通、应用集成的核心，采用了基于SOA的

ESB+EMB双总线集成架构；业务板块包括采集收录、新闻制播、综合制作、数字内容管理、播出分发等，通过主干平台实现资源和信息共享。

江苏广电总台联合多家集成厂商，通过对业务交换模型和业务发展需求的调研，共同设计了全台网技术方案。2007年9月，全台网设计方案通过专家评审，成为国家广电总局第一批电视台数字化网络化实验基地。

三、江苏广电总台办公自动化系统

为加快信息资源整合与共享，实现文档数字化、办公自动化及管理信息化，江苏广电总台建设了办公自动化系统。该系统主要由企业信息平台及公文处理、日常事务管理、资源管理等软件模块组成。

企业信息平台包括总台内部门户网站以及多个部门的子网站，实现通知公告、规章制度等信息的发布。同时，还建立了财务、人事、广告等业务系统的链接。

公文处理主要包括收发文管理、对内办文（呈批件）和档案管理。同时，公文处理与短信平台进行对接，有新的公文需要处理时系统能够自动用短信提醒相关人员。

此外，办公自动化系统还包括日常事务管理功能模块；部门信息、电子期刊、文件中心等信息资源管理功能模块；以及通讯录、在线交流、通知管理等交流共享功能模块。

2007年底，办公自动化系统开始进入试运行阶段。办公自动化系统的使用规范了办公流程，提高了工作效率，加快了全台信息资源的整合与共享，推动总台信息化建设上了一个新台阶。

四、广播中心数字化播控系统

2007年，江苏广电总台在去年完成所有直播室数字化改造的基础上又完成了总控数字化改造，播控中心数字化率超过90%，迈入了全国省级台的先进行列。

总控中心机房的改造主要涉及机房内部装修、数字化新系统的建设、网络化系统的布局、配电系统、空调系统和机柜屏幕墙、控制台等方面。

新数字化总控系统以音频矩阵为核心，实现全台10套节目的交换、处理、调度、传输。所有关键部件都采用高科技设计，配置了备份信号源和冗余通路，减少了信号周转环节，分散了系统风险。系统具有良好的智能化和可操作性，信号监听可通过矩阵适配的控制面板手动切换，也可通过PC以软件控制的方式来完成，系统应急措施灵活方便，工作人员能较好地完成常规性及临时性的应变操作。

新系统使用了大量的智能设备和各种性能优越的监测设备，依据信号流程分段对系统的运行状况进行监测，采用图形、声音等报警方式及时发现和处理故障，系统的频率响应、失真、信噪比等技术指标都大大提高，安全播出质量上了一个新台阶。（江苏省广电总台技术管理部）

安徽省

一、安徽电视台全台网建设

安徽电视台全台网建设由安徽电视台自主研发完成，目前该项目已通过专家会议评审、科技司审核，2007年12月安徽电视台被国家广电总局批准为全国首批数字化、网络化实验基地之一。2007年2月该项目的子系统陆续开始投入使用，目前运行效果良好。

安徽电视台全台网项目的主要研制过程分为三个阶段：2004年5月～2005年5月完成前期调研；2005年6月～2006年6月完成全台网总体规划和设计方案；2006年7月开始建设实施，整个工程分为两期，第一期完成采集交换板块、新闻制播板块、综合制作板块、综合信息管理系统以及板块之间的互联等，第二期主要完成数字内容管理板块和播出分发板块等。系统特点：

1.根据全台网规划的实际需求，统一制定了媒体资源交换描述语言（MREML，Media resource exchange Markup Language）和针对全台制、播、存多系统协同交互的一个较为完整的互联协议。

2.在设计中充分考虑了异构松散耦合及多系统互联互通效率的问题，通过构建消息中心＋媒体交互网络的双通道架构实现多厂家、多系统的互联交互，指令及元数据信息通过消息中心进行交互，采用MREML语言协议，媒体数据则采用单网低成本高安全的FTP模式实现媒体数据的传输，兼顾安全、效率和松散耦合，为实现多系统异构互联进行了有益的尝试。

3.以节目代码为基点实现了贯穿节目从策划、选题、拍摄、制作、审核、入库、播出、归档的全周期管理，并在管理过程中汇集所有的生产资源来实现对生产数据的信息采集汇总和电视台管理部门对节目生产管理的精细化。

4.采用基于LDAP的统一用户认证和管理，实行统一认证、分散授权的管理架构，并通过PORTAL技术整合了综合信息管理系统以及相关业务系统的应用。

5.在面向播出的设计思想指导下安徽电视台全台网构建了播前缓存系统，打通了整个数字化节目制播流程，从而向节目播出全程文件化以及无磁带化方向迈进。在此设计中采用的堡垒安全防护技术以及MD5文件传输验证技术确保了播出数据的安全可靠。

6.在安徽电视台全台网综合节目制作系统中，采用了节目代码工程化的全新节目制作管理模式，将节目制作的整个过程从前期设备到演播室再到非线性制作以及成品节目提交，每个环节都纳入到节目代码管理体系中，更加便于对节目生产过程的成本管理和资源控制。

7.安徽电视台全台网以节目代码为核心，构建了一个面向全台的节目综合信息查询管理系统，该系统在设计中采用了SOA的体系架构，面向所有制播系统提供一组服务接口用于实现对所有节目制播信息的收集和汇总。该系统覆盖了电视台节目制作的前期、编辑制作和播出的所有环节，在节目制作流程中电视台各个相关的管理岗位可以随时对节目生产信息和状态进行查询。

安徽电视台全台网实现后，一方面借助现代化的IT技术，各个业务子系统可以方便地提取节目的报题、选题、文稿、审核信息、低码流视音频、播出信息、收视信息、财务信息和设备资源占用信息等，实现了资源共享，提高了人力资源、设备资源和媒体资源的使用效率；另一方面以节目代码为核心，通过综合节目管理系统将一系列复杂的节目生产活动有机衔接起来，面向所有制播系统提供一组服务接口，用于实现所有节目制播信息的收集和汇总，不仅提高了节目的生产质量和效率，还丰富了对节目的管理手段，实现了全台电视节目可视化管理。

二、2007年度重要科研项目完成表

名　称	立项单位	完成单位	完成人
中波同步广播载频激励器	安徽省广播电视科研所	安徽省广电数码科技有限公司	宫为保、胡平、董玉兴、江建中、黄向东 组长：宫为保
多频率调频发射机	安徽省广播电视科研所	安徽省广播电视科研所	胡平、董玉兴、黄向东 等 组长：宫为保

（安徽省广电局）

江西省

一、江西人民广播电台制作播出系统数字化、网络化

2007年，江西人民广播电台全面进入数字化、网络化制作与播控时代，主要体现在三个方面：一是制作及播出系统全面实现数字化、网络化。使用了英夫美迪公司air2000播出系统，服务器端节目存储空间达10.5TB，可存储84000小时的节目，现已安装了20万首歌曲的曲库。二是数字化播控系统进一步完善。使用了6台西班牙AEQ公司的BC-2000D调音台和一套BC-2000D矩阵，全部采用数字化技术，具备数字、模拟音频接口和光纤扩展、传输能力。三是数字化转播车投入使用。该车使用AEQ公司BC-2000D调音台作为主要设备，辅以AEQ公司TH-02电话耦合器和COMREX公司MARTIX电话/ISDN以及300瓦调频发射机作为传输手段。

二、江西电视台新技术开发应用

（一）建成数字综合制作网络

江西电视台数字综合制作网络是建立在计算机及网络技术基础上，集视音频节目收录、集中上下载、视音频节目制作、前后期配音、审片、节目生产管理、P2卡接入、媒体资产管理、播出分支等子系统的完整系统，是一个高效率自动化的节目制作平台，实现了江西电视台三个地面频道所有节目的生产制作无带、无纸化，可以由控制网络来实现信号直接连接到播出系统进行硬盘播出。

该网络系统采用FC（Fiber Chanel）+以太网的SAN（Storage Area Network）双网共享存储结构，具有可靠性、安全性、扩展性和开放性，具备较高图像质量和强大节目制作功能，实现了设备管理和审片功能。

（二）研制开发GJT-SDI3300M数字视频综合光端机

江西电视台与中国电子科技集团公司第三十四研究所共同研制开发了GJT-SDI3300M数字视频综合光端机，采用光纤技术实现了转播车系统间的级联。该光端机能在一对光纤中同时实现双向多路模拟视音频、多路数字化视频及多种接口数据传输，传输性能达到国家一级标准。利用光纤技术实现系统间的级联，更大程度地扩展了转播车的使用功能，使转播车之间的级联变得简便并能实现远距离、多点转播车之间的级联，使多个移动系统真正做到视音频信号、数据信号的互联互通，最大限度地满足了大型节目直播、录播的要求。

（三）研制开发行走式摄像机吊挂系统

江西电视台与浙江宁波湛京光学仪器厂合作，共同设计、研制、开发了行走式摄像机吊挂系统。该系统可应用于一些层高比较低的小型演播室内，将其安装在相应的高度上，利用可变向云台的可控转向功能和摄像机的电动变焦功能，加上吊挂系统的可控制行走功能，实现对演播室摄像机的人工遥控、线控，扩大摄像机的移动范围，进一步拓展节目拍摄手段、方式和空间范围，使拍摄镜头画面更加灵活具有动感。该系统在2007年“两会”报道过程中得到应用，取得了比较满意的效果。（江西省广电局）

山东省

济南人民广播电台音频信号监控及矩阵自动控制系统

2007年，济南人民广播电台技术中心的技术人员通过自主创新开发成功了具有国内领先水平的音频信号监控及矩阵自动控制系统，这套系统集音频信号故障检测、音频矩阵（自动/手动）控制、数字音频垫片播放、语音报警等多项功能于一体，实现了电台播控中心信号故障的自动处理，永久性解决了播控机房的全部低周信号的停播问题。

济南电台播控中心在使用英夫美迪公司的矩阵自动控制系统时发现该系统有时会出现误动作的现象。这套矩阵自动控制系统通过调整信号启控门限来触发矩阵的自动切换行为，由于信号检测设备的精度和处理算法设计的不足，导致其自动切换的准确性存在不足。近年来随着电台事业的发展，电台播控中心向外提供的低周播出信号已经达到6套，原引进的矩阵自动切换系统的最大自动切换能力仅为4套，已经不能满足电台播出的实际需要。另外，原系统还存在无法提供数字音频垫片的不足，需要通过第三方软件和AD转换器才能解决垫片、数字音频输出的问题，由此造成设备连接繁琐、应用系统不完整的问题。同时，原系统在报警方面也存在不足，其报警采用应用系统工控机的板载蜂鸣器报警，因为声音小，值班人员必须通过导线将报警声音信号引出并加到有源音箱上实现报警功能。因此，迫切需要一个能够共同完成集信号监测、故障判断、自动/手动切换、数字音频垫片、语音报警、故障记录于一体的软硬件系统。

新系统的性能在多个方面具有突出的优势和创新特征。它采用了核心和外壳独立的设计理念，核心负责管理矩阵的实际控制，外壳提供人机界面的操作接口；通过注册不同的插件来管理多种不同的矩阵并可以同时管理多个矩阵；系统内置信号监测功能，实际监测能力可以达到128路，实际自动控制矩阵能力也可达到128路；操作界面更加简洁直观，人机界面操作丰富，在人工状态下操作方式可达3种并能交叉使用；支持预案操作，可以对矩阵执行批处理操作；系统内置数字/模拟垫片功能和语音报警功能实现了信号监测、矩阵自动控制和垫片报警的一体化，系统长时间运行更可靠、自动垫片更准确。

新系统立足点高、功能强，是电台不间断播出的重要

技术保障。随着应用水平的不断提高，容量更大的矩阵将被投入使用，它的应用不仅满足了目前电台总控机房的需求，也将很好地满足电台未来发展的需要。

（山东省广电局）

四川省

一、广播电视科技工作

（一）建设了连接19个市州的38个微波站、电路长达2120.4公里的SDH数字微波系统。该微波系统的节目传输在业内创新采用了IP作为二层交换，基于MSTP（多业务传输平台）的广播电视节目传输技术，在节目传送上实现了广播电视节目、数据、语音和多媒体等多业务的融合。在确保传输安全可靠的前提下提升了建网的经济性和应用的灵活性，该系统运行一年多达到了预期效果。

（二）建设了16个省级骨干广播电视发射台的发射台信息化系统，并全部通过专用数字微波连接到省控制中心，实现了对发射台站的设备运行情况、播出情况及信号的实时监测，实现了对设备的自动控制，同时集成了安全播出应急指挥调度系统、会议电视、台站管理自动化等功能。该系统已运行一年，提高了台站管理的信息化水平，减轻了职工劳动强度，实现了管理方式从结果管理到过程管理的转变，为安全优质播出提供了有力的保障。

（三）完成广电总局金帆奖播出质量奖评奖监测系统的搭建、安装调试和使用，实现了总局对四川广电集团卫视频道、经济频道播出数据的实时上报，获得总局2007年度金帆奖播出质量及安全播出三等奖。

（四）完成网络字幕机系统的建设。网络字幕机的使用实现了网络化字幕制作、播出、管理，大大提高了字幕播出的准确性和一致性，将原来在屏幕上固定的节目预告变为可以更换内容和变换播出方式的循环节目预告；可以方便地接收并播出证券行情；减轻了工作人员的劳动强度，给播出安全提供了有力的保证。

（五）完成对广告硬盘系统的升级改造，实现了广告扩容；广告异地上载与广告节目、串联单的远程传输；广告节目制作、编排、播出的全程贯通为全台网络化播出积累了经验。

（六）对现有的SCTV-4、SCTV-5、SCTV-6、SCTV-7四个频道进行了全新设计改造，现已安全运行。完善移动电视的播出系统，对播出系统时钟进行改造，由中央台模拟时钟信号更换为GPS时钟信号。完成计算机硬盘记录可查询的播出信号质量检测记录系统的软硬件安装和调试。完成新闻资讯频道文稿网的建设，新建的星空移动频道通过一年的运行，系统安全可靠、运行稳定。

（七）建立上行站应急信号源。完成总局要求的上行站自动功率提升系统的异地接收和转星工作。完成了卫星系统转星后的所有地球接收站点的重新调试与节目重新清理工作，保证了发达播出区转星后所有卫星信号收录与转播的正常进行。为省网络公司提供主备编码信号的应急切换系统。

（八）四川电视台新闻中心制播网正式投入使用。该网络系统由制作、播出和收录3个部分组成，整个网络拥有服务器15台，中心存储1套，编辑站点20个。能够完成新闻中心6个栏目及公共频道1个栏目的节目制作、1个栏目的直播和5个栏目的录播。

（九）建立了集团安全播出保障体系。根据安全播出管理要素制定考核评价指标，从组织机构、人才结构、规章制度、工作绩效等方面全面考核安全播出各要素，形成了指挥、调度、报告、检查、考核、通报及奖惩有序的管理机制，使安全播出工作跃上一个新台阶。该项工作获得四川省广播电影电视局2007年度科技创新成果（软科学类）一等奖，总局科技创新成果三等奖。

（十）完成集团数字移动新闻直播传输系统项目，使新闻直播的传输手段更加先进，直播新闻的反应速度大大提高。该项目获得省局科技创新成果二等奖，总局科技创新成果三等奖。

（十一）启动了四川彩电中心工艺建设项目，根据总局科技司下发的《电视台数字化网络化建设白皮书》（2006）完成彩电中心全台网络关于节目生产、传输等技术需求方案的制订。

二、安全播出管理体系

（一）系统建立

2007年3月，四川广播电视集团安全播出管理体系正式建立，该项目属管理科学与广播电视技术的交叉领域，属软科学类。

四川广播电视集团下属电台、电视台、网络公司、传输发射中心、卫星上行站等安全播出责任单位。卫星电视节目涉及收看观众上亿；网络国干光缆长度1650公里，省干光缆长度3700公里，涉及上百万用户；高山台站44个，微波干线4000余公里，覆盖人口8000万。因此，迫切需要建立一个长效、科学且适应未来发展的安全播出保障体系，确保安全播出。

该体系由组织机构、资源配置、管理规范、处置方法、考核评价、激励组成。其特点是根据管理要素制定考核评价指标，从组织机构、人才结构、规章制度、工作绩效等方面规范安全播出的管理，易于操作和执行，并且与奖惩直接挂钩。

（二）系统特点

1.该系统主要由五个环节组成：指挥调度、管理支撑、基础设施、人才队伍、科技支撑。

2.抓住关键，落实组织保障。成立集团安全播出指挥部，将过去各个单位安全播出的分散管理转变为系统管理。职责明确、分级管理、统一指挥。落实组织机构，完善基础设施，建设具有较高安全等级的播出、传输、覆盖系统。

3.将安全播出由过去的结果管理转变到过程管理。涉及安全播出领域的指挥、调度、报告、检查、考核及通报、奖惩等方面的流程。

4.建立反应快捷、指挥有力、调度灵活、令行禁止的安全播出保障机制。安全防范与事业发展相结合，应急保障与日常运行相结合。

5.技术手段与体制机制相结合。增强技术手段，实现对突发安全播出事件快速反应和有效处置。完善了卫星上行站、网络公司、电视台、电台的指挥调度预警检测系统。

6.建立科学、严格、规范、高效的运行管理模式。设定四级保障，一级保障：中央、国务院部署的重大宣传报道；二级保障：元旦、春节、五一、国庆等传统节假日的活动报道；三级保障：省级重大活动、省级党委、政府的重要会议，以及接到上级主管部门发出的临时重要播出通知；四级保障：日常活动报道。根据不同保障等级提出不同要求。

7. 建立集团安全播出评价考核体系。考核指标量化，对整个安全播出管理的要素、过程、结果进行考核，对安全播出一线单位和人员每季度进行考核，根据考核成绩进行奖惩，增强了技术人员做好安全播出的责任感，充分调动了工作积极性。 （四川广电集团）

青海省

2007年，青海省广播电视局做好“村村通”工程建设工作并稳步推进“西新工程”顺利实施；完成了海晏县等4县广播电视基础设施的建设；下达了年初制订的称多县等6县建设项目投资计划；完成了日元贷款部分项目的招标及合同签订；实施并完成了中央教育电视台第一套节目在青海省县级有线电视前端的落地覆盖；落实了国家广电总局在青海省省会城市设置移动多媒体广播项目实施试点覆盖工程的方案申报、立项及制订；完成了直属中波发射台560台、917台、921台各落实2部备用中波发射机、920台天馈线系统的改造以及发射台高压电气改造等项目。加快有线电视模拟向数字化的转换工作，加大力度推动广播电视的网络建设工作。配合国家广电总局赴青海调研组开展藏区广播电视调研工作。

青海省“村村通”广播电视工程建设完成了200个自然村广播电视工程建设任务；完成了对1999～2006年青海省“村村通”广播电视工程建设工作的全面调研和总结；修订完善了“十一五”期间广播电视“村村通”工作方案；落实了全国农村中央广播电视节目无线覆盖工程项目专项资金并完成了发射机、附属设备的招标工作。

经过争取，已将青海广播电视局直属的560台、566台纳入“西新工程”第四期第一阶段建设项目；将青海藏语广播电视节目无线落地纳入“西新工程”第四期第一阶段建设项目；新建了海北州、海南藏族自治州等8个中波台、贵德和海北州2个实验台，并已上报其中4个新建中波台及2个实验台的可研报告。

青海省广播电视局加快有线电视模拟向数字化的转换工作。青海省广电网络公司、西宁市广电网络公司全面启动数字电视整体转换工作，数字电视用户已近10万户，其中省广电网络公司12517户，西宁市广电网络公司86016户。青海省广电网络公司完成了西宁、海东地区部分分公司网络数字化改造工作，大通、平安、乐都、互助等分公司已经逐步开展有线付费数字电视业务。

青海省广电网络公司积极推进广播电视的网络建设工作，相继建成连接海东地区6县的SDH传输网；完善了西宁市区数据骨干平台，继续推进有线电视双向网络改造；完成了西宁至海南藏族自治州恰卜恰镇、海北州西海镇2条省级光缆建设；加大城域网光缆改造力度，新敷设光缆330公里；对西宁地区有线电视用户进行了双向网络改造，已完成用户增至5万余户；完成了13家分公司光缆网络的改造，新增光缆约70公里，新开通光节点96个；与格尔木、玉树、刚察、泽库等州、县、市协调，努力推动全省广播电视网络的整合工作；积极发展农村用户，西宁地区新增农网用户372户，新增分公司2000余户。通过稳步实施“西新工程”、“村村通”等重点工程，全省广播电视人口覆盖率分别达到88%和93.5%，较上年增长0.5个百分点。

（哈妍）

宁夏回族自治区

农村中央广播电视节目无线覆盖工程

2007年，国家广电总局在全国组织实施农村中央广播电视节目无线覆盖工程，批准我区2007年农村中央广播电视节目无线覆盖工程项目15个，中央财政共投入专项资金约2100万元，项目分布在自治区的区、市、县12个发射台，新增改造发射机37台、发射塔7座、天馈线系统13个、节目传送系统12个、供配电系统13个、机房维修改造12个。

2007年10月工程进入全面施工阶段，已完成11个台站的34台发射机的更新改造任务，并陆续开始试运行播出。计划2008年4月底全部完成工程建设任务。

该项工程的实施，使中央一套、七套电视节目和中央一套调频广播节目在自治区农村的无线覆盖水平和质量明显提高，可以使广大农村群众和城市居民通过普通无线和多路微波方式免费收看到4～9套无线电视节目。同时，该项工程的实施改善了广播电视发射台站的基础设施，提高了安全播出保障能力。

宁波市

一、宁波电视台新闻卫星直播车投入使用

宁波电视台数字新闻卫星直播车于2007年9月竣工，经国家广电总局测试中心验收合格并投入使用。在“中国开渔节祭海仪式”和“象山抗台风特别报道”等异地直播活动中，卫星直播车充分发挥了机动灵活、信号传输环节集中等优势，顺利完成了直播任务。

宁波电视台数字新闻卫星直播车底盘为奔驰416CDI，轴距4025mm，双侧滑门，车上安装了机架、配电柜、电缆盘、发电机、UPS等设备；车顶外置Gigasat DA－150 1.5米车载卫星天线系统，配置了全封闭野外型CPI TO4UOA 行波管Ku波段高功放主备2台、UCL－140上变频器主备2台和RFS140自动（含手动）倒换器及DA－150车载天线兼带手动应急遥杆，这些措施能有效应对卫星系统设备突发故障，确保安全优质播出；车内集成了2个主摄像机讯道和2个移动摄像机讯道，集成了卫星通信、编解码、音／视频、通话和测试设备，可满足节目直、录播和对设备运行情况进行监测的需要。

宁波电视台十分重视新闻卫星车工程建设工作，在立项、调研、设计过程中严密论证、科学决策，作出了符合实际、科学合理的设计方案，在设备采购、系统集成监造、整车测试验收等环节严格把关，确保了整车检验一次合格的圆满结果。

二、宁波电视台新闻非编网工程逐步完善

宁波电视台高度重视数字化网络建设，2006年3月按照《宁波电视台全台制播网络总体规划设计方案V1.0》要求，启动了新闻制播非编网络工程的建设，新闻非编网采用网络附加存储（NAS）+存储区域网络（SAN）结构，整个工程分三期逐步完善。

新闻制播非编网络第一期工程实施的功能模块有：收录、编辑制作、文稿、检索、存储、后台管理认证和应急通道／回采等7大模块，将来能平滑扩展储存容量及演播室播出等其他功能模块。系统暂配8台编辑工作站、2台审片工作站和2台配音工作站，分别连接在千兆以太网交换机上，通过以太网或1394火线完成蓝光盘节目素材视音频信号的上下载，每天上载约1.5小时，栏目每天有大约30分钟的新闻节目，素材保持周期为2个星期，在线存储容量为3.5T。2006年底，新闻制播非编网络第一期工程圆满完成并全面投入使用，同时还完成了规划当中的采集收录板块和新闻制播板块二期工程、数字内容管理板块以及主干平台的招标。

2007年上半年，全面启动上述板块的建设和集成。在此期间，根据广电总局《电视台数字化网络化建设白皮书》（2006版）的相关指导原则，对总体规划设计方案进行了部分修订，形成了《宁波电视台全台制播网络总体规划设计方案V2.0》。

新闻制播非编网络第二期的重点是实现一期新闻网络的扩容，实现编辑记者桌面编辑的工作模式；建设相对独立的卫星收录网络系统、初步建设新闻媒资网络系统以及数据交换平台，解决新闻节目的编目归档、查询、检索、调用以及各子系统间的数据交换与资源共享的问题。

一是实现编辑记者桌面编辑的工作模式。对一期存储系统进行扩容，增加备份及低码流存储设备，增加和升级相应服务器以支撑新闻网络系统扩展性的需要。在一期节目编辑系统的基础上增加桌面编辑功能，完成对文稿的处理及对新闻节目的编辑。桌面编辑系统编辑完成的工程在一期的编辑系统上可以直接工程调用和节目串编。增加节目审片工作站，满足节目审片要求。增加演播室工作站，实现演播室节目上载及节目串编功能。在所有精编工作站和桌面编辑工作站部署专门的文稿系统，以便文稿处理、新闻文稿系统与节目编辑系统的交互衔接。文稿系统具有通过MOS协议控制演播室播出的播控系统、字幕机及提词器功能，为三期演播室建设奠定了基础。

二是建设卫星收录网络系统，完成全台卫星信号的收录。采用相对独立的网络结构并能够与新闻制作网络等其他业务系统实现高效的数据交换，同时保留新闻素材收录的快速通道，实现新闻素材到新闻网络的直接收录功能，实现边收录、边编辑的功能。

三是初步建设新闻媒资网络系统。满足新闻节目的归档和管理需要，完成部分新闻节目的编目分类和部分节目归档到XDCAM的全部工作流程，实现归档新闻节目的查询检索以及流媒体的浏览。新闻媒资系统要求采用相对独立的业务网络结构，并能够通过新闻数据交换平台实现与其他业务子系统的数据交换。

四是初步构建新闻数据交换平台。满足了二期相关业务网络子系统数据交换的需要，在数据交换软件及硬件配置方面具有良好的伸缩性和扩展性，为建设更广泛的数据交换和资源共享奠定基础。

2007年底，新闻制播非编网络第二期工程已经顺利完成。第三期工程的主要目标是实现演播室口播节目的录制和节目的直播与准直播功能，目前，第三期工程的技术方案细化工作正在进行。（宁波市广电局）

厦门市

一、广电网络新技术应用

厦门广电网络公司从2005年开始进行数字电视整体转换，对有线电视网络进行双向改造，并扩展到860MHz的带宽，使网络基础平台具备开展互动业务的能力，建设多业务的综合应用平台。已经投入运营的新技术应用系统有VOD点播系统（MPEG-4）、数据广播系统，正在建设的有MPEG-2平台上的VOD点播系统、时移电视系统、NPVR网络录播系统等等。

二、90平方米虚拟演播室建立与应用

集团技术中心于2007年5月对90平方米演播室进行改造，建立了先进的三维虚拟演播室系统。虚拟演播室利用网格识别加机械传感器跟踪方式，结合无限蓝箱技术，在较小的演播室虚拟出各类场景，实现传统演播室无法达到的视觉效果。目前，《沟通》、《国防时空》等栏目的录制都在90平方米虚拟演播室中进行，收到了良好的使用效果。

三、1000平方米演播厅的智能化舞台

为进一步提高技术实力和节目制作水平，从2006年10月24日起正式启动1000平方米演播厅智能化舞台改造项目，2007年6月，1000平方米演播厅舞台改造完成并投入使用。改造后的舞台改变了原有舞台基础台偏低、缺乏变化、演员出场方式单一等缺陷，通过机电一体、智能控制以及液压传动等先进的技术手段，实现舞台的组合升降、移动等各种变化并增加了伸缩T台、音乐喷水池等功能，丰富了舞台的表现形式，满足了电视节目制作的需求。1000平方米演播厅智能化舞台先后完成庆祝党的十七大召开晚会、中秋博饼大赛、主持人大赛等60余场大型节目的录直播工作。

四、“动中通”移动卫星电视直播系统的应用

厦门广播电视集团于2006年底正式投入使用的“动中通”卫星电视直播系统是目前国内唯一能够在移动状态下通过卫星进行广播级视音频信号实时传输的系统。

“动中通”作为移动式的发射站首次使用了移动卫星通信技术，到达新闻现场后将现场采集的信号通过卫星实时传回电视台直接播出，真正实现了载体天线移动状态下的不间断多媒体卫星通讯。2007年厦门广电集团利用“动中通”系统推出“SNG在行动”系列报道，完成各种直播120场，取得了良好效果。

在2007年厦门国际马拉松比赛直播中，比赛路线复杂、电视转播难度大，使用微波方式传输信号需要沿途设立多个接收点，而“动中通”卫星车可以在移动状态下稳定地进行广播级电视信号的传输，使传输工作变得简单易行。另外，在车上还装备了直升机航拍信号的全向接收天线，使“动中通”卫星车成为赛道上一个移动的直升机信号接收点，弥补了地面固定接收点的信号盲区，展现给观众更加稳定且丰富多彩的航拍图像。“动中通”卫星车采用复用方式同时传输比赛画面和直升机航拍的中继信号。

在园博园开园系列直播中发挥“动中通”直播系统的技术优势，快速到达指定地点直接进行信号传输，连线结束后立刻赶往下一个直播点，确保每小时1档的密集直播顺利进行。充分利用无线摄像微波、800m OFDM数字微波等先进技术与“动中通”卫星传输系统相结合，将不同地点的多台摄像机在移动状态下拍摄的美景实时传回台里，为广大市民带来最新、最直接的新闻视觉享受和资讯传播。

五、新闻非线性编辑网络系统

2007年4月开始建设并逐步投入使用的新闻非线性编辑网络系统是集节目收录、编辑制作、文稿编辑、配音、演播室直播、远程回传为一体的网络系统。该非编网络的建设提高了新闻节目的制作效率和制作水平。

新闻非编网系统网络采用先进的FC+千兆以太网双网络平台技术，结合Oracle 10g数据库和StorNext存储管理软件，为系统提供高效的视频流管理平台。中心存储采用了美国DataDirect公司S2A-3000光纤存储阵列和2台高可用数据库服务器，网络编辑配置了4台收录服务器、4台上下载工作站、10台编辑工作站、4台审片工作站、2台配音工作站、2台播出服务器和45台C/S文稿工作站，文稿系统通过B/S写稿办公网有机融合。采用CPU+GPU+I/O技术实现视频的多格式混编和蓝光设备的倍数上载，并在演播室内实现最终合成播出，满足新闻节目制作的需求。

六、信息管理系统建设与应用

2007年，集团大力开发和高度集成信息管理系统。一是加大力度整合内网资源，把信息管理系统版面设计成集团资源的门户式管理，高度集成了集团OA系统和各业务子系统的各个模块，提高了工作效率，节省了办公成本。二是加大力度进行技术设备成本核算软件开发，提高了技术成本的核算水平和技术设备管理的规范性和灵活性。三是加强技术设备的监控管理，开发出租设备出入管理模块和广播技术部二级仓库管理模块，进一步达到对技术设备的规范化管理。四是开发集团网络基础数据管理子系统。该系统采用领域驱动设计的方法，建立系统满足业务要求的领域模型。五是无缝集成视频监控管理、空调温控管理和UPS电路管理，提供了一个对这些系统进行监控的统一终端，实现了远程视频监控、空调管理和UPS管理的功能。同时，利用权限设置功能将每个设备的监控功能分配给相关人员，提高了系统监控的安全性。

（厦门广播电视集团）

8.产业发展

Development of Radio&TV Industry

8. 产业发展

责任编辑　韩同慧
审 稿 人　张利生

我国广播影视产业发展状况与特点分析

2007年，中国广播影视产业进一步发展，呈现持续快速发展的良好态势。

一、广播影视产业发展状况

2007年，全国广播影视总收入为1383.66亿元，比上一年增长了19.65%。其中广播电视产业收入1129.41亿元，比上一年增长了17.65%。电影综合收入创历史新高，达到67.26亿元，比2006年增长了17.38%。广播电视产业收入过50亿元的省份有上海、广东、浙江、江苏、北京、山东、湖南等，比上一年增加了2个省份。

全国广播电视广告收入稳定增长，达到600.56亿元，比上一年增长了13.88%。其中，广播广告收入达到65.39亿元，比上一年增长10.82%，电视广告收入达到519.21亿元，比上一年增长了14.53%。中央电视台广告总收入110.22亿元，比上一年同期增加17.45亿元。2007年，广播电视广告经营环境进一步规范，通过提升自身品牌吸引力、开拓多元化的广告经营空间、创新经营方式等措施扩大产业规模。

有线电视网络业务蓬勃发展，用户规模和市场规模不断扩大。有线电视网络总收入达306.71亿元，比2006年增长21.95%，其中有线电视收视维护费212.20亿元，付费数字电视收入8.34亿元，分别比2006年同期增长15.61%、59.31%。有线电视增值业务进入实质性运营阶段，表现突出的有付费频道、视频点播／准视频点播业务、资讯信息类服务、在线游戏、宽带互联网接入业务等，开办这些服务的运营商逐步增多，用户也逐步认可增值服务，付费意愿增强，市场空间广阔。

电影产业发展各项指标均有大幅度提升，大电影产业基本形成。2007年，全国共生产故事片402部，总量比2006年增长了21.81%。电影国内市场票房达到33.27亿元，比2006年增长26.98%，连续5年保持了20%以上的增长率。国产电影的海外销售（含票房收入）达到20.2亿元人民币。全国各电影频道播放电影的收入为13.79亿元。电影综合效益达到67.26亿元，比2006年增长超过17.38%，再创历史新高。在国内电影票房收入中，国产影片票房达到18.01亿元，占总票房的54.13%，连续5年超过进口影片票房。2007年票房过亿元的院线达到5条，比2006年增加了4条。

电视剧产业竞争形态升级。2007年，电视剧产量创历史新高，全国共创作生产529部14670集电视剧，分别较上年度增长5.8%和5.9%。在数量增长的同时，电视剧质量呈现上升趋势，涌现出《士兵突击》、《家有儿女》《恰同学少年》、《戈壁母亲》、《金婚》、《狼毒花》、《亲兄热弟》等优秀电视剧。中国电视剧产业的竞争进入理性调整的阶段，从粗放型向集约型转变。2007年全年电视剧的制作投资额为213193.55万元人民币，比2006年全年电视剧制作投资额370643.65万元减少157450.10万元，减幅达到43%。但是2007年全年电视剧国内销售额达151967.46万元人民币，比2006年的149966.56万元增长了2%，保持了平稳的交易水平。各电视台对独有的优质电视剧资源争夺更加激烈，独播剧成为热点，电视剧“撞车”现象大大减少。各电视台为了从源头争夺优质的电视剧资源，增强对优质电视剧资源的控制能力，“制播携手”成为2007年电视剧产业发展中的新态势。

影视动画产量增长较多，产业发展迅速。2007年全国共制作完成国产电视动画片186部101614分钟，分别比2006年增长50%和23.43%；共制作完成动画电影6部。许多优秀国产动画片的收视率已经超过同时段播出的境外动画片。影视动画产业发展呈现集中化趋势，全国动画片创作生产数量排在前5位的省份是湖南、广东、江苏、上海、浙江，生产数量较2006年相比增幅较大的省份分别是：江苏省增幅78%，上海市增幅57%，重庆市增幅47%，浙江省增幅22%。

2008年奥运会为视听新媒体发展带来机遇，视听新媒体产业发展呈现加速态势。中央电视台与国际奥委会签约，央视国际网站正式成为北京2008奥运会官方互联网／移动平台转播机构，这是国际奥委会首次将互联网、手机等新媒体作为独立转播机构，与传统媒体一起列入奥运会的转播体系。IPTV用户数量大幅度提升，达到近百万户，比2006年的50余万户增长近一倍。中央电视台、中央人民广播电台和中国国际广播电台大力发展网络广播电视，实现多个频率频道以及重大活动的直播与互动。2007年中国手机电视的总用户数达到800万左右，与上一年的不足百万相比有了大幅度飞跃。中央电视台在手机电视业务方面有突破性进展，通过移动和联通两大运营平台注册的用户已经达到400万户。无线网络产业化进程也有一定推进，运营层面开始探索性推进，移动多媒体广播标准研发、设备研发及组网试验取得进展，展现出良好的产业前景。

二、广播影视产业发展特点

一是政策扶持力度加大，产业发展环境进一步规范。在国家继续给予广播影视单位多项财政税收优惠政策支持的基础上，2007年，各地党委政府积极落实国家有关扶持发展文化产业的优惠政策，根据财税[2005]163号文的规定，中央文化体制改革领导小组协调有关部门，使华夏电影发行公司、央视动画有限公司、央视国际网络公司等多家广电企业享受到了有关减免税的待遇。广播影视行业管理部门对产业发展环境进一步规范。2007年4月，广电总局通报了部分动画制作机构的违规行为，对国产影视动画产业的发展环境进行规范；7月，广电总局下发了《关于进一步加强广播电视广告播放管理的通知》，要求各级广播电视播出机构立即停止播放虚假违法、内容不良、格调低下的医疗、药品、性保健品广告和各类性暗示广告；9月25日，广电总局再次严令禁播8类涉性药品、医疗、保健品广告及有关医疗资讯、电视购物节目；12月发布的《互联网视听节目服务管理规定》，标志中国网络视听节目服务将进入健康、快速发展轨道。广电总局还制定了加强网络文化建设和管理以及抵制低俗网络视听节目的工作方案，提出了建立互联网视听服务准入退出、分类指导、节目制作、内容审查、境外剧引进管理、从业人员资格、监管体制建立、行业自律等全方位管理框架。

二是利用资本市场力度加大，融资方式进一步创新。广电系统上市公司继2006年陕西广电网络成功融资后，上海东方明珠在2007年以16.59元的价格增发6500万股，募集资金10.78亿元；深圳天威视讯公司在2008年通过首次公开成功发行了6700万股，募集资金4.67亿元；电广传媒也向中国证监会提出了定向增发的申请；中影集团公司成功发行企业债券5亿元；电影《集结号》由王中军和王中磊兄弟以个人名义担保、质押《集结号》的全球版权的方式，从招商银行获得了“无第三方担保贷款”5000万元用于电影拍摄，创新了广播影视业的融资方式。

三是跨区域市场经营取得突破。2007年我国广播影视产业在市场体系建设方面取得突破，各种产业主体通过各种创新性形式突破区域障碍，实现跨区域发展。中央人民广播电台所属的中国广播音像出版社联合中国唯一的评书艺术研究机构——大地评书艺术研究所，成立了覆盖全国29个省、自治区、直辖市共500余家广播电台的“全国广播评书节目发行网”。双方利用各自在广播业界的知名度、评书节目资源、节目发行网络等方面的优势，发展和推广评书节目；上海第一财经传媒有限公司与全国20多个地方电视台合作，结成电视财经战略联盟。通过此项战略联盟，电视财经节目可通过节目提供或频道合作的方式得以流通；民营公司银汉传播在沿海地区、长江流域等经济发达区域的省级电视频道推广“生活实用电视”，形成具有一定规模的“实用电视”全国网络及平台；中央电视台央视国际网站正在努力牵头成立无线产业联盟和网络视频联盟，意味着广电向业内资源的横向整合迈出了一大步。广播影视的各项资源得以在更大区域内优化配置，促进了广播影视产业的发展。

四是品牌影响力提升成为重点。世界品牌实验室评选的2007年（第4届）《世界品牌500强》排行榜中，中央电视台排名跃居第71位，比2005年（341位）、2006年（299位）有很大提升。湖南卫视在2007年强化其“快乐升级”的频道特色，娱乐品牌影响力进一步提升。安徽卫视进一步提出“剧行天下，爱传万家”的品牌理念，在积极充分地营销电视剧资源的同时，提出电视剧与自办栏目两条腿走路的发展战略，以自制节目的创新来打造独家品牌，电影产业的品牌塑造有了进一步发展，从大明星、大导演的品牌发展到出品公司层面的品牌吸引力，如华谊兄弟因其出品影片品质相当稳定，该公司出品的国产大片已经开始有一定的市场号召力，初步形成自身品牌。

五是不断开发新的利润增长点。广播影视产业不断挖掘自身优势，创新商业模式，开发新的利润增长点。电视购物作为现代传媒与零售业相结合的新型业态发展迅速，2007年，电视购物市场上有超过100家新公司成立，大都是投资500万～1000万元人民币的中型企业；药品、医疗器械、丰胸、减肥、增高产品等“黑五类”产品已大规模地从电视购物中退出，以手机为主的数码产品成为电视购物的新主角；电视购物开始全新介入旅游虚拟商品市场，如湖南卫视“快乐购”2007年推出境外旅游产品销售。广播广告产业经营模式也有所创新，广播直销节目开始以贴近、时尚的全新面貌出现，以时尚、休闲为标准，选择贴近大众生活和时令节气的商品，维护了广播直销节目的形象，提升了公信力，2007年上海文广广播直销节目销售额达7000多万元、利润1560万元，广播直销节目为广播广告产业赢得更大的经营空间。

三、广播影视产业发展的近期重点工作

虽然我国广播影视产业的发展取得令人瞩目的成绩，但是整体发展水平还比较低，还存在一些薄弱环节。近期发展广播影视产业的重点工作为以下几项。

一是要培育合格市场主体，推进经营性广电单位转企改制、壮大骨干企业。培育市场主体是文化体制改革的中心环节，也是衡量广电产业发展水平的一个重要标志。通过推进经营性国有广电单位转企改制，建立现代企业制度，要加快影视节目制作和发行单位的转企改制步伐，围绕提高市场竞争力深化电影产业改革，推进国有电影制片单位事业转企业和规范公司化改造，壮大电影企业和企业集团，增强国有经济的控制力。要按照先台内后社会的原则，加快广播电视制播分离的试点工作，逐步实现制播分离。通过试点的示范作用，带动整体的推进。

二是要充分利用资本市场，扩大融资渠道。资金是发展产业的重要生产要素，广电产业的发展存在较大的资金缺口。鼓励国有企业进入广电产业，提高国有资本在广电领域的影响力和控制力；要认真落实《非公有资本进入文化产业的若干决定》（国办发[2005]10号），调动民营资本投资广播影视的积极性；鼓励中影集团等符合条件的企业通过上市来募集资金壮大自身实力，通过建立规范的法人治理结构，提高经营管理水平，使其成为广电产业和骨干企业和战略投资者；鼓励发展前景好、科技含量高的中小广电企业进入创业板。要根据广电企业的特点，研究制定利用版权、品牌等无形资产质押办法，鼓励担保公司服务于广电企业，引导银行和金融机构加大对广电企业的支持。

三是推进广播影视产业结构调整。要改变广播影视资源配置不合理，产业集约化水平低的状况，提升广电产业的规模和效益。加强规划、完善布局，提高广电产业的集中度。要通过加快若干广播影视产业园区建设，形成影视制作、动漫娱乐等产业示范基地。将电影、电视剧、动画产业作为重点优先发展，优先提供一系列的政策支持，建设影视基地与动画园区，通过这些重点内容产业的发展积累资金以及经验，带动整个广电产业的整体发展。

四是加快数字电视产业和新媒体的发展。要认真落实《国务院办公厅转发关于发展改革委员会等部门关于鼓励数字电视产业发展若干政策的通知》（国办发[2008]1号），抓住机遇，加快有线电视用户整转步伐，大力发展数字电视产业，形成较为完整的数字电视产业链。要利用数字化的契机发展新媒体，按照“加快发展、主动占领、兴利除弊、加强管理”的原则发展新媒体产业，鼓励电台电视台要成为广播影视发展新媒体的主力军，中央人民广播电台、中国国际广播电台、中央电视台和各省级电台电视台要坚持走多媒体综合集成的发展道路。

（国家广电总局发展研究中心易凯、罗艳）

广播影视文化产业发展综述

一、有关总体情况

1．2007年有线电视数字化整体转换工作进入了快速发展的阶段，有线电视网络加快了由小容量单向传输向大容量双向交互转变。31个城市完成数字化整体转换，有线数字电视用户超过2600万。北京、天津、上海、重庆等大城市的有线电视数字化经过几年的准备，取得了突破性进展，北京、天津的数字电视用户已经超过百万。在有线数字电视用户数量大幅增加的同时，有线数字电视的服务质量和服务水平也较过去得到了大幅提升。大部分实施整体转换的城市都建立了以客户服务为中心的有线数字电视服务体系，做到了平稳推进，和谐转换。

2．广西、陕西、江西、吉林等完成全省区有线电视网络整合，中国有线电视网络公司完成对海南全省网络的重组整合。

3．中国电影集团公司、陕西广电网络传媒股份有限公司（简称“广电网络”）通过发行企业债券、增发新股在利用资本市场方面进行了积极探索。2007年，中国电影集团公司成功发行5亿元企业债券。中影集团成为中国第一家发行企业债券的文化企业。通过发行企业债券所筹集的资金将全部用于建设集团电影数字制作基地、发展数字院线、新建及改造影院等项目。中影集团企业债券的成功发行，开辟了利用债券市场募集发展资金的先河。上市公司广电网络通过增发8000万股新股，募集资金8亿多，一方面为公司持续发展提供的资金支持，提高了竞争力，另一方面，体制、机制创新解放了生产力，理顺了产权关系，加快了现代企业制度的建设步伐，公司法人治理结构更加健全。

二、重点工程财政支持情况

在财政部的大力支持下，广电总局从1998年起实施广播电视“村村通”工程、从2006年起实施农村广播电视无线覆盖工程和农村电影放映工程，截至目前中央财政已累计投入“村村通”工程专项资金17.95亿元、农村中央广播电视节目无线覆盖工程专项资金30亿元、农村电影放映工程专项资金2亿元。通过上述工程的实施，中央广播电视节目在农村覆盖率大大提高，基本实现了已通电行政村和50户以上自然村广大农民收听收看广播电视的目标，有效解决了广大农民看电影难的问题。

三、总局国有重点企业的产业发展情况

1．中影集团产业发展有关情况

2007年，中国电影集团公司（以下简称“中影集团”）以党的十七大精神和科学发展观统领全局，各项业务积极推进，经营效益稳步增长，员工生活得到改善，企业创新力、市场竞争力、国有控制力、品牌影响力明显提高。影视创作生产、电影数字制作基地建设、宣传营销、发行放映、影院投资建设，以及内部机制改革管理等方面均取得明显成效。

国家数字电影制作基地建设工程是列入《国家‘十一五’文化发展规划纲要》的重大文化产业推进项目，也是推进中国电影数字化发展进程，提高中国电影综合实力和国家竞争力的重点工作。2007年，中影集团已完成工程建设总量的70%，设备购置及管理运营体系的构建正在抓紧进行。利用基地搭建的电影《梅兰芳》外景已于2007年10月底投入使用。

2007年，中影集团生产故事片54部。发行国产新片120部，全年实现票房10.1亿元，占全国院线国产影片票房的81%。全国国产影片票房排名前20部的影片中，中影集团参与发行的有17部。中影集团控股、参股院线票房超过10亿元，占全国院线市场票房份额的42.9%。重点影片题材丰富，拍摄了《胡同里的阳光》、《从头再来》、《点亮欧洲》、《青藏线》、《我叫刘跃进》等影片，既弘扬了时代精神，又贴近现实生活。狠抓有影响力的商业大片，获得更高的投资回报。投拍了商业影片《长江7号》、《投名状》、《命运呼叫转移》，创造了良好的票房佳绩。截止到2008年2月底，《投名状》票房超过2亿元，《长江7号》票房约2亿元。发行进口影片22部，其中分账影片10部，买断影片12部，票房7.32亿元，创造了历史最高的票房纪录。

2007年集团投入6000多万元用于开发建设国有控股影院。已开业和即将开业的有9家影院，56个放映厅，1万个座位。收购了中影星美院线部分股权，控股60%，赢得了对该院线的主导权和控制权，集团在全国电影市场的控制力明显增强。

2．中央电视台所属中国国际电视总公司产业发展有关情况

2007年是中国国际电视总公司集团化重组的第十年。一年来，总公司认真贯彻落实董事会的战略部署，进一步加强统筹管理，调整产权关系，集团化管理优势充分体现，全年各项经营指标超额完成，并创历史新高。总公司在广播影视产业格局中的地位得到进一步巩固，群体品牌影响力得到进一步彰显。

2007年总公司实现营业收入36.5亿元，比2006年同期增长5.9亿元，增长19%；实现净利润4.7亿元，比2006年同期增长21%，公司整体经营规模、效益上了一个新台阶。

近年来，总公司紧紧抓住广电数字化发展的有利契机，积极配合中央电视台的改革步伐，加快产业经营结构的战略布局。2006年提出拓展“4+4”创新业务（即网络整合、电视购物、长城平台、数字地面+体育产业、动画产业、演艺传播、平面媒体）以来，经过两年的努力，已初见成效。制播机制创新步伐加快；配合台内品牌化建设、频道制运营，总公司探索搭建一系列制播分离平台企业，积累了成功经验；新媒体业务有力拓展；央视国际顺利完成合并转制，公司化运作的成效明显；央视动画公司2007年3月18日挂牌成立，实现平稳过渡，“央视动画”品牌知名度和节目制作量迅速提升。

2007年，总公司在运用商业模式，拓展国际传播和对

外宣传方面成绩突出，构建起多渠道、多形态的全球立体传播格局。总公司、中视国际、中广总公司、央视国际和中视环亚卫星传输公司等五家企业均被商务部、文化部、广电总局、新闻出版总署授予文化出口重点企业。中国电视长城平台在各大洲发展势头良好。美国平台用户数突破6万大关，通过卫星、IPTV等多种传输渠道，实现在欧洲、加拿大、拉美、亚洲等地的落地，成长迅速。2007年节目外销继续保持签约数量、销售收入、销售利润的稳步增长，销售总额约1000万美金，销售各类节目达9000余小时。辉煌动画公司与日本未来行星公司合作生产的动画片《三国演义》进入最后制作阶段，计划2008年分别在中国、日本主流电视台播出。中视体育公司拥有自主知识产权的品牌栏目《武林大会》已与韩国YTN电视台签约，即将在该台黄金时间与韩国观众见面。中视影视公司生产的电视剧《卧薪尝胆》在韩国最大的有线电视台SBS八点档播出，并在首尔国际电视节获得最佳长篇电视剧、最佳摄影两项大奖。

（国家广电总局计财司）

广播电视节目制作机构生产、运营、管理有关情况

2007年，全国共有《电视剧制作许可证（甲种）》机构117家。各类广播电视节目制作经营机构2442家，其中混合所有制（包括国有资本参股或其他所有制形式的）有限公司1900余家，占有限公司总量的77.8%左右。据初步统计，目前全国所有制作机构注册资金接近304亿元、固定资产接近80亿元，全年制作电视节目接近722万分钟，电视剧产量13000余集。从发展势头上看，无论是机构规模还是节目产量较上一年度均有稳步增长。

（国家广电总局社会管理司）

电视剧产业发展情况

一、实施科学有效的管理，推进电视剧产业发展

在电视剧管理上，国家广电总局电视剧管理司着重抓住了从电视剧备案到电视剧播出的三个关键步骤。

在拍摄备案公示管理上，从2006年5月开始，总局改变原有的“电视剧题材规划立项审批”制度，实行“电视剧拍摄制作备案公示”制度。电视剧司对备案过程中发现的较为集中、有普遍性、倾向性的问题进行归纳整理，列举问题的具体表现，分析可能引发的不良反应，每月以“通知”的形式下发全国各省级广播影视管理部门，并在网上公示。通过这种提示和告诫，在电视剧创作阶段即实施了有针对性的调控和引导。

在审查管理工作中，实行“电视剧发行许可”制度，未取得《电视剧发行许可证》的电视剧，不得发行、播出、进口、出口，电视台不得播放未取得《发行许可证》的电视剧；已经取得《发行许可证》的电视剧，不得随意改动；同时，建立了中央和省两级审查制度，分别配备了审查队伍。近年来，为加强重大革命和重大历史题材电视剧的管理，出台了《重大革命和重大历史题材电影、电视剧剧本立项及完成片管理规定》。还通过严格“红色经典”翻拍剧、“涉案剧”审查尺度，保证了此类题材创作的健康发展。

在播出管理中，重点加强上星频道黄金时段的管理，对各上星频道拟在黄金时段播出的剧目和题材比例进行审核，对拟在黄金时段播出电视剧的内容进行重新审查。如在涉案剧的管理上，针对涉案剧过多，影响青少年健康成长的问题，将涉案剧播出时间限制在晚上11点以后，取得了很好的调控效果。此外，还通过对引进剧数量、播出时段的严格控制，有力地促进国产电视剧制作生产；通过对黄金时段现实题材播出比例的明确要求，使现实题材电视剧占据荧屏，戏说剧泛滥的问题得到根本解决。

二、发挥市场机制作用，扩大产业规模

发挥市场机制，扩大产业规模是电视剧产业健康、快速发展的有效措施。

从2004年开始，电视剧司降低电视制作业行业准入门槛，鼓励境内社会组织、企事业机构从事广播电视节目制作经营活动，电视剧生产制作、经营流通领域向社会开放。2006年5月开始改变原有的“电视剧题材规划立项审批”制度，实行“电视剧拍摄制作备案公示”制度，进一步推进了电视剧生产的市场化程度。2007年还对合拍剧的管理办法进行了调整，放宽了对合拍剧的限制，调动了台、港、澳地区演职人员参与大陆电视剧拍摄制作的积极性。

这些措施大大激发了社会参与电视剧制作经营的热情，大批社会力量、社会资金进入电视剧领域，电视剧制作机构由2001年的432家迅速发展到现在的2511家，增长了近6倍。电视剧制作资金投入加大，市场交易活跃，目前电视剧产业规模已超过50亿元。

三、电视剧产业改革成效显著

1．从产业数量上，2003年全国电视剧产量为489部、10381集，首次超越万集，到2007年，获得国产电视剧发行许可证的剧目为529部、14670集，与2000年相比，电视剧年产量翻了一番。目前，全国平均每天生产电视剧40集左右；在全国1974个电视频道中，播放电视剧的频道有1764个，占总数的89.4%，中国已经成为世界第一的电视剧生产大国、播出大国；电视剧广告收入占全国各级电视台广告总收入的50%以上，成为大多数电视台举足轻重的经济来源。全国电视剧的观众数以亿计。此外，电视剧产业已经形成了包括投资、制作、交易、播出和广告经营5大环节、有电视剧制作方、购买方、播出方、观众和广告客户等多方参与的基本完整的产业链形态。可以说电视剧产业是整个电视媒介中产业化程度最高的行业。

2．从创作成绩上，近年电视荧屏上优秀电视剧不断涌现，主要呈现出以下特点：第一、弘扬主旋律的电视剧产生了广泛的社会影响。弘扬主旋律电视剧的创作不断开掘新的题材、不断丰富思想内涵、不断创新艺术表现手法，出现了一批思想性、艺术性、观赏性统一的优秀作品。如《闯关东》、《士兵突击》、《恰同学少年》、《戈壁母亲》等一批弘扬主旋律的电视剧在各电视台播出时的收视率均名列前茅，不断引发着收视热潮，成为人们街头巷尾议论的话题。第二、现实题材电视剧成为当前的创作主流。全国制作生产现实题材电视剧数量连续三年保持稳步增长。2005年，全国共制作生产现实题材电视剧339部、7245集，分别占电

视剧生产总数的66 %和58%；2006年全国共制作生产现实题材电视剧356部、9468集，分别占电视剧生产总数的71%和67%；2007年，全国共制作生产现实题材电视剧388部、10394集，分别占电视剧生产总数的73 %和71%。现实题材电视剧保持了强劲的发展势头，以中央电视台为例，2007年，中央电视台一、八套黄金时段共播出现实题材电视剧30部750集，占总数的一半以上，收视率前10名中，有5部是现实题材电视剧。在涌现出的一大批优秀现实题材电视剧目中，有都市亲情剧《金婚》、《浪漫的事》、《大姐》、《婆婆》、《当家的女人》、《守望幸福》、《搭错车》、《家有九凤》、《亲兄热弟》、《双面胶》、《守候幸福》；有反映当代农村改革、发展以及农村生活的电视剧《美丽的田野》、《圣水湖畔》、《马大帅》、《都市外乡人》、《插树岭》、《喜耕田的故事》、《文化站长》、《乡村爱情》；有当代工业题材的电视剧《大工匠》、《西圣地》；有展现当代军人风貌的军旅题材电视剧《亮剑》、《军人机密》、《幸福像花儿一样》、《这里的黎明静悄悄》、《神舟》、《沙场点兵》、《热带风暴》、《走出硝烟的男人》、《红梅花开》、《大校的女儿》；有表现警察生活的《交通警察》；有香港回归题材的《荣归》、《香港姊妹》、《岁月风云》；有表现当代青年励志图强、追求美好生活和关注青少年成长的《奋斗》、《家有儿女》等等。第三、各类题材电视剧出现了百花齐放的繁荣局面。近年来，电视剧的创作在题材与体裁上都可以用百花齐放来概括，观众几乎可以找到任何自己喜欢的电视剧。在各类题材、不同风格的电视剧中有历史剧《大明王朝1566》、《贞观长歌》、《卧薪尝胆》；有人物传记剧《荀慧生》、《赵树理》；有表现美好爱情的经典传奇剧《天仙配》、《梁山伯与祝英台》；有根据经典作品改编的《红灯记》、《51号兵站》；有表现忠勇家庭的《记忆之城》；有反映我党特殊战线斗争的《特殊使命》、《暗算》；有少儿科幻剧《快乐星球》；有戏曲电视剧《凤阳情》、《李清照》、《杨乃武平冤记》等等。这些形式多样、风格各异的电视剧满足了不同层次的观赏需求，是电视剧创作者在以人为本、服务群众、贴近民生上开拓的可喜成果。

（国家广电总局电视剧管理司）

动画产业发展情况

一、国产动画生产数量大幅增长，优秀力作不断涌现

在国家和总局有关政策的强力推动下，2007年我国动画制作机构自主生产的动画片数量以较快的速度持续增长。据统计，2007年全国制作完成的国产电视动画片共186部101900分钟，比2006年增长23%。全国共有16个省份以及中央电视台生产制作国产电视动画片。其中，全国动画片创作生产数量排在前五位的省份是：湖南动画机构共制作完成38部27993分钟，广东动画机构共制作完成24部16261分钟，江苏动画机构共制作完成32部15570分钟，上海动画机构共制作完成20部10855分钟，浙江动画机构共制作完成22部10114分钟。国产电视动画片生产数量较去年相比增幅较大的省份分别是：江苏省增幅78%，上海市增幅57%，重庆市增幅47%，浙江省增幅22%。按国产动画片生产数量，我国原创动画片年制作生产数量超过3000分钟的动画制作机构是：湖南宏梦卡通传播有限公司制作完成12部15148分钟，三辰卡通集团有限公司制作完成16部10014分钟，无锡电视台制作完成8部6116分钟，中央电视台制作完成13部5669分钟，广东原创动力文化传播有限公司制作完成7部4950分钟，重庆视美动画艺术有限公司制作完成7部3734分钟，浙江中南集团卡通影视有限公司制作完成4部3718分钟。

国产动画生产和交易数量大幅增长，进一步丰富了我国各级电视频道的节目源，一定程度上满足了广大观众尤其是青少年的收视需求，也为动画企业树立动画品牌，为完成投资、人才、知识、技术的积累提供了坚实的基础。同时，国产动画片创作水平、艺术质量也随着动画产量的增长不断提高，一些优秀国产动画片受到观众的热烈欢迎。2007年度，总局共向全国电视播出机构推荐播出33部优秀国产动画片。在剧本创作、构思创意、人物造型、制作技巧、产业开发等方面比较优秀的作品有:《福娃奥运漫游记》（北京电视台、北京卡酷动画卫星频道有限公司）、《三毛》系列（北京辉煌动画公司、中央电视台动画有限公司）、《神厨小福贵》（湖南宏梦卡通传播有限公司）、《福娃》（中央电视台动画有限公司、深圳凤凰星影视传媒有限公司）、《小宋当家》（广东原创动力文化传播有限公司）、《阿左阿右》（北京东方万象文化有限公司）等。这些国产电视动画片在各级电视台播出获得了良好的收视效果，许多动画片的收视率已经超过同时段播出的境外动画片，并在观众中享有相当的影响力和品牌号召力。

二、国产动画播映体系日趋完善，频道建设成果突出

全国34个少儿频道和4个动画频道成为推动国产动画产业健康发展的主力平台，每天播出国产动画片约8000分钟。其中，中央电视台少儿频道年首播国产动画片达65000分钟，收视份额快速增长，有效落地不断扩大，观众规模超过6亿人。众多动画频道和少儿频道加强自身建设，取得显著效果。2007年，中央电视台少儿频道收视率稳居全台16个频道的第五位，广告等收入达到2亿多元人民币；上海炫动卡通频道年收入达9000万元；北京卡酷动画频道、湖南金鹰卡通频道的收入均已超过5000万元。一些少儿频道也实现了扭亏为盈，上海东方少儿频道、江苏电视台少儿频道、浙江电视台少儿频道、南京电视台少儿频道、杭州电视台少儿频道均取得了较好的效益。

三、国家动画产业基地政策不断完善，基地动画生产呈现出蓬勃活力

2007年，国家影视动画产业基地的建设得到了各地党委和政府的高度重视，并给予了大力支持。目前，长三角地区，华南、华北、东北、西南以及中部地区都形成了若干个动画产业集群带。17家动画产业基地积极落实总局、地方关于推动我国动画产业发展的举措，制定战略规划、完善服务设施、凝聚动画企业、培养动画人才、推进动画生产，取得了较好成绩。2007年度，17家国家动画产业基地自主制作完成国产动画片132部，80457分钟，约占全国总产量的79%，比2006年增长58%。

四、动画产业经济效益有所突破，产业链条成功示范效应出现

一批原创国产动画企业在衍生产品综合开发方面进行了积极探索，取得了良好效果。宏梦动画公司创作生产的

《虹猫蓝兔七侠传》播出之后，仅图书销量达1654万册，销售总码洋达到1.5亿，刷新了少儿图书销售的最高纪录；音像收入5800万元；品牌授权2007年达到3000万元，并开发衍生产品470多种。预计2008年图书的销售码洋将达到2个亿，音像制品销售量达到1个亿；品牌授权预计达到6000万元至1.2个亿。中央电视台动画部制作的《小鲤鱼历险记》光是图书版权销售额达到850万元，音像版权销售额达到600万元。

一些优秀的国产动画片开始走出国门。由上海今日动画公司制作的中国风格合拍动画系列片《中华小子》未开拍就通过全球预售签订4000万元的合同。三辰卡通集团制作的《蓝猫淘气三千问》系列节目，分别输出到36个国家与地区，成交额为1136万美元。浙江中南集团卡通影视公司制作的动画片《天眼》已进入20多个国家和地区的电视播映系统，合同销售额超过1500万元人民币。

五、中国国际动漫节运作良好，动画市场体系逐步完善

我国动画交易市场日益完善，中国国际动漫节已成功举办三届，影响不断扩大、品牌日渐打响，成为推动中国动漫产业发展的国家级、国际性、专业化的交流、合作、贸易平台。2007年，第三届中国国际动漫节展馆面积达4.6万平方米，展位数量达1700个，吸引了280余家动漫企业和机构，参观人数达到43万人次，现场成交额6亿元人民币。现场签约项目60项，成交额40.8亿。

六、奖励扶持与规范管理两手并举，成效明显

在财政部的支持下，对2005、2006年度全国少儿节目精品和动画精品实行奖励扶持，两年来共有293个单位或作品获得了专项资金3300多万元，2007年度全国少儿节目精品和动画精品评审工作正在进行之中，进一步促进了制作、播出国产少儿节目和原创动画片的积极性。

产业的繁荣离不开科学有效的管理体制。2007年，继续完善和切实执行了动画片发行审查制度、国产动画片题材备案制度、国产优秀动画片推荐制度、动画片播出调控制度等动画片规范管理制度。通过动画片发行审查制度，有效地把握了我国动画片制作和播出的导向、内容、数量、趋势及发展情况；通过动画题材备案制度，主要剔除了宣扬凶杀暴力、封建迷信、崇洋媚外等不良思想的动画题材，削减了相同内容的动画题材的制作数量，调控了同一题材类型动画项目过多的现象；通过优秀动画片推荐制度，我们加强了优秀国产动画片的推广力度，强化了信息交流，在播出机构和制作机构之间建立了有效衔接；通过动画片播出调控制度，根本改变了境外动画片充斥我国内动画市场的状况。这些制度对于国产动画产业的发展已经起到了明显推动作用。

（国家广电总局宣教司）

2007：中国电视广告投放与竞争格局

一、中国电视广告投放概况

1.2007年全国电视广告投放额比2006年同比增长12%

2007年，中国传统媒体广告市场维持平稳增长，与2006年相比，投放总额的增幅有所下降。全国各传统媒体广告总额在2007年达到3120亿人民币，较2006年同期增长9%，而2006年与2005年同期相比，增长高达18%。2007年电视广告投放仍然保持强劲势头，电视广告投放总额达到2454亿元（按刊例价计算），占到全国各传统媒体广告投放总额的79%，遥遥领先于其他传统媒体，比2006年增长了12%，增幅高于全国传统媒体广告9%的幅度。

图1　2006和2007年中国电视广告投放额（人民币，亿元）

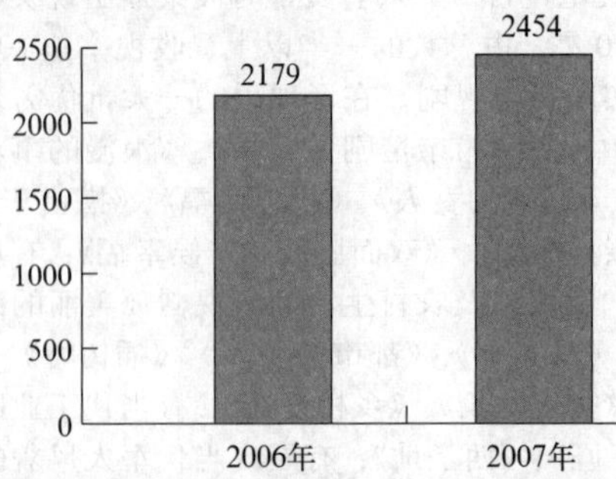

2007年平均每月的电视广告投放额是204亿人民币，比2006年平均每月高出23个亿。从各月的广告投放情况看，2007年与2006年各月的变化趋势相近，第一季度是广告投放的淡季，平均每个月投放额只有188个亿，而下半年的广告投放额有较大提升，月平均都超过210亿，广告投放额最高的月份在9月份，达到220个亿。

图2　2006和2007年各月电视广告投放额（人民币：亿元）

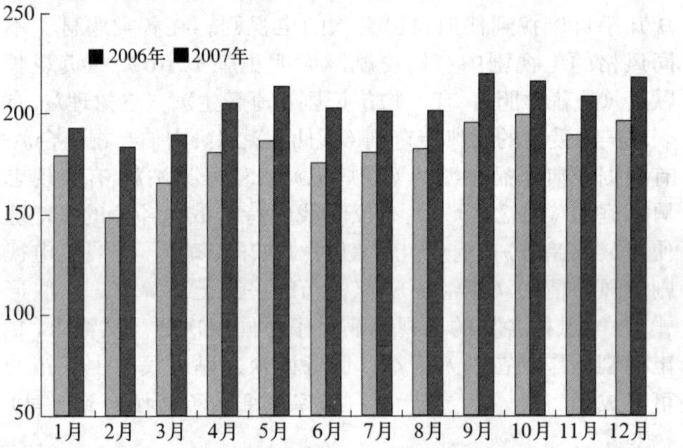

2．化妆品／浴室用品、药品和食品仍是2007年电视广告投放额最大的三个品类

表1．2007年中国电视广告投放额排名前10位的品类（人民币：亿元，%）

排名	品类	2007年投放额	2007年份额	2006年投放额	2006年份额	投放额变化
1	化妆品／浴室用品	506.9	20.7%	494.3	22.7%	2.5%
2	药品	398.5	16.2%	357.7	16.4%	11.4%
3	食品	343.0	14.0%	292.8	13.4%	17.1%
4	商业及服务性行业	241.6	9.8%	254.5	11.7%	-5.1%
5	饮料	231.9	9.4%	181.1	8.3%	28.0%
6	娱乐及休闲	110.7	4.5%	86.8	4.0%	27.6%
7	邮电通讯	100.7	4.1%	103.2	4.7%	-2.4%
8	酒精类饮品	93.6	3.8%	81.9	3.8%	14.2%
9	交通	92.1	3.8%	73.2	3.4%	25.9%
10	清洁用品	73.0	3.0%	52.0	2.4%	40.5%

2007年，电视广告投放额保持在前三位的行业仍然是化妆品／浴室用品、药品和食品，其投放额远高于其他品类。化妆品／浴室用品虽然仍保持在首位，但增幅放缓，与2006年相比只增长了2.5%，而药品、食品、饮料等行业广告投放较为活跃，广告投放额继续保持高速增长。广告投放额排名前十位的行业中，饮料、娱乐及休闲、交通、清洁用品的投放额增加较快，增幅都超过了20%。

3、 玉兰油、三精和高露洁是2007年电视广告投放最大的三个品牌

在2007年电视广告投放额排名中，玉兰油、三精和高露洁位居前三。2007年，进入品牌排名前十位的产品中，化妆品／浴室用品只占到三个，而且像玉兰油、佳洁士的广告投放额与2006年相比有所下降。药品、食品的品牌投放增长明显，在排名前十位的品牌中，三精广告投放额排名第二，比2006年增长了56.9%，盖中盖排名第四，比2006年增长了44.6%，肯德基第一次进入排名，排第五位，比2006年增长了52.3%。

表2．2007年中国电视广告投放额排名前10位的品牌（人民币：亿元）

排名	品牌	所属品类	2007年	2006年	投放额变化
1	玉兰油	化妆品／浴室用品	48.7	50.6	−3.9%
2	三精	食品／药品	36.9	23.5	56.9%
3	高露洁	化妆品／浴室用品	31.4	24.9	26.2%
4	盖中盖	食品	30.8	21.3	44.6%
5	肯德基	娱乐及休闲	30.0	19.7	52.3%
6	佳洁士	化妆品／浴室用品	29.1	29.5	−1.3%
7	护彤	药品	27.1	26.2	3.4%
8	黄金搭档	食品	27.0	22.6	19.4%
9	娃哈哈	饮料	24.6	18.2	34.9%
10	中国移动通信	邮电通讯	24.5	23.8	2.8%

4． 2007年各类频道中，省级卫视的广告投放额增长最为明显

2007年省级卫视的广告投放总额达到501亿，比2006年增加19%，这是各类频道中增幅最大的。中央级频道广告投放额达到269.5亿，比2006年增长14%，省级台的广告投放额达到911.3亿，比2006年增加了12%，省会城市台的广告投放额达到280.9亿，比2006年增加了4%。

图3．2006、2007年全国各级频道的广告投放额（亿元）

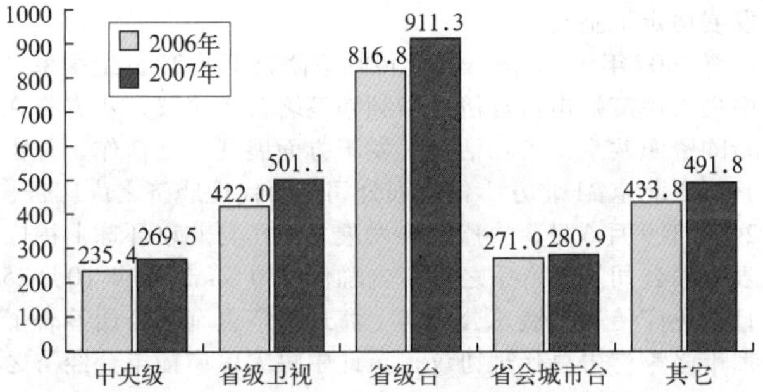

2007年在中央电视台的广告投放中，饮料行业异军突起，超过化妆品／浴室用品的投放额，成为中央台最大的广告投放行业。2007年，交通行业和饮料行业成为中央电视台广告投放增长最迅猛的行业，交通行业增长了46.5%，饮料行业增长了31%。中央电视台主要的几个投放行业中，有些行业投放额下降了，化妆品／浴室用品行业投放额与2006年相比减少了9.8%，药品行业则减少了16.9%。

表3．2007年中央电视台广告投放额排名前5位的品类（人民币：亿元）

排名	品　类	2007年	2006年	投放额变化
1	饮料	34.3	26.2	31.0%
2	化妆品／浴室用品	29.8	33.0	−9.8%
3	交通	27.1	18.5	46.5%
4	食品	26.5	26.1	1.6%
5	药品	22.5	27.0	−16.9%

2007年中央电视台投放额排名前三位的品牌全部来自于饮料／食品行业，它们是蒙牛、伊利和康师傅。2006年投放额排在前两位的蒙牛和伊利在2007年位置互换，蒙牛的投放额高达5.6亿元，超过了伊利的投放额。在排名前五位的品牌中，蒙牛和康师傅2007年投放额比2006年的增长幅度都超过了50%，伊利、中国移动通信、海尔的投放额都略有下降。

表4．2007年中央电视台广告投放额前5位的品牌（人民币：亿元）

排名	品　牌	所属品类	2007年	2006年	投放额变化
1	蒙牛	饮料／食品	5.6	3.4	64.7%
2	伊利	饮料／食品	4.8	5.3	−9.4%
3	康师傅	饮料／食品	3.6	2.3	56.5%
4	中国移动通信	邮电通讯	3.5	3.6	−2.8%
5	海尔	家用电器	3.3	3.4	−2.9%

2007年省级卫视的广告投放中，药品行业再次超过化妆品／浴室用品，成为省级卫视最重要的投放行业。药品广告以145.6亿元（按刊例价）高居榜首，比2006年增长了32.1%，排第二位的化妆品／浴室用品投放额比2006年减少了14.4%，排在第三位的是食品行业，增长了22.0%，饮料行业和邮电通讯行业在2007年增势很猛，增幅达到77.2%和25%。

表5．2007年省级卫视广告投放额前5位的品类（人民币：亿元）

排名	品　类	2007年	2006年	投放额变化
1	药品	145.6	110.2	32.1%
2	化妆品／浴室用品	88.0	102.8	−14.4%
3	食品	71.7	58.8	22.0%
4	饮料	55.2	31.2	77.2%
5	邮电通讯	22.4	18.0	25.0%

2007年在省级卫视频道中广告投放额排名前五位品牌主要来自药品、食品、饮料和化妆品／浴室用品行业，药品／食品／饮料行业的三精和达利园投放额增长迅猛，特别是达利园，在省级卫视中的投放额达到了2006年的三倍。

表6．2007年省级卫视广告投放额前5位的品牌（人民币：亿元）

排名	品　牌	所属品类	2007年	2006年	投放额变化
1	三精	药品／食品	24.8	12.8	93.8%
2	达利园	饮料／食品	12.9	3.9	230.8%
3	高露洁	化妆品／浴室用品	10.7	9.0	18.9%
4	江中	药品	9.8	8.3	18.1%
5	黄金搭档	食品	8.6	6.9	24.6%

二、中国电视广告市场中的竞争

2007年，中国电视广告市场一方面面临来自几大传统媒体的竞争，另一方面，以网络及数字新媒体为代表的新兴媒体的快速成长，也给电视广告市场带来的竞争压力。2007年互联网和商务楼宇的广告花费已经超过杂志和电台，这些新兴媒体的不断壮大，也在不断侵蚀着电视媒体的市场份额。

2007年，在中国电视广告市场的内部竞争中，省级地面频道仍为电视广告市场的最大分食者，市场份额占到37%。与2006年相比，2007年各级电视频道的广告投放市场份额基本保持稳定。中央及频道市场份额仍为11%，省级卫视份额增长一个点，为20%，省级台份额仍为37%，省会城市台份额下降一个点，为11%。

表7．2006、2007年各级电视频道广告投放的市场份额（%）

频道级别	2006年	2007年
中央级	11	11
省级卫视	19	20
省级台	37	37
省会城市台	12	11
其他	21	21
合计	100	100

在2007年省级卫视广告投放额排名中，按刊例价计算，四川卫视和江苏卫视的广告投放额超过湖南卫视，排名前两位，湖南卫视排名第三。2006年排名第三位的上海东方卫视则下滑到第四位，原排名第四位的广东卫视排名下滑到第九位，而2006年排名第十位的山东卫视则在2007年被辽宁卫视所取代。

表8．2006、2007年广告投放额（人民币：亿元）排名前10位的省级卫视频道

排名	2006年		2007年	
	频道	投放额	频道	投放额
1	湖南卫视	28.4	四川卫视	31.1
2	江苏卫视	24.3	江苏卫视	30.4
3	上海东方卫视	24.2	湖南卫视	29.4
4	广东卫视	21.3	上海东方卫视	28.0
5	重庆卫视	20.0	广西卫视	25.2
6	浙江卫视	19.9	重庆卫视	23.6
7	四川卫视	19.9	浙江卫视	23.0
8	安徽卫视	19.5	安徽卫视	22.7
9	广西卫视	18.7	广东卫视	21.7
10	山东卫视	18.1	辽宁卫视	20.3

在2007年广告投放额排名前10位的省会城市台中，广州电视台以34．8亿元仍高居榜首。西安和哈尔滨电视台则分别列第二位和第三位，而2006年排名第三的南京电视台排名则下降到第四位，2006年排名第十位的福州电视台在2007年被长春电视台所取代。

表9．2006、2007年广告投放额（人民币：亿元）排名前10位的省会城市电视台

排名	2006年		2007年	
	频道	投放额	频道	投放额
1	广州电视台	40.7	广州电视台	34.8
2	哈尔滨电视台	19.8	西安电视台	22.2
3	南京电视台	19.5	哈尔滨电视台	22.1
4	西安电视台	17.3	南京电视台	19.0
5	杭州电视台	15.6	昆明电视台	17.9
6	沈阳电视台	14.8	武汉电视台	16.3
7	武汉电视台	14.8	沈阳电视台	14.7
8	昆明电视台	11.4	杭州电视台	14.2
9	长沙电视台	10.1	长沙电视台	11.7
10	福州电视台	9.1	长春电视台	11.7

注：图1－3表1－9数据来源：央视市场研究媒介智讯(CTR MI)

（央视－索福瑞媒介研究公司）

中央人民广播电台产业发展情况

2007年度，中央人民广播电台广告经营实现新突破、产业经营取得新发展。

一、广告经营方面

2007年度，中央人民广播电台通过拓宽经营思路、转变广告经营模式、整合广告资源并进行授权经营，实现了广告资源配置集中化、经营市场化，实现了广告收入稳中有升，广告结构不断优化，广告监管效果显著，连续两年保持违法广告“零纪录”，公益广告屡获殊荣，制作播出实现常态化。

1．转变广告经营模式，整合广告资源，顺利完成新一轮广告代理公司签约

2007年，中央人民广播电台已逐步将所有广告业务从事业体制中剥离，并授权其全资公司——央广传媒发展总公司代理经营经济之声、音乐之声、都市之声频率广告。广告资源配置集中化、经营市场化为未来广告业务壮大、经营队伍壮大提供机制保证，也为中央电台广告经营的健康发展奠定了基础。

2007年9月，南方报业传媒集团旗下的21世纪报系与中央人民广播电台经济之声频率签署合作协议，双方将在新闻资源共享、市场活动开发等方面展开深度合作，并由其所属北京21北方广告有限公司全面代理经济之声广告；2007年9月6日，央广传媒发展总公司与北京环球七福广告有限公司签署音乐之声广告总代理协议；2007年10月25日，央广传媒发展总公司与上海远传广告有限公司签署了都市之声广告总代理协议，至此中央人民广播电台经济之声、音乐之声、都市之声三套节目广告招商工作完成。

2．广播广告经营进入盘整期，广告收入稳中有升，广告结构不断优化，品牌广告比例大幅提升

2007下半年，随着广电总局《关于进一步加强广播电视广告播放管理的通知》的出台，广播广告市场面临转型考验，广告经营收入增速趋缓。由于此前已基本完成对行业广告结构的调整，中央电台的广告经营收入并未受到太大的影响，全年广告收入有所增长，进入盘整周期。自主经营的第一套节目新闻综合频率中国之声广告纯收入与上年基本持平；其他实行广告代理制的第二套节目经济之声、第三套节目音乐之声、第四套节目都市之声、第九套节目文艺之声的广告收入在先后经历了新旧广告代理公司的更替后，全年广告收入稳中有升。

中央电台积极配合国家对媒体播放医疗、药品广告的专项整治行动，全面抵制广播广告低俗之风，主动自查和清理全台在播广告，净化了传播环境，在多年主动清理不良广告和优化全台广告品种的基础上，提升品牌广告比例，随着股市的持续升温，金融、保险等理财产品的广告投放不断增加，通信、汽车等行业的广告也保持较快增长，广告品质始终保持较高水准，各频率均吸引了国际国内知名品牌，尤其是奥林匹克全球合作伙伴和2008年北京奥运会合作伙伴、赞助商、独家供应商的广告投放。

3．继续加强广告监管，连续两年保持违法率“零”纪录

2007年，中央人民广播电台全面加强广告管理，监审、监听制度不断健全完善。根据北京市工商局广告监测中心的数据显示，从2005年9月至2007年12月，中央人民广播电台广告连续28个月涉嫌违法量和涉嫌违法率一直保持“零”的纪录。2007年4月，中央人民广播电台在北京市工商局召开的《完善广告管理制度，严把广告发布关》的媒体经验交流会上做了典型发言。2007年12月，中央人民广播电台被中国广告协会授予2006～2007年度“全国广告行业文明单位称号”。

4．圆满完成“迎讲树”公益广告制作播出活动，公益广告创作屡获殊荣，完善公益广告制作播出长效机制

2007年5月1日起，中央人民广播电台各频率、中国广播网银河网络电台同时开始展播 “迎奥运、讲文明、树新风”公益广告，截至2007年底，电台各频率已累计播出公益广告7159次，中国广播网首页和银河台持续发布“迎、讲、树”公益广告专题，累计已有近30万人次点击下载。2007年，在由国家工商总局和中央文明办联合举办的第7届全国优秀公益广告作品评选中，中央人民广播电台选送的作品《声音与和谐》、《下一站·奥运——三轮篇》分获广播类金、银奖；在2007年中国广告协会中国广告协会广播委员会举办的第23届全国优秀广播广告节目评选中，公益广告《感恩的心》获得一等奖，另有三件作品分获二、三等奖。

2007年，中央人民广播电台在与广告代理公司新签署的代理协议中，继续把公益广告的制作数量和播出要求，以经济合同的形式写入条款；同时要求台各频率继续严格执行《广电总局17号令》有关公益广告播出的要求，安排全国公益广告作品库中的优秀作品进行轮播，完善定期监督检查制度。

二、产业经营方面

清理经营不善的台属企业，营造良好的经营环境；完善投资手续，注入资金、资源，打造产业开发平台；以资源换资本等融资方式，吸引社会资本参与中央人民广播电台的新媒体产业开发。产业运营形成了资源统一管理、授权经营，内合外联，协同发展的良好局面。

1．完善投资手续、规范投资行为

2007年，中央人民广播电台首先对最具潜力的央广传媒发展总公司进行改组、改造，完善投资手续、注入优质资产资源，并扩大投资规模、壮大公司实力，使其真正承担起中央电台广播产业开发平台的使命。

为壮大央广传媒发展总公司的实力，根据公司发展实际，按照国家广播电影电视总局对外投资的要求，向总局计财司申请为央广传媒发展总公司增资。2007年11月，完成对央广传媒发展总公司的增资。

2．向核心企业注入优质资源，打造产业开发平台

资金是公司运营的基础，优质的资源是企业打造核心竞争力的关键。为培育央广传媒发展总公司的核心竞争力，中央人民广播电台将各类节目制成品及在播节目的经营开发权授予了央广传媒发展总公司。这些珍贵的音频资料具有极大的市场开发潜力，将其授权央广传媒发展总公司开发经营，为公司打造统一的节目经营平台、拓展广播产业发展空间、形成规模优势和品牌效应奠定了基础。

为形成广播产业的规模优势，优化配置资源，中央电台将已开播的数字音频广播古典音乐、民族音乐、评书联播、相声小品频道及以后新增的数字音频广播节目的经营开发权也授予央广传媒发展总公司，这使央广传媒发展总公司具备了经营开发传统广播、数字广播产业的基础。

配合央广传媒发展总公司重组，中央电台将有线数字付费电视、手机电视的节目制作、经营业务授权央广传媒发展总公司运营，以央广传媒发展总公司为核心，探索中央电台广播节目制作、新媒体业务市场经营、产业化开发的运营模式。

3．推进对外合作，促进产业开发

目前，中央电台通过申请获得了手机电视、有线数字付费电视、有线数字付费广播网络广播等新媒体业务的开办及运营资格，并陆续开办了有线数字付费电视、网络广播、手机广播等新媒体业务。同时，中央电台通过引进合作伙伴共同经营的方式，已成功启动了对手机广播、有线数字付费广播、有线数字付费电视项目经营性业务的开发，手机电视等新媒体经营性业务的融资开发也正在积极进行中。

（中央人民广播电台　曾芳、阎可嘉、刘继迎）

中国国际广播电台产业发展情况

2007年，中国国际广播电台所属国广传媒发展中心通过增设企业管理部，实现了由国际台可经营性资源平台向国际台可经营性资源的经营管理平台的过渡；并通过以股权管理为主、资源管理为辅的手段，对国际台经营性资源进行授权管理，保证了经营资源的合理运用。

按照“创新、抢先、合作”的原则，通过积极参与数字购物频道合作、物业公司改制、国广世纪咨询公司增资、广告调研公司组建等工作，稳步推进国际台的产业发展。

在新媒体业务方面，国际台手机电视在中国移动和中

国联通全面上线；建立了12个环球网络电台；IPTV进入具体实施阶段；并在加强短信互动业务的基础上，研发了电话收音机和WAP等新媒体项目。

在传统媒体广告业务方面，国广传媒发展中心通过定期向频道和广告代理公司提供专业的收听数据和分析报告，提高节目的可听性；通过定期的行业间广播广告的比较分析，提高对频道和代理公司的指导与服务，保证了2007年全年广告营收任务的全面完成。

为了更好地应对市场的瞬息万变，2007年8月起，国际台每周推出一期《经营资讯》。通过收集行业信息，汇总企业活动，提供专业分析的方式，促进了经营单位与内容生产部门之间的交流，形成了国际台产业经营活动的信息平台。（中国国际广播电台国广传媒发展中心）

中央电视台产业发展情况

中央电视台2007年广告经营情况

2007年，中央电视台广告部贯彻台领导提出的“抓大不放小，又不因小而失大”的广告经营战略，依托CCTV大品牌，打造广告经营品牌，在抓大客户、老客户的同时大力挖掘新行业、新客户；在确保综合频道收入提升的同时大力挖掘专业频道的广告创收潜力，全年广告创收突破100亿，2008年黄金资源广告招标突破80亿，团队的专业水平、战斗力和凝聚力得到了进一步提高。

一、2007年广告总收入突破百亿大关

2007年，广告总收入达到110.2206亿元，比上年增长17.518亿元，是历年增长额最高的。

二、2008年黄金资源广告招标突破80亿

2007年11月18日，2008黄金资源广告招标总额以80.2861亿元创历史新高，在2007年67.9562亿的高基数上净增12.3299亿元，增幅达18%。年招标结果呈现出以下突出特点：

1.中标客户数量突破了百家，老客户稳步增长、新客户大量涌现，客户投放结构比较健康。

2.行业分布更加广泛，食品饮料、日化、服装、酒类等快速消费品行业依然是招标最重要的客户；金融行业大幅增长，中标金额为11.4325亿元，增幅达120.96%；家电、商业及服务行业增长也较显著；茶叶、航空、家居卖场、小家电、中药化妆品等多个细分行业崭露头角。

3.区域分布更加均衡，东部继续领跑，西南地区中标额比去年增长47%，西北地区实现了中标额零的突破，是西部企业中标最多的一年。

4.国有和国际企业占据中标总额的51.33%，其中国有企业占26.94%，较2006年增长51.08%；国际企业占24.39%，增长率高达64.74%。（广告经济信息中心）

中国国际电视总公司2007年经营情况

2007年，中国国际电视总公司经营业绩再攀新高，超额完成各项经营指标，实现营业收入36.5亿元，完成年度计划的111%，比2006年同期增长5.9亿元，增长19%；实现利润总额7.4亿元，完成年度计划的118%，比去年同期增长近1亿元，增长16%；实现净利润4.7亿元，完成年度计划的125%，比去年同期增长0.8亿元，增长21%。

一、加强影视精品制作

全年共向中央电视台播出平台提供《51号兵站》、《天经地义》、《卧薪尝胆》、《西圣地》等9部、273集精品剧目。2008年北京奥运会献礼片《李小龙传奇》在国内外市场预售反响强烈。“同一首歌”栏目圆满完成赴美国旧金山演出任务，栏目收视率在中央电视台三套名列前茅。

二、节目发行实现新突破

面对激烈的市场竞争和严峻的市场形势，中国国际电视总公司发行部门积极向市场要效益，深度挖掘中央电视台节目资源，多渠道开发社会节目资源，经营业绩再创新高，实现营业收入3．38亿元，同比增长13%，完成全年计划的111%；利润总额8475万元，同比增长24%，完成全年计划的121%；净利润5309万元，同比增长18%，完成全年计划的119%；全年音像出版发行收入首次突破1亿元。“中视音像”、“中视百科”品牌优势得到明显加强。第五届中国国际影视节目展览会展出总面积达2.4万平方米，实现交易金额(含意向交易金额)12.26亿人民币，比上届增加2.9亿元，品牌影响力进一步扩大。

三、广告经营稳步增长

2007年，总公司广告部门坚持“以市场为导向，以客户为中心”的原则，积极探索新的经营模式，开拓多元的销售渠道，强化与节目部门、广告公司和企业客户等多方面的合作与互动，在奥运预热年全年广告收入再创新高，上交中央电视台广告费超过20亿元。

四、积极拓展技术服务、旅游实业新业务

2007年，中国国际电视总公司电视技术服务业务在依托资源、品牌优势做强主营业务的同时，积极拓展新市场，发展数字电视应用、IT技术服务等新业务，全年取得良好经营业绩。旅游实业业务发挥品牌效应，发展新业务增加创收，梅地亚中心成功托管北京星光梅地亚酒店；中视实业有限公司争取到了高新技术企业；中塔有限公司开发新旅游项目；中广物业有限公司、中视物业有限公司拓展新物业、保洁项目；中视汉威航空服务有限公司努力增加分支机构，均取得良好收益。

五、“走出去工程”成绩喜人

2007年，中国国际电视总公司入选国家文化出口重点企业。中国电视长城平台发展势头良好，通过卫星、IPTV等多种传输渠道，实现在欧洲、加拿大、拉美、亚洲等地落地，成长迅速；中国电视长城(美国)平台用户数突破6万大关。2007年，节目外销继续保持签约数量、销售收入、销售利润稳步增长，销售总额约1000万美金，销售各类节目达9000多小时。国际合拍全年接待境外摄影队31支、149人次。北京辉煌动画有限公司与日本未来行星公司合作生产的动画片《三国演义》，计划2008年分别在中国、日本主流电视台播出。中视体育推广有限公司拥有自主知识产权的品牌栏目《武林大会》已与韩国YTN电视台签约，将在该台黄金时间播出。

六、加速推进制播改革

2007年，配合中央电视台品牌化建设、频道制运营，中国国际电视总公司继续积极探索搭建一系列制播分离平台企业，积累了成功经验。央视动画有限公司，2007年3月18日正式挂牌成立，实现平稳过渡；"央视动画"品牌知名度和节目制作量迅速提升，2007年节目制作量达5669分钟（2006年不足3000分钟），由全国第六位跃居第四位；央视动画有限公司改制发展模式得到中宣部高度评价，被列入"文化体制改革70个典型案例"。中视体育推广有限公司与国家体育总局签订了10余项主要赛事长期合作协议，进一步巩固了CCTV体育频道在国内大型体育赛事电视转播的垄断地位。

七、有力拓展新媒体业务

"央视国际"顺利完成合并转制，公司化运作成效明显，通过与中央电视台各节目部门紧密合作，实施"台网联动"；与主要新闻网站拓展合作，建立"网络联盟"，圆满完成"两会"、党的十七大等重大主题宣传，成为中央电视台宣传的新生力量。IPTV、手机电视、网络电视、移动电视等新媒体业务按计划稳步推进；付费电视运营平台步入稳健良性发展轨道，创收迅速增长，并继续保持市场领先地位，集成频道数量、合作网络公司数量、在线付费用户数量均保持全国第一。

八、电视购物顺利发展

2007年是中视电视购物有限公司重组后的第一年，从付费频道开播运行、承包中央电视台戏曲频道广告营销，到购买地方台播出时段，中视电视购物在激烈竞争中艰难起步，并采取各种有效措施，不仅完成年度经营任务，而且品牌得到市场普遍认可，传播影响力和效益明显提高。

（中国国际电视总公司）

中央电视台高清晰度电视发展情况

央视《高清影视》频道作为中国第一家，也是全球首家中文高清频道，从面世就受到社会各界的广泛关注。

2006年是央视高清频道向市场全面发展的一年。这一年是高清频道真正走入中国普通用户家庭的"高清元年"，也是探索高清频道运营模式的过程中具有开创性意义的一年。中央数字电视传媒有限公司（以下简称中数传媒）于2006年1月1日接手运营工作以来，进行了合作模式、推广模式等多方面的探索，历尽了落地难、用户不认可等多重磨难，借助2006年世界杯的契机，取得了高清频道落地和销售的突破。截至2006年底，高清频道在全国79个城市实现落地演示，与68个城市签署正式商务合同，与36个城市签订高清合同并启动销售，34个城市高清信号进入家电卖场，实现用户数4427户，其中捆绑用户数为684户(其中：松下178户，日立11户，海信495户)。为完成高清既定目标，中数传媒开发了大客户、地网直销、厂商捆绑、卫星直销、代理商代理销售等多种销售渠道，实现了与电视机厂商捆绑销售额1亿元。

2007年高清频道生存的关键是坚守阵地。在一个相当不成熟的市场环境中刚刚扎根的高清频道，能否能够平稳的度过导入期，培育市场的认知度关乎其未来的命运。面对与合作厂商的合作协议到期、市场形势发生变化的局面，中数传媒继续维持《高清影视》频道的正常运营，保证频道的传输安全，着力解决高清合作中的重点问题。截至2007年底，除维持了高清频道2006年的市场分额外，高清直销用户也有所增加。

（中央数字电视传媒有限公司）

中央电视台付费电视业务新进展

中数传媒从组建至今，数字付费电视业务取得了突破性的进展。2007年，中数传媒在渠道建设、客户关系维护、市场开发、新业务拓展等方面更是取得了扎实的成绩，继续保持着集成频道数第一、合作网络公司数第一、在线付费用户数第一的全国市场领先地位，并实现了跨越式发展。

截至2007年12月31日，中数传媒包揽了全国收视90%以上的市场份额，集成了41个数字付费频道，签约160多家地方网络公司，覆盖了7000万有线电视用户和1750万数字电视用户，拥有在线付费用户数总和达411万。

营业收入方面，中数传媒2007年营业收入与2006年同期相比增加了8633万元，超额29%完成年度计划指标。在收入不断增加的同时，中数传媒的综合费率在不断下降，公司投入产出率提高，费用支出得到有效控制，企业发展呈现规模又经济的良好势头。

（中央数字电视传媒有限公司）

中国有线电视网络有限公司安全传输与经营情况

2007年是中国有线电视网络有限公司改革创新的一年。公司在不断完善国家干线网运行维护体系，圆满完成了各项安全播出和业务传输任务；同时加大了网络整合力度。全年超额完成了台下达的任务指标，实现了中国有线电视网络有限公司划转中央电视台以来两年收入翻一番的目标。

一、强化政治意识，确保节目安全传输

2007年，公司坚持"安全播出是生命线"的基本原则，全方位提升员工的政治责任感和大局意识，针对节日保障和临时专项保障形成了一套基本完善的保障机制，圆满完成了元旦、春节、五一、十一的节日保障任务，以及十七大、"两会"、长春亚冬会、第七届全国残运会、香港回归10周年活动、内蒙古自治区成立60周年大庆、海南博鳌论坛、武汉城运会等专项现场保障任务；同时，完成两会新闻信号传送、北戴河重要政治新闻素材、南宁"东盟首脑会议"等重大业务素材传送保障任务，没有发生重大事故。

2007年，国家干线网共运行30项399条业务。广电总局、CCTV-1节目流、CCTV-3节目流、中央人民广播电台、呼市地球站、付费电视、长城平台、国际台、监测网、机要局等主要安全播出业务运行情况良好。

二、努力拓展市场，超额完成任务指标

2007年，公司主营业务快速增长，市场拓展实现新突破，超额完成了中央电视台下达的1.8亿元年度经营指标，实际收入达到2.05亿元，比上年同期增加了5393万元，增幅为35.72%。年度净利润较上年减亏4263万元。

（中国有线电视网络有限公司）

中央卫星电视传播中心经营情况

2007年，中央卫星电视传播中心以创新管理，加强队伍建设为重点，认真做好加密付费电视节目市场管理和市场开发工作，实现了经营业绩的持续、快速增长，圆满完成了中央电视台下达的经营指标。全年实现收入75297万元，完成收视费收入61875万元，比上年增长近5000万元；其他业务收入13422万元，利润总额2397万元，为中央电视台产业经营做出了积极的贡献。

经过十年发展，在全国实现加密收视签约用户3000多万，涉及合同5000多份，年收视费收入突破6亿元，其他业务年收入近1.4亿元，公司业务得到又快又好的发展。

（中央卫星电视传播中心）

中视传媒股份有限公司2007年经营情况

2007年是中视传媒股份有限公司改制上市的第十个年头，也是公司完成股权分置改革、进入全流通时代的元年。在实际控股者中央电视台的大力支持下，公司严格履行股改承诺事项，广告、高清、设备租赁等业务合同续签五年，为公司可持续发展奠定了坚实的基础。面对2007年的市场环境，公司采取有效措施优化业务结构，拓宽业务渠道，坚持科学决策、稳健经营的方针，使影视、广告、旅游三大主业相互渗透、良性发展；通过扩大增量收益，消化大幅上升的主营业务成本，克服以前年度影视剧历史存货等不利因素，努力化解经营风险，超额完成了年度经营目标。

一、公司经营业绩继续保持平稳增长

2007年，公司实现营业收入79594.63万元，达到历史最高点，比2006年同期增长21.66%；实现净利润5347.33万元，比2006年同期增长18.53%，扣除非经常性损益的净利润同期增长11.23%；每股收益0.226元，同比增长18.32%。

公司总市值在2007年最后一个交易日(12月28日)较年初(2007年1月4日)增长139%，较1997年6月16日上市第一天市值增长520%。

二、加强高清影视频道编排，突出影视特色

由公司参与运营的央视高清影视频道，把握好“高清影视频道是中央电视台的高清频道”的定位，充分利用软件系统进行管理，完善和优化包括制作、编播、审查等环节，使各项工作无缝链接，保证节目质量和频道编排，并在五一前完成频道包装改版，全年实现安全播出近万小时。

在大力控制频道运营成本的基础上，公司通过高质量的制作引进节目，重点突出频道的影视特色，保证频道内播出节目的70%是影视节目，符合总局提出频道一半以上内容是影视剧的要求，也基本上满足了市场需要和观众喜好。频道编排理念继续打造精品时段，锁定优秀节目，通过多种途径不断提升频道“高品质”的特质，提升频道的竞争力。

三、广告业务以客户为导向，创新营销、精细营销

公司根据广告资源的不同，采取了不同的营销策略。在电视剧贴片广告业务上，以长单铺垫和精品剧销售相结合，保持业务量的稳步发展；在科教频道广告资源经营上，借助频道品牌化和精品栏目影响力的提升，通过跨媒体营销，提高频道广告资源的市场竞争力。加强与社教中心和台广告部的协同配合，在广告时间设计和产品形式上创新，推出了《状元360》和一系列奥运主题特别节目，设计了栏目特约播映、佳节共庆等新的广告形式，尝试了在重大活动中引人植入式广告方式，受到新老客户的欢迎。

公司还联合台内其他媒体资源，尝试创新全案代理的模式。在铁路第6次大提速之际，为铁道部在央视多个频道共发布广告900多次；为通用汽车代理2008年黄金时段广告招标，成功中标。此外，公司还根据客户需求，为其提供地铁、高速公路等户外媒体的代理业务。

2007年，公司在广告业务上以创新的思维，着重提高经营质量，在经营方式上顺利实现“三个转变”：从单纯争取客户投放量向全面提高客户满意度转变；从原始的监播服务向品牌营销顾问服务转变；从传统的宣传模式向资源整合传播转变。同时，响应央视倡导的绿色收视、绿色广告的经营理念，开发重点行业的高端客户，实现精品栏目、高知观众与高端品牌的统一，使客户品牌传播效果得以最大化。除了继续扩大在交通、通讯、服装、食品、高端白酒五大行业与知名品牌的合作外，又拓展了金融、珠宝、IT等行业的跨国品牌，使频道客户结构进一步优化。

四、旅游业务精耕细作，深入挖潜

无锡分公司基地影视以创建首批“国家5A级旅游景区”为契机，持续推进景区基础设施建设，与地方政府合作整治旅游环境，改进和开发新的演出节目，增加游客参与性项目，不断提高服务品质，提升市场竞争力。通过对重点客源渠道精细营销，采取不同方式组合营销，克服了太湖蓝藻暴发带来的不利影响，门票创收保持良好发展势头，超额完成了全年经营指标，门票收入创上市十年来的历史新高。

南海分公司在旅游设施严重老化的情况下，从稳定经营出发做好维护工作，针对周边旅游市场环境，以节日营销和企事业单位主题营销为重点，开发了工厂团、学生团、老人团、亲子团、境外团、自驾游等主题游，推动门票收入取得增长，实现了全年预算目标。

五、创新项目运作方式，努力开拓新业务渠道

在台领导的支持下，公司承接了第二届亚洲室内运动会的开闭幕式活动，独特的节目构思得到了亚奥理事会和国际奥委会的好评。此外，还抓住台内栏目制播分离的契机，先后与《中国记忆》、《希望·英语》、《同一个世界，同一个梦想》等栏目或项目开展合作，承接栏目招商、制片管理、节目制作等工作。

公司把握奥运契机，积极与北京奥运转播公司(BOB)开展合作，利用原有的高清节目素材，承制了5条共计60分钟的奥运宣传片，将在奥运会前后提供给境外媒体，向全球介绍中国的历史文化和风土人情。

结合公司节目生产需求，引进先进的航拍设备。在《美丽中国》项目中，对吉林长白山、辽宁双台河口等地进行了国内首次高清航拍，使公司进入了影视拍摄的新领域。在实际操作中，业务部门摸索和掌握航拍技术，总结和完善操作流程，为广泛开展航拍业务做好准备。公司继续与英国BBC深入合作，共同策划新的国际合作项目。继《美丽中国》之后，双方将以商战个案的形式，推出《孙子兵法》系列节目，介绍企业经营管理的经验与教训，目前该项目的论证和招商已同步展开。

2007年，公司继续保证"WCG"游戏大赛的顺利进行，并首次引进了外卡赛，确保了一些由于特殊原因未能按程序参赛的优秀选手不外流，确保"WCG"在国内外游戏竞技界的领先地位。

六、着手梳理媒体资源，推动二次开发利用

2007年，公司设立媒资管理小组，明确了对媒体资产的管理目标和要求，全面掌握公司174部电视剧、103部纪录片共计2万多小时节目和素材的现状、使用情况、版权情况等，建立自动化检索系统。在此基础上，公司初步建立了媒体资产管理流程，涵盖了从新购磁带到节目生产、销售的各个环节，实现全流程跟踪管理；同时深度挖掘媒体资源的市场潜力，做好节目资源的二次开发利用，在提高经济效益和社会效益的同时，推进和加强企业无形资产管理和品牌管理。（中视传媒股份有限公司）

北京市广播影视产业发展情况

2007年，北京市广播影视产业发展保持良好势头。一是产业规模继续扩大。资产总额达到245.34亿元，比2006年增长22.07%。广播影视企业数量进一步增加，全年新增广播影视制作经营机构160余家，数量和注册资金与2006年基本持平，机构累计570家。从业人员1.47万人，同比增长6.42%。二是经营收入大幅度增长。全市广播影视创收总收入（不含电影票房收入）65亿元，同比增长25.37%(2006年51.87亿元)。其中广告收入31.74亿元(2006年24.01亿元)，比2006年增长32%；其他收入33.26亿元(2006年27.86亿元)，比2006年增长19.4%。北京电台创收收入继续平稳增长，增长率16.37%。北京电视台增幅较大，增长率达48.48%，其中，广告收入同比增长52.18%，提前三年实现"十一五"目标。北广传媒集团同比增长18.92%。系统外单位创收收入同比增长12.18%，增速趋于平稳。三是收入结构进一步优化。在创收收入中，广告收入占48.81%，比2006年所占比重下降6.61%；国内外影视节目销售收入7.15亿元，同比上升31.92%，所占比例略高于2006年。北京电台所属公司经营收入增长92%，向收入多元化迈出重要步伐。北京电视台在广告收入大幅增长的同时，其他收入保持同步增长，收入结构进一步优化。影视节目出口额达到392万元。

一、广播电视节目交易情况

2007年，北京市广播电视节目交易市场日趋活跃。北京电台、电视台不断开辟节目交易渠道，节目交易创收在整个收入中的比重逐步提高。社会影视制作机构逐步成为广播电视节目交易市场的生力军。

2007年，北京电视台最大限度地发挥自身的市场优势，全面拓展节目交易发行渠道，节目经营生产取得新成绩，经济效益和社会效益双丰收。

1．签约金额再创新高。本年度京视传媒向全国各电视台、媒体公司、网络平台、新媒体及部分境外播映机构发行北京电视台自有版权的栏目、纪录片、专题、素材、等多类型节目，签约发行金额达人民币788万余元，到账金额达706万余元，较上一年有了较大幅度增长。

2．节目发行渠道不断拓宽。根据市场需求，北京电视台确定了一些重点推广发行的节目，如《天下收藏》、《文明30秒》、《法治进行时》、《星夜故事秀》、《娱乐开讲》、《大城小事》、《魅力科学》、《奥林匹克人物访》、《夫妻剧场》、《非常接触》、《身边的故事》及《北京新闻》等类节目。在节目发行上，一方面继续和各地电视台保持稳定的合作关系，不断开发联络新的节目公司客户和部分电视台新成立的播出频道，另一方面也注重同港澳台和东南亚的客户保持长期稳定的业务往来合作。

3．版权发行多元化。北京电视台对节目的多元化开发做了大量工作，并将部分节目进行重新包装、整合。主要包括与上海文广互动有限公司签订了多笔多媒体播映权协议；与中国人民大学出版社和广东音像出版社签订了多笔音像出版协议；与中华书局和现代教育出版社签订了多笔图书出版协议等。通过节目资源的再开发，一方面实现了效益最大化，另一方面也更大程度地拓展了北京电视台和京视传媒的品牌化优势。

4．海外发行获得进展。2007年，北京电视台完成北京电视台大型高清纪录片《北京》国际版合作的洽谈工作，已经与BBC环球公司签订合作协议备忘录，双方共同制作《北京》国际版'The History of Beijing'，并将在2008年4月的戛纳电视节上进行全球推广。京视传媒还积极参加海外宣传，参与《北京印象》、《福娃奥运漫游记》、《龙的传人》等节目的海外推广，在欧洲、东南亚等地区持续不断扩大北京电视台的影响力。

二、影视剧生产经营情况

2007年，北京地区影视创作持续繁荣，内容产品更加丰富多彩。全年生产电影210部（含与外地机构合作拍摄30部），约占全国的52%。北京市共生产电视剧74部2015集，比上年同期分别增长57%和46%，产量创历年之最。以《集结号》、《黄土谣》、《隐形的翅膀》、《网络年代》、《士兵突击》、《缉毒警》、《香巴拉信使》、《荣归》、《家有儿女》、《金婚》、《家》、《红梅花开》、《狼毒花》、《记忆之城》为代表的一批优秀影视作品，在思想内涵、艺术创新、文化意蕴、科技含量等方面正在形成符合中国观众审美取向、符合中国影视市场实际情况的创作特色，深受社会各界好评。

北京地区影视剧生产呈现5个特点：

1．整体实力地位相对增强。一批新注册企业逐步形成生产能力，部分影视制作公司品牌风格逐步形成。

2．社会效益与经济效益结合较好，推出了一大批既叫好又叫座的剧目。

3．合作增强。播出机构与制作机构纵向合作加强，定制剧增加，节约了成本，降低了风险；制作业内部横向合作增强，合拍剧增多，占总剧目的27%。

4．业界对剧本质量重视程度提升。随着各地电视台综艺、娱乐类节目的开发，主打娱乐的民营电视节目制作业出现低迷，正面临新的调整。

5．民营影视企业成为影视创作的重要力量。民营影视制作公司从影视的制作数量和质量已超过国有的影视制作机构，发展呈上升趋势。

三、动画片生产经营情况

2007年，北京市通过审查的国产动画片10部4143分钟，比2006年增加2部，时长减少1086分钟。北京电视台开办的卡酷动画卫视正式上星并实行公司化运营，促进了动画片生产经营又好又快的发展，取得显著成绩。

在动画片生产方面，卡酷动画卫视坚持"内容为王"的策略，致力于原创动画片的开发和制作，总计投资人民币6000多万元，制作完成动画片4部183集约2400分钟。通过合资合拍等途径，先后出品了《秦时明月之百步飞剑》、《快乐东西Ⅲ》、《快乐星猫》等风格不同、题材多样的原创动画精品，进一步增强了动画频道的吸引力，取得了前所未有的收视成绩。

特别是经北京奥组委授权，由北京电视台、北京卡酷动画卫视倾力打造的百集动画片《福娃奥运漫游记》，以其独特的创意、精美的制作和丰富的知识性、趣味性，受到广大电视观众热烈欢迎和业内专家的一致好评，成为一道闪耀动画荧屏的亮丽风景。

与此同时，北京卡酷动画卫视在打造强势的动漫制播卫视平台的基础上，积极探索和推进动漫产业化经营，在节目发行、渠道拓展、产品开发等方面进行整体布局与运营，努力构筑国内最大的集动画原创、节目制作、版权交易、版权授权、衍生产品研发为一体的动漫产业平台。

在节目发行方面，卡酷动画卫视根据国内外动画市场的现状和自身版权情况，努力开拓自有版权节目发行渠道，积极推动代理版权节目的经营，开发图书、音像制品的授权，先后与天津、上海、浙江、湖南、辽宁、广东、福建、山东等省市电视台达成供片协议。

四、广播电视广告经营情况

北京市广播电视广告经营单位主要为市直属的北京电台、北京电视台、北广传媒移动电视和城市（楼宇）电视，以及京郊区县所属的广播电视中心等播出机构。2007年，上述播出机构的广告经营情况总体良好，广告创收基本都在稳步增长。北京电台广告创收达5.6亿元，比2006年增长9.4%。北京电视台实现了广告创收历史性的突破，广告创收达21.6亿元，比2006年增长54.3%。

2007年，北京电台秉承"统一管理、分散经营、集中操作、分别核算"的经营方针，以行业代理的形式对八个专业广播的广告资源进行整合经营，在广告监管环境更加严格的情况下，获得了经营创收的新突破。全年广告收入达到了5．6亿元，与2006相比增长9.4%，继续保持全国广播市场排名第一的地位。

认真执行国家有关广告管理法规，同时确保经营收入持续增长。2007年，北京电台广告管理部门认真贯彻执行广电总局《关于清理整顿广播电视不良广告的通知》精神，做好自查自纠工作，同时也及时向有关部门汇报清查各类不良广告的整改情况。截止2007年底，停播了涉及金额58万元的不良广告。

2007年，北京电视台在广告经营上，深入分析当前媒体经营与发展的方向，顶住重重压力，克服各种困难，转变原有的广告经营模式，进行"以自主经营为主"的改革取得实效。

1．实践自主经营新思路。2006年底，北京电视台经过大量调查分析，提出了"以自主经营为主"的经营思路。在过去的几年中，以往承包的经营方式虽然在一定程度上保证了北京电视台收入的稳定性，但在媒体竞争日趋激烈的21世纪，这样的经营方式已无法满足日益扩大的经营需求。在这样的大背景下，台党委及时调整经营思路，决定由以往的承包经营为主转为以自主经营为主。

2007年上半年，北京电视台成功收回全台大部分的优势资源，并统一开发经营，再次增强了对整个广告市场的掌控能力，保证了广告收入的不断增加，1月份就创出单月广告收入的历史之最。9月份就完成了全年的目标收入。事实证明，新的经营模式已经取得了初步的成功。

2．实践科学合理的价格新体系。经过反复研究测算，于2006年底推出了一套全新的广告价格体系，为全台100多个栏目分别定出了广告价格，同时还创造性地将各栏目和各时段区分为ABC三类。

在2007年新的价格表中，部分栏目虽然价格比往年提升了不少，但这些栏目各月的销售率与广告收入证明，通过综合考量收视率、点成本、销售折扣、社会认知度等因素而制定出的价格符合栏目高收视特点，最终能够被客户所接受。例如《法治进行时》栏目，在新的价格体系指导下，广告收入再创历史新高。

3．实践以折代点新模式。转变广告销售模式，是2007年北京电视台广告经营工作的一个重点内容。为了规范整个北京电视台的销售行为，促进北京市广告市场的有序经营，北京电视台推行了按六折销售的销售模式，根据单一客户的广告投放量给予一定比例的资源赠播。这是一次大胆的尝试，虽然在初期受到了部分客户的抵制，但由于新的销售模式更加合理且具有说服性，最终通过艰苦的谈判，落实了按折扣销售的经营模式，并取得了高于以往各年的投放量额度，最终达到与客户的共赢。

4．实践外购节目回购新制度。2007年以前，由于资源状况的限制，用栏目置换广告时间是包括北京电视台在内的各地方电视台常用的一种广告经营方式。2006年底，由研发部、总编室和广告部联合办公，在收支两条线的大原则下，陆续与各外购节目的供片商签订外购节目的合同书，取消了原有的置换广告时间的模式，推行了广告回购制度。经过2007年一年的销售实践证明，大部分的外购栏目发展平稳，为全台带来了2亿元左右的广告收入，并有效杜绝了引进节目的供片商利用所得广告时间，扰乱销售秩序，造成销售折扣混乱，带来不良影响的情况，为今后全面的自主经营打下了坚实的基础。

五、有线电视网络建设经营情况

2007年，北京有线电视网络建设取得新成绩。

1．全力抓好奥运专网建设。2007年是奥运工程建设的决战年。北京歌华有线电视网络股份有限公司承担了2008年奥运会在京的31个竞赛场馆和奥运村、媒体村、奥林匹克大饭店等18个非竞赛场馆的数字电视专网建设和保障任务。经过一年的精心组织、设计施工，较好地完成了工程建设和测试赛保障任务。

2．加强专网建设。公司成立了奥运项目领导小组及奥运专网项目办公室，抽调骨干力量投入工作，并对整个项目进行详细的任务分解，做到各项工作分工明确，责任到人。为确保奥运专网工程质量，公司指定专门厂家、专用设备生产产品，所用器材的每一批货均经过严格检测。整个工程统一建设，加强控制，严把施工质量关，并聘请广电设计院所属监理公司进行全程监理，与47家奥运场馆就建设合作和资源确认等事宜签订了协议。年底，已完成15个二级传输机房系统集成、36个场馆的光缆敷设工程、31个场馆分配网永久端施工、26个场馆机房的系统集成工作。

3．完成奥运测试赛保障工作。2007年度“好运北京”奥运测试赛共进行26项比赛，历时66天。公司抽调300余人参与了测试赛的运行维护保障工作，累计提供了2637个小时的运行维护保障服务，确保了奥运测试赛网络保障的安全运行。

4．夯实基础网络建设。2007年，公司积极推进新总前端建设。歌华大厦新总前端机房集模拟电视、数字电视、数据广播、数据网络、信息中心、全网监控、指挥调度和奥运专网临时前端等功能于一体，功能定位和系统规模属全国之首。2007年，公司成立了专门的新总前端建设项目办公室，克服了专业多、技术复杂、现场条件受限、协调难度大等诸多困难，完成了新总前端基础设施工程的可行性研究、重大设备采购、总包公司招标、工程组织实施、基础设施竣工验收等一系列工作。

5．加强网络改造与建设。做好新城规划工作，完成远郊10个区县和亦庄开发区有线电视网络的规划编制工作。全年进行网络改造16.8万户，网络改造及新楼光缆配套工程365项。积极落实市“08办”奥运环境整治规划，在建、完成27条重点大街163公里架空线整治工作，全年入地及管道敷设光缆700多公里，管道建设270多公里。配合市政拆改敷设光缆183公里，拆除光缆219公里。配合宽带业务发展，完成接入工程870项。

6．做好机房建设及配套工作。全年完成6个机房的新建和搬迁工作，建设33个奥运专网专用本地机房，建设了1个移动应急传输机房，改善并完成了12个机房的极早期消防报警系统。配合数字电视推广，完成了28个机房的数字平移平台设计、安装；实施了2000多个光节点由模拟到数字的切换工作；在昌平、大兴和通州分公司完成了数字平移系统的集成工作，为在远郊区县全面开展数字电视推广工作做准备。

7．积极推进分配网普查工作。在原光缆网络资源普查工作的基础上，2007年继续实施了城八区电缆分配网络资源普查工作，全年完成普查项目1000余项，完成普查户数70万户，为网络资源细化管理奠定了基础。

六、有线电视数字化情况

2007年，北京市有线电视数字化试点工作全面推进。截至12月底，全市已完成数字化转换120万户。

1．北京成为国内有线电视数字化规模最大城市之一。截至2007年12月底，北京歌华有线电视网络股份有限公司在11个区县1181个社区实施了有线电视数字化试点推广，共计120万用户实现了有线电视数字化。

2．创造“群众满意、政府放心、社会认可”的和谐局面。北京市统计局社情民意调查中心2007年6月份调查统计表明，试点小区中超过86%的用户对试点政策及服务表示满意。2007年9月，第三方统计调查机构“格兰研究”对北京市1000户试点小区用户进行回访调查，报告显示：用户对数字化各项服务的整体满意度较高，达到93.2%，各项指标的满意度均在90%以上。

3．有线电视数字化使北京歌华有限公司成为奥运会服务提供商。2006年12月北京歌华有线电视网络股份有限公司与奥组委签订了《北京2008年奥运会有线电视服务协议》，正式承担2008年奥运会各比赛场馆、奥运村、接待宾馆的数字电视传输服务，为奥运官员、运动员、记者、外国游客提供标清、高清、双向VOD点播、赛场实时信息发布等多种服务。此举将在奥运史上实现三项突破：第一次通过数字电视为奥运专网用户提供服务；第一次通过数字电视为奥运专网用户提供高清服务；第一次通过数字电视为奥运专网用户提供数字录像、点播服务。

4．依托有线电视数字化平台搭建党建建设新载体。按照北京市有关领导的指示精神，北广传媒数字电视公司已在数字电视北京之窗中开办了由北京市委组织部、宣传部共同主办的“北京党建”栏目，并与歌华有线合作在10个远郊区县的基层党支部开展普及工作，2623个村级党支部党建专用机顶盒的安装工作已全部完成。

七、广播电视新媒体发展情况

2007年，北京市广播电视新媒体建设有以下特点：

1．市场规模进一步扩大。北广传媒移动电视累计在10000辆公交车上安装显示屏20000块；地铁电视完成13号线、八通线80个组车安装显示屏近2000块；北广传媒城市（楼宇）电视新签约1200个单位，累计安装显示屏11000块，与分众传媒在京数量持平；北京市广播电视局和部分区县共同建设的奥运城市文化广场电视大屏幕完成20块。

2．平台增加并逐步完善。北京电台移动多媒体广播（DAB）已经播出16套广播节目和6套电视节目；北京广播网建设了新机房，开通在线点播频道，搭建起以音视频播客、博客、社区论坛为主的综合网络互动社区平台，综合排名保持全国地方广播网站第一名。北京电视台网络电视业务——北京宽频正式改版上线，在实现10套节目网上直播的基础上，提高互动功能，实现与传统媒体互惠互补。北京电视台手机电视取得运营牌照，正在与有关方面合作打造手机媒体运营平台。

3．制度建设得到加强。北京电台出台了《关于音视频共做节目的规定（试行）》、《视频节目计件工资分配办法（试行）》等一系列配套管理制度，规范了内部运作，为长远发展奠定基础。

4．网络视频发展较快。全市持有《信息网络传播视听节目许可证》的机构达到13家，其中7家为系统外单位。

八、影视产业集聚区建设情况

2007年，在推进文化创意产业集聚发展政策的促进下，北京市广播影视产业集聚区发展较快，已形成中国怀柔影视基地、国家新媒体产业基地、北京数字娱乐示范基地和宋庄原创艺术与卡通产业聚集区，东城、朝阳、海淀、顺义、平谷等也都建有规模不等的影视基地和项目，产业实力大幅增强。比较突出的有两个：

1．中国怀柔影视基地。2007年启动了道路等基础设施建设项目，出台了扶持政策，注册了“中国影都”，加大了宣传招商力度。截至12月底，已有83家影视制作和文化传媒公司在基地核心区注册，怀柔“南影北视”的发展格局初步形成。中影基地一期工程取得重大突破，二期工程“外景地”部分项目完工。飞腾影视制作公司南方园林工程竣工投入使用。拍摄新版《红楼梦》的长青电视创意产业园、“西游记文化创意产业基地”落地怀柔北部。影人酒店暨影视文化评审交流中心、制片人总部基地、动漫教学实习基地等项目正在积极推进。由于当前影视企业实力普遍较弱，有实力的企业又缺少专业能力，造成一些项目开发滞后，建设和运营脱节。该基地在资源综合利用、运营管理一体化等方面面临浙江横店影视产业实验区等强势基地的竞争。

2．国家新媒体产业基地。2007年加强了资源整合和政策扶持，截至12月底，入驻文化和传媒企业59家。其中，星光集团建设运营的星光影视园以为媒体提供综合服务为目标，以提供节目录制平台和传输渠道为核心业务，开展综合运营，已有20余个演播厅投入使用；建立了卫星传输平台，为外省区市电视台异地录制和传送、本地播出提供了便利，吸引数十家外省区市机构来此开展业务。产业园区充分借助北京人才、智力资源优势，发展前景看好。

随着中央电视台、北京电视台新址建设进一步推进，已有1000余家传媒企业落地朝阳，集聚效果日益显现，发展潜力巨大。

九、会展产业发展情况

2007年，北京市广播影视会展产业进一步发展，逐步形成规模。主要体现在三个方面：

1．广播电影电视展成为新产业。2006年、2007年连续两届的中国（北京）国际文化创意产业博览会广播电影电视展览取得圆满成功。在总结会展经验的基础上，2007年突出特点是：突出奥运主题，聚焦科技前沿，凸显新媒体成果，展览内容丰富，规模有所扩大。参展单位类别呈现多样化，吸引了22家境内外机构参展。整个展区面积达4000平方米，增设有5平方米以上的数字大屏幕7块，电视屏百余块，主题互动活动40余场和丰富多彩的影视互动为展馆增添了活泼的氛围。

此外，广播影视业还积极参加中国北京国际科技产业博览会及其他相关展会，成为参展的重要力量。

2．中国电影博物馆成为新展区。中国电影博物馆自2005年12月试开馆以来，充分发挥其电影科技博览、传播电影文化和学术交流的作用，成为北京新展区和爱国主义教育、科普教育基地。

中国电影博物馆设有20个展厅，展线长度2970米。《百年历程，世纪辉煌》展览展示了中国电影走过的百年历程。1—10展厅为展览区，展示了不同时期、各个阶段电影的发展和广大电影工作者的重要艺术成就，展示了故事片、科教片、新闻纪录片、译制片、美术片、儿童片等不同类型的电影，并开辟专厅介绍了香港、澳门、台湾地区电影的发展。11—20展厅为博览区，展示了电影科技和电影知识，揭示了电影制作的奥秘，从拍摄、剪辑、美术、配音配乐到特技、洗印等电影制作过程均有充分展示，其中有一些是观众可以参与和体验的项目。影院区设有五个电影厅，即巨幕（IMAX）电影厅、数字电影厅和三个普通电影厅。

2007年2月10日正式对公众开放后，积极策划和组织具有特色、有影响的活动有：春节电影主题灯谜、“漫画蜘蛛侠3”动漫活动、庆祝香港回归10周年两地青年导演论坛暨作品展映、“八一”军事题材海报展和老战士新战友联谊活动、高校影音联盟、十一期间动漫电影《小兵张嘎》的公益放映活动，承办了第十一届北京香港经济合作研讨洽谈会文化创意产业发展（电影）论坛。截至年底，共接待参观群众172431人次，其中参观展览和观看电影的观众157216人次，参加专场活动的观众15215人次。同时，开展公益放映和商业放映业务，先后开展了新春百部影片展映、劳动节优秀国产影片展映、香港金像奖影片展映、“钢铁长城，永铸辉煌，跨越80年的追忆”八一公益电影展映、“唱响主旋律、迎接十七大”公益影片展映、“迎接党的十七大、构建和谐电影文化”第12届华表奖获奖影片展映等放映活动。开馆以来至年底共放映电影2923场，观众97018人次。

3．依托中华世纪坛拓展文化会展业务。北京北广传媒集团所属北京歌华文化发展集团开展的会展业务是其重要的业务板块，也是广播影视拓展的重要产业之一。以中华世纪坛为展示平台，强化组织运作，策划了一系列的大型文化展览，已形成“世界文明”、“艺术大师”、“地方文化”、“现代艺术”、“科技文化”、“奥运主题”、“民族文化”、“社会教育”八大系列，开创了北京文化会展业的新模式。其中的“世界文明”系列展之“世纪国宝——中华的文明”、“神秘的玛雅——墨西哥古文明展”、“艺术大师”系列展之“黑白意象——毕加索版画展”、“地方文化”系列之“吴韵汉风——江苏文化艺术精品展”、草原文化——盛宴北京“内蒙古文化周”、中德建交30年“德国之窗”；世界艺术馆所设置的专题陈列“意大利文艺复兴艺术大展”、“从莫奈到毕加索”、世界艺术基本陈列“伟大的世界文明展”等引起了社会巨大的反响和关注，为探索中国文化会展业发展做出有益的尝试。据统计，2007年，以自主策展、联合策展和整体引进的方式，自办、合办或承办各类展览共计65项。　（北京广播电视局　王廷富　马广胜　孙树公）

天津市广播影视产业发展情况

一、广播影视创收

2007年全市广播影视系统创收达到16.5亿元，比去年增长13%。区县广播影视系统创收能力进一步增长，全年创收总和超过6100万元，蓟县、东丽、塘沽创收突破1000万元。

二、广播影视节目销售

天津人民广播电台5000多集小说、音乐、相声、京剧、娱乐等节目销往全国20多家省市电台；天津电视台积极采用合资合作办节目方式，带动创收创优发展；天津电影厂积极拓展国际市场，影片《两个人的芭蕾》销往美国、加拿大。

三、新媒体产业

2007年新媒体产业发展势头良好，车载移动电视完成装车累计达2250辆；天津人民广播电台手机短信增值业务量达到200多万条；东丽区、塘沽区广播电视宽带网迅速发展，宽带入户水平进一步提高，“东丽在线”网站实现入户1.7万户，创收超过千万，蓟县IP电视业务发展势头良好。

四、数字电视整体转换工程

2007年新完成数字电视整体转换90万户，累计达109.29万户，传送节目123套，经营收入同比增幅较大，整体工作走在全国前列。（天津市广播电视电影局）

黑龙江省广播电视产业发展情况

一、黑龙江人民广播电台广告创收

2007年，黑龙江人民广播电台广告部克服了专题广告整顿、部分品牌广告下滑的不利局面，经过努力，完成了台里下达的广告创收争取指标，全台收入10387万元，比争取指标增加970万元，比去年同期增加753万元，增长7.82%。

发挥广告部的综合协调和服务功能。在加强监管的同时，重点行使好提供信息、参谋建议、政策支持、沟通协调，优质服务等各项职能，同时整合服务资源，提高科学管理水平，进一步发挥好广告服务大厅的作用，加强了广告价格管理，实行广告价格“钢”原则。同时，依据广告大厅《广告剩余时间查询》系统，对全台超时广告进行加价，增加广告收入。

搞好创收分析，谋划创收战略。广告数据的统计和分析，对台领导的创收决策、各频率的创收谋略起着至关重要的作用。广告部除了提供日常的广告数据外，在每次广告例会上，为台领导和各频率提供广告进款情况和代理公司完成广告定额的数据，同时，还提供《全台品牌广告日时长对比图》以及《广告经营分析报告》，广告部还积极帮助各频率出主意，想办法，共商创收大计。

加强沟通往来，借鉴先进经验。加强了同兄弟台在广告经营和管理方面的沟通交流，在先进经验的基础上，继承发展创新，制定出符合电台实际情况的切实可行的广告创收和管理方案，努力实现广告营销的专业化、社会化，广告服务的标准化、人性化，广告管理的规范化、集约化。加强与工商、卫生、药品食品等管理部门的联系和沟通，取得工商、卫生、药品食品等管理部门对电台广告创收工作的理解和支持，确保全台创收有了一个好的外部环境。

二、龙视网络公司网络建设与经营

2007年，龙视网络公司经营总收入突破了8000万元，比2006年增加了近3000万元。主要是重组用户网增加和经营性结构发生变化，主营业务收入由干线网和有线电视用户网两项收入扩展到地面数字电视业务三项收入，经营付费节目收入也已经开始启动。这标志着经营业务单一的状况正在改变。公司加强成本控制的有线电视财务核算办法和地面数字电视“一体化”核算体系已经形成并不断完善，资金监管和使用更加科学，本年度实现了零贷款，节省筹资成本近百万元。

抢抓机遇、超前动作，强力推进地面数字电视项目。2007年，国家地面数字电视标准的正式出台，为地面数字电视项目的推进奠定了坚实的政策基础。公司超常动作，真抓实干，从2月10日开始，开通了拜泉、肇东的无线数字电视试验项目，标志着全省数字电视项目的正式启动。截至11月底，拜泉和肇东两个分公司共发展用户28000户（预计年底将发展到8万户，含平移多路微波用户3万户），与此同时，公司组织完成了总前端码流优化调整，质量达到了“DVD”画质和国家标清信号标准，将无线覆盖频点由4个增加到5个，并增加了付费节目包。地面数字电视试验的成功，使全省在这一领域实施“村村通”固定覆盖上处于国内领先地位。

在巩固提高肇东和拜泉两个试验点的基础上，龙视网络公司又从实际出发，本着科学发展的原则，克服来自各方面的阻力和困难，加大协调力度，积极地推进了地面数字电视试验项目扩展工作，在年底前将陆续开通双鸭山、七台河、穆棱、东宁、克山和克东等试验点，预计新发展地面数字电视用户5万户，公司争取到春节前地面数字电视总户数量达到12万户。

重组用户网又有新进展，并组织完成了一批项目建设。在2007年度，公司完成了七台河市有线电视网和穆棱市有线电视网的重组工作。同时，以采取在地面电视项目上进行业务合作的方式，分别在克山、克东县设立分公司，使分公司达到了9家，有线电视网用户达到了45万户（实际收费用户为40万户），再加上地面数字电视项目的拓展实施，到春节前，有线和地面数字用户总量将突破50万户。

2007年，公司组织完成了双鸭山“村村通”项目，宁安城网部分主干线改造、45个村屯农网改造和肇东城网环网改造任务。

完成了数字化综合业务平台一期项目建设。在台里组织投资和实施下，完成了数字化综合业务平台一期项目建设。有线和地面数字电视采用平台的技术解决方案节省了投资。目前，数字化综合业务平台已经下传的95套节目（省台7套；央视12套；各省、市区卫视节目19套。另外还有中数传媒、鼎视传媒和华诚公司的付费频道共56套，预留一套高清节目年底前完成集成）将陆续进入到绥化、伊春、佳木斯、鸡西、加格达奇等合作市地和双鸭山、七台河等分公司的有线电视用户网。

加快省干线传输网连通、优化和升级。省干线网承担为数字化业务传输服务的任务。为提升省干网的传输能力，将省干线网东西两环哈尔滨至绥化段进行分拆并独立运行，解决了绥化站点传输通道制约两环业务容量和安全运行的问题。完成东环传输业务优化。龙视网络公司充分利用现网设备，调整利旧，完成省干线网东环优化，将伊春、鹤岗、双鸭山三个市节点站从链路纳入东环上来，将传输容量由622Mbps扩容至2.5Gbps，使这三个站点的业务受到环路保护，提高传输安全性和可靠性，为在三市开展数字电视业务做好传输上的准备。

实施鸡西市辖鸡东、密山和虎林SDH联网项目。龙视网络公司投入SDH传输设备和编解码器等设备，利用鸡西广电局现有的连接鸡东、密山、虎林的光缆线路，将上述三县（市）联入省干线网，目前传输省台6套节目和鸡西电视台2套节目，使具备了下传数字电视条件。

解决大兴安岭地区所辖3个县和7个区（林业局）下传节目问题。龙视网络公司采取与大兴安岭广电局合作的方式，由公司投入编解码等设备，大兴安岭广电局租用铁通SDH45M通道，传输省电视台5套节目（不含省台卫视频道、少儿频道）和大兴安岭1套节目。此方式既节省了建设SDH网络的投入，又首次实行了省电视台5套节目在大兴安岭地区的覆盖。（黑龙江省广播电视局）

上海市广播影视产业发展情况

一、广播电视广告经营创收情况

2007年，上海文广新闻传媒集团广告经营中心整合优势资源，聚焦市场增量，创新经营模式，圆满完成上级下达的广播电视广告创收指标，实际完成广播电视广告收入同比增长近10%。在广播电视广告收入中，广播广告同比增长近16%，电视广告同比增长近10%。其中，东方卫视同比增长21%，生活时尚同比增长38%，第一财经（含广播频率）同比增长22%。广告经营中心广播电视广告完成收入同比增长5.65%。

2007年，广告经营中心注重年度业务规划、把控合同执行节奏和投放数据分析，及早锁定了各4A代理公司和大品牌客户的年度签约量，利用现有的AGB尼尔森、央视索福瑞等数据，从业务角度建立了一套品牌投放数据分析模式，及时跟踪、了解所有品牌在中心内外盘的投放情况。通过数据积累，大到每个公司的完成总量小到所有的投放品牌，已有一套完整的投放对比分析，直观量化地反映了各个代理公司在投放过程中比例控制情况，在中心与代理公司沟通和督促时提供了数据支持，更好地掌控了大盘的完成进度，是中心业务管理模式朝数据化精细化转变的一个起步标志。

广告经营中心按照集团战略部署，强化东方卫视的经营资源，努力开拓具有全国影响力的卫视平台，充分发挥主观能动性，加强与广告代理公司和集团相关部门的沟通协调，参与《“美特斯·邦威”加油！好男儿》、《“雪碧”我型我秀》、《“莱卡”青蛙王子》等大型综艺节目以及二类广告的策划、招商。

广播广告继续保持可持续增长，以行代、承包、自营相结合的经营模式，以销售服务体系为重点，培养和扶植广播广告长期核心战略联盟。同时，在工商监管部门对保健品、医疗类等软广告监督力度不断加强的情况下，中心为拓展经营空间，提升规避风险能力，探索了广播直销的新形式，盘活了空闲时段，利用空置时间进行无店铺销售，填补了软广告的缺口，逐渐成为确保广播软广告总量的新动力。

2007年，广告经营中心坚持走整合营销道路，进一步加强团队整合节目资源和广告资源的能力，加强新的广告模式的研发，关注集团传统媒体资源与新媒体广告资源的整合，重力打造全媒体平台，为客户度身定制符合自身品牌特点的整合营销项目，如“上海国际汽车展”、“斯柯达媒体全案投放”等，均成为业界称道的案例。

凭借敏锐的市场嗅觉、诚信和优质的服务，积极寻找新的客户增长点，开展“引进来战略”和“走出去战略”，开拓市场，挖掘新客户，使广告客户成为媒体经营发展的可持续资源，拓展市场新的增长点。挖掘了一批如“霸王”、“纳爱斯”、“王老吉”等从未在SMG投放过或多年未投放的潜在客户。2007年共新增品牌106个，实现广告收入1.93亿元。

2007年，广告经营中心继续秉承“创新、实效、价值”的宗旨，结合中国广告论坛、第14届中国广告节、第13届上海电视节、“大航海——2007SMG年度盛典”、“神广杯颁奖盛典”等活动盛事，传播集团优势资源，提升集团在全国广告市场的影响力和品牌价值。策划制作的广告经营中心品牌广告“蜈蚣和蚯蚓的故事”、“广告需要投放、倒数第二句最重要”在第23届全国优秀广播广告的评选中，分别获得公益广告及商业广告类一等奖。

面向广告公司／广告主、传媒、广告管理机构、广告协会及目标消费群等，定期出版《广告资讯》、《时尚电台》对外刊物，传递集团最新节目资讯，创建专业资讯发布和宣传平台，畅通资讯传播通道，提升品牌效应。

2007年，广告经营中心严格按照上海市委宣传部《2008年度宣传系统媒体经营代理项目招投标管理办法》的相关规定，继续秉承“公平、公开、公正”的招商原则，规范广播电视广告经营代理项目的招投标程序，有序开展各项招投标工作，确保国有资产最大化利用，规避经营风险。围绕“以实力赢得创收、以诚信规范经营、以绿色引导创意”主题开展2008年度广告招商工作，提出“实施诚信经营”和“净化广告荧屏”两大创新举措，屏蔽了信用等级较差的公司，有效控制代理公司返点，坚决杜绝广告坏账。开展“绿色创意 共创和谐”——绿色广告创意活动，营造诚信、健康、和谐的广告经营环境。

积极配合国家工商总局“打虚假树诚信”广告专项整治行动，加强对化妆品、保健品、医疗器械和医疗广告的审查力度，有效控制此类广告的高违法率，广播电视广告违法率均低于工商局规定标准。

进一步完善制度管理，严格按照编审制度执行操作流程，用严密的制度来管理庞大的广告运行系统，使广告播出的差错消除在萌芽状态。2007年，广告播出差错率继续保持在十万分之一以下，无重大差错出现。

同时，在确保上海14个频道广告正常播出的前提下，根据广告经营特点，对广告管理系统进行了多项日常不间断升级，合理调整了系统的十多项子菜单；成功完成了远程投单系统和自由竞价系统的开发。系统的不断完善升级，简化了业务操作流程，提高了管理工作和运行系统的效率。

（广告经营中心）

二、谋求广电制作新发展

2007年，上海文广新闻传媒集团广电制作公司承担《舞林盛典》、《非常有戏》、《2007加油！好男儿》、《群星耀东方》演唱会系列、《第14届东方风云榜颁奖盛典》、《第10届上海国际电影节开、闭幕式》、《2007世界夏季特殊奥林匹克运动会闭幕式》等近450台（次）各类大型、特大型、特别类活动或晚会节目，制作各类电视栏目300余个，国内演播厅搭建任务13项，展台搭建任务6项。实现全年产值6900万元，其中集团外经营产值1007万元；营业利润190万元，集团外营业利润130万元，实际利润比集团指标超出26%，连续4年实现两位数的增长。

广电制作公司的发展，核心内涵就是创新。2007年，广电制作公司继续坚持“以服务于SMG各专业频道为主业，以拓展社会舞美市场为补充”的经营方向，以专业创新作为发展的主线，紧随世界前沿的视觉艺术设计水平，围绕媒体产业、会展产业和文化产业，通过参与奥运项目，抓住世博机遇，打造品牌，拓展平台，走市场化经营模式的发展之路。

公司承担的《吉祥中国——中国2010年上海世博会吉祥物揭晓晚会》舞美灯光设计制作，成为2007年大型活动类舞美的一大亮点，得到各级领导的好评；公司参与竞标的“中国2010年上海世博会指定主题场馆——城市未来馆展示设计和展示工程总承包”通过世博局评定，以综合第一名的成绩应标成功。公司以富有创意的“中国2010年上海世博会开、闭幕庆典策划方案”参与竞标，获得好评；公司还参与了“中国2010年上海世博会展览设计与工程类参展援助项目（大西洋馆）”方案策划项目。

此外，通过世博项目的具体策划执行，广电制作公司还取得了“舞美灯光工程类服务供应商”、“展示工程类推荐服务供应商”、“活动公关和广告类推荐服务供应商”三个世博项目的运营平台，从而提升了广电制作品牌在中国乃至国际会展产业中的专业地位和影响力，形成媒体市场、文化市场、会展市场同步拓展和共同发展的格局。

（广电制作公司）

三、影视制作机构和影视制作基地生产经营情况

1．上海电视传媒公司机构简介

上海电视传媒公司Shanghai Standard Media（原名上海录像影视公司Shanghai Video Film TV Company）。1985年6月成立，隶属上海市广播局。1992年12月归属上海有线电视台。财务关系仍属市广电局，直至2005年1月。2001年6月，随同有线台并入上海电视台。2004年3月由SMEG（全称：上海文化广播影视集团）划入SMG（全称：上海文广新闻传媒集团）体制，业务具体落实在SMG节目营销中心。2004年12月与SMG节目营销中心，上视电视剧频道经整合改革，组建为SMG影视剧中心，投资主体正式转为SMG。2005年6月经国家新闻出版总署批准更名为上海录像影视公司。2006年2月4日法定代表人更换为陈梁。2007年10月更名为上海电视传媒公司。

2．上海电视传媒公司制作与经营业绩

2007年为集团立项、出品影视剧（含卡通）6部206集。全年出版音像制品80部。完成影视剧供片业务近15000集/次。公司自主投资、发行的电视剧《迷路》、《追》、《玫瑰绽放的年代》、《华丽冒险》、《霓虹灯下的哨兵》、《光荣岁月》、《转角遇到爱》、《精武飞鸿》、《一世情缘》等9部260集。

2007年上海录像影视公司出品的动画片《老呆和小呆》获第13届上海电视节“白玉兰”奖最佳中国动画片银奖；国家广电总局2007年度第2批优秀国产动画片推荐片目；动画片《海贝贝》获国家广电总局2007年度第3批优秀国产动画片推荐片目。（杨永发）

四、影视剧生产交易情况

上海文广新闻传媒集团影视剧中心为打响SMG影视剧品牌，近两年来努力实施精品工程，不断加大精品力作的投拍力度，一批热门题材、受观众欢迎的剧作正在抓紧投拍，力争实现社会效益和经济效益相结合，而一批已投拍制作完成的电视剧也在首播中取得了好成绩。

在电视剧方面，2007年已完成全部制作的电视剧重点剧目有：与总政、空政合作的30集军旅传奇剧《光荣岁月》、45集革命传奇剧《我是太阳》。还投拍了两部都市题材电视剧，分别是24集当代都市情感剧《华丽的冒险》和30集当代都市生活剧《美丽人生》。

影视剧中心投拍并已经播出的电视剧有：24集都市惊险剧《追》，该剧于上视新闻综合频道9月播出，平均收视率高达7.5%，成为2007年中心主控操作剧目的典范。上半年在上视新闻综合频道播出的30集《高纬度战栗》，平均收视率达4.7%，该剧内容上实现了思想性和艺术性的高度融合。10月在上视电视剧频道播出的30集年代情感剧《一世情缘》，创下情感剧的收视高点，平均收视率达7.6%。

电影方面，影视剧中心2007年投拍了胶片电影《婚礼》。

2007年影视剧中心影视剧的各类投资回报达1900万，除此之外，中心继续抓住机遇，有效使用集团所拥有的引进指标，大力开展引进剧业务，进行全国发行，为中心创收开拓出一个相当高的赢利点。22集香港电视剧《女人不易做》是中心制作部第二次自主引进、发行的剧目，该剧在播出时取得了良好的收视效果。同时该剧发行情况良好，发行款到年底已全部回收到位，赢利率达到了120%。

（唐舒苑）

五、动画片生产交易情况

上海文广新闻传媒集团（SMG）投资生产的中国第一部数字高清原创动画片《老呆和小呆》凭着风格新颖、手法简练、时代感强的特点，被广电总局推荐为2007年度第2批优秀国产动画片；同年6月获得第13届上海电视节“白玉兰”奖“最佳中国动画片银奖”；8月起在中央电视台少儿频道“动画乐翻天”栏目首轮开播，收视良好，引来全国各地的多家出版社和音像公司纷纷前来洽谈图书和音像发行事宜，共同开发生产国产动画形象衍生商品，其中包括上海荣臣博士蛙集团有限公司、上海新华传媒股份有限公司、佛山市天艺音像制品有限公司、江苏少儿出版社等。被誉为中国版“樱桃小丸子”的动画片《海贝贝》，以其独特温暖的人文关怀展示少年儿童的个性世界，被广电总局推荐为2007年度第3批优秀国产动画片。同年8月通过上海炫动卡通卫视向全国播出，一开播便受到学生的热烈欢迎。另外，《虫虫》曾获中国广播影视大奖·优秀电视动画奖，《虫虫》和《小康康》分别获得全国少儿节目精品及国产动画发展专项资金奖励项目2005年度“优秀国产动画片”三等奖和2006年度“优秀国产动画片”二等奖。

2007年，SMG投资制作了全国首档沪语动画栏目《白相大世界》，每期节目12分钟，国庆期间在上视电视剧频道、东视文艺频道、上海炫动卡通卫视播出，东方宽频、TOM网、土豆网也同步播出，获得了良好的收视反响。

另外，还有多部动画电影（如《风云决》、《嫦娥奔月》、《牛羊西迁》等）、电视动画片（如《霹霹乐翻天》、《折纸战士》等）也已进入紧张的制作阶段，计划将于2008年全国播映发行。

一年来，SMG为了丰富商品化授权形象，扩大品牌效应，积极开展一系列的宣传推广活动，使动漫授权业务有了飞速发展。《卡通总动员》动画剧场已在全国25个城市相继播出，《老呆和小呆》首次进入中央电视台少儿频道黄金时段，《虫虫》与《小康康》远销海外，与新加坡新传媒电视签署了独家电视播映权协议，合同金额达到200万元左右。此外，2007年的商品授权合同金额已增至800万元，较去年同比增长了267%，除了《网球王子》授权业务继续持续增长外，SMG原创动画《虫虫》、《老呆和小呆》分别被浙江少儿出版社、江苏少儿出版社看中购买了图书版权，并在年底相继出版同名动画图书，实现了SMG国产动漫图书出版零的突破。另外，国际知名动漫品牌如《芝麻街》等也与SMG积极洽谈品牌授权合作。通过这些年的探索，SMG正逐渐成为海内外动漫品牌授权的重要发布平台和首选合作伙伴。（吴芳）

六、电视购物销售突破10亿元步入快车道

2007年，东方电视购物累计销售额突破10亿元（含税），相比2006年的5.17亿元增加了4.83亿元，同比增长率为93.42%；净利润增加了2066万元；累计订购顾客数达110万，增加了46万名，同比增长率为71.88%。

2007年，东方电视购物节目播出取得了良好成绩，实现全年安全直播327场，共182小时，观众开始参与节目互动。8月28日，东方电视购物正式搬迁至复旦大学新闻学院SMG演播中心。10月1日起，东方电视购物成功进行了每天3小时的节目直播。北京奥运相关产品热销，推动单日整体订购额不断创下新高，突破700万元大关，顾客总数也超过百万。直播当月，即10月份，完成销售额1.09亿元，增加6700万元，同比增长率达159.3%。2007年，东方电视购物的顾客满意度进一步提升，从2006年的8.8分上升至8.9分（满分10分）。

东方电视购物向全国市场拓展取得了实质性进展。电视节目成功落地嘉兴、杭州、常熟，带动这些地区与家庭购物相关的产业的交流和发展，如物流运输、金融业、商品零售业等；在新媒体应用方面，东方电视购物与东方宽频联手，于2007年6月在东方宽频主站开通了东方电视购物频道（shopping.smgbb.cn），成为国内第一家基于宽带流媒体技术的电子商务网站。通过24小时的编排播出，使网民享受到流畅清晰的购物节目视频，可以全方位了解商品信息，完成在线订购。2007年7月，东方电视购物网上商城荣获"上海市第3届优秀电子商务网站"。

2007年，东方电视购物举行了一系列大型活动。6月1日，在上海海洋水族馆成功举办"爱心满东方，阳光行动"关注弱势群体的慈善捐助活动，为上海市贫困家庭的孩子和残障儿童发放赞助与募捐。6月9日、10日，在嘉兴举办了户外路演活动，进行品牌宣传。6月2日，参加了韩国商会举办的"韩中文化交流活动"，开展对外宣传工作，提高了东方电视购物的国际知名度。（董艳）

七、上海东方明珠

上海东方明珠（集团）股份有限公司成立于1992年8月，系中国第一家文化类上市公司。公司成立以来，先后在文化休闲娱乐、新媒体等领域进行多元化拓展，在规模、效益和品牌等方面取得了显著提升，实现了产业结构优化和业绩的稳健、快速发展。公司现有注册资本19.91亿元，被上海市人民政府列入50家重点大型企业，名列中国最具发展潜力上市公司50强、中国科技上市公司50强，"东方明珠"还被国家工商管理总局认定为中国驰名商标。

2007年，公司成功实施公开增发A股计划，募集近11亿元资金，全部用于文化休闲娱乐和新媒体产业投资，对于提升公司战略主业的核心竞争力和可持续发展能力具有举足轻重的意义。

文化休闲娱乐业务方面，公司以东方明珠现有的小陆家嘴地区文化休闲娱乐资源为基础，以增发募集资金投资东方明珠电视塔新增文化休闲娱乐项目和浦江游览项目，打造连接东方明珠与世博园区的黄金线路，分享2010年世博会带来的巨大增长机会；另一方面积极参与外省市文化资源开拓，2007年与太原文广合作，对太原市湖滨会堂及周边区域进行改造和重建，力争把该地打造成集政治、文化、商业为一体的标志性区域，实现东方明珠文化产业的全国拓展，增强核心竞争力，提高企业知名度。通过本地和异地新项目的持续拓展，进一步增强对不可复制资源的文化休闲娱乐资源的开发力度，把东方明珠打造成为国内知名的文化休闲娱乐品牌。

在开拓新业务的同时，东方明珠现有各项业务也保持了稳健、快速的发展态势。东方明珠广播电视塔、上海国际会议中心、东方绿舟等不断开拓和整合游乐、休闲新资源，在三个黄金周期间，游客人数、营业收入再创新高，影响力日益扩大。

媒体业务方面，2007年公司进一步明晰了在广电信息传输领域的战略重点，集中优势资源，重点拓展在有线网络和无线传输两个领域内的核心竞争力。公司以本次增发募集资金的70%，投向了"有线"和"无线"这两个领域，通过东方有线网络10%股权和太原有线网络50%股权的投资，以及地铁电视与"户户通"等两个无线广播传输项目，实现占领"有线电视网络与无线电视网络双高地"的目标，打开媒体业务未来的发展空间。

公司现有的新媒体平台继续保持稳健发展态势。以市场需求为契机，理顺广告经营体系，强化平台技术管理，提升节目时效性，加快品牌建设；手机电视围绕终端开发、运营体系建立，进行市场和技术开发，为大规模运营作准备；新媒体研发中心为东方明珠新媒体拓展提供技术服务，联合产业链单位开展各种前瞻性研究开发，培育新的应用业务；传输公司继续抓好广播电视播出业务，确保了春节、中央两会、十七大等重要时段播出的万无一失。（沈真）

江苏省广播影视产业发展情况

2007年，江苏广电总台紧扣又好又快的发展思路，经济总量大幅提升，全年实现经营收入21.68亿元，同比增长34.16%；经营效益继续提升；经济规模在省级广电中的排名继续提升；收入结构更加优化，广告收入在稳定增长的同时，在总收入中的比重进一步下降，二三层面收入上升到29.61%；支出结构不断改善，消费性支出在支出总量中的比重继续下降，基建、技术、对外投资等资本性支出得到加强。

一、频道、频率广告经营显著增长

2007年，电视广告适应市场竞争要求，积极调整经营策略，卫视广告和地面频道广告分开经营。卫视广告部优化内部管理机制，确立行业分工制度，举行持续的、高频次的营销活动，不仅拓展了一批优质大型客户，而且促使一部分原有客户增加了投放额度；地面频道广告部努力克服覆盖等不利条件，大力维护老客户，积极拓展新客户，同时加强非黄金时段开发，都取得了良好的效果；公共、体育休闲、少儿三个独立运营频道也创新经营手段，拓展经营项目，超额完成目标任务。

2007年，广播传媒中心一方面优化广告管理机制，取消频率分散经营广告的模式，成立广播广告中心，推动广播广告从分散经营走向整合营销；另一方面优化广告结构，全面禁播处方药广告，大幅度调整专题广告资源配置，同时积极拓展品牌广告市场，系统优化广告生态环境。一年来，一个以行业代理为主的多元化广播广告混合营销模式初步形成，有效地促进了广播广告增长。2007年，广播传媒中心集合了新闻综合广播、新闻广播、金陵之声、江苏交广网、经典流行音乐、江苏音乐、健康广播、财经广播、故事广播、文艺广播等10大频率的广播旗舰江苏广播类型化电台集群，整合一新，经营总额达到2.3亿元。

二、影视制作产业双效俱佳

2007年，总台共完成《那些迷人的往事》、《日月凌空》、《明德绣庄》、《不能没有她》、《倾城之爱》、《刘海粟》、《粟裕大将》、《昆曲六百年》、《崔致远》、《哈皮父子》（第1部）等影视剧15部300多集；共投拍《仁者无敌》、《杜鹃山》、《结发夫妻》、《南京！南京！》、《汤若望》、《哈皮父子》（第2部）等影视剧7部125集。经营效益显著，当时投资500万（含江苏省委宣传部投入250万），收回资金550万 ；《明德绣庄》、《青城之恋》、《东方神娃》等还成功销往海外，取得了良好的社会效益和经济效益。

三、衍生产品产业势头迅猛

2007年，总台延伸产业增幅达84.5%，在总收入中的比重比2006年上升了5.2个百分点。包装工作室、各频道频率、院线、影城等充分利用媒体优势、资源优势、品牌优势，创新宣传推广，拓展产业经营，各类演艺、发行、放映等活动蓬勃开展，效益显著。特别是新街口国际影城成功获得“五星级影城”的称号，全年收入突破3000万元，同比增长达95.86%。

总台与浙江广电集团合作成立的“好易购”家庭购物公司从无到有，不断成长，特别是随着江苏财经频道顺利开播，覆盖稳步推进，好易购在江苏市场的号召力进一步提升。

四、数字传媒业务加速发展

2007年，数字传媒公司以全国有线数字电视整体平移为契机，加大覆盖力度，拓宽运营渠道，成功举办模特大赛，对外合作取得突破，超额完成全年目标任务。广电网站依托总台资源，加强技术创新，拓展经营项目，经济效益良好。江苏广电移动新媒体有限公司正式成立，成功申请手机电视内容牌照，公交移动电视、手机电视同步开播，广传中心播ing网的推出，作为江苏地区的试验主体成功加入总局CMMB试验小组，国标数字地面电视江苏平台建设与试验顺利推进。江苏广电石湫影视基地有限公司正式成立运作，影视创意园围栏工程顺利推进，规划设计完成招标。

五、相关业务稳中有升

2007年总台报刊中心与凤凰传媒集团正式签约合作江苏户外大屏大项目，各报刊充分利用内外资源，强化活动营销，积极探索新的营销模式，市场运作能力显著增强，规模、效益进一步提升，顺利完成全年目标任务。电视技术部通过提升对外服务水平、承担总局科研项目、为中央台重大转播活动提供技术支持等途径，拓展创收渠道。发射传输台积极开展对外技术服务，大力推进技术成果转化，取得了良好的经济效益。广播电视学校认真创新做好招生、教学、科研工作，超额完成全年创收目标。江苏科技馆积极开拓科普经营市场，后勤、保卫中心积极盘活现有资源，拓展经营手段，超额完成全年目标任务。投资管理部谨慎进行资金运作，实现较好投资回报。

六、品牌创建推进有力

2007年，江苏卫视完成对全国35个中心城市的全部有效覆盖，地级市、县以及四星级以上宾馆覆盖顺利推进，全国覆盖人口从2006年的5.59亿增加到6.69亿，净增覆盖人口1.1亿。

2007年，总台各频道在全国、省、市三级市场收视均创历史新高，继续保持省和南京市三网“第一电视集团”的优势地位；卫视频道的晚间5小时收视率、收视份额分别为0.45%、1.35%，位列全国省级卫视第二，年度累计属地外贡献率为66%，超额完成52%的指标。

2007年，总台积极推进节目创新工作。江苏卫视突出情感定位，以节目栏目的持续创新打造核心优势，《人间》年均收视率达到1.15%，同比增长167%，位居35城市省级卫视同时段第一，多档节目位居全国卫视周排行榜第一，单挡节目最高收视达到1.81%，创下卫视常态栏目收视新高；《绝对唱响》平均收视率达到1.14%，总决赛达到2.6%，创下卫视全国市场新高；《名师高徒》与《绝对唱响》季编播出，位列同时段第一。这三档原创节目有力地拉升了卫视收视。《情感剧场》锁定精品，创新编排，成为全省第一剧场。卫视频道成功入选“2007年度中国十大广电创新案例”。

城市、综艺、影视、公共、体育休闲、少儿等地面频道不断优化品牌栏目，策划推出《精品演播室》、《万家灯火》、《娱乐818》、《我就是明星》、《江苏体坛》等新栏目。城市频道获得2007创新中国电视大奖年度最具影响力频道等荣誉，少儿频道被国家广电总局评为2007年度“全国优秀少儿频道”一等奖。广播传媒中心也积极优化品牌栏目，并推出《女生宿舍》等新栏目，收听率、收听份额继续领先南京市场。

2007年，总台继续推进CI标准化实施和日常性维护，卫视、城市、综艺、公共等积极进行频道视觉包装，反映良好，同时，相关部门、栏目结合年度重点工作，创新做好品牌推广工作，在全国产生了广泛影响，进一步提升了总台的品牌形象，总台连续4年入选“中国最具价值品牌500强”，品牌价值43.50亿元，在7家入选的广电传媒品牌中，排在央视、凤凰、湖南之后，位列第四，同时成功入选“2007年中国服务业500强”。 （江苏省广播电视总台）

安徽省广播影视产业发展情况

一、广告经营创收情况

2007年，安徽人民广播电台广告收入1.01亿元，比2006年增长了7.64%。

2007年，安徽电视台广告收入首次突破10亿大关，实现创收11.99亿元，比2006年增长了27.06%，

2007年，合肥人民广播电台广告经营创收2100万元。

二、影视制作机构生产经营情况

安徽电视台

2005年1月，安徽电视台在北京成立了“五星东方影视投资有限公司”,公司成立后，先后投资拍摄了多部题材优秀、制作精良的影视剧作。其中，2007年在中央电视台或省级电视台播出的电视连续剧有：《大清徽商》(40集)、《好男当家》(32集)、《女人心事》(25集)、《男人底线》(30集)等，2008年将播出的电视连续剧有：《高地》(30集)、《哥们》(26集)、《血色蔷薇》(22集)、《中国兄弟连》(30集)等，目前，公司运转经营正常，经济效益呈良性循环格局。

(安徽省广播电影电视局)

山东省广播电视产业发展情况

2007年，山东省广电系统实现产业经营收入54.6亿元，其中广告收入30.7亿元，其他产业收入23.9亿元。省广电实现经营收入17．2亿元，青岛、济南、淄博、烟台4市广电经营收入突破2亿元。

一、广告创收稳步增长

2007年，广电总局、工商总局、卫生部等部门进一步加大了对医疗广告的治理整顿力度。监管措施空前严厉，处罚力度不断加大。各级广告经营单位在认真做好广告整治工作的同时，因势而变、努力拼搏，积极采取有效措施，确保了广告创收的稳步增长。全省实现广播电视广告收入20.9亿元，其中省级13.8亿元。

二、内容产业快速发展

9月，全国第十届精神文明建设“五个一工程”奖(2003～2006）评选结果揭晓，省广电局(总台)选送的《大染坊》、《铁道游击队》、《上学路上》等3部影视作品和广播剧《月照天山》同时获奖，进一步扩大了“鲁剧”品牌在海内外的影响力。省影视中心拍摄的52集电视连续剧《闯关东》再次引起业界轰动，被选定为央视2008年开年大戏，在取得较好收视效果的同时，也获得了可观的经营收益。目前，《闯关东2》即将进入拍摄阶段，南下题材的电视剧也正在进行剧本创作论证，加上即将在央视播出的《旱码头》，中国电视剧市场上的“鲁剧旋风”呼之欲出。

此外，省电台和省电视台继续保持节目创新、创优、创收的积极姿态，一大批社会效益和经济效益俱佳的名牌栏目脱颖而出。北京鲁视领航公司推出的《新杏坛》、《无线音乐俱乐部》，上海众邦公司推出的《顺爽联盟歌会》等节目也取得了较好的收益。

三、网络整合和数字化建设积极推进

2007年，省广电网络公司进一步理顺了菏泽、东营、聊城等地分公司的管理关系，有效推动了当地的广电网络产业发展。青岛、淄博、临沂等暂未实现省、市整合的地市，也积极开展了市广电对所属县区广电网络的整合运营。在全省文化建设工作会议上，省委省政府更是明确提出了全省网络整合的工作目标，全省广电网络规模化经营的趋势日益明显。在青岛、淄博数字电视业务取得突破性进展的基础上，2007年，泰安、济宁、临沂、菏泽等市先后通过当地的价格听证，有线电视整体转换工作已在全省展开。

四、数字新媒体产业和动漫产业开始起步

2007年初，省广电总台运营的“广视无限”手机电视业务获得国家广电总局的正式运营牌照，筹划多年的无线数字多媒体业务也开始进入论证实施阶段。省电视台、有线电视中心等单位先后制作或合作制作了《福娃》、《娱乐双响炮》、《吉祥三宝》、《马哥七妹》等卡通动漫产品。11月6日，省广电总台与中国孔子基金会、深圳凤凰星影视传媒有限公司合作开发的大型影视动漫项目《孔子》正式启动，标志着山东省影视动漫产业发展步入新阶段。

五、相关产业良性发展

5月，全省首家专业电视购物频道“居家购物”顺利开播。经过半年多的努力，以竞拍为主要特色的新型电视购物业务已在全省取得了较高的市场占有率和较好的经营收益。山东广电与山东文化部门合作推出的中国戏曲服饰艺术展演——《大羽华裳》赴香港参加了回归10周年庆典文艺演出。6月，山东电视台成立了“泰山娃”少儿艺术团。青岛广电“小白帆艺术团”继续赴欧洲演出，引起广泛关注。省广电报刊中心完成了山东广播电视报社和时代影视杂志社的整合工作。齐鲁电子音像出版社的音像电子出版和影视节目交流业务稳步增长。齐鲁影视文化广场(山东电影洗印厂)、青岛影视基地等产业开发项目被列为《山东省文化产业发展专项规划(2007～2015)》的重要项目。以电视剧《大舜》剧目为龙头的大舜影视项目前期准备工作已全面展开。

六、广电文化基础设施建设取得新突破

2007年，全省广电系统在广电文化基础设施建设方面取得了较大突破。目前，正在建设和计划建设的项目包括：山东广电中心工程、山东传媒学院建设、青岛影视基地、山东电影洗印厂改扩建工程、烟台广电中心工程和临沂广播电视发射塔工程等。山东广电中心工程将于2008年初投入使用，届时将成为山东省规模最大的文化基础设施和文化产业发展基地。

(山东广播电视总台产业发展部)

河南省广播电视产业发展情况

一、加快全省有线电视网络整合和数字化改造，建立广播影视市场运营体系

1．基本完成全省省辖市网络整合。在2006年完成10个省辖市网络整合的基础上，2007年完成了驻马店、商丘、焦作、新乡、安阳、南阳6个省辖市网络的全资整体收购和郑州、洛阳2个市网络的参股合资经营，在全省成立了17个全资分公司和2个子公司，基本实现全省一张网，网内有线电视用户近300万户，为顺利实施有线电视数字化和网络多业务发展打下坚实的基础。

2．大力推动中原城市群数字电视整体转换。制定了全省数字电视整体转换技术方案和时间进度表，数字电视节目的储备、编排、打包工作正在紧张进行，针对整体转换的业务技能培训和宣传工作也全面展开。

3．大力发展新媒体。新完成公交移动电视装机200台，在省会郑州市的移动电视总量达到900台。先后在7个省辖市建设开播了大屏幕电视，已建成的紫荆山广场户外大屏幕开始运营，发展势头良好。

二、加大跨媒体、跨行业经营，拓展广播影视发展空间

1．精品演艺秀《大河秀典》成功上演。以“来河南必看”为目标，高起点、高品位策划创意节目内容和形态，将集博大精深的文化底蕴和精妙奇绝的艺术表现于一体，通过音乐、舞蹈、灯光、特效等多种方式，全新的诠释和展现中原文化的厚重与伟大。成立了演艺公司和河南电视台演艺艺术团，建成了国内一流的大型多功能演播剧场。经过一年多的精心筹备，2007年10月1日，河南省第一部常年驻场演出演艺秀《大河秀典》正式试演，演出雄浑厚重，绚烂华美，十一期间上座率超过90%。

2．继续办好《东方今报》。坚持正面宣传为主，形成了彰显真善美，引导读者以积极的心态看生活的独特的办报风格。并与广播、电视资源共享，优势互补，形成了新的媒体优势，经营创收达1.41亿元，广告收入稳居全省平面媒体第二位，实现盈亏平衡，呈现强劲的发展态势。

3．加快建设广电数字化产业基地。精心施工，严格管理，严把质量关，加快建设进度，目前河南广电数字化产业基地主体全部封顶，安装工程已完成90%，三分之二工程进入验收阶段。

三、努力打造省影视制作集团和省有线网络集团，提高广播影视核心竞争力

河南省影视制作集团以出力作出精品为目标，面向市场，企业化运作，实现了一定规模的精品影视剧生产，2007年已生产电影17部，电视剧7部221集，其中《村官李天成》、《煤矿瓦斯爆炸的防治》、《快乐星球》第二部等3部作品荣获5项全国大奖，还有2部电视剧和1部纪录片先后在中央电视台黄金时段播出，实现了经济效益和社会效益的双丰收，扭亏为盈。省有线网络集团进一步深化与中国中信集团的合作，加大股权多元化改造力度，加快实施网络整合和数字化改造，建立完善科学高效的现代企业管理体制，开始着手培育一个多媒体上市公司。全年收入达到4.6亿元。

四、着力提高广告经营这一广播影视主收入渠道的效益，广播影视整体实力实现新增长

河南省电台、电视台不断创新经营方式，优化广告结构，提升品牌广告和精品广告比例，广告质量不断提高，广告收入以高于25%的速度增长。省电台实行广告管办分离，推行广告代理制，品牌广告增幅超过60%。省电视台继续完善统分结合的广告经营管理体制，以代表新经济的广告行业与客户作为开发重点，提前超额完成了全年创收任务。同时，在有线网络、报纸媒体、房地产、新媒体等领域培育了新的经济增长点，经营创收开始由以广告为主向多元盈利模式并重转变，广播影视发展后劲和整体实力显著增强。广播影视整体收入达到15.7亿元，同比增长36.5%，其中广告收入达到10.8亿元，同比增长27%。省电视台全省市场份额突破47%。（河南省广播电影电视局）

湖北省广播影视产业发展情况

一、广播电视节目交易情况

1．广播节目交易情况

2007年，湖北省广播电视总台所属各广播频道购买广播剧（电视剧录音剪辑）18部880集、长篇小说（评书）15部1120集，栏目10个3000多集。其中新闻综合广播购买长篇小说和评书共11部560集；经济广播购买栏目3个，评书3部360多集，电视剧录音剪辑10部400多集；妇女儿童广播购买一档栏目，5部电视剧录音剪辑；交通体育广播购买栏目4个。

2．电视节目交易情况

2007，湖北省广播电视总台所属各电视频道签约购买栏目38个，5601集；签约购买电视剧179部5571集。其中湖北卫视签约电视剧65部2074集（含多轮剧、情景剧）；电视综合频道签约电视剧61部1884集（含多轮剧）；电视经济频道签约电视剧49部1458集（含情景剧）；电视公共频道签约电视剧2部43集（含多轮剧）；签约购买动画片10部，524集。

3．影视节目出口情况

2007年，湖北省广播电视总台电视经济频道和百步亭国际传媒有限公司共同出品的30集古装武侠电视剧《武当2》发行到美国、加拿大、韩国、缅甸、新加坡、马来西亚。教育频道《科技冲浪》节目交流到马来西亚。

二、广播电视广告经营创收情况

2007年，总台收入首次突破10亿元，比上一年收入增幅达21%。资本形成的收入增长较快，媒体收入7.6亿元（广告6.5亿元，合作合拍及其他事业收入1.1亿元）。尽管广告创收面临改革开放以来最为严厉的政策监管和转变增长方式、增强发展后劲的双重挑战，但各频道不畏困难，主动出击，视挑战为机遇，变压力为动力，大力调整优化广告结构，凭着新体制、责任意识和创新精神，在山穷水复的困难情况下，经营创收打了个漂亮仗。资本形成收入成为新的增长点。楚天网络公司全资部分收入2.5亿元，比上一年翻番。

通过招商引资，搭建了良好的业务平台，协议引进资金2.3亿元，实际到账1.2亿元，到账率过50%。新媒体产业发展迅猛。城市电视合同终端3000个，规模仅次于北京；移动电视开通了1200多个收视终端；手机电视取得全国第二批手机电视网络实验许可；数字电视整体平移正抓紧推进，项目融资6000万元，发展用户2万户，集成数字节目95套。购物电视与韩国好丽友集团签约，已完成工商注册。网络整合步伐加快，总台控股的省网络公司在推进市、州股东实质性整合、完善法人治理结构的同时，采取收购、控股等方式，整合了5个市、30个县（市）以及东风集团等大型企业的网络资产，公司全资用户达180万户，联网用户100万户，总资产已达18亿元，年经营收入3.8亿元。

三、影视制作机构和影视制作基地生产经营情况

2007年，湖北省广播电视总台的电视剧、电影和方言剧生产势头较好，经济效益与社会效益明显，制作完成电视剧19部550多集，电影8部，方言剧2部110多集。部分影视剧在国、内外产生较好的社会影响，还有一大批影视剧正在拍摄制作和筹划之中。

电视综合频道与中央电视台、吉林省影视制作集团联合拍摄了28集电视连续剧《交通警察》，与吉安永嘉影视公司合作翻拍新版42集电视连续剧《霍元甲》，在全国各地及中央电视台播出。影视频道广泛寻找合作伙伴，已连续让两部电视剧今年在央视播出，特别是26集电视连续剧《情系西西里》成为央视开年大戏，在8套黄金时间播出。

在电影制作方面，综合频道拍摄了电视电影《最后一个盲点》，湖北电影制片厂独立拍摄了90分钟的电影故事片《阳光伙伴》，电视剧中心制作拍摄了湖北省首部高清数字电影《一地花香》，湖北电视经济频道投拍了电影《山乡书记》等等。其中《山乡书记》获得第12届中国电影华表奖优秀故事片奖。

今年，湖北省广播电视总台还充分发挥地方特色，打造了一批经济效益和社会效益俱佳的方言剧。电视综合频道出资近百万元独立拍摄了120集方言栏目剧《信了你的邪》；电视经济频道斥资拍摄200集室内情景剧《小康家园》。另外，电视综合频道还与武汉市说唱团、湖北天下文宝文化传播有限公司三方强强联手，投资120万元，联合拍摄60集室内方言情景喜剧《杠上开花》。

另外，湖北省广播电视总台加大自拍影视剧力度，与湖北省歌剧舞剧院联合拍摄了歌剧电视剧《洪湖赤卫队》，目前已由扬子江音像出版社制成VCD公开发行。总台还投资500万元独立拍摄大型历史电视连续剧《根在中原》，目前，该剧正在加紧后期制作中。

湖北省广播电视总台将在九真山现有的900亩地范围内建立总台自己的影视基地，整合总台现有的影视制作机构、节目播出平台，嫁接政府、社会、专家三方面力量，逐步构建“产供销”一体化的完整的影视剧产业链。

四、其他与产业发展有关的情况

影视复合型产业蓄势待发。2007年12月16日，湖北省广播电视总台与韩国好丽友集团签订合作协议，好丽友集团投资9371万人民币开发电视购物项目，总台以湖北都市频道为主体开展此项业务。

体育频道积极对外拓展业务，与国内五家电视台和一家广告公司组成节目播映联合体，联合开展优质节目的制作、播出、营销，通过强强联合，走共同发展的路子。预计2008年收入将在2007年的基础上翻番，达到3000多万元。

为了开发广播在经营中的独特优势，探索创收转轨的新途径，2007年3月18日，湖北省广播电视总台生活广播下属经营实体武汉966文化传播有限责任公司成立，成为该频道所有节目衍生产品开发的平台和基地。目前开发的《男婚女嫁》节目，采用了会员制的机制，使公司、媒体与现代婚恋市场紧密结合，创造了一定经济效益。

（湖北省广播电视局）

重庆市广播电视产业发展情况

一、广播电视广告创收

1. 2007年重庆广播电视总台广播广告实行“五频率统一”的品牌广告行业代理制，热线（专题）广告坚持“严格准入、控制违规、强化服务、创新开拓”的策略，按照“减量提价、科学编排、错位播出、改变样式、提升含金量”的指导思想，开拓新领域，寻找新的增长点；在内部管理上，根据经营的实际情况设置了品牌经营部、专题经营部、策划推广部、控管部、制作部和综合部，分别进行了一级、二级领导班子和员工岗位的竞聘，改变了多年来的“散乱”局面，运行制度基本建立，使广播广告经营工作更加科学化、规范化，形成了各个频率、广告代理公司以及客户多赢的局面，广播广告收入稳定，各频率观念意识统一，全年广播广告经营中心共完成创收任务 9040万元，其中，品牌广告创收5862万元，热线广告创收3178万元。

2. 重庆广播电视总台电视广告经营中心将2007年定位于资源调整年，加强对植入式广告的开发力度，推出了由“片区经营制”向“频道经营制”转变的经营思路，采取“主频道独立经营、副频道打包经营”的工作方针，大力开展会议营销和节庆营销，实施精准对口与行业细分相结合的营销服务，加大公益广告制作和播出力度，提高拍摄制作水平，强化员工技能培训，规范员工文明办公行为准则，实施诚信有担当的职业道德素质教育与和谐社会公民素质教育，提高客户服务品质，打造出“有情义，有担当”的媒体广告人形象，顺利完成全年6.2亿元的创收任务，实现超额1000万元，移动电视圆满完成1000万元的经营目标广告。

二、动画产业取得长足进展

2007年8月，国家广播电影电视总局正式批准由重庆视美动画公司申报的动画产业基地为“国家级动画产业基地”。依托重庆视美动画公司、四川美术学院打造的“动画产业基地”总投资5亿元，预计在2012年全部建设完成。目前，该基地有从业人员近200人，视美动画公司动画片生产从二维向三维、Flash动画发展，年产动画片3700分钟，产量规模进入全国八强，产品已在中央电视台及10多个省市电视台播出。该基地主要由动漫教育科研、动漫生产经营和动漫衍生产品开发3个板块构成。

重庆动漫产业被列为“十一五”计划重点发展项目。2005年底，重庆市政府出台《重庆市文化发展“十一五”规划纲要》，明确动漫产业被列为重点发展文化项目之一，要求制定全市动漫及数字娱乐业发展规划和扶持政策，设立动漫原创基金，以政府推动、市场运作、资本链接的方式，整合重庆广电总台、重庆出版集团公司、重庆新华书店集团公司、重庆大学、四川美术学院、在渝高校艺术院系、电脑报社、天极网络公司、宏信软件公司等单位的资源要素，开发动漫游戏等产业，着力打造西部领先的动漫及数字娱乐产业基地。

2005年，重庆视美动画公司组建成立。

2006年10月1～7日，动画片《麻辣小冤家》在中央电视台少儿频道播出，同年，《麻辣小冤家之谁送的花》获第13届上海国际电视节“最佳中国动画片创意”提名奖，这是重庆本土动画片首次在国际上获得大奖。

2006年，视美动画公司顺利进入全国动画企业全前十强排名，经过提案申报，视美动画公司成功入选首批“重庆市创意产业发展目录”，作为重庆市“十一五”规划期间创意产业发展重点载体。

目前，重庆视美动画公司已经制作完成共计5000分钟的二维系列动画片《麻辣小冤家》、三维短片《快乐卡通总动员》、云南玉溪矿业有限公司吉祥物“福牛童童”的设计。正在制作的有二维系列动画片《缇可缇可》、二维精品片《月尘》、三维系列动画短片《叽里咕噜与巴巴猫》、Flash系列片《幻现》。

截至目前，已经实现了中央台和北京台以及上海、福建、江苏、河北、西藏、黑龙江、广东南方、湖南等台售片计划，共计2199集、21990分钟。

经过不断的发展探索，公司还提出了五年内的“六个一”奋斗目标，即实现：一个产业基地、一个和四川美术学院配套的中低端动画人才培训学院、一万分钟的年产量、一亿的年产值、西部第一的动画基地、拥有一家以动画制作和相关产品开发为主业的上市公司。

（重庆市广播电视总台）

四川省广播电视产业发展情况

一、影视节目交易情况

2007年，四川电视台节目交易中心全年为四川广电集团引进电视剧223部，共6920集；引进电影437部；为各频道引进卡通节目、栏目和专题片共7016集。

在2007年(第九届)四川电视节国际影视节目交易市场的运作中，节目交易中心经反分析研究，决定在传统展馆展示、影视节目展示基础上特别推出不同档次的酒店商务洽谈间的形式。这一模式既降低了参会机构的参加成本，同时还集展览、会议、洽谈、住宿为一体，买家／卖家人员相对比较集中，可以增加买卖双方见面的几率和提高参会者的时间利用率。据不完全统计，在电视节期间，有19个国家和地区的1222家中外影视机构的2750位代表参加了本届节目交易市场的活动。在为期三天的节目交易中，达成意向性签约的各类海外电视节目达1323部（集）；向海外输出各类电视节目达1850部（集），成交额300多万美元。根据反馈信息调查显示，展场＋酒店商务洽谈间＋活动区的展览模式，获得中外来宾的广泛好评，满意度达到98%。

2007年12月28日，四川省文化产业重点发展项目、四川广电集团全力打造的星空购物在四川电视台6频道正式开播。图为开播仪式。

二、电视广告经营创收情况

2007年，四川广电集团广告经营中心已圆满完成集团下达的2007年7亿元的目标任务，并超额3010万元，实现了7.3亿元的奋斗目标，同比增长21.66%。

2007年，是四川广播电视集团各项改革向纵深发展的一年。集团整体实力和传播影响力大幅提升：四川卫视“中国故事频道”的定位进一步凸现，地面频道全省覆盖大力推进，全省、成都两级收视市场成绩明显，为广告创收任务的完成提供了坚实的基础。

电视广告市场竞争形势的日益加剧，国家广电总局、国家工商总局等行业主管部门不断加强对广告特别是电视广告的监管力度，以及2008北京奥运会对省级电视媒体广告经营带来的不确定因素等，对集团今年乃至2008年的广告创收产生了重大影响。按照集团党委在今年各个阶段对广告经营工作所作出的工作部署和具体要求，广告经营中心全体员工充分发挥团队精神，面对困难积极寻找应对措施，围绕广告经营创收工作，制定了“加速2007”和“超越2008”的经营方针。通过科学分析市场形势，创新营销手段，继续发挥整合优势，不断拓展客户资源，调整广告资源结构，积极培育品牌栏目，加大宣传推广力度，开发广告新形式，做好客户的增值服务等措施，奋力抢占市场先机，最终实现了经营创收目标。（四川广播影视集团）

贵州省广播电视产业发展情况

一、广播电视广告创收

2007年，贵州省广播电视系统的经营创收跃上新的台阶，年经营创收达到104609.67万元，其中：广告收入49249.63万元（广播广告收入3535.84万元；电视广告收入45063.21万元）；其他广告收入650.58万元。

1．2007年，贵州人民广播电台广告收入851万元。4月中旬，成功实现广告价格20%的上调工作，并把《文化科教大视野》、《消防之声》等服务类栏目推向市场，实现了联办节目创收的目的。同时，和晨风广告公司、华夏兄弟广告公司签订广告代理合同，实现了广告代理零的突破。

2007年，贵州人民广播电台用在广播、电视、报纸媒体互换资源的方式发布形象广告，出版了广告杂志《影响力》，向客户宣传电台的知名度和信誉度，为广告创收打下了坚实的基础。此外，贵州人民广播电台对机房进行改造，在贵阳市实现了同频覆盖，对部分（州、地）发射设备进行更新，使贵阳市及各市（州、地）覆盖有了较大改善，解决了客户收不到收不好节目的问题，稳定了客户。

2．2007年，贵州电视台的广告收入突破4.1亿元，比2006年同比增长1亿元。贵州电视台的广告经营方法是：加强频道推广，狠抓市场开拓。在省内，以年度大剧安排和频道特色推介为重点，成功举办5期《快乐英雄》社区推广活动，报名人数达3000余人；在贵州成功举办2007年中国电视剧发展战略研讨会，提升了贵州电视台的影响力和美誉度。在省外，与13家专业杂志社达成媒体互换合作协议，加大贵州电视台的形象宣传；与南昌、武汉、杭州、成都、深圳机场达成中心城市机场广告对等置换合同发布广告；与新浪、搜狐和腾讯3家网站形成战略合作关系，加强对电视台广告宣传。

二、电视节目营销工作

2007年，引进电视剧156部、电影805部、专题片15部、动画片2部。在对全国卫星电视频道黄金时段电视剧播出编排进行研究的基础上，建立健全了电视台全国卫星频道及地面竞争频道监播数据库和电视剧备播数据库，合理编排节目。通过这一节目营销手段，截至2007年10月底，贵州电视台卫星频道市网数据黄金时段收视率上涨40%、市场份额上涨30%、全国收视率平均上涨50%、全国排名较2006年同比上涨5倍；地面频道收视率整体上升30%。

三、卫星频道的落地覆盖工作

2007年底，贵州电视台的卫星频道已覆盖全国30个省会城市、直辖市、计划单列市和219个地级市、1614个县和县级市，覆盖人口达6.1亿人，比2006年同比增长1亿人，居全国同类台的同类频道的第8位。

四、广播电视卫星网络产业经营状况

2007年，贵州省广播电视地球卫星上行站1座，向中星6B卫星发射贵州人民广播电台的第1套、贵州电视台的第1套节目。全年播出上星广播节目6409.57小时；播出上星电视节目8616小时。据2007年贵州转星调整工作统计，贵州的卫星广播电视地面接收设施共有2753853座。这些设施提高了贵州省广播电视节目的有效覆盖率和收视率，特别是对解决贵州人民广播电台、贵州电视台在省内农村收听收视不高的问题，发挥了积极有效的作用。

2007年，贵州加强全省卫星收视收费管理工作，进一步发展中央电视台加密电视节目收视用户，使加密卫星电视节目的收视收费工作取得较好成绩。截至2007年底，中央第3套、第5套、第6套、第8套加密电视节目在贵州的签约用户达336家，其中：市（州、地）级用户60家，企业用户87家，乡（镇）用户189家。新发展用户2000户，现有终端用户80万户。全年加密卫星电视节目收费1258万元，其中：上交中央卫星电视传播中心807.42万元；上交省广播电视行政主管部门140万元。（贵州省广播电视局）

甘肃省广播电视产业发展情况

一、广播电视广告经营创收情况

2007年，甘肃省广电总台电视广告经营收入累计完成1亿2395万元，广播广告创收约2400多万元；兰州市广播电视总台电视广告经营创收为3412.66万元，广播广告总收入为1109.60万元。

二、影视制作机构和影视制作基地生产经营情况

2007年度，兰州电影制片厂独立摄制出品或联合摄制出品了数字电影《常胜班》，电视连续剧《老柿子树》（28集）、《铁血燃情》（22集）、电视栏目《365电视短剧》203部（集），4集皮影电视艺术片《猫和老鼠》、《闹元宵》、《断桥》、《孙悟空三打白骨精》；译制藏语科教影片10部、故事影片30部。有7部影视片暨单位和10位专业技术人员获第2届甘肃电影“锦鸡奖”综合奖项和单项奖项，电视栏目《365电视短剧—女贼》获第2届全国栏目剧评优三等奖。电视电影《失踪的女神》、数字电影《蝶舞青山》在中央电视台电影频道先后播出，电视栏目《365电视短剧》203部（集）在甘肃省广电总台电视公共频道每天播出一集，皮影电视艺术片在甘肃省广电总台电视文化影视频道播出。40部藏语译制16mm影片拷贝分送甘南藏族自治州、天祝县藏区发行放映。

三、其他与产业发展有关的情况

1．有线电视数字化和环网建设情况

2007年，网络公司有线电视数字化整体转换取得了丰硕的成果，完成了管辖片区内270个单位、小区，2742栋楼房，共计15万有线电视用户的整体转换，在兰州市省网片区基本实现了有线电视数字化。

在省局数字化领导小组和指挥部的指导下，网络公司主要从四个方面入手，保证了整体转换的完成。一是对有线电视网络进行了全面的整治；二是积极争取省委省政府批复的一个亿三年期贴息贷款的按时到位，为数字化整体转换做好资金保障；三是重新议定并降低了机顶盒的价格，有效缓解资金压力；四是采取拉网式的转换方式，有目标、有计划、有组织的推进整体转换。

2007年公司环网建设进入收尾阶段，至年底完成了省网3384公里环网的建设。

按照兰州市光缆入地建设总体规划，2007年公司与中人公司合作完成了七里河区、兰州市南出口、崔家崖至深沟桥、城关区南滨河路、城关区主干道等路段光缆入地工程，工程量占到总体工程的一半以上。

2007年，网络公司完成了省广电总台甘肃卫视省外覆盖的工作。据美兰德统计报告显示，甘肃卫视2007年全国可接收人口达1.5亿，比2006年增长了5373万人，在全国省级卫视覆盖排名中名列28位，在西北5省排名第二，比2006年上升了三位，成为2007年全国可接收人口增长速度最快的省级卫视台。

2．甘肃广电数字微波事业的发展

甘肃省广电微波干线网始建于1985年，于2006年4月全网实现了数字化。数字化改造后的微波网有56个微波台站，分布在全省14个市、州和沿途各县（区），干线总长度为2300多公里。

目前，承担着中央一套电视、省文化少儿电视频道、甘肃卫视频道三套电视节目及7套立体声广播（中央1套、省新闻综合广播频道、都市调频广播频道、交通广播频道、经济广播频道、少儿广播频道、农村广播）节目的传输任务，负责为各地有线前端，农村广播电视网，数十个省、市、县级骨干发射台，卫星地球站提供信号源，同时还承担着各市、州新闻回传任务，数字微波网与广电总局广播电视空中应急播出和新闻采集卫星站实现同一平台切换对接，已成为一条不可多得的广播电视传输通道。

微波传输中心还承担着国家广电总局设在广电中心19楼微波首台机房内VSAT站的管理使用，VSAT站、国干光缆于全省微波干线网实现同一平台切换，并传向全省各市（州）各沿途各县。建立了各地——数字微波干线网——VSAT——总局无线局（中央电视台）全程无线回传路由。2005年9月28日全球祭孔大典现场直播活动中利用此路由将中央电视台设在甘肃武威市祭孔现场信号成功传送到中央电视台，受到中央电视台的好评。

通过挖掘中心数字化改造后微波传输信道的冗余资源，高效的发挥其效能。近期与民航总局甘肃空管分局达成了长期合作协议。为改变西北民航基础设施落后现状，民航总局计划在“十一五”期间沿兰州至成都、兰州至新疆、兰州至欧洲航线建设全方位覆盖的雷达通信系统和地空通信（VHF）指挥系统，近期已正式批准在漳县木寨岭、民勤县、嘉峪关等地建设雷达通信指挥系统，还将在金昌大墩井、酒泉敦煌等地新建多座甚高频地空通信（VHF）指挥系统。为充分利用我们冗余的数字微波电路，我们与甘肃空管分局达成了租用冗余电路协议，目前实施的第一个项目，就是租用漳县木寨岭台至兰州至中川机场指挥塔台之间300多公里的数字微波通信线路中的一个E1(2048Kbps)信道，2008年还将陆续开通金昌、武威等地雷达数据业务和VHF空地通话业务。

3，中央广播电视农村无线覆盖工程建设情况

2006年开始，国家加大了中央广播电视节目在农村及边远地区覆盖工程建设力度，时年，甘肃省687、冬青顶、东山三个电视调频转播台被纳入工程建设之中，下拨设备改造费249.7万元，工程建设配套费（包括机房装修，配套设施建设等）160.84万元，播出费112.5万元，用于转播中央电视一套、七套节目的满功率、满调幅度、满时间即“三满”播出。

2007年国家再次将甘肃省关山、冬青顶电视调频转播台及玉门、酒泉、敦煌、定西、827、静宁中波广播转播台纳入农村无线覆盖工程建设之中，再次下拨设备改造费436.92万元，工程建设配套费254.5万元，播出经费79.5万元。

（甘肃省广播电影电视局）

厦门市广播电视产业发展情况

一、厦门广播电视集团广播电视节目交易情况

2007年，厦门广播电视集团的三大剧场《经典剧场》、《非常剧场》和《钻石剧场》及“18点档”和“930剧场”，全年播出电视剧数量为120部3200集，其中首轮79部，2115集。购片费用总额：11988790元（含电影和数据费用）。

2007年厦门广播电视集团共计销售电视剧17部579集，如《金字招牌》、《饮食男女》、《真情无限》、《精武飞鸿》、闽南语《徽娘宛心》、《暴雨梨花》、《转角遇到爱》、闽南语《悠悠寸草心》和闽南语《春天后母心》等。

二、厦门广播电视集团广播电视广告经营创收情况

2007年是厦门广播电视集团发展史上重要的一年。厦门广播电视集团整体业务经营呈现了稳步上升的态势，广告经营收入达到1.5亿元，其中广播收入2000万元，电视收入1.48亿元。

1.广告公司对广电集团的广播、电视等媒体资源进行了全新的梳理与整合，进一步深入推广行业专业化经营，积极进行产业结构和客户结构的调整，全年广告创收实现了显著增量，首次突破千万元大关。

2.广告公司进一步加强活动营销，积极举办大型商业活动，在有效增加创收的同时提升了媒体自身价值。

3.通过向AC－尼尔森购买电视监播报告、促销专案推介、广告资讯宣传、面对面推介会等形式，进一步加快了厦门卫视频道、《经典剧场》等剧场、新闻广播等广播频率的培育和推广。

4.积极创新广告产品，拍摄、制作的多条公益广告、专题片夺得各项大奖。

三、厦门广播电视集团影视制作机构生产经营情况

厦门广播电视集团广电节目公司是福建省规模最大的影视投资制作机构。2006年起，全面开展影视剧的投资、策划、制作、营销等相关业务。2007年，与海内外多个实力影视创制机构和知名制作人合作，拍摄制作了3部颇具市场影响力的影视剧作品。一是携手九州音像、华亿联盟、光线传媒，投资拍摄40集现代都市情感传奇剧《暴雨梨花》。二是与台湾知名制作人柴智屏合作20集超级偶像剧《转角遇到爱》。三是与北京世纪春天传媒合作拍摄20集电视剧《目击者》。目前三部电视剧均已在各电视台完成首轮播出周期。

（厦门市广播电视集团）

※※

浙江江山东方软件科技有限公司成功开发广播电视综合办公系统软件

江山东方软件科技有限公司隶属江山广播电视台职工技术协会，是以系统集成、软件产品开发、销售、咨询和服务为主的高科技企业，是浙江省电子政务重点实验室的研发基地。公司注册资金100万，拥有研发、销售、财务、管理人员等20多人，其中高级工程师、系统分析员、工程师、高级程序员等科技人员占公司员工90%以上。公司和上海、杭州的多所高校建立了合作关系，有多名各级党政机关的文电处理资深专家为公司顾问。近300台电脑组成的跨区域开发实验网，4000多台电脑组成的跨区域大型实时测试网，为软件的开发和测试提供了很好的开发环境。近年来承接上海、江苏、浙江的项目近百个，具有较强的研发能力，是浙西地区信息产业龙头。

公司主要从事电子政务软件的开发销售，经多年经营和实践，目前公司自主开发的软件产品主要有：广播电视综合办公系统软件、广播电视网络综合管理信息系统（广电地理信息系统）、广电客户服务处理系统、地市级公文交换阅办系统、县市级党政机关电子办公系统、中小型企业协同管理系统等，所有自主开发的软件产品均具有易用易维护的特点。

广播电视综合办公系统软件是针对广电行业的管理需求开发、经过许多广电部门多年实际使用、并多次完善提升的应用成熟的软件产品，系统的核心功能主要为公文流转系统、新闻采编系统、广告管理系统、业务管理等，并集成内部工作交流及短信发送等使用性很强的模块，其中的业务管理系统基本涵盖了广电业务中的所有管理功能，包括有线电视用户管理系统、有线电视银行联网代扣催收系统、数据网用户管理系统、网络质量检查、网络工程验收等等。另外还有值班管理系统、考勤管理系统、网上短信系统、监听监看反馈系统、节目播出单系统、首问负责制处理系统、合理化建议办理系统、网上图书馆管理系统、HFC网络综合管理信息系统、收费联系、乡镇投稿系统、乡镇站管理系统、乡镇站网上申报等模块。

“地市级公文交换阅办系统”自2004年5月上市以来，因其先进性、实用性，受到浙江省委办公厅、中共中央办公厅的高度评价，其市场前景十分广阔，当前已推广到浙江省内多个市县区，组建统一的党务政务系统，因系统的应用使用性先进，因此还是全国的首例。

9. 经　验
Experiences

9. 经　验

责任编辑　刘书峰
审 稿 人　雷跃捷

2007年中国广播电视品牌栏目年度报告

2007年中国广播电视品牌栏目年度综述

新闻类栏目

一般我们把新闻类栏目分为时政新闻栏目、民生新闻栏目和新闻评论栏目等类型。新闻类栏目是各个广播电台、电视台立台的根本，也是体现社会责任与道德水平的标准，因而都会花比较大的力气进行建构，并在品牌栏目的维系上用心用力。这也是新闻类品牌栏目的生命周期会比较长的原因。我国由于新闻类栏目的特殊使命和作用，赋予了它们不同于西方新闻类栏目的特征和特点。2007年，中国广播电视新闻类栏目在政策允许的空间范围之内进行了大胆的尝试，使新闻类栏目更加贴近民生、更加贴近现实、更加能够使“上情”和“下情”得到沟通和交流，为和谐社会的建构做出了重要的贡献。

2007年比较有代表性的新闻类栏目有中央电视台的《焦点访谈》、黑龙江电视台的《新闻夜航》、浙江电视台的《范大姐帮忙》、东方卫视的《东方新闻》、北京电视台的《北京您早》、江苏电视台的《1860新闻眼》和嘉兴电视台的《新闻60分》；中央人民广播电台的《新闻和报纸摘要》、安徽广播电台的《新闻直通车》、河北人民广播电台的《交广时空》、天津广播电台的《建言议政》以及新疆广播电台的《新广行风热线》等。这些新闻类栏目，无论是新闻评论类、新闻时政类还是民生新闻类，都在内容选取、节目编排、社会影响、政策宣传和新闻传播方面起到了非常好的作用。

新闻评论栏目如《焦点访谈》和《建言议政》等，它们的舆论内容选择“政府重视、群众关心、普遍存在”的选题，坚持用“事实说话”，反映、推动和解决了大量社会进步和发展过程中存在的问题，真正代表了新闻从业者的价值守望和社会良心。《新闻夜航》和《新广行风热线》等栏目坚持用事实说话，正面报道具有很强的可视性，监督类的报道重在“解痛减压”，提倡宽容与理解，促成问题解决。其他比较突出的新闻栏目如《新闻和报纸摘要》、《东方新闻》也具有很强烈的代表性，把本土和国际视野进行了很好的结合，采用多种很具有表现力的视听元素，把新闻报道、社会关注、方针政策进行有机结合，非常值得肯定。

社教类节目

2007年，社教类栏目在传承了优秀栏目的精髓的同时，也有一些比较有代表性的栏目脱颖而出，这些栏目突出了当下社会某些矛盾的节点，并用电视传播的方法探索解决这些矛盾的方法。社教类节目承载广播电视传播独特的功能和作用，这些功能和作用有可能是文化传播方面、也可能是社会教育方面，但无论是哪一个方面，其本质目的都是为了促进社会和谐有序地发展。

社教类栏目的范畴一直都比较大，分类也因为目的不同而不同。我们倾向于把社教类栏目分为青少栏目、社科栏目、对农栏目和经济栏目。青少年是未来发展的希望，对青少年的教育就是对未来的教育，广播电视具有强大的知识传播和文化传承功能，各个电台、电视台都十分重视对青少栏目的开发和制作。2007年一些老牌的青少栏目继续得到很好的发展，新创办的青少栏目也取得了比较好的传播效果。社科栏目也一直是各台比较重视的一个栏目类型，因为社科节目是文化知识的直接承载者。2006年出尽风头的中央电视台的《百家讲坛》、2006年有重大影响的中央电台的《神州夜航》等品牌栏目，在2007年很好地进行了品牌的维系和延伸。

2007年社教类栏目的亮点和热点是对农栏目和经济栏目。荆州电视台的《垄上行》、安徽电台的《乡村夜话》等对农栏目贴近性很强，表达方式符合农民的视听心理和习惯，节目以感染力和亲民性得到了一致的好评；贵州电视台2007年新推出的对农栏目《中国农民工》以及黑龙江电台早有的《关注农民工》，都关注了时下一个非常广泛而特殊的农民群体，它们政治正确、题材正面，取得了极其良好的反应，视听率和美誉度获得了“双高”。另外，得益于2007年股市的大热和经济的发展，经济栏目也受到了比较多的关注和追捧。广播电视经济栏目在知识传播、奉献教育和社会引导方面都起到了比较大的作用。

娱乐类栏目

从某种程度上讲，这是一个大家都追逐娱乐精神与娱乐品位的时代，广播电视在如何提供娱乐、引导娱乐方面发挥着重大的作用和影响。对于广播来说，可以把很多很好的娱乐形式进行嫁接，很符合社会的发展潮流与听众的审美感受。2007年广播娱乐类栏目中音乐栏目、方言栏目、益智栏目、各种脱口秀和各种嫁接形式的栏目依然是受众欢迎的主流。

2007年影响最大的电视娱乐类栏目依然是各种不同类型的选秀栏目。无论是湖南电视台的《快乐男声》、东方卫视的《加油，好男儿》、《我型我秀》，还是北京电视台的《红楼梦中人》、江苏电视台的《名师高徒》、《绝对唱响》都在2007年给我们提供了众多的娱乐话题，让我们的神经得到了很好的放松。然而比较国内国外娱乐选秀节目的发展态势，我们也可以看出这些娱乐栏目在原创匮乏背后发展的乏力。2007年电视真人秀栏目发展依然劲爆，看点依然多，发展的态势依然强健。

另外一些老牌的广电娱乐栏目如湖南电视台的《快乐大本营》和一些新创办的栏目对不同层次不同年龄和性别、

收入等人群的网罗，都可以看作是2007年广电娱乐栏目发展的新尝试。尤其应提到的是中央电视台的《爱猜电影》和四川电台的《吃在成都》，前者把电影和益智、娱乐以及真人秀进行了完美的结合，取得了非常好的传播和观赏效果；后者最大限度地发挥了两位主持人的娱乐天赋，把方言、美食、娱乐和各种话题进行了很好地结合，受到了听众热烈的欢迎。

2007品牌栏目年度总结及2008展望

纵观2007年中国广播电视品牌栏目的发展情况，通过对栏目的考察和对现象的分析，我们总结如下：

第一、关于竞争力

从竞争的数量上看，电视栏目之间的竞争要大于广播栏目的竞争，因为一个电视栏目面对的是中央电视台、省台和市台的相同定位栏目的竞争，而广播只有省市两台的竞争。而从竞争的质量上看，广播栏目的竞争要大于电视栏目的竞争。这是因为对电视栏目来说，高一级电视台的栏目的实力一般要高于低一级的实力，而广播栏目在这个方面的差别就特别小。

第二、关于改版

每个栏目都有生命周期。对于一个形成品牌的广电栏目来说，它最主要的工作就是使其栏目的成熟期尽量地延长。这就需要当受众产生一定的审美疲劳的时候，进行适当地改版以保持受众的新鲜感。栏目的改版可以有很多种形式，比如对主持人、节目设置、音乐、背景、片头的改变等。2007年底中央电视台最老牌的栏目《新闻联播》就因为海霞等新主持人的出现而造成了很多话题，使栏目拥有了新鲜感。

第三、关于低俗化

2007年国家广电总局对电台、电视台栏目净化的力度加大，一系列的广电栏目因为低俗化等问题而遭“停播”。年内负面影响最大的重庆电视台的《第一次心动》以及其他电视台的《交换主妇》、《超级情感对对碰》和《美丽新约》等栏目，都先后受到了国家广电总局的通报批评和广大电视观众的指责；而广播方面四川、成都等电台都因为涉性栏目的低俗、恶俗而遭到了严厉的批评和处罚。这种净化工程会在2008年更见效果，也在某种程度上说明了社会和国家对广电栏目的期望和要求。

第四、关于政策环境

国家相关的政策法规将会影响栏目的生存、发展以及走向。2007年国家广电总局出台了一系列的具体管理措施和细则，进一步规范了群众参与的选拔类广播电视活动和节目。这些政策的出台将严重影响到2008年广电选秀栏目的生存和发展。这也从某种层面上说明了政策环境对于广电栏目发展的重要性。

第五、关于个性化

相对于广播栏目发展的个性化而言，电视栏目因为缺乏原创而使得个性很不明显。虽然荧屏上亮点和特色总是不缺，国人的娱乐和消闲生活也因为有了这众多的娱乐类栏目而变得丰富多彩，但是细看就会发现这些栏目都是对国外优秀电视栏目的复制，并且这种复制的力度、效度都在加大加快。电视栏目原创性的匮乏已经成为制约电视栏目发展的一个非常大的瓶颈。而广播由于传播和收听特点，现在这方面的问题还不大。

第六、关于主持人

品牌栏目主持人是栏目的形象代言人，也是栏目精神最直接的体现，虽然说电视品牌栏目是集体智慧的结晶，但是栏目主持人却是这个结晶的代表。2007年发生了个别主持人因素质或形象而影响到栏目品牌形象的事件。这说明了主持人的个性、素养以及社会公众形象都关系到栏目品牌的建立，同时主持人的个性特征跟品牌栏目的形成也具有巨大的正相关作用，这也是为什么很多很好的广播栏目主持人无论在音色、思维或语言方面一定要有自己“辨识度”的原因。

第七、关于社会生活

2007年广播电视兴起的最多的栏目应该是各种类型的经济栏目，这得益于股市的坚挺。这一方面说明了电视对于民生的关注，通过这些栏目来监测环境、提供信息等，另外一方面也说明了社会生活对于广播电视内容取向和栏目设置的巨大影响。

第八、关于栏目群

品牌栏目群是2007年各电台、电视台关注的重点，也将是2008年各台关注的焦点。各台在塑造了某个品牌栏目之后，会更加关注同频道和同台其他品牌栏目的塑造，以一系列的品牌栏目巩固和加强受众的品牌认知和品牌忠诚度。这样的品牌栏目群会更加具有聚合性、相关性和互补性，会争取在同一频道或同一台中用一系列的栏目群来分辨和区隔、凝聚受众人群，以提高竞争力和影响力。

第九、关于奥运会

2008年举世瞩目的奥运会将在北京召开，这也是一个广电的盛会，届时一系列与奥运会相关的广电栏目将会像雨后春笋般涌现。这些栏目将是2008年广电栏目的焦点和发力点。近几年与奥运相关或者打奥运擦边球的广电栏目逐渐兴起，2008年将是一个高峰期。这是对各家广播电视台创意、制作和实力等各方面的考核。

第十、关于和谐社会

广电栏目虽然都存在着一定的问题，但是良性的发展却是绝对的主流。广播电视栏目对弱势群体和特殊人群的报道和关注有所提高，对社会热点和民生问题的报道力度空前加强，体现了广播电视浓厚的人文关怀和价值守望，广电栏目为和谐社会的建构提供了保障，同时也积极地促进着和谐社会的建构。2008年这样的作用将会更加明显。

（张君昌　吕鹏　《声屏经纬》2008.1）

驾驭重大政治性事件报道是主流媒体的核心能力

重大政治性事件，诸如每年“两会”、每五年的党代会，由于其题材的特殊性，报道工作其实在某种意义上已经被纳入到整个事件进程之中，而成为一项特殊的政治任务。安全，万无一失，是一个首要前提，是一条基本底线。而导向的精准把握、传播效果的高质，也是重大政治性事件报道的当然要求。而同时，随着媒体技术手段的进步、表现方式的更新、受众需求的变化，也要求任何一种新闻报道必须紧跟和适应时代的步伐。对于重大政治性事件报道更是如此。主流媒体面对重大政治性事件报道，在确保安全播出万无一失的基础上，能否做到高质量，是否敢于创新、善于创新，是这项任务是否成功完成的衡量标准，也是媒体能否胜任职责的评价标尺。

一、时政报道

10月15日～22日十七大报道期间，新闻中心共进行了两场重要直播：十七大开幕式直播，10月15日8点40分～11点42分，总时长182分钟；新任常委记者见面会直播，10月22日10点30分～12点，时长90分钟。共播出时政新闻34条，总时长213分钟。

为保证直播圆满完成，新闻中心提前规划、提前设计、提前制定应急预案，并多次进行针对性实战演练。现场直播中，采用主、备两套系统同步进行，保证了直播的安全系数。

现场设置的九部机位全景记录了大会堂庄严肃穆、恢弘大气的活动实况。其中，胡锦涛同志步入会场、在报告前后向代表鞠躬致意、全场热烈鼓掌等每一个画面细节的精确捕捉，极大地丰富了直播的感染力。现场镜头设计从容大气、画面衔接自然流畅。

本次报道中有许多创新性的做法，极大提升了报道的质量和传播效果。

创新一：编辑手法创新 提升报道可视性

《新闻联播》播出的《新闻特写：热烈的讨论 真情的交流——胡锦涛同志同江苏代表团一起审议十七大报告》、《十七大代表分组讨论：走中国特色社会主义道路是实现民族复兴的必由之路》等报道，将领导人同期声与代表发言交替推进，并融入故事情节元素，极大提高了报道的可视性，强化了传播效果。

创新二：技术手段创新 提升画面质量

本次报道中，在人民大会堂启用了摇臂摄像机。这是摇臂摄像机在党代会开幕式报道史上的首次使用，此外国际最先进的冷光源系统也在直播中首次使用，这些创新性做法，都极大增加了直播的画面效果，更加凸显了现场的热烈氛围。

创新三：工作流程创新 提升新闻时效性

为确保新常委记者见面会实况能够在《新闻30分》中播出，新闻中心创新业务流程，采用分本录制、分本审看的做法，极大缩短了直播、编辑、审看等环节所需的时间，新任常委会见面会结束五分钟后，中午12点的《新闻30分》在头条第一时间顺利播出了记者见面会的实况，确保了新闻的时效性。

二、《新闻联播》

1．首次实现党代会期间播出不延时

十七大报道期间，除大会开幕式、闭幕式、一中全会三天的《新闻联播》按规定延长时间播出以外，其余时段均以30分钟不变的篇幅，首次实现了《新闻联播》在党代会会议期间播出不延时。十六大会议期间全部延时，会后四天延时。

2．播出时间减少 信息量增加 效果不减

据统计，10月15日～20日，《新闻联播》播出总时长为275分钟，播发新闻98条；十六大期间的2002年的11月7日～11日，《新闻联播》播出总时长为619分钟，播发新闻95条。报道同比时长缩减56%，新闻多出三条。

3．内容丰满 信息立体

在本次分组讨论报道涉及领导同志人数为历年之最的情况下，报道将中央领导同志的发言与基层代表的讨论交替进行，既有叙述，也有展示；既有现场描述，也有同期声表达，报道说服力强。

内容覆盖范围和基层代表出镜频次创《新闻联播》新纪录，各地、各阶层代表团全覆盖，并播出两轮甚至多轮。10月15日～20日共播出164名代表同期声，其中基层代表153人。

同时推出自选动作——“今天的生活”。报道将当天大会动态延伸到会外，由代表延展到普通百姓，由会内消息延展到会外动态，通过寻求新闻事件之间的关联，深度关注各地建设小康生活的成果与百姓切身感受。报道还开设了“数字生活”小板块，由点及面，在数字变化中折射出国家发展成就。

4．形态完整 编排精心

集时政、小组讨论、代表感言、群众反映、华人华侨反映、国外政要贺电、动态消息、自选动作新闻、国内简讯、国际新闻等众多题材的新闻于一体，内容丰富、衔接流畅。其中，11月17日，《新闻联播》在会议程序性内容相同的情况下，当日《新闻联播》较十六大召开第三天2002年11月10日的《新闻联播》相比，时长缩减了35分钟，播发消息却增加了两条。

三、新闻发布会和记者招待会

10月14日下午16:30～18:00，大会召开新闻发布会，我们按照要求进行了即时播出，紧接着在19:00《新闻联播》中播出了新闻，在19:38播出了一档专题，做到了既“快”又“精”又“准”。随后的四场记者招待会和各场集体采访，在录制精编上下工夫，得到了大会新闻组的高度肯定。

四、专题节目

1．《焦点访谈》：以规模传播再推新设计

十七大报道期间，《焦点访谈》统一格式、统一包装，在会议期间推出八集特别报道《开创新局面》。报道紧追会期，在突出解读与梳理两大功能基础上，开设了“焦点回放”、“记者观察”、“议论风声”等板块，大主题小切口，以多视角传递、解读报告重要精神。

2．《小崔会客》：时政报道品牌的翻新设计

《小崔会客》是CCTV-新闻频道2006年“两会”推出的一档重要品牌节目。十七大报道又对该栏目进行了翻新设计，推出6集《小崔会客·会见十七大代表》系列节目，内容涉及天津滨海新区的设立、成渝经济试验区的建立、长三角经济圈的推进、中部崛起战略的深入、东北振兴计划的推出、北部湾经济圈的发展等。

在节目设计上，将党代表、普通百姓以及相关领域的社会公众人物聚集在一起，围绕重大问题，平等交流沟通。节目风格既轻松、幽默，又不乏适度的质疑和充满人文精神的关切，取得了很好的收视效果。节目播出后，四川、江苏等地致函我台，称赞节目将重大主题寓于轻松交流中，贴近性极强。

通过去年、今年的两会和十七大的报道，《小崔会客》这种新型时政报道形态和节目品牌得到了认可、强化和巩固。

3.《东方时空》：聚焦十七大代表和民生话题

《东方时空》采用“集结两块内容，连续八天打通”的方式，在《东方之子》和《时空连线》中分别推出8集的“先锋故事”和“愿生活更美好”两个系列节目。

“先锋故事”选取来自不同行业的基层代表，叙述扎实，人物鲜活，体现了十七大代表的风采。“愿生活更美好”，则另辟蹊径，把视角放在与百姓生活密切相关的热点和难点问题上，用百姓生活中的小故事折射出“十七大”的内容，关注和解决社会普遍存在的民生问题。

五、CCTV－新闻频道

1.整点新闻：迅速、及时，重要新闻滚动播出

在及时、快捷传递大会信息的同时，CCTV－新闻频道对重点新闻进行滚动播出，确保大会内容能够准确、充分传递给观众。其中，10月15日19:00～16日18:00，CCTV－新闻频道对所有整点新闻播出版面扩充，连续对时长28分07秒的大会开幕式新闻进行了23次播出，播出总时长超过600分钟，其播出频次、规模和密度前所未有。《新常委见面会》的专题新闻，共滚动播出28次。胡锦涛与江苏团一起审议十七大报告的相关报道共滚动播出22次。十七大闭幕式报道共滚动播出24次。

2.新闻栏目：大时段、大容量

《360°》、《朝闻天下》、《新闻30'》、《晚间新闻》作为CCTV－新闻频道的几档重点新闻栏目，分别开设推出了“十七大全接触”、“民生新举措”、“影像与数字”、“数字看民生”等专栏。其中，《360°·“十七大全接触”》发挥直播新闻节目的特点，跳出会议常态报道模式，以每天30分钟左右的篇幅，贯穿整个会议期间。节目从内容和形式上重在突出新闻性，拓展了时政报道的角度和空间，与《新闻联播》形成互补。　（梁晓涛《电视研究》2007.12）

告诉世界一个真正的香港——大型电视纪录片《香港十年》创作谈

大型电视纪录片《香港十年》是中央电视台继1997年7月1日播出见证百年香港历史的大型电视纪录片《香港沧桑》十年之后，再一次系统、全面地呈现主权回归祖国十年后香港的最新影像。中央电视台首次采用高清晰度数字电视设备和大规模的航空摄影，完整、生动地展现了“一国两制”伟大构想从理论到成功实践的过程，真实地、极具说服力地体现香港十年来的发展变化。

一、主题提炼突出“三个理念”

《香港十年》作为国家广电总局立项的重大理论文献纪录片，在“香港回归祖国十周年”之际播出，意味着该片承担了宏大的时代主题和重要的社会责任，所以该片的立意无疑成为节目能否最终成功的关键。从拍摄方案到编辑方案，我们都力求在主题提炼上突出三个理念，即政治理念、时代理念和历史理念。

在政治理念上，着力体现香港“一国两制、港人治港、高度自治”的十年。对于中国和世界而言，以“一国两制”的模式将社会制度完全不同的两个地区统一于一个国家的内部，是一种全新的尝试，是一个高瞻远瞩的伟大创举。

在时代理念上，着力体现十年的发展历程中，中国经济的快速发展及国际地位的提高，成为香港顺利回归祖国的首要因素；而中央政府在香港特区落实“一国两制”的决心及沉着应对危机的能力，更是香港繁荣稳定的重要保障。

在历史理念上，着力体现中央政府为香港特区经济的复苏和发展给予的大力支持。香港在国际社会中的地位和空间得到前所未有的提升和拓宽，每一个普通的香港人都能体会到祖国强大的光荣感和民族自豪感。

《香港十年》“以真实为灵魂，以人物为主角，以故事为载体，以情感为核心”作为全片创作的重要原则，以香港回归十年来的“变与不变”贯穿始终，用影像记录香港十年的风雨历程，用故事见证香港十年的“变与不变”。

二、记录故事凸显“三个力度”

摄制组明确了《香港十年》记录故事的创作原则，一定要凸显和强化“真实的说服力、细节的吸引力、情感的感染力”。

说服力，就是摄制组要通过香港人自己的真实故事、命运变化、情感历程，用事实说话，以一个个生动鲜活的例子，一组组精确详实的数据，以极富感染力的深情和真实细腻、亲切平和的语调，将十年来发生的关系国计民生的重大事件和老百姓居家生活所关心的细枝末节娓娓道来，带领观众身临其境地感受香港人经历的这不平凡的十年，真实生动地展现“一国两制”从理论到成功实践的过程。

吸引力，就是摄制组深入到香港普通民众家庭，并对各种人群进行拍摄，贴近人们的生活和内心世界，用细节来增强故事的吸引力。《香港十年》记录了在香港维多利亚幼稚园里举行的升旗仪式：五星红旗下、国歌声中，孩子们庄严地行礼，郑重地宣誓：“我们在国旗照耀下，幸福成长，我为我是一个中国人而感到骄傲和自豪。”那坚定的眼神和稚嫩的童音，让观众强烈的民族自尊和民族认同感油然而生。耐人寻味的是，这些在1997年后出生的孩子，他们的成长轨迹将与父辈全然不同，从进园之初，他们面对的就是五星红旗而不再是维多利亚画像。在香港199家幼稚园中，升国旗仪式已经成为孩子们最热爱的活动项目之一，其中的象征意义正如解说词中所说的一样：“这意味着成长的信心和未来的生活。”

感染力，就是摄制组要在拍摄中捕捉、记录香港人情绪、情感流露的瞬间，用情感的力量使观众产生共鸣。《香港十年》中，以血脉相连、水乳交融的情感主线，讲述了一

个个血浓于水的亲情故事。有香港飞行服务队员冒着生命危险营救派比安台风中遇险的内地船员的故事，有香港中文大学退休教授变卖家中古董、在内地修建60多家医院的故事，更有每一次危急关头祖国内地对香港无私支持的故事。对香港人来说，这是前所未有的观念转变和内心体认。

三、叙事视角确立“三个角度”

《香港十年》的目标观众除了内地观众，还有大量的香港观众及海外观众。《香港十年》在叙事视角上确立了“平等、平视、平和”的原则。

1．在价值取向和创作态度上，更注重贴近性

坚持深入到香港社会生活中去，直接观察、体验、发现、选择拍摄内容，避免间接的、浮光掠影的、表象化的记录所带来的诸多弊端。

2．在思维方式上，从注重创作者的主体性到更加重视对象的主体性

格外重视拍摄对象的主体性地位，包括拍摄对象的表述和生活内容都得到最大程度的尊重。对象主体性的强化和放大，使该片的人文气质和现代感都得到了提升。

3.在创作手法上，突出了平视的拍摄视角和以小见大的叙事方式

选择了平视的拍摄视角，不论拍摄对象是高官政要，还是普通市民，都平等地面对他们，这种平等的视角使全片呈现出平和的效果。着力于从细节、话语、场景入手，以小见大，让人更细致入微地体验到具有全局性、整体性的大的意义内涵。

四、提升文献价值着力“三种影像”

对于一部文献纪录片来说，能否留下第一手的、独家的和不可替代的影像文献资料，是衡量它价值的重要标尺之一。《香港十年》在“对比性影像、重要历史影像、发现记录的独家影像”方面进行了多层次的努力和尝试。

1．对比性影像

该片将中央电视台在1997年推出的12集大型纪录片《香港沧桑》中的若干影像调出，与2007年重新进行影像记录的同一场景进行对比，在空间不变的情形下，体现出时间的跨度，从而呈现出具有历史张力的对比性影像。比如对香港地标性的景观维多利亚湾、中环、新机场、葵涌码头等的对比拍摄，产生了令人震撼的世事沧桑之感。1996年，《香港沧桑》摄制组在新界拍摄，那时香港虽然还没有回归祖国，但当地人们真挚的感情令人无限感动；2006年同样的时间再去新界，镜头中，观众看到的是更浩大的人群，更高涨的热情。1996年中秋，很多家庭围坐在香港维多利亚公园，在地上点上蜡烛放上月饼，遥寄亲人团圆之情；2006年，一样的公园、一样的蜡烛、一样的月饼，丝毫没有改变；《香港沧桑》里记录的湾仔码头“水饺皇后”臧姑娘，再次出现在《香港十年》中……纪录片讲究真实，真实的人物、真实的场景加上十年的积累，这些时空交错的影像，从更宽广的角度，用鲜明的对比，带给观众强烈的视觉震撼。

2．重要历史影像

在片中，我们不仅看到23年前邓小平与撒切尔夫人签署中英联合声明时的影像，也看到了十年前江泽民与查尔斯王子出席香港主权回归祖国交接仪式的场景；不仅看到了金融危机爆发时香港人沮丧的表情，看到了“非典”肆虐时香港人恐慌的神情，也看到了危机和灾难过后香港人团结一致、众志成城的令人振奋的场景。这些重要的历史影像无疑增加了该片的历史厚重感。

3．发现记录的独家影像

摄制组花费了巨大的心力，在700多万香港居民中，像大海捞针般地寻找、发现、选择出极具代表性的拍摄对象，并作了独家的采集记录。如“回归宝宝”、回归仪式升旗手、2007年除夕夜香港人迎接新年到来时自发地高呼“回归祖国十周年香港更繁荣”的场景、香港中文大学退休教授梁沛锦等影像都是第一次呈现给观众，极大地增强了该片的吸引力和可视性。　　（刘文　《电视研究》2007.9）

从《两会时评》看广播评论节目的创新

2007年“两会”期间，中央人民广播电台在《全国新闻联播》以及《新闻和报纸摘要》节目推出了全新评论节目——《两会时评》。这个节目新闻实效性强，内容紧贴社会热点，观点鲜明集中，更为重要的是其形式新颖，广播个性特征突出，一下子就吸引住了听众的“耳朵”，获得业界内外的广泛好评。

一、以“快、高、深”，抢占舆论高点

“快”成了《两会时评》的第一生命力。当今媒体竞争日益激烈，伴随于重大事件的竞相评论便是集中体现。广播媒体要在纷争中取得一席之地，谋求长远的发展，就不能在“显示媒体话语权”的评论上懈怠或失声，广播评论节目要大力发挥媒体优势，快言快语，显示实力和影响力。

据统计，在今年“两会”的14天中，中央台《两会时评》共推出了12期，基本上是一天一评，一事一议，很多情况下新闻刚刚发生，相关时评便随即而就。如3月6日，外交部部长李肇星的新闻发布会在下午5点10分左右结束，当晚6点30分开始的《全国新闻联播》节目中，《两会时评》就以“高举和平发展合作的外交旗帜”为题对发布会进行点评。又如3月9日的《两会时评：让全体人民共享改革发展成果》，主题也是围绕财政部长金人庆当天的新闻发布会。类似这样的时评，总能先人一步，人无我有，新闻时效性和现实针对性俱强，也无怪乎声音“响亮”，让人印象深刻了。

“高”也是今年《两会时评》的一大亮点。首先节目播出的平台高——《全国新闻联播》和《新闻和报纸摘要》，堪称中央台的名牌节目，这种新节目从借助于成熟平台，借势而发，到定型形成品牌效应，再到相互借力生辉，大大缩短了一个评论节目的成长路径。另外，《两会时评》所有评论员全都是首都各大媒体的专家和权威人士，他们的观点高屋建瓴，点评透彻、到位，权威性强，很大程度上提升了评论的质量。3月10 日的《两会时评：以“三项意识”清新政风》，便是凭借于人民日报评论员较高的政策把握力，对“胡锦涛总书记告诫各级领导干部要增强‘忧患意识’、‘公仆意识’、‘节俭意识’三项意识”这么一条时政新闻，做出了快捷、权威、准确的反应，一下子就占据了舆论的高点。在此之后，“三项意识”才成为各大媒体的议论焦点。实践证明：广播评论节目只要和媒体的本身特点结合起来，扬长避短，完全能发挥良好的影响和效果。

借助于一个“深”字，《两会时评》完成了事件报道与事件评论间的相互搭配，即观点源于事件，又高于事件。在《全国新闻联播》和《新闻和报纸摘要》的内容编排上，《两会时评》往往紧接在同一事件新闻之后。这种新闻与评论的关联，解决了广播听众印象不深和报道内容不深的问题。

说清事实，判明是非，解释政策，这是一般评论的特征。《两会时评》的“深”还体现在敢于触及听众瞩目的重大问题，其论题是两会进程中的热点，从住房、环境到耕地保护，往往事关改革、发展的大局，事关群众的生产生活。《两会时评》以权威的声音，为听众释疑解惑，这样不但增强了评论的指导性和针对性，也有助于提高节目在听众心目中的地位。3月9日《新闻和报纸摘要》播出的《两会时评：让阳光普照大地》，就是结合政府工作报告，以“在全国农村推行低保制度”为论题。播出后有听众来电说，这篇评论关注民生话题，为听众答疑解惑，让人民感受到政府关注民生、为民办事，从中受到鼓舞，得到启发，感受温暖。

二、以口语化、音响化，突出广播传播特点

长期以来，广播评论基本上是报纸评论的声音版，这很大程度上归因于写作与播音工作是由不同人承担的。于是一种尴尬的局面由此产生：要么时评以浅显明白为长，但深度挖掘不够；要么文章语言书面化，导致收听效果欠缺。而《两会时评》的一大革新就是突破了写和读“两张皮”的现象，评论主体部分，由作者亲自说出，从而实现了写作者与播音者的两者合一。在这个过程中，作者有意无意间强化了评说的感觉，而且不同的人因为语言风格的不同，还形成了各具特点的表达风格，不论激昂还是沉稳，都迥异于播音腔，更像生活中的朋友或师长，在发表观点，娓娓而谈，进而突出了广播口语化的特点，可听性更强。

另外，《两会时评》还有着新时期适合广播传播特点的节目形态，每一期节目都包括统一的栏目曲，固定的节目结构以及相近的节目风格，更为重要是其中的声音元素相对丰富，如大气的栏目曲、带有背景音响的引言部分(女声)，各色口音的主体评论(男声)，这摆脱了以往广播评论中，播音员声音一气到底的单一，纯粹声音语言的单调，节目整体性、品牌感更加突出，形式更加灵活，手段更加广播化，收听效果也更加突出。

三、以开放的理念，打造大广播

《两会时评》首先在解放思想、开拓评论题材上做出了有益的尝试，论题都是针对听众关心、关注的时事热点，题材涉及面广，宏观大论与微观细说兼而有之，而不再是重政治轻经济，近庙宇远民生了。这样的时评更加贴近现实，满足了听众需求。再者，《两会时评》在“开门办广播”上迈出了突破性的一步，其评论员全部来自台外，都是各方面的专家，因此在观点的把握上，在内容的权威性上，优势明显。这从某种意义上说明，中央台顺应了时代发展趋势，正在以一种全新的姿态、开放的思维，加强与社会的合作，互相借重，在合作中求发展，而《两会时评》正是这种“大广播”理想下一个应运而生的产物。

广电总局副局长胡占凡来中央台视察两会报道时，对《两会时评》利用社会资源的做法给予了肯定，他认为这个小栏目找到了多年困扰广播评论的突破口。借助社会的力量，发挥广播的特点，集思广益，凸现了新时代“大广播”的概念，是与时俱进的做法，也是广播进一步寻找和发现自己生存规律的必然。　　（夏威　《中国广播》2007.5）

打造“三联”格局 实现宣传创新——近年来山西广电宣传工作点评

一、打造以省级为龙头的省市县广电联动格局，在坚持正确舆论导向，为全省经济社会发展营造良好舆论氛围方面大有创新

主题宣传有声有色。近年来，围绕迎接十七大、宣传十七大、学习十七大、贯彻落实十七大，围绕省委省政府提出的“走出四条路子、实现三个跨越”，建设“充满活力、富裕文明、和谐稳定、山川秀美”的“新山西、新基地”这一主题，推出了《科学发展、构建和谐》、《时代先锋》、《加快科学发展，建设和谐山西》、《“十一五”新征程》等几十个栏目和节目。十七大召开期间，平均每天在中央台新闻联播中播出新闻3条以上，共发稿30余条，名列省级台前茅。据索福瑞公司的数据，2007年上半年，山西卫视城市、农村综合收视率排全国第九位，省级卫视的市场份额排名由去年同期的全国第23位上升为第18位。

民生内容出新出彩。根据胡锦涛总书记关于权为民所用、情为民所系、利为民所谋的精神，山西广电特别注重在新闻宣传中突出民生问题。一是开办民生频道和栏目，山西台的《都市110》、《直播山西》，黄河台的《倾诉》等都是这类节目，其中，《都市110》收视率达7.6%。二是突出民生内容，深入到工厂、农村、学校、城市社区，了解老百姓的酸甜苦辣，及时将热点、难点、焦点问题予以报道，以引起有关方面的重视。三是讲究喜闻乐见的形式，开通了热线节目、群众参与的直播节目等。四是举办服务性节目，帮助群众解决生活中的难点问题。

品牌节目可圈可点。山西广电特别注重品牌栏目节目的社会效应。近年来，全省推出10个品牌频道频率，30个在省内有较大影响的节目栏目。总台陆续推出《超级少年》、《大戏台》、《老西儿谝吧》、《黄土地》、《第一访谈》、《记者调查》等专题栏目节目，太原台的《新闻快车》、临汾台的《正在进行》、晋中台的《纠风热线》、运城台的《第一时间》等都收得了良好的效果，得到了群众的认可。

大型活动创新创优。连续四年在全国“两会”期间，总台新闻综合广播联合中部六省在北京推出了“崛起中部、启航‘十一五’”全国“两会”大型直播节目，开创了广播联合宣传的新模式，受到了中宣部的重视与肯定；围绕“沪洽会”、“港洽会”组织了系列宣传报道，“春节联欢晚会”、“情系山里娃”、“圆梦行动”、“乔家大院看晋商”全国百名记者大型采访活动、《同一首歌》走进西山等活动接连不断，起到了非常好的效果。

二、打造以广电为龙头的与社会力量联姻格局，在坚持“三贴近”原则，为人民群众提供又好又多影视精品方面大有创新

实施精品战略。近年来，山西广电推出了一批又一批的广播电视的精品力作。一方面精办节目栏目，另一方面，打造精品电影、电视剧、广播剧等。5年来，全省共拍摄电影78部，电视剧66部1319集，广播剧177部2435集。山西的影视作品近年来多次获得各种国家大奖和国际奖。电视剧《八路军》、《吕梁英雄传》、《乔家大院》、《好人李成功》等28部影视剧共获奖90项（含五个一工程奖）。其中国家级奖40项和国际奖8项，省部级奖42项。《八路军》、《吕梁英雄传》、《乔家大院》3部作品同时获得第23届中国电视金鹰奖优秀长篇电视剧奖。

体现本土文化。山西是文化资源大省，五千年文化的深厚底蕴，给文化产业的发展提供了得天独厚的历史机遇。近年来，《娘子关》、《村官》获得全国十佳纪录片奖，《八路军》、《吕梁英雄传》、《乔家大院》《别拿豆包不当干粮》、《哥哥走西口》分别在央视一套和八套黄金档播出，在全国引起了强烈反响，对于宣传山西、带动山西旅游、促进山西经济社会发展起到了极大的推动作用。

发挥市场优势。山西广电近年来积极与社会各方面力量联姻，除新闻以外的广播电视节目逐步推行制播分离，电影、电视剧和一些广播电视专题节目的制作、拍摄，大胆采取合作、合资、合拍等多种形式，取得了良好的效果。5年来，山西电影制片厂引资拍摄、参与和合作投资拍摄的电影故事片62部、数字电影10部、电影纪录片和科教片6部。参与投资和民营影视公司联合拍摄的电视连续剧42部，共1096集。

三、打造以山西为龙头的与全国168个电视台联合的格局，在坚持“走出去”战略，宣传山西、宣传中国方面大有创新

外延拓展，占领阵地。山西广电以黄河电视台为龙头，联合全国168个电视台，构建了一个“走出去”工程的对外宣传平台。在美国SCOLA卫星电视教育网设有三个频道（新闻频道、综合频道、24小时中文频道“黄河汉语学校”），每天播出节目27小时。节目进入北美和中南美地区400多所大学、7000多所中小学和79家城市有线电视网，固定收视人群达1500万人。全部节目还通过流媒体技术在美国网上播出，成为美国一大批大学及中小学常年使用的汉语教材。

黄河电视台还参加了以汉语教学和传播中国文化为定位的国家外宣电视台，与央视和北京、上海、广东以及香港凤凰卫视、亚视等电视台捆绑进入国家广电总局在北美地区建立的中国卫星电视长城（北美）平台，在北美地区落地开播。2007年4月又在加拿大落地开播。每天传输节目8小时，24小时滚动播出。成为海外观众了解中国各地历史文化和学习汉语的重要平台和途径。

黄河电视台正式申办了全国唯一的电视孔子学院，正筹备开播。又积极筹备在亚太地区上星落地，扩大覆盖范围，为中国的声音传向世界各地作出贡献。

精办节目，占牢阵地。为了丰富节目内容，黄河电视台SCOLA台，以山西内容的节目为主，与其它成员台的节目统一精心包装。在北京、上海、苏州、昆明、西安设有五个记者站，在美国依阿华州SCOLA卫星电视教育网设有5人工作站，负责编排国内提供的电视节目。自办的品牌栏目《中国报道》、《时尚快报》、《宝宝学汉语》、《魔力课堂》等，已经进入了美国主流社会，深受观众的喜爱。黄河电视台长城北美平台自办的品牌栏目《中国城市报道》、《唐风》、《黄河佳艺》、《时尚口语》、《他乡故事》、《天天诗词》、《方块字》、《学写中国字》等都受到了观众的好评，2007年4月，定制用户突破5万户。

多方融资，夯实基础。一是以内养外，黄河电视台采取以《民生频道》、《文艺广播》的广告收入补充国外宣传费用的办法。二是采取联办、合办的形式，如在美国斯科拉电视网的汉语教学频道，就是与国家教委合办的。三是采取引资、融资的办法，现正在与一公司合作，准备引资在亚太地区落地。四是采取滚动发展的办法，长城北美平台去年开始分红，分得利润近90多万，全部用于再生产。

（王增寿）

全力打造“鲁剧”品牌 为时代奉献精品力作

近年来，山东电影电视剧制作中心积极贯彻落实省委、省政府关于建设山东文化大省的战略部署，继承“三连冠”的光荣传统和创作优势，坚持现实主义创作风格，适应影视市场化发展趋势，精品创作呈现出繁荣发展的良好态势，推出了《大染坊》、《誓言无声》、《大法官》、《铁道游击队》等一大批深受广大观众喜爱的优秀影视作品，有20多部作品荣获“五个一工程”奖、“飞天奖”、“华表奖”、“金鸡奖”等40多项中央和国家级大奖，在全国产生了广泛影响，被媒体称为“鲁剧”现象，为山东的文化建设作出了应有的贡献。

电视连续剧《闯关东》首播媒体见面会

一、以优取胜，精心打造“鲁剧”品牌

领导重视和支持，为打造“鲁剧”品牌提供了强有力的组织保证。多年来，省委、省政府和省委宣传部都非常重视和支持山东的影视创作，省广电局党组高度重视艺术创作，在各个方面都给予大力支持和政策倾斜，为山东影视创作和生产创造了良好的发展环境。在电视剧《闯关东》的策划和创作方面，为把该剧打造成代表山东影视剧创作水平的“扛鼎之作”和经得起历史检验的“传世之作”，省委和省广电局领导多次亲切会见编剧导演，听取创作情况汇报，审看故事大纲，高屋建瓴地对剧本创作提出了一些指导性意见，对一些细节提出了具体修改建议，还积极为剧目筹措资金，为该剧的创作成功起到了至关重要的作用。电视剧《大染坊》和电影《为了胜利》、《上学路上》等作品的创作也都得到了领导的关怀和支持。

强化市场意识，抢占央视平台，扩大“鲁剧”影响力。

中央电视台作为节目播出的最高最大平台，因其优势覆盖面广，收视率高，影响力之大，是山东影视中心多年来一直努力登陆的最高最佳平台。以电视剧《光荣之旅》、《大法官》、《誓言无声》、《大染坊》、《铁道游击队》、《真情年代》等剧目为标志，山东影视中心已连续9年在央视各频道播出了500多部（集）优秀影视作品。取得这样优异的成绩，在全国省级制作单位中是绝无仅有的。为表彰山东影视中心对山东影视事业做出的贡献，山东省人民政府于2003年为山东影视中心记集体一等功。

加强策划能力，确保剧作品质。在艺术实践中，山东影视中心始终秉持"三贴近"原则，弘扬主旋律，讴歌真善美，把艺术质量作为剧作的生命线。在创作中把好策划、剧本、拍摄、制作以及审看、修改等艺术创作的每个环节，尤其重视"一剧之本"的剧本策划关、论证关。对每个剧本都要经过多次论证和充分考虑，各方面要素成熟之后，才投入拍摄。为"鲁剧"品牌提升和持续发展起到了至关重要的作用，保证了山东电视剧年年都有大作问世。媒体对山东电视剧的评价是："打开电视，鲁剧经常占据影视强档，热'闹'荧屏"，"山东电视剧是全国电视剧的晴雨表，过去曾创造"三连冠"的辉煌，近年来，《大染坊》、《誓言无声》、《铁道游击队》又创造了一个新的辉煌"。

树立精品意识，精耕细作。一旦看准一个题材，确定拍摄目标，山东影视中心就集中优势力量，从每一个环节保障优秀作品的出炉。电视剧《闯关东》的拍摄就是一个典型的范例。山东影视中心在经过盘点年度生产的总体格局后，力排各种困难，充满勇气和激情地调动最强的创作力量，动用最大的资金储备，立下最严的"军令状"，历经148天，摄制组发扬了"闯关东精神"，在荒无人烟的深山老林和零下30多度的冰天雪地里摸打滚爬，搭建和拍摄采矿、淘金、伐木、放排、农耕等场景，战胜了难以想象的困难，两上黑龙江，并辗转山东、上海、江苏等地，行程数十万公里，跨越夏、秋、冬三个季节，圆满完成了拍摄任务。

二、注重人才培养，实施人才战略，保持创作优势

为人才成长创造机会，推动优秀人才脱颖而出。人才培养需要一个艰苦的过程，人才成长需要良好氛围。在组建创作班子时为创作人员创造有利条件。充分运用剧目新闻发布会、开机仪式等时机，对电影、电视剧创作人才进行宣传报道，扩大人才的社会影响。注重人才梯队培养，创造一切机会让年轻人挑大梁。

实施"请进来走出去"用人策略，促进人才素质提升。"请进来"就是放宽视野，敞开胸怀，把全国优秀人才纳入山东的人才库中，有针对性、有选择地为我所用，以此保证山东影视剧目品质提高。如《闯关东》编剧高满堂、孙建业；《誓言无声》的编剧钱滨、易丹；《真情年代》的导演高希希；《沂蒙》的导演管虎等等。这些剧目的成功即是"请进来"的用人结果。"走出去"的用人策略，不仅为创作人员走出山东大门，提供了施展才华的广阔平台，还锻炼了队伍，扩大了山东影视中心和艺术人员在全国的影响。

经过多年的培养和锤炼，山东影视中心现有一批年富力强的编剧、制片、导演、摄像和美、服、化等专业人才队伍。其中，有8人荣获全国"十佳导演"、"十佳制片人"、"最佳编剧"、"最佳摄像"等荣誉称号。

三、以改革创新为动力，多出精品力作，为推动山东省文化大发展大繁荣做出新贡献。

加快改革步伐，推进体制创新。根据国家、山东省文化产业发展和文化体制改革精神，按照山东省委宣传部和省广电局的部署，借鉴国内广电行业文化体制改革的成功模式，拟以山东电影电视剧制作中心为基础，由山东电影电视剧制作中心属下的所有法人单位与山东省广电局的相关单位整合重组，组建山东影视集团。使山东影视集团电影达到年产5～8部影片，300部（集）电视剧的能力，力争每年有1部电影或电视剧获全国"五个一工程"奖、电影"华表奖"以及在中央电视台黄金时段播出。

深化机制改革，推进机制创新。要完善用人机制，最大限度地调动人员积极性和创造性；要改进策划机制，强化剧目策划能力；要建立市场运作机制，充分发挥"鲁剧"品牌资源，保持影视艺术精品创作的持续健康发展。

坚持"三贴近"，推进艺术创新。一是坚持现实主义创作风格，弘扬时代最强音。二是抓好革命历史题材创作，大力弘扬齐鲁人文精神和思想。三是抓好历史和民俗风物题材创作，深入挖掘优秀传统文化丰厚资源。重点抓好电视剧《沂蒙》、《闯关东2》、《女工》、《警中英雄》、《惊涛拍岸》和《大舜》、《大马戏》、《曲山艺海》等剧目的剧本创作和拍摄。

（山东电影电视剧制作中心）

《垄上行》，搭建服务"三农"的连心桥

2002年4月，一档对农电视栏目《垄上行》在湖北省荆州电视台问世。它由"王凯热线"、"十里八乡"、"庄稼医院"等几个子栏目组成。2005年底，《垄上行》栏目时长由原先的每期20分钟增加到每期30分钟，打破子栏目界限，节目涵盖故事、维权、农家乐和资讯等方面。

坚持"三贴近"，办农民喜爱的节目

《垄上行》栏目大打"贴近牌"。每期节目力图在"第一现场"采制，使节目呈现出生活的"原生态"，有着浓浓的"土味"、"农味"。

开掘贴近性的内容，荆州电视人十分自觉地对报道视角进行了转换。首先由生产视角转为生活视角：更多的是关心群众的衣食住行，再现农民的生存状态，关注农民的喜怒哀乐，讲述农民自己故事的内容。其次由"精英视角"转为"平民视角"：将普通农民作为报道对象，不仅报道先进典型，更注重全面展示农民的形象。

采用娱乐化的表达，是《垄上行》栏目另一个鲜明特点。如比谁会种田，比谁家的婆媳关系好，或者在农民中间搞普通话比赛等等，每一个普通的生活环节都成为农民欢笑的源泉。这种带有人文关怀色彩的娱乐让观众在笑声中充满了对节目的信任、充满了对新生活的向往。

坚持在"第一现场"采制，《垄上行》是一个没有演播室的电视栏目。几年来，《垄上行》始终把握一个原则，那就是记者、主持人要做农民，而不是做农民家里的客人。在荧屏上出现的《垄上行》的主持人和记者朴素的打扮，平实的语言让老百姓根本感觉不到他们是在做节目。他们的代表、主持人王凯由于期期出镜，成了农民心目中的大腕明星，许多农民为见到了王凯而自豪。

《垄上行》的贴近性原则，得到了观众的广泛认同。开播五年来，《垄上行》共收到热线电话10万多个，观众来信2万多封。现在，依托《垄上行》产生的年广告投放量已达到500多万元。

坚持服务性，做农民需要的事情

坚持服务性，加强服务的核心功能，是《垄上行》打出的另一张王牌。栏目大量组织系列活动，谋求“大中小型”活动常态化，把服务送到农民家中。

《垄上行》是普及科技的节目。它开辟了“庄稼医院”等子栏目，开通了24小时“王凯热线”，专门解决农民朋友询问致富信息、解答技术难题、求购科技资料、发布供求信息等方面的问题。《垄上行》动员社会资源、联动职能部门，成立了自己的农业专家服务团，作为常年的农时、农事服务顾问。农民在农业生产当中遇到技术难题后，“庄稼医院”迅速组织农业专家下到田间地头，有针对性地进行现场指导。

《垄上行》是传播先进文化的节目。它开设有《农家乐园》、《十里八乡》、《走村串户》等子栏目，这些栏目，通过各种独具魅力的艺术表现形式，为农民送去精神愉悦。荆州区马山镇的马山民歌，早在上个世纪50年代就唱响荆楚大地，唱进了北京中南海，可是近20年却濒于失传。为了拯救这一古老的乡土文化，2005年2月，《垄上行》专程到马山镇采风，拍摄了富有本地特色的音乐专题片《放歌马山过大年》，使马山民歌重放异彩，在荆州农村广为传唱，还引起了文化部门的高度重视，现正积极为“马山民歌”申报人类文化遗产。

《垄上行》是关爱弱势群体的节目。在常态节目中，《垄上行》注重做好扶贫助困工作。蔡烈刚是江陵县郝穴中学学生，2005年高考考出了610分的好成绩。可是由于他家贫如洗，难圆大学梦。《垄上行》了解这一情况后，主动为他联系该县“希望之星助学会”，同时在8月14日播出《蔡烈刚：我想圆我大学梦》的专题节目，使他获得了社会同情与资助，得以在中国地质大学就读。据不完全统计，每次的“垄上行”媒体活动，《垄上行》栏目组都组织了2至3万元的生产生活物资送给贫困户，同时为当地农民推广土特产品，促成了多笔大订单的交易成功。

开展“大直播”，掀起对农宣传“大合唱”

《垄上行》在步入节目的成熟期后，开始在服务的外延上进行拓展。2003年2月，《垄上行》栏目拿出了一个以农村科技赶集为载体，体现“三下乡”，服务“三农”的大型现场直播方案。这次名为《春天垄上行》的首次直播活动于3月21日在公安县江南新区的田头进行。现场有3万农民参与，百名专家指导，万份资料发放。在《垄上行》搭建的舞台上，商贸流通、医疗服务、劳务交流、资讯发布、专家演示等这些项目，共唱一台戏、同谱支农曲。同年10月31日，《垄上行》又在监利县程集镇举办了《金秋垄上行》大型媒体活动。这次活动以欢庆丰收为主题，与《春天垄上行》互为呼应，体现了《垄上行》春华秋实的栏目宗旨。如今，多部门、多形式、多内容齐集《垄上行》搭建的舞台，形成宣传新农村、建设新农村的大合唱。

《垄上行》在逐渐成为媒体品牌的同时，不忘探索，对如何更进一步地塑造跨媒体品牌，并适时建立多个操作平台，进行品牌的嫁接与延伸有了更为广远的构想。《垄上行》的品牌效应可以进行的产业延伸包括SP电信增值业务的短信打包订制、《垄上行》手机报、纸媒的发售等，让农民朋友对栏目资讯充分信赖。一些风险较小、周期较短的行业，比如与商家和专家合作，建立《垄上行》种子公司、农业信息公司等，这也是品牌延伸的机会所在。同时，积极与其他区域媒体合作，建立强势媒体形象的设想也在充分酝酿之中。（黄运全 黄正谋 杨萍 《新闻战线》2007.2）

声音的写作——兼谈第七届中国播音主持金话筒奖作品《蛇恋》的创作

中国艺术特别强调意境，广播文艺的创作一样需要强调意境。意境应该成为艺术化播音的最高追求。

一般来说，广播是面向普通大众的，所以广播文艺作品的演播首先考虑的就是“直观”，它起码是可感的，好听的，能明白的。以《蛇恋》为例，作品说的是一个熟悉的故事，它的背景、人物、事件等等，就是“直观的描摹”，这是作品意境的第一层次，属于作品内容的表层。但这里的描写已经具有形象与意味。人们在听这个故事的时候有感受，有跌宕的情节，有起码的情感张驰的体验。然后我们才有可能去追求作品的更深层意蕴，由表及里、由低到高、由浅入深来进行不同层面的意境刻画。

以作品为例，我们在完成一个故事的基本叙述以后，开始挖掘“具象”背后的内容——故事的精神内涵，这种内蕴的美感正在依托着故事的发展展现在人们面前。它透过直观的叙述，揭示了爱的力量，思索的力量。从故事构架上来说：作品的四个部分：起承转合——花妖／红伞／雄黄／断桥，与一题一跋：端午·缘定和尾声。概括了整个感人至深，动人至极的白蛇故事。而且还别出心裁地将故事的“前缘”部分加强，对众人熟知的故事内容进行了模糊处理，凸现了作品的现代性与人文性。这种鲜活的思虑性的传达才是属于作品意境的更深层次——真正意义上的内容。

使作品境界再进一步的更深的层次是，作品还处处凝集着一个古老故事的崭新解读，这里有对爱情的切肤之痛，作品中说：“一段爱情，一种忌妒，一点仇恨，一声叹息就这样伴随而来”。对这样一个古老的传说故事，作品没有戏说而是实现了爱恨情愁的深度挖掘与人性复杂的哲理思考。一咏三叹，味之不尽。

《蛇恋》这部作品是根据一个中国最耳熟能详的传说和中国舞台艺术上最常见的作品，结合众多戏曲唱段写成的一篇戏曲类广播散文。作品通过广播音画的意境创造，设置了解说与演绎相结合的演播方式，透过直接感受，旁观解读等方法让《蛇恋》这个熟悉的不能再熟悉的故事，产生了崭新的意义与审美感受。让听众在听觉感受的随意流淌中产生无数联想，引发无数感慨，开始感受一段情的丰富精彩，开始思索一种爱的刻骨铭心。让听众在谛听中陷入无限的沉思、怀想。

播音的艺术创作过程也可以理解为是从文字意境到声音意境的表达、再现和创造。而这样的演绎过程它需要经过三个环节。第一环节是“研读”。《蛇恋》这部作品集合了多重语境，相互映衬。它有戏曲作品构成的语言环境，有江南场景、传说故事构成的语言环境，更有重新解读后形成的民间智慧、现代哲理性思考的语言环境，整个作品由多重语境构成了一个相互关照，相互勾连的多层次故事。这就需要对每一种语言环境的叙述，抒发，演绎做出不同的反映。所以在演播者面对作品，研读作品时，每一个字、词、句，每一个标点符号，都是作品信息内涵的载体与提示。它们作为一个整体成为演播者的对象，“眼中的文字”是对作品信息译码的重要开始。第二环节是“同化”。人们在观察任何对象时都不可能是纯客观的，尤其是对于精神产品，更是如此。白蛇的故事始终是我们理解爱情美好、忠贞、抗争、失望、回归的最重要作品，这样的故事作为需要表达的客观意境，它通过演播的主观理解，成为演播者“心中的音画”存在于内心听觉之中。作品中的意境与播音者的主观理解相结合后，会折射出一种创造的光芒。第三环节是“表现”。当我们对作品有着深切的体会，当我们坐在演播室开始面对话筒，那么演播者“心中的音画”在这里开始转化为“真正的声音作品”，它开始可感可触，无比生动，这是创造的结果。是由演播者心中的意境转化为活生生的音画所揭示的意境。

在《蛇恋》这个作品的内容表达上来说：作为故事解说者与白蛇的演播者双重语言角色，在演播过程的交替中，始终在寻找一种声音的区别与情感的统一交叉。让故事的开展合乎情理，让听众感同身受。语言既有蛇的灵活，妩媚，沉郁；有白蛇对爱情的坚贞向往；又有对市井的生活，信念的执著，希望的破灭，情感的失落等客观叙述，感叹与演绎，这些都需要在情境中结合不同风格的语言解说，演播演绎让作品变得生动而立体。

作品在音乐与场景的烘托下，在戏曲唱腔的推进中，我们仿佛可以听到一个忠诚爱情的女子内心的挣扎与呼喊。节目凸现了真情与人性的交织，一点点剖析人性中的情欲与爱恨，追求与失落，以及美好的形成与毁灭，有极强的人性美与情感美。欣赏性强，听觉效果十分出色。

当然，在这三个环节之中，作品在发生飞跃，从“作品意境”到演播者“心中意境”的转化是第一次飞跃，从演播者“心中音画”到“现实音画”的转化，是第二次飞跃。

感情只对感情说话，体验只对体验说话。这个过程就是一个好的演播者积累体验的结果。同一句话，不同的表达总会产生不同的意义和不同深浅的广袤度，这些差别正在于生活阅历的深浅广狭。古话说：“读万卷书，行万里路”。让我们知道了体验的至关重要。

播音创作不仅仅是二度创作，它本身就是一种声音的写作。这种写作穿越了客观存在，蕴藉了主观灵性，把演播者的想象、经历、体验、感悟化为心灵的感受，才创作出鲜活生动的播音作品。

当然只有美妙的想象，决不等于演播者就一定能把体验传达出来。离开播音技巧，而要达到广播音画意境创造的目的，也是不可能的。

这种创作还需要很多的工作，它需要研究作品人物的相关资料。分析作品本身。积累语言和锻炼分析能力，这些应该是播音者的基本功。它需要你长久的积累，让创造性想象决定着你口中的感觉。没有人可以告诉你，哪里要快一点，慢一点，哪里需要强一点，弱一点，只有你的创造性想象才能帮助你在内心听觉中听到自己的声音，才能找到你所需要的力度速度和该用的技术技巧。

（辛雪莉　《中国广播电视学刊》2007.1）

立足广西　面向全国　辐射东盟

2006年以来，根据国家广电总局关于实施“走出去工程”的部署，广西广播电视部门认真贯彻自治区党委提出的“外宣是第一位的”重要指示精神，提出“十一五”时期广西广播电视对外宣传工作的目标是：立足广西，面向全国，辐射东盟。

一、面向东盟，增设适应对东盟宣传的节目栏目，扩大广西广播电视在东盟国家的影响力。

按照广西壮族自治区党委主要领导提出的“要了解东盟的情况就看广西卫视”的要求，广西广电部门明确指出，广西广播电视要掌握关于东盟宣传的话语权，广西卫视、广西人民广播电台卫星广播要努力打造中国—东盟合作的宣传特色。围绕中国—东盟合作的大主题，自治区广电局协调广西卫视开办了《聚焦泛北部湾》、《连线东盟》、《可爱广西》等重点外宣栏目。广西人民广播电台卫星广播开设了《潮涌北部湾》、《北部湾红潮》、《广西与东盟》等对东盟宣传的节目栏目，广西对外广播开设专题节目《东方彩虹》、《区域合作潮涌广西》等等。

二、坚持“走出去”、“请进来”，举办一系列对外宣传的境内境外大型采访活动。

一是“借船出海”。广西人民广播电台、广西电视台联合中国国际广播电台、凤凰卫视举办“中国—东盟合作之旅”广播电视联合采访活动。从2007年4月24日开始，采访团40多人采取组成车队行进和乘坐飞机的方式，行程2万多公里，先后对广西北部湾经济区和东盟10国进行了长达51天的全面深入、多角度、多层次的宣传报道。播发新闻、专题1600多篇（条），刊发图片1200多张。还以举办电视节、电视周等活动为载体，扩大与国（境）外广播电视的交流。南宁电视台与越南国家数字技术电视台建立友好台关系后，2007年春节期间联合举办跨国连线直播晚会。2007年5月，广西电视台分别到越南胡志明市电视台、印度尼西亚国家电视台举办广西电视展播周活动。广西电视台还和印度尼西亚国家电视台在巴厘岛联合举办了《山水之约，美在巴厘－寻找金花巴厘岛美丽聚会》大型文艺晚会。

另外，自治区和南宁、柳州、桂林等电台、电视台还围绕中国—东盟合作的主题，主动派出记者到东盟各国采访。仅2006年以来，自治区电台、电视台就派出近20批记者约70人次到东盟国家采访。

二是主动“请进来”，邀请国（境）外广播电视机构记者到广西采访，对外宣传广西。近年来，广西广播电视部门主动邀请东盟国家、香港、澳门、台湾、日本、韩国以及美国、英国、法国、德国、芬兰、奥地利等国家和地区的广播电视机构记者到广西采访。从2004年开始，广西电视台已经连续举办了四届“聚焦广西”国际电视采访活动，邀请东盟各国和日本、韩国以及香港、澳门的主流电视媒体来广西采访报道广西经济社会发展成就。

三是与国（境）外电台、电视台建立友好台关系，构筑长期稳固的广西广播电视对外宣传平台。近年来，广西广播电视部门与东盟、香港、澳门、日本、韩国等国（境）外电台、电视台建立友好台关系。据统计，广西广播电视系统已经与越南、泰国、印度尼西亚、老挝、缅甸、日本、韩国以及香港、澳门等18家国（境）外电台、电视台建立友好台关系。通过建立友好台关系，双方实现了人员互访、技术交流、节目互播的业务来往。

三、加快“设点建窗”，努力实现广西广播电视节目在东盟的落地入网，扩大广西广播电视在东盟各国的影响。

目前，广西卫视已在越南胡志明市有线台、老挝国家有线电视台、柬埔寨有线电视台、菲律宾中央有线网络公司落地入网播出。

努力办好广西对外广播，是广西广播电视为国家总体外交战略服务的一项重要工作。1980年成立的广西对外广播电台目前有越南语和广州话两个语种，节目覆盖越南全境和柬埔寨、老挝以及泰国东南部地区，覆盖人口约6000多万。

（广西广播电影电视局）

2007中国东盟电视合作峰会成功举行

“2007中国—东盟电视合作峰会”是中国与东盟各国在电视文化与产业发展进行交流合作的一次高规格国际会议，是中国广电传媒实施“走出去战略”的成功举措，是中国与东盟国家电视媒体间的第一次高层对话。收获丰厚，意义深远。

首先，这次峰会得到参会各国电视传媒的高度重视，对峰会重要意义和所获成果评价颇高。中华人民共和国全国人民代表大会常务委员会副委员长、中国东盟协会会长顾秀莲，中国文联党组成员、主席团委员、书记处书记白庚胜，柬埔寨国家电视台台长凯姆·关那丸德，云南省广播电视局局长杨文虎，中央电视台台长赵化勇等均以不同方式进行了高度评价。

其次，峰会展示了中国与东南亚多姿多彩的地域文化与自然人文资源，以及各国电视文化丰富的内涵及发展前景。获奖的纪录片、综艺节目编导新颖，拍摄精致，内容独特，画面美观。从各自角度反映了自己国家的久远历史与民族特色，令与会者眼界大开。

第三，本次峰会促进了云南和东盟各国的电视产业的合作交流与和谐发展。峰会期间，云南电视台分别与缅甸国家广播电视台、马来西亚国家电视台、越南河内广播电视台、越南河内视听公司及中国香港东盟卫视发展有限公司签订了合作协议，同柬埔寨国家电视台签订了合作备忘录。这些合作协议和合作备忘录的签订，使云南电视台与东盟诸国电视台再次巩固了资源共享的基础，以利共同扩展传播渠道，实现规模效益和双方共赢。峰会之后，2008年3月17日至21日，云南电视台代表应邀参加了在曼谷举办的首届“东亚媒体论坛”会议，并被泰国主办方推选为“东亚媒体论坛”中国方面的联络人和召集人。

第四，借助这次峰会，云南电视台对本台所办的《东盟　望》等栏目作了较好的总结，以期不断改进提高，更好地发挥云南电视文化的优势，使对外宣传节目做到“人无我有，人有我优”，既丰富多彩，又独具特色。近几年来，云南电视台非常重视与东盟各国电视台的合作与交流，在电视节目中注重播报东盟各国的新闻、经济、文化、旅游等方面的内容。2007年11月18日，云南电视台与老挝国家电视台合作的老挝万象地面无线移动数字项目正式开播，这标志着云南电视台与东盟各国在电视产业合作方面，迈出了极其重要的一步。

（樊非）

制定优惠政策　创新体制机制 全面完成农村有线电视村村通工程

2004年以来，在辽宁省广电局和阜新市委、市政府的正确领导下，阜新广电系统的干部职工认真践行“三个代表”重要思想，以服从服务于社会主义新农村建设为宗旨，在实施农村有线电视村村通工程中，探索出一条“让利于民，借船出海，多方筹资，全面发展”的新路子，解决了全市624个行政村20万户农民群众收看有线电视节目问题。去年10月，阜新市广电局被国家广电总局、发改委、财政部授予全国广播电视村村通工程“先进集体”的荣誉称号。现将有关情况报告如下：

一、领导重视　认识到位

阜新市下辖两县五区，全市农村现有624个行政村，总户数约为27万户，总人口为109万人。2004年以前，中央、省一套电视节目在农村的覆盖率为93%。由于受经济条件的制约，阜新电视节目在农村的覆盖率仅达36%。身在阜新的广大农民看不到本市电视节目的现象较为普遍。2002年以来，不断有农民群众通过电话、信函，市、县区人大代表、政协委员通过建议、提案等方式要求看到更多、更清晰的电视节目。同年9月，市委主要领导在农村视察工作时了解到这一问题后，要求市广电局要想尽一切办法，尽快让广大农民看到包括阜新电视节目在内的多套电视节目。市广电局立即组织专题调查组，深入到阜新县、彰武县和涉农的细河区、新邱区、清河门区的村屯及百姓家中调查摸底，又召开有20个乡镇党委书记、乡镇长和广电站长参加的座谈会，广泛征求意见，经过反复研究论证，向市委、市政府提出采用有线覆盖的方式，把30余套电视节目信号送到农村千家万户的意见。时任市长姚志平高度重视，很快批示市政府印发了《关于在全市农村建设有线电视村村通工程的通知》的文件。《通知》强调指出，加快有线电视事业发展，进一步提高农村有线电视入户率，对于践行“三个代表”重要思想，宣传贯彻党的路线、方针、政策，保障政令畅通，推进农村精神文明建设，普及科学文化知识，促进农业结构调整，获取农业致富信息，切实提高农民生活质量都具有十分重要的现实意义和深远的历史意义。为了尽快满足广大农民通过有线电视传媒丰富政治生活、经济生活、文化生活的热望和需求，市政府决定用三年时间，采取有线覆盖方式，使中央、省、市的电视节目在全市农村的信号传输率达到90%，农村电视机拥有户有线电视入户率达到85%，让20万农户看到30余套电视节目。工程总投资7000万元。工程计划分三年完成，第一年度(2004年)完成工程总量的40%(8万户)；第二年度(2005年）完成工程总量的30%（6万户）；第三年度（2006年）

完成工程总量的30%（6万户）。为了加大对工程的领导力度，市政府成立了以时任市长姚志平为组长的工程建设领导小组，各县区也成立了相应的组织。市政府还连续三年把该工程写进政府工作报告，按全市重点工作列入考核。2005年，市政府还把此项工程列入阜新市国民经济和社会发展“十一五”规划。在工程筹备和施工过程中，时任市长姚志平、副市长王广利曾四次召开专题会议，协调有关部门解决线路传输、土地规划和工程贷款等实际问题。市人大、市政协也组织代表和委员进行实地视察，提出了许多有针对性的建设性意见和建议。有线电视村村通工程领导小组各成员单位、各县区和市广电局的主要领导也亲自挂帅，帮助解决工程施工中的实际困难和问题。在工程施工的关键时刻，又请省广电局领导来阜检查指导工程，省局对阜新市政府实施农村有线电视村村通工程给予高度评价。

二、政策优惠　措施到位

为了更好地保护和调动乡村及农民安装有线电视的积极性，确保工程按计划顺利完成，阜新市政府还出台了一系列优惠政策。其中包括工程建设所需资金贷款问题，市、县区金融部门要优先向县区、乡镇广电部门和部分困难农户提供有线电视初装工程贷款，市财政局给予贷款贴息支持；县区广电部门要让利经营，有线电视初装费由原来的400元下调至200元，工程成本通过收视费逐年回收；县区财政部门对有线电视的行政事业性收费免收三年，以弥补县区广电部门施工资金不足问题；市、县区电信部门要积极支持发展农村有线电视事业，允许有偿使用光缆和杆路；各乡镇、村可根据本地具体情况出台切实可行的优惠政策，奖励安装有线电视的农户。如免费耕种几年集体的土地，对确有特殊困难的农户补贴有线电视初装费等；年度内有线电视入户率达到85%的行政村，市、县区政府对所在村给予一定的奖励。通过这些优惠政策和鼓励措施的逐步落实到位，广大农民安装有线电视的积极性十分高涨，许多村屯出现农民拿钱排队等安装的现象。彰武县前福兴地乡前福兴地村任义老汉拉着广电干部的手说，“我今年七十多岁了，真没想到偏僻的山村能看上清晰的有线电视，托共产党的福啊，党和政府给我们百姓办了一件大好事”。如今，我们的耳朵有听头，眼睛有看头，平时有学头，生活有奔头。阜新县东梁镇大岗岗村村民于广说，“我每天都要看中央7套的农村节目、辽宁电视台的《黑土地》，我家种葡萄、养猪的知识都是我们从这电视里学来的，学完真管用，电视帮助我家脱贫致富了”。还有的村民说，以前农闲时间几个人聚在一起打麻将，如今，有线电视的节目把我们从麻将桌上吸引了过来，丰富了我们的文化生活。阜新县泡子镇中学生王敏放学到家就看中央9套英语节目。她说，在校老师教英语，在家电视教我学英语，我的英语成绩提高很快。农民们还说，过去的“早闻鸡叫，晚听狗叫，无事睡觉”已成为历史。

三、创新体制　融资到位

实施农村“有线电视村村通”工程，最大的困扰是资金问题。为了解决农村有线电视网主干光缆建设问题，我们采取“借船出海”的办法，多次与阜新网通公司、联通公司协商，达成了阜、彰两县长期租用网通公司和联通公司县城至各乡镇的主干光缆、乡镇至行政村的杆路的协议，仅此一项就节省资金3000万元。在建设乡镇有线电视网工程中，我们在采取县（区）广电局贷款、乡、村补助的同时，还动员社会力量投资。按照国务院关于“非公有资本可以建设和经营有线电视接入网”的规定，阜、彰两县广电局创新了有线电视网络经营模式。这种模式是将农村有线电视网络建设由原来的县广电局独家运作改革为多方参与，通过将农村有线电视经营管理权向民营资本限期转让，建立起农村有线电视的经营管理新模式。为此，阜新县政府专门下发“关于农村有线电视管理体制改革方案”，就改革原则、改革办法、承包人的权力与义务等都做出了详细规定，承包人由乡镇党委和县广电局共同考核确认，赋予其经营权、收费权、人员聘任权等，截至2006年底，全县35个乡镇已有34个乡镇签订了一包五年的合同，有线电视承包额达1375万元。吸收非公有资金283万元；彰武县广电局则采取将经营管理权有偿限期转让给沈阳、深圳、铁岭、阜新等民营企业的作法，成功地融资2000万元。截至2006年底，全县24个乡镇中，外地民营企业经营管理13个乡镇，本县乡镇承包经营管理6个乡镇，县广电局经营管理5个乡镇。

此外，在全省整村扶贫开发工作中，还动员县区、乡镇加大对农村有线电视村村通工程的资金投入力度，把部分扶贫资金用于“村村通”工程。市农行、市交通局为阜新县哈达户稍乡新邱村投资2.3万元为230户村民安装有线电视，阜新县紫都台乡把紫都台村、泡子镇把南甸子村确定为村村通工程投资项目，发展了有线电视；彰武县也将部分扶贫开发资金用于发展农村有线电视。

四、强化督查　考核到位

有线电视村村通工程是一项系统的浩大的工程，它涉及全市农村所有村屯和广大农户，是阜新广播电视发展史上前所未有的大工程。为确保工程在三年内完成，阜新市委、市政府加大了对工程的督查考核力度。首先，市政府同各县区政府签订有线电视村村通工程年度目标责任状，并纳入全市重点工作任务，由市委、市政府督查室定期督查考核。其次，市、县区加大了检查指导力度。二00四年以来，市委、市政府主要领导和分管领导曾多次深入乡镇、村屯检查指导有线电视村村通工程，并解决了工程施工中许多困难。同时，还利用新闻媒体广泛宣传工程的意义，教育农民转变观念，讲清有线电视也是商品，发展农村有线电视是一项取之于民、用之于民的工程，用新闻舆论推动工程的开展。第三，市直各部门齐心协力，真抓实干。自2004年初工程启动以来，在市财政、发改委、金融、农电、国土资源、网通、联通等部门大力帮助下，各县区广电部门为全市有线电视事业的快速发展付出了艰辛的努力。为缓解资金紧张的压力。没有资金购买材料设备，就向厂家赊欠，凭借自身良好的信誉，得到厂家的支持。同时，各县区还精心组织，周密安排，优质施工，严格验收。在工程施工旺季，县区广电施工人员吃住在村屯，克服重重困难，确保了工程任务的完成。对已完成入户的乡镇、村屯，县区广电部门加强维护人员的技术培训，建立健全了完备的“村村通”工程管理和技术维护体系。

虽然经过三年的艰苦努力，阜新市基本完成了农村有线电视村村通工程，但是我们深知广播电视工作在社会主义新农村建设中还任重而道远。我们将按照国家总局和省局关于实施新一轮广播电视村村通工程的要求，继续做好已通电的20户以上自然村的通广播电视工作，最大限度地满足广大农民的精神文化需求，为建设好社会主义新农村做出新的更大的贡献。（阜新市广播电视局）

增强公共服务意识，抓好广播电视村村通

开展领导干部作风整顿建设活动，是进一步改进领导干部作风，深化党风廉政建设，密切干部群众关系的一项重要任务。德阳市广播电视系统开展“2007农村广电入户行动”，为扎实推进“缩小城乡广电差距，构建德阳和谐广电”提供有力保障。

一、破除自满情绪，强化发展意识

德阳市广播电视事业经过20多年的发展，广播电视公共服务体系初步形成，已经有市级播出机构2个，广播电视发射台1座；有县级广播电视播出机构6个，广播电视差转台49个；乡村两级广播电视设施完好率在50%左右；全市有线电视入户率29.7%；市级台有自办电视频道4个，广播频道2个；各县（市、区）台都有自办广播电视节目。但是，距离人民群众对广电服务的需求，距离同行业先进地区的水平，还存在很大差距。一是有效覆盖率的差距。全市有线电视入户率低，在农村，20%的人口还处在听广播、看电视难的状况，一般只能收看2～3套，甚至有的地方只能接收1套电视节目信号；65%的人口还在使用室外拉杆天线，空中信号不稳定，接收效果无保障，看不多、看不好。二是收听收视率的差距。通过测试，市台的影视频道能达到8%的收视率，其他频道和各县（市、区）台的收听收视率还很低。三是投入产出率的差距。全市广播电视资源投入和资金投入比较大，得到的回报却偏低。广告、网络潜在许多经营风险和困难。这些问题中，表现突出的是城市和农村有效覆盖不平衡。城市采用有线电视能够接收40套高指标节目，但是全市接收有线电视的农户只有14.7%。

二、抓住主要矛盾，努力缩小城乡差距

农村群众希望通过广播电视了解党的方针、政策，学习科学知识，获取市场信息，提高生活水平的愿望日益迫切。发展农村经济，提高农村群众素质，建设新农村文化，广播电视行业承担着重要职责。党中央对农村广播电视事业十分重视，《关于进一步加强农村文化建设的意见》明确要求：“大力推进广播电视进村入户，力争使农民群众收听收看到套数更多、质量更好的广播电视节目。”《国家“十一五”时期文化发展规划纲要》把广播电视“村村通”工程作为社会主义新农村建设的重点工程。十六届六中全会《决定》将发展农村广播电视作为构建和谐社会的重要内容，要求“突出抓好广播电视村村通工程”。我市农村广播电视发展的现状，已不能适应社会主义新农村建设和构建和谐社会的新形势、新要求。把广大人民群众的根本利益作为一切工作的出发点和落脚点，不断满足人民群众日益增长的物质文化需要，是构建和谐社会的重要原则。城乡广播电视差距不能缩小，不能让广大农村群众与城市居民公平共享广播电视资源，就谈不上和谐广电。城乡差距已突出地成为我市目前广播电视发展中的主要矛盾，必须牢牢抓住这个矛盾，切实加大农村广播电视发展力度，尽快缩小广播电视城乡差距，让党和国家的声音传入农村千家万户，让党的路线、方针、政策在全市农村家喻户晓。

三、大力实施“农村广播电视入户行动”

“农村广播电视入户行动”是市委、市政府确定的2007年市政府十大惠民行动之一。尽管任务重、压力大，但这是广电人的光荣职责，是履行公共服务职能，实现对农服务承诺的重要工作。首先要以解决10万偏远农村群众收听收看问题为中心，切实开展“农村广播电视入户行动”，以此为契机，进一步完善农村广电工作，推进县对乡广播电视垂直管理体制，推进全市有线电视网络整合，推进无线数字覆盖，推进央视直播覆盖，为多种方式实现全市广播电视村村通、户户通奠定坚实基础。第二，要为农村群众想在前、做在前。不管现在有些农村群众是否存在收看收听高品质广播电视节目的能力和意愿，但只要他们一旦有要求，随时都可以得到满足。农村经济文化发展日新月异，农村群众不可能长期满足只看几套节目。第三，在“农村广播电视入户行动”中，要认真总结宝贵经验，重视科学性、适用性、节约性，千方百计把市委、市政府确定的这项惠农工程办实办好。

全市广播系统要把领导干部作风整顿建设活动与构建和谐广电的实际工作紧密结合起来，顾全大局，进一步增强“大德阳”意识，切实整改工作中存在的问题，以实际工作的丰硕成果，来诠释作风整顿建设活动成效。

（潘鸣《德阳社会科学》2007.1）

领导重视　方法得当
广元有线数字电视整体平移工作快速推进

2007年2月，广元市有线数字电视整体平移工作在市委、市政府的大力支持下全面铺开，7月就取得了发展用户2万户的辉煌业绩，全面完成了市政府下达的年度目标任务，平移用户占市城区有线电视总用户数的30%以上，取得这样显著的成效得益于以下几个方面：

一、领导重视，政策先行。

有线数字电视整体平移工作得到了市委、市政府的高度重视和大力支持，从2006年10月起，市委、市政府先后印发了《五届市人民政府第34次常务会议纪要》、《关于成立有线数字电视整体平移工作领导小组的通知》（广委办〔2006〕186号）、《广元市有线数字电视整体平移工作实施方案》（广府办函〔2006〕346号），成立了工作领导小组，建立健全了工作制度，明确了指导思想、工作目标、组织领导和相关职能部门的配合。同时制订了“多渠道解决有线数字电视整体转换经费”、“实行政府采购”等一系列配套政策。2007年2月8日，市委副书记吴得民、副市长何顺洪出席广元市有线数字电视整体平移工作动员大会，亲自动员和部署有线数字电视整体平移工作。

局天兆网络公司借鉴外地经验，结合广元实际出台了一系列节目营销方案，将86套数字电视节目分类打包营销，同时，采取预存300元收视维护费和100元卡费免费赠送机

顶盒的办法为用户配置机顶盒，解除了用户对数字电视整体平移费用的担忧。

二、准备充分，设施齐备。

广元市数字电视基础设施建设起步较早，2003年7月21日就开通了有线数字电视信号，随后提出了全市有线数字电视整体平移的思路，制定了更加详尽的、科学的《广元市有线数字电视技术方案》。同时，千方百计加大资金投入，以超常规的步骤推进各项基础设施建设，顺利完成了数字电视技术体系搭建工作，包括前端服务平台搭建，其硬件设备选用了目前世界先进的以色列斯高帕斯复用、加扰和QAM一体化设备；CA系统采用北京数码视讯，功能更加强大；数据广播确定由垄断全国市场的深圳茁壮公司供货；机顶盒招标确定由四川九州、深圳同洲、四川长虹三家同时供货。我们还与国家广电总局批准的各个节目供应商建立了稳定的联系，扩大了节目来源，有线数字电视网内能传送80余套数字电视节目和五套广播节目，还能够享受到政务信息和方方面面的资讯信息，如国内外的重大新闻，广元的自然风光、乡土人情、旅游景观、房产美食等服务。为了确保数字电视安全稳定播出，2007年，还完成了前端数字卫星电视接收系统安全监控设备、机房用60KVA-UPS电源系统、100KW柴油发电机组招标、安装、调试的相关工作。在推进市城区整体平移工作的同时，市到县区的分前端正在搭建之中。

三、广开门路，加强融资。

据预算，有线数字电视整体平移项目总投入为4800万元，出台了切实可行的融资方案，实行广电自筹、政府补贴银行贷款相结合的方式解决奖金问题。

在城区有线数字电视整体平移的过程中，与供货商达成协议签订合同，由厂家先行垫资供货，半年后分期分批付款；一方面，市广电局自身开源节流，集中使用资金；另一方面通过申请贷款，解决资金不足的问题，确保了有线数字电视整体平移工作的顺利开展。

四、广泛宣传，加强引导。

市广电局就加大对全市数字电视整体平移的宣传工作，利用各种媒体优势进行了广泛宣传，使广大市民对有线数字电视知识和我市出台的相关政策有了比较清楚的了解。

五、全局总动员，落实到位。

从局内各部门抽调力量组成了5个数字电视平移工作小组，全方位广范围地开展平移工作。自2007年2月10日进入试点小区以来，我们的工作人员克服各种困难，按时间进度安排分别进入各个机关单位、社区、居民小区进行宣传发动。每个工作小组还配备了专业技术人员帮助用户安装数字电视机顶盒、调试信号、详细讲解使用方法和操作常识，确保每位数字电视用户都能准确及时地收看到高清晰度的数字电视。

六、群众支持，进展迅速。

由于前期工作准备充分，宣传到位，市城区广大用户对这项工作持理解、支持的态度，认为这是一项适应时代潮流，能更大程度满足人民群众物质文化需要的民心工程，自进入试点小区以来，整个平移工作的进展相当迅速，许多用户主动上门办理业务。在2007年5、6月份的高峰期，前往网络公司服务大厅办理有线电视业务的用户更是络绎不绝，客户大厅的工作人员尽可能地加班加点工作，创下了一天办理280户数字电视业务的纪录。仅5个月的时间就完成有线数字电视整体平移2万户，全面完成市政府下达的全年目标任务，远远超出预期效果。

七、统筹兼顾，平稳过渡。

在进行有线数字电视整体平移的过程中，我们特别注意统筹兼顾，维护社会稳定、和谐发展。针对贫困用户，我们采取了特事特办的原则，特别出台了对低收入群体的优惠办法，对不加入数字电视的特困户家庭，在全市整体平移结束前将可以一如既往收到46套模拟电视信号，在平移结束全市关断模拟电视信号后，将保留3套模拟电视信号。同时全面落实国家广播电视无线覆盖任务，确保低收入家庭能收听收看到8套无线传输广播电视节目。对于一些想看有线数字电视的低收入家庭，我们采用只收100元的卡费，不预收基本电视收视维护费用的方法进行整体平移，确保不给低收入群体增加新的费用。

八、完善服务，确保质量。

首先是建立呼叫中心，96655热线电话24小时畅通，及时为用户答疑，为用户提供方便、文明、快捷、规范的服务。其次是要求维修人员随叫随到，工作态度热情，耐心细致，不给用户添任何麻烦。据初步统计，1～6月份处理用户维修单共计7800个，是去年同期维修工作量的4倍。维修人员在维修的同时，在技术上积累了大量的数字电视维修实践经验，为今后提高维修服务质量奠定了技术基础。第三是认真做好来信来访工作。全体同志必须做到有问必答，工作耐心细致，接待有理有节。对不符合政策的要求或因条件所限不能解决的问题，也要耐心说明情况，认真宣传政策，及时化解矛盾，保证了平移工作的顺利进行。第四认真听取用户的意见和建议，及时改进工作。

（韩跃明《中国广播电影电视决策与参考》2007.10）

北京电台深化机制改革 顺利迈出制播分离第一步

从2007年开始，北京人民广播电台成立了节目制作中心，实行制播分离。经过一年的实战，制播分离这项机制改革已经取得了初步战果。

第一、做好制播分离的思想动员

北京电台制作中心的成立实质上是广播制播分离的机制改革，是全国第一家尝试广播制播分离的电台。节目的生产制作和播出是电台最重要的日常工作，将一批采编播人员从系列台剥离出来，打破了人员只能为一个系列台工作的传统框架。这样做的目的有三：

一是要引入内部竞争机制，释放人才活力，使人才能够在更广大的空间各尽其能；

二是面向广播节目市场，使制作的广播节目能够多次售卖，提高资源利用率；

三是成立节目制作中心也是为今后成立广告和节目制作公司、并且进一步对外融资做准备。

节目制作中心成立之前，台里做了很多调研，反复比较了几个改革方案的长短优劣。同时，台党委进行了多次讨论，对改革可能带来的各种震动和影响考虑得比较细致。对今后的节目的评价考核办法、人员身份转换后的工资待遇、各台节目定价贫富差距的协调等都作了细致而又可行的规定。

另外，电台领导还做了很多改革前的铺垫工作。在全台多次宣讲了改革的意义，解释有关政策规定。让全台干部职工明白，改革不是让大家失业下岗，而是为了理顺关系，激发活力，更进一步搞好北京人民广播电台。改革确保大家的待遇不会下降，保证每个人都有工作干，不同的是改革更能量才适用，人尽其才，从而解决大家的后顾之忧。

第二、制播分离改革取得初步成果

2007年是节目制作中心成立、实践制播分离的第一年。可以说，是平稳过渡，有序运行，顺利地迈出第一步，实现了与系列台及原有运行方式有效的对接。具体表现有三：

一是在台内节目制作人中形成了内部竞争态势，增强了编辑、记者、主持人的危机感和竞争意识，也在一定程度上使节目制作人员更加重视自身实力的提高，更加重视自己制作节目的质量。

二是专业广播没有了人员的压力，可以腾出更多精力关注频率整体定位，更加重视节目的市场定位，更加注重节目质量，更愿意拿节目质量说话。

三是整体改革各项接轨工作得以平稳地过渡，磨合期较之最初设想缩短了许多。

第三、制播分离改革带来的几点启示

一是建章立制的探索实践。规章制度是一个部门有效运行、健康发展的保障，节目制作中心成立之初就将其放在工作的中心位置。根据节目制作中心目前的双轨制运作性质，北京电台将制度建设落在协调、协助积极配合的环节上。分析实际情况，找出与各部门和系列台的新工作需求和工作交叉点，在衔接上做文章，这样既讲求实效，又避免了职责不清责任不明的问题。电台先后建立了内部的编前会、节目临时变更、主持人临时替班等一系列保证节目安全播出及有序运行的具体规定，同时变多头管理的安全隐患为多方保障的积极措施。这些与系列台的接轨工作，大都在一季度顺利完成。

二是提高节目质量的探索实践。节目制作中心的特点是"管人不管事"。即，人员在此管理，而节目播出和控制在系列台。这"人"和"事"最终又是一个不可分割的整体。经过研究，在以下两个方面采取了措施：一是结合主持人需求做培训，二是结合节目收听现状和系列台需求组织有针对的研讨。形式多种多样，有的分节目部进行，有的按节目组进行，还有的是中心全体编播人员参加。内容既有开阔眼界的，也有如何提高收听状况的，还有形体化装等综合修养的。

三是多种发展方向的探索实践。根据节目制作中心目前的定位和定性，首先做好围绕系列节目的各项工作，在做好这些工作的前提下，尝试向外发展。一是挖掘主持人潜力，提高主持人综合素质；二是进行初步的市场探索。2007年，节目制作中心与社会公司发起并组织了"DJ大不同"活动，主持人参与经典老歌翻唱，参与社会公益活动，不但提高了主持人的综合素质和知名度，也达到了学习交流、了解市场的目的。

四是完善机制和良性发展的探索实践。节目制作中心作为改革发展的新生事物，虽然迈出了关键的一步，但还有很多方面需要完善。从2007年下半年开始，电台就进行了新年度的招投标准备工作。总结已有得失，改进配套措施，完善相关规则。从6月开始，节目制作中心分别走访了七个系列台，与台长和分管节目的副台长交流沟通，同时也在中心内部分部门有重点地了解情况，为新一年完善制播分离改革作了充分准备。

（《2007年北京市广播影视工作会议》经验交流材料）

探寻现代传媒的生产规律
搭建科学的新闻管理平台

北京电视台新闻中心以系统科学为指导思想，引入数据库管理的量化分析，利用现代化的管理平台，重新统筹整理原有资源，彻底改变原有的运行机制和管理办法，重新进行机构设置、人员管理、岗位调整，用现代化管理思路对节目生产、播出、创新建立长效机制，确保了舆论导向，提高了宣传水平，扩大了市场占有，增加了广告创收。

明确节目特色

经反复研究并报请市委宣传部批准，台编委会确定了新闻中心机构改革的战略调整思路和方案——在保持现有栏目特色的基础上，加强新闻的时效性，进一步强化早、中、晚五大新闻板块，实现新闻在现有框架内的连续、滚动播出，使各档新闻形成呼应之势，树立北京电视台崭新的新闻形象。

改革机构设置

原来的新闻中心由早间新闻部（负责《北京您早》）、午间新闻部（负责《特别关注》）、新闻部（负责《北京新闻》和《晚间新闻》）和新闻评论部（负责《今日话题》）组成，部门的日常管理呈现栏目化的特点，即每个栏目都是一个编采合一、小而全的部门，而且部门与部门之间机构设置重叠，政策信息不畅，常常出现一个不大的新闻事件或活动，新闻中心会有好几路记者好几台机器同时出现在采访现场的情况，这种条块分割、资源浪费、效率低下的工作状态不仅严重制约了我台新闻业务的改进和发展，更影响了职业水平。

在广泛调查研究的基础上，新闻中心提出了下属部门调整改革的方案，经台党委批准，新闻中心将原来部门设置调整为新闻编辑部、要闻采访部、社会新闻采访部、新闻评论部和综合管理部。握指为拳，搭建了大编辑部、大采访部的框架，既符合现代新闻的生产规律，也有利于现有新闻资源的充分利用。在新闻中心内部实现了管理资源、信息资源、设备资源、人力资源、节目资源的共享。

规范管理流程

新闻中心内部搭建了以编务会为中心的线性新闻采编运行流程——即由中心的值班主任和各部门值班科长、主编组成新闻中心编务会，每天召开两次会议，审查记者报题，编排各个栏目不同的报道重点，对全天各档新闻进行统筹策划。编务会采用舆情分析制度——每天早上7:00，舆情编辑就开始工作，分析首都各大媒体的舆情动态，分上下午两次为两档编务会提供参考。

这个制度保证了对新闻资源的长效有序管理，保证了对各档节目的统筹指挥，保证了对新闻资源最大程度的开发利用，并在各档新闻节目之间实现滚动。

采用新技术手段

现代化的管理模式需要现代化的技术手段来保障支持。新闻中心建立了覆盖全中心的非线性新闻编辑系统，记者可以在系统的任何一个端点的任何一个时间实现选题申报、稿件审核、新闻制作、编辑播发、节目评分、人员考核。编务会的任何一项决定可以适时地在这个系统上得到体现，记者编辑可以随时查看编务会的信息反馈。而且，全中心所有新闻资源在这个技术平台上能够共享，如每位记者的发稿数量和质量、摄像机和编辑系统的使用情况、车队的出车情况，科长主编的工作状态等等都能在技术平台上得到体现，这个平台就是涵盖新闻中心业务和管理的数据库，由此可对新闻中心的整个工作进行量化考核，建立科学的考评体系和考核制度。

强化制度管理

新闻中心先后制定实施了《关于安全播出的管理规定》、《关于漏发新闻的界定和管理规定》、《关于重大灾害及突发事件的应急方案》、《节目评分规定》以及《关于新闻直播的管理规定》、《加强重大选题策划与实施的管理规定》、《效益工资分配标准的管理规定》、《新闻中心节目发稿量统计标准》、《新闻编辑制作技术标准》、《季度优秀新闻作品评选制度》等规章制度。在此基础上，各部门根据各自的工作特点和性质，也制定了相关管理条例，它们的实施使新闻中心的管理工作更加科学有序。

制度创新 成效显著

一、为文化事业单位创新管理水平做了积极探索

北京电视台新闻中心建立的以编务会为核心的规范的线性管理体系和现代化新闻采编网络及管理平台，为文化事业单位创新管理水平做了积极探索。实践证明，通过管理精细化、资源统筹化、设备技术共享化，极大地提高了工作效率，促进了新闻生产力的快速发展和新闻业务水平的不断提高。

二、四档节目实现直播，新闻影响力日益增强

1.《北京新闻》、《特别关注》、《北京您早》、《晚间新闻报道》顺利完成直播

对于重大新闻事件反应迅速，发挥滚动报道优势，抢占主流舆论阵地。《北京新闻》、《特别关注》、《北京您早》、《晚间新闻报道》顺利完成直播，《晚间新闻报道》改版为《直播北京》，在北京地区第一次运用SNG卫星直播车，实现了新闻现场直播的栏目化和常态化，将新闻变为“正在进行的……”，体现了对电视新闻传播理念的探索。

2.对突发性新闻事件的报道体现了采访部的快速及时和各档新闻的丰富多彩，新闻影响力增强

近年来，报道密云踩踏事件、大安山矿难、7·10暴雨袭击京城，连线巴基斯坦人质、解救苏丹人质回京、心系庞巴迪飞机坠毁、亲赴河北沙河铁矿火灾事故和陕西煤矿爆炸现场、探究巨能钙双氧水焦点问题、关注AB型血告急、大雪降临北京的现场直播、东南亚海啸、台风麦莎等等，都是这几年新闻中心的报道亮点，记者辛辛苦苦的工作让新闻传播更及时，报道更深入，视野更开阔。

3.加强策划，圆满完成本年度各种重大活动的新闻报道任务，不断创新报道形式、提高报道水平

2007年，北京卫视全新改版，以“文化品位、大家风范”为频道定位，以“立足北京，面向全国”为传播视听理念。配合卫视的改版任务，新闻节目中心旗下的所有节目都进行了全新改版。

2007年，新闻中心围绕政府关心、百姓关注的重大事件和社会热点，群策群力完成了一系列重大新闻事件报道，如春运、首钢搬迁、国家大剧院落成、地铁5号线试运行、嫦娥1号探月卫星成功发射等。《北京您早》、《特别关注》、《北京新闻》、《直播北京》四档栏目根据自我定位和自选角度，分别对这些重大事件进行滚动播出形成合力，确保了对于重大事件播出的全面性和客观性，有效引领了社会舆论，发挥了主流媒体的正面宣传作用。

三、各档节目的收视率和整体水平有明显提高

收视率是衡量一个新闻栏目是否成功的重要数据，据AC尼尔森公司的调查显示，机制创新之后，新闻中心各档节目的收视率又有明显上升， BTV-1的新闻类节目在北京地区的表现十分突出，对频道的支撑作用，对总体收视率的贡献非常明显。目前，新闻中心有五档节目跻身到BTV-1前10名的收视排行榜上，它们依次是《北京新闻》、《特别关注》、《今日话题》、《晚间新闻报道》和《北京您早》。《北京新闻》连续95周保持卫视收视榜首地位，实现连续2年直播安全。

四、产生了一大批优秀节目，获得多项大奖

管理创新促进了新闻节目整体质量的提高。据统计，从2004～2007年，新闻中心共获得中国新闻奖、中国广播电视奖、北京新闻奖和北京广播电视奖作品111件次。2007年，新闻中心获中国新闻奖3项，获北京广播电视奖12项，获北京新闻奖10项。其中，电视直播《国家体育场钢结构卸载》、电视消息《物业收益回归 业主参与分红》、电视专题《一药多名祸几重》获第十七届中国新闻奖三等奖；系列报道《华益慰—平凡医者，人间天使》以及《寻找北京最美的乡村》大型宣传推选活动获北京广播电视奖一等奖；《特别关注》获北京广播电视奖优秀栏目。（周永萍　曹静）

上海文广传媒改革实践的点滴思考

一、产业抱负

上海文广新闻传媒集团在坚持正确舆论导向的前提下，积极推进专业化、品牌化、企业化的探索，推进组织再造、管理创新、科技引领和人力资源改革，取得了一定的进展。

以第一财经为例。第一财经通过整合原上海有线电视台财经频道和原东方广播电台财经频率，通过品牌打造、资源整合、对外合作、产业链接和内容创新，如今已经成为拥有广播、电视、报纸、网站的跨媒体平台和拥有第一财经研究院、道琼斯第一财经指数产品、大型会展公关活动等的财经衍生产品供应商。销售收入从整合当年的3800万

元递增到预计2007年底可以实现2.1亿。

与《广州日报》、《北京青年报》合资的《第一财经日报》历经三年，取得了广泛的社会影响，即将实现盈利。2007年内，我们将试刊《第一财经周刊》，2008年正式发行，努力打造中国的《商业周刊》。刚刚成立的第一财经研究院在推出道琼斯第一财经中国600指数和道琼斯第一财经中国行业领先指数的基础上，又新发布中国首个经济圈指数系列——第一财经长三角指数、珠三角指数和环渤海指数，反映区域经济增长动态，其他商业资讯产品也正在陆续推出。

以新媒体为例。我们率先获得了所有的新媒体运营牌照和各种商用服务，和各地的有线网络公司以及内容提供商合作，成为最大的数字付费电视集成运营平台之一。我们和海内外众多电信运营商、技术设备商、内容提供商合作，打造具有广泛影响的网络广播电视平台。我们与中国电信、中国网通合作，建立全国性IPTV平台，在多个城市推出商用服务。我们与中国移动、中国联通合作，推出手机电视直播、点播全国平台。我们在新媒体业务方面的发展策略是把主要力量投入在建设运营平台上，而不是去尝试各种纷繁芜杂的商业应用。我们的强项是管理和运营平台，让众多的社会资源来为用户提供服务，共享利益。这些新媒体项目都是具有相当大潜力的长线项目。

再以购物电视为例。我们是中国最早尝试频道运营方式的购物电视机构。历经3年的摸索，仅用一个收视率较低的频道晚间5小时的时段，我们的购物电视公司预计2007年的销售收入可以突破10亿元。

以上只是我们在局部的一些产业探索，事实上我们是在集团各个层面全方位地推进改革项目。

二、文化追求

中国当前广播电视存在的问题既有体制机制的痼疾，也有媒体从业人员的责任缺失。反思当前电视文化所存在的问题，立足上海建设文化大都市的战略目标，上海的广播电视媒体理应担负起新的历史使命和责任。这种责任是基于对中国电视媒体文化的审视和重新塑造，是基于建设上海文化大都市进程中媒体应该承担的角色定位，是基于公共传媒平台所必需担负的公共文化责任，是定位于主流媒体所应体现的文化价值诉求。

纪实频道是目前中国省级电视机构中开播的唯一一个纪录片整频道。历经这些年的实践，成功地完成了多方面的转型，从一个简单的播出平台转变成一个自制纪录片量不断提升、掌控版权不断积累的制作基地和纪录片片库，从题材涉猎狭隘的小团队制作转变为选材广泛、播出与发行并举的社会化生产，从依靠集团补贴、严重亏损的边缘频道转变为年广告收入超过1亿元的赢利频道，更为重要的是，纪实频道以高端的文化追求和品格吸引了一大批社会精英阶层，赢得了良好的口碑，成为上海媒体文化建设的新地标。

纪实频道的探索给我们诸多启示，但一个频道的力量是单薄的，上海文广新闻传媒集团必须要有整体的文化诉求，因此我们正在启动新一轮的频道频率改革和调整。高端引领，大台风范；国际视野，东方立场；渴望首创，尊重多元。

在这轮改革和调整中，我们将新创办两个频道：艺术人文频道和国际频道(英语频道)。这两个频道的创办将与东方卫视的提升、其他地面频道的改版相呼应，重塑上海电视文化的格局。这将是上海电视文化的重要转型。

三、困惑与思考

近些年，中国的传媒业始终在尝试着改革，但是仍然存在着体制机制的诸多困惑。几乎所有一般国有企业所拥有的问题在我们的传媒机构中都普遍存在，而一些大多数国有企业已经解决了的问题在我们这里还将在相当长的时间内存在。

上海文广新闻传媒集团在一段时间的摸索之后，同样面临着一系列体制瓶颈、政策瓶颈和自身管理瓶颈。媒体在社会公共责任下的市场诉求和功能定位、市场经济所要求的统一大市场与媒体区域分隔之间的矛盾、技术和市场拉动的产业融合与媒体管理之间的关系、媒体运营管理的融资发展及激励机制等等诸多问题，成为制约改革的障碍。某种意义上，这些问题是所有致力于改革的国有媒体机构的共同困惑。

毫无疑问，坚持正确的舆论导向、高尚的品位格调，以及普遍的公益责任是我们的天职。但与此同时，能否借鉴一些其他行业国有企事业改革的经验，比如信息产业的发展道路，来为我所用？能否更深入地研究国际传媒行业的经验教训，来启发我们的改革思路？虽然这些行业和国家的情况与我们千差万别，虽然我们的媒体宣传责任存在着诸多特殊性，但是一些规律性的做法值得我们思考。

今天几乎所有的国有媒体都是依靠自身的扩大再生产不断发展的，对于资本市场的借助和依赖程度是非常低的。我认为，如何运用我们现在的平台优势，吸引资本市场的力量，进而运用资本市场的力量，在坚持导向的基础上，推动媒体的跨越式发展，是一个应该认真思考的课题。

媒体上市固然是一种出路，也已经有了一些尝试，但上市只是产业发展的一个阶段，在媒体产业发展的整体过程，或者说与资本互动的整个过程中，还有很多环节和机制目前在我们国内是缺失的。这些年，互联网等信息产业的发展是与整个投融资环境的发育相辅相成的，没有风险投资、股权投资等等力量的介入，中国的互联网产业不可能在短期内居于世界领先地位。

当前，民族自主的产业投资基金或者说人民币PE正在成为投资界的热点，对于加快金融体制改革和创新、完善资本市场结构、保证国家产业安全、实现国有企业产权改革目标、拓展专业规范的投资平台、提升国家竞争优势等都具有重要意义。我认为，按照市场规范，建立民族自主的媒体产业投资基金将对正在探索中的中国媒体改革产生积极的影响。 （黎瑞刚 《新闻记者》2007.11）

加速人力资本开发 铸就持久竞争优势——广电传媒业人力资本开发暨江苏广电集团的培训实践

江苏广电集团深刻认识到：要想参与全国竞争，保持持久竞争优势，必须打造一支尖端、多样化的人才队伍。实现这个目标不能仅依靠“移大树”，还需要通过内部培养来“栽新苗”和“育森林”。要继续完善和创新培训机制，增强培训效果，加强与海外著名传媒机构和一流培训机构的合作，努力培养具有全球视野的高端人才；要将培养与工作实践更好地结合，为各类人才成长创造锻炼的机会。

一、以集团战略为导向，保证持久竞争优势

江苏广电集团培训的战略性包含两个层面的含义：一，依据集团制定的五年战略规划和人力资源战略规划，遵循“以人为本、内容为王”核心理念，将内容产业相关人才作为培训的重点对象，而主持人作为集团的窗口和形象，被赋予特别关注。二，培训本身具有战略性。作为一种投资期长、收益率高、媒体和个人均受益的双赢性投资，培训必须被提升到“战略”高度。为此，集团拨出专款，设立专项培训基金，鼓励集团层面及部门层面积极开展培训，并在人力资源战略规划中提出“5年内集团层面要开展10次较大规模培训”的战略目标。这种战略性投资，使培训发挥了集团福利“软手铐”的激励作用，员工们也普遍将有效的培训视为自身提高和获得更好绩效的重要途径。

二、以计划管理为手段，体现培训的计划性和长效性

根据内部需求和外部环境不断改进培训体系。依据制定的五年人力资源战略规划，江苏广电集团制定了员工培训计划，从计划依据、指导思想、培训目标、培训组织、培训内容、培训方式、培训师资、培训经费、培训纪律和培训考核十个部分，来综合构建集团的培训体系，从理论依据、成本预算、培训实施等方面将培训作为集团一项长期的制度性工程予以贯彻落实。

三、以提升系统竞争力为宗旨，实施分层次、分模块的培训模式

集团的培训，始终围绕关键人才培养这个工作重心，从管理层、生产经营层、后备力量这三个层面确定受训对象，以内部培训中心和外部行业专家相结合为主要形式，从专业技能、经营管理、综合素质、道德修养四个模块实施培训内容。

四、以思想教育培训为基本，提高员工政治素养和职业道德

集团将员工的政治素养和职业道德培训作为员工培训的一项重要内容来组织施行。对于国家要求开展的思想政治教育，人力资源部积极配合、认真实施，并保证落到实处，如“三项学习教育”、先进性教育等。业务部门还定期开展职业道德思想教育，强调净化荧屏要求，反对低俗之风，规范员工业务行为，在实际工作中取得了良好的效果。

五、以培训评估与反馈为砝码，巩固培训成果

为保证培训效果，人力资源部制定了员工培训考勤管理规定，对培训现场实施监控管理，建立学习档案制度，将员工的参训情况汇总备案。跟踪检查培训过程中的学习效果和授课效果，保证培训整体成效。在培训结束时，通过问卷形式对项目实施情况进行评估，从教师培训效果、与培训计划的相容性、培训方案设计的合理性、器材或场地的使用效果四个维度进行评估，为不断改进培训工作起到反馈作用。人力资源部还以发放问卷的形式，对全台大部分员工就培训现状和未来需求进行了调研，并将调研结果应用于新一轮的培训工作中去。

在未来培训工作中，还要根据集团战略和环境变化，结合员工职业生涯发展，滚动制定分职能层级、分通道类别、分工作属性、分岗位职责的针对性培养计划。适时建立集团培训中心，作为培训工作的主协调单元，全力打造一支业务优秀、理论扎实的师资队伍。广泛采用远程教育、自主学习、现场授课、实战培养等培训形式来拓展培训体系和落实培训目标。将培训的跟踪反馈作为检验培训效果和持续完善培训体系的重要手段，从反应层面、学习层面、行为层面、结果层面四个层面对培训工作进行评估反馈，并把人才成长细化成考核指标，将培训与考核、晋升、评优等相互关联，形成计划(Plan)－实施(Do)－检查(Check)－改进（Action）的员工培训闭环，使培训成为保持集团持久竞争优势的“源”动力。

（李声《视听界》2007.3）

实施品牌战略 构建创新系统
实现安徽卫视发展新跨越

一、以优质独家资源打造品牌，提升安徽卫视核心竞争力

在观众每天可以接触上百个频道、电视遥控器换台频率只有5秒的今天，只有具有鲜明特色和品牌个性的频道才能为观众识别和记忆。从品牌特征的角度来讲，品牌竞争就是稀缺、优质、独家资源的竞争。我们提出电视剧与自办节目两条腿走路的节目战略，以独家电视剧和自制节目来塑造频道品牌，培育安徽卫视核心竞争力。

1.独家优质电视剧资源是提升频道竞争力的重要因素

为了跳出电视剧同质化竞争的“红海”，实现电视剧资源的差异化，我们从品牌的发展高度，积极倡导和实践首播剧和独播剧概念，作为以电视剧为特色的省级卫视频道，2007年安徽卫视在晚间后黄金时段正式推出专门播放引进独播剧的《独播剧场》，提升频道的质化指标，开播大戏《天国的阶梯》全国收视份额即突破4%，排名全国时段第一，取得了比较理想的收视成绩。

为了进一步摆脱多家卫视晚间黄金时段同时争播同一部剧而展开的恶性竞争，我们先人一步，将目光瞄准优秀国产剧，将独播剧战略从晚间后黄金时段向黄金时段延伸。2007年年中，斥巨资独家买断国产电视剧《绣娘兰馨》，于2007年9月在安徽卫视全球首映。黄金时段独播剧战略的启动，是安徽卫视一个新的发展里程碑，对频道形象的提升、电视剧特色的强化有着十分重要的意义，直接推动了省级卫视黄金时段的收视竞争的升级。

2.优秀的自主品牌节目是构筑频道品牌的战略资源

优秀的自主品牌节目、栏目有独特的品牌价值。第一，节目、栏目能够培养自己的名主持人，对频道品牌的塑造是极其有利的；第二，在没有独家电视剧资源、日益同质化的市场竞争中，拥有品牌活动和栏目，便拥有了独家优势和核心资源，对巩固频道的观众忠实度意义重大；第三，从长远来看，节目、栏目将成为观众长久地识别频道、记忆频道的重要动因。

优秀的自主品牌节目、栏目还有巨大的商业价值。广电总局17号令对黄金时段栏目、节目中插播广告的时长没有限定，如果在黄金时间办出收视率与电视剧相匹敌的节目，频道的广告增长空间将会很大。

二、推进体制机制改革，构建节目创新系统

1.顺应节目创新需求，积极探索频道制改革

节目创新首先就是要调整制约生产力发展的生产关系。电视竞争的行业特点更需要在频道内部实现节目资源的共享、联通、形成整体竞争合力。频道制是以频道为运作主体和实体的扁平化运营模式，它有利于打破大台台内因有效机制的缺席而造成的内部缺乏活力，有利于各个频道利益和竞争力的优化，是电视竞争的发展趋势。2007年3月1日，我台频道制改革的第一个试点频道——安徽电视台公共频道正式开播，实行全新的用人和分配机制。目前，文体频道作为综艺类栏目的孵化平台进行频道制扁平化管理，正在积极推进。

2.完善节目孵化机制，成立专门的节目研发机构

在市场经济条件下，研发部门占有重要地位。对电视台而言，节目的出新需要有相应的孵化机制，也需要有专门的研发部门对节目创新负责。安徽电视台成立了专门的节目研发机构，负责优秀节目创意征集、样片生产以及大型活动的组织落实等工作。及时跟踪国内外最新流行节目，组织开展了三次海外最新节目样式的观摩活动，累计观看最新节目形态的样片达30多个，范围涉及新闻，真人秀，综艺娱乐，大型活动等。节目研发中心面向台内外进行了两次大规模的栏目创意征集评选工作，储备了一批优秀的创意，2006年在卫视平台推出了3档原创节目。目前，《我们等你“辣”》、《家春秋》等6个样片已经完成制作，随时准备更新换代。节目研发工作为安徽电视台实现新的腾飞提供了组织和制度保障。

3.出台节目退出机制，实施自办节目综合评价及淘汰办法

节目退出机制是节目创新机制的重要一环，只有建立科学的退出机制才能保证节目的创新活力和市场竞争力。《安徽电视台自办栏目综合评价及淘汰暂行办法简介》自2006年10月1日起正式实施。截至2007年4月初，已经淘汰了6个栏目，涉及上百人的岗位调整。栏目综合评价及末位淘汰制度是安徽电视台新一轮发展必须迈过的台阶和门槛。

4.明确保障部门职能，构建栏目过程管理系统

从过程管理角度来看，栏目的制作播出不仅仅是节目部门的事，需要电视台总编室、财务、技术、行政、广告等职能部门全系统的支持，从栏目总体设计与规划，到栏目全媒体市场推广和主持人的包装，到栏目日常收视深度服务，到最后也是最重要的是栏目日常化奖惩分明的考核，安徽电视台打造品牌栏目，需要着力构建完善的栏目日常运行支持保障系统。

5.加强队伍建设，保证创新动力源源不断

打造品牌节目关键靠人，人是第一位因素。2007年开展了全台处以上干部的竞争上岗，一批高素质的年轻同志走上了领导岗位；与北京大学联合举办“电视媒体策划与运营研究生课程班”，培养自己的节目策划运营人才。通过联合办学、专项练兵、岗位练兵等活动，加强内部人才的培养；为了实现人员的流动，出台栏目人员待岗期间薪酬待遇规定，实行台聘人员的末位淘汰机制，规定每年10%的淘汰率等。

（张苏洲 《当代电视》2007.10）

以收听收看为抓手强化宣传管理

贯穿一条主线

按照国家广电总局要求，收听收看工作以纠错和预警为主，表扬为辅。江西广电局的收听收看工作和以其为抓手的宣传管理工作始终贯穿着这条主线。《收听收看简报》80%的内容是批评、监督性质。

在抵制低俗之风专项活动中，对电视节目中的综艺娱乐类节目、法制类节目，栏目剧，广播节目中的谈话类节目、新闻类节目和服务类节目进行了重点收听收看，对节目中存在的低俗、媚俗问题，血腥暴力问题，新闻节目的娱乐化倾向问题，虚假信息误导消费者等问题展开评议，在《收听收看简报》上刊发大量文章，如《这样的节目太低俗》、《大谈“屁事”俗不可耐》、《谨防新闻内容低俗化》、《注意广告中的低俗化倾向》、《广告词中不得牵扯领袖姓名》、《太多的血色镜头让人压抑》、《新闻评点慎用调侃方式》、《不要拿民族问题来调侃》、《婚介节目要传播正确的婚恋价值观》、《不能对不道德行为说“宽容”》等等。收听收看小组十分注意新闻栏目的新闻价值取向，对某市台某频道作了一个月的统计分析，刊发文章指出该栏目头条新闻中，凶杀案、人命案占三分之一，车祸、抢劫、盗窃、持刀挟持人质等报道占一半，甚至在“七一”、“八一”这样具有特殊意义的纪念日，在节目编排上也缺乏政治意识。还专门约请该频道负责人谈话，提出严肃批评。同时，针对广播电视节目中的网络信息、外电新闻、手机短信、热线直播、民生新闻、舆论导向、职业道德、电视字幕等方面的问题，刊发了《不要做网络不良信息的二传手》、《外电新闻切勿捕风捉影》、《要加强短信内容的审核》、《要加强热线直播节目管理》、《提升民生新闻的品质》、《街头话题调查不得违背国家相关法规》、《情感类节目要在“构建和谐”上下功夫》、《主持人要珍视自己的社会公众形象》、《要重视电视字幕问题》等大量评议文章，发挥纠错和警示作用，减少和防止了宣传工作中的失误。《收听收看简报》在全省各级局、台中都非常受欢迎，成为指导广电宣传工作的良好教材，发挥了有效的警示作用。

表扬谁都喜欢，多多益善；批评就不那么受欢迎，往往举步维艰。宣传管理工作是党和政府交给我们的神圣使命，再难也要坚持，决不动摇。要增强动力，减少阻力，形成合力，使宣传管理工作与一线的宣传工作目标一致，关系融洽，环境和谐。两年来，我局的宣传管理工作较好地完成了任务，实现了预定目标，为确保正确舆论导向、抵制低俗之风、净化荧屏声频做出了应有贡献。

紧握七个环节

一是确定重点，分兵把口。收听收看的重点是省级台各套广播电视节目和省会台各套广播电视节目，下一步创造条件扩展到全省各地市台的节目。在人员分工、任务分配上既注意收听收看节目的广泛性，又注意突出重点。3～4个月调整一次，轮换工作范围。另外，还根据宣传工作的重点和栏目中的突出问题组织重点收听收看。

二是收听收看员实时收听收看，认真做好记录，积极撰写评议稿件，重要情况通过电话及时向局总编室反映。

三是局总编室选编稿件，核实内容，印发《收听收看简报》，每周2期；有的情况不等印发《简报》，当即就打电话提醒有关部门。

四是由局总编室主任在每一次局宣传管理工作例会上通报收听收看主要情况、重要情况，指出带苗头性、倾向性的问题，局领导予以强调，对各媒体提出明确的意见、要求。

五是局总编室以收听收看情况为依据，召集有关部门协调，化解矛盾，依法管理，维护电视剧播出的正常秩序，纠正违规违纪现象。

六是对《收听收看简报》提到的问题，各相关单位必须认真核实，查找原因，追究责任，进行处罚和整改，事后形成书面材料报局总编室。《简报》集中刊发各单位的反馈材料。

七是对个别多次出现问题、问题突出，整改不力、效果不明显的单位，局总编室专门约请有关负责人谈话，甚至发文全省通报批评。

抓好两项措施

为了保证以收听收看为抓手的宣传管理工作的顺利进行，我们还抓了两项措施。

一是加强收听收看队伍建设。认真挑选10名收听收看员，人员精干，结构合理。以在职干部为主，退休干部为辅，既有省局、省台干部，又有市局长期管理宣传工作的干部，还有高校新闻传播专业人员，其中大部分具有高级职称，年龄从二十七八岁到六十多岁，有男有女。这些同志有较高的政治素质和全局观念，注意学习法律法规和方针政策，有丰富的新闻宣传经验和较高的业务水平，有敬业精神、认真态度和求实作风。两年来，收听收看队伍基本稳定。

定期组织收听收看员集中学习中宣部、国家广电总局以及省委省政府的重要文件；印发《收听收看工作参考》，把上级有关文件精神、规范性要求编印或内部参考资料发给每位收听收看员；保持沟通，传递精神和信息；开总结交流会，点评、表扬写得好的评议文章。

二是把好发稿关。编发《收听收看简报》工作由总编室承担。虽然总编室只有5人，宣传管理任务很重，工作量很大，但编发《简报》的工作，不仅做到了每周两期按时出刊，而且严谨细致，一丝不苟。《简报》上发出的文章都经过认真核实，仔细推敲。首先要准确无误，言之凿凿。其次要评析到位，客观公允。批评监督要出以公心，实事求是，不夸大渲染，不妄下断语，不冷嘲热讽，不尖酸刻薄。防止因批评不当招致反批评，削弱监督的效果和权威。

（周晶星《声屏世界》2007.5）

强化主流意识　提升广电媒体舆论引导力

在文化软实力竞争日趋激烈的新形势下，湖北省级广电顺利实现局台分设和管办分离。伴随体制机制的转型变革，新组建的湖北省广播电视总台牢固树立主流意识，坚持把导向当生命，把质量当政治，把服务当宗旨，把细节当大节，成为荆楚大地传达党的声音、引导社会舆论、疏导和凝聚人心的第一声音和主流阵地。

一、把导向当生命

坚持正确的舆论导向既是媒体的政治责任，也是媒体自身生存的需要。一是绷紧党性原则这根弦，紧贴党委政府的中心工作，全力服务好改革发展稳定的大局。二是操好真实性原则这把刀，树立客观、公正、权威的媒体形象。三是谱好“三贴近”原则这个曲，营造积极、健康、向上的舆论氛围。

二、把质量当政治

在体制机制改革告一个段落、生产关系调节到与生产力发展水平基本相适应后，总台党委把品牌建设纳入“十一五”规划战略目标，进一步确立“导向是生命力，品牌是生产力”的强台理念。在管理机制上完成由节目中心制向频道制管理转变，在发展思路上推进频道专业化向频道品牌化转变。总台对频道实行“一正双收”考核，各频道不仅要做到导向正确，而且要保证节目收视和经营创收双达标。新闻综合广播成立专家听评组及节目质量考评委员会，建立日听周评（出质量考评报告）月定级的节目考评制度和岗位责任制度，将节目质量等次作为绩效考核的重要指标，鼓励节目编办人员争先创优，涌现出许多优秀节目。湖北卫视推行收视率和成本双生命线，建立科学的成本考核、质量考核、业绩考核和分配制度。栏目分配与成本及收视率挂钩，个人分配与业绩挂钩，收视率的动态每天有跟踪，每周有盘点，每月有算账。在稳定《湖北新闻联播》等老品牌栏目的基础上，又打造出三个新栏目，构建新闻栏目集群，已初见成效。电视经济频道“三经系列”（《经视直播》、《经视故事会》、《经视人家》）全年投入2800万元，广告收入高达9300万元，实现了社会效益、经济效益双丰收。

三、把服务当宗旨

针对严峻的竞争形势，我们牢固树立服务意识，以创新服务求发展。一是寓服务于理念之中。根据受众对节目品质和数量日益增长的需求变化，我们实施广电服务品牌建设，打破原有内容相对单调、简单我播你听、我放你看的传播模式，实行内容按点收视率考核、传播更为迅速、便捷，立体互动的方式，打造个性化、标准化的客户服务体系，使受众认知更多更新更优质的服务，从功用和情感方面得到最大满足。二是寓服务于贴近之中。努力增强新闻宣传和普通受众的关联度。坚决改变报道形式和内容机关化的状况，努力寻找报道党和政府工作，报道经济、科技文卫新闻与群众利益的结合点。新闻综合广播把话筒对准普通群众，专门设置了以服务百姓为主要内容的板块节目。《百姓零距离》心系百姓冷暖，在政府和百姓之间架起一座沟通的桥梁，被喻为“天使的声音”；《魅力乡村》将农业专家请到节目中来，为农民朋友解读三农政策，直接服务于农业生产和农民生活。电视公共频道在开办之初就确立为市县基层服务的宗旨，开办《公共新闻》全省联播节目，搭建地方台民生新闻播出平台，取得了党委政府满意、实际工作者满意、广大听众观众满意“三满意”效果。三是寓服务于内功之中。出台一系列措施激励采编人员不断自我加压，不断提高大家的政治敏锐性和在生活中抓“活鱼”的能力。今年以来，广大编辑记者自觉深入广阔博大、丰富多彩、不断变化的社会实践，扎扎实实地既调查，又研究，捕捉和表现令人耳目一新的新闻，充分体现出“三符合”标准，即符合中央的总体部署，符合人民群众的愿望，符合客观实际。

四、把细节当大节

宣传工作无小事。媒体工作是由方方面面的细枝末节所构成的。细节是大节的表象，大节是细节的内核。工作的成败既要看趋势，又须看细节。确立“细节决定成败”的意识，在细节上大做文章，做大文章。新闻宣传上，善于抓住普通群众最感动人、最打动人的一个侧面、一个瞬间、一个细节、一句话语、一个故事，由浅入深，以小见大。为做好湖北省第九次党代会的宣传报道，湖北卫视组织精兵强将深入采访，适时推出“从田头看调整”、“从基层看变化”、“从车间看管理”、“从社区看和谐”的系列报道，节目播出后，大获好评。同时建立统筹协调机制和责任追究机制，通过管好细节保大节。无论是重大主题宣传，还是常态性宣传，各频道采编人员对节目中每一段同期录音，每一个音响效果，都要反复审听，保证听众能够准确听清被访者的口语表达。电视画面更是讲究得近乎挑剔，对于时政新闻报道中的摄像构图、光线，领导人表情选取，会场气氛抓拍等细节，都有明确的工作流程规定，包括事前的细心策划，事中的认真组织，事后的精心剪辑等，以报道的深度、言论的高度和细节的精度树立媒体权威。

（文成国 《把握导向 形成合力——“2007年全国电视台台长论坛”文集》）

竞争选择　能上能下　民主监督——重庆广播电视总台改革干部选拔任用机制

2007年，重庆广播电视总台开展了历时两个月的一级机构和直属单位领导职位竞争上岗工作，取得了圆满成功。110位同志响应总台党委的号召，积极参加竞争上岗工作，接受组织和群众的挑选。经过激烈竞聘，58位同志脱颖而出，走上了一级机构和直属单位的领导岗位。

总台党委对干部竞争上岗工作非常重视也非常慎重，多次开会进行专题研究。此前，党委办公室先后到北京、山东、辽宁、广东、贵州等广电系统考察，结合总台实际，起草了竞争上岗工作的暂行办法。

在一级机构和直属单位开展竞争上岗工作，是干部政策的要求，是体制配套的要求，是机制完善的要求，是广播电视发展的要求。从设计的程序、竞争上岗的最终结果和员工的反映看，这次竞争上岗较好地体现了公开、公平、公正原则。

在竞聘过程中，设计了组织动员、资格审查、笔试、演讲答辩、民主测评、组织考察、党委审定、公示、任职等程序，是比较严谨和切合总台实际的。此次竞聘涉及23个部门58个职位。通过广泛的思想发动和组织动员，共有110位同志报名，140人次参加竞聘。在资格审查中既严格标准，又不拘一格，有一位副科级干部因获重庆市青年人才论坛宣传文化分论坛一等奖，根据上级有关部门的政策和本人平时的德、能、勤、绩表现，给予了破格参加竞聘的资格。在笔试环节，试题严格保密，阅卷两人一组封闭式进行。演讲答辩的评委分专家组和群众组，近30人；群众组评委由一级机构负责人代表、党代表、职工代表和抽签确定的部门（单位）员工代表组成，专家组和群众组各占50%计算竞聘者的得分。竞聘工作领导小组在研究测评人选时，严格按照笔试和演讲答辩成绩依次确定。民主测评的范围充分考虑了各部门（单位）的实际，注重了广泛性和代表性，在人员较多的部门（单位）测评范围是二级机构副职以上干部和测评对象分管或所在部门的全体员工，人员较少的则全部参加。组织考察时，注意征求了各方意见，深入了解考察对象的政治素养、业务素质、工作作风、廉洁自律等情况，较好地把握了拟任人选的综合素质。党委审定任职人选时进行了认真讨论，并通过无记名投票逐一表决。公示期间，对员工反映的问题认真核实，做到了客观、公正。

从笔试的试题分析，基础知识部分占30分，主要是时事政治、总台文化和发展思路等，基本上都是常识性的内容，没有太大的难度；另外的两道简述题和专业题占70分，主要考察竞聘者的学习能力、分析能力和适应岗位的业务水平。因此，平时的学习，知识的积累，专业的素养，思考问题、解决问题的能力至关重要。从演讲答辩的情况看，演讲的内容涉及个人的优势、对所竞聘岗位的认识以及个人的工作思路，答辩试题注意结合了岗位实际，只讲答辩技巧，没有较高的专业素质，没有对问题的深透分析，没有提出较明晰而切合实际的工作思路，是不可能得到评委认可的。

总台党委在竞争上岗过程中直接把控的环节只有后期考察人选的确定和任职人选的审定。考察人选的确定依据是民主测评的结果，任职人选的审定依据是考察的情况。应该说，总台党委在此次竞争上岗的程序设计下，只有有限的调控空间和手段，主要还是依据竞聘者笔试成绩和演讲答辩成绩，通过民主测评充分尊重民意。

在此次竞争上岗过程中，员工在演讲答辩、民主测评、组织考察等重要环节上都能够深度参与，直接对竞争上岗对象的能力、素质、水平进行评判。如何处理好民主与集中的关系，坚持党管干部的原则，更好地发挥党委在干部选拔任用中的作用，这是需要我们今后不断总结的，在今后的程序设计上要尽可能更好地实现党委领导与民主参与、民主监督的有机结合。

坦率地说，总台党委在确定少数部门的领导职数时，对部门的专业结构和统筹城乡广播电视发展深度整合区县广电资源增加的工作量分析不够。如技术制播中心的专业分工复杂，涉及广播技术、播控、音频与制作、视频、网络等方面，原定的4个副职领导职数不能适应工作需要，因此党委决定增加1个职数。总台办公室因深度整合区县广电资源，协调、接待的工作量大大增加，下一步还要部分参与区县广播电视台的综合管理，其副职领导职数由2个调整为3个。另一方面，数字业务中心因一位测评人选在民主测评中未达到规定的标准，党委坚持宁缺毋滥的原则，暂时空缺了1个副职领导职数。

总台党委在此次竞争上岗过程中，坚持了群众公认的原则，规定凡民主测评对象的同意票达不到70%，或反对票超过30%的不能确定为考察对象。在第二批民主测评过程中，参加总工办副主任职位竞聘的一位民主测评对象在测评中未达到上述标准。根据工作需要，经竞争上岗领导小组集体研究，依笔试和演讲答辩成绩的排序增补了一位同志为民主测评对象，因此出现了增补该同志的公示比第二批其它同志的公示稍晚的情况。

总台党委认为，这次重庆广电历史上第一次开展的大规模的竞争上岗工作是成功的，建立了竞争选择、能上能下、民主监督的竞争机制；改善了干部队伍的年龄、知识、性别和气质结构；激发了干部队伍的活力；推动了总台文化的发展。（陈正）

创新管理 科学管理 依法管理——中国国际广播电台外籍工作人员管理经验

一、关于创新管理

所谓创新管理，就是要与时俱进，顺应发展。国际台是聘请外籍员工人数较多、聘用历史较长的单位。国际台目前动态聘用外籍员工最高达到136人，常态聘用外籍员工数量保持在120人左右，国家外国专家局批准2007年的外工聘用额度为170人，到2010年，国际台外籍员工聘用人数将达200人左右。随着经济全球化和中国社会经济的快速发展，特别是中国加入WTO后，众多法律法规与国际接轨，原来以“外籍专家”为主体，以“超国民待遇”为特征、以“单一固定薪酬”为方式，以“包办服务”为内容的管理模式，已越来越不适应国际台事业发展的需要。不断创新管理模式，成为国际台必须考虑的重要问题。

首先，要创新选聘模式。目前基本上沿用上世纪五十年代外籍专家的聘用方式。这种模式已不能适应国际台事业发展的需要。要根据国际台事业发展和世纪工作需要，不断创新聘用机制。在聘用对象上，由单一的聘用专家型向多层次工作人员型转变；在聘用时间上，由固定聘期向弹性聘期上转变；在聘用渠道上，由政府部门推荐向人才市场选聘多渠道并举转变；在聘用业务上，由以播音定稿主导型向采编播个性化需求型转变，努力形成与现代国际广播体系建设相适应的外籍工作人员聘用模式。

其次，要创新分配模式。科学的分配机制是创新外籍工作人员管理模式的关键。薪酬待遇和医疗保险是分配制度的核心。国际台国际合作交流办公室做了大量的调研工作，并形成了比较成熟的实施方案。按照“老人老办法，新人新办法”的原则，认真做好外籍工作人员分类分级薪酬管理和新签合同外籍员工社会化医疗保险制度改革工作，建立科学有效的分配激励机制。

第三，要创新工作模式。按照国民待遇原则，对外籍工作人员逐步实现由服务型管理向政策型管理转变。国际台外籍工作人员管理部门要区分责任和义务，弱化事务性服务，加强政策性指导。国际台人事部门要按照“大人事”的理念，将外籍工作人员的管理纳入到全台人力资源管理系统的科学规划之中。各语言部门要加强对外籍工作人员的业务管理，及时沟通和解决工作中出现的各种问题。各职能部门要密切配合，对外籍工作人员给予更多的关心和爱护，努力为他们创造良好的工作环境和生活氛围。

二、关于科学管理

外籍工作人员的管理是一项复杂的系统工程，涉及聘用、培训、考核、奖惩、生活服务等方方面面，科学管理是关键。

所谓科学管理，就是要合乎规律，能够量化。外籍员工来自于不同的国度，他们的社会制度、文化背景、宗教信仰、价值观念、兴趣爱好各不相同，对他们进行管理，既要考虑到外国人的共性，还应当考虑到他们的个性。研究规律就是要研究他们的异同，重点是异。只有把他们每一位个体研究透了，他们的要求照顾到了，才能是真正有效和科学管理，才能符合管理规律。

从管理学角度看，科学管理还应当能够量化管理。这里的关键是要建立适合外籍工作人员特点的考核机制，要坚持定量考核与定性考核相结合，政治考核与业务考核相结合，通过科学的量化评价指标，真实地反映每位外籍工作人员的能力与绩效，并在此基础上制定合理的薪酬待遇和激励机制。

国际台国际合作交流办公室推出的外籍员工分类分级和薪酬管理改革，打破了外工薪酬待遇几十年不变的“大锅饭”现象，根据外籍员工的专业水平、业务能力、工作绩效和对华态度等多项指标，遵循“按劳取酬、按绩分配”的原则，拉开外工的专业级别差距。这个方案也建立了语言部门对外籍专业人员的制约机制，赋予语言部门更多的管理外工的自主权。这是历史发展的需要和国际台的现实情况所决定的，也是解决外工管理难题的必由之路。经过6个语言广播中心的10个部门的试点，总体效果不错。

三、关于依法管理

外籍工作人员的管理是一项法律性很强的工作。国际台必须要有法制意识，出台的规章制度和改革措施必须符合国家有关法律和政策规定，同时还应当兼顾到国际惯例以及外籍工作人员的国情。

依法管理的关键是合乎规则，行为有矩。因此，国际台在外籍工作人员的管理方面也应当讲规则，讲规矩。比如，在聘用外籍人员时，无论聘用时间长短，必须要与外籍人员签订书面合同，严格按规定的程序办事；再比如，各语言广播部门在对外籍人员进行管理时，应当按照国家的法律规定出具相关证明，不能随意进行口头承诺，更不能随意与外籍工作人员签订协议；还比如，在临时聘用外籍人员时，也应当讲究程序，要按照国家《劳动法》和《外国人在华就业管理规定》，对持非工作签证的外籍人员不能雇佣，对到各语言部实习的在华留学生，也应要求出具校方实习证明等。总之，讲规矩要实，讲程序要细，努力建立一套符合国家法律规定的外籍工作人员管理的规章制度体系。（王庚年 《国际广播影视》2007.11）

国际台第三届外籍工作人员培训班

中国教育电视台

2007 年以来，中国教育电视台以全面宣传贯彻十七大精神为首要任务，宣传工作导向正确，质量提高，全面深入宣传贯彻中共十六届五中、六中全会和十七大精神，在做好"两会"等常规宣传工作的同时，突出特色和重点，舆论引导水平进一步提高。

2007 年，中国教育电视台充分发挥面向教育战线和全社会的重要宣传窗口，以及党和政府有关科教文卫方面方针、政策和各类信息发布平台的作用，做到贴近校园，贴近师生，贴近家庭，大力宣传党的教育方针政策和重大决策，大力宣传教育改革发展的巨大成绩，大力宣传优秀师生的高尚品德，在全社会营造了尊师重教的良好氛围。

2007 年，中国教育电视台通过加强对节目的研究，逐步创新节目内容和形式，强化节目管理，逐步提高《国视资讯》、《师说》等节目的质量和品牌影响力；推出大型纪录片：《春天里的七次聚会》、《我的太阳》、《重托》、《共建精神家园》、《社会主义核心价值体系纵横谈》；继续打造大型校园文艺晚会《青春万岁》，全年共举办 12 场；继续举全台之力办好"阳光伙伴"和"音乐伙伴"活动。经过一年多的努力，中国教育电视台的节目得到社会的高度关注。

2007 年，中国教育电视台摄制的《迁徙的人》获得四川电视节金熊猫奖。《非常 24 小时》第二部获得"五个一工程"奖。《我的太阳》获得北京电视艺术协会"春燕"奖。《先下后上》获共青团中央、国务院新闻办、中国联通联合主办的"绿色手机文化建设突出贡献奖"。

品牌闪耀 佳绩斐然

青春万岁

音乐伙伴

阳光伙伴

华风气象影视信息集团

①

②

③

④

⑤

⑥

华风气象影视信息集团（华风集团）是中国气象局直属的高新技术企业，依托中国气象局的信息资源和强大的技术支持，同时发挥多媒体传播优势，向社会提供气象服务，二十多年来，华风集团不断丰富服务内容、拓宽服务渠道、创新服务形式，已成为中国最大的行业传媒机构。

① 气象节目主持人——宋英杰
② 气象节目主持人——杨丹
③ 中国气象频道《天气预报》节目
④ 中国气象频道现场直播2007淮河汛情
⑤ 电视剧《人生几度秋凉》
⑥ 专题片《气候变化 中国在行动》

国家级天气预报节目的独家制作和发布

从 1981 年制作 CCTV-1 的第一档天气预报节目开始，华风的气象节目已发展到在中央电视台等十几个频道播出，其中包括：央视(1、2、4、5、7、9、新闻频道)、旅游卫视、中国教育频道、凤凰卫视(中文、资讯、欧洲、美洲)和中央人民广播电台，覆盖范围由国内发展到亚、欧、北美、北非等 150 多个国家和地区，每天有近十亿人次收听收看。

立体化媒体服务平台的构筑和搭建

华风集团充分挖掘气象资源优势，不断开拓服务领域，在与外部媒体密切合作的基础上，逐步向集约化、规模化迈进，旗下拥有“中国气象频道”、“中国天气网”等专业发布平台。

“中国气象频道”，2006 年 5 月正式开播，是国内唯一以气象服务信息为主要内容的全天候播出的数字电视频道。频道以防灾减灾、服务大众为己任，提供权威、实用、细分的各类气象及生活信息。至 2008 年 4 月，频道已在全国 18 个省的 87 个地级以上城市落地，覆盖约 480 万户。

“中国天气网”(问天网)，国内首家利用 Internet 来提供气象信息服务的专业性网站，成立于 2001 年 2 月，是国内最大的气象门户网站，主要提供城市预报、天气指数、视频点播、个性化天气、商务气象、旅游气象、气象热点、气象与生活等服务信息。

“中国兴农网”，国家级中心网站，成立于 2001 年 6 月 28 日，网站服务全国八亿农民，面向三农，立足公益。几年来为农业、农村、农民服务产生了巨大的社会和经济效益，连续 4 年进入“中国农业网站百强”行列。

2007 年 4 月，中国气象局与中国联通合作，实现了中国气象频道及中国气象地理探奇频道的手机直播；2007 年 10 月，移动梦网手机电视首页正式开通中国气象频道。同时，华风还开展了户外电子屏服务、IPTV 服务等。

服务多领域　经营多元化

华风本着“公共气象、安全气象、资源气象”的新理念，服务种类已不再是单一的气象预报和公众生活资讯服务，集团与国土资源、农业、交通、环保、林业、水利、卫生等部委联合，向社会发布相关信息，服务范围已涉及国民经济各个领域。华风投资制作气候变化以及相关的地球科学科普片、气象人物专题系列片，目前已库存专题片 4000 多部；另外，华风还投资了《人生几度秋凉》等十部电视剧。

盘古开天，始有气象。作为“天人合一”的传承人，华风坚持“以人为本、无微不至、无所不在”的服务理念，努力奉献具有国际水准的气象服务。让华风的真诚服务，走向千家万户！

电话：68409990,68409909；网站：www.tvhf.com；地址：北京市海淀区中关村南大街 46 号中国气象局华风影视集团；邮编：100081

中国天气网

中国兴农网

北京市广播电视局

大力推进广播影视事业繁荣与发展

2008 年 1 月 3 日，“北京广播影视走进洛杉矶－寻梦之旅”活动圆满成功。北京市广播电视局局长孙向东（左）与洛杉矶市政府官员互赠礼品。

2007 年，北京市广播电视局紧紧围绕迎接宣传贯彻十七大和“新北京，新奥运”的战略构想，组织全市广播电视媒体圆满完成了全国和北京市“两会”、庆祝香港回归 10 周年、“好运北京”综合测试赛等宣传报道。全市共生产电视剧 74 部 2015 集，分别比去年增长 57% 和 46%，生产水平继续位居全国前列。同时生产电视动画片 10 部 770 集 3143 分钟，经市广电局审查发行电影 4 部。230 多部(次)作品(含剧目、节目等)获国家和市级奖项，其中 10 部作品获得第十届“五个一工程”奖，8 部作品获 2005、2006 年度中国广播影视大奖，18 部作品获提名奖。建立安全播出预警信息发布系统，细化安全播出应急预案，安全播出工作扎实有效。完成 4 个区县 136 个行政村广播电视“村村通”系统升级改造，解决 5 个区县 228 个村浅山区电视信号弱问题，共惠及 7.8 万多农户 22 万多人。有线电视注册用户达到 345 万户，比 2006 年增长 7.95%，其中数字化转换 120.2 万户，成为全国有线数字电视用户数最多的城市之一，受到广电总局充分肯定。全市广播影视制作经营法人单位发展到 626 家，从业人员 1.47 万人。完成北京地区 3042 名编辑记者、播音员主持人资格考试。创收总收入(不含电影票房收入)达到 65.03 亿元，比 2006 年增长 25.37%。其中，广告收入 31.74 亿元，比 2006 年增长 32.2%；节目销售收入 7.17 亿元，比 2006 年增长 32.3%。全市广播影视单位资产总额达 245.34 亿元，比 2006 年增长 22.07%。

北京市广播电视局召开2007年上半年工作会总结部署工作。

2007年9月，北京市广播电视局召开华彩杯北京广播电视奖颁奖大会。

河北省张家口市广播电视局

张家口市广播电视局局长
郭维

张家口电视台播控室

张家口有线电视网络公司机房

张家口市抗震救灾募捐晚会在演播大厅举行

张家口市广播电视局辖电台、电视台、有线电视网络公司和广播电视报下属7个单位，干部职工800余人。

节目内容不断丰富，精品创作成果显著。电台开办节目4套，栏目48个；电视台开办节目3套，栏目82个。2005年以来，在省以上新闻媒体播出稿件2000余条(部)，市电台报送的《张家口节水灌溉170万亩》稿件在中央电台新闻联播头条播出，实现了在中央台头条新闻零的突破。2007年市电台、电视台在中央台、省台发稿量分别排位全省第四和第五位。有150余件作品获省好新闻奖，10集广播连续剧《喜鹊沟三部曲》在中央电台“中国之声”频率播出，2007年获得了全国第十届“五个一工程”入选作品奖和第七届中国广播剧研究会专家奖。电视专题片《舞台上的八一风暴》分别在中央台和省台播出，产生了良好反响。

加强基础设施建设，提升技术装备水平。拥有建筑面积5300平方米的广播中心大楼、10100平方米有线电视网络中心大楼和2900平方米的电视演播大厅。投入资金2500余万元更新改造技术装备，彻底改变了设备陈旧老化的状况，实现了广播电视节目采编制播的数字化、网络化。

有效提高资源利用，壮大事业产业规模。完成了2435个村村村通工程建设，开通了三个调频转播发射频率，解决了边远山区看不到电视、听不到广播的问题，完成了市县光缆联网工程，全市广播电视综合覆盖率分别达到98.28%和97.39%，实施了市区有线电视网络数字化升级改造工程，实现了广播电视节目的数字化传输，城区有线电视用户达到15万户；连续三年经营收入增幅超过30%。

石家庄市广播电视局

打造有活力 影响力 竞争力的省会强台

石家庄广电树立“以人为本、办台为民”理念，实施“品牌带动”、“人才强台”战略，以机制创新、节目创优、经营创收为着力点，努力争夺省会第一话语权，为建设有活力、影响力、竞争力的省会强台奠定了坚实基础。

创新管理机制，以市场为导向，推行适应广电产业化发展要求的频道（率）专业化管理运行机制。近年来，石家庄广电改革不断深化。整合优化资源，成立了石家庄广播电视总台，为产业化运营提供了更加广阔的空间。打破原有行政管理框架，实行以频道（率）为基本单元的总监负责制管理模式，对频道（率）实行预算管理，管理架构更加扁平化。深化人事制度改革，包括总监在内的中层干部全部竞聘上岗，一般人员双向选择。在第一轮改革的基础上，2007年积极推进了新一轮改革。两年一度的竞聘，使人人有压力、有动力，保证了新机制的高效运行。深化分配制度改革，制定绩效量化办法，实行奖金二次分配，对员工的激励作用进一步增强。

创新选才机制，面向社会公开招聘优秀人才，为事业发展提供人才保障。2005年，石家庄广电提出了“为生存而学习”的口号，与河北大学新闻传播学院联合举办了研究生班，先后邀请于丹、袁方、梁建增、夏陈安等著名学者、专家前来进行业务讲座，26名学员正式结业。2006年局台领导带领总监、制片人等40多名业务骨干赴京，进行为期一周的脱产业务培训。一些国内一流的专业顾问公司也加入到电视台、电台团队培训、招商、节目策划和活动营销的环节中。在提高现有人员素质的同时，大力引进人才，公开招聘了广播电视报报社社长，2007年在全国范围内招聘优秀专业人才，共有1001名考生参加笔试，聘用34人，为事业发展增添了新生力量。“凡进必考”成为石家庄广电引进人才的常态制度。

创新节目，以特色品牌节目打造媒体核心竞争力。石家庄广电坚持创新节目，2005年1月8日推出了电视台大型新闻板块《直播石家庄》，子栏目《民生关注》、《石市要闻》、《今晚30分》等以第一现场、独家视角形成了省会电视新闻报道的主场。2007年《民生关注》由半小时扩展为一小时，平均收视率稳居省会频道新闻节目之首。新闻综合频道的市场占有率仅次于中央台，名列第二。都市频道《小吴帮忙》等民生服务类栏目，跻身省会收视市场第一方阵。电台新闻频率在省会上空十几个广播频率中收听率和市场占有率稳居第一，《新闻882》被评为省优秀栏目。

创新主题报道的内容和形式，协调联动、整合传播，以重大战役性报道提升石家庄广电的影响力和美誉度。石家庄广电组织的“感动省城”十大人物年度评选活动已进行了三届，河北省委常委、石家庄市委书记吴显国将这项活动称为“我们这个城市强有力的思想政治工作之·”。2007年石家庄广电抓住纪念石家庄解放60周年这个城市新闻媒体可遇不可求的机遇，“两台一报”协调联动，多种广播电视表现方式交相使用，相继策划推出了“60年60人”系列报道、《辉煌60年》专栏、点石成金——新石家庄发展论坛等大型宣传报道，拍摄制作播出了5集文献纪录片《石破天惊》。尤其在11月11日、12日推出了“辉煌60年”和“辉煌历程”连续28小时大型直播活动，将纪念石家庄解放60周年活动推向了高潮，实现了本市广播电视的历史性突破，产生了广泛的社会影响，进一步彰显了石家庄广播电视的主流媒体地位。

河北省保定市广播电视局

保定市广播电视局党组书记、局长
马世乐

精品节目获得全国荣誉 在中国电视协会电视纪录片学术委员会、中央文献研究室当代文献研究中心、中央新闻纪录电影制片厂联合举办的“2007 中国文献纪录片论坛”上，保定电视台创作的《晏阳初》、《晋察冀文艺兵》等 7 部纪录片同获新时期中国文献纪录片经典、精品、优秀作品证书。

外宣工作成绩显著 到 2007 年 11 月底，保定市广播电视局已在省级以上媒体播发宣传保定新闻稿件 1526 篇(其中，中央电视台 53 篇)，发稿总量是去年全年的 252%，一举跨入河北省前列。特别是与中央人民广播电台合作的长达 85 分钟大型互动《直播中国——走进保定》节目，被社会各界誉为“保定广播宣传的里程碑”。保定电视台在中央电视台《新闻联播》中一周之内相继播发了《焊接大王——孟宪章》、《沼气扮亮新农村》、《一座灰场的搬迁》三篇报道。

保定市委书记宋长瑞(中)、保定市委常委、宣传部长司存喜(右三)接见《强省之路燕赵行——走进保定》采访组成员。

保定市于群市长(左前三)、保定市广播电视局马世乐局长(右二)与《直播中国——走进保定》工作人员合影。

保定市广播电视局马世乐局长(右三)、保定市委宣传部王福友副部长(左三)在《大地欢歌》群众擂台赛上，祝贺获奖选手。

2007 年 11 月，保定市广播电视局隆重表彰广电系统优秀新闻工作者，图为局领导为优秀新闻工作者颁奖。

2007 年保定市广播电视工作会议。

安全播出万无一失，技术装备水平大幅提升 确保各项重大活动安全播出，特别是在党的十七大召开期间，对安全播出提早全面部署，全方位做好安全防范工作，确保了十七大召开期间的安全播出，被河北省广播电视局评为十七大安全播出先进局，并有五位同志受到国家广播电影电视总局的表彰，分别荣立一、二、三等功。

2007 年，保定市广播电视局投资 20 余万元，购置了先进的广播电视插播检测设备，配合省局建成了广播电视监测站。投资近 50 万元建成了全市电视新闻节目资料回传网络。建成了广播电视系统全文电视平台保定分会场。保定电视台投资 400 万元完成了电视播出机房的搬迁工作，一、二、三套节目全部实现硬盘播出，对抱阳山发射台进行了全面更新改造。保定人民广播电台投资 12 万元将转播中央台信号源改为接收卫星节目信号。市网络公司累计投资 670 万元更新设备，各县(市)局事业建设投资 1364 万元。

“村村通”工程进展顺利 2007 年，已经完成西部山区 200 个 20 ~ 50 户自然村广播电视“村村通”工程。

胜利完成卫星转星调整工作。共完成广电系统内电台、电视台、转播台、发射台、有线电视前端地面接收设施共 119 个，村村通用户共 717 个，广电系统外机关事业单位、大专院校、工矿企业、宾馆饭店、小区前端地面接收设施约 319 个，农村用户地面接收设施约 8.5 万个，占全省 37%。

依法管理力度加大，播放行为进一步规范 保定市广播电视局与各县(市)局、直属各播出传输机构签订了《加强宣传管理、安全播出、规范频率(道)秩序责任状》。加强了对宾馆饭店闭路电视系统播放电视节目、视频点播、互联网传播广播影视类节目的管理，开展抵制低俗之风专项活动，加强了广告播放的管理，净化了荧屏声频。

蓬勃发展中的承德市广播电视局

孙林（局长）

党组成员

局会议室

承德市广播电视局位于旅游文化名城承德市中心区偏南部——高新技术产业开发区。现有职工1840人。局属承德人民广播电台、承德电视台、有线电视网络管理中心、承德广播电视报社等 11 个事业单位，金鹰电视广告公司和广通信息网络有限公司 2 个企业。

几年来，局党组坚持高站位，超前谋划工作，经过全局干部职工的共同努力，全局的各项工作均取得了突出成绩。

一、舆论引导水平大幅提升

一是发挥舆论引导强势。几年来，承德市广播电视局充分发挥媒体舆论引导优势，坚持为市委、市政府的中心工作服务，为全市政治稳定、经济发展和社会进步营造了良好的舆论氛围。打好“两会”、“十五”成就和党的十七大等重点宣传战役，对全市经济建设和社会生活中的重大项目、重点工程和重要活动特别是民心工程进行了集中报道，为建设和谐承德，实现全市经济社会又好又快发展提供了强有力的舆论支持。二是打造品牌栏目。《百姓热线》、《承德新闻》、《每日关注》以及《民声直达》等品牌栏目家喻户晓，真正在政府与百姓之间架构起了互相沟通的桥梁和纽带；电台、电视台频率、频道实现了专业化、对象化，节目活力进一步增强；广播电视报成功扩版，提升了文化档次，扩大了社会影响。三是加大上宣外宣。近两年以来，连续四次成功策划实施了市主要领导做客央视和中央人民广播电台直播间活动，在承德宣传史上具有特殊意义；出色地完成了城市旅游形象宣传片的拍摄制作工作并在央视播出，填补了城市旅游综合宣传推介上的一项空白；精心拍摄制作了专题片《崛起的承德》，全面反映了几年来承德经济发展和城市建设的突出成就，获得社会各界的一致好评；上宣外宣数量质量均创历史新高，节目质量受到中央台和省台的高度评价。四是突出精品创优。为充分展示承德旅游名城深厚的文化内涵和底蕴，几年来，该局举全局之力实施精品带动战略，打造品牌城市影响力，三年来，共有200余件广播电视作品获省级以上奖励，其中《筷子树引发的环保警示》、《驮背上的希望》分别荣获中国新闻奖二等奖和三等奖；《驮背上的希望》等荣获河北新闻奖一等奖。获奖数量和质量在全省地市级新闻媒体中名列第一。广播剧、影视剧生产获得喜人成果。广播剧《将军和冰儿》获得河北省文艺振兴奖。

二、事业产业快速发展

一是广播电视综合覆盖率进一步扩大。2004年开始实施957个50户以上新通电自然村广播电视“村村通”工程，工程量占到全省的二分之一，2006年通过验收2007年又实施了20户以上新通电自然村“村村通”工程2520个。在大力实施广播电视村村通工程的同时，还通过农网的扩网改造来进一步扩大广播电视的综合覆盖。2006年以来投入了8000万元对县区有线网络进行改造，全市有线网络总长达2万公里，改造和新发展用户10万户，全市有线电视用户达到70万户，入户率居全省首位。全市广播电视的有效覆盖率达到92%。二是实现了网络整合。2005年在全省率先采取人、财、物一步到位的整合方式，将全市除市区以外的八县两区有线电视网络人员、资产以及债权债务全部整合，成立承德广通信息网络有限公司，为全省网络整合的推进提供了经验借鉴。三是市区有线数字电视工程取得进展。按照全省统一规划，市区有线电视数字前端平台已经搭建完毕，整体平移方案已经确定，现正根据省公司的整体安排积极推进，2008年实现整体平移。四是改善办公环境，更新技术设备，实现迁址办公。2006年7月1日实现了迁址办公，建立了承德市广播电视中心。同时新建了发射机房，更新了设备，重建了铁塔，完全实现了对中央、省、市广播电视节目的无线覆盖和安全优质播出。通过实施“村村通”工程和网络改造工程，广播电视综合覆盖率得到了明显提升，成效显著。

全市广电系统迎奥运、保安全动员大会

中国传媒大学承德教学科研实习基地揭牌仪式

三、行业管理工作全省领先

一是对广播电视播出秩序进行了专项整治。关闭了网络传输机构违规频道，撤销了县级广播电视台擅自增开的广播频率、电视频道，保证了中央、省、市广播电视节目的完整转播。二是规范了广告管理。清理整顿了涉性广告、违法虚假以及格调低下的广告，净化了声频荧屏，为广大受众营造了健康有益的欣赏环境，保证和促进了广播电视事业的健康繁荣和可持续发展。三是规范了卫星接收设施安装秩序。依照条例，对非法安装使用地面卫星广播电视接收设施的违法行为进行了专项治理，规范了广播电视行业秩序，消除了播出隐患。四是提高技术保障，确保安全播出。建成了全局广播电视信号监测系统、安全播出预警信息发布系统和全局电视会议系统，确保了传输安全。全年未出现人为停播事故，无错播、漏播事件发生，实现了“十七大”期间全市广播电视节目停播率百小时零秒的工作目标，确保了安全播出万无一失。荣获全省安全播出先进单位，在全省广播电视技术维护管理竞赛中获优秀奖。

奖杯、奖牌

电视台机房

奖杯

电台播音室

《承德新闻》主持人

河北省深州市广播电视局

近年来，该局坚持以新闻宣传为龙头，以事业建设为基础，以安全优质播出为保障，转变作风，真抓实干，实现了该市广电事业的持续、健康、快速发展。2008 年 1 月被人事部和国家广电总局授予“全国广播电影电视系统先进集体”荣誉称号。

宣传工作卓有成效。紧紧围绕市委、市政府的工作大局，及时调整、制定报道计划，突出宣传报道重点，围绕落实科学发展观、社会主义新农村建设、构建“和谐深州”、“以工兴市”战略等主题，集中优势力量进行全方位、多角度的宣传报道。2007 年播发各类闻 1863 条，专题节目 181 条。在宣传工作中，坚持了正确的舆论导向，营造了良好的舆论氛围，受到了市委、市政府的社会各界的好评。坚持实施精品战略，狠抓节目质量，坚持“三贴近”，创建老百姓喜爱的名牌栏目。针对深州农业大市的市情，坚持面向“三农”、服务“三农”。记者们经常深入乡村、田间、地头、采访，使新闻专题节目更加贴近生活、贴近实际、贴近群众。努力办好《桃乡季风》、《为农支招》和《科技致富宝典》三个专题栏目。栏目内容紧紧围绕当地实际，紧扣农时、农事，播放种植、养殖、农产品加工项目介绍，致富经验和社会主义新农村建设情况等，不仅好看，而且实用，受到了广大农民的欢迎。

事业产业稳步发展，加快农村有线电视“村村通”工程建设，累计投入 3202 万元，架设主干光缆 1052 公里，架电杆 16530 棵，全市 469 个行政村实现了村村通有线电视，目前已有有线电视用户 5.42 万户，普及率 37.1%。

强化管理，提质增效，建设一流的干部职工队伍。严守宣传纪律，强化安全播出工作。坚持不懈地实践“质量兴台、服务兴业”理念，通过落实持证上岗，挂牌上岗，公布监督电话，聘请社会监督员，每月测评服务对象满意度等措施，切实做到改善服务态度，提高服务质量，在全局形成了效能高，风气正，人心顺，一心一意谋发展的大好局面。

改革发展中的秦皇岛市广播电视局

新春音乐会在 600 平方米演播厅举行

秦皇岛市广播电视局（中心）现有职工 1300 人，由宣传系统（市电台、电视台、秦皇岛广电新闻网、县区七个记者站）、有线电视网络（渤海在线信息网络有限责任公司、燕山有线电视信息网络发展有限公司）、传媒产业（《视听之友》报、影视艺术中心、文化产业发展中心）及局机关等几部分组成。电视台下设新闻综合、公共、影视三个频道。电台下设综合、旅游经济、交通广播三个频率。广播电视节目覆盖秦皇岛三区四县以及周边部分城市。《视听之友》每周一期，每期 48 版，期发行量 8 万份。2007 年，全系统经营总收入 1.62 亿元。

坐落于迎宾路上的广电中心大楼于 2000 年投入使用，总投资 1.2 亿元，建筑面积 3 万平方米，21 层，内设 600 平方米演播厅一个，中小演播厅 6 个，专业录音室 6 个，拥有良好的现代化办公条件和省内城市台中较为领先的广播电视节目制作能力。

近年来，秦皇岛市广播电视局在市委、市政府的领导下，不断创新体制和机制，广播电视整体实力明显增强。市电台、电视台在省台和中央台发稿主要指标连续五年在全省名列第一。打造出了《今日报道》、《百姓关注》、《法制民生》、《港城事大家议》等具有较强影响力的地方性名牌栏目。新闻、社教、专题、文艺、技术等多次在全国各类评比中获奖。其中与长春电视台合拍的电视连续剧《山村女法官》荣获全国电视飞天奖三等奖，专题片《中国共产主义的先驱——李大钊》荣获第九届电视金鹰奖提名奖。全市城乡广播电视覆盖率接近 100%，有线电视用户接近 60 万户，目前已有 66% 的行政村接通了有线电视光缆，有线电视入户率居全省前列。

广播电影电视管理干部学院

团结和谐的领导班子

国家广电总局副局长田进来院视察指导工作

省委常委、省委宣传部部长高建民莅临广播电影电视管理干部学院就动漫教育和产业进行调研

学院客座教授冯巩来院讲学

学院代表山西参加第二届中国中部投资贸易博览会

广播电影电视管理干部学院是国内最早独立设置的、全日制广播影视类高等学校之一，面向全国招生。学院前身为“华北广播电视学校”，建于1983年，原隶属于国家广电总局，1991年8月，原国家广播电影电视部在华北广播电视学校的基础上，成立国家广播电影电视部管理干部学院，2000年9月，按照国务院高校管理体制改革精神，划转山西省人民政府领导，由山西省人民政府和国家广电总局共建，是我国培养广播影视专门人才的重要基地，也是国家广播电影电视总局干部培训基地。

学院实行党委领导下的院长负责制，李远程教授任党委书记，郝本廉教授任院长。设有制作系、动画系、艺术设计系、编播系、传媒管理系、基础部、影视制作中心和影视信息中心、图书馆等教学机构，设有院办、教务处、人事处、学生处、计财处、总务处、工会、保卫处、纪检监察室等行政职能部门，设有教学指导委员会、教学督导委员会等院级专业业务机构。

学院地处太原市五龙口街118号，占地面积207亩，校园布局合理，配套设施完善。建筑面积9.2065万平方米，教学行政用房5.7万平方米，学生宿舍面积3.4万平方米。现有教学科研仪器设备总值为4628万元，生均9256元，现有图书27.9万册，主要为广播影视各专业及相关书籍。建有大型电子阅览室和多媒体视听室，现有教学用计算机总台数为509台，语音教室座位数为180个，多媒体教室座位数为2400个，其总座位数为2580个。

多年来，学院以培养骨干与引进人才相结合，学历提升与进修培训相结合，专职和兼职相结合，优化队伍与提高素质相结合的途径，建设了一支拥有以全国高职高专评估专家、国家级精品课程评审专家为龙头，以优秀中青年专业带头人和骨干教师为核心，以具有摄像师、编辑师、录音师、动画师、广告师、播音员、记者等资格的“双师型”教师为主体的特色鲜明的教师队伍。此外，学院聘请了王铁城、余秋雨、张松林、白岩松、周传基、贾樟柯、刘佩琦和冯巩等102名相关院校的教授和具有丰富实践经验的行业专家、学者为兼职或客座教授。

目前学院的招生专业及专业方向为24个，主要涉及文学、管理学、工学三大学科门类，涉及多个学科类别。分别是：电视摄像、电视节目制作、影视多媒体技术、摄影、影视动画、影视动画（数字动画方向）、影视动画（网络动画方向）、动漫设计与制作、游戏软件、影视广告、影视广告（广告策划方向）、影视广告（平面设计方向）、视觉传达艺术设计、人物形象设计（化妆造型设计方向）、人物形象设计（服装设计与表演方向）、环境艺术设计、电脑艺术设计、主持与播音、新闻采编与制作、编导、影视表演、广播电视网络技术、电视制片管理、录音技术与艺术。其中，影视动画专业为国家级精品专业、国家级教学改革试点专业，并承担国家级产学合作项目；电视摄像专业为国家级教学改革试点专业；主持与播音专业、影视广告专业为省级教学改革试点专业；电视节目制作专业为院级教学改革试点专业。

近五年来，学院共承担省（部）级、厅级课题（30余）项、院级课题60余项，取得各级各类科研成果奖20余项，获得包括“‘五个一工程’奖”、“飞天奖”、“兰花奖”等奖项在内的各类奖项10余项，发表学术论文500余篇，其中核心期刊论文50余篇，出版学术专著、教材80余部，其中，专著30余部。学院在校生3729人。学院与英国格里姆斯比大学建立了良好的校际交流，并签订了合作项目协议书。

学院首届电视艺术节开幕式

丰富多彩的校园文化生活

电视制片专业学生参与创作中国黄河电视台《对话青春》栏目

学院作为“奥运频道”战略合作单位录制第二届国际攀岩精英赛

学院连续五年毕业生一次性就业率保持在90%以上

内蒙古电视台台长 关方方

内蒙古电视台

中国内蒙古电视台筹建于1960年4月,1969年10月1日试播成功。

蒙古语电视节目于1976年10月2日开始播出。1979年5月1日开始采用PAL—D制式播出彩色电视节目。1987年7月,内蒙古彩电中心落成。5000多公里的微波电路传输干支线全线开通,是全国电视微波线路最长的省区之一。1997年1月1日,蒙、汉语卫星频道开通。从此,内蒙古电视台的节目形成了以卫星与微波、无线与有线多种传输方式,覆盖内蒙古自治区、全国以及亚太53个国家与地区。2001年5月1日,内蒙古电视台与内蒙古经济电视台、内蒙古有线电视台合并,这标志着内蒙古电视事业又进入了一个新的历史时期。

内蒙古电视台目前开办七套节目,即:蒙古语卫视频道、汉语卫视频道、新闻综合频道、文体娱乐频道、经济生活频道、影视剧频道、少儿频道,每天播出138小时40分,开办有新闻、经济、少儿、法制、科教、文艺、体育、译制等40多个蒙汉语栏目。精品栏目有:大型系列栏目《蔚蓝的故乡》以及《内蒙古新闻》、《今日观察》、《法制专线》、《晚间报道》、《故事》、《娜荷芽》、《索艺乐》等。

内蒙古电视台拥有一流水平的蒙古语卫视、微波节目播出中心,汉语节目拥有卫视、微波节目播出中心和网络中心。

内蒙古电视台设备先进,制作力量雄厚。设有600平方米、400平方米、250平方米、100平方米、70平方米,大、中、小型演播室9个和300平米全数字化录音棚,能实现大、中、小型电视节目室内录制。拥有8讯道全数字化转播车、7讯道全数字化转播车和4讯道模拟复合式转播车各一台。具备自成系统的视频、音频前后期制作能力;并有先进的多媒体、动画和多样的字幕处理手段。

内蒙古电视台目前现有各类人员1200多人,设有29个部门即:党委、办公室、人力资源部、计财部、总编室、新闻中心、节目制作中心、文艺中心、电视剧制作中心、纪录片创作室、研究室、蒙古语卫视频道、汉语卫视节目中心、新闻综合频道、经济生活频道、文体娱乐频道、影视剧频道、少儿频道、数字电视部、技术部、制作部、播出部、广告管理中心、广播电视报社、播音指导委员会、技术委员会、包头电视传媒中心、网络信息服务中心、影视传媒中心。

内蒙古电视台台长:关方方,副台长:王世英、恩和巴雅尔、韩民强、顾永生、张德贵,台长助理:杜中,地址:内蒙古呼和浩特市新华大街71号,邮政编码:010058,联系电话:0471—6630615,图文传真:0471—6630663,网址:http://www.nmtv.cn。

中共中央政治局常委李长春到内蒙古电视台视察工作。

原全国人大常委会副委员长布赫接受采访。

内蒙古自治区副主席连辑与摄制组合影。

左一：2007 年中国 · 维也纳新春音乐会。

左二：六十年大庆在即，内蒙古电视台新闻综合频道发起全台著名主持人、出镜记者创作 MTV《为内蒙古喝彩》，用歌声表达对自治区成立 60 周年的祝福。

右一：《中国有个内蒙古》新闻发布会暨开机仪式。

2007 年 9 月 9 日晚，内蒙古电视台新闻综合频道派出记者宋塔娜（右）、李玉冰（左）、摄像额尔德木图与李莹的同学（中）一同护送李莹的眼角膜飞赴深圳，为深圳的角膜病患者送去光明。

2007年9~10月，内蒙古电视台新闻综合频道承办“首届我最喜爱的十大北疆卫士”系列评选活动，10 月 30 日直播揭晓晚会。

① 内蒙古电视台 2008 年蒙古语春节晚会《吉祥草原》现场。

② 2007 年 10～12 月，内蒙古电视台新闻综合频道承办评选“内蒙古年度十大法制事件”系列活动，在“12 · 4 全国法制宣传日”当天直播揭晓晚会。晚会特邀中央电视台主持人撒贝宁和新闻综合频道主持人王芸联袂主持。

2007 年 7 月 28 日至 8 月 3 日，历时 10 多天，内蒙古电视台新闻综合频道携手江苏电视台城市频道、无锡电视台共同推出了庆祝内蒙古成立 60 周年大型媒体行动——“草原零距离”，全景展现自治区成立六十年来发生的巨大变化。

内蒙古电视台主持人李琳

内蒙古电视台

辽宁省阜新市广播电视局党委书记、局长　孙柏文

辽宁省

阜新市广播电视局

阜新市广播电视局管辖阜新人民广播电台、阜新电视台、阜新有线电视台、阜新蒙古语广播电台、阜新广播电视报社、阜新市广播电视微波中继站、阜新市三二二转播台和市郊广播电视局。全局共有职工420人。其中，在读研究生和研究生学历的3人，大学本科学历的120人，大专学历的133人，中专和中专以下学历的33人。具有高级职称的40人，中级职称的163人，初级职称的86人。阜新有线电视台、阜新广播电视报社是自收自支事业单位，其他单位为市财政全额拨款事业单位。

中共阜新市委常委、宣传部长张万勤（左一），阜新市政府副市长王广利（中），阜新市广播电视局党委书记、局长孙柏文（右一）在全市广播电视工作会议上。

中共阜新市委常委、宣传部长张万勤（右四），阜新市政府副市长王广利（右三），阜新市广播电视局党委书记、局长孙柏文（右二）在全市广播电视工作会议上为先进工作者颁奖。

阜新市广播电视局党委书记、局长孙柏文（左四）在全局老干部迎春茶话会上讲话。

阜新市广播电视局领导班子成员在春节联欢会上表演节目。

阜 新 广 播 电 视 塔

吉林省长春市广播电视局

吉林省省委书记王珉（左二）、副书记王儒林（右一）参加吉林省广播电视信息网络集团长春有线电视网络有限公司揭牌仪式。

长春市广播电视局下属有长春人民广播电台和长春电视台。

长春人民广播电台共设置 10 个频率 6 套广播节目。分别是：长春人民广播电台综合广播，播出频率为中波 585 千赫，调频 88.9 兆赫；长春经济广播电台，播出频率为中波 1332 千赫，调频 90.0 兆赫；长春人民广播电台交通之声广播，播出频率为调频 96.8 兆赫；长春人民广播电台乡村戏曲广播，播出频率为中波 900 千赫，调频 88.0 兆赫；长春人民广播电台少儿与老年生活广播，播出频率为 648 千赫；长春人民广播电台都市音乐广播，播出频率为中波 1449 千赫，调频 106.3 兆赫。其中，长春人民广播电台都市音乐广播是于 2007 年 7 月 7 日新开设的节目。长春人民广播电台播出的 6 套广播节目全部为公共广播。2007 年全年共播出 52560 小时，每天 24 小时不间断播出。自制节目时间占总播出时间的 70%，其中有 34 条节目被中央人民广播电台采用。长春人民广播电台广播在长春市的人口覆盖率为 100%。

长春电视台共设置五个频道，播出五套节目，分别为：综合频道（CTV-1）、娱乐频道（CTV-2）、市民生活频道（CTV-3）、影视频道（CTV-4）和汽车频道（CTV-5）。这五套节目全部属于公共电视节目。2007 年全年共播出 41801.28 小时，其中：新闻资讯类节目 1364.47 小时，专题服务类节目 4124.39 小时，综艺益智类节目 2019.59 小时，影视剧类节目 14420.27 小时，广告类节目 9149.18 小时，其他节目 10722.18 小时。在全年播出的 41801.28 小时的电视节目中，转播中央台节目 4.31 小时，自制节目 4046.15 小时，购买交换节目 37750.42 小时（其中国外节目 512.52 小时）。全年被中央电视台采用的节目条数 131 条。全年播出电视剧 493 部，13227 集（其中进口电视剧 101 部，2572 集）。全年播出动画电视 10 部，597 集。电视人口覆盖率 100%。

2007 年 2 月 16 日，吉林省广播电视信息网络集团长春有线电视网络有限公司正式挂牌成立。长春有线电视网络有限公司抓住省市广电网络整合的机遇，突出抓好有线电视网络经营创收工作，共完成民用端安装 3941 户，迁移 449 户，报停恢复 560 户，用户改造 184 户，欠费恢复 1679 户，公用端安装 162 户。通过多种并购模式兼并了吉林省电力等 5 个有线电视网。全年新增用户 16007 户，有线电视用户总数达 34 万户。

2007 年，长春市本级采取有线覆盖的方式，超额完成吉林省下达的要完成 9 个广播电视盲村的“村村通”工作任务，覆盖 4970 户（其中，市郊完成 13 个自然村，覆盖 970 户；双阳区完成 61 个自然村，覆盖 4000 户）。

2007 年，长春市广播电视局所属两台共有 132 件广播电视作品在中央台播出（其中，长春人民广播电台 36 条，长春电视台 96 条）。两台全年共获得国家级奖项 13 个（其中，长春人民广播电台 8 个，长春电视台 5 个）、省级奖项 143 个（其中，长春人民广播电台 86 个，长春电视台 57 个），市级奖项 73 个（其中，长春人民广播电台 41 个，长春电视台 32 个）。长春人民广播电台录制的纪实广播剧《“小巷总理”谭竹青》获中宣部第十届精神文明建设“五个一工程奖”优秀作品奖。长春电视台新闻中心新闻主播刘玢获得“2007 年全国优秀新闻工作者”称号。长春电视台主任记者肖玉梅获全国语言文字先进工作者称号。长春电视台专题节目中心主任王伊获第五届吉林省十佳电视艺术工作者称号。

长春市数字电视用户在转换现场领取机顶盒。

长春电视台记者在首届中国长春消夏节暨 2007 中国热气球精英赛开幕式现场采访崔杰市长。

长春电视台转播第六届亚冬会转播用的高清数字转播车。

辽宁省瓦房店市广播电视局

瓦房店市广播电视局实行局、台合一的管理体制。现有职工 203 人，内设 24 个科、部室。固定资产 3500 万元，年收入 900 万元。

广播电台采用中波和调频两种方式全天播出16小时20分钟，主要栏目有：《瓦房店新闻》、《伴你同行》、《相约健康》、《音乐无极限》等。电视台分别转播中央电视台一套节目、辽宁电视台一套节目、大连电视台一套节目。自办两套节目，全天播出时间为 36 小时。主要栏目有：《瓦房店新闻》、《新闻关注》、《现场》、《目击》、《新农村》、《乡情》等。广播电视编采录播设备均实现数字化。

近年来，大力发展农村广播电视事业。目前全市已实现“村村通”有线电视及无线调频广播，农村有线电视入户率达到 54.6%。广播电视综合覆盖率达到 100%。

瓦房店市广播电视局（台）长、党委书记 刘嘉圣

电视播音员正在录制节目

值机人员正在记录数据

记者在现场采访

广电局办公楼夜景

立足服务 心系三农

——榆树市广播电视局

榆树市位于吉林省，是全国重点商品粮基地，多年来粮食总产、商品量和人均占有量连续位居全国之首。榆树市广播电视局积极发挥广播电视的现代化传媒作用，把“服务三农”、建设新农村作为广播电视新时期的重要任务，进一步加大农村广播电视宣传力度、提高农村广播电视覆盖率，及时向农村群众宣传党的路线方针政策，传播各类科学文化知识和经济信息，提供丰富多彩的娱乐节目，反映农村新生事物发展和新农村建设中涌现的好典型、好事迹，促进农村精神文明建设和农村经济社会全面发展，提高广大农民的思想道德、科学文化素质，为建设社会主义新农村提供强有力的精神动力和智力支持。

国务院副总理回良玉视察榆树市

加大农村广播电视宣传力度 电台、电视台把面向农村、服务“三农”作为主要任务，增设形式多样、内容丰富的农村专栏、专题节目。紧紧围绕新农村建设，坚持“三深入”、“三贴近”原则，不断丰富“三农”节目内容，提高“三农”节目制作质量和水平，努力满足农民群众对政策法规、市场和农机信息、科技致富知识以及精神文化生活的需求。仅2007年一年，电台电视台就播发有关“服务三农”、新农村建设类报道稿件260多件。2007年还针对新农村建设对电视节目进行了改版，以更丰富的内容满足不同层次的受众需求，力求办出地域特点，《粮仓采风》栏目在原来新农村建设成果性报道的基础上，适当增加“人文地理”“历史沿革”“风土人情”“观光旅游”等方面的内容，以此来探究榆树的历史起源、文化发展、风俗民情，介绍榆树古迹、文化遗址。同时，增加友好县市文化交流节目，推介异地风情。《百姓生活》调整后，进一步将视角平民化，内容更为细化。子栏目：《致富之路》介绍致富典型邀请农业方面的专家解难答疑，侧重推广致富经验和科学技术，推动农村经济更好、更快地发展。《百姓纪事》反映普通农民的生活，报道新农村背景下农民创业、致富的典型。《榆树新闻》和《新闻纵横》栏目以关注农村、关心农业、关爱农民、关怀农村工作者为宗旨，根据农时变化不断增加关于农村生产、发展、建设内容。榆树人民广播电台开办了交通文艺广播，实现了从录播到直播的历史性跨越。在节目设置中，专门设置了直播栏目《欢乐黑土地》，反映农村生活，传播农业知识，为农民服务。2007年5月，中央电视台《春暖黑土地，建设新农村》大型文艺晚会在榆树播出，这次晚会是中央电视台确定的重大宣传活动，是建设社会主义新农村主题宣传的重要之作，榆树市广电局作为这次活动配合服务的主体之一，开展配合服务工作，使晚会取得了圆满成功。

榆树市广播电视局领导深入抗洪一线

爱国主义建设基地光明小乡，榆树市广播电视局在此免费安装有线电视

宣传新农村建设专题片

《榆树新闻》栏目及其台前幕后

积极为新农村建设服务

扩大农村广播电视有效覆盖 贯彻落实“广播电视事业建设的重点是覆盖，覆盖的重点在农村”的工作方针，因地制宜、分类指导、多管齐下、统筹安排，充分利用无线、有线、多路微波等多种技术手段，大力推进广播电视通村入户工程。迄今榆树已形成无线与有线相结合，光缆与数字多路微波并存的广播电视覆盖网，广播电视综合人口覆盖率达 100%。

榆树市委、市政府对广播电视工作高度重视。把广播电视“村村通”作为新农村建设的重中之重，作为政治工程、文化工程和民心工程，将广播电视村村通工作纳入全面建设小康社会和精神文明建设的考核之中，当成一项振兴榆树经济的产业来抓。广电局领导带头并组织技术人员深入村屯，与农民群众座谈，帮助解决农村听广播看电视问题。宣传村村通工程的重大意义以及它给农民群众生产生活带来的好处。在具备联网条件的自然村采用有线联网的方式，在有线网络干线难以达到而农户相对集中的自然村，采用 MMDS 联网的方式。并先后开展了多次有线电视让利促销活动。2006 年和 2007 年，全力支持新农村建设工作，为新农村建设工作试点乡镇弓棚镇十三号村和光明乡小乡村等减免安装费用 600 多万元。2007 年底，为了增加转播节目套数，为农民提供更多的信息。投资 90 万元购置广播电视发射设备，2008 年 1 月 1 日新增的广播电视节目正式开播。现在榆树市有线传输 66 套电视节目，44 套广播节目，无线传输 6 套电视节目，5 套广播节目。

全面提高广播电视队伍的服务水平 县级广播电视新闻从业人员，身在基层，最接近农民，榆树市广播电视局把提高广播电视队伍素质、作为服务三农，服务新农村建设的重要前提，加大培训力度，一方面鼓励职工自学成才，抓好岗位上的“传、帮、带”，另一方面采取“请进来，走出去”的办法，请上级新闻单位专家、学者前来授课，每年都要举办 3 次以上培训班，对采编和技术人员乡镇广播电视站负责人经常进行培训。并组织派遣人员到上级和兄弟单位学习，锻炼实际工作能力。在强化培训，提高业务能力的同时，还加强了对日常工作的管理和职业道德建设。认真贯彻执行《中国广播电视播音员主持人职业道德准则》和《中国广播电视编辑记者职业道德准则》，努力培养和造就一支适应事业发展需要，深得农民群众信赖的基层广播电视队伍。

榆树电视台记者采访四下乡活动

北京投资环境说明会

榆树人民广播电台交通文艺广播开播仪式

新开通的数字电视

《百姓纪事》栏目

交通文艺广播开播

专题片

延边朝鲜族自治州广播电视局

延边朝鲜族自治州广播电视局局长、
延边广播电视总台台长
韩龙根

延边朝鲜语广播诞生于1946年，用朝鲜语播音，是我国第一个用少数民族语言播音的广播电台。1972年10月，延边朝鲜语广播功率由50KW提升到200KW，相当于省级中波发射台的功率规模。2006年8月10日，延边卫视和延边卫星广播正式“上星”开播，这是我国唯一的地区级“上星”媒体。

目前，延边州广播电视局实行“局台合一”的管理体制。2002年，成立了延边广播电视总台，下属有延边人民广播电台、延边电视台、延边卫视中心等15个单位和部门，现有职工1256人（含退休人员257人）。现开办5套广播节目，4套电视节目，2种语言广播电视报，3个网站和1家音像出版社，形成了以广播、电视、报纸、网站和音像出版社为一体的整体格局。

到2006年底，全州有线电视终端47.3万户，入户率66.24%，全州50户以上已通电自然村全部实现了广播电视“村村通”。全州广播综合覆盖率为99.69%，电视综合覆盖率为97.16%，其中，朝鲜语广播覆盖率为87.44%，朝鲜语电视覆盖率为88.04%，延边卫视已在吉林、黑龙江、辽宁、山东、江西等省份的17个地区和31个县通过当地有线电视网络实现落地，目前，延边卫视理论覆盖人口达5200万人。

黑龙江省绥化市广播电视局

绥化市广播电视局局长冯国慧

黑龙江省绥化市广播电视局位于该市黄河北路与福和路的交叉路口处，建筑面积1.7万平方米。下辖人民广播电台（交通广播、音乐广播），电视台、有线广播电视台（中广有线绥化分公司）、微波站、北林分局、广播电视报社等行政和事业单位．还负责全市10个县（市）区广电局的业务指导工作．全系统职工1745人，其中，市直系统304人。

自绥化2000年撤地设市以来，绥化市广电局在市委市政府的正确领导和省局的有力指导下，经过全局的努力工作。各项工作都取得了很大成绩 在宣传工作方面创办了《晚间新闻》、《关注行风》、《行风热线》等品牌栏目；开办了交通广播、音乐广播等专业广播；对上报道位居全省第3名，县级局评好稿和精品创优连续4年全省第一；在网络建设方面全市已建成光纤和电缆网络2.42万多公里，有城网用户21.85万户，入户率57.9%，有农网用户34.35万户，入户率49.7%，实现了“村村通”，市本级实现了“屯屯通”，已开通了数字电视。在其他方面，2006和2007连续两届被评为全省创建广电强省活动先进单位；连续三年被评为全省行政执法先进单位；技术能手竞赛连续六年在全省夺冠；精神文明建设是全省唯一一个集“省级文明单位标兵”，“省级文明系统”，“省级文明小区”于一身的单位。在普法工作中被评为全国“三五”，“四五”普法工作先进单位。局长冯国慧2001年被评为全国广电系统“村村通”先进个人，2007年被评为全国广电系统先进个人。

绥化市广播电视局领导班子成员。左起：工会主席张玉环，副局长张德春，局长兼三台台长冯国慧，副局长王子玉，机关党委副书记沙恩广，总工程师刘景辉。

2007年，局长冯国慧荣获全国广电系统先进工作者称号。图为他进京受奖后载誉归来。

绥化市广播电视中心大楼外景

黑龙江省大庆广播电视集团

大庆广播电视集团于2000年1月1日组建，是市委、市政府领导下的实行企业化管理的事业单位。集团现有1000多名员工，实行矩阵式管理架构。内设办公室、党群工作部、总编室、技术设备管理部、人力资源部、财务部、法律事务部、广告监督管理部、安全保卫部、信息中心等10个职能部门。拥有大庆人民广播电台、大庆电视台、大庆广播电视报社、网络传输中心、经营发展公司、物业管理公司以及广电艺术学校、电视传媒有限责任公司、无线数字电视有限公司等9大媒体和经营公司，集广播电视报纸制作、播出、发射、传输、发行于一体。

大庆人民广播电台于1980年4月正式播出，现设新闻广播、交通广播、长书广播、音乐广播四个频率。

大庆电视台于1971年5月1日开播，现设有新闻综合频道、百湖频道、影视频道、科教频道四个频道。《百湖要闻》、《今晚60分》、《市民议事厅》、《绝对现场》、《陪你办事》、《动感830》等品牌栏目深受好评。

《大庆广播电视报》创刊于1980年11月6日。2007年5月改版为《大庆广播电视报 · 百湖周刊》，影响日益增强，发行量已达到10万份。

集团现有100～300平方米广播、电视演播室10多个；各种型号的广播电视转播车、新闻直播车5辆；全数字硬盘播出系统已全面启用，广播电视节目制作和播出设备数字化改造基本完成。

集团拥有数字电视用户二十六万户，是全国有线电视数字化试点城市。大庆市及其所辖区域全网数字化建设在全省率先完成，基于数字有线电视的集阳光政务、生活服务、医疗保健、股市行情、旅游交通于一体的家庭多媒体信息平台在全省领先。

大庆电视台技术制作区

大庆广播电视集团文稿信息中心

广播电台直播间之一

← 大庆广播电视集团

↑高清数字电视转播车

悍马直播车

黑龙江省鸡西市广播电视局

鸡西市广播电视局局长
杨长清

鸡西市广播电视局担负着全市新闻宣传、事业建设、产业发展、行业管理的重要职责。全局辖11个直属单位，6个职能科室。全局现有职工近600人。

随着改革开放和国家对广播电视发展采取的一系列措施，鸡西市广电局面临着节目如何做到量丰质优、改革如何深入、事业如何加快发展、资金如何保障等诸多压力，在市委、市政府的关心、领导下，局党政班子带领全体员工克服困难贯彻科学发展观，以改革为动力拼搏实干，全力争创一流。以量丰质优为标志的新闻宣传不断提升；以“两顺一活”为目标的改革不断深化、细化；以三通(有线电视村村通、屯屯通、光缆通)、两化(光缆化、数字化)为重点的两业（事业、产业）建设保持持续、稳定、跨跃式发展的好势头；以市场为龙头的经营创收年年大步增长，创造了广播电视光缆总里程（3566公里）全省第一，广播电视覆盖率(广播100%、电视97%)全省第一，光缆村通率（96%）全省第一，行业管理评比连续五年全省第一，全市五区和三县(市)实行垂直管理全省第一，全省广播电视先进局第一名的好成绩。鸡西局连续七届荣获全省广播电视系统建功立业先进局，其中五届获得全省先进局第一名，所辖两市一县年年先进，密山、虎林为全国广播电视先进县。

鸡西市广电局在2000年被人事部、国家广电总局授予全国广播电视先进集体称号后，于2007年又被人事部、国家广电总局授予全国广播电视先进局称号，并两次被国家广电总局、发改委、财政部授予全国广播电视“村村通”先进集体称号，2007年跨入省级文明单位标兵行列。

亮色之二

频道：荣获全国广播影视先进集体称号；《中国广播影视》主办的“全国地面强势频道‘TV地标’特色频道奖”；荣获06－07年度上海优秀创新媒体。

栏目：《纪录片编辑室》获“全国优秀电视文化（文艺）栏目”称号；《经典重访》、《档案》荣获首届“纪录·中国”金牌纪录片栏目称号。

节目：第43届美国芝加哥国际电影节国际电视竞赛单元银雨果奖；第三届半岛国际纪录片电影节国际竞赛单元短片金奖、长片评审团大奖；国家广电总局颁发的中国广播影视大奖；2007中国文献纪录片二十年经典作品；2007年度中国纪录片国际选片会“十大纪录片奖”；第十三届上海电视节白玉兰奖纪录片评委会大奖和亚洲单元银奖；由纪实频道“真实中国·导演计划”投资拍摄，并提供技术支持、艺术指导的纪录片《脸子》，荣获第九届四川电视节人文类最佳短纪录片“金熊猫”奖，并获人文类最佳创意、最佳导演提名……

亮色之三

2007年《人民日报》先后刊发《纪录片——未来观看潮流》、《如何开拓纪录片市场》和《SMG纪实频道，纪录片人的希望》三篇大幅文章，详细分析了SMG纪实频道如何转变创作观念和手法，开拓纪录片市场，并介绍了五年来频道的跨越式发展。《解放日报》、《文汇报》、《新民晚报》也多次采写专题报道，高度评价纪实频道高举文化旗帜，做强实力，做大影响。

DOCUMENTARY CHANNEL 纪实频道

上海文广新闻传媒集团 纪实频道

上海市宝山区广播电视台

开放式演播厅

宝山区广播电视台的前身为宝山县有线广播站，创办于 1956 年，下设宝山人民广播电台、宝山电视台以及视频新闻网站，是上海北翼地区较有影响力的公众媒体。

当年靠肩扛手拉，宝山广电人建造了自己的发射塔，宝山电视台开播于 1988 年 7 月，距今已有 20 年。

近年来，宝山台对内对外宣传工作成效显著，全年在市级媒体发稿量居各区、县台前列，多次被上海电视台新闻综合频道、上海东方电视台新闻娱乐频道评为年度通联先进集体。电视栏目《宝山新闻》、《新闻扫描》和《精彩人生》、《百姓连线》、《与法同行》等广播栏目凸显品牌效应；宝山电视台选送的《上海宝山：掀起艺术节的盖头》获上海市第九届“银鸽奖”广播影视类二等奖；全年共有 5 部专题片在上海电视台纪实频道播出，有 20 多部专题片在美国斯科拉卫星电视网播出，分别从政治、经济、城乡建设、社会发展、科技、教育等各个方面比较全面地反映了宝山区社会事业发展和人民生活的现状，体现了党和政府以及人民群众的喉舌作用，内容贴近群众、贴近生活、贴近实际。《乡音绕滨江》、《市民话宝山》等一批互动节目，架起了党和群众沟通的桥梁，广受欢迎。

《百姓连线》节目户外直播

发射塔

宝山台设施装备优良，全年投入资金 3000 万元。拥有六讯道的大型转播车，多次成功对区内外重大活动进行现场直播、录播。新近落成启用的文广中心大楼，拥有 800 平方米等各类演播室 5 个。以新文广中心大楼的启用为契机，宝山台将倾力打造上海北翼的新闻中心、节目制作中心和技术播出中心。

上海市崇明县广播电视台

国家广电总局副局长田进来台视察

素有“东海明珠”之称的崇明岛是祖国第三大岛（下辖长兴、横沙二岛，通称“崇明三岛”），崇明三岛临江濒海，雄居中国东部黄金海岸和长江入海口交汇处，三岛总面积1411平方公里，人口70余万。

崇明本岛距今有1300多年历史，岛上地势平坦，气候宜人，水洁气清，物产丰富，风光秀丽。2004年7月27日，胡锦涛总书记视察崇明，对崇明建设现代化生态岛区的目标定位给予了充分肯定。目前，崇明连接上海市区的长江隧桥工程即将建成，作为上海国际大都市的后花园，崇明越来越被世人所看好，崇明的明天将更加繁荣、富庶、美丽。

诞生于上世纪九十年代的崇明电视台，建有南门、向化两座120米高的电视发射塔，这在上海为首例，在全国也少见。1993年7月，经国家广电部批准建台，在南门和向化地区分别拥有17和47两个频道，电视自我覆盖率为100%，还可辐射江苏启东、海门及市郊嘉定、宝山等邻近地区。2006年，投资2400万元完成了电视采、编、播数字化技术改造，并购置了四讯道电视直播设备。目前，崇明电视台每天自办节目18个小时，有及时报道海岛政治、经济、社会和文化资讯的《崇明新闻》；汇集一周重要新闻的《一周要闻》；对社会新闻热点作深度报道的《新闻扫描》；展现社会风貌、新闻人物的《今日崇明》；呈现各条战线建设与发展的《这方热土》；为经济和民生服务的《海岛医疗》、《市场传真》等。

方兴未艾的有线电视事业不断发展，一项投资规模二亿元的有线电视“家家通”工程已于2007年底全面启动，计划于2008年底全面完成，届时，全县有线电视用户将扩大到20万户左右，基本达到全覆盖，实现“家家通”。

崇明广电中心占地3815平方米，主楼和辅楼建筑面积3900平方米，集广播、电视、报纸新闻宣传于一体，内有装饰一流的演播系统，配置完备的导播、制作系统。

崇明广电具有独特的优势，犹如早晨八、九点钟的太阳，朝气蓬勃、蒸蒸日上，正以崭新的姿态迎接更加灿烂美好的明天。

业务培训

节目制作

五星耀五环
五星体育
光荣与梦想
通向北京
Countdown
To Beijing
走向巅峰
光耀五环
中国奥运英雄
Beijing 2008
纪录刘翔
奥运加速度
录
姚明
奥运精彩时刻
五星体育
SMG 上海文广新闻传媒集团 SHANGHAI MEDIA GROUP 成员

上海市闵行区广播电视台

闵行区广播电视台自2003年开始，致力于对少儿原创电视节目的创作，每年集中优势兵力进行选材、拍摄和制作。其作品充分体现出对少年儿童的尊重、关爱和支持，有利于帮助少年儿童增强爱国情感，树立正确的世界观、人生观和价值观，受到业内人士和广大观众的好评。

2003年获全国少儿电视艺术大赛金奖、最佳摄像单项奖。

男孩六岁那年在新疆巴音布鲁克草原结识了一只伤残野生天鹅，他为它取名“塔娜”并认养。此后，塔娜成为男孩成长过程中的牵挂和期待。

《我有一个小小愿望》

因患肠系膜淋巴结肿大难以治愈的于超一直有一个小小的愿望……

《童谣乐》（电视音乐文学）

2006年获全国少儿电视艺术大赛金奖

《童谣乐》

好童谣是教育儿童天天向上的助推器；好童谣是启迪孩子心智的金钥匙；好童谣是心灵的鸡汤，能滋润孩子们的心灵，帮助他们健康成长。

2004年获全国少儿电视艺术大赛金奖、最佳编导单项奖。

《音之舞》

是谁开启了耳朵的大门？
是声音；
是谁拨动了心灵的窗户？
还是声音；
声音如同风的翅膀，
不为目的只为飞翔。

2007年首届CCTV校园文化周电视节目类评比金奖。

2007年第七届全国百家电视台电视文艺节目展评一等奖。
单项奖：优秀编导奖、优秀摄影奖、优秀音乐音响奖。

安徽广播电视传输发射总台

安徽广播电视传输发射总台组建于2002年1月8日，是安徽省广播电影电视局下属的副厅级单位，内设机构有：办公室、财务管理部、台站管理部、技术管理部、机关党委、工会，下辖微波总站、卫星地球站、合肥大蜀山发射台等20个台站，现有600多名职工。

目前，十座中波发射台已经全面实现发射机全固态化、大功率发射机配备备机的目标，为保障安全播出、推进数字化进程奠定了良好基础。台站变配电系统升级改造工程、光缆通台站工程、台站播出自动化控制项目、总台总控工程正在积极推进中，技术装备水平得到了质的提升。滁州转播台、宿州转播台、宣城转播台、池州转播台实施了搬迁重建，新台区天线场地得到扩大和有效保护，三十头发射台综合改造，后台区环境整洁，安全播出工作得到有效保障。

台站分布在全省各地，地处偏僻，环境艰苦，任务艰巨。通过实施“五六五”素质工程，队伍建设不断加强。先后举办各级各类技术骨干培训共30期，累计培训1350人次。全台321人经过考试获得了专业技术证书，160人获得了国家广电总局颁发的全国广播影视系统值机员岗位培训证书；39人在省局技术能手竞赛中获奖，9人在全国广电总局技术能手竞赛中获奖，其中6人获一等奖，3人获一等奖第一名，在全国广电系统名列第一。科技创新成果喜人，88个项目获总台科技创新奖，41个项目获省局科技创新奖，4个项目获国家广电总局科技创新奖，1个项目获国家科技创新软科学二等奖。文明创建工作成效明显，大蜀山发射台获“省级青年文明号”，敬亭山发射台获“省直青年文明号”，三十头发射台、敬亭山发射台获“省直三优文明单位”，芜湖转播台获芜湖市“市级文明单位标兵”。思想政治工作和党建工作获多项殊荣，《大力开展艰苦奋斗专题学习教育活动》荣获全国思想政治工作创新研究优秀成果二等奖，总台获“全省思想政治工作先进集体”、“安徽省学习型组织示范单位”；敬亭山发射台获“全国学习型先进班组”荣誉称号。

中宣部副部长、国家广电总局局长王太华视察安徽广播电视传输发射总台卫星地球站

安徽广播电视传输发射总台发射机房

城市频道
江苏省广播电视总台（集团）
江苏城市频道
领航城市资讯 传播主流价值
《石头会说话》 17:30－17:50 全新市民互动维权类节目
《绝对现场》 17:50－18:50 新闻资讯大舞台
《南京零距离》 18:50－19:50 中国王牌城市资讯深度报道栏目
《第一剧场》 19:50－22:30 中国城市（都市）频道电视剧风向标
《万家灯火》 22:40－23:10 从历史中发现人生的智慧
《精品演播室》 23:10－24:00 优秀记录片专题片展播
《早安江苏》 07:00－08:00 新的一天从这里开始
FM93.7江苏新闻广播 移动媒体共建平台
SNG全国协作体 全国强势地面频道直播连线
通过ISO9001质量体系论证
行风监督电话：025-83195911

江苏少儿频道

频道简介

《动画天地》主持人：月亮姐姐
江苏广电总台"十大未来之星"

江苏少儿频道于2004年10月1日正式开播，频道的开办被列为《江苏省加强和改进未成年人思想道德建设行动计划》的50件实事之一。时任江苏省委书记的李源潮同志为频道题词："做江苏未来的创造者"。

成立三年多来，频道的影响力和美誉度持续攀升，先后开办了《好朋友》、《欢乐校园行》和《家有宝贝》等少儿品牌栏目，《好朋友》栏目当选为江苏广播电视"十大优秀专栏"；《动画天地》栏目收视率稳居全省同时段和同类节目第一，2007年《动画天地》栏目被国家广电总局评为全国"优秀国产动画栏目"一等奖。频道先后荣获省级机关"省级青年文明号"、省文化"三下乡"先进集体；06年、07年，频道连续两年被国家广电总局评为"全国优秀少儿频道"一等奖。

《好朋友》主持人：林子姐姐
江苏省青联委员
江苏广电总台"十大青年才俊"

浙江省委常委、常务副省长陈敏尔视察镇海广播电视台。

浙江省委常委、宁波市委书记巴音朝鲁视察镇海广播电视台。

中共镇海区委宣传部副部长、镇海广播电视台台长陈央在颁奖现场。

浙江宁波镇海广播电视台

镇海广播电视台简介：

1994 年，国家广电部批准成立镇海有线电视台、镇海人民广播电台。1998 年 3 月，两台合并成立镇海广播电视台，是镇海区委宣传部(区文化广电新闻出版局)下属的全民事业单位。共有员工 215 名，其中，大专以上学历人员占职工总数的 80%以上。

镇海广播电视台拥有一支专业采编播和技术员队伍(其中高级职称 5 人，中级职称 16 人)。设有总编室、新闻部、专题部、技术部、工程部、广告部、办公室、营销推广部和五个广电站。

镇海有线电视网络于 1990 年 8 月开始筹建，1997 年实现全区有线电视光缆联网，目前，共有有线电视用户 9 万多户。电视台采用 HFC 网络向全区电视观众传送 106 套数字电视节目、33 套模拟电视节目，完整转播中央、省、市电视台频道节目，其中自办节目 1 套。自办节目由《镇海新闻》、《深度十分》、《周末连线》、《快乐成长》、《法制天地》、《红枫晚霞》、《纪事》、《政协视点》、《镇海警方》、《一路平安》、《金色田野》、《科技时空》12 个栏目组成。

镇海电台两套节目实现双线传输。调频节目日播出 24 小时，有线对农广播节目播出 9 小时。自办新闻专题节目有：《104.7 新闻》、《市民桥》、《绿色田野》、《社区一家亲》、《丑小鸭》、《绿色田野》、《人间重晚晴》。另有《健康文艺》、《海塘夜潮》、《快乐波段》、《完全生活手册》、《音乐前线》、《音乐早点到》、《城市早班》、《中国原创音乐榜》、《一千零一夜》、《音乐放流行》10 个文艺栏目。2005 年改版创办的宁波音乐广播，定位于 16～35 岁热爱音乐的听众，全天 24 小时滚动播出，电波覆盖整个宁波大市。

2007 年工作的主要成绩有：

1. 作品创优登上全国最高领奖台《静静的胡杨》获全国第十届“五个一工程”优秀作品奖，中国广播影视大奖优秀广播剧类大奖，浙江省“五个一工程”特别奖等；《今天我是升旗手》、《让爱多一点》等三部作品获宁波市第九届“五个一工程”优秀作品奖等。另有 25 部作品在市以上各类评比中获奖。

2. 城乡一体数字电视整体转换工程竣工 国家广电总局科技司的领导在竣工仪式上，称赞镇海的数字电视工作走在全国县(市)区的前列。浙江省广播电视局授予镇海“城乡一体数字电视整体转换示范区”荣誉称号。数字电视整体转换工作政府满意，百姓称赞。

3. 荣获全国广播影视系统先进集体称号 这项荣誉是对镇海广播电视台前几年全面工作的充分肯定，同时对工作提出了更高的要求。

自 2003 年以来，镇海广播电视台在政治思想上和党中央保持高度一致的同时，实现了精品力作、数字化采编播设备、数字电视整体转换、人才及队伍建设和投融资体系五大跨越。

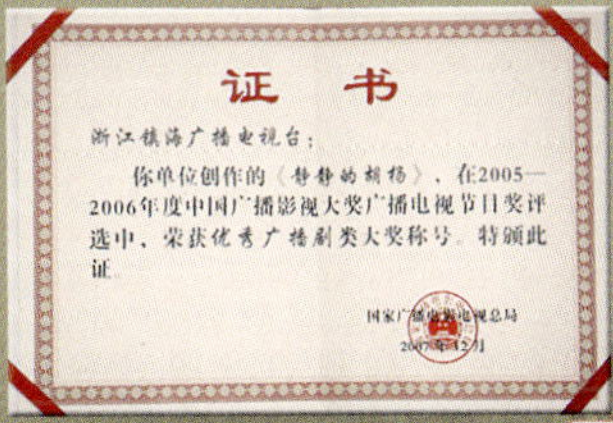

证　书

浙江镇海广播电视台：

你单位创作的《静静的胡杨》，在2005—2006年度中国广播影视大奖广播电视节目奖评选中，荣获优秀广播剧类大奖称号。特颁此证。

国家广播电影电视总局

2007年12月

证　书

浙江省宁波市镇海区广播电视台：

被评为全国广播电影电视系统先进集体。

中华人民共和国人事部　国家广播电影电视总局

二〇〇八年一月十七日

左 1：工作人员在农户家进行数字电视转换

左 2：数字电视整体转换竣工仪式

江山信息网承办的抗震救灾义演晚会

电视记者现场采访

距城70多公里的廿八都站员工参加网上交流会

广电员工冒雪抢修雨雪冰冻灾害受损线路

江山市广播电视总台

浙江省江山市广播电视总台全体员工，发扬“雷厉风行，只争朝夕”的江山广电精神，“认真做事，用心做事，高效做事，做好每件事”，在新闻宣传、事业建设、广告创收、多元化经营、广电文化建设等方面都取得了骄人的成绩。江山广电创下的五个全国第一，令同行刮目相看：建立了全国第一张县市级宽带 IP 城域网；在全国广电系统第一个实行城乡全员联网实时办公；在全国县市级广电台(局)中，第一个开发出多项拥有完全知识产权并实行商品化的应用软件；在全国广电系统第一个建立综合性门户网站并受到国务院新闻办的关注；在全国广电系统成为第一个为当地党委、政府开展电子党务、政务提供软硬件服务的运营商。

江山市广播电视总台 2004 年被评为江山市劳动模范集体，2005 年被浙江省委宣传部、省总工会授予“浙江省职工职业道德建设十佳单位”荣誉称号，2008 年 1 月被评为全国广播影视系统先进集体。

安徽省 岳西县广播电视局

安徽省岳西县广播电视局全面贯彻落实科学发展观，在坚持正确舆论导向、实施县乡联网工程、确保广播电视安全播出、推进事业建设、提高队伍素质等各项工作中都取得了突出的成绩。

新闻宣传靓点频频 中央电视台《新闻联播》的百姓纪事栏目播出的《李银巧家的四亩水田》和《焦点访谈》播出的《产业化扶贫在岳西》引起了巨大反响。2007 年全年在中央电视台发新闻 12 条，在省、市台共发稿 300 多条，发稿量在安徽省县级电视台中位居前列。

事业建设跨越发展 投资 350 万元，建成了设计先进的光缆网络，实现了全县传输一张网，播出一条线，提高了网络传输质量，有线电视入户率达 50% 以上。联网村村通达 60 个，网络效益得到有效发挥。中央无线覆盖工程全面启动。

转星调整高效完成 全县广电职工克服地形复杂、居住分散、卫星用户多等困难，提前完成了 30714 户卫星接收设施的转星调整工作任务，超出原任务数 2600 面。确保了十七大期间的安全播出，得到了中宣部副部长、国家广电总局局长王太华及省市主管部门和县委县政府的高度肯定。

快速反应奋战雪灾 在 2007 年冬罕见的雪灾中，全局上下团结拼搏，发扬不怕疲劳、连续作战的精神，及时、快捷、准确地报道岳西灾情和全县人民共抗雪灾的精神风貌，对夺取抗击雪灾的全面胜利发挥了重要的作用。

2007 年，岳西县广播电视局被国家人事部、国家广电总局授予“全国广播电视工作先进集体”荣誉称号，来榜镇广播电视站被中宣部、文化部、国家广电总局、新闻出版总署授予“全国服务农民服务基层先进集体”称号，岳西县广播电视局局长王开华等多位同志荣获国家、省、市、县先进个人荣誉称号。

福建省 泉州市广播电视局

泉州市广播电视局是泉州市政府主管广播电视宣传和广播电视事业发展的工作部门，直接管理泉州市广播电视中心，直属广电中心的有泉州人民广播电台、泉州电视台、泉州广播电视报社、泉州广播电视传输中心、泉州广播电视信息中心等单位，“声、屏、报、网”相互联动，齐头并进，2007 年创收近两亿元。在“把导向、凝智慧、造优势、求发展”的广电文化理念的激励下，泉州市广播电视局大力推行各项改革。

以资源共享为纽带，深化宣传创新。有力地推动声、屏、报全面实施栏目改版、节目创新。电台每天推出新闻节目 20 档，电视新闻构成早、中、晚三大时段滚动播发，广播、电视新闻节目实现 24 小时全天覆盖，广电的新闻宣传地位有了大幅度的提高。近年来，局下属单位的声、屏、报荣获多项全国、全省广电作品奖项。

以网络改造为重点，夯实事业基础。以落实市政府为民办实事项目为契机，全面实施中心市区有线电视网络改造。抓好电台、电视台设备的数字化改造，广播、电视的采编、播控已经基本实现数字化。

以岗位管理为核心，推进体制改革。在广播电视中心各单位中全面实行全员聘用制，同时，积极探索薪酬分配制度改革，员工的收入直接与岗位挂钩，浮动管理。在改革中注意探索资源共享的渠道，努力实现效益的最大化。

以多种培训为载体，建设学习型团队。以营造广电文化理念为中心，积极开展“三争当”、“献计献策”等系列活动，举办“广电沐春风”、“广电树新风”、“广电颂春”文艺晚会。与复旦大学、中国传媒大学联合开办两个研究生课程班，举办“广电管理连线论坛”。

今后，泉州市广播电视局将继续沿着“整合实力、增强活力、提高核心竞争力”的总体思路，以广播电视宣传为主业，以新闻为中心，以繁荣创作为重点，兼营相关产业，逐步把广电中心发展成为多渠道、多品种、多层次、多功能的综合性现代传媒集团。

福州电视台少儿频道简介

福州电视台少儿频道，2004年12月28日正式开播，是我国开播较早的少儿频道之一。它是福建省内第一家专业少儿频道，使占人口总数1/4以上的168万福州市少年儿童拥有了一个完全属于自己的专业化频道。

福州电视台少儿频道坚持积极、平等、尊重、沟通的经营理念，在“快乐伴随成长”的口号下坚持知识传播与人格培养并重，关注孩子，关注成长，关注教育，以少儿口吻、少儿立场和少儿视角，为福州青少年搭建健康成长的快乐平台。

建立了以卡通形象“逗逗”为核心的频道形象体系，每天近16小时的播出包括综合性栏目，优秀卡通片、影视剧，各类文艺演出、竞技比赛，以及众多主题晚会、知识竞赛、特别节目和大型活动等等。

已经七岁的少儿综合性通栏节目《向日葵》，以强烈的地域性和互动性在福州青少年中极具知名度和号召力，连续三年受到国家广电总局少儿精品节目(项目)奖励扶持。《卡通俱乐部》以弘扬优秀国产动画为己任，并开展形式多样的节目互动，获评2005年国家广电总局少儿精品节目(项目)奖励扶持优秀卡通栏目一等奖。低幼节目《聪明逗》几年来始终占据福州地区低幼节目收视排行之首。频道也连续三年获评国家广电总局少儿精品节目(项目)奖励扶持二等奖和三等奖。

江西省高安市广播电视局

高安市广播电视局局长、党组书记 罗时东

高安市广播电视局党组成员

素有“赣中明珠”美誉的高安市，位于江西中部偏西北，距省会南昌60公里，全市面积2439平方公里，辖20个乡镇，2个街道办事处，1个风景名胜区，总人口83万，是江西经济十强县(市)之一。

伴随着当地经济建设和社会事业的不断发展与繁荣，高安的广电事业也得到了长足的发展。

——宣传工作亮点纷呈。突出宣传工作中心，坚持“两为”方向和“三贴近”原则，不断改进宣传方式，做精做活节目栏目，内外宣工作齐头并进，广播电视每年在中央台用稿10篇以上，在省台用稿180篇以上，在宜春台用稿700篇以上。

——事业建设快速推进。紧紧抓住村村通目标不放松，坚持“行政推动，市场运作”模式，快速推进广电网络建设，全市298个村委会，已开通了171个村委会2021个自然村有线电视，城乡用户突破7万户，是江西省发展速度最快，网络最大，用户最多的县市。

——行业执法保障有力。与当地公安联手，专门成立了广播电视警务区。通过加大对行业法律法规的宣传和有线网络的查处力度，有效地维护了广播电视正常经营秩序，确保了广播电视的安全播出。

2002年荣获江西省广播电视创“三好”台(站)一等奖，2003年荣获江西省广播电视事业建设先进单位，2005年荣获江西省广播电视稽查工作先进单位，从2002年开始，连续三届被宜春市委、市政府授予市文明单位，2007年荣获全国广播影视系统先进集体。

河南省禹州市广播电视局

河南省禹州市广播电视局辖禹州电视台、电台，实行局台合一的管理体制。设有办公室、财务科、技术设备科、事业科、农村部、保卫科、总编室、新闻部、专题部、广告文艺中心、电视播出部、发射台、监播室、广播部、有线电视部等15个科室。现有职工310人。

河南省禹州市广播电视局把新闻宣传工作放在重要位置，坚持正确舆论导向，努力实践“三贴近”原则，精心设置了“实施大开放，谋求大发展，建设大禹州”、“创三城，实施碧水蓝天工程”、“关注三农”、等60多个不同的专栏。配合市里的党代会等大型活动制定宣传报道计划，组织大规模宣传报道活动。五年来共制播新闻18769条，专题节目1798期，公益广告290余条。扎实有效的工作，为禹州市的经济和社会发展营造了良好的舆论氛围，得到了社会各界的认可和好评。

2003年以来，在总局、省、市局和禹州市委、市政府的正确领导下，河南省禹州市广播电视局连续5年被评为许昌市广电系统目标管理优秀单位、禹州市目标管理优秀单位和先进单位，多次荣获许昌市委、市政府颁发的“思想政治工作先进单位”、“先进基层党组织”、“新闻宣传工作先进单位”、“纪检监察工作先进单位”等荣誉称号，2005至2007年连续三年受到禹州市政府的嘉奖。2008年初被人事部、国家广电总局授予“全国广播影视系统先进集体”光荣称号并受到表彰奖励。

近年来，该局采取多种形式认真贯彻落实国家颁布的《广播电视管理条例》和《广播电视设施保护条例》，并把每年的7月份定为禹州市《条例》的宣传月。多次组织活动，严厉打击各种破坏广电设施的行为。与禹州市委610办公室、公安局、工商局结合，坚持不懈地开展境外卫星电视传播秩序专项整治工作，保证了中央和省广播电台、电视台有关节目的完整转播。自觉遵守无线电管理规定，所有发射设备均按审批的技术参数运行，无违规现象。

该局充分发扬“自强不息，开拓进取，团结争先，为民奉献”的禹州广电精神，努力做好三项工作，一是投资7000万元建设多功能广电大厦；二是全面开发改进广播电视节目；三是大力发展数字电视，实现广播电视数字化。禹州广电人正脚踏实地向着心中的目标迈进，用辛勤的汗水谱写禹州广电事业的新篇章。

山东人民广播电台

2007 精彩回眸

2007 年 6 月 20 日，时任省委书记李建国(左一)来台视察。

2007 年 3 月，省委副书记、省长姜大明(右三)来台检查工作。

2008 年 2 月 3 日，省委常委、宣传部长李群来台视察。

2007 年 6 月，省广电局领导与省电台参加省九次党代会的宣传报道人员一起合影留念。

山东人民广播电台始建于 1948 年 11 月 8 日，今年将迎来 60 岁华诞。目前拥有新闻频道、经济频道、文艺频道、生活频道、交通频道、乡村频道、音乐频道七个专业频道和网上电台——山东广播在线。七套节目全天播音 171 小时 40 分钟，发射总功率为 782 千瓦。全台拥有 12 个正处级部门，在编职工 318 人。

2007 年是山东电台各项工作在新的起点上开拓新思路、采取新举措、取得新发展的一年。按照局党组提出的基本思路和要求，山东电台提出了“实现一个目标，提高两个效益，抓好三大任务，坚持四个推进”的总体思路和发展目标，将工作重点转移到“打造三品，提升广播核心竞争力”上来。

新闻宣传牢牢把握正确舆论导向，紧紧围绕省委省政府的工作重点，以新闻、专题、访谈、活动等多种形式，深入开展了科学发展、共建和谐、节能减排、关注民生、社会主义新农村、贯彻落实省九次党代会精神、学习贯彻党的十七大精神等内容的宣传报道。向中央人民广播电台发稿连续 9 年在全国省级电台中名列前茅，2007 年“关注民生，山东发展的新取向”等 3 篇系列报道在中央台播发头条，受到时任省委书记李建国的批示表扬。各频道围绕宣传重点举办各种社会活动近百次，这些活动策划到位、形式多样，产生了良好的社会反响。其中“十七大精神进基层”系列活动引起广泛关注，中宣部新闻局《新闻月评》发表评论文章，给予了高度评价。宣传创优喜获丰收：广播剧《月照天山》获全国“五个一工程”奖，获中国新闻奖二等奖 1 个、中国广播影视大奖提名奖 8 个、全国金话筒提名奖 1 个、山东省新闻奖一等奖 8 个、二等奖 9 个、山东广播奖一等奖 39 个、二等奖 40 个。

为进一步加强广告管理，2007 年成立了经营中心，提出“统一管理，分散经营，集中操作，分类核算”的十六字经营方针。在内容调控、结构调整、经营模式改造和市场竞争日趋激烈的重重困难下，完成广告收入 1.5476 亿元，实现了年初设定的经营目标。在全国电台的经营创收排序由第 11 位提升到第 9 位，进入了国内广播媒体的前十强。

队伍建设、管理、机制改革等取得了实质性的进步。实施了全员“绩效考核管理办法”，有效调动了员工积极性，促进了全台工作健康发展。引进了固定资产条码管理系统，成立了固定资产管理科，有效提高了固定资产管理水平。

2007 年，山东电台在连续 7 年保持省直文明单位的基础上，又被评为省级文明单位，成为山东省新闻系统第一家，大大提高了山东电台的社会影响力。

①

②

① 2008 年 1 月，南方遭受特大暴雪袭击，山东电台记者深入雪灾一线采访。

② 2008 年 1 月 5 日，山东广播生活频道组建听友汽车俱乐部，定期开展车友聚会活动。

2007 年 5 月，山东电台参加山东国际文化产业博览会。

2007 年 1 月，山东电台承办的山东省新年音乐会在山东会堂隆重举行。

2007 年 12 月，山东电台举行首批广告行业代理经营权招标会。

2007 年 10 月 13 日，山东广播乡村频道联合全国十一省市电台对第五届中国农交会进行直播。

山东卫视全国可接收人口超过8亿

山东卫视自 1994 年上星以来，在覆盖方面就一直走在各卫视频道的前列。调查结果显示，1999 年，山东卫视全国覆盖人口已经达到 6.6 亿。之后的几年，山东卫视全国覆盖人口继续保持高水平，到 2007 年，山东卫视全国覆盖人口达 8.3 亿，蝉联省级卫视全国覆盖第一名。

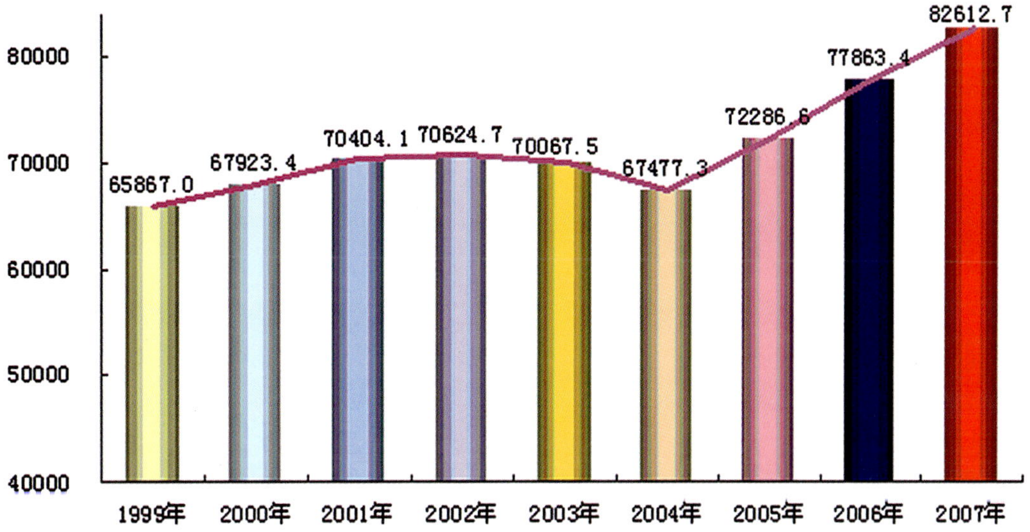

山东卫视 1999-2007 年全国覆盖状况（万人）

数据来源：北京美兰德媒体传播策略咨询有限公司

河南省广播电影电视局 102 台

河南省广电局 102 台始建于 1969 年 6 月，位于郑州市五指岭峰顶，海拔 1215 米，距郑州市 50 公里，是省局直属的唯一高山台站，目前担负着中央台、省台及郑州市台的四套电视、六套调频广播节目的发射任务，发射总功率达 160KW，覆盖中原城市群 9 市四千多万人口，属国家二级艰苦台站。

102 台地处河南省经济实力最强区域——中原城市群 9 市的中心位置，在为广播电视服务中位置重要，作用突出，在全省发射台站中独具地处高山、大功率发射覆盖优势；设备品种多，技术含量高，除中波外，涵盖广播电视各类信号传输设备和技术；有一支肯钻研、工作能力强、能吃苦、敢于打硬仗的技术队伍。近年来，特别是新一届台班子到任以来，深入研究，从实际出发，充分发挥自身优势，鲜明提出了 102 台工作与发展的总体思路和目标，即认真贯彻落实科学发展观，牢固树立全局意识，坚持“科技立台，和谐兴台”，以确保安全播出为中心，以强化队伍建设和制度建设为保证，坚持以人为本，努力营造良好的工作和生活环境，力争两至三年使 102 台在全省发挥龙头骨干台站作用。

经过近年来的不懈努力，102 台的工作和生活条件已得到逐步改善，广播电视业务范围逐步扩大，现已发展成为一个集卫星、光缆、微波传输、广播电视发射为一体的省骨干台站。节目传输机房通过 34 兆数字微波、45 兆数字微波、NEC 模拟微波、光纤、卫星五种途径接收信号并传送到各机房。技术科负责将节目传输机房的多路信号源优先选出一路信号传送到播出机房，可实现自动切换，并对信号源及播出节目进行实时监测，发现异常及时告警，并进行自动倒机等应急操作。电视机房现有四套发射机，两部为 30KW 的 IOT 发射机，分别担负着河南电视台卫星频道、河南电视台都市频道电视节目的发射任务；一部为 10KW 的意大利 CTE 全固态发射机，发射郑州电视台节目；一部为日本东芝全固态发射机，发射河南电视台电视剧频道节目。调频机房共有七部 10KW 美国哈里斯全固态调频发射机，分别转播中央人民广播电台一套、河南人民广播电台新闻广播、河南人民广播电台经济广播，河南人民广播电台交通广播，河南人民广播电台文艺广播，河南人民广播电台信息广播以及郑州人民广播电台文艺广播等六套调频广播节目。

近年来，102 台全体干部职工在省局党组的正确领导下，团结拼搏，锐意进取，取得了优异成绩，为河南的广电事业做出了积极贡献。2003 年被人事部和国家广电总局授予“全国广播电影电视系统先进集体”荣誉称号；2003、2005、2007 年分别荣获“全国广播电视技术维护先进台站”；2007 年荣获全省“十七大安全播出先进集体”；两人分获全国十七大安全播出一、二等功，两人分获全省十七大安全播出一、二等奖，技术人员参评的七篇科技论文分别被评为省优秀科技论文一、二、三等奖，一项科研项目获省局科技创新一等奖；两人分别荣获“省广播电视技术能手”荣誉称号和“全省广播电视技术维护二等奖”。

湖北省广播电视总台

湖北省广播电视总台台长 文成国

湖北省省委常委、省委宣传部长张昌尔(右一)在湖北广电总台电视演播厅考察工作。

湖北省广播电视总台是经国家广电总局和湖北省委、省政府批准,于2006年3月成立的省级思想宣传文化部门,省政府直属正厅级事业单位。

湖北省广播电视总台整合了原湖北人民广播电台、湖北电视台、楚天广播电台、湖北电视经济频道等"三台一频道"媒体资源,含新闻综合、交通体育、经济、文艺、旅游、生活、妇女儿童、音乐、卫星、农村10套广播频率,卫星、综合、经济、都市、影视、体育、教育、公共8个开路电视频道和孕育指南、职业指南、碟市3套有线数字电视频道。从原湖北省广播电视局剥离的20余家宣传保障机构和经营实体也划归总台管理。总台下设综合办公室、总编室、人事管理部、计划财务部、科技发展部、产业开发部、安全保卫部等7个职能部门及影视购销、技术管理服务、经营创收、信息网络等4个中心。通过"管办分离"的体制改革,湖北省广播电视总台成为拥有4千余名员工,集广播、电视、电影、传输网络、互联网、新媒体、报刊音像出版、影视节目制作及销售、广告经营、物业管理于一体的综合性大型传媒集团。

湖北省广播电视总台确立"思路创新、作风务实、决策审慎、办事高效"的理念,对广播、电视媒体实行以"频道负责制"为内容的扁平化管理模式,实施目标管理。各频道直接对总台负责,在完成指定的宣传、品牌建设、经营创收、队伍管理等目标任务的基础上,享有"五权",即栏目生产引进权、节目编排权、干部提名人员聘用权、包干经费使用权和经营创收自主权。

对总台所属其他经营实体实行激励考核的管理办法。以壮大市场主体为目标,逐步进行结构调整和资源整合,加快推进经营性事业单位转企改制。总台还整合原有互联网资源,建立总台互联网平台《火凤网》(www.hbtv.com.cn);同时,以新的运行机制和架构,采用高新技术组建了移动电视、城市电视、手机电视、IP电视等新媒体实体,抢占文化市场新领地,拓宽跨媒体经营渠道,搭建新的产业平台,向集约化、规模化、产业化方向加快发展。

湖北省广播电视总台在正式按照新的体制、机制运行的第一年——2007年,全面完成各项宣传任务,打造了一大批品牌项目,创收同比增长21.6%,增幅在湖北省级媒体及文化单位中位居第一,队伍建设也取得丰硕成果。

湖北省广播电视总台地址:武汉市武昌中北路1号A座,综合办公室电话:027-87139661,邮政编码:430071。

湖北省广播电视总台选送的土苗兄妹在第十三届CCTV青歌赛原生态唱法中获金奖,并获得"最受观众喜爱的歌手"奖。

2008年4月26日,第三届中博会开幕式文艺晚会在武汉盛大开幕。

局(台)领导班子:
中: 局(台)长 何勇
左1: 副局(台)长 李汉文
左2: 总编辑 吴曼丽
左4: 副局(台)长 周爱华
左5: 副局(台)长 杨辉

湖北省 利川市广播电视局(台)

湖北省省委宣传部长张昌尔(右二)、原恩施州委书记汤涛(左二)考察工作。

利川广播电视台主办的08年春节联欢晚会获湖北电视文艺奖一等奖。图为舞蹈《茅古斯》,获08年湖北省地方文艺晚会"最佳原创节目奖"。

利川市广播电视局(台)于2000年1月实行局台合一,两块牌子、一套班子。现有职工122人(其中离退休46人),专业技术人员50人,其中副高职称3人,中级职称34人。

近年来,全局(台)干部职工认真践行"三个代表"重要思想,紧紧围绕全市工作大局,牢固树立科学发展观,以事业为基础,以宣传为中心,求真务实,开拓创新,宣传、事业与时俱进,发展态势强劲。

全市现有有线电视网点13个,光纤干线总里程达1058公里,传输节目38套,有线电视用户3万多户,其中城区用户2万多户。广播电视"村村通"工程建设稳步推进,现已完成300个行政村的建设任务。大力开展增值业务,建成了全州第一个县(市)级视频会议系统、国库集中收付网;与中国网通公司合作,开展宽带业务,现有宽带用户1200户。

新闻宣传方面,按照"三贴近"的要求,唱好主旋律,打好主动仗。近年来,全局共有80多件作品获省级奖,40多部专题片在中央电视台播出。电视系列片《基石》、《足迹》在社会上产生强烈反响,受到湖北电视台高度评价。连续两年举办利川市春节联欢晚会,并分别获得湖北省电视台公共频道二等奖、一等奖。

利川广电现有一支思想素质高、业务能力强的优秀团队。近两年来,局(台)70多人次受到国家、省、州、市表彰,新闻记者吴曼丽先后被评为州、市劳动模范、全州"十大杰出公民"、利川市"五一劳动奖章"获得者,并被选举出席省、州、市党代会代表;由本局退休职工为主体的"三老放映队"常年巡回农村义务为农民放电影,受到文化部表彰,他们的事迹多次走进中央和省、州、市电视台。利川市广播电视局(台)被湖北省委、省政府命名为"省级文明单位",利川广播电视台被人事部、国家广电总局、省人事厅、省广电局评为全国、全省广播电视系统先进单位。

广东省四会市广播电视台

2007年,广东省四会市广播电视台在当地党委、政府的正确领导下,高举邓小平理论的伟大旗帜,实践"三个代表"重要思想,全面贯彻党的十七大精神,落实党和国家各项广播电视方针政策,全体员工在以罗辑同志为局长的领导班子的带领下,围绕四会市建设"政治清明、经济繁荣、社会和谐"的现代化四会宏伟目标,以构建"科技广电、文化广电、和谐广电"为总体思路,以科学的发展观统揽全局,振奋精神,团结拼搏,广播电视各项事业保持了强劲的发展态势,新闻宣传导向正确,基调鲜明,精彩纷呈,宣传工作再创佳绩;科学规划,科学发展,"村村通"工程建设、广播电视转星调整工作扎实有序地推进,有效覆盖稳步增长;强化党员教育和培训,理论联系实际,党员的先进性在实际工作中绽发光彩;夯实精神文明建设基础,工青妇委架起连心桥,精神文明建设谱新篇;抓业务培训,强化职业道德教育,半军事化的广电队伍建设初见成效;四会人民广播电台与广东电台实行联合发展,携手并进,第三产业稳步增长,各项工作取得了显著的成效。2007年,由该台创作录制的三集连续广播剧《桔花缘》先后荣获广东省第六届精神文明建设"五个一工程"优秀作品奖、中共中央宣传部第十届精神文明建设"五个一工程"入选作品奖;被南方广播影视传媒集团评为党的十七大安全播出先进典型单位;被肇庆市新闻协会评为先进集体;一批新闻作品被省市评为好新闻、好专题奖。

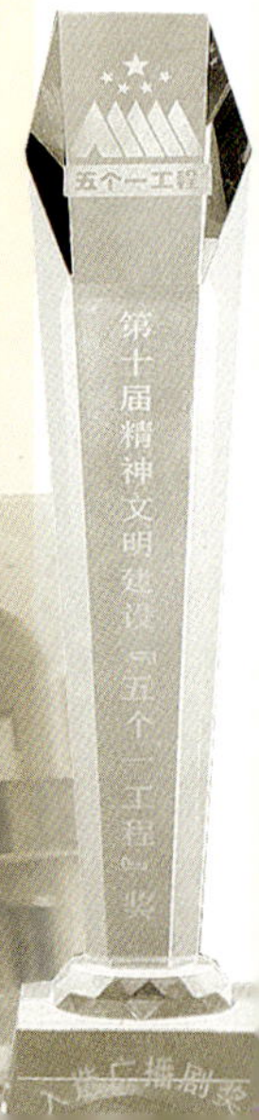

广东电台音乐之声
MUSIC FM RADIO GUANGDONG

广东电台音乐之声实施品牌带动战略
——让频道品牌不断增值

庆祝中国共产党第十七次全国代表大会胜利召开——经典好歌会知音大型广场歌会

东方之珠更璀璨——京粤港三地书法家庆祝香港回归十周年大型书法笔会

中国音乐金钟奖华南赛区决赛

2007广州音响唱片展

2007维也纳新年音乐会直播暨广州联通元旦盛会

2007年，广东电台音乐之声在广东电台的领导下，以打造最强势的音乐娱乐媒体为目标，强化音乐之声“音乐、娱乐”的频道定位，着力打造品牌节目和项目，积极开拓广播市场，出色地完成了全年度的宣传和经营任务。据赛立信、AC尼尔森等调查公司07年的收听调查显示：音乐之声的收听率一直稳定保持在前二位，保持了频道的强势；音乐之声全年策划举办各类音乐文化活动达110多场；全年经营创收达到4500万元，再创佳绩。

党的十七大的召开，是07年宣传工作中的重中之重。为此，音乐之声充分发挥自身的专业优势，精心策划组织具有社会影响的十七大宣传节目和项目，其中：《庆祝中国共产党第十七次全国代表大会胜利召开——经典好歌会知音》大型广场歌会10月13日在广州荔湾文化广场隆重举行，来自社会各界的群众超过三万人参加，中央电视台及广东各大媒体以大篇幅版面报道了本次活动，影响广泛；此外，音乐之声承办的《和谐颂——庆祝党的“十七大”隆重召开征歌活动》颇具声势，入围歌曲的展播，形成了浓烈的喜庆十七大胜利召开的良好氛围，由于音乐之声十七大的宣传工作策划组织到位，获得了很好的宣传效果，因此获得广东电台十七大宣传工作先进单位称号。

音乐之声07年继续以“内容为本，节目为王”的指导思想，狠抓节目质量，力求使每一个类型化的节目都成为一个有影响的品牌，其中针对节目版面中娱乐文化信息不足的弱点，重点打造的一档娱乐信息类节目《娱乐天下报》，成为07年新版节目的新亮点。与此同时音乐之声加强了品牌节目植入式经营，让节目走向市场，其中《天生快活人》、《音乐先锋榜》、《美丽早晨》、《古典纵横》等品牌节目，商家分别以冠名播出、特约播出、植入式宣传等方式投放广告，为音乐之声带来很好的经济效益。此外创立音乐之声听迷俱乐部，加强与听众的沟通联系。

音乐之声07年一如既往地通过有目的、有计划的策划组织各类宣传推广活动，特别是策划组织具有较大的社会影响的音乐文化活动来不断强化和树立自我的品牌形象，其中：《广州联通新春送礼颁奖暨音乐之声名DJ见面会》、《阳光行动2007扶贫助学清远行大型公益活动暨音乐先锋榜群英会》、《世纪经典——广东流行音乐三十年庆典系列活动》、《中国音乐金钟奖首届流行音乐大赛华南赛区决赛》、《大爱无疆“珠江儿女，母亲水窖”续写行动》等活动，以及音乐之声品牌活动《星级PARTY》07年度为来自内地、港台的歌手举办超过50场的推介会，包办了广东举办的超过三分之二以上的明星见面会，这一系列的活动，通过广东各大媒体大版面的宣传报道，大大延伸了音乐之声的品牌影响力。

9+2音乐先锋榜2007年度颁奖典礼在香港会展中心隆重举办

纪念建军八十周年“侨乡军民一家亲”大型文艺晚会

广东流行音乐三十周年庆典系列之——颁奖典礼

珠江儿女“母亲水窖”续写行动捐赠仪式

广州联通迎新春送金猪颁奖盛典暨广东电台音乐之声名DJ见面会

广 州 电 视 台

广州电视台现任领导班子成员——前排左起：副台长涂布、台长李锦源、副台长杨宇华、党委书记冯元、党委副书记付岩、副台长费勇；第二排左起：副台长冯铁民、党委副书记王买栓、总工程师黄辉泽

2007中国国际影视节目展暨第十六届北京国际广播电影电视设备展览会上，中共中央政治局常委李长春在中宣部及国家广电总局领导的陪同下视察广州电视台展位，并听取李锦源台长作简要工作汇报

广州申亚期间，广州电视台记者在卡塔尔首都多哈采访广东省委副书记、省长黄华华

创始于1988年的广州电视台至今已发展成为广州地区最具影响力的电视主流媒体，覆盖范围遍及全广州及珠江三角洲广大地区。综合频道、新闻频道、影视频道、竞赛频道、英语频道、经济频道、少儿频道、购物频道等8个频道构成了较为宽阔的播出平台，收视人口超过3000万。全台年经营总收入突破8亿元，目前基本实现“八网”互联互通，台内数字化、网络化技术装备水平处于全国领先行列；整体规模和综合实力居于全国城市电视台前列，综合频道在国家广电总局《中国广播影视》杂志历时8个月的全国大型调研中被评为“全国城市地面频道综合实力八强”。

现在各频道每天播出150小时，全年节目总播出量为54750小时，自制节目每天26小时。现有自办栏目46个，合办栏目18个，引进栏目26个，电视剧每天首播25.58小时，年首播电视剧8456集，每年制作和播出大型晚会和特别节目30多个，播出专题片10多部，近96集。

《广州电视新闻》、《新闻日日睇》、《岭南星空下》、《心水保姆》等一批品牌节目继续领跑本地收视市场；大型选秀节目《美在花城》至今已举办15届，其品牌影响力逐步扩大至亚洲地区；由广州电视台执行承办的中国（广州）国际纪录片大会经过5年发展，也已成为已成为中国唯一国家级的、享有交易功能的纪录片盛会，与世界七大著名纪录片节齐名。在历年国内、国际等各种奖项评选中，广州电视台都有众多作品获奖，仅2006年、2007年就分别有50多部作品获国家级奖项，其中纪录片阿八姑》入围美国纽约第9届布鲁克林国际电影节。

《广州电视新闻》宣传画，主持人林刚、张小莉

《新闻日日睇》版头

《心水保姆》节目片头

《美在花城》选手外景拍摄

2007中国（广州）国际纪录片大会颁奖典礼暨闭幕式上，大会评审团主席米歇尔致词

2007年，广州电视台全天和晚间的收视率、市场份额均排在境内、本地电视第一位；综合频道全天和晚间的收视率、市场份额均排在境内、本地单频道的第一位；全台全天市场份额在2006年取得22.96%增幅的基础上，继续保持在广州地区可收看到的所有电视媒体中增长幅度第一的位置。

1993年开始组建的市有线电视网络公司目前拥有电视用户累计达到108万户，联网用户超过100万户，占有广州市有线电视市场份额的70％以上，成为华南地区规模最大的有线电视运营商。同时公司还拥有宽带数据接入用户7.3万户，是广州地区仅次于中国电信的第二大宽带ISP。数字电视用户已达96万户，现已基本完成广州市的有线数字电视整体转换工作。

经过近20年的创新发展，广州电视台已经形成了集电视内容制作、电视内容集成和播出、音像出版、报纸、有线网络传输、微波传输、新兴媒体等多元化的电视产业集群，在众多的传媒中具有很强的市场竞争力。

2008年5月，广州电视台新台址建设工程的正式动工，为广州电视台营造了又一次大发展的契机。新台址与紧邻的610米高的广州新电视塔组成新广州电视中心，成为广州市标志性建筑之一。新建成的广州电视台将为2010年第16届亚运会提供良好的配套设施服务，成为集文化传播、社会服务、技术功能、城市标志、游览观光等功能于一体的省会城市综合电视台。

广州新电视塔与广州电视台新台址样图

南方广播影视传媒集团 Southern Media Corporation

广东省委副书记蔡东士参加集团三周年纪念活动

2007年，南方传媒集团以把握导向、安全播出为工作重点，认真贯彻落实党的十七大和省委十届会议精神，坚持科学发展，继续深化改革，围绕中心、服务大局，牢牢把握正确舆论导向，为广东全面建设小康社会、构建社会主义和谐社会提供了良好的舆论环境和精神动力。

广东省委宣传部长林雄看望广东电台十七大北京直播室工作人员

宣传工作方面，集团精心组织，充分发挥整体优势，认真做好“落实科学发展观”、“构建和谐社会”重大主题的宣传，同时圆满地完成了十七大宣传、2007年全国“两会”报道、省第十次党代会、庆祝香港回归祖国十周年等重要活动的宣传报道，充分发挥主流媒体的主导作用。在各项宣传类评奖中，集团三台共获得省级以上奖项231项。其中，在2005－2006年度中国广播影视大奖广播电视节目奖评选中，广东电台创作的《广东单位GDP能耗全国最低，张德江强调科学发展任重道远》荣获优秀广播消息大奖，广东电视台《百年留学》获优秀纪录片大奖，南方电视台《童话王国奇幻之旅》获优秀电视少儿节目大奖，《童话数学——多得啦大战巨头霸》获优秀电视动画节目大奖。

安全播出是广播电视的生命。2007年，集团紧紧围绕确保十七大的安全播出，按照上级部署，扎实做好十七大安全播出各项工作，集团总部和各单位建设了安全播出指挥控制中心，建立了有效快速的安全播出管理指挥调度体系，构建了集团统一指挥、统一管理、统一调度的平台，形成了人防、技防、联防的机制，建立了省市县三级贯通的渠道，实现了安全播出工作的统一指挥、垂直管理，保证了政令的畅通，提升了防范非法攻击破坏和异常情况下快速处理的能力。据统计，今年集团及所属单位在安全播出技术设施建设上共投入8000多万元，佛山、江门、中山、东莞、惠州、梅州、汕头、潮州等台投入大量经费用于安全播出技术体系建设，有效保证了各项安全播出任务的完成，集团安全播出水平迈上了新台阶。

十七大期间集团安全播出电视电话会议

2007年集团把有线电视网建设，完整传输、转播中央、省广播电视节目，扩大中央、省、市节目传输覆盖，让党和国家的声音传入千家万户，作为安全播出奖励的重要条件。各市、县广播电视台积极进行有线电视网络的建设和改造，大力推进从城区向乡镇、行政村、自然村扩大覆盖，据今年调研检查统计情况，82.5%乡镇、71%行政村、62%自然村实现了光纤联网。集团有线电视用户由2007年约960万户增长到目前约1040万户。省网络公司投入200多万元，对全省阿尔卡特传输系统和华为传输系统，进行调整改造，有效地提高传输质量和运行可靠性。技术中心不断进行发射设备更新，扩大无线覆盖。技术中心微波总站，完成全省数字微波广播电视节目传输系统建设，提供无线传输通道。

集团十七大安全播出表彰大会

2007年，集团所属广播电视频道改革成效明显实力增强。广东电台新闻频道以《七点新闻》、《民声热线》为重点，打造广东广播节目品牌，其中《民声热线》节目纳入广东省纪委未来五年六大品牌之一。广东电视台珠江频道以“打造第一粤语电视频道”为目标，推出了一系列营销活动，拓展了品牌认知度和影响力。在《中国广播影视》主办的“TV地标（2007）”全国

《中国广电体制改革——南方模式》一书的发行仪式

地面频道大型调研评比中，珠江频道获“全国省级地面频道综合实力十强”第二名。南方电视台经济频道结合实际，推出以《今日一线》为龙头的全新版面，南方影视频道以“四季主情”编排模式在广东本电视市场首开先河，吸引观众。据央视索福瑞调查公司数据显示，2007年，南方传媒集团在收视份额上进一步拉大了与其他电视媒体之间的距离，南方传媒集团在广东全省的全天收视份额为29.35%，比上一年同期上升1%，超过香港电视14个百分点，超过中央电视台10个百分点。在广播收听市场，广东电台在广州地区占据绝对优势，拥有72.67%的市场份额，比上一年同期上升3.09%。在众多频率竞争中，广东电台有六个频率进入市场前十位。

“永恒的旋律”2007名家名曲晚会

新媒体产业方面，2007年集团积极推进调研，大力发展新媒体产业，目前新媒体的业务主要是手机电视、地铁电视、移动车载电视、网络电视（IPTV）等，已获得了国内第四张IPTV牌照，手机电视、网络电视基本处于市场培育阶段。地铁电视、移动车载电视已开始商业运营。广东电台完成了天网重组，以青少年网络电台为代表的新媒体及移动通讯增值业务顺利启动。广东电视台整合内部和外部资源，促进车载移动电视、手机电视、地铁电视、增值业务、新媒体内容研发等新媒体项目积极、稳妥发展。手机电视已在广州、佛山、中山、江门、珠海、东莞等市设立了发射基站，成为全国手机电视信号覆盖范围最大的区域。数字电视《高尔夫》频道成功获得未来数年世界顶级高尔夫赛事中近85%赛事的独家转播权，已成为我国发展最好的付费频道之一；《欧洲足球》成功获得英超联赛未来三年的中国地区独家版权，迅速在全国各城市落地入网，订户数迅速增长。“南方模式”在2005年初被首次提出并引起广电同行与学术届的极大关注，历经三年，《中国广电体制改革南方模式》一书正式出版。2007年9月30日，中共中央政治局委员、时任广东省委书记张德江同志看过该书的征求意见本后，亲自为该书题写了“卷首语”，高度评价该书。《模式》这部书是集体创造的成果，是集体智慧的结晶，是多方结合的产物。事实证明，“南方模式”是广东广电在改革发展过程中不断进行理论探索和具体实践中提出来的，是从理论到实践的反复磨砺、验证、调整，逐渐成熟起来的，在转换运行机制，调整机构设置，构建产业集群，整合省、市、县等资源，提升整体竞争力等方面取得了多项实质性的突破。“南方模式”是体制创新、理论创新的成果，也是方法创新的突破，南方模式的研究方法，是运用现代思维方式对改革的实践与理论进行综合研究的一次成功尝试。

“广东省百佳电视节目主持人”颁奖晚会

广东电台《民声热线》

广东电视台卫星频道——《人在他乡》

南方电视台《今日1线》

2007年，集团联合发展联合经营再上新台阶。根据2007年全省广播电视统计快报有关数据显示，集团本部及下属的市县广播台的总收入、实际创收收入、广告收入、有线电视用户数均保持较快增长，各项指标的增长率均高于全省平均水平，集团（含市县台）总收入为65.09亿元，比上年增长19%（高于全省平均增速3个百分点）；实际创收收入59.62亿元，比上年增长13%（高于全省平均增速2个百分点），其中广告收入36.49亿元，比上年增长16%（高于全省平均增速5个百分点）；2007年集团直属五大单位总收入30.86亿元，比上年增长22%；实际收入26.94亿元，比上年增长10%，其中广告收入20.02亿元，增长1%。有线电视用户72万户，增长22%；总资产49.13亿元，增长15%，净资产37.03亿元，增长16%。有线电视用户928万户，比上年增长10%（高于全省平均增速2个百分点）。

南方广播影视传媒

湛江广播电视台是南方广播影视传媒集团的成员单位，由始建于1961年的湛江人民广播电台和始建于1983年的湛江市电视台组成，是粤西地区规模最大的广播电视台。湛江广播电视台于2004年4月挂牌成立，下设广播中心、电视中心。于2008年1月1日新落成使用的湛江广电中心大楼，总投资1.88亿元，占地面积46017平方米，总建筑面积36245平方米，整体建筑风格别具一格，是湛江市文化建设的标志性建筑物之一，主楼九层为办公楼，副楼为1000平方米、600平方米和300平方米三个演播厅及一座多功能圆展厅，拥有粤西地区最先进的技术设施和现代化办公条件。

湛江广电中心落成典礼仪式上湛江军地领导与童小玲台长（左四）、陈晴宇副台长（右一）合影

湛江广播电视台是一个拥有广播、电视、报刊、杂志、网站等立体宣传优势的区域性强势媒体。自办节目异彩纷呈，声情并茂，定位明确，富有地方特色。近年，荣获全国和省级优秀作品的奖项超越历史水平，作品连续五年获得省一等奖，成为广东省地级市台唯一的“五连冠”，实现了本台相继获得中国新闻奖三等奖、双获广东电视新闻类、社教类节目一等奖奖项零的突破；广播剧《醒狮魂》荣获2007年广东省“五个一工程”奖；上中央电视台的电视新闻数量排列全省第五名（地级市名列第一）；2007年抗洪救灾报道突出，经广东省委宣传部推荐，受中宣部委托，中央电视台在中华全国新闻工作者协会成立70周年之际，对洪灾报道中表现突出的湛江电视台进行采访，并在中央电视台《纪事》栏目推出三集特别节目《纪录中国》，报道湛江电视台的先进事迹。这是受到中央台采访的唯一全国地级市电视台。

湛江市有关领导与“湛江十大经济风云人物”活动初选入围人物见面会合影

广播中心（原湛江人民广播电台）：

广播中心是粤西地区最大的广播媒体，采用自办频率播送新闻频道、经济频道、交通音乐之声两套节目，用普通话、广州话、雷州话三种语言播出，每天播音 37 小时 20 分钟；设有品牌栏目、服务类节目将近 30 个，自办节目突出本土文化，富有地方特色。广播建立了音频工作站，电波有效覆盖湛江市五县四区及邻近城市茂名、阳江、广西南部、海南省北部等地区，区域覆盖人口达七百多万，总覆盖人口达二千多万人。

2008年1月1日在新建落成的广电中心1000m²演播厅的第一场晚会

湛江广播电视台承办的由环北部湾地区11家电视台共同主办的首届“北部湾形象大使大赛”总决赛晚会直播现场

集团湛江广播电视台

ZHANJIANG

电视中心（原湛江市电视台）：

电视中心设有新闻综合频道和公共频道两个自办节目，采用普通话、广州话播音，每天播出近 30 个小时。自办节目异彩纷呈、声情并茂，富有地方特色。电视信号覆盖湛江市所辖县(市、区)及茂名、广西、海南邻近地区，直接覆盖人口高达一千多万。

电视中心不断追求卓越，设备更新换代。2004 年投入近千万元购置了 6+2 讯道数字电视转播车；去年投入 300 多万添置了数字硬盘播出系统；新落成的 1000 平方米演播厅所配置的灯光、音响设备达到国内地级市台的领先水平。

开设品牌栏目和生活服务栏目 10 多个，《金桥》被评为省名牌栏目，精品生产连创佳绩。每年精办一系列品牌活动，如举办“ 湛江市十大经济风云人物 ”、“ 北部湾形象大使大赛 ” 等活动，取得较好的社会效益和经济效益。尤其是由广西、广东、海南等三省(区)九市 11 个台参加的“ 北部湾形象大使大赛 ” 活动，通过卫星向三省九市同步直播，受众达 2000 多万人，尽显区域性大台的优势和风范。

网络开发前景喜人，有线光缆覆盖全市，各县（市、区）、镇的每个光节点辖 300—500 户。传送数字电视节目 78 套、音频广播 10 套、N V O D (准时频点播)5 个频点、数据广播 1 个频点，模拟节目 52 套，宽带数据网和金视网站为用户提供全面贴身的服务。金视网站《今日湛江》栏目在央视网站开通，是当时全国第一家在央视开通栏目的地级市台网站。2005 年，金视网站被评为中国电视台最具发展潜力的网站。

1984 年创办的《声屏报》具有全国刊号，是面向全国发行的娱乐、生活类报刊。1994、1996 年连续两届被评为“ 全国百家优秀报刊 ”，被读者誉为“ 老百姓自己的报纸 ”、“ 湛江家庭第一报 ”。

1987 年创办的《声屏花》杂志，是一本具有全国统一刊号和国际标准刊号，与电视节目同步，娱乐与趣味并举的综合文化期刊。

展望未来，万象更新。湛江市广播电视台将在新的起点上，立足粤西，放眼泛北部湾，引进新的投资主体，致力打造区域性大台。一如既往地服务社会，服务大众，更好地发挥广播电视的整体宣传优势，以不懈的努力和孜孜不倦的追求去促进广播电视事业产业大繁荣大发展。围绕中心，服务大局，着眼于把湛江建设成粤西城镇群中心和环北部湾中心城市，努力打造区域性大台。

地址：广东省湛江市赤坎区海滨六路 3 号，邮编：524044，电话：0759—3129055 ，传真：0759—3129007 ，Http://www.zjjs.net。

广电中心主楼夜景图

湛江市广电中心副楼圆展厅夜景图

湛江市广电中心主楼五楼监控机房

湛江电视台与广东卫视联手直播湛江海湾大桥开通仪式

珠 江

第一粤语电视频道

广东电视台珠江频道

2007年是珠江频道在历经2005改革之年、2006创新之年后，迎来的收获之年。在收视上，珠江频道经过前两年的快速提升后，2007年在广东省全天市场份额达27.15%，黄金时段市场份额达33.80%，牢牢占据境内外各电视频道收视的首位；在创收上，珠江频道2007年单频道广告创收达3.75亿元，也位居省内各频道之冠；在品牌认知度和影响力上，珠江频道推进了一系列活动营销，如“论剑南天全国省级地面频道综合实力十强南方论坛”，2007年中国（广州）国际记录片大会“广东日”活动以及系列大型户外推介等，在学界、业界和观众中确立了“第一粤语电视频道”的广泛认知，也越来越多地得到学界和业界的关注与赞誉，先后获得由《中国广播影视》杂志主办的“TV地标（2007）·全国省级地面频道综合实力十强”（第二名）以及由中宣部、人事部、国务院新闻办、国家广电总局、新闻出版总署、中国记协共同颁发的“全国新闻工作先进集体”等高规格奖项与荣誉。

2007年7月20日，广东电视台副台长兼珠江频道总监蔡照波接受“全国地面频道综合势力十强”颁奖。

2007年11月8日，珠江频道副总监解廷辉接受“全国新闻工作先进单位”颁奖。

海南省金鸡岭广播电视发射台

台党支部七一活动

技术分析会

机房一角

金鸡岭广播电视发射台坐落在离定安县城 15 公里的金鸡岭上，东经 110° 15'53'',北纬 19° 35'45'',海拔高度 198 米，位于海南省北部人口密集区域的中心地带，是海南省影响最大的骨干发射台，目前担负着中央和省共六套广播电视节目的播出和微波传输的重要任务。它始建于 1981 年，1982 年 1 月 24 日正式开播。发射铁塔 160 米，播出的广播电视信号直接覆盖海口、文昌、琼海、定安、澄迈、文昌、临高等七个市县，收听收视人口近 400 万。还为万宁、琼中、白沙等市县提供转播信号。

在海南广播电视总台的领导下，金鸡岭广播电视发射台全体员工认真贯彻技术维护工作总方针，以高度的政治责任感和实事求是的作风踏踏实实做好安全播出工作，花大力气抓好发射设备的更新、完善和机房环境的改造工作，积极开展台(站)文化建设和精神文明建设活动，构建和谐台站。近几年来获得的荣誉主要有：2004 年度全国广播电视技术维护先进台(站)，2005 年海南省技术维护先进集体二等奖，2006 年度全省广播电视技术维护工作检查评比先进集体一等奖，2008 年被授予"全国广播电影电视系统先进集体"荣誉称号等。

金鸡岭发射台隶属海南广播电视总台，为正处级事业单位。机构设置：办公室、电视科、调频科、微波站、保卫科，人员编制 36 人。单位法人：陈元富。

四川省罗江县广播电视局

四川省广播电影电视局局长何大新为镇广播电视服务点授牌。

四川省罗江县广播电视局领导班子团结一心，共谋发展。

罗江县"镇广播电视服务点"工作现场会。

网络技术人员正在调试卫星设备。

镇广播电视服务点服务现场。

罗江县地处成都平原北部边缘，全县面积 448 平方公里，辖 10 个镇，共 19 个社区居委会和 109 个行政村，1234 个村民小组，总人口 24 万，其中农业人口 20.7 万，属典型的浅丘农业县，广播电视工作基础薄弱，服务资源较贫乏。

近年来，县广播电视局在省、市广播电视行业主管部门的正确指导下，以服务农村为宗旨，大力发展农村有线电视，全面开通了农村有线广播，建立了镇广播电视服务点，实现了农村广播电视"县镇共管，以县为主"的管理体制，2007 年被国家人事部、国家广电总局评为全国广播电影电视系统先进集体。

罗江县于 1996 年复县，复县以来，县委、县政府高度重视农村广播电视事业的发展，不断加大投入，各项建设迈上了新的台阶。2006 年 5 月，县委、县政府以农村综合改革(试点)工作为契机，多次深入村组调查了解全县农村广播电视的发展现状，反复研究，并报经上级批准执行，在乡镇事业单位机构改革中，将原乡镇事业单位承担的广播电视管理服务职能上收到县广电局，公益性服务职能由县广播电视台承担，经营性职能交由县广播电视网络有限责任公司承担，在各镇建立广播电视服务点，工作人员从各镇事业单位机改分流的自谋职业人员中择优选用，全县共选聘工作人员 17 名。

农村广播电视公益性服务经费由县财政按"以事定费"的原则，每年直接划拨到县广播电视局。广播电视服务点负责所辖区域的宣传、事业建设和广播电视服务工作。由县广播电视局和乡镇共同考核。

实行县乡垂直管理后，解决的第一个问题是全县通有线广播。全县采用广播电视共缆传输技术，接通了县、镇、村、组四级广播，镇村两级广播设备全部更新，做到每个组有 1 至 2 只高音喇叭，全县共有 1560 只，重新建立了广播电视服务点。每天早中晚播音三次，共 5 个小时。

目前，罗江县农村广播电视工作呈现出一派欣欣向荣的发展景象。

重庆广播电视总台

2007 年是重庆广播电视总台事业产业发展的关键之年，也是总台调整发展目标，打造“百亿广电集团”的第一年。为做好基础年的工作，总台坚持“转型、转制、转向”的指导思想，坚持剥离整合、开发整合的方法。以“强化执行力、提高竞争力”为工作主题和重点，强化党政喉舌作用，提升舆论导向质量，创新公共服务手段。在重大举措上完善扁平化的管理机制，创新人力资源管理的模式，推行项目责任制、流程责任制，实施广播细化节目考核、电视实行频道时段运营责任制，构建规范高效的运行机制。以机制的创新、资源配置的创新、营销模式的创新，开创电视节目营销新局面，显著提升了重庆卫视在全国的影响力、竞争力，事业产业并进。

节目创新高潮迭起，创办新栏(节)目 30 多个，高质量地完成了中央领导来渝考察、党的十七大、市第三次党代会、全国“两会”和市“两会”、重庆直辖十周年、重庆获批城乡统筹综合配套改革实验区等重大宣传报道。《天天 630》继续保持在全国民生类新闻节目中的领先地位，改版后的《拍案说法》在全国法制类节目排名中升至第一，纪录片《江上风情》获西班牙马拉加电影电视节特别贡献奖，《远祖之谜》荣膺“2007 年度中国十大纪录片”，电视剧《西圣地》先后问鼎“飞天奖”一等奖和全国“五个一工程奖”。5 个广播频率共计播出 42482 小时 30 分，保持了 80% 以上的本地市场份额；11 个电视频道共计播出 86953 小时 33 分，电视频道群本地市场份额坚守在 40% 以上。重庆卫视收视创历史新高，年度综合排名位列省级卫视第三，落地覆盖全国第五，成为全国强势频道，被评为第 4 届“中国最具投资价值媒体”，是重庆卫视继去年获得“中国十大品牌媒体”后获得的又一殊荣。公共 · 农村频道 8 月 6 日正式推出，填补了西部电视媒体无农业专业频道的空白。国际频道 3 月 1 日顺利开播，并实现了香港地区、澳大利亚和美国的落地覆盖，成为西部地区第一个走向世界的电视频道。

产业突飞猛进，以网络传输为重点的主导产业已经完成了融资和数字化转换，已经具备了与 IPTV 抗衡的能力。整合区县广电资源取得突破，先后整合了三家区县广播电视台，为总台总台的网络市场建设拓展了新的空间。以内容生产为重点的主体产业带动了总台内容生产的战略转移，全年对外市场销售达 1000 万元，拥有 30 个数字电视通道，汽摩频道被评为 2007 年全国十佳数字付费电视频道，开办了移动电视、手机电视和技术支撑最好的网站，视界网荣获全国电视台联盟 2007 年杰出贡献奖。以旅游房地产为重点的关联产业和以教育、培训为主的衍生产业将进一步拓展总台的发展空间。年内总台投入资金 4.31 亿元，引入中信集团融资 3.7 亿元，这些投入在未来几年逐步形成新的生产能力。市本级广电资源高度整合取得长足发展。重视传媒公司全年累计生产节目 1431 小时，节目生产量位居西部之首。“视美动漫教学研发基地”被国家广电总局授予“国家级动画基地”，公司产量规模进入全国八强。大足石刻影视文化创意产业基地被市政府授予首批“重庆市创意产业基地”，列为 2007 年市级重点建设项目。

总台资产规模达到 41 亿元，是三年前的 225%，全年总收入突破 15 亿元，保持了 3 年翻一番。其中，事业收入 7.2 亿元，继续保持了西部领先，产业收入 7.87 亿元，在全国率先实现产业收入超过事业收入的结构，真正实现了产业对事业的反哺，为在未来四年内实现百亿广电集团的目标奠定了坚实的基础。

2007 年，总台坚持正确舆论导向，全面提高宣传水平，增强了媒体竞争力。本地市场份额广播为 80% 以上，电视为 40% 以上，重庆卫视列全国省级卫视第三，在西部地区率先开辟了国际频道和农村频道。全年高质量完成了中央领导来渝考察，党的十七大、全国“两会”、重庆直辖十周年等重大宣传报道任务。图为市委书记汪洋、市长王鸿举看望总台赴京报道“两会”的记者。

2007 年 9 月 12 日，国家广电总局党组成员、中纪委驻广电总局纪检组组长王莉莉带领总局调研组来渝，调研广电事业体制改革工作。在听取了总台长李晓枫有关改革情况的介绍后，调研组对总台组建以来坚持深化改革取得的成绩表示了肯定。

2007 年 3 月，“美国——重庆电视周”在纽约成功举办，美国中文电视台在晚上黄金时段播出了总台精心制作的《魅力重庆》、《美食重庆》、《人文重庆》、《旅游重庆》、《今日重庆》等电视专题片，进一步扩大了重庆的知名度和影响力。

2007 年 3 月 1 日，重庆电视台国际频道正式成立，在澳洲和香港地区落地播出，成为西部地区惟一走向世界的频道，是宣传重庆，让世界了解重庆的重要渠道。

2007 年 11 月 13 日，总台与中国中信集团就重庆有线电视网络有限公司增资扩股合作项目举行签字仪式，中信集团所属的中信网络有限公司以 3.7 亿元对网络公司进行增资扩股。

2007 年，总台广播宣传围绕中心，唱响主旋律，进一步提高了节目质量。全年新闻资讯类节目总量达 4901 小时，《阳光重庆》、《我在现场》等重点节目办出了特色，广播保持了 80% 以上的本土市场份额。图为新闻频率 12 月 1 日在解放碑中心广场现场转播“国际残疾人日专题”活动实况。

2007 年，总台围绕“转型、转制、转向”的指导思想和“突围、防御、打援”的竞争策略，实现了事业、产业的全面、协调和可持续发展。全年总收入突破 15 亿元，连续保持了三年翻一番的快速增长势头。图为总台组团参加首届中国重庆文化艺术产业博览会。

2007 年 8 月 6 日，公共•农村频道正式开播，填补了重庆乃至西部地区电视媒体无农业专业频道的空白。

2007 年 8 月，依托重庆视美动画公司、四川美术学院打造的“动画产业基地”被国家广电总局批准为“国家级动画基地”，产量规模进入全国八强，产品已在中央电视台及 10 多个省市电视台播出。

重庆广播电视总台

2007 年，总台认真贯彻落实胡锦涛总书记“314”总体战略部署及市第三次党代会精神，确立了统筹城乡广播电视发展的思路，积极开展资源整合，先后与武隆、涪陵、潼南等区县签订了深度整合协议。

2007 年 9 月 7 日，由重庆广播电视总台与央视国际电视总公司联合出品的 30 集电视连续剧《西圣地》，继获第 26 届中国电视“飞天奖”一等奖后，又获全国第十届精神文明建设“五个一工程”优秀电视剧奖。

成都电视台少儿频道

成都电视台少儿频道是以 4 到 14 岁观众为收视主体，兼顾 17 岁以下青少年，适合全家共同观看的专业频道，2005 年 6 月 1 日正式开播，编号为“CDTV—6”，信号覆盖成都大部分地区和川西部分地区。频道定位是以快乐愉悦为主体，教育、服务为两翼的少儿好伙伴；频道的特色是：“健康阳光、亲切可信、动感十足、绚丽多彩”。频道拥有多个品牌少儿栏目，如《陈岳叔叔讲故事》、《蓉城小记者》、《海洋课堂》、《乐豆俱乐部》等；频道也引进播出了大量优秀国产动画栏目，如《宏梦卡通天地》、《动漫火车》、《乐豆动画剧场》等。频道还根据少年儿童特点，成立了乐豆俱乐部，定期面向社会举办各种大型公益性活动，如每年的夏令营和冬令营、SOS 儿童村庆典活动、“小主持人培训”活动、首届“马小跳”校园剧全国邀请赛、故事大王比赛、“寻找小说书人”传统评书比赛、“红领巾伴我成长”晚会等，都引起了良好的反响。

成都电视台少儿频道 2006 年被团中央、国家广电总局等授予第五届全国优秀“青少年维权岗”称号。同年被授牌为“中国少年儿童文艺创作基地少儿影视艺术中心”，2007 年获得全国优秀少儿频道二等奖，2008 年又获得全国优秀少儿频道三等奖，《陈岳叔叔讲故事》获全国优秀少儿电视栏目三等奖，《无声的世界》获全国优秀原创少儿电视节目三等奖。

四川省
广安市电视台

■ 国家广电总局副局长胡占凡(左二)视察广安市电视台

■ 广安市电视台“放歌新农村”慰问演出

■ 新闻演播厅

四川省广安市电视台于1994年正式建台,2006年初挂牌为“广安市电视台”。如今,广安市电视台已拥有一支近百名的专业队伍,内设办公室、总编室、财务科、人力资源部、新闻(外宣)部、社教(评论)部、文艺部、技术播出部、保卫科、广告部(经营中心)。

广安市电视台始终坚持正确的舆论导向,以宣传工作为中心,基本形成了以新闻、社教、经济、服务、文艺、影视剧为主体的完整节目格局,开辟了《广安新闻联播》、《聚焦广安》、《广安故事》、《新闻零距离》、《来自区市县的报道》等10多个自办栏目。近年来,全体员工牢记邓小平“一定要把广安建设好”的嘱托,在“创建中国西部一流市级电视台”指示精神的鼓舞下,出色地完成了邓小平同志诞辰100周年系列纪念活动和胡锦涛、吴邦国、温家宝、贾庆林等党和国家领导人到广安视察活动的宣传报道任务,宣传质量和水平名列四川省市州电视台前茅。

广安市电视台现有综合频道和公共频道,每天共播出节目长达42小时,采用无线和有线两种方式传输,节目信号覆盖广安全境。

广安市电视台紧跟时代步伐,重视技术设备改造、升级、换代,目前拥有配套的数字化摄、录、编设备,拥有4+1讯道电视转播车、全数字演播室以及自动硬盘播出系统,硬件设施设备居全省市州电视台前列。

文化体制改革后,广安市电视台迎来了发展的春天,按照中共中央政治局委员、书记处书记、中宣部部长刘云山同志“**把广安电视台建设成为中国西部一流市级电视台**”的指示,全体职工群情振奋、开拓创新,节目质量上台阶,内部管理出效益,经营创收创佳绩,队伍建设树形象,向世人展示了邓小平同志家乡电视台崭新形象。2008年1月,人事部、国家广电总局授予广安市电视台“全国广播电影电视系统先进集体”光荣称号。

地址:四川省广安市万盛西路33号

电话:(0826)2345777 网址:www.gatv.com.cn

快速发展的四川广电集团

四川广播电视集团成立于2003 年12月26日，是国有大型现代化传媒集团，以广播、电视为主业，同时兼营相关产业。下辖5个广播频率，8个电视频道及四川广电网络传输公司、发射传输中心、四川广播电视报社、四川音像资料馆、四川音像出版社、四川广播电视高塔、新闻传播研究所、广播电视科研所等企事业单位。

近年来，集团致力于整合发展，取得成效。2003 年底集团组建时，资产规模18.37亿元，2007年底达到27.75亿元。2007年集团广播电视主业收入持续增长，收入达10.48亿元，连续两年保持快速增长势头，增速位居全国省级电视台前列。四川卫视2007年在全国31个省级卫视收视排名列第8位，收视率同比增幅达26.7%；覆盖人口6.36 亿，覆盖排名居全国省级卫视第三位，成为成长最快的省级卫视之一。四川人民广播电台在成都收听市场中以50.3%的市场占有率位居第一。

四川广电发射传输中心

四川省广播电视发射传输中心，系隶属四川广电集团的事业单位。中心下属44个台（站），分布于四川省各地市州（甘孜、阿坝州除外）政府所在地。担负着中央、省广播（调频、中波、短波）、电视节目的传输（数字微波）发射以及四川电视、广播节目的卫星覆盖任务。发射总功率680千瓦，微波电路2400余公里。覆盖人口8000余万人，综合覆盖率达98%，实现以成都为中心，连接各地、市、州的发射、微波传输覆盖。构建了四川省功能齐全、科技含量高、功率最大、覆盖面最广、受众人口最多的强大无线覆盖网，是四川省无线广播电视覆盖的重要手段和组成部分。

近年来，中心系统事业建设得到长足发展，特别是703搬迁工程的建设和新（扩）建16座广播电视发射台投入运行，微波干线全网的数字化改造和新技术的运用，迅速扩大了移动电视和手机电视的覆盖。作为四川广播电视主流传媒的重要技术载体，为实现在四川山势险峻、地形复杂情况下进行有效、有力覆盖发挥了重要作用。

四川省达州市广播电视局

笃诚务本求发展 激情超越创一流

达州市广播电视局党委书记、局长
王隆毅

达州市广播电视局党委班子成员（从左至右）：局机关党委书记施和，副局长李志国，局党委书记、局长王隆毅，副局长王荣兴，副局长税建国，纪委书记段传勇。

达州市市委书记李向志（中）检查指导广播电视工作。

达州市位于四川省东部，川渝鄂陕结合部，是川东地区的交通枢纽和秦巴地区物资集散地。达州市广播电视局下设有广播电台、电视台、转播台、广播电视报、广电传输网络中心、达州新闻网，下辖6个县(市)广播电视局。2007年，达州广电人大力弘扬“笃诚务本、激情超越”的广电精神，本着团结、勤奋、务实、创新的工作态度，狠抓各项工作，取得了显著成绩。达州广电局荣获人事部、国家广电总局表彰的全国广电系统先进集体殊荣。

宣传工作，成绩突出。达州市广电局狠抓宣传管理，获得“四川省广播电视宣传管理工作先进单位”、“全国广播电视学会先进单位”称号。圆满完成了党的十七大宣传任务，制作了重大题材专题片30多部，特别是抗洪抢险、天然气能源化工基地建设的电视专题片，制作精良，受到广泛赞誉。达州电视台在中央电视台、四川电视台播发新闻数再创新高，获得了四川电视台《四川新闻》播出工作一等奖和上送中央电视台《新闻联播》播出工作一等奖。市电视台启用“凤凰火焰”新台标；推出全新民生新闻栏目《黄金800》和经济服务类栏目《经济新时空》、《生活直通车》；举办多次群众参与性强的活动，受到社会广泛好评。全市共有35件作品在四川省优秀广电节目评比中获奖，获奖数量和档次均居全省各市、州前茅。电视艺术片《巴人故里——达州》获得了四川省精神文明建设“五个一”工程奖。达州市广电局被四川省局表彰为组织节目创优先进单位。

事业发展，硕果累累。全市新发展有线电视用户6.2万户；共完成“村村通”3084个点的建设任务，新增覆盖人口20万；积极推进有线数字电视整体转换工程。

播出工作，安全高效。不断完善安全播出预案及措施，加强了全市卫视设施整治工作，抓好了对有线电视网络外卫视设施的规范管理，全市共完成转星208451面。

队伍建设，成效显著。切实加强了领导班子和队伍建设，局党委被市委表彰为“四好领导班子”；大力实施人才工程，加强人员培训，广电队伍的政治素质和业务水平进一步提高。

云南人民广播电台

云南省省委书记白恩培、副书记李纪恒在云南省第八次党代会上与云南电台工作人员合影。

云南人民广播电台台领导班子成员。

云南人民广播电台创优获奖超 1000 件庆典。

云南人民广播电台是云南省最有号召力和影响力的主流媒体之一，是唯一覆盖云南省，在全省拥有最多听众的省级电台。从 1950 年 3 月 4 日创建以来，经过 58 年的发展，云南人民广播电台已成为集采、编、播一体，具有现代化规模的广播媒体，拥有新闻广播、民族广播、香格里拉之声、经济广播、音乐广播、交通广播、教育广播、少儿广播、农村广播 9 套 14 种类型的节目，通过汉语普通话和德宏傣语、西双版纳傣语、景颇语、傈僳语、拉祜语五种少数民族语言以及越南语覆盖云南及周边国家和地区，每天累计播音 160.5 小时。云南人民广播电台通过短波、中波、调频、卫星、网络等多种手段发射传输，由 51 座中波发射转播台、1265 座调频发射转播台以及 30000 多个地面卫星收转站组成广播覆盖网，全省覆盖率达 93%。

云南人民广播电台始终以创造有影响力的广播和争创全国一流电台为目标，不断加大改革力度，大力推进品牌战略、开展精品工程，取得了显著的成效。

实施类型化电台的改版改革。云南电台对 9 套节目按照传播定位、风格定位、受众定位、营销定位、技术定位进行全新改版，推出了全新的管理模式、传播模式、受众模式、营销模式和技术保障模式。经过 4 年多的运行，节目收听率明显提高，社会影响力不断扩大，媒体公信力显著提升，品牌节目群已经形成，节目市场占有率达 70.6%，在云南广播市场占有绝对优势。

不断推进品牌战略，着力打造品牌广播群、品牌节目群、品牌主播群。云南电台把全台 9 个频率分类打造成品牌频率、骨干频率和特色频率，形成有特色、有梯次的频率架构；以品牌节目为龙头，构建频率品牌，据专业媒介分析机构调查，全台已有《576 早新闻》、《金色热线》、《百姓与社会》等 28 个品牌节目为受众所熟悉；不断对风格主持人进行研讨，将主播团队推向社会，品牌主播群的影响力、号召力不断扩大，先后有品牌主播获得全国金话筒奖、范长江奖以及云南省十大杰出青年称号、十大杰出女性提名奖。

大力开展精品工程。云南电台不断强化精品意识，狠抓节目质量，每年都有一批精品节目获奖。至 2007 年，云南电台获得省级以上新闻奖、广播电视政府奖累计已达 1369 件，作品创优获奖数量位居云南新闻界前列。

云南人民广播电台大型直播团队开展直播活动。

云南人民广播电台举办首届“广播百年／中国·云南广播节”。

云南人民广播电台代表团应邀访问台湾电台、大学、广播广告公司。

云南 昭通电视台

在2007年的工作中实现

一个突破：

有四件新闻作品获云南省新闻类一等奖，创建台以来之最。

二项创新：

创造性推出了迎接“十七”大大型新闻直播节目《精彩昭通》。

首次出版发行电视作品集《昭通印象》。

三个亮点：

主题报道有深度活力。

热点报道有理有度。

文艺游报道展现昭通文化底蕴和人文自然风情。

四项目标：

坚持正确舆论导向，宣传报道引导有力。

创新宣传方式，对外宣传工作再创佳绩。

健全制度，管理工作得到加强。

拓展广告经营模式，经济收入连年增加。

大连电视台

获国家六部委授予……进集体”称号

……关东》和《守

大连电视台始建于1970年8月。1974年5月1日正式播出，1981年5月完成摄录、制作和播出彩色化。2000年初迁到大连广播电视中心。2001年8月建成数字化播控中心，实现数字化播出，跻身城市电视台先进行列。目前，大连电视台无线节目覆盖面积13000平方公里，覆盖人口1000多万人。大连电视台网站于2002年7月1日开通(www.daliantv.com.cn)。

作为大连地区主流媒体，大连电视台现有六个自办频道：新闻综合频道(主打频道，无线和有线同时播出)、生活频道(无线和有线同时播出)、公共频道、文体频道、影视频道和少儿频道。目前，大连电视台前期设备数字化程度已达100%，后期制作设备数字化程度达到90%。拥有达到世界先进水平的10+2讯道高清数字转播车一台，8+2讯道全数字转播车一台，卫星上行转播车一台，新闻移动微波车一台，BETACAM和数字摄录设备400多台(套)。全天共播出85小时，其中自制节目近10小时。

近年来，大连电视台实施“精品战略”和“创优工程”，打造全台统一的新闻平台，涌现出一大批名牌节目和优秀节目，新闻宣传和电视创作取得了丰硕的成果。新闻综合频道荣获中宣部、人事部、国务院新闻办、国家广电总局、新闻出版总署、中国记协联合授予的“全国新闻工作先进集体”荣誉称号，电视剧制作连续7届9获全国“五个一工程奖”，26次获全国电视剧“飞天奖”，5次获中国电视“金鹰奖”；纪录片多次获“金鹰奖”最佳作品奖等国内外大奖。

多年来大连电视台先后与10个国家和地区的26家电视机构建立了友好关系，来往合作日益频繁。

10＋2讯道高清数字转播车和3讯道卫星上行车

青海省广播电视局

青海省广播电视局局长巨伟（中）深入基层山村调研“村村通”、西新工程建设情况。

青海省广播电视局局领导巨伟（右一）、王洪良（左一）和大家一起参观职工书画展览。

青海省广播电视局是主管全省广播电视宣传和事业建设的省政府直属机构。

多年来，青海广播电视宣传配合青海建设，做到了策划到位，重点突出，形成强势，发挥了宣传主渠道、主力军的作用。2007年有大量广播电视宣传作品获得“中国新闻奖”、“中国广播电视大奖”、“五个一工程奖”、“长江韬奋奖”等，获奖的名次和数量为历年之最。

2007年，青海广播电视事业建设再创佳绩，“村村通”工作完成了200个自然村的村村通广播电视工程建设，“西新工程”落实了8座新建中波台、2座新建实验台建设任务和多项建设工程的立项，完成了4个县广播电视基础建设和6个县建设项目规划，日元贷款建设项目进展顺利，启动了数字化电视整体转换工作，广播电视网络建设迈上新台阶，配合国家开展了青海藏区广播电视建设全面调研工作等。

青海广播电视事业有长足的发展，广播电视硬件设施建设跨入了西部省区前列。随着时代建设大潮的涌动，青海广播电视必将与时俱进，取得更加骄人的成绩！

① 副局长高大伟（右二）深入长江源头玉树藏族自治州920中波发射台检查工作。

② 局领导和职工兢兢业业，确保党的十七大广播电视宣传安全播出与转星调整工作顺利进行。

③ 副局长沃赛（右四）和局党组成员牛海鸣（左四）率队赴日本考察，探索利用外资进行广播电视基础设施建设。

④ 青海省广电局日元贷款广播电视基础设施建设进展顺利，沃赛副局长和日方代表成功签约。

新疆生产建设兵团电视台

国家广播电影电视总局副局长张海涛带领科技司、保卫司等部门人员，在兵团副政委王崇久和兵团党委办公厅、兵团党委宣传部、兵团广电局、兵团电视台领导的陪同下，考察了兵团广播电视卫星地球站建设工作。

在国家广电总局，兵团党委的关心支持下，兵团电视台卫视频道于2007年10月7日7时成功开播。

新疆生产建设兵团电视台（简称新疆兵团电视台）作为兵团党委、兵团的主流媒体，在宣传中央赋予兵团屯垦戍边特殊使命中，在把党和国家声音传入千家万户，对内对外宣传兵团的过程中，担负着十分重要的任务。

近年来，兵团电视台走上了加快发展的道路，实行了一系列重大改革，加强基础设施建设、加快节目创新，管理创新、活动创新，实现了全台节目生产的网络化、数字化，彰显兵团文化，弘扬兵团精神。不断推进频道的改版和集合兵团的电视资源，连续三年精心策划，对频道整体改版包装，使兵团电视节目内容呈现多元化、特性化。兵团电视台卫视频道和综合频道自办新闻节目《兵团新闻联播》、《天天播报》（民生社会类新闻）和《新闻互联网》，时长总计60分钟；自办日播、周播各类栏目15个。2007年3月26日，兵团电视台新闻直播系统正式启动，新闻节目率先以直播方式播出，标志着兵团电视台新闻节目正式步入了直播互动时代。6月18日，与自治区气象局、乌鲁木齐市公安交警支队联合组织策划每天30分钟的大型直播节目《看天看路》，提高了兵团电视台的影响力和竞争力，使电视台采、编、播人员的业务能力不断提升。

近年来，新疆兵团电视台在坚持正确舆论导向、提升主流媒体舆论引导能力的基础上，不断创新节目形态，举办视听评议会，认真分析收视率，加强频道运营和频道宣传，使频道资源的利用价值最大化，收视率稳步攀升，取得了丰硕成果，先后有《最后的荒原》《追寻长河》《奠基西部》《兵团故事》等十多部大型电视纪录片获国家“五个一工程”奖、中国纪录片“十佳”“十优”奖和中国新闻奖。同时，新疆兵团电视台还与新疆兵团电视艺术家协会主办了业务学术月刊《兵团影视》，为兵团广播电影电视工作者搭建起了业务交流、学术研讨的平台。

兵团电视台与自治区气象局、乌鲁木齐市交警支队共同创办的大型直播栏目《看天看路》，以服务和贴近百姓生活为宗旨，是关注天气和交通路况的生活资讯节目。

“春行绿洲”报道组深入
采访，全面报道基层春耕、春
设屯垦戍边新型团场，科学发
验、新成就、新气象。

加强大型活动和主题活动的策划报道。连续成功举办了兵团春节电视文艺晚会
考、直播沙尘暴、与湖南经济电视台合作“八千湘女回故乡”大型活动、“首届2006
参与主办了龟兹旅游文化节服装模特大赛等一系列大型活动。

2007年10月7日7时，兵团卫视正式上星播出，标志着兵团广播电视事业进
团电视台卫视频道和综合频道每天播出时间20小时以上，是自治区和兵团独具特

新疆兵团电视台按照国家标准统一规划建设兵团有线数字电视总平台，实行
不断积累数字电视发展和运营经验，从2007年12月下旬开始全面推广兵团的有

当前，广播电视发展既充满挑战，又面临机遇，新疆兵团电视台按照党的十七
大繁荣，抢抓机遇，加强合作，在节目制作、节目资源和广告资源的共享、人才的
作，突出双赢。新疆兵团电视台高度重视新媒体发展，加强《兵团在线》网站建设。
利用网站快速实时发布信息，开展网上视音频点播，进一步扩大覆盖面。

2008年，新疆兵团电视台迎来了新的发展机遇，它将不断壮大主流媒体，加
的制高点上关注网络电视、IP电视、手机电视和移动电视等新业务的发展趋势，
径和方式，努力实现兵团电视台事业和产业又好又快发展。

新闻综合频道荣
的“全国新闻工作先

电视剧精品力作《
望幸福》

10.学术研究与出版

Academic Research & Publication

10. 学术研究与出版

责任编辑 邸兰君
审 稿 人 雷跃捷

广播电视理论研究综述

2007年中国新闻传播学研究的十二个新鲜话题

2007年被称为公共事件年和信息公开年，本年的新闻和传播研究多集中在与此相关的事件上，本文以年内发生的事件为话题，对这年的新闻传播学研究加以综述。

一、"传媒歧视"

2006年底，党的十六届六中全会通过《中共中央关于构建社会主义和谐社会若干重大问题的决定》，把"保障社会公平正义"作为重要内容。具体到传媒，2007年关于"传媒歧视"问题的文章多起来。

研究者们指出，当下新闻报道中存在性别歧视、地域歧视、职业歧视、身份歧视以及年龄歧视、生理缺陷歧视等问题。这是由传统文化积淀的产物，经济利益的诱导，新闻工作者视野的狭窄性，人文关怀的缺失，法治观念的淡薄等多种因素造成的。实际上，对传媒公平正义构成挑战的是不完全的市场理念。在社会转型期，传媒工作的社会效益优于传媒和传媒人利益的理念，对于整体社会系统的运行有利，但对传媒的经济效益和成本不予核算，因而造成维持新闻生产运转的经济成本难以维持，持有新闻专业理念的人个人利益成本付出较高，在现实的竞争中处于不利地位。因此，消除传媒歧视，除了强化个人的专业主义理念外，还需要建立以公共利益为基础的现代媒介制度。

研究者们认为，传媒关注弱势群体，是消除传媒歧视、实现引领和维护公平正义的途径之一。有的文章强调，社会和谐的追求目标应是彼此宽容、尊重少数与弱势者，不再利用强势和多数而专断。因此，和谐的起点在话语体系中的表现应该是：实现话语权分配的公平，达成话语力量的均衡，各方话语主体都有适当的话语空间和话语权。在现实中，一些社会群体成员是缺乏话语权的，尤其是一些弱势群体。这构成了社会发展中的不稳定因素、甚至冲突的基因。解决这个问题尽管不能完全依赖传播沟通，但传播资源的均衡配置和传播力量的对称结构无疑是有着解决问题的重大价值。有的文章指出："保障弱势群体权益、维护社会公平正义，并不仅仅涉及制度问题，还涉及利益表达渠道问题，在这一方面新闻传媒大有可为。"还有的文章为此提出若干改进措施：拓展亲民性的信息运作方向，使新闻传媒的内容、活动平民化；对一些传媒组织"富人俱乐部"的行为偏向，予以纠正和进一步的防范；维护公平和正义的舆论引导；关注和监督社会的正义运作。同时，对公民个人的困难和烦恼，进行排解和帮助，但主要着力点应放在协助建立解决社会问题的机制上。特别需要注意的是，防范对一些"伪问题"的炒作。

二、"信息公开"

2007年4月5日，《中华人民共和国政府信息公开条例》公布；8月30日，全国人大常委会通过《中华人民共和国突发事件应对法》。这引发了新闻传播学界的广泛讨论。

关于《信息公开条例》，研究者们普遍认为，条例保障了公民的知情权、新闻媒体的采访权，舆论监督的展开可能会较为顺利。有的文章指出，该法规第三章第15条规定："行政机关应当将主动公开的政府信息，通过政府公报、政府网站、新闻发布会以及报刊、广播、电视等便于公众知晓的方式公开"。虽然位列政府公报、政府网站、新闻发布会之后，但政府的法规首次把大众传媒写入政府信息公开的条款，至少预示着，记者针对政府政务信息所行使的新闻采访权变得有理有据。

关于《突发事件应对法》，讨论集中在该法草案修改时删除第57条和第45条的一句表述上。有的文章从法治层面对其做出评价，认为"两个条款的删改，可视为政治理念新走向的象征，此举传达出在行政机构对信息控制权与信息公开原则的权衡中，最高立法机构最终倾向对信息公开原则的捍卫，信息公开原则在国家理念中得到更广泛的承认和最高立法层次的肯定。"还有的文章从政治控制与新闻自由的关系上来看草案规定前后的变化，认为这是从"事先预防"到"事后追惩"的一次媒体管理理念转变。这种变化符合当前国际上对大众传媒的管理多以"事后追惩"制为主的通例，"这是实践新闻自由和尊重公众知情权的合理设计"。

三、公共电视

随着"村村通"工程、西新工程等对农村和偏远西部地区的电视公共服务体系建设的深入展开，公共电视成为本年广电研究的热点。

研究者们认为，我国公共电视中公益缺失的原因有以下几个方面：公共电视建立的初衷是治理电视台过多过滥现象，而不是关注社会公共利益，因而在发展中带来利益失衡现象；其专业定位常常在于某一特定层次，从而抹杀了公共价值；在商业化运作模式中私化了"公共"因素。总之，我国电视的国营、商业属性，成为我国公共电视公益缺失短时之内难以弥补的内在原因。

关于公共电视的发展，有的文章指出，虽然近年来我国的公道频道很多，但大多数都非真正公共性质，而是高度商业化频道。由于数字技术给了受众选择权，可以通过收费方式突破广告商对电视的控制，从而为公共电视频道提供新的发展机遇。

对公共电视具体实践的探讨主要集中在对农传播方面。有的研究者指出，中国的电视公共频道是政府、企业等各方利益权衡的结果，与西方的公共广电性质有本质区别。中国的公共电视频道与其致力于维护模糊的公共利益，不如将中国的公共频道最好办成专业的对农频道。对农民传播要实用，贴近农民实际生活，题材选择要以本地新闻为主；写作上采用平民化视角；采访要深入地头，并要扩大农民通讯员队伍等。

四、三网融合

2007年是“十一五”的开局之年，十一五规划提出“推进‘三网融合’，健全信息安全保障体系”的要求。研究者们普遍认为，在中国推进三网融合的关键在政策层面。“多年来我国广电和电信之间的摩擦和争端都是围绕着政策和利益来进行的，其中的核心要点不在技术而是领导权。”也有人认为，在产业运营体制上存在的障碍是通信界、计算机界与有线电视界三大产业市场化程度不一，“三网”目前属于不同的管理部门，各部门政策制定上考虑本部门、本行业利益（尤其是既得利益）居多，对于“三网”互联互通、开放业务上考虑不够。我国在“三网”领域维持互不准入的产业指导政策不利于推动“三网”融合，尽快取消政策的限制，在产业宏观的角度制定有助于推动融合的产业政策，是促进“三网”融合的关键。在三网融合的具体政策上，争论较多，并没有达成共识。特别在“对称准入”还是“非对称准入”上存在根本差异。

关于三网融合的发展方向，国家广电总局科委副主任杜百川在第三届数字新媒体高峰论坛上的主题发言指出：“有线电视的数字化应当是三网融合的基础，模拟电视网如果不转成数字网，就不能做三网融合，当然如果在没有进行数字化的地方去做三网融合，那就是剥夺了广电的参与权，或者说使老百姓失去了得到更廉价服务的机会。三网融合必须真正地把三种业务同时开展，那才叫三网融合，或者说不光是一家这样做。”显然，“三网”融合将经历多网共存的一段时期，但广播电视部门的政策倾斜于三网融合也是既定的。

五、PX事件

2007年3月的全国政协会上，中科院院士赵玉芬等105名全国政协委员联名提案，要求存在重大环保问题的厦门市引进外资PX项目迁址。该消息经《中国青年报》《中国经营报》等媒体报道后，引起厦门市民的强烈反响。此后，市民们以各种方式加以讨论。6月1日，一万多市民以散步的方式集中到厦门市政府前表达反对上PX项目的诉求。随即，福建省及厦门市政府尊重民意和专家意见，决定缓建PX项目。年底，透露出迁建的信息。

此事件引来较多的学界研究者发表论文，认为这是公众与政府的积极互动，大众传媒对事件进程积极及时报道，使得问题得以妥善解决。有的文章认为，这一事件标志着中国公民社会的萌芽。公民社会的存在，也即相当数量的有辨别能力和决策能力的公民的存在，是一个国家实行市场经济和民主政治的有利条件。而网络的发展为公民社会的勃兴创造了条件。还有的文章分析道：PX项目事件中的民众，表现出高度的理性与公共意识。除传统的人际传播外，手机、网络论坛等等，使意见表达有了更快捷影响更广泛的渠道。无论采用哪种方式，公众都表现得相当理性，即便是让人相当敏感的集体上街游行也是以“散步”方式进行的。让人从中看到了以中产阶层为主体的市民阶层的崛起。在当代传播手段高度发达的条件下，民众的力量是相当强大的，有的研究者以“议题建构理论”对此进行分析，认为来自个人信源的信息扩散具有相当重要的地位，而来自专家的最初意见，往往会直接决定着受众对整个事件的看法。

就事件中政府态度的转变过程，有的研究者指出：当下社会政府执政的舆情环境已发生了明显的变化，即舆情借助网络、短信等现代传播工具，跨越时空传递迅速，使意见空间加大，意见力度增强，而决策透明度的增加和市民民主参与意识的增强，又使舆情压力增大。在此种条件下政府，对“舆情危机”的处理，需要改变以往的被动抵制方式，针对新出现的情况，及时采用新的方式应对。政府要意识到，凡是出手的决策，都可能会产生多种舆情。

PX事件中大众传媒的作用主要表现在集体认同感的建构上。有的文章认为，大众媒介通过定义“我们是谁”，即“接触、认知、参与这个事件的大众有着怎样的身份认同”，进行运动中的集体认同感建构。作者探究了大众传媒在当前中国新社会运动中的角色。在此次运动中，媒介报道建构的身份认同，主要包括地方共同体、环保主义者、公民三方面；媒体报道对于集体认同感的建构与国家保持一致；和其他社会问题建立联系；媒介报道存在话语差异和竞争等三个特点。

六、“传媒假事件”

这年发生的几件较大的新闻业界事件，都具有“传媒假事件”的特征，即传媒参与事件的进程并报道自己参与的事件。以这类问题为话题，引发关于新闻职业规范深入讨论。

2007年3月轰动全国的“杨丽娟追星事件”引发较多的文章讨论新闻职业道德问题。研究者们普遍认为，媒体在此事件中，以“对弱势群体的爱心”的名义去圆一个“粉丝”接近明星的梦，丧失了起码的理性。在市场利益的驱动下，传媒由“记录者”变成新闻事实的推动者和参与者，违反新闻的职业规范。同月发生的“茶水发炎事件”，记者乔装成患者，将龙井茶水冒充尿样送到杭州10家医院检测，引发社会的道德质疑。研究者认为，在此事件中“目的合理性不能成为不适当手段的理由”。记者在曝光可能的社会问题的同时，也造成了记者社会角色的错位和传媒功能的越位。这一事件，同样属于自造自报的“传媒假事件”。新闻的价值只能来自传媒以外的、客观存在的事实本身，传媒制造的“事实”不应该成为新闻。

另有的研究者基于伦理学上的权变理论，认为出于公益目的的记者暗访具有某种合理性。道德权变有两个特点：一是承认准则的先在性，或者说承认人们普遍认可的道德准则；二是强调在特殊性况下准则的可变通性，这种变通只是对准则的暂时性背离，而且其前提是为了维护更具价值的道德准则。作者认为，该事件出现道德问题“不在于记者是否应该采取欺骗性的采访手段”，而在于记者没能就专家“茶水发炎”的戏言做客观公正调查，“在于是否采取了‘正确’的欺骗手段。”

七、纸馅包子事件

2007年7月8日北京电视台生活频道《透明度》栏目播出了名为《纸做的包子》的假新闻。此事迅速成为学界讨论的话题。众多的文章普遍认为，这是在利益驱动下，从业人员新闻道德失范带来的后果。有的文章把这个问题的外在表现，同样归结为“传媒假事件”。

也有研究者认为，不能简单地把个人的职业道德问题归罪于市场，当事人訾某造假不是市场竞争和追求时效的结果，而恰恰相反，是缺乏竞争的结果。市场竞争不一定能保障“优胜劣汰”，但是能避免“假胜真汰”，因为在信息和观点的公开市场上，假新闻很容易被其他遵守职业规范的媒体的真实报道证伪。这件事情让人进一步思考：在北京的媒体上，各种不法和犯罪行为多与外地人有涉，这种高下、贵贱、贫富、文野、内外之分，与主张公平正义的公共媒体宗旨格格不入。迫于公众对反腐败和舆论监督的压力，部分传媒以“监督”社会底层和“监督”居住在本地的外乡民众（如卖菜的、炸油条的小商小贩）为乐事。这种被允许的曝光与舆论监督的本意相距遥远，或者说是一种被扭曲的舆论监督。此类新闻，在一些电视台被称为“民生新闻”“公共新闻”，十分火爆。但是真正的由权力滥用导致的贪污腐败案件，几乎没有一个由这样的节目首先加以披露，个中“伪公共性”的奥秘不难窥其一斑。

八、“新闻民工”

2007年初，《中国贸易报》山西大同记者站的兰成长等人到该市浑源县一家“黑煤窑”采访，被打致死。事后，《中国贸易报》等相关部门表态说，他没有记者证，没有采访权，只是个人行为。前述纸馅包子事件中，北京电视台特别声明，编导訾北佳为临时聘用人员。因此，“新闻民工”成为学界关注的话题。

首先是对采访权的讨论。学界普遍认为，采访权即谈话的权利，不是持证记者独有的，而是所有公民都拥有的一项基本权利，传媒的临时聘用人员当然也具有采访权。记者证并不能垄断采访权，“尽管新闻机构目前合法地拥有新闻发布的垄断性权利，但这并不意味着普通公民调查了解事实真相本身处于非法的状态。新闻单位正式或临时聘用记者，并不是颁发给他们调查事实真相的合法权利，因为他们自己就有这种权利。”记者是一种职业；但了解事实真相并不是一种职业。 还有的文章认为，只要一个人以采访报道新闻为主要工作内容，同时正在实际从事采访报道工作，不管他是否有记者证，都应当认为他是记者。那些虽然持有记者证，但经常瞎话连篇欺骗公众的记者，才是最危险的“假记者”。记者身份管理的责任，主要在媒体而不在政府。

研究者们普遍认为，不能对“新闻民工”有身份歧视，而应当全面考察其生存和工作的社会环境。有文章针对“亮证制”指出：现实中，传媒的采编人员普遍存在持证少、无证多的情况：“新闻出版总署已发放的‘新闻记者证’约有17万个左右，国家广电总局发放的‘广播电视记者证’约13万个，与‘新闻记者证’有部分重合。而中国记协一直号称全国新闻工作者有75万人，若按三分之二为新闻采编人员计算，实际记者人数就是50万，即使两种记者证已发放数量加起来——30万，也还不能满足需要。况且，许多持有记者证的采编人员已以居于领导或编辑岗位，很少从事采访；而实际从事采访的多是30岁以下的年轻记者。”所以，在中国的新闻行业中，“新闻民工”实际上是一线新闻工作的主力，他们的作用不容忽视。

新闻民工的权利得不到保障，与传媒单位用人“双轨制”有关。有的文章谈到，现有的新闻单位用工双轨制是特殊过渡时期的产物，有违公平的原则，经不住政策和法律的推敲，从长远来看，应该合二为一；同时，注意对聘任人员的选拔任用；并且要提升整个行业的品质，应该对一些新闻出版单位的外行领导进行专业资格培训与考试，这不是形式主义走过场，而是促进新闻出版产业繁荣进步的重要措施。还有的文章指出，国家应该出台相应的政策对新闻民工的身份给予正名，对其生存提供应有的保障。同时，加强新闻行业入口管理和规范建设，使新闻从业人员无论体制内外都具备相应的专业素质。

九、重庆“钉子户”事件

2007年2～4月，众多传媒跟进报道重庆“钉子户”事件。研究者们发现，在此事的报道中，一些媒体偏离了正常舆论监督的轨道，把严肃的舆论监督沦为娱乐新闻。

《新闻记者》杂志针对此事组织了讨论。论者认为，“报道的娱乐化淹没了事件本身的严肃性”。传媒机构在此过程中，随着用词从“拆迁户”到“钉子户”、“最牛的钉子户”再到“历史上最牛的钉子户”不断升级，过分炒作和煽情，把严肃的事情变成让大家一笑的娱乐。有学者通过区分传媒角色，即引导者、看戏者、瞭望者，指出这是“政治力量、市场利益和传媒专业诉求”的“复调”呈现；而在市场经济作用下，“看戏者”的媒介角色应该引起警惕。也有研究者指出，在此事件中，传媒有失理性和负责的职业精神。虽然此次纠纷在《物权法》通过之际很有代表性和新闻价值，但媒介对事件的过度“聚焦”和“放大”，对自身“自由表达”权利的过分“张扬”，使之报道变成了一场传媒赚取受众“眼球”和同情心的“盛宴”。从“最牛”、“奋勇”等带有赞赏色彩的用语中，看不到媒体作为舆论引导者的社会责任，倒能读出些许舆论上的误导。

有的文章分析道：在众多传媒推动下，人们把对开发商和地方政府所积累的不满，化成了对“钉子户”的支持与声援，先入为主地认为，在这件事情上，肯定是开发商在欺负业主。这是典型的“舆论绑架”。这样的行为，往往给被报道的个体带来他们本不应该承受的压力，同时也造成了大众传媒的功能失调，这是传媒社会角色的错位。在一次次以道义、正义为名的“舆论绑架”中，“被看”的一方感到众目睽睽下的压力，大多数“看客”也只是抱着“凑热闹”的心态，真正的道义反而成了缺席者。还有人指出，理性精神的匮乏在一定程度上削弱了公众对新闻话语的信任和敬畏，大众传媒能否在信息的选择和传播过程中保持理性，已经成为影响媒介公信力的主要因素。

十、美国大学枪击案与中国钢包脱落事故

2007年4月16日，弗吉尼亚理工大学发生校园枪击案，凶手在枪杀32人后开枪自杀。4月18日，辽宁铁岭市清河特殊钢有限公司发生钢水包整体脱落事故，共造成32人死亡，6人受伤，这是1949年以来，钢铁企业发生的最严重的恶性事件。但是，除新华网在事发3小时后对事件进行了报道外，其他媒体只对新华社的消息进行常规转载，没有表示特别的关心。两件事中遇难人数相等，而中国媒体表现出的两种截然不同的态度，引起较多的评论。有研究者认为，中国媒体这种新闻传播行为反映出中国媒体的不成熟，缺乏公信力，无论是其职业精神还是专业水平都有待提升。

针对中国媒体对枪案最初假新闻（指凶手是中国留学生）的传播，有的研究者从对假新闻的传播过程进行分析，指出：首先是编译《芝加哥太阳报》新闻的中新网的编译不过关，犯了低级错误，把猜测性的报道变成了肯定的语气。将华文报纸与美国《纽约时报》等美国主流大报比较，美国主流大报对此表现得相当冷静，没有急于转载这条猜测性消息，华文媒体既不考虑始发媒体是否权威、有无确切的消息来源，更不愿费力查证事实真相就大肆报道、转载，还特别把“中国凶手”“中国留学生”放在大字标题中。这正显示了中国媒体的不成熟。

中国媒体对两幕惨剧报道的不同态度，引来较多的分析文章。有的文章指出，国内门户网站转载过来的国外媒体的枪案消息，其核心内容都集中在对事件过程的披露，及从总统到平民所表示出来的震惊、悲痛和悼念之情，极少官员对此做出批示，亲赴现场指挥善后等报道。国内媒体对铁岭惨案的报道却大不相同。这样一件特大惨案，却在晚间电视新闻的最后面才播出。报道的重点照例是哪级领导已经做出什么批示，哪位高官已经亲赴现场等，一场巨大创痛的死难事件，就被这冷冰冰的新闻语气和报道模式化解于无形。在灾难性报道中，新闻媒体到底应该秉持官本位还是人本位？

十一、正面的假新闻

2006年12月23日，《农民日报》刊发典型报道《为老百姓多做实事是人生最大的乐趣——记湖北省沙洋县县委书记黄爱国》。2007年2月9日《青年周末》刊载文章《一篇表扬报道竟致报纸遭封杀？》，各大媒体纷纷转载，使之成为热点。2007年6月，《杂文月报》发表正面报道《一次感动》，讲述一位兵妈妈认了176个兵儿子的拥军故事，该文被多重转载。由于失实，使得“新时期爱国拥军模范”乔文娟及其家人陷入困境。《洛阳晚报》8月15日刊登文章《虚假报道困扰“兵妈妈”》，引起社会的强烈反响。此类新闻引发研究者们关于正面假新闻的思考，众多文章提出：正面假新闻的危害更加隐蔽，危害性可能更大，传播正面假新闻也应该受到惩处。

有的文章认为，这些报道在受众价值取向多元，自主意识增强的时代，过去典型报道的陋习积重难返，受众产生群体性“审美疲劳”。典型报道的出路在于运用客观报道的手法，掌握好分寸，说话切忌过满过绝，要把“典型”当人来写，以事带人，用“事实”说话，让群众出来说真心话。论者要求对“楷模产生模式”进行切实反思。

还有的文章指出，颂扬性虚假新闻对社会和媒体自身的危害，绝不亚于批评性新闻。颂扬性报道的数量在媒体报道中占有绝对优势，虚假新闻发生的几率也就比较高。颂扬性虚假新闻制造了假象，蒙骗了有关领导和不明真相的群众，给某些人谋取不正当利益营造了舆论氛围，同时媒体也就沦为了那些人的喉舌。一些地方出现的对贪官的颂扬性虚假报道，就起了掩护他们的恶劣作用。应当树立这样一个原则，即“坏话”说错了要查处，“好话”说错了也要查处，不能搞“报（假）喜得喜、报（假）忧得忧”。

十二、电视节目“泛娱乐化”

2007年8月15日，国家广电总局通报批评重庆电视台播出的《第一次心动》选拔节目严重违规，并决定立即停播该节目。9月20日，总局出台一系列具体管理措施和细则，进一步规范群众参与的选拔类节目，禁止在黄金时段播出。于是，电视节目“泛娱乐化”，成为下半年广电期刊的重要话题（管理部门的一系列措施把年内的电视节目低俗化讨论推上高潮）。

批评意见指出：“当媒体不惜一切代价、使尽各种花招去赢得目标受众关注的同时，人们开始意识到炒作就能换来注意力的想法，是本末倒置的。在这个现代人普遍感到理性缺失的时代，如何寻找自我、回归本我，显得异常重要。”这种情况下，媒体娱乐成为一种新的剥削和控制形式，人们自愿、主动地进行消费，并没有得到更多的解放和审美，而是更加被资本控制；满足大众需求是传媒娱乐化狂潮的最大的一个合法化理由，但事实上很多层次的大众需要还远远没有被满足，媒体文化过于单一；“媒体不要低估受众的智商”。也有学者持不同意见，认为新闻与娱乐之间的关系，应该理智对待，不可一概而论。新闻和娱乐边界的模糊，不一定就构成对新闻的伤害。应该防止都是居高临下的、在事件之外批判娱乐的低俗；应该考虑到英美娱乐化的借鉴问题，并强调作个案研究。

此外，针对知识类节目“百家讲坛”的娱乐化倾向，这年的讨论继续进行。有的文章系统回顾了“电视讲坛”节目的发展历程，在分析其生存状态时指出，此类节目的出现是由于它适应了公众精神慰藉的需要，宽松的环境与媒介技术为之提供了条件，但是，此类节目不可能造就精英文化与草根文化的“完美结盟”，不可能承担传承传统文化的重任，“尽管以历史、经典为主要内容，但它们只是节目的招牌，一个用来吸引眼球的噱头。‘电视讲坛’毕竟只是大众文化的一种表现。”

有的文章认为，造成电视节目泛娱乐化原因，是中国电视在产业化、市场化进程中对收视率、市场份额、广告收入等利润指标的片面追求，淡化了社会责任。电视节目的资源合理配置要有制度保证；要有符合广播电视运作特点的用人制度。“娱乐化救不了中国电视，娱乐化也不是是个人就可以玩的。在一定意义上说，坚守媒体的社会责任，实际上是回到常识，这就是：放弃社会责任，最终只能是砸了自己的饭碗。”

（陈力丹、陈秀云　2008年第1期《新闻界》）

2007年度中国电视理论研究综述

2007年的中国电视理论研究，在内容上有所创新，但主要仍围绕近几年来电视业界和理论界关心的热点问题，并把一些核心性问题的研究引向深入。实证性研究方法和跨学科研究已被广泛采用，促使理论研究成果呈现出繁荣和多样化。具有宏观视野及阶段性总结意义的学术著作、论文大量涌现，意味着中国电视理论研究正逐渐步入成熟期。笔者通过收集整理2007年出版的电视领域学术著作、国内学术期刊、报纸和网站中的相关学术文章、相关学术会议综述等，从电视产业经营管理、电视文化和电视批评、电视节目和受众研究三个方面，对2007年中国电视理论研究状况进行梳理和总结。

一、电视产业经营管理

中国电视产业经营研究在经历了前期的以宏观层面\政策层面为主的研究阶段后，研究的重心开始转向具体的媒介经营管理业务层面。对新兴媒体的研究，传递出传统电视媒体在新兴市场出现时的兴奋抑或紧张。民营电视机构研究的回暖，让人感到似乎它们的春天正在来临。

产业发展战略

胡正荣在其新著《21世纪初我国大众传媒发展战略研究》中谈到我国电视产业要实现以跨区域、跨媒体、跨行业经营为主流的集团化发展并最终确保政治目标与经济目标的双重实现，必须进行产业结构与产业形态调整、改进产业组织和建立现代电视媒介制度。孟添、张恒龙则从产业融合的角度指出，产业融合将催生更多的新产品与新服务，促进新市场的开辟，塑造新的市场结构，促进资源合理配置，促进人力资本的发展，并最终促进广电业的发展。李晓枫在《中国电视传媒资源整合》一书中，剖析了中国电视传媒资源整合的一般规律、历史沿革及中外电视传媒资源整合现状，并在此基础上，较全面、系统、深入地对中国电视传媒资源整合的宏观、中观层面——电视业产业结构和产业布局问题，及微观层面——电视业产业组织问题进行了研究。通过两者的研究比较，作者提出了“一体多元”，“公益为本、经营为用”的理论主张。

体制创新

刘成付在《中国广电传媒体制创新》一书中提出，我国广电体制改革要从三个方面寻求突破，一是要在我国广电产业体制构建上形成核心突破，尽力健全广电产业体制；二是要抓住数字电视契机进行包括传输、直播、经营、投资和管理等方面在内的体制改革；三是要在管理体制创新上形成突破。在微观管理创新层面，马志红、石易引入管理学的“扁平化管理机制”，再次阐明了频道制在管理主体明确、运行成本降低、传播效果增强、制作效率提高等方面的优势。

经营战略

陈刚认为，我国电视媒体的经营战略从媒体发展早期阶段的孤岛扩张型，即以媒体自身为基础，通过扩张来获得更大的市场份额，正逐步转向陆地紧缩型，即区域整合的战略，这预示着中国电视媒体的发展进入了一个更理性更成熟的阶段。

在融资问题上，孔令征谈到广电机构在公募融资中遇到的一系列问题，如风险与收益不匹配、财务状况不佳、公司治理问题突出等。他还提出在公募融资发展中应注意的问题，一是必须优化公司治理结构；二是要有正确的市场定位；三是要在适当的时机积极并购重组，实现规模效益。

民营电视

对于民营电视机构的研究，在2007年有回暖的迹象。学者们的普遍看法是，它们正由边缘走向中心。张苏认为，民营电视节目制作机构的经营走向正慢慢清晰起来：和电视台的合作从简单到深入；在资金规模上，从小投入到大资本运作；从专业化起家到多元化迈进；和境外强势媒体的合作不断深入。焦豫也认为，中国民营电视从暗流涌动到逐渐浮出水面，从承接电视节目制作业务到介入电视频道运营，逐渐形成有别于西方商业电视的中国民营电视产业。

网络电视

王惟红认为，新媒体与传统媒体是共同演进、相互整合、互利共赢的关系，网络电视和传统电视的融合有着广阔的前景。李方勇也表示，受众品位、需求的提高也迫切要求网络媒体与传统电视媒体融合。但是也有学者认为，网络视频建立了一种新的观看体验，迟早会影响电视制片人调整电视节目的内容和节奏。

手机电视

手机已成为传播领域又一个生力军，手机电视在全球的发展也是有目共睹的。2007年学者们持续保持对该领域带有前瞻性的研究热情。雷霞结合手机电视在中国的发展特点，提出了发展策略，即转变观念、合作共赢，早立标准、抢占先机，革新技术、促进发展，量身定做、丰富内容。对于手机电视如何赢利，潘志良、韩福根提出建议：一是开通免费广告频道，播出趣味性强、情节性强的广告；二是通过收费频道和广告节目捆绑销售；三是以包月、包年的收费形式来收取一般节目收视费。

动漫产业

国家“十一五”文化发展纲要将动漫产业确定为未来文化产业发展的九大重点领域之一，使动漫产业再次成为热门研究话题。赵晓兰总结了我国动漫产业发展存在的问题，包括旧观念的束缚，“教化”痕迹过重、娱乐性不足，制作成本高、直接回报低，产业链缺失受众定位不准确等。陈少波则指出，制约我国动漫产业发展的瓶颈是人才培养问题，所以动漫游戏专业教育应从办学力量、办学规模、专业设置等多方面出台相应政策，使之获得可持续发展的动力。

频道运营

徐浩然的《中国电视频道竞争力评价研究》一书，选择竞争力这一独特的切入点来研究中国省级卫视乃至整个电视传媒领域，对省级卫视竞争力这一关乎省级卫视生存与发展的核心问题进行了全面、系统和深入的探索。周笑认为，目标受众是频道战略抉择的核心，但是中国绝大部分电视频道都没有真正确立目标受众的战略理念。罗自文认为，频道专业化过程具有阶段性，以及不同发展阶段的电视频道专业化要有不同的对策。

品牌化研究

支庭荣、章于炎、肖斌合著的《电视与新媒体品牌经营》，具体对电视与新媒体品牌规划、品牌价值评估等电视与新媒体的品牌经营问题，进行了较全面、深入的梳理、分析。童宁、董岩提出作为电视品牌化战略构架的“三连环”——品牌栏目、品牌集群、品牌频道是品牌媒体的三个不同层面，它们由木及林，由点到面，由局部到整体，共同构成了品牌媒体深刻、丰富的内涵。关于电视品牌的建立，李大成提出了“对立战略”，即在竞争者最大优势的对立面建立自己独特竞争优势的系统运营行为；而电视品牌最终成功的奥秘，在于三个方面：一是核心价值的精确定位，二是普通观众对核心价值的准确认知，三是核心价值得以持之以恒的坚持。

管理规范

对于电视媒介的规范化管理问题，学者们从电视媒体成本控制机制、电视媒体品牌考量体系的构成要素、电视媒介活动项目管理、电视节目内容的版权管理、电视媒体人力资源管理的困境与对策、电视媒体对突发性事件的统筹管理、市场条件下电视节目资源的效能管理等多层次、多角度地展开了大量的研究和考察工作，为电视传媒管理科学化提供了宝贵的参考性建议。

二、电视文化与电视批评研究

强调电视媒体的社会责任，开展从业人员的自觉自律，成为2007年电视文化领域的核心命题。电视批评理论研究也是2007年的一个重要研究话题，一系列重要的文章为该学科的发展打下了坚实的基础。另外，电视公益传播研究的热潮，让人们看到了实现经济效益和社会效益有机结合的良方。

电视媒体的社会责任

以“绿色收视率”和“构建和谐社会”为关键词的电视媒体社会责任研究，最近几年一直是学者关心的重点课题，2007年的相关研究较之以往更加具象化。董岩在论及电视媒体在和谐社会建设进程中的文化责任时认为，当前一些电视节目的“低俗”的背景是对经济效益和收视率的片面追逐，“脱俗”的出路是自律、监管和监督。王天德认为，提升广电传媒的生命个体素养的质量是构建和谐广电传媒的根本文化途径。孙宝国在介绍广播电视和谐节目元素与社会主义和谐舆论环境营造问题时，提出和谐元素包括：导向元素——体现时代性；主题元素——体现人文性；内容元素——强调健康性；形态元素——追求创造性；传播元素——增进透明性。

电视文化自觉

胡智锋、孔令顺认为，中国电视应当在中国传统文化与当代文化的交融中，在中外文化的碰撞中，从时代文化发展的需求中，去自觉、理性、积极、主动地探求和确立自己的文化定位，更为自觉地扮演自己独特的文化角色。欧阳宏生认为，正确并全面认识电视文化身份，因势利导地发掘电视在多元社会中树立身份意识、塑造电视的文化品格，对加强节目质量，提高电视节目的文化品位，建设社会主义先进文化都具有十分重要的意义。

电视批评理论研究

这一年间，对于电视批评理论的研究文章大量涌现。欧阳宏生认为，中国电视批评作为一门学科正在日趋成熟，虽然还存在许多不足和各种遗憾，但谁也否认不了它在促进电视创新、推动电视文化发展等各个方面做出了诸多贡献。陈笑春、欧阳宏生认为从电视文本批评到文化批评，从电视系统内部批评到对电视生存的外部环境批评，进入21世纪后电视批评对象日益扩展。

电视公益传播

构建和谐社会的时代主题正有力地推动着公益事业的快速发展，“公益”正逐步成为电视媒体关注的焦点。王炎龙指出，电视媒体应走出“泛娱乐”的狭隘圈子，担当“公益媒体”的传播责任，这是电视媒体借助公益传播提升媒介形象的有效途径。粟平称电视工作者应勇于承担社会责任，制作和播出具有先进价值观的公益广告，发出时代最强音，正确引导人们的观念。

电视文化与女性形象

最近几年，女性主义媒介研究颇为引人注意，2007年在电视理论界相关的研究较多，而且呈现出具有阶段性总结的意味。姚鹭鹭通过对电视新闻、电视剧、电视广告中的女性形象分析，认为女性形象在电视媒体中被扭曲了，应当转变电视从业者的观念，培养性别平等意识。

三、电视节目和受众研究

2007年电视节目的研究亮点不多，主要以延续2006年的话题为主，不过让人欣喜的是，实证研究方法上的愈发成熟。

播出季

“播出季”作为西方的舶来品，最近两年被我国多家电视台高调采用并积极推广。对于该话题的探讨也比以往更深入、更加本土化。左瀚颖认为，我国“季播”策略尚不具规律性和规模性，对电视收视和广告市场的整体影响还比较小。徐立军、袁方 在《电视播出季——频道编播创新前沿》一书中指出，我国电视“播出季”与美国的“播出季”存在质的差别，概念的含混、内容的贫乏、受众的随意，导致我国电视“播出季”的真正实现还有一段路要走。姚进认为真正的播出季，不仅仅是节目的“编播季”，同时也是“制作季”与“销售季”，这就需要电视媒体有较高的营销水平。

电视选秀节目

在全国上下风起云涌的电视选秀浪潮推动下，2007年学术界继续对选秀节目保持高昂的研究热情，且表现出实证化、跨学科研究的倾向。中国传媒大学传播心理研究所研究小组的“流行娱乐节目 收视心理研究——以‘超级女声’的实证分析为例”的研究，通过数据整理分析之后得出，喜欢看《超级女声》节目的受众在收视动机、替代性满足、社会比较以及忠诚度等方面存在差异，而在从众心理方面差异不大。黄顺铭等人以“第三者效果假说”作为理论指导，以“大学生到底如何收看超级女声节目”作为研究问题，通过对两个城市的大学生的调查发现，大学生中不论是观众还是非观众均倾向于认为，别人受节目的影响大于自己所受的影响，即“第三者效果”占据了绝对的主导地位。另外，其他学者尝试跨学科研究的有：从现象学范式看“电视选秀”节目、关系营销在电视选秀中的应用、电视真人秀节目中的模糊美学规则等等。

对农电视节目

对农电视节目的研究也是对以前研究热点的延续。黄辉认为，当前在对农电视节目的发展中，存在三个矛盾：收视标准和功能定位的矛盾、政策悬空与具体落实的矛盾、市场需求与编导意识的矛盾。林叶提出对农电视报道选题策划的新要求：用新眼光理解新农业、新农村和新农民；用电视媒体的新理念重新提炼对农报道选题；用多元化的大视野统筹整合对农题材。

电视讲坛类节目

讲坛类节目持续被关注，跟央视《百家讲坛》的成功密不可分，2007年研究该节目和此类型节目的学术文章还保持在较高的数量上。陈立强提出，不能以学术讲座的规则和标准去评价讲坛节目，学术讲座走向荧屏，表现出一种强烈的世俗关怀，同时其原有的学术生态结构受到重新解构，从而转型为一种电视媒介语态，表现出巨大的传播学意义上的差异。

电视体育节目

随着2008年奥运会的临近，对于电视体育节目的研究也有升温的趋势。姜同仁、陶于指出，奥运会无疑给我国电视体育产业带来前所未有的发展机遇，为迎接挑战，应尽快完善电视产业市场体系，提高传播层次，加强专业人才培养。王晓东在我国电视体育观众特征及收视行为研究中发现，我国体育节目的收视呈周期性波动特征，体育节目观众以高学历、良好的职业身份、成熟的年龄为主要特征。

另外，前几年的理论研究热点——民生新闻，2007年已有所降温。在电视剧领域，对于家庭伦理剧、红色经典的改编等问题，理论界关注得也比较多。

通过以上的梳理分析可以看出，2007年中国电视理论研究在诸多领域都取得了长足的进步，理论联系实际的作风明显，理论界保持着对鲜活的电视实践充分的关注，同时，业界人士参与理论研究的热情高涨，提出很多有见地、有分量的观点。但是，值得注意的是，电视理论研究领域在单一问题上的重复建设现象严重，开拓崭新研究领域的能力不足，学理性差、理论和实践脱节的现象还都不同程度的存在。

（张玉川、欧阳宏生、陈佑　2008年第2期《电视研究》）

广播电视事业发展调研报告

中国国际广播电台2007年事业发展调研报告

2007年，中国国际广播电台按照中宣部和国家广电总局部署，就做好新形势下的中国文化走出去工程，进行了课题调研，初步形成了国际台推进中国文化走出去的规划和措施。

一、关于中国文化走出去的机遇与挑战

中国文化走出面临着良好的机遇。首先，中国文化对国外民众的吸引力越来越大，为外宣媒体在推动文化走出去工作上提供了良好的整体外部环境；其次，国际台等外宣媒体的快速发展，为中国文化走出去奠定了坚实基础；第三，新传播技术和传播途径的运用，为国际台推进中国文化走出去拓展了新渠道。

国际台推动中国文化走出去事业还有很长的道路要走，面临的挑战依然严峻，主要表现在：中国文化走出去依然面临着西方文化输出的强势局面；中国在中西文化交流和文化产品贸易中的“逆差”地位没有改变；从整体实力和国际影响力上看，国际台与西方对外宣传媒体在传播实力和影响力方面依然存在着较大差距。

二、关于中国文化走出去工作的主要问题和困难

推进中国文化走出去，当前的主要问题和困难，集中体现在观念、资金、渠道、人才等几大方面。以国际广播为例，制约走出去工程推进的主要问题表现在：硬件实力不强，传播理念相对落后，资金使用政策欠灵活，“走出去”渠道相对单一，人力资源存量不足。

三、关于当前世界文化传播新特点、新趋势

结合媒体发展态势来分析，当前世界文化传播，主要呈现出四大新趋势，即全球化、综合化、现代化和本土化。

全球化，主要体现在传播范围、传播信息、传播受众、传播影响的全球化。综合化主要体现为，规模经营、集约发展和优势互补。现代化趋势突出表现为，加速新老媒体融合、扩展新媒体业务、发展多媒体平台、加强媒体战略研究。本土化态势主要体现在传播视角的本土化、媒体人才的本土化和媒体运营的本土化。

四、关于国际台提升文化传播能力的措施

一是配合国家的文化传播战略，积极开拓新媒体业务；二是有选择性地进行新媒体的开发和建设，拓宽文化传播渠道；三是构建全方位的媒体资产管理系统，向全数字化文化传播方向迈进；四是加强节目内容的开发与制作，提升文化传播的亲和力。

五、关于国际台推动中国文化走出去的规划

一是坚持内容创新，提高传播竞争力和影响力，增强中华文化吸引力和感染力；二是加快推进节目境外落地，扩大中华文化的全球覆盖面；三是加强外宣媒体“走出去”步伐和自身建设，实施对外文化交流。

六、关于国际台拓展对外文化传播渠道的主要措施

一是创新对外传播理念和思路，二是加快推进节目境外落地，三是积极建设广播孔子学院，四是努力构建外交、外贸、对外交流、汉语教学和外宣结合的大外宣格局。

七、关于国际台提高文化走出去技术含量的主要措施

1．运用先进技术改造传统传播模式。主要包括：建设现代国际广播技术新体系，实现国际广播全面数字化，建立和完善环球广播覆盖网，构建全方位的媒体资产管理系统，建立播出质量监管和用户服务平台，加强新技术研究和应用

2．实现在线广播业务的两个延伸。即从单一的新闻频道向社区论坛、博客、播客延伸，从单一的网站平台向移动通讯、即时通讯、搜索引擎延伸。

3．加快推进新媒体建设。重点是多语种网络广播、网络电视和手机广播电视业务。（卜伟才）

注：该调研课题为中宣部设立，国际台已向中宣部及总局提交

中央电视台2007年事业发展调研报告

一、《中央电视台事业发展决策支持信息系统子项目报告》概要

1．《中央电视台投入产出指标体系模型报告》是决策支持信息系统的子项目之一，目标是在中央电视台有限的财力、人力、物力资源投入，与最终的电视节目和观众反映等产出之间找到一定的规律，以结构化的指标体系，在数据支持的前提下，以两者的关联关系反映管理运行的水平，在该指标体系设计中，“投入”、“产出”虽借用企业管理学院已有名词，但其内涵已根据传媒行业的特性进行新的界定。虽然现阶段的研究中，具体的数据收集仍有相当的难度，但本报告仍挑选出6个比较完备的指标进行测算，对中央电视台进一步提高成本管理水平有一定借鉴意义。

2．《全国电视台竞争力评估体系暨2006年电视台试排名分析报告》是另一重要子项目，2007年，为能清晰了解

中央电视台竞争实力以及全国电视台竞争变局，事业发展调研处联合中国传媒大学广告学院完成了《电视台竞争力评估体系》。对全国电视台竞争力进行了2005及2006年排名，并对这两年的变化进行对比分析，最终形成《全国电视台竞争力评估体系暨2006年电视台试排名分析报告》。

该报告经过多次论证和测试，数据均有可靠和权威来源，结果可以反映行业竞争力格局变化。报告根据全国竞争格局的年度变化，对中央电视台的整体竞争力进行了测量和评估。结果显示，中央电视台整体实力在全国电视台中遥遥领先，是排名第二的上海文广集团的1.7倍，但同时也反映出中央电视台整体观众忠实度在全国排名居中，是传播力中需要提高的关键指标；发展潜力与深圳电视台等新生卫视相比还显得不足等问题。全国电视台竞争力比较以定量研究真实反映了中央电视台的传播、经营、制作、新媒体等方面的竞争实力，不仅可清醒地认识自身实力与发展潜力，还可透视竞争格局，观察行业发展动向，有助于决策层定位发展战略，制定应对策略。

二、《中国数字电视发展报告2007》概述

第五届中国国际广播影视博览会期间，为了充分交流经验，探索广播影视发展方向，中央电视台事业发展调研处联合CSM媒介研究、中国传媒大学广告学院推出《中国数字电视发展报告(2007)》。报告由11章组成，内容涵盖了中国数字电视产业多个层面的问题，主要从以下几个角度切入：中国广电数字化战略布局的总体分析，有线、地面和卫星三种通路数字电视的最新发展态势，数字电视增值业务及盈利模式的分析，数字电视用户市场和广告市场分析以及包括广西和淄博的有线数字电视、重庆移动数字电视、亚洲卫星公司等几个典型案例。报告用翔实的数据和深入细致的分析，展现了当前数字电视产业的进展状况和未来发展变化趋向，对全面了解我国数字电视产业发展和运营之道，从而加快我国数字电视发展进程产生了有益的推动作用。

三、《“中国文化走出去”中央电视台专项调研报告》综述

为贯彻落实中央领导同志的指示精神，系统总结党的十六大以来“中国文化走出去”的主要工作进展和成效，中宣部开展“中国文化走出去”课题调研工作，并制定了工作方案。按照其中的分工安排，事业发展调研处作为中央电视台主要承办部门，最终进行汇总完成该报告。报告指出，十六大以来，中央电视台是中国重要的新闻舆论机构，始终致力于构建具有中国特色的文化传播体系。在中央领导的亲切关怀下，按照国家广电总局的决策部署，围绕中心，服务大局，积极推动“中国文化走出去”，海外覆盖及落地成效显著，构建分频道多语种的全球化传播格局；立足传承中华文明，服务全球华人，不断提升栏目节目品格品位，通过对外交流与合作进入国际市场。报告总结了在实施“中国文化走出去”过程中，中央电视台面临的机遇和挑战，国际国内的有利和不利因素，也提出了工作中存在的主要问题和困难，制约“中国文化走出去”的瓶颈和难点等。

四、《关于“如何提高我国文化传播能力，构建传输快捷、覆盖广泛的文化传播体系”的调研报告》介绍

根据国家广电总局办公厅《关于做好新形势下宣传文化工作》(中宣办发[2007]21)的有关精神，结合中央电视台已有经验和最新调研成果，事业发展调研处对中央电视台近年来“如何提高我国文化的传播能力，构建传输快捷、覆盖广泛的文化传播体系”以及目前面临的形势与对策进行了梳理总结：近年来中央电视台传统的视频传播形式和新兴的网络传播均取得较好的传播效果。与此同时，中央电视台不断推进新兴信息技术在电视领域的应用创新，积极调整产业结构，优化资源配置，为提高有效传播提供了有力的技术支持和资金保障。随着我国综合实力的不断提升，国际影响力也日益扩大，电视媒体在面临若干机遇的同时必将迎接各种考验，为此中央电视台将继续全面实施品牌化战略，走多媒体综合集成之路，不断提升舆论引导能力和国际影响力，持续加强技术创新，构建传输快捷、覆盖广泛的传播技术体系，全面深化改革，为文化传播实现可持续发展提供物质保障。

五、中央电视台《调研信息》(第35–42期）摘要

2007年的《调研信息》继续立足实际，完成了八篇专题调研报告。

1．第35期《调研信息》——《整合内外优势资源，提升媒体自身影响力》：从2007年元旦开始，北京电视台对BTV–1、BTV–2、BTV–8等多个频道进行了改版。诸多新节目令人眼前一亮，收视率更是一路攀升。该篇《调研信息》分析了北京电视台改版动因，介绍了北京台的改版举措以及改版的保障机制，中央电视台从中得到了三方面的启示：第一，内挖潜力、广借外力，积极推进制播分离；第二，整合资源、统一宣传，树立中央电视台品牌形象；第三，打造多层次、多渠道的主持人阶梯队伍。

2．第36期《调研信息》——《强化台网联盟，探索选秀等娱乐类节目运作新模式》：近两年，风起云涌的选秀节目给观众带来了全新感受，同时也引发了无休止的争议；2月27日，广电总局又出台了更严格的规定：选秀类活动的播出时间不得超过两个半月。播出周期缩短，各卫视频道势必会寻找新的对策，选秀节目将掀起新一轮的更为激烈的竞争。为此事业发展调研处联合央视国际网络共同进行了调研。文章分析了当前选秀类节目的竞争优势；探索了中央电视台选秀类节目运作新模式；指出台网联动是实现中央电视台娱乐类节目可持续发展的重要。

3．第37期《调研信息》——《浙江教科频道2.5亿元广告收入的背后》：近年来，浙江教育科技频道(以下简称“浙江教科频道”)异军突起，发展迅速，2006年单频道创收更是高达2.5亿，跻身全国科教专业频道的创收龙头。文章通过对浙江教科频道的整体运营策略的分析，得到三方面的启示：第一，频道定位精准，“新青年”体现频道特色；第二，节目创新围绕频道定位，铸造可持续发展频道品牌；第三，强化频道经营，提升频道价值。

4．第38期《调研信息》——《季播模式——提升收视率的新策略》。美国电视的“季”剧，在我国热播，受到中国观众的追捧。文章深入分析这一现象，指出季播模式是一种适应收视市场变化的编排策略，它对提升收视率、提升频道品牌有着强大催生作用，目前，国内已有多个频道尝试“季”播。季播优势突出表现在以下几个方面：能形成约会意识，培育引导收视规律；充分张扬品牌节目的品牌效应；可以根据市场反映及时调整丰富节目；广告营销获得长效增长效益。

5．第39期《调研信息》——《正确看待“广播电视台使用录音制品即将付酬”对中央电视台的影响》：《广播电台电视台法定许可播放录音制品支付报酬办法》(以下简称《办法》)即将出台。《办法》的出台将促进电视业版权管理走向规范化，有利于形成良好的竞争秩序，长远看来，受益最大的也只会是拥有最大版权优势的中央电视台。但在短期内，对中央电视台的版权管理势必会产生一定的压力，面对此种情形只有转变观念，增强员工的版权意识；出台内部支付办法及付酬标准，才能更好地维护中央电视台的品牌优势。

6．第40期《调研信息》——《国内电视剧竞争新态势与中央电视台的策略选择》：如何确保国家电视台电视剧的品位和示范引领作用，是中央电视台实施品牌化战略的重要要求。针对2007年国内电视剧市场竞争更加严峻、受众需求日趋多元化的形势，事业发展调研处对当前国内电视剧竞争新态势进行了调研。文章首先从分析省级卫视“电视剧资源的掌控”、“创新编排形式”、“加强宣传推广”的三大提升竞争力重要手段入手，全面分析了全国电视剧白热化的竞争态势。其次，结合中央电视台实际，指出了中央电视台电视剧经营策略中的宣传力度不够和衍生产品有所欠缺的问题。最后，在全面分析借鉴经验的基础上，针对中央电视台电视剧战略提出了坚守品牌、加大宣传力度、积极展开二次开发等建议，为中央电视台在电视剧竞争中站稳脚跟提供了有益参考。

7．第41期《调研信息》——《省级卫视发力“品牌栏目”对中央电视台的启示》：针对安徽卫视等省级卫视陆续转型，纷纷加大开发品牌栏目的现象，文章对中央电视台近期重大型节目、轻品牌栏目建设的情况给予了警示，同时通过调研得出：省级卫视已逐渐意识到单纯依靠电视剧或大型娱乐节目，没有把核心资源掌握在自己手中，耗费巨资外购电视剧和娱乐节目，存在着巨大的经营风险；大型活动不能持久地拉动收视，只有真正办好自己的品牌栏目，才是卫视今后能否在新一轮竞争中突围的关键。省级卫视目前强化“品牌栏目”的核心竞争力的手段主要集中在政策、资源、机制、人才四个方面。中央电视台面临地方台纷纷觉醒的局面，一方面要继续坚持品牌化战略，同时应该意识到当中存在的问题，下一步要稳步推进专业化建设、完善科学评价体系、建立栏目创新机制、提升栏目经营意识，从而在新一轮的全国电视竞争格局中继续保持优势。

8．第42期《调研信息》——《国际大台“数字化生存”的启示》：2009年1月1日，中央电视台新台址将正式启用，标志中央电视台将开始全面打造数字化网络化电视台。新台址的全新架构给中央电视台的现有运行模式带来了巨大挑战，如何适应数字化网络化时代变革的要求，未雨绸缪进行相关准备，是摆在中央电视台面前的一个重要现实课题。文章针对中央电视台这一需求，深入调研国际大台在数字化网络化方面的经验教训，既总结了三种成功模式：数据管理的“CNN”模式、流程管理的“CANAL”模式、安全管理的“NBC”模式，也指出国际大台出现的三大教训：决策过于激进、管理转型不畅、执行没有到位。文章客观评价了中央电视台在数字化网络化进程中的成绩与不足，具体分析了中央电视台在观念、技术和管理上面临的风险与挑战，提出面对全球网络化、数字化的发展趋势，需要积极借鉴各国的先进经验，不断完善数字化网络化的战略措施，才能增强中央电视台未来在全球化竞争中的优势，特别是要注重统一认识，完善规划，稳步推进、管理转型、技术创新；加大人才培养力度。

（中央电视台）

山东省广播影视产业发展情况介绍

近年来，国家和山东省相继出台的一系列加快文化体制改革促进文化产业发展的政策措施以及山东省建设文化强省的发展战略，为山东广电产业发展提供了前所未有的历史机遇；持续增长的经济实力为山东广电产业发展提供了强有力的基础保障。目前，山东省广播影视产业已初步形成了广告、网络、内容产业为主，出版、技术、信息、娱乐、服务等相关产业蓬勃发展的格局。2007年，全省广电系统实现产业经营收入54.6亿元，其中广告收入30.7亿元，其他产业收入23.9亿元，创收水平在全国广电系统的居于领先地位。省广电实现经营收入17．2亿元，青岛、济南、淄博、烟台4市广电经营收入突破2亿元。近年来产业发展的主要成绩在于：广告创收稳步增长；内容产业快速发展；网络整合和数字化建设积极推进；数字新媒体产业和动漫产业开始起步；相关产业良性发展；广电文化基础设施建设取得新突破。

鉴于目前的形势和任务，山东广电产业开发下一步将着重推进以下工作：

1．推进资源整合，培育市场主体

以资产和业务为纽带，通过资源整合、资产重组等形式，积极创造条件尽快组建并不断培育壮大山东广电产业集团公司，作为省广电核心企业，在我省文化产业发展中发挥主导作用和示范带动作用。积极创造条件推动优势广电企业上市融资，进一步提高山东广电的产业规模和社会影响力。

2．强化主导产业，增强经济实力

不断优化广告产品结构，确保广告收入的增长速度与山东经济发展水平相适应，继续保持或跻身全国同级同类广电机构的前列。创新影视剧生产、销售机制，做大做强“鲁剧”品牌，使山东成为全国重要的影视剧生产和销售基地。经营好北京、上海两个节目基地，大力发展广电内容产业。依托山东文化资源优势和广电媒介传播优势，加大齐文化、鲁文化、滨海文化等文化资源的影视剧创作和节目制作经营业务，使之成为广电内容产业新的经济增长点。进一步发挥全省广电系统的整体优势，兼顾省市双方利益，探索新型网络整合运营模式。以资产和业务为纽带，加快网络增值业务的统一规划和开发，实现资源效益最大化。

3．发展新媒体产业，优化产业布局

以有线数字电视增值业务开发为突破，积极发展视频点播、交互电视、多媒体信息服务等业务。积极推进广视网、山东广播网、山东电视网、视网联网站等系统内网站的整合运营，打造国内一流的新闻资讯和视听传播网络媒体。以发展无线数字多媒体业务为切入点，逐步开展覆盖全省主要城市、高建公路以及周边地区的移动电视业务。继续加强与移动通讯运营商的战略合作，共同推进“广视无限”手机电视产业项目的市场开发。以重点影视动漫题材开发为突破口，不断扩大我省原创影视动漫产品的市场规模，提高市场竞争力，在此基础上建设影视动漫产业基地。

4. 开发相关产业，完善产业结构

以济南、青岛为重点，以青岛影视基地和山东电影洗印厂开发为依托，大力发展影视文化休闲娱乐产业。以山东广电报刊中心和齐鲁电子音像出版社事转企改革为契机，加快广电平面媒体和音像电子出版产业发展。积极推进新型电视购物业务的市场开发，加强省、市广电之间电视购物业务的合作。以"大羽华裳"等文化演艺项目为切入点，发展壮大具有广电特色的演艺产业。以山东广电中心投入使用为契机，加强广电文化基础设施的综合管理与市场运营业务，使山东广电中心成为省内管理运营最为规范的综合性文化基础设施，将广电中心媒体产业大厦发展成具有现代传媒特色的文化产业经营中心和山东省文化产业创新创业基地。 （山东省广播电视总台产业发展部）

2007年度广播电视学术研讨会

2006～2007 广播电视传媒影响力展示及论坛
主办单位：中国广播电视协会
时间：1月20～21日
地点：北京

全国优秀电视文化（文艺）栏目表彰暨培训研讨会
主办单位：中国电视艺术委员会
时间：2月1～4日
地点：北京

全国有线电视数字化整体转换暨网络双向化改造工作研讨会
主办单位：国家广电总局科技司
时间：3月22～23日
地点：山东淄博

CCBN2007数字电视中国峰会"把握机遇——电视台迎接新媒体时代的到来"研讨会
主办单位：中国国际广播电视信息网络展示会组委会
时间：3月29日
地点：北京

军事题材电视剧论坛
主办单位：中国电视艺术家协会、解放军总政宣传部艺术局联合主办
时间：4月11～12日
地点：扬州

中国河北红色纪录片论坛
主办单位：中国电视艺术委员会、河北电视台、保定电视台、河北影视艺术家协会
时间：4月14日
地点：保定

电视剧《恰同学少年》研讨会
主办单位：中国电视艺术委员会、中国电视艺术交流协会、湖南省委宣传部、湖南电视台、长沙市委宣传部
时间：4月15日
地点：北京

非常游戏·非常思考——《非常有戏》两岸三地研讨会
主办单位：上海文广新闻传媒集团、文新报业集团新民晚报社
时间：4月18日
地点：上海

电视剧《喜庆农家》研讨会
主办单位：中国电视艺术委员会
辽宁电视台
时间：4月21日
地点：北京

首届(2007)西湖媒介素养高峰论坛——中国转型期媒介素养培育
主办单位：《中国广播电视学刊》、浙江省广播电视局、浙江传媒学院、浙江广播电视研究院、浙江省传播与文化产业研究中心
时间：4月21日～22日
地点：杭州

第七届全国互联网与音视频广播发展研讨会（NWC 2007）
主办单位：国家广电总局科技委员会、信息产业部通信科技委员会和新华通讯社通信技术局支持与指导，国家广电总局科技委员会战略专业委员会主办，国家广电总局发展研究中心及国家广电总局广播电视监测中心协办
时间：4月21～23日
地点：西安

栏目剧《低头不见抬头见》研讨会
主办单位：中国电视艺术委员会、山东电视台
时间：4月22日
地点：北京

第三届中国国际动漫节动漫产业高峰论坛
主办单位：中国传媒大学承办
时间：4月28日
地点：杭州

第三届电视戏曲"兰花杯"优秀电视戏曲节目表彰暨创作研讨会
主办单位：中国广播电视协会主办，电视文艺研究会和福建海峡电视台承办
时间：5月10～14日
地点：福建武夷山

军事题材电视剧论坛
主办单位：中国电视艺术家协会、解放军总政宣传部艺术局联合主办
时间：5月11～12日
地点：扬州

电视剧《荀慧生》研讨会
主办单位：中国电视艺术委员会、河北电视台
时间：5月13日

地点：北京

2007年全国电视台台长论坛

主办单位：国家广电局主办，中央电视台承办

时间：5月17日

地点：北京

2007全国广播新闻合作研讨会

主办单位：中央人民广播电台主办、山东人民广播电台承办

时间：5月24～27日

地点：山东济南

首届“传媒业知识产权保护论坛”

主办单位：中国法学会研究部、中国传媒大学电视与新闻学院

时间：5月27日

地点：北京

2007新闻传播学教育论坛

主办单位：山东大学文学与新闻传播学院、中国海洋大学文学与新闻传播学院、山东师范大学传播学院和青岛科技大学传播学院联合主办；青岛科技大学传播学院承办

时间：6月9日

地点：青岛

“白玉兰”国际电视论坛

主办单位：第13届上海电视节组委会

时间：6月12～15日

地点：上海

“中央电视台策划整合与品牌战略”研讨会

主办单位：中广协会电视学研委会、中广协会中央电视台分会和中央电视台总编室研究处主办

时间：6月16日

地点：北京

中国国际广播电台第二届地方共建广播外宣研讨会

主办单位：中国国际广播电台

时间：6月16日

地点：烟台

首届中国城市广电媒体品牌建设高峰论坛

主办单位：中国广播电视协会、中国文化产业品牌研究中心、长沙市广播电视局（集团）共同主办，电视法制节目委员会协办

时间：6月16～17日

地点：长沙

中国教育新媒体产业协作体（筹）论坛暨媒体见面会

主办单位：中国教育电视台主办、北京华清峰凌科技有限公司、韩国学习公司协办

时间：7月3日

地点：北京

中国广播电视协会经济广播委员会2007年年会暨全国经济广播总监经验交流会

主办单位：中国广播电视协会经济广播委员会主办；青海人民广播电台经济广播承办

时间：7月6～11日

地点：西宁

中国电视新闻深度报道及评论节目高峰论坛

主办单位：上海文广新闻传媒集团电视新闻中心

时间：7月6日

地点：上海

大型日播栏目剧《百姓聊斋》专家研讨会

主办单位：江苏影视频道

时间：7月21日

地点：南京

电视剧《狼毒花》研讨会

主办单位：中国电视艺术委员会

时间：8月中旬

地点：北京

第二届地方共建广播外宣研讨会

主办单位：中国国际广播电台

时间：8月16日

地点：烟台

中国青少年节目创新与频道（栏目）品牌运营发展研究会

主办单位：青海省广电局、青海电视台

时间：8月17～18日

地点：西宁

中国广播影视创新型人才培养论坛

主办单位：中国国际广播影视博览会组委会

时间：8月22日

地点：北京

2007体育电视国际论坛

主办单位：中国国际广播影视博览会组委会

时间：8月24日

地点：北京

中国广播影视大奖第26届“飞天奖”研讨会

主办单位：中国电视艺术委员会

时间：8月26日

地点：北京

2007(中国)广播发展论坛暨全球华语广播协作网年度会议

主办单位：中央人民广播电台

时间：8月28日～9月1日

地点：北京、青岛

2007年8月28日，由中央人民广播电台主办的2007（中国）广播发展论坛暨全球华语广播协作网年度会议在北京召开

电视剧《士兵突击》研讨会
主办单位：中国电视艺术委员会
时间：9月1日
地点：北京

“2007亚洲传媒论坛”国际学术活动周 ——“全球化体育事件与体育传播”
主办单位：中国传媒大学亚洲传媒研究中心主办，西班牙巴塞罗那自治大学奥林匹克研究中心和瑞士卢加诺大学中国传媒观察研究中心联合承办，由韩国高等教育财团赞助
时间：9月14～23日
地点：北京

农村现实题材电视剧创作研讨会
主办单位：中国电视艺术委员会、国家广电总局电视剧司、吉林省委宣传部、吉林省广电局
时间：9月21日
地点：长春

第二届中国（北京）国际大学生动画节暨2007全国新媒体艺术系主任（院长）论坛
主办单位：中国传媒大学
时间：9月21～24日
地点：北京

思想的力量——时事大家谈暨评论节目研讨会
主办单位：湖北广播电视总台新闻综合广播
时间：9月29日
地点：武汉

电视剧《金婚》研讨会
主办单位：中国电视艺术委员会、中国广播电视协会电视制片委员会
时间：10月8日
地点：北京

电视剧《彭雪枫》研讨会
主办单位：中国电视艺术委员会、总政治部宣传部艺术局、中央电视台文艺中心、第二炮兵政治部宣传部
时间：10月9日
地点：北京

第三届全国广播电视“十佳百优”理论人才评选会
主办单位：中国广播电视协会；贵州电视台
时间：10月9～13日
地点：贵阳

“中国红歌会”研讨会
主办单位：江西省委宣传部、广电局、电视台举办
时间：10月14日
地点：北京

电视剧《文化站长》研讨会
主办单位：中国电视艺术委员会
时间：10月17日
地点：北京

2007中国传播学论坛“和谐社会、公民社会与大众媒介”国际学术研讨会
主办单位：中国传播学会(CAC)、国际传播学会(ICA)主办，中国传媒大学、中国传媒大学广播电视研究中心、英国西敏寺大学中国媒体中心、复旦大学新闻学院、复旦大学信息与传播研究中心和德国阿登纳基金会合办，中国传媒大学广播电视研究中心承办。
时间：10月20～21日
地点：北京

2007年10月20～21日，由中国传媒大学承办的2007中国传播学论坛“和谐社会、公民社会与大众媒介”国际学术研讨会在北京举行

2007年全国电视文艺发展与合作年会
主办单位：中央电视台
时间：10月25日
地点：武汉

第二届中国（北京）国际文化创意产业博览会广播电影电视展览和发展论坛
主办单位：文博会组委会办公室和北京市广电局主办，北京歌华文化发展集团承办
时间：11月7～11日
地点：北京

电视剧《五星大饭店》研讨会
主办单位：中国电视艺术委员会
时间：11月11日
地点：北京

电视文艺研委会2007年年会暨电视文艺创作研讨会
主办单位：中国广播电视协会电视文艺研委会
时间：11月2～5日
地点：辽宁鞍山

“新形势下广播电视广告播出管理与经营对策”学习论坛
主办单位：广东省广电局和中国广播电视协会联合举办
时间：12月7日
地点：广州

“合作与发展”研讨会
主办单位：中国电视艺术家协会全国影视频道委员会主办，陕西电视台影视娱乐频道承办
时间：12月6～9日
地点：西安

2007年全国电视剧创作座谈会
主办单位：国家广电总局
时间：12月13～14日
地点：南京

全国电视台理论研发工作2007年年会
主办单位：中国电视艺术家协会；贵州电视台
时间：12月13日
地点：贵阳

中国广播电视协会2007年年会
主办单位：中国广播电视协会主办；黑龙江广播电视局、黑龙江电视台承办
时间：12月24～28日
地点：哈尔滨

论点摘编

增强抵制低俗之风工作的自觉性、主动性

王太华　在2007年第5期《中国广播电视学刊》上撰文认为：

一要充分认识抵制低俗之风是我国广播电视根本性质的必然要求。坚持正确政治方向和确保正确舆论导向，始终是广播电视最大的政治、最硬的道理、最根本的任务。包括低俗之风在内的任何违背我国广播电视性质和任务的行为或做法，都是坚决不能允许的。

二要充分认识抵制低俗之风是建设社会主义核心价值体系、促进和谐文化建设的必然要求。加强抵制低俗之风工作，就是要用社会主义核心价值体系来武装广播电视队伍，以社会主义核心价值体系来抵制低俗之风的侵蚀，确立社会主义核心价值体系在广播电视节目生产制作中的主导地位。

三要充分认识抵制低俗之风是坚持正确舆论导向的必然要求。低俗之风宣扬不健康的思想感情、道德情操、生活方式，以及庸俗、恶俗等内容，严重影响正确舆论导向，必须坚决抵制直至完全消除。

四要充分认识抵制低俗之风是满足人民群众文化需求、保障人民文化权益的必然要求。制作播出低俗、庸俗、恶俗的节目，迎合极少数人的低级趣味，与上述要求是格格不入的，是决不能允许的。

五要充分认识抵制低俗之风是维护国家文化安全的必然要求。近年来我们广播电视节目中出现的低俗之风，明显受到了西方不良电视文化的影响，对中华民族优秀传统文化造成冲击，在很大程度上影响了中国广播电视的民族文化品格和发展趋势，直接威胁到国家文化安全，必须引起我们的高度警惕。

六要充分认识抵制低俗之风是确保广播电视健康发展的必然要求。近年来广播电视低俗、媚俗、庸俗之风催生出来的有偿新闻、虚假新闻、违法广告、低级娱乐节目以及过多的“选秀”活动等，使广播电视的社会公信力和影响力受到了很大的损害，严重影响了广播电视的正确发展方向，削弱了坚持正面宣传、推进宣传创新的动力和能力。因此，必须采取有效措施坚决予以抵制，确保广播电视健康发展。

抵制低俗之风要把握的基本要求

胡占凡　在2007年第5期《中国广播电视学刊》上撰文认为：

要维护国家尊严和民族利益，尊重民族习惯和宗教信仰。坚持符合传统美德和时代精神的道德行为规范，坚持正确的世界观、人生观和价值观，倡导健康的家庭观和婚恋观。

要尊重他人人格尊严，维护他人姓名权、肖像权和名誉权。不得窥探、侵犯他人隐私，不得有侮辱、歧视他人的内容，不得以恶搞、整人娱乐观众，不得刻意暴露人性弱点和阴暗面，不得为追求轰动效应而迎合少数人的猎奇心理、审丑心态。

要尊重和保护我国文化资源，不能调侃、歪批、戏说、肆意篡改红色经典、文学名著、美好典故，坚决抵制颠覆优良传统、恶搞英雄人物、亵渎文化经典、调侃崇高精神的节目、语言、画面和情节。

要坚决抵制拜金主义、享乐主义和极端个人主义，不得表现奢靡铺张，豪华排场，畸形感官享受，精神颓废等情节画面，不得以高额奖金、物质刺激观众收看，诱发观众博彩投机心理。

要坚决制止以淫秽、色情为“卖点”，宣扬扭曲的伦理道德和不健康的情感内容。坚决制止以谈性为乐、以谈兴为荣，坚决制止热衷于性话题、性暗示、性挑逗以及打情骂俏等低俗内容。

要注意维护祖国语言文字的纯洁和规范。综艺娱乐节目要坚持使用标准普通话和规范汉字，提倡语言美，提倡文明用语、规范用语，净化语言文字环境，不能使用粗话脏话。

要坚决纠正主持人低俗媚俗现象。

群众参与的广播电视选拔类活动要少而精，严格控制数量，重在活动的质量。

要严格禁止炒作名人婚恋绯闻秘史，艺人明星隐私恋情，坚决杜绝网络垃圾、演艺糟粕污染荧屏。

要加强对普通人的关注，不能把荧屏声频变成名人表演平台和私人聊天室，要让更多的普通人走进演播室。

要制止各类节目的泛娱乐化倾向。

论中国新闻改革的优先目标

——写在新闻改革30周年前夕

李良荣　在2007年第4期《现代传播》上撰文认为：

中国新闻改革优先目标的确立，是制度创新的理论前提。目前，意识形态安全、公共利益、商业利益三者之间孰轻孰重的选择，决定中国新闻改革的未来走向。其中，确保意识形态安全，是政府对传媒业要求的底线，也是追求的优先目标，为确保意识形态安全，我国建构了党性原则，包括对新闻媒体的定性、党管媒体、国有资本对媒体的绝对控股权以及采用行政手段扶植主流媒体等。学术界则以维护公众的公共利益为新闻改革的优先目标，其主要观点是公众私人利益不受传媒侵犯、满足公众知情权、普遍服

务原则，其中知情权是重中之重。在中国传媒业确立“事业性质、企业化运作”的基础下，传媒业表现为经纪人形象，为此，其发展的优先目标表现是商业原则。在意识形态安全、公共利益与商业利益的三方博弈中，公共利益受到严重藐视，作者认为需要必须改变传媒业完全市场化的制度安排，建立一种新的以公共利益为主的制度创新原则，并以此来约束传媒业。

从“保卫新闻学”到“发展传播学”

——当前我国新闻学学科建设之我见

郑保卫　在2007年第1期《现代传播》上撰文认为：

在新闻学学科地位受到严重冲击的情况下我们要把“保卫新闻学”作为自己的主要任务，要正确看待传统新闻学，正确认识新闻学与传播学的关系，要重视新闻学的创新与发展，维护新闻学的学科地位，而在今天，新闻学学科地位已经得到确认并在不断巩固，“发展新闻学”是我们当前最迫切的任务。作者认为，坚持在继承传统的基础上发展、坚持在学习借鉴的基础上发展、坚持在理论创新中发展、坚持在科学与人文精神的关照下发展、坚持在马克思主义新闻指导下发展，是今后我国新闻学发展需要坚持的正确的原则和方法。我们的新闻学研究只有紧密结合我国国情，联系当前我国新闻工作的实际需要，不断进行理论创新，坚持用自身的新实践、新经验、新理论去充实、丰富和发展自己，才能最终建起中国特色社会主义新闻学的理论体系，也才能真正实现新闻学的发展。本文对我国新闻学科建立和发展的基本历程进行了梳理。

论如何建立健全舆论引导工作格局和工作机制

雷跃捷、唐远清　在2007年第2期《现代传播》上撰文认为：

舆论导向正确对当和人民事业具有重大意义。确保正确的舆论导向，是我国新闻管理至关重要的工作目标之一。建立健全舆论引导的工作格局和工作机制，能够为正确舆论导向提供组织保障和制度保障，是具体落实正确舆论导向中极具现实性和紧迫性的一个重要环节。在本文中，作者对建立健全舆论引导的工作格局和工作机制的重要性进行了阐述，提出要建立健全以党政主管机关为主导的、以行业自律为基础、以专业监督和社会监督为辅助的舆论引导工作格局，为正确舆论导向提供组织保障；从工作流程和工作主体两方面分析了要建立健全完善的舆论引导工作机制，为正确舆论导向提供制度保障，作者认为，要加强研究，促进舆论管理工作从以行政手段为主向以法律手段为主转变，探索建立舆论引导工作管理的长效机制。

政府在突发事件处置中的舆论引导

叶皓　在2007年第4期《现代传播》上撰文认为：

突发事件的新闻传播特点主要表现为公众对信息的饥渴性、媒体对此类信息的热衷性、政府信息发布的权威性和信息传播的先入为主性。媒体在突发事件处置中具有不可替代的重要作用，表现为：1．人民群众知情权和监督权是通过媒体来实现的；2．媒体成为危机事件各方利益的角力场；3．媒体在政府处置突发事件中具有双刃剑作用。舆论引导是政府处置突发事件的重要内容，有助于事件本身的尽快解决；有助于防范新的事故连锁发生；有助于今后防范此类危机再现。作者总结政府在危机处置中舆论引导方面主要存在的问题为不肯说、不尽快说、不说真话、事后说等，并对如何健全完善政府危机处置的舆论引导机制提出了一些建议：事故现场记者管理机制、第一时间新闻发布机制、事故处理中的滚动发布机制、突发事件中的网络管理机制、妥善处理负面报道机制。本文从突发事件的界定出发，探讨了突发事件的新闻传播特点、媒体在突发事件处置中的地位与作用、舆论引导在政府处置突发事件的重要性，以及政府健全完善舆论引导机制的途径与方法。

舆论监督面临的八大难题

杨德灵、胡黎明　在2007年第4期《现代传播》上撰文认为：

在我国各媒体焦点类栏目的实际运作中，普遍出现了这样一些问题：1.新闻舆论监督的行政管理壁垒森严，无法冲破地域限制和行政级别限制，舆论监督功能无法纵深发展。2.新闻舆论监督介入政治经济、文化教育思想道德等相关社会领域的深度还远远不够，对一些重大事件、重大问题还不敢触及和报道，舆论监督缺席逃避现象时有发生。3.新闻舆论监督受政治气候影响，时起时落。4.新闻舆论监督的层次低，范围有限。5.新闻舆论监督没有发挥出媒体的总体优势，节目形态老化，刊播版面和播出时段被逐步边缘化。6.出现媚官、媚权、媚势、媚钱和滥用权利现象。7.后备力量不足，记者心态老化。8.新闻官司凸显新闻舆论监督某些批评方法的不得当。

“焦点类栏目”被群众称为社会最后的良心。可是，良心和正义感却越来越难敌权势和金钱的腐蚀，媒体的公信力正在受到严峻考验。表现之一是屈服于来自“顶头上司”的高压。在这种情况下，一些人为保饭碗和官职，就只能按照谁官大就听谁的，只能按照长官意志去办。表现之二是被地方保护主义蒙住了眼睛。在一些地区或单位，地方本位利益观念相当强烈，其管辖区内的新闻媒体也就挖空心思以各种肉麻口吻进行吹捧，什么“新思维”、“大手笔”等等。表现之三是屈从于商业的压力，对事关媒体广告收入的客户所出现的一些问题“睁一只眼闭一只眼”。表现之四是把舆论监督的权利变成谋取个人利益的工具。

我国传媒监管体制的路径选择

柏杨　在2007年第5期《中国广播电视学刊》上撰文认为：

我国传媒监管体制应采取混业监管和分业监管相结合的体制，即整合现有传媒监管行政主体的职权，建立一个统一的传媒监管机构，在其内部进行分类监管。同时，可采取强混业监管和弱分业监管相结合的体制，在体制内对非商业性传媒做特别规则或例外规则。混业监管和分业监管相结合的体制符合我国的国情，符合行政改革的精简、效能原则，是依法治国的必然要求。本文详细阐述了我国传媒监管体制的现状；分析了传媒监管体制的域外经验，如：分业监管体制、混业监管体制、混业监管和分业监管相结合的体制；还探讨了传媒监管体制的发展趋势。

中国政府新闻发布制度的理论探析

孟建、李晓岚　在2007年第3期《现代传播》上撰文认为：

中国政府新闻发布制度理念层面的理论来源主要是知情权和政府信息公开理论以及软实力理论；对于中国政府新闻发布制度的规则维度，着重分析了议程设置理论和危机传播理论；并认为框架理论和公共关系理论是中国政府新闻发布制度实践层面的理论来源。通过对多种理论的现实应用分析，揭示了中国政府新闻发布制度建设领域的理论和现实互动关系，指出中国政府在新闻发布制度建设上显现了对相关理论纯熟的运用。本文从新闻发布制度的理念、规则和实践层面梳理了中国政府新闻发布制度的理论脉络。

广电传媒影响力与国家文化软实力

孙宝国　在2007年第12期《中国广播电视学刊》上撰文认为：

文化软实力是综合国力和国际竞争力的重要组成部分。我国要在激烈的国际竞争中赢得主动，就必须在壮大经济实力、科技实力和加强国防力量的同时，使国家文化软实力有一个大的提高。

广电传媒集资讯、文化和意识形态功能和属性于一身，其以引导力和吸引力为主要内涵的影响力是国家文化软实力的核心内容之一。

增强中国广电传媒影响力面临难得的历史机遇，具体表现在两个方面：一是中国国家文化软实力空前提高；二是中国广电传媒影响力明显增强。

增强中国广电传媒影响力的路径有两个：一是创新对内传播的理念、内容和形式，增强中华民族凝聚力；二是创新对外传播的理念、内容和形式，增强中华文化吸引力。

中华民族的伟大复兴必然伴随着中华文化的繁荣兴盛，中华文化的繁荣兴盛离不开中国广电传媒的有力支撑。面临新形势、新任务，中国广电传媒要迎接新挑战，抓住新机遇，充分发挥人民在文化建设中的主体作用，调动广播电视工作者的积极性，增强自身的影响力，为提升国家文化软实力做出应有贡献。

创新农村广播影视公共服务的制度安排

杨明品、易凯、李江玲　在2007年第7期《中国广播电视学刊》上撰文认为：

应该在总结两大工程建设和运行经验的基础上，适应市场经济体制，创新农村广播影视公共服务的制度安排。这项制度框架主要包含以下八个方面的内容。

一、基本理念

农村广播影视公共服务的公益属性及其社会效益，决定了它的提供应该遵循以下六条原则：必要原则、可及原则、基准原则、均衡原则、绩效原则、阶段性原则。

二、建立多元统筹的财源体制

政府应当是基本公共服务的提供者，是非基本公共服务的倡导者，是整个公共服务的规划者和管理者。非基本公共服务应由政府、社会及市场共同提供，政府应定位于主导、参与、支持、分担和协助。

三、建立分级负责体制

1.基础设施建设维护的分层负责制。

2.频道、节目和电影放映的分层负责制。

3.巩固县级广电的基础地位，并赋予其主要为农民服务的职能。

四、建立评价指标体系和监督评估机制

1.制订广播影视基本服务的标准。

2.建立评估与监督机制。

五、提供主体的多元化

农村广播影视公共服务的提供主体除政府和政府所属的事业单位之外，还有企业和非营利性社会组织。

六、分类供给，分类消费

农村广播影视公共服务分为多个层次，应该根据每个层次的不同情况进行分类供给，采取不同的消费模式。广播电视：在基础设施方面，优先、无偿提供无线传输服务，逐步提供有线传输和直播卫星传输服务。电影：固定影院放映的基本场次有偿提供，流动放映的基本场次免费提供，非基本场次付费提供。把农村电影政府买服务的基本放映与企业广告放映和赞助放映分开供给。

七、建立广播影视公共服务供给低保救济制

八、制定配套的法规规章和经济政策

浅议媒体实现和谐舆论的四大标志

王泉水　在2007年第9期《声屏内外》上撰文认为：

媒体为构建社会主义和谐社会营造良好的舆论环境，体现其政治责任、社会责任和引导责任有四大标志。

一、既当好“党和人民的喉舌”，又当好“党和人民的耳目”。长期以来，我国媒体扮演“党和人民的喉舌”时候多，充当“党和人民的耳目”时候少。

二、努力维护民众的知情权和话语权。在知情权和话语权问题上，我国媒体历来对领导者的关注远远超过对普通民众的关注；而媒体是民众实现知情权和话语权的一个重要平台。媒体应以民主为内涵，提升民众知情权和话语权的地位，促成政府、媒体、民众之间的多向沟通和交流，以便探求公共问题的解决之道。

三、正面报道为主，批评监督辅助。一方面，媒体是和谐成果的传播载体；另一方面，媒体以自己特有的方式干预社会生活。因此，媒体应通过找准正面着力点来弘扬时代主旋律，推动社会进步；通过找准负面问题关注点来减除社会负面因素，缓解社会矛盾，促进社会健康、持续、和谐发展。

四、别出心裁地创造形式。和谐舆论有尽善尽美的表达形式才能取得良好的传播效果。抛弃冷僻、怪异、粗糙，内容与形式两张皮。要扬长避短，充分挖掘自己的特点。经常以新鲜的心情来处理眼前事物。根据定位、侧重和受众不同而选择不同的形式。

媒介素养教育本土化的意义建构和发展路径

赵渊　在2007年第9期《中国广播电视学刊》上撰文认为：

“媒介素养教育本土化”进程的实质是在我国特殊体制范围内，结合与依托我国媒介运营宗旨、管制制度、学校培养目标、组织机制和我国基层政权建设等相关要素，形成媒介素养教育的理论架构和实践体系，探索出一条适合我国国情的媒介素养教育发展道路。

一、媒介素养教育本土化的意义建构

媒介素养课程结构的设计、教育教学模式的探讨、教育载体和形式的延伸、教育资源的优化和整合、教育体系的构建都不能仅仅依赖于媒介素养教育自身或者简单移植西方的教育模式和方法。它必须附着在我国完善的国民教育体系中，根据当前我国中、小学乃至幼儿教育、高等教育发展改革的趋势和特点，实现媒介素养教育在我国教育体系中的“软着陆”，把媒介素养教育全面融合进我国基础教育和高等教育的教育内容、教育理念、教育考核指标中，融合进教育事业发展的全局中，媒介素养教育才能具有最稳定的支持和依托

二、媒介素养教育本土化的发展路径

作为全民教育范畴的命题解构，我国媒介素养教育分为媒介从业者和社会受众两个实施主体。我们应该始终坚持把媒介从业者的素养教育和社会受众的媒介素养教育置于同等重要的地位，分别依附于我国的传媒事业和教育事业等的发展，整合体制优势和各相关资源，构建两大独立的媒介素养教育体系，深入推动媒介素养教育的开展。通过传媒从业者的媒介素养教育体系的构建和社会受众媒介素养教育体系的构建可以实现媒介素养教育本土化的目标。

“新闻娱乐化”的危害

石丛珊　在2007年第1期《视听纵横》上撰文认为：

娱乐化的新闻违背了新闻的真实性，使受众不能全面、真实地认知现实社会，消解了新闻的意义，模糊了受众对于社会深层次问题的关注，弱化了新闻的告知功能，损害了受众的知情权，引发了职业道德的滑坡，污染了媒介的生态环境。当对“新闻娱乐化”的推崇到了极致，甚至新闻以娱乐为终极目的时，我们就看到了由媒介一手操控的“灰色收视率”、“黄色收视率”、“黑色收视率”，造成了媒介生态的严重污染。在娱乐化和商业化的双重影响下，一些媒体从业人员降低甚至完全放弃了自己的职业道德底线，不惜以刺激人原始感官的低俗、粗俗、恶俗的内容、以拙劣的手法惑人视听，迎合低级趣味。“收视率”是否是万恶之源，应当看这是一种怎样的收视率。代表凶杀暴力的“黑色收视率”、代表“性”的“黄色收视率”和传播病态心理的“灰色收视率”显然是同媒介的社会责任，媒体从业者的职业道德、社会良心相悖的，为了达到这样的收视率而将娱乐化的种种手法强加到新闻上，是非常不应该的。

在媒介生态中，媒介是活的生物，生存在适合其生存、发展、繁衍的生态环境中，同时对生态环境也发挥着自身应有的功能。对“新闻娱乐化”的过度追捧，使得大量浅薄无聊，缺乏人文关怀和道德感的信息充斥人们的眼球，占据着其他信息资源的生态位，在媒介生态里疯狂地生长，成为冗余信息，污染资源。只有充分发挥媒介的自控、自净能力，才能有效保持媒介生态的平衡和稳定。

大众传播对社会的真正影响并不在于它对具体受众的即时效果，而在于它对人类文化和社会生活所产生的间接的、微妙的和长期的影响。如果这股荧屏的娱乐之风长久得不到净化，那么将会给公众的心灵和社会的发展带来难以估量的后果。

“媒介产业化”十年考

黄升民　在2007年第1期《现代传播》上撰文认为：

1996年《媒介经营与产业化研究》一书的出版，标志着媒介产业化研究正式登场亮相。本文梳理了媒介产业化研究的十年历程，对这十年研究的重点问题，如媒介经营与产业化问题、媒介与资本／国际化问题、媒介集团化问题、数字技术研究问题以及数字新媒体研究等问题进行了回顾，总结了包括经营动力、规模动力、技术动力这三种推进媒体变革的力量，分析了媒介产业化进程中的三种突出矛盾：媒介事业和产业的矛盾、媒介生存空间的矛盾、媒介开放与封闭的矛盾，提出应该用剥离的思路来进行解决，而广电媒体的产业化进程也需要在四次剥离中继续进行，这四次剥离依次表现为：网台分离、制播分离、频道分离、宣传与报道分离。作者指出媒介产业化出现了集团化的失败和文化体制改革的困惑，最后，作者分析了媒介产业化的发展趋势和演进特点，认为媒介产业化的未来趋向主要表现为：1.着力两个形态：竞争和供需平衡；2.拓展三个无限：生产、传输和需求；3.围绕四个环节：生产、集成、网络和服务；4.构建三个保障系统：媒资管理系统、家庭信息平台、媒体决策支持系统。

媒体的社会责任与广播的健康发展

赖谦进　在2007年第11期《中国广播》上撰文认为：

处在我国社会的经济转型期，新型媒体的出现、受众需求的多元、传播手段的进步，特别是对媒体产业功能的确认，给媒体决策提出了更高要求，也带来了更大难度。如何承担起媒体的社会责任，促进广播的健康发展是一个值得深思和探讨的问题。实践中正反两方面的经验说明，促进广播健康发展，关键是要增强媒体的责任意识。责任是人们履行义务的自律意识和人格素质的表现。因此，除了要加强内部管理、制度建设、岗位培训之外，还要从三个方面入手，自觉承担起广播媒体的社会责任。首先是从源头做起，用健康的内容丰富节目的内涵。在内容取舍上，坚持以正面宣传为主，控制负面报道，抵制一切低俗、庸俗的报道内容。其次是抓品牌带动效应，提升节目品味。实践证明，社会责任本身具备丰富的品牌价值，广播只要认真履行社会责任，就能为自身的发展创造良好的生态环境，成就广播品牌。其三是重在营造氛围，让媒体文艺传承先进文化。文艺是广播电视的半壁河山，对广播电视的发展有着举足轻重的作用。在广播文艺宣传中，能够做到通俗而不低俗、健康而不颓废、阳光而不阴暗，就会在履行社会责任的同时，也为自身的健康发展营造良好氛围。

用创意和创造力做强广播

丁文奎　在2007年第3期《中国广播》上撰文认为：

打造广播创意产业，要以广播电台的创意性节目传播为基础。广播创意产业属新事物。创意产业的潜质依托广播的伴随性、便携性、个性化、低成本优势和良好的受众市场。在美国，广播节目受众到达率为81%，高于电视，其根源是全方位的符合广播发展规律的创意。中国广播的潜力和优势远未穷尽，用创意和创意产业去开启是根本。广播创意产业要从经济、社会、受众等多方面入手，立足于内容、制度、科技三者创新的结合，在满足公益服务的前提下，拓展更多商业性服务。手机广播、网络广播在我国已起步，但在受众中缺乏热度，这需要宣传、推广、营销等商业运作，吸引广大消费者认识、喜爱、购买、使用新媒介。广播电台要当好新媒体的提供商，开辟适合新媒体的广播新业务，对市场和受众需求进行全面超前研究，凡广播优势所能到达之处都要攻城略地，出奇制胜。让广播延伸产品进入更多市场通道，优秀、经典广播作品在电台和消费者中广泛流通，以开放姿态与社会联合，对商场、车站、码头、机场、地铁、公交车船等公共场所的移动收听人群进行规模化开发，并制作出适合此类听众口味的各种广播节目。让创意和创意产业引领广播，实现广播电台社会效益和经济效益双丰收。

在国际广播中应加强传统文化报道

梁建军　在《国际广播影视（学刊）》2007年第3期上撰文认为：

在目前形势下，国际广播的本质没有变，但它发生功用的方式在变化，而这种变化的一个重要方面就体现在文化传播方面。中国传统文化应该成为中国国际广播的重要内容，这是民族文化认同的需要，外交的需要，也是国际广播自身发展的需要。

中国国际广播通过长期持续地传播中国传统文化，自然可望达到增进外国人对中国的了解和友谊，以及增强华侨华人对中华民族的凝聚力的效果。但更有针对性的是，它与全球兴起的“中国热”、“汉语热”及我国政府与民间一系列推广中国传统文化的作为相呼应，与中国政府倡导的和谐世界理念相呼应，有效化解西方舆论宣传对我国家形象造成的负面影响，为我国的国内建设营造良好的国际氛围。

论国际短波广播的发展与定位

曲慧斌　在《中国广播电视学刊》2007年第7期上撰文认为：

国际短波广播在全球信息化的今天依然得到各国的重视与发展。进入90年代，国际短波广播的发展具有媒介影响力下降和战略意义增强两个明显的特征。

相对于快速发展的卫星电视和互联网，短波广播传播过程中易受干扰等缺陷导致了听众的疏离，在媒介影响力方面处于弱势。但短波依然是最可靠的全球传播工具，是国家间斗争与交流的阵地之一，对与发展中国家的交往仍具有重要意义，国际频率分配原则决定短波广播作为战略资源长期存在等因素，决定了国际短波广播在新形势下仍具有重要的战略意义。

国际短波广播在新形势下将作为一种国家的重要战略储备而长期存在。同时，数字技术的发展将使短波广播不断自我完善，在跨国传播领域发挥更大的作用。

如何正确看待收听率的作用

靳雷　在《中国广播》2007年第9期上撰文认为：

不论是功能性节目还是商业性节目，都需要收听率支撑，特别是重点节目、新闻节目，由于肩负着党的喉舌职能，就更应该追求传播效率，让广播入耳、入脑、入心。由于收听率指标的引入，一些广播电台的内容设置、节目编排更加科学、合理，充分照顾到听众的收听习惯，避免做“无用功”，提高了广播的受欢迎程度，对广播事业的健康发展起到了积极作用。但是，收听率不是衡量节目的唯一标准，在引入收听率时，也要考虑节目的功能定位。脱离媒介的意识形态作用，只谈市场也是不现实的。因此，并不是所有节目都需要高收听率，比如有些服务性节目（医药、科技）节目、对象性（残疾人、老年人、少儿）节目，是针对某些特定人群的，是以传递信息、服务对象为目的的，如果这些节目单纯以收听率去评价节目质量，未免有失公允。

坚守社会责任是中国电视的第一要务

时统宇　在2007年第5期《视听界》上撰文认为：

中国电视在产业化、市场化过程中付出的代价是沉重的、巨大的，这集中体现在中国电视社会责任的淡化和文化品位的低下。中国电视近年来以审丑和低俗为能事和乐事已经到了无以复加的程度。而造成电视传播低俗化屡禁不止的终极原因，是中国电视在产业化、市场化进程中对收视率、市场份额、广告收入等利润指标的片面追求。以收视率为例。

收视率是一柄双刃剑。一方面，我们必须认清中国电视对收视率的重视是巨大的历史进步。从大的方面讲，没有收视率的电视节目，不能代表中国先进文化的发展方向，不能承担起传承文明、人文教化的重任。道理很简单——没有人看的节目，你去教育谁？另一方面，唯收视率马首是瞻，用收视率去决定电视节目的生死存亡，同样将偏离电视台作为生产精神文化产品的专门机构的基本属性和职能。

电视事业发展的成果之一就是文化工业迅速成熟，文化市场日趋丰富。从更广阔的社会背景看，包括电视在内的文化艺术向商业化靠拢，实际上表明了整个中国社会被纳入市场体制运行轨道的深刻变革。中西方不同社会制度下的新闻媒体，它们生存与发展中的许多关键词，在经济全球化的今天有了共同的意蕴，比如市场份额、收视率、争取利润等。我们之所以说电视文化处于发展的初级阶段，各种怪现象不可避免，是因为中国市场经济的发展中还有许多无序甚至混乱的现象，非理性的东西还有相当大的市场。电视产品的生产过程有强烈的经济行为表现，这是正常的；中国电视文化的完善更是一个漫长的历史过程，这也不难理解。但如果总跟着感觉走，以耻言理想、躲避崇高、平面化、媚俗化、游戏化将永远是中国电视文化无法逾越的严重障碍。

我们需要什么样的电视环境

胡正荣、沈东　在2007年第10期《中国广播电视学刊》上撰文认为：

博尔赫斯在诗《镜子》中写道："做梦时奇怪的，照镜子同样奇怪；那里面，普通的陈旧的日常生活节目，会包含着反影所精心制造的一个虚幻而深刻的世界。"电视就是这样的一面镜子。我们的电视，曾经长期独处一室照镜子，并让自己满意，以及希望借此也让观众跟着自己的口味。

其实，我们的电视，在相当大的广度和深度层面，仍然在"不知己，不知彼"地盲目乱战。能够跳出来的，少，自然也就显得可贵。

有人分析过中国媒介文化的价值背景，也就是人的观念，有一个"士"的基础。问民消息，启迪民智，是这种精神支柱的核心观念之一。而这也是大众传媒被赋予的基本色调。但是，媒介自身的很多独特特征也因此而被忽略了。对于这个问题的讨论已经汗牛充栋。而在大众欢呼电视对于自身特征的回归，对于受众目标回归的时候，却很少人能够注意到双刃剑的性质。

双刃剑所带来的负面效果，使基本的价值观念、运行规则在变化的外部环境下所体现出来的诸多不适症状。这里，有一个概念需要澄清，那就是市场并非代表邪恶的一方，而旧日的好时光也并非就一定能够始终让我们感到温暖。在电视缺乏发展动力和资源支持的年代，"四级办"的政策就是一个不错的主意，而当时的人无论如何也无法想象到若干年之后，这种体制竟在某些方面成为阻碍广电发展的障碍之一。

在当下的媒介现实中，我们已经可以看到某些由此带来的具体结果。内容的争夺、抄袭，甚至是造假，并非当事人不明白杀鸡取卵的后果，而是在"人人如此"的氛围之下，以最少的成本和最短的时间获取利益的最有效方式。对自己和未来同时缺乏信心，这是导致电视圈内诸多怪现象产生的心理机制。

每每像绿色收视率、媒介生态被提及的时候，同样市场化的一个概念"蓝海战略"也伴随出现。但是，在很少人真正愿意建设一个更加健康的市场环境和媒介生态的现实中，谁愿意拿出良币来进行健康的投资？不仅仅为自己，也许是为了一个共同的生存环境进行努力的时候，需要的不仅仅是对市场的准确判断，更重要的是对基本价值观念的回归，对信用体系本身的信任。这需要的不仅仅是开阔的想象力、坚定的价值观念，当然还需要有能够为重建价值体系进行不断投入，顶得住劣币冲击的忍耐力和物质基础。

2006：中国电视忧思录

梁晓涛、靳智伟、胡智锋　《现代传播》2007年第1期

在2007年1月《现代传播》第四次年度对话中，梁晓涛、靳智伟、胡智锋就收视率、电视市场化、电视内容生产等问题进行了交流，对2006年的中国电视进行了点评，并对2007年的中国电视进行了展望。

梁晓涛提出，收视率不是万恶之源，关键是如何看待和利用。我国电视界对收视率的认识之所以会走入误区是因为每个电视频道对自身的受众定位不是很清晰，收视率要结合时段、收视人群构成等才有意义。频道是电视市场的竞争主体，一方面要解决自身的生存发展问题，还要为整个行业的持续发展贡献力量，频道专业化的关键是要恪守频道的定位。新闻配制必须合理，要把社会和时代同步报道出来，影响力和收视率相比，影响力是主打，在影响力的基础上，把收视率做高。

靳智伟认为，现阶段电视媒体应当国有，但是，市场化进程又是行业发展的必由之路。现阶段的体制和机制，制约了电视的多种运营模式，单一的盈利模式，使电视不能进入其他领域，别的领域也无门可入，从长远利益来看，市场规则的确立意义重大且势不可挡。我们应当稳妥而积极地，对传播内容在进行有效控制的基础上推进市场化进程。民生新闻的核心卖点是百姓视点和百姓态度。我国目前的纪录片拍摄者不自觉地以高于别人自居，媒体把收视率体系简单地套在纪录片上，挤压了纪录片的生存空间；纪录片的盈利模式要靠行业细分在世界市场中盈利。

胡智锋认为，目前中国电视内容产业生态格局不合理，在商业化"大片"和艺术家的个人小制作间缺少一个中间层次的内容。电视媒介必须重视新媒介，新媒体代表着"先进生产力"，市场前景比较开阔。2007年中国电视传播内容和舆论环境对健康度的需求明显增强，行业格局在体制与机制的双重制约下不可能获得跨越式的突破，内容生产的歌剧不会获得显著改善，新媒体继续扮演"追赶者"的角色。2007年的行业调整可能积聚一定的智慧能量、资金能量并为探究新的市场模式提供机会与可能，但是中国电视的症结难解而且许多问题会暴露得更为明显。

份额竞争时代的节目方略

宁文茹　在《中国广播电视学刊》2007年11期上撰文认为：

目前电视业竞争已经进入了"份额"竞争时代。对电视媒体而言，收视份额直接影响并决定着媒体广告经营水平。在已经来临的份额竞争时代，通过多种战略方案的设计和整合营销手段，提高电视台整体市场份额的占有率，占据竞争优势，是一个不得不关注的新命题。

北京电视市场具有很大的特殊性和竞争强度，北京电视台如何应对份额竞争时代的挑战，提升实力，是个重要课题。

为确保竞争优势，2006下半年北京电视台对全台发展方向作出重大调整。在管理制度、发展战略以及布局三个方面进行了全面规划。在频道发展战略上，确定了以北京卫视为龙头，带动其他频道分阶段、分步骤发展的整体方案。在全台份额上频道观众规模大的历史份额高位频道适度回位，专业频道廓清细分目标定位，涂抹市场空白点，达到整体提升的目标。

进入份额竞争时代，编排的黄金收视概念需要引入另外一种解读，即所谓黄金时间要收视，非黄金时间要份额。频道编排和节目竞争的概念进入一个两元竞争时代。北京电视台对此作出调整，拉伸高收视节目带，实现错位竞争，开发白天时段和深夜时段。

自办节目的创新也是电视媒体核心竞争力以及媒介品质的标志。节目资源的配置和挖掘不仅要立足于满足受众需求，还要立足于发现潜在需求和启发需求。这样才能创造新市场，创造新的战略价值，为全台构建竞争优势。

共有媒体初探

胡泳　在2007年第5期《现代传播》上撰文认为：

可以把各种基于数字技术、集制作者/销售者/消费者于一体、消解了传统的信息中介的媒体系统称为“共有媒体”，它具有超文本、多媒体与互动性三大特征。在Web2.0的时代，出现了一个极为庞大、技巧娴熟的网络用户群体，愿意和能够贡献并消化读写网的内容，共有媒体意味着互联网的一次理念和体系的升级换代，即从原来的自上而下的由少数资源控制者集中控制主导的体系转变为自下而上的由广大用户集体智能和力量主导的体系，将互联网的主导权交还给个人，充分发掘了个人的积极性，极大解放了个人的创作和贡献潜能。集体智能与集体资源结合在一起，赋予个人前所未有的权利去影响互联网，在这种背景下，共有媒体赋予了媒体公众的视角，媒体的价值将存在于那些培养用户的公司，而不是那些控制内容的公司。

世界主要国家新媒体发展态势论

王庚年　在《国际广播影视（学刊）》2007年第5期上撰文认为：

当前新媒体技术的发展，使得新的对外传播形式不断涌现。世界主要国家为适应当代传媒的新形势、新需要，在未来传播竞争中抢占先机，十分重视发展新媒体业务，并已投入新媒体的测试和运营。世界已经投入测试或运营的新媒体主要基于两条基本路径，一是基于传统和新的广播电视网络、卫星直播网络的新媒体形态，主要包括数字广播、数字电视、多媒体数字广播、卫星广播、直播卫星电视等；二是基于互联网和第三代移动通讯技术的新媒体形态，包括网络音频与视频广播，通信式手机电视等。此外，传统的广播电视网络与互联网及第三代移动通信技术结合共同形成的各类互动电视、点播业务等形态也出现，并在有的国家开始投入运营。1.数字音频广播（DAB）在全球部分地区普及，技术相对成熟；2.数字多媒体广播（DMB）是当前广播领域的主要发展趋势之一；3.移动多媒体广播或广播式手机电视式多媒体数字广播和卫星直播技术结合的产物，更是今后广播领域发展的必然方向；4.数字电视的发展是广播电视更新换代的一件大事；5.卫星数字直播电视正在全世界范围内蓬勃发展；6.网络电视与IPTV在全球范围进入了试验性商用阶段；7.通信式手机电视已经进入商业阶段；8.“播客”在世界主要国家的发展情况。就全世界来看，发展潜力不容小觑。

关于加快推进国际台多语种网站内容建设的思考

夏吉宣　在《国际广播影视（学刊）》2007年第10期上撰文认为：

要加快国际台网站内容的建设，关键是相关部门要做到认识到位、机制到位、措施到位。

首先是认识到位。这里强调两个层次的认识。一是要从思想上认识到大力发展在线广播的战略意义；二是要从操作层面认识到在线广播的特点。发展在线广播是我们构建现代国际广播体系的重点任务。在新媒体领域，我们和西方发达国家基本处于同一起跑线，只要我们努力拼搏，完全有可能跻身世界网络传播前列并与西方抗衡。我们要充分认识到我们肩负的历史使命，同时认识到在线广播是基于网络技术和计算机等数字终端的新型传播形式。因此，要利用新的手段、针对新的受众、发布新的内容，拓展新的外宣渠道。

其次是机制到位。这里所说的机制包括管理机制、运行机制和保障机制。在管理机制上，要进一步完善节目管理和考评机制。在日常运行中，要通过调整人力安排和分配机制，指派有能力的业务骨干负责网站内容的规划、建设和维护等工作。在保障机制上，发稿部门要满足网站文字、图片、音视频素材的需求；技术部门要提供有效的技术支持和便捷可靠的技术平台；人事部门要做好人员的配备和培训工作；财务部门要做好相应的经费配套方案。

最后是措施到位。遵循“内外有别、外外有别”的原则，制定符合客观实际、可操作性强的措施，在丰富网站内容、增强网站吸引力、提高网站影响力上下工夫。我们在制定措施时，必须把握住三个关键词：吸引力、关注度和影响力。

新媒体发展与国际传播优先战略

马庆平　在《国际广播影视（学刊）》2007年第3期上撰文认为：

构建现代国际广播体系，实现三个转变和国际广播事业的超常规发展，其中的关键是把握当今世界新媒体的发展趋势，实现由传统媒体向现代媒体的转变。

考虑到世界各个地区新媒体发展的不平衡现状，在国际传播实践中，需要对不同地区采取不同的优先战略。例如对当前计算机普及率较高的美国，应当在其他覆盖和落地手段之外加强互联网和网络视频的开拓力度；对于移动设备普及率较高的欧洲，应当以移动电视和手机电视为重要的外宣补充形式；在电视接受程度较高的阿拉伯地区，则应以创新的形式在当地开拓数字电视和IP电视；而对于至今仍然以广播作为主要信息来源的非洲地区，当今阶段应加快在当地建台的步伐。

关于短、活、深新闻业务的研究

张志方、刘策、刘秋利　在2007年10月9日召开的青海省广播电视理论研讨会上宣读论文认为：

大千世界每时每刻都在发生着无数新闻事件，记者对新闻的报道是否能够引起受众的兴趣、收到好的社会效果，必须要从新闻的短、活、深三方面下工夫，这样才能使受众吮吸丰富的事实内涵，获得一种传感。

要想让新闻“活”起来，并且能够活中见深刻、短中见精彩，必须注意以下四个方面。

一、词的选用

新闻精品不仅要立意深刻、内容高雅，而且要结构新颖，写得精彩，解说词不是画面的重复、解释，而是画面形象的渲染和深化，这就要求记者在文字写作中精心选择动词、形容词，这样的新闻报道才会活起来。

二、关于细节的处理

细节是新闻事件发展过程中必不可少的内容，它既可以是语言、动作，也可以是一个表情或神态。精心刻画并运用细节有助于增强新闻的立体感、纵深感和鲜活度，使新闻节目好看、耐看。

三、关于新闻人物语言个性化

新闻人物的语言要“话中见活”，要有个性并达到“语中见深”的效果，语言个性化能使人物塑造达到可亲、可近、可信、可学。

四、关于新闻的通俗化

一篇精彩的新闻报道要求记者用最精炼、最生动、最形象的语言，准确地把最能反映事物本质的新闻事实讲清楚，记者通过对新闻主题的提炼；对新闻材料的选取；对新闻导语的仔细推敲、精心编排；对新闻标题和结尾的精心设置，从而做到新闻的简洁美、通俗美。

几档情感事件纪实类栏目的对比分析

胡红蕾　在《云岭声屏》2007年第10期上撰文认为：

一、这类情感事件纪实类栏目（目前电视节目分类是个难题，暂且这么称呼）所以呈方兴未艾的趋势，在于其产生有着较广泛深厚的现实基础和社会背景。其共同点是，均以平民视角关注社会变革中林林总总的人物故事与跌宕命运，在内容选材上以情感类题材为主。近年来，人们对社会转型期中个体角色的价值趋向，对家庭伦理道德，对亲情、友情、爱情的关注程度日益加强，于是，追求人间真情、构筑和谐社会成为一种现实而广泛的需要，在这种情景下，此类型节目就越来越多地受得观众青睐。

二、此类型栏目在表现形式上有着较为突出的创新特点和启示意义。如江西卫视的《传奇故事》，着意突出主持人讲故事的个人风格魅力，而将电视表现作为辅助手段运用，开创了“讲故事”这一电视栏目的表现先河，至今仍在全国卫视收视排名中领先。而云南卫视的《家家有本经》，由于创新方面偏弱，多少带有模仿《传奇故事》的痕迹，对收视率的贡献自然不如前者。安徽卫视的《第12夜》是该台经过长期策划酝酿推出的重点栏目，在播出方式、内容选择、表现手法等方面，在省级卫视自办栏目中都非常少见。作为按季节安排播出的首季节目，它以“真人秀”纪录手法表现家庭婚姻危机，完全采用纪录片拍摄手法，记录这类家庭的生活细节，揭示双方矛盾产生的原因，并通过一些环节的设计，让媒体和婚姻问题专家组介入双方情感生活，让夫妻沟通理解，平息矛盾，回归理性。制作这类高成本的节目应属大胆的创新尝试。虽然由于题材内容的影响，该栏目并未在收视率上获得突破，但其创新意识却是值得肯定的。

三、而江苏卫视的《人间》栏目，无论从栏目定位、内容结构、表现形式、制作方法，还是从节目包装和栏目互动，以及收视结果等方面来看，都体现了编创人员从全局意识到细节处理，从文稿编撰到后期制作等方面的较高水平和扎实功夫。可以说，把握好策划、内容、制作水准等关键环节，就是此类电视栏目具备核心竞争力的刚性原则，播出后获得较高的稳定收视率就不奇怪了。本文还对对目前一些卫视频道着力推出的情感事件纪实类栏目，如江西卫视的《传奇故事》、江苏卫视的《人间》、安徽卫视的《第12夜》、云南卫视的《家家有本经》等，从栏目风格、表现形式、制作手段及播出影响力等方面作了细致的对比分析。

“纸馅包子”：业障惯性的产物

范以锦　在2007年第5期《岭南新闻探索》上撰文认为：

新闻造假有三种类型：社会上根本没有这回事，完全凭空捏造，社会上有这类事，但采访不到当事人，让当事人重新摆设进行场景复制；社会上有这类事，但找不到当事人，指使他人代替复制。再细分，还可分出几个种类。原大寨党支部书记陈永贵任国务院副总理的时候，对于记者的摆拍就做过无声的抗议，值得赞赏。其实，场景复制的造假由来已久，尤其是“正面宣传”中的场景摆设造假，更是司空见惯。某些阴暗面的问题，如果已成为社会问题，很多人都相信有这种事。这种场景造假，就是露馅了，又有多少人会当作一回事去较真和较劲。而且，有些场景摆设还是政府部门参与完成的，如果镜头精彩，记者的“高超”表现力还会受到赞扬。尽管不能与“纸馅包子”的恶作剧相提并论，但其手法并没有多少差别，延伸开去如法炮制，形形色色的造假便接续而来。如果业界认同这种与新闻道德相悖的业障，如果有关部门也有意无意地支持怂恿，那么其业障惯性必然是无止境的，“纸馅包子”之一极端事件，说不定又会从哪里冒出来。

论科学发展观宣传

黄正谋、杨萍、黄宁　在《新闻前哨》2007年1期上撰文上认为：

一、宣传好科学发展观，就要先学懂科学发展观。发展观是关于发展的本质、目的、内涵和要求的总体看法和根本目的。做好科学发展观的宣传，必须弄懂四个关键词：以人为本、全面、协调、可持续。二、宣传好科学发展观、就要在报道“又好又快”上再使劲。三、宣传好科学发展观，就要在报道“为什么发展”上动脑筋。我们媒体的宣传要真正体现“民为先、稳为重、谐为本”的新思想。四、宣传好科学发展观，就要在报道“怎样发展”上做文章。更加注重实现速度和结构、质量、效益相统一，更加注重坚持经济社会协调发展、城乡协调发展、区域协调发展，更加注重坚持经济发展和人口、资源、环境相协调的可持续发展，坚定不移地按照“五个统筹”的要求推进改革开放，促进社会资源的优化配置，才能实现“又好又快”发展。围绕中央这些要求，我们新闻人必须在观念层面转型，在操作层面使劲，为科学发展鼓与呼。

2007年度全国广播影视系统优秀科技论文评选一等奖论文内容简介

SMG数字版权管理规划探讨

SMG的DRM是支撑SMG全集团的版权管理和保护的业务、制度和技术的集成平台，是集团价值链上一个重要的环节。本文从上海文广新闻传媒集团（SMG）数字版权管理工作现状出发，综合国内外技术发展的状况和趋势，针对性地提出了适应SMG未来业务发展方向的版权管理业务和技术的框架，并对相应的运营模式进行了探讨。本文所建议的DRM框架主要是提供版权的管理和跟踪方式的保护，允许商务客户在保证SMG权益的基础上多次使用内容，形成内容的使用生命周期。其次，通过本文建议的DRM框架可以更清晰地理清销售给商务客户的内容的版权，可以给出内容生产过程中的所有参与者的角色及其所应分享的版权收益，减少日后使用上的纠纷。

（上海文广新闻传媒集团节目资料中心　郭克榕、闵友钢、刘韧）

地面数字电视传输系统实验室性能测试

本文就地面数字电视传输系统实验室性能测试的有关技术和方法作详细介绍。实验室性能测试是在实验室基于由测量仪器和专用测试设备建立的地面数字电视传输测试系统，通过在接收信号中加入各种噪声或干扰，模拟各种现场接收环境，对被测系统的各项性能进行测试。由于实验室测试过程中加入的各种噪声或干扰是人为可控、并且可以精密测量，因此相对现场性能测试而言，实验室性能测试不仅可以模拟各种干扰和噪声，而且能够准确地获得被测系统的各项性能指标。

（广播电视规划院　李熠星、李庆国、邓向冬、冯景锋、陈志国）

国际短波广播现状与发展

本文介绍了国际短波广播组织开展高频协调会议的情况，以及我国在国际广播组织中的地位和作用，通过对全球近80%短波频率需求量的统计分析，提出了解决4－10MHz频率冲突的办法和对未来引进数字化技术的设想。国际上采用高频广播协调程序的成功经验在于：过程简洁、灵活、具有实效性。它为世界各短波广播组织创造了技术交流和友好协商的条件。频率协调工作并非一劳永逸，而是一个持续不断的过程。

（国家广电总局无线局　杨敏敏、庞俊华、王芳、常勇、王奇伟）

交流电气化铁路机车运行对广播电视辐射干扰的测量方法和防护间距

2000年到2002年我们测量研究了交流电气化铁道干扰特性、保护广播电视无线传输接收关键参数，利用计算机技术编制调试出一套软件，并对测量方法、数据统计和处理方法进行了研究，以有效解决有关干扰问题。在测量研究的基础上，广电总局原标准化规划研究所联合有关单位，针对电气化铁路货运机车，制订了《交流电气化铁道对广播电视转播台（站）、差转台（站）辐射干扰的防护距离》行业标准。本文对试验研究的主要问题予以简单介绍。

（广播电视规划院　蔡晓梅、王祖立、肖荫升）

卫星数字电视系统测试方法的研究

本文根据我国卫星数字电视上行站的特点和参数，从系统环音视频技术指标测试、编解码与复用部分的传输流分析和技术指标、射频技术指标测试三个部分来论述了卫星数字电视系统需要测试的参数及相应的测试方法。卫星数字电视系统环音视频指标的测试部分介绍了测量15项视音频指标所使用的仪器和测量方法，并对图像主观评价的方法和依据进行了说明。卫星数字电视系统射频指标的测试部分介绍了测量8项卫星上星射频系统需要测试的参数和相应的参量方法。编解码与复用部分的传输流分析和技术指标部分从码流分析、数字接口技术指标、系统模拟音视频指标、功能和兼容性进行测试四个方面阐述了卫星数字电视系统中需要测试的数字技术指标及相应的测试方法。

（广播电视规划院　刘长占、高凤吉）

非法地面电视信号全方位快速定位、跟踪捕获及自适应压制系统

本文通过对非法电视信号特征分析，并依据我国组织模式特点、现有技术水平，对建立由上及下贯通的多级调度指挥保障体系的内容提出了建议，提出了利用民用移动通信数据业务通道，实现全国范围内、全天候对非法地面电视信号的全程监视的技术方案。同时，对非法电视发射信号的现场侦测和定位，捕获及发射频率、功率自适应压制技术手段、设备和载体提出了具体设想。

（北京市通州区广播电视中心　宫宝文）

中国数字高清晰度电视产业化发展状况和运营模式探讨

本文分析了国内外的高清电视市场情况，根据实际调研情况对高清电视家庭用户市场的需求和中国高清电视产业化发展中现存的问题作了深刻的剖析；并分别从政府和高清产业链代表单位等角度阐述了各方面寻求高清电视产业化良性发展解决方案所做的努力，最后探讨了适合中国高清电视产业化发展的可借鉴模式。

中国政府部门对中国的高清电视发展持肯定和积极的态度。家庭用户市场对高清电视非常期待；但目前国内的高清内容生产能力远远还不能有效支撑商业播出频道的运营，还需要大量引进国外的节目源。整个高清产业链目前尚处于发展不平衡的状态，呈现产业链“前端冷后端热”的现象，主要是因为该产业链尚未建立起合理的运营模式。运营模式包括：端到端运营模式、网络运营商与节目集成商／节目供应商的合作模式、节目供应商／节目集成商与设备供应商的合作模式、网络运营商与设备供应商的合作模式、网络运营商与服务提供商的合作模式、节目供应商与服务提供商的合作模式、集网络运营商、节目提供商、节目集成商与服务提供商四位一体的合作模式。

（上海文广新闻传媒集团技术运营中心　范金慧、刘建宏、黄奇志、霍秋林、尚峰）

2007年度出版的广播电视书籍简目

广播电视基础理论

传播学原理
李正良　主编
中国传媒大学出版社
2007年1月出版

农业教育传播
王鲁美　等
中国传媒大学出版社
2007年1月出版

电视栏目与频道策划研究
项仲平　著
中国广播电视出版社
2007年1月出版

纪录片：想法与做法
王辉　著
中国广播电视出版社
2007年1月出版

中国电视节目形态研究
孙宝国　著
中国广播电视出版社
2007年1月出版

新闻学概论
刘建明　等著
中国传媒大学出版社
2007年3月出版

中国当代新闻学研究的演变
谢鼎新　著
中国传媒大学出版社
2007年3月出版

传媒新声——传媒学子论坛
胡正荣　主编
中国传媒大学出版社
2007年3月出版

电视写作教程
姚治兰　著
中国传媒大学出版社
2007年3月出版

广播电视编辑记者、播音员主持人业务指导用书
王建国　主编
中国广播电视出版社
2007年3月出版

中国电视节目分类体系
张海潮　著
中国传媒大学出版社
2007年4月出版

广播电视新闻系列教材
广播电视新闻编辑原理与务实
方毅华　著
中国广播电视出版社
2007年2月出版

广播电视新闻系列教材
编辑学概论
方毅华　郝丽丽　著
中国广播电视出版社
2007年2月出版

高等院校广播电视新闻传播系列教材
电视专题与电视栏目
郑保章　主编
中国广播电视出版社
2007年3月出版

国家形象建构中的传播策略
段鹏　著
中国传媒大学出版社
2007年4月出版

电视新闻观察书系
电视法制节目新论
游洁　郑蔚　著
中国广播电视出版社
2007年5月出版
新闻与传播理论丛书

传播学方法论
李舒　著
中国广播电视出版社
2007年5月出版

新世纪广播电视新闻学系列教程
广播新闻理论与实务创新研究
曹璐　著
中国广播电视出版社
2007年5月出版

媒体创意专业核心课程系列教材
新闻历史与理论
宫承波　高金萍　丰纯高　主编
中国广播电视出版社
2007年5月出版

当代西方电视批评理论
王振城　著
中国广播电视出版社
2007年5月出版

新世纪大众传媒的发展
贾乐蓉　主编
唐远清　张晓辉　副主编
中国传媒大学出版社
2007年5月出版

会议新闻学
靖鸣　著
中国传媒大学出版社
2007年5月出版

传媒信息安全策略与实施
张鹏洲　主编
中国传媒大学出版社
2007年6月出版

广播：创新与跨越——中国广播改革20年高端论文集
白玲　主编
中国广播电视出版社
2007年6月出版

2007中国广播影视理论研究
黄凤鸣　主编
中国广播电视出版社
2007年6月出版

电视功过论
朱景和　著
中国广播电视出版社
2007年6月出版

声频论苑（2007）
张锋　主编
中国广播电视出版社
2007年6月出版

新闻作品评析教程
王灿发　主编
中国传媒大学出版社
2007年6月出版

危机传播信息流及噪音分析
钟新　著
中国传媒大学出版社
2007年6月出版

新闻心理学概论（第四版）
刘京林　著
中国传媒大学出版社
2007年7月出版

国际广播论文集（第八辑）
陈敏毅　主编
中国国际广播出版社
2007年7月出版

媒体创意专业核心课程系列教材
新闻业务
宫承波　方毅华　唐远清　主编
中国广播电视出版社
2007年7月出版

和谐社会与广播电视——“宁波广电杯”构建社会主义和谐社会与广播电视征文获奖作品选
中国广播电视协会　编
中国广播电视出版社
2007年7月出版

重庆电视台理论研究书系
中国电视传媒资源整合
李晓枫　主编
中国广播电视出版社
2007年7月出版

重庆电视台理论研究书系
中国电视文化的理性重构
李晓枫　邹定宾　著
中国广播电视出版社
2007年7月出版

现代广播电视论纲
毕一鸣　著
中国广播电视出版社
2007年8月出版

广播影视系列丛书
广播电视新论
郭卫东　著
中国广播电视出版社
2007年8月出版

广东新闻业务创新探析
程道才　汪苏华　编著
中国广播电视出版社
2007年8月出版

电视新闻观察书系
电视资讯节目新论
郑蔚　游洁　著
中国广播电视出版社
2007年8月出版

广播电视概论
吴玉玲　主编
中国传媒大学出版社
2007年8月出版

新闻传播社会学
蒙南生　著
中国传媒大学出版社
2007年9月出版

传媒区域化发展方略
吉保邦　主编
中国传媒大学出版社
2007年9月出版

老龄化社会与老年广播
张彩　著
中国传媒大学出版社
2007年9月出版

从中心到相对电视音乐传播价值论
何晓兵　著
中国传媒大学出版社
2007年9月出版

电视新闻语体研究
李水仙　著
中国传媒大学出版社
2007年10月出版

危机管理学
董传仪　著
中国传媒大学出版社
2007年10月出版

颠覆传统的传播
雷建军　朱冰　主编
周三省　副主编
中国传媒大学出版社
2007年10月出版

新闻传播学前沿2006
中国传媒大学电视与新闻学院　编
中国传媒大学出版社
2007年10月出版

传媒教育模式新探
胡正荣　黄侃　许一新　主编
中国传媒大学出版社
2007年10月出版

政府记者招待会
赵鸿燕　著
中国传媒大学出版社
2007年10月出版

当代电视新闻学
傅暾　著
中国广播电视出版社
2007年11月出版

第五传媒——多门户媒体综合信息平台
杨昆　冷明　主编
中国传媒大学出版社
2007年11月出版

国际传媒与教育
刘利群　张莉莉　主编
万彬彬　副主编
中国传媒大学出版社
2007年11月出版

电视策划教程
游洁　著
中国传媒大学出版社
2007年11月出版

广播节目策划与制作
董旸　编著
中国传媒大学出版社
2007年11月出版

电视经济新闻
孙凤毅　著
中国传媒大学出版社
2007年11月出版

新闻编辑
谭云明　编著
中国传媒大学出版社
2007年12月出版

电视节目导播
郑月　著
中国传媒大学出版社
2007年12月出版

访谈节目编导教程
张启忠　著
中国传媒大学出版社
2007年12月出版
媒体创意专业核心课程系列教材

传播学纲要
宫承波　著
中国广播电视出版社
2007年12月出版

播音主持艺术及广播电视语言

播音主持专业高考面试指南与示范录音
付程　编著
中国传媒大学出版社
2007年1月出版

广播电视语言传播风格多样化研究
陈晓鸥　主编
中国广播电视出版社
2007年1月出版

广播电视语言传播文化品位及审美趋势研究
李洪岩　柴璠　著
中国广播电视出版社
2007年1月出版

广播电视语言文字规范化研究
吴弘毅　主编
中国广播电视出版社
2007年1月出版

广播电视有声语言传播受众心理研究
鲁景超　主编
中国广播电视出版社
2007年1月出版

电视节目主持人的综合素质研究
吴郁　等著
中国广播电视出版社
2007年1月出版

谈话的魅力
吴郁　主编

中国广播电视出版社
2007年1月出版

谈话节目主持概论
王群　曹可凡　主编
中国传媒大学出版社
2007年4月出版

主持人思维训练教程
翁如　编著
中国传媒大学出版社
2007年4月出版

综艺娱乐节目主持概论
刘洋　林海　著
中国传媒大学出版社
2007年4月出版

普通话与普通话水平测试研究
田皓　著
中国广播电视出版社
2007年6月出版

双语播音主持艺术
赵琳　著
中国传媒大学出版社
2007年7月出版

主持传播学概论
高贵武　主编
中国传媒大学出版社
2007年8月出版

青少年播音主持训练教程
张洁　编著
中国传媒大学出版社
2007年8月出版

朗诵艺术指要
曾致　编著
中国传媒大学出版社
2007年9月出版

播音主持专业高考面试题解
白龙　编著
中国传媒大学出版社
2007年9月出版

影视配音艺术
王明军　阎亮
中国传媒大学出版社
2007年10月出版

声涯
孙正平　著
华艺出版社
2007年10月出版

2007年全国主持人优秀论文选集
中国电视艺术家协会主持人专业委员会　编
中国广播电视出版社
2007年11月出版

视听语言
邵清风　李骏　俞洁　彭骄雪　著
中国传媒大学出版社
2007年10月出版

陈醇播音文集
中国广播电视协会播音主持委员会　编
中国广播电视出版社
2007年12月出版

媒介研究

全球传媒经济
爱伦B·艾尔巴兰　著
中国传媒大学出版社
2007年1月出版

推动创新 提升品牌——"首届全国电视台台长论坛"演讲录
中央电视台办公室　编
中国广播电视出版社
2007年1月出版

电视人侃策划：另类思维做节目
王阳　著
中国广播电视出版社
2007年1月出版

讲"好故事"与"讲好"故事：从电视叙事看电视节目的策划
潘知常　孔德明　著
中国广播电视出版社
2007年1月出版

品牌传播效果评估指标
胡晓云　等编著
中国传媒大学出版社
2007年1月出版

国际电视前沿聚焦
黎斌　主编
中国传媒大学出版社
2007年3月出版

媒体经营与文化传播——第九届广播电视学术论文评选佳作集
中国广播电视协会　编
中国广播电视出版社
2007年3月出版

当节目成为产品的时候——北京电台资本运营解析
中国广播电视协会　编
中国广播电视出版社
2007年3月出版

中外传媒体制创新丛书
中国广电传媒体制创新
刘成付　著
南方日报出版社
2007年4月出版

求是与求不：广播电视散论
张振华　著
中国国际广播出版社
2007年3月出版

国际化人才：世界沟通的桥梁
陈炜华　著
中国传媒大学出版社
2007年4月出版

电视播出季——频道编播创新前沿
徐立军　袁方　主编
中国传媒大学出版社
2007年4月出版

电视受众探析——2006年电视受众研究获奖作品集
中国广播电视协会电视受众研究委员会　编
中国广播电视出版社
2007年5月出版

视界杂谈——北京电视台政策研究室论文集
闫军才　马克燕　主编
中国广播电视出版社
2007年5月出版

映象·碰撞
郭兆强　主编
中国传媒大学出版社
2007年5月出版

中国城市电视台发展报告
陈正荣　著
中国传媒大学出版社
2007年5月出版

电视品牌战略研究
段鹏　著
中国传媒大学出版社
2007年5月出版

中国广播研究报告
黄学平　主编
中国传媒大学出版社
2007年5月出版

中国数字电视产业政策的形成研究
周艳　著
中国传媒大学出版社
2007年5月出版

发达国家广播影视管理体制和管理手段研究
国家广电总局发展研究中心课题组
中国传媒大学出版社
2007年5月出版

世界广播发展研究
张彩　著
中国传媒大学出版社

2007年5月出版

2007对台电视传播论文选
中央电视台海外中心对台部　编著
李海明　主编
郭清华　王文昌　副主编
中国民主法制出版社
2007年5月出版

文化发展论集
王庚年　著
中国国际广播出版社
2007年5月出版

媒介批评
雷跃捷　著
北京大学出版社
2007年6月出版

文化创意产业前沿
现场：文化的质感
吕学武　范周　主编
中国传媒大学出版社
2007年6月出版

文化创意产业前沿
见证：使命与方向
吕学武　范周　主编
中国传媒大学出版社
2007年6月出版

文化创意产业前沿
理论：碰撞与交融
吕学武　范周　主编
中国传媒大学出版社
2007年6月出版

2007年中国广播电影电视发展报告
国家广播电影电视总局发展研究中心　著
新华出版社
2007年6月

新广播媒体经典案例剖析
潘力　王宏　编著
中国传媒大学出版社
2007年6月出版

中国电视剧年度发展报告 2005-2006
李京盛　主编
国家广播电影电视总局电视剧司
中国传媒大学
中国传媒大学出版社
2007年6月出版

传播进行时
李晨　孙正亮　祝海燕　主编
中国广播电视出版社
2007年6月出版

城市广电传媒的经营管理与创新——无锡广电集团改革发展的实践与探索
严克勤　著
中国广播电视出版社
2007年6月出版

日本大众媒体中的中国形象
刘林利　著
中国传媒大学出版社
2007年6月出版

广电产业化进程中的节目形态演变
王兰柱　著
中国传媒大学出版社
2007年7月

农业电视节目策划36计
刘江贤　主编
中国传媒大学出版社
2007年7月出版

2007中国电视纪实节目发展报告
刘效礼　主编
中国传媒大学出版社
2007年7月出版

媒介化生存——中国青年媒体素质研究
吕巧平　著
中国传媒大学出版社
2007年7月出版

中国区域媒体发展研究
宋红梅　著
中国传媒大学出版社
2007年7月出版

电视保卫战
云龙友　编著
甘肃文化出版社
2007年7月出版

和谐世界 文化多样——大学与媒介的责任（上、下卷）
刘利群　张莉莉　主编
中国传媒大学出版社
2007年8月出版

奥运会媒体运行
第29届奥林匹克运动会组织委员会 编
中国传媒大学出版社
2007年8月出版

品牌打造与节目创新
中国广播电视协会　编
中国广播电视出版社
2007年8月出版

媒介影响及其控制
中国广播电视协会　编
中国广播电视出版社
2007年8月出版

中国电视节目评估：理论与实践
王兰柱　等著
中国传媒大学出版社
2007年8月出版

广播电视法律制度概论
涂昌波　著
中国传媒大学出版社
2007年8月出版

对立战略与电视品牌
李大成　著
中国传媒大学出版社
2007年8月出版

把握导向，形成合力——2007年全国电视台台长论坛文集
唐世鼎　主编
李欣雁　黎斌　田思卿　副主编
中国传媒大学出版社
2007年8月出版

受众为王：数字时代的电视频道品牌营销战略
杨华钢　著
中国广播电视出版社
2007年9月出版

创新中国电视——与影视界精英的对话
肖枭　编著　盛伯骥　编审
中国传媒大学出版社
2007年9月出版

地面突围——中国电视省级地面频道四小龙
赵德全　李岭涛　罗霆　著
中国广播电视出版社
2007年9月出版

媒介消费学
文长辉　著
中国传媒大学出版社
2007年9月出版

亚洲传媒研究 2006
刘丰海　主编
中国传媒大学出版社
2007年9月出版

玲珑之雕：论受众细分
刘国庆　著
中国广播电视出版社
2007年9月出版

成长分享
中央人民广播电台华夏之声　编
中国广播电视出版社
2007年9月出版

飞跃无限：奋进中的无锡广电
严克勤　主编
中国广播电视出版社
2007年9月出版

中国电视频道竞争力评价研究
徐浩然　著
中国传媒大学出版社

2007年10月出版

电视剧法律问题研究
李丹林　著
中国传媒大学出版社
2007年10月出版

构建电视频道
罗自文　编
中国广播电视出版社
2007年10月出版

国际视野中的媒介与女性
刘利群　曾丹娜　张莉莉　主编
中国传媒大学出版社
2007年11月出版

中国媒介与女性研究报告（2005—2006）
刘利群　曾丹娜　张莉莉　主编
中国传媒大学出版社
2007年11月出版

百姓的喉舌
郑德明　著
中国广播电视出版社
2007年11月出版

英国公共广播政策变迁与问题研究
李继东　著
中国传媒大学出版社
2007年11月出版

媒介经营管理创新思维
马建平　卞华　著
中国传媒大学出版社
2007年11月出版

蓝皮书：中国电视艺术发展报告
中国电视艺术家协会　华南理工大学　编
中国广播电视出版社
2007年11月出版

把握导向　形成合力——“2007年全国电视台台长论坛”文集
唐世鼎　主编
中国传媒大学出版社
2007年11月出版

“传媒博客”媒介发展研究丛书
创新生存2007
曲秀锦　主编
中国广播电视出版社
2007年11月出版

应对媒介融合——新环境下的电视节目营销
刘婧一　著
中国传媒大学出版社
2007年12月出版

平民偶像崇拜——电视选秀节目的传播社会学研究
郑欣　等著
中国传媒大学出版社
2007年12月出版

省级电视台经营创新战略研究——广西电视台个案分析
黄著诚　主编
中国传媒大学出版社
2007年12月出版

城市电视台创新战略研究——珠三角地区媒介生态环境的实地调查
廖少炫　著
中国传媒大学出版社
2007年12月出版

中国省级卫视大决战
曾益　著
武汉出版社
2007年12月出版

2007陕西电视台蓝皮书
王广群　顾令阳　主编
陕西人民教育出版社
2007年12月出版

中国广播电视行业自律与维权报告书（2007年卷）
中国广播电视协会　编
中国广播电视出版社
2007年12月出版

中国电视台管理创新报告（2006—2007）
唐世鼎　主编
中国广播电视出版社
2007年12月出版

中国广播电视音像资料馆——媒体资产管理的理论与实践
中央电视台中国广播电视音像资料馆工艺设计工作组　编著
中国广播电视出版社
2007年12月出版

中国电视媒体运营管理实务
黎斌　李怀亮　等编著
中国广播电视出版社
2007年12月出版

中国电视台管理创新报告（2006～2007）
唐世鼎　李欣雁　等编著
中国广播电视出版社
2007年12月出版

广播电视广告

现代广告通论（第2版）
丁俊杰　康瑾　著
中国传媒大学出版社
2007年2月出版

现代广告文化学（第2版）
李建立　著
中国传媒大学出版社
2007年4月出版

阿拉丁广告人实用手册2007–2008
谢万杰　郭宏智　主编
中国传媒大学出版社
2007年5月出版

广告策划与整合传播
高萍　主编
畅榕　副主编
中国传媒大学出版社
2007年5月出版

影视广告编导与制作
崔银河　著
中国传媒大学出版社
2007年9月出版

广告学概论
崔银河　著
中国传媒大学出版社
2007年9月出版

广告策划与创意
崔银河　著
中国传媒大学出版社
2007年10月出版

广告语言概论
于根元　主编
中国广播电视出版社
2007年11月出版

从分析作品开始学做广告（第二版）
何辉　著
中国传媒大学出版社
2007年11月出版

广播电视作品选介

今日说法故事精选（1～4）
中央电视台今日说法栏目组　编著
王新中　何淑文　主编
公安大学出版社
2007年1月出版

今日说法精华本2007
中央电视台今日说法栏目组　编著
王新中　何淑主　编
公安大学出版社
2007年1月出版

中国封面——头条是这样诞生的
中央电视台经济频道　编著
刘保平　许文广　哈学胜　主编
新华出版社

2007年1月出版

财富故事会系列丛书
财富故事会栏目组 编著
山西教育出版社
2007年1月出版

纵横十八年——《社会纵横》报告
欣闻 编著
中国广播电视出版社
2007年2月出版

中国广播影视文存（2006）
刘习良 主编
中国广播电视出版社
2007年3月出版

优秀电视节目解析
魏南江 编著
中国传媒大学出版社
2007年3月出版

雨中山果——翁文樑新闻文集
翁文樑 著
云南出版集团公司、云南人民出版社
2007年3月出版

今日说法2007（1～4）
中央电视台今日说法栏目组 编著
王新中 何淑文 主编
公安大学出版社
2007年3～12月出版

走进昆明（第2集）
昆明人民广播电台 编著
云南出版集团公司、云南美术出版社
2007年5月出版

联播观点老杜有话
CCTV《经济信息联播》栏目组 编
中国广播电视出版社
2007年6月出版

香港十年
香港十年摄制组编著
刘文 主编
王影 副主编
上海科学技术文献出版社
2007年6月出版

回望岁月：商丘电视台优秀作品选
戴明 齐永 著
中国广播电视出版社
2007年6月出版

新闻一线
中央电视台新闻评论部 编著
梁建增 孙克文 主编
孙金岭 执行主编
中央民族大学出版社
2007年7月出版

中国名牌电视栏目《经济与法》案例分析
毕根辉 主编
中国传媒大学出版社
2007年7月出版

新闻背后
中央电视台新闻评论部 编著
梁建增 孙克文 主编
孙金岭 执行主编
中央民族大学出版社
2007年7月出版

影视作品解读
南野 邵清风 俞洁 应小敏 赵建飞 钟丽茜 著
中国传媒大学出版社
2007年9月出版

岩松看日本
白岩松 刘爱民 编著
华艺出版社
2007年9月出版

中国记忆
CCTV-10中国记忆摄制组 编著
闫东 主编
上海科学技术文献出版社
2007年9月出版

钟视获奖作品评析
王保银 编著
中国广播电视出版社
2007年9月出版

中国广播剧精品选
（中国广播文艺精品集）（全8册）
中国广播剧研究会 编
中国广播电视出版社
2007年10月出版

电波中的足迹——罗志军广播访谈录
中央人民广播电台江苏记者站 南京人民广播电台 编
中国广播电视出版社
2007年10月出版

热区声屏十年春
宾川县广电局 编
李洪祥 杨宏毅 主编
中国作家出版社
2007年10月出版

声音的痕迹——雪莉广播作品专辑
辛雪莉 编著
中国广播电视出版社
2007年11月出版

关注——电视人物访谈
《关注》栏目组 编
中国广播电视出版社
2007年11月出版

荧屏映珠源
包华 主编
中国广播电视出版社
2007年12月出版

广播电视史志与年鉴

重庆广播电视年鉴（2006）
《重庆广播电视年鉴》编辑部 编
中国广播电视出版社
2007年1月出版

广播电视信息资料论文集（三）
中国广播电视协会信息资料委员会 编
中国广播电视出版社
2007年1月出版

中国电视史
刘习良 主编
中国广播电视出版社
2007年2月出版

广播电影电视专业技术发展简史（上、下册）
邢世杰 刘洪才 主编
中国广播电视出版社
2007年3月出版

中国广告作品年鉴2007
国际广告杂志社、中国传媒大学广告学院等编辑
中国传媒大学出版社
2007年5月出版

中国动画年鉴（2006）
中国动画年鉴编辑部 编
中国广播电视出版社
2007年5月出版

中国电视收视年鉴2007
王兰柱 主编
中国传媒大学出版社
2007年6月出版

余杭广播电视志
余杭广播电视志编委会 编
中国广播电视出版社
2007年6月出版

浙江广播电视年鉴（2006）
胡瑞庭 主编
中国广播电视出版社
2007年7月出版

走进3.0时代——纵论中国广播电视业20年
谭民望 著
中国广播电视出版社
2007年7月出版

中国广播电视史
乔云霞 主编
中国广播电视出版社
2007年8月出版

甘肃省志第六十四卷·广播电影电视志
甘肃省广播电影电视志编纂委员会编纂
甘肃人民出版社
2007年8月出版

中国中央电视台年鉴（2007）
赵化勇　主编
中国广播电视出版社
2007年9月出版

北京人民广播电台年鉴（2005）
北京人民广播电台　编
中国广播电视出版社
2007年9月出版

中国影视传播史纲
岳淼　编著
中国传媒大学出版社
2007年9月出版

中国广播电视年鉴（2007）
赵玉明　主编
中国广播电视年鉴社
2007年10月出版

广播剧史论
王雪梅　著
中国传媒大学出版社
2007年10月出版

中国新闻官司二十年（1987~2007）
刘海涛　郑金雄　沈荣　著
中国广播电视出版社
2007年10月出版

江西广播电视年鉴2007
周晶星　主编
中国传媒大学出版社
2007年12月出版

2007中国广播收听年鉴
王兰柱　主编
中国传媒大学出版社
2007年10月出版

影视动画艺术技术与理论

新媒体论：CCTV.COM的第一个十年
刘连喜　著
中国国际广播出版社
2007年1月出版

广播影视数字化普及读本
杜百川　王蓓　王效杰　主编
中国国际广播出版社
2007年1月出版

数字时代的交互电视
谭朝晔　付龙　编著
廖祥忠　主编
贾秀清　副主编
中国轻工业出版社
2007年1月出版

守望电视剧的精神家园（第3辑）
曾庆瑞　著
中国传媒大学出版社
2007年1月出版

现实题材电视剧艺术真实形态论
陈友军　著
中国传媒大学出版社
2007年1月出版

综艺大本营
梅文慧　何春耕　著
中国传媒大学出版社
2007年1月出版

当代广播电视技术
党东耀　编著
中国广播电视出版社
2007年1月出版

媒体创意专业核心课程系列教材
动画概论
宫承波　主编
中国广播电视出版社
2007年2月出版

下一代技术及影响：通信、计算机与广播电视
周志强　主编
中国广播电视出版社
2007年3月

电视艺术的审美化生存
曲茹　著
中国传媒大学出版社
2007年3月出版

影视叙事学
宋家玲　编著
中国传媒大学出版社
2007年4月出版

数字电视技术400问答
殷永明　肖慧娟　马波　编著
中国广播电视出版社
2007年4月出版

学门儿拍片子的手艺
程步　编著
昆仑出版社
2007年4月出版

数字广播电视中心技术
刘元春　著
中国广播电视出版社
2007年5月出版

互联网的新时代
马为公　主编
中国国际广播出版社
2007年5月出版

影像情爱
李小丽　著
中国传媒大学出版社
2007年5月出版

电视剧原理第二卷·文本论
曾庆瑞　著
中国传媒大学出版社
2007年7月出版

广播电视村村通实用技术手册
《广播电视村村通实用技术手册》编写组　编
中国广播电视出版社
2007年7月出版

动画大师的生平与作品
吕鸿燕　张骏　编著
中国传媒大学出版社
2007年8月出版

再侃电视：新传媒编导制作
曾海燕　著
中国广播电视出版社
2007年8月出版

民间的书写—中国大众影像生产研究
韩鸿　著
中国传媒大学出版社
2007年8月出版

体育赛事电视公用信号制作标准指南
杨斌　任金州　主编
中国传媒大学出版社
2007年8月出版

影视美学
宋家玲　李小丽　编著
中国广播电视出版社
2007年9月出版

媒体创意专业核心课程系列教材
新媒体概论
宫承波　主编
中国广播电视出版社
2007年9月出版

动画专业数字媒体艺术专业应试指南
王雅平　主编
中国传媒大学出版社
2007年2月出版

动画造型与民间美术
栾伟丽　著
中国传媒大学出版社
2007年9月出版

动画的运动语言
索晓玲　马建中　著
中国传媒大学出版社

2007年9月出版

系统辩证素描——从动画视角谈开去
曾定凡　著
中国广播电视出版社
2007年9月出版

中国广播电视出版社2006年版图书补遗

邯郸广播创新报告
张志军　主编
中国广播电视出版社
2006年8月出版

广播新闻策划手记
张志军　著
中国广播电视出版社
2006年8月出版

中国中央电视台年鉴（2006）
赵化勇　主编
中国广播电视出版社
2006年9月出版

一个中国记者眼中的外国元首
惠毅　著
中国广播电视出版社
2006年9月出版

深圳广播温暖20年
谢杰华　主编
中国广播电视出版社
2006年10月出版

声屏春秋——慈溪市广播电视论文集选
沈斌煊　主编
中国广播电视出版社
2006年11月出版

岁月留痕——纪念平湖广播电视创建五十周年文集
沈中岳　主编
中国广播电视出版社
2006年11月出版

审片手记——县域电视新闻采编主持评析
吴生华　顾北台　著
中国广播电视出版社
2006年11月出版

中国纪录片年鉴（2006）
中国广播电视协会纪录片委员会　编
中国广播电视出版社
2006年12月出版

唱响主旋律——《广东卫视新闻》精品集
欣闻　编著
中国广播电视出版社
2006年12月出版

2007年度广播电视报刊一览表

国家广播电影电视总局：

类别	名称	主管单位	主办单位	公开／内刊
周刊	中国电视报	国家广电总局	中央电视台	公开
周刊	中国电视报（国际版）	国家广电总局	中央电视台	公开
周刊	中国电视报（北京版）	国家广电总局	中央电视台	公开
周刊	综艺报	国家广电总局	中国广播电视出版社	公开
半月刊	中国广播影视	国家广电总局	中国广播电视出版社	公开
月刊	中国广播电视学刊	国家广电总局	中国广播电视协会	公开
周刊	宣传通报	国家广电总局	国家广电总局宣传管理司	公开
月刊	中国广播	国家广电总局	中央人民广播电台	公开
月刊	广播歌选	国家广电总局	中央人民广播电台	公开
季刊	音乐之声	国家广电总局	中央人民广播电台	公开
月刊	电视研究	国家广电总局	中央电视台	公开
周刊	每周电视	国家广电总局	中央电视台	公开
月刊	中国电视	国家广电总局	中国电视艺术委员会	公开
半月刊	广播电视信息	国家广电总局	无线局	公开
月刊	现代电视技术	国家广电总局	中央电视台	公开
月刊	有线电视技术	国家广电总局	国家广电总局	公开
期刊	音响技术	国家广电总局	中国录音师协会	公开
年刊	中国广播电视年鉴	国家广电总局	中国传媒大学	公开
半月刊	大众电视	国家广电总局	中国广播电影学会、浙江广播电视集团	公开
半月刊	国际广播影视	国家广电总局	国际广播电台	公开
周刊	电视指南	国家广电总局	中国广播电视出版社	公开

中央人民广播电台：

类别	名　称	主管单位	主办单位	公开／内刊
期刊	中国广播	国家广电总局	中央人民广播电台	公开
期刊	音乐之声	国家广电总局	中央人民广播电台	公开
报纸	中国广播报	国家广电总局	中央人民广播电台	公开
期刊	广播研究	中央人民广播电台	总编室	内刊
期刊	广播工作	中央人民广播电台	总编室	内刊
期刊	总编室内部交流	中央人民广播电台	总编室	内刊
期刊	内参	中央人民广播电台	总编室	内刊
期刊	信息专报	中央人民广播电台	总编室	内刊
期刊	舆情简报	中央人民广播电台	总编室	内刊
期刊	传媒信息	中央人民广播电台	总编室	内刊
期刊	采编信息日报	中央人民广播电台	地方记者中心	内刊
周刊	专家监听简报	中央人民广播电台	中央台学会	内刊
期刊	安全播出月报	中央人民广播电台	总工办	内刊
期刊	党务工作简报	中央人民广播电台	党委办公室	内刊
双月刊	中国广播受众	中央人民广播电台	听众工作部	内刊
月刊	财经工作月报	中央人民广播电台	财经办公室	内刊
季刊	沟通	中央人民广播电台	财经办公室	内刊
报纸	广播生活	中央人民广播电台	党委办公室	内刊
季刊	民族广播	中央人民广播电台	民族广播中心	内刊
不定期	宣传注意	中央人民广播电台	总编室	内刊
期刊	军事动态	中央人民广播电台	军事中心	内刊
期刊	台情	中央人民广播电台	对台湾广播中心	内刊
期刊	中央电台简报	中央人民广播电台	台办公室	内刊
不定期	听评信息	中央人民广播电台	总编室	内刊
不定期	中国之声	中央人民广播电台	中国之声	内刊

中国国际广播电台：

类别	名　称	主管单位	主办单位	公开／内刊
报纸	世界新闻报	国家广电总局	国际台	公开
刊物	国际广播影视	国家广电总局	国际台	公开
刊物	世界广播电视参考	国际台	总编室	内刊
刊物	国外听众	国际台	总编室	内刊
刊物	记者工作通讯	国际台	新闻中心	内刊
刊物	我们	国际台	党委办公室	内刊
月刊	华人桥	国际台	华语中心	中文刊物
双月刊	信使报	国际台	英语中心	外文刊物
报纸	彩虹桥	国际台	日语部	外文刊物
报纸	友谊之声－CRI	国际台	朝鲜语部	外文刊物
报纸	蓝色电波	国际台	蒙古语部	外文刊物
期刊	友谊之桥	国际台	尼泊尔语部	外文刊物
期刊	听众园地	国际台	印地语部	外文刊物
报纸	友谊之声	国际台	乌尔都语部	外文刊物
期刊	友好使者	国际台	泰米尔语部	外文刊物
双月刊	友谊桥	国际台	僧伽罗语部	外文刊物
期刊	彩虹	国际台	孟加拉语部	外文刊物
报纸	友谊彩桥报	国际台	越南语部	外文刊物
报纸	CRI之声	国际台	老挝语部	外文刊物
报纸	空中彩桥	国际台	柬埔寨语部	外文刊物
期刊	友谊之窗	国际台	印尼语部	外文刊物
期刊	友谊之声	国际台	菲律宾语部	外文刊物

续表

类别	名 称	主管单位	主办单位	公开／内刊
报纸	桥梁	国际台	缅甸语部	外文刊物
期刊	听众之友	国际台	马来语部	外文刊物
期刊	听众之友	国际台	泰语部	外文刊物
报纸	新丝绸之路	国际台	土耳其部	外文刊物
期刊	普什图之镜	国际台	普什图部	外文刊物
期刊	友谊港	国际台	阿拉伯语部	外文刊物
报纸	友谊	国际台	波斯语部	外文刊物
报纸	友谊报	国际台	豪萨语部	外文刊物
报纸	友谊之桥	国际台	斯瓦希里语部	外文刊物
报纸	信息与回声	国际台	德语部	外文刊物
报纸	听众之友	国际台	法语部	外文刊物
期刊	话筒	国际台	世界语部	外文刊物
报纸	在一起	国际台	意大利语部	外文刊物
报纸	友谊花坛	国际台	西班牙语部	外文刊物
双月刊	听众之友	国际台	葡萄牙语部	外文刊物
期刊	中国风	国际台	俄语部	外文刊物
报纸	虹	国际台	捷克语部	外文刊物
报纸	听众之友	国际台	塞尔维亚语部	外文刊物
期刊	友谊之桥	国际台	罗马尼亚语部	外文刊物
期刊	窗	国际台	阿尔巴尼亚语部	外文刊物
报纸	你好	国际台	保加利亚语部	外文刊物
报纸	桥	国际台	匈牙利语部	外文刊物
报纸	看中国	国际台	波兰语部	外文刊物

中央电视台：

类别	名 称	主管单位	主办单位	公开／内刊
报纸	中国电视报	中央电视台	中国电视报社	公开
期刊	电视研究	国家广电总局	中央电视台	公开
期刊	现代电视技术	国家广电总局	中央电视台	公开
简报	中央电视台简报	中央电视台	台办公室	内刊
专刊	调研信息	中央电视台	台办公室	内刊
日刊	工作日报	中央电视台	台办公室	内刊
简报	党内通讯	中央电视台	党委办公室	内刊
报纸	电视生活报	中央电视台	党委办公室	内刊
专刊	全国收视调查报告	中央电视台	总编室观众联系处	内刊
专刊	观众反映及分析	中央电视台	总编室观众联系处	内刊
期刊	报刊早读	中央电视台	总编室研究处	内刊
期刊	央视资讯	中央电视台	总编室研究处	内刊
期刊	同赢	中央电视台	广告经济信息中心广告部	内刊
简报	国际日报·中国电视	中央电视台	海外节目中心	内刊
简报	科技信息报	中央电视台	技术管理办公室	内刊
简报	科影通讯	中央电视台	北京科学教育电影制片厂	内刊
简报	中国国际电视总公司工作简报	中央电视台	中国国际电视总公司	内刊
简报	梅地亚报	中央电视台	梅地亚中心	内刊
专刊	节目第一线	中央电视台	总编室研究处	内刊

中国教育电视台：

类别	名 称	主管单位	主办单位	公开／内刊
报纸	中国教育广播电视报	教育部	中国教育电视台	公开

中国传媒大学：

类 别	名 称	主管单位	主办单位	公开／内刊
期刊	现代传播	教育部	中国传媒大学	公开
期刊	媒介研究	中国传媒大学	广播电视研究中心	内刊
期刊	市场观察·媒介	中国传媒大学、 中国企业家协会	中国传媒大学广告学院	公开
年刊	中国广播电视年鉴	国家广电总局	中国传媒大学	公开
年刊	中国动画年鉴	中国传媒大学	中国传媒大学动画学院	公开
年刊	IMI消费行为与生活形态年鉴	国家广电总局、 中国传媒大学	中国传媒大学广告学院、 IMI（创研）市场信息研究所	公开
年刊	IAI中国广告作品年鉴	中国传媒大学	国际广告杂志社、 中国传媒大学广告学院、 IAI国际广告研究所商务 品牌战略研究所	公开
年刊	IAI中国终端营销展示年鉴	中国传媒大学	国际广告杂志社、 中国传媒大学广告学院、 IAI国际广告研究所	公开

北京市：

类 别	名 称	主管单位	主办单位	公开／内刊
周报	北京广播电视报	北京北广传媒集团	北京广播电视报社	公开
周刊	北京广播电视报·人物周刊	北京北广传媒集团	北京广播电视报社	公开
周刊	北京电视周刊	北京北广传媒集团	北京广播电视报社	公开
周报	新广播报	京报集团	北京人民广播电台	公开
周刊	音乐周刊	京报集团	北京广播公司	公开
年刊	北京人民广播电台年鉴	北京人民广播电台	北京人民广播电台	公开
年刊	北京广播影视年鉴	北京市广播电视局	北京市广播电视局	公开
月刊	北京广播影视	北京市广播电视局	北京市广播电视局 北京市广播电视学会	内刊
月刊	信息参考	北京市广播电视局	北京音像资料馆	内刊
半月刊	电视文摘	北京电视台	北京电视台总编室	内刊
年刊	北京电视台大事记	北京电视台	北京电视台	内刊

天津市：

类 别	名 称	主管单位	主办单位	公开／内刊
周报	天津广播电视报	天津广播电视电影集团	天津广播电视电影集团	公开
双月刊	天津广播电视	天津市广播电视电影局	天津市广播电视电影局 天津市广播电视学会	内刊

河北省：

类 别	名 称	主管单位	主办单位	公开／内刊
报纸	河北广播电视报	河北人民广播电台 河北电视台	河北广播电视报	公开 公开
报纸	声屏之友报	石家庄市广播电视局	石家庄市广播电视局	公开
报纸	唐山广播电视报	唐山市广播电视局	唐山市广播电视局	公开
报纸	视听之友	秦皇岛市广播电视局	秦皇岛市广播电视局	公开
期刊	声屏经纬	河北省广播电视局	河北省广播电视局	内刊
期刊	河北广播	河北人民广播电台	河北省广播电视学会 河北人民广播电台	内刊
期刊	河北电视	河北电视台	河北电视台	内刊
年刊	河北省广播电视年鉴	河北省广播电视局	河北省广播电视局	公开

山西省：

类别	名称	主管单位	主办单位	公开/内刊
报纸	山西广播电视报	山西省广播电视局	山西广播电视总台	公开
期刊	三晋声屏	山西省广播电视局	山西省广播电视局、山西省广播电视协会	内刊

内蒙古自治区：

类别	名称	主管单位	主办单位	公开/内刊
周报	内蒙古广播电视报	内蒙古电视台	内蒙古电视台	公开

吉林省：

类别	名称	主管单位	主办单位	公开/内刊
报纸	视听导报	吉林省广电协会	视听导报社	公开
期刊	北方传媒研究	吉林省广播电影电视局	吉林省北方传媒研究中心、吉林省广播电视协会、吉林人民广播电台、吉林电视台	内刊

黑龙江省：

类别	名称	主管单位	主办单位	公开/内刊
报纸	黑龙江广播电视报	黑龙江省广播电视局	黑龙江广播电视报社	公开

上海市：

类别	名称	主管单位	主办单位	公开/内刊
报纸	每周广播电视	上海文化广播影视集团	上海文广新闻传媒集团	公开
期刊	上海电视	上海文化广播影视集团	上海文广新闻传媒集团	公开
期刊	星尚OK!	上海文化广播影视集团	上海文广新闻传媒集团	公开
日报	第一财经日报	上海文广新闻传媒集团	上海文广新闻传媒集团、广州日报社、北京青年报社	公开
画报	哈哈画报	上海文广新闻传媒集团	上海文广新闻传媒集团 中国福利会	公开
日报	竞报	上海文广新闻传媒集团	上海文广新闻传媒集团、广州日报社、北京青年报社	公开
期刊	CBN	上海文广新闻传媒集团	上海第一财经传媒有限公司	内刊
期刊	思研汇	上海文化广播影视集团	上海文广新闻传媒集团	内刊
小报	每周动态	上海文化广播影视集团	上海文广新闻传媒集团	内刊
小报	传媒人	上海文化广播影视集团	上海文广新闻传媒集团	内刊

江苏省：

类别	名称	主管单位	主办单位	公开/内刊
期刊	东方文化周刊	江苏省广播电视总台	江苏省广播电视总台	公开
报纸	江苏广播电视报	江苏省广播电视总台	江苏省广播电视总台	公开
期刊	视听界	江苏省广播电视总台	江苏省广播电视总台	公开
期刊	广告大观	江苏省广播电视总台	江苏省广播电视总台	公开
期刊	东方法治导刊	江苏省广播电视总台	江苏省广播电视总台	公开
报纸	江苏广播电视周讯	江苏省广播电视总台	江苏省广播电视总台	内刊

浙江省：

类别	名称	主管单位	主办单位	公开／内刊
期刊	视听纵横	浙江省广播电视局	浙江省广播电视局、浙江广播电视集团、浙江省广电学会	内刊
报纸	浙江城市广播电视报	浙江广电集团	浙江广播电视出版总社	公开

安徽省：

类别	名称	主管单位	主办单位	公开／内刊
周报	安徽广播电视报	安徽省广播电影电视局	安徽电视台	公开
期刊	安徽广播影视	安徽省广播电影电视局	安徽省广播电影电视局、安徽省广播电视协会	内刊

福建省：

类别	名称	主管单位	主办单位	公开／内刊
期刊	东南传播	福建省广播影视集团	《东南传播》杂志社	公开
期刊	幸福生活指南	福建省广播影视集团	《幸福生活指南》杂志社	公开
报纸	福建广播电视报	福建省广播影视集团	福建广播电视报社	公开

江西省：

类别	名称	主管单位	主办单位	公开／内刊
报 纸	江西广播电视报	江西省广播电视局	江西广播电视报社	公开
期 刊	声屏世界	江西省广播电视局	江西省广播电视协会、江西人民广播电台、江西电视台	公开

山东省：

类别	名称	主管单位	主办单位	公开／内刊
期刊	现代视听	山东省广播电视局	山东广播电视新闻研究所	公开
期刊	WIND音乐大观	山东省广播电视局	山东电影电视剧制作中心、山东省文联	公开
期刊	时代影视	山东省广播电视局	山东电影电视剧制作中心	公开
期刊	视周刊	山东省广播电视局	山东广播电视报社	公开
报纸	山东广播电视报	山东省广播电视局	山东广播电视报社	公开

河南省：

类别	名称	主管单位	主办单位	公开／内刊
报纸	东方今报	河南电视台	河南电视台、大象出版社	公开
杂志	魅力中国	河南人民广播电台	河南人民广播电台	公开
期刊	中原声屏	河南省广播电影电视局	河南省广播电视协会	内刊
期刊	广播与受众	河南人民广播电台	河南人民广播电台	内刊
期刊	首播－河南电视	河南电视台	河南电视台	内刊
报纸	郑州广播电视报	郑州电视台	郑州电视台	公开

湖北省：

类别	名称	主管单位	主办单位	公开／内刊
周报	湖北广播电视节目报	湖北省广播电视总台	湖北广播电视节目报社	公开
期刊	电视时代	湖北省广播电视总台	《电视时代》杂志社	公开
期刊	声屏瞭望	湖北省广播电视总台、湖北省广播电视学会	《声屏瞭望》杂志社	内刊
期刊	广播记者	湖北省广播电视总台	新闻综合广播	内刊

湖南省：

类别	名称	主管单位	主办单位	公开／内刊
半月刊	天下情	湖南省广播电视局	湖南广播影视集团	公开
月刊	潇湘声屏	湖南省广播电视局	湖南广播影视集团	内刊
周刊	湖南广播电视报	湖南省广播电视局	湖南广播影视集团	公开
周刊	法制周报	湖南省广播电视局	湖南经济电视台	公开

广东省：

类别	名称	主管单位	主办单位	公开／内刊
周报	声报	广东电台	广东电台总编室	公开
周六报	投资快报	广东电台	广东电台股市广播	公开
周报	广东电视周报	广东电视台	广东电视台	公开
期刊	南方广播研究	广东电台	广东电台总编室	内刊
周刊	娱乐周刊	省广电局	广东电视台	公开
期刊	南方电视学刊	广东电视台	广东电视台	内刊
期刊	技术简报	广东电视台	广东电视台总工办	内刊
期刊	力量	广东电视台	广东电视台广告部	内刊
期刊	GDTV 电视编播实务	广东电视台	广东电视台总编室	内刊
双月刊	岭南视听研究	广东省广电局	广东省广电协会	内刊
期刊	南方传媒资讯	广东南方广播影视传媒集团	南方广播影视传媒集团总编室	内刊

广西壮族自治区：

类别	名称	主管单位	主办单位	公开／内刊
报纸	广西广播电视报	广西人民广播电台 广西电视台	广西人民广播电台 广西电视台	公开
期刊	视听	广西广播电影电视局	广西人民广播电台 广西电视台	公开
期刊	电视文字	广西广播电影电视局	广西电视艺术家协会	内刊

重庆市：

类别	名称	主管单位	主办单位	公开／内刊
报纸	重庆广播电视报	重庆广播电视总台	重庆广播电视总台	公开
期刊	广电传媒	重庆广播电视总台	重庆广播电视总台	内刊
期刊	长江传播	重庆广播电视总台	重庆广播电视总台	内刊
年刊	重庆广播电视年鉴	重庆广播电视总台	重庆广播电视总台	公开
期刊	重视研究	重庆广播电视总台	重庆广播电视总台	内刊
周刊	收听直击	重庆广播电视总台	重庆广播电视总台	内刊
月刊	中国电视理论动态	中国视协电视理论研究会	重庆广播电视总台	内刊

四川省：

类别	名称	主管单位	主办单位	公开／内刊
期刊	西部广播电视	四川广播电视集团	四川省广播电视新闻与传播研究所	公开
期刊	西部电视	四川广播电视集团	四川广播电视集团、 四川省电视艺术家协会	内刊
期刊	西部广播电视学刊	四川省广播电影电视局	四川广播电视集团、 四川省广播电视学会、 四川省广播电视新闻与传播研究所	内刊
报纸	四川广播电视报	四川广播电视集团	四川电视台	公开

贵州省：

类 别	名 称	主管单位	主办单位	公开／内刊
报纸	贵州广播电视报	贵州省广播电视局	贵州电视台	公开
刊物	贵州广播	贵州人民广播电台	贵州人民广播电台	内刊
刊物	贵州电视	贵州电视台	贵州电视台	内刊
刊物	贵视信息	贵州电视台	贵州电视台	内刊

云南省：

类 别	名 称	主管单位	主办单位	公开／内刊
期刊	云岭声屏（月刊）	云南省广播电视局	省局总编室	内刊
期刊	云南广电科技	云南省广播电视局	省局事业技术中心	内刊
期刊	云南广播（2007年改为4开）	云南人民广播电台	省电台总编室	内刊
期刊	电视新周刊	云南电视台	云南电视台	内刊
期刊	前 沿	云南电视台	云南电视台发展研究部	内刊
期刊	沟通与交流	云南电视台	云南电视台新闻中心	内刊
报纸	云南广播电视报（周二报）	云南省广播电视局	云南电视台	公开

陕西省：

类 别	名 称	主管单位	主办单位	公开／内刊
期刊	西部广播影视	陕西省广播电视协会	陕西省广播电影电视局	内刊
期刊	当代声屏	西安市广播电视局	西安市广播电视学会	内刊
期刊	黄河声屏	渭南市广播电视局	黄河声屏杂志社	内刊
期刊	陕西视评	陕西电视台	陕西电视台	内刊
报刊	陕西广播电视报	陕西电视台	陕西电视台	公开
报刊	西安广播电视报	西安市广播电视局	西安市广播电视局	公开

甘肃省：

类 别	名 称	主管单位	主办单位	公开／内刊
期刊	甘肃视听	甘肃省广播电影电视局	甘肃省广电协会	内刊
报纸	甘肃广播电视报	甘肃省广播电影电视总台	甘肃广播电视报社	公开

青海省：

类 别	名 称	主管单位	主办单位	公开／内刊
报 纸	青海广播电视报	青海电视台	青海广播电视报社	公开
报 纸	青海广播	青海人民广播电台	青海人民广播电台总编室	内刊
期 刊	昆仑声屏	青海省广播电视局	青海省广播电视协会	内刊

宁夏回族自治区：

类 别	名 称	主管单位	主办单位	公开／内刊
期刊	宁夏广播电视学刊	宁夏广播电影电视局	宁夏广播电视协会	内刊

新疆维吾尔自治区：

类 别	名 称	主管单位	主办单位	公开／内刊
报纸	新疆广播电视报	广播电影电视局	新疆广播电视报社	公开
期刊	视听天地	广播电视协会	视听天地编辑部	内刊
期刊	广播电视技术	广播电影电视局	广播电影电视局科技委	内刊

厦门市：

类 别	名 称	主管单位	主办单位	公开／内刊
报纸	厦门市广播电视报	厦门广播电视集团	厦门广播电视报社	公开

11.评奖与表彰
Awards

11. 评奖与表彰

责任编辑 韩同慧
审稿人 张聪

新闻类

2005～2006年度中国广播影视大奖广播电视节目奖评选

2005～2006年度中国广播影视大奖广播电视节目奖评奖结果已经广电总局批准。本次广播电视节目奖首次实行两年一评的制度，评奖分初评、复评和终评三个阶段。由各省、区、市广电协（学）会组织初评；在复评阶段，广电协会先后举办了由100多位专家组成的10个分项评选会，在参评的962件作品中，评选出248个节目进入终评。总局相关部门领导、广电协会领导和有关专家组成终评委员会，共评选出新闻、专题、栏目、文艺等25项共124个节目。这些获奖节目总体上反映了2005～2006年度中国广播电视节目的整体水平，在舆论导向、时代精神、节目策划、制作水平等方面体现了精品节目的特点。

2005～2006年度中国广播影视大奖广播电视节目奖获奖名单

（广播部分）

一、优秀消息（10个）

1	落实科学发展观	中央人民广播电台
2	挑战与期待	河南人民广播电台
3	梁子湖螃蟹环游记	湖北广电总台
4	劳务经济创品牌	吉林人民广播电台
5	天路之旅，走进西藏	成都人民广播电台
6	为防行人跨　护栏抹黄油	辽宁人民广播电台
7	超支2.4倍的“背后”	上海人民广播电台
8	广东单位GDP能耗全国最低，张德江强调科学发展任重道远	广东人民广播电台
9	平乡县靠强征重税求“政绩”	河北人民广播电台
10	奥运会吉祥物发布	青海人民广播电台

二、优秀评论（5个）

1	信息公开透明　确保安全北京	北京人民广播电台
2	决不许亵渎英雄，歪曲历史	浙江人民广播电台
3	不要把群众“推”上上访路	陕西人民广播电台
4	“叫停”，是为了更好更快	吉林人民广播电台
5	沉重的翅膀	江西人民广播电台

三、优秀现场直播（5个）

1	青藏铁路运营通车特别直播——穿越青藏高原	中央人民广播电台
2	走进世园会	辽宁人民广播电台
3	历史的见证	河南安阳广播电台
4	雨中送考	黑龙江人民广播电台
5	民族伟业，梦圆三峡	湖北广电总台

四、优秀广播栏目（5个）

1	《直播中国》	中央人民广播电台
2	《阳光热线》	河北人民广播电台
3	《河南新闻》	河南人民广播电台
4	《1377午新闻》	青岛人民广播电台
5	《金色田园》	安徽人民广播电台

五、优秀广播专题（10个）

1	变了味的粮食直补	中央人民广播电台
2	决定命运的选择	天津人民广播电台
3	糊涂文件推销糊涂酒	湖北广电总台
4	以德报怨汇爱心，和谐之美满人间	青岛人民广播电台
5	梁群兰：自觉自省的法律践行者	四川遂宁广播电台
6	真情女人武秀君	辽宁人民广播电台
7	曹女士事件引发的思考	北京人民广播电台
8	好人王广君	黑龙江人民广播电台
9	跨越民族的爱	新疆人民广播电台
10	梦想的彩虹	上海人民广播电台

六、优秀对港澳台节目（5个）

1	胡锦涛会见连战和台湾各界人士	中央人民广播电台
2	行走青藏线	中国华艺广播公司
3	打造“蚯蚓王国”的台湾人	江苏金陵之声电台 江苏常熟广播电台
4	魅力中国：魅力北京、魅力苏州、四大传说之《白蛇传》	中央人民广播电台
5	“霹雳三娇娃”——一对台湾母女和她们的上海邻居	浦江之声广播电台

七、优秀对外广播新闻（5个）

1	温家宝总理驳斥所谓中国在非洲搞新殖民地主义论调	中国国际广播电台
2	相隔万里路 浓浓中非情—50年	中国国际广播电台
3	“总裁船长”的环球传奇（上、下）	青岛人民广播电台
4	日本战犯重返抚顺战犯管理所	中国国际广播电台
5	俄罗斯总统普京探访中国少林功夫摇篮——嵩山少林寺	河南人民广播电台

八、优秀音乐节目（2个）

1	音乐的宣言	北京人民广播电台
2	一树茉莉千枝歌	河北人民广播电台

九、优秀文学节目（2个）

1	泪蛋蛋好比莜麦花花飞——雁北乡巴佬曹乃谦	黄河电视台

2 狂雪——军旅诗人王久辛长诗《狂雪》印象 宁波人民广播电台

十、优秀综艺节目（2个）

1 木兰说 河南人民广播电台
2 众说纷纭闹空城 天津人民广播电台

十一、优秀戏曲节目（2个）

1 粤韵铿锵 深圳广电集团
2 台北～北京笑在一起——听台湾演员说相声 中央人民广播电台

十二、优秀长篇连播节目（2个）

1 最长的一天 中央人民广播电台
2 长篇小说：藏獒2 青岛人民广播电台

十三、优秀原创歌曲节目（2个）

1 《和谐中国》 天津人民广播电台
2 《月亮之上》 北京人民广播电台

十四、优秀广播剧（5个）

1 《深山信使》 中央人民广播电台
2 《逍遥津》 黑龙江人民广播电台
3 《旺旺你好》 深圳宝安广电中心
4 《母亲的童谣》 安徽人民广播电台
5 《静静的胡杨》 浙江镇海广播电视台

（电视部分）

一、优秀消息（10个）

1 胡锦涛在延安与老区人民共度除夕共迎新春 中央电视台 陕西电视台
2 落实科学发展观 中央电视台
3 北京听到了我心声 辽宁电视台
4 华益慰：平凡医者人间天使 北京电视台
5 农民工的艰辛出行路 贵州电视台
6 西藏辉煌四十年 西藏电视台
7 牛志远：供养孤儿上大学 河南许昌电视台
8 生态家园 共同守护 广西电视台
9 刘翔12秒88打破尘封13年110米栏世界纪录 上海电视台
10 奥运冠军孙福明爆出假摔丑闻 南京广播电视台

二、优秀评论（5个）

1 根除医药商业贿赂毒瘤 中央电视台
2 煤之痛 山西广电总台
3 入世五年 大豆遇险 黑龙江电视台
4 中国古典名著遭日本企业抢注商标的反思 广东中山电视台
5 “俏夕阳”之争 河北电视台

三、优秀现场直播（5个）

1 神舟六号载人航天飞行特别报道 中央电视台
2 巅峰之旅七一全天大直播 上海东方卫视
3 长龙跨海——烟大铁路轮渡试运行现场直播 山东电视台
4 胜利的日子 黑龙江电视台
5 贵昆铁路沾昆复线工程隧道塌方救援 云南电视台

四、优秀栏目（5个）

1 《新闻联播》 中央电视台
2 《新闻在线》 广西电视台
3 《这里是北京》 北京电视台
4 《东方新闻》 上海东方卫视
5 《记者调查》 新疆电视台

五、优秀专题（14个）

1 天价住院费 中央电视台
2 英雄岁月 黑龙江电视台
3 长征颂 云南电视台
4 大国崛起 中央电视台
5 好医生华益慰 解放军电视宣传中心
6 不容忽视的隐形“毒品” 吉林电视台
7 谎言背后的感恩之旅 河南驻马店电视台
8 被遗忘的村落 湖北广电总台
9 沧桑正道——科学发展观纵横谈 江西电视台 中央电视台
10 “神六”追踪 山东电视台 酒泉卫星发射中心电视台
11 难办的证件 成都电视台
12 一个农民和一部法律 河北电视台
13 不朽的医魂 深圳广电集团
14 好人丛飞 辽宁电视台

六、优秀对外电视新闻（5个）

1 再说长江 中央电视台
2 泰国海啸灾难连续报道 中央电视台
3 人证 黄河电视台
4 台湾政经人物祖地行 福建电视台
5 “中国”老太牧琳爱 山东电视台

七、优秀纪录片（6个）

1 《故宫》 中央电视台
2 《百年留学》 广东电视台
3 《梁子岛纪事》 湖北广电总台
4 《躁动》 广东台山电视台
5 《潜水十年》 海南广播电视台
6 《漓江渔火》 广西电视台

八、优秀科普节目（3个）

1 三江源 中央电视台
2 第一亩“秸秆藕” 山东电视台
3 神话 北京电视台

九、优秀少儿节目（4个）

1 超级伙伴 辽宁电视台
2 暖冬 青海电视台
3 童话王国奇幻之旅 广东南方电视台
4 梦想乐园——2006年六一大型动画情景剧 中央电视台

十、优秀动画节目（4个）

1 《快乐东西》第二部 北京电视台
2 《三毛流浪记》 中央电视台
3 《美德花园》 安徽电视台
4 《童话数学——多得啦大战巨头翁》 广东南方电视台

十一、优秀广告节目（1个）

1 《真实的声音》系列宣传片 上海电视台

第17届中国新闻奖获奖作品目录（广播电视部分）

特别奖、一等奖（共44件）

评选项目	题　　目	作　　者	编　辑	刊播单位
广播消息	求知于实践 问计于群众	李涛、赵雪花	刘振宇、王锐	中央人民广播电台
广播评论	决不许亵渎英雄，歪曲历史	张勤、王新玲、陈建海、范少俊	张勤	浙江广电集团
广播专题	他的童年因禽流感而改变	王玉清、龚万鹏	卫宁、沈汀	中国国际广播电台
广播专题	追逐太阳的青春	程锐、肖玉、贾丽娟、郁立东	刘伟、甘韵琪	西藏人民广播电台 唐山人民广播电台
广播系列	情满旱塬——温家宝总理中部干旱带考察纪行	张国英、张春华、张燕	毕力格、林君、王英	宁夏广电
广播访谈	质疑上海“二期课改”	秦畅、朱愉、朱应、乐建强		上海文广新闻传媒集团
广播直播	穿越青藏高原(1) (2) (3)	集体		中央人民广播电台
广播编排	1月3日《交通新闻午间版》		邢立新	北京人民广播电台
电视消息	胡锦涛同延安老区人民共迎新春	徐少兵、冯卓、石伟明、王倩	冯卓、王倩	中央电视台
电视消息	综合能耗仅为同行业一半 上海化工区循环经济结硕果	黄铮、张永新	崔士新、王一敏	上海文广新闻传媒集团
电视评论	谁在造假	李力、潘雄海	覃水生、万亿	广西电视台
电视专题	大漠胡杨	潘智云、张林熙　莫争名、张苏军	彭旸、田晓燕、明月	新疆电视台
电视系列	新长征路上的浙江人	黄小裕、龚奇、陈李超、朱贤勇、周福增等	王水明、陈巍峰	浙江电视台
电视访谈	小崔会客——会见甘肃省长陆浩	杨铭军、包军昊、崔永元、王学锋		中央电视台
电视直播	中非合作论坛北京峰会	集体		中央电视台
电视编排	8月11日东方新闻		集体	上海文广新闻传媒集团

二等奖（共89件）

评选项目	题　　目	作　　者	编　辑	刊播单位
广播消息	兖州封存两亿吨大煤田，留给子孙美好家园	权珍琦、孙泉莉	李昌文	山东人民广播电台
广播消息	我国自主知识产权轿车首次大规模出口发达国家	李崇、那其灼	陈夕	辽宁人民广播电台
广播消息	让民间艺术品闯市场	韩晓红、李玉泉	陈志强	青海人民广播电台
广播评论	信息公开透明 确保安全北京	前行、陈京英	景兵、王欣	北京人民广播电台
广播专题	叫声，改写了一个物种“灭绝”的历史	黄东华、张频、陶启堂	张频	广西人民广播电台
广播专题	承诺如山　铁骨柔情 ——记一个警察与罪犯的托孤协议	应响洲、李高翔	赵阳、叶雷、宋成卫	武汉人民广播电台
广播专题	给黑土地搬家 留万顷良田——吉林省高速公路建设表土剥离再造耕地纪实	孟祥秋、何璐璐	赵宝玲、黄云鹤	吉林人民广播电台
广播专题	燃起维权明灯 照亮人生路途	雷蕾、荆红卫	王玮	青岛人民广播电台
广播专题	错位的公交站牌出售	李玉杰、何昱、孙辉	张庭杰	辽宁人民广播电台
广播系列	种粮农民的增收困境	张磊、杨路	张军、燕辉	中央人民广播电台
广播系列	看，满城飞扬的红飘带	王丽君、李玉、宫静	孙忠民、王玮	青岛人民广播电台
广播访谈	最后关头的出击	耿海鹰、杨秀彬	林小军、张媛媛	广东中山广播电视台
广播访谈	从黄水海军到蓝水海军	孙利、金一南	吕锡成	中央人民广播电台
广播直播	珠江飞出欢乐的歌	范驰、黄缨、林少霞、王非、徐靓、魏伟琼		广东人民广播电台
广播编排	12月17日《新闻和报纸摘要》		集体	中央人民广播电台
电视消息	山西在全国率先进行煤炭采矿权改革	集体	集体	中央电视台 山西广播电视总台
电视消息	抢救民勤调水应急方案今天启动	杨德灵、刘珊、张晓南	刘珊	甘肃广电总台
电视消息	宁波万余市民“抢”助贵州贫困学子	赵兵、闫全、张士荣、李飒、何斌、顾波	罗建永、叶武	宁波电视台
电视消息	宜州由劳务输出大市变劳务输入热土	卢华厚、韦启承、何绍光	卢华厚、周丹勤	广西河池电视台

续表

评选项目	题　　目	作　　者	编　辑	刊播单位
电视消息	祖国在我心中	蒙根、吴涛、陈晨、蔡志刚	彭旸、田晓燕 霍延敏	新疆电视台
电视消息	红土地上唱响红歌	刘金胜、曾佳、牛力	刘宁、万良朋	江西电视台
电视评论	深山里的一条“船”	陈洁、赵刚、梅伟		中央电视台
电视专题	一个人与一座城	集体	集体	深圳广电集团
电视专题	告慰红军 绿染群山	常以卓、刘天鹏、卓杰	郭雄	陕西电视台
电视专题	承诺：给矿工一个温暖的家	范宏文、闫东升、王煜		黄河电视台
电视专题	讨债 11 年（下）	李欣、万昆、李子国	万昆	中央电视台
电视系列	神奇的天路	格尼、黄荣新、于东明	格尼	西藏电视台
电视系列	金门日记	曾温娜、曾福跃、邹振东	阎小荔、叶水凯 林琳	厦门电视台
电视访谈	校园周边隐患多	苏都、雷蒙、潘浩、刘小飞	张晓东	内蒙古电视台
电视访谈	踢球的孩子哪去了	刘向凯、刘春光、李胜 周鸣喆、李志坤		天津电视台
电视直播	哥德堡号重返广州	集体		广州电视台 广东电视台 中央电视台
电视编排	7 月 21 日《新闻 60 分》		集体	嘉兴电视台

三等奖（共 150 件）

评选项目	题　　目	作　　者	编　辑	刊播单位
广播消息	超支 2.4 倍的“背后”	丁芳		上海文广新闻传媒集团
广播消息	广东单位 GDP 能耗全国最低，张德江强调科学发展任重道远	黎辉、万准		广东人民广播电台
广播消息	丰收农民还贷忙	赵英娜、张永华	赵宝玲	吉林人民广播电台
广播消息	河北立法叫停“垄断福利”	严红霞、谷林曼、徐江帆 王瑞芳	马竹君、董俊叶	河北人民广播电台
广播消息	小辣椒串起产业链 东西部农民齐增收	任静	徐毅立、崔万清	天津人民广播电台
广播消息	广西试行矿山供地新模式	莫新华、杨小平、雷永茂	周文力	广西人民广播电台
广播消息	伊春敲响中国国有林权制度改革第一锤	赵鸿洋、张建利	赵研均、田尊师	黑龙江人民广播电台
广播消息	新一代核聚变装置放电实验成功	王雷、王跃红、许秀方		安徽人民广播电台
广播消息	吹灭最后一盏油灯	叶爽	卢明亮	重庆广播电视总台
广播评论	沉重的翅膀	邓季芳、刘崇智、彭世翔		江西人民广播电台
广播评论	不要把群众“推”上上访路	许琴、马珺		陕西人民广播电台
广播专题	回家	赵旻	王坚	上海文广新闻传媒集团
广播专题	我不能让我的孩子流血	虹雨、黄雯、左鸿雁	杨连勇、王宏	新疆人民广播电台
广播专题	从政协一个界别的工作情况看中国政协作用的发挥	张芊、辛昱惠	徐朝清	中国国际广播电台
广播专题	南新堡村土地确权调查	连新元	连新元	北京人民广播电台
广播专题	魏成伟的心思	张芸、尚英琴	张晓巍	青海人民广播电台
广播专题	生死营救三分钟	常俊青、郭春玲	陈冰凌、翟丽华	内蒙古人民广播电台
广播专题	建设生态新家园	詹雯、皇甫浩东	于福江	甘肃广电总台
广播专题	电话——沟通零距离	齐露莹、承明欣	高世铭、赵举和	河南人民广播电台
广播专题	超越残疾 分享快乐——记第九届“远南”运动会	肖玉	肖玉、王淑娟	中央人民广播电台
广播系列	走进人口较少民族系列（1 2 3）	李琳、蔡靖鸓	朱建英、台林珍	中国国际广播电台
广播系列	药价飞涨之谜	陈红艳	钟翠萍、郜国欣	广东人民广播电台
广播系列	借力科技创新，百年电车变脸(1 2 3)	刘康霞、吕春璐	乐建强、陈金宝	上海文广新闻传媒集团
广播系列	止住农民工七年泪水	魏和平、王玺	李德丽	贵州人民广播电台
广播系列	新农村发现(1 2 3)	刘晓兵、戴丽英 李敏		陕西人民广播电台
广播系列	本田车二次轧人案(1 2 3)	马杰峰、江鸿	冯喜增、陈青 李俊建	河北人民广播电台

续表

评选项目	题　目	作　者	编　辑	刊播单位
广播访谈	军演好戏开唱　谁来惩罚贪渎	刘典、龚天宁、宋印伟 车丽娟		海峡之声广播电台
广播访谈	远逝的白鳍豚	陈波、徐凤梅、宋成卫 陈江鹏		武汉人民广播电台
广播访谈	外来入侵植物正在危害中国西南地区跨境生态安全	江涛、胡滨		云南人民广播电台
广播直播	感受千年渔猎文化	集体		吉林人民广播电台
广播编排	12月25日《新闻直通车》		侯宏卫、鲁金茗 张荔	安徽人民广播电台
电视消息	围堰爆破，先为鱼儿拉警报	梁云、艾涛、蔡文祥 冯志强、田园	梁家新、向培凤	湖北广电总台
电视消息	警民合力救民工	李鸿、何晓鹏、范勇 李醒才	徐钜荣	湖北江门广播电视台
电视消息	14个国家青睐天业节水灌溉技术	刘学斌、蓝淑宏	王新宏、刘学斌	新疆石河子电视台
电视消息	我国农村计划生育家庭奖励扶助试点惠及185万农村老人	傅早笛、梁治	傅早笛、梁治	中央电视台
电视消息	石家庄桥东区：7个城中村是怎么消失的	孙兴廷、王庆华、刘碧琦	张鹏、王慧	河北电视台
电视消息	创新采油方法　从石头里"榨油"	周新丽、兰金龙、郑原	谷中君、张苗	陕西电视台
电视消息	黄步遥和他的"希望"模式	王丹、姜鹂	吴寿锋	贵州电视台
电视消息	物业收益回归　业主参与分红	刘效、艾军	徐京玲	北京电视台
电视消息	内蒙古实施"牛羊移民"战略　带来经济效益与生态效益共赢	王雪莲、王轶军	王雪莲	中央电视台
电视消息	浏阳开始实施股田制	杨兵、黄劲松、肖健	左海	长沙电视台
电视消息	牛伤身体人伤心	公强、许冰		黑龙江电视台
电视消息	乐东海防林：问题严重　部门失职	陈忆多、陆方	王颖、杨怡	海南电视台
电视消息	解万家愁的司法所长——王立步	陆雯、徐为民、朱凤达	陆雯、徐为民	中央电视台
电视评论	男院长"住"进女病房	范本吉、朱邦录		中央电视台
电视评论	是民心工程还是面子工程?	魏艳文、王大蔚、刘舜尧	胡桂林、黄迅雷	武汉电视台
电视专题	关注抑郁症	季力、刘桂强	吴晓东、訾力超	上海文广新闻传媒集团
电视专题	一药多名祸几重	梁雪松、刘婧、史月光 张海军、苑秋宝	史月光、刘婧	北京电视台
电视专题	"火锅姑娘"的坎坷人生	姜万川、李侗、张真	赵宇翀、潘毅	重庆广播电视总台
电视专题	寻访"辛文"	田序忠、康凯、王子军 黄学义	庄谦宇	吉林电视台
电视专题	心会和爱一起走	金日松、李金迪、尚颖 付强	王亚平、满小峰 田稷、李实	哈尔滨电视台
电视专题	村民铅超标，谁之过	毛咏春、马晓朋、赵思阳	毛咏春	甘肃广电总台
电视系列	独臂英雄丁晓兵	徐梅芳、谭勇		安徽电视台
电视系列	生命的捐献	张春生、智强、范维坚	田红年、姜常涵 叶永杰	山东电视台 烟台电视台
电视系列	时代先锋：蓝领专家孔祥瑞	王涵、熊传刚、徐进	谷云龙、王铁刚	中央电视台
电视系列	牛志远：供养孤儿上大学	傅岩、陶广华、杜民	孙运民、贺奎 闫倩	许昌电视台
电视访谈	告诉你一个你不知道的洪战辉(1 2)	周运义、范例、张丹 罗旭明、邓远瑞、郭箐		湖南电视台
电视访谈	走近张九精	集　体		海南广播电视台
电视访谈	让家庭远离暴力	姚晓静、许荣斌、王献玲 杨宇声、周永申、吴兴波		佛山电视台
电视直播	国家体育场钢结构卸载	张亮、宗燕红、齐建彤 徐京玲、白艳军、李晓君		北京电视台
电视编排	11月4日《1860新闻眼》		集体	江苏广播电视总台

文 艺 类

中国广播影视大奖·第26届电视剧“飞天奖”评选

中国广播影视大奖·第26届电视剧“飞天奖”由国家广播电影电视总局主办，中国电视艺术委员会承办。本届是“飞天奖”改为两年评选一次的首次评选，评选范围是2005年3月1日至2007年2月28日在中央电视台和省级电视台播完的各类电视剧。参评电视剧共154部、3443集，共评出作品奖41部、952集，单项奖9个；提名荣誉奖作品12部、282集，单项奖提名21个。颁奖典礼于2007年8月25日在北京中国剧院隆重举行。

中国广播影视大奖·第26届电视剧“飞天奖”获奖名单

一、长篇电视剧

一等奖

亮剑	海润影视制作有限公司、上海电影集团公司、上海东上海国际文化影视有限公司、沈阳军区政治部电视艺术中心、广东南方电视台
恰同学少年	中央电视台影视部、湖南电视台、长沙电视台
乔家大院	中央电视台影视部、北京华晟泰通传媒投资有限公司、山西电视台、中国文采声像出版有限公司、北京中视百代文化传播有限公司
八路军	中央电视台影视部、山西省委宣传部、八一电影制片厂、山西广播电视总台
任长霞	中宣部宣传教育局、公安部宣传局、河南电视台、中国电视剧制作中心
插树岭	中央电视台影视部、吉林省影视剧制作中心、吉林市电视台电视剧制作中心
西圣地	中国国际电视总公司、中国华艺音像实业有限公司、重庆广播电视总台
诺尔曼·白求恩	上海文广新闻传媒集团、中央电视台影视部、上海东上海国际文化影视集团、上海海润影视制作有限公司、解放日报报业集团

二等奖

雄关漫道	八一电影制片厂、贵州省委宣传部、福建成龙集团有限公司、成都军区政治部电视艺术中心、北京军区政治部电视艺术中心、北京懋伯兰文化传播有限责任公司
玉碎	中央电视台影视部、四方源创国际影视文化传播（北京）有限公司、天津电视台电视剧制作中心、中青映画影视文化传播有限公司、上海智尊影视文化传播有限公司
荀慧生	中央电视台影视部、河北电视台、河北颐新文化艺术投资有限公司
老娘泪	中国电视剧制作中心
都市外乡人	中央电视台影视部、吉林市电视台电视剧制作中心
陈赓大将	中国电视剧制作中心

三等奖

大明王朝·1566	湖南广播影视集团、海口市广播电视台、北京天风海韵影视文化传媒公司、湖南电视台、中央纪委监察部电教中心
江塘集中营	中央电视台、扬州电视台、上海千年投资管理有限公司、南京军区政治部前线文工团、南京电影制片厂
吕梁英雄传	中国电视剧制作中心、吕梁市委市政府、山西省广播电视总台
亲兄热弟	深圳广播电影电视集团深广传媒有限公司、山西广播电视总台、北京盛世嘉景影视文化传播有限公司、北京御景江山影视文化发展有限公司、北京电视艺术中心
幸福像花儿一样	八一电影制片厂、北京电视艺术中心、OO影视资源网、北京世纪星润影视投资咨询有限公司、江苏华威影视演艺有限公司
镇长	中央电视台影视部、河北省委宣传部、河北音像资料馆、河北电影电视剧制作中心、河北电视台
上将许世友	中央电视台影视部、江苏省文化产业集团、八一电影制片厂、北京懋伯兰文化传播公司、南京军区政治部文工团、中国唱片总公司

二、中短篇电视剧

一等奖

走进石锁沟	中央电视台影视部、内蒙古电影制片厂、鄂尔多斯市委宣传部、北京智德轩影视文化传播有限公司

二等奖

陈云在临江	中央电视台影视部、八一电影制片厂、吉林省委宣传部、陈云故居暨青浦革命历史纪念馆、白山市委市政府、临江市委市政府
雪域情	中视传媒股份有限公司、西藏电视台、西藏军区

三等奖

砺剑	中国电视剧制作中心、海军政治部电视艺术中心
血沃丰碑	八一电影制片厂、山东省委宣传部、临沂市委宣传部、山东苍山县委县政府、山东枣庄电视台

三、少儿电视剧

一等奖

家有儿女（第一部）	中国电视艺术家协会影视中心、北京电视台、中视美星国际文化传媒有限公司、北京世纪金源集团公司、北京嘉盾投资有限公司、北京润盛投资管理有限公司

二等奖

小留学生	中国电视剧制作中心
小小的我	河北电视台、中央电视台影视部、河北省委宣传部、河北省文明办

三等奖

快乐星球	中央电视台影视部、郑州电视台
炫年华	深圳电影制片厂、共青团中央网络影视中心、北京大鹏点石文化传播有限责任公司

四、戏曲电视剧

一等奖

凤阳情	天津电视台电视剧制作中心、天津评剧院

二等奖

李清照	中国电视剧制作中心、安徽电视台
杨乃武平冤记	浙江越剧团、中央电视台

三等奖

塞北婆姨	山西广播电视总台、山西史佳花文化艺术传播有限公司
佘赛花	山东电影电视剧制作中心、山东艺术学院

五、优秀系列电视剧

喜庆农家	中央电视台影视部、辽宁省委宣传部、辽宁电视台、沈阳嘉艺文化有限责任公司
水兵俱乐部	北京冠华盛嘉传媒文化有限公司、中央电视台影视部、四川电视台电视剧制作中心、海军政治部电视艺术中心
武林外传	上海东上海国际文化影视有限公司、空军电视艺术中心、无锡太湖传媒文化投资有限公司、尚敬工作室、北京联盟影业投资有限公司

六、优秀译制电视剧

人人都爱雷蒙德	中央电视台
勇敢的心	国家广电总局电影卫星频道

七、单项奖

优秀编剧

《恰同学少年》的编剧：盛和煜、黄晖
《亮剑》的编剧：都梁、江奇涛

优秀导演

《任长霞》的导演：沈好放
《乔家大院》的导演：胡玫

优秀摄像

《乔家大院》的摄像：池小宁

优秀男演员

《亮剑》中李云龙的扮演者：李幼斌
《八路军》中朱德的扮演者：王伍福

优秀女演员

《任长霞》中任长霞的扮演者：刘佳
《乔家大院》中陆玉涵的扮演者：蒋勤勤

八、提名荣誉奖

石破天惊	中央电视台影视部、第二炮兵政治部电视艺术中心
垂直打击	中央电视台影视部、空军政治部电视艺术中心、星美传媒集团有限公司、深圳华侨国际传媒有限公司
铁色高原	中央电视台影视部、萍乡市委市政府、湖南长丰汽车制造股份有限公司、江西萍乡市星宇传媒影视文化发展有限公司、成都军区政治部电视艺术中心、云南金龙文化产业传播有限公司、搜狐公司、中国铁道建筑总公司
美丽的田野	中央电视台影视部、吉林省大地影视传播有限公司
麻辣婆媳	中央电视台影视部、中视传媒股份有限公司、北京荣信达影视艺术有限公司
半路夫妻	南京广播电视集团、紫金山影业有限公司、江西和平影视传播有限公司、江苏音像出版社、江苏中天影视投资有限公司、北京信通传之媒文化发展有限公司、苏州广播电视台、扬州市广播电视局
沙场点兵	北京军区政治部战友电视艺术中心、中央电视台影视部、广东神州唐龙文化发展有限公司、江西电视台电视剧制作中心
京华烟云	九洲音像出版公司、华夏视听在线文化发展有限公司、金泽太和国际文化交流有限公司、中央电视台影视部、江苏省广播电视总台、苏州广播电视总台、东派广告有限公司、恒源祥（集团）有限公司、

	中国传媒大学南广学院
星火	中央电视台新影制作中心、北京新陆地文化艺术中心
张治中	中国电视剧制作中心
科技馆的故事	中央电视台影视部、中国国际文化艺术中心、中国科技馆、怡光国际经济文化集团有限公司
中国公主杜兰朵	四川电视台、四川长富文化传播有限公司、四川省文化厅

单项奖提名荣誉

优秀编剧提名

《玉碎》的编剧：周振天

《西圣地》的编剧：赵天山、林和平

《任长霞》的编剧：革非

优秀导演提名

《插树岭》、《都市外乡人》的导演：顾晶

《吕梁英雄传》的导演：何群

《江塘集中营》的导演：金韬

优秀男演员提名

《恰同学少年》中毛泽东的扮演者：谷智鑫

《玉碎》中赵如圭的扮演者：王刚

《西圣地》中杨大水的扮演者：张丰毅

《乔家大院》中乔致庸的扮演者：陈建斌

《陈赓大将》中陈赓的扮演者：侯勇

《亲兄热弟》中于大海的扮演者：张国立

《半路夫妻》中管军的扮演者：孙红雷

《上将许世友》中许世友的扮演者：张秋歌

优秀女演员提名

《老娘泪》中程大娘的扮演者：吕启凤

《都市外乡人》中高美凤的扮演者：闫学晶

《幸福像花儿一样》中杜娟的扮演者：孙俪

《幸福像花儿一样》中大梅的扮演者：殷桃

《半路夫妻》中胡小玲的扮演者：陈小艺

《京华烟云》中姚木兰的扮演者：赵薇

《麻辣婆媳》中吴芮的扮演者：何琳

中国广播影视大奖·广播电视节目奖（第20届“星光奖”）评选

中国广播影视大奖·广播电视节目奖（第20届“星光奖”）由国家广播电影电视总局主办、中国电视艺术委员会承办。本届是改为两年评选一次的首次评选，评选范围是2005年3月1日至2007年2月28日播出的各类电视文艺节目及少儿电视节目。参评节目共870个，评出获奖作品55个，提名荣誉作品27个。颁奖典礼于2008年1月16日在上海大剧院隆重举行。

中国广播影视大奖·广播电视节目奖（第20届“星光奖”）获奖名单

一、优秀电视综艺节目

2006年中央电视台春节联欢晚会	中央电视台
2007年中央电视台春节联欢晚会	中央电视台
永远跟您走——纪念中国共产党成立85周年大型文艺晚会	中央电视台
松花江上——纪念抗日战争暨世界反法西斯战争胜利60周年大型晚会	黑龙江省委宣传部、中共哈尔滨市委、哈尔滨市人民政府、黑龙江省广播电视局、黑龙江电视台
公安部2007年春节联欢晚会	公安部政治部、中央电视台、金盾影视文化中心
舞林盛典——华东六省一市2007迎春晚会	上海文广新闻传媒集团、上海东方电视台、浙江电视台、江苏电视台、安徽电视台、江西电视台、山东电视台、福建东南电视台
共创和谐——2007年山东军民春节联欢晚会	济南军区、山东省委省人民政府、济南市委市人民政府、山东电视台

二、优秀电视歌舞节目

春天交响诗——2007年中央电视台春节歌舞晚会	中央电视台、深圳东部华侨城
和谐礼赞——庆祝上海合作组织成立五周年文艺晚会	上海文广新闻传媒集团、中央电视台、文化部、上海市人民政府
动漫天堂——第二届中国国际动漫节开幕式晚会	国家广电总局、浙江省人民政府、杭州市人民政府、浙江广播电视集团、浙江电视台、中央电视台
长征颂——广东省老干部纪念长征胜利70周年大型晚会	广东省委组织部、广东省委老干部局、广州市委组织部、广州市委老干部局、广东电视台

三、优秀电视音乐节目

好一朵美丽的茉莉花——宋祖英美国肯尼迪艺术中心独唱音乐会	文化部、中国驻美利坚合众国大使馆、中央电视台、美国肯尼迪表演艺术中心、海政文工团、中国音乐家协会
2006魅力东方——维也纳·中国新春音乐会	上海文广新闻传媒集团
第12届CCTV青年歌手电视大奖赛	中央电视台
2007维也纳·中国新春音乐会暨内蒙古民族音乐会	内蒙古自治区人民政府、中国石油天然气集团公司、中国音乐家协会、中国唱片总公司、内蒙古电视台

(MTV)

百年留声	中央电视台、中国音乐家协会、海政文工团、长沙电视台
爱你的人	卫生部、联合国儿童基金会、中央电视台

四、优秀电视戏曲节目

2006年中央电视台春节戏曲晚会	中央电视台
2007年中央电视台春节戏曲晚会	中央电视台
越女争锋——青年越剧演员电视挑战赛	上海文广新闻传媒集团、中央电视台
龙腾盛世贺新年——2006年16省市元旦戏曲晚会	黑龙江电视台、北京电视台、上海东方电视台、天津电视台、河北电视台、河南电视台、湖北电视台、陕西电视台、安徽电视台、浙江电视台、山东电视台、山西电视台、辽宁电视台、四川电视台、吉林电视台、深圳电视台

五、优秀电视文艺专题

百年越剧	浙江广播电视集团、浙江电视台、嵊州市人民政府
七弦的风骚	江苏常熟电视台
我要回家，回家	辽宁电视台
相声人——马季	河北电视台

六、优秀纪录片

圆明园	北京科学教育电影制片厂、广西电视台、中央电视台
记忆的伤痕	云南电视台纪录片中心、云南保山电视台
新丝绸之路	中央电视台、中国国际电视总公司、日本放送协会
赵树理	山西广播电视总台、中共晋城市委宣传部
寒夜群星	黑龙江电视台

七、优秀电视文学节目

丽江印象	中央电视台、云南丽江电视台
把心交给读者——纪念巴金逝世一周年文学晚会	上海文广新闻传媒集团、上海市作家协会
缘·乡·人	浙江宁波电视台
家乡风景	长沙广电集团艺术中心、中共古丈县委、古丈县人民政府

八、优秀电视广告

迎奥运讲文明树新风——相信篇	中央电视台
金陵节拍	南京市人民政府新闻办公室、南京电视台

九、优秀少儿电视节目

洞穴之光	湖南电视台
首届全国少儿歌手电视大赛总决赛	中国音乐家协会、共青团中央、中央电视台
中韩夏令营——2005纪事	浙江宁波电视台
梦想未来——北京亚太青少年电视节颁奖晚会	中央电视台、慕尼黑国际青少年电视节组委会

十、优秀电视动画节目

小鲤鱼历险记	中央电视台
渴望蓝天	中央电视台动画部、北京科学教育电影制片厂动画部
梦里人	中央电视台动画部
《秦时明月》之“百步飞剑”	北京卡酷动画卫星频道有限公司、杭州玄机科技信息技术有限公司
精灵世纪	北京龙马世纪国际文化有限公司、湖南电视台金鹰卡通频道、北京电影学院动画学院、国际文化交流音像出版社

十一、优秀电视科普节目

致命的皮球	中央电视台科教节目制作中心、北京科学教育电影制片厂
《神奇之窗》——小鸡蛋 大智慧	中央电视台、北京科学教育电影制片厂

十二、优秀电视文艺栏目

欢乐中国行	中央电视台文艺中心、中视传媒股份有限公司
艺术人生	中央电视台文艺中心
百家讲坛	中央电视台社教中心
电视诗歌散文	中央电视台文艺中心
回家	吉林电视台
天下父母	山东电视台
可凡倾听	上海文广新闻传媒集团综艺部
蔚蓝的故乡	内蒙古电视台
梨园春	河南电视台
江南话语	浙江宁波电视台

十三、提名荣誉奖

天地人和——2006广东国际旅游文化节开幕式晚会	广东电视台、广东省旅游局、广东省文化厅
纪念中国电影百年·红河电影周开幕式	中国电影家协会、云南省委宣传部、中共红河州委员会、红河哈尼族彝族自治州人民政府、中央电视台、云南电视台、云南红河电视台
永远的长征——上海市纪念红军长征胜利70周年晚会	中共上海市委组织部、中共上海市委宣传部、上海市委老干部局、共青团上海市委、上海文广新闻传媒集团
龙江韵 黔山情——黑龙江、贵州2007年春节晚会	黑龙江电视台、贵州电视台

雪域踏歌——2006年藏历年晚会	甘肃省广播电影电视总台、中共甘南州委、甘南藏族自治州人民政府
时空之旅	上海文广新闻传媒集团
《名师名校》——北京大学	中央电视台
草原蒙古风	内蒙古电视台、内蒙古旅游局
咿呼呀呼嗨——二人转史话	吉林电视台
北京《茶馆》在美国	北京电视台
八路军	河北省委宣传部、河北电视台
1937·南京真相	江苏省委宣传部、江苏省广播电视总台、南京电影制片厂、侵华日军南京大屠杀遇难同胞纪念馆
雪山下的酥油灯	西藏电视台
公益广告：文明协奏曲	上海文广新闻传媒集团
公益广告：让我们为别人点亮一盏灯	江苏南通电视台
内蒙古形象片——中国·内蒙古	内蒙古电视台
上海城市形象片——刘翔篇	上海文广新闻传媒集团、上海文广东方之星文化发展有限公司
《异想天开》——弹簧秤称大象	中央电视台
欢乐蹦蹦跳	上海文广新闻传媒集团东方少儿频道
《小鬼当家》平安大挑战	上海文广新闻传媒集团东方少儿频道
让梦飞起来——2006年粤港澳六一晚会	广东南方电视台少儿频道、香港电台、澳门广播电视股份有限公司
盛世童乐——2007年十省市少儿春节晚会	天津电视台少儿频道、黑龙江电视台少儿频道、山东电视台少儿频道、四川电视台少儿频道、内蒙古电视台少儿频道、南京电视台少儿频道、福建电视台少儿频道、宁夏广播电视总台少儿频道、浙江电视台少儿频道、云南电视台少儿频道
儿童音乐童话剧《太空旅行团》	福建电视台少儿频道
让我们荡起双桨——甘肃电视台文化少儿频道开播晚会	甘肃省广播电影电视总台、甘肃电视台文化少儿频道
《无敌NO.1》之“独自在家”	四川电视台妇女儿童频道
《阳光嘉年华》120小时城市生存大挑战	辽宁电视台
爱我中华——新疆首届少数民族少儿双语大赛颁奖晚会	新疆广播电影电视局、新疆电视台、新疆人民广播电台、新疆民族语言文字工作委员会

第5届全国德艺双馨电视艺术工作者颁奖活动

2007年8月29日至9月1日，第5届全国德艺双馨电视艺术工作者颁奖活动在浙江省嘉兴市隆重举行。中国电视艺术家协会自1998年起举办了4届全国“百佳电视艺术工作者”推选活动。经过中国文联批准，2006年“百佳”推选活动更名为“全国德艺双馨电视艺术工作者”推选活动。（中国电视艺术家协会）

第5届全国德艺双馨电视艺术工作者名单

（共50名，按姓氏笔划排序）

丁　蓬、于　光、于浮生、乌兰·吐汗、方丽萍、王　强、王永春、王奎荣、王茜华、伊丽娜、刘　佳、刘　郎、刘镇岳、何永红、张　锐、张辉力、李　瀛、李水合、李功达、李幼斌、李伟名、李金茹、杨树泉、汪亚琳、苏　峰、贡布索朗、邵英功、陈　彬、陈宝国、周　莉、居丽娜、庞　敏、林杰谋、欧学光、侯　勇、侯友权、俞胜利、徐广顺、逮　达、郭光俊、高　发、高希希、崔永元、曹可凡、黄利强、焦晓军、葛　玮、阚卫平、潘礼平、薛芳芳

2007中国播音主持“金话筒奖”评选

“金话筒奖”终评工作于2007年9月14日在哈尔滨举行，所评审的70件作品（人）是由复评委员会从185个作品（人）中复评推荐的。经终评评审，共有40件作品（人）获奖，30件作品（人）获得提名。

2007中国播音主持“金话筒奖”获奖名单

广播播音作品·5件

单　位	姓　名	作　品
中央人民广播电台	贾　际	《高山流水觅知音》
新疆人民广播电台	朱　丹	录音通讯：《跨越民族的爱》
江苏广播电视总台	王　敏	《美文播报》2006年9月30日播出稿
中国国际广播电台	沈　汀	他的童年因禽流感而改变
上海文广新闻传媒集团	李　欣	《行走墨尔本》

广播主持作品·5件

单　位	姓　名	作　品
北京人民广播电台	王佳一 顾　峰	《雪天行车公益广告》
黑龙江人民广播电台	陈立华(叶文)	《一次爱心救援行动》
四川人民广播电台	王　可	《成都超期服役燃气表更换费用该由谁买单》
中央人民广播电台	王　莹 苏扬(苏景跃)	《穿越青藏高原》
重庆广播电视总台	何海佶(林海)	《想你所想，买你所需》

广播播音员主持人·10人

单　位	姓　名
中央人民广播电台	朴青竹
中国国际广播电台	熊　伟
中央人民广播电台	章莹莹
天津人民广播电台	张　谦
河北人民广播电台	赵晓蔚
辽宁人民广播电台	王　岩
上海文广新闻传媒集团	秦　畅
广西人民广播电台	江柳明
内蒙古人民广播电台	张平（第二轮）
大连人民广播电台	汪冰（第二轮）

电视播音作品 · 5件

单　位	姓　名	作　品
中央电视台	海　霞	晚间新闻
大连电视台	张伟英	《今晚60分》
天津电视台	李明娟	天津新闻
陕西电视台	张　彤	荒漠忠魂
上海文广新闻传媒集团	潘　涛	东方新闻（国内版）

电视主持作品 · 5件

单　位	姓　名	作　品
中央电视台	欧阳夏丹	《第一时间》
武汉市广播电视局	尹晨芳	《百姓连线》
吉林电视台	董　健	《综艺娱乐》
北京电视台	聂一菁	《第二十九届奥运会倒计时两周年》
江苏广播电视总台	赵丹军	《一个陌生女人的来信》

电视播音员主持人 · 10人

单　位	姓　名
中央电视台	崔永元
中央电视台	郑捷（小鹿姐姐）
大连电视台	于　洋
青岛电视台	李　燕
西藏电视台	德央（张福东）
黑龙江电视台	邓　辉
内蒙古电视台	李　琳
北京电视台	徐　滔
广东电视台	王　鹏
上海文广新闻传媒集团	陈　蓉

文艺节

第13届上海电视节“白玉兰”奖评选

第13届上海电视节于2007年6月11日至15日举行。本届上海电视节主体活动中，“白玉兰”奖新增加了电视连续剧、动画片的评选。共有37个国家和地区275家公司和电视台选送了462部电视节目，其中电视剧116部、纪录片243部、动画片103部。在所有报名节目中，境外节目占81.3%。

本届电视节“白玉兰”奖国际评委人数创历史新高，共有电视电影、电视连续剧、纪录片、动画4个评委会，16位评委分别来自中国、中国台湾、中国香港、意大利、墨西哥、韩国、澳大利亚、法国、瑞士、美国等10个国家和地区。

“白玉兰”奖获奖作品目录

奖项	得奖节目（者）	国家
纪录片评委会大奖	《马戏学校》	中国
社会类纪录片金奖	《九星宾馆》	以色列
社会类纪录片银奖	《纸包不住火》	法国
历史文献类纪录片金奖	《戈林》	德国
历史文献类纪录片银奖	《丛林鲁迪》	荷兰
自然类纪录片金奖	《红蚂蚁——昆虫王子》	法国
自然类纪录片银奖	《两极之间》	英国
亚洲纪录片金奖	《瓦地河上的桥》	以色列
亚洲纪录片银奖	《闲着》	中国
电视电影金奖	《大迁移》	德国

续表

奖项	得奖节目（者）	国家
电视电影银奖	《法尔科内大法官》	意大利
电视电影评委会大奖	《我和托马斯》	英国
最佳导演（电视电影）	加弗朗索　阿尔巴诺（《月之子》）	意大利
最佳编剧（电视电影）	颜绯（《小火车》）	中国
最佳男演员（电视电影）	安德烈·托普（《弗朗兹和波连娜》）	俄罗斯
最佳女演员（电视电影）	瓦内莎·瑞德格拉夫（《拾贝者》）	德国
电视连续剧评委会奖	《福贵》	中国
最佳导演（电视连续剧）	鄢颇（《新结婚时代》）	中国
最佳编剧（电视连续剧）	麦家、杨健（《暗算》）	中国
最佳男演员（电视连续剧）	孙红雷（《半路夫妻》）	中国
最佳女演员（电视连续剧）	刘若英（《新结婚时代》）	中国
海外动画片金奖	《丹麦诗人》	挪威
海外动画片银奖	《艾米利亚—思维的文明》	意大利
中国动画片金奖	《中华小子》	中国
中国动画片银奖	《老呆和小呆》	中国
最佳中国动画片创意	《快乐驿站》	中国
最佳中国动画片形象	《西岳奇童》	中国

（上海文广新闻传媒集团　吴芳）

第9届四川电视节“金熊猫”奖国际电视节目评选

四川电视节是由国家广播电影电视总局和四川省人民政府主办，四川省广播电影电视局和四川广播电视集团承办。四川电视节“金熊猫”奖国际电视节目评选活动是四川电视节的主体活动之一。

四川电视节“金熊猫”奖颁奖晚会

2007（第9届）四川电视节“金熊猫”奖国际电视节目评选活动包括国际纪录片评选和国际动画作品评选。2007年10月，经过由国内外知名专家组成的评委会的初评和终评，在四川成都顺利完成了评选工作。本届“金熊猫”奖国际纪录片评选活动收到来自38个国家和地区的713部作品，有13个国家和地区的37部纪录片荣获各项大奖。本届“金熊猫”奖国际动画作品评选参评的1018部作品来自39个国家和地区，有8个国家和地区的16部动画作品分获20个大奖。

“金熊猫”奖国际纪录片获奖作品

（人文类）

奖　项	获奖作品	获奖机构
纪录片大奖	圆明园	中国北京科学教育电影制片厂 中国广西电视台
最佳长纪录片	老腔绝唱	中国中央电视台科教中心
最佳短纪录片	脸子	中国上海新闻传媒集团纪实频道
评委特别奖	大国崛起	中国中央电视台
	消失的古城	英国BBC/美国国家地理/德国ZDF
	Timur——生命中最后一次飞行	俄罗斯 Studio “Risk”
亚洲制作奖	一对夫妻和他们的古老山林小屋	日本 中部日本放送广播电台
	AKIRA的孩子们	新加坡 Lianian Films
	大唐西游记	中国中央电视台
最具人文关怀奖	大佛	瑞士 克里斯蒂公司
最佳创意奖	河姆渡猜想	中国北京科学教育电影制片厂
最佳导演奖	圆明园	中国北京科学教育电影制片厂 中国广西电视台
最佳摄影奖	大佛	瑞士 克里斯蒂公司
新人奖	别处上里	中国传媒大学

（社会类）

奖　项	获奖作品	获奖机构
纪录片大奖	牵手	中国山东电视台
最佳长纪录片	迁徙的人	中国教育电视台
最佳短纪录片	意大利医生	丹麦 夏拉都制作公司
评委特别奖	秘密访问	中国中央新闻纪录电影制片厂
	非洲妇女·用心生活	西班牙 TVE
	绝望的世界——补贴引起的贫困	德国 斯皮各勒电视公司
亚洲制作奖	香港十年	中国中央电视台
	雾都孤儿	新加坡 Caldecott Productions International Pte Ltd
最具社会关怀奖	2007Lai Daihans的眼泪	韩国 SBS
	穆罕默德——穷人的机会	西班牙 阿玛伦塔公司
最佳创意奖	脑部受伤	加拿大 阿帕德门11公司
最佳导演奖	迁徙的人	中国教育电视台
最佳摄影奖	祖母	俄罗斯 国家统一广播公司
新人奖	大四	中国清华大学

（自然及环境类）

奖　项	获奖作品	获奖机构
纪录片大奖	水	俄罗斯 Production Center “Masterskaya”
最佳长纪录片	老人河——浩荡的密西西比	奥地利 ORF自然历史部
最佳短纪录片	放归——祥祥的故事	中国四川电视台
评委特别奖	成长的熊猫宝宝	中国五洲传播中心
	农夫与野鸭	中国大连电视台
	山野小植物	中国农业电影电视中心
亚洲制作奖	遗鸥	中国五洲传播中心
	老袁	中国 山东威海电影艺术传播中心
	稀世之鸟·黄喉噪鹛	中国江西电视台
最具环境保护奖	大象王国	新加坡 Ifa Films Pte Ltd
最佳创意奖	自然的平衡	德国 C. wieczorek Film
最佳导演奖	水	俄罗斯 Production Center “Masterskaya”
最佳摄影奖	加勒比海	英国 BBC

“金熊猫”奖国际动画片获奖作品

奖　项	获奖作品	获奖机构
动画片大奖	小鲤鱼历险记	中国 中央电视台青少节目中心
最佳影院动画片	勇士	中国上海美术电影制片厂
最佳动画短片	卡库奇	俄罗斯领航莫斯科动画公司
最佳电视动画片	裁缝	波兰 TVP SA
最佳网络动画片	饥饿Famine	英国红风筝动画
评委会特别奖	福娃奥运漫游记	中国 北京电视台北京卡酷动画卫视
	求救	俄罗斯AFL制作公司
	老伴	中国中央美术学院
亚洲制作特别奖	山姆和皮可洛	澳大利亚亚当沃克电影公司
	我们最初立下誓言的地方	日本克密斯维武电影公司
	乌兰·其其格	中国中央电视台青少节目中心
最佳编剧	兄弟的“熊心”	爱沙尼亚卢库电影公司
最佳造型	卡库奇	俄罗斯领航莫斯科动画公司
最佳导演	小鲤鱼历险记	中国 中央电视台青少节目中心
最佳视觉效果	我们最初立下誓言的地方	日本克密斯维武电影公司
最佳剪辑	阿塔戈：猫的魔法森林	日本米特巴莎拉电影公司
最佳原创音乐	小鲤鱼历险记	中国中央电视台青少节目中心

续表

奖项	获奖作品	获奖机构
最佳学生作品	纯色	中国传媒大学动画系
	马戏团	中国北京电影学院
	仙女的故事	美国 视觉艺术学院,BFA电脑艺术部

其他作品获奖

第12届全国优秀教育电视节目获奖名单

新闻类

一等奖：23部

全国首个判后救助专项基金成立	中国教育电视台
隐形资助：让爱悄悄温暖你——中科大创新思政工作系列报道（一）	中国教育电视台
残运会：硬地滚球选手 身残志坚	中国教育电视台
当代"赤脚"医生	中国教育电视台
雪中送棉被 爱心暖人心	辽宁教育电视台
你有偶像吗	辽宁教育电视台
师范生免费教育——我们用掌声回应	吉林教育电视台
新闻特写：山里的世界也精彩	新疆教育电视台
建瓯市今日迎来"迟到"的高考	福建教育电视台
《支点》之病床上的入党宣誓仪式	江苏教育电视台
绿衣信使情洒爱心邮路	江苏如皋教育电视台
名为特色自考 实是违规招生	江苏无锡教育电视台
连续报道：中国首例夫妻交叉捐肾及移植手术在同济医院实施（共3条）	武汉教育电视台
一份拯救罪恶心灵的托孤协议	武汉教育电视台
西南科技大学：交换角色增进理解	四川教育电视台
资兴灾区劝学记	湖南教育电视台
小学生托管中心安全隐患令人忧	湖南教育电视台
亲切的关怀 巨大的鼓舞——温总理给赣州市滨江二小师生回信	江西教育电视台
宁夏自考"盲人考试"开先河	宁夏教育电视台
用生命谱写华美篇——追忆勇救4名落水男孩的李月辉	山东教育电视台
在爱与被爱中成长——记大同希望学校的老师和学生们	山西大同教育电视台
应加快提高学生汉字书写质量	太原教育电视台
三尺讲台演绎美丽人生——记第二届全国教学名师王兆安	西安交大广电中心

专题类

特等奖：1部

《身边的奥秘》之《赵州桥》	上海教育电视台 全国教育电视节目制作联合体

一等奖：15部

《家长》"六一特别节目"《呼唤——把爱心献给孩子》	上海教育电视台
纪录片：《迁徙的人》之《远行谣》	中国教育电视台
阳光纪录之《主席的标准照》	中国教育电视台
尤溪七里村"高血铅病"事件调查	福建教育电视台
两个人的学校	辽宁教育电视台
刘博：断臂失聪的阳光男孩	武汉教育电视台
阳光雨露润心田——记威海古寨小学阳光中队	山东教育电视台
走进西方教育——蒙特梭利系列教育纪实片之《孩子》	郑州教育电视台
中华巧女之《水云锦梦》	太原教育电视台
《跨越》	宁夏教育电视台
走进麻风村	四川教育电视台
历史的丰碑——湖南省"两基"工作纪实	湖南教育电视台
为江西崛起奠基	江西教育电视台
悄然而至的变化	新疆教育电视台
新闻故事："西点"现象	江苏教育电视台

社科教学类

一等奖：3部

16集大型系列电视讲演《说孔子》第一集	上海教育电视台
馕	新疆教育电视台
醋乡	太原教育电视台

栏目类

一等奖：11部

成长之《棒喝》	江苏教育电视台
师缘（访谈栏目）	江苏无锡教育电视台
新闻当事人	福建教育电视台
叮咄世界	新疆教育电视台
热线60分	辽宁教育电视台
旅游天地第106期：天柱山之行	上海教育电视台
招考在线特别节目——揭露高考招生骗局	太原教育电视台
教子有方	武汉教育电视台
李子谝吧	宁夏教育电视台
葫芦班的故事	吉林教育电视台
名师名校	四川教育电视台

综艺类

特等奖：1部

《放歌奥运——音乐之旅》南开大学之行	中国教育电视台

一等奖：6部

《音乐伙伴》全国少儿歌舞剧创作与展示竞赛（第一季）	中国教育电视台
师恩——2006年教师节主题晚会	上海教育电视台
2007高考咨询大直播	上海教育电视台
养儿无错（三集）	河南许昌教育电视台
"2006辽宁教育年度人物"评选活动颁奖典礼	辽宁教育电视台
《放飞梦想》——2007年西安交大招生宣传片	西安交通大学广电中心

国际获奖

节目栏目剧目获奖名录

奖　项	获奖节目	制作播出单位
2007年亚广联(ABU)奖儿童节目奖	少儿专题《倾听自然》	中央人民广播电台
2007年亚广联(ABU)奖特别推荐奖	广播特写《生死抉择16秒》	中央人民广播电台
2007年亚广联(ABU)奖特别推荐奖	广播短剧《余香》	中央人民广播电台
第11届麦鲁利奇奖	广播剧《深山信使》	中央人民广播电台
第8届伊朗国际广播节评委会特别奖	广播剧《深山信使》	中央人民广播电台
2007年度亚广联"对外广播节目奖"	专题节目《气候变化——摄氏四十四度五》	中国国际广播电台新闻中心和英语中心
首届"联合国千年发展目标"媒体奖评奖广播类节目最高奖一等奖	专题节目《一次改变人生的旅程》	中国国际广播电台英语中心
第47届蒙特卡洛电视节电视剧入围奖	20集电视剧《老娘泪》	中央电视台
第7届"中日韩三国电视制作者论坛"奖优秀电视剧奖	16集电视剧《鉴真东渡》	中央电视台
第3届半岛国际纪录片电影节30分钟以内短片一等奖	纪录片《我的宝贝》	上海文广新闻传媒集团纪实频道
第3届半岛国际纪录片电影节长片评委会大奖	纪录片《闲着》	上海文广新闻传媒集团纪实频道
第43届芝加哥国际电影节·雨果最佳电视节目奖国际电视竞赛纪录片(社会政治题材类)银雨果奖	纪录片《第二个春天》	上海文广新闻传媒集团纪实频道
美国雪城电影节最佳剪辑奖	《剃头匠》	山西电影电视剧制作中心
吉尔吉斯坦电影节最佳儿童表演奖、最佳音乐奖	《爱·在路上》	山西电影电视剧制作中心
第二届首尔国际电视节"最佳长篇剧"和"最佳摄影"奖	电视剧《卧薪尝胆》	江苏广电总台

学术著作与论文评选

第5届全国广播电视学术著作评选

第5届全国广播电视学术著作评选终评工作于2007年9月25日在京结束，本届评选工作从2月份启动，到7月底截稿共收到参评著作66部，经过8～9月进行的复评和终评，共评选出获奖著作37部。其中特别奖2部，一等奖7部，二等奖12部，三等奖16部。

第5届全国广播电视学术著作获奖目录

特别奖

中华人民共和国广播电视简史　《简史》编委会著，广电出版社荐

2006年中国广播影视发展报告　黄勇主编，总局发改中心荐

基础理论类

一等奖

中国广播电视新论　张振华主编，中广协会荐

数字艺术论　廖祥忠著，中国传媒大学学会荐

电视艺术美学　高鑫著，中国传媒大学学会荐

二等奖

影响力营销　郭振玺、丁俊杰主编，中央电视台分会荐

中美电视艺术比较　苗棣等著，中国传媒大学学会荐

三等奖

媒介交流研究　安思国著，新疆协会荐

权力的影像　郑世明著，中国传媒大学学会荐

中国电视媒介增值管理通论　周笑著，复旦大学荐

应用理论类

一等奖

暗访与偷拍——记者就在你身边　徐迅著，中央电台分会荐

二等奖

眼球为王——中国电视的数字化产业化生存　张海潮著，中央电视台分会荐

电视新闻栏目定位与运作实录　刘桂林著，中央电视台分会荐

中国电视产业评估体系与方法　李岚著，总局发改中心荐

有所思　韩泽著，江苏学会荐

电视新闻节目的创新思维　王阳著，中央电视台分会荐

新闻精品创作导论　杨连勇主编，新疆协会荐

三等奖

消息写作创新　廖永亮著，中央电台分会荐

民族宣传散论　张小平著，少数民族研委会荐

电视第三次浪潮——解析"南京现象"　陈正荣著，城市电视台委员会荐

侃电视：电视传媒系列话题　曾海燕著，杭州协会荐

广播新闻策划手记　张志军著，河北协会荐

决策及管理类

一等奖

制播体制改革与电视业发展问题研究　唐世鼎、黎斌著，中央电视台分会荐

中国电视大趋势　李新民著，贵州学会荐

二等奖

电视制片管理学　王甫、吴丰军著，中央电视台分会荐

三等奖

转制重组——中国广播影视产业改革发展的核心　魏文楷著，甘肃协会荐

南方博弈——全球化语境下的电视竞争策略
靳智伟、陈学军、卢锋著，广东协会荐
电视与暴力　龙耘著，中国传媒大学学会荐

史学及志书类

一等奖

中国广播电视年鉴(2006版)
《年鉴》编委会编，史学研委会荐

二等奖

中央人民广播电台简史(续编)　杨波主编，中央电台分会荐
中国中央电视台年鉴(2006)
央视《年鉴》编委会编，中央电视台分会荐
中央电台频率专业化管理改革纪实
王宴青主编，中央电台分会荐

三等奖

中央新闻纪录电影史　高维进著，中央电视台分会荐
英国新闻史　栾轶玫译，中央电台分会荐
浙江电视剧发展史（1978～2002）　林吕建主编，浙江学会荐
北京志·广播电视志　北京市广电局编，北京协会荐
宜昌广播电视志　宜昌广电志编委会著，湖北学会荐

2007年度全国广播影视系统优秀科技论文评选结果

一等奖

论文题目	论文作者	单　位
SMG数字版权管理规划探讨	郭克榕、闵友钢、刘　韧	上海文广新闻传媒集团节目资料中心
地面数字电视传输系统实验室性能测试（一）、(二)、(三)	李熠星、李庆国、邓向冬、冯景锋、陈志国	广播电视规划院
国际短波广播现状与发展	杨敏敏、庞俊华、王　芳、常　勇、王奇伟	广电总局无线局
交流电气化铁路机车运行对广播电视辐射干扰的测量方法和防护间距	蔡晓梅、王祖立、肖荫升	广播电视规划院
卫星数字电视系统测试方法的研究	刘长占、高风吉	广播电视规划院
移动通信增值业务和定位系统在非法地面电视信号监控上的应用	宫宝文	北京市通州区广播电视中心
中国数字高清晰度电视产业化发展状况和运营模式探讨	范金慧、刘建宏、黄奇志、霍秋林、尚　峰	上海文广新闻传媒集团技术运营中心

二等奖

论文题目	论文作者	单　位
《云水谣》中开篇长卷式镜头的合成制作	徐　欣	中国电影集团华龙电影数字制作有限公司
ABD5-B音频广播数字延时器的研制	刘青田、于世健、王力军、王永镇、褚江涛	山东广播电视科研所
LDPC在DVB-S2中的应用	施玉海、余方毅	广播科学研究院
Shannon限、时频不确定性和LDPC码	洪锡光、赵于平	广东潮州广播电视台、中国科学院大气物理所
SMG数字化网络新闻共享平台统一用户认证与授权的实现	李泽强、杨君蔚、陈子建、吴德柱、谭晟中	上海文广新闻传媒集团技术运营中心、微软（中国）有限公司上海分公司
T-DAB频率规划技术基础	刘晓蓉、李薰春	广播科学研究院
地级市有线数字电视整体转换技术方案研究	戴卫平	广东江门广播电视台
地面数字电视传输系统现场性能测试	李庆国、冯景锋、姚瑞虹	广播电视规划院
电视台生产业务网络互联互通的尝试与规划	毕　江	北京电视台
调频数字激励器的测量	倪士兰	广播电视规划院
多媒体手机电视广播的发展	徐　涛	广电总局广播电视监测中心
高品红染料模拟声迹的制作及意义	翁山宝	上海电影技术厂
高清演播室系统设计中技术问题的探讨	罗向群	新疆广播影视局
广播电视数据网络规划建设若干问题探讨	彭　劲	中国有线电视网络有限公司
广州电视台全台业务系统互联互通网络化的实现	黄辉泽	广州电视台
国家广电光缆干线SDH传输网综合网管系统研究	马　明、杨若黎	广电总局广播影视信息网络中心、广电总局监测数据处理中心
江西电视台新数字播控中心介绍	李广成、范晓琳、卢晓健、李火金	江西电视台
利用IPQAM构建广电VOD业务平台	高　峰、詹叶青	中广电广播电影电视设计研究院
流媒体业务模型及其传输	石江明、谢文军、黄善国	北京歌华有线电视网络公司、北京邮电大学光通信中心

续表

论文题目	论文作者	单　位
全省广播新闻传输管理网络平台的设计和实施	曾志群、何文宇	广东人民广播电台
数字移动电视发展中的机遇与风险	曹　健、王长生	南京广播电视台
数字影院技术标准的进展	李枢平	中国电影科学技术研究所
数字中间片的中国之路	马　平	中国电影集团华龙电影数字制作有限公司
双向HFC网络基本理论及其在乐山HFC网络双向改造中的应用	黄柯宇、罗义均、陆　燕	四川省乐山市新世纪广电网络公司
新疆电视台硬盘播出系统方案设计	高天山、马玉霞、王　伟	新疆电视台
信息系统生命周期各阶段的风险评估	李武银	广电总局无线局
音频工作站播出安全与网络负载的冗余技术	吕伟建、刘大军、韩克收、孙玉峰、闫　靓	山东人民广播电台
用CIS构筑广播媒体创新的支持系统	张　锐	河南人民广播电台
有线电视综合业务管理系统的建设思路与建模实践	卢　群、华春林、王　普	广播电视规划院、黄石广播电视局网络中心、清华大学自动化系
智能声音识别技术在广播电视广告监测中的应用	郭利刚、方土富	浙江省广播电视监测中心

三等奖

论文题目	论文作者	单　位
2008北京奥运会背景下的大型高清转播系统设计——总体框架	林云川	上海文广新闻传媒集团技术运营中心
35mm影片发行拷贝的技术规格与使用要领	毛大平、张金亮、杨小寒	广电总局电影技术质量检测所
800M OFDM技术在马拉松直播中的应用	林　毅	福建厦门广播电视集团
CA同密技术在数字电视中的应用	张　磊、胡定颉	浙江宁波数字电视有限公司
EMC磁盘阵列柜在线扩容	刘　华、刘　鹏	中央人民广播电台
EPON系统实用化设计与探讨	程树文	吉林白城广电信息有限责任公司
HFC双向网络上行通道NPR的分析及其提高	冯金林	浙江绍兴广电信息网络有限公司
IPTV产业的发展与监管	齐立欣、闫　阳	广电总局广播电视监测中心
IPv6网络环境下的流媒体传输技术	夏　勇、马　爽	广播科学研究院
SMG媒资系统的企业应用集成	闫　坚、刘　梅	上海文广新闻传媒集团技术运营中心
Windows 2000活动目录及其在非编网络安全管理中的应用	李伟中、宣长林	安徽电视台
安徽人民广播电台总控系统在线搬迁方案的设计与实施	解晓玲、马　飞、张双莹、程永军、高　俊	安徽人民广播电台
城市台制播存一体化系统和数字播控系统设计及实施	朱惠强、穆晓凤、许亚辉	北京市房山区广电中心
从频谱监测和国际协调探讨短波广播频段扩展的可行性	徐　涛	广电总局广播电视监测中心
大中型有线电视网前端自动监控系统建设之我见	胡晓东、牛德斌、卢晓军、赵　军	湖北荆州视信网络公司、湖北鄂州广电传输有限公司
地面广播电视覆盖和干扰分析中测试点的确定方法	任　仪、刘晓蓉	广播科学研究院
地面数字电视频率规划研究	李熠星、何剑辉、高凤吉	广播电视规划院
地卫天线捕星策略与技巧	张学军	湖南省常德市广播电视局
电波传播模型ITU-R P.526及多刃峰绕射研究	程瑞庭	广播科学研究院
电波传播模型介绍分析	何剑辉、冯景锋、李熠星	广播电视规划院
电视测量技术在模拟系统和数字系统中的应用对比	包琼勇	四川广播电视集团
电视发射台机房智能管理一体化系统的实践	张　清、宋春荣、徐　辉	山东电视台、山东广播电视科研所
电视台节目生产相关业务系统互联互通技术分析	王　昊、王　虎	河南电视台
电视自动播控系统软件技术分析	贺可恒、谭　波	湖南株洲市广播电视技术中心、湖南冶金职业技术学院
电台多媒体稿件采编播系统	杨红杰、王　强、李鸿桐	天津人民广播电台
电影放映红光还音技术（上）、（下）	原少华	中国电影科学技术研究所
电影制作数字化工艺探讨（上）、（下）	刘晓春	八一电影制片厂
对改进国际台技术管理工作的几点思考	丁　健	中国国际广播电台
多方位、多手段打造安全的播出网络	肖国栋	中央人民广播电台
非线性工艺流程的电影后期网络制作系统	杨敏宪	上海电影技术厂
甘肃广电数字业务的发展及面临的挑战	康　瑜	甘肃省广播电视网络传输公司

续表

论文题目	论文作者	单　位
高清影片的多声道音频制作技术	黄　薇	广电总局电影频道
广播电台数字音频资料系统的构建与应用	陈志刚	安徽人民广播电台
广播自动播出系统与互联网数据交换安全网闸技术	邵　勇、张云华	上海文广新闻传媒集团技术运营中心
广电网大客户IP电话运营实践	张红顺、彭晓艳、王超玉	河南广电信息网络有限公司
广电网络OSS资源管理系统的构建	王　斌、李建华	广州电视台
国际台内部监测体系的建立	廖文芳	中国国际广播电台
海量数据存储技术	李　凯	中国有线电视网络有限公司
杭州有线电视网宽带双向全覆盖的设计、建设与运行	郑家松、郑　蓉	杭州数字电视有限公司
基于安全播出及运行预测的人工智能策略——GB-1广播专家系统的构思与实施	彭　建、张步强	广州人民广播电台
基于点模型的图形系统研究及其在大规模复杂场景中的应用	胡春阳、沈一凡	上海幻维数码影视有限公司、复旦大学
基于广电网络的金融用户专网方案	彭晓艳、张红顺、王超玉	河南广电信息网络有限公司
基于技术层面的节目运行管理	郭向军	中国国际广播电台
扩声系统的原理及应用	潘　攀	中央人民广播电台
论全信息化模式的现代电视设备综合管理系统的运用	邹　静	新疆电视台
模数频分复用方式的RF信道总能量的描述及测试	马成彬、胡晓东	湖北荆州视信网络公司
上海L波段DMB传输模式研究与分析	章丽君、姜　俊、邵　敏	上海东方明珠传输公司
十运会开幕式及田径比赛电视转播系统构成	李世萍	江苏省广播电视总台
实现广播电视和移动通信的互联互通	承京辉	江苏常州广播电视信息网络有限公司
拾取语言的话筒选用及电平调控	雷庆胜	广西人民广播电台
数据保护技术在市级电台信息化环境中的应用	陈　军、陈起来	宁波人民广播电台
数据广播业务标准及运营模式的探讨	胡庆安、贺　强	青海省广播电视信息网络有限公司
数字电视TS流指标的测试及工程实践	马成彬、胡晓东	湖北荆州视信网络公司
数字电视与IPTV的互补及融合	王莉萍	广电总局广播电视监测中心
数字电影关键技术及其发展思路解析	刘　达	中国电影科学技术研究所
塔桅结构的设计控制	乐俊旺	中广电广播电影电视设计研究院
谈谈常德电视台全硬盘数字播控系统	张学军	湖南常德市广播电视局
探讨在非线性编辑网络结构设计中如何避免单点故障	王欲静	河南电视台
厦门广电集团网络电视的建设与探索	刘晓敏、张少波	厦门广播电视集团
新闻制播系统设计与管理	杨　升、陈晓芸	上海文广新闻传媒集团技术运营中心
信号电路系统消除接地阻抗干扰的常用方法	李广录	广电总局无线局554台
形成整合优势，促进共同发展	韩　勇、秦建国	甘肃省天水广播电视网络管理中心
演播室摄像机在实际使用中的技术分析及应用	陈　光	重庆广播电视总台
演播室有源线阵列扬声器扩声系统设计安装调试浅谈	万　里、周　涛、向海燕、	四川成都广播电视台
用P2P技术建立环球在线广播	周于文	中国国际广播电台
在全球互联网上打造中国网络电台旗舰	伍　刚、张　纪	中央人民广播电台
中国第一颗直播卫星频率/轨位资源的回顾与展望	朱云怡、高凤吉、蔡晓梅、冯景锋	广播电视规划院
中国电影博物馆的多媒体演示及其节目制作介绍	高五峰	中国电影科学技术研究所

科技评奖

2007年度国家广播电影电视总局科技创新奖获奖结果

高新技术研究与开发类（一等奖空缺）

二等奖

项目名称	完成单位	完成人员
嵌入式ARM实时收视信息调查系统	鞍山市广播电视局	王安平、张吉飞、姜连明
数字版权水印保护技术应用研究	上海文化广播影视集团信息中心	杨海生、经一平、魏浩俊、龚明、齐春、俞刚、潘灿灿
调频同步广播音频同相传输系统	中央人民广播电台、北京汇讯高科电子技术有限公司	钱岳林、朱峰、苏强、付淑珍、刘朝晖、王智刚、李杰刚、李建民
广州市电视台广播电视卫星信号安全智能预警监控系统	广州市电视台、广东昂扬技术开发有限公司	黄辉泽、邹锋、施卫、植锵、江汝生、黎泳、何广平

三等奖

数字电影编解码系统	国家广播电影电视总局广播科学研究院	解伟、杨庆华、郭晓强、付光涛、李小雨
电视节目播出停播劣播网上监测系统	国家广播电影电视总局科学技术委员会电视专业委员会、安徽电视台、安徽现代电视技术有限公司	何宗就、宋赤飙、吴仁炳、姜万勐、郑浩、梁章辉
数字电影节目文件交换格式及安全框架设计	中国电影科学技术研究所	刘达、张鑫、杨雪培、李枢平
自动播出系统节目实时备份、播出站预载方案设计	江苏省广播电视总台	杭正东、潘晓刚、管俊麒、涂剑飞、袁洁松
媒体资产存储与管理系统研究和开发	上海文广科技发展有限公司	汤晓冰、沈冠祎 苏浩翔、刘振中、吕鹏飞、季永华
基于AVS-M的手机电视关键技术研究	上海东方明珠传输有限公司	林定祥、姜俊、章丽君、邵敏、顾杰

科技成果应用与革新类

一等奖

项目名称	完成单位	完成人员
广西广播电视发射台远程网络智能化监控系统	广西广播电视信息网络股份有限公司	朱日荣、李德刚、曹兵、覃友坚、樊文辉、梁世深、周永胜、吴新成、班毅、罗琼祺、张辉、周裕、刘祥
全国有线广播电视监测网应急查询检索系统	国家广播电影电视总局广播电视监测中心、北京时代互动传媒技术有限公司	齐立欣、刘林海、郭巍、谢璞、陈永炜、谭元、邢小煜、杨婧、李晓媛
基于有线数字电视的电子支付系统	青岛有线电视网络中心、北京嘉富通网络科技有限公司	朱铁一、徐朝晖、黄健、周帮建、李庆宅、王振强、胡亚龙、魏园园、王代、汪洋、王涛、孙福利
太原有线电视数字化服务体系的建立	太原有线电视网络有限公司	张会林、张雪平、王宁、梁怀玉、贾煜、刘鹏、史珊、张屹松、马峰、王晓涛、刘泽斌、葛祥
广播电视发射台集成监控管理系统	中国传媒大学、山西广播电视无线管理中心	苏志武、周剑、王金华、梁如成、王剑、李建军、李姗姗、贺峻峰

二等奖

中央电视台体育节目在线包装系统	中央电视台	肖建生、刘万铭、高忠、史强、吴浩、尤捷、史春、董晓波
电台总控辅助一体化系统	上海文广新闻传媒集团、上海风格信息技术有限公司	汪艇、王波、邵勇 肖力华、陈蓉、徐焱、顾樑、于亦敏
广电城域网出口网关层规划设计和建设	南京广电网络有限责任公司	林宝成、陈亮、臧圣国、占亿民、褚永胜、毛涵月、夏卉、李震宁
中国电视数字手语系统	北京电视台、北京国威英赛科技有限公司	田方、郑星、刘晓光、石伟文、王涛、迟边进、赵树军、冯耀华
东方有线综合业务支撑系统	东方有线网络有限公司、北京神州数码思特奇信息技术股份有限公司、北京中税利通科技有限公司	万乾荣、倪晨鸣、宋旭翃、黎永安、杨波、宋丽萍
"动中通"广播级移动卫星电视直播系统	厦门广播电视集团、北京航天控制仪器研究所	林晓尧、杨国和、林飞鹏、林耀辉、林美爱、王宏、陈菁毅、尹仲祺
广播节目考评系统	广州人民广播电台	彭建、谢华欣、方伟标、谭裕桐、孙宏利、张步强、黄研、陈晓峰
高频高场强下综合保护模式电力系统自动化技术应用	国家广播电影电视总局无线电台管理局	丁武、高占福、苗涛、潘迅、刘小保
支持P2技术的厦门卫视采编播存一体化非编网络系统	厦门广播电视集团、北京中科大洋科技发展股份有限公司	林晓尧、杨国和、李平、刘军祥、王聪斌、陈俊龙、李韶红、刘晓敏
河北省广播电视模拟微波数字化改造工程	河北省广播电视微波总站	李智勇、严彪、耿书华、揣明来、张雪松
C6000-AM型调幅广播监测设备、C6000-FM型调频广播监测设备	吉林省广播电视研究所	李卫国、赵虓睿、焦杰、戴芳涛、张巍
可远程认证的采编设备使用管理系统	广西壮族自治区柳州电视台	区霄霖、何路、陈昕
有线数字电视SMS系统优化设计与实施	安徽广电信息网络股份有限公司	黄伟、方绍武、刁立新、吴金生、张栋梁、吕治国、储昭晖
基于GIS的数字电视网络管理系统	华数数字电视有限公司、北京王码智帮电脑网络系统有限公司	周宏、包勇、李鸣、秦波、杜申利、程永红、胡卫荣
50kW鞭——锥中波小天线	河南人民广播电台	张大宝、张立阳、吴志勇、许在敏、李为丰、张学礼、邵旸烨、赵伍民

三等奖

视频图像自动监测系统	河南省广播电视监测中心	马英杰、李钊、冯国建、陈宁、孙亚飞、高健
有线数字电视整转中信号调整的测量和分析	无锡太湖明珠广电网络有限公司、无锡广播电视集团技术中心	陆蔚、徐创义
移动电视多视窗处理系统	上海东方明珠广播电视研究发展有限公司	林定祥、孙耀、张培敏、张逸、殷烁、朱正义
十运会广播电视信号传输系统	江苏省广播电视总台	许如钢、文俊林、王懿、吴宇鹏、陈旭生、陆月兵
防范非法无线电视信号插播定向探	上海文化广播影视集团监测中心	杨海生、乐人杰、王岑巍、张治琴、金杰、施晓亮
宁波人民广播电台多媒体节目回传制作系统	宁波人民广播电台	陈起来、陈军、徐京华、齐亚坤、吴海翔、张静怡
吉林市双向数字电视系统	吉林市有线广播电视传输有限责任公司	张群、韩志坚、刘波、孙鹏、刘洋、王荣国
电影频道《高清电影》频道多音频播出、传送系统	国家广播电影电视总局电影卫星频道节目制作中心	于清、郭严、申红、曹飞
大连广播电视发射台多工器的扩容及其应用	大连广播电视发射台	孔宪平、夏卫兵、崔越、于军、王劲萍
移动数字新闻采访直播系统	四川广播电视集团	卜军、刘济、刘明中、张陈林、李忠、高晓梅
浙江广电集团小型机和异构平台储存管理系统	浙江广播电视集团科技管理部	杨勇、许国法、罗列异、郑磊、钱永江、胡伟
广播射频弱信号超远距离传输系统	国家广播电影电视总局203台、中国电子科技集团第34研究所	刘志远、袁晓波、米建俊、赵娇杨、白永祥、王瑞斌
多路视音频监测报警系统	河南省广播电视发射台	李延安、王恩华、帖俊岭、米慧勇、任予、刘向阳
广播总控数字化、网络化技术改造	福建省广播影视集团	武卫平、庄剑、张志坚、施双双、高弼祺、李伟
中波双频共塔低频率反射问题解决技术的开发与推广	新疆维吾尔自治区广播电影电视局节目传输中心	罗向群、李为、孟华、孙方元
广播电视无人值守发射台防非法信号插播系统	江苏省广播电视总台	肖亮、刘菲、汪波、潘晓刚、许卫行、杨永柏
采用微波技术实现农村牧区广播电视数字化网络	包头市广播电视局	赵峰云、杨旭辉、李辉峰、金行宇
数字音频自动化播出系统的设计与应用	南方广播影视传媒集团潮州广播电视台	魏朝辉、洪锡光、雷庆丰、舒启辉、郑春平
《广西广播电视信息网络股份有限公司南宁分公司工程管理信息化建设》	广西广播电视信息网络股份有限公司南宁分公司	张刚伟、陈映、胡建红、黄海山、卢定坤、黄岭
广播专家系统	广州人民广播电台	彭建、谢华欣、谭裕桐、张步强、张雄、李若川
广播多层面、互动式户外现场直播技术方案设计与实施	安徽人民广播电台	杨勤生、韩世平、李先中、解晓玲、吴俊生、段媛媛
广电总局共青团工作信息系统	中国共产主义青年团国家广播电影电视总局委员会	蒙继长
北仑广播电视中心7+1（8+2预留）讯道数字电视转播车设计与实现	宁波市北仑区广播电视中心	王承东、余剑英、罗先兵、贺佳、王长凯、胡守勇
济南有线网络GIS智能综合管理系统	济南市广播电视信息网络中心	许娥、王芳、王作明、杨德坤、路峻、米建伟
河南广播基于网络异地传输的多媒体新闻采编系统	河南人民广播电台	张锐、张大宝、杨靖、杜珂、刘会德、曲杰
米波天线抗干扰测量装置	延边广播电视转播台	李宝华、李国富、崔金东、尹成龙、李勇植
消除调频与电视残波发射对民航干扰的措施	安徽人民广播电台	戚洪江、赵青松、王庆余、王炳璋、廖志鹏、王创宇
广播电视前端机房安全播出信号监控及报警系统的应用	蓬溪县广播电视局	雷宇东、邓涛、杨承润、米思潜、肖华顺、刘维云
利用有线电视（HFC）建立农村公共服务体系	射洪县广播电视局	昝光友、陶明和、文华山、钟长青、赵方舟、文焱

工程技术类

一等奖

项目名称	完成单位	完成人员
全国网络化智能广播监测系统	国家广播电影电视总局广播电视监测中心、中国人民解放军电子工程学院	高南军、肖武、钟子发、俞安邦、莫晓俊、吴彦华、拜路、李鹏、童珉、林琳、李光、王宝君
江西省农村中央广播电视节目覆盖试点工作	江西省广播电视局、国家广播电影电视总局广播科学研究院	黄晔明、邹峰、鞠亮生、吴建钢、杨明、徐天源、戚武、李薰春、蔡旦颖、于新、肖军、苗勃
无线局地球站自动调度系统	国家广播电影电视总局无线电台管理局	黄晓兵、余英、张荣建、李菊红、桑波、闫鸿阁、张学旻、张旭明、吕芝辉、刘振海、周宏宇、宁海斌
淄博市双向有线数字电视整体转换项目	淄博广电天网视讯有限公司	刘光平、赵衍华、刘绵胜、宁万峰、丁宇
重庆广播电视总台内容管理基础平台	重庆广播电视总台、成都索贝数码科技股份有限公司	江卫东、余军、张勇、周迅、段晓峰、李正平、朱万文、周伟、谢志刚、姚毅、朱承华、冉悦
济南电视台全台制播网络	济南电视台、新奥特硅谷视频技术有限责任公司	马维加、王伟才、任乐时、庞刚、张强盛、袁冬、范锐、杨超、王琨、沙雅文、申永林、王海澜

二等奖

SMG 电视新闻共享平台	上海文广新闻传媒集团	徐济众、梅国平、唐惠荣、李泽强、陈子建、陈晓芸、霍秋林、何伟
广播电视监测网安全管理平台	国家广播电影电视总局监测数据处理中心、北京启明星辰信息技术有限公司	董燕、赵杰、肖立昕、李光、杨若黎、韩应宣、丁勇扎西、朱立江
农村数字电影分发管理与服务体系的研究	国家广播电影电视总局广播科学研究院	王东飞、赵良福、杨庆华、解伟、王琳
HFC 网络平台技术研究及综合治理	深圳市天威视讯股份有限公司	麦上保、陈畅民、徐江山、杨俊、张利生、曾铁坚、李强、彭巍
广电总局594台西新工程	国家广播电影电视总局无线电台管理局、中广电广播电影电视设计研究院	李国华、姜文波、何红宇、徐忠、邓倬、田园、曹毅、黄涛
中央电视台非编后期制作网系统	中央电视台	崔建伟、颜枫、高蓉莉、冯奇、陈欣、伍旸、王润樵、李菁
中央电视台工艺配电系统改造	中央电视台、中广电广播电影电视设计研究院	毕戈、戴芦新、张晓强、刘文生、殷繁宗、闫宝安、周稳忠、马天波
广西新一轮广播电视村村通工程建设技术新体系的建立	广西广播电视信息网络股份有限公司	阳建国、朱日荣、李德刚、曹兵、林莉枝、梁永忠、马登科、徐远宾
SMG 新闻制播网络管理系统	上海文广新闻传媒集团	李泽强、潘伟平、孙欣然、陈子建、寇佳、谈新、徐志亮、邹学益
常州动漫基地公共技术服务平台建设	常州电视台	蒋伟平、黄敏、朱伟清、徐蔚然、周敏、沈涵玮

三等奖

河南人民广播电台媒体资产管理系统	河南人民广播电台	张大宝、张锐、王晓芳、傅晓明、吴斌、马英杰
衢州广播电视台总控播控系统	衢州市广播电视总台、北京格非视频科技发展有限公司	张国泉、鲍放、徐建林、徐孜、余燊、叶洛华
房山区广电中心制播存一体网	北京市房山区广播电视中心	孙泽、吕井财、朱惠强、刘振明、穆晓凤、许亚辉
高清车转播系统	天津电视台	刘晓农、陈杰、高玄、周永康、任雪冰
青岛电视台总控播出系统	青岛电视台	王建路、颜涛、刘海、朱磊、王林、蒋皓
山西省广播电视监测系统	山西广播电视无线管理中心	贺峻峰、张向东、李永彪、李建军
西安电影资料库4号库	中广电广播电影电视设计研究院、中国电影资料馆西安电影资料库	吴纯举、林方亮、黄义成、张莹、黄秋芳、田旭东
新疆广电局影视剧译制制作网络项目	新疆电视台、新疆广播影视译制中心、北京中科大洋科技发展股份有限公司	高天山、马玉霞、甫力东、艾斯卡尔·阿、阿克帕尔、亚夏尔
全程文件化新闻制播一体网络系统	淄博市广播电视技术中心、山东美视多媒体发展有限公司	张晓新、刘晓亮、张营军、常飞、郑观卫、禚春升

续表

项目名称	完成单位	完成人员
国家广电总局564台西新工程——基于网络控制的大功率短波广播发射台建设工程	国家广播电影电视总局无线电台管理局、中广电广播电影电视设计研究院	杨玉龙、马文健、姚春明、毛旭辉、袁汉亮、韩勇
基于IPQAM的互动电视业务系统	新疆广电网络有限责任公司	李强、王鸿刚、鲍淑梅、刘峰、买合木提江、周肃
2022台西新工程	国家广播电影电视总局2022台、中广电广播电影电视设计研究院	李天德、刘金贤、姜林基、董涛、霍国庆、何红宇
南京广电有线数字电视媒体资产管理	南京广电网络有限责任公司	林宝成、王伟、陶黎生、张劼、袁文博、徐军

软科学类

一等奖

项目名称	完成单位	完成人员
下一代通信技术和计算机技术对广播电视发展的影响	国家广播电影电视总局科学技术委员会战略发展专业委员会	周志强、董年初、丁汶平、白华、田捷、王福豹、吕锐、马骏、陈钟、林闯、门爱东、戴琼海、吴伟陵、王新洲、李小兰
电视台数字化网络化建设白皮书(2006)	江苏省广播电视总台、上海文广新闻传媒集团	王联、张建平、孙苏川、肖亮、顾建国、朱光荣、何宁、吴昊、朱爱华、陈晓芸、范金慧、毛敏明
《广播影视数字化普及读本》	国家广播电影电视总局广播科学研究院	杜百川、王蓓、李小兰、杨晓东、马炬、钱岳林、杨杰、曹青、丁立、章理为、刘晨鸣、马玥

二等奖

《广西壮族自治区城镇新建、改建或扩建住宅小区、商务办公用房等民用建筑有线数字电视网络设计建设规范（暂行）》	广西广播电视信息网络股份有限公司	李德刚、吴润宗、梁永忠、杨京、赵泽发、韦恒、朱莹德、黄勇林
中国广播电台数字化网络化建设白皮书（2006）	上海文广新闻传媒集团、江苏省广播电视总台	王联、孙苏川、徐济众、徐北骏、霍秋林、张云华、陈蓉、潘晓刚、刘建宏、王波、邵勇、陆正国
《中央电视台安全播出应急处理预案》	中央电视台	祥祖军、葛涛、谢继红、于海兵、关朝阳、王京池、陈雷杰、戴芦新
《中国广播影视数字版权管理需求白皮书》	中央电视台、清华大学	丁文华、赵黎、谢锦辉、冯惠军、马缚龙、刘永亮
《影视特技》	上海市电影电视技术学会	戈永良、史久铭、陈继章、顾锦龙、王玮、罗掭生、秦臻
广播影视竞争环境监测与分析(2005)	国家广播电影电视总局广播电视规划院	黄贵莲、姚永晖、袁丽华、赵兴玉、杨玉泉、辛桂芳、谢婧、黎阳、

三等奖

《广播中心播控技术》	安徽人民广播电台	戚洪江、解晓玲、李先中、陈娟、张双莹、韩益民
高清电视发展战略和产业链研究	上海文广新闻传媒集团	刘建宏、范金慧、霍秋林、黄奇志、秦臻、罗掭生
有线广播电视前端监测设备及用户终端监测设备入网技术要求及测量方法（暂行）	国家广播电影电视总局广播电视信息安全测评中心	齐立欣、李晓东、龚波、谢璞、段堃、王宝石
《英汉广播电影电视技术缩略词典》	上海市电影电视技术学会	田俊人、曹揆申、王玮、陈健、郑志航、秦臻
天津市有线电视宽带综合业务网总体规划	天津广播电视网络有限公司	王廷樑、王磊、刘登峰、李洁
四川广播电视集团安全播出管理体系的建立	四川广播电视集团	钟叙昭、李化、刘济、王劲
广播影视产业自主创新实现路径与政策机制	国家广播电影电视总局发展研究中心	庞井君、陈共德、方德运
高清晰度电视广播视频压缩技术应用研究	国家广播电影电视总局广播科学研究院	郭晓强、解伟、李小雨、付光涛
调幅（AM）广播监测设备入网技术要求及测量方法（暂行）	国家广播电影电视总局广播电视信息安全测评中心	齐立欣、李晓东、程征、韩应宣、闫阳、任晓炜
《重庆有线网络总体规划》(2006～2010)	重庆有线电视网络有限公司	李晓枫、王晓、胡建农、尹建、刘锐、杨帅

标准类

一等奖

项目名称	完成单位	完成人员
“GY/T220.1-2006移动多媒体广播第1部分：广播信道帧结构、信道编码和调制　GY/T220.2-2006移动多媒体广播第2部分：复用”	国家广播电影电视总局广播科学研究院、北京泰美世纪科技有限公司、中兴通讯股份有限公司	杨庆华、解伟、陶涛、王标、陈文、郭晓强、沈灿、葛启宏、晏祥彪、白栋、朱晓光、胡军、夏治平、王秋生、曹晓卫

二等奖

项目名称	完成单位	完成人员
(GB 50371－2006) 国家标准《厅堂扩声系统设计规范》编制	中广电广播电影电视设计研究院	陈建华、陈怀民、骆学聪、李齐勋、陶宇荣
GY/T204-2004《有线电视用户服务规范》	国家广播电影电视总局广播电视规划院、广东省广播电影电视局、无锡市广播电视局	高少君、杨力、寇沪闽、黄广泉、罗小布、陈柏年、陈志国、蒋荻
GB/T 20030-2005《HFC网络设备管理系统规范》	国家广播电影电视总局广播电视规划院、成都康特电子高新科技公司、无锡市路通电子技术有限公司	李熠星、邹强、许磊、谭望春、沈昶宏、赵万和、龚波、陈志国

三等奖

项目名称	完成单位	完成人员
GY/T212-2005《标准清晰度数字电视编码器、解码器技术要求和测量方法》	国家广播电影电视总局广播电视规划院	刘长占、曾庆军、李康、刘千朋、杨海曜、崔俊生
GY/T222-2006《数字电视转播车技术要求和测量方法》	中央电视台	于志、姜柏宁、刘中胜、叶秋实、李宇任、曹建新
GY/T214-2006地面数字音频广播系统标准制定	国家广播电影电视总局广播科学研究院	邹峰、谢锦辉、杨明、高鹏、曹元莉、尚璟
GY5056 2005中波广播发射台工艺设备安装规范	湖北肖家地广播发射台	吴炳忠、黄小钢、郎望华、陶志成、宋建业

科普作品类

一等奖

项目名称	完成单位	完成人员
《中国人从哪里来》	北京科学教育电影制片厂	金霞
《草原铁甲兵》	北京科学教育电影制片厂	张跃、陈峰、房锋、李云镜
《河姆渡》	北京科学教育电影制片厂	王乔
《妙手仁心——吴孟超》	中央电视台	王视南、冯其器、赵亮、王凤华、章京
《最长的一天》	北京科学教育电影制片厂	杨丽、丁建、朱江
一场必须打赢的战争	北京人民广播电台	蔡明可、刘冰
“机器人”在现代医学中的妙用	中央人民广播电台	侯宇军
《回到恐龙时代》	中央电视台	刘国春、阎东、张弘、田喆、欧阳薇、王远伟、刘吟苍、黄海波
《独角1号》	云南保山市电视台	蔡雯、李根志、卢宏伟、张爱国
《黄喉噪鹛》	江西电视台	雷洪、李董、刘兴龙、王维佳、朱盛锦、叶琳琳、洪元华、潘辛芊
《小鸡蛋 大智慧》	北京科学教育电影制片厂	孟春雷
《追风的人》	中央电视台	李山青、李青
《和三峡呼吸与共——三峡工程生态与环境监测系统》	武汉电视台 科技之光	张群、彭涛、王亚非、王丹、石易、刘颖、朱红卫、杨勇、尹晨芳、方毅、彭娜、黄真理

二等奖

《近看神箭》	中央电视台	吴冰、项小红
《幸福倒计时》	中央电视台	张国飞、梁婷婷
《探索银杏杀菌之谜》	山东电视台	彭金棣、张文兵、李圣勇
《徐光启》	江苏广播电视总台、台湾光启节目视听服务社	蒋文博、高巍

续表

项目名称	完成单位	完成人员
噪声污染的危害和防治	河北人民广播电台	冯全福、樊志军、石宏杰、冯占山、张东凤、杨诩、范凤娟、张国威
《走进云台山国家地质公园》	河南焦作电视台	闫炜、陈光文、卢嘉、李九兰、丹春晓、张娟
科技之光——人造太阳	安徽人民广播电台	杨勤生、周原、冬梅、何劲松、孙成
新能源的研究与应用——生物质油	安徽人民广播电台	陈娟、王志刚、李先中、钱军、王雷、许秀方、王跃红
《复活的水系》	广州电视台	李威沙、叶青、吴志红、赵雪芳
《煤矿透水事故的防治》	河南电影电视制作集团 河南电影制片厂	宗树洁、李欣、朱赵伟、张爱平、刘澍、夏建荣
《零污染，上海超级电容公交车"蓄电待发"》	上海东方卫视	杨佳、孙翱、张俊、金磊、杨扬
《警惕加拿大一枝黄花的危害》	上海电视台纪实频道	项先尧
《问渠哪得清如许》	广州电视台	李威沙、叶青、张勇、梁崇泽
《千古怪病"碘"到为止》	天津电视台	张菁、彭靖、李雪梅
《科技之光》健康版	武汉电视台 科技之光	杨勇、别明源、沈鹏、张海清、王亚非、张群

三等奖

项目名称	完成单位	完成人员
《揭密"手指透视"》	中央电视台	张国飞、王卫华
《追寻湮灭的足迹》	天津电视台	解辉、张焱森
《银汉一星——李元》	中央新闻纪录电影制片厂	温艺钧
《眼见不一定为实》	湖北省广播电视总台	黄海、楚宏、江山、李明
神奇的小精灵——赤眼蜂	广东省湛江市广播电视台广播中心	蔡成、张慧慧、陈晴宇
《守望龙门》	河南电视台	刘长伟、韩健娇、梁昀、代东亚、郑路、赵海洋
中国第一台煤矿搜救机器人在徐州诞生	徐州广播电视台广播中心	杨春侠、张碧莹、俞静、赵艳
《大田里刷上射频卡》	山东电视台	张文兵、彭金棣、李圣勇
让科学开启未来之门	中央人民广播电台	冯雅、高岩、张邵刚
《太阳能开发结硕果》	西藏电视台	姜言宝、扎西达瓦、桑珠、王茜、
《龟谷龟事》	广州电视台	李威沙、朱江、邓骄阳、张小颖
《高原之光——水能利用》	云南电视台	王淑珍、朱晓钟、郝跃骏、刘武民、王京、周继文
舒尔特方格——关注孩子的注意力	北京人民广播电台	小雨
系列专题：科技改变生活	中央人民广播电台	刘志军、靳雷、魏淑兰、宋莉、侯宇军、黄睿
听丁肇中博士讲科学	北京人民广播电台	刘国庆
坐着火车过海去	广东省湛江市广播电视台广播中心	张慧慧、周杰、陈晴宇、麦小林
《火海逃生11法》	广州电视台	李威沙、丁露、蔡劲波、梁崇泽
《人类远祖的故乡》	山西省运城市广播电视台	张红艳、任淇、侯孝直、杨帆、周伟、崔靓
《水稻垄系栽培技术》	吉林双辽市广电局	赵淑芬、颜景卉、王弘岩、王世甫、王伟、丁奇鹏
国粹国宝中医药	江苏人民广播电台	侯燕玲、姚加炎、吕凤华、蒋宁、董秀芳、邹奇
《五味子种植技术讲座》	辽宁省新宾满族自治县电视台	陈俊艳、崔乃光、陆胜绵、姚长华、牛雪萍、张雪艳
《希望的田野》	湖北省广播电视总台	李明、刘文杰、姚建华、王君
《用抠门创造时尚的人》	北京电视台	万静霞、李志国、杨韵仟、卢志洁、郭蓉蓉
《走进卡拉麦里》	乌鲁木齐电视台	许军、梁新根、赵力、刘小林、李慧
《稻田里长出摇钱树》	中央电视台	刘学智
《婚房失火之谜》	北京电视台	李志国、蓝霖、高艺溦、李维韦、阚超、何健
《暗藏的杀手》	河北电视台	张红岭、武强、赵婷、彭峰、刘学锋
《远离雷电》	陕西电视台	李云峰、刘天鹏、张鑫
《话说沼气生态农场》	江苏徐州广播电视台	张成军、王宝军
《我从哪里来》	山东省荷泽市广播电视台	李庆华、路永胜、祝国防、朱丹、周忠良
《双孢菇栽培技术》	青海卫视	刘宁元、马永前、马延芳、刘东辉、沈红

2007年度国家广播电影电视总局广播节目技术质量奖（金鹿奖）获奖结果

播出技术质量奖

一等奖

节目名称	单　位	主要完成人员
中央人民广播电台 第一套节目	中央人民广播电台	肖国栋、崇英、张治萍、陶桂芝、李素云、罗文明、徐仰红、汤伟、刘朝晖、李存星、樊磊、李杰、刘华、王崇义
北京人民广播电台 第一套节目	北京人民广播电台	刘志勇、高素萍、王堃、杨丽华、胡国伟、薛赫然、程春、赵红、李东、李忠实
广东人民广播电台 卫星广播频道	广东人民广播电台	巫志牛、蔡达华、袁仕昌、钟坚、张坚、黄少玲、邓钧
上海文广新闻传媒集团技术运营中心 990千赫/93.4兆赫	上海文广新闻传媒集团技术运营中心	刘敏、吕德胜、蒋明华、李海波、杨冬明

二等奖

节目名称	单　位	主要完成人员
山东人民广播电台 第一套节目	山东人民广播电台	张杰、吕伟建、王乐生、吴士学、叶效刚、刘向东、刘大军、郭晓华、李英华、韩克收、孙玉峰、程传军、宿亚莉、万春杰、唐燕燕
辽宁人民广播电台 第一套节目	辽宁人民广播电台	李业柱、刁宁、王军、孙建东、李天蔚、韩颖辉、付煜、刘利军、李嵩、赵雷、陶治、娄兵
福建省广播影视集团 新闻综合广播	福建省广播影视集团	武卫平、高弼祺、张志坚、李伟、鲍旭萍、徐锦华、施双双、卢燕玲
广西人民广播电台 第一套节目	广西人民广播电台	罗又赤、戴励、张俊杰、黄镜彪、叶远、陈国滔、韦薇、李岚
天津人民广播电台 第一套节目	天津人民广播电台	杨红杰、刘伟、王建、范良鸣、洪建生、蒋文胜、王建明、赵桓、曲昭顺、王金喜、石钧、刘扬、艾福森、王楠、齐继云、林伟、蒋文利、黄伟
浙江广播电视集团 新闻综合广播	浙江广播电视集团	夏大强、王强、汪丽芳、梁爱武、仇玉萍、朱捷、吴宇超、祝亚静、王继忠
河北人民广播电台 新闻频道	河北人民广播电台	冯全福、苑拥军、李春刚、王淑俊、牛晓静、蔡志立、徐晓兰、彭艳、张珺、王美中、刘方、赵剑峰
宁波人民广播电台 第一套节目	宁波人民广播电台	孙刚鸿、姚培红、忻震、丁小敏、王起广、黄德磐
济南人民广播电台 新闻频道	济南人民广播电台	胡伯乐、王新泉、王立文、姜波、张建民、刘兴锋、王宝勤、黄伟、李昌春、董良

三等奖

节目名称	单　位	主要完成人员
江苏人民广播电台 第一套节目	江苏广播电视总台	华明、袁晓瑜、潘晓刚、张正贵、卢小勉
河南人民广播电台 新闻频道	河南人民广播电台	徐汉青、傅万军、张景周、郭建中、刘侃、朱超、司红彬、盛志华
陕西人民广播电台 第一套节目	陕西人民广播电台	樊尚忠、李旭琦、谢东、张岩、周军、张菁、王丁
湖北广播电视总台 新闻综合广播	湖北省广播电视总台	吴亚宁、朱云、刘勇、章建文、管海建、翟荣斌
中国国际广播电台 FM91.5频道	中国国际广播电台	娄子军、毛矛、俞剑、孟茁、魏楠、吴朝辉、袁守栋
海峡之声广播电台 新闻时政频道	海峡之声广播电台	艾少平、俞文英、林杰、陈大开、潘婉榕、刁晓曼
大连人民广播电台 第一套节目	大连人民广播电台	邢海江、石磊、徐延东、艾红权、张肇兴、陆慈龙、由斌、王立群、鞠红军
安徽人民广播电台 第一套节目	安徽人民广播电台	韩世平、解晓玲、李先中、韩益民、马飞、王志刚、程琪、韩明
合肥人民广播电台 第一套节目	合肥人民广播电台	沈渭彬、樊勇兵、侯树明、欧阳晶晶
山西广播电视总台 新闻综合广播	山西广播电视总台	刘德利、李文明、张晶、李国强
厦门广播电视集团 第一套新闻广播	厦门广播电视集团	张海波、林凯
哈尔滨人民广播电台 第一套节目	哈尔滨人民广播电台	张海强、王论衡、杨宣东、林平、张希强、石炯
黑龙江人民广播电台 第一套节目	黑龙江人民广播电台技术中心	张健、樊兆国、宿永珩、许相敏、张媛、王伟兴、孙宇、孙伟、王长江、胡英涛

续表

节目名称	单　位	主要完成人员
青岛人民广播电台　新闻频道	青岛人民广播电台	单华、杨杰、尹增辉、孙国胜
四川人民广播电台　第一套节目	四川人民广播电台	刘超靖、朱云华、杨志华、吴开荣、冯平、康敏
武汉人民广播电台　第一套节目	武汉市广播电视局	左建平、万建、许国鑫、童洁、冯武蜀
贵州人民广播电台　第一套节目	贵州人民广播电台	陈秀荣、杨再礼、胡桂华、汪琦、梁平

录音技术质量奖－音乐类

一等奖

节目名称	单　位	主要完成人员
德沃夏克的《随想谐谑曲》作品66号	上海文广新闻传媒集团技术运营中心	莫家伟、汪永福
走进神农架	湖北省广播电视总台	胡从容、王迎、章建文
捷克作曲家斯美塔那的交响诗《伏尔塔瓦河》	上海文广新闻传媒集团技术运营中心	杨云鹤、杨振海
美声《为祖国歌唱》	中央人民广播电台	林阳
德沃夏克《斯拉夫舞曲——第1号》	北京人民广播电台	陈小斌

二等奖

玛琳巴协奏曲第一乐章（实况）	天津人民广播电台	庄增田、张福全、王锡林
英国作曲家麦克斯威尔.戴维斯的《日出时分的奥克尼婚礼》	上海文广新闻传媒集团技术运营中心	杨云鹤、杨振海
交响乐《小步舞曲》	河北人民广播电台	杨澜、冯占山、范凤娟
打春	山东人民广播电台	李志毅、张杰、于峰
黄水韵	山东人民广播电台	于峰、吕伟建、于润波
天鹅湖序曲	佛山人民广播电台	谢江浩、毛伟坚
通俗歌曲《阿娇》	北京人民广播电台	曹漫
寒山僧踪	河南信息广播	陈波、吴章荣、白可
四声部无伴奏合唱《山乡早晨》	广西人民广播电台	雷庆胜、李宁
组曲《来自北方》(实况)	重庆广播电视总台	糜长江、杨力
月琴独奏《渔歌》	黑龙江人民广播电台技术中心	赵殿理、刘枫、李旭

三等奖

欢腾的草原	鄂尔多斯人民广播电台	杨金山
塔克拉玛干之歌	新疆人民广播电台技术部	吾买尔江、叶尔肯
我属于你，中国	陕西人民广播电台	张开朗、张岩、谢东
天运	辽宁人民广播电台	欧阳海涛、吕蔚丽、王亚洁
威廉退尔序曲	佛山人民广播电台	谢江浩、李启光
最亲是你	青岛人民广播电台	刘红军、杨杰、陆文悦
“少年交响音乐会”实况选段《电影<指环王>主题曲》	河南人民广播电台	寿晓霁、郭建中、张耀
走向辉煌	吉林人民广播电台	王境山、卢杰、王沈田
打击乐八重奏《科技先锋》	广东人民广播电台	谢倍伟
男中音独唱《斗牛士之歌》	扬州广播电视局	姚正、邱正峰、沈振宁
卧龙吟	河南信息广播	陈波、潘凌然、王朝安
交响诗《崂山随想》	青岛人民广播电台	刘程煜、高大泉、张炳堂
通往你的心	河北人民广播电台	冯全福、张国威、张仁波
民族器乐曲《阿瓦尔古丽》	中央人民广播电台	姜薇
山乡春早	南方影视集团江门广播电视台	林浦、梁鸿根
埃及进行曲（实况）	重庆广播电视总台	林宏、王越、戴欣
民乐小组奏《长信恨》	南宁人民广播电台	李锐强、黄健春
假如	慈溪市广播电视台	张登尔
女声独唱《美妙歌声随风飘荡》	广西人民广播电台	雷庆胜
音乐剧《鲁乐奇遇记》第3集	中国国际广播电台	王立君、李涛
音乐《创业序曲》	长春人民广播电台	韩玉德

录音技术质量奖－戏曲类

一等奖

节目名称	单 位	主要完成人员
越剧《双珠凤》选段 送花楼会	常州人民广播电台	张建平、谢建伟
豫剧选段《秦雪梅见夫灵悲声大放》	河南人民广播电台	吴志勇、王岩、张耀

二等奖

《状元媒》选段	山东人民广播电台	于峰、吴士学、李维嘉
越剧《花园会》	上海文广新闻传媒集团技术运营中心	徐国庆、莫家伟
京剧《三家店》选段（实况）	天津人民广播电台	王建强、庄增田、赵洹
王小赶脚（片段）	淄博广电总台技术中心	姜玉兵、闫湘江、吕萍
昆曲《喜迁莺》	上海文广新闻传媒集团技术运营中心	莫家伟、徐国庆
审潘红	济南人民广播电台	姜波、吕晓燕
拔苗助长	辽宁人民广播电台	赵晓维、苏彤、陈岩

三等奖

昆曲演唱《嘉庆子》	江苏广播电视总台	张迅、张正贵、钱伟成
锡剧选段：自从那天分别后	无锡广播电视局广播中心	钱泓毅、苏建清、曹良忠
河北梆子《十大古人》	天津人民广播电台	庄增田、赵洹
黔剧《贞女》选段：我不是哑巴	贵州人民广播电台	马小军、令狐昌健
豫剧《大祭庄》	河北人民广播电台	石宏杰、苑拥军、张仁波
美堂传奇	开平广播电视台	黄河
琵琶血染汉宫花	南方影视集团江门广播电视台	林浦、李侃游、谈栋华
昆曲《西厢记》第1幕：惊艳 第2幕：听琴	中央人民广播电台	权胜
《樊梨花》选段	濮阳人民广播电台	卢范生、谢秀松、李传忠
老来难	济南人民广播电台	任小沙、胡伯乐
越剧——春香传选段《爱歌》	舟山广播电视总台	金桂枝、李旭明、李江
跨凤乘龙	南方影视集团江门广播电视台	龙国建、吴伟权、梁鸿根

2007年录音技术质量奖－语言类

一等奖

节目名称	单 位	主要完成人员
雅韵何处——昆曲的前世今生	上海文广新闻传媒集团技术运营中心	刘蕾、柯影影
小说《印加宝藏》	黑龙江人民广播电台技术中心	宋铁民、孙宇
唢呐一枝花	济南人民广播电台	姜波、吕庆华
离家百年，终回故里	天津人民广播电台	赵振华、张望
第28封来信	安徽人民广播电台	段媛媛、杨勤生
民情日记	广州人民广播电台	许小旋、孙涛
文学专题《大唐李白》	河北人民广播电台	张东风、冯全福
盲厨师	中山广播电视台	陈婕、李武

二等奖

专题《瑞典人寻访安徽探源古茶》	安徽人民广播电台	杨勤生
广播综合文艺《爱是不能忘记的》	福建省广播影视集团	叶枫、唐鹰峰
禅·音乐·少林——听《禅宗少林·音乐大典》	河南人民广播电台	夏永安、付晓
走进甘南	甘肃省广播电影电视总台	赵军、裴勇
广播纪实文学《血殇》	中央人民广播电台	王敏
家园的呼唤	中山广播电视台	芦茹萍、李武
震撼	山东人民广播电台	王红军、张杰
录音报道《沿海观潮》	江苏广播电视总台	吴京国、陆正国
地球上永恒的红飘带	广东人民广播电台	谢倍伟
广播综合文艺《预知结局的女子》	福建省广播影视集团	唐鹰峰、叶枫

续表

节目名称	单　位	主要完成人员
广播专题《蔬菜音乐新世界》	上海文广新闻传媒集团技术运营中心	柯影影、刘蕾
音乐专题“谭盾的《地图》”	无锡广播电视局广播中心	谢科、华逊凯
音乐欣赏专题《电影——希拉里和杰基》	北京人民广播电台	罗霄笑
令人想往的诗美生活	辽宁人民广播电台	李书宇、仇敬辉

三等奖

戏曲专题《蛇恋》	宁波人民广播电台	姚兰、陈晔
荆风楚韵长江情	湖北省广播电视总台	邓昌浩、章建文
无声世界里的音乐律动	天津人民广播电台	彭爱华、尚家勇
与鸟一起飞	江西人民广播电台	肖小山、陶清
综艺专题《追寻生命的太阳》	广西人民广播电台	傅荣、雷庆胜
微笑广播	襄樊人民广播电台	海林、杨猛
08——奥运梦想	武汉市广播电视局	何林、鲁国雄
跨越——走向世界的铁军	海峡之声广播电台	刁晓曼
用音乐守望	海峡之声广播电台	王继东、刁晓曼
大爱无声	辽宁人民广播电台	陈璐、侯春琳
音乐专题《寻找客家山歌》	中央人民广播电台	石良红
客家始祖的守望者	中国华艺广播公司	陈蓉、张想萍
那人，那路，那岁月	重庆广播电视总台	胡译方
春	广西壮族自治区贵港广播电视台	黄进晓、邓玲玲
专题节目《爷爷的故事》	北京人民广播电台	董珂
红色罚款单	重庆广播电视总台	王越
四季的祝福	吉林市人民广播电台	蒋颖、王建平
京京和他的QQ妈妈	陕西人民广播电台	张岩
话说皇藏峪	宿州市人民广播电台	郑浩、王斌
木兰说	河南人民广播电台	付晓、赵蕾
守望荒漠，守望信念	甘肃省广播电影电视总台	董凌、郭金霞
凄美的凋零	阳泉广播电视总台	张杰、陆家乐
荀慧生	淄博广电总台技术中心	吕萍、姜玉兵
爱心在网络上链接	江西人民广播电台	刘云龙、徐军
一个农民的长征	甘肃省广播电影电视总台	何军、王进宏
经典在线《命运》	台州广播电视总台	刘敏燕、张帆
大连贫困居民普遍享受医疗救助待遇	大连人民广播电台	石磊、刘辉
海底有人吗	西安人民广播电台	王育良、郭华

录音技术质量奖－广播剧类

一等奖

节目名称	单　位	主要完成人员
《跨越空间之梦》第1集	中央人民广播电台	权胜
妈妈睡觉的样子	上海文广新闻传媒集团技术运营中心	张治、柯影影、刘蕾
深山信使	中央人民广播电台	王敏
大校长张伯苓	天津人民广播电台	彭爱华、朱佳、邵俊荣

二等奖

取暖	安徽人民广播电台	杨勤生
公仆	上海文广新闻传媒集团技术运营中心	张治、徐国庆、汤泓
枝岈关	天津人民广播电台	庄增田、刘海东
崇高的敬意	河北人民广播电台	冯全福、冯占山、杨澜
《日照天山》第4集	山东人民广播电台	于峰、王红军、于明杰
广播剧《夕阳之旅》	黑龙江人民广播电台技术中心	宋铁民、刘枫、董凤贤
叫一声哥哥	河南信息广播	龚海南、陈波、吴章荣

三等奖

广播剧《最后的狩猎部落》	内蒙古人民广播电台	孙生和、左巍、梅丽亚
《校园不是净土》	河南人民广播电台	夏永安、刘颖生
纪实广播连续剧《小巷总理——谭竹青》第一集	长春人民广播电台	韩玉德
为了幸福	陕西人民广播电台	童怡、张开朗
西迁之路	新疆人民广播电台技术部	张文江、海沙尔、叶尔肯
点亮一盏灯	广西人民广播电台	李宁、雷庆胜
《天堂向左，深渊向右》	青岛人民广播电台	单华、王晗、孙成章
天籁	广州人民广播电台	许小旋、胡梅、胡韶东
妈妈的信	宁波人民广播电台	楼健飞、姚兰
为了明天	辽宁人民广播电台	仇敬辉、李书宇、陈璐
特殊父子情	石河子人民广播电台	刘占鸿、何成、薛宏峰
儿童广播剧《有个同学叫江洋》	四川人民广播电台	傅承德、余建、陈伟清
《最后的童话》	北京人民广播电台	贺西平、张校茵
噪音扰民何时休	东莞广播电视台	巫国能、庄冬敏、李健中

2007年度国家广播电影电视总局电视节目技术质量奖（金帆奖）获奖结果

一、电视节目录制技术质量奖

1、新闻类

一等奖

节目名称	申报单位	获奖名单
东视新闻	上海文广新闻传媒集团	戴伟琦、施美楠、陈　洁、王金宝
新安夜空	安徽电视台	方正阳、计　可、苏吉焰、刘克东

二等奖

新闻联播	黑龙江电视台	张云龙、李志刚、王　妍、宋春晓
体育报道	中央电视台	孟克福、郭　娅、王云涛、刘　博
12点报道	天津电视台	李　华、周　莎、佟　烨
北京新闻	北京电视台	石伟文、张京铭、姚稼南、程　贺
贵视晚间	贵州电视台	牛　杰、丰　盼、殷卫平、张海龙
浙江卫视新闻要览	浙江广播电视集团	蒋训娴、萧　伟、高　彦、蒋松健
四川新闻	四川电视台	周　丹、窦　智、吴　中、陈德军
第一时间	辽宁电视台	刘　放、佟　明、李世杰、王　磊
湖南新闻联播	湖南电视台	赵国强、侯　伟、胡东阳、杨　全

三等奖

宁波新闻	宁波电视台	朱红天、陈列铭、林雯瑾、张明初
江苏新时空	江苏省广播电视总台	任卫平、徐忠强、夏　雨、曹　轶
深视新闻	深圳广播电影电视集团	焦志刚、武　军、张小东、丁　宁
广东卫视新闻	广东电视台	林小海、张春妮、刘　宇、雷伟斌
湖北新闻	湖北省广播电视总台	沈　威、李霞光、陈　诚、陈　恺
苏州新闻	苏州市广播电视总台	蔡晨东、王卫成、戴培星、叶　丹
河南新闻联播	河南电视台	杨　超、张继伟、王智华、张富伟
厦视新闻	厦门广播电视集团	林晓尧、杨国和、李　平、黄注金
午间报道	福建省广播影视集团	董隆远、李晓彤、傅伟剑
衢州新闻	衢州广播电视台	徐建林、廖鸿日、周樟雯、邵海燕
新闻进行时	山东电视台	李满家、杜　冉、粟　峰、蔡　潇
今日一线	南方电视台	余　晖、许卓强、凌　捷、王新廷
南宁新闻	南宁电视台	朱华伟、蒋鹏程、陈晓华、余　蓓
温州新闻联播	温州市广播电视总台	滕小宁、朱伟可、叶　军、胡　彬
淄博新闻	淄博电视台	孟　勃、张金芝、宋云霞、李　冬

2、专题类

一等奖

节目名称	申报单位	获奖名单
雪乡人家	黑龙江电视台	刘　薇、徐枭宇、宋　平、王英剑
再说长江（第6集）	中央电视台	王　珮、但　京、刘　新、罗建勋

二等奖

春到羊城	广东电视台	张启赞、张　征、王　晖、戚美琪
黄土建成的辉煌	浙江广播电视集团	吴新如、潘晓红、洪　霞、张立庆
厝	厦门广播电视集团	林晓尧、杨国和、李　平、郭宏伟
天一阁	宁波电视台	蒋　波、王征新、王韶峰、沈天友
远征南极	四川电视台	卜　军、曹　阳、苏　冰、李文胜
茶姑鸟又叫了	江西电视台	高　勇、陈吉夫、董　艳、孙　锂
人类的共同遗产——挪威峡湾	北京电视台	周　宏、潘凌轩、黄之为、孙天蔚
泊客中国	天津电视台	刘立山、周　薇、梁云鹏、王　冬
触摸天堂	安徽电视台	李伟中、戚仁琨、张　淮、汪　波

三等奖

葑湄草堂	苏州市广播电视总台	王峻鹏、顾　韵、卢小杰、李传舵
昆曲600年（第1集）	江苏广播电视总台	王　峰、陈少白、陈　强、蒋文博
黄姚古镇	广西电视台	凌华生、陈浩鸣、郭林林、周　斌
为了永不褪色的记忆	辽宁电视台	王玉周、展博群、季　磊、刘宏安
寻觅历史底蕴	广州电视台	李全新、刘广穗、陆玉峰、荣海旺
第二个春天	上海文广新闻传媒集团	陈　琮、张晟华、张　洁、施　栋
中国沈阳园艺博览会之《国内展园》	沈阳电视台	刘亚平、莫　克、黄　英、程　岩
梦回清园	河南电视台	曾永强、刘　宏、杨伟涛、王春阳
追寻郁达夫	杭州电视台	罗　蓉、陈　昕、李振波、周国强
远祖之迷	重庆广播电视总台	张　勇、张　宾、郑　峰、余荣刚
浏阳河的桥	长沙电视台	许新光、王　宏、刘　苹、周　浩
千年老腔	陕西电视台	杨　光、张开宇、孙培强、蒲淑霞
对话改革	深圳广播电影电视集团	李树光、崔贤浩、白理棠、周望一
浙江绿源　名城衢州	衢州广播电视台	张国泉、符建云、严进生、李铁锋
丽江老君山	云南电视台	卫　锋、张瑞卿、高文辉、熊培昆
寻找中国帆	福建省广播影视集团	郑东波、卢哲华、方建辉、黄艳舟、王　强、黄　睿

3．综合文体类

一等奖

节目名称	申报单位	获奖名单
中部崛起——第2届中国中部投资贸易博览会开幕式	中央电视台	孟　涛、郁　建、柏建国、陆振洵、曹　璇、李雪峰、李东洲、田会昌
《新春盛典》——2007戏曲综艺晚会	安徽电视台	潘效军、宗永怡、王先磊、谢　鹏、陈晓勇、杨付金、杨　杰、王　宇

二等奖

全国版舞林大会总决赛	上海文广新闻传媒集团	胡佳鸣、王金宝、王伟晨、吴云波、陈建强、袁　跃、徐　玮、盛晓晖
国际旅游节开幕式	广东电视台	张　宇、顾宇宏、李秋旻、刘昌伟、李业高、戴嘉庆
欢乐一家亲——豫、港澳2007春节联欢晚会	河南电视台	王春阳、杜保欣、张　鑫、于洪洲、傅东锋、郭永康、王亚峰、李　楠
江苏省第16届运动会闭幕式——星夜无眠	南通电视台	张洁霞、施　京、曹卫星、季亚军
联盟歌会	山东电视台	宋　键、姬长波、王　霄、张若新、郑鲁梅、李昌和、田　亮、娄天宾

续表

节目名称	单　位	主要完成人员
名师高徒	江苏省广播电视总台	朱海祥、倪宁宁、毛敏明、徐　斌 龚　伟、王海越、丁爱明、王珊珊
奥运真男孩	浙江广播电视集团	陈晓东、潘善伟、郑北京、方　颖 历剑平、张　炜、潘析非、王文杰

三等奖

环球小姐中国区总决赛	宁波电视台	蒋　波、陈春玉、蔡务兵、谢联斌 朱克湘、应海涛、俞　敏、李鸿斌
盛世喜逢春	湖北省广播电视总台	于宪生、聂长生、李小桦、廖　冰 柳金麟、何　川、李　骏、吴　瑛
红楼梦中人北京地区总决赛	北京电视台	程　军、王　浩、刘光辉、宋　建 李　建、于　漫、崔歌平、韩正雷
春江花月夜	扬州电视台	经　农、丁　峰、石延林、王华锦 莫宝祥、耿　震、郭　嵘、吴京鹰
“漓泉”杯2007亚洲超级模特大赛	广西电视台	孙丽梅、文启原、范可川、陈　彦 吴声民、刘宗兵、郝广斌、程　羿
情系大湘南——2006	湖南电视台	周雪英、朱志坚、刘光文、赵　川 杨　禹、程跃云、张　力、贺　昕
2007辽宁电视台春节晚会	辽宁电视台	王玉周、孙志强、刘晓纯、林崇余 卢春明、曹　峥、张　弛、魏博飞
龙江韵·黔山情	黑龙江电视台	杨　枫、王天珏、廉志明、王　立 张　统、安晓茹、刘　营、刘建东
2007年广东省军民春节联欢晚会	广州电视台	黄辉泽、王　克、许　斌、袁建辉 刘　峰、吴劲刚、谭　俊、谭　健
第7届全国残运会开幕式暨文艺演出	云南电视台	卫　锋、张瑞卿、杨开荣、熊培昆 赵　琨、高玉阳、高文辉、陈家鸿
2007年春节晚会《祝福河北》歌舞版	河北电视台	王永丽、杜会明、王天石、曹　静 刘　晔、何彦宁、刘　毅、王幸艳
春天的旋律	南宁电视台	沈宏四、吴开杨、王平和、蒋鹏程 朱华伟、吴晓晴、樊　琴、莫　毅
中国红歌会主场晚会	江西电视台	董　艳、喻玉华、刘　洋、潘辛芊 王礼雄、罗会勇、周小剑、蹇柠朴

4．电视剧类

一等奖

节目名称	单　位	主要完成人员
秦始皇（第10集）	中央电视台	肖月桃、谭宇哲、李江华、薛　珉 孙新苑、杨伟东、竺　聆、孙　伟

二等奖

利益与代价	宁波电视台	黄培建、戴　羽、管红文、方　侠 程　波、陈莎莎、廖松山、葛　雄
慧眼识英才	浙江广播电视集团	杜国强、冯亦农、方　瑛、林洪刚 童章汉、方莉萍、管雪燕、朱黎燕
最后一个盲点	湖北省广播电视总台	尹建平、师海鸣、郭义凯、周晓鸣 徐　燕、董　伟、谭　健、彭波平

三等奖

保姆（第23集）	上海文广新闻传媒集团	朱建芳、阮　波、陈建强、夏　瑛、徐慧琳、张　琦
拜月亭	绍兴广播电视台	杜洪军、吕春草、陈大可、李吉勇、平　雄 盛奎田、邵国钱、吕初阳
不能没有她	江苏省广播电视总台	黄进强、谢卫平、蒋民刚、毛敏明
“飞花如蝶”（第8集）	嘉兴电视台	孙起元、徐传荣、詹斌兴、何国跃、姚国红 戴亚伟、邵建国、沈广宇
股市晴雨表	武汉电视台	姚珈林、陆　林、晁拥宪、姚继珍 刘冬晴、李　耘、曹　黎、李　伟

二、电视节目视频图形制作技术质量奖

1、片头类

一等奖

节目名称	申报单位	获奖名单
世界杯足球赛节目片头	中央电视台	高　忠、史　强、吴　洁、史　春

二等奖

节目名称	申报单位	获奖名单
2007环球小姐中国区总决赛	宁波电视台	谢辉珍、马旭文、刘冬平、翁晴霄
昆曲600年片头	江苏省广播电视总台	王　峰、窦　勇、阚道云、喻　敏
西部地理·甘肃篇	浙江广播电视集团	郭　亮、陶　红、丁晓嵘、张　莹
南宁电视台宣传——和谐篇	南宁电视台	万　婕、王平和、谢如海、樊　琴
玄奘与大慈恩寺	陕西电视台	朱　毅、郝腾飞、鲁乃武、郭文宏
《超级恐龙总动员》片头	吉林电视台	卢志才、王　然、王　冬、韩　野
殷虚申遗特别报道	河南电视台	刘　岩、吴　琼、杨　超、董　玫
岭南风情画	南方电视台	区玉薇、梁伟明、张　杨
《新春盛典》——2007戏曲综艺晚会	安徽电视台	蒋　蓓、王俊健、张　娜、曹丰华

三等奖

节目名称	申报单位	获奖名单
珠江纪事　片头	广东电视台	董丽娟　林世彪
北京奥运专题　片头	上海文广新闻传媒集团	朱名一、周　洪、孙景浩、曹圣麟
先声夺人	山东电视台	周秋华、徐蕴辉、武海滨、宋朝澎
超级赢家	辽宁电视台	金　永、林大志、杨学锋、刘昌峰
2006金鹰节——造势片	湖南电视台	李伟英
总而言之	南通电视台	葛　军、季亚军、沈　峥
《红楼梦之夜》红楼梦中人大型电视选拔活动启动仪式	北京电视台	匡　葵、赵新生、贺文林、王　祎
极限高歌	湖北省广播电视总台	方活学、李卫涛、乐浩洪、范　宏
美在花城宣传片	成都电视台	叶　蕾、齐德琼、李　帆、张　文 万春江、李　鹏、沈　坚
今日报道	广州电视台	王颖峰、郭艳冰、梁　英、李勇强
百姓连线	武汉电视台	郭继锋、吴　泽、黄　亮、扬卫东
为你而变　因你精彩	徐州广播电视台	肖　磊、舒　力、胡明志、孟庆昆
“第三届文博会”片头	深圳广播电影电视集团	张小东、丁　宁、刘方勇、汪群辉

2、动画片类（一等奖空缺）

二等奖

节目名称	申报单位	获奖名单
逝者如斯	宁波电视台	黄培建、孔　焱、曾泽坤、刘冬平
小鲤鱼历险记	中央电视台	王　坚、王秀荣、王　钧、祁金中

三、电视节目声音制作技术质量奖

1、纪录片类

一等奖

节目名称	申报单位	获奖名单
再说长江（第4集）	中央电视台	李　宁、赵　硕

二等奖

节目名称	申报单位	获奖名单
人类的共同遗产——昆曲	北京电视台	范　强
皇粮国税	天津电视台	扈　婕
生存大挑战——《重走唐僧路》	广东电视台	周　璇、郭　炽
千年老腔	陕西电视台	胡向农、李　丽、龙胜婷、王汉雄
厝	厦门广播电视集团	曹　磊、李　平、沈琳煜
雪乡人家	黑龙江电视台	刘名家、刘　强
山与水的对话	湖北省广播电视总台	鲁　勇、韩里宁、丁　辉、李晓静

三等奖

黄土深处	浙江广播电视集团	谢　颖、谢韦华
少林隐僧	河南电视台	于洪洲、全明霞、刘　宇、王　冀
天一阁	宁波电视台	王韶峰、刘冬平
感受重庆——大足石刻	重庆广播电视总台	张银波、邓伊凡
寻秦记	山东电视台	王　旭、洪　宇、秦朝辉、王　喆
秦怡（下）	江苏省广播电视总台	姚　珺、喻　敏
重生与辉煌	河北电视台	陈　静、刘　嘉
爆破体育馆（下）	辽宁电视台	王　焱、吕慧娟
守望香格里拉	南方电视台	马汉阳、方　赞
川西北秘密花	四川电视台	陈　琨
茶姑鸟又叫了	江西电视台	陈吉夫、刘　钧

2、综艺类

一等奖

节目名称	申报单位	获奖名单
《民歌中国》特别节目——2006 中国民族民间歌舞盛典（3）	中央电视台	李拥军、周　磊、赵　刚、路　水

二等奖

盛世喜逢春	湖北省广播电视总台	周　刚、杨　勇、张　芸、毛萍芳
2007 山东军民春节联欢晚会	山东电视台	王　旭、于　平、王国栋、许　可
名声大震——冲刺巅峰	湖南电视台	钟继华、劳　欣、甘　甜、熊昭民
永恒的旋律——2007 年名家名歌演唱会	广东电视台	李叶荣、陈纯丹、黄学超、李永强、吴　昊、罗韶峰、钟明峰、丘　睿
挪威索费密尔青少年管乐团音乐会	浙江广播电视集团	裘　钰、张建杭、费　鹏、刘　莺

三等奖

2007 辽宁电视台春节晚会	辽宁电视台	李秋原、张卫东、梁有为、付　泽
唱响 2008——凝聚每份爱	北京电视台	姚银壮、吴　铮
《新春盛典》——2007 戏曲综艺晚会	安徽电视台	王　照、包爱萍、吴彦翔、钱朝春
梨园春家庭擂台欢乐会	河南电视台	全明霞、王　冀、马媛媛、刘　宇
环球小姐中国区总决赛	宁波电视台	蔡务兵、程　波、王韶峰、王洪涛
第 7 届全国残运会开幕式暨文艺演出	云南电视台	胡志强、杨跃麟、李　扬、李　勇
燕赵飘香	河北电视台	东巧平、娄亚峰、董世光、靳瑞勇
派对	山东有线电视中心	王　珂、潘　娜、高艳艳、徐　蕾

3．电视剧类（一等奖空缺）

二等奖

节目名称	申报单位	获奖名单
白求恩（第 19 集）	上海文广新闻传媒集团	陈建强、曹　伊、王　青
君子好逑（第 43 集）	中央电视台	姚　平、陈　刚、李　琦

三等奖

镇长	河北电视台	高晓中、刘佳丽、陈　静
喜庆农家	辽宁电视台	李秋原、赵　雪、郭佳卉
农民的根	湖北省广播电视总台	张　京、熊友元、梁　杰、武卫红

四、播出技术质量奖

一等奖

申报单位	获奖名单
安徽电视台	王文智、王道金、童庆平、陈　雨、王璐璐、刘　利、程　斌、刘　勇、孔文剑 欧　瑾、王毅婷、赵　春、朱瑞德、董　锐、戚仁琨
浙江广播电视集团	杨　勇、蔡国炎、励森源、邵宏进、陈灵生、钟生荣、叶　广、余淡宁、陆　晔 应　红、李秀琴、汤小平、斯晓明、邵　宇、马　辰
北京电视台	王　麒、纽维谨、张　宁、张海峰、李维宁、王　进、邓永革、周东红、郭海明 姜燕虎、张铁明、朱雨稼、蒋红艳、章泽群、岳海霞
中央电视台	黄建新、赵　凯、管国燕、冯梅华、陈策明、余　伦、祥祖军、姜　明、宋　蔚 刘晶晶、胡瑞林、秦　军、武佩萱、李力胜、杨　虎
吉林电视台	王树全、白　宇、徐文楷、韩英丽、闫力勇、王惠斌、于巍岩、刘　勇、孙祥军 高　巍、付春艳、张志洁、李　龙、唐　早、田海东
江苏省广播电视总台	张和林、席鲁江、孙方方、李发枝、梁　枫、周　斌、陈　靖、许　耀、吴汇平 王　焱
黑龙江电视台	马晓波、张甲寅、王力伟、周宏飞、林海波、凌明晓、王　悦、高明伟、吴晓亮 朱　红、李　莹、赵大鹏、韩　露、鲍丽华、姚　玮
湖北省广播电视总台	邓贵和、汪汉捷、杨海钊、王　丹、马新萍、李　东、张小明、胡　勇、王　需 孙继业、黄　浩、熊　攀、尹　鹏、刘　羿、雷鹏程
江西电视台	郭寿南、彭子舟、涂长炜、刘　琼、邱星华、金　乙、吴鸣凯、黄菊兰、杨桂忠 李会平、王俊义、朱　鹰、李　洁、涂丽萍、龚锦远
上海文广新闻传媒集团	陈再现、盛轶骏、赵　健、余　颖、吴剑东、顾　洁、陶　勇、李　蓉、王怡平 陈春晖、尹丽娟、薛　凌、陈　莹、忻　懿、唐传红
重庆广播电视总台	罗星屏、于凤林、罗宜川、魏　飞、余立柱、赵　文、戴　骁、陈开鹏、屈　晖 罗胜国、钟昌海、阳建勋、沈荣华、周　宇、曾　伟
四川电视台	刘　济、牛　晓、张陈林、李　忠、高晓梅、殷希勤、毛　宁、张　宇、包琼勇 王　炼、刘　静、田才林、张　锐、王　燎、马　玲
福建省广播影视集团	武卫平、陈学敏、方少勇、白豫闽、陈雪峰、陈文棋、黄晓慧、翁红雨
厦门电视台	林晓尧、杨国和、林飞鹏、王　宏、尹仲祺、吴祖毅、黄明坚

五、综合奖

中央电视台

人事表彰

第8届长江韬奋奖揭晓

由中华全国新闻工作者协会主办的全国优秀新闻工作者的最高人物奖——第8届长江韬奋奖评选结果于2007年8月2日揭晓，20名德才兼备的优秀新闻工作者喜获殊荣。

第8届长江韬奋奖评选结果

（广播电视部分）

长江奖获奖者（按姓氏笔画排序）

万玛加　青海人民广播电台
亓欣莉　黑龙江人民广播电台
辛雪莉　宁波人民广播电台
张　亮　北京电视台
张　晖　中国国际广播电台
胡晓丽　上海文广新闻传媒集团

韬奋奖获奖者（按姓氏笔画排序）

冯存礼　中央电视台
黄著诚　广西电视台
赖谦进　河南人民广播电台
魏文彬　湖南广播影视集团

2007年度全国新闻工作先进集体、全国优秀新闻工作者表彰

2007年11月8日是我国第8个记者节，为了表彰新闻工作者所取得的优异成绩，中共中央宣传部、人事部、国务院新闻办公室、国家广电总局、新闻出版总署、中国记协决定授予人民日报社记者部等91个单位“全国新闻工作先进集体”称号；授予新华社洪漫等148名采编人员“全国优秀新闻工作者”称号。

2007年度全国新闻工作先进集体名单（广播电视部分）

北京人民广播电台交通广播
天津人民广播电台新闻广播
河北人民广播电台《阳光热线》节目组

河北电视台新闻中心
山西电视台、黄河电视台
内蒙古人民广播电台蒙古语广播
呼伦贝尔市人民广播电台汉语新闻部
大连电视台新闻综合频道
吉林人民广播电台综合广播
黑龙江人民广播电台交通广播编辑部
上海文广新闻传媒集团电视新闻中心
江苏省广播电视总台广电新闻中心
浙江人民广播电台综合广播《阳光行动》栏目组
安徽电视台新闻中心《安徽新闻联播》栏目组
福州市电视台《新闻110》栏目组
江西电视台新闻部
山东电视台新闻中心
河南电视台都市频道
湖北省广播电视总台新闻综合广播《焦点时刻》节目组
湖南电视台经济频道新闻节目中心
广东电视台珠江频道
广西人民广播电台综合广播
海南广播电视台电视新闻中心
重庆广播电视总台电视新闻节目中心
四川人民广播电台综合节目
黔南布依族苗族自治州广播电视台新闻中心
文山壮族苗族自治州人民广播电台综合广播
西藏电视台新闻部
陕西电视台新闻中心
甘肃省广播电影电视总台广播新闻中心
青海电视台新闻中心
宁夏电视台公共频道
新疆人民广播电台汉语新闻部

中央新闻单位

中央人民广播电台中国之声时政采访部
中央电视台新闻中心《新闻联播》栏目组
中国国际广播电台新闻中心

2007年度全国优秀新闻工作者名单（广播电视部分）

李　洋（女）　北京人民广播电台节目制作中心记者
徐　剑（女）　北京电视台海外节目中心
祖　光　天津电视台总编室编导、制片人
汪　贵（满族）　承德市人民广播电台新闻部主任
李占鳌　山西广播电视总台新闻中心主任
张　华（女）　太原市电视台副总监
王雪莲（女）　内蒙古电视台新闻中心制片人、记者
王沈霞（女）　辽宁人民广播电台经济台主持人
张晓丹（女）　吉林电视台都市频道制片人
刘　玢　长春市电视台新闻中心新闻主播
赵鸿洋　黑龙江人民广播电台新闻广播总监
韩海钢　黑龙江电视台新闻综合频道副总监
包　露（女）　上海文广新闻传媒集团广播新闻中心滚动新闻编播部主任
孙　昱　南通市电视台台长助理
张　勤　浙江广播电视集团城市之声总监
许东良　浙江广播电视集团经济生活频道总监
周　原　安徽人民广播电台新闻综合广播新闻部播音组组长
许梦凡　安徽电视台经济中心副主任
成　洋（回族）　福建广播影视集团东南频道《海峡新干线》主持人、制片人
金　飞　江西电视台社教部主编
吴光宇　山东人民广播电台新闻部记者
毛元辉　青岛人民广播电台新闻频道总监
张克宣　河南电视台公共频道副总监
张朝岑　河南省鲁山县广电局新闻部记者
王正中　湖北省广播电视总台总编室主任
张小陵（女）　武汉人民广播电台副总监
王　平　湖南电视台新闻中心副主任
董　超　深圳市电视台都市频道主持人
庞　通　广西电视台新闻中心主任
陈忆多（黎族）　海南广播电视台电视新闻中心时政组组长
陈嘉奋　海口市广播电视台电视新闻中心主任
张庆岗　重庆广播电视总台电视新闻中心主任
凌　中　四川广播电视集团新闻中心主任
邱　力　成都市电视台《成视新闻》总制片
杨茂林（回族）　贵州电视台新闻中心主任
潘　英（女，藏族）　迪庆藏族自治州广播电视台台长
甘韵琪（女）　西藏人民广播电台汉语新闻综合频率记者
何　涛　西藏电视台新闻部副主任
邢玉琳（女）　陕西人民广播电台总编室主任
任　斌　甘肃广电总台电视新闻中心播音部主任
陈建海　青海人民广播电台经济广播记者
毛同健　宁夏电视台新闻中心副主任
哈那提·毛林拜（哈萨克族）　新疆电视台副台长

中央新闻单位

王纪春（女）　中央人民广播电台经济之声主持人
胡志坚（回族）　中央人民广播电台新疆记者站站长
谢际争　中央人民广播电台对台广播中心节目制作人
白岩松（蒙古族）　中央电视台新闻评论部记者
刘　文　中央电视台海外专题部副主任
任学安　中央电视台经济频道副总监
范冰冰（女）　中国国际广播电台俄东中心俄语广播部主任
史　利（女）　中国国际广播电台总编室处长

（摘自 新华社北京2007年11月8日电）

2007年度全国广播电影电视系统先进集体名单

北京市

北京人民广播电台交通广播
北京电视台播出部
大兴区广播电视中心

天津市

武清区广播电视局
天津人民广播电台新闻广播
天津电视台都市频道

河北省

河北人民广播电台《阳光热线》节目组
唐山市广播电视局
任丘市广播电视局
深州市广播电视局

山西省
山西电影制片厂
阳泉市广播电视局
平陆县广播电视中心
内蒙古自治区
托克托县广播电视新闻中心
鄂温克旗村村通广播电视管理维护中心
内蒙古人民广播电台蒙古语广播
辽宁省
辽宁电视台卫星频道新闻节目中心
大连天途有线电视网络股份有限公司
沈阳市苏家屯区广播电视管理中心
吉林省
吉林省广播电视局652台
榆树市广播电视局
双辽市广播电视管理局
黑龙江省
勃利县广播电视事业局
同江市广播电视事业局
鸡西市广播电视局
上海市
上海电视台纪实频道
上海文广新闻传媒集团技术运营中心卫星地球站
奉贤区广播电视台节目中心
上海市广播影视信息网监测中心
江苏省
江苏电视台综合频道
江苏省广播电视收听收看中心
盐城市广播电视局(台)
高邮市菱塘回族乡广播电视站
丹阳市广播电视局
浙江省
浙江省广播电视监测中心
浙江人民广播电台交通之声
杭州电视台西湖明珠频道
宁波市镇海区广播电视台
江山市广播电视台
浙江电视台新闻综合频道新闻中心
安徽省
安徽人民广播电台新闻综合广播《政风行风热线》栏目组
安徽广播电视传输发射总台敬亭山发射台
岳西县广播电视局
宣城市宣州区沈村镇文化广播电视站
福建省
建瓯市广播电视事业局
福建省广播电视监测中心
福建电影制片厂
南靖县广播电视事业局
江西省
江西电视台广告中心
赣州市电视台
高安市广播电视局
山东省
山东电视台新闻中心
山东人民广播电台新闻部
青岛人民广播电台新闻广播
临沂人民广播电台《行风热线》栏目组
曲阜市广播电视局
河南省
河南人民广播电台新闻广播《政府在线》编辑部
鹤壁市广播电视局
辉县市广播电视台
渑池县广播电视局
禹州市广播电视局
湖北省
湖北省广播电视局荆州中波转播台
湖北电视台经济频道《经视直播》栏目组
荆州市电视台
利川市广播电视台
湖南省
湖南电视台新闻综合频道
潇湘电影集团影视制片公司
湖南电视台《背后的故事》栏目组
石门县广播电视局
慈利县广播电视局
广东省
广东电视台《外来媳妇本地郎》剧组
广州人民广播电台技术部
梅县广播电视台
云浮广播电视台发射中心
广西壮族自治区
南宁市广播电视局
玉林市电视台
龙州县广播电视局
广西电视台《寻找金花》栏目组
海南省
金鸡岭广播电视发射台
海口市广播电视局(台)
重庆市
江津区电影发行放映公司
重庆广播电视监测台
万盛区文化广电新闻出版局
四川省
罗江县广播电视局
射洪县广播电视局
达州市广播电视局
广安市电视台
贵州省
贵州省广播电视局761台
安龙县广播电视台
云南省
云南省广播电视局事业技术管理中心
大理白族自治州广播电视事业局
石林彝族自治县广播电视局
迪庆藏族自治州广播电视台
西藏自治区
昌都地区广播电影电视局广播电影电视科
山南地区文化广播电影电视局广播影视科

西藏广播电影电视局隆子中波转播台
西藏电视台技术管理办公室
陕西省
宝鸡市陈仓区广播电视局
渭南市广播电视局
陕西人民广播电台技术中心
甘肃省
甘肃省广播电影电视总台电视新闻中心
兰州电视台《兰州零距离》栏目组
华亭县广播电影电视局
青海省
青海人民广播电台藏语广播
西宁电视台《夏都零距离》栏目
同德县广播电视管理站
宁夏回族自治区
宁夏广播电视网络有限公司
固原市广播电视台
海原县广播电视局
新疆维吾尔自治区
莎车县广播电视局
新疆电视台新闻中心
新疆广播电影电视局523台
天山电影制片厂
新疆生产建设兵团
农7师电视中心
农14师224团广播电视站
总局机关、直属单位
广电总局办公厅研究处
中央人民广播电台都市之声频率
中国国际广播电台西亚非地区广播中心斯瓦希里语广播部
中央电视台《永远的丰碑》栏目组
中国电影集团公司电影发行放映分公司
广电总局871台
广电总局广播电视监测中心有线广播电视监测中心
国家广播电视安全播出调度中心播出管理部
广电总局信息网络视听节目传播监管中心监看部
广电总局广播电视规划院无线研究所
广电总局电影卫星频道节目制作中心总编室

2007年度全国广播电影电视系统先进工作者名单

北京市
蔡明可(女) 北京人民广播电台城市管理广播新闻专题部主任
傅治栋 北京电视台总工程师办公室主任
徐 滔(女) 北京电视台科教节目中心副主任
天津市
张仁刚 东丽区广播电视局局长
河北省
吕玉梅(女) 河北电视台《警方报道》栏目制片人
田绍杉 廊坊市人民广播电台副台长
田中须 正定县广播电视局局长
刘振勇 大名县广播电视局局长
张玉珠 阜平县文体广电局外宣专题部主任
山西省
冯引旺 吕梁市4648台台长
张敬民 山西黄河电视台常务副台长
李随元 长治市人民广播电台社教部副主任
内蒙古自治区
齐·乎日查(蒙古族) 锡林郭勒盟东乌珠穆泌旗广播电视台台长
任 勇 阿拉善盟文化广播电视局副局长
海 龙(蒙古族) 内蒙古电视台文艺中心主任
辽宁省
张振生 辽宁人民广播电台副台长
刘 彤 丹东市人民广播电台新闻中心记者
谢树凡 锦州市广播电视台台长
孙柏文 阜新市广播电视局局长
吉林省
迟秀才 吉林电视台副台长
韩龙根(朝鲜族) 延边朝鲜族自治州广播电视局局长
李建平 吉林市电视台副台长
董林柳 河县广播电视局局长
黑龙江省
冯国慧 绥化市广播电视局局长
赵鸿洋 黑龙江人民广播电台新闻广播总监
邢 酷 黑龙江电视台新闻综合频道制片人
金日松(朝鲜族) 哈尔滨电视台经济频道都市资讯编辑部副主任
亓欣莉(女) 黑龙江人民广播电台交通广播主持人
上海市
邵蓓萍(女) 上海教育电视台副台长
江苏省
张海青(女) 新沂市有线电视网络中心主任
季源时 南京市江宁区广播电视局局长
梁 戈 南通市广播电视局局长
严克勤 无锡市广播电视集团董事长、总经理
许建俊 常州市电视台新闻部主任
浙江省
张 勤 浙江人民广播电台城市之声总监
孙祥玮 嘉兴市文化广电新闻出版局广电管理处处长
赵卫明 诸暨市广播电视台广播节目中心副主任
蒋庆生 青田县广播电视台台长
安徽省
吴仁炳 安徽电视台副台长
高思杰 阜阳市电视台新闻中心记者
福建省
林光明 厦门市集美区广播电视台台长
陈培青(女) 莆田电视台涵江记者站站长
钱柏良 宁德市电视转播台台长
薛文华 石狮市广播电视事业局局长
江西省
刘建芳(女) 江西广播电视节目中心主任
冯桂生 江西省701电视台副台长
钟智安 分宜县广播电视局局长
黄亚萍(女) 乐安县文化体育广播电视局广电股长
山东省
曹 进 济南市人民广播电台台长
王悦之 威海市广播电视台台长
李进普 济宁市广播电视台台长

郑　云　烟台市广播电视台台长
刘广平　淄博市广播电视信息网络中心主任
河南省
党传聪　河南省广播电影电视局机关党委专职副书记
庞灿然　西峡县广播电视局局长
李俊国　安阳市广播电视局局长
张惠民　郑州市电视台电视剧制作中心主任
齐　永　商丘市电视台副台长
湖北省
杨宏斌　湖北人民广播电台新闻综合广播武汉站站长
陈波(女)　武汉市人民广播电台交通广播副总监
王刚英　山县广播电视局局长
贺国柱　十堰市广播电视信息网络公司竹山分公司宝丰广播电视站站长
湖南省
张一蓓(女)　湖南电视台经济频道《越策越开心》制片人
王昌连　长沙市广播电视局局长
赵　凯　湘西土家族苗族自治州羊峰山电视调频转播台台长
广东省
牛金瓶(女)　深圳广播电影电视集团宝安广播电视中心广播部主任
童小玲(女)　湛江市广播电视台台长
沈明祥　韶关市广播电视台台长
蓝　纯　海丰县广播电视台台长
丁　瀛　茂名市广播电视台技术部副主任
广西壮族自治区
莫羡(壮族)　广西人民广播电台交通广播总监
徐远洲　梧州市广播电视局局长
雷炳书(壮族)　武宣县广播电视局局长
海南省
林光强　海南省文化广电出版体育厅广播电视社会管理处处长
马小钢　海南广播电视台外宣部主任
重庆市
梁　浩　重庆人民广播电台交通广播节目部主任
李大明(苗族)　彭水苗族土家族自治县广播电视台总编科副科长
四川省
罗崇兰(女)　遂宁市广播电视局局长
安顺发(彝族)　盐边县共和乡宣传文化服务中心主任
程超(藏族)　四川省广播电影电视局532台台长
凌　中　四川广播电视集团新闻中心主任
贵州省
孔　炯　贵州电视台台长助理、广告部主任
吴瑞华　六盘水市电视台记者
兰世勇　织金县广播电视台副台长
云南省
顾　斌　云南电视台都市频道副总监
杨学光(白族)　云南省广播电视局下关653台台长
西藏自治区
刘长青　西藏广播电影电视局中波处技术维护队队长
南杰多吉(藏族)　阿里地区广播电影电视局影视事业发展科科长
占　堆(藏族)　尼玛县广播电影电视局副局长兼电视台台长
格桑尼玛(藏族)　拉萨市广播电影电视局事业发展科科长
陕西省
张永年　西安市电视台音乐综艺频道编辑
周建强　汉中电视转播台台长
王林斌　商洛市广播电视局局长
甘肃省
董　伟　甘肃省广播电影电视局人事教育处处长
久喜佳(藏族)　甘肃省广播电影电视总台广播新闻中心主任
李常乐　民乐县广播电影电视局局长
秦　川　酒泉市电视台副台长
青海省
白　琏　同仁县广播电视站站长
宁夏回族自治区
龚永庆　宁夏广播电影电视局科技处副处长
师小农(女)　宁夏电视台影视频道总监
张明(女)　银川市人民广播电台新闻综合频率总监
新疆维吾尔自治区
裴登报　乌鲁木齐市广播电视局社会管理处处长
司拉平·克力木(维吾尔族)　吉木萨尔县广播电视局新闻中心主任
廖宏伟　新疆人民广播电台汉语新闻部主任
新疆生产建设兵团
邓玉光　农8师143团广播电视站站长
姚海照　农13师红星一场广播电视站站长
总局机关、直属单位
方华(女)　广电总局人事教育司教育处处长
郭静(女)　中央人民广播电台中国之声主持人
夏勇敏　中国国际广播电台西亚非地区广播中心土尔其语广播部主任
万　卫　中央电视台社教节目中心《百家讲坛》栏目制片人
王峥(女)　中央电视台文艺节目中心《艺术人生》栏目制片人
崔永元　中央电视台新闻节目中心《小崔说事》栏目制片人
刘金贤　广电总局542台台长
程　露(女)　国家广播电视安全播出调度中心播出管理部播出科科长
崔竞飞　广电总局广播科学研究院有线电视技术研究所所长
马思泽　中国电影科学技术研究所常规电影技术研究室主任
刘兆银　广电总局机关服务中心技术保障部副主任

2007年度全国广播电影电视系统劳动模范名单

北京市
樊福林　怀柔区广播电视中心汤河口广播电视转播站站长
天津市
孙宝海　天津电影制片厂厂长助理
薛建华　天津广播电视网络有限公司滨海新区分公司经理
内蒙古自治区
郭兴友　内蒙古广播电视信息网络公司阿荣旗分公司经理
上海市
徐小平(女)　上海联和电影院线有限责任公司总经理
倪建新　上海东方明珠广播电视塔有限公司总经理
浙江省
卢汉成　东阳市广播电视台白云乡广播电视站站长
安徽省
占秀莲(女)　安庆市大观区海口镇文化广播电视站站长
湖南省
陈　刚　湖南广播影视集团快乐购物有限责任公司董事长、总经理

海南省
陈亚冠　海南省电影公司总经理
重庆市
胥文芳(女)　重庆市电影发行放映公司总经理
四川省
陈　新　长宁县新晨文化娱乐有限责任公司董事长
云南省
唐学华　马关县小坝子边境广播电视站站长
陕西省
彪拴余　陕西省广播电视信息网络股份有限公司铜川分公司总经理
青海省
胡庆安　青海省广播电视信息网络有限公司董事长、总经理
总局直属单位
尹　力　中国电影集团公司一级导演

2006年度全国广播电视技术维护先进台站（集体）名单

广播
内蒙古集宁585发射台
国家广电总局2022台
贵州省广播电视局645台
云南人民广播电台梁王山调频台
河南人民广播电台技术部
黑龙江人民广播电台双鸭山转播台
海峡之声广播电台调频台
天津人民广播电台播控部
黑龙江省广播电视局904台
国家广电总局501台
中国国际广播电台技术管理中心
中央人民广播电台总工办计算机管理部
浙江宁波市广播电视台发射台
甘肃省广播电影电视总台节目播控中心广播播控部
湖北省广播电视局荆门中波转播台
西藏广电局拉萨中波转播台
国家广电总局节目传输中心
辽宁鞍山广播电台技术部
四川攀枝花电视台发射台
河南许昌人民广播电台技术部
新疆乌鲁木齐市人民广播电台

电视
陕西省绥德电视转播台
湖北省广播电视总台技术管理中心电视播出部
广东省广州市电视台技术中心
中央电视台播送中心转播部一科
河北省石家庄电视台播控室
海南海口广播电视台电视播控部
山东菏泽电视台发射部
浙江温州市广播电视台播出技术部
新疆哈密地区电视台
安徽安庆电视台技术中心
江苏省广电总台电视技术部演播部
河南洛阳电视台技术中心
广西南宁广播电视技术中心制作部
内蒙古呼和浩特电视台播出部

综合1
青海电视台841台
安徽广播电视传输发射总台大蜀山发射台
辽宁省广播电视传输发射中心206台
河北省抱阳山广播电视微波站
江西省广播电视局702台
国家广播电视安全播出调度中心播出管理部
重庆广播电视卫星地球站
福建广播电视集团卫星上行站
广西广播电视监测中心技术科
广电总局监测数据处理中心
山西广播电视无线管理中心1125台
广东韶关市广播电视台722台
上海东方有线网络有限公司运行维护部前端运维部
四川泸州市广播电视发射台
宁夏广播总视传输发射中心卫星地球站
中国有线电视网络公司安全运行中心技术管理组
浙江杭州广播电视台发射台
北京歌华有线电视网络公司传送部机房动力环境维护与保障组
吉林省广播电视技术中心台
中广有线信息网络有限公司扬州分公司
湖南郴州电视调频转播台
内蒙古广播电视信息网络有限公司呼伦贝尔分公司
吉林省吉林市有线广播电视传输有限责任公司
山东省济宁市广播电视局（台）技术中心
江苏无锡市广播电视网络中心
中广影视卫星公司运行部
重庆市合川区广播电视台钱塘广电传输工作站
云南广电网络公司玉溪分公司
广东深圳市天威视讯有限公司
江苏南通市如东县广播电视台网络中心
黑龙江黑河广播电视传输网络中心
辽宁营口有线广播电视信息网络公司传输部

综合2
江西省广播电视局科技处
上海市文化广播影视管理局科技处
广西广播电影电视局科技处
浙江省广播电视局科技管理处
江苏省广播电视局科技处
山东省广播电视局科技处
福建省广播电视局事业处
吉林省广播电影电视局科技处
甘肃广播电影电视局科技处
北京市广播电视局科技处
广东省广播电影电视局科技处
安徽省广电局科技事业处

2006年度全国广播电视技术维护先进个人名单

广播类

一等奖（7人）
杨志昆　国家广播电影电视总局501台

王　晟　内蒙古乌海广播发射中心台
鲁　宝　甘肃省广播电影电视总台武威广播转播台
刘吉坤　湖北省荆州中波转播台
付旭斌　甘肃省广播电影电视局827台
郭万军　内蒙古人民广播电台技术中心
潘兴陆　海峡之声广播电台古田分台

二等奖（10人）

王庆波　山东省广电局莱阳转播台
李国喜　中国国际广播电台技术管理中心
许秀娟　黑龙江省广电局514台
邹南京　浙江广播电视传输发射中心工程科
刘　清　国家广播电影电视总局724台
刘建国　河北沧州人民广播电台
程师原　安徽黄山701台
吴红超　福建省广播影视集团播出中心广播部
王志民　内蒙古自治区广播电视局巴林右805发射台
肖秋华　国家广播电影电视总局561台

三等奖（13人）

肖新玉　新疆广电局节传中心636台
方志林　新疆广电局节传中心523台
苏树生　吉林松原中波发射台
王　宇　中央人民广播电台
谢　宏　云南人民广播电台传发部一分台
孔庆先　黑龙江人民广播电台914台
陈玉吉　广西人民广播电台技术部
李　琦　青海人民广播电台
宋长友　吉林长春市人民广播电台
王　锋　湖北黄石广播电视发射台
艾尼瓦尔·艾买提　新疆人民广播电台总工办
胡　磊　安徽人民广播电台
陈加成　广东深圳市中波转播633台

电视类

一等奖（9人）

吕一平　河南省广播电影电视局102台
孙甲虎　陕西宝鸡电视台发射台
高智雄　陕西横山电视转播台
郭联建　福建省云霄电视转播台
谭诗平　江西省707电视台
梁德宪　西藏电视台
李玉来　河北邯郸市电视台发射台
赵德权　吉林敦化电视转播台敦化微波站
杨文超　湖南湘西自治州羊峰山电视调频转播台

二等奖（13人）

王丽萍　河南南阳电视台
陈向兵　江苏省广电总台发射传输台
尹景平　黑龙江伊春市广电局
张洁霞　江苏省南通电视台
张宏基　山西运城市广播电视台
苏瑞侠　河南商丘电视台
宣　扬　安徽灵璧县广播电视台
孙代昕　天津电视台传输部
刘新同　北京电视台播出部
周晓民　湖南广电网络传输中心广电移动电视公司
张志伟　山东枣庄有线电视传输中心
张　辉　四川青川县广播电视局
荆甫礼　中央电视台

三等奖（16人）

龚　宇　云南电视台
甫力东　新疆电视台总工办
罗　斌　江苏扬州市广电局设备运营中心
齐海龙　内蒙古新巴尔虎右旗广播电视台
符元贵　广西北海电视台技术部
任景云　湖南湘阴县广电局电视台
谢　强　山东宁津县广播电视局、宁津电视台
朱承华　重庆广播电视总台技术制播中心
刘立新　贵州电视台播出部
曹艳明　浙江安吉广播电视台
林宏波　浙江宁波数字电视有限公司
袁　杰　江苏无锡广播电视网络公司
李雪鸣　河南省信阳市电视台
李吉永　浙江绍兴市广播电视台
罗小毅　海南广播电视台电视制作部
图伊丽　江西南昌电视台

综合类1

一等奖（11人）

蒋祖燕　广西广播电视桂林239台
余立新　广东省卫星地球站
左大方　辽宁省广播电视传输发射中心
伏晓锋　国家广播电影电视总局202台
程雪飞　宁夏海原县广播电视局马万山微波站
冯会清　河北省广播电视局834发射台
石永录　山西广播电视卫星地球站
金　伟　上海广播电视卫星地球站
郭　戈　国家广播电视安全播出调度中心
揣明来　河北省广播电视微波总站
张　继　国家广播电影电视总局573台

二等奖（15人）

王华敏　黑龙江虎林市广电局转播台
周一平　浙江丽水市广播电视监测中心
李春水　吉林省广播电视信息网络公司运行维护部
梁永春　广东省广州市花都区广播电视台
李　波　辽宁锦州万程有线电视信息网络有限公司
王荣兴　四川省达州市广播电视局
王祖寿　中广影视卫星公司
曾　倩　福建省广播电视监测中心
高广庆　辽宁大连天途有线电视网络股份有限公司
王　勇　黑龙江卫星地球站
彭寿光　云南广电网络公司姚安支公司
任艳红　内蒙古广电网络公司
陶明和　四川射洪县广播电视台
王建勇　山东潍坊市广播电视台网络中心
刘　建　中国有线电视网络公司工程维护部

三等奖（19人）

程　琦　四川成都市兴网传媒有限责任公司

秦世山　吉林省白山广播电视网络中心
郝　军　吉林通化广播电视网络中心
杨廷权　重庆市黔江区广播电视无线传输中心
张宽波　克拉玛依市广播电视局
宋建军　河北廊坊市广播电视局
许解放　河南省三门峡市人民广播电台
柯大孝　河南揭阳广播电视台安全播出指挥中心
喻建华　湖北省天门市广播电视微波站
李开阳　云南安宁市广播电视台
王仁亭　山东省广播电视局微波总站
伊剑平　福建南平市广播电视局
陈　燕　徐州广播电视台网络中心传输部
杨援朝　贵州毕节地区有线广播电视信息网络中心
彭杰文　广州市广播电视台监测站
张立军　甘肃省广电总台微波传输中心技术保障科
侯映昶　山西介休市广播电视中心
袁玉兴　辽宁省广播电视监测中心
高国成　辽宁省阜新市广播电视局

综合类 2（33 人）

陈　煜　北京市广播电视局科技处
邓　卉　天津市广播电影电视局科技处
孙丽沙　河北省广播电视技术中心
马　峰　山西省广播电视局科技处
胡宝林　内蒙古自治区广播电视局安全播出指挥调度中心
矫德先　辽宁省广播电视局科技处
申　冬　吉林省广播电影电视剧科技处
任　钟　黑龙江省广播电视局技术处
刘丕国　上海市文化广播影视管理局科技处
张礼华　江苏省安全播出调度中心
方　炜　浙江省广播电视局科技管理处
王鹤林　安徽省广播电视局科技事业处
余梅琼　福建省广播电视局事业处
吴建钢　江西省广播电视局科技处
张　伟　河南省广播电影电视局科技处
张继敏　湖北省广播电视局科技处
李　莉　湖南省广播电视局科技处
王琪琛　广东省广播电视局科技处
韦义清　广西壮族自治区广播电影电视局科技处
汤德辉　海南省文化广电出版体育厅广播电视科技管理处
唐建华　四川省成都市广播电视局科技管理处
吴元荣　贵州省广播电视局科技处
唐云华　云南省广播电视局安全播出监测中心
格　平　西藏自治区安全播出调度指挥部
梁玉屏　陕西省广播电影电视局科技事业处
谢辉龙　甘肃省广播电视安全播出指挥中心
陈青生　青海省广播电视局技术处
张　戈　宁夏回族自治区中卫市广播电视台
张　铭　新疆维吾尔自治区广播电影电视局科技处
苏　强　中央人民广播电台
陈　哲　中国国际广播电台
戴芦新　中央电视台
赵　勇　国家广播电影电视总局无线电台管理局

荣获2007年全国广播电视技术能手称号及鼓励奖人员名单

调幅广播发射专业

一等奖

张金锁(安徽)　高　杰(无线局)　唐贵斌(内蒙古)
蒋海滨(河北)　陈立明(广西)　张旭光(内蒙古)
彭芳斌(湖北)　李海滨(吉林)　杜贤德(浙江)

二等奖

张　涛(山东)　邹宏杰(贵州)　王金旭(黑龙江)
杨忠钰(无线局)　李甲军(新疆)　程　觉(天津)
叶　波(甘肃)　刘胜利(福建)　俞　三(浙江)
罗超武(湖南)　李朝兵(西藏)

三等奖

朱晓江(海峡之声)　张　东(山东)　周辉民(青海)
银宇翔(山西)　郭航伟(陕西)　缪　宇(四川)
朱晓燕(宁夏)　蒋　敏(上海)　周　洲(云南)
邵喜良(辽宁)　黄宏飞(海南)　张　斌(陕西)

调频广播发射专业

一等奖

景忠文(安徽)　宿亚莉(山东)　梁建军(河北)
刘志彬(无线局)　吴荣海(辽宁)

二等奖

文雨春(广西)　朱生巍(江苏)　陈广彬(辽宁)　高　军(吉林)
郑向阳(河南)　喻　成(重庆)　杨永柏(江苏)

三等奖

邓　兴(江西)　宫宝文(北京)　蒋海燕(黑龙江)
邓红友(广东)　潘　密(云南)　李丽珍(内蒙古)
黎　明(内蒙古)　李　军(新疆)

电视发射专业

一等奖

吕召田(山东)　程　祝(安徽)　孙征斌(湖南)
牛　凌(甘肃)　郑晓阳(浙江)　刘雪松(吉林)
鲁方林(湖北)　何向晖(江西)

二等奖

王振清(河北)　孟庆君(黑龙江)　曲连民(吉林)
郭红飞(河南)　肖　行(浙江)　罗　强(四川)
李穗庆(江苏)　弥俊伟(山西)　刘英伟(辽宁)
秦伟力(新疆)　郭云生(云南)

三等奖

陈世志(福建)　邢海敏(宁夏)　高少康(重庆)
肖家华(贵州)　崔国哲(内蒙古)　陈福东(广东)
王广富(北京)　李尔宾(海南)　杨光发(广东)

鼓励奖

孙　岩(北京)

12. 机构与社团
Institutions & Associations

12. 机构与社团

责任编辑 罗建平
审 稿 人 张 宏

国家级广播电影电视机构

国家广播电影电视总局

地址：北京市西城区复兴门外大街2号
邮编：100866
电话：（010）86092707

局长：王太华
副局长：赵实、张海涛、胡占凡、雷元亮、田进
中纪委驻总局纪检组组长：王莉莉
内设机构及负责人：

办公厅
主任：朱虹
副主任：刘成斌（正局级、兼职）、陶世明、袁同楠、邓慧文

宣传管理司
司长：金德龙
副司长：李宗达（正局级）、王丹彦

电影管理局
局长：童刚
副局长：张丕民（正局级）、张宏森、江平

社会管理司
司长：才华
副司长：罗建辉（正局级）、任谦、魏党军

人事教育司
司长：王蓓
副司长：张宏、王富强

计划财务司
司长：邹伟
副司长：孟冬、于保安

科技司
司长：王效杰
副司长：王联、曾庆军

国际合作司（港澳台事务办公室）
司长：马旭明
副司长：曹寅、周桂珍

电视剧管理司
司长：李京盛
副司长：王卫平

法规司
司长：王云鹏
副司长：余爱群

保卫司
司长：宋卫民
副司长：李建平

直属机关党委
书记：王莉莉（兼）
常务副书记：杨烁
副书记：阮谷森（正局级）、王怀庆

离退休干部局
局长：霍春光
副局长：张德山、韩以亮

直属单位：
中央人民广播电台（详情见后）
中国国际广播电台（详情见后）
中央电视台（详情见后）

中国电影集团公司
董事长：韩三平
副董事长：阎晓明、焦宏奋、韩晓黎
董事：史东明、刘小恒、喇培康、傅若清、姜涛、付国昌、陈飞、周德群、张国民、雷振宇
党委书记：焦宏奋
副书记：韩三平、刘小恒（专职）
总经理：韩晓黎
副总经理：史东明、喇培康、傅若清
总会计师：姜涛
总经济师：付国昌
总工程师：陈飞

国家广播电影电视总局无线电台管理局
局长：李智
副局长：王向文、杨玉龙、黄晓兵、孙朝晖
纪检组组长：白凤英
总工程师：李国华
总会计师：吴桂兰
党委专职副书记：高福生

国家广播电影电视总局广播电视监测中心
主任：陶嘉庆
副主任：吕朝东、肖武、齐立欣
总工程师：高南军

国家广播电视安全播出调度中心
主任：王效杰（兼）
常务副主任：杨一曼
副主任：谢东晖

国家广播电影电视总局信息网络视听节目传播监管中心
主任：才华（兼）
副主任：张伟

国家广播电影电视总局广播影视发展研究中心
主任：黄勇
副主任：杨文延（正局级）、庞井君

国家广播电影电视总局广播科学研究院
院长：马炬
党委书记：孟宪礼
副院长：邹峰、秦勇
总工程师：杨杰

国家广播电影电视总局广播电视规划院
院长：姜文波
副院长：谢锦辉、高少君
党委专职副书记：王京玲

中国电影科学技术研究所
所长：杨雪培
副所长：李枢平、李晓冬

国家广播电影电视总局电影技术质量检测所
所长：杨雪培（兼）
副所长：季平

中广电广播电影电视设计研究院
院长：许家奇
副院长：吴纯举、何建平、林长海、管斌

中国电视艺术委员会
秘书长：王丹彦

副秘书长：武桂林、张效岩

中国广播艺术团
团长：王书伟
艺术总监：冯巩
副团长：张希和、艾立群、
别闽生、杨晓群

中国广播交响乐团
（对外称中国爱乐乐团）
团长：胡恩（兼）
艺术总监：余隆
常务副团长：倪代光
副团长：刘军、李南

中国电影艺术研究中心
（中国电影资料馆）
主任：傅红星
副主任：张建勇、孙向辉

国家广播电影电视总局电影剧本规划策划中心
主任：吴克
副主任：苏小卫

国家广播电影电视总局电影数字节目管理中心
主任：阎晓明（兼）
常务副主任：鲍林岳（兼）
副主任：毛羽

国家电影事业发展专项资金管理委员会办公室
主任：冯麟

国家广播电影电视总局机关服务中心
（国家广播电影电视总局物业管理中心）
主任：刘成斌
副主任：郑俊东、李鸥、万顺府、
蔡春荣、王金祥

国家广播电影电视总局培训中心
主任：李革华
副主任：于保利、傅亦轩

广播影视人才交流中心
主任：王蓓（兼）
副主任：李晓东

中国广播电视出版社
社长：梁刚建
副社长：王克瑞、宋培学
副总编辑：陈晓梅

中国广播电视协会
会长：李丹
秘书长：王敬松
副秘书长：张莉、张聪

中央新闻纪录电影制片厂
厂长：高峰
副厂长：刘成浩（正局级）、于颖力、
郭本敏、马维民

北京科学教育电影制片厂
党委书记：王唏建
厂长：薛继军
副厂长：安为民、张晓光
党委专职副书记：赵布光

中国电视剧制作中心
主任：李培森
副主任：李汀、苟鹏、张子扬

国家广播电影电视总局电影卫星频道节目制作中心
主任：阎晓明
副主任：贾琪、石丽萍、陆红实

中央卫星电视传播中心
主任：薛大力
副主任：魏东未（正局级）、
刘建中、李琼

中国广播电视香港记者站
站长：夏一强

中国广播电视澳门记者站
站长：杨杰

中央人民广播电台

地址：北京市西城区复兴门外大街2号
电话：（010）86090988
邮编：100866
网址：www.cnr.cn
分党组书记、台长：王求
分党组副书记、副台长：赵子忠、
赵忠颖
分党组成员、副台长：赵铁骑、王晓晖
分党组成员、纪检组组长：赵慧
分党组成员、副总编辑：王宴青
总工程师：钱岳林
总会计师：李兰田
副总编辑：李国君、杜嗣琨
内设机构及负责人：

办公室
主任：包云
下设：综合处、秘书处、行政处、外事处、保卫处、法律事务处

总编室
主任：杨志东
下设：综合处、宣传管理处、研究室、中国广播杂志社、听众工作部、图书音像资料馆、节目运行部、内参编辑部

人事办公室
主任：余春泉
下设：干部管理处、调配劳资处、职称培训处、离退休人员管理处、人才交流开发中心

财经办公室
下设：财务会计处、预算管理处、经营管理处、广告管理处、国有资产管理处

机关党委
专职副书记：刘智力
下设：党委办公室、纪委、团委、工会

纪检组
副组长：赵华

地方记者管理中心
主任：张树国
下设：综合部、宣传联络部
共有40个驻地方记者站，除各省、自治区、直辖市设站外，另有大连、青岛、宁波、厦门、深圳、珠海、新疆生产建设兵团和香港、澳门记者站

中国之声
总监：王明华
下设：总监办公室、新闻编辑部、时政采访部、新闻评论部、新闻评论二部、经济新闻部、社会新闻部、文体新闻部、文艺节目部、广告经营部

经济之声
总监：潘晓闻
下设：总监办公室、规划运营部、新闻节目第一制作室、新闻节目第二制作室、新闻节目第三制作室、新闻节目第四制作室、综合节目制作室、假日节目制作室

音乐之声
总监：刘晓龙
下设：总监办公室、资料管理工作室、节目编辑工作室、新闻编辑工作室、主持人工作室、宣传推广工作室

都市之声
总监：吴朝晖
下设：总监办公室、新闻资讯节目部、媒体拓展部、综合节目部、技术部

对台湾广播中心
（中华之声、神州之声）
主任：韩长江
下设：综合部、新闻节目部、专题节目部、方言节目部、文艺部

华夏之声
总监：陈东建
下设：总监办公室、策划经营部、娱乐节目部、资讯节目部、音乐节目部、广州编辑部、深圳编辑部

民族广播中心（民族之声）
主任：肖玉林
下设：新闻部、蒙语节目部、藏语节目部、维语节目部、哈语节目部、朝语节目部

文艺之声
总监：刘志宏
下设：总监办公室、节目部、经营推广部

军事宣传中心
主任：孙健
下设：新闻采访部、节目编辑部、台港澳部、通联办公室

总工程师办公室
主任：朱峰
下设：技术管理办公室、技术维护部、计算机管理部、技术研究部

技术管理中心
下设：综合部、录播运行部、录播维护部、主控部、机要技术部、动力处

中央人民广播电台直属部门
监察室、审计处、网络中心、电视节目制作中心、央广传媒发展总公司（含中国广播音像出版社）、学会、播音主持指导委员会、中国广播报社

中国国际广播电台

地址：北京市石景山路甲16号
邮编：100040
电话：(010) 68891001（台办）
(010) 68891123（总编室）
网址：www.chinabroadcast.cn
www.cri.cn
分党组书记、台长：王庚年
分党组副书记、副台长：
陈敏毅、夏吉宣、王明华
分党组成员、副台长：
赵铁骑、王冬梅
分党组成员、纪检组组长：张富生
副总编辑：丁邦英、李忠尚、马为公
总工程师：周　毅
总会计师：王文俊

内设机构及负责人

办公室
主任：钱宏江
下设：秘书处、行政处、法规处、保卫处

总编室
主任：马博辉
下设：宣传规划处、节目运行处、听众工作处、信息版权处、综合业务处、研究室（挂靠：国际广播学会、史志办）

人事办公室
主任：胡邦胜
下设：干部管理处、劳动工资处、人才工作处、教育培训处、离退休人员管理处

财经办公室
主任：王刚建
下设：预算管理处、事业财务处、企业财务处、财产物资处（政府采购办）

机关党委
副书记（专职）：王蓬
下设：党委办公室、工会、团委、侨联

纪检组：
副组长：尹秀云
下设：监察室

审计处

新闻发稿中心
主任：尹力
下设：国际新闻部、国内新闻部、时政采访部、文艺部、体育部、记者管理部、电视节目部、世界新闻报社、环球资讯编辑部

华语环球广播中心
主任：田玉红
下设：普通话节目部、落地节目部、合作交流部、广客闽潮节目部、在线广播部

英语环球广播中心
主任：杨磊
下设：对外广播部、广播教学部、新闻编辑部、调频广播部、网络信息部、培训中心

第一亚洲地区广播中心
主任：何劲草
下设：日语广播部、朝鲜语广播部、蒙古语广播部、印地语广播部、尼泊尔广播部、乌尔都语广播部、泰米尔语广播部、僧伽罗语广播部、孟加拉语广播部

第二亚洲地区广播中心
主任：安晓宇
下设：越南语广播部、老挝语广播部、柬埔寨语广播部、印尼语广播部、菲律宾语广播部、缅甸语广播部、马来语广播部、泰语广播部

西亚非地区广播中心
主任：于宽
下设：土耳其语广播部、普什图语广播部、阿拉伯语广播部、波斯语广播部、豪萨语广播部、斯瓦希里语广播部

俄东地区广播中心
主任：林少文
下设：俄语广播部、捷克语广播部、塞尔维亚语广播部、阿尔巴尼亚语广播部、罗马尼亚语广播部、保加利亚语广播部、匈牙利语广播部、波兰语广播部

西欧拉美地区广播中心
主任：高世军
下设：德语广播部、西班牙语广播部、法语广播部、世界语广播部、意大利语广播部、葡萄牙语广播部

新媒体节目中心
主任：马为公（兼）
下设：节目管理部、设计制作部、编辑部、开发运行部

副总工程师
张秋野

技术管理中心
主任：林永光
下设：综合技术部、网络技术部、采集制作部、转播传送部、播出部

国际合作交流办公室
主任：李萍
下设：节目合作处、外籍工作人员管理处、外事处

事业发展办公室
主任：黄永国
下设：媒体资源管理部、国内合作部、发展规划部、广告管理部、国际流行音乐广播（FM88.7）、多语种奥运广播（AM900）、中国国际广播出版社、中国国际广播音像出版社

技术管理办公室
主任：林永光（兼）
下设：安全播出管理部、技术工程管理部、动力运行部

广州工作站
主任：陈安
下设：采编部、节目部、综合部

国广传媒发展中心
总经理：陈玉林
下设：综合部、财务部、市场部、翻译联络部

后勤服务中心
主任：徐纪周
下设：国广物业管理有限公司、专家公寓管理办公室

台直属机构
台编委会、台科学技术委员会、台行政管理委员会

中央电视台

地址：北京市复兴路11号
电话：(010) 68500114
邮编：100859
网址：www.cctv.com
分党组书记、台长、总编辑：赵化勇
分党组副书记：张长明、罗明
成员：胡　恩、何宗就、李晓明、高　峰、孙玉胜、张海鸽、刘国良、李培森、李建、王晞建、孙冰川
副台长：张长明、罗明、胡恩、何宗就、李晓明、高峰、孙玉胜
分党组纪检组组长：张海鸽
总会计师：刘国良
总工程师：丁文华
副总编辑：孙冰川、张华山、袁正明、程宏、李挺

内设机构及负责人

办公室
主任：唐世鼎
下设：秘书处、保卫处、外事处、法规处、行政处、房管处、事业发展调研处、中央电视台书画院、公共关系处

总编室
主任：苏峰
下设：宣传规划处、节目播出管理处、节目资料管理处、节目版权管理处、观众联系处、研究处、音像资料馆

人事办公室
主任：杨晓民
下设：干部管理处、劳动工资处、培训职称处、人才交流处、驻外记者站管理处、离退休处

财经办公室
主任：赵刚
下设：综合业务处、计划统计处、财务处、财产物资处、基建处

机关党委
专职副书记：郭秀英
下设：党委办公室、团委、工会联合会、精神文明协调处

新闻节目中心
主任：梁晓涛
下设：综合部、时政新闻部、新闻采访部、社会新闻部、地方新闻部、新闻编辑部、新闻评论部、新闻频道编辑部、军事节目部、新闻制作部

海外节目中心
主任：盛亦来
下设：综合部、英语频道编辑部、西班牙语频道编辑部、法语频道编辑部、海外新闻部、海外专题部、海外编辑部、海外联络部、对台节目编辑部

社教节目中心
主任：张宁
下设：综合部、频道编辑部、教育专题部、科技专题部、文化专题部、社会专题部、法制专题部

文艺节目中心
主任：朱彤
下设：综合部、文艺部、国际部、影视部、戏曲·音乐部

广告经济信息中心
主任：郭振玺
下设：综合部、广告部、图文电视部

体育频道
体育节目中心主任、体育频道总监：江和平
下设：体育频道编辑部

少儿频道
少儿节目中心主任、少儿频道总监：余培侠
下设：少儿频道编辑部

技术管理办公室
主任：黄平刚
下设：技术业务处、质量管理处、工程管理处、信息通信处、动力处

技术制作中心
主任：李宏虹
下设：综合部、录制一部、录制二部、录制三部、制作部、音频部

播出传送中心
主任：陈默
下设：综合部、播出部、转播部、传送部、总控部

新台址建设工程办公室
主任：徐威
下设：综合业务处、工程处、前期市政处、合同造价处、财务资产管理处、技术处

台直属机构
中央电视台分党组纪检组、监察室、机关纪委、审计处、中国电视报社

中国电视剧制作中心
主　任：李培森

中央新闻纪录电影制片厂
党委书记兼厂长：高峰

北京科学教育电影制片厂
党委书记：王晞建
厂长：薛继军

中国国际电视总公司
总经理：李建

中央卫星电视传播中心
主　任：薛大力

中国有线电视网络有限公司
总经理：沈向军

中国爱乐乐团
团长：胡恩（兼）

中国教育电视台

地址：北京复兴门内大街160号
邮政编码：100031
总机电话：(010)58611808
传真：(010)58611803
网址：http://www.cetv.edu.cn
http://www.cetv.com
http://www.cetv.org.cn
台长：康宁
党委书记兼副台长：黄百炼
副台长兼总编辑：陈力
内设机构：
办公室（含党委办公室）、总编室、研究室、人力资源部、资产监管部、公共关系部、外宣中心（含中国教育广播电视报社）、新闻中心、传输中心、制作中心、广告中心、国视研究院、1频道、35频道、早期教育频道

省、市(地)、县级广播电视机构

北京市

北京市广播电视局
党组书记、局长：孙向东
地址：北京市朝阳区建国门外大街14号
电话：(010)65159068
邮编：100022
网址：http://www.bjrt.gov.cn

北京北广传媒集团
总经理：马朝军

党委书记：王荔茹（12月免）
刘志远（12月任）
地址：北京市建国门外大街14号
邮编：100022
电话：(010)65157259
传真：(010)65157259
网址：www.bamc.com.cn

北京人民广播电台
台长、党委书记：汪良
总编辑、党委副书记：陆莹
地址：北京市朝阳区建国门外大街14号
邮编：100022
电话：(010)65150033
网址：www.bjradio.com.cn

北京电视台
台长、党委书记：刘爱勤
总编辑、党委副书记：张晓
地址：北京市海淀区西三环北路3号
邮编：100089
电话：(010)68419922（总机转）
网址：www.btv.com.cn

朝阳区广播电视新闻中心
主任：奚传斌
书记：洪建基
总编辑、党委副书记：张晓
地址：朝阳区六里屯西里3号

海淀区新闻中心
主任：刘明星
党总支书记、副主任：牛爱忠
地址：海淀区西四环北路11号海淀区政府第二办公区

丰台区广播电视中心
主任：李智
地址：丰台区西四环南路64号

石景山区广播电视中心
主任：魏志安
地址：石景山区古城大街61号

门头沟区广播电视中心
主任： 张慧军
地址：门头沟区新桥大街36号

房山区广播电视中心
党委书记、主任：孙泽
地址：房山区良乡西潞南大街6号

大兴区广播电视中心
党组书记：刘景波
主任、党组副书记：李岭涛
地址：大兴区兴政街7号

通州区广播电视中心
主任：王志刚
书记：高德澍
地址：通州区新华大街113号

顺义区广播电视中心
主任：王颖
地址：顺义区拥军路4号

平谷区广播电视中心
主任：刘义华
地址：平谷区旧城街8号

昌平区广播电视中心
主任、党委书记：李贵忠
地址：昌平区南环东路1号

怀柔区广播电视中心
主任：梁德元
地址：怀柔区府前街19号

密云县广播电视中心
主任：赵力杰；
地址：密云县西大桥18号

延庆县广播电视中心
主任：孟昭旭
地址：延庆县冠山路73号

天津市

天津市广播电视电影局
书记：胡兴华
局长：胡兴华（2007年3月27日前）、赵婉香
地址：天津市和平区卫津路143号
电话：(022)23601655
邮编：300070

天津广播电视电影集团
管委会党委书记：陈浙闽
管委会主任：万克
地址：天津市和平区卫津路143号
电话：(022)23601668
邮编：300070

天津市塘沽区广播电视局（台）
书记：王凤瑞
局（台）长：杜宝发
地址：天津市塘沽区上海道2201号

天津市汉沽区广播电视局（台）
书记：刘振生
局（台）长：刘振生
地址：天津市汉沽区东风路17号

天津市大港区广播电视局（台）
书记：张锡斌
局（台）长：张锡斌
地址：天津市大港区世纪大道187号

天津市东丽区广播电视局（台）
书记：张仁刚
局（台）长：张仁刚
地址：天津市东丽区张贵庄跃进路79号

天津市西青区广播电视局（台）
书记：刘宝国
局（台）长：刘宝国
地址：天津市西青区杨柳青府前街

天津市津南区广播电视局（台）
书记：刘子虹
局（台）长：刘子虹
地址：天津市津南区咸水沽镇津沽路35号

天津市北辰区广播电视局（台）
书记：车玉萍
局（台）长：车玉萍
地址：天津市北辰区双发温泉花园公寓1区1号楼主楼3楼

天津市武清区广播电视局（台）
书记：谢呈悦
局（台）长：谢呈悦
地址：天津市武清区雍阳西道43号

天津市宝坻区广播电视局（台）
书记：张伯苓
局（台）长：王今旺
地址：天津市宝坻区城关镇东城南路9号

宁河县广播电视局（台）
书记：范佩英
局（台）长：吴云明
地址：天津市宁河县新华路24号

静海县广播电视局（台）
书记：季春亭
局（台）长：张金方
地址：天津市静海县东方红路96号

蓟县广播电视局（台）
书记：杨福成
局（台）长：杨福成
地址：天津市蓟县迎宾东路

天津经济技术开发区广播电视局（泰达有线电视台）
书记：于普瑞
局（台）长：于普瑞
地址：天津市开发区第一大街2号

河北省

河北省广播电视局
书记：段录沛
局长：段录沛
地址：石家庄市建华南大街100号
电话：（0311）86044937

邮编：050021

河北人民广播电台
主要领导：杨兴盛
地址：石家庄市裕华东路203号
电话：(0311) 86044973
邮编：050012

河北电视台
主要领导：杨国钧
地址：石家庄市建设大街100号
电话：(0311) 85077902
邮编：050021

石家庄市广播电视局
主要领导：王智
地址：石家庄市体育南大街302号

石家庄人民广播电台
主要领导：潘增泉
地址：石家庄市体育南大街302号

石家庄电视台
主要领导：殷巧英
地址：石家庄市体育南大街302号

唐山市广播电视局
主要领导：李庆山
地址：唐山市路北区广达街1号

唐山人民广播电台
主要领导：李庆山
地址：唐山市路北区广达街1号

唐山电视台
主要领导：李庆山
地址：唐山市路北广达街1号

秦皇岛市广播电视局
主要领导：武力国
地址：秦皇岛市迎宾路9号

秦皇岛市广播电视中心
主要领导：武力国
地址：秦皇岛市迎宾路9号

邯郸市广播电视局
主要领导：李维肖
地址：邯郸市人民路246号

邯郸人民广播电台
主要领导：张志军
地址：邯郸市人民路246号

邯郸市电视台
主要领导：冯卫国
地址：邯郸市人民路246号

邢台市广播电视局
主要领导：王留存
地址：邢台市冶金路15号

邢台市人民广播电台
主要领导：于振华
地址：邢台市冶金路15号

邢台电视台
主要领导：王保生
地址：邢台市冶金路15号

保定市广播电视局
主要领导：马世乐
地址：保定市五四中路345号

保定市人民广播电台
主要领导：张永庆
地址：保定市五四中路345号

保定电视台
主要领导：王庆武
地址：保定市五四中路345号

张家口市广播电视局
主要领导：郭维
地址：张家口市建国路17号

张家口人民广播电台
主要领导：项道寅
地址：张家口市建国路17号

张家口电视台
主要领导：刘军
地址：张家口市建国路17号

承德市广播电视局
主要领导：孙林
地址：承德市开发区西区13号

承德人民广播电台
主要领导：牛和平
地址：承德市开发区西区1号

承德电视台
主要领导：杨正义
地址：承德市开发区西区1号

廊坊市广播电视局
主要领导：李凤霞
地址：廊坊市永丰道8号

廊坊市人民广播电台
主要领导：王建久
地址：廊坊市永丰道8号

廊坊电视台
主要领导：韩洪恩
地址：廊坊市永丰道8号

沧州市广播电视局
主要领导：兰风雨
地址：沧州市解放道326号

沧州市人民广播电台
主要领导：刘学芬
地址：沧州市解放道326号

沧州市电视台
主要领导：孙琳琳
地址：沧州市解放道326号

衡水市广播电视局
主要领导：张建军
地址：衡水市红旗大街49号

衡水人民广播电台
主要领导：张建军
地址：衡水市红旗大街49号

衡水电视台
主要领导：张建军
地址：衡水市红旗大街49号

辛集市广播电视台
台长：王杰

遵化市广播电视台
台长：贾国华

昌黎县广播电视台
台长：杨先平

大名县广播电视台
台长：刘振勇

清河县广播电视台
台长：焦生才

涿州市广播电视台
台长：王法文

怀来县广播电视台
台长：胡建中

承德县广播电视台
台长：李淑金

三河市广播电视台
台长：张少江

任丘市广播电视台
台长：崔国林

安平县广播电视台
台长：曲士雄

山西省

山西省广播电视局
局长：梁志祥
地址：山西省太原市迎泽大街318号
电话：(0351) 8302186
邮编：030001
网址：www.sxrt.gov.cn

山西广播电视总台
台长：梁志祥
地址：山西省太原市迎泽大街318号
电话：(0351) 4049856
邮编：030001
网址：www.sxrtv.com

黄河电视台

台长：梁志祥
地址：山西省太原市迎泽大街318号
电话：（0351）8302186
邮编：030001

太原市文化广播电视局
局长：吴国荣（兼任市委宣传部副部长）
地址：山西省太原市新建路69号

太原广播电视总台
台长：张薏林
地址：山西省太原市漪汾街2号

太原人民广播电台
台长：董如洁
地址：山西省太原市漪汾街2号

太原电视台
台长：张晓捷
地址：山西省太原市漪汾街2号

大同市广播电视局
局长：王成礼
地址：山西省大同市迎宾西路

大同人民广播电台
台长：张晓非
地址：山西省大同市迎宾西路

大同电视台
台长：刘怀光
地址：山西省大同市迎宾西路

朔州广播电视局
局长：郭善彬
地址：山西省朔州市振华东街1号

朔州人民广播电台
台长：苏斌
地址：山西省朔州市民福西街1号

朔州电视台
台长：郭善彬
地址：山西省朔州市振华东街

忻州市广播电视局
局长：张继明
地址：山西省忻州市长征西街

忻州市广播电视台
局长：张继明
地址：山西省忻州市长征西街

晋中市广播电视局
局长：苏耀中
地址：山西省晋中市榆次区文苑街3号

晋中市广播电视台
台长：苏耀中
地址：山西省晋中市榆次区文苑街3号

阳泉市广播电视局
局长：李有庆
地址：山西省阳泉市开发区宁波路

阳泉广播电视总台
台长：李有庆
地址：山西省阳泉市开发区宁波路

吕梁市广播电视局
局长：闫东海
地址：山西省吕梁市新华街1号

吕梁人民广播电台
台长：成斌
地址：山西省吕梁市新华街Ⅰ号

吕梁电视台
台长：闫东悔
地址：山西省吕梁市新华街1号

长治市广播电视局
局长：欧蜀渝
地址：山西省长治市英雄中路87号

长治广播电视总台
台长：欧蜀渝
地址：山西省长治市英雄中路87号

晋城市广播电视局
局长：沈人鹏
地址：山西省晋城市凤台西街384号广电中心

晋城广播电台
台长：李朝霞
地址：山西省晋城市凤台西街384号广电中心

晋城电视台
台长：牛龙飞
地址：山西省晋城市凤台西街384号广电中心

临汾市广播电视局
局长：王新龙
地址：山西省临汾市广宜街

临汾广播电视台
台长：王新龙
地址：山西省临汾市广宜街

运城市广播电视局
局长：李慧芳
地址：山西省运城市红旗东街233号

运城市广播电视台
台长：李慧芳
地址：山西省运城市红旗东街233号

太原市迎泽区文体局
局长：牛慧娟

太原市杏花岭区文体局
局长：王东军

太原市万柏林区文体局
局长：王桂敏

太原市小店区文体局
局长：李春涛

太原市晋源区广播电视中心
主任：罗朝宇

太原市尖草坪区广播电视中心
主任：王根林

清徐县广播电视中心
主任：罗保发

阳曲县广播电视中心
主任：梁青杰

娄烦县广播电视中心
主任：崔俊春

古交市广播电视中心
主任：张锁清

大同县广播电视局
局长：许勇夫

浑源县广播电视局
局长：张继舜

阳高县广播电视局
局长：刘进才

天镇县广播电视局
局长：韩　利

灵县广播电视局
局长：张晋高

灵丘县广播电视局
局长：赵亦功

大同市南郊区广播电视局
局长：张文斌

大同市新荣区广播电视局
局长：李晓军

左云县广播电视局
局长：辛荣臻

朔州市朔城区广播电视局
局长：刘兴林

山阴县广播电视局
局长：周文新

应县广播电视中心
主任：王育文

怀仁县广播电视中心
主任：李生元

朔州市平鲁区广播电视中心
主任：张文生

右玉县广播电视局
局长：相丕宏

宁武县广播电视中心
主任：赵银卯

神池县广播电视中心
主任：谢白

五寨县广播电视服务中心
主任：林平

繁峙县广播电视中心
主任：王自乐

德县广播电视中心
主任：赵培荣

五台县广播电视服务中心
主任：李培林

代县广播电视服务中心
主任：杨续东

原平市广播电视服务中心
主任：范新堂

静乐县广播电视服务中心
主任：周海平

河曲县广播电视服务中心
主任：窦占玺

定襄县广播电视服务中心
主任：郭先文

岢岚县广播电视服务中心
主任：赵金堂

偏关县广播电视服务中心
主任：张文耀

寿阳县广播电视中心
主任：陈文君

祁县广播电视中心
主任：许晓峰

太谷县广播电视中心
主任：赵茂威

平遥县广播电视中心
主任：李道中.

介休市广播电视中心
主任：李光桐

灵石县广播电视中心
主任：古文玉

榆社县广播电视中心
主任：孟利波

左权县广播电视中心
主任：刘晋海

昔阳县广播电视中心
主任：李邦荣

和顺县广播电视中心
主任：池海义

盂县广播电视局
局长：张瑞

平定县广播电视局
局长：杜湘君

阳泉市郊区广播电视局
局长：冯义琴

临县广播电视服务中心
主任：李海光

交城县广播电视中心
主任：覃世武

汾阳市广播电视中心
主任：李峰

孝义市广播电视中心
主任：马明高

柳林县广播电视中心
主任：孙守亮

交口县广播电视服务中心
主任：程新生

文水县广播电视中心
主任：高奋

兴县广播电视中心
主任：白永

阳县广播电视中心
主任：乔中旺

石楼县广播电视中心
主任：刑永红

方山县广播电视局
局长：郭友杰

岚县广播电视中心
主任：梁云翔

吕梁市离石区广播电视管理中心
主任：成斌

长治市城区文化、体育广播电视局
局长：于何长

长治市郊区广播电视中心
主任：王毅忠

长治县广播电视中心
主任：牛效忠

潞城市广播电视中心
主任：秦虎刚

屯留县广播电视局
局长：张太民

长子县广播电视中心
主任：李百锁

壶关县广播电视中心
主任：王文斌

平顺县广播电视中心
主任：马文

黎城县广播电视中心
主任：崔河胜

武乡县广播电视中心
主任：崔旭光

襄垣县广播电视中心
主任：关建华

沁县广播电视中心
主任：王少杰

沁源县广播电视中心
主任：王锦德

晋城市城区广播电视局
局长：李永新

高平市广播电视中心
主任：毕慧先

沁水县广播电视中心
主任：郭林车

陵川县广播电视中心
主任：刘帅元

阳城县广播电视局
局长：牛安胜

泽州县广播电视局
局长：马才富

吉县广播电视中心
主任：杨世元

翼城广播电视中心
主任：李水海

侯马广播电视中心
主任：牛高管

霍州广播电视中心
主任：邢立山

襄汾广播电视中心
主任：卫爱国

洪洞广播电视中心
书记、主任兼台长：王根贵

曲沃广播电视中心
主任：常红云

蒲县广播电视中心
主任：申长明

乡宁广播电视中心
主任：王仁虎

隰县广播电视中心
副主任：张波　侯彦洁

永和广播电视中心
主任：杨北林

浮山广播电视中心
主任：杨海伟

安泽广播电视中心
主任：李根明

汾西广播电视中心
主任：郭勇

古县广播电视中心
主任：刘晓明

大宁县广播电视中心
主任：王俊秋

稷山县广播电视中心
主任：杨泽慧

绛县广播电视中心
主任：崔东亮

河津市广播电视中心
主任：郭俊民

平陆县广播电视中心
主任：栗晋平

临猗县广播电视中心
主任：王文

芮城县广播电视中心
主任：王向前

新绛县广播电视中心
主任：师引龙

永济市广播电视中心
主任：廉兴旺

闻喜县广播电视中心
主任：李红旗

垣曲县广播电视中心
主任：尚凯民

万荣县广播电视中心
主任：尉有明

夏县广播电视中心
主任：王永祥

内蒙古自治区

内蒙古广播电影电视局
局长：刘永欣
地址：呼市兴安北路广电1号楼
电话：(0471) 6633056
邮编：010010

内蒙古人民广播电台
台长：张兴茂
地址：呼市新华大街71号
电话：(0471)6630170
邮编：010058

内蒙古电视台
台长：关方方
地址：呼市新华大街71号
电话：(0471)6936015
邮编：010058

呼和浩特市广播电视局
局长：郭孝庭
地址：呼市公园西路

呼和浩特人民广播电台
台长：白玉峰
呼市公园西路159号

呼和浩特电视台
台长：平淑英
呼市公园西路159号

包头市广播电视局
局长：武二斌
地址：包头市钢铁大街

包头人民广播电台
台长：那日斯
地址：包头市钢铁大街12号

包头电视台
台长：王占元
地址：包头市钢铁大街12号

乌海市广播电视局
局长：王利春
地址：乌海市黄河西街

乌海人民广播电台
台长：张 杰
地址：乌海市黄河西街4号

乌海电视台
台长：樊桂丽
地址：乌海市黄河西街4号

赤峰市广播电视局
局长：昭日格图
地址：赤峰市红山区

赤峰人民广播电台
台长：董金铎
地址：赤峰市红山区钢铁西街

赤峰电视台
台长：姚选枕
地址：赤峰钢铁西街

通辽市广播电视局
局长：闫佩林
地址：通辽市霍林河大街

通辽人民广播电台
台长：宋斌
地址：通辽市霍林河大街68号

通辽电视台
台长：王奎
地址：通辽市霍林河大街70号

呼伦贝尔市广播电视局
局长：吴长海
地址：海拉尔区满洲里路

呼伦贝尔人民广播电台
台长：祁穗峰
地址：海拉尔区满洲路43号

呼伦贝尔电视台
台长：左刚
地址：海拉尔区满洲路43号

巴彦淖尔市广播电视局
局长：王静媛
地址：临河市新华西街26号

巴彦淖尔人民广播电台
台长：曹新月
地址：临河市胜利北路20号

巴彦淖尔电视台
台长：葛光升
地址：临河市新华西街26号

乌兰察布市广播电视局
局长：贺喜格陶克陶
地址：集宁区新体路

乌兰察布人民广播电台
台长：郭春晓
地址：集宁区沙河路86号

乌兰察布电视台
台长：马白泉
地址：集宁区新体路40号

鄂尔多斯市广播电视局
局长：王恒
地址：东胜区满都海巷

鄂尔多斯人民广播电台
台长：郝来虎
地址：东胜区宝日陶亥东街

鄂尔多斯电视台
台长：李淑兰
地址：东胜区满都海巷

阿拉善盟广播电视局
局长：包金
地址：巴彦浩特新区额鲁特东路

阿拉善人民广播电台
台长：张颖
地址：巴镇新浩特额鲁特东路2号

阿拉善电视台
台长：刘月莲
地址：巴镇新浩特额鲁特东路2号

锡林郭勒盟广播电视局
局长：付海宙

地址：锡林浩特市经济开发区

锡林郭勒人民广播电台
台长：邓小海
地址：锡林浩特经济开发区

锡林郭勒电视台
台长：莫仁
地址：锡林浩特经济开发区

兴安盟文化体育广播电视局
局长：杨光
地址：乌兰浩特市兴安北大路73号

兴安人民广播电台
台长：于颖军
地址：乌兰浩特市兴安北路

兴安电视台
台长：王长巨
地址：乌兰浩特市兴安北路

东风电视台
台长：聂少勇
地址：兰州27支局48信箱29号

二连浩特市广播电视局
局长：任建禄
地址：二连市前进路南

二连浩特人民广播电台
台长：任建禄
地址：二连市前进路

二连浩特电视台
台长：王立华
地址：二连市前进路

满洲里市广播电视局
局长：闫　明
地址：满洲里市电视街

土默特旗文化体育广播电视局
局长：敖建军

固阳县文化体育广播电视局
局长：杨惦思

达茂旗文化体育广播电视局
局长：金永利

阿鲁克尔沁旗广播电视局
局长：王玉国

巴林左旗广播电视局
局长：王云起

巴林右旗广播电视局
局长：李山虎

林西县广播电视局
局长：王志军

科什克腾旗广播电视局
局长：师尚宇

翁牛特旗广播电视局
局长：蔡国富

赤峰市松山区广播电视局
局长：严国忠

赤峰市元宝山区广播电视局
局长：刘玉海

喀喇沁旗广播电视局
局长：郝子武

宁城县广播电视局
局长：黄贵有

敖汉旗广播电视局
局长：孟宪和

通辽市科尔沁区文化广播电视局
局长：于海明

霍林郭勒市文化广播电视局
局长：于海宝

霍林郭勒广播电视台
台长：张平

开鲁县文化广播电视局
局长：王景平

开鲁县电视台
台长：王明志

科左中旗文化广播电视局
局长：蔡云龙

科左中旗广播电视台
台长：蔡云龙

科左后旗文化广播电视局
局长：宝　成

科左后旗广播电视台
台长：宝成

库伦旗文化广播电视局
局长：丛日成

库伦旗广播电视台
台长：丛日成

扎鲁特旗文化广播电视局
局长：徐文彦

扎鲁特旗广播电视台
台长：师长友

奈曼旗文化广播电视局
局长：　李乌力吉

奈曼旗广播电视台
台长：杨志伟

通辽经济技术开发区广播电视局
局长：白立民

乌拉特前旗广播电视局
局长：焦根思

乌拉特前旗人民广播电台
台长：赵军

乌拉特前旗电视台
台长：张均

乌拉特中旗广播电视局
局长：牛俊华

乌拉特中旗人民广播电台
台长：高卫东

乌拉特中旗电视台
台长：孙鹏林

乌拉特后旗广播电视局
局长：周万忠

乌拉特后旗人民广播电台
台长：姜景巍

磴口县文体广播电视局
局长：任海韬

磴口县人民广播电台
台长：李军

磴口县电视台
台长：杨满生

五原县广播电视局
局长：张永杰

五原县人民广播电台
台长：李少华

五原县电视台
台长：李娟

杭锦后旗广播电视局
局长：潘竞元

杭锦后旗人民广播电台
台长：杨伊勤

杭锦后旗电视台
台长：王剑明

察右前旗广播电视局
局长：王日春

凉城县广播电视局
局长：冀文俊

察右后旗文化广播电视局
局长：李杰

丰镇市广播电视局
局长：张晓均

察右中旗广播电视局
局长：刘国华

四子王旗广播电视局
局长：武九零

卓资县广播电视局
局长：魏建国

兴和县广播电视局
局长：赵明

化德县广播电视局
局长：赵建刚

商都县广播电视局
局长：梁智

阿拉善右旗文化广播电视局
局长：红鹰

额济纳旗文化广播电视局
局长：李发英

二连市广播电视局
局长：任建禄

阿巴嘎旗广播电视局
局长：贾美洋

苏尼特左旗广播电视局
局长：玛拉沁夫

苏尼特右旗广播电视局
局长：额尔登巴拉

太仆寺旗广播电视局
局长：佟小军

正镶白旗广播电视局
局长：布仁

多伦县广播电视局
局长：何明鉴

科右中旗文化体育广播电视局
局长：敖础鲁

突泉县文化体育广播电视局
局长：高守义

达拉特旗电视台
台长：张建勋

准格尔旗广播电视台
台长：王俊风

伊金霍勒旗广播电视台
台长：冯广义

杭锦旗广播电视台
台长：王凤换

鄂托克旗广播电视台
台长：刘世礼

鄂托克前旗广播电视台
台长：刘治成

乌审旗广播电视台
台长：孟广才

东乌珠沁旗广播电视台
台长：齐呼日查

西乌珠沁旗广播电视台
台长：高建军

正蓝旗广播电视台
台长：赛音吉日嘎拉

扎赉特旗广播电视台
台长：王振

突泉县广播电视台
台长：王建春

科右中旗广播电视台
台长：敖础鲁

阿尔山市广播电视台
台长：邵国富

辽宁省

辽宁省广播电视局
主要领导：李厚朴
地址：沈阳市和平区文化路 79 号
电话：(024) 23187629
邮编：110004

辽宁人民广播电台
主要领导：姜丽彬
地址：沈阳市和平区光荣街 10 号
电话：(024) 23863437
邮编：110003
网址：www.lnradio.com

辽宁电视台
主要领导：史联文
地址：沈阳市和平区文化路 79 号
电话：(024) 23186314
邮编：110004

沈阳市广播电视局
主要领导：于连胜
地址：沈阳市沈河区热闹路

沈阳人民广播电台
主要领导：黄学有
地址：沈阳市和平区三好街 89 号

沈阳电视台
主要领导：白明路
地址：沈阳市和平区青年大街 296 号

抚顺市广播电视局
主要领导：吴耀华
地址：抚顺市顺城区浑河北路 2 号

抚顺人民广播电台
主要领导：刘星翼
地址：抚顺市顺城区浑河北街 2 号

抚顺电视台
主要领导：李中文
地址：抚顺市顺城区浑河北街 2 号

本溪市广播电视局
主要领导：陆学伟
地址：本溪市明山区 9 号

本溪人民广播电台
主要领导：何伟
地址：本溪市明山区 9 号

本溪电视台
主要领导：荀广才
地址：本溪市明山区 9 号

鞍山市广播电视局
书记、局长：王安平
地址：鞍山市铁东区 219 路 3 号

丹东市广播电视局
主要领导：郭连胜
地址：丹东振兴区山上街 1 号

丹东人民广播电台
主要领导：郭连胜
地址：丹东振兴区山上街 1 号

丹东电视台
主要领导：郭连胜
地址：丹东振兴区山上街 1 号

葫芦岛市广播电视局
主要领导：刘明
地址：葫芦岛市龙湾大街 9 甲号

葫芦岛人民广播电台
主要领导：赵男
地址：葫芦岛市龙湾大街 23 号

葫芦岛电视台
主要领导：孟庆涛
地址：葫芦岛市龙湾大街 9 号甲

营口市广播电视局
主要领导：曲景太
地址：营口市财富广场

营口人民广播电台
主要领导：王启来
地址：营口市渤海大街 20 号

营口电视台
主要领导：钟波
地址：营口市渤海大街 20 号

辽阳市广播电视局
主要领导：贾成伟
地址：辽阳太子河区青年大街 59 号

辽阳人民广播电台
主要领导：孟丽娟
地址：辽阳太子河区青年大街 59 号

辽阳电视台
主要领导：王梦伟
地址：辽阳太子河区青年大街 59 号

铁岭市广播电视局
主要领导：赵伟

地址：银州区工人街

铁岭人民广播电台
主要领导：董连海
地址：银州区工人街

铁岭电视台
主要领导：胡继国
地址：银州区工人街

朝阳市广播电视局
书记、局长：陈昭奇
地址：朝阳市新华路88号

朝阳人民广播电台
主要领导：郝建旭
地址：朝阳市新华路88号

朝阳电视台
主要领导：宝玉林
地址：朝阳市新华路88号

吉林省

吉林省广播电影电视局
书记：任凤霞
局长：任凤霞
地址：长春市新民大街1027号
电话：(0431) 5657220
邮编：130021
网址：gdj-info@mail.jl.gov.cn

吉林人民广播电台
书记：谭铁鹰
台长：谭铁鹰
地址：长春市西安大路2号
电话：(0431) 8927480
邮编：130051
网址：www.jlradio.com.cn

吉林电视台
书记：冯晨
台长：冯晨
地址：长春市新民大街1027号
电话：(0431) 5654606
邮编：130021
网址：www.jltv.com.cn

长春市广播电视局
书记：崔永泉
局长：崔永泉
地址：长春市百草路

长春人民广播电台
书记、台长：孙彦海
地址：长春市百草路

长春电视台
书记、台长：崔永泉
地址：长春市百草路

吉林市广播电视局
书记、局长：韩茹
地址：吉林市吉林大街90号

吉林市人民广播电台
书记、台长：柳旭东
地址：吉林市吉林大街90号

吉林市电视台
地址：吉林市吉林大街90号

延边州广播电视局
书记、局长：韩龙根
地址：延吉市局子街166号

延边朝鲜族自治州广播电视总台
书记、台长：韩龙根
地址：延吉市局子街166号

延边电视台（新闻综合频道）
台长：李虎男
地址：吉林省延吉市局子街166号

延边电视台（卫星频道）
台长：李虎男
地址：吉林省延吉市局子街166号

延边电视台（经济文化频道）
台长：李金儒
地址：吉林省延吉市局子街166号

延边人民广播电台（朝鲜语频率）
台长：金东焕
地址：吉林省延吉市局子街166号

延边人民广播电台（汉语频率）
台长：李树和
地址：吉林省延吉市局子街166号

延边人民广播电台（交通文艺频率）
台长：刘香檀
地址：吉林省延吉市局子街166号

四平市广播电视局
书记、局长：管凤久
地址：四平市南新华大街60号

四平人民广播电台
书记：刘景林
台长：马万英
地址：四平市南新华大街56号

四平电视台
书记：刘淑芳（女）
台长：肖波
地址：四平市南新华大街56号

通化市广播电视局
书记、局长：姜亦浩
地址：通化市新桥路559号

通化广播电台
书记、台长：张洪福
地址：通化市新桥路559号

通化电视台
书记、台长：梁建平
地址：通化市新桥路559号

白城市广播电视局
书记、局长：鲍长山
地址：白城市幸福南大街86号

白城人民广播电台
台长：曲满江
地址：白城市幸福南大街86号

白城电视台
书记：孙桂笙
台长：鲍长山
地址：白城市幸福南大街86号

辽源市广播电视局
书记、局长：张枫
地址：辽源市人民大街213号

辽源广播电视总台
书记、台长：张枫
地址：辽源市人民大街213号

松原市广播电视局
书记、局长：赵金龙
地址：松原市宁江区临江路1295号

松原市广播电视总台
书记、台长：赵金龙
地址：松原市宁江区临江路1295号

白山市广播电视局
书记、局长：费善有
地址：白山市浑江大街36号
电话：0439-3333788

白山人民广播电台
书记、台长：吕传明
地址：白山市浑江大街36号

白山电视台
常务副台长：尚书华
地址：白山市浑江大街36号

农安县广播电视管理局
局长：叶宝林

德惠市广播电视局
局长：孙明武

榆树市广播电视局
局长：于春涛

九台市广播电视局
局长：刘绍斌

永吉县广播电视局
局长：王有才

蛟河市广播电视局
局长：冯铸

磐石市广播电视局
局长：闫德江

桦甸市广播电视局
局长：周品

舒兰市广播电视局
局长：孙德成

延吉市广播电视管理局
局长：金宇

延吉交通之声广播电台（汉语）
台长：马春元

延吉阿里郎之声广播电台（朝鲜语）
台长：玄泰山

延吉电视台
台长：金明新

图们市广播电视管理局
局长：郑希洙

图们人民广播电台
台长：郑希洙

图们电视台
台长：郑希洙

敦化人民广播电台
台长：田玉光

珲春市广播电视局
局长：李世泉

敦化电视台
台长：田玉光

龙井电视台
台长：崔万洙

和龙电视台
台长：崔昌善

汪清电视台
台长：韩 华

珲春人民广播电台
台长：李世泉

珲春电视台
台长：李世泉

安图电视台
台长：李亚东

汪清县广播电视管理局
局长：于逢芝

龙井市广播电视管理局
局长：安泽根

和龙市广播电视管理局
局长：崔昌善

安图县广播电视管理局
局长：秦虹

敦化市广播电视管理局
局长：田玉光

伊通满族自治县广播电视管理局
局长：刘占春

公主岭市广播电视管理局
局长：刘英杰

双辽市广播电视管理局
局长：赵淑芬

梨树县广播电视管理局
局长：高云

通化县广播电视管理局
局长：赵洪光

集安市广播电视局
局长：孙殿华

梅河口市广播电视管理局
局长：杨绍忠

柳河县广播电视局
局长：童林

辉南县广播电视局
局长：解锦韬

大安市广播电视局
局长：黄彪

洮南市广播电视管理局
局长：刘德江

通榆县广播电视管理局
局长：苏雪松

镇赉县广播电视管理局
局长：王国军

东丰县广播电视管理局
局长：祝永贵

东辽县广播电视局
局长：张弘舜

前郭县广播电视管理局
局长：李广涛

扶余县广播电视管理局
局长：马维国

乾安县广播电视管理局
局长：段亚峰

长岭县广播电视局
局长：王昕

长白朝鲜族自治县广播电视管理局
局长：宋贵山

抚松县广播电视管理局
局长：姚振德

靖宇市广播电视局
局长：王凤田

临江市广播电视局
局长：颜世才

江源县广播电视局
局长：戴常桂

黑龙江省

黑龙江省广播电视局
主要领导：李寅奎
地址：哈尔滨市汉水路 333 号
电话：（0451）82898501
邮编：150090

黑龙江人民广播电台
主要领导：李寅奎、刘玉平
地址：哈尔滨市汉水路 333 号
电话：（0451）82898606
邮编：150090

黑龙江电视台
主要领导：李寅奎、崔彬
地址：哈尔滨市汉水路 333 号
电话：（0451）82890688
邮编：150090

哈尔滨市广播电视局
主要领导：刘文成
地址：哈尔滨市香坊区华山路 1 号

哈尔滨人民广播电台
主要领导：刘文成、王铁、李弘彪
地址：哈尔滨市香坊区华山路 1 号

哈尔滨电视台
主要领导：刘文成、王亚平、郑颖
地址：哈尔滨市香坊区华山路 1 号

双鸭山市广播电视局
主要领导：张铁民
地址：双鸭山市尖山区
新兴大街 240 号

双鸭山人民广播电台
主要领导：张铁民、刘萌晗
地址：双鸭山市尖山区新兴大街240号

双鸭山电视台
主要领导：张铁民、王坤
地址：双鸭山市尖山区新兴大街240号

伊春市广播电视局
主要领导：陈戈
地址：伊春市伊春区临山路 16 号

伊春人民广播电台
主要领导：陈戈、车柏林
地址：伊春市伊春区临山路 16 号

伊春电视台
主要领导：陈戈、车柏林
地址：伊春市伊春区临山路 16 号

七台河市广播电视局
主要领导：依恩志
地址：七台河市桃山区山湖大街2号

七台河人民广播电台
主要领导：郑言今
地址：七台河市桃山区山湖大街2号

七台河电视台
主要领导：郑言今
地址：七台河市桃山区山湖大街2号

绥化市广播电视局
主要领导：冯国慧
地址：绥化市西直路

绥化人民广播电台
主要领导：冯国慧
地址：绥化市西直路

绥化电视台
主要领导：冯国慧
地址：绥化市西直路

黑河市广播电视局
主要领导：王圣文
地址：黑河市爱辉区海兰街93号

黑河人民广播电台
主要领导：王玉平
地址：黑河市爱辉区海兰街93号

黑河电视台
主要领导：王玉平
地址：黑河市爱辉区海兰街93号

大兴安岭地区行署广播电视局
主要领导：于澎滨
地址：大兴安岭地区加格达奇兴安大街2号

大兴安岭人民广播电台
主要领导：满天
地址：大兴安岭地区加格达奇兴安大街2号

大兴安岭电视台
主要领导：满天
地址：大兴安岭地区加格达奇兴安大街2号

农垦总局广播电视局
主要领导：王玺昌
地址：哈尔滨嵩山路

依安县广播电视局
局长：卢景芳

克东县广播电视局
局长：刘思富

泰来县广播电视局
局长：王友发

绥芬河市广播电视局
局长：赵靖波

宁安市广播电视局
局长：鲁彬

海林市广播电视局
局长：姜守富

穆棱市广播电视局
局长：张明力

林口县广播电视局
局长：田春揩

虎林市广播电视局
局长：杜志刚

富锦市广播电视局
局长：孙庆友

抚远县广播电视局
局长：于池海

桦南县广播电视局
局长：牛国清

汤原县广播电视局
局长：田志清

同江市广播电视局
局长：王建新

桦川县广播电视局
局长：王金才

杜尔伯特蒙古族自治县广播电视局
局长：付国宝

林甸县广播电视局
局长：高尚德

肇州县广播电视局
局长：柏建丰

肇源县广播电视局
局长：薄乃君

密山市广播电视局
局长：孙大山

鸡东县广播电视局
局长：王俊堂

虎林市广播电视局
局长：刘学慧

集贤县广播电视局
局长：耿金涛

饶河县广播电视局
局长：王成怀

友谊县广播电视局
局长：李俊生

宝清县广播电视局
局长：李力

铁力市广播电视局
局长：杨月竹

嘉荫县广播电视局
局长：杜树鹏

勃利县广播电视局
局长：曲江

绥滨县广播电视局
局长：隋士儒

萝北县广播电视局
局长：刘春田

五大连池市广播电视局
局长：经德文

逊克县广播电视局
局长：王兆吉

孙吴县广播电视局
局长：王培华

北安市广播电视局
局长：庞海涛

嫩江县广播电视局
局长：吴志清

肇东市广播电视局
局长：杨福文

安达市广播电视局
局长：杜景龙

海伦市广播电视局
局长：蒋春林

兰西县广播电视局
局长：孙志喜

庆安县广播电视局
局长：张文海

绥棱县广播电视局
局长：邢广富

望奎县广播电视局
局长：张凤君

明水县广播电视局
局长：朱书林

青冈县广播电视局
局长：刘彦福

呼玛县广播电视局
局长：庄震

莫河县广播电视局
局长：邵洪志

塔河县广播电视局
局长：马欣

上海市

上海市文化广播影视管理局
党委书记：陈燮君
局长：朱咏雷
地址：上海市北京东路2号
电话：(021) 63203342转
邮编：200002
网址：wgj.sh.gov.cn

上海文化广播影视集团
书记、总裁：薛沛建
地址：上海市北京东路2号
电话：(021) 53081777转
邮编：200002
网址：www.smeg.com.cn

上海文广新闻传媒集团
书记：卑根源
总裁：黎瑞刚
地址：上海市威海路298号
电话：(021) 62565899转
邮编：200041
网址：www.smg.sh.cn

上海教育电视台
台长：张德明
党总支书记：张道玲
地址：上海市大连路1541号
电话：(021) 65834275 65834028
邮编：200086
网址：www.setv.sh.cn

上海市浦东新区文化广播电视管理局
局长：陈高宏
地址：世纪大道2001号

浦东人民广播电台
党委书记、台长：奚志良
地址：上海市浦东新区川沙镇南桥路388弄1号

上海市青浦区文化广播电视管理局
党委书记：周建中
局长：曹伟明
地址：上海市青浦区公园东路1828号

上海市青浦区广播电视台
党支部书记、台长：沈根其
地址：上海市青浦区公园东路1828号

上海市松江区文化广播电视管理局
党委书记：向先富
局长：耿国方
地址：上海市松江区乐都路275号

上海市松江区广播电视台
党支部书记：黄成
台长：王一平
地址：上海市松江区乐都路275号

上海市宝山区文化广播电视管理局
党委书记、局长：彭林
地址：上海市宝山区友谊路2359号

上海市宝山区广播电视台
党支部书记：张幸珍
台长：徐祖达
地址：上海市宝山区友谊路2359号

上海市南汇区文化广播电视管理局
党委书记：王卫国
局长：诸惠华
地址：上海市南汇区惠南镇工农北路1号

上海市闵行区文化广播电视管理局
党委书记、局长：王洪
地址：上海市闵行区莘庄镇莘凌路198号

上海市奉贤区文化广播电视管理局
党委书记：金拥军
局长：王建华
地址：上海市奉贤区南桥镇解放东路866号

上海市嘉定区文化广播电视管理局
党委书记、局长：燕小明
地址：上海市嘉定区博乐南路111号A10楼

上海市嘉定区广播电视台
党总支书记：管育民
台长：燕小明
地址：上海市嘉定区塔城路565号

崇明县文化广播电视管理局
党委书记：陆松平
局长：陈志德
地址：上海市崇明县城桥镇人民路126号

崇明县广播电视台
党支部书记、台长：袁永达
地址：上海市崇明县城桥镇一江山路511号

上海市南汇区广播电视台
党支部书记：沈炯
台长：邵学新
地址：上海市南汇区惠南镇文化路5号

上海市闵行区广播电视台
常务副台长：顾淑芳
地址：上海市闵行区莘凌路198号

上海市奉贤区广播电视台
党支部副书记：陈春良
台长：王建华
地址：上海市奉贤区南桥镇解放东路866号

江苏省

江苏省广播电视局
书记：耿乃凡
局长：耿乃凡
地址：南京市中山东路132号
电话：025-84651555
邮编：210087
网址：http://www.jsgd.gov.cn

江苏省广播电视总台（集团）
台长：周莉
地址：南京市玄武区北京东路4号
电话：025-83195666
邮编：210008

江苏教育电视台
书记：顾鼎竞
台长：顾鼎竞
地址：南京市草场门大街105号
电话：025-86367610
邮编：210036

南京市广播电视局
书记、局长：陈卫红
地址：南京市白下路358号广电大厦21楼

南京广播电视集团（台）
书记、台长：陈梦娟
地址：南京市白下路358号、南京市龙蟠中路338号

无锡市文化广电新闻出版局
书记、局长：叶建兴
地址：无锡市复兴路125号

无锡广播电视集团(台)
书记、台长：严克勤
地址：无锡市湖滨路4号

徐州市广播电视局
书记、局长：张耀环
地址：徐州市中山南路223号

徐州广播电视台
书记、台长：王强
地址：徐州市西安南路200号

常州市文化广电新闻出版局
书记：黄欣
局长：赵唯强
地址：常州市龙城大道1280号1号楼B座

常州广播电视台
书记：蒋伟平

台长：颜晓群
地址：常州市西横街10号

苏州市文化广电新闻出版局
书记、局长：高福民
地址：苏州市公园路38号

苏州广播电视台
书记、台长：瞿长林
地址：苏州市竹辉路298号

南通市广播电视局
书记、局长：梁戈
地址：南通市人民中路100号

南通人民广播电台
书记：顾晓冬
台长：张辉
地址：南通市人民中路100号(和平大厦10楼)

南通电视台
书记、台长：梁戈
地址：南通市城山路1号

连云港市广播电视局
书记、局长：戴咏寒
地址：连云港市盐河北路39号

连云港人民广播电台
书记、台长：马富胜
地址：连云港市盐河北路39号

连云港电视台
书记、台长：王克法
地址：连云港市盐河北路39号

淮安市广播电视局
书记：刘华庭
局长：张益民
地址：淮安市大治路6号

淮安人民广播电台
书记：丁宪曾
台长：张亚刚
地址：淮安市大治路6号

淮安电视台
书记、台长：薛涛
地址：淮安市大治路6号

盐城市广播电视局(台)
书记、局长：冯忠云
地址：盐城市解放南路176号

扬州市广播电视局(台)
书记、局长：徐丽玲
地址：扬州市维扬路168号

镇江市广播电视局
书记、局长：戈矛
地址：镇江市中山西路94号

镇江人民广播电台
书记、台长：孙小梅
地址：镇江市中山西路94号

镇江电视台
书记、台长：陈炜
地址：镇江市中山西路94号

泰州市广播电视局(台)
书记、局长：田宏胜
地址：泰州市梅兰路128号

宿迁市文化广电新闻出版局
书记、局长：叶亚涛
地址：宿迁市发展大道7号

宿迁广播电视台
书记、台长：庄勇
地址：宿迁市发展大道7号

溧水县广播电视台
台长：赵祖云

高淳县人民广播电台
台长：陈小进

南京市雨花台区广播电视台
台长：张如铁

南京市栖霞区人民广播电台
台长：罗正斌

南京市江宁区广播电视台
台长：郭　星

南京市浦口区广播电视台
台长：董乔忠

南京市六合区广播电视台
台长：陈光新

江阴人民广播电台
台长：刘志刚

江阴电视台
台长：缪剑波

宜兴市广播电视台
台长：程同德

丰县广播电视台
台长：胡清涟

沛县广播电视台
台长：康守银

铜山县广播电视台
台长：张洪军

睢宁县广播电视台
台长：魏晓峰

邳州市广播电视台
台长：杨军

新沂市广播电视台
台长：丁乐举

徐州市贾汪区广播电视台
台长：闫海

金坛市广播电视台
台长：褚玉平

溧阳市广播电视台
台长：陈黎明

常州市武进区广播电视台
台长：潘国兴

张家港市广播电视台
台长：郑国祥

常熟市广播电视台
台长：吴伟

昆山市广播电视台
台长：赵红骑

太仓市广播电视台
台长：闵云良

吴江市广播电视台
台长：钱俊

海安县广播电视台
台长：郑华

如皋市广播电视台
台长：黄建龙

如东县广播电视台
台长：冷昕

通州市广播电视台
台长：袁卫平

海门市广播电视台
台长：周洪斌

启东市广播电视台
台长：刘程辉

赣榆县广播电视台
台长：徐健

东海县广播电视台
台长：贾江远

灌云县广播电视台
台长：冯苏明

灌南县广播电视台
台长：相海龙

洪泽县广播电视台
台长：唐兆波

盱眙县广播电视台
台长：葛云

金湖县广播电视台
台长：何如淦

涟水县广播电视台
台长：张绍清

淮安市楚州区广播电视台
台长：孟鸽成

淮安市淮阴区广播电视台
台长：严祖斌

东台市广播电台、电视台
台长：颜宝江

大丰市广播电视台
台长：叶玉存

建湖县广播电视台
台长：乔宗瑞

射阳县广播电视台
台长：嵇永法

阜宁县广播电视台
台长：蔡卫国

滨海县广播电视台
台长：沈光祥

响水县广播电视台
台长：戴强国

盐城市盐都区广播电视台
台长：刘旭

盐城市亭湖区广播电视台
台长：芮锦堂

江都市广播电视台
台长：李琴

高邮市人民广播电台、电视台
台长：朱震

宝应县广播电视台
台长：吉沐和

仪征市广播电视台
台长：徐兵

丹阳市广播电视台
台长：黄玉明

句容市广播电视台
台长：陈武生

扬中市广播电视台
台长：郭廉俊

镇江市丹徒区广播电视台
台长：步履平

镇江市京口区广播电视台
台长：冷小惠

镇江市润州区广播电视台
台长：贺永欣

姜堰市广播电视台
台长：黄跃华

泰兴市广播电视台
台长：俞南松

靖江市广播电视台
台长：刘振宇

兴化市广播电视台
台长：瞿平

沭阳县广播电视台
台长：王黎黎

泗阳县广播电视台
台长：王东成

泗洪县广播电视台
台长：赵勇

宿州市宿豫区广播电视台
台长：张海明

宿州市宿城区广播电视台
台长：王新春

浙江省

浙江省广播电视局
主要领导：林吕建
地址：杭州市莫干山路111号
电话：(0571) 88077050
邮编：310012
网址：http://www.zrt.gov.cn/

浙江电台、浙江电视台
主要领导：王同元
地址：杭州市莫干山路111号
电话：(0571) 56352208
邮编：310005
网址：http://www.cztv.com.cn/

杭州文化广电新闻出版局
主要领导：陈建一
地址：杭州市文二路268号

杭州广播电视台
主要领导：王玉明
地址：杭州市环城北路139号

温州市文化广电新闻出版局
主要领导：瞿纪凯
地址：温州市行政管理中心19楼

温州广播电视台
主要领导：潘银宝
地址：温州新城大道39号广播电视中心

嘉兴市文化广电新闻出版局
主要领导：王鸣霞
地址：嘉兴市中山西路216号

嘉兴广播电视台
主要领导：张林江
地址：嘉兴市东升西路188号

湖州市文化广电新闻出版局
主要领导：侯水建
地址：湖州市行政中心四号楼

湖州广播电视台
主要领导：吴宝宏
地址：湖州市新华路628号

绍兴市文化广电新闻出版局
主要领导：邵田田
地址：绍兴市胜利东路113号

绍兴广播电视台
主要领导：黄松保
地址：绍兴市延安东路508号

金华市文化广电新闻出版局
主要领导：杨鸽声
地址：金华市双龙南街801号

金华广播电视台
主要领导：朱连芳
地址：华市人民西路238号

衢州市广播电视局
主要领导：郑奇平
地址：衢州市新桥街开明坊9号

衢州广播电视台
主要领导：徐晓谷
地址：衢州市新安路8号

台州市文化广电新闻出版局
主要领导：戴康年
地址：台州市电信大楼C区六楼（台州市政府第二办公区）

台州广播电视台
主要领导：吕新景
地址：台州经济开发区中心大道315号

舟山市文化广电新闻出版局
主要领导：陈海克
地址：舟山市定海海山路35号

舟山广播电视台
主要领导：蒋志伟
地址：定海昌国路135号

丽水市文化体育广播电视局
主要领导：陈志雄
地址：丽水市解放街288号

丽水广播电视电台
主要领导：戴邦和
地址：丽水市括苍路599号

杭州市萧山区广播电视台
主要领导：裘超

杭州市余杭区广播电视台
主要领导：王跃建

富阳市广播电视台
主要领导：张彩霞

桐庐县广播电视台
主要领导：江华军

临安市广播电视台
主要领导：高吉亚

建德市广播电视台
主要领导：叶志忠

淳安县广播电视台
主要领导：洪善富

宁波市北仑区广播电视中心
主要领导：黄海伟

宁波市镇海区广播电视站
主要领导：李静

宁波市鄞州区广播电视台
主要领导：夏梦华

慈溪市广播电视台
主要领导：张伯传

余姚市广播电视台
主要领导：胡伟舫

奉化市广电中心
主要领导：林峰

宁海县广播电视台
主要领导：陈剑飞

象山县广播电视台
主要领导：周猛进

瑞安市广播电视台
主要领导：林国华

乐清市广播电视台
主要领导：郑晓峰

永嘉县广播电视台
主要领导：余哲春

洞头县广播电视台
主要领导：唐贤团

平阳县广播电视台
主要领导：郑梦

苍南县广播电视局
主要领导：白直营

文成县广播电视台
主要领导：赵建平

泰顺县广播电视台
主要领导：张建军

嘉善县广播电视台
主要领导：杨善岗

平湖市广播电视台
主要领导：计福明

海盐县广播电视台
主要领导：董国梁

海宁市广播电视台
主要领导：贾伟林

桐乡市广播电视台
主要领导：赵学祥

长兴县广播电视台
主要领导：吴再根

德清县广播电视台
主要领导：王金荣

安吉县广播电视台
主要领导：赵明达

绍兴县广播电视台
主要领导：刘　斌

诸暨市广播电视台
主要领导：何枫

上虞市广播电视台
主要领导：陈祥龙

嵊州市广播电视台
主要领导：张元

新昌县广播电视台
主要领导：杨立群

兰溪市广播电视台
主要领导：张裕林

武义县广播电视台
主要领导：周丹

永康市广播电视局
主要领导：陈兴远

义乌市广播电视台
主要领导：王培忠

东阳市广播电视台
主要领导：斯武民

浦江县广播电视台
主要领导：于萌芽

磐安县广播电视台
主要领导：吕为苗

衢州市衢江区广播电视台
主要领导：方根华

江山市广播电视台
主要领导：胡韶良

常山县广播电视台
主要领导：童辛

开化县广播电视台
主要领导：段月水

龙游县广播电视台
主要领导：应敏

台州市黄岩区广播电视台
主要领导：任民安

临海市广播电视台
主要领导：林玉辉

三门县广播电视台
主要领导：高贤兴

天台县广播电视台
主要领导：张建伟

温岭市广播电视台
主要领导：黄准

仙居县广播电视台
主要领导：章海量

玉环县广播电视台
主要领导：陈文娟

普陀区广播电视台
主要领导：刘健民

岱山县广播电视台
主要领导：吴凯丰

嵊泗县广播电视台
主要领导：方延安

遂昌县广播电视台
主要领导：赖信强

松阳县广播电视台
主要领导：郭心葆

景宁畲族自治县广播电视台
主要领导：周光平

云和县广播电视台
主要领导：黄文龙

龙泉市广播电视台
主要领导：项世才

庆元县广播电视台
主要领导：吴日彬

青田县广播电视台
主要领导：蒋庆生

缙云县广播电视台
主要领导：卢理洪

安徽省

安徽省广播电影电视局
主要领导：张苏洲
地址：合肥市桐城南路355号
电话：(0551)3418321
邮编：230022
网址：www.ahgd.gov.cn

安徽人民广播电台
台长：温振超
地址：合肥市桐城南路355号
电话：(0551)3458809
邮编：230066

网址：www.ahradio.com.cn

安徽电视台
台长：张苏洲
地址：合肥市桐城南路355号
电话：(0551)3414074
邮编：230066
网址：www.ahtv.cn

合肥市文化广电新闻出版局
主要领导：姚卫东
地址：合肥市东流路100号

合肥人民广播电台
主要领导：陈强
地址：合肥市荣事达大道114号

合肥电视台
主要领导：李忠阳
地址：合肥市金寨路九州大厦

淮北市广播电视局
主要领导：高景权
地址：淮北市淮海东路336号

淮北人民广播电台
主要领导：武仲连
地址：淮北市淮海东路336号

淮北电视台
主要领导：张书华
地址：淮北市淮海东路336号
电话：(0561)3022234

亳州市文化广播电视局
主要领导：葛生
地址：亳州市行政中心

亳州广播电视台
主要领导：李骏　陈亮
地址：亳州市人民中路广电大楼

宿州市广播电视局
主要领导：徐殿强
地址：宿州市淮河中路200号

宿州人民广播电台
主要领导：马杰
地址：宿州市淮河路宿州广播电视中心

宿州电视台
主要领导：王福京
地址：宿州市淮河路宿州广播电视中心

蚌埠市广播电视局
主要领导：李廉民
地址：蚌埠市胜利东路广电中心

蚌埠人民广播电台
主要领导：陈臻
地址：蚌埠市胜利东路广电中心B座

蚌埠电视台
主要领导：田晓东
地址：蚌埠市胜利东路广电中心A1座

阜阳市广播电视局
主要领导：漆德安
地址：阜阳市一道河中路58号

阜阳人民广播电台
主要领导：海阳
地址：阜阳市颍州北路73号

阜阳电视台
主要领导：张洪
地址：阜阳市一道河中路58号

淮南市广播电视局
主要领导：吴新华
地址：淮南市洞山中路11号

淮南人民广播电台
主要领导：汤淮成（主持工作）
地址：淮南市洞山中路11号

淮南电视台
主要领导：吴新华
地址：淮南市洞山中路11号

滁州市广播电视局
局长：臧连明
地址：滁州市经济技术开发区会峰大厦

滁州人民广播电台
台长：吕军民（主持工作）
地址：滁州市经济技术开发区会峰大厦

滁州电视台
台长：徐宏耀
地址：滁州市经济技术开发区会峰大厦

六安市广播电视局
主要领导：潘升东
地址：六安市梅山南路广电中心

六安人民广播电台
主要领导：张兵
地址：六安市梅山南路广电中心

六安电视台
主要领导：潘升东
地址：六安市梅山南路广电中心

马鞍山市广播电视局
主要领导：秦北城
地址：马鞍山市雨山中路46号

马鞍山人民广播电台
主要领导：马振亚
地址：马鞍山市雨山中路46号

马鞍山电视台
主要领导：秦北城
地址：马鞍山市雨山中路46号

巢湖市广播电视局
主要领导：罗国新
地址：巢湖市东风路436号

巢湖人民广播电台
主要领导：刘晓曦
地址：巢湖市东风路436号

巢湖电视台
主要领导：曹浩东（主持工作）
地址：巢湖市团结路86号

芜湖市文化委员会
主要领导：宋建华
地址：芜湖市北京东路237号

芜湖市广播电视总台
主要领导：何向阳
地址：芜湖市北京东路197号

宣城市广播电视局
主要领导：徐费嘉
地址：宣城市状元路10号

宣城市广播电视总台
主要领导：徐费嘉
地址：宣城市状元路10号

铜陵市广播电视局
主要领导：侯化林
地址：铜陵市义安大道北段501号

铜陵人民广播电台
台长：李云
地址：铜陵市义安大道北段501号

铜陵电视台
台长：章礼华
地址：铜陵市义安大道北段501号

池州市广播电视局
主要领导：檀继来
地址：池州市秋浦东路广电中心

池州人民广播电台
主要领导：彭熙宏
地址：池州市秋浦东路广电中心

池州电视台
主要领导：檀继来
地址：池州市秋浦东路广电中心

安庆市文化广电新闻出版局
主要领导：苏斌
地址：安庆市孝肃路210号

安庆人民广播电台
主要领导：吴松
地址：安庆市关岳街45号

安庆电视台
主要领导：苏斌
地址：安庆市孝肃路256号

黄山市广播电视局
主要领导：杨扬
地址：黄山市屯溪区天都大道9号

黄山人民广播电台
主要领导：孙水斌
地址：黄山市屯溪区天都大道9号

黄山电视台
主要领导：杨扬
地址：黄山市屯溪区天都大道9号

福建省

福建省广播电视局
局长：翁星
地址：福州市古田路2号
电话：(0591) 83310943
邮编：350001
网址：www.fjgd.gov.cn

福建省广播影视集团
董事长：舒展
地址：福州市古田路2号
电话：83315198
邮编：350001
网址：www.home.fjtv.net

福州市广播电视局
局长：陈燕
地址：福州市远洋路1号

福州电视台
台长：余作尧
地址：福建省福州市晋安区远洋路1号

福州人民广播电台
台长：曹金旺
地址：福建省福州市晋安区远洋路1号

泉州市广播电视局
局长：张镇国
地址：泉州市广电路1号广电大楼

泉州电视台
台长：吴建生
地址：泉州市广电路1号广电大楼

泉州人民广播电台
台长：林培煌
地址：泉州市广电路1号广电大楼

漳州市广播电视局
局长：陈燕松
地址：漳州市广播电视中心大楼14楼

漳州电视台
台长：陈燕松
书记：孙卫
地址：漳州市广播电视中心大楼8楼

漳州人民广播电台
台长：周龙鹏
地址：漳州市广播电视中心大楼11楼

龙岩市广播电视局
局长：张荣辉
地址：龙岩市和平路62号

龙岩电视台
台长：杨杰
地址：龙岩市和平路62号

龙岩人民广播电台
副台长：陈在腾（主持工作）
地址：龙岩市和平路62号

宁德市广播电视局
局长：黄少姿
地址：宁德市东东侨开发区天湖东路10号

宁德电视台
台长：邢常葆
地址：宁德市东东侨开发区天湖东路10号

宁德人民广播电台
台长：邢常葆
地址：宁德市东东侨开发区天湖东路10号

南平市广播电视局
局长：陈健
地址：南平市八一路439号政府大楼六层

南平广播电视台
台长：陈毅达
书记：姚荣
地址：南平市胜利街142号

福清市广播电视台
台长：陈士桐

长乐市广播电视台
台长：高鸿洲

闽侯县广播电视台
台长：肖本工

连江县广播电视台
台长：郑勇

罗源县广播电视台
台长：林建坚

永泰县广播电视台
台长：涂希平

闽清县广播电视台
台长：田忠跃

平潭县广播电视台
台长：方昌云

泉港区广播电视台
台长：郭丹红

石狮市广播电视台
台长：薛文华

晋江市广播电视台
台长：苏延辉

南安市广播电视台
台长：李灿阳

惠安县广播电视台
台长：许嵘山

安溪县广播电视台
台长：王琤邦

永春县广播电视台
台长：林元福

德化县广播电视台
台长：彭文良

龙海市广播电视台
台长：林兆明

漳浦县广播电视台
台长：苏英纶

云霄县广播电视台
台长：吴思敏

东山县广播电视台
台长：李志勇

诏安县广播电视台
台长：张育纯

南靖县广播电视台
台长：游南忠

平和县广播电视台
台长：林艺文

华安县广播电视台
台长：邹海山

长泰县广播电视台
台长：黄云辉

永定电视台
副台长：游锦红（主持工作）

永定人民广播电台
台长：赖丽红

上杭县广播电视台
台长：赖明章

武平广播电视台
台长：林河寿

漳平广播电视台
台长：易明金

连城县广播电视台
台长：黄强

长汀广播电视台
台长：林渊

古田县广播电视台
台长：黄祖超

屏南县广播电视台
台长：周荣海

周宁县广播电视台
台长：张仙送

寿宁县广播电视台
台长：王大金

福安市广播电视台
台长：林福亨

柘荣县广播电视台
台长：杨伟雄

福鼎市广播电视台
台长：李中仁

霞浦县广播电视台
台长：陈健锋

邵武市广播电视台
台长：唐永亮

武夷山市广播电视台
台长：崔雷明

建瓯市广播电视台
台长：黄寒辉

建阳市广播电视台
台长：黄云

顺昌县广播电视台
台长：郭林旺

浦城县广播电视台
台长：肖学强

光泽县广播电视台
台长：高明山

松溪县广播电视台
台长：张世章

政和县广播电视台
台长：陈修言

江西省

江西省广播电视局
局长：黄晔明
地址：南昌市洪都中大道207号
电话：（0791）8321168（局总机）
邮编：330046
网址：www.jxgdw.com

江西人民广播电台
台长：龚邦国
地址：南昌市洪都中大道207号
电话：（0791）8337894（台办公室）
邮编：330046
网址：www.jxgdw.com/jxgbdt

江西电视台
台长：杨玲玲
地址：南昌市洪都中大道207号
电话：（0791）8337945（台办公室）
邮编：330046
网址：www.CJXTV.com

南昌市广播电视局
局长、党委书记：王国昌
地址：红谷滩绿茵路广电中心大楼

南昌人民广播电台
台长：徐洪伟
地址：红谷滩绿茵路广电中心大楼

南昌电视台
台长：王国昌
地址：红谷滩绿茵路广电中心大楼

九江市广播电视局
局长：杨鸿敏
党组书记：董群
地址：九江市长虹大道84号

九江人民广播电台
台长：江规亲
党支部书记：何绍元
地址：九江市长虹大道84号

九江电视台
台长：董群（兼）
党支部书记：陈新刚
地址：九江市长虹大道84号

景德镇市广播电视局
党组书记、局长：钱鸣华
地址：景德镇市瓷都大道1073号

景德镇市广播电视台
台长：曹济仁
地址：景德镇市瓷都大道1073号

萍乡市广播电视局
党组书记、局长：谭小燕
地址：萍乡市滨河西路江湾里

萍乡人民广播电台
台长：李文进
地址：萍乡市滨河西路江湾里

萍乡电视台
台长：孙建生
地址：萍乡市滨河西路江湾里

新余市广播电视局
党组书记、局长：万晓明
地址：新余市仙来中大道49号

新余市人民广播电台
党组成员、台长：郭敏
党支部书记：曾建国
地址：新余市仙来中大道49号

新余市电视台
党组成员、党支部书记：简志坚
台长：刘友言、王晓峰
地址：新余市仙来中大道49号

鹰潭市广播电视局
党组书记、局长：周佐明
地址：鹰潭市月湖区建设路3号

鹰潭人民广播电台
副台长：周江怀（主持工作）
地址：鹰潭市月湖区建设路3号

鹰潭电视台
台长：汪白杨
地址：鹰潭市月湖区建设路3号

赣州市广播电视局
党组书记、局长：钟家伟
总编辑：张菁
地址：赣州市赣江源大道中段

赣州人民广播电台
台长：刘卫国
地址：赣州市赣江源大道中段

赣州电视台
台长：曾凡才
书记：万义明
地址：赣州市赣江源大道中段

宜春市广播电视局
党组书记、局长：闵潜志
地址：宜春市文体路146号

宜春人民广播电台
台长：王向东
地址：宜春市文体路146号

宜春电视台
台长：胡辛会
地址：宜春市文体路146号

上饶市广播电视局
市委宣传部副部长、局长：邓少华
地址：上饶市胜利路19号

上饶人民广播电台
台长：周良明
地址：上饶市胜利路19号

上饶电视台
台长：吴广山
书记：盛璆
地址：上饶市胜利路19号

吉安市广播电视局
党组书记、局长：曾富善
地址：吉安市吉州区北门街19号

吉安人民广播电台
台长：刘琼
地址：吉安市吉州区北门街19号

吉安电视台
台长：彭培述
地址：吉安市吉州区北门街19号

抚州市广播电视局
党组书记、局长：杨大进
地址：抚州市临川大道228号

抚州人民广播电台
台长：袁志鸿
地址：抚州市临川大道228号

抚州电视台
台长：吴乐明
地址：抚州市临川大道228号

南昌县广播电视台
台长、书记：赵腾益

新建县广播电视台
台长：程小鹿

进贤县广播电视台
台长：胡铁锋

安义县广播电视台
台长：刘珠

庐山区广播电视站
站长：张桂芳

九江县广播电视台
台长：叶忠超

瑞昌市广播电视台
台长：柯红斌

武宁县广播电视台
台长：柯亨达

修水县广播电视台
台长：祝俊新

湖口县广播电视台
台长：陈美清

都昌县广播电视台
台长：汪会利

彭泽县广播电视台
台长：戴荣阳

星子县广播电视台
台长：朱刚

庐山人民广播电台
副台长：涂长林

永修县广播电视台
台长：詹美英

德安县广播电视台
台长：李拥军

安源区广播电视台
台长：易显奇

湘东区广播电视台
台长：刘影

芦溪县广播电视台
台长：彭日阳

上栗县电视台
台长：黄绍良

莲花县广播电视台
台长：谭慧军

乐平市广播电视台
台长：程凤鸣

浮梁县广播电视台
台长：殷文杰

分宜县广播电视台
台长：余义宏

渝水区广播电视台
台长：董秋生

贵溪市广播电视台
台长：周青春

余江县广播电视台
台长：陈相元

章贡区广播电视台
台长:张跃

赣县广播电视台
台长：李锡忠

上犹县广播电视台
台长：曾少兵

崇义县广播电台
台长：王国平

南康市广播电视台
台长：阳先祥

大余县广播电视台
台长： 蔡云捷

龙南县广播电视台
台长：廖京振

全南县广播电视台
台长：朱卫平

定南县广播电视台
台长：钟素平

寻乌县广播电视台
台长：潘小强

于都县广播电视台
台长：胡 华

兴国县广播电视台
台长：李志龙

会昌县广播电视台
台长：廖红波

安远县广播电视台
台长：黄工华

宁都县广播电视台
台长：赖圣

石城县广播电视台
台长：廖小斌

瑞金市广播电视台
台长：黄涛

信丰县广播电视台
台长：徐献忠

袁州区电视新闻中心
主任：李刚

高安市广播电视台
台长：胡祖华

上高县广播电视台
广播台长：潘向明
电视台长：陈安希

樟树市广播电视台
广播台长：祝祖敏
电视台长：李清平、郭洪

奉新县广播电视台
台长：张晓峰

铜鼓县有线广播电视台
台长：张清本

靖安县广播电视台
广播台长：吴运星
电视台长：周金意

丰城市广播电视台
台长：冯树玲

万载县广播电视台
台长：郭基平

宜丰县广播电视台
台长：张伟群

上饶县广播电视台
台长：陈剑

玉山县广播电视台
台长：周晖

玉山县广播电台
台长：毛文飞

横峰县有线电视台
台长：王光辉

横峰县广播电台
台长：张拥军

德兴市广播电视台

台长：童林武

婺源县广播电视台
台长：程阳春

万年县广播电视台
台长：黄怀林

鄱阳电视转播台
台长：陈慧斌

余干县广播电视台
台长：崔永泉

铅山广播电视台
台长：王新红

弋阳广播电视台
台长：刘喜

广丰县广播电视台
台长：吕红飞

新干县广播电视台
台长：聂晓荣、张晓云

峡江县广播电视台
台长：刁凡民

永丰县广播电视台
台长：陈义昌

吉水县电视台
台长：刘麓峰

吉水县广播站
台长：夏军平

吉安县广播电视台
台长：胡文昌

泰和电视台
台长：康文龙

泰和广播电台
台长：康文龙

遂川县广播电视台
台长：余安生

永新县广播电视台
台长：刘仁发

安福县广播电视台
台长：刘安锋

井冈山广播电视台
台长：刘中明

临川区广播电视台
台长：章登文

崇仁县广播电视台
台长：章冠华

乐安县广播电视台
台长：陈立新

宜黄县广播电视台
台长：罗文利

南丰县广播电视台
台长：迟向东

黎川县广播电视台
台长：邓歌东

南城县广播电视台
台长：崔钟义

金溪县广播电视台
台长：江伟华

广昌县广播电视台
台长：谢昌健

东乡县广播电视台
台长：李伯平

资溪县广播电视台
台长：肖满霞

山东省

山东省广播电视局
(山东省广播电视总台)
党组书记、局长：刘长允
地址：济南市经十路81号
电话：(0531) 85036212
邮编：250062

山东人民广播电台
台长：李志毅
地址：济南市经十路81号
电话：(0531) 85036301
邮编：250062
网址：www.sdgb.com

山东电视台
台长：韩国强
地址：济南市经十路81号
电话：(0531) 85036711
邮编：250062

济南市广播电视局
党委书记、局长、电视台台长：张锋
地址：济南市经十路81号

青岛市广播电视局
党委书记：张相逢
局长、台长：楼树军
总编辑：胡滨
地址：青岛市宁夏路200号

烟台市广播电视局（台）
党委书记、局长:郑云
地址：烟台市芝罘区青年路50号

威海市广播电视台（局）
党委书记、台（局）长 ：刘新波
地址：威海市文化中路66号

淄博市广播电视总台（局）
党委书记、台(局)长：吴兆金
地址：淄博市张店区华光路52号广电大厦

淄博人民广播电台
台长：赵立新
地址：淄博市张店区华光路52号广电大厦

淄博电视台
台长：徐和峰
地址：淄博市张店区华光路52号

潍坊市广播电视局（总台）
局（台）长：钟耕民
党委书记：姜言义
地址：潍坊市胜利东街85号

潍坊人民广播电台
台长：杜涛
地址：潍坊市东风东街248号

潍坊电视台
台长：孟毅
地址：潍坊市胜利东街85号

临沂市广播电视局
党组书记、局长：张景智
地址：临沂市金雀山路21号

临沂人民广播电台
台长：刘相仕
地址：临沂市金雀山路21号

临沂电视台
台长：周鲁超
地址：临沂市兰山区金雀山路21号

日照市广播电视局
党委书记、局长、台长：赵斌
地址：日照市烟台路179号

济宁市广播电视局(台)
党委书记、局(台)长：李进普
地址：济宁市常青路9号

枣庄市广播电视局
局长：张冠中
地址：枣庄市光明西路88号

枣庄人民广播电台
台长：张永伟
地址：枣庄市光明西路88号

枣庄电视台
台长：程伟
地址：枣庄市光明西路88号

泰安市广播电视局（台）
局（台）长、党组书记：袁久亮

地址：泰安市迎暄大街200号

莱芜市广播电视局
局长、党委书记：任旭东
地址：莱芜市高新区汶河大道001号

东营市广播电视局
书记、局长：马洪军
地址：东城南一路260号

东营人民广播电台
台长：郑福华
地址：东城南一路260号

东营电视台
台长：韩祥明
地址：东城南一路260号

滨州市广播电视局
书记、局长：殷炳明
地址：滨州市黄河五路358号

滨州人民广播电台
台长：沈宝明
地址：滨州市黄河五路358号

滨州电视台
台长：殷炳明
地址：滨州市黄河五路358号

德州市广播电视局
局长，党组书记：赵泉江
地址：德州市德城区东方红路 64号

聊城市广播电视局(台、网)
党组书记、局长、台长： 路仕佼
地址：聊城市柳园路北首

菏泽市广播电视局
局（台）长：刘付德
地址：菏泽市中华路1428号

河南省

河南省广播电影电视局
书记、局长：赵景春
地址：郑州市经五路2号
电话：(0371)65889016
邮编：450003

河南人民广播电台
台长：赖谦进
地址：郑州市经五路2号
电话：(0371)65932900
邮编：450003

河南电视台
台长：周绍成
地址：郑州市郑花路18号
电话：(0371)65888911
邮编：450003

郑州市广播电视局
局长：冯留卷
地址：郑州市淮河路67号

郑州人民广播电台
台长：丁国宇
地址：郑州市淮河路67号

郑州电视台
台长：于运强
地址：郑州市淮河路67号

开封市广播电视局
局长：张新梅
地址：开封市宋城路78号

开封人民广播电台
副台长（主持工作）：苏长海
地址：开封市宋城路78号

开封电视台
副台长（主持工作）：杜连喜
地址：开封市宋城路78号

洛阳市广播电视局
局长：王宇振
地址：洛阳市九都路67号

洛阳人民广播电台
台长：黄动生
地址：洛阳市九都路67号

洛阳电视台
台长：李余良
地址：洛阳市九都路67号

安阳市广播电视局
局长：李俊国
地址：安阳市文峰大道中段

安阳人民广播电台
台长：贾文娟
地址：安阳市文峰大道中段

安阳电视台
台长：宋全建
地址：安阳市文峰大道中段

平顶山市广播电视局
局长：张留成
地址：平顶山建设路东段广电大厦

平顶山广播中心
主任：李祥钦
地址：平顶山建设路东段广电大厦

平顶山广电新闻中心
主任：郭良
地址：平顶山建设路东段广电大厦

鹤壁市广播电视局
台长：靳廷学
地址：鹤壁市开发区华山路

鹤壁人民广播电台
台长：付尚国
地址：鹤壁市开发区华山路

鹤壁电视台
台长：叶成民
地址：鹤壁市开发区华山路

濮阳市广播电视局
局长：王魁英
地址：濮阳市政府综合楼

濮阳人民广播电台
台长：卢范生
地址：濮阳市中原路379号

濮阳电视台
台长：李社民
地址：濮阳市中原路379号

新乡市广播电视局
局长：刘良恩
地址：新乡市平原路337号

新乡人民广播电台
台长：张冰霞
地址：新乡市人民路73号

新乡电视台
台长：李宝琴
地址：新乡市平原路439号

焦作市广播电视局
局长：刘铭
地址：焦作市解放中路217号

焦作市广播中心
主任：王江红
地址：焦作市解放中路217号

焦作市广电局时政新闻中心
主任：田金军
地址：焦作市解放中路217号

焦作市广电局社会新闻中心
主任：赵文轩
地址：焦作市解放中路217号

南阳市广播电视局
局长：张恂
地址：南阳市七一路

南阳人民广播电台
台长：陈建明
地址：南阳市伏牛路

南阳电视台
台长：田岭
地址：南阳市滨河路

许昌广播电视局
局长：王书章
地址：许昌市文峰路50号

许昌人民广播电台
台长：马中光
地址：许昌市小南海

许昌电视台
台长：孙运民
地址：许昌市八一路东段

漯河市广播电视局
局长：韩宏
地址：漯河市文化路19号

漯河人民广播电台
台长：权超
地址：漯河市大学路

漯河电视台
台长：张圣义
地址：漯河市大学路

驻马店市广播电视局
局长：杜金成
地址：驻马店市文化路49号

驻马店人民广播电台
台长：姜亚伟
地址：驻马店市文明路209号

驻马店电视台
台长：崔强
地址：驻马店市文化路57号

三门峡市广播电视局
副局长（主持工作）：石创
地址：三门峡市文明路西段

三门峡人民广播电台
台长：李挺俊
地址：三门峡市建设中路

三门峡电视台
台长：孔辉
地址：三门峡市大岭路北段

周口市广播电视局
局长：吕自申
地址：周口市六一路北段21号

周口人民广播电台
台长：杜发光
地址：周口市建设路东段10号

周口电视台
台长：王海山
地址：周口市荷花南路3号

信阳市广播电视局
局长：付卫
地址：信阳市107国道广电大厦

信阳人民广播电台
台长：张华
地址：信阳市107国道广电大厦

信阳电视台
台长：赵朝阳
地址：信阳市107国道广电大厦

商丘市广播电视局
局长：王义军
地址：商丘市新建南路35号

商丘人民广播电台
台长：刘道明
地址：商丘市新建南路35号

商丘电视台
台长：戴明
地址：商丘市文化中路272号

济源市广播电视局
局长：李培献
地址：济源市文昌南路293号

济源人民广播电台
台长：孙凤君
地址：济源市文昌南路293号

济源电视台
台长：李培献
地址：济源市文昌南路293号

巩义市广播电视台
台长：邢亚飞

新密市广播电视台
台长：王卓民

登封市电台
台长：岳继红

登封市电视台
台长：张松峰

荥阳电台
台长：杨玉川

荥阳电视台
台长：李建宏

郑州市上街区电视台
台长：姚民

郑州市上街区广播站
站长：阎连旺

中牟县电台
台长：胡云峰

中牟县电视台
台长：冉顺昌

新郑市广播电视台
台长：李留建

开封县广播电视台
台长：张华

尉氏县电台
台长：黄建军

杞县电台
台长：李勇奇

通许县电台
台长：郭凯

兰考县广播电视台
台长：杜玉斌

偃师市电台
台长：王姣玲

偃师市电视台
台长：籍豫生

孟津县电台
台长：吉耀龙

孟津县电视台
台长：刘转

新安县电台
台长：王杏花

新安县电视台
台长：游国良

宜阳县电台
台长：李大威

宜阳县电视台
台长：致敬伟

洛宁县电台
常务副台长：郑宇飞

洛宁县电视台
常务副台长：丁波

伊川县广播电视台
台长：赵秋変

汝阳县电台
台长：叶永泉

汝阳县电视台
台长：李宏伟

嵩县电视台
台长：李滇薇

栾川县电台
台长：张玉峰

栾川县电视台
台长：徐华品

沁阳市广播电视台
台长：魏万结

孟州市电台
台长：高宏

孟州市电视台
台长：汤红旗

博爱县广播电视台
台长：张晓军

修武县广播电视台
台长：梅思明

武陟县电台
台长：崔斌

武陟县电视台
台长：谢小湖

温县电台
台长：王爱平

温县电视台
副台长：朱江

平顶山湛河区电台
台长：李强

平顶山石龙区广播电视台
台长：谢玉娥

汝州市广播电视台
台长：路国胜

舞钢市广播电视台
台长：范桂林

叶县电台
台长：万兆林

叶县电视台
台长：王延昭

郏县电台
台长：邵华

郏县电视台
台长：李为刚

宝丰县广播电视台
台长：王文杰

鲁山县电台
台长：马伟

浚县电台
台长：崔改琴

淇县电视台
台长：冯成仕

濮阳县广播电视台
台长：孙俊云

南乐县广播电视台
台长：秦纪锁

台前县广播电视台
台长：刘兴春

清丰县广播电视台
台长：纪敬民

范县广播电视台
台长：董永霞

临颍市电台
台长：张志武

临颍市电视台
台长：黄勇

舞阳市电台
台长：武彦芳

舞阳市电视台
台长：李晓波

安阳市龙安区广播电视台
台长：田培勋

林州市广播电视台
台长：刘凤山

安阳县电台
台长：任桂霞

安阳县电视台
台长：郭明顺

汤阴县广播电视台
台长：张晓伟

内黄县电台
台长：王红

内黄县电视台
台长：赵海明

滑县广播电视台
台长：许业

许昌县广播电视台
台长：贾鹏

禹州市电台
台长：李冠昌

禹州市电视台
台长：马富荣

长葛市广播电视台
台长：杨荫阁

鄢陵县广播电视台
台长：陈继伟

襄县电视台
台长：李宏昌

南阳市卧龙区电台
台长：路阳

南阳市宛城区电台
台长：王喜磊

邓州市广播电视台
台长：周光功

桐柏县电台
台长：刘献民

桐柏县电视台
台长：董柯洋

镇平县电台
台长：李莹

镇平县电视台
台长：李伟

方城县广播电视台
台长：徐继伟

新野县广播电视台
台长：庄廷荣

内乡县电台
台长：刘照杰

内乡县电视台
台长：张春晓

淅川县电台
台长：熊君平

淅川县电视台
台长：李建

西峡县电台
台长：李鑫

西峡县电视台
台长：李松

社旗县广播电视台
台长：杨清良

唐河县广播电视台
台长：樊文林

南召县广播电视台
台长：李显姗

陕县电台
台长：谢则功

陕县电视台
台长：陈财旺

卢氏县电台
台长：刘晓燕

卢氏县电视台
台长：任耀榜

渑池县电台
台长：范江华

渑池县电视台
台长：董优军

义马市广播电视台
台长：董伟军

灵宝市电台
台长：程迎春

灵宝市电视台
台长：姚全义

罗山县广播电视台
台长：陈安民

息县广播电视台
台长：王新华

淮滨县广播电视台
台长：周杰

潢川县广播电视台
台长：曾树新

固始县广播电视台
台长：刘孝刚

光山县广播电视台
台长：文豫光

新县广播电视台
台长：黄成军

商城县广播电视台
台长：鲁春林

西平县电台
台长：吴原起

西平县电视台
台长：张宏

遂平县广播电视台
台长：李中山

新蔡县广播电视台
台长：杨超群

上蔡县广播电视台
台长：赵新旺

平舆县广播电视台
台长：梁洪轩

汝南县广播电视台
台长：刘建华

正阳县广播电视台
台长：孟凡军

泌阳县广播电视台
台长：王水洲

确山县广播电视台
台长：赫艳丽

太康县广播电视台
台长：李锐功

商水县电台
台长：黄夏

商水县电视台
台长：韩德昌

项城市电台
台长：田丰

项城市电视台
台长：张荐伟

西华县电台
台长：徐山林

西华县电视台
台长：金来山

扶沟县广播电视台
台长：杨长海

郸城县电台
台长：张可忠

郸城县电视台
台长：张成碧

淮阳县广播电视台
台长：齐玉珍

沈丘县电台
台长：王志才

沈丘县电视台
台长：李彬

鹿邑县广播电视台
台长：刘杰

周口市泛区电台
台长：张凤祥

周口市泛区电视台
台长：张大愚

永城市电台
台长：窦月华

永城市电视台
台长：江晓华

宁陵县广播电视台
台长：王今朝

睢县广播电视台
台长：王宝训

虞城县广播电视台
台长：张善民

民权县电台
台长：贾世明

民权县电视台
台长：张玉栋

柘城县电台
台长：董付华

柘城县电视台
台长：张建华

夏邑县电台
台长：祁巍

夏邑县电视台
台长：卢子平

卫辉市广播电视台
台长：胡玉新

封丘县电台
台长：高科

封丘县电视台
台长：高永庆

延津县广播电视台
台长：唐有朝

长垣县广播电视台
台长：吴民献

原阳县广播电视台
台长：杨桂记

新乡县电台
台长：吕书亮

新乡县电视台
台长：魏林

辉县市电台
台长：彭连江

辉县市电视台
台长：刘永军

获嘉县广播电视台
台长：徐杰

湖北省

湖北省广播电视局
主要领导：鲍红志
地址：武汉市武昌区紫金村特 1 号
电话：(027) 87838762 转
邮编 430071
网址：www.hbrtv.gov.cn

湖北省广播电视总台
主要领导：文成国
地址：武汉市武昌区中北路 1 号
电话：(027) 87139660
邮编：430071
网址：www.hbgdzt.com

武汉市广播电视局
主要领导：吕值友
地址：武汉市建设大道 677 号

武汉人民广播电台
主要领导：吕值友
地址：武汉市建设大道 677 号

武汉电视台
主要领导：吕值友
地址：武汉市建设大道 677 号

黄石市广播电视局
主要领导：方晓阳
地址：黄石市团城山广会路

黄石人民广播电台
主要领导：刘锦福
地址：黄石市武汉路 188 号

黄石电视台
主要领导：石瑞岩
地址：黄石市武汉路 188 号

襄樊市广播电视局
主要领导：郑松涛
地址：襄樊市檀溪路200号

襄樊人民广播电台
主要领导：吴敏
地址：襄樊市中山后街177号

襄樊电视台
主要领导：胡继明
地址：襄樊市檀溪路200号

十堰市广播电视局
主要领导：龚涤非
地址：十堰市人民北路3号

十堰人民广播电台
主要领导：龚涤非
地址：十堰市人民北路4号

十堰电视台
主要领导：龚涤非
地址：十堰市人民北路4号

荆州市广播电视局
主要领导：吴代炎
地址：荆州市江津西路266号

荆州人民广播电台
主要领导：陈光灿
地址：荆州市江津西路266号

荆州电视台
主要领导：李海昌、李达炳
地址：荆州市江津西路266号

宜昌市广播电视局
主要领导：吴玲
地址：宜昌市西陵二路25号

宜昌人民广播电台
主要领导：吴玲
地址：宜昌市果园一路2号

宜昌三峡电视台
主要领导：吴玲
地址：宜昌市西陵二路25号

荆门市广播电视局
主要领导：邓宏永
地址：荆门市长宁大道51号

荆门人民广播电台
主要领导：何锋
地址：荆门市象山大道100号

荆门电视台
主要领导：胡耕
地址：荆门市长宁大道51号

鄂州市广播电视局（台）
主要领导：钟文华
地址：鄂州市滨湖西路157号

孝感市广播电视局
主要领导：汤大才
地址：孝感市长征路116号

孝感人民广播电台
主要领导：朱汉卿
地址：孝感市长征路116号

孝感电视台
主要领导：汤大才
地址：孝感市长征路116号

黄冈市广播电视局
主要领导：范从政
地址：黄冈市东门路169号

黄冈人民广播电台
主要领导：邱娅玲
地址：黄冈市东门路169号

黄冈电视台
主要领导：王炼
地址：黄冈市东门路169号

咸宁市广播电视局
主要领导：白柏星
地址：咸宁市温泉路38号

咸宁人民广播电台
主要领导：汪正德
地址：咸宁市温泉路38号

咸宁电视台
主要领导：刘遵腾
地址：咸宁市温泉路38号

随州市广播电视局
主要领导：杨金贵
地址：随州市解放路172号

随州人民广播电台
主要领导：黄万
地址：随州市烈山大道359号

随州电视台
主要领导：陈德军
地址：随州市清河路35号

恩施州广播电视局
主要领导：涂洋轩
地址：恩施市东风大道278号

恩施州广播电视台
主要领导：涂洋轩
地址：恩施市东风大道278号

天门市广播电视局
主要领导：陶国威
地址：天门市钟惺大道16号

天门广播电视台
主要领导：陶国威
地址：天门市钟惺大道16号

潜江广播电视局
主要领导：张才友
地址：潜江市章华南路42号

潜江市广播电视台
主要领导：张才友
地址：潜江市章华南路42号

仙桃市广播电视局
主要领导：刘少军
地址：仙桃市仙桃大道47号

仙桃广播电视台
主要领导：刘少军
地址：仙桃市仙桃大道47号

神农架林区广播电视局
主要领导：尹绪东
地址：林区青扬街10号

襄阳区广播电视局
局长：杨泽文

枣阳市广播电视局
局长：董胜伦

宜城市广播电视局
局长：李云飞

南漳县广播电视局
局长：涂明强

保康县广播电视局
局长：彭宗保

谷城县广播电视局
局长：万志顺

老河口市广播电视局
局长：张国新

丹江口市广播电视局
局长：陈少明

郧县广播电视局
局长：梁建明

郧西县广播电视局
局长：王定福

房县广播电视局
局长：刘世宏

竹山县广播电视局
局长：吴善宏

竹溪县广播电视局
局长：王修明

恩施市广播电视台
台长：桓光华

宣恩县广播电视台
台长：蒋照国

来凤县广播电视台
台长：翁益成

巴东县广播电视台
台长：曹宏森

建始县广播电视台
台长：秦文

咸丰县广播电视台
台长：吴国会

利川市广播电视台
台长：何勇

鹤峰县广播电视台
台长：徐家富

汉川市广播电视局
局长：李光军

安陆市广播电视局
局长：魏春林

安陆市广播电视台
局长：王金平

大悟县广播电视局
局长：胡圣友

大悟县广播电视台
台长：乐耀芬

云梦县广播电视局
局长：汪梦霞

云梦县广播电视台
台长：黄森明

应城市广播电视局
局长：张建国

孝昌县广播电视局
局长：徐金华

孝昌县广播电视台
台长：彭宏伟

夷陵区广播电视局
局长：张鹏

枝江市广播电视局
局长：王少林

宜都市广播电视局
局长：李进

五峰县广播电视局
局长：曾庆福

长阳县广播电视局
局长：漆昌锦

秭归县广播电视局
局长：周立斌

兴山县广播电视局
局长：郝光平

当阳市广播电视局
局长：曹丰华

远安县广播电视局
局长：陈强

广水市广播电视局
局长：汪宏彬

武汉市新洲区广播电视局
局长：霍华先

武汉市黄陂区广播电视局
局长：兰鹰

武汉市江夏区广播电视局
局长：胡光甫

武汉市蔡甸区广播电视局
局长：肖永安

赤壁市广播电视局
局长：刘继明

嘉鱼县广播电视局
局长：刘平

通山县广播电视局
局长：阮友功

崇阳县广播电视局
局长：汪继发

通城县广播电视局
局长：杨伟民

石首市广播电视台
台长：廖红星

公安县广播电视台
台长：刘红

洪湖市广播电视台
台长：张新社

江陵县广播电视台
台长：叶于之

监利县广播电视台
台长：邓自立

松滋市广播电视台
台长：吴林元

京山县广播电视局
局长：丁远光

钟祥市广播电视局
局长：王维佳

沙洋县广播电视局
局长：方辉前

大冶市广播电视局
局长：程国生

阳新县广播电视局
局长：梁勋马

红安县广播电视局
局长：吴文杰

麻城市广播电视局
局长：夏玉郎

英山县广播电视局
局长：王刚

罗田县广播电视局
局长：卢亚荣

黄梅县广播电视局
局长：高国良

武穴市广播电视局
局长：刘堂纪

蕲春县广播电视局
局长：许正清

浠水县广播电视局
局长：华中华

团凤县广播电视局
局长：童安全

湖南省

湖南省广播电视局
书记：魏文彬
局长：魏文彬
地址：湖南省长沙市金鹰影视文化城
电话：0731－4801000
邮编：410003
网址：www.hifly.com

湖南广播影视集团
总经理：欧阳常林
地址：湖南省长沙市金鹰影视文化城
电话：0731－4801006
邮编：410003
网址：www.hifly.com

湖南人民广播电台
书记：谢跃进
台长：王本锡
地址：湖南省长沙市雨花路167号
电话：0731－5547213
邮编：410007
网址：www.hnradio.com

湖南电视台
书记：刘一平
台长：欧阳常林
地址：湖南省长沙市金鹰影视文化城
电话：（0731）4801107
邮编：410003

湖南经济电视台
书记：陈大军
台长：吕焕斌
地址：湖南省长沙市金鹰影视文化城
电话：（0731）4802998

邮编：410003

长沙市广播电视局
书记、局长： 王昌连
地址：长沙市劳动西路237号
电话：(0731) 5142060
邮编：410005

长沙广播影视集团
记、局长： 王昌连
地址：长沙市劳动西路237号
电话：(0731) 5175089
邮编：410005

长沙县广播电视局
局长：刘德华

望城县广播电视局
局长：刘宏伟

浏阳市广播电视局
局长：屈文毅
地址：刘阳市环城路
电话：(0731) 2875111
邮编：410300

宁乡县广播电视局
局长：彭曦明

株洲市广播电视局（总台）
书记、局长、总台台长： 唐群策
地址：株洲市天元区泰山路
电话：(0733) 8820523
邮编：412007

株洲人民广播电台
总监、党支部书记： 苏湘
地址：株洲市建设中路
电话：(0733) 8222101
邮编：412000

醴陵市广播电视局
局长：张光华
地址：醴陵市滨河路49号
电话：(0733) 3232338
邮编：412200

攸县广播电视局
局长：蔡冠华

茶陵县广播电视局
局长：陈立文

炎陵县广播电视局
局长：刘福贵

株洲县广播电视局
局长：朱云

湘潭市广播电视局
书记：王映玲
局长：熊兴保
地址：湘潭市芙蓉中路广电中心
电话：(0732) 2868998 2868381
邮编：411102
网址 E-mail：xtgdbgs@126.com

湘潭人民广播电台
总监：罗莉
地址：湘潭市芙蓉中路广电中心
电话：(0732) 2868378
邮编：411102

湘潭电视台
总监：李运启
地址：湘潭市芙蓉中路广电中心
电话：(0732) 2868928
邮编：411102

湘潭县广播电视局
局长：黄鸣放

湘乡市广播电视局
局长：王河东

韶山市广播电视局
局长：张进平

衡阳市广播电视局
书记：唐冬生
局长：邓秋林
地址：衡阳市先锋路154号
电话：(0734) 8226480
邮编：421001
网址：www.yednee.cn

衡阳人民广播电台
台长：谭元生
地址：衡阳市先锋路154号
电话：(0734) 8222626
邮编：421001

衡阳电视台
台长：王小山
地址：衡阳市先锋路154号
电话：(0734) 8226341
邮编：421001
网址：www.hydst.com

衡南县广播电视局
局长：倪小明

衡阳县广播电视局
局长：李绪国

衡山县广播电视局
局长：彭应钦

衡东县广播电视局
局长：陈招和

常宁市广播电视局
局长：邓耀龙

祁东县广播电视局
局长：刘勇民

耒阳市广播电视局
局长：谷坚
地址：耒阳市神农路广电中心
电话：(0734) 4328339
邮编：421800

南岳区广播电视局
局长：李春涛
地址：南岳镇云峰路9号
电话：(0734) 5662255
邮编：421900

邵阳市广播电视局
局长：陆曼玲
地址：邵阳市江北开发区
电话：(0739) 5222626
邮编：422000

邵阳人民广播电台
台长：王乐华
地址：邵阳市宝庆西路樟树垅
电话：(0739) 5326072
邮编：422000

邵阳市电视台
台长：申君
地址：邵阳市宝庆中路
电话：(0739) 5481966
邮编：422000

邵阳市市区农村广播电视管理分局
局长：李长乔

邵阳县广播电视局
局长：邓方明

隆回县广播电视局
局长：龙松贵

洞口县广播电视局
局长：唐孝刚

武冈市广播电视局
局长：李永宏

城步苗族自治县广播电视局
局长：肖益生

绥宁县广播电视局
局长：杨光仁

新宁县广播电视局
局长：翟远光

邵东县广播电视局
局长：申民望

新邵县广播电视局
局长：刘康生

岳阳市广播电视局
局长：周坤元
地址：岳阳市楼区南湖大道151号

电话：(0730) 2959000
邮编：414000
网址：yytv · Iednee com · cn

岳阳电视台
台长：周泽柱
地址：岳阳市南湖大道151号
电话：(0730) 2959069
邮编：414000

岳阳人民广播电台
台长：张雨晴
地址：岳阳市南湖大道151号
电话：(0730) 2959085
邮编：414000

汨罗市广播电视局
局长：黎安保

湘阴县广播电视局
局长：易锦文

平江县广播电视局
局长：江涌涛

岳阳县广播电视局
局长：陈晓军

华容县广播电视局
局长：潘培柏

临湘市广播电视局
局长：李明利

岳阳市云溪区文化广播电视局
局长：熊生华

屈原行政管理区广播电视局
局长：黄新华

岳阳市君山区广播电视局
局长：李见兵

常德市广播电视局
局长、书记： 王承英
地址：常德市五陵大道69号
电话：(0736) 7202270
邮编：415000
网址：http://www.hncdtv.com/

澧县广播电视局
局长：覃文双

石门县广播电视局
局长：吴纯昶

桃源县广播电视局
局长：廖世忠

津市市广播电视局
局长：聂义才

临澧县广播电视局
局长：田淑平

安乡县广播电视局
局长：李绍武

汉寿县广播电视局
局长：熊先祥

常德市鼎城区广播电视局
局长：周志皓

张家界市广播电视局
书记、局长：汤先胜
地址：张家界市大庸桥
电话：(0744) 8350223
邮编：427000
网址：hnzjjgd@sina.com

张家界电视台
台长：赵群策
地址：张家界市大庸桥
电话：(0744) 8350195
邮编：427000
网址：www.zjjtv.net

张家界市永定区广播电视局
局长：张坚持

张家界之声广播电台旅游交通频道
总监：吴敏

张家界市武陵源区广播电视局
局长：肖忠义

慈利县广播电视局
局长：戴名龙

桑植县广播电视局
局长：李红灯

张家界国家森林公园广播电视科
科长：李元阳

益阳市广播电视局
局长：袁国斌
地址：益阳市朝阳路广电中心
电话 (0737) 4380825
邮编：413000

益阳电视台
总监： 邓文新
地址：益阳市朝阳路广电中心
电话：(0737) 4380347
邮编：413000

益阳人民广播电台
总监：杨星
地址：益阳市朝阳路广电中心
电话：(0737) 4380146
邮编：413000

益阳市广播电视局资阳分局
局长 ：徐剑平

益阳市广播电视局赫山分局
局长： 郭志明

沅江市广播电视局
局长： 封建华

南县广播电视局
局长 ：胡剑锋

桃江县广播电视局
局长： 曾岱荣

安化县广播电视局
局长： 封晓秋

大通湖区管委会广播电视台
台长 ：徐钢

郴州市广播电视局
书记：龙灵英
局长：朱新忠
地址：郴州市七里大道122号
电话：(0735) 2170099
邮编：423000

郴州电视台
台长：杜慕晋
地址：郴州市七里大道122号
电话：(0735) 2170003
邮编：423000

郴州人民广播电台
台长：李世雄
地址：郴州市七里大道122号
电话：(0735) 2170049
邮编：423000

郴州市广播电视局苏仙分局
局长：谭小军

郴州市广播电视局北湖分局
局长：朱志明

永兴县广播电视局
局长：周碧松

宜章县广播电视局
局长：周继华

汝城县广播电视局
局长：黄武宇

桂阳县广播电视局
局长：肖光清

资兴市广播电视局
局长：刘建华

嘉禾县广播电视局
局长：王聪慧

安仁县广播电视局
局长：周堂茂

桂东县广播电视局
局长：罗锋

临武县广播电视局
局长：邝耀明

永州市广播电视局
局长：陆晓亚
地址：永州市冷水滩区河东双洲路31号
电话：(0746) 8324599
邮编：425000

永州人民广播电台
总监：罗剑君
地址：永州市冷水滩区河东双洲路31号
电话：(0746) 8333720
邮编：425000

永州市广播电视局冷水滩分局
局长：李荣林

永州市广播电视局芝山分局
局长：何秋彬

祁阳县广播电视局
局长：蒋仲敏

东安县广播电视局
局长： 周贤雄

双牌县广播电视局
局长：罗建军

道县广播电视局
局长：毛长江

宁远县广播电视局
局长：罗明鲜

江永县广播电视局
局长：杜中国

江华瑶族自治县广播电视局
局长：何永亮

新田县广播电视局
局长：贺安祥

蓝山县广播电视局
局长：曾喜庆

怀化市广播电视局
局长：田平莲
地址：怀化市迎丰中路214号
电话：(0745) 2233535
邮编：418000
网址：http://www.huaihua.gov.cn/hhsj/hhgdj/index.htm

怀化电视台
支部书记：王通云
地址：怀化市迎丰中路214号
电话：(0745) 2250000
邮编：418000
网址：http://hhdst.rednet.com.cn/

怀化人民广播电台
台长：谢商精
地址：怀化市天星路188号
电话：(0745) 2276003
邮编：418000

沅陵县广播电视局
局长：尹先铁

辰溪县广播电视局
局长：蒋健全

溆浦县广播电视局
局长：夏运东

麻阳苗族自治县广播电视局
局长：郑明义

中方县广播电视局
局长：覃黔怀

芷江侗族自治县广播电视局
局长：王小安

新晃侗族自治县广播电视局
局长：吴英贵

洪江市广播电视局
局长：杨光华

洪江区广播电视局
局长：文细文

会同县广播电视局
局长：梁浩

靖州苗族侗族自治县广播电视局
局长：陈世雄

通道侗族自治县广播电视局
局长：陈学武

娄底市广播电视局
书记、局长：龚彧
地址：娄底市湘阳东街江龙滩
电话：(0738) 8762000
邮编：417000

娄底电视台
总监：王卫光
地址：娄底市湘阳东街江龙滩
电话：(0738) 8762000
邮编：417000

娄底人民广播电台
台长：金明正
地址：娄底市湘阳东街江龙滩
电话：(0738) 8762000
邮编：417000

娄底市娄星区广播电视局
局长：喻海清
邮编：417000

涟源市广播电视局
局长：李祖平

冷水江市广播电视局
局长：李锡明

广东省

广东省广播电影电视局
局长：胡国华
地址：广州市环市东路331号
电话：(020) 61292131、83313798
邮编：510066

广东南方广播影视传媒集团
总裁：王克曼
地址：广州市人民北路686号
电话：(020) 61228118
邮编：510012

广东人民广播电台
台长：白玲
地址：广东省广州市人民北路686号
电话：(020) 26185000
邮编：510012
网址：http://www.radio-gd.com/

广东电视台
台长：张惠建
地址：广州市环东路331号
电话：(020) 61293000
邮编：510066
网址：http://www.gdtv.gov.cn/

广东南方电视台
台长：区念中
地址：广州市环市东路331号北座
电话：(020) 61292719
邮编：510066
网址：http://www.tvscn.com

广东省广播电视技术中心
主任：陈廷烈
地址：广州市人民北路686号
电话：(020) 26184805
邮编：510012

广州市新闻出版和广播电视局
局长：范旭
地址：广州市吉祥路58号

广州人民广播电台
台长：叶小帆
地址：广州市环市中路231号
电话：(020) 86191133
邮编：510010

广州电视台
台长：李锦源
地址：广州市环市中路233号
电话：(020) 86687069

惠东县广播电视台
台长：林文涛

汕尾广播电视台
台长：1至4月张文浩、5月后黄智雄
地址：汕尾市汕尾大道中段
电话：(0660) 3363980
邮编：516600

阳江广播电视台
台长：叶光沛
地址：阳江市江城区漠江路114号
电话：(0662) 3411765
邮编：529500

汕头市广播电视台
台长：杜绍茂
地址：汕头市潮汕路48号
电话：(0754) 3938608
邮编：515021

梅州市广播电视台
台长：袁远山
地址：梅州市江北公园广播电视大楼
电话：(0753) 2187618
邮编：514011

平远县广播电视台
台长：郑焕文

大埔县广播电视台
台长：刘钢选

丰顺县广播电视台
台长：邱伟杰

蕉岭县广播电视台
台长：张福

梅县广播电视台
台长：张剑城

五华县广播电视台
台长：李文锋

兴宁市广播电视台
台长：邓强

佛山人民广播电台
台长：罗小林
地址：佛山市东平新城区裕和路
电话：(0757) 28365871
邮编：518315

佛山电视台
台长：龚嘉明
地址：佛山市五峰三路13号
电话：(0757) 82321199
邮编：528000

佛山广播电视台
台长：刘宁
地址：佛山市东平新城区裕和路
电话：(0757) 28365532
邮编：518315

茂名市文化广电新闻出版局
局长：黄刚
地址：茂名市新湖路473号大院
电话：(0668) 2866272
邮编：525000

茂名市广播电视台
台长：邓允
地址：茂名市迎宾东路
电话：(0668) 2966608
邮编：525000

化州市广播电视台
台长：陈建明

高州市广播电视台
台长：李博

信宜市广播电视台
台长：张洋

电白县广播电视台
台长：潘郁

揭阳市文化广电新闻出版局
局长：李锡安
地址：进贤门大道市广电中心五楼
电话：(0663) 8650833
邮编：522000

揭阳广播电视台
台长：林奠明
地址：进贤门大道中段
电话：(0663) 8622992
邮编：522000

揭西县广播电视台
台长：贝志锋

普宁市广播电视台
台长：陈俊良

惠来县广播电视台
台长：谢炳光

揭东县广播电视台
台长：柯璧彦

广西壮族自治区

广西壮族自治区广播电影电视局
书记、局长：阳建国
地址：广西南宁市七星路123号
电话：(0771) 2803633
邮编：530022
网址：www.gxncws.com.cn

广西人民广播电台
台长：文衍修
地址：南宁市民族大道75号
电话：(0771) 5881653
邮编：530022
网址：www.gxradio.com

广西电视台
台长：黄著诚
地址：南宁市民族大道73号
电话：(0771) 5871161
邮编：530022
网址：www.gxtv.cn

南宁市广播电视局
书记、局长：韦秉中
地址：南宁市葛村路25号

南宁人民广播电台
台长：欧建军
地址：南宁市葛村路25号

南宁电视台
台长：李跃
地址：南宁市葛村路25号

柳州市广播电视局
书记：李绯　局长：蒙卓毅
地址：柳州市桂中大道1号

柳州市广播电视中心
书记、主任：蒙卓毅
地址：柳州市桂中大道1号

桂林市广播电视局
书记、局长：邓建民
地址：桂林市安新北路1号

桂林人民广播电台
台长：王学民
地址：桂林市安新北路1号

桂林电视台
台长：唐建国
地址：桂林市安新北路1号

梧州市广播电视局
书记：姚建平　局长：徐远洲
地址：梧州市新兴三路69号

梧州人民广播电台
台长：方炜威
地址：梧州市新兴三路69号

梧州电视台
台长：刘红明
地址：梧州市新兴三路69号

北海市广播电视局
书记：易崇　局长：曾聪人

地址：北海市贵州南路36号

北海人民广播电台
台长：唐立鹏
地址：北海市贵州南路36号

北海电视台
台长：苏远信
地址：北海市贵州南路36号

钦州市广播电视局
书记、局长：陈汪
地址：钦州市丽桥街18号

钦州人民广播电台
台长：黄贵春
地址：钦州市丽桥街18号

钦州电视台
台长：肖斌
地址：钦州市丽桥街18号

防城港市广播电视局
书记、局长：丁钢
地址：防城港市港口区四川路仙人山顶

防城港市广播电视台
台长：姚卫东
地址：防城港市港口区四川路仙人山顶

贵港市广播电视局
书记：梁书能　局长：彭庶友
地址：贵港市江北大道

贵港市广播电视台
台长：彭庶友　书记：梁书能
地址：贵港市公园路

玉林市广播电视局
书记：梁桂南　局长：杨腾彪
地址：玉林市广电路1号

玉林人民广播电台
台长：李松
地址：玉林市广电路1号

玉林电视台
台长：谢智光
地址：玉林市广电路1号

河池市广播电视局
局长：苏满勇
地址：河池市新建路853号

河池市广播电视台
台长：苏满勇
地址：河池市新建路93号

百色市广播电视局
书记、局长：黎展森
地址：百色市城北二路18号

百色市广播电视台
台长：黄玉团
地址：百色市城北二路18号

贺州市广播电视局
书记、局长：黄钢
地址：贺州市平安西路233号

贺州人民广播电台
台长：朱卫平
地址：贺州市平安西路233号

贺州电视台
台长：孙立刚
地址：贺州市平安西路233号

来宾市广播电视局
书记：赵庆荣　局长：权永能
地址：来宾市兴宾区柳来路85号

来宾市广播电视台
台长：权永能
地址：来宾市兴宾区柳来路85号

崇左市广播电视局
书记、局长：蒙冠海
地址：崇左市江州区江南路一巷6号

崇左市广播电视台
台长：潘振东
地址：崇左市江州区江南路一巷6号

武鸣县广播电视台
台长：韦金进

横县广播电视台
台长：龙乃轩

宾阳县广播电视台
台长：林源

马山县广播电视台
台长：黄云飞

隆安县广播电视台
台长：韦少山

凭祥电视台
台长：蒙高兴

柳江县有线电视台
台长：兰建跃

柳城县有线电视台
台长：刘啸军

鹿寨县广播电视台
台长：唐宏志

融安县有线电视台
台长：莫金华

融水苗族自治区广播电视台
台长：梁曼军

三江侗族自治县广播电视台
台长：杨梅

武宣县广播电视台
台长：雷炳书

象州县广播电视台
台长：梁永邝

忻城县广播电视台
台长：莫举明

金秀瑶族自治县广播电视台
台长：毛文安

合山市广播电视台
台长：谭佳康

灵川县广播电视台
台长：秦新华

阳朔县广播电视台
台长：黎继勇

临桂县广播电视台
台长：诸葛明高

恭城瑶族自治县广播电视台
台长：伍刚

荔浦县广播电视台
台长：吴崇义

永福县广播电视台
台长：张荣翔

资源县广播电视台
台长：谭孝荣

平乐县广播电视台
台长：蒋福云

全州广播电视台
台长：蒋纯槐

兴安县广播电视台
台长：宋志安

龙胜各族自治县广播电视台
台长：赵丽明

灌阳县广播电视台
台长：唐富华

岑溪市广播电视台
台长：余中秋

苍梧县广播电视台
台长：黎鉴新

藤县广播电视台
台长：欧泽璋

蒙山县广播电视台
台长：曹伍珍

钟山县广播电视台
台长：邓小琳

富川县广播电视台
台长：廖静燕

昭平县广播电视台
台长：李孺

桂平市广播电视台
台长：彭万列

平南县广播电视台
台长：陈世穆

容县人民广播电台
台长：邓定旭

容县电视台
台长：邓定旭

北流人民广播电台
台长：李邱凌

北流电视台
台长：杨远航

陆川县广播电视台
台长：吕冰心

博白县广播电视台
台长：陈宏

兴业县广播电视台
台长：王第雄

凌云县广播电视台
台长：古俊杰

隆林各族自治县广播电视台
台长：卢吉芳

田阳县广播电视台
台长：周国武

灵山人民广播电台
台长：陈凤新

灵山电视台
台长：蒙日添

浦北县广播电视台
台长：颜瞻

宜州市广播电视台
台长：牙运良

罗城仫佬族自治县广播电视台
台长：林世强

环江毛南族自治县广播电视台
台长：卢万举

南丹县广播电视台
台长：罗冬梅

天峨县广播电视台
台长：韦联光

东兰县广播电视台
台长：韦东豪

巴马瑶族自治县广播电视台
台长：黄建鹏

凤山县广播电视台
台长：王丰硕

都安瑶族自治县广播电视台
台长：韦景照

大化瑶族自治县广播电视台
台长：覃阳

上思县广播电视台
台长：凌飞雁

东兴市广播电视台
台长：卢广才

合浦县广播电视台
台长：杨庆锋

海南省

海南广播电视台
台长：张松林、丁晖（2007年11月任）
地址：海口市南沙路61号
电话：(0898) 66814646
邮编：570206
网址：www.hnwtv.com

海口广播电视台
台长：彭铁林
地址：海口市中沙路15号
电话：(0898) 66801362
邮编：570216
网址：www.haikoutv.com

重庆市

重庆市广播电视总台
党委书记、台长：李晓枫
地址：重庆市渝中区中山三路159号
电话：(023) 63861688
邮编：400015
电子邮箱：123888zbs@163.com

四川省

四川省广播电影电视局
书记、局长：何大新
地址：四川省成都市红星中路119号
电话：(028) 86526611
邮编：610017

四川人民广播电台
台长：吴高全
地址：成都市红星中路119号附1号
电话：(028) 86526701
邮编：610017

四川广播电视集团
台长：陈华
地址：四川省成都市东城根上街95号
成都证券大厦10F/11F
电话：(028) 86634383
邮编：610015

成都市广播电视局
书记、局长：陈晓霖
地址：成都市双林路99号

成都人民广播电台
书记、台长：何冰
地址：四川成都市成华区双林路99号

成都电视台
书记、台长：何冰
地址：四川成都市成华区双林路99号

自贡市广播电视局、自贡人民广播电台、自贡电视台
书记、局（台）长：彭南
地址：自贡市汇东丹桂大街122号

泸州市广播电视局
书记、局长：刘涛
地址：泸州市龙马潭区大通路广电中心大楼

泸州人民广播电台
台长：储超峰
地址：泸州市龙马潭区大通路广电中心大楼

泸州电视台
台长：韩本能
地址：泸州市龙马潭区大通路广电中心大楼

德阳市广播电视局
书记、局长：潘鸣
地址：德阳市绵远街1段79号

德阳市广播电视台
书记：潘鸣
台长：游光辉
地址：德阳市绵远街1段79号

绵阳市广播电视局
书记、局长：袁昌杰
地址：绵阳市红星街98号

绵阳市广播电视台
书记、台长：倪波
地址：绵阳市一环路南段232号

广元市广播电视局
书记、局长：韩跃明
地址：广元市利州东路585号

广元人民广播电台
台长：李瑞卿
地址：广元市利州东路585号

广元电视台
台长：韩跃明
地址：广元市利州东路585号

遂宁市广播电视局、遂宁市广播电视台
书记、局（台）长：罗崇兰
地址：遂宁市遂州中路686号

内江市广播电视局
书记、局长：郭斌
地址：内江市翔龙路一巷33号

内江人民广播电台
台长：刘世平
地址：内江市翔龙路一巷33号

内江电视台
台长：姚伟民
地址：内江市梅家山

乐山市广播电视局、乐山人民广播电台、乐山电视台
书记、局（台）长：胡加伦
地址：乐山市中区春华路639号

广安市广播电视局
书记、局长：徐怀林
地址：四川省广安市万盛西路33号

广安市广播电台
书记、台长：韦兴林
地址：四川省广安市万盛西路33号

广安市电视台
书记、台长：钱奇
地址：四川省广安市万盛西路33号

达州市广播电视局、达州人民广播电台、达州电视台
书记、局（台）：王隆毅
地址：达州市广播电视大楼
电话：(0818) 2387488
邮编：635000

巴中市广播电视局
书记、局长：范瑞亭
地址：巴中市巴州镇回风大道广电中心

巴中市广播电视总台
书记、台长：李治平
地址：巴中市巴州镇回风大道广电中心

雅安市文化新闻出版和广播电视局
书记、局长：王家骢
地址：雅安市雨城区绿洲路130号

雅安广播电视台
台长：舒新
地址：雅安市雨城区环山路7号

资阳市广播电视局
书记、局长：魏正雄
地址：资阳市娇子大道市政府2号楼

资阳广播电视台
台长：杨俊祥
地址：资阳市娇子大道广播电视大楼

阿坝州广播电视局
书记、局长：张耀龙
地址：阿坝州马尔康县达尔玛街2巷

阿坝州电视台
台长：朱梦臣
地址：阿坝州马尔康县阿底村广播电视中心

阿坝州人民广播电台
台长：陈东月
地址：阿坝州马尔康县阿底村广播电视中心

甘孜藏族自治州广播电视局
书记、局长：姜明凯
地址：康定炉城南路13号

甘孜广播电视台
台长：肖勇
地址：康定炉城南路13号

凉山州广播电视局
书记、局长：付荣
地址：凉山州西昌市三岔口东路298号

凉山电视台
台长：甘建荣
地址：凉山州西昌市三岔口东路298号

凉山人民广播电台
台长：李志祥
地址：凉山州西昌市三岔口东路298号

成都市新都区广播电视台
台长：宋昌文

郫县广播电视台
台长：李元豪

邛崃广播电视台
台长：龚伟

彭州市广播电视台
台长：杨光

成都市成华电视
台长：孙强

金堂县广播电视台
台长：伍玉地

大邑县广播电视台
台长：刘东明

成都市新津县广播电视台
台长：白勇

都江堰市广播电视台
台长：黄安平

成都市龙泉驿区广播电视台
台长：张利频

成都市青白江区广播江电视台
台长：曾宏

崇州市广播电视台
台长：张建春

成都市青羊区电视
台长：周勇

成都市温江区广播电视台
台长：朱务良

双流县广播电视台
台长：梁尤平

成都市金牛区广播电视中心
台长：田小渝

成都市锦江区电视
台长：祝卫

蒲江县广播电视台
台长：仲明礼

成都市武侯区电视
台长：邹锦钢

荣县广播电视台
台长：欧旭

富顺县广播电视台
台长：谭茂良

泸县广播电视台
台长：游书勇

合江县广播电视台
台长：肖大齐

叙永县广播电视台
台长：杨文浩

古蔺县广播电视台
台长：王显林

泸州市江阳区广播电视站
站长：吴铭

泸州市纳溪区广播电视台
台长：韩朝辉

广汉市广播电视台
台长：王代华

什邡市广播电视台
台长：周雨樵

绵竹市广播电视台
台长：杜显斌

中江县广播电视台
台长：吴润贤

罗江县广播电视台
台长：曹传海

三台县广播电视台
台长：文礼成

盐亭县广播电视台
台长：罗仁

梓潼县广播电视台
台长：唐纯忠

江油市广播电视台
台长：杨绍清

安县广播电视台
台长：崔强

北川羌族自治县广播电视台
台长：韩忠明

平武县广播电视台
台长：陈定国

苍溪县广播电视台
台长：徐进波

剑阁县广播电视台
台长：王锡华

旺苍县广播电视台
主持工作：李季

青川县广播电视台
台长：张耀

广元市朝天区广播电视台
台长：杨治国

广元市利州区广播电视台
台长：何浒

广元市元坝区广播电视台
台长： 康锦绣

遂宁市船山区广播电视新闻中心
主任：白鸿

安居区广播电视新闻中心
主任：李小平

射洪县广播电视台
台长：昝光友

蓬溪县广播电视台
台长：邓涛

大英县广播电视台
台长：苏拓

资中县广播电视台
台长：孙文兴

隆昌县广播电视台
台长：张大华

威远县广播电视台
台长：李世全

峨眉山市广播电视台
台长：任冀兰

峨边县广播电视台
台长：陈晓波

夹江县广播电视台
台长：胥志刚

井研县广播电视台
台长：陈力军

沐川县广播电视台
台长：熊严轲

乐山市五通桥区广播电视台
台长：刘阳

乐山市金口河区广播电视中心
台长：刘黎明

马边区广播电视台
台长：邓寿亮

乐山市沙湾区广播电视中心
台长：张国芬

犍为县有线电视台
台长：杨东

华蓥市广播电视台
台长：敬成东

岳池县广播电视台
台长：唐敏

武胜县广播电视台
台长：左昕

邻水县广播电视台
台长：陈少波

万源市广播电视台
台长：向豪

宣汉县广播电视台
台长：牟鲜菊

开江县广播电视台
台长：唐天云

渠县广播电视台
台长：张彦

大竹县广播电视台
台长：田其建

达县广播电视台
台长：李晓波

平昌县广播电视台
台长：彭清江

通江县广播电视局
书记、局长：王振

南江县广播电视局
书记、局长：刘小雄

巴中市巴州区广播电视局
书记、局长：刘登国

名山县广播电视台
台长：黄朝刚

芦山县广播电视台
台长：宋鲜锦

天全县广播电视台
台长：易丹

荥经县广播电视台
台长：徐幼兰

汉源县广播电视台
台长：兰名源

石棉县广播电视台
台长：乔民

宝兴县广播电视台
台长：陈宣杰

雅安市雨城区广播电视站
局长：李晓春

简阳市广播电视台
台长：吴健华

乐至县广播电视台
台长：杨旭

安岳县广播电视台
台长：陶光夏

马尔康县广播电视台（筹）
台长：班玛初

汶川县广播电视台（筹）
台长：谢旅霜

九寨沟县广播电视台 （筹）
台长：郎介

松潘县广播电视台（筹）
台长：丁平

茂县广播电视台（筹）
台长：高志红

理县广播电视台（筹）
台长： 程明刚

小金县广播电视台（筹）
台长：杨佳林

红原县广播电视台（筹）
台长：夺科

阿坝县广播电视台（筹）
台长：顺定强

壤塘县广播电视台（筹）
台长： 曾玉军

若尔盖县广播电视台（筹）
台长：张洪

黑水县广播电视台（筹）
台长：贾志勇

金川县广播电视台（筹）
台长：李俊

甘孜州康定县广播电视局
局长：吴明琼

泸定县广播电视局
局长：吕德彬

丹巴县广播电视局
局长：严复花

九龙县广播电视局
局长：谭兴文

雅江县广播电视局
局长：宁洪

理塘县广播电视局
局长：简安泽仁

巴塘县广播电视局
局长：阿柏

乡城县广播电视局
局长：李鸿

稻城县广播电视局
局长：曾晓平

得荣县广播电视局
局长：赵正民

道孚县广播电视局
局长：陈勇

炉霍县广播电视局
局长：吕翠兰

甘孜县广播电视局
局长：大格泽汪

新龙县广播电视局
局长：嘎绒志玛

白玉县广播电视局
局长：杨尚志

德格县广播电视局
局长：泽翁罗布

色达县广播电视局
局长：贡嘎达吉

石渠县广播电视局
局长：郭松

贵州省

贵州省广播电视局
主要领导：李新民
地址：贵阳市青云路302 号
电话：(0851) 5983557
邮编：550002

贵州人民广播电台
主要领导：晏世忠
地址：贵阳市青云路302 号
电话：(0851) 5961161
邮编：550002

贵州电视台
主要领导：白方芹
地址：贵阳市神奇路1 号
电话：(0851) 5376201
邮编：550002

贵阳市广播电视局
主要领导：卢永康
地址：贵阳市遵义路15号

贵阳人民广播电台
主要领导：吴槟
地址：贵阳市遵义路15号

贵阳电视台
主要领导：刘宝静
地址：贵阳市遵义路15号

遵义市广播电视局
主要领导：王启宏
地址：汇川区九节滩市政府办公中心

遵义人民广播电台
主要领导：巴俊峰
地址：遵义市文庙巷11号

遵义电视台
主要领导：罗林陆
地址：红花岗区大兴路湘江大厦

安顺市广播电视局
主要领导：杨帆
地址：安顺市东郊路99号

安顺人民广播电台
主要领导：张克平
地址：安顺市外环西南路14号

安顺电视台
主要领导：兰方
地址：安顺市金虹路20号

黔南州广播电视局
主要领导：陈筑生
地址：都匀市环东中路267号
电话：(0854) 8244531
邮编：555800

黔南州电视台
主要领导：王先宁
地址：都匀市环东中路26 号

黔东南州广播电视局
主要领导：魏奇志（女）
地址：凯里市北京东路11号

黔东南州电视台
主要领导：魏奇志
地址：凯里市宁波西路广电大厦

铜仁地区广播电视局
主要领导：刘婕
地址：铜仁市解放路27号

铜仁地区电视台
主要领导：刘婕
地址：铜仁市解放路27号

毕节地区广播电视局
主要领导：张义萍
地址：毕节市中山路毕节地区行署大院内

毕节地区广播电视台
主要领导：刘杰
地址：毕节市洪南路

六盘水市广播电视局
主要领导：龚永华
地址：六盘水市钟山中路34号

六盘水人民广播电台
主要领导：张金黔
地址：六盘水市明湖路31号

六盘水电视台
主要领导：王鹏升
地址：六盘水市钟山中路34号

黔西南州广播电视局
主要领导：田宁
地址：兴义市沙井街22号州府大院内

黔西南电视台
主要领导：赵克难
地址：兴义市街心花园2号楼5楼

贵阳市花溪区广播电视台
台长：杨通泽

贵阳市白云区广播电视台
台长：杜晓峰

贵阳市乌当区广播电视台
台长：王志勇

清镇市广播电视台
台长：刘黔

息烽县广播电视台
台长：李晓丽

开阳县广播电视台
台长：刘斌

修文县广播电视台
台长：张正明

六枝人民广播电台
台长：刘开丽

盘县广播电视台
台长：祝天华

六枝特区有线电视台
台长：程志州

遵义县广播电视台
台长：游建林

绥阳县广播电视
台长：王群

凤冈县广播电视台
台长：陆德强

湄潭县广播电视台
台长：赵翔

赤水市广播电视台
台长：赵丽英

桐梓县广播电视台
台长：刘后福

正安县广播电视台
台长：叶小同

仁怀市广播电视台
台长：周伟

习水县广播电视台
台长：罗勤生

余庆县广播电视台
台长：陈晋

道真县广播电视台
台长：蔺黎明

务川县广播电视台
台长：李举富

施秉县广播电视台
台长：龙运奎

天柱县广播电视台
台长：蒋航英

剑河县广播电视台
台长：吴俊

黎平县广播电视台
台长：石辉

三穗县广播电视台
台长：吴文洲

从江县广播电视台
台长：梁雨

麻江县广播电视台
台长：王代平

岑巩县广播电视台
台长：黄天祥

锦屏县文体广播电视局新闻采编室
主要领导：阮文静

台江县广播电视台
台长：潘建华

榕江县广播电视台
台长：龙安乐

雷山县广播电视台
台长：吴宜松

黄平县广播电视台
台长：杨琳

丹寨县广播电视台、
台长：李永胜

镇远县广播电视台
台长：吴宗芝

贵定县广播电视台
台长：李庆华

瓮安县广播电视台
台长：陈远钦

平圹县广播电视台
台长：石家勋

长顺县广播电视台
台长：齐建洪

惠水县广播电视台
台长：肖锋

罗甸县广播电视台
台长：邓政斌

荔波县广播电视台
台长：莫远景

福泉市广播电视台
台长：孙学军

独山县广播电视台
台长：韦昌果

龙里县广播电视台
台长：沈连富

三都县广播电视台
台长：扶明宏

兴义人民广播电台
台长：田进岭

望谟县广播电视台
台长：王安玉

册亨县广播电视台
台长：马龙学

安龙县广播电视台
台长：谢坤

兴仁县广播电视台
台长：刘宽亮

晴隆县广播电视台
台长：刘玉罡

普安县广播电视台
台长：匡忠朝

贞丰县广播电视台
台长：唐仲嵘

镇宁县广播电视台
台长：孙海鹰

紫云县广播电视台
台长：孙海

关岭县广播电视台
台长：周雪梅

普定县广播台
台长：杜萍

平塘县广播电视台
台长：陆良

黔西县广播电视台
台长：许君友

织金县广播电视台
主要领导：王松

赫章县广播电视台
台长：肖贞国

大方县广播电视台
台长：黄文江

余河县广播电视台
主要领导：张伟筑

纳雍县广播电视台
主要领导：彭一昌

威宁县广播电视台
台长：周景云

德江县广播电视台
台长：赵尚勇

万山特区广播电视台
台长：张秀芬

江口县广播电视台
台长：龙建军

石阡县广播电视台
台长：谭大勋

思南县广播电视台
台长：徐黔波

玉屏县广播电视台
主要领导：王琼

松桃县广播电视台
台长：龙正齐

印江县广播电视台
台长：郑荐

沿河县广播电视台
台长：黄烈江

万山特区文体广电
台长：张小辉

云南省

云南省广播电视局
党组书记、局长：杨文虎
地址：昆明市人民西路182号
电话：(0871) 5310920、6292118
邮编：650031
网址：www.ynbtv.gov.cn
www.ynbtv.cn

云南人民广播电台
党委书记、台长：覃信刚
地址：昆明市人民西路182号
电话：(0871) 5385721
邮编：650031
网址：www.ynradio.com

云南电视台
台长（兼）杨文虎
党委书记、常务副台长：李小国
地址：昆明市人民西路182号
电话：(0871) 5346211
邮编：650031
网址：www.yntv.com.cn

昆明市广播电视局
党委书记、局长：周忻
地址：昆明市丹霞路198号附楼

昆明人民广播电台
副台长：梁永实（主持工作）
地址：昆明市丹霞路198号

昆明电视台
党委书记、台长：罗英华
地址：昆明市丹霞路198号附楼

昆明教育电视台
书记、台长：李鸿平
地址：昆明市新迎小区文艺路66号

曲靖市广播电视局
局长：韩开柱
地址：曲靖市南片区子午路广电大楼

曲靖人民广播电台
台长：周卡林
地址：曲靖市南片区子午路广电大楼

曲靖电视台
台长：包华
地址：曲靖市南片区子午路广电大楼

玉溪市广播电视局
党组书记、局长：张耀力
地址：玉溪市红塔区聂耳路46号

玉溪人民广播电台
台长 张耀力
地址：玉溪市桂山路29号

玉溪电视台综合频道
台长：罗君鹏
地址：玉溪市红塔区聂耳路46号

玉溪电视台公共频道
台长：李鸿宾
地址：玉溪市红塔区聂耳路46号

昭通市广播电视局
党组书记、局长：杜崇宗
地址：昭通市迎丰路109号

昭通人民广播电台
台长：孟刚
地址：昭通市昭阳区龙泉路58号

昭通电视台
台长：郭晓东
地址：昭通市环城东路468号

楚雄彝族自治州广播电视事业局
党组书记：朱丽华 局长：夏良
地址：楚雄市鹿城东路184号

楚雄州广播电台
台长：陆文虎 书记：李罗德
地址：楚雄市鹿城东路184号

楚雄电视台
台长：歹必芹 书记：耿少虎
地址：楚雄市鹿城东路184号

红河哈尼族彝族自治州广播电视局
党组书记、局长：马跃飞
地址：蒙自县红河州行政中心A区

红河人民广播电台
台长：何劲松
地址：个旧市建设东路32号

红河电视台
台长：张洪科
地址：个旧市

文山壮族苗族自治州广播电视局
党委书记、局长：李建生
地址：文山县攀枝花镇卧龙小区广电中心

文山人民广播电台
台长：陶兴安
地址：文山县攀枝花镇卧龙小区广电中心

文山电视台
台长：刘卫平
地址：文山县攀枝花镇卧龙小区广电中心

普洱市广播电视局
局长：李钊
地址：普洱市茶苑路

普洱人民广播电台
台长：苏建春
地址：普洱市人民路12号

普洱电视台
台长：窦小烨
地址：普洱市茶苑洛

西双版纳傣族自治州广播电视局
党组书记、局长：廖国荣
地址：景洪市广电路4号

西双版纳人民广播电台
台长：宋云
地址：景洪市广电路4号

西双版纳电视台
台长：刁佳顺
地址：景洪市广电路4号

大理白族自治州广播电视局
党组书记、局长：阿苍洱
地址：大理市万花路州广电中心

大理电视台
台长：李江 书记：张朝举
地址：大理市万花路广电中心

保山广播电视总台（局台合一）
台长：蔡雯
地址：保山市隆阳区建设路76号

德宏傣族景颇族自治州广播电视局
党组书记、局长：董家垠
地址：潞西市南蚌路51号

德宏人民广播电台
台长：韩启祥
地址：潞西市南蚌路51号

德宏电视台
台长：王云祥
地址：潞西市南蚌路51号

丽江市文化广电新闻出版局
局长：高世祥
副局长：蒋 松（分管广电）
地址：丽江市古城区民主路

丽江广播电视台
台长：和丽军
地址：丽江市古城区狮子山

怒江傈僳族自治州广播电视局
局长：普永恒
地址：泸水县六库镇威远巷5号

怒江人民广播电台
台长：杨晓骞
地址：泸水县六库镇威远巷5号

怒江电视台
台长：普健益
地址：泸水县六库镇威远巷5号

迪庆藏族自治州广播电视局
局长：李忠义
地址：香格里拉县建塘镇绒巴路13号

迪庆人民广播电台
台长：李和林
地址：香格里拉县建塘镇绒巴路13号

迪庆电视台
台长：潘 英
地址：香格里拉县建塘镇绒巴路13号

临沧市广播电视局
局长：罗灿武
地址：临沧市凤翔镇南屏西路127号

临沧人民广播电台
台长：张晓宇
地址：临沧市凤翔镇南屏西路127号

临沧电视台
台长：王标
地址：临沧市凤翔镇南屏西路127号

安宁市广播电视台
负责人：盛志勤

呈贡县广播电视台
负责人：黄明

晋宁县广播电视台
负责人：李建昆

富民县广播电视台
负责人：李元标

嵩明县广播电视台
负责人：吕亚萍

宜良县广播电视台
负责人：马涌涛

石林彝族自治县广播电视台
负责人：张树忠

禄劝苗族自治县广播电视台
负责人：高翔

寻甸回族彝族自治县广播电视台
负责人：张明喜

昆明市东川区广播电视台
负责人：宇文斌

曲靖市麒麟区广播电视台
负责人：杨棠云

宣威市广播电视台
负责人：张波

沾益县广播电视台
负责人：牛祖丽

富源县广播电视台
负责人：刘萍

师宗县广播电视台
负责人：曹亚明

会泽县广播电视台
负责人：缪和友
电视台长：茹兴坤

马龙县广播电视台
负责人：李天良

陆良县广播电视台
负责人：郑丽

罗平县广播电视台
负责人：刘光现

玉溪市红塔区广播电视台
负责人：汤亚敏

江川县广播电视台
负责人：王春华

澄江县广播电视台
负责人：郑江红

通海县广播电视台
负责人：王剑

华宁县广播电视台
负责人：蔡骏辉

易门县广播电视台
负责人：王云峰

峨山县广播电视台
负责人：何家海

新平县广播电视台
负责人：张元武

元江县广播电视台
负责人：谭江

腾冲县广播电视台
负责人：段登瑜

龙陵县广播电视台
负责人：杨凡

施甸县广播电视台
负责人：朱丽华

昌宁县广播电视台
负责人：杨志鹏

鲁甸县广播电视台
负责人：马真贤

巧家县广播电视台
负责人：黎平

镇雄县广播电视台
负责人：鲁少雄

彝良县广播电视台
负责人：孙安菊

威信县广播电视台
负责人：刘光友

大关县广播电视台
负责人：宋晓铭

盐津县电视台
负责人：罗洪斌

盐津县广播电台
负责人：冉朝阳

永善县广播电视台
负责人：刘和朝

绥江县广播电视台
负责人：曾凡忠

水富县广播电视台
负责人：李庆华

丽江市古城区广播电视台
负责人：李黎光

玉龙县广播电视台
负责人：王晓荣

永胜县广播电视台
负责人：李光全

华坪县广播电视台
负责人：赵永坚

宁蒗县广播电视台
负责人：木嘎

普洱市思茅区广播电视局
负责人：林双全

西盟县广播电视局
负责人：古云川、刘英

宁洱县广播电视局
负责人：许勇

孟连县广播电视局
负责人：周德福

墨江县广播电视局
负责人：曹健

澜沧县广播电视局
负责人：邓云辉

景谷县广播电视局
负责人：杨新民

江城县广播电视局
负责人：李大庆

镇沅县广播电视局
负责人：刘云

景东县广播电视台
负责人：罗中东 李映华

临翔区广播电视台
负责人：唐德鑫

凤庆县广播电视台
负责人：张中伦

云县广播电视台
负责人：杨劲松

永德县广播电视台
负责人：陈建华

镇康县广播电视台
负责人：穆建忠

双江县广播电视台
负责人：杨国贵

耿马县广播电视台
负责人：王章荣

沧源县广播电视台
负责人：周祥

楚雄市广播电视台
负责人：魏元宏

双柏县广播电视台
负责人：米佳

牟定县广播电视台
负责人：杨和森

南华县广播电视台
负责人：陈小龙

姚安县广播电视台
负责人：普正武

大姚县广播电视台
负责人：陈飞飞

永仁县广播电视台
负责人：傅永云

元谋县广播电视台
负责人：杨雷超

武定县广播电视台
负责人：郭立结

禄丰县广播电视台
负责人：刘新平

弥勒县广播电视台
负责人：罗丽莉

泸西县广播电视台
负责人：赵平

屏边县广播电视台
负责人：张洪敖

建水县广播电视台
负责人：肖军

金平县广播电视台
负责人：李付珠

个旧电视台
负责人：杨艳梅

开远有线电视台
负责人：马刚

文山县广播电视台
负责人：高荣军

砚山县广播电视台
负责人：卢忠敏

丘北县广播电视台
负责人：陈忠文

广南县广播电视台
负责人：艾斌

富宁县广播电视台
负责人：龙源涛

西畴县广播电视台
负责人：龙正权

麻栗坡县广播电视台
负责人：曾梓洪

马关县广播电视台
负责人：唐育喜

景洪市广播电视台
负责人：邵山

勐海县广播电视台
负责人：洪玮聆

勐腊县广播电视台
负责人：刘文光

大理市广播电视台
负责人：邹勤

宾川县广播电视台
负责人：李洪祥

云龙县广播电视台
负责人：李绍军

永平县广播电视台
负责人：马勤勇

漾濞县广播电视台
负责人：杨春芳

弥渡县广播电视台
负责人：罗荣华

南涧县广播电视台
负责人：陈朝锦

祥云县广播电视台
负责人：环建华

巍山县广播电视台
负责人：罗建新

洱源县广播电视台
负责人：李学雄

剑川县广播电视台
负责人：欧庆生

鹤庆县广播电视台
负责人：李金亮

潞西市广播电视台
负责人：杨　宏

瑞丽市广播电视台
负责人：陆　杰

陇川县广播电视台
负责人：陈　刚

盈江县广播电视台
负责人：周湛禄

梁河县广播电视台
负责人：赵　卿

贡山县广播电视台
负责人：高学智

兰坪县广播电视台
负责人：郝昌华

福贡县广播电视台
负责人：高福生

泸水县广播电视台
负责人：杨文辉

香格里拉县广播电视台
负责人：张宏灿

德钦县广播电视台
负责人：龚曲此里

维西县广播电视台
负责人：樊志新

西藏自治区

西藏自治区广播电影电视局
局长：张崇银
地址：西藏拉萨市北京中路41号
电话：0891—6833908
邮编：850000

西藏人民广播电台
台长：刘长江
地址：西藏拉萨市北京中路41号
电话：0891-6819561、6831752
邮编：850000
网址：WWW.TIBETRADIDO.CN

西藏电视台
书记：唐水江（兼）
台长：韩辉
地址：西藏拉萨市北京中路149号
电话：0891—6821298、6822916
邮编：850000

拉萨市广播电影电视局
党组书记、副局长：秦可久
地址：拉萨市江苏东路22号
邮编：850000
电话：0891—6351071

拉萨市广播电视台
台长：韩阳
地址：西藏拉萨市江苏东路22号
电话：0891—6353000转6301
6353000转6309
邮编：850000

西藏日喀则地区广电局
书记：王志诚
局长：明珍
地址：西藏日喀则市珠峰路
电话：0892—8824693
邮编：857000

西藏山南地区文广局
书记：赤列坚增
局长：唐寿东
地址：西藏山南地区乃东县泽当镇英雄路6号
电话：0893—7820254
邮编：856000

西藏阿里地区广电局
书记：才旺努布
地址：西藏阿里地区狮泉河镇
电话：0897—2821662
邮编：859000

西藏林芝地区文广局
书记：次仁央宗
局长：崔强
地址：西藏林芝地区八一镇八一大街15号
电话：0894—5885526
邮编：860000

西藏昌都地区广电局
局长：麦朗顿珠
地址：西藏昌都地区昌都县昌都镇南大门81号
电话：0895—4821804
邮编：854000

西藏那曲地区文广局
书记：扎西旺久
局长：喻昌
地址：西藏那曲地区那曲县那曲镇拉萨南路55号
电话：0896—3822533
邮编：852000

陕西省

陕西省广播电影电视局
局长：任贤良
地址：西安市长安南路336号
电话：029-87966011
邮编：710061

陕西电视台
台长：王广群
地址：西安市长安南路336号
电话：029-85238525
邮编：710061

陕西人民广播电台
台长：徐来见
地址：西安市长安南路336号
电话：029-85256790
邮编：710061

西安市广播电视局
局长：王凯利
地址：西安市振兴路100号

西安人民广播电台
台长：陈晓沪
地址：振兴路100号

西安电视台
台长：马俊杰
地址：南关正街1号

安康市广播电视局
局长：王虎
地址：安康市大桥路9号

宝鸡市广播电视局
局长：王启贤
地址：宝鸡市代家湾行政中心

汉中市广播电视局
局长：成铁军
地址：汉中市汉台区东建设巷14号

商洛市广播电视局
局长：王林斌
地址：商洛市团结路47号

铜川市广播电视局
局长：刘沛钊
地址：铜川市新区正阳路九号

渭南市广播电视局
局长：张向民
地址：渭南广播电视中心

咸阳市广播电视局
局长：刘鹏
地址：咸阳市福安路

延安市广播电视局
局长：胡仰明
地址：延安市210国道治平综合楼四楼

杨凌示范区广播电视局
局长：白宏伟
地址：陕西杨凌示范区渭惠路东段1号

榆林市广播电视局
局长：高德树
地址：榆林市曹辣肉下巷8号

周至县广播电视局
局长：谢鹏

户县广播电视局
局长：孙虎

西安市长安区广播电视局
局长：王乃练

蓝田县广播电视局
局长：张美宏

西安市临潼区广播电视局
局长：王选政

高陵县广播电视局
局长：李和平

西安市阎良区广播电视局
局长：宋保证

安康市汉滨区文化文物广电局
局长：夏亚洲

汉阴县文化旅游广电局
局长：张宽慧

石泉县文化广电局
局长：李群

旬阳县广电局
局长：李斌

镇坪县文化旅游广电局
局长：秦绪基

岚皋县文化广电局
局长：杜文涛

宁陕县文化旅游广电局
局长：吴大斌

白河县文化旅游广电局
局长：刘斌

紫阳县广电局
局长：文彬

平利县广电局
局长：胡昌志

安康市电视台
台长：梁博泉

安康市广播电台
台长：王建强

汉阴县广播电视台
台长：杨兴无

石泉县广播电视台
台长：李群

旬阳县广播电视台
台长：李斌

镇坪县广播电视台
台长：秦绪基

岚皋县广播电视台
台长：袁少川

宁陕县广播电视台
台长：吴大斌

白河县广播电视台
台长：马汉川

紫阳县广播电视台
台长：毛先进

平利县广播电视台
台长：胡昌志

宝鸡市宝鸡人民广播电台
台长：谢一民

宝鸡电视台
台长：黄亚林

千阳县广播电视台
台长：边涛

陇县广播电视台
台长：余生保

宝鸡市陈仓区广播电视台
台长：李峰科

凤翔县广播电视台
台长：贺增福

麟游县广播电视台
台长：王文举

太白县广播电视台
台长：董万科

凤县广播电视台
台长：张录平

扶风县广播电视局
台长：成广宁

眉县广播电视局
台长：王忠良

岐山县广播电视局
台长：李拉良

汉中电视台
台长：成铁军

汉中人民广播电台
台长：郑宏

汉中电视转播台
台长：周建强

汉中市汉台区文化文物广播电视局
局长：邵小河

南郑县广播电视局（台）
局（台）长：刘兰鹏

城固县广播电视局（台）
局（台）长：冯树伟

洋县广播电视局（台）
局（台）长：朱正刚

西乡县广播电视局（台）
局（台）长：周　健

勉县广播电视局（台）
局（台）长：张泽银

宁强县广播电视局（台）
局（台）长：张文锋

略阳县广播电视局（台）
局（台）长：翟备军

镇巴县广播电视局（台）
局（台）长：马良苹

佛坪县广播电视局（台）
局（台）长：马正平

留坝县广播电视局（台）
局（台）长：高光东

商洛市广播电视局
局长：王林斌

商洛市电视台
台长：王林斌

商洛市商州区广播电台
台长：杨敏荣

商洛市商州区广播电视台
台长：周刚

洛南县广播电台
台长：李进军

洛南县电视台
台长：李进军

丹凤县广播电台
台长：董夏林

丹凤县电视台
台长：董夏林

商南县广播电台
台长：田洪

商南县电视台
台长：田洪

山阳县广播电台
台长：胡仁团

山阳县电视台
台长：胡仁团

镇安县广播电台
台长：和代瑜

镇安县电视台
台长：和代瑜

柞水县广播电台
台长：安定华

柞水县电视台
台长：安定华

铜川人民广播电台
书记：陈来顺
台长：吴玉峰

铜川电视台
书记：孟繁林
台长：杨新寿

宜君县广播电视台
台长：冯学海

铜川市印台区广播电视台
台长：严满宏

铜川市王益区广播电视台
台长：周锋来

铜川市耀州区广播电视台
台长：赵丰平

渭南电视台
台长：安荣

渭南人民广播电台
台长：闫喜川

渭南市临渭区广播电视局
局长：冯铁锁

华县广播电视局
局长：朱卫民

华阴市广播电视局
局长：丁玉民

潼关县广播电视局
局长：万雅迎

大荔县广播电视局
局长：刘喜成

合阳县广播电视局
局长：聂发祥

澄城县广播电视局
局长：段富财

白水县广播电视局
局长：权国胜

蒲城县广播电视局
局长：原雅媚

富平县广播电视局
局长：杨新房

韩城市广播电视局
局长：许敏贤

咸阳市广播电视台
台长：朱德旺

兴平市广播电视台
台长：王社平

礼泉县广播电视台
台长：白建军

泾阳县广播电视台
台长：刘吉庆

三原县广播电视台
台长：张旗

武功县广播电视台
台长：董晓湖

乾县广播电视台
台长：刘刚

永寿县广播电视台
台长：耿克强

彬县广播电视台
台长：史澎湃

长武县广播电视台
台长：纪科宁

旬邑县广播电视台
台长：马相民

淳化县广播电视台
台长：仙建军

延安市广播电视台
书记：刘春景
局长：刘春景

子长县广播电视台
台长：杨光耀

志丹县广播电视台
台长：刘长忠

吴起县广播电视台
台长：马广千

宜川县广播电视局
局长：贺正民

洛川县广播电视台
台长：张芳林

黄龙县广播电视台
台长：胡文明

富县广播电视台
台长：李书华

甘泉县广播电视台
台长：刘喜荣

延安市宝塔区广播电视局
台长:烟招和

黄陵县广播电视台
台长：赵俊民

延川县广播电视台
台长：樊鸿雄

延长县广播电视局
台长：徐海洋

安塞县广播电视台
台长：雷勇

榆林市榆阳区广播电视台
台长：李生辉

神木县广播电视台
台长：高义林

府谷县广播电视台
台长：张永强

横山县广播电视台
台长：曹建毅

靖边县广播电视台
台长：任利戈

定边县广播电视台
台长：张　涛

绥德县广播电视台
台长：李东进

米脂县广播电视台
台长：郭志军

佳县广播电视台
台长：王志强

吴堡县广播电视台
台长：宋北峰

清涧县广播电视台
台长：白永升

子洲县广播电视台
台长：武凤鸣

杨凌示范区广播电视局（台）
书记：白宏伟
局（台）长：白宏伟

甘肃省

甘肃省广播电影电视局
书记、局长：孙伟
地址：兰州市城关区东岗西路226号
电话：(0931) 8266586
邮编：730000

甘肃省广播电影电视总台（集团）
台长：武来银
地址：兰州市城关区张苏滩561号
电话：(0931) 8569118
邮编：730010

兰州市广播电影电视局
书记、局长：李继龙
地址：兰州市城关区庆阳路92号

兰州市广播电视总台
台长：李继龙
地址：兰州市城关区庆阳路92号

嘉峪关市文化广播电视局
书记、局长：王平
地址：嘉峪关市五一南路1819号

嘉峪关有线广播电视台
台长：张志刚
地址：嘉峪关市新华中路23号

嘉峪关人民广播电台
台长：刘丹成
地址：嘉峪关市五一南路1819号

嘉峪关电视台
台长：胡文平
地址：嘉峪关市五一南路1819号

酒泉市广播电影电视局
书记、局长：贾洁
地址：酒泉市盘旋东路6号

酒泉电视台
台长：贾洁
地址：酒泉市盘旋东路6号

张掖市广播电影电视局
书记、局长：多红斌
地址：张掖市甘州区南环路220号

张掖电视台
台长：多红斌
地址：张掖市甘州区南环路220号

金昌市广播电影电视局
局长：王云
书记：戴国校
地址：金昌市长春路1号

金昌人民广播电台
台长：周爱国
地址：金昌市延安西路6号

金昌电视台
台长：郭志为
地址：金昌市长春路3号

武威市广播电影电视局
书记、局长：韩吉永
地址：武威市北关西路78号

武威电视台
台长：韩吉永
地址：武威市北关西路78号

甘南州广播电影电视局
书记、局长：王春华
地址：甘南州合作市西二路49号

甘南人民广播电台
台长：刘玉良

地址：甘南州合作市西二路49号

甘南电视台
台长：石海峰
地址：甘南州合作市东二路9号

临夏州广播电视局
书记、局长：马虎成
地址：临夏州临夏市团结路45号

临夏广播电视台
台长：马虎成
地址：临夏州临夏市团结路45号

陇南市广播电影电视局
书记、局长：陈永贵
地址：陇南市武都区城关新村3号

陇南电视台
台长：陈永贵
地址：陇南市武都区城关新村3号

定西市广播电影电视局
书记、局长：张俊德
地址：定西市安定区永定西路2号

定西电视台
台长：朱常青
地址：定西市安定区永定西路2号

平凉市广播电影电视局
局长:张炜
地址:平凉市崆峒区石家巷6号

平凉市人民广播电台
台长:魏柏树
地址:平凉市崆峒区石家巷6号

平凉电视台
台长:牛军凯
地址:平凉市崆峒区石家巷6号

庆阳市广播电影电视局
书记、局长：蔡森贵
地址：庆阳市西峰区长庆北路149号

庆阳市广播电视台
台长：蔡森贵
书记：刘存成
地址：庆阳市西峰区长庆北路149号

白银市广播电影电视局
书记、局长：武志元
地址：白银市王岘东路67号

白银人民广播电台
台长：张立红
地址：白银市王岘东路79号

白银电视台
台长：武志元
地址：白银市王岘东路67号

天水市广播电影电视局
书记、局长：万杰
地址：天水市秦州区建设路广电大厦

天水广播电视台
台长：江宁
地址：天水市秦州区环城中路11-5号

甘肃矿区广播电视局
书记：焦继堂
局长：马银彪
地址：兰州市508信箱甲36号

甘肃矿区电视台
台长：马银彪
地址：兰州市508信箱甲36号

永登有线广播电视台
台长：鲁宝东

榆中有线广播电视台
台长：金雷泉

皋兰县广播电视台
副局长：俞彬源（兼）

肃州区广播电视台
台长：李建荣

敦煌市广播电视台
台长：陆生玉

肃北县广播电视台
台长：张永礼

玉门广播电视台
台长：余树林

阿克塞县广播电视台
台长：李建斌

瓜洲县广播电视台
台长：魏培贤

金塔县广播电视台
台长：李国民

甘州区广播电视台
台长：康建军

高台县广播电视台
台长：盛文宏

民乐县广播电视台
台长：李常乐

临泽县广播电视台
台长：黄文年

山丹县广播电视台
台长：张铨

肃南县广播电视台
台长：杨万贵

永昌县广播电视台
台长：丁多民

天祝县广播电视台
台长：田茂

民勤县广播电视台
台长：赵新民

古浪县广播电视台
台长：段永礼

夏河县电视台
台长：智华当智

碌曲县电视台
台长：严勤

玛曲县广播电视台
台长：孟洛巴

迭部县电视台
台长：桑吉卡

舟曲县广播电视台
台长：杨桑吉成

卓尼县广播电视台
台长：徐炳烈

临潭县广播电视台
台长：毛建功

临夏市广播电视台
台长：党小刚

永靖县广播电视台
台长：崔国安

东乡县广播电视台
台长：汪光义

积石山县广播电视台
台长：马国潮

临夏县广播电视台
台长：焦俊华

和政县广播电视台
台长：黄林

广河县广播电视台
台长：马彪

康乐县广播电视台
台长：张忠

武都区广播电视台
台长：姚杜德

宕昌县广播电视台
台长：陈刚

西和县广播电视台
台长：王彬

文县广播电视台
台长：刘丽红

康县广播电视台
台长：王志强

礼县广播电视台
台长：李玉明

徽县广播电视台
台长：刘志强

两当县广播电视台
台长：王小波

成县广播电视台
台长：杜维平

定西市安定区广播电视台
台长：苏梦华

通渭县广播电视台
台长：郭志雄

陇西县广播电视台
台长：王振国

渭源县广播电视台
台长：陈德

临洮县广播电视台
台长：裴明军

漳县广播电视台
台长：赵国栋

岷县广播电视台
台长：常焕新

平凉市崆峒区广播电视台
台长：张虹

静宁县广播电视台
台长：王彦明

华亭县广播电视台
台长：朱兴明

灵台县广播电视台
台长：曹亚平

庄浪县广播电视台
台长：柳晓兰

崇信县电视台
台长：张忠喜

泾川县广播电视台
台长：赵建杰

庆城县广播电视台
台长：王立平

合水县广播电视台
台长：李永康

正宁县广播电视台
台长：刘扬元

镇原县广播电视台
台长：李琪

宁县广播电视台
台长：雷继荣

环县广播电视台
台长：王立平

华池县广播电视台
台长：张生彪

白银市平川区广播电视台
台长：李云

会宁县广播电视台
台长：王维德

景泰县广播电视台
台长：张盛林

靖远县广播电视台
副台长：张建梅

天水市秦州区广播站
站长：沈丽萍

天水市麦积区广播站
站长：鞠家伟

武山县广播电视台
台长：马正德

甘谷县广播电视台
台长：朱学东

张川县广播电视台
台长：马云宝

清水县广播电视台
台长：郑海峰

秦安县广播电视台
台长：任保民

青海省

青海省广播电视局
党组书记、局长：巨 伟
地址：西宁市玉树路66号
电话：(0971) 6329099
邮编：810008

青海人民广播电台
书记、台长：牛海鸣
地址：西宁市西关大街81号
电话：(0971) 6329300
邮编：810008

青海电视台
副局长、台长：白居璧
地址：西宁市昆仑路6号
电话：(0971) 6144021
邮编：810001

西宁市文化广播电视局
书记、局长：王剑锋
地址：西宁市南关街43号

西宁人民广播电台
台长：张传荣
地址：西宁市南关街43号

西宁电视台
台长：赵龙
地址：西宁市南关街43号

海东地区文体广电局
局长：马玲娜
地址：平安县海东路229号

海北州文体广电局
局长：芦生发
地址：海北州西海镇

海北电视台
台长：董海安
地址：海北州西海镇

黄南州文体广电局
局长：马明生
地址：同仁县隆务镇德合隆路

黄南电视台
台长：曹德林
地址：同仁县隆务镇德合隆路

海南州文体广电局
局长：周侠生
地址：共和县恰卜恰镇团结南路4号

青海省海南电视台
台长：朱天浩
地址：共和县恰卜恰镇团结南路4号

果洛州文体广电局
局长：索南吉
地址：果洛州玛沁县大武镇

果洛电视台
台长：卓玛杰
地址：果洛州玛沁县大武镇

玉树州文体广电局
局长：旦周才仁
地址：玉树县结古镇红卫路18号

玉树人民广播电台
台长：尕玛昂江
地址：玉树县结古镇红卫路18号

玉树电视台
台长：韩智才
地址：玉树县结古镇红卫路18号

海西州文体广电局
局长：杨素琴
地址：德令哈市长江路16号

海西人民广播电台
台长：宋代宗
地址：德令哈市长江路16号

海西电视台

台长：王哲华
地址：德令哈市长江路16号

格尔木市文体广电局
局长：蒲建军
地址：格尔木市昆仑中路

格尔木电视台
台长：张辉
地址：格尔木市中山路

大通县广播站
站长：张宝贵

湟中县广播电视台
台长：杨永福

湟源县广播站
站长：关荣霞

平安电视台
台长：沈延昭

乐都广播电视台
台长：钟有龙

民和广播电视台
台长：王忠民

互助县广播电视台
台长：陈生柏

化隆县广播电视台
台长：张生良

循化县广播电视台
台长：陈继祥

海晏县广播电视站
站长：阿生梅

门源县广播电视站
台长：马占青

祁连县文化广播电视站
站长：杨金录

刚察县广播电视站
站长：张海明

同仁县广播电视站
站长：白珪

泽库县广播电视站
站长：群太加

河南县广播电视站
站长：李先

尖扎县广播电视站
站长：朱峰

共和县广播电视站
站长：李承龙

贵南县广播电视站
站长：权

同德县广播电视站
站长：唐同德

兴海县广播电视站
站长：王成

贵德县广播电视转播台
台长：尚建忠

甘德县广播电视站
站长：洛周尼玛

达日县广播电视站
站长：钱尼玛

班玛县广播电视站
站长：郭海民

玛多县广播电视台
台长：石玉旺

久治县广播电视台
台长：马华旦

玉树县广播站
站长：马文青

称多县广播电视站
站长：索南扎巴

囊谦县广播电视站
站长：才旺多杰

杂多县广播电视站
站长：布嘎

治多县广播电影电视站
站长：侯全保

曲麻莱县广播电视站
站长：扎西才仁

乌兰县广播电视转播台
台长：刘刚

天峻县广播电视站
站长：赵鸿朝

都兰县广播电视台
台长：韩卫林

大柴旦行委广播电视站
站长：王青军

冷湖行委广播电视站
站长：刘永明

宁夏回族自治区

宁夏广播电影电视局
党组书记、局长：马洪真
地址：银川市金凤区北京中路66号

银川市文化广播电视局
党委书记、局长：郭正祥
地址：银川市金凤区北京中路166号

银川人民广播电台
台长：韩宁国
地址：宁夏银川市兴庆区中山北街11号

银川电视台
台长：韩宁国
地址：宁夏银川市兴庆区中山北街11号

石嘴山市广播电视局
书记：赵庆忠
局长：何建国
地址：宁夏石嘴山市大武口区游艺西街363号

石嘴山人民广播电台
台长：何建国
地址：石嘴山市大武口区游艺西街363号

石嘴山电视台
台长：何建国
地址：石嘴山市大武口区游艺西街363号

吴忠市广播电视局
书记：杨绕华
局长：王建军
地址：宁夏吴忠市裕民东街54号

吴忠市广播电视台
台长：王建军
地址：宁夏吴忠市裕民东街54号

中卫市广播电视局
局长、书记：李海荣
地址：中卫市应理南街

中卫市广播电视台
台长：李生龙
地址：中卫市应理南街

固原市广播电视局
局长、书记：马吉福
地址：固原市原州区政府街41号

固原市广播电视台
副台长：杨银梅
地址：固原市原州区政府街41号

灵武市广播电视局
局（台）长：马廷福

永宁县文化广播电视局
局（台）长：王海涛

贺兰县文化广播电视局
局长：王锡勇

平罗县广播电视局
局（台）长：马玉华
书记：任学成

青铜峡市广播电视局

局（台）长：武建国

盐池县广播电视局
书记、副局长：蒋佩宏

同心县广播电视局
局（台）长：丁立军

红寺堡开发区广播电视站
台（站）长：李成林

西吉县广播电视局
局（台）长：单兴荣

隆德县广播电视局
局（台）长：杨安祥

彭阳县广播电视局
局（台）长：万亚平

泾源县广播电视局
局（台）长：马生芳

中宁县广播电视局
局（台）长：季耀斌

海原县广播电视局
局（台）长：田应福

新疆维吾尔自治区

新疆广播电影电视局
书记：安思国
局长：伊力汗
地址：乌鲁木齐市团结路830号
电话：（0991）7756299
邮编：830044

新疆人民广播电台
书记：史林杰
台长：徐樟梅
地址：乌鲁木齐市团结路830号
电话：（0991）2561756，2566899
邮编：830044
网址：www.xjbs. com.cn

新疆电视台
书记：石永强
地址：乌鲁木齐市团结路830号
电话：2561473，2561420
邮编：830011
网址： www.xjtvs.com.cn

乌鲁木齐市广播电视局
书记：丁建民
局长：朱惠鹏
地址：乌鲁木齐市新民路28号

乌鲁木齐人民广播电台
书记：何大壮
台长：朱惠鹏
地址：乌鲁木齐市新民路28号

乌鲁木齐电视台
书记：梁红
台长：王东胜
地址：乌鲁木齐市新民路28号

伊犁州广播电视局
书记：潘行科
局长：艾力哈孜·别克库尔曼
地址：伊宁市斯大林街5巷9号

伊犁州人民广播电台
台长：仇家军
地址：伊宁市红旗路1号

伊犁电视台
台长：葛栋
地址：伊宁市红旗路48号

塔城地区广播电视局
书记：林庆杭
局长：托合塔尔汗
地址：塔城市环城路16号

塔城人民广播电台
台长：古丽娜尔·瓦里尤拉
地址：塔城市团结路16号

塔城电视台
台长：蒋焕文
地址：塔城市环城路16号

阿勒泰地区广播电视局
书记：李德华
局长：恩特马克·群泰
地址：阿勒泰市解放路4号区311号

阿勒泰电视台
台长：李培勇
地址：阿勒泰市解放路4号区311号

昌吉州广播电视局
书记：马越
局长：卢瑜
地址：昌吉市南公园西路15号

昌吉电视台
台长：马晓波
地址：昌吉市南公园西路15号

昌吉人民广播电台
台长：包玉清
地址：昌吉市商城路66号

哈密地区广播电视局
书记、局长：周东衡
地址：哈密市红星西路2号

哈密人民广播电台
副台长：陈培军
地址：哈密市红星西路2号院

哈密电视台
台长：汪志军
地址：哈密市红星西路2号院

吐鲁番地区广播电视局
书记：张颖
局长：沙坤
地址：吐鲁番市文化路945号

吐鲁番电视台
台长：张晓萍
地址：吐鲁番市文化路945号

博尔塔拉州广播电视局
书记：买赛来·阿不来提
局长：张子才
地址：博乐市北京北路74号

博尔塔拉电视台
台长：赵新博
地址：博乐市北京北路74号

巴音郭楞蒙古自治州广播电视局
书记：艾合买提·亚森
局长：江海波
地址：库尔勒市建国南路1号

巴音郭楞人民广播电台
台长：宋民
地址：库尔勒市建国南路1号

巴音郭楞电视台
台长：张宏
地址：库尔勒市朝阳路团结体育场

阿克苏地区广播电视局
书记：阿孜古丽.艾拜
局长：王德义
地址：阿克苏市新华西路19号

阿克苏地区电视台
台长：朱疆
地址：阿克苏市教育路5号

克孜勒苏州广播电视局
局长：阿曼吐尔
地址：阿图什市光明路南5院

克孜勒苏电视台
台长：刁新成
地址：阿图什市光明路南5院

喀什地区广播电视局
书记：阿不都热西提·斯地克
局长：黄波
地址：喀什市克孜都维路70号

喀什电视台
台长：郭俭
地址：喀什市克孜都维路375号

和田地区广播电视局
书记：亚力昆

局长：张一莉
地址：和田市乌鲁木齐南路13号

和田地区人民广播电台
台长：袁卫东
地址：和田市乌鲁木齐南路13号

和田电视台
台长：袁卫东
地址：和田市乌鲁木齐南路13号

石河子地区广播电视局
书记：胡健壮
局长：史志杰
地址：石河子市北二路19号

石河子人民广播电台
台长：陆维斌
地址：石河子市北二路184号

石河子电视台
台长：钟家海
地址：石河子市北二路19号

克拉玛依广播电视局
书记：付宏图
局长：江永红
地址：克拉玛依市天山路100号

克拉玛依人民广播电台
台长：丰雨
地址：克拉玛依市天山路100号

克拉玛依电视台
台长：马兵
地址：克拉玛依市天山路100号

伊宁市广播电视台
台长：李奇

奎屯市广播电视台
台长：张建国

霍城县广播电视台
台长：单保久

察布查尔县广播电视台
台长：卢文学

巩留县广播电视台
台长：黄晟

尼勒克县广播电视台
台长：白山拜

昭苏县广播电视台
台长：高国林

新源县广播电视台
台长：王世华

特克斯县广播电视台
台长：任大海

霍尔果斯口岸广播电视台
台长：何红兵

沙湾县电视台
副台长：张华

塔城人民广播电台
台长：古丽娜尔·瓦里尤拉
地址：塔城市团结路16号

塔城地区广播电视台
台长：蒋焕文
地址：塔城市环城路16号

额敏县广播电视台
台长：韩卫军

乌苏市广播电视台
台长：张敏儒

昌吉广播电视台
台长：马晓波

米泉市广播电视台
台长：范建华

阜康市广播电视台
台长：周孝德

玛纳斯县广播电视台
台长：郭文暾

呼图壁县广播电视台
台长：耿毅

吉木萨尔县广播电视台
台长：张玉祥

奇台县广播电视台
台长：谢明德

木垒县广播电视台
台长：杨再智

哈密市广播电视局
局长：谢念荣

巴里坤县广播电视台
台长：白文

伊吾县广播电视台
台长：李新城

吐鲁番地区广播电视台
台长：张晓萍
地址：吐鲁番市文化路945号

吐鲁番市人民广播电台
台长：王勤

吐鲁番地区电视台
台长：张晓萍
地址：吐鲁番市文化路945号

托克逊县广播电视台
台长：克拜都拉

鄯善县广播电视台
台长：周仕明

博尔塔拉蒙古自治州广播电视台
台长：赵新博
地址：博乐市北京北路74号

阿克苏地区电视台
台长：朱疆
地址：阿克苏市教育路5号

库车县广播电视台
台长：李海英

阿图什市广播电视台
台长：贾广明

喀什市广播电视台
台长：曹江波

和田地区广播电视台
台长：袁伟东
地址：和田市乌鲁木齐路13号

洛浦县广播电视台
台长：白发祖

计划单列市广播电视机构

大连市

大连市广播电视局
书记：周大新
局长：周大新
地址：大连市沙河口区民权街162号

大连人民广播电台
台长：段文武
地址：大连市沙河口区民权街162号

大连电视台
台长：宋长利
地址：大连市沙河口区民权街162号

大连市旅顺口区广播电视台
台长：刘汝明

大连市金州区广播电视台
台长：于吉川

普兰店市广播电视台
台长：刘嘉圣

庄河市广播电视台
台长：刘春贤

长海县广播电视台
台长：王永刚

大连市开发区电视台
台长：高奇志

宁波市

宁波市文化广电新闻出版局
主要领导：柴英
地址：宁波市解放北路91号
电话：(0574) 87186112
邮编：315010

宁波电视台
台长：张文
地址：宁波市开明街4号
电话：(0574) 56110001
邮编：315000

宁波人民广播电台
书记、台长：徐明鸣
地址：宁波市和义路109号
电话：(0574) 56112222
邮编：315010
网址：www.nbradio.com

青岛市

青岛市广播电视局
党委书记：张相逢
局长、台长：楼树军
总编辑：胡滨
地址：青岛市宁夏路200号
电话：(0532) 85701831
邮编：266071
网址：www.qingdaomedia.com

青岛市广播电视局城阳广播电视中心
书记、主任：高玉明

青岛市广播电视局黄岛广播电视中心
书记、主任：江范森

青岛市广播电视局崂山广播电视中心
书记、主任：陈少东

即墨市广播电视局
书记、局长、总编辑：孙圣瑶

胶州市广播电视局
书记、局长：冷建云

胶南市广播电视局
书记、局长：张清泉

平度市广播电视局
书记、局长：薛洁

莱西市广播电视局
书记、局长：兰希海

深圳市

深圳广播电影电视局
局长：陈威
地址：深圳市福中三路市民中心C区二楼2039
电话：82002320
邮编：518035

深圳广电集团
总裁：王茂亮
地址：深圳市鹏程一路一号深圳广电大厦
电话：88310909
邮编：518026

深圳电视台
台长：陈志荣
地址：深圳市鹏程一路一号深圳广电大厦
电话：88310009
邮编：518026

深圳电台
台长：李静
地址：深圳市鹏程一路一号深圳广电大厦
电话：88310038
邮编：518026

厦门市

厦门市广播电视局
局长、党组书记：曾碧心
地址：厦门市湖滨北路133号 厦门市广电中心
电话：(0592) 5301692
邮编：361012

厦门广播电视集团
集团总裁、党委书记：周旻
地址：厦门市湖滨北路121号 厦门市广电中心
电话：(0592) 5301301
邮编：361012

同安区广播电视局(台)
局长、台长：王育玲、陈良炭

国家广电总局管理的广播电视社团

中国广播电视协会
地址：北京复兴门外大街2号
邮政编码：100866
电话：86093301
法人代表：王敬松
会长(理事长)：徐光春
秘书长：江欧利

中国动画学会
地址：上海万航渡路618号
邮政编码：200042
电话：(021) 62132523
法人代表：张松林
会长(理事长)：金国平
秘书长：张松林

中华爱子影视教育促进会
地址：北京海淀区西土城路2号
邮政编码：100088
电话：82047292
法人代表：朱小欧
会长(理事长)：朱小欧
秘书长：文馨萍

中国影视摄影师学会
地址：北京广安门外大街2号
邮政编码：100055
电话：13601169245
法人代表：王伟国
会长(理事长)：王伟国
秘书长：矫广礼

中华广播影视交流协会
地址：北京复兴门外大街2号国家广电总局
邮政编码：100866
电话：86093922
法人代表：张振华
会长(理事长)：张振华
秘书长：马旭明

中华文化交流与合作促进会
地址：北京海淀区五路居玲珑花园
邮政编码：100089
电话：88462648
法人代表：梁宇
会长(理事长)：程思远
秘书长：梁宇

其他广播电视社会团体

中国广播剧研究会
地址：北京复兴门外大街2号南业务楼4层458室
邮政编码：100866
电话：86092453
法人代表：安景林
会长(理事长)：安景林
秘书长：阚平

中国广播电影电视报刊协会
地址：北京复兴门外大街2号

邮政编码：100866
电话：86093322
法人代表：张振东
会长（理事长）：马庆雄
秘书长：肖玉峰

中国录音师协会
地址：北京西城真武庙二条4号
邮政编码：100045
电话：68012887
法人代表：高雨春
会长（理事长）：李志荣
秘书长：高雨春

中国高等院校电影电视学会
地址：中国传媒大学现代传播编辑部
邮政编码：100024
电话：65779586
法人代表：张凤铸
会长（理事长）：张凤铸
秘书长：胡智峰

中国电视艺术交流协会
地址：北京复兴门外大街2号
邮政编码：100866
电话：86091430
法人代表：张乃嘉
会长（理事长）：赵化勇
秘书长：矫广礼

中国民族影视艺术发展促进会
地址：北京崇文门西大街7号
邮政编码：100005
电话：65121519
法人代表：于广华
会长（理事长）：金敏捷

中国农业电影电视协会
地址：北京海中关村南大街10号
邮政编码：100081
电话：62150964
法人代表：苑荣
会长（理事长）：于勇维
秘书长：苑荣

中国广播电视协会28个分支机构

经民政部民间组织管理局批准：
1. 有线电视研究委员会更名为有线电视工作委员会；
2. 电视译制研究委员会更名为电视译制工作委员会；
3. 电视剧研究委员会更名为电视剧工作委员会；
4. 纪录片研究委员会更名为纪录片工作委员会；
5. 信息资料研究委员会更名为信息资料工作委员会；
6. 对外宣传研究委员会更名为对外宣传工作委员会；
7. 经济广播研究委员会更名为经济节目工作委员会；
8. 电视军事节目委员会更名为军事节目工作委员会；
9. 广播文艺研究委员会更名为广播电视文艺工作委员会；
10. 电视旅游节目研究委员会更名为生活节目工作委员会；
11. 电视美术研究委员会更名为制作艺术工作委员会；
12. 科教节目研究委员会更名为科教传播工作委员会；
13. 技术研究委员会更名为技术工作委员会；
14. 电视法制节目研究委员会更名为法制节目工作委员会；
15. 广播电视新闻研究委员会更名为新闻节目工作委员会；
16. 少数民族广播电视研究委员会更名为少数民族节目工作委员会；
17. 广播电视体育传播研究委员会更名为体育传播工作委员会；
18. 对农村广播电视研究委员会更名为对农宣传工作委员会；
19. 城市广播电视台研究委员会更名为城市广播电视台工作委员会；
20. 青少年儿童节目研究委员会更名为青少节目工作委员会；
21. 广告和信息节目研究委员会更名为广告信息工作委员会。

另外，有7个分支机构由广电学会××委员会变更为广电协会××委员会：
1. 中国广播电视协会受众研究委员会；
2. 中国广播电视协会交通宣传委员会；
3. 中国广播电视协会电视学研究委员会；
4. 中国广播电视协会广电产业研究专业委员会；
5. 中国广播电视协会高塔委员会；
6. 中国广播电视协会广播电视史研究委员会；
7. 中国广播电视协会广播电视发展基金管理委员会。

13.人　物
Figures

13. 人　物

责任编辑　罗建平
审 稿 人　张　宏

中央人民广播电台

王　求（1954—）国家广电总局党组成员、中央人民广播电台分党组书记、中央人民广播电台台长。山东莘县人。高级编辑。1974年参加工作，1977年2月入北京大学中文系学习。1980年1月毕业，在北京广播学院学报编辑部任助理编辑。1982年9月调中央人民广播电台，先后任对台湾广播部编辑、记者，副主任、主任。1997年任台港澳广播中心主任。1999年任中央人民广播电台副台长。2007年6月任广电总局党组成员、中央人民广播电台分党组书记、台长。1992年以首批大陆记者采访团副团长身份赴台湾采访，期间采制的录音报道《张学良将军接受大陆记者采访》获当年"中国新闻奖"一等奖和"中国广播奖"一等奖。先后撰写了《加强和改进对台广播，提高针对性和有效性》、《世界眼光　多元发展》、《网络传播对网民行为方式的影响》等几十篇论文，其中《加强和改进对台广播，提高针对性和有效性》获得第九届全国广播电视学术论文评选一等奖。2007年全国十佳广播电视理论研究人才。

赵子忠（1966—）中央人民广播电台分党组副书记、副台长。内蒙古赤峰人。1989年8月毕业于北京商学院商业经济系，同年分配到广播电影电视部无线局计财处工作。1991年7月任广电部无线局计财处财务科副科长。1992年9月任无线局计财处计划科科长。1993年6月任广电部无线局团委书记。1994年10月任北京中央塔旅游开发公司副总经理。1995年6月任广电部团委副书记。1997年9月任广电部团委书记。2000年5月任中纪委、监察部驻广电总局纪检组监察局一室主任。2002年3月任国家广电总局办公厅副主任、法规司副司长。2003年8月任国家广电总局离退休干部局党委书记、副局长。2004年3月任广电总局离退休干部局局长。2007年10月任现职。

赵忠颖（1958—）（女）中央人民广播电台分党组副书记、中央人民广播电台副台长。辽宁锦州人。高级编辑。1983年毕业于北京广播学院新闻系，同年分配到中央人民广播电台，历任编辑、记者。1992年10月任科教部副主任。1995年10月任中央人民广播电台第二套节目副总监兼科教部主任。1998年9月任中央人民广播电台经济科技信息中心副主任兼科教部主任。1999年7月起任机关党委专职副书记。2002年5月任中央人民广播电台分党组成员、副台长。2007年10月任中央人民广播电台分党组副书记。采访的节目四次获"中国广播奖"一等奖。发表专业论文三次获中央人民广播电台及全国优秀论文评选一等奖。1994年被评为广播电影电视部"十大杰出青年"。

赵铁骑（1955—）中央人民广播电台分党组成员、副台长。大学本科学历。湖北武汉人。1972年参加工作。1974年12月起历任解放军某部新闻干事。1983年在上海空军政治学院学习。1986年9月起在武汉大学新闻系本科84级插班学习。1988年9月任广电部干部司主任科员。1990年7月任广电部干部司干部处副处长。1995年2月任广播科学研究院党委副书记。1996年4月任广电部人事司副司长。2001年4月任中国国际广播电台分党组成员、副台长。2007年10月，任现职。

王晓晖（1968—）中央人民广播电台分党组成员、副台长。河南洛阳人。高级编辑。1990年吉林大学中文系毕业后分配到中央人民广播电台新闻中心工作，先后任编辑、记者。1997年12月任中央人民广播电台台长秘书。2000年3月任中央人民广播电台新闻中心新闻评论部主任。2001年10月，任中央人民广播电台新闻中心新闻部主任。2002年3月，任中央人民广播电台新闻中心主任。2003年11月，任中央人民广播电台中国之声副总监。2006年6月，任中央人民广播电台财经办公室主任。2007年10月任现职。参与、策划、指挥了中央人民广播电台1990年以来绝大多数重大报道，包括7次"两会"报道、党的十四大、香港回归、大江截流、新千年报道、伊拉克战争、抗击非典、奥运会、亚运会、世界杯、党的十七大和台内数十集、百集以上的重大系列报道，获得部级以上奖项60多个，包括中国新闻奖特别奖、一等奖、二等奖等20余个。2002年获全国青年岗位能手称号。

胡志坚（1951—）中央人民广播电台新疆记者站站长，2007年全国优秀新闻工作者。回族，新疆乌鲁木齐人。中共党员，主任记者。1969年3月至1971年7月在新疆鄯善园艺场当农工。1971年7月至1976年7月在新疆鄯善火力发电厂工作。1976年7月至1985年7月任新疆人民广播电台记者。1985年7月至1990年12月任中央人民广播电台新疆记者站记者。1990年12月至1995年12月任中央人民广播电台新疆记者站副站长。1995年12月至2002年1月任现职。

谢际争（1965—）2007年全国优秀新闻工作者。江苏江阴人。中共党员。中央人民广播电台对台湾广播中心新闻节目部编辑。1982年9月至1986年6月在武汉大学中文系汉语言文学系学习。1986年6月至1988年6月在中国社会科学院语言研究所工作。1988年6月至1991年8月在中国唱片总公司总编室工作。1991年8月至1995年2月任中央人民广播电台台播部编辑。1995年2月至1997年7月在中央人民广播电台驻香港记者站工作。1997年7月起在中央人民广播电台对台湾广播中心新闻节目部工作。

王纪春（1975—）2007年全国优秀新闻工作者。上海人。一级播音员，中央人民广播电台经济之声主持人、编辑。1993年9月至1997年9月在华北电力大学国际贸易专业学习。1997年9月至1999年8月在北京广播学院播音主持专业双学位班学习。1999年8月至2000年12月任中央人民广播电台经科信中心《国际瞭望》主持人、编辑。2000年12月起任中央人民广播电台经济之声主持人、编辑，主持、编辑“财富人生”、“证券广播网”、“天天理财”和“财富星空”等栏目，多次参与中央人民广播电台大型直播活动，包括亚太经合组织上海峰会、博鳌亚洲论坛、百届广交会庆典、北京理财博览会等。其主持的作品曾多次获得国家级和中央人民广播电台优秀节目奖。2005年，被评为年度经济之声听众最喜爱的节目主持人之一。

正高级专业技术职务人员名录

姓　名	专业职务	评定时间	单　位
林长风	高级编辑	2007	中央人民广播电台
张庶卓	高级编辑	2007	中央人民广播电台
刘园丁	高级编辑	2007	中央人民广播电台
陶　炜	高级编辑	2007	中央人民广播电台
姜保宏	高级编辑	2007	中央人民广播电台
王延辉	高级编辑	2007	中央人民广播电台
李　涛	高级编辑	2007	中央人民广播电台
李国林	高级记者	2007	中央人民广播电台
辛如记	高级记者	2007	中央人民广播电台
焦　健	高级记者	2007	中央人民广播电台
金永勋	译审	2007	中央人民广播电台

中国国际广播电台

王明华（1954—）中国国际广播电台分党组副书记、副台长。江苏新沂人。高级编辑。1978年南京师范大学政教系毕业后在新沂县工作。1985年进入北京广播学院新闻系研究生班学习，1987年毕业后进入中央人民广播电台工作，先后担任新闻中心编辑、组长、新闻部副主任、主任、新闻中心副主任，1995年8月任新闻节目中心主任。2001年4月任中央人民广播电台副台长、分党组成员，兼任第一套节目中国之声总监。2007年9月调任现职。2004年获范长江新闻奖和全国广播电视理论“十佳工作者”称号，2004年享受政府特殊津贴。

尹秀云（1953—）（女）中国国际广播电台分党组纪检组副组长，兼任监察室主任、机关党委副书记、机关纪委书记。河北唐山人。1978年8月北京大学哲学系毕业，分配到广播科学研究院工作，历任党办副主任、主任，政工处处长，综合办公室主任。1992年9月至1993年1月，在中央党校中直分校学习。2004年4月任总局广播电视规划院党委副书记。2007年1月任中国国际广播电台分党组纪检组副组长，同年3月兼任监察室主任，同年4月兼任机关党委副书记、机关纪委书记。

钱宏江（1970—）中国国际广播电台办公室主任。中共党员。北京密云人。1993年7月毕业于中国政法大学经济法系，分配到中国国际广播电台华语环球广播中心新闻部从事新闻采编工作。1998年8月任华语环球广播中心合作交流部副主任，2000年2月任台办公室秘书处处长，2002年10月任总编室节目运行管理处处长，2003年12月任总编室副主任，2007年3月任现职。

安晓宇（1967—）中国国际广播电台第二亚洲地区广播中心主任。高级编辑。中共党员。安徽合肥人。1990年8月北京广播学院毕业后进入中国国际广播电台工作。1998年5月任新闻发稿中心文艺部主任。2000年4月任新闻发稿中心副主任。2005年5月任第二亚洲地区广播中心副主任（主持工作）。2007年3月任现职。

林少文（1960—）中国国际广播电台俄东地区广播中心主任。译审。中共党员。上海松江人。1976年参加工作。1982年就读于上海外国语学院英语系，1986年进入中国国际广播电台工作。先后担任英语编辑、记者、播音员、新闻领班、英语部副主任、英语中心新闻部主任，英语中心副主任、新闻中心副主任、俄东中心副主任。2007年3月任现职。1995年8月至1996年9月，在英国伦敦大学戈德史密斯学院学习，获广播专业硕士学位。1998年2月至2000年4月，派国际台驻联合国记者站任首席记者。作品曾获中国彩虹奖、中国广播奖、中国国际新闻奖、中国新闻奖一等奖，亚广联对外广播奖等。2001年，获得第五届全国广播电视主持人金话筒奖。2004年人选全国宣传文化系统“四个一批”人才。2007年享受政府特殊津贴。现兼任中国广播电视协会播音主持委员会副会长、常务副理事长。

正高级专业技术职务人员名录

姓　名	专业职务	评定时间	工作单位
李培春	译审	2007	中国国际广播电台
乌仁高娃	译审	2007	中国国际广播电台
胡唯敏	译审	2007	中国国际广播电台
王晓东	译审	2007	中国国际广播电台
江锦成	译审	2007	中国国际广播电台
裘杨健	译审	2007	中国国际广播电台
朴银玉	播音指导	2007	中国国际广播电台
诺敏娜日苏	播音指导	2007	中国国际广播电台
仇淑晶	播音指导	2007	中国国际广播电台
臧具林	高级编辑	2007	中国国际广播电台
马庆平	高级编辑	2007	中国国际广播电台
龚子贤	高级编辑	2007	中国国际广播电台
范韩生	高级编辑	2007	中国国际广播电台
郭胜昔	高级记者	2007	中国国际广播电台
潘晓英	高级记者	2007	中国国际广播电台
苏大同	教授级高级工程师	2007	中国国际广播电台
姜　宁	教授级高级工程师	2007	中国国际广播电台

中央电视台

刘 众（1955—）中国有线电视网络有限公司副总经理。山东济南人。中共党员。1975年赴山东省曲阜插队。1977年到济南市自来水公司工作。1982年毕业于上海同济大学，分配到化工部第三设计院，任设计室副主任。1987年调广播电影电视部设计院，任经济室主任，1989年被聘为高级工程师，1994年任业务处处长，1999年任副院长。2000年调广播影视信息网络中心任副主任。2001年兼任中广影视传输网络公司副总经理。2005年任现职。

正高级专业技术职务人员名录

姓 名	专业职务	评定时间	工作单位
刁亚起	高级编辑	2006	中央电视台
王宪生	高级编辑	2006	中央电视台
田 军	高级编辑	2006	中央电视台
金 越	高级编辑	2006	中央电视台
钱 蔚	高级编辑	2006	中央电视台
曹 宁	高级编辑	2006	中央电视台
郭霁虹	高级编辑	2006	中央电视台
韩 卫	高级编辑	2006	中央电视台
韩 青	高级编辑	2006	中央电视台
霍 燕	高级编辑	2006	中央电视台
邢增福	高级记者	2006	中央电视台
杨东德	高级记者	2006	中央电视台
姜诗明	高级记者	2006	中央电视台
任志宏	播音指导	2006	中央电视台
李 弋	教授级高级工程师	2006	中央电视台
李建成	教授级高级工程师	2006	中央电视台
赵成璧	教授级高级工程师	2006	中央电视台
夏石生	一级导演	2006	中央电视台
王雨萌	一级文学编辑	2006	中国电视剧制作中心
李治安	一级文学编辑	2006	中国电视剧制作中心
傅 伟	高级记者	2006	中央新闻纪录电影制片厂
秦明亮	一级美术师	2006	北京科学教育电影制片厂
孙忠瑞	高级编辑	2006	中央卫星电视传播中心
任 彪	一级演奏员	2006	中国爱乐乐团
黄立立	一级演奏员	2006	中国爱乐乐团

国家广播电影电视总局广播电视规划院

姜文波（1963—）国家广播电影电视总局广播电视规划院院长。中共党员。教授级高级工程师。历任中广电设计院天线设计研究所副所长、所长，中广电设计院副院长兼总工程师。2006年12月起任现职。现为国家广电总局科学技术委员会委员和无线传输与覆盖专业委员会副主任委员，全国广播电视标准化委员会委员，中国青年科技工作者协会会员，中国电子学会广播电视技术分会副主任委员，中国新闻技术工作者联合会理事会常务理事，建设部建筑智能化技术专家委员会专家，获政府特殊津贴。曾主持完成数十个工程设计，有十多个项目获得国家和部级奖励，其中获得国家优秀工程设计铜奖一次、总局优秀工程设计一等奖一次，总局科技创新一等奖两次。

谢锦辉（1963—）国家广播电影电视总局广播电视规划院副院长。中共党员。教授级高级工程师。历任华中理工大学副教授、广播科学研究院广播所副所长、数字广播电视技术研究中心主任工程师、广播科学研究院无线技术研究所所长、广播科学研究院副院长。2006年12月起任现职。兼任中国传媒大学博士生导师。先后获得人事部“中青年有突出贡献专家”称号，科技部、财政部、计委、经贸委共同颁发的“九五国家重点科技攻关计划先进个人”称号及中共中央组织部、宣传部、统战部，人事部、教育部、科技部共同颁发的“留学回国人员成就奖”。是国家广电总局科技委委员，获政府特殊津贴。曾获得国家广电总局科技进步一等奖两次，国家广电总局科技进步二等奖一次。

高少君（1957—）国家广播电影电视总局广播电视规划院副院长。中共党员。教授级高级工程师。历任广播科学研究院标准化规划研究所副所长、所长、广播科学研究院副院长。2003年12月起任现职。现为全国广播电视标准化技术委员会秘书长，获政府特殊津贴。曾获得国家广电总局科技创新奖一等奖2次、科技进步奖二等奖1次、科技创新奖二等奖3次。

王京玲（1957—）国家广播电影电视总局广播电视规划院党委副书记。中共党员。1991年至2006年在中国国际广播电台工作，历任秘书、分党组秘书，办公室副主任、主任。1996年参加中央党校中直分校广电班学习。2006年参加中央党校中直分校学习。2006年12月起任现职。

正高级专业技术职务人员名录

姓 名	专业职务	评定(聘任)时间	工作单位
张 红	教授级高级工程师	2006	广播电视规划院
蔡晓梅	教授级高级工程师	2006	广播电视规划院
倪士兰	教授级高级工程师	2006	广播电视规划院
袁丽华	教授级高级工程师	2006	广播电视规划院
王海平	研究员	2006	广播电视规划院

国家广播电影电视总局无线电台管理局

孙朝晖（1967—）（女）无线电台管理局分党组成员、副局长，工程技术应用研究员。江苏南京人。1989年7月毕业于山东工业大学计算机应用专业，2001年3月上海财经大学信息管理专业管理学硕士毕业，2004年7月中国海洋大学物理海洋学专业理学博士毕业。1989年7月至2007年1月，在青岛市广播电视局工作，历任青岛市广播电视局数据中心主任（副处级），青岛有线电视台副台长，青岛市广播电视局副局长、党委委员。2007年1月调任现职。1993年被评为青岛市劳动模范。1995年被青岛市人事局给予记三等功奖励。2001年被山东省广电局评为优秀管理工作者一等奖。2003年被评为山东省劳动模范。

李建设（1955—）西藏自治区广播电影电视局副局长兼任602台台长，国家广电总局无线电台管理局副局级干部。陕西蒲城人。高级工程师。中共党员。1972年10月至2001年10月，先后在西藏人民广播电台、西藏自治区广播电影电视厅、西藏自治区广播电影电视厅602台工作，历任602台机房副主任、主任、副台长，1997年3月至今任台长。2003年9月至2006年9月，兼任国家广电总局无线电台管理局援藏技术工作小组组长。2007年8月起任现职。1995年被评为西藏自治区广播电影电视厅先进工作者。2002年获国家广电总局西新工程先进个人一等功。2002年被全国总工会授予“五一劳动奖章”。

刘金贤（1948—）2007年全国广播电影电视系统先进工作者获得者。国家广电总局无线电台管理局542台台长。中共党员。山东临沂人。1965年在海军北海舰队第一发射台服兵役。1970年分配到国家广电局953台，历任机房主任、保卫科长。1992年任广电部725台副台长。1995年任722台台长。1997年任国家广电总局501台台长。2001年至今，任国家广电总局542台台长（2003年3月至2004年8月，赴新疆喀什兼任2022工程项目部主任、2022台台长）。2004年被评为国家广电总局“西新工程”先进个人一等功。2004年被评为国家广电总局优秀共产党员。2005年被评为国家广电总局精神文明先进个人，中直机关优秀共产党员。2007年被评为全国广播电影电视系统先进工作者。

姜　涛（1975—）（女）全国三八红旗手。北京人。中共党员。1996年毕业于北京市财政学校财政专业，本科学历。1996年7月至今在国家广电总局无线电台管理局491台工作，任财务科会计。2007年9月，为挽救韩国一名年轻的白血病患者的生命，慷慨地捐献了造血干细胞，成为北京市首例向国外捐献造血干细胞的人。

正高级专业技术职务人员名录

姓　名	专业职务	评聘时间	工作单位
李国华	教授级高级工程师	2000	无线局机关
黄国琳	教授级高级工程师	2000	无线局机关
孙秀荷	教授级高级工程师	2000	无线局中央塔
李海峰	教授级高级工程师	2003	无线局节传中心
黄　欣	教授级高级工程师	2003	无线局机关
汤雪霞	教授级高级工程师	2004	无线局中央塔
迟立国	教授级高级工程师	2004	无线局机关
毛旭辉	教授级高级工程师	2005	无线局机关
高　峰	教授级高级工程师	2005	无线局机关
张小良	教授级高级工程师	2005	无线局中央塔
冯　放	教授级高级工程师	2005	无线局中塔公司
孙朝晖	工程技术应用研究员	2007	无线局机关

中广电广播电影电视设计研究院

管　斌（1955—）　中广电广播电影电视设计研究院副院长，教授级高级工程师。江苏阜宁人。北京邮电学院无线电工程系毕业。1982年2月，任广电部技术局维护处干部；1987年12月，任广电部技术局维护处主任科员；1992年12月，任广电部科技司无线电管理处副处长；1995年3月，任广电部科技司卫星广播办公室副主任（其间1995年9月至1996年1月在中央党校中直分校广电部班学习）；1996年1月，任广电部科技司卫星广播办公室主任；1996年8月，任中广影视卫星有限责任公司副经理；1999年8月，任中广影视卫星有限责任公司总经理；2001年12月，任中广影视卫星有限责任公司副总经理（其间2001年11至2005年7月兼中广播影视传输网络有限责任公司董事、副总经理）

正高级专业技术职务人员名录

姓　名	专业职务	评定时间	工作单位
王建磊	教授级高级工程师	2007	中广电广播电影电视设计研究院
田礼	教授级高级工程师	2007	中广电广播电影电视设计研究院
姜东明	教授级高级工程师	2007	中广电广播电影电视设计研究院
陈怀民	教授级高级工程师	2007	中广电广播电影电视设计研究院

国家广播电影电视总局广播科学研究院

马　炬（1968—）国家广播电影电视总局广播科学研究院院长。河北定县人。中共党员。1991年毕业于北京广播学院电视工程系广播电视工程专业。2005年毕业于清华大学经济管理学院EMBA专业，获得硕士学位。高级工程师。1991年7月在广电部广播科学研究所工作。1994年7月任广播科学研究院有线电视研究所副所长，1996年3月任所长。1997年获得第二届广电部“十大杰出青年”荣誉称号。1997年9月至1998年1月，在中共中央党校中直机关分校学习。1998年8月任国家广电总局广播影视信息网络中心主任助理兼技术管理部主任。1999年6月任国家广电总局广播科学研究院副院长，挂职新疆广播电视厅副厅长工作。2002年1月任国家广电总局科技司副司长。2003年11月任现职。“直播卫星系统传输技术研究”获得2006年度国家广电总局科技创新奖（高新技术研究与开发类）一等奖；“有线数字电视整体转换系统技术设计与评估”获得2006年度国家广电总局科技创新奖（软科学类）一等奖；“广播影视科技术语选释”获得2006年度国家广电总局科技创新奖（软科学类）二等奖。兼任中国电影电视技术学会常务理事、中国电子学会理事、中国电子学会广播电视技术分会副主任委员、国家广电总局科学技术委员会有线专业委员会副主任委员等。

孟宪礼（1949—）广播科学研究院党委书记。黑龙江人。1977年毕业于清华大学建筑工程系工业与民用建筑专业，大学本科。教授级高级工程师。1968年9月在黑龙江省海伦农场当知青，后任中学教员、团总支副书记。1973年9月在清华大学建筑工程系学习。1977年1月在广电部设计院土建一室工作。1994年3月至7月在中共中央党校中直机关分校学习，同年8月任广电部设计院业务处副处长。1995年1月起先后任广电部设计院工程部经理、院长助理、副院长、党委副书记兼副院长。2001年4月任国家广电总局广播科学研究院党委书记兼副院长。2005年任广播科学研究院党委书记。

邹　峰（1962—）广播科学研究院副院长。江苏人。中共党员。1984年7月毕业于南京大学物理系声学专业，大学本科。教授级高级工程师。1984年8月在广电部广播科学研究所工作。1996年3月任广电部广播科学研究院广播研究所副所长。1998年6月任国家广电总局广播科学研究院广播研究所所长。1999年3月任国家广电总局广播电视计量检测中心副主任。1999年5月任国家广电总局广播电视计量检测中心代理主任。1999年12月任现职。2001年5月至2005年9月，兼任党委副书记。2007年10月，当选为世界多媒体广播论坛主席团成员。2007年11月当选国际电信联盟无线电委员会第六研究组副主席。主持和参与了数十项科研项目，发表了数十篇论文，制订了六个国家标准，2005年发表《欧洲、非洲和阿拉伯地区地面数字电视规划研究报告》和《VHF/UHF频段地面数字电视频率规划研究报告》两本论著。1996年获得首届中直机关"青年岗位能手"称号。2002年度获得国家广电总局科技进步一等奖。

秦　勇（1964—）广播科学研究院副院长。山西人。中共党员，1984年毕业于华中工学院固体电子系，大学本科。教授级高级工程师。1984年7月在广电部广播科学研究所工作。1988年参加中直机关赴皖讲师团。1994年8月任广电部广播科学研究院科技信息研究所副所长。1996年3月至7月在中共中央党校中直分校学习。1998年6月任国家广电总局广播科学研究院科技信息研究所所长。2005年2月任现职。

杨　杰（1961—）广播科学研究院总工程师。浙江人。中共党员。1984年毕业于清华大学无线电系，大学本科。同年8月在广电部广播科学研究所工作。1994年12月任广电部广播科学研究院电视研究所副所长。1998年6月任国家广电总局广播科学研究院电视研究所所长。1999年3月任广播科学研究院数字广播电视技术研究中心副主任。2000年3月至7月，在中共中央党校中直分校学习，同年7月任广播科学研究院有线电视研究所所长。2002年1月兼任广播科学研究院科研管理部主任。2005年2月任现职。国家广电总局科学技术委员会有线专业委员会委员，中国电影电视技术学会理事，中国电子学会高级会员。

中国传媒大学

正高级专业技术职务人员名录

姓　名	专业职务	评定(聘任)时间	工作单位
田维义	教授	2006	中国传媒大学
刘春梅	研究员	2006	中国传媒大学纪委、监察处
姜纳新	研究员	2006	学生工作部(处)
陈作平	教授	2006	电视与新闻学院

续表

姓　名	专业职务	评定(聘任)时间	工作单位
宫承波	教授	2006	电视与新闻学院
张　开	教授	2006	国际传播学院
童之侠	教授	2006	国际传播学院
仪名海	教授	2006	国际传播学院
刘笑盈	教授	2006	国际传播学院
初广志	教授	2006	广告学院
宋香云	教授	2006	媒体管理学院
吕　艳	教授	2006	媒体管理学院
李丹林	教授	2006	政治与法律学院
游　洁	教授	2006	影视艺术学院
李胜利	教授	2006	影视艺术学院
秦俊香	教授	2006	影视艺术学院
廖祥忠	教授	2006	动画学院
蒋　伟	教授	2006	信息工程学院
陈新桥	研究员	2006	信息工程学院
杜怀昌	教授	2006	信息工程学院
康　彤	教授	2006	理学院
仲　瑛	教授	2006	理学院
张鹏洲	研究员	2006	计算机学院
朱力谷	教授	2006	计算机学院
张　玲	研究员	2006	高教研究所(发展战略研究中心)
胡　克	教授	2006	影视艺术学院（转系列）
周　炜	教授	2006	影视艺术学院（转系列）
刘　昶	教授	2006	欧洲传媒研究中心（转系列）
李停战	教授	2006	动画学院（转系列）
王雅平	教授	2006	动画学院（转系列）

天津市

赵婉香（1954—）天津市广播电视电影局党组副书记、局长。河北文安人。1974年9月毕业于天津音乐学院，分配到天津歌舞剧院工作，从事乐器演奏工作，后任天津歌舞剧院办公室秘书、人事科副科长。1987年8月任天津市文化局党委组织部主任科员、副调研员。1994年6月任天津市文化局党委统战部部长兼组织部副部长。1996年5月任天津市文化局党委常委、局长助理、党委办公室主任、文化市场管理处处长。1997年8月任天津市文化局（天津市文物局）副局长、党委常委。2007年3月任天津市广播电视电影局局长、党组副书记。

正高级专业技术职务人员名录

姓　名	专业职务	评定(聘任)时间	工作单位
刘淑敏	高级编辑	2007	天津市广播电视电影局
牛予冬	高级记者	2006	天津人民广播电台
熊其新	高级记者	2007	天津人民广播电台
张玉婷	高级编辑	2006	天津人民广播电台
张今路	高级编辑	2006	天津人民广播电台
张桂珍	高级编辑	2006	天津人民广播电台
潘力超	高级编辑	2006	天津人民广播电台
戴逵贤	高级编辑	2006	天津人民广播电台
安　迅	高级编辑	2007	天津人民广播电台

续表

姓　名	专业职务	评定(聘任)时间	工作单位
王月娥	高级编辑	2007	天津人民广播电台
张笑武	高级编辑	2007	天津人民广播电台
王建津	播音指导	2006	天津人民广播电台
丁书会	播音指导	2006	天津人民广播电台
王美兰	播音指导	2006	天津人民广播电台
蒋文胜	教授级高级工程师	2007	天津人民广播电台
郝宝卿	一级录音师	2006	天津人民广播电台
李清章	高级记者	2006	天津电视台
石革新	高级编辑	2006	天津电视台
李勇强	高级编辑	2006	天津电视台
范向彬	高级编辑	2006	天津电视台
于淑然	高级编辑	2006	天津电视台
孟祥友	一级导演	2006	天津电视台
朱铁梅	高级编辑	2006	天津电视台
杨　琦	高级编辑	2006	天津电视台
杨贺梅	高级编辑	2006	天津电视台
马　进	一级导演	2006	天津电视台
姚志国	高级编辑	2006	天津电视台
侯津森	高级编辑	2007	天津电视台
傅　颖	高级编辑	2007	天津电视台
张瑞芬	高级编辑	2007	天津电视台
朱志红	高级编辑	2007	天津电视台
王树槐	高级编辑	2007	天津电视台
翟羽翀	高级编辑	2007	天津电视台
贺鲁玲	一级摄像	2007	天津电视台
刘　郡	高级编辑	2007	天津电视台
刘晓农	教授级高级工程师	2007	天津电视台
沈绍杰	教授级高级工程师	2007	天津电视台
周永康	教授级高级工程师	2007	天津电视台

山西省

吴国荣（1954—）太原市委宣传部副部长兼太原市文化广播电视局党组书记、局长。山西万荣人。大学本科学历。1973年1月至1979年2月，在山西万荣学校任民教、团支书、副书记。1979年2月至1981年12月，就读于山西师院西山分校。1981年12月至1984年8月，任西山矿务局办公室干事。1984年8月至1994年8月，任太原市委宣传部办公室副主任。1994年8月至1998年4月，任太原市文化局副局长。1998年4月至2001年9月，任太原市委宣传部副部长。2001年9月至2006年12月，任太原市委宣传部副部长兼外宣办主任。2006年12月起任现职。

李青森（1962—）2007年第三届全国“十佳百优”广播电视理论人才“百优理论人才”荣誉称号获得者。黄河电视台栏目制片人。中共党员。先后在山西电视台卫视频道《黄土地》、《内陆看谈》电视栏目做编辑、记者、栏目主编、栏目制片人，在山西电视台科教频道《科技时空》任栏目主编，在黄河电视台国内频道《黄河讲堂》和《非常视界》任栏目制片人。由其本人拍摄、编辑、制作的20多个节目获得了国家、省部级等多项奖励，三篇论文获得省级论文评选一等奖。

陆　霞（1959—）(女) 2007年第三届全国“十佳百优”广播电视理论人才“百优理论人才”荣誉称号获得者。中共党员。1982年毕业于山西大学艺术系作曲理论专业。1985年进入山西人民广播电台。先后在文艺部、专题部、新闻部、文艺中心担任过主持人、编辑、记者、节目监制。创作的多部节目获“中国广播奖一等奖”、“五个一工程奖”、等国家级及国际大奖。撰写的20多篇论文先后在省级、国家级刊物上发表、获奖。先后荣获了“首届全国广播电视‘百优’节目主持人”等荣誉。

张　华（女）2007年全国优秀新闻工作者。太原电视台法制频道副总监。中共党员。陕西武功人。2005年由她创办的《发现》节目曾荣获中国广播电视协会优秀栏目一等奖。同时还荣获山西省百佳新闻工作者、巾帼文明岗、新长征突击手等10多个先进称号。

正高级专业技术职务人员名录

姓　名	专业职务	评定时间	工作单位
贺峻峰	教授级高级工程师	2006	无线管理中心
张向东	教授级高级工程师	2006	无线管理中心
卢元隆	高级编辑	2006	山西广播电视总台
张景萍	高级编辑	2006	山西广播电视总台
李苏华	高级编辑	2006	山西广播电视总台

内蒙古自治区

牧　仁（1963—）内蒙古广播电影电视局副局长。蒙古族。1984年毕业于中央民族学院（今民族大学），同年参加工作。2002年毕业于中国政法大学法律研究生班。历任内蒙古广播电视厅人事处干事、科长、副处长，内蒙古人民广播电台副台长。2007年任现职。

正高级专业技术职务人员名录

姓　名	专业职务	评定（聘任）时间	工作单位
阿拉腾笋布尔	播音指导	2007	内蒙古电台
吴广德	教授级高级工程师	2007	内蒙古电视台
杜　娟	教授级高级工程师	2007	内蒙古电视台
包　峰	教授级高级工程师	2007	内蒙古电视台
何　锋	教授级高级工程师	2007	内蒙古电视台
邓小霖	教授级高级工程师	2007	内蒙古电视台
董瑞军	教授级高级工程师	2007	微波传输总站
王　钰	教授级高级工程师	2007	广电局610台
刘大为	教授级高级工程师	2007	广电局706台
秦　芸	教授级高级工程师	2007	广电局839台
赵　峰	教授级高级工程师	2007	广电局781台
王殿宏	教授级高级工程师	2007	呼伦贝尔中心台
周培军	教授级高级工程师	2007	卫星联网中心
照日格图	译审	2007	内蒙古电台
乌力吉木仁	译审	2007	内蒙古电视台
图门那斯吐	译审	2007	内蒙古电视台
阿拉腾苏和	译审	2007	内蒙古电视台
那日苏	译审	2007	内蒙古电视台

续表

姓　名	专业职务	评定（聘任）时间	工作单位
乌云图雅	高级编辑	2007	内蒙古电台
赛吉拉夫	高级编辑	2007	内蒙古电台
特木乐	高级编辑	2007	内蒙古电台
李小桦	高级编辑	2007	内蒙古电台
马露霞	高级编辑	2007	内蒙古电台
武　钢	高级编辑	2007	内蒙古电台
赵慧华	高级编辑	2007	内蒙古电台
刘学通	高级记者	2007	内蒙古电台
塔　娜	高级编辑	2007	内蒙古电视台
朝格吉勒图	高级编辑	2007	内蒙古电视台
云晓丽	高级编辑	2007	内蒙古电视台
刘慧芬	高级编辑	2007	内蒙古电视台
陈秀英	高级编辑	2007	内蒙古电视台
萨仁高娃	一级导演	2007	内蒙古电视台
石传铭	一级导演	2007	内蒙古电视台
程　昭	一级编导	2007	内蒙古电视台
格日乐图雅	一级配音演员	2007	内蒙古电视台
徐毅珊	一级摄像	2007	内蒙古电视台
王百仑	一级演奏员	2007	内蒙古广播电视艺术团
董金铎	高级编辑	2007	赤峰人民广播电台
阿拉坦桑布	高级编辑	2007	赤峰人民广播电台
祁穗峰	高级编辑	2007	呼伦贝尔人民广播电台
姚选枕	高级编辑	2007	赤峰电视台

辽宁省

姜丽彬（1950—）（女）辽宁人民广播电台台长、总编辑、党委书记。辽宁金县人。北京广播学院(现中国传媒大学)新闻系电视摄影专业毕业。中共党员，在职研究生学历，高级记者。享受政府特殊津贴。1968年参加工作，历任辽宁电视台新闻部副主任、主任、辽宁电视台副台长、副总编辑、辽宁有线电视台台长、总编辑。2001年9月调到辽宁电台任台长、总编辑。策划、编辑的纪录片《两个孤儿的故事》在第二届亚洲映象节上，获“最优秀奖”。策划、编辑的纪录片《人·鬼·人——一个日本宪兵的生涯》在四川国际电视节上，获最佳社会人文类纪录片“金熊猫”奖。第二年在第三届亚洲映象节上获优秀奖，在国内获中国纪录片长篇一等奖。参与策划的《搬迁》、《打造新东北》、《振兴东北、先震东北人》、《东北人的新突围》等多篇作品获得中国新闻奖一等奖和中国广播奖一等奖。撰写理论文章近50篇，其中感录《人·鬼·人的背后》、《NG0，一道看不够的风景线》、《地方台与MTV》、《有线“热”的“冷”思考》等多篇获得国家以及省一等奖。荣获“优秀女领导干部”、辽宁省“十大女杰”、省三八红旗手等称号。

张振生（1949—）2007年全国广播影视系统先进工作者。辽宁人民广播电台副台长。黑龙江双城人。中共党员。大学学历。高级编辑。1974年毕业于北京大学中文系，1977年调人辽宁人民广播电台工作，先后担任记者、人保科科长。1984年，调入辽宁省广播电视厅工作，历任办公室副主任、辽宁省广播电视厅秘书长兼办公室主任、辽宁省广播电视厅秘书长等职。1993年至今任辽宁电台副台长。多次被辽宁省广播电视局评为先进个人。

孙柏文（1961—）2007年全国广播影视系统先进工作者。辽宁省阜新市广播电视局党委书记、局长，阜新人民广播电台台长。辽宁法库人。中央民族学院少数民族经济专业研究生毕业。1981年至1989年任阜新市委办公室巡查察主任、市委办公室副主任。2001年起任现职。在他的主持和领导下，阜新市广电局获得全国广播电视村村通先进集体称号。

正高级专业技术职务人员名录

姓名	专业职务	评定时间	工作单位
张庭杰	高级记者	2007	辽宁人民广播电台
李绍东	高级记者	2007	辽宁人民广播电台
赵彤湫	高级记者	2007	辽宁人民广播电台
周健人	高级记者	2007	辽宁人民广播电台
李玉杰	高级编辑	2007	辽宁人民广播电台
李业柱	教授级高级工程师	2007	辽宁人民广播电台
赵　明	高级记者	2007	辽宁电视台
李冰梅	高级编辑	2007	辽宁电视台
吉永成	高级记者	2007	辽宁电视台
高宏鹏	教授级高级工程师	2007	辽宁电视台
礼　冰	高级编辑	2007	辽宁电视台
佟　旭	高级记者	2007	辽宁电视台
王士伟	高级记者	2007	辽宁电视台
王雪林	一级摄像师	2007	辽宁电视台
白明路	高级记者（编辑）	2000	沈阳电视台
赵洪甲	高级记者（编辑）	2000	沈阳电视台
接见华	高级记者（编辑）	2000	沈阳电视台
张茂民	高级记者（编辑）	2001	沈阳电视台
赵晓群	高级记者（编辑）	2001	沈阳电视台
邱　敏	高级记者（编辑）	2001	沈阳电视台
贾　欧	高级记者（编辑）	2002	沈阳电视台
王景文	高级记者（编辑）	2002	沈阳电视台
傅泽宇	高级记者（编辑）	2002	沈阳电视台
洪　利	高级记者（编辑）	2002	沈阳电视台
李向宽	高级记者（编辑）	2003	沈阳电视台
王　君	高级记者（编辑）	2003	沈阳电视台
尹素琴	高级记者（编辑）	2004	沈阳电视台
高玉敏	高级记者（编辑）	2004	沈阳电视台
张东生	高级记者（编辑）	2004	沈阳电视台
邵　伟	高级记者（编辑）	2005	沈阳电视台
冯　剑	高级记者（编辑）	2005	沈阳电视台
潘新庆	高级记者（编辑）	2005	沈阳电视台
谭　锐	高级记者（编辑）	2005	沈阳电视台
吴淑华	高级记者（编辑）	2005	沈阳电视台
曹　霞	高级记者（编辑）	2005	沈阳电视台
刘庆春	高级记者（编辑）	2005	沈阳电视台
郑丽萍	高级记者（编辑）	2006	沈阳电视台
程　彪	高级记者（编辑）	2007	沈阳电视台
侯　蔚	高级记者（编辑）	2007	沈阳电视台
魏存莉	高级记者（编辑）	2007	沈阳电视台

续表

姓名	专业职务	评定时间	工作单位
张丽红	高级记者（编辑）	2007	沈阳电视台
刘红军	播音指导	2006	沈阳电视台
黄净伟	一级导演	1999	沈阳电视台
李文凯	一级导演	2004	沈阳电视台
王振宇	一级美术师	2005	沈阳电视台
卢　林	一级文学编辑	2007	沈阳电视台
董建华	教授级高级工程师	2003	沈阳电视台
石知白	教授级高级工程师	2004	沈阳电视台
刘亚平	教授级高级工程师	2007	沈阳电视台
崔成玉	高级编辑	1995	盘锦电视台
刘彦平	高级编辑	1999	盘锦电视台
吴彧舜	高级编辑	2001	盘锦电视台
刘柏青	高级编辑	2007	朝阳电视台
乌晓明	高级编辑	2004	朝阳电视台
吴铁轩	高级记者	2002	朝阳电视台
杨春青	教授级高级工程师	2002	朝阳电视台
李日辉	一级导演	2003	朝阳电视台
张忠谦	高级编辑	1999	朝阳电视台
叶红艳	一级录音师	2006	朝阳人民广播电台

吉林省

张晓丹（女）2007年全国优秀新闻工作者。吉林电视台都市频道《守望都市》栏目制片人。中共党员。吉林大学新闻学硕士。1999年考入吉林电视台有线中心任编导。2001年调入都市频道《守望都市》栏目任出镜记者、责任编辑。2004年12月，任《守望都市》栏目制片人。共获得省级奖励10项，国家级奖励1项。

刘　玢（播音名刘缤）（1974—）2007年全国优秀新闻工作者。中共党员。本科学历。一级播音员。1995年到长春电视台从事电视播音主持工作，现为长春电视台民生类直播栏目《城市速递》新闻主播。曾获得吉林省十佳新闻工作者，吉林省优秀新闻工作者，长春市十佳主持人，观众最喜爱的十佳主持人等称号，享受市政府特殊津贴。任吉林省政协委员，长春市新闻工作者协会理事等职。

正高级专业技术职务人员名录

姓　名	专业职务	评定时间	工作单位
洪　威	高级编辑	2006	吉林人民广播电台
卢晓非	高级编辑	2006	吉林人民广播电台
王　林	高级编辑	2006	吉林人民广播电台
陈经敏	研究员	2006	吉林人民广播电台
米继军	高级编辑	2006	吉林人民广播电台
刘亦玲	高级编辑	2007	吉林人民广播电台
李西林	高级编辑	2007	吉林人民广播电台
鲍　莹	高级记者	2007	吉林人民广播电台
韩春红	高级编辑	2007	吉林人民广播电台
赵金萍	高级编辑	2007	吉林人民广播电台
吴玉军	高级编辑	2007	吉林人民广播电台

续表

姓　名	专业职务	评定时间	工作单位
李　平	高级记者	2007	吉林人民广播电台
李庆武	研究员	2007	吉林人民广播电台
张若鹏	高级记者	2007	吉林人民广播电台
朱晓明	高级编辑	2007	吉林电视台
黄问宇	高级编辑	2007	吉林电视台
李冬冬	高级编辑	2007	吉林电视台
孙宝泉	高级编辑	2007	吉林电视台
吉　飞	高级编辑	2007	吉林电视台
韩立叶	高级编辑	2007	吉林电视台
鲁　华	高级编辑	2007	吉林电视台
王忆宁	高级编辑	2007	吉林电视台
徐连云	高级编辑	2007	吉林电视台
史　册	高级编辑	2007	吉林电视台
杨立平	高级编辑	2007	吉林电视台
王伟丽	高级编辑	2007	吉林电视台
马云征	高级记者	2007	吉林电视台
孙玉辉	高级记者	2007	吉林电视台
卢学敏	高级记者	2007	吉林电视台
傅铁军	高级记者	2007	吉林电视台
闫旬红	高级记者	2007	吉林电视台
张　祥	高级记者	2007	吉林电视台
朱国旗	研究员	2007	吉林电视台
汤明霞	研究员	2007	吉林电视台
刘　葳	一级舞美师	2007	吉林电视台
孙彦海	高级编辑	1999	长春人民广播电台
秋国荣	高级记者	1999	长春电视台
崔永泉	高级编辑	2000	长春电视台
祖　阔	高级编辑	2000	长春电视台
范　冰	高级编辑	2000	长春人民广播电台
李　立	高级编辑	2001	长春人民广播电台
朱大明	高级记者	2002	长春电视台
赵国良	高级编辑	2002	长春人民广播电台
杨长功	高级记者	2003	长春电视台
钟　芳	高级记者	2003	长春人民广播电台
王志强	高级编辑	2004	长春电视台
王　伊	高级编辑	2004	长春电视台
毕见文	高级编辑	2004	长春电视台
姜媛萍	播音指导	2004	长春电视台
孙汝芹	高级记者	2005	长春人民广播电台
王晓明	播音指导	2005	长春人民广播电台
李云凤	高级编辑	2006	长春电视台
路良魁	高级编辑	2006	长春电视台
孙　玲	高级编辑	2006	长春电视台
李丽娜	高级编辑	2006	长春电视台
巨文教	高级记者	2006	长春电视台
刘京梅	高级记者	2006	长春电视台
秦立新	高级编辑	2006	长春人民广播电台
张彦文	高级记者	2006	长春人民广播电台
边长庆	高级编辑	2007	长春电视台
李　亮	高级记者	2007	长春电视台
刘国君	高级记者	2007	长春人民广播电台
陈险峰	高级编辑	2007	长春人民广播电台

黑龙江省

李寅奎（1956—）黑龙江省委宣传部副部长，黑龙江省广播电视局局长、党组书记，黑龙江人民广播电台台长、黑龙江电视台台长。山东青岛人。1978年考入黑龙江大学中文系学习。1982年1月分配到黑龙江人民广播电台工作，任助理编辑。1984年1月任牡丹江宁安县石岩镇政府副镇长。1987年1月任黑龙江省广播电视厅地方宣传处副处长。1988年8月任黑龙江省广播电视厅机关党委副书记。1991年5月任双鸭山市广播电视局挂职副局长。1993年3月任黑龙江人民广播电台台长助理，同年12月任黑龙江省广播电视厅副总编辑、黑龙江人民广播电台副台长。1995年4月任中共佳木斯市委常委、宣传部长。1998年11月任齐齐哈尔大学党委书记。2000年10月任黑龙江省委宣传部副部长。2007年2月任现职。

刘玉平（1958—）黑龙江省广播电视局党组成员、副总编辑，黑龙江人民广播电台常务副台长。黑龙江兰西人。高级编辑。1985年至1989年，就读于哈尔滨师范大学英语专业本科毕业。2000年至2002年，就读于中央党校经济管理专业，研究生毕业。2003年至2006年，就读于哈尔滨工业大学管理科学与工程专业，获管理学硕士学位。1982年在黑龙江人民广播电台总编辑室从事编辑工作。1983年在黑龙江省广播电视厅从事新闻管理工作。1990年任黑龙江省广播电视厅办公室副主任。1992年任黑龙江人民广播电台总编室主任。1993年任黑龙江电视台总编室主任，1998年任台长助理。2000年任黑龙江省广播电视局副总编辑、黑龙江人民广播电台副台长。2002年任黑龙江省广播电视局党组成员。2007年任现职。在全国评奖中的获奖作品包括：广播节目《让历史告诉未来》获中国新闻奖2000年度一等奖，广播现场直播《冰雪情》获中国新闻奖2000年度二等奖，电视纪录片《走近拉萨》获中国电视奖二等奖。

杨　晶（1963—）（女）回族，黑龙江省广播电视局党组成员、副总编辑，黑龙江人民广播电台副台长，高级记者。哈尔滨工业大学管理学院管理工程与科学专业在职研究生毕业，硕士。1985年7月由黑龙江大学中文系毕业分配到黑龙江人民广播电台工作，先后任财经记者、编辑组组长、经济台台长助理、文艺部副主任、综合节目部副主任（主持工作）、省新闻出版局（省版权局）副巡视员等职，2007年9月任现职。1992年编辑的广播消息《江海联运货船首航》，获中国新闻奖一等奖。《中国人，中国魂》、《互联网上的正文之声》、《失火的天堂》等十六篇作品获中国广播电视作品一等奖。1998年抗洪，在松花江《军民携手战洪峰》大型现场直播节目中，担任总策划；撰写的二十多篇论文在国内学术刊物发表。任第九、十届黑龙江省青联常委。

李　皎（1963—）黑龙江省广播电视局党组成员、副总编辑，黑龙江省人民广播电台副台长，高级记者。山东莱州人。1981年考入东北农学院农业机械化专业学习，1985年7月毕业分配到黑龙江人民广播电台工作，先后任记者（编辑）、采访组长、记者站负责人、新闻中心副主任、交通广播编辑主任等职。2007年9月任现职。采写的十几篇新闻作品荣获中国新闻奖特别奖，受到黑龙江人民政府通令嘉奖。撰写的二十多篇论文在国内学术刊物上发表。2002年获"第九届黑龙江省十大杰出青年"；2003年获"第二届黑龙江省十佳新闻工作者"；2003年获"全国广播电影电视系统先进个人"；2004年获"全国百佳新闻工作者"；2005年获"全国优秀新闻工作者。"是全国青联委员，中国广播电视协会交通宣传委员会副会长。

亓欣莉（女）第八届范长江奖获得者。黑龙江人民广播电台首席节目主持人，全国金话筒主持人，黑龙江省十佳新闻工作者、黑龙江省青年"五四奖章"获得者、黑龙江省十大慈善公益人物。直播主持的《雨中送考》、《救助洋洋》入选"十年间感动冰城十大故事"，《雨中送考》位居第一名，获全国广播影视大奖一等奖。独立采编播的《交广说法》连续三年被评为黑龙江省新闻名专栏。

正高级专业技术职务人员名录

姓　名	专业职务	评定时间	工作单位
古毅斌	高级编辑	2007	黑龙江广播电视报
邵晓岩	高级编辑	2007	黑龙江电视台
杨伟玲	高级编辑	2007	黑龙江电视台
张元博	高级编辑	2007	黑龙江电视台
白乐成	高级编辑	2007	黑龙江人民广播电台
南石俊	高级编辑	2007	黑龙江人民广播电台
邢　哲	高级记者	2007	黑龙江电视台
赵国辉	高级记者	2007	黑龙江电视台
李世忱	高级记者	2007	黑龙江人民广播电台
金春山	一级编剧	2007	黑龙江人民广播电台
董长青	一级导演	2007	黑龙江电视台
华作兰	一级导演	2007	黑龙江人民广播电台
段　泳	一级演员	2007	黑龙江人民广播电台
何　龙	一级演员	2007	黑龙江电视台
赵中心	一级舞美设计师	2007	黑龙江电视台
栾云漫	高级记者	2007	黑龙江电视台
李景利	高级编辑	2007	齐齐哈尔广播电视局
马　铭	高级编辑	2007	齐齐哈尔电视台
高　虹	高级编辑	2007	齐齐哈尔广播电台
许兴业	高级记者	2007	齐齐哈尔电视台
靳元凤	高级记者	2007	齐齐哈尔人民广播电台
王金河	高级记者	2007	齐齐哈尔人民广播电台
王继森	高级记者	2007	佳木斯人民广播电台
王宝龙	高级记者	2007	佳木斯人民广播电台
那　月	高级记者	2007	鸡西电视台
任秀琴	高级编辑	2007	鸡西电视台
刘传玲	高级编辑	2007	鹤岗人民广播电台
杜亚平	高级记者	2007	鹤岗广播电视局
丁云志	享受研究员待遇	2007	双鸭山人民广播电视局
刘萌晗	高级记者	2007	双鸭山电视台
刘乃贤	高级记者	2007	双鸭山电视台
王　坤	高级记者	2007	双鸭山电视台
包丽英	高级编辑	2007	双鸭山人民广播电台
郭　杰	享受研究员待遇	2007	伊春电视台

上海市

王　玮（1960—）上海市文化广播影视管理局副局长。浙江嘉兴人。中共党员。教授级高级工程师。上海交通大学电子工程系毕业。1982年8月参加工作。历任上海电视台技术部发射科副科长、上海市广播电视局技术中心发射部主任、上海东方明珠传输公司总经理、上海市广播电影电视局局长助理兼局技术中心党委书记、上海市广播电影电视局副局长、上海文化广播影视集团副总裁、上海市文化广播影视管理局副局长。

唐余琴（1954—）（女）上海文广新闻传媒集团纪委书记。江苏阜宁人，出生于上海市。中央党校在职研究生学历。1972年12月在上海光学精密机械研究所工作，任党支部副书记、党委办公室组织干事、团委书记。1985年1月在上海市纪委工作，历任纪检三处副科级纪检员、案件检查室副科级纪检员、正科级纪检员和教育室正科级纪检员。1986年9月至1988年7月，在上海大学政治学专业大专学习。1994年4月起历任市纪委、市监察委宣传教育室副处级纪检监察员、副主任。1996年9月至1999年7月，在中央党校函授学院政治学专业本科学习。2000年4月起历任市纪委、市监察委二室副主任、办公厅副主任、执法监察室主任、六室主任。2004年9月至2007年7月，在中央党校在职研究生班经济学专业学习。2007年9月任现职。

正高级专业技术职务人员名录

姓　名	专业职务	评定时间	工作单位
李碧海	一级录音师	2007	上海文广新闻传媒集团
顾建中	一级摄影(像)师	2007	上海文广新闻传媒集团
岑洪顺	一级录音师	2007	上海文广新闻传媒集团
唐　萍	一级导演	2007	上海文广新闻传媒集团
王小康	一级导演	2007	上海文广新闻传媒集团
王琪森	一级编辑	2007	上海文广新闻传媒集团
毕志光	一级编辑	2007	上海文广新闻传媒集团
陆澄照	一级编辑	2007	上海文广新闻传媒集团
李建胜	一级摄影(像)师	2007	上海文广新闻传媒集团
杨　进	一级演员	2007	上海文广新闻传媒集团
金　杰	教授级高级工程师	2007	上海文广新闻传媒集团
卑根源	高级编辑	2007	上海文广新闻传媒集团
方颂先	高级编辑	2007	上海文广新闻传媒集团
桂兴华	一级编剧	2007	每周广播电视报社
徐建敏	教授级高级工程师	2007	上海东华广播电视网络有限公司
郑国亮	教授级高级工程师	2007	上海明珠广播电视科技有限公司

江苏省

陈　辉（1963—）江苏省广播电视总台副台长，江苏省广播电视集团有限公司副总经理。江苏常熟人。高级编辑。1983年8月参加工作，历任江苏电视台二台副主任、江苏电视台社教中心主任、江苏电视台台长助理兼卫视频道总监、江苏省广播电视总台新闻综合频道总监。2003年12月任江苏省广播电视总台电视传媒中心副总裁。2007年8月任现职。组建创办江苏电视台城市频道、卫星频道和国际频道。近年来组织、主创的纪录片《郑和下西洋》、《徐光启》、《梅兰芳》、《昆曲六百年》、大型新闻直播节目《生命20小时》、大型晚会《2006北美华人春节联欢晚会》等一批节目分别获得中国纪录片系列片十佳、中国文献纪录片二十年优秀作品奖、中国新闻奖、江苏省“五个一”工程奖、江苏省电视金凤凰奖等。论文《媒体突围：论卫星频道的特色化经营》获第9届江苏省广播电视学术论文奖应用理论一等奖。2003年被评为江苏省“十佳电视工作者”。2004年被评为第四届全国“百佳电视艺术工作者”。2005年应聘为南京师范大学新闻传播学院特聘教授。

景志刚（1961—）江苏省广播电视总台副台长兼卫视频道总监，江苏省广播电视集团有限公司副总经理。河北青龙人。硕士研究生学历。高级编辑。1977年1月参加工作，历任江苏电视台文艺部《文艺新干线》制片人、文艺中心副主任、城市频道总监。2003年12月任江苏省广播电视总台电视传媒中心副总裁，后兼任电视广告中心主任、卫视频道总监等职。2007年8月任现职。2004年获第四届“戈公振”新闻奖、全国“十佳百优”广播电视理论工作者奖、江苏省有突出贡献的中青年专家称号。2007年被评为中国广告十大年度人物。主创的《文艺新干线》获第十二届全国电视文艺“星光奖”优秀栏目奖，《星光无限》获1997年江苏省优秀电视文艺晚会一等奖，《南京零距离》获首届中国电视十大名栏目。撰写的论文《审美的自缚与自救》获第一届江苏影视评论一等奖，《论戏剧观众审美心理的二重性》获第六届田汉戏剧奖二等奖，《批判视野中的中国电视娱乐节目》获第八届全国广播电视学术论文一等奖。

正高级专业技术职务人员名录

姓名	专业职务	评定时间	所属部门
周　莉	一级艺术监督	2007	江苏省广播电视总台
范志军	高级编辑	2007	江苏省广播电视总台公共频道
谢玉盛	高级编辑	2007	江苏省广播电视总台电视新闻部
鲍思明	教授级高级工程师	2007	江苏省广播电视总台电视技术部
吴汇平	教授级高级工程师	2007	江苏省广播电视总台电视技术部综合部
李世萍	教授级高级工程师	2007	江苏省广播电视总台电视技术部演播部
冯秋萍	教授级高级工程师	2007	江苏省广播电视总台发射传输台

浙江省

杨　勇（1965—）浙江广播电视集团党委委员、副总裁、总工程师、科技管理部主任。河北大厂人。硕士研究生学历。1986年毕业于北京航空学院电子系，同年到浙江电视台发射中心工作，后任支部书记等职。1991年调入浙江省广播电视微波总站，历任站长助理、副站长、站长。1998年至2000年，由省委组织部下派在湖州南浔区挂职锻炼，担任区委委员、副区长。2000年任浙江省广播电视局总工程师兼任浙江广联有线电视传输中心主任。2002年任浙江广播电视集团管委会委员、总工程师。2005年兼任浙江广播电视集团科技管理部主任。2007年底任浙江广播电视集团党委委员，副总裁。2005年度全国网络维护先进个人。

正高级专业技术职务人员名录

姓名	专业职务	评定时间	工作单位
谢水兔	高级编辑	2007	浙江电视台
张建民	高级编辑	2007	杭州文广集团
钱维多	高级编辑	2007	杭州人民广播电台
邵珏武	高级记者	2007	宁波人民广播电台
应丙寅	高级记者	2007	慈溪市广播电视台
吴生华	高级编辑	2007	平湖市广播电视台
陈兴远	高级记者	2007	永康市广播电视台
林清波	高级记者	2007	台州市广播电视台
陆　康	一级导演	2007	杭州电视台
毛小榕	一级文学编辑	2007	杭州电视台
楼健飞	一级录音师	2007	宁波人民广播电台
殷安建	一级导演	2007	宁波广播影视艺术中心
郭利刚	教授级高级工程师	2007	浙江省广播电视监测中心
许国法	教授级高级工程师	2007	浙江广播电视集团

安徽省

陈　田（1957—）安徽省广播电影电视局党组成员、副局长。山东阳谷人。1975年参加工作。1983年9月至1992年8月，历任淮南电视台专题节目制作部副主任、主任，文体部主任等职。1992年8月至1995年10月，任淮南有线电视台筹备办公室副主任、台长。1995年10月任淮南市广播电视局局长。1998年9月至1999年1月，参加省委党校中青年干部培训班学习。2000年3月任安徽有线广播电视台台长助理。2001年9月任安徽电视台副台长。2007年任现职。2000年被评为全国广电系统先进个人。

温振超（1956—）安徽省广播电影电视局党组成员、安徽人民广播电台台长。安徽怀远人。1983年7月毕业于北京广播学院无线电工程系电视发送专业，同年分配到安徽电视台工作。1985年任安徽电视台发射台副台长。1986年调入安徽广播电视厅工作。1991年任广播电视网管理处副处长。1996年任科技事业处处长。2001年任安徽省广播电影电视局党组成员、安徽广播电视传输发射总台台长。2005年兼任安徽广电网络信息股份公司董事长。2007年任现职。

正高级专业技术职务人员名录

姓　名	专业职务	评定(聘任)时间	工作单位
詹　旭	高级编辑	2007	安徽人民广播电台
张援春	高级编辑	2007	安徽人民广播电台

续表

姓　名	专业职务	评定(聘任)时间	工作单位
吴仁炳	教授级高级工程师	2006	安徽电视台
韩玉春	高级编辑	2007	安徽电视台
包爱军	高级编辑	2007	安徽电视台
郜志平	一级导演	2007	安徽电视台
王小喜	教授级高级工程师	2007	安徽广播电视科研所

江西省

刘玉东（1959—）江西省广播电视局党委委员、纪委书记。江西万安人。1983年7月大学毕业后作为省委组织部选拔第三梯队人选下基层锻炼，同年9月至12月在省委党校学习。1984年1月任泰和县冠胡乡团委书记。1985年3月任泰和县冠胡乡副乡长。1986年11月任泰和县上田乡党委副书记、乡长。1989年12月任泰和县上田乡党委书记。1992年11月任永丰县委常委、宣传部长。1995年5月任永丰县委常委、组织部长。1996年7月任永丰县委常委、常务副县长。1997年11月任永丰县委副书记兼党校校长。1999年3月任永丰县委副书记、县长。2002年11月任永新县委书记。2006年8月任现职。1984年12月被评为全省优秀团员干部。1992年5月被评为全省表彰的抗洪先进工作者。1995年7月被评为全省表彰的优秀党务工作者。1999年被评为全国表彰的支持工会工作先进个人。2001年被评为全国人口普查先进个人。2005年被评为全省表彰的"双拥"先进个人。

龚邦国（1950—）江西人民广播电台台长。江西安义人。中共党员。高级记者。毕业于北京广播学院新闻系，研究生学历。历任江西电视台副台长、江西有线电视台台长等职，2007年8月任现职。有20多件作品获奖，其中大型电视系列片《庐山》获中国广播电视奖一等奖。文献片《井冈之魂》、《共和国摇篮》、《军旗升起的地方》获全国"五个一工程"奖。文献片《沧桑正道——科学发展观纵横谈》获中国广播影视大奖一等奖。2004年获省政府"有突出贡献专家"津贴。全国电视纪录片学术委员会副主任。

刘建芳（1963—）（女）2007年全国广电系统先进工作者。江西广播电视节目中心主任、江西五套频道总监、江西音像出版社社长、江西供片站站长。江西上饶人。工商管理硕士。中共党员。1985年南昌大学中文系毕业分配至江西省广播电视厅。历任记者、广告经理、广告部主任、总监助理、副总监。2004年3月任江西五套（公共频道）总监后，创办了每天100分钟的大型民生新闻栏目《第五社区》、大型法制栏目《目击者》、《第一地产》、《星汽车》、《看五套》等栏目，并率先在全国开展了一系列媒体大型活动营销。

冯桂生（1973—）2007年全国广播电视系统先进工作者。江西都昌人。中共党员。1996年毕业于九江师专物理系。1997年分配到江西701电视台工作，2004年1月任台长助理兼机务科长，2006年任副台长。2001年至2003年连续3年被评为全省优秀机务员。2004年参加全省技术能手竞赛获一等奖，全国技术能手竞赛获三等奖并被授予全国电视发射技术能手称号，2004年至2006年连续3年被省局评为优秀工程师。2005年在全省广播电视无线覆盖试点工程建设工作中被评为先进个人。

钟智安（1964—）2007年全国广电系统先进工作者。江西分宜县人。中共党员。1988年1月在分宜县文化馆从事群众文化和摄影工作。1990年5月担任分宜电视差转台副台长。1991年4月担任分宜电视台副台长并主持全面工作。1993年12月担任分宜电视台台长。1999年9月任分宜县广电文化局党组成员、电视台台长、分宜县广播电视网络有限责任公司总经理。2002年5月起任分宜县广播电视局党组书记、局长。先后有40余件作品在全国、省、市优秀广播电视作品中获奖，多次被评为省、市优秀通讯员、模范和特等模范通讯员，十余次被省广电局、市委、市政府和市广电局、县委、县政府先后评为"创三好"先进个人、先进工作者和优秀共产党员。

黄亚萍（1960—）（女）2007年全国广播电影电视先进工作者，江西省广播电视"村村通"工作先进个人。江西省乐安县文化体育广播电视局广电股长。江西乐安人。中共党员。曾先后多次被评为县"三八"红旗手、巾帼建功积极分子、先进工作者。

正高级专业技术职务人员名录

姓　名	专业职务	评定时间	工作单位
邱学锋	高级编辑	2007	《声屏世界》杂志社
吴立芳	高级编辑	2007	江西人民广播电台
居丽娜	高级编辑	2007	江西电视台
杨　群	高级编辑	2007	江西电视台
罗　强	高级记者	2007	南昌电视台

山东省

曹　进（1958—）2007年全国广播电影电视系统先进工作者。济南市广播电视局副局长、济南人民广播电台台长。山东济宁人。中共党员。高级记者。1975年参加工作，1984年9月考入济南人民广播电台，先后在济南电台新闻部任记者，济南有线电视台新闻部、济南经济电视台新闻部任副主任、主任，济南人民广播电台任台长助理、新闻部主任等职。1998年11月，任济南电台副台长。2005年5月任现职。主持采访过多项重大系列报道活动，共有近四十件作品获全国和省级新闻评比奖励，两次获中国广播奖三等奖，五次获得山东新闻奖一等奖。负责编导的《今日报道》、《846传真》、《济南新闻》等栏目多次被省委宣传部、山东省记协等单位评为山东省名专栏、山东省十佳栏目。

王悦之（1951—）2007年全国广播电影电视系统先进工作者。山东海阳人。本科学历。高级记者。历任威海人民广播电台新闻部副主任、主任，副台长、台长，威海市委宣传部副部长，威海社会科学联合会主席，威海市广播电视台（局）台（局）长、党委书记。2007年12月任调研员，威海市人大常委会委员。从事新闻工作30多年来，有20多件作品先后获得"中国新闻奖"、"金鹰奖"、"飞天奖"、"星光奖"、"五个一工程奖"、"金桥奖"及"山东省精品工程奖"等全国、全省大奖，获得国家及山东省专项奖50多件次。其中，1991年采写的广播消息《荣成渔民跨国赶集，中国活鱼蹦上日本早市》获得了第二届"中国新闻奖"一等奖。策划制作的城市形象广告《中国威海》于2000年10月获得"中国电视金鹰奖"。

李进普（1952—）2007年全国广播电影电视系统先进工作者。山东梁山人。中共党员。高级编辑。1968年3月参加工作，1974年毕业于北京大学新闻专业，历任梁山县委常委、宣传部长，菏泽电视台台长，梁山县委常委、办公室主任，曲阜市委副书记。1997年起任济宁市广播电视局局长至今。1995年被评为济宁市劳动模范。主持编写的《春华秋实》一书，集中收录了15年来济宁广播电视取得的优秀成果，撰写的多篇论文在省市以上学术杂志发表。

郑　云（1953—）2007年全国广播电影电视系统先进工作者。烟台市广播电视局（台）党委书记、局（台）长。山东海阳人。1978年6月加入中国共产党。2001年起主持烟台市广播电视局工作。2001年至2006年，连续六年被烟台市委、市政府评为先进个人，其中2005年被市委、市政府荣记三等功。

刘广平（1954—）2007年全国广播电影电视系统先进工作者。淄博市广播电视总台（局）党委委员、淄博市广播电视信息网络中心主任、淄博广电天网视讯有限公司总经理。中共党员。1970年12月参加工作，曾三次荣获市级劳动模范称号，两次被评为市级优秀共产党员，曾获得山东省青年新长征突击手和山东省广电先进生产者等荣誉，2003年被授予"振兴淄博劳动奖章"。

正高级专业技术职务人员名录

姓　名	专业职务	评定时间	工作单位
李兴革	高级记者	2007	济南人民广播电台
张刚舜	高级记者	2007	济宁市广电局
詹　超	高级记者	2007	枣庄电视台
路新玲	高级记者	2007	烟台广播电视台广播中心
房　迎	高级编辑	2007	济南电视台
荐素明	高级编辑	2007	枣庄人民广播电台
姜　兵	高级编辑	2007	威海市广播电视台(局)
高　途	高级编辑	2007	威海市广播电视台(局)
延　芳	高级编辑	2007	东营电视台
孙　勇	高级编辑	2007	潍坊电视台
仲　栋	工程技术应用研究员	2007	济南电视台
黄万昌	工程技术应用研究员	2007	日照广播电视台网络信息中心
杨　波	工程技术应用研究员	2007	济宁市广电局
纪晓燕	一级导演	2007	威海市广播电视台(局)
王祥金	一级导演	2007	潍坊广播电台

河南省

王仁海（1966—）河南省广播电影电视局副局长、党组成员。1985年7月毕业于郑州大学中文系汉语言文学专业，同年分配到河南省广播电视厅工作。1987年7月到河南电视台工作，先后任专题部记者、经济部副组长、广告部副主任、总编室主任、台长助理、副台长等职务。2007年10月现职。2003年获河南省“五一劳动奖章”。

赖谦进（1950—）（女）2007年第八届韬奋奖获得者。河南人民广播电台台长。中共党员。华中科技大学管理学院名誉教授。1984年调入河南广播电视新闻中心，2001年任现职。个人作品有13件获中国新闻奖等国家级奖项。

正高级专业技术职务人员名录

姓　名	专业职务	评定时间	工作单位
郝平山	高级记者	2007	河南电视台
王红霞	高级编辑	2007	河南电视台
李　欣	一级编剧	2007	河南省电影电视制作集团公司

湖北省

熊承家（1955—）湖北省广播电视局副局长、党组副书记。湖北麻城人。1974年参加工作。1975年8月至1978年10月，任共青团麻城县铁门区区委（公社）副书记、书记。1978年10月至1980年1月，任共青团麻城县县委学少部部长。1980年1月至1985年12月，任麻城县委办公室秘书，其间于1983年9月至1985年12月入华中农业大学学习。1985年12月至1993年8月，任麻城市黄土岗区（镇）党委书记，市委常委、法院院长、政法委书记，其间于1993年4月至1993年8月交流挂职任武汉市江汉区区长助理。1993年8月至2001年12月，任英山县委副书记、县长、县委书记、政协主席，其间于1995年8月至1997年12月入中央党校在职研究生学习。2001年12月至2007年11月，任宜昌市委常委、组织部部长、统战部部长、市政协党组副书记。2007年11月任现职。

王正中（1958—）2007年全国优秀新闻工作者、首届中国电视纪录片优秀制片人。湖北省广播电视总台总编室主任，高级记者。先后任湖北电视台科技部副主任、经济部副主任、双休日节目部总监、社教中心主任。从事电视剧编剧、导演、制片人和纪录片、专题片、电视系列片、电视栏目、大型电视晚会策划、编导工作多年，荣获数十项国家级、省部级广播电视大奖。

正高级专业技术职务人员名录

姓　名	专业职务	评定（聘任）时间	工作单位
胡　耕	高级编辑	2003	荆门电视台
宁本俊	高级编辑	2003	荆门电视台
龚涤非	教授级高级工程师	2003	十堰市广播电视局
何守本	高级记者	2005	荆州人民广播电台

湖南省

正高级专业技术职务人员名录

姓　名	专业职务	评定（聘任）时间	工作单位
谢鸿鹤	高级记者	2006	长沙广电局
彭　健	一级导演	2006	湖南卫视
王云峰	高级编辑	2007	湖南卫视
吴星进	一级舞美设计师	2007	湖南卫视

广西壮族自治区

文衍修（1950—）广西壮族自治区广播电影电视局党组成员，广西人民广播电台台长、总编辑。广西灌阳县人。1971年参加工作。1976年毕业于中山大学中文系文学专业。1978年9月调入广西人民广播电台工作，先后任桂林记者站记者，新闻部副主任，总编室主任，经济台主任、副台长、台长。成功组织策划100多次大型系列报道。从事新闻工作以来，有《在奋斗中磨砺人生》等15件作品获中国新闻奖和中国广播奖。编辑出版了《漫话广西》等6本新闻作品集共200多万字。撰写《新闻与美学》等近20篇学术论文。组织制作《柳州刺史柳宗元》等一批广播剧，获国家、省部级“五个一工程”奖。1996年获广西优秀专家称号。2002年获第五届全国百佳新闻工作者称号。2005年享受政府特殊津贴。担任中华新闻工作者协会第六届、第七届理事会理事等职。

黄著诚（1957—）广西壮族自治区广播电影电视局党组成员、广西电视台台长、广西广播电视信息网络股份有限公司董事长，2007年第八届韬奋奖获得者。广西上林县人。高级记者，一级文学编辑。1976年至1978年，在南宁市政工程公司当工人。1978年就读于北京广播学院新闻系。1982年分配到广西电视台工作，历任记者，新闻部和社教部副主任、副台长、台长。1988年被评为广西优秀新闻工作者。1989年被评为全国优秀新闻工作者。1994年被广西壮族自治区人民政府授予“广西优秀青年专家”称号。2004年被评为“第六届全国百佳新闻工作者”。2005年12月被评为中国传媒年度十大人物，2007年12月被评为首届中国传媒领军人物。兼任中国电视艺术家协会广西分会副主席、中国纪录片学会副理事长等职。先后有30多个作品在省级以上评比中获奖。

正高级专业技术职务人员名录

姓　名	专业职务	评定时间	工作单位
覃理爱	高级编辑	2007	广西人民广播电台
黄恒顶	高级编辑	2007	广西人民广播电台
李培军	高级记者	2007	广西电视台
李德刚	高级记者	2007	广西电视台
刘静兰	高级编辑	2007	广西广播电视报社
钟日林	教授级高级工程师	2007	广西广播电视监测中心
宋国明	教授级高级工程师	2007	广西广播电视监测中心
黄继屏	一级文学编辑	2007	广西电视台
梁　建	一级文学编辑	2006	广西人民广播电台
施　娟	一级导演	2007	南宁电视台
陈能振	高级编辑	2007	广西人民广播电台
吴向列	一级导演	2007	广西电视台

海南省

丁　晖（1972—）海南广播电视台党委书记、台长。江苏南京人。1989年9月至1992年5月，在上海戏剧学院戏剧(影视)文学专业学习。1992年5月至1996年8月，在湖南电视台电视剧制作中心作导演、编辑、新闻部焦点新闻专栏记者。1996年8月至1997年11月，任湖南电视台文体中心文艺栏目科科长。1997年1月至1999年12月，任湖南电视台新闻中心副主任。1999年12月至2000年12月，任湖南经济电视台副台长。2000年12月至2002年12月，任湖南电视台新闻中心主任。2002年12月至2004年1月，任湖南省委宣传部新闻出版处(省新闻中心办公室)副处长(主持工作)。2004年1月至2004年6月，任湖南省委宣传部新闻出版处(省新闻中心办公室)处长(主任)。2004年6月至2005年3月，任潇湘电影集团党委书记、董事长。2005年3月至2007年11月，任潇湘电影集团党委书记、董事长，湖南广播影视集团副总经理(其间2006年2月至2006年4月在湖南省委党校厅级干部进修班学习)。2007年11月任海南广播电视台台长、党委副书记。2008年3月任现职。

重庆市

关文舸（1966—）（女）重庆广播电视总台党委委员、副台长。重庆忠县人。1986年9月四川大学历史系毕业。1986年9月至1989年7月，四川大学历史系读研究生。1989年9月参加工作后历任重庆市社会客运管理处管理科干部、重庆市公用局党校教师、重庆市委宣传部新闻出版处副处长（正处级）、重庆电视台台长助理（挂职）、重庆电视台副台长、重庆广播电视总台台长助理。

梁　浩（1972—）2007年全国广播电影电视系统先进工作者。重庆广播电视总台广播交通频率节目部主任。重庆市人。中共党员。1993年9月至2004年11月，在重庆市广播电视局重庆人民广播电台商业频道新闻部工作。2004年11月至今，在重庆广播电视总台广播交通频率节目部工作。2006年11月起任现职。

正高级专业技术职务人员名录

姓　名	专业职务	评定(聘任)时间	工作单位
林　宏	一级录音师	2007	重庆广播电视总台
易光群	一级文学编辑	2007	重庆广播电视总台
邓光和	高级编辑	2007	重庆广播电视总台
唐正乐	教授级高级工程师	2007	重庆广播电视总台
李晓枫	教授级高级工程师	2007	重庆广电网络有限公司
王　晓	教授级高级工程师	2007	重庆广电网络有限公司

四川省

陈晓霖（1966—）成都市广播电视局党组书记、局长。四川蓬溪人。1985年7月至1987年9月任蓬溪师范学校政治教师、团委书记。1987年9月至1991年7月，在北京师范大学哲学系政教专业学习。1991年7月至1996年9月，任四川省教委人事处、纪检组、政教处副主任科员。1996年9月至2002年3月，先后任中共四川省委宣传部副主任科员、主任科员、副处级秘书、正处级秘书。2002年3月至2004年7月，任中共温江区委副书记（挂职）(其间2002年9月至2004年7月在四川省工商管理学院工商管理专业在职研究生班攻读在职研究生)。2004年7月至2006年1月，任成都市温江区委副书记。2006年1月至2006年12月，任成都市温江区委副书记、区纪委书记。2006年12月至2007年12月，任成都市温江区委副书记。2007年12月任现职。

正高级专业技术职务人员名录

姓　名	专业职务	评定（聘任）时间	工作单位
姚　瑶	高级编辑	2007	四川广电集团
王永刚	高级编辑	2007	四川广电集团
王津红	高级记者	2007	四川人民广播电台

贵州省

娄东风（1959－）贵州省广播电视局党组成员、副局长。河南原阳人。在职研究生学历。1980年毕业于河南省新乡师范学校数理专业，同年9月在河南省原阳县五中工作。1984年毕业于河南教育学院物理系，同年9月到河南省新乡市科委工作。1987年任科委办公室副科级协理员。1990年任河南省新乡市政府办公室综合科副科长。1992年至1996年底，历任海南省海口市人民政府提案科副科长、科长、秘书二科科长（其间1994年7月至10月，挂职任广东省东莞市计划委员会主任助理。1996年6月至12月，挂职任海口市秀英区长流镇镇长助理）。1997年初任海南省海口市人民政府经济研究中心主任（其间：1997年9月至1999年7月攻读吉林大学企业管理专业研究生）。2001年任海南省海口市人民政府研究室副主任。2002年任中共海南省海口市委副秘书长(正处级)。2005年借调到中共贵州省委办公厅工作。2006年任中共贵州省委组织部研究室主任。2007年10月起任现职。

晏世忠（1963－）贵州省广播电视局党组成员、副局长，兼贵州人民广播台台长。贵州德江人。中央党校在职研究生学历。1989年至1997年，历任贵州省德江县煎茶区区委副书记、区长，县人民政府城市建设副指挥长，副县长。1997至1998年，任思南县委副书记。1998年至2000年，任思南县委副书记、常务副县长。2000年至2002年，任思南县委副书记、县长。2002年至2006年，任思南县委书记。2006年起任现职。

白方芹（1958—）贵州省广播电视局党组成员、副局长兼贵州电视台台长。湖南湘阴人。贵州大学哲学系哲学专业毕业。1976年至1983年，任南明区工业局干部。1983年至1987年，就读于贵州大学哲学系。1987年到贵州电视台工作，历任新闻部编辑、记者，经济部栏目组组长，总编室副主任和广告部副主任、主任。1987年至1988年，赴毕节县支教。1995年至1997年，参加中国人民大学研究生院哲学系伦理学专业研究生课程学习。2001年任贵州电视台副台长。2005年起任现职。2007年被中国传媒投资年会评为“中国十大传媒领军人物”。在第三届中国传媒创新年会上获“十大广电传媒领军人物”称号。

卢永康（1956－）贵阳市广播电视局党组书记、局长。贵州修文人。1974年至1977年，在贵州省修文县新场公社和六广凉井当知青。1977年在贵州省修文农机厂当工人。1977年至1979年，就读于安顺师范专科学校中文系，中文专业。1979年至1987年，在贵州省修文县中学当老师（其间1982年至1984年，在贵州教育学院中文系学习）。1987年至1990年，任贵州省修文县中学校长。1990年至1993年，任贵州省修文县教育局局长、贵州省修文县第一中学校长。1993年至1995年，任中共修文县委常委、宣传部长。1995年至1998年，任中共修文县委副书记、宣传部长。1998年至2001年，任中共贵阳市委宣传部副部长、贵阳市精神文明办主任。2004年起任现职。

吴瑞华（1954－）2007年全国广播电视系统先进工作者。六盘水电视台编辑。辽宁北宁人。中共党员。制作的《平寨镇发展杜仲以带养武》获全国电视经济节目三等奖，《底西村党支部带领群众脱贫致富奔小康》获贵州新闻奖三等奖，专题节目《坚决保护农民利益不受侵害》、评论节目《法院、执行为何难》、《背箩进城、利多弊少》分别获贵州新闻奖、贵州广播电视奖二、三等奖。

杨茂林（1960－）2007年全国优秀新闻工作者。贵州电视台台长助理兼新闻中心主任。山东淝城人，回族。中共党员。主任记者。组织策划、拍摄和编辑的电视新闻作品获全国、省部级等各类奖项近100个。其中电视新闻专题片《田沛发》获第六届中国新闻奖一等奖、系列报道《拯救石缝中的家园》获2003年度中国广播电视新闻特别奖。制作的节目连续六年获贵州新闻一等奖。曾被评为首届贵州省优秀新闻工作者。

兰世勇（1968－）2007年全国广播电视系统先进工作者。贵州省织金县广播电视台副台长。贵州织金人。中共党员。1990年毕业于贵州广播电视大学。先后在乡镇广播站、县电视台从事广播电视新闻采编工作。撰写和发表的《浅谈基层新闻记者的采编意识》等广播电视业务论文6篇，在地级以上好新闻节目和业务论文评奖中，获国家级奖项5个、省级奖项7个。2007年被评为贵州省第三届“德艺双馨”电视艺术工作者。

孔　炯（1975－）2007年全国广播电视系统先进工作者。贵州电视台台长助理兼广告运营中心主任、贵州天马广告公司法人代表。贵州开阳人。中共党员。硕士研究生学历。高级经济师。2004年获得两项国家专利。曾被中国广播电视协会授予“中国当代杰出广告人”、“中国最具影响力100位广告经理人”、“中国最具影响力100位媒体经理人”等称号。

正高级专业技术职务人员名录

姓　名	专业职务	评定时间	工作单位
仇　敏	高级编辑	2007	贵州人民广播电台
熊志刚	高级编辑	2007	贵州人民广播电台
谢文锦	高级编辑	2007	贵州电视台
华建国	一级作曲	2007	贵州电视台

云南省

杨文虎（1958—）云南省广播电视局党组书记、局长。云南施甸人。中央党校研究生班毕业。1975年12月参加工作，历任施甸县太平乡蒋家小学教员，施甸县水长公社党委书记，共青团保山地委书记，昌宁县委副书记，保山行署林业局党委书记、局长，保山地委、市委（地改市）委员、常委、宣传部部长。2003年5月至2007年4月，任云南省广播电视局党组成员、云南电视台台长。2007年4月至2007年12月，任云南省广播电视局党组副书记、副局长、云南电视台台长。2007年12月任现职。

正高级专业技术职务人员名录

姓　名	专业职务	评定时间	工作单位
朱　滨	播音指导	2006	云南人民广播电台
罗宝奎	高级编辑	2006	曲靖市广电局

西藏自治区

金美多吉（1965—）西藏自治区广播电影电视局副局长。西藏人。中共党员。1990年毕业于北京广播学院管理系广播电影电视管理专业。曾先后在西藏自治区拉萨市文化广播电视局、拉萨市电视台、拉萨市广播电影电视局工作，历任拉萨市电视台副台长、台长，拉萨市广播电影电视局副局长、局长。2006年6月至2007年9月任拉萨市林周县县长。2007年9月任现职。

陕西省

正高级专业技术职务人员名录

姓　名	专业职务	评定时间	工作单位
王　永	高级记者	2006	陕西人民广播电台
何大伟	高级编辑	2006	陕西人民广播电台
李　娜	高级编辑	2006	陕西人民广播电台
王书华	高级编辑	2007	陕西电视台
杨　光	高级记者	2007	陕西电视台
骞　军	高级记者	2007	陕西电视台
李　强	高级记者	2007	陕西电视台
王力红	高级记者	2007	陕西人民广播电台

甘肃省

孙　伟（1957-）甘肃省广播电影电视局党组书记、局长。陕西临潼人。1998年11月中央党校经济管理专业毕业，大学本科学历。1973年10月至1975年10月，在甘肃省兰州市西固区金沟大队插队。1975年10月至1978年6月，任甘肃省兰州市西固热电厂工人。1978年6月至1981年5月，在甘肃教育学院学习。1981年5月至1984年12月，在甘肃省人事局办公室工作。1984年12月至1988年6月，先后任甘肃省委办公厅副处级、正处级秘书。1988年6月至1995年7月，先后任甘肃省人事局调研室主任、干部管理处处长。1995年7月至1999年4月，任甘肃省张掖地区行署副专员。

1999年4月至2004年10月，任甘肃省广电厅（局）党组成员、副厅（局）长。2004年10月至2007年3月任甘肃省广播电影电视局党组成员，总台（集团）党委副书记、台长。2007年3月任现职。

武来银（1952—）甘肃省广播电影电视局党组成员、甘肃省广播电影电视总台（集团）党委副书记、台长。甘肃宁县人。1998年12月中央党校党政管理毕业，大学本科学历。1969年12月至1997年在部队服役，先后任战士、排长、指导员、处长、武警省总队副参谋长。1997年3月至2000年8月，转业任甘肃省广播电视厅人事教育处处长。2000年8月至2007年4月，任甘肃省广播电影电视局党组成员、副局长。2007年4月任现职。

李继龙（1963—）兰州市委宣传部副部长，兰州市广播电影电视局党组书记、局长，兼任兰州市广播电视总台党委书记、台长。党校研究生学历。1981年7月参加工作，历任甘肃省人大常委会《人民之声报》副总编、兰州市西固区副区长、兰州市安宁区委副书记兼组织部长、兰州市委宣传部副部长兼兰州市文明办主任。2007年4月任兰州市委宣传部副部长、兰州市广播电影电视局党组书记、局长，2007年9月兼任兰州市广播电视总台党委书记、台长。

董　伟（1966—）2007年全国广播电影电视系统先进工作者。甘肃省广播电影电视局人事教育处处长。甘肃礼县人。中共党员。大学本科学历。1988年7月至1990年11月，任甘肃省财政学校办公室秘书。1990年11月至1992年4月，任甘肃人民广播电台干部。1992年4月至2000年10月，任甘肃省广播电视厅人事处科员、副主任科员、主任科员。2000年10月至2004年12月，任甘肃省广播电影电视局人事教育处副处长。2004年12月至今任现职。

李常乐（1963—）2007年全国广播电影电视系统先进工作者。甘肃省民乐县广电局局长。中共党员。1980年8月至1992年2月，在民乐县吴庄学校、丰乐中学、顺化中学工作（其间1985年9月至1988年8月在甘肃广播电视大学中文系脱产学习）。1992年3月至1993年12月，在民乐县丰乐乡党委工作，任党委委员、组检干事。1993年12月至1996年12月，任民乐县三堡乡党委副书记、纪委书记。1997年1月至1998年12月，任民乐县三堡乡党委副书记、乡长。1999年1月至2000年12月，任民乐县委宣传部副部长、文明办主任（其间于2000年9月至2000年12月在市委党校第十五期中青班学习）。2001年1月起，任现职。

秦　川（1964—）2007年全国广播电影电视系统先进工作者。甘肃省酒泉电视台副台长兼专题部主任。中共党员。大专学历。主任编辑。1981年至1984年，在酒泉师范学习。1984年至1989年8月，任酒泉师范附属小学教师。1989年8月至1994年3月，任酒泉地区教委电教中心干部。1994年3月至2000年3月，任酒泉电视台干部。2000年3月至2007年7月，任酒泉电视台专题部副主任、主任。2007年7月至今，任现职。2006年12月，被甘肃省文联授予“第三届甘肃省德艺双馨电视艺术工作者”称号。2007年8月，被酒泉市委授予“全市优秀文化艺术新闻出版人才”称号。2007年2月，被酒泉市广电局、电视台授予“杰出贡献奖”。中国电视艺术家协会会员。

英特加（1975—）2007年全国五一劳动奖章获得者。甘南南山微波调频电视转播台副台长。甘肃省合作市人。藏族。中共党员。大专学历。助理工程师。1996年9月至今，在甘南南山微波电视调频转播台工作。2006年1月任现职。

正高级专业技术职务人员名录

姓　名	专业职务	评定时间	工作单位
久喜佳	高级记者	2007	甘肃省广电总台(集团)广播新闻中心
王龙军	高级记者	2007	甘肃省广电总台(集团)广播新闻中心
王泽起	高级编辑	2007	甘肃省广电总台(集团)电视都市频道
袁　健	一级导演	2008	甘肃省广电总台(集团)电视文化少儿频道

青海省

万玛加（1971—　）第八届范长江奖获得者。藏族。青海天峻县人。1992年毕业于青海民族学院法律系，现任青海人民广播电台新闻中心经济新闻组组长。参加新闻工作15年，长期在一线采访，每年下乡的行程有几万公里。采写的稿件曾获得中国新闻奖一、二等奖和青海新闻奖的一、二、三等奖以及国家广播电视协会的特别奖，青海省广播电视协会一、二、三等奖。2006年获得青海省首届“十佳记者”称号，代表作品有：《广播声声越昆仑》、《省路桥公司痛失青藏铁路施工资格》、《环湖赛带来的思考》等。

正高级专业技术职务人员名录

姓　名	专业职务	评定时间	工作单位
牛海鸣	高级编辑	2006	青海人民广播电台
王雅萍	高级编辑	2006	青海人民广播电台
仁青才让	译审	2006	青海电视台

新疆维吾尔自治区

正高级专业技术职务人员名录

姓　名	专业职务	评定时间	工作单位
库　卡	译审	2006	新疆人民广播电台
娜黑玛·布吉克	译审	2006	新疆电视台
古丽加孜·阿斯力汗	译审	2006	新疆电视台
热合木霍加	译审	2006	新疆电视台
吾斯曼·木合买提	译审	2006	新疆电视台
帕提曼·吾守尔	一级演员	2006	新疆电视台
玛依努尔·吾守尔	一级导演	2006	新疆电视台
沙丽琼	一级导演	2006	新疆电视台
曾　健	一级导演	2006	新疆电视台
加尔木哈买提·夏依艾提	高级编辑	2006	新疆人民广播电台
张铁龙	高级编辑	2006	新疆电视台
吴　萍	高级编辑	2006	新疆电视台

大连市

正高级专业技术职务人员名录

姓　名	专业职务	评定时间	工作单位
邵　新	教授级高级工程师	2007	大连市广电局
王兆恒	教授级高级工程师	2007	大连天途有线电视网络股份有限公司
李盛之	高级记者	2007	大连电视台
韩向阳	高级记者	2007	大连电视台
徐贵琴	高级编辑	2007	大连电视台
李　莉	高级记者	2007	大连电视台

宁波市

辛雪莉（女）第八届范长江新闻奖获得者，2007年度浙江省有突出贡献中青年专家。宁波人民广播电台副台长、交通音乐频道总监，中国广播电视学会播音主持委员会副会长。1987年进入宁波人民广播电台工作，2004年起任宁波人民广播电台副台长至今。在20年播音主持生涯中，由她策划、主持、主播的60多件作品获得中国广播新闻奖一等奖、中国广播影视大奖、中国广播文艺一等奖、中国广播文艺创新奖等政府奖项，连续六年获得浙江省播音主持一等奖。是浙江省第三届“十佳”节目主持人，省首批宣传文化系统五个一批（新闻类）优秀人才，浙江省“新世纪151人才工程”优秀人才，浙江省广电系统先进工作者，2006中国播音主持金话筒奖获得者。

厦门市

正高级专业技术职务人员名录

姓　名	专业职务	评定(聘任)时间	工作单位
陈桂林	高级记者	2007	厦门广播电视集团
林　芬	高级编辑	2007	厦门广播电视集团

青岛市

正高级专业技术职务人员名录

姓　名	专业职务	评定时间	工作单位
冯仁刚	一级导演	2007	青岛电视台
张永庆	工程技术应用研究员	2007	青岛有线网络中心
李秋红	高级编辑	2007	青岛人民广播电台
王青林	工程技术应用研究员	2007	青岛市广播电视局
刘　锁	工程技术应用研究员	2007	青岛市广播电视局

14.大 事 记

Memorabilia

14. 大事记

责任编辑 吕鸿雁
审 稿 人 温 飚

一月

1 日

△中国国际广播电台正式使用新台标，旧标识和旧台旗同时停止使用。新标识由国际台英文缩写（CRI）以及中英文全称组成，整体为红色。

△中国国际广播电台正式推出对台湾地区的网络广播《海峡飞虹》。

△自今日起，中央电视台《新闻联播》在开场白中增加农历日期和二十四节气的播报内容。

△内蒙古电台汉语新闻综合广播成功实现中波和调频分频播出。至此，内蒙古电台已拥有 7 套广播节目。

△海峡之声广播电台与福建省海洋与渔业局、福建省气象局就合作开办《台湾海峡渔业气象 · 海况预报》节目正式开播，为两岸同胞办实事，在岛内引起广泛关注和积极反响。

△贵州电视台百姓频道正式开播。

△甘肃省广播电影电视总台农村广播“乡村之音”正式开播，每天早 6 点 30 分到次日凌晨 1 点播出。

5～8 日

△厦门卫视推出 2006 两岸关注系列活动，活动包括“2006 台湾问题研究电视论坛”、“2006 两岸关注”十大新闻评选等。

6 日

△ FM93.7 江苏全新闻调频开播。该频道由江苏新闻广播和江苏城市频道联手打造，开创了全国省级广播新闻与电视频道合作的先例。

8 日

△辽宁电台音乐台 FM102.9 开播。

△宁波人民广播电台第四套节目老年与少儿广播——阳光之声（FM90.4、AM1251）正式开播，每天播出 16 个小时。

9～10 日

△国家广电总局在北京召开 2007 年全国广播影视局长会议。总局局长王太华，副局长赵实、张海涛、胡占凡等出席了会议。

11 日

△国家广电总局印发《关于研究调整“十一五”20 户以上已通电自然村广播电视村村通建设方案的通知》，要求各地无线覆盖不到的 20 户以上的盲村主要采用直播卫星方式。

△西藏人民广播电台记者部成立。

12 日

△福建省长办公会议定省发改委安排4300万元，省财政厅安排4900万元，补助“十一五”时期福建20户以上自然村“村村通”建设（分四年安排），另外省财政每年再安排 400 万“村村通”运营维护费。

△曾培贤任广东省广播电影电视局副局长。

15 日

△姜文波任广播电视规划院院长，谢锦辉、高少君任副院长。

17～18 日

△国家广电总局科技委在深圳召开七届四次会议，国家广电总局副局长、科技委主任张海涛出席会议并做了《统一思想，形成合力，推动广播影视科技和事业发展上一个大台阶》的工作报告。共 180 人参加了会议。

20 日

△“广播电视传媒影响力展示及论坛”在北京国际会议中心举行。来自国内广电传媒界的 300 人参加会议。

21 日

△在北京举行的以“助推中国传媒传播力”为主题的第二届中国传媒创新年会颁奖典礼上，中央电视台、东方卫视、湖南卫视、广东电视台、江西卫视、广西电视台、河南电视台、山东电视台、河北卫视和贵州电视台被评为“2006 年度十大创新电视台”。

22 日

△中共中央政治局常委李长春对中央电视台新闻频道播出的节目《浙江：其乐、都彭等 35 款进口名牌鞋抽查不合格》作出批示：“可把不合格产品见诸媒体，扭转人们对洋品牌的迷信。”

23 日

△由北广传媒移动电视有限公司和北京市地铁运营有限公司共同出资组建的北广传媒地铁电视公司正式注册成立。公司独家建设、开发、运营北京地铁车辆及站台上的地铁移动电视，整体策划、制作、播出地铁电视节目，并进行广告经营。

24 日

△新疆电视台硬盘播出系统的数字化改造基本完成，汉语影视频道首次使用硬盘播出系统试播成功。

25 日

△中国国际广播电台举行首批岗位首席聘任仪式。国

家广电总局和国际台领导为9位首席颁发了聘书。按照《中国国际广播电台岗位首席评聘管理办法(试行)》文件规定，国际台首席每年评聘一次，每届首席聘期3年。

△中共江西省省委书记、省人大常委会主任孟建柱在省十届人大五次会议期间，来到江西广电今视网两会新闻展示台了解两会宣传情况，勉励今视网做好两会新闻宣传，关注民生，聚焦发展，为江西经济社会的发展作贡献。

26日

△青海省委宣传部、省文明办、省广电局在海北藏族自治州海晏县金滩乡岳峰村举行“电视进万家”活动捐赠仪式。青海省省委常委、宣传部长曲青山代表活动组织方，即中宣部、中央文明办、国家广电总局，向海北州各县农牧民赠送电视机2080台。

27日

△北京市市长王岐山鼓励市民收听北京电台城市管理广播。在市政协十届五次会议“提高城市建设和管理水平，做好奥运会筹备工作座谈会”上，王岐山指出：“很想在座谈会现场做一个民意调查，调查一下坚持听城市管理广播的人有多少。北京市所有的委办局主任、局长都会定期在城市管理广播轮流做专题在线节目，就市民们碰到的城市管理问题回答解决。我认为这样的形式很好，很多外国市长见了我都说要回去办一个这样的台”。

△中午12时，上海市“政风行风热线”在上海人民广播电台（AM990／FM93.4）正式开通。每周六12点至13点，广大群众都可通过拨打电话，对涉及政府部门和公共服务行业及其工作人员的明显违法、违纪、违规、损害群众利益的行为进行投诉。政府有关部门和公共服务行业的主要领导将在直播室与群众直接交流。

28日

△第六届亚洲冬季运动会在长春开幕，国家主席胡锦涛出席开幕式并宣布大会开幕。中央电视台综合频道和体育频道并机直播了开幕式盛况。

△由江苏省对外文化交流协会和江苏广电总台联合主办、江苏国际频道和2007北美春节联欢晚会组委会共同承办的“2007北美春节联欢晚会”在洛杉矶帕莎迪纳大剧院举行。这次晚会是由中美两国合力打造的一台年度盛典。春节期间，江苏卫视、江苏国际频道把晚会向世界十余个国家和地区播出。

29日～2月10日

△辽宁电台乡村台连续举办了5场“同心乐”慰问演出暨乡村台万“乡”更新“三下乡”活动，现场观众累计达六万人。辽宁电台乡村台还先后到黑山县打虎镇七太子村等5个村镇，送去文艺节目的同时送去了特制的年画、门画和收音机，同时联合其他单位开展送科技、送卫生、送文化下乡活动。

30日～2月10日

△国家主席胡锦涛出访非洲八国。从1月31日起，中央电视台新闻频道《新闻联播》等新闻节目记者随同采访。中文国际频道亚洲、欧洲和美洲三版各档新闻均以头条位置同步直播。英语频道配合播出了《中非峰会后的中非关系》、《胡锦涛主席提出八项优惠措施》等背景片，并邀请专家做客新闻演播室。西语新闻制作播出了《友谊之旅、合作之旅》系列短片。

31日

△中央人民广播电台同天津广播电视网络有限公司在北京共同签署了《数字音频广播节目合作协议》，中央人民广播电台有线收费数字广播正式在天津落地播出。

1月

△为贯彻落实中央关于“村村通”工程的文件精神，财政部、国家税务总局印发了《财政部、国家税务总局关于广播电视村村通税收政策的通知》(财税［2007］17号)。《通知》明确，自2007年1月1日起，对经营有线电视网络的单位从农村居民用户取得的有线电视收视费收入和安装费收入，3年内免征营业税；对经营有线电视网络的事业单位从农村居民用户取得的有线电视收视费收入和安装费收入，3年内不计征企业所得税；对经营有线电视网络的企业从农村居民用户取得的有线电视收视费收入和安装费收入，扣除相关成本费用后的所得，3年内免征企业所得税。

1～2月

△广西电视台完成AVID数字高标清非线性编辑制作网系统的安装。这套系统的使用标志着广西电视台进入高清电视制作的行列。

1～7月

△厦门卫视陆续推出9场《闽南走透透》闽南话大型综艺巡演活动，走遍闽南9个县市，吸引近34万现场观众互动参与。

二月

1日

△山西广电总台影视频道推出一档全新方言栏目剧《醋溜故事》。该栏目充分调动山西民间文化资源，以山西各地方言作为主要的表达语言，以平民视角反映百姓生活，是该频道将社会新闻和情景剧融为一体的全新尝试。

1～4日

△中国电视艺术委员会在京举办了全国优秀电视文化（文艺）栏目表彰暨培训活动。国家广电总局副局长胡占凡出席活动并发表了题为《打造高品位精品栏目 自觉抵制低俗之风》的重要讲话。《百家讲坛》、《电视诗歌散文》、《欢乐中国行》、《回家》、《天下父母》、《可凡倾听》等34个栏目受到表彰。

7日

△河北省广播电视学会第三届会员代表大会在石家庄召开。河北省广播电视学会更名为河北省广播电视协会，河北省广播电视局党组书记、局长段录沛当选为会长。

8日

△中共中央政治局常委李长春来到中央人民广播电台播音员方明家中，看望了方明及家人，并向他们致以新年的祝福。

9日

△在中国国际广播电台工作的日本老专家高野广海、高野百合子、添田夫妇、马来西亚语老专家马丁和获得国家"友谊奖"的僧伽罗语外籍专业人员英德拉南德夫妇在人民大会堂受到温家宝总理的接见和宴请。

△中共中央政治局常委、国务院总理温家宝针对《焦点访谈》曝光的山西忻州煤矿安全监察局搬进豪华办公楼并购置超标小汽车的案例指出，要严格控制机关办公楼建设规模、占地面积、装修及设备标准、项目工程造价和资金来源。

△西藏自治区广播电影电视局首次与西藏人民广播电台、西藏电视台及七地（市）广电局鉴定了《2007年广播影视宣传目标管理责任书》。

△甘肃省电视春节晚会《温暖甘肃》在甘肃省广电总台大演播室举行，甘肃省省委书记、省人大常委会主任陆浩，省委副书记、省长徐守盛等领导出席并观看了晚会。

11日

中国电视艺术家协会"送欢乐、下基层，促和谐、树新风"公益慰问团到北京奥运工地"鸟巢"、"水立方"为奥运场馆建设者们献上公益演出。

12日

△中宣部、中央文明办、国家广电总局在海南省保亭县举行"电视进万家工程"电视机赠送仪式，向海南省赠送了一万台21寸彩色电视机。国家广电总局党组成员、纪检组长王莉莉出席并讲话。

△中共中央政治局常委、中央政法委书记罗干到中国国际广播电台慰问在此值勤的武警官兵。罗干察看了部队作战勤务值班室，了解部队值勤信息化建设和值勤部署情况。中共中央政治局委员、北京市委书记刘淇，中共中央政治局委员、书记处书记、国务委员周永康等陪同慰问。

△内蒙古自治区党委书记储波，党委副书记、自治区主席杨晶一行先后视察了内蒙古电台蒙汉语新闻广播直播间、总控机房、蒙汉语新闻编辑部、内蒙古电视台播控机房等，慰问并看望内蒙古自治区广播电影电视局一线工作人员。

△西藏电视台藏、汉语新闻演播室主讯道视频数学化改造完工。

△由甘肃敦煌影视文化中心、西安博景影视文化传播公司、甘肃省广播电影电视总台电视公共频道、甘肃电视艺术家协会共同推出的《365电视短剧》在兰州举行首映式。

13日

△北京市"连连通"工程圆满完成，全市地处偏远山区230个连队官兵能够看上清晰的电视节目。该工程是北京市"文化拥军"工程，投入资金4329万元，共铺设光缆667公里，电缆153公里，建设有线电视终端3464个。

△安徽省省长王金山一行到安徽省广播电影电视局考察工作，慰问广播电视工作者。

14日

△财政部、国家广电总局下达《关于2007年一阶段农村中央广播电视节目无线覆盖工程专项经费的通知》，安排补助资金21.4亿元。

15日

△国家广电总局广播电视规划院广播电视系统电磁辐射和防护标准测试系统配套设施建设的土建工程全部完成，9月11日，该项目通过专家验收组的验收。

△内蒙古汉语卫视节目在石家庄市成功落地。新增覆盖有线电视用户60万户，收视人口近230万人。至此，内蒙古汉语卫视已覆盖全国26个省会城市，总覆盖人口达2.26亿。

△贵州电视台、黑龙江电视台联合录制的2007春节联欢晚会《龙江韵 黔山情》在两台同时播出。

15日～9月30日

△广西电视台响应广西壮族自治区党委书记刘奇葆提出"决不让一个孩子因贫困而失学"的号召，开展一系列关注贫困学子的新闻报道活动。新闻中心开通了帮助贫困大学生热线，先后派出数十个摄制组深入贫困地区和山区，寻访贫困学子，报道他们在困境中努力学习的事迹。同时，对2006年接受资助在大学就读的贫困学子进行了追踪回访，播出新闻78条。

15、16日

△吉林省广电网络集团吉林市有线广播电视传输有限责任公司和吉林省网络集团长春市有线电视网络有限公司先后揭牌。吉林省省委书记王珉、副省长陈晓光等出席了长春市网络公司的揭牌仪式。

16日

△中央军事委员会副主席徐才厚到中央人民广播电台考察工作。

17日

△2007年春节联欢晚会顺利播出。中央电视台第一、四、九套节目和西法语频道、央视国际网站、CCTV手机电视向全球同步直播，中国电视长城平台转播了晚会实况。

△除夕之夜，山西省省委书记、省人大常委会主任张宝顺一行到山西广播电视总台，慰问节日期间坚守一线的职工。

△漳州人民广播电台与潮州电台等全国近20家电台，联合推出"中华名城共争辉——庆元旦全国历史文化名城广播节目空中大联播"。

18～23日

△青海电视台藏语综合频道播出由青海电视台藏语中心采制的，反映甘川藏区风土人情、人文景观以及新农村新牧区建设的大型电视专题片《甘川藏区行》。

20日

△北京电视台品牌节目“外国人中华才艺大赛”——同贺中国年在北京卫视首播。该大赛历时6个月，共有来自40多个国家的近千名选手在各个分赛场进行激烈的角逐。本届比赛不仅在中国的北京、浙江、云南开办3个国内分赛场，还在美国洛杉矶、德国汉诺威、埃及开罗和日本的藤泽市开办4个海外分赛场。

28日

△湖北省《十堰市广播电视年鉴》出版。

2月

△国家广电总局计财司委托中国广播电视协会开展“有线电视运营企业成本核算体系研究”工作，以提高我国有线电视运营企业的管理水平和经营质量。

△中旬，中国传媒大学艺术学新增动画学、数字媒体艺术、艺术与科学3个博士学位二级学科授权点，及动画学、数字媒体艺术、游戏、艺术与科学4个硕士学位二级学科授权点。至此，中国传媒大学博士学位二级学科授权点由原来的21个增加到24个，硕士学位二级学科授权点由44个增加到48个。

△厦门市广播总控室到各发射台的光纤传输链路安装调试完成并投入使用，采用数字音频光机，进行数字音频信号的传输，成功地实现了厦门广播4套节目的传输数字化。当月，厦门广播电视技术中心自主开发的多路热线电话管理系统在广播直播室投入使用。

三月

1日

△由上海文广新闻传媒集团第一财经频率制作的《中国财经60分》节目通过香港新城财经台在香港播出。该节目是由第一财经频率联合北京、天津电台制作的一档汇集国内外财经资讯和市场动态的财经新闻节目，已经通过北京、天津、重庆、上海、甘肃、哈尔滨、广东的十二家电台同步联播辐射全国。

△重庆电视台国际频道正式在澳洲和香港地区落地播出，这是西部地区第一个走向境外的电视频道。

2日

△安徽人民广播电台外宣专题节目《中国安徽之声》落地美国纽约。至此，《中国安徽之声》已在洛杉矶双语台、华盛顿WZHF多元文化电台、马里兰WFBR多元文化电台和纽约华语广播电台四家美国电台播出。

△国家广电总局副局长张海涛带领科技司司长王效杰、计财司司长邹伟、中广电设计研究院院长许家奇、广播电视规划院院长姜文波、安全播出中心常务副主任杨一曼，在无线电台管理局局长李智等陪同下，到北京地球站检查“两会”前安全播出情况和安全播出工程准备情况。

3～16日

△十届全国人大五次会议、全国政协十届五次会议举行。中央人民广播电台、中国国际广播电台、中央电视台对“两会”重要议程进行了现场直播。

4日

△元宵节，江苏城市频道《绝对现场》栏目播出《SNG五城连线　正月十五闹花灯》特别节目。这档长20分钟的特别节目中，由城市频道演播室主持人通过卫星连线，和北京、济南、武汉、杭州以及南京的外景记者对接，报道五地的元宵灯会盛况。在同一时段中连续接入五路SNG连线信号，这在地面频道直播历史上尚属首次。

5日

△国家广电总局向重庆广播电视总台颁发手机电视营运许可证。重庆广播电视总台手机电视于2007年11月18日正式开播。

6日

△山西省政府下发《关于成立山西省村村通广播电视工作领导组的通知》(晋政办函[2007]23号)，同意成立“山西省村村通广播电视工作领导组”，山西省副省长张少琴任领导组组长。16日，山西省广播电视局成立了山西省“村村通”广播电视工作领导组办公室。

6～11日

△中央电视台科教频道《探索·发现》栏目推出首部手绘纪录片《大唐西游记》。该片共6集，首次将最先进的电脑特技与古老的手绘艺术完美融合，被称为纪录片的全新片种——手绘纪录片的第一部作品。

7日

△中央人民广播电台总编室、人事办公室、地方记者管理中心、中国之声共同策划的大型系列报道《穿越三北风沙源》正式启动。

7–9日

△由安徽电视台承办的第22届“中国广播电视体育传播研究会2006年度年会”在黄山市召开。

10日

△中国教育电视台联手全国十四个省、市、自治区教育行政部门和十三家电视台共同举办的《阳光伙伴》全国少年集体体育竞赛(第二季)活动启动仪式在中国人民大学附属小学的操场上举行。该活动启动仪式于当晚17:30和20:55分别在中国教育电视台三频道和一频道播出，江苏教育电视台、四川教育电视台等7个省市电视台同步转播了启动仪式。

15日

△中国传媒大学教学科研基地在河南省广播电影电视局建立。

16日

△中国国际广播电台在线广播中心更名为新媒体节目中心，负责国际台新媒体业务的日常运作、管理和协调，编辑制作和整合新媒体节目，落实新媒体领域的宣传报道任务。

18日

△央视动画有限公司成立仪式暨新闻通气会在钓鱼台国宾馆举行。中央电视台台长赵化勇，国家广电总局宣传管理司司长金德龙、中国传媒大学校长苏志武等，以及40

多家新闻媒体的记者出席了新闻通气会。

21 日

△辽宁省广播电视局对辽宁人民广播电台、辽宁电视台抗雪救灾宣传报道工作给予通报表扬。在3月初抗击暴风雪的宣传战役中，辽宁电台、电视台行动迅速，报道全面、有力，为取得辽宁省抗雪救灾工作的胜利营造了良好的舆论氛围。

21～29 日

△由广西人民广播电台策划组织的“全国各省（区）市广播电台关注北部湾”大型新闻采访活动在南宁、北海、钦州、防城港、崇左、玉林等市展开。全国29家省（区）市广播电台对广西北部湾经济区的开放开发建设情况进行集中采访报道。广西电台卫星广播《新闻广角》开设“全国广播同行关注北部湾”专栏，通过连线直播及时报道活动进程。

22 日

△湖南电视台卫星频道的“2007快乐中国快乐男声”启动仪式在长沙市湖南国际会展中心举行。

22～23 日

△全国有线电视数字化整体转换暨网络双向化改造工作研讨会在山东淄博召开。国家广电总局科技司司长王效杰等以及来自全国22个省、自治区、直辖市的地市级以上有线电视网络公司（网络中心）的250多名高中层管理者和技术专家参加了会议。

23 日

△浙江传媒学院“中广电奖学金”赞助仪式大会召开，中广电广播电影电视设计研究院院长许家奇、副院长吴纯举参加大会，自2007年起，设计研究院每年赞助5万人民币，用于奖励浙江传媒学院10名品学兼优的学生。

△孙伟兼任甘肃省广播电影电视总台（集团）党委书记。

24 日

△宁夏广电中心主体工程破土动工，该工程占地60亩，建筑面积40802平方米，总投资22661.0789万元。

26 日

△江苏省文化标志性工程、江苏省“十一五”重大建设项目——江苏广电城成功封顶。

△四川省内第一档电台专业股市节目——四川电台经济频率《实战股海》节目开播。

27 日

△由北京奥组委新闻宣传部与北京电视台联合制作的《奥运故事365》于北京奥运会倒计时500天之际开播。该节目以独特的内容，鲜明简约的形态，每天播出15分钟奥运经典故事，系统梳理全部奥运历史。

△中共中央政治局委员、书记处书记、中宣部部长刘云山及随行的中宣部副部长李东生等，在安徽省省委书记郭金龙、省长王金山等的陪同下，到安徽省广电中心视察。

△江西省广播电视局举行“构建和谐社会、加强行风建设、抵制有偿新闻”记者签名仪式。江西省电台、电视台、节目中心、广电报社、今视网等局属媒体从业人员近400人参加了签名仪式。

28 日

△西部首家故事广播——陕西人民广播电台“603故事广播”开播。

29 日

△河北省副省长孙士彬到唐山市，就有线数字电视整体转换工作进行调研。

△青岛市广播电视局在北京钓鱼台国宾馆举行青岛有线“家付通”数字电视支付业务启动新闻发布会。国家广电总局科技司司长王效杰、无线管理局副局长孙朝晖出席新闻发布会。“家付通”银联支付系统采用了严格的安全控制体制，比传统的POS机具有更高的安全级别，在全国属于首创。

30 日～4 月 1 日

△第十五届中国国际广播电视信息网络展览会（CCBN2007）在北京中国国际展览中心举行。30日至31日，国家广电总局领导王太华、赵实、张海涛、胡占凡、田进参观了该展览会。王太华指出，这次展会充分展示了高新技术的最新成果，充分体现了高新技术对推动广播影视发展、带动产业结构调整和民族工业发展的重要地位和作用。开幕当天，总局科技委组织特邀高级顾问和特邀委员前来参观，全国政协委员、中国科学院院士、中国工程院院士陈俊亮，中国科学院院士简水生，中国工程院院士陆建勋等知名专家高度评价了总局科技创新工作。

31 日

△北京电视台正式成立奥运报道领导小组，负责部署、组织、协调、落实奥运宣传报道工作。北京电视台台长刘爱勤任组长。

△厦门广电集团会同中央电视台对2007年厦门国际马拉松赛进行现场直播。本次直播实现传输和播出的全面数字化，并在国内首次使用“动中通”移动卫星直播系统，第一次实现男子马拉松与女子马拉松的同时直播，赛事直播更为丰富生动。

3 月

△云南电视台台长杨文虎任云南省广播电视局党组副书记、副局长。

△全国“两会”期间，中部六省：湖南、湖北、江西、安徽、河南、山西的省级广播电台记者齐聚北京，以“崛起中部、携手发展”为主题，进行了为期14天的联合报道活动。为提高广播的传输质量，山西广播电视总台还首次启用了卫星直播车。

△甘肃省广播电影电视总台（集团）广播、电视新闻中心圆满完成全国“两会”宣传报道任务，同时，协助中央电视台《新闻会客厅》两会特别节目《小崔会客》完成对甘肃省省委书记陆浩采访的专题节目一部，协助中央台经济频道、农业频道完成对甘肃省省长徐守盛的两期专访。

四月

1日

△中国教育电视台正式启动“共创和谐——和谐校园采访纪行”活动。该活动由中央文明办、教育部发起主办，中国教育电视台和中国教育报刊社共同承办。从5月上旬起在《国视60'》栏目中开设专栏，每日播出5分钟左右，每期节目介绍一所学校在创建和谐校园过程中的典型经验。此报道活动持续到2007年10月底。

△北京电视台“红楼梦中人”全国总决赛启动。“红楼梦中人”全国总决赛分两个阶段举行，最终产生“宝黛钗”各3名候选人。北京卫视现场直播部分场次的总决赛。

2~5日

△国家广电总局“村村通”广播电视工作调研组对山西省临汾市翼城县、乡宁县、吉县“村村通”工作进行了调研，并对坚持乡镇广播电视站垂直管理，加强小片网建设的做法给予了充分肯定。

3日

△无线数字电视发射系统在老挝首都万象建设完成，云南省省长秦光荣到万象为老挝无线数字电视公司揭牌。云南无线数字电视文化传媒公司、老挝电视台、老挝科技发展有限公司共同投资成立了无线数字电视老挝公司。11月15日，无线数字电视在万象试播成功，可播出33套数字电视节目。

4日

△青海省省委书记强卫到青海省电台技术主控室、藏语直播机房和省电视台播控中心一线调研。

5日

△上午，山西卫视与央视、凤凰卫视等媒体圆满完成了《中国·洪洞大槐树寻根祭祖大典》广播电视直播活动。

△陕西省电台新闻广播联合中国国际广播电台、美国华语电台、香港电台中文台、德国之声、2CR澳洲中文广播电台、福建东南广播公司等海内外华人权威广播媒体，现场直播公祭轩辕黄帝大典“2007年和谐中华大祭祖”盛况。陕西电视台国际部与凤凰、央视对大典同步直播1小时40分钟。

5~6日

△2006年度“上海广播电视奖”终评工作结束。终评委对文广新闻传媒集团、教育电视台、节目报社及各区县台选送的91件入围作品进行了认真评议。最终评定特等奖1名，一等奖14名，二等奖22名，三等奖54名。

6日

△中国国际广播电台CRI手机广播电视开播新闻发布会暨中国国际广播电台与中国联通合作签约仪式在北京举行。国际台台长王庚年出席会议并讲话。

△由中央电视台、河北电视台共同举办的《荀派经典唱段集萃》在北京长安大戏院演出。中共中央政治局常委、全国政协主席贾庆林，全国政协副主席万国权观看了演出并接见了河北省广播电视局以及河北电视台领导。

8日

△农业部致函中央电视台，对4月7日《焦点访谈》栏目播出的《“蕉”癌之惑》给予高度评价。来函认为，《“蕉”癌之惑》有效地澄清了事实真相，消除了消费者恐慌，对恢复海南香蕉市场活力起到了重要作用。

△由台交会组委会主办，中国·厦门国际投资促进中心和厦门广播电视集团承办的“两岸携手共创辉煌——第十一届台交会文艺专场晚会”向两岸现场直播，晚会由两岸主持人联袂主持。

9日

△国家广电总局和财政部在安徽省联合召开了“全国农村中央广播电视节目无线覆盖工作会议”，财政部副部长张少春、国家广电总局副局长张海涛出席会议并讲话。国家广电总局和全国31个省(区、市)、新疆生产建设兵团、5个计划单列市广电局签订了《加强农村中央广播电视节目无线覆盖工程建设任务责任书》。

9~10日

△国家广电总局在南京召开2007年全国广播电视抵制低俗之风工作会议。中宣部副部长、国家广电总局局长王太华，副局长胡占凡，原江苏省省委书记李源潮出席会议并讲话。王太华强调，各级广播影视行政管理部门和播出机构要进一步增强政治意识、大局意识、责任意识，充分认识抵制低俗之风的重要性和紧迫性，提高工作的自觉性、主动性。要不断强化广播电视的公益性，始终把社会效益放在首位，做到社会效益和经济效益有机统一。国家广电总局相关司局负责人，中央三台、各省级广播电视行政部门和播出机构负责人出席了会议。

10日

△拉萨市委常委、宣传部长宇文雪芹，拉萨市广电局党组书记岳国红一行6人到北京电台、北京电视台，对北京市广电工作进行考察，双方商洽了2007年援藏事宜。

△新疆乌鲁木齐的植树日。中共中央政治局委员、新疆维吾尔自治区党委书记王乐泉在乌鲁木齐天山区东山植树现场接受了中央人民广播电台“穿越三北风沙源”报道组采访。他高度赞扬“穿越三北风沙源”大型采访活动，并为报道组题词。

10~14日

△城市电视台（电视新闻）委员会2006年度（第十八届）城市电视新闻节目创优评析会在福州举行。全国44家省会城市电视台、副省级电视台和地、市电视台的91名代表与会。

11日

△中央人民广播电台民族广播5个机房由LINK2000系统过渡到PROLINK系统，民族广播录制机房升级改造工程顺利完成。

△广西人民广播电台经济广播在百色市乐业县同乐镇达存村进行现场连线直播，并向达存村赠送了一套广播设备，帮助该村建立了广播站，该广播站是广西首个媒体授建的村级广播站。

12 日

△温家宝总理在日本国会发表演讲，这也是中国领导人22年来首次在日本国会发表演讲。中央电视台综合频道、新闻频道、中文国际频道、英语国际频道直播了此次演讲，受到国内外高度关注。

13 日

△武来银任甘肃省广播电影电视总台（集团）党委委员、副书记、台长（管理委员会主任）。

15 日

△中国国际广播电台举办的“天下四川·熊猫故乡”知识竞赛结束。此次竞赛活动通过国际台43种语言的无线广播和在线广播，向各国听众播出介绍四川的系列报道，活动自2006年11月15日开始，历时5个月，共收到听众答卷67万余份，参赛听众分布142个国家和地区。其中有10个国家的10名听众获得特等奖，另有780名听众获得一等奖，1592名听众获得二等奖，2400名听众获得三等奖。颁奖仪式在北京举行。

全国政协副主席罗豪才出席大会，为获得特等奖的听众颁奖

△首届闽南语主持人电视大赛总决赛在福建泉州落幕。本次大赛以赛代考，为即将开播的泉州闽南语频道选拔精英。200多名选手经过角逐，有10名选手闯进了总决赛。

△重庆广播电视总台武隆广播电视台正式挂牌成立，该台的成立，标志着重庆市和区县两级广播电视播出机构的合作由业务合作迈入了深度整合的新阶段。5月29日重庆广播电视总台涪陵广播电视台，6月8日重庆广播电视总台潼南广播电视台相继挂牌成立。重庆广播电视总台承担以上区县广电投资、发展指导、管理的责任，以上区县广播电视台作为集团（总台）的直属单位，依法独立运营。

△贵州电视台经济频道开播。

16 日

△经国家广电总局批准，上海东方卫视即日起通过TVB收费电视在香港落地播出。这是上海东方卫视自2002年元旦起，先后在日本、澳大利亚、澳门、北美、欧洲、加拿大落地之后，为扩大海外影响拓展的又一个落地点。

16～18 日

△由国家广电总局主办、中国广播电视协会承办、中国国际广播电台学会协办的中国广播影视大奖广播电视节目奖优秀对外广播新闻评选工作在京举行。评委会对全国21个省协会及国际广播学会选送的52件作品进行了听评审议，最终有5件作品报送中国广播影视大奖参加定评，20件作品获得中国广播电视协会提名奖。

17 日

△万克任天津广播电视电影集团党委副书记、管委会主任兼天津电视台台长。

17～18 日

△中宣部副部长、国家广电总局局长王太华在陕西省进行广播影视改革发展调研工作。

18 日

△中国广播网完成世界首例坑面女二期手术11小时超长直播。从上午9点至晚上8点，备受瞩目的世界首例“坑面女”王娜二期修复再造手术在西安第四军医大学口腔医院进行，中国广播网派出直播组在医院搭建直播室，对整个手术进行视频、图片和文字全程直播，全方位报道了这一医学史上挑战极限手术的全过程。

△由上海东方宽频传播有限公司合作建设、独家代理广告经营的人民网人民宽频（tv.people.com.cn）在北京市人民大会堂举行开播仪式，人民宽频和东方宽频联手进行了视频直播。中宣部、全国人大、全国政协的有关部门负责人、人民网总裁何加正、传媒集团副总裁张大钟等出席开播仪式。

18 日～21 日

△中国广播电视协会科教节目（广播）委员会首届节目创优评析会在江苏省南京市召开，会议由江苏人民广播电台承办。

20 日

△吉林省省委书记王珉到吉林省网络公司考察调研，并视察了吉林电视台。

△一场以“爱与和平”为主题的《妈祖之光 相约东南》大型电视综艺晚会在台湾台中县大甲镇举办。该晚会由福建省广播影视集团、台湾台中县文化建设基金会和台湾东森媒体集团联合举办，福建东南卫视、海峡卫视、台湾东森电视、中天电视、年代电视向全球卫星直播和实况录播。

20～22 日

△国家广电总局有关专家和领导到四川审查四川省文化建设重点工程、四川广播电视事业的重要基础设施项目——703台搬迁工程建设和运行相关情况。

21 日

△中国广播电视协会媒介素养研究培训基地在首届“2007西湖媒介素养高峰论坛”期间宣布成立。近10位专家学者分别接受了基地颁发的顾问、名誉会长、特约研究员的聘书。研究培训基地和研究所的主要负责人、浙江传媒学院院长彭少健作了工作计划报告。

21～23 日

△“第七届全国互联网与音视频广播发展研讨会”（NWC 2007）在西安召开，来自全国的约240名代表参加会议。

21日～6月10日

△中国国际广播电台、广西广播电影电视局及局属广西人民广播电台、广西电视台和凤凰卫视共同举办“中国—东盟合作之旅”大型广播电视采访活动。由国际台、广西人民广播电台、广西电视台和香港凤凰卫视等媒体的40多名记者组成的采访团，历时50天，先后对东盟10国的35个城市进行了采访。4月26日，广西壮族自治区党委书记、广西壮族自治区人大常委会主任刘奇葆在南宁会见了国际台台长王庚年一行。

23日

△国家广电总局发文同意“金鹰之声”升级为省级广播频率。“金鹰之声”由湖南经济电视台与岳阳人民广播电台合办，是国家广电总局批准的电视台与电台联合办广播的全国第一个试点。

△赵婉香任天津市广播电视电影局局长、局党组副书记。

24日

△新疆电视台少儿频道节目正式通过数字电视网传输。

24～28日

△由国家广电总局主办、中央电视台海外中心承办、江西电视台协办的2007年全国电视对外宣传协作会议在江西南昌召开。会议在总结工作的基础上，对进一步加强合作、开拓创新、共同打造中国外宣新形象进行了研究。来自全国38家省级电视台、部分计划单列市台的70多名分管对外宣传的台领导或部门主任参加会议。

25日

△东北首位数字虚拟主持人“辽辽”在辽宁电视台卫视频道《家家都有戏》栏目正式上岗。“辽辽”是高科技数字技术合成产物，是三维的虚拟人物，被赋予了真实人物的语音、动作和性格，在网络、手机、电视等媒介上和受众形成互动。她由沈阳深海动画公司首次推出，在辽宁电视台首次使用。

26日

△2008年北京奥运会火炬传递路线及火炬样式在中华世纪坛发布。中国国际广播电台“环球资讯”广播、奥运广播对该仪式并机直播，“国际在线”进行了同步图文直播。中央电视台第四、五、九套节目及新闻频道并机直播了仪式的全过程。

△全国人大常委会副委员长许嘉璐在中国出版高层论坛上，对中央电视台《百家讲坛》栏目弘扬传统文化给予高度评价。许嘉璐表示：反思传统、从祖先智慧中汲取营养是中国的必由之路，在普及文化的过程中，要多发现一些于丹和易中天。

△河南电视台和中央电视台联合举办了第二届中博会大型文艺晚会，展示了中部地区丰富的文化底蕴和六省人民奋发向上、开拓进取的精神。

27日

△国家广电总局广播电视规划院正式启动北京地区地面数字电视广播技术试验工作。12月24日、25日，总局科技司组织审查通过规划院和有关单位共同制定的《地面数字电视激励器技术要求和测量方法》、《地面数字电视发射机技术要求和测量方法》等6个与产业相关的行业技术标准。

28日

△由中国传媒大学承办的第三届中国国际动漫节动漫产业高峰论坛在杭州开幕。浙江省省委常委、省委宣传部部长陈敏尔，国家广电总局宣传管理司司长金德龙，中国传媒大学校长苏志武，以及来自国内外数百名动漫界知名专家、学者、企业家出席了开幕式。同时还进行了《中国动画年鉴》的首发和《中国动画年鉴》杭州编辑部的揭牌仪式。晚上，举行了第三届中国国际动漫节“美猴奖”原创动漫大赛颁奖典礼。

△由国务院农民工办公室、中宣部文艺局、北京市有关部门主办，中央电视台承办的《共建和谐家园》——“心连心”艺术团慰问全国农民工文艺演出在京举行。中共中央政治局委员、北京市委书记刘淇，国务委员兼国务院秘书长华建敏出席演出活动，与万余名来自全国各地的农民工在北京奥运会主体育场“鸟巢”前观看了演出。

△天津数字电视大厦成功奠基。该项目规划建筑总规模约19.7万平方米，一期工程将在2008年部分投入使用，2010年竣工。

29日

△江西电视台都市频道策划的大型公益活动《关爱母亲河》启动。江西电视台派出五路记者，行程上万公里，踏遍赣江等五大水系的主要河段和城市，历时两个月，目的是进一步唤起全省人民的节水、爱水、关爱母亲河意识。该系列报道从5月1日开始推出。

4月～10月

△国家广电总局广播电视规划院完成了中央电视台“节目传送用编解码器关键参数”重要研究项目。

4月

△北京电视台联合上海、青岛、天津、沈阳、秦皇岛、香港等地电视台共同推出《好运北京》大型公益直播节目，加大奥运宣传力度，为宣传奥运和转（直）播赛事进一步积累实战经验。中共中央政治局委员、北京市委书记、北京奥组委主席刘淇，国务委员、北京奥组委第一副主席陈至立，北京市委副书记、市长王岐山参加《好运北京》直播活动。

△聂庆义任安徽省广播电影电视局党组成员、副局长。

△甘肃省广播电影电视总台音像资料管理系统全面启动，经过系统测试，音像资料馆正式开始对馆藏资料节目目录进行录入。

△厦门广电集团开始建设并逐步投入使用新闻非线性编辑网络系统，该系统集节目收录、编辑制作、文稿编辑、配音、演播室直播、远程回传为一体，以新闻文稿为主线贯穿新闻采、编、播整个节目生产流程，并充分考虑网络的先进性、安全性和扩展性。

五月

1～7日

△《心愿篇》、《关注篇》、《掌声篇》3个公益广告在中

央电视台12个频道的黄金时段播出，播出频次达400多次。这些公益广告免费提供给各地省级卫视播出，在全国掀起了"迎奥运、讲文明、树新风"的热潮。

8日

△河北电视台举办电视系列片《走进以色列》新闻发布会。河北省副省长孙士彬、以色列驻华大使等出席了新闻发布会。

8～11日

△交通宣传委员会举办的西部交通信息协作网第二次理事会暨广播产业峰会在西安举办，中国广播电视协会会长李丹参加峰会并发表讲话。

9日

△中国国际广播电台"奥运协办城市行"采访活动正式启动。由国际台各中心记者及外籍工作人员组成的多语种记者组赴2008年北京奥运会的6个协办城市进行采访，采访活动于7月初结束。国际台各语言广播从2007年7月起在《北京2008》专题栏目中挂牌播出"奥运协办城市行"系列报道。

△中共中央政治局委员、北京市委书记、北京奥组委主席刘淇，国家体育总局局长、中国奥委会主席、北京奥组委执行主席刘鹏，中央电视台台长赵化勇等在中央电视台观看了北京奥运火炬接力圣火试登珠峰电视信号传输测试活动。

10日

△中广电广播电影电视设计研究院院长许家奇等参加了中国传媒大学信息工程学院的"中广电设计院奖学奖教金"启动仪式并致辞。自2007年起，设计研究院每年为该学院赞助6万人民币，用于奖励优秀学生和教师。

10～14日

△第三届电视戏曲"兰花杯"优秀电视戏曲节目表彰暨创作研讨会在福建武夷山举行。33个电视台（单位）近百位代表出席会议。

10～27日

△中国国际广播电台与西藏人民广播电台、深圳商报联合组成的"和谐西藏纪行"大型跨媒体采访活动报道组，赴西藏和青海进行了为期18天的采访报道活动。

11日

△国家广电总局局长王太华，副局长张海涛等到中央电视台新台址工地考察。王太华强调，在下一阶段建设过程中，一是要始终坚持招投标制度，将招投标制度贯穿到工程全过程。二是要始终坚持项目监理制。三是要始终坚持项目法人责任制。要在此基础上，稳步推进新台址建设，在单体工程面积、设计式样、工程质量、装备水平、管理水平、综合效益六个方面，做到亚洲第一、世界一流。

△由中国传媒大学广告学院和《市场观察·媒介》杂志共同举办的中国原创电视栏目高峰论坛在中国传媒大学举行，120余名学界、业界代表参加了这个国内首次集中研讨原创电视栏目的论坛。

12日

△福建泉州电视台四套闽南语频道正式开播。

△中国传媒大学现代远程与继续教育学院青海校外学习中心经青海省教育厅批准成立，开展学历教育和在职人员的业务培训，即日起面向社会公开招生。

13日

△以全国优秀共产党员、"感动中国"十大人物之一——王顺友为原型的广播剧《深山信使》在欧洲广播联盟与克罗地亚国家电台联合举办的第11届麦鲁利奇国际广播节上获得麦鲁利奇奖，该广播剧由中央人民广播电台制作。这是我国自2005年参加此国际广播节评比以来首次获奖。

△西藏广电网络传输中心有线电视数字化建设项目"145"工程全面启动，即一个中心平台，四个作用系统（条件接收系统，电子节目指南系统，用户管理系统和数据广播系统），五个配套工程（天线系统建设、数字系统建设、监视系统建设、数字机房配套系统建设、网络前端建设和改造）。

15日

△国家发改委、广电总局印发《关于印发2007年广播电视"村村通"建设任务的通知》，下达2007年"村村通"建设任务和中央预算内"村村通"建设补助资金计划5亿元。

△青海省广播电视局922台和广播电视培训中心在湟中县鲁沙尔镇正式落成。

16～22日

△保加利亚国家电台少儿合唱团应邀到中央人民广播电台访问，并与中央人民广播电台少儿合唱团在中央电台音乐厅同台演出。此次演出意味着两家国家电台交流合作的开始。

17日

△上海市市委书记习近平和市委副书记殷一璀到上海文广新闻传媒集团察看了电视新闻中心、第一财经频道，听取新媒体发展情况汇报。在随后召开的媒体负责人调研座谈会上，习近平作重要讲话，针对提高舆论引导能力提出三点要求，强调要加快建设一支政治可靠、业务精湛、作风过硬的新闻工作队伍。上海文广集团党委书记、总裁薛沛建，上海文广集团副总裁、传媒集团总裁黎瑞刚在座谈会上分别作了汇报。

△高贵武任宁夏广播电影电视局党组成员、副局长。

17～18日

△由国家广电总局主办、中央电视台承办的2007年全国电视台台长论坛在北京梅地亚中心召开。会议宣读了中共中央政治局委员、中央书记处书记、中宣部部长刘云山对本届论坛的贺信。中宣部副部长、国家广电总局局长王太华出席论坛并作重要讲话。论坛正式发布了《2007年全国电视台台长论坛（北京）宣言》。全国共100余位嘉宾参加论坛。

18日

△国家广电总局广播电视规划院完成"村村通"直播卫星工程技术选型总体测试第一阶段ABS-S调制技术实际产品的性能测试；2007年8月16日，完成"村村通"直播卫星工程技术选型总体测试第二阶段节目平台信源编码技术工程应用评价测试。

△山东居家购物频道成功试播。该频道与乐拍（山东）商业有限公司合作，成功引进了向下竞拍购物模式，自办仓储与物流体系。半年内，居家购物频道订单额达到两亿元，成为电视产业开发的一个典型。

19日

△第五届中国徐霞客开游节在宁海开幕。开幕式结束后还举行了中华游圣开游大典。宁波电视台对开幕式和开游大典进行了全程直播。开游节期间，宁波电视台对"'得力杯'第二届中国十大当代徐霞客评选颁奖典礼"和中国首届"徐霞客旅游带"旅游合作峰会进行了报道。

20日

△庆祝内蒙古自治区六十周年大型媒体行动——《穿越内蒙古》开机仪式在内蒙古自治区首府呼和浩特举行。该活动由中央电视台海外节目中心中文国际频道和内蒙古自治区党委宣传部、内蒙古自治区广播电视局、内蒙古电视台联合举办。

△甘肃省天水人民广播电台音乐文艺广播正式开播。

20～24日

△国家广电总局局长王太华率总局有关司局、中央三台负责人到总局定点扶贫地区四川省甘孜藏族自治州考察扶贫工作。在甘孜期间，王太华听取了甘孜州和总局对口帮扶的雅江、石渠、色达、理塘、新龙5个县的工作汇报，并进行了实地考察。24日，王太华一行到达成都，视察了四川省广播电影电视局、四川人民广播电台和四川电视台。

21日

△中共中央政治局常委、国家副主席曾庆红在审看由中央电视台电视剧制作中心拍摄的电视剧《浴血坚持》部分样片后，谈到"看了送来的部分样片，感到拍得非常好，很真实，很感人。有些段落表现了当年革命斗争的惨烈牺牲，这是历史的真实。没有过去的惨烈牺牲，就不会有今天的幸福，这些情景对我们的后代很有教育意义。请代表我向制作单位和摄制组表示感谢，谢谢大家的努力。"

△山西省广播电视局出台了2007年重要工作责任制，将重点工作进行细化，落实到具体单位、部门和责任人。对落实的进展情况各单位、部门每季度书面报告一次，年底采取百分制进行全面考核，并公布考核结果，奖优罚劣。

23～25日

△中央人民广播电台《新闻和报纸摘要》栏目连续播发长篇系列报道《关注民生，山东发展的新取向》，这是山东人民广播电台新闻部推出的重点稿件，得到了山东省省委书记李建国的关注赞扬。

23～28日

△中国城市电视台技术协会第十九届年会在广西南宁召开。会议着重围绕城市电视台广播电视数字化、网络化建设、地面无线数字覆盖、高清数字电视节目摄制、卫星新闻采访直播技术等话题展开技术交流，共同探索我国城市电视台广播电视产业发展走向以及新形势下广播电视技术体制与产业运营机制。各地代表300人参加了会议。

24日

△由全国记协主办、黑龙江电视台承办的第十七届中国新闻奖新闻专栏复评评选会在哈尔滨月亮湾电视城举行。

△青岛广电移动电视有限公司与青岛奥帆委在青岛奥运大厅举行签约仪式，正式签署了《青岛移动电视成为奥帆委指定户外电视宣传合作伙伴协议书》，使青岛广电移动电视成为青岛奥帆委指定户外电视宣传合作伙伴。2008奥帆赛户外电视宣传全面启动。

24～25日

△电视学研委会2006～2007年年会在云南昆明市召开。全国50家电视台代表，业内专家学者共100人出席会议。

24～27日

△由中央人民广播电台主办、山东人民广播电台承办的"2007全国广播新闻合作研讨会"在山东省济南市召开。来自全国各省级、计划单列市电台总共37家电台的80多位代表参加了会议。会议研讨了全国广播新闻合作模式，总结交流了广播电台台际交流的经验，商讨了广播界在奥运报道方面的协作事宜。

25日

△宁夏回族自治区广播电影电视局与财政厅联合成立了农村广播电视公共服务体系考核领导小组，制定下发了《宁夏农村广播电视公共服务体系考核实施方案》和《宁夏农村广播电视公共服务体系考核办法》，进一步加强了公共服务体系建设，确保了农村广播电视村村通、户户通、长期通。

27日

△中国首届"传媒业知识产权保护论坛"在北京越秀大饭店举行，论坛由中国法学会研究部和中国传媒大学电视与新闻学院共同主办。来自中国法学会、最高人民法院、中央电视台及内地和香港的80多名业内人士参加了会议。

28日

△中国传媒大学校长苏志武与泰德时代集团董事长陈平签署战略合作协议，双方将围绕建设北京市和朝阳区文化创意产业园共同创造条件，积极开展合作。泰德时代集团下属的泰德集团广告公司和阳光卫视将与中国传媒大学在节目策划制作、栏目开发以及节目产品发行等方面开展深度合作。双方还将共享教育信息资源，进行多学科全方位的合作。

29日

△由国家广电总局科技委战略专业委员会承担的"下一代通信技术和计算机技术对广播电视发展的影响"项目通过国家广电总局验收。

5月

△国家广电总局开始《广播电视播出机构许可证》的审核和换发工作，并首次对地级以上播出机构经总局批准开办的频道（率）颁发了《广播电视频道许可证》。截至11月20日，总局共对2506个符合换证条件的播出机构换发了《广播电视播出机构许可证》，对1931个符合发证条件的电视频道颁发了《广播电视频道许可证》。12月，总局对142套广播电视数字付费频道换发了《付费频道许可证》。

△月底至6月初，重庆广播电视局共完成10323个20

户以上自然村“村村通”工程建设任务，超额323个。

△四川电视台新闻资讯频道开始全面启用直播车采制新闻。《新闻现场》栏目组专门成立12个直播小组，跟随直播车第一时间赶赴新闻现场，将正在发生的新闻同步展现给观众。

5月～8月

△国家广电总局社会管理司组织实施了对全国地级以上电视台和省会市以上广播电台的播出情况检查，截至8月10日，发现的138个播出机构的违规问题均已按要求整改到位。

六月

1日

△中央人民广播电台中国之声全面启用新栏目曲，这是中国之声自2004年1月1日开播后第一次大规模修改栏目曲，这次启用的新栏目曲包括：频率呼号、各栏目开始曲、各地频率搜索片花、天气预报衬乐、频率形象宣传版等70多条。

△《湖南广播电视报》更名为《金鹰报》。

△福建泉州市广播电视局正式推出有线通宽带业务。有线通具有带宽更宽，上网速度更快的优点，目前有线通主要功能和业务有：视频点播、互联网浏览、电影在线、网上证券交易、互动电视、网络游戏等。

2日～7月9日

△青岛人民广播电台联合青岛市政府新闻办等单位共同主办了“相约奥运 扬帆青岛”青岛人民广播电台音乐体育频道青藏奥运行活动。青藏奥运行车队历时38天，跨过十一个省、市、自治区和直辖市，途经十几个城市，行程一万五千公里。全国约有100多家新闻媒体报道了本次活动，近30家电台、电视台进行了专题报道或节目直播。

3日

△凌晨5点34分，云南省普洱市宁洱县发生6.4级强烈地震，云南电台、云南电视台立即启动“突发事件应急采访报道预案”，迅速组成报道组赶赴灾区，全方位报道抗震救灾工作。截至6月9日，两台共播出各类报道近百篇，同时与央视合作在央视播出抗震救灾新闻100多条（次），并与上海、湖南、湖北、江苏、福建等省市的广播电台连线直播相关报道。

7日

△香港特别行政区行政长官曾荫权到天津进行访问，天津人民广播电台国际部记者对他进行了30分钟主题为“围绕天津、香港的合作共赢”的专访。

8日

△国家主席胡锦涛与俄罗斯总统普京会见，两国元首对由中国国际广播电台承办的“中俄友谊之旅”活动给予肯定，并认为两国媒体加强相互报道增进了两国人民的相互了解和友谊。

△首届海峡两岸闽南语歌星选拔赛在福建泉州市广电中心落幕。这次大赛由泉州人民广播电台刺桐之声等海峡两岸有关单位共同承办。海峡两岸共有近2000人报名参赛，台湾地区和大陆两个赛区各决出前6名进入总决赛。

△国家广电总局副局长张海涛到河南省广播电影电视局考察调研，参观了河南人民广播电台视听直播机房、总控机房等，听取了“村村通”、网络整合和有线电视数字化覆盖等工作情况汇报。

△西藏电视台第一辆卫星直播车运抵拉萨，从此结束了西藏无法在拉萨市以外的地（市）进行电视现场直播的历史。

8～12日

△第九届浙江投资贸易洽谈会和第六届中国国际日用消费品博览会在宁波举行，宁波电视台《宁波新闻》栏目播出展会稿件100多篇次，并在中央电视台和浙江卫视播发稿件十余篇，全面反映展会盛况，报道展会亮点。

9日

△陕西电视台与中央电视台在韩城梁带村两周墓的考古发掘现场联合直播的《中国记忆 · 文化遗产博览月》圆满完成。陕视网、西部网从6月4日起在网站首页建立了专题，全面报道此次活动。

11日

△河南省广播电视安全播出调度指挥中心和省无线传输发射中心正式成立。

△厦门广电集团闽南之声举办的第二届闽南之声“读册歌”广播电视大赛决赛开始，本届比赛漳州、泉州和金门地区也组队参加。比赛实况录制成DVD，向社会发行，并赠送台湾地区有关人士与学校。

11～15日

△重庆广播电视总台与香港电视广播有限公司（TVB）联合推出“渝港喜相逢——重庆电视周”，庆祝重庆直辖十周年。

12～15日

△第13届上海电视节在上海举办。本届电视节首次采用与电影节错开连办的方式，包括“白玉兰”奖国际电视节目评选、国际影视节目市场、国际新媒体与广播影视设备市场以及“白玉兰”国际电视论坛四大主体活动。“白玉兰”奖评选汇集了来自39个国家和地区的275家影视公司和电视台的参赛片，并从中评选出包括电视电影、电视连续剧、纪录片和动画片在内的四大类共27个奖项。国际影视节目市场和国际新媒体与广播影视设备市场共有476家海内外机构参展，其中海外展商占40%。

14日

△即日起，中国广播网结合中国科学院青藏高原研究所的青藏高原南部污染考察项目，独家推出专题《青藏环测：寻找我们正在消逝的未来》，记者郎峰蔚全程跟随中科院科考队进行为期近20天的野外考察，刊发大量文字和图片。

△国家广电总局2005年下达给上海文广新闻传媒集团的重点科研项目——《高清晰度电视发展战略和产业链的研究》，通过了由国家广电总局科技司组织的专家委员会的验收。

16日

△中国体育新闻工作者协会广播分会在北京成立。中央人民广播电台当选为中国体育新闻工作者协会广播分会会长台。中国体育新闻工作者协会是由全国广播电台的记者、编辑、播音员、评论员以及体育宣传工作者自愿组成的全国性群众团体。

△由中广协会电视学研委会、中广协会中央电视台分会和中央电视台总编室研究处主办的“中央电视台策划整合与品牌战略”研讨会在京召开，这是电视学研委会提出要加大全国电视资源整合力度的设想后，在央视做出的实践尝试，同时也是央视第一次在全台范围内组织的大型策划人、制片人研讨会。

16～17日

△首届“中国城市广电媒体品牌建设高峰论坛”在长沙举行，来自全国各城市广电局的100多位代表参加了此论坛。此次论坛由中国广播电视协会、中国文化产业品牌研究中心、长沙市广播电视局（集团）共同主办，电视法制节目委员会协办。

17日

△国务委员陈至立到上海文广新闻传媒集团视察了电视新闻中心和新媒体展示区。陈至立对传媒集团新闻资源整合发挥综合优势和新媒体的发展给予充分肯定，并希望加强对新媒体的研究，为老百姓带来更多的方便和实惠。上海市市长韩正等陪同视察。

18日

△国家广电总局直属机关党委批复同意规划院第一届委员会由7位同志组成，姜文波任党委书记。同时批复同意中共规划院第一届纪委由3位同志组成，王京玲任纪委书记。

△内蒙古电视台城市建设频道正式开播。

19日

△中国传媒大学与山西广电总台签署联合办学及教学科研实习基地协议，并举行揭牌仪式。

20日

△王求任国家广电总局党组成员，中央人民广播电台台长、分党组书记。

△大型电视纪录片《香港十年》在北京举行了首映式暨新闻通气会。6月23日，中央电视台综合频道、中文国际频道、英语国际频道和西法语频道，以及香港无线电视（TVB）相继播出该纪录片。6月25日，《香港十年》首映式暨无线电视启播仪式在香港举行。全国人大常务委员会委员曾宪梓等出席首映式。6月28日，中共中央政治局常委李长春在《中央电视台简报》第29期“大型纪录片《香港十年》引起海内外观众强烈反响”一文上批示：《香港十年》纪录片是震撼人心的精品力作，真实再现了“一国两制”的成功实践。要组织好对港澳台的播放、对全球的播放。中共中央政治局委员、书记处书记、中宣部部长刘云山批示：《香港十年》真实地记录了回归十年的辉煌历程，反映了“一国两制”的成功实践，受到海内外观众的赞扬。请制作光盘在社会上发行，也可赠送有关方面。

△山东省省委书记李建国到山东广播电视局进行调研和视察。李建国先后视察了建设中的山东广电中心、省电台5个频道直播机房、总台1200平方米演播厅，看望慰问了在一线工作的同志，并对广播电视下一步的工作作了指示。

20日～7月1日

△中央电视台中文国际频道全面推出“香港回归十周年”系列报道的核心部分——特别节目《香港·香港》。中文国际频道与香港亚洲电视台展开大规模合作，在北京、香港两地分别设立主演播室，并由两家电视台的主持人共同主持。

21日

△甘肃省广播电影电视总台（集团）新进人员职业素质教育大会在总台1000平方米演播室举行。这次会议是总台成立以来，就新进人员职业素质教育举行的一次规模最大、规格较高的培训活动，共400多人参加了会议。

22日

△陕西省广播电影电视局出台了《广播影视作品、栏目奖励细则》和《扶持广播影视重点剧本的办法》，每年投资100万元，扶持广播影视重点作品创作。

△甘肃省天水广播电视台首次采用广播、电视、网络现场同步的方式直播中国·天水伏羲公祭大典盛况。

24日

△海南省有线电视数字化整体转换动员大会暨启动仪式举行，海南省有线电视数字化整体转换工作进入全面推广阶段。海南省省委副书记、省长罗保铭，中央电视台台长赵化勇等出席启动仪式，并共同扳动拉杆。赵化勇还与海南省省委副书记于迅，国家广电总局科技司司长王效杰共同为“中国有线海南基地”揭牌。

△贵州电视台实况转播2007“多彩贵州舞蹈大赛”复赛。

25日

△河北广电信息网络股份有限公司县级分（子）公司集体挂牌仪式暨全省有线数字电视整体转换动员大会在石家庄召开。

△国家广电总局同意陕西电视台开办“陕西电视台农林科技频道”，这是国内第一家专业从事农林科技推广的卫星电视频道。

26日

△北京电台和香港电台联合举办的庆祝香港回归十周年大型系列活动“北京、香港，牵手十年”讲述会在中国紫檀博物馆举行。讲述会为大型纪实讲述节目，节目文字出版成书，香港特别行政区第一任行政长官董建华亲自为该书作序。

△杭州湾跨海大桥全线贯通，宁波电视台对贯通仪式进行了现场直播——《圆梦杭州湾》，全国各省市电视台相继播发了大桥贯通的消息。

26～28日

△中国国际广播电台举行首次“中国国际广播新闻奖2006年度优秀在线广播作品评选”工作。评委会从“国际在线”各子网站选送的77件作品中评选出一等奖10件，二等奖17件，三等奖26件。国际台副台长陈敏毅任评委会主任。

27日

△“四川卫视转星工程总结暨双星并发部署会”在四川卫视地球站召开，至此，为时50天的转星工程建设圆满结束，四川卫视地球站随时可投入到双星并发工作状态，完成国家广电总局下达的转星任务。

28日

△青海省西宁地区广播电视数字化整体转换工作正式开始，此工作由青海省广播电视信息网络有限公司具体实施。

△由厦门广电集团投资拍摄的大陆首部闽南语情景剧《一定要幸福》在厦门开机，全程采用厦门实景拍摄，两岸明星加盟演出。

29日

△中国国际广播电台向北京市奥组委提交了征集的36种语言，共177首歌曲的音频。国际台应奥组委文化活动部的要求，承担收集世界各地音乐和歌曲素材的任务，这些音乐素材将用于奥运会期间各比赛场馆。

△国家广电总局局长王太华一行考察内蒙古自治区广播电影电视局在蒙古国乌兰巴托兴建的合资企业桑斯尔有线电视公司。

30日～7月1日

△中央电视台综合频道、新闻频道、综艺频道、中文国际频道、英语国际频道和西法语频道等，连续直播了中共中央总书记、国家主席、中央军委主席胡锦涛抵达香港，出席庆祝香港回归祖国十周年大会暨香港特别行政区第三届政府就职典礼、深圳湾口岸开通仪式、以及香港特别行政区政府举行的欢迎晚宴和文艺晚会等各项重大活动。此外，新闻频道还推出总时长50个小时的直播特别节目。共有95个国家和地区的331家电视机构转播或部分使用了CCTV-4、CCTV-9和CCTV-E&F的公共信号。央视国际推出连续50小时的视频专题直播，专题访问量达300万页次。

6月

△辽宁省广播电视局首次面向社会公开招聘事业单位工作人员。经过多个环节的选拔工作，最终从103名考生中选出12名进入体检、考核录用阶段。

△湖南经济电视台都市频道推出中国首档新闻类道歉节目《请原谅》。节目由委托人讲述道歉事由，记者全程记录道歉过程，并设置专业劝导师全程跟随，以便在必要时进行调解。

△湖南卫视信号在香港30家酒店成功落地。

△中旬，中国广播影视大奖2005、2006年度优秀广播专题、现场直播提名评选会，广播剧提名评选会，电视消息、评论、栏目提名评选会结束。在参评的356个作品中，评出40个大奖提名，其中广播专题10个，现场直播5个，广播剧5个，电视消息10个，电视评论5个，电视栏目5个。

七月

1日

△香港回归10周年纪念日。中国国际广播电台台长王庚年率团赴香港进行采访报道，国际台使用英语，汉语普通话、广州话向北京、东南亚、东亚、北美、澳新等地区现场直播了庆祝香港回归祖国十周年大会暨香港特别行政区第三届政府就职典礼。“国际在线”中文网和英文网同步直播。其间，王庚年台长拜会了全国人大常委会委员曾宪梓先生，并应邀参访凤凰卫视，与凤凰卫视董事局主席、行政总裁刘长乐等就两台有关合作事宜进行了磋商。

△陕西省影视制作信息网（www.yingshixx.com）正式开通。网站设立人才、剧本、投资等9个栏目，为影视从业人员利用网络查寻浏览有关信息提供服务。

2日

△山西广电总台为配合党中央和山西省委、省政府整治非法用工和打击“黑砖窑”违法犯罪专项行动，成立了“黑砖窑”事件报道领导组，从保护农民工合法权益，坚决打击“黑砖窑主”，网上寻找亲人等方面进行了深度报道，充分发挥了主流媒体的舆论引导作用。

△中国国际广播电台台长王庚年参观了国际台广州工作站越秀山新站。为进一步加强对珠江三角洲地区的宣传报道，国际台广州话、客家话和潮州话节目制作前移至广州，并扩大了国际台广州工作站。国际台广州工作站于2007年10月8日起向国际台华语中心试传节目。

3日

△由中国教育电视台主办、北京华清峰凌科技有限公司、韩国学习公司协办的“中国教育新媒体产业协作体（筹）论坛暨媒体见面会”在京召开。27家单位作为第一批协作体成员参加会议，成立了中国教育新媒体产业协作体。

△广西崇左人民广播正式开播，至此，广西14个地级市都建立了广播电台。

5日

△甘肃省广播电影电视总台（集团）楼宇多媒体播放系统开始公布总台6个电视频道收视率统计报告，至此，甘肃省广播电影电视总台（集团）正式将收视率作为一项硬指标纳入目标任务管理考核。

6日

△中央人民广播电台都市之声与北京首都机场股份有限公司联合打造的机场直播间正式开播。都市之声设在首都国际机场1号航站楼的30平方米透明直播间是全国第一家广播电台设在机场的直播间。该直播间全天及时滚动播出航班信息、航路天气、机场周边停车状况和交通状况等与百姓出行有关的服务信息。

△辽宁广播大厦正式封顶，总建筑面积42650平方米，主楼高93米。

△山西省广播电视局设立了山西省广播电视行业新闻记者监督热线，向社会公开，以便接受社会各界、各行业及被采访对象的查询和投诉，有效地加强了对广播电视新闻记者采访的监督与管理。

△贵州省委办公厅、贵州省人民政府办公厅下发《关于加快我省有线广播电视网络整合暨数字化工程的通知》。决定：1.成立由省委、省政府分管领导牵头和相关部门参加的贵州省广播电视网络整合暨数字化工程领导小组。2.改建贵州省广播电视网络股份有限公司。

6～8日

△国务委员陈至立带领国家广电总局副局长张海涛等到宁夏回族自治区考察教育、文化和广播影视工作。7日，陈至立、张海涛在宁夏回族自治区党委书记陈建国、自治区代主席王正伟等领导的陪同下，到固原市原州区三营镇考察了“村村通”工程。

7日

△无线电台管理局572台举行建台五十周年庆典活动。国家广电总局有关司局、无线电台管理局等相关单位约500人参加了庆典活动。

10日

△国家广电总局批复同意规划院投资100万元设立北京广电天地信息咨询有限公司，主要经营业务为广告代理与制作、技术咨询、承办培训、组织会议等业务。

10～11日

△由江苏城市频道主办的“全国省级地面频道SNG峰会暨SNG协作体第三届年会”在南京召开。

13日

△山西广电总台音乐广播与中国互动媒体网合作，推出山西省首家可视电台——山西（音乐广播）可视音乐广播网站。

16日

△江西电视台影视频道启动大型公益活动“梦想在飞·2007江西希望工程圆梦行动”。此次活动每周一期，每期90分钟，活动持续到9月上旬。

17～18日

△全国广播影视局长座谈会在昆明召开。国家广电总局局长王太华，副局长赵实、张海涛、胡占凡等，云南省副省长程映萱，全国各省市区和新疆建设兵团广播影视局长及总局机关各司局负责人出席会议。王太华在会上作重要讲话。

18日

△北京广播网在线点播频道(http://audio.bjradio.com.cn）正式上线，网友可收听到8路开路、8路有线共16路广播节目1个月内的回放。

19日

△中宣部副部长、国家广电总局局长王太华考察中央人民广播电台、中国国际广播电台驻云南记者站，无线电台管理局云南501台，中国国际广播电台台长王庚年、中央人民广播电台台长王求陪同考察。

△中央电视台编委会召开紧急会议，深刻总结中央电视台转发北京电视台“纸馅包子”假新闻事件的教训。7月23日，中央电视台台长赵化勇主持召开台长办公会议，针对“纸馅包子”假新闻事件，要求全台宣传部门要进一步统一思想，提高认识，完善制度，严格把关。要切实加强新闻队伍建设，加强人员管理，整顿清理不规范用工。要对相关人员进行严肃处理，深入开展“三项学习教育活动”。7月27日，中央电视台顺利完成规范用工工作，清退未签约人员1850人。

20日

△《中国广播影视》杂志首次举办的“TV地标”全国地面频道大型调研展评结果揭晓。全国60多个频道参与了该项调研评比活动，湖北省广播电视总台电视经济频道、安徽电视台经济生活频道、湖南电视台经济频道等被评为全国省级地面频道综合实力十强。陕西电视台都市青春频道荣获“年度管理创新地面频道”奖。

△安徽电视台公共频道第一个无线发射点在合肥大蜀山电视调频发射台正式启用，自此，公共频道在合肥及周边地区率先实现了有线和无线双重覆盖。

21～27日

△第四届满洲里中俄蒙科技展暨中俄蒙高新技术产品交易会在满洲里国际会展中心举办，国务委员陈至立、内蒙古自治区主席杨晶等出席了开幕式并剪彩。中广电广播电影电视设计研究院参加了此次交易会。

23日

△山西省广播电视局举行了广播电视收听收看中心挂牌仪式。该中心目前监管的范围是山西省广电总台、黄河台、太原台的所有频道频率，下一步要对全省市级台的频道频率进行收听收看。

24日

△由中国广播电视协会和贵州黔东南州人民政府联合举办的“中国·凯里原生态文化电视采访”活动在贵州省黔东南苗族侗族自治州正式启动。来自全国50多家电视台的近120位电视节目主创人员参加了此次采访活动。

24日～8月1日

△为庆祝建军80周年，中央电视台与解放军总政治部宣传部联合制作的“军旅文化周”——纪念建军80周年特别节目在综艺频道播出。这是中央电视台首次推出大型军旅文化系列节目。

27日

△中国电视艺术家协会邀请在京军队电视艺术家联谊，共庆中国人民解放军建军80周年。中国视协主席杨伟光，中国视协分党组书记黎鸣等领导和在京的解放军总部、各军种和武警等单位电视制作机构的导演、演员、制作人等约60位知名电视艺术家出席了联谊会。

28日

△“全国首届普法栏目剧创作筹备会”在京召开。本次会议由全国普法办倡议召开，由中华全国法制新闻协会、中国广播电视协会电视法制节目委员会和北京盛世嘉景影视文化传播有限公司联合主办。

△中共中央政治局委员、中央书记处书记、中央宣传部部长刘云山到贵州电视台考察。

30日

△国家广电总局发出《关于进一步加强广播电视广告播放管理工作的通知》。《通知》下发后，总局和全国各级管理部门对全国1200余套电视频道逐一进行监看。9月1日至20日，总局抽调总局机关部分司局负责人和省级广播电视局的领导同志率检查组赴吉林、辽宁、新疆、重庆、山东、山西、陕西、广东、江苏、湖北10个省（自治区、直

辖市）对文件执行情况进行专项督促检查。9月25日，总局召开“全国广电系统清理整顿不良广告电话会议”，并发出《关于清理整顿广播广告不良广告的通知》。通过全国这次清理整顿，停播或修改违规药品、医疗、保健品广告接近2000条，涉及广告金额超过20亿元人民币。

△即日起，上海文广新闻传媒集团体育频道制作的奥运专题栏目《通向北京》，经五岸传播公司推广，在美国洛杉矶18台正式播出。

7月

△为庆祝香港回归10周年，海峡之声广播电台陆续推出《香港新感觉》、《紫荆花开10年间》、《军旗耀香江》以及《香港十年大事记》、《香港与闽南》等8个系列专题。“七.一”当天，制作了《缤纷香港10年路》、《紫荆娇艳　香港十年》等特别节目共11个小时。用大量具体生动的事实宣传了“一国两制”在香港的成功落实。

△为帮助西藏、新疆解决电视节目源不足的困难，促进少数民族语言广播影视节目的发展，北京电视台捐赠两部自有版权电视剧《抓住幸福不撒手》(22集)、《宰相刘罗锅》(10集)。

△经国务院新闻办公室批准，由吉林省广播电影电视局主管、吉林电视台主办的吉林电视网晋升为国家一类网站，可以从事互联网新闻信息服务业务。

△安徽人民广播电台、安徽电视台全力以赴做好抗洪救灾宣传报道工作。截至7月22日，安徽省两台共派出采访报道组87个、编辑记者240多人次，出动直播车2台，开办栏目20多个，发稿2180多篇，为夺取抗洪救灾的胜利提供了良好的舆论支持。

八月

1日

△即日起，为纪念中国人民解放军建军80周年，江苏广电总台广电新闻中心推出《不朽的军魂》、《军旗下的风采》等系列报道；由江西人民广播电台策划，北京、上海、广东、江苏、黑龙江、辽宁、湖南、河北、深圳等十省市广播电台，联合同步推出纪念中国人民解放军建军80周年大型联合直播——《八一军旗红》节目。

△《甘肃省广播电视管理条例》公布施行，填补了甘肃省广播电视地方立法的空白。

2日

△中华全国新闻工作者协会主办的第八届长江韬奋奖评选结果揭晓。广播电视系统内的获奖者有：青海人民广播电台万玛加、黑龙江人民广播电台亓欣莉、宁波人民广播电台辛雪莉、北京电视台张亮、中国国际广播电台张晖、上海文广新闻传媒集团胡晓丽，获得长江奖；中央电视台冯存礼、广西电视台黄著诚、河南人民广播电台赖谦进、湖南广播影视集团魏文彬，获得韬奋奖。

2～6日

△由中国广播电视协会播音主持委员会主办，江苏广电总台协办的2007年中国播音主持“金话筒奖”复评工作在南京举办。

3日

△中国传媒大学·绵阳市广播电视局教学科研基地揭牌。双方将利用各自优势在人才培养、科学研究、科技开发、节目创新、传媒学术论坛、管理体制与运行机制改革等方面进行全方位合作。

4日

△贵州电视台在贵州省习水县土城镇展开现场直播“再现四渡赤水　展示红军风采”大型活动，纪念建军80周年。

5日

△中央政治局常委李长春在《人民日报情况汇编》第41期“西藏广播对外宣传建设有待加强，建议加大投入力度，设立单独频率”一文上批示：云山并太华同志：请研究这些意见。随后，中央政治局委员、中宣部部长刘云山批示：太华同志，请商西藏自治区，对西藏广播外宣建设提出加强改进措施，特别是巩固和扩大西新工程成果建立长效机制问题拿出明确意见。国家广电总局领导王太华、张海涛、田进也分别作了批示。总局专门派人进藏调研，研究解决问题的办法。

△西藏自治区“十一五”重点工程——西藏自治区广播电影电视译制中心大楼主体工程竣工，并通过验收。

6日

△重庆广播电视总台正式推出《公共·农村频道》，填补了重庆电视媒体无专业农村频道的空白。

△西藏自治区广播电影电视局面向全区公布了监督电话，以严肃纪律，加强新闻从业人员道德建设，杜绝虚假新闻。

△吉林电视台“法制频道”正式开播。

6～10日

△由黑龙江人民广播电台承办的中国广告协会广播委员会六届四次会议在哈尔滨召开，来自中央人民广播电台、各省、市级68家电台的200多名广告经营、管理代表参会。

7日

△湖南人民广播电台交通频道联动TOM网站、15家交通广播、28家平面媒体，成立北京奥运报道联盟，全面启动奥运宣传。

8日

△2008年北京奥运会倒计时一周年庆祝活动暨国际奥委会颁发第29届奥林匹克运动会邀请函仪式在北京举行。中国国际广播电台环球资讯广播和奥运广播进行了3小时的现场直播，并以奥运为主题连续播出15小时相关内容的节目。“国际在线”网站进行了同步直播。日语广播与日本NHK广播中心合作直播了本次庆典实况，这是国际台首次与日本主流媒体联合制作大型直播节目。中央电视台第一、三、四、五、九套节目和新闻、西法语频道并机直播了庆祝活动和文艺晚会。

△中国国际广播电台举行英语广播开播(9月11日)60周年纪念大会，国际台台长王庚年出席会议并致辞；10月23日，国际台举行土耳其语（10月15日）和波斯语（10月

21日）广播开播50周年庆祝大会，全国人大常委会副委员长司马义·艾买提致贺电；11月5日，国际台举行阿拉伯语广播开播（11月3日）50周年庆祝大会，王庚年出席会议并致辞。

△北京人民广播电台组织策划的“五环同心盼奥运，圣火光芒耀全球”大型节目在北京和纽约直播。节目从17点到21点，由7位节目主持人主持，十几名记者分别从北京、天津、沈阳、上海、西藏、香港、雅典、悉尼、伦敦、加拿大连线发回消息。

△下午3时，内蒙古自治区成立60周年庆祝大会在呼和浩特市举行。中央电视台新闻频道、中文国际频道、英语国际频道、西法语频道并机直播庆祝大会盛况，央视国际网站以视频、图文的方式进行直播。

△欧洲足球频道落地北京并通过歌华有线电视网传输。

△山东人民广播电台联合北京、上海、天津、辽宁、秦黄岛、深圳电台联合推出的庆祝北京奥运倒计时一周年特别节目《北京，准备好了》播出。

△广西人民广播电台技术部完成了电台总控机房到地球站信号传输通路建设，为提高节目播出质量创造条件。

9日

△甘肃省广电总台农村广播“乡村之音”在海拔1900多米的成县鸡峰山成功架设卫星地面转播设备，使节目信号覆盖成县、徽县、康县、礼县、西和县、两当县。至此，陇南大部分地区可通过农村广播全省统一的收听频率FM92.2来收听“乡村之音”的节目。

10～21日

△江西卫视2007“中国红歌会”正式播出，播出长达12天，每天近3小时，来自全国五大唱区的1000多名红歌手出镜演唱。

11日

△以“扬起奥运风帆、青岛与世界干杯”为主题的第17届青岛国际啤酒节开幕。青岛电视台以“激情欢动、奥运同行”为主题进行了长达16个小时的全程直播，并完成了对开幕式和大型晚会的航拍工作，青岛人民广播电台联合北京、宁夏、山东、江苏无锡等地的经济广播对开幕式进行了异地连线直播。

13日

△即日起，云南电台与全省各州市电台联合推出迎接党的“十七大”召开大型专题报道《云岭喜迎“十七大”》，播出全省各地迎接十七大的盛况和相关报道。

13～14日

△2007年全国电视新闻年会在郑州召开。中央电视台，各省、市、自治区电视台共38家单位的100多位电视新闻从业人员参加了年会。河南省省委书记、省人大常委会主任徐光春到会祝贺并致辞。

14日

△中共中央政治局委员、书记处书记、中宣部部长刘云山在甘肃省省委书记、省人大常委会主任陆浩，甘肃省省委副书记、省长徐守盛等的陪同下，先后视察了甘肃省广播电影电视总台播控中心电视总控室、电视新闻中心新闻演播室、广播总控室和新闻综合广播直播间，看望了工作在一线的新闻采编人员。刘云山要求：要坚持“三贴近”原则，进一步提高舆论引导力，增强社会公信力，加强对外宣传，扩大影响力，正确处理社会效益与经济效益的关系，推动事业产业协调发展，为党和政府工作服务到位，为人民群众精神文化生活服务到家。

15～19日

△由中央电视台、中国教育协会、中国广播电视协会主办，四川电视台妇女儿童频道承办的首届CCTV校园文化周大型电视活动在成都举行，全国20多个省、市、自治区的800多所中小学校参加。

16日

△中国国际广播电台第二届地方共建广播外宣研讨会在烟台举行。国际台台长王庚年到会并发表题为《加强合作　互利共赢》的专题演讲。来自全国40多家地方广播电台的70 多位领导和广播界同行参加了研讨会。

17日

△中午12:00至19日凌晨3:00，厦门广电集团新闻中心整合广播、电视、气象资源，连续39个小时每逢半点在厦视二套和移动电视推出《厦视直播室抗击台风“圣帕”特别报道》；新闻广播连续94小时不停机播出；闽南之声广播也从18日中午12:00开始与新闻广播并机，进行长达13个小时的“双语”直播。

18日

△在防抗2007年第九号超强台风“圣帕”的宣传报道战役中，福建福州电台实行新闻、交通、音乐三个频率并机同步直播，推出11.5小时的大型直播特别节目《追踪“圣帕”》，福州电视台新闻中心也首次启动重大突发性事件板块直播，通过气象专家做客演播室和卫星车直播连线、记者驻点采访报道等方式，及时传递最新的防抗台风信息。

△青海电视台互联网站正式开通，青海省副省长吉狄马加在仪式上开通网站。

20日

△由北京市统计局、国家统计局北京调查总队与北京移动电视合办的一档电视节目《数说北京》开播。该节目每集选取一个或一组社会经济生活中的热点数据或百姓关心的统计数据，以室内情景剧的喜剧形式，演绎说明北京社会经济的发展变化。

21日

△中共中央办公厅、国务院办公厅印发《关于加强公共文化服务体系建设的若干意见》，将广播电视“村村通”工程列入“重大公共文化服务工程”的首要工程，要求到2010年底全面实现20户以上已通电自然村村村通广播电视，到2020年基本实现农村广播电视户户通。

22～25日

△中国国际广播影视博览会主体活动之一，第十六届北京国际广播电影电视设备展览会（BIRTV2007）在北京举行，来自海内外的426家参展厂商代表和各界嘉宾参观了展览。此次展览会共启用国展中心12个展馆，接待观众55000人次，现场交易额达到13.8亿元。22日，国家广电

总局副局长张海涛、中央电视台台长赵化勇参观展览，无线电台管理局副局长孙朝晖演示了本次展出的移动多媒体广播（CMMB）接收终端。

23日

△河南省省委书记、省人大常委会主任徐光春在河南省省委常委、宣传部部长、副省长孔玉芳等陪同下到河南影视制作集团视察调研。

24日

△当晚，中共中央政治局常委李长春，中共中央政治局委员、书记处书记、中宣部部长刘云山，国务委员陈至立，全国政协副主席张克辉等参观了在北京举办的第五届国家广播电影电视博览会影视节目展，并观看了上海文广新闻传媒集团展区。

25日

△当晚，第26届电视剧“飞天奖”颁奖晚会《和谐的星空》在中国剧院举行。国家广电总局局长王太华、副局长赵实、张海涛、胡占凡等出席了典礼。境内外200余家影视传媒机构代表，150余位文艺界老中青年艺术家、演艺人士等参加晚会。本届飞天奖共有151个参评剧目，设有50个奖项。《亮剑》、《恰同学少年》、《乔家大院》、《八路军》、《任长霞》、《插树岭》、《西圣地》、《诺尔曼·白求恩》获长篇电视剧一等奖；《走进石锁沟》获中短篇电视剧一等奖；《家有儿女》获少儿电视剧一等奖；《凤阳情》获戏曲电视剧一等奖。从本届开始，“飞天奖”由一年一评改为两年一届。

26日

△天津卫视推出大型明星电视秀节目《奥运群英会》。该节目以“助威奥运快乐同行”为口号，比拼真正的奥运项目。《奥运群英会》旨在倡导奥运精神，倡导全民积极参与奥运，是为2008年奥运会奉献的一场“热身运动”。

△中国国际广播电台、西藏人民广播电台在拉萨共同举办英语节目《圣地西藏》。

△宁夏少儿频道开播。

27日

△中国国际广播电台赴藏代表团与西藏外宣办、外事办负责同志就进一步做好涉藏外宣工作进行座谈研讨。即日起，国际台第一亚洲地区广播中心“走进西藏”采访报道组赴西藏进行为期16天的采访活动。

27～31日

△中宣部副部长、国家广电总局局长王太华率总局转星调整工作督察组一行6人赴安徽督察卫星广播电视转星调整工作。安徽省省委书记郭金龙，省委副书记、省长王金山等与督察组进行了工作交流。

28日～9月1日

△由中央人民广播电台主办的2007（中国）广播发展论坛暨全球华语广播协作网年度会议在北京和青岛两地举行。国家广电总局副局长田进、中央人民广播电台台长王求出席开幕式并致辞。来自中国、美国、俄罗斯等国家的15家华语广播机构的40多位广播界人士参会。代表们重点就2008年奥运节目合作和新媒体发展给广播带来的机遇与挑战两个主题展开研讨。

30日

△中国国际广播电台与中国移动通信手机电视合作签约仪式暨CRI携手BTV共办手机电视频道新闻发布会在北京举行。

△湖南卫视《舞动奇迹》节目首播，这是湖南卫视引进英国BBC电视台的节目模式，进行本土化改造的一档创新节目，也是中国内地上星电视台和香港电视机构TVB的首次合作。

△中国传媒大学青海教学科研基地签约暨揭幕仪式在青海电视台夏都影视港举行。

31日

△为了确保党的十七大的胜利召开，国家广播电视系统开始“转星”工作。截至当日，教育系统调整站点34万多个，完成调星任务93.77%。截至9月7日，全国32个省（区、市、新疆生产建设兵团）和8个相关单位已全部完成教育系统内355951个站点的调整，圆满完成转星调整工作。为党的十七大胜利召开创造了良好的学习教育氛围。

△历时一个多月的湖南经济电视台“爱心改变命运公益慈善助学活动”落下帷幕，活动共筹措爱心助学款2650.6万元，帮助湖南省5344名高考上榜的贫困学子迈入大学校门。

8月

△国际广播电台国际广播学会承办的中国国际广播新闻奖2006年度优秀在线广播作品评选工作在京举行。这次评选是国际台在线广播节目的首次评奖。

△海峡之声广播电台联合台湾连合通讯社、台中来来电台、马祖生活资讯电台及《海峡导报》，合作开展《台胞看海西》采访报道活动。这是海峡之声第一次以主办方的身份与台湾媒体进行的联合采访报道活动。

△江苏广电总台新闻中心《1860新闻眼》派出记者赴怒江大峡谷，记录下了那里的孩子飞索求学的震撼一幕。随后，为怒江孩子建桥的行动在全国展开，短短一个月，在南京市公证处开设的爱心账号就募集到资金150多万元。这次爱心公益活动荣获“江苏省第十一届精神文明建设新人新事奖”。

△湖南省广播电视协会制定了《湖南省广播电视新闻从业人员抵制虚假新闻自律公约》。

△国家广电总局正式批准重庆视美动画艺术有限责任公司申报的动画产业基地为“国家级动画产业基地”。

九月

3日

△由天津人民广播电台主办，滨海广播、交通广播承办的“延伸的航线无水的港口——天津港内陆无水港建设巡礼”大型采访报道活动正式启动。由天津人民广播电台和滨海新区相关媒体派出的记者组成的采访团启程，奔赴石家庄、郑州、太原、包头等建有“无水港”的城市进行采访。

4日

△由中国传媒大学亚洲传媒研究中心和韩国高等教育财团主办的“2007亚洲传媒论坛”国际学术活动周开幕。中

国传媒大学校长苏志武，国家广电总局副总编辑、发展研究中心主任黄勇，北京奥组委代表、瑞士驻华使馆代表，以及来自巴塞罗那、雅典、悉尼、伦敦、慕尼黑、首尔等奥运会举办城市所在国家重要学术机构的研究学者齐聚一堂，围绕“全球化体育事件与体育传播”主题，签署了三项国际教育交流合作协议，搭建了基于北京奥运的传媒学者联合观察网络，并通过系列交流活动与国内外数十家学界和业界机构商定了合作意向。

5日

△国家广电总局通报批评四川人民广播电台和成都市人民广播电台严重违规制作播出渲染涉性节目。9月6日，四川省广播电影电视局党组召开会议，决定对四川人民广播电台和成都市广播电台以及两台主要负责人给予全省通报批评，并责成两台对其具体责任者追究责任，进行组织处理。同时决定将总局的《通报》转发全省广电机构，对栏目、节目内容和频道、频率的设立进行一次集中检查清理，对违规问题进行严肃查处。

6日

△四川人民广播电台和四川高速公路建设开发总公司正式签订共建“四川高速公路广播信息网”合作协议。该广播信息网建成之后，驾车行驶到四川省任何一段高速公路上都将能及时获得高速路况信息。

△贵州电视台与甘肃广播电影电视总台签署战略合作协议，共同出资成立兰州智诚同得文化传播有限公司，加强在频道运营、节目创优、广告经营、人员培训、改革发展等方面的全面合作。

6～8日

△大连电视台全力报道在大连举办的“从达沃斯到大连——首届新领军者年会”，该年会是大连举办的规模空前、规格最高的国际会议，国外来宾近2000人。大连电视台与中央电视台联合录制了两场高端财经辩论会《大连达沃斯精英对决》及《与世界对话》。中央电视台的“经济信息联播”、“第一时间”、“全球资讯榜”栏目全文转发大连电视台采制的40集跨国采访报道《从达沃斯到大连》。

7日

△当晚，第十届精神文明建设“五个一工程”颁奖晚会在中央电视台举行。中共中央政治局常委李长春，中共中央政治局委员、书记处书记、中宣部部长刘云山等为获奖代表颁奖。此次共评选出268部优秀作品。其中，电视剧《恰同学少年》、《延安颂》、《插树岭》、《亮剑》获得特等奖，电视剧《八路军》、《一起走过的日子》等122部作品获得优秀作品奖，电视剧《红旗谱》、《郭秀明》等138部作品获得入选作品奖。同时，在综合各地、各部门入选作品质量和数量的基础上，评选出一等组织工作奖15家、组织工作奖10家。800余人参加了颁奖晚会。

△第十一届“中国甘肃·日本秋田电视友好交流周”活动在兰州举行。日本秋田电视台代表团拜会了甘肃省人民政府和省广播电影电视局，参观了省广播电影电视总台，与总台进行了节目交流，并签订了进一步加强合作与交流的协议。

8～12日

△国家广电总局科技委在庐山举办“第十九期广播影视高新技术培训班”，主题是“地面数字电视与移动多媒体广播”。全国广电系统负责人约120人参加培训。

10日

△中国国际广播电台瓦努阿图调频台正式开播。瓦努阿图总理利尼等官员、中国驻瓦大使程树平、国际台副总编李忠尚、中广国际总公司李金荣总经理等60多位中外嘉宾出席了开播仪式。该项目由中广国际总公司承建。中瓦双方对工程质量表示非常满意。

中国国际广播电台瓦努阿图调频台开播仪式

△国家发改委、国家广电总局《关于下达2007年广播电视村村通工程建设中央预算内专项资金（国债）投资计划的通知》，安排2007年中央预算内专项资金5亿元，支持中西部地区经济欠发达县市和西部地区20户以上已通电自然村“村村通”工程建设。

△江苏广电总台金陵之声调频FM99.7顺利开播，SW5860同步播出。在向海外播出的同时，金陵之声增加了对境内台商台胞和外籍人士播出的平台。

△甘肃兰州七里河区有线电视数字化整体转换工作完成。

11日

△新疆电视台12个频道的数字化全硬盘播出系统正式启用。新疆电视台数字硬盘播出系统是目前全国省级电视台中规模最大，数量和语种最多的全硬盘数字播出系统。这一系统的正式启用，标志着新疆电视台播出技术迈入全新数字时代。

12日

△宁夏广播电视网络有限公司中卫分公司挂牌成立，中卫市有线数字电视整体平移正式启动。至此，宁夏广播电视网络有限公司已整合10家分公司，完成数字电视平移用户近36万户。

12～14日

△厦门广电集团与中央电视台、台湾中天电视台合办第六届两岸知识大赛。来自北京大学、清华大学、厦门大学、台湾大学、澳门大学等16所名校的60多位师生参与角逐。大赛实况相继在厦门卫视、央视4套和台湾中天电视台综合台播出。

13日

△无线电台管理局在572台召开确保党的十七大安全传输发射工作动员大会，共计2293人分别在视频会议的主会场和各分会场参加了会议。无线电台管理局局长李智发表了动员讲话。国家广电总局副局长张海涛到会并就确保党的十七大播出工作提出了具体要求。

△云南电台多套频率大型直播团队与迪庆藏族自治州电台合作，直播云南省迪庆藏族自治州建州50周年庆典。

14～16日

△由中国广播电视协会主办、中国广播电视协会播音主持委员会、黑龙江电视台承办的2007年中国播音主持"金话筒奖"终评评审会议在哈尔滨举行。

15日

△中央人民广播电台都市之声与RF166无线信息通讯网合作，免费为都市之声城市观察员安装车载无线电台，使他们在车辆行进中可以直接与都市之声的编辑进行交流与沟通。都市之声城市观察员队伍已经发展到200人，其主体是各大出租汽车公司有志于公益服务事业的优秀司机，还包括一部分北京2008年奥运会汽车驾驶员志愿者。

17日

△湖北广电手机电视公司举行了筹建揭牌仪式。该公司由湖北省广播电视总台和湖北华韵置业有限公司共同出资组建。

△国家广电总局正式批准贵州人民广播电台"今日传播"网站。

18日

△中国广播网全国高校广播节目联盟举办的 "NJ星贵"选拔赛揭晓，共在全国招募了来自30余所高校的40名校园广播主持人。高校广播节目联盟是经国家广播电影电视总局和中央人民广播电台批准，由网络中心银河台编辑部承办的非营利性群众组织，有包括清华、复旦在内的全国197所高校广播台（站）加入。

20日

△江西人民广播电台在江西省广电网络会议中心举行数字化改造工程竣工仪式。江西省省委书记孟建柱、省长吴新雄发来贺信。江西人民广播电台50多年运用传统模拟信号进行录、制、播的历史结束，技术装备水平达到国家广电总局的数字化要求。

21日

△"中国·吉林农村现实题材电视剧创作研讨会"在长春召开。该研讨会由中国电视艺术委员会、国家广电总局电视剧司、吉林省省委宣传部、吉林省广播电影电视局共同举办。国家广电总局副局长胡占凡发表讲话。

21～24日

△国家广电总局副局长赵实一行到定点扶贫地区四川省甘孜州考察扶贫和指导广播电视工作，并代表中宣部、中央文明办、总局赠送了总价值265万元的21寸创维彩电5000台，总价值92万元的德生牌收音机10000台。四川省省委书记杜青林会见了慰问组。

△第二届中国（北京）国际大学生动画节暨2007全国新媒体艺术系主任（院长）论坛在中国传媒大学召开。教育部副部长赵沁平，国家广电总局副总编辑、宣传管理司司长金德龙等和中国传媒大学领导陈维嘉、苏志武以及来自国内外60余所高校的新媒体艺术系主任（院长），200余位动漫界与新媒体艺术领域的业内人士出席了开幕式。国务委员陈至立发来贺词。

22日

△由中央电视台与加拿大国家广播公司联合主办的"中加手拉手 为奥运喝彩"文艺晚会在温哥华上演。这是中央电视台2007年在海外举办的最大规模北京奥运主题晚会。近6000人观看了演出。

△中国教育电视台投资拍摄的千集新媒体系列短剧《先下后上》第一、二部共300集全面杀青，该短剧每集五分钟左右，以全国移动电视媒体、楼宇电视媒体、网络电视媒体、手机电视媒体等作为传播平台，是我国首部新媒体系列短剧。

22日～10月1日

△内蒙古广播电视艺术团一行46人赴挪威参加第二届中国文化节。

23日

△厦门广电集团新闻中心从9点到21点，逢整点在厦视二套推出《第六届园博会特别报道》节目，采用棚内演播室与现场演播室、直播台静态主持与记者行进报道、总主播与分主播协作分工的多重作业方式，创造了厦门电视百人日制作新闻节目400分钟的新纪录。

25日

△国家广电总局局长王太华、副局长张海涛等领导在无线电台管理局局长李智等陪同下到北京地球站检查指导工作。王太华指出，在整个广播电视事业的发展中，无线电台管理局担负着把党中央的声音传下去、把中国的声音传出去、把反动有害的声音压下去的任务，起着其他部门无法替代的重要作用，责任重于泰山。

△由中国广播电视协会主办的第五届全国广播电视学术著作评选工作在京结束。《中国广播电视年鉴(2006)》获得史志类一等奖。

△北京奥组委、北京奥林匹克转播有限公司（BOB）在香格里拉饭店与北京电视台正式签署北京残奥会电视转播服务协议和转播权协议。根据协议，北京电视台将和中央电视台约600人负责北京残奥会田径、轮椅击剑、硬地滚球、轮椅网球、场地自行车等11个体育项目的直播信号和12个项目的录播信号的制作。

25～26日

△中国广播电视年鉴第23届年会在甘肃省兰州市召开。年鉴编委、国家广电总局法规司司长王云鹏受国家广电总局副局长、年鉴编委会主任胡占凡同志委托参加会议，年鉴编委会副主任：中央人民广播电台副总编王宴青、中国国际广播电台副台长陈敏毅、中国传媒大学副校长丁俊杰，年鉴编委会副主任兼主编赵玉明，中共甘肃省委宣传部副部长张瑞民，甘肃省广播电影电视局局长孙伟，甘肃省广播电影电视总台台长武来银等领导同志，以及来自全国各地广播影视局的编委、特约编辑80多人出席。

26日

△国家广电总局无线电台管理局491台的姜涛为挽救韩国一名年轻的白血病患者的生命，捐献了自己的造血干细胞，成为北京市首例向国外捐献造血干细胞的人。姜涛被授予全国“三八红旗手”荣誉称号。

△江苏财经广播正式开播。中国人民银行副行长、江苏省省委常委、常务副省长赵克志启动开播按钮。

△陕西省政府正式批准陕西省广播电影电视局建设省广电中心演播剧场，建筑面积约23000平方米，总投资约2亿元，被列为陕西省2008年重点工程。

27日

△中国教育电视台与山西广电网络集团公司关于“山西数字电视教育信息网”项目战略合作签约仪式在山西广播电视总台举行。山西数字电视教育信息网项目是根据国家教育发展战略而推出的一项采用权威教学资源和现代数字多媒体技术的现代化远程教育工程。

28日

△中央610办公室和国家广电总局联合召开“确保党的十七大期间广播电视安全播出”电视电话会议，传达中央领导同志重要指示精神，总结全国卫星广播电视转星调整工作，动员部署党的十七大期间广播电视安全播出工作。国家广电总局局长王太华、中央610办公室主任刘京作了讲话。

△吉林省广电大厦竣工。吉林省省委书记王珉、省人大常委会主任王云坤，省长韩长赋共同为大厦落成剪彩。

△当晚20点，湖北省广播电视总台城市电视在洪山礼堂举行试播盛典。城市电视是湖北省广播电视总台成立的湖北省唯一一家获得省委、省政府批准开办的专业性大型户外电视传播媒体，以户外液晶显示器和LED超大屏为终端。城市电视内容以新闻资讯为主，每天将全国以及本土各大传媒的节目内容进行整合编排后全天滚动播出。

9月

△由中国广播电视协会主办的第三届“十佳百优”理论人才评选会在贵阳结束，评出“十佳百优理论人才”称号获得者110名。这次评选共收到151名有效参评者的材料，其中来自一线工作岗位的参评者占总数的80%。

△海峡之声广播电台在厦门市举办了建台50年来首届台湾听友联谊会。

十月

1日

△中央电视台法语国际频道（CCTV–F）和西班牙语国际频道（CCTV–E）正式开播。

△江苏体育休闲频道以2008年奥运会为契机，发起、协同创办并启动全国省级体育频道联播平台。11月20日，联播平台在北京召开了“时尚、新锐、国际化”的2008年节目推介会。

△河南电视台斥资1.5亿元打造的文化演艺项目《大河秀典》在河南电视台8号演播厅开始公演。《大河秀典》常年驻场演出，丰富和提升了河南旅游演艺市场，是河南电视台开辟新的经济增长点和多元化发展的有益尝试。

△西藏电视台藏语卫视频道实现24小时不间断播出，这是全国第一个实现24小时播出的少数民族语言电视频道。全国人大常委会副委员长热地、全国政协副主席阿沛·阿旺晋美、帕巴拉·格列朗杰发来贺电贺信。

2日

△中央电视台第一、三、四、五、九套节目和法语国际频道、西班牙语国际频道并机直播了在上海举行的“2007年世界夏季特殊奥林匹克运动会开幕式暨文艺晚会”。第一时间向全世界展现了中国国家主席胡锦涛致词暨宣布特奥会开幕，160多个国家和地区特奥运动员和教练入场，特奥圣火点燃等盛大场面，整场直播时长近200分钟。

5日

△中国移动多媒体广播CMMB（手机电视）在青岛试验成功，青岛电视塔成功播出了CMMB信号，使青岛市成为全国八个试点城市（北京、上海、天津、青岛、秦皇岛、大连、广州、深圳）中第一个试验成功的城市。

8日

△赵子忠任中央人民广播电台分党组副书记、副台长；赵忠颖任中央人民广播电台分党组副书记；赵铁骑任中央人民广播电台分党组成员、副台长；王晓晖任中央人民广播电台分党组成员、副台长。

11日

△财政部、国家广电总局印发了《关于下达2007年二阶段农村中央广播电视节目无线覆盖工程专项经费的通知》，安排补助资金3.081亿元。

13日

△以“绿色农业和谐乡村”为主题，山东人民广播电台乡村频道联合全国10家对农广播媒体，对第五届中国国际农产品交易会进行了2小时10分钟的大型同步现场直播。本次直播是迄今全国对农广播领域最大规模的一次媒体合作。

14日

△由江西省委宣传部、广电局、电视台举办的“中国红歌会”研讨会在北京钓鱼台大酒店举行。江西省省委书记孟建柱、省长吴新雄、国家广电总局宣传管理司司长金德龙等领导参加了研讨会。

15日

△8点40分至11点27分，中央人民广播电台第一、五、七套节目并机现场直播了党的十七大开幕式，中国广播网同步进行了网上直播。中国国际广播电台使用汉语普通话、英语、法语等10种语言，分别向北美、东南亚、东亚及其他对象语言地区以及国内北京、上海进行了无线和在线广播的直播。中央电视台第一、四、九套节目和新闻频道、法语国际频道、西班牙语国际频道进行了并机直播，央视国际网站进行了现场视频直播。全国31个省市、新疆生产建设兵团共50套卫星电视节目并机直播。CNN、BBC、凤凰卫视等六家境外媒体进行了转播。

16日

△上午，总高1100米投资近2000万元的宁波奉化商

量岗712调频广播发射台正式建成启用，全新的调频广播发射台不仅加强了信号强度，覆盖面积和人口还增加百分之五十以上。

17日

△由中国建设银行泉州分行和泉州市广播电视中心(集团)联合推出数字龙卡。数字龙卡在保留了龙卡信用卡全部功能的基础上，增加了数字电视用户免息透支付费的个性化功能，持卡用户还可以享受办理数码产品团购及分期付款等优惠。

△湖南广播电视局发出聘任6位同志为首席记者、编辑、播音员、主持人的通知，开始实行首席职位制。

18日

△下午，人大常委会副委员长、全国妇联主席顾秀莲做客中央电视台少儿频道“十七大”特别报道演播室，就关注农村留守儿童、失学女童“春蕾计划”等话题接受小记者专访。顾秀莲充分肯定少儿频道及小记者“十七大”特别报道，认为小记者特别报道以儿童的独特视角宣传党的十七大盛况，激发了少年儿童关心国家大事的热情和对党的热爱。

△湖北广播电视总台投资拍摄的大型历史电视连续剧《根在中原》经中央统战部、国台办和国家广电总局批准备案，在河北涞水县三皇山外景基地正式开拍。该剧是一部反映海峡两岸同根同源、血脉相连的长篇电视连续剧。

20～21日

△2007年全国广播电视编辑记者、播音员主持人资格考试举行，30863名考生参加考试。国家广电总局派出38人组成巡考组分赴全国31个省（区、市）和新疆建设兵团的38个考点进行巡考。

24日

△下午，中国首颗探月卫星“嫦娥一号”在西昌卫星发射中心成功发射。中央电视台对此进行了持续3天的直播，分为白天时段和晚间时段两个部分，总时长28小时，穿插播出40多个背景专题片，并在晚间时段首次引入现场观众参与环节。厦门广电集团新闻中心在《厦视新闻》、《厦视直播室》、《特区新闻广场》和FM99.6新闻广播推出了《嫦娥奔月》特别报道。10月31日17点28分，“嫦娥一号”卫星成功实施第三次近地点变轨，顺利进入地月转移轨道，开始飞向月球，中央电视台新闻频道对此进行了1小时55分钟的直播报道。

26日

△国家广电总局无线局援藏技术中心揭牌暨向西藏自治区广播电影电视局赠送中波技术维护专家辅助系统仪式在拉萨举行。

27日

△中共中央政治局常委李长春在井冈山出席纪念井冈山革命根据地创建80周年大会期间，来到江西省委宣传部、省广电局、省电视台主办的“庆祝十七大放歌井冈山”活动现场。李长春说：“中国红歌会创造了一个很好的文化品牌，体现了先进文化的发展方向。希望你们把这个品牌做成江西弘扬先进文化的知名品牌”。当日，为纪念井冈山革命根据地创建80周年，江西电台、吉安电台联合中央人民广播电台中国之声、都市之声及“中国城市广播联盟”50余家成员台推出特别直播节目《井冈精神 中国之路》。

28日

△为期8天的亚广联第44届大会及相关会议在德黑兰举行。中央人民广播电台选送的少儿节目《倾听自然》、新闻特写《生死抉择十六秒》、广播剧《余香》分别获亚广联“青少节目奖”、“新闻节目特别推荐”和“广播剧特别推荐”，中国国际广播电台选送的专题节目《气候变化——摄氏四十四度五》获亚广联“对外广播节目奖”，中央电视台总工程师丁文华获“2007年亚广联工程业界杰出贡献奖”，江苏广播电视总台顾建国获“2007年亚广联技术论文奖”。

28～30日

△由国家广电总局和四川省人民政府联合主办、四川省广播电影电视局和四川广播电视集团承办的2007（第九届）四川电视节在成都举行。来自49个国家和地区的数千家机构、5000多位中外来宾、十多万群众参与了此次盛会。展会达成意向性协议金额约8.9亿元。“金熊猫”评奖活动参评国家和参评数量创历届之最：来自38个国家和地区的713部作品参评纪录片奖，其中16个国家和地区的37部作品获大奖；来自39个国家和地区的1018部作品参评国际动画作品奖，其中8个国家和地区的16部作品分获20个大奖。

30日

△中央人民广播电台“谁点燃我心中圣火——广播为我们架起桥梁”全国广播听众奥运火炬手公开选拔活动圆满落幕。来自北京、新疆、云南、河南、山西的5位广播听众最终成为代表中央人民广播电台全国广播听众的2008北京奥运火炬手。

△陕西人民广播电台FM105.5陕西少儿广播正式开播。该频率全天24小时播出，其中14档为自办节目。

10月

△海峡之声广播电台派出两名记者赴西昌卫星发射中心、北京航天飞行指挥控制中心采访，推出《嫦娥探月》专栏和《嫦娥探月，中国梦圆》大型直播报道等节目。

△湖北省有线广播电视网络已联通全省市（州）、县（市）和神农架林区以及90%以上的乡镇和60%以上的行政村。全省拥有有线广播电视传输干线12.45万公里，有线电视用户超过600万户。截至本月，全省所有的市州和50%的县市建立了有线数字电视平台，已发展有线数字电视用户约40万户。

十一月

1日

△“国际在线”中文网络电台正式改版为“网络音乐台”，网址：http://radio.cri.cn。

△根据北京市市长王岐山的指示，北京人民广播电台城市管理广播正式更改呼号为“北京人民广播电台城市服务管理广播”，在更改呼号后，对现有节目陆续调整，逐步完善广播节目的沟通、服务功能。

△湖北广播电视总台成立的湖北省广电投资有限责任

公司召开首次董事会，正式启动运作。

△杨健任广东省广播电影电视局党组书记、局长。

△云南电台和云南省13个州县电台合作，用德宏傣语、西双版纳傣语、拉祜语、景颇语等13种少数民族语言翻译、播出、解读“十七大”报告，报道各民族学习贯彻“十七大”精神的典型人物、典型经验和各种活动。香格里拉之声（原国际频率）用越南语、华语同时向东南亚播出“十七大”相关报道。

2～5日

△电视文艺研委会2007年年会暨电视文艺创作研讨会在辽宁省鞍山市召开。会议由电视文艺研委会主办，鞍山市广播电视局承办。来自全国各地的40余家电视台的代表参加会议。

5～10日

△电视法制节目研委会2007年年会在广西南宁市召开，会上对全国58家电视台选送的218件电视节目进行了评选。该会议由法制节目研委会主办，广西电视台综艺频道承办。全国43个会员台约70位代表参加年会。

6日

△中共中央政治局委员、书记处书记、中宣部部长刘云山在观看了中央电视台特别节目《记录中国》第一集后，认为“片子做得很好”，并请中宣部副部长李东生转达他对摄制组全体同志的亲切慰问。

7～11日

△由文博会组委会办公室和北京市广播电视局主办，北京歌华文化发展集团承办的第二届中国（北京）国际文化创意产业博览会广播电影电视展览和发展论坛在中国国际展览中心举办，展区面积4000平方米，22家境内外机构参展。

11月8日，中共中央政治局委员、北京市委书记刘淇参观第二届中国（北京）国际文化创意产业博览会广播电影电视展览

8日

△中国记协成立70周年纪念大会上午在北京举行。大会表彰了中国新闻奖、长江韬奋奖获奖者，以及全国新闻工作先进集体、全国优秀新闻工作者和全国优秀记协工作者。中共中央政治局常委李长春，中共中央政治局委员、书记处书记、中宣部部长刘云山，全国政协副主席陈奎元等会见了受表彰的新闻工作者并和大家合影。中央人民广播电台中国之声时政采访部、福建福州电视台《新闻110》栏目组、甘肃省广电总台广播新闻中心、大连电视台新闻综合频道等91个单位被授予“全国新闻工作者先进集体”称号；甘肃的任斌、宁夏的毛同健等148名采编人员被授予“全国优秀新闻工作者”称号。

10日

△中国教育电视台和文化部全国文化信息资源建设管理中心在国家图书馆举行了“文化共享工程”合作签约仪式。“文化共享工程”是文化部、财政部共同组织实施的一项社会主义文化建设标志性工程。

10～11日

△厦门广电集团节目中心派出20余人赴厦门灌口越野车赛场首次直播“全国汽车场地越野锦标赛”，中央电视台五套、厦视三套对比赛进行直播。

10～12日

△中国电视艺术家协会第四次全国代表大会在京召开。中共中央政治局委员、书记处书记、中宣部部长刘云山在大会开幕式上发表重要讲话。全国人大副委员长顾秀莲致信祝贺。大会审议并通过了中国视协第三届理事会工作报告，讨论并原则通过了新的《中国电视艺术家协会章程》。会议选举产生了中国视协新一届理事会和主席团，赵化勇当选为主席。来自全国的240余名代表参加了会议。

10～15日

△2007年度科教节目（电视）研委会专家评析活动在河南省焦作市举行。共收到全国28家省市级电视台选送的节目107个，共评析出优秀节目69个，其中科教栏目类14个，科教专题类10个，文化教育专题类13个，收藏知识类15个，知识讲坛类10个，特别节目类7个。

13日

△重庆广播电视总台与中国中信集团就重庆有线电视网络有限公司增资扩股合作项目在重庆希尔顿酒店举行签约仪式，中信集团3.7亿元入股重庆广电网络。

14～15日

△全国影视动画工作会议在湖南长沙召开。中宣部副部长、国家广电总局局长王太华，副局长胡占凡出席会议并讲话。湖南省省委副书记、省长周强等领导出席会议。王太华要求全国广播影视系统要全面贯彻落实十七大精神，推动我国影视动画又好又快发展。

14～16日

△由国家广电总局主办，安徽电视台协办的“国家广电总局2007年度电视节目技术质量奖（金帆奖）评审工作会”在合肥举行。

15日

△第三届“王选新闻科学技术奖”在福州颁奖，共有8项一等奖，13项二等奖和11项三等奖产生，来自全国的新闻技术工作者200多人出席了颁奖仪式。由国家广电总局科技委战略专业委承担的总局重大科研项目“下一代通信技术和计算机技术对广播电视发展的影响”荣获一等奖。

△内蒙古电视台蒙古语、卫视频道节目全新改版。新

增《早间新闻》、《法治先行》、《古日温达坝》、《草原音画》和《蔚蓝的故乡》栏目，开播时间由早晨6:30提前至6:00。

16日

△青海省副省长吉狄马加一行前往北京，与国家广电总局副局长张海涛、计财司司长邹伟等共商青海藏区广播电视事业发展的问题。

17日

△由天津人民广播电台承办的“2007中国广播影视大奖中国原创歌曲奖”颁奖典礼在天津体育中心举行。中国广播电视电影协会领导和包括香港、台湾在内的全国22家音乐电台负责人出席了此次颁奖典礼。

18日～12月30日

△云南电台交通之声与天津电台交通广播联合制作的连线直播节目《假日一起来：云南专辑》（共7期）播出，系统介绍云南资源、民族、经济、交通、旅游等状况。

19～20日

△宁夏回族自治区新时期广播电视“村村通”现场会在固原市原州区召开，贯彻落实国办79号《通知》精神和自治区政府2007年为民办实事的承诺，全面安排部署全区20户以上自然村广播电视“村村通”工程。

21日

△中央人民广播电台都市之声在北京市交管局指挥中心设立新闻直播间，并与北京市交管局领导商谈2008年北京奥运会的交通宣传合作事宜。

22日

△上午，北京市委副书记、市长王岐山就首都文化创意产业发展情况到北京电视台等单位调研。他强调各级政府部门一定要高度重视、理解和支持文化发展，北京市发展文化具有得天独厚的优势，广大文化工作者要有紧迫感，珍惜当前的好条件。

北京市委副书记、市长王岐山到北京电视台调研

△上午，由文化部、陕西省政府主办，文化部民族民间文艺发展中心、陕西省广播电影电视局、省文化厅和陕西电视台承办的中国原生民歌大赛暨《盛世欢歌》大型人文活动新闻发布会在人民大会堂陕西厅举行。

24日

△当晚，首届江苏听众节正式拉开帷幕，开幕晚会上，江苏城市频道、《南京晨报》与江苏新闻广播交换了合作协议。此次合作开创了中国同城异质媒体之间合作的先例。

△福建历史上第一次大规模电视航拍《飞越海西》正式开拍。《飞越海西》将跨越福建八闽上空，全面展现福建的秀山丽水、人文生态及“海西”建设的成就。

26日

△银川市有线数字电视试点工作顺利通过国家广电总局验收。作为全国有线数字电视试点城市之一，银川市自2006年8月22日启动有线数字电视整体平移工作以来，圆满完成了有线数字电视试点各项任务，实现了银川市有线电视数字化的整体转换。

△西藏自治区党委书记张庆黎在《区广电局关于藏语卫视实现24小时不间断播出运行情况的报告》上作出批示，同意关于藏语卫视实现24小时不间断播出之后，要着力在提高节目质量，增强吸引力、感染力上下功夫的建议。

27日

△中央人民广播电台中国之声对午间栏目《第一报告》和晚间栏目《全国新闻联播》进行改造。《第一报告》更名为《全球华语广播网》，定位为中央电台午间时段全球华语新闻总汇；《全国新闻联播》由录播改为直播，定位为中央电台晚间黄金时段新闻龙头节目和全天要闻总汇。

△中国传媒大学建立广西教学科研实习基地和远程与继续教育学院广西分院签字揭牌仪式在广西广播电视学校举行。中国传媒大学校长苏志武、广西广播电影电视局局长阳建国等出席签字揭牌仪式。中国传媒大学与广西广播电影电视局签订了合作协议。

△国家广电总局批准贵州电视台开办数字购物频道。

29～30日

△陕西省农村广播电视工作会议在汉中召开。陕西省副省长李堂堂出席会议并作重要讲话。国家广电总局计财司司长邹伟代表国家广电总局张海涛副局长到会致贺词。共300多人参加了会议。

30日

△北京市广播电视局政务大厅正式启用，建筑面积近100平方米，开设4个行政服务窗口，内设LED电子大屏、触摸屏、索取架、书写台等服务设施，承办26项政务事项的受理工作，全部实现网上办理。政务大厅实行全程办事代理、全日制办公、无缺位办公和首席问责制等制度。

△湖南省全面完成10510个20户以上自然“盲村”通广播电视的任务，解决了115万人看电视、听广播的问题。

11月

△四川、重庆、贵州、云南联合开播《大西南交通信息联播》，四川交通广播周一至周六每天9点、15点、18点播出。

△月底，厦门广电集团已完成近34万个用户的有线数字电视整体转换工作，总开户率达到89.36%。

十二月

2～3日

△由中央人民广播电台主办的全国广播电台台长座谈会在北京召开。国家广电总局副局长胡占凡、中央人民广播电台台长王求、中国国际广播电台台长王庚年、国家广电总局11个司局的领导及来自全国的45家广播电台的台长出席会议。会议就2008年北京奥运会的宣传报道及推动中央人民广播电台与各兄弟电台之间的合作进行了深入的探讨，并建议在适当的时候成立中国广播战略联盟。

3日

△厦门广电集团新闻中心推出“东进序曲”大型组合报道，采取电视、广播、报纸联动的方式，从早晨7点到晚上9点半，持续7天报道环东海域建设情况。

4日

△中央人民广播电台中国之声联合陕西、福建、山东、江西、天津、新疆、湖南、河北、浙江、吉林等省市广播电台，联合推出“12·4”全国法制宣传日特别直播《2007，我们与法同行》，节目盘点2007年法律大事，报道全国法制宣传日各地丰富多彩的活动。

6日

△中国国际广播电台举行广播孔子学院揭牌仪式。国务委员、孔子学院总部理事会主席陈至立出席仪式并揭牌。国家广电总局副局长胡占凡，国际台台长王庚年等以及老挝、乌拉圭等14个国家的驻华使节和各界嘉宾近100人出席了揭牌仪式。

6～9日

△中央电视台《新闻联播》连续推出四名新播音员，这是该栏目开播近30年来，第一次集中推出新面孔。

7日

△由广东省广播电影电视局和广东省中国广播电视协会联合举办的“新形势下广播电视广告播出管理与经营对策”学习论坛在广州开坛。来自南方广播影视传媒集团、广州、深圳和各地市分管广告管理和经营的人员250多人参加学习论坛。这是近年来广东省广电系统规模最大、人数最多的一次学习研讨活动。

△2007中国（广州）国际纪录片大会闭幕式暨颁奖晚会在中山纪念堂举行，为期五天的大会圆满结束。本届大会以“奥林匹克之路”为主题，有来自24个国家的44部作品(其中中国17部)参加了评选，中国的《龙吟水乡》获得评委奖，《孔夫子》获得评审团特别奖。

8日

△厦门卫视携手台湾中天电视台，两个半小时直播“台胞返乡探亲20周年”特别节目《守·望》，通过卫星连线，使东山“寡妇村”与台湾亲人、厦门与台湾失散亲人进行视频对话，实现了两岸电视制播技术上的新突破。

10日

△中国国际广播电台主办的“唱响中国 走向世界”大型原生态音乐采风活动在广西南宁启动。采风团将寻访各地优秀的民歌手，实地采录当地民间音乐，记录民俗文化。该活动计划5年内完成全国各地10个重点地区最具代表性的原生态音乐采集工作，并向国内外听众介绍。

△《中国广播电视学刊》创刊20周年出版200期纪念座谈会在京召开。中宣部副部长、国家广电总局局长王太华致信祝贺，中国广播电视协会会长李丹在会上发表讲话。

12日

△国家广电总局副局长张海涛一行在北京调研有线电视数字化试点工作，调研中参观了数字化试点小区——海淀区静淑苑居，了解了机顶盒使用情况，听取了用户的意见和建议，随后参观了歌华有线客服中心。总局科技司司长王效杰、计财司司长邹伟等陪同调研。

13～14日

△国家广电总局在南京召开2007年全国电视剧创作座谈会。全国170多人参加了会议。江苏省副省长李全林到会致辞，胡占凡出席会议并作主题讲话。

13～15日

△由中国电视艺术家协会、中国广告协会、三亚市人民政府联合举办的第三届中国(三亚)国际电视广告艺术周在三亚举行。

14日

△上午，中央电视台举行节目网络化制播系统试运行启动仪式，标志着中央电视台节目制播和宣传管理步入网络化的新阶段。

△广西垌中转播台成功试播中央电视台一套、七套和广西卫视节目，结束了广西边境地区约2万少数民族群众多年来无法收看无线电视节目的历史。

△青岛电视台承办了青岛市“产品质量和食品安全专项整治”特别节目——《让我们一起行动》。青岛市委副书记、市长夏耕，国家质检总局食品司副司长毕玉安等领导出席观看了节目。节目中共接热线电话300多个，网上留言500多条，参与现场调查1000多人。

15日

△中央人民广播电台经济之声“2007寻找最有魅力的声音”全国总决赛在北京举行，山东选手左旗和山西选手高莉最终获得年度金奖。

16日

△无线电台管理局871台召开建台20周年庆祝大会。

△在安徽省人民政府主办的2007年“861”行动计划第二次银企对接会上，已被列入省“861”工程的安徽省文化产业重点项目——安徽广播影视数字化获得银团支持，成功实现银企对接。在今后几年中，该项目将陆续获得总计达26亿元的国家开发银行贷款支持。

△下午，湖北广播电视总台与韩国好丽友集团签订了电视购物合作项目合同。合同总金额1.9124亿元，其中湖北广电总台占总股份的51%，好丽友集团占总股份的49%，合作期12年。

17日

△中国国际广播电台与中国传媒大学非通用语言专业人才培养基地协议签字仪式在国际台举行。国际台台长王庚年、中国传媒大学校长苏志武出席仪式并致辞。双方签

署了《中国传媒大学、中国国际广播电台共建非通用语专业人才培养基地的协议》。

18日

△中国国际广播电台成立安全播出和技术管理委员会。该委员会是国际台安全播出和技术系统的管理、指挥机构，负责协调、指挥、处理有关安全播出和技术管理中遇到的各重大事项。

△中央电视台“CCTV移动传媒”开播。这是中央电视台与社会企业合作在新媒体领域的新探索，所播节目覆盖北京、上海等28个大中城市，已签约5万辆公交车，安装10万个显示屏。

△北京歌华有线电视网络公司、北广传媒数字电视公司和上海文广互动电视公司合作，北京地区数字电视新增《法制天地》、《七彩戏剧》、《金色》、《魅力音乐》、《极速汽车》、《劲爆体育》、《欢笑剧场》、《游戏风云》、《全纪实》、《东方财经》《动漫秀场》、《生活时尚》、《都市剧场》13个数字电视频道。

18～20日

△中国东盟协会、中国电视艺术家协会、云南省政府新闻办、省广电局主办的“2007中国－东盟电视合作峰会”在昆明举行。柬埔寨、老挝等东盟成员国以及东盟各国驻华使馆及驻昆明总领事馆、国际组织东盟秘书处、俄罗斯欧亚电视艺术研究院的相关人员参加会议。央视、部分省级电视台、香港地区电视台等单位的代表150多人参会。

19日

△中共中央政治局常委、国务院总理温家宝在国务院常务会议上，对《焦点访谈》从12月8日起陆续推出的三集系列节目“坚守红线 整治违法”给予充分肯定。会议期间，温总理多次提及节目披露的问题，对演播室点评“瞒天过海建别墅”印象深刻，要求监察部和国土资源部加大查处力度。

△中宣部副部长、国家广电总局局长王太华到央视国际网站考察工作，就新媒体发展情况听取汇报并进行座谈。座谈会前，王太华一行考察了央视国际IP电视、手机电视、网络电视等新媒体的发展情况，并实地体验了车载电视项目。

19～20日

△安徽省副省长任海深到安徽省安庆、铜陵等地调研广播电视“村村通”工作，并在铜陵市召开全省部分市广播电视“村村通”工作座谈会。

20日

△国家广电总局与信息产业部联合发布《互联网视听服务管理规定》。明确了国家广电总局作为互联网视听节目服务的行业主管部门，负责对互联网视听节目服务实施监督管理，统筹互联网视听节目服务的产业发展、行业管理、内容建设和安全监督。

△中央电视台新闻节目中心首次联手新成立的央视国际移动传媒，在北京、上海、广州、深圳等近30个大中城市的三万多辆公交车移动电视中，推出新闻频道ARJ飞机下线直播特别节目宣传片，覆盖人群达4000万。

21日

△宁波市实现全部53个20户以上自然村通有线电视，提前一年全面完成新一轮广播电视“村村通”工程任务。

23日

△国家广电总局主办、中国广播电视协会承办，重庆广播电视总台承制的“中国广播影视大奖——2005、2006年度广播电视节目奖”颁奖典礼在北京举行。国家广电总局副局长胡占凡、中广协会会长李丹等领导以及全国各地广电系统领导出席颁奖典礼。

24～28日

△中国广播电视协会2007年学术年会在哈尔滨举行。

25日

△“云南亚广影视信息传媒中心项目奠基仪式”在昆明远郊新昆明中心亚广项目建设工地举行，云南省省长秦光荣出席奠基仪式。该项目是云南为加快文化产业发展，推进现代新昆明建设而确立的“十一五”重点建设项目，

26日

△中央电视台新台址主楼大悬臂合龙庆典举行。中宣部副部长、国家广电总局局长王太华，国家广电总局副局长赵实、张海涛、胡占凡等出席庆典仪式。中央电视台新台址被美国《商业周刊》和英国《泰晤士报》评选为“中国十大新建筑奇迹”之一和“中国建筑经典工程”，还入选了美国《时代》周刊评选的“2007年世界十大建筑奇迹”。

26～29日

△中南—东北省级电视台技术协会2007年年会在哈尔滨召开。

28日

△东南工程无线电台管理局641台1000KW中波发射机开播。上午10时，正式向台湾成功发射中央人民广播电台对台湾的第二套节目。

△四川省星空购物频道正式开播，每天播出共18个小时节目，销售的商品均以节目形式出现。该频道是四川省文化产业重点发展项目，由四川广播电视集团全力打造。

△由甘肃省委宣传部、省委对外宣传办公室、甘肃日报社和甘肃省广播电影电视总台主办，总台电视新闻中心承办的“感动甘肃·2007十大陇人骄子评选揭晓暨颁奖晚会”在甘肃省广播电影电视总台大演播室进行了现场直播，甘肃省省委书记、省人大常委会主任陆浩，甘肃省省委副书记、省长徐守盛出席颁奖晚会并为获奖者颁奖。

29日

△江苏省广播电视总台手机无线网站（wap.jsbc.com）开通，手机电视试播，江苏广电总台正式进入手机电视业务和无线新媒体领域。手机用户可以登陆该网站浏览各类新闻、娱乐、生活等资讯，也可在线收看江苏卫视、江苏综艺、江苏城市、江苏靓妆等4套江苏广电总台的节目。

△江苏省广播电视总台第一个移动电视频道——江苏动视在南京试播，江苏广电总台移动电视项目正式启动。江苏移动电视占有南京市公交移动电视60%以上的份额，频道定位为新闻资讯服务，每天播出16小时。

△湖南卫视官方网站英文版(2008.hunantv.com)正式开通。

31日

△国家主席胡锦涛通过中国国际广播电台、中央人民广播电台、中央电视台发表题为《共同推进人类和平与发展的崇高事业》的新年贺词，向全国各族人民、香港特别行政区同胞、澳门特别行政区同胞和台湾同胞、海外侨胞，向世界各国朋友致以新年的祝贺。

12月

△重庆广播电视局加强新媒体管理，向重庆市所有网站发送摸底调查表，关闭了5个非法网络电视台，停止16个涉嫌传播淫秽色情视听节目，通报4个传播色情视听节目，并向国家广电总局汇报。

△杨文虎任云南省广播电视局党组书记、局长。

△月底，宁夏回族自治区财政安排2200万元专项资金,宁夏广电系统着力实施了20户以上自然村广播电视"村村通"工程，使宁夏20多万农民群众收看到了图像清晰、音质良好的40多套电视节目，宁夏回族自治区成为全国第一个提前完成"十一五"规划20户以上盲点自然村通广播电视任务的省区。

△厦门广电集团所属厦门音像出版社申请的《闽台活文化系列》获国台办立项。该动画片创作分为闽南语童谣和闽南语讲古两大部分，主要围绕闽台两岸文化展开，以传承和弘扬海峡两岸文化为目的，实现"寻根闽南、沟通海峡，传承历史、创意未来"的目标。

2007年

△中国国际广播电台在澳大利亚等国家和地区开播了8个整频率广播电台，手机广播电视上线，12家环球网络电台启动，"国际在线"播出文种达43种，音频上网语种达48种，共收到来自160多个国家和地区的听众来信260多万封。

△年底，河南省广播电视发射塔成功达到标高100米。河南省完成3600个20户以上已通电自然村"村村通"工程建设。

△湖北省共计完成了4502个行政村和6980个50户以上自然村的广播电视"村村通"建设任务，解决了全省540多万人听不到广播、看不到电视的问题。

△云南省完成全省调频广播覆盖第一期工程。云南电台民族、交通、音乐、经济4套节目覆盖到楚雄、大理、丽江等6个州市政府所在地。

△陕西电视台技术建设总投资2000多万元，数字化程度达到了90%。地球站双星并发和转星工作以及地球站配电系统改造，农林卫视频道播出系统和上星系统建设等技术建设项目如期完成。

△甘肃省农村中央广播电视节目无线覆盖建设任务全面完成。甘肃卫视落地省区由原来的11个增加到23个。有线电视数字化整体转换政府贴息得到落实。

△厦门市共完成19834户农村有线电视入户，完成50个自然村的光缆进村改造。全市农村有线电视入户总数达149191户，入户率达到88%。

15.文件与法规
Documents & Statutes

15. 文件与法规

责任编辑　吕鸿雁
审 稿 人　余爱群

《中外合作制作电视剧管理规定》的补充规定

（2007年9月19日　国家广播电影电视总局、中华人民共和国商务部令第54号发布）

为了促进香港特别行政区、澳门特别行政区与内地建立更紧密经贸关系，鼓励香港特别行政区、澳门特别行政区服务提供者与内地广播电视节目制作机构合拍电视剧，根据国务院批准的《〈内地与香港关于建立更紧密经贸关系的安排〉补充协议四》、《〈内地与澳门关于建立更紧密经贸关系的安排〉补充协议四》，现对《中外合作制作电视剧管理规定》（国家广播电影电视总局令第41号）作出如下补充规定：

一、自2008年1月1日起，内地与香港特别行政区、澳门特别行政区广播电视节目制作机构合拍电视剧立项的分集梗概，为每集不少于1500字。

二、香港特别行政区、澳门特别行政区服务提供者与内地广播电视节目制作机构合拍电视剧的其他规定，仍参照《中外合作制作电视剧管理规定》执行。

三、本规定自2008年1月1日起施行。

关于废止部分广播影视规章的决定

（2007年11月23日　国家广播电影电视总局令第55号发布）

按照《国务院办公厅关于开展行政法规规章清理工作的通知》（国办发〔2007〕12号）的要求，经过对广播影视现行规章的清理，根据《规章制定程序条例》的相关规定，我局决定废止下列2件广播影视规章：

一、《电视剧管理规定》（2000年6月15日国家广播电影电视总局令第2号）

二、《广播电视节目出品人持证上岗暂行规定》（2001年12月31日国家广播电影电视总局令第9号）

互联网视听节目服务管理规定

（2007年12月20日　国家广播电影电视总局、信息产业部令第56号发布）

第一条　为维护国家利益和公共利益，保护公众和互联网视听节目服务单

位的合法权益，规范互联网视听节目服务秩序，促进健康有序发展，根据国家有关规定，制定本规定。

第二条　在中华人民共和国境内向公众提供互联网（含移动互联网，以下简称互联网）视听节目服务活动，适用本规定。

本规定所称互联网视听节目服务，是指制作、编辑、集成并通过互联网向公众提供视音频节目，以及为他人提供上载传播视听节目服务的活动。

第三条　国务院广播电影电视主管部门作为互联网视听节目服务的行业主管部门，负责对互联网视听节目服务实施监督管理，统筹互联网视听节目服务的产业发展、行业管理、内容建设和安全监管。国务院信息产业主管部门作为互联网行业主管部门，依据电信行业管理职责对互联网视听节目服务实施相应的监督管理。

地方人民政府广播电影电视主管部门和地方电信管理机构依据各自职责对本行政区域内的互联网视听节目服务单位及接入服务实施相应的监督管理。

第四条　互联网视听节目服务单位及其相关网络运营单位，是重要的网络文化建设力量，承担建设中国特色网络文化和维护网络文化信息安全的责任，应自觉遵守宪法、法律和行政法规，接受互联网视听节目服务行业主管部门和互联网行业主管部门的管理。

第五条　互联网视听节目服务单位组成的全国性社会团体，负责制定行业自律规范，倡导文明上网、文明办网，营造文明健康的网络环境，传播健康有益视听节目，抵制腐朽落后思想文化传播，并在国务院广播电影电视主管部门指导下开展活动。

第六条　发展互联网视听节目服务要有益于传播社会主义先进文化，推动社会全面进步和人的全面发展、促进社会和谐。从事互联网视听节目服务，应当坚持为人民服务、为社会主义服务，坚持正确导向，把社会效益放在首位，建设社会主义核心价值体系，遵守社会主义道德规范，大力弘扬体现时代发展和社会进步的思想文化，大力弘扬民族优秀文化传统，提供更多更好的互联网视听节目服务，满足人民群众日益增长的需求，不断丰富人民群众的精神文化生活，充分发挥文化滋润心灵、陶冶情操、愉悦身心的作用，为青少年成长创造良好的网上空间，形成共建共享的精神家园。

第七条　从事互联网视听节目服务，应当依照本规定取得广播电影电视主管部门颁发的《信息网络传播视听节目许可证》（以下简称《许可证》）或履行备案手续。

未按照本规定取得广播电影电视主管部门颁发的《许可证》或履行备案手续，任何单位和个人不得从事互联网视听节目服务。

互联网视听节目服务业务指导目录由国务院广播电影电视主管部门商国务院信息产业主管部门制定。

第八条　申请从事互联网视听节目服务的，应当同时具备以下条件：

（一）具备法人资格，为国有独资或国有控股单位，且在申请之日前三年内无违法违规记录；

（二）有健全的节目安全传播管理制度和安全保护技术措施；

（三）有与其业务相适应并符合国家规定的视听节目资源；

（四）有与其业务相适应的技术能力、网络资源和资金，且资金来源合法；

（五）有与其业务相适应的专业人员，且主要出资者和经营者在申请之日前三年内无违法违规记录；

（六）技术方案符合国家标准、行业标准和技术规范；

（七）符合国务院广播电影电视主管部门确定的互联网视听节目服务总体规划、布局和业务指导目录；

（八）符合法律、行政法规和国家有关规定的条件。

第九条 从事广播电台、电视台形态服务和时政类视听新闻服务的，除符合本规定第八条规定外，还应当持有广播电视播出机构许可证或互联网新闻信息服务许可证。其中，以自办频道方式播放视听节目的，由地（市）级以上广播电台、电视台、中央新闻单位提出申请。

从事主持、访谈、报道类视听服务的，除符合本规定第八条规定外，还应当持有广播电视节目制作经营许可证和互联网新闻信息服务许可证；从事自办网络剧（片）类服务的，还应当持有广播电视节目制作经营许可证。

未经批准，任何组织和个人不得在互联网上使用广播电视专有名称开展业务。

第十条 申请《许可证》，应当通过省、自治区、直辖市人民政府广播电影电视主管部门向国务院广播电影电视主管部门提出申请，中央直属单位可以直接向国务院广播电影电视主管部门提出申请。

省、自治区、直辖市人民政府广播电影电视主管部门应当提供便捷的服务，自收到申请之日起20日内提出初审意见，报国务院广播电影电视主管部门审批；国务院广播电影电视主管部门应当自收到申请或者初审意见之日起40日内作出许可或者不予许可的决定，其中专家评审时间为20日。予以许可的，向申请人颁发《许可证》，并向社会公告；不予许可的，应当书面通知申请人并说明理由。《许可证》应当载明互联网视听节目服务的播出标识、名称、服务类别等事项。

《许可证》有效期为3年。有效期届满，需继续从事互联网视听节目服务的，应于有效期届满前30日内，持符合本办法第八条规定条件的相关材料，向原发证机关申请办理续办手续。

地（市）级以上广播电台、电视台从事互联网视听节目转播类服务的，到省级以上广播电影电视主管部门履行备案手续。中央新闻单位从事互联网视听节目转播类服务的，到国务院广播电影电视主管部门履行备案手续。备案单位应在节目开播30日前，提交网址、网站名、拟转播的广播电视频道、栏目名称等有关备案材料，广播电影电视主管部门应将备案情况向社会公告。

第十一条 取得《许可证》的单位，应当依据《互联网信息服务管理办法》，向省（自治区、直辖市）电信管理机构或国务院信息产业主管部门（以下简称电信主管部门）申请办理电信业务经营许可或者履行相关备案手续，并依法到工商行政管理部门办理注册登记或变更登记手续。电信主管部门应根据广播电影电视主管部门许可，严格互联网视听节目服务单位的域名和IP地址管理。

第十二条 互联网视听节目服务单位变更注册资本、股东、股权结构，有重大资产变动或有上市等重大融资行为的，以及业务项目超出《许可证》载明范围的，应按本规定办理审批手续。互联网视听节目服务单位的办公场所、法定代表人以及互联网信息服务单位的网址、网站名依法变更的，应当在变更后15日内向省级以上广播电影电视主管部门和电信主管部门备案，变更事项涉及工商登记的，应当依法到工商行政管理部门办理变更登记手续。

第十三条 互联网视听节目服务单位应当在取得《许可证》90日内提供互联网视听节目服务。未按期提供服务的，其《许可证》由原发证机关予以注销。如因特殊原因，应经发证机关同意。申请终止服务的，应提前60日向原发证机关申报，其《许可证》由原发证机关予以注销。连续停止业务超过60日的，由原发证机关按终止业务处理，其《许可证》由原发证机关予以注销。

第十四条 互联网视听节目服务单位应当按照《许可证》载明或备案的事项开展互联网视听节目服务，并在播出界面显著位置标注国务院广播电影电视主管部门批准的播出标识、名称、《许可证》或备案编号。

任何单位不得向未持有《许可证》或备案的单位提供与互联网视听节目服务有关的代收费及信号传输、服务器托管等金融和技术服务。

第十五条 鼓励国有战略投资者投资互联网视听节目服务企业；鼓励互联网视听节目服务单位积极开发适应新一代互联网和移动通信特点的新业务，为移动多媒体、多媒体网站生产积极健康的视听节目，努力提高互联网视听节目的供给能力；鼓励影视生产基地、电视节目制作单位多生产适合在网上传播的影视剧（片）、娱乐节目，积极发展民族网络影视产业；鼓励互联网视听节目服务单位传播公益性视听节目。

互联网视听节目服务单位应当遵守著作权法律、行政法规的规定，采取版权保护措施，保护著作权人的合法权益。

第十六条 互联网视听节目服务单位提供的、网络运营单位接入的视听节目应当符合法律、行政法规、部门规章的规定。已播出的视听节目应至少完整保留60日。视听节目不得含有以下内容：

（一）反对宪法确定的基本原则的；

（二）危害国家统一、主权和领土完整的；

（三）泄露国家秘密、危害国家安全或者损害国家荣誉和利益的；

（四）煽动民族仇恨、民族歧视，破坏民族团结，或者侵害民族风俗、习惯的；

（五）宣扬邪教、迷信的；

（六）扰乱社会秩序，破坏社会稳定的；

（七）诱导未成年人违法犯罪和渲染暴力、色情、赌博、恐怖活动的；

（八）侮辱或者诽谤他人，侵害公民个人隐私等他人合法权益的；

（九）危害社会公德，损害民族优秀文化传统的；

（十）有关法律、行政法规和国家规定禁止的其他内容。

第十七条 用于互联网视听节目服务的电影电视剧类节目和其它节目，应当符合国家有关广播电影电视节目的管理规定。互联网视听节目服务单位播出时政类视听新闻节目，应当是地（市）级以上广播电台、电视台制作、播出的节目和中央新闻单位网站登载的时政类视听新闻节目。

未持有《许可证》的单位不得为个人提供上载传播视听节目服务。互联网视听节目服务单位不得允许个人上载时政类视听新闻节目，在提供播客、视频分享等上载传播视听节目服务时，应当提示上载者不得上载违反本规定的视听节目。任何单位和个人不得转播、链接、聚合、集成非法的广播电视频道、视听节目网站的节目。

第十八条 广播电影电视主管部门发现互联网视听节目服务单位传播违反本规定的视听节目，应当采取必要措施予以制止。互联网视听节目服务单位对含有违反本规定内容的视听节目，应当立即删除，并保存有关记录，履行报告义务，落实有关主管部门的管理要求。

互联网视听节目服务单位主要出资者和经营者应对播出和上载的视听节目内容负责。

第十九条 互联网视听节目服务单位应当选择依法取得互联网接入服务电信业务经营许可证或广播电视节目传送业务经营许可证的网络运营单位提供服务；应当依法维护用户权利，履行对用户的承诺，对用户信息保密，不得进行虚假宣传或误导用户、做出对用户不公平不合理的规定、损害用户的合法权益；提供有偿服务时，应当以显著方式公布所提供服务的视听节目种类、范围、资费标准和时限，并告知用户中止或者取消互联网视听节目服务的条件和方式。

第二十条 网络运营单位提供互联网视听节目信号传输服务时，应当保障视听节目服务单位的合法权益，保证传输安全，不得擅自插播、截留视听节目信号；在提供服务前应当查验视听节目服务单位的《许可证》或备案证明材料，按照《许可证》载明事项或备案范围提供接入服务。

第二十一条 广播电影电视和电信主管部门应建立公众监督举报制度。公众有权举报视听节目服务单位的违法违规行为，有关主管部门应当及时处理，不得推诿。广播电影电视、电信等监督管理部门发现违反本规定的行为，不属于本部门职责的，应当移交有权处理的部门处理。

电信主管部门应当依照国家有关规定向广播电影电视主管部门提供必要的技术系统接口和网站数据查询资料。

第二十二条 广播电影电视主管部门依法对互联网视听节目服务单位进行实地检查，有关单位和个人应当予以配合。广播电影电视主管部门工作人员依法进行实地检查时应当主动出示有关证件。

第二十三条 违反本规定有下列行为之一的，由县级以上广播电影电视主管部门予以警告、责令改正，可并处3万元以下罚款；同时，可对其主要出资者和经营者予以警告，可并处2万元以下罚款：

（一）擅自在互联网上使用广播电视专有名称开展业务的；

（二）变更注册资本、股东、股权结构，或上市融资，或重大资产变动时，未办理审批手续的；

（三）未建立健全节目运营规范，未采取版权保护措施，或对传播有害内容未履行提示、删除、报告义务的；

（四）未在播出界面显著位置标注播出标识、名称、《许可证》和备案编号的；

（五）未履行保留节目记录、向主管部门如实提供查询义务的；

（六）向未持有《许可证》或备案的单位提供代收费及信号传输、服务器托管等与互联网视听节目服务有关的服务的；

（七）未履行查验义务，或向互联网视听节目服务单位提供其《许可证》或备案载明事项范围以外的接入服务的；

（八）进行虚假宣传或者误导用户的；

（九）未经用户同意，擅自泄露用户信息秘密的；

（十）互联网视听服务单位在同一年度内三次出现违规行为的；

（十一）拒绝、阻挠、拖延广播电影电视主管部门依法进行监督检查或者在监督检查过程中弄虚作假的；

（十二）以虚假证明、文件等手段骗取《许可证》的。

有本条第十二项行为的，发证机关应撤销其许可证。

第二十四条 擅自从事互联网视听节目服务的，由县级以上广播电影电视主管部门予以警告、责令改正，可并处3万元以下罚款；情节严重的，根据《广播电视管理条例》第四十七条的规定予以处罚。

传播的视听节目内容违反本规定的，由县级以上广播电影电视主管部门予以警告、责令改正，可并处3万元以下罚款；情节严重的，根据《广播电视管理条例》第四十九条的规定予以处罚。

未按照许可证载明或备案的事项从事互联网视听节目服务的或违规播出时政类视听新闻节目的，由县级以上广播电影电视主管部门予以警告、责令改正，可并处3万元以下罚款；情节严重的，根据《广播电视管理条例》第五十条之规定予以处罚。

转播、链接、聚合、集成非法的广播电视频道和视听节目网站内容的，擅自插播、截留视听节目信号的，由县级以上广播电影电视主管部门予以警告、责令改正，可并处3万元以下罚款；情节严重的，根据《广播电视管理条例》第五十一条之规定予以处罚。

第二十五条 对违反本规定的互联网视听节目服务单位，电信主管部门应根据广播电影电视主管部门的书面意见，按照电信管理和互联网管理的法律、行政法规的规定，关闭其网站，吊销其相应许可证或撤销备案，责令为其提供信号接入服务的网络运营单位停止接入；拒不执行停止接入服务决定，违反《电信条例》第五十七条规定的，由电信主管部门依据《电信条例》第七十八条的规定吊销其许可证。

违反治安管理规定的，由公安机关依法予以处罚；构成犯罪的，由司法机关依法追究刑事责任。

第二十六条 广播电影电视、电信等主管部门不履行规定的职责，或滥用职权的，要依法给予有关责任人处分，构成犯罪的，由司法机关依法追究刑事责任。

第二十七条 互联网视听节目服务单位出现重大违法违规行为的，除按有关规定予以处罚外，其主要出资者和经营者自互联网视听节目服务单位受到处罚之日起5年内不得投资和从事互联网视听节目服务。

第二十八条 通过互联网提供视音频即时通讯服务，由国务院信息产业主管部门按照国家有关规定进行监督管理。

利用局域网络及利用互联网架设虚拟专网向公众提供网络视听节目服务，须向行业主管部门提出申请，由国务院信息产业主管部门前置审批，国务院广播电影电视主管部门审核批准，按照国家有关规定进行监督管理。

第二十九条 本规定自2008年1月31日起施行。此前发布的规定与本规定不一致之处，依本规定执行。

广电总局关于加强广播电视节目制作管理的通知

（2007年1月8日　国家广播电影电视总局发布）

近年来，大多数广播电视节目制作经营机构严格执行总局管理规定，坚持把社会效益放在首位，精心制作出了一大批思想性、艺术性和观赏性相统一，深受广大群众喜爱的广播电视节目，弘扬和传播了先进文化，满足了人民群众的精神文化需求，受到社会各界的普遍欢迎。但也有个别制作机构为片面追求收视效应，制作了选题猎奇惊悚、内容低级庸俗，甚至混淆是非美丑的节目，造成不良社会影响。为进一步规范广播电视节目制作行为，整治节目制作领域的低俗之风，净化荧屏，根据《广播电视管理条例》和总局有关规定，现就加强广播电视节目制作管理的有关问题通知如下：

一、提高认识，加强管理。各级广播电视行政管理部门要牢固树立责任意识和大局意识，充分认识整治节目制作领域低俗问题的重要性，从讲政治的高度和广播电视发展的全局出发，全面加强对节目制作经营领域的管理。要结合正在进行的2006年度广播电视节目制作经营机构业绩审核工作，逐一严格审核辖区内各节目制作机构的制作和经营情况，重点检查其节目内容导向和表现形式有无低俗倾向。对内容低俗问题比较严重的节目，应责令制作机构立即停止制作和发行，已经发行的，要追回全部母带并就地封存，已经安排播出的，要通知相关播出机构立即撤换。同时要将问题的处置情况记入其业绩审核记录。对造成严重不良影响的，应定为“审核不合格”等级，并根据《广电总局关于对广播电视节目制作经营机构和〈电视剧制作许可证（甲种）〉机构进行2006年度业绩审核工作有关事宜的通知》（广局〔2006〕554号）要求处理。

二、健全各项制度，做好监管工作。根据“谁审批、谁负责”的原则，各省级广播电视行政管理部门要督促辖区内所有节目制作经营机构按照《广播电视管理条例》和《广播电视节目制作经营管理规定》（总局34号令）等规定开展各项业务活动。各节目制作经营机构必须建立健全节目自审自查制度，严格自律。同时要进一步完善对节目制作经营机构的监管制度，要采取有效措施强化对制作机构的日常管理，及时掌握当地各节目制作经营机构的节目制作情况和趋势，凡发现有不良内容苗头或倾向的节目要及时指正，防患于未然。

三、实施节目制作发行情况备案制度。自2007年2月1日起，各节目制作经营机构须在节目制作完成后的10天之内，将所制作的节目按《广播电视节目制作发行备案规程（试行）》（见附件）的要求报当地省级广播电视行政管理部门备案，中央国家机关所属的节目制作经营机构直接向广电总局社会管理司备案。对不按规定备案的制作机构，由省级以上广播电视行政管理部门给予其警告、通报批评直至吊销其《广播电视节目制作经营许可证》等处理。

四、建立对备案节目抽查制度，严格把好内容审查关。省级以上广播电视行政管理部门应根据《广播电视管理条例》等规定，加强对备案节目的抽查抽审，每年的抽审量不得少于备案节目总量的二分之一。在抽查过程中发现含有违反国家和总局规定内容的节目，应依法依规作出修改、暂停发行和播出、责令停止发行和播出等决定，并以书面方式及时通知制作机构。凡作出暂停发行和播出、责令停止发行和播出的节目，应在决定作出后5个工作日内上报总局社会管理司备案。制作机构对省级广播电视行政管理部门所作出的停止发行和播出决定有异议的，可向总局社会管理司提请复审。经总局组织复审并支持原决定的，由总局向全国通报；对不支持原决定的，由总局以书面方式通知相关省级广播电视行政管理部门重新作出决定。

五、加强引导，服务基层，促进节目制作产业繁荣。为从根本上杜绝不良节目的制作和传播，促进节目制作产业健康发展，各级广播电视行政管理部门要切实转变工作作风，建立与节目制作机构及其行业组织有效的沟通机制。应及时通报中央和国家有关对节目制作业的政策、规定和管理要求，要有针对性地开展相关业务培训，提高制作机构遵纪守法的自觉性。同时要十分重视对制作机构及其节目的管理情况的信息上报和反馈工作，每月10日前，各省级广播电视行政管理部门应将前一个月的节目备案情况上报总局社会管理司，其他重要管理信息应及时上报。总局将根据各地的上报情况，以适当方式及时向全国反馈，及时指导节目制作产业的发展。

请将本通知及时转发辖区内各制作机构，并认真执行。

附件：广播电视节目制作发行备案规程（试行）

一、备案范围

（一）取得《广播电视节目制作经营许可证》的广播电视节目制作经营机构和《电视剧制作许可证（甲种）》机构（不含广播电视播出机构）制作的各类专题、专栏节目。其中与广播电台、电视台合作制作且由电台、电视台独家持有全部版权的节目，制作机构只需备案文字材料，不另行备案样片（带）。

（二）影视剧和动画片的制作、审查和备案工作仍按《电视剧审查管理规定》、《广播电视节目制作经营管理规定》和《广电总局关于变更〈国产电视剧发行许可证〉备案表的通知》（广局剧字〔2006〕268号）执行，制作机构只需备案文字材料，不另行备案样片（带）。

二、备案时限

各制作机构应在节目制作完成后10天内将节目上报相关广播电视行政管理部门备案。

三、备案材料

（一）制作机构、合作机构、发行机构名称；

（二）节目名称、长度、主要内容简介；

(三) 节目出品人、制片人、策划、编导等主创人员名单；

(四) 节目发行（含向境外发行）计划；

(五) 节目样带（DVD格式）：

1.片长在5集以内的节目应全部备案；

2.超过5集的应选择不少于5集的样片备案；

3.属于边制作边播出的节目，应选择最前5集（档）节目备案。

(六) 广播电视行政管理部门认为需要的其他材料。

四、备案审核及复审

(一)省级以上广播电视行政管理部门对备案节目实行抽查。认为可以发行和播出的节目，不再做具体的行政许可或答复；认为节目中含有违反国家和总局规定内容的，应依法依规作出修改、暂停发行和播出、责令停止发行和播出等决定，并以书面方式及时通知制作机构。

(二)制作机构对省级广播电视行政管理部门所作出的停止发行和播出决定有异议的，可向总局社会管理司提请复审。经总局组织复审并支持原决定的，由总局向全国通报；对不支持原决定的，由总局以书面方式通知相关省级广播电视行政管理部门重新作出决定。

(三) 总局对抽审的节目作出停止发行和播出决定的，由总局向全国通报；需修改的以书面方式通知制作机构。

(四) 每月10日前，各省级广播电视行政管理部门应将前一个月的节目备案情况上报总局社会管理司。其中，对作出暂停发行和播出、责令停止发行和播出的节目，应在决定作出后5个工作日内上报总局社会管理司备案。

抽查结果由省级以上广播电视行政管理部门在其政府网站上公示。

广电总局关于做好2007年广播电视村村通工程建设的通知

(2007年2月1日　国家广播电影电视总局发布)

为了贯彻落实今年1月8日中央领导主持召开的广播电视村村通工作会议精神，全面完成新时期“村村通”工作任务，现就做好2007年“村村通”工程建设通知如下：

一、全面贯彻落实《国务院办公厅关于进一步做好新时期广播电视村村通工作的通知》(国办发〔2006〕79号文件)。《通知》要求到2010年底，要全面实现20户以上已通电自然村“盲村”通广播电视的目标，要大力提高广大农村地区广播电视无线覆盖水平，使广大农民群众能够无偿收听收看到包括中央第一套广播节目、中央第一套和第七套电视节目，以及本省第一套广播电视节目的4套以上无线广播节目和电视节目。《通知》还要求：省、市两级政府负责解决20户以上已通电自然村“盲村”工程建设资金和运行维护资金，地方各级政府负责农村广播电视管理维护机构的日常经费；省、市（地）、县三级政府分别负责解决转播本级无线广播电视节目的机房和设备的更新改造资金和维护经费。中央财政对县及县以上转播中央一套广播和中央一套、七套电视节目的大中功率无线发射设备的更新改造和维护经费给予补助。各地广电部门要认真贯彻落实国办《通知》精神，进一步提高对“村村通”工作的认识，在当地政府的领导下，切实履行职能，与发展改革、财政等部门密切配合，将新时期“村村通”工作的各项任务落到实处。

二、强力推进农村广播电视无线覆盖工程。2007年“村村通”工程建设的重点是加强农村广播电视无线覆盖。中央财政将安排专项补助资金20多亿元用于加强农村中央广播电视节目覆盖。工程分两个阶段实施，第一阶段工程建设任务计划2月份下达，总局将于3月份组织调频、电视、中波发射机的集中招标采购；第二阶段工程建设任务计划6月份下达，7月份总局组织发射机的集中招标采购。各省（区、市）广电局要按照总局下达的建设任务，抓紧做好工程方案设计等前期工作，主动与本省财政厅（局）沟通，提前启动配套设备招标采购工作，及时申请落实中央财政转移支付专项补助经费，精心组织，精心调度，确保2008年6月底奥运会开幕前完成工程建设任务。

同时，各地要按照国办《通知》精神，加强本地节目的无线覆盖工作，抓紧制定加强本省、市（地）、县（市）三级广播电视节目无线覆盖工程建设规划，积极落实各级政府承担的工程建设和维护资金，启动工程建设，在2010年底前完成“十一五”“村村通”无线覆盖工程建设任务。

三、扎实推进20户以上已通电自然村“盲村”工程建设。今年1月8日中央领导主持召开的广播电视村村通工作会议明确，20户以上已通电自然村“盲村”主要通过直播卫星方式解决；对城郊等经济发达地区要积极发展有线光缆联网，同时要完善管理办法，把公益性服务和经营性运营两者分开，保障农村群众的基本文化权益。各省（区、市）广电局要根据本省“十一五”“村村通”工程建设规划制定切实可行的年度实施计划，落实建设资金，因地制宜，扎实推进工程建设。请于2月28日前将年度实施计划报总局备案。

国家将对中部地区国家扶贫开发工作重点县、贫困人口集中分布地区、革命老区和少数民族地区以及西部地区采取直播卫星方式进行的“村村通”建设给予适当设备补助。目前，总局正在抓紧进行“村村通”直播卫星平台建设和“村村通”专用卫星接收机性能测试工作。待今年10月直播卫星发射成功后，总局和国家发改委将加强对直播卫星接收机的生产、销售和安装的管理，组织“村村通”专用卫星接收设备的集中招标采购。

广电总局关于加强群众参与的选拔类广播电视活动管理的通知

(2007年2月7日　国家广播电影电视总局发布)

近一时期以来，广播电视播出机构大量举办、播出各种群众参与的选拔类活动。大多数群众参与的选拔类活动能坚持正确导向，把握健康格调，取得了较好效果。但同时也存在群众参与的选拔类活动过多过滥，有的内容粗俗、格调不高等问题。根据中央有关指示精神，为进一步加强对此类节目的管理，现将有关事项通知如下：

一、各级广播影视行政部门和播出机构要把群众参与的选拔类活动尤其是全国性或跨省（区、市）群众参与的选拔类活动作为重要节目内容加强管理。要坚持政治意识、大局意识和责任意识，坚持正确的舆论导向，坚持三贴近原则，严格把好节目的审查、播出关，要为党的十七大的召开营造良好的舆论氛围。

二、各级广播电视播出机构要本着少而精的原则，严格控制各种群众参与的选拔类活动的数量，切实提高群众参与的选拔类活动的质量，把社会效益放在首位，防止群众参与的选拔类活动粗制滥造，拖沓冗长。各类群众参与的选拔类活动的内容、品味、格调都要积极向上，健康高雅，愉悦身心，陶冶情操，体现正确的世界观、人生观和价值观。

三、面向社会招募、组织参赛选手（包括各类专业人员）参加并通过广播电视播出机构播出的各类大赛、比赛、选拔、评奖、排行、竞技及其它公布排名、获奖结果的活动均属群众参与的选拔类广播电视活动。

四、经总局批准的地方上星频道、上星频率举办、播出各种群众参与的选拔类活动须报省级广播影视行政部门审核后，提前三个月报国家广电总局批准；中央人民广播电台、中国国际广播电台、中央电视台、中国教育电视台举办、播出各种群众参与的选拔类活动，提前三个月报国家广电总局批准。

五、在各级电视台上星频道播出群众参与的选拔类活动，由国家广电总局负责调控。分赛区活动不得在各省级电视台上星频道播出。

六、省级广播电视播出机构举办本省（区、市）范围内的群众参与的选拔类活动须报省级广播电视行政部门审批后，在本省地面频道播出，不得在省级电视台上星频道播出。

七、各种群众参与的选拔类活动在电视上星频道的播出时间原则上不得超过两个半月。

八、各种群众参与的选拔类活动参与者年龄原则上必须在18岁以上。

九、举办、播出群众参与的选拔类活动的广播电视播出机构要严格执行广电总局关于群众参与的选拔类活动管理的要求，对参赛选手、评委、嘉宾、主持人、现场观众进行严格把关，发型、饰品、服装不能低级媚俗，要符合大众审美观念；赛制、评语、主持人言行不能随意、低俗、偏狭，要体现公平、公正、公开和时代人文关怀。

十、有关群众参与的选拔类活动的节目要力戒庸俗、低俗的现象，不能迎合少数观众的猎奇心理、审丑心态，不得随意炒作，避免追星逐利等负面效应。

十一、凡在群众参与的选拔类活动中违反以上规定和出现低俗问题者，总局将追究相关广播电视机构和组织审查者的责任。

广电总局关于进一步加强和规范有线电视数字化工作的通知

（2007年2月2日 国家广播电影电视总局发布）

当前，我国广播电视正处于由模拟向数字化过渡的重要时期，有线电视数字化整体转换工作经过几年的试点，正在全国大中城市全面展开。为进一步加强和规范有线电视数字化工作，切实维护有线电视用户的合法权益，针对当前个别地区在推进数字化过程中存在的问题，现将有关事项通知如下：

一、推进有线电视数字化是技术发展的必然趋势，是促进国家信息化和国民经济发展的必然要求，是巩固和加强宣传思想阵地、满足人民群众日益增长的精神文化需求的重要举措，是惠及千家万户的民心工程。各级广电部门要进一步统一思想、提高认识、规范操作，积极推进有线电视数字化健康有序发展。

二、推进有线电视数字化，要始终坚持以人为本、用户至上、社会效益第一的原则，因地制宜，稳步推进，注意倾听群众意见，尊重用户的选择权。对暂时不愿收看数字电视的用户，要妥善解决。实施有线电视数字化整体转换的地区，必须保留至少六套模拟频道，转播中央、省和当地电视台的主要节目，供没有机顶盒的用户接收，确保党和政府的声音进入千家万户，切实维护有线电视用户的合法权益。

三、各地制定有线数字电视的基本收视维护费标准，要严格遵照国家发改委和广电总局联合下发的《有线电视基本收视维护费管理暂行办法》（发改价格〔2004〕2787号）的规定，严格按照程序，举行物价听证会。制定价格标准，必须充分考虑到当地的经济社会发展总体水平，充分考虑社会各阶层的经济承受能力和心理承受能力，特别要照顾到低收入家庭。要对包括低保户在内的低收入家庭，给予相应的资费减免优惠政策，保证低收入人群能够享受到有线数字电视服务。

四、各有线电视网络公司(中心)要进一步增强服务意识，主动向社会公布有线数字电视的服务项目和服务规范。要加大服务和技术维护工作力度，组建高效的专业服务和技术维护队伍，及时处理数字化过程中出现的各种问题，确保有线数字电视的技术质量和服务质量。

五、要不断丰富有线数字电视的服务内容，满足群众需求。一方面要大力开发电子政务、新闻资讯、社会教育、文化娱乐、交通旅游、生活信息等公共资讯服务，扩展有线数字电视基本业务；另一方面要大力发展付费电视、视频点播、电视购物、电视商务等增值服务，由用户自由选择、自愿订购，不断满足群众多层次、多样化、个性化的精神文化和信息资讯需求。

六、各地要进一步加强对有线电视数字化的宣传解释和正面引导工作。有线电视数字化是一场深刻的技术变革，在提供丰富多彩节目和方便快捷服务的同时，也会带来收视方式、收视习惯的改变，需要有一个逐步适应的过程。要积极采取多种方式，普及数字电视知识，解答群众疑问，引导消费观念，使社会各界和人民群众理解、认可、接受和支持数字电视。对于一时还不理解的群众，要做好耐心细致的宣传解释工作，真正做到让群众满意。要开通服务热线，提供快捷服务，方便群众监督，树立有线数字电视的良好社会形象。

七、各级广播电视行政部门要加强对本地区有线电视数字化整体转换工作的领导、管理、监督和检查，切实维护人民群众的合法权益，推动我国有线数字电视又好又快的发展。

广电总局关于在影视剧拍摄活动中加强自然环境和文物保护的通知

（2007年4月5日　国家广播电影电视总局发布）

改革开放以来，影视剧制作单位在宣传保护生态环境、自然资源和文物古迹方面做了大量工作，推出了一批有关这方面的精品力作，为自然环境和文物保护，为推进人与自然和谐相处，为和谐社会发展做出了积极贡献。但是，近年来在影视剧拍摄活动中，也出现了一些风景名胜区的植被、水体等自然生态和有的文物被破坏的情况，引起了社会各界的广泛关注。为实现建设资源节约型和环境友好型社会的目标，进一步规范和加强对影视剧拍摄活动的管理，依法切实保护生态环境、自然资源和文物古迹，根据国家有关法律法规的规定，现通知如下：

一、全面提高环境和文物保护意识。各级广播影视行政部门、各影视剧制作单位要加强环境和文物保护意识的教育，充分认识自然保护区、风景名胜区和文物保护单位是珍贵的、不可再生的自然和文化遗产。明确保护生态环境、自然资源和文物古迹的重要意义，增强保护意识、责任意识、和谐意识，高度重视保护工作，坚持保护优先、拍摄服从保护的原则。切实采取有效措施，在拍摄活动中严格保护生态环境、自然资源和文物古迹的原始性、真实性和完整性。各级广播影视行政部门、影视剧制作单位要加大普法力度，对影视剧制作单位负责人、制片人、导演等进行专题培训，组织和指导影视剧制作单位开展有关法律法规和文件规定的学习培训活动。

二、严格遵守国家法律法规。各影视剧制作单位要认真遵守和严格执行《环境保护法》、《环境影响评价法》、《文物保护法》、《文物保护法实施条例》、《自然保护区条例》、《风景名胜区条例》和《国家环境保护总局、建设部、文化部、国家文物局关于加强涉及自然保护区、风景名胜区、文物保护单位等环境敏感区影视拍摄和大型实景演艺活动管理的通知》。在自然保护区核心区和缓冲区、风景名胜区核心景区内，禁止进行拍摄活动；在自然保护区实验区、风景名胜区核心景区以外范围、各级文物保护单位保护范围内，严格限制影视剧拍摄活动。因特殊情况，确需在上述限制类区域内搭建和设置布景棚、拍摄营地、舞台等临时性构筑物的，影视剧制作单位必须严格按照有关法律法规的规定，履行报批手续。拍摄活动结束后，应当及时拆除临时搭建和设置的布景棚、营地等构筑物，对生态环境进行恢复，并由所在地主管部门负责组织验收。影视剧制作单位在其它自然环境和人文景观处进行拍摄活动，也要做好保护和恢复工作。

三、加强监督管理。各影视剧制作单位要自觉执行国家有关法律法规和规定，加强对所辖剧组的管理，在影视剧拍摄活动中，如发现问题应及时纠正。对可能涉及到自然保护区、风景名胜区和文物保护单位的拍摄活动，影视剧制作单位及剧组要接受有关环保、建设、文物等相关主管部门的监督和管理。各级广播影视行政部门要加强监管，协调、配合相关主管部门，做好影视剧拍摄活动中的自然环境和文物保护工作。

广电总局关于开展抵制低俗之风专项行动的通知

（2007年4月27日　国家广播电影电视总局发布）

为贯彻落实全国广播电视抵制低俗之风工作会议精神，进一步净化荧屏声频，确保广播电视宣传的正确舆论导向，为党的十七大的胜利召开营造良好舆论氛围。现将2007年广播电视抵制低俗之风专项行动有关事项通知如下：

一、认真学习，提高认识，切实贯彻会议精神

全国广播影视系统要认真组织学习中央领导同志关于抵制低俗之风的重要指示和王太华部长的讲话精神，深入学习《关于进一步做好法制宣传报道的意见》、《关于进一步办好广播电视综艺娱乐节目的意见》、《关于加强群众参与的选拔类广播电视活动管理的通知》、《关于严格执行电话和手机短信参与的有奖竞猜类广播电视节目管理规定的通知》等文件精神，制定落实措施，明确责任要求，加大管理力度，切实抵制广播电视低俗之风。

二、明确重点，严格自查，及时解决突出问题

各级广播影视行政部门和播出机构要集中开展一次抵制低俗之风自查自纠专项行动，并于6月15日前将自查自纠、整改提高的情况上报总局，近期主要治理以下重点问题：

（一）广播电视举办“选秀”赛事过多过滥以及内容低俗等问题；

（二）广播电视文艺娱乐访谈节目低俗问题，炒作名人明星丑闻、绯闻、隐私，传播垃圾文化等问题和媒体之间的相互贬损问题；

（三）有奖竞猜、短信服务类节目中的博彩和迷信问题；

（四）广播夜间性话题节目。

三、全面排查，细化管理，加大播出监管力度

2007年抵制低俗之风专项行动要及时注意广播电视低俗之风的新变化和新问题，对广大观众不满的节目要及时发现，及时处理。尤其要及时发现和纠正广播电视节目存在的泛娱乐化倾向，以及综艺娱乐节目、谈话类节目、法制类节目、少儿类节目、广告类节目及有关主持人存在的低俗、庸俗和违规播出问题。

四、完善制度与机构，落实责任，建立健全长效机制

各级广播影视行政部门和播出机构要建立健全收听收看机构，建立健全抵制低俗之风的长效机制。各级收听收看机构要按照总局抵制低俗之风工作的要求，进一步明确工作重点，加大工作力度，取得工作实效。要严格执行谈话戒勉制度、选题报告制度、分级审查制度、播出管理制度、奖励惩罚制度、责任追究制度、收听收看制度和专项调研制度等。要加强督察巡视，堵塞工作漏洞，对典型性、倾向性、苗头性的低俗问题要及时予以通报。

广电总局关于开展依法打击网络淫秽色情专项行动的通知

（2007年5月9日　国家广播电影电视总局发布）

为贯彻落实中宣部、公安部、广电总局等10部委《关于印发〈依法打击网络淫秽色情专项行动工作方案〉的通知》(公通字〔2007〕21号)精神，会同有关部门对互联网淫秽色情等有害视听节目进行清理，做好互联网视听节目服务监管工作，现将专项行动中广电部门的工作要求通知如下：

一、工作任务

(一)积极主动做好专项行动的宣传报道。各级广播电台、电视台要采用新闻、专题、访谈等多种形式，对此次专项行动的意义、作用和效果进行及时、充分报道，对网络淫秽色情活动的典型案例给予曝光，为专项行动创造良好的舆论氛围。各广播电台、电视台要指定专人与当地负责依法打击网络淫秽色情专项行动的协调机构建立热线联系，确保宣传报道及时、准确。

(二)全面开展对视听节目网站的调查摸底工作。各级广播电视管理部门要结合此次专项行动，抽调专人对属地范围内从事视听节目传播活动的网站进行全面摸底、统计和分析，将所有从事互联网视听节目服务网站的开办单位、单位地址和节目内容等信息，登记造册，建立数据库，为进一步整顿互联网视听节目传播秩序打好基础。

(三)对无证从事互联网视听节目服务并传播淫秽色情等有害节目的网站要重点查处。各级广播电视部门要在对视听节目网站全面调查摸底的基础上，加强对未持有《信息网络传播视听节目许可证》机构节目内容的监看，对于传播淫秽色情等有害节目的网站，要重点查处：对其无证从事互联网视听节目业务的行为，应根据《互联网等信息网络传播视听节目管理办法》(广电总局39号令)第二十五条的规定进行查处；对其传播有害节目的行为，应及时通报当地公安机关进行处理。

(四)加强对《信息网络传播视听节目许可证》持证机构的监管。各级广播电视部门要加强对属地范围内《信息网络传播视听节目许可证》持证机构的监管，督促其健全并进一步落实节目内容审查制等内部管理制度，规范开展业务，并对其进行一次全面检查，检查是否按许可证载明的事项开展业务，传播的节目是否违规。对存在问题的机构，要求其立即整改。

二、工作安排

(一)动员部署阶段。各地广播电视部门要结合本地实际，制定具体实施方案，抽调人员，建立工作队伍，落实工作经费和设备。广播电台、电视台要对专项行动做好前期宣传工作。

(二)清理整治阶段(8月底前完成)。各地广播电视部门全面开展视听节目网站的调查摸底工作，对无证从事互联网视听节目服务并传播淫秽色情等有害节目的网站要重点查处，并加强对《信息网络传播视听节目许可证》持证机构的监管。广播电台、电视台对专项行动进展情况，特别是典型案例要进行深入报道。

(三)巩固成果阶段(9月1日至9月15日)。根据专项行动中发现的互联网视听节目管理问题，建立健全各项管理制度和工作规范，巩固专项行动成果。

(四)总结表彰阶段(9月16日至9月30日)。对专项行动进行全面总结，对成绩突出的集体和个人进行表彰奖励。

三、有关要求

(一)对视听节目网站的调查摸底情况和相应数据库、传播淫秽色情等有害节目网站的名单，以及对《信息网络传播视听节目许可证》持证机构的检查和处理情况，应分别于6月20日、8月20日、9月5日前上报总局。

(二)对各阶段的工作成果、发现的问题以及宣传报道情况，应于该阶段结束后的5日内以信息专报的形式上报总局。

(三)要与专项行动有关职能部门做好沟通协调，需要总局协调的，及时上报。

广电总局关于清理和规范地面数字电视技术试验的通知

(2007年6月12日　国家广播电影电视总局发布)

为规范地面数字电视技术试验工作，总局于今年2月1日下发了《广电总局关于进一步规范地面数字电视系统技术试验的通知》(广发〔2007〕8号)，要求任何单位不得擅自进行地面数字电视技术试验。

近几个月来，总局组织有关单位积极开展地面数字电视国标系统的技术应用试验，以确定推广应用的工作模式和相关配套标准，但是由于缺乏地面数字电视国标系统技术试验设备，造成技术试验工作进展缓慢，并导致配套标准制定和频率规划工作滞后于总局的工作计划。目前，总局正在与有关部门沟通，以加快有关地面数字电视国标应用的相关工作。同时，由于目前市场上并没有完全符合国标各主要工作模式的发射机、接收机和测试仪器，总局正积极协调配合有关部门加快推进发射机、接收终端、芯片以及测试仪器等完成产业化的准备。

但是，目前仍有个别公司以推广国标数字电视设备为名向一些省市广电部门销售推广自称是部分符合国标的设备，这些设备未经国家有关部门核准，这种行为违反了《广播电视设备器材入网认定管理办法》(广电总局第25号令)、《广播电视无线传输覆盖网管理办法》(广电总局第45号令)的规定。一旦这些不符合国标的设备流入社会，将难以满足今后地面数字电视接收的要求，不仅会严重阻碍地面数字电视国标的大规模推广应用，也将带来不良的社会影响。

地面数字电视国家标准是强制性国家标准，在相关发射和接收设备配套标准未颁布的情况下，任何单位和个人不得擅自使用未经总局入网认证的设备进行技术试验。各级广播电视部门要按照总局的统一规划、统一部署做好实施地面数字电视传输标准的相关准备工作，对辖区内的地面数字电视试验情况要进行认真检查，严格管理，严肃纪律，明确责任，确保广播电视安全播出，确保地面数字电视健康有序发展。对于擅自进行地面数字电视技术试验和非法使用电视频道的情况要坚决予以制止并将有关情况上报总局。

请各省(区、市)广电局于2007年7月1日前将检查情况报送总局。总局将组织专门工作组进行实地检查，对违反有关广播电视管理规定的行为将严肃处理。

广电总局关于加强移动数字电视管理的通知

(2007年7月10日 国家广播电影电视总局发布)

2002年以来，部分电视台利用地面数字电视技术为公交车、出租车、长途车等交通工具上的人群提供个性化电视服务，对广播电视数字技术的多业务应用进行了初步探索，取得了一些成功经验。但是，最近各地在移动数字电视业务中，存在一些违反相关管理政策的行为：一是部分移动电视把关不严，播出包含凶杀、暴力、迷信等内容的节目；二是有的地方与系统外企业以广告承包形式合作过程中，将移动电视节目的宣传编辑权交由与系统外资金合资成立的公司负责；三是部分城市出现了用CF卡、硬盘、局域网等非地面数字电视技术面向公交车等交通工具和公共场所的人群播出节目内容的情况，甚至对外以频道形式出现，在节目内容安全性方面存在较大隐患。

为促进移动数字电视业务的健康有序发展，根据《广播电视管理条例》和总局《关于加强移动数字电视试验管理有关问题的通知》(广发社字〔2006〕11号)，现就有关问题通知如下：

一、严格宣传纪律，确保导向正确。移动数字电视是广播电视宣传工作的重要组成部分，各级广播电视管理部门和播出机构要充分认识做好移动数字电视宣传的重要性和必要性，要把把握正确舆论导向和社会效益放在第一位，牢固树立政治意识、大局意识、责任意识和阵地意识，切实履行管理职责。各类节目都要严格防止追求猎奇刺激和娱乐化倾向，坚决抵制低俗之风和片面追求收视率的做法。各类节目的报批、审查、播出等要严格按总局的相关规定执行。

二、认真总结经验，推进移动数字电视业务健康发展。在已开展移动数字电视业务的地区，广播电视管理部门要加强对移动数字电视业务的领导，不断总结经验，引导移动数字电视业务开办机构，针对移动人群的收看特点精办节目，努力使节目质量再上一个台阶，满足不同人群不断增长的个性需求。鼓励不同区域在移动电视业务上强强联合、跨区域运营，加快发展，积极占领新媒体阵地。

三、规范移动数字电视业务发展秩序，牢牢把握掌控权。在移动数字电视业务开展过程中，广播电视管理部门要加强对移动数字电视业务的管理，移动数字电视节目的宣传编辑权必须掌握在广播电视管理和播出机构手中，由移动数字电视开办机构直接负责，不得以任何名义放弃这些职责或由经营方取得控制权，不得将移动电视节目的宣传编辑权交由公司运作。

四、依法运营，促进移动数字电视业务良性循环。在符合国家相关法规政策的前提下，移动数字电视开办机构可以组建公司，负责移动数字电视的节目制作、广告经营、业务推广和设备安装技术服务等业务。这类公司如吸收非公有资本投资参股，广播电视系统内机构必须控股51%以上。

五、规范技术体制，加强地面数字电视运营和无线电频率管理。地面数字电视传输国家标准已经颁布，各级广播电视部门要充分认识非国标系统向国标系统转换的复杂性、艰巨性和紧迫性，要加强领导，高度重视，重点完成现有非国标系统的转换工作。各级广播电视行政部门要大力加强广播电视覆盖网管理工作，维护广播电视安全运行和播出秩序。

六、规范移动数字电视行业，加强节目内容监管。针对目前市场出现的用CF卡、硬盘、局域网等非地面数字电视技术面向公交车等交通工具和公共场所的人群播出节目内容的情况，广播电视行政部门要大力加强对其内容安全性的监管。对于违反相关法规和管理政策播出节目的行为予以严肃查处。

七、各省、自治区、直辖市广播电视行政部门在接到本通知后，应对辖区范围内开展移动电视业务的情况进行检查。先由各开办机构对自身运营情况进行自查，自查情况报当地广播电视部门。凡成立公司的，还应报送涉及公司成立的相关协议。省级广播电视行政部门根据开办机构自查情况，对移动电视开展情况进行复查，发现不符合本通知要求的情况，要立即责令整改。

各省级广播电视行政部门在接到本通知后，应将对本地区移动电视业务情况的检查情况、整改情况以及移动电视开办机构签订的相关协议报总局。

广电总局关于印发《全国广电系统打击盗窃破坏广播电视设施违法犯罪专项斗争工作方案》的通知

(2007年7月11日 国家广播电影电视总局发布)

为深入贯彻全国打击盗窃破坏电力、电信、广播电视设施违法犯罪专项斗争电视电话会议精神，落实《全国打击盗窃破坏电力电信广播电视设施违法犯罪专项斗争工作方案》的各项要求，指导、推动全国广电系统打击盗窃、破坏广播电视设施违法犯罪专项斗争的深入开展，切实保障广播电视设施安全，确保广播电视播出安全。现将《全国广电系统打击盗窃破坏广播电视设施违法犯罪专项斗争工作方案》印发给你们，请结合实际，认真组织实施。

全国广电系统打击盗窃破坏广播电视设施违法犯罪专项斗争工作方案

6月12日，公安部、中央综治办、国家发展改革委、信息产业部、国务院国资委、工商总局、广电总局、国家电监会8部门联合召开了全国打击盗窃破坏电力电信广播电视设施违法犯罪专项斗争电视电话会议，并印发了《全国打击盗窃破坏电力电信广播电视设施违法犯罪专项斗争工作方案》。为深入贯彻电视电话会议精神，落实工作方案，有效防范和打击盗窃破坏广播电视设施违法犯罪活动，切实保障广播电视设施安全，确保广播电视安全播出，结合广电系统的实际，制定全国广电系统打击盗窃破坏广播电视设施违法犯罪专项斗争工作方案。

一、指导思想

以邓小平理论和“三个代表”重要思想为指导，以科学发展观为统领，以维护广播电视设施安全为目标，以确保广播电视安全播出为重点，在各级党委、政府的领导下，认真落实全国和各省级"三电"专项斗争领导小组的工作部署，结合实际，坚持预防为主、打防结合、标本兼治，部门协作、齐抓共管、综合治理，为广播电视设施和广播电视安全播出创造良好的安全环境。

二、组织领导

开展打击盗窃破坏广播电视设施违法犯罪专项斗争应按照以块为主、条块结合的原则，在各省级"三电"专项斗争领导小组的统一领导下开展工作。

各级广播影视部门要明确参加省级"三电"专项斗争领导小组的副组长、办公室成员和联络员，明确各级广电部门"三电"专项斗争工作的主管部门，加强对本省(自治区、直辖市)、新疆生产建设兵团广电系统开展打击盗窃破坏广播电视设施违法犯罪专项斗争的组织领导。

广电总局副局长雷元亮同志为全国"三电"专项斗争领导小组副组长，保卫司副司长李建平同志为全国"三电"专项斗争办公室副主任，保卫司三处副处长王士庆同志为全国"三电"专项斗争领导小组办公室联络员。全国广电系统打击盗窃破坏广播电视设施违法犯罪专项斗争工作的主管部门设在总局保卫司，负责监督、检查、指导并掌握全国广电系统开展打击盗窃破坏广播电视设施违法犯罪专项斗争工作的整体情况。

三、工作目标

在各级"三电"专项斗争领导小组的领导下，积极配合公安等有关部门，通过开展"三电"专项斗争破获一批盗窃破坏广播电视设施的重大案件，严厉打击严重威胁广播电视设施安全的违法犯罪行为，坚决遏制盗窃破坏广播电视设施案件的高发势头；切实加强广播影视单位内部安全保卫机构、队伍和传输线路巡查队伍建设，健全组织，落实人员，明确责任；切实落实人防与技防相结合，利用技术手段提高对广播电视设施的有效监控；切实加强法规制度建设，建立广播电视设施保护的长效机制，提高处置各类突发性事件的应急能力；切实加强群防群治，综合治理工作，建立行之有效的广播电视设施周边治安联防机制。

四、职责分工

(一) 广电总局负责全国广电系统"三电"专项斗争的监督、检查、指导，负责总局直属各单位打击盗窃破坏广播电视设施专项斗争的组织领导。按照全国"三电"专项斗争领导小组的工作部署，结合广电系统实际，制定打击盗窃破坏广播电视设施专项斗争工作方案，落实全国"三电"专项斗争宣传工作安排，指导全国广电系统开展打击盗窃破坏广播电视设施专项斗争工作，掌握整体工作进展情况。

(二) 各省(自治区、直辖市)、新疆生产建设兵团广电部门负责本系统打击盗窃破坏广播电视设施专项斗争的监督、检查、指导和考评工作，负责直属单位和总局在各地的发射台、监测台(站)、有线电视光缆干线维护保障单位打击盗窃破坏广播电视设施专项斗争的组织领导。按照本省(自治区、直辖市)、新疆生产建设兵团"三电"专项斗争领导小组的工作部署和广电总局《全国广电系统打击盗窃破坏广播电视设施违法犯罪专项斗争工作方案》的要求，结合实际，制定打击盗窃破坏广播电视设施专项斗争工作方案，落实全国"三电"专项斗争宣传工作安排，掌握本系统整体工作进展情况，搞好考核、评比、奖惩工作。

(三) 各广播影视集团、总台负责本单位打击盗窃破坏广播电视设施专项斗争工作。要在中央、总局和省委、省政府的领导下开展工作，按照本省广播影视局的工作部署，结合实际，制定方案，落实宣传工作安排，理清本单位广播电视设施被盗窃、破坏的情况，确定打击重点，建立防控体系，落实安全措施，保障设施安全。各省(自治区、直辖市)的发射台、监测台（站）、广播电视光缆干线维护保障单位的打击盗窃破坏广播电视设施专项斗争工作纳入所在省广播影视局打击盗窃破坏广播电视设施专项斗争工作中，由所在省级广电部门负责，统一组织、统一部署、统一考评。

(四) 总局无线电台管理局、广播电视监测中心、中国有线电视网络公司负责在京所属单位打击盗窃破坏广播电视设施专项斗争工作，并掌握本单位的整体工作进展情况。

五、工作任务

(一) 摸清底数。要摸清2005年以来，本地区、本单位广播电视设施被盗窃、破坏的情况，对所发生的案件逐一进行登记造表，提供重大典型案例，提出重点打击的案件，积极提供重要线索，主动配合公安机关严厉打击。

(二) 加强宣传。各省广电行政部门要全面配合各地党委政府制定的"三电"专项斗争宣传方案，充分发挥广播电视的优势和特点，积极提供有力的舆论支持，利用新闻、专题、公益广告等各种形式，在重要时段、重要栏目及所属网站宣传报道"三电"专项斗争情况，大力宣传电力、电信、广播电视设施的法律法规，深入报道已告破的重大案件，营造声势，震慑犯罪，教育群众。

(三) 落实法规。各级广播影视部门及其直属单位要认真贯彻落实国务院《广播电视设施保护条例》和《企业事业单位内部治安保卫条例》等法律法规，结合打击盗窃破坏广播电视设施专项斗争，认真查找本地区、本单位广播电视设施安全防范工作存在的问题和隐患，采取有效措施，切实加强广播电视设施的保护工作，建立健全治安保卫机构，配齐配强专职治安保卫人员；各级广播影视部门要明确安全保卫工作的管理部门，加强单位内部安全保卫工作的管理和人员的教育培训工作，加强广播电视设施保护工作的监督、检查和指导。

(四) 加强制度建设，构建联防机制。各级发射台、监测台（站）、广播电视光缆传输维护保障单位要加强广播电视传输线路巡查队伍建设，制定广播电视设施巡查守护制度、案件事故统计报告制度、安全责任追究制度、突发性事件应急处置预案等各项规章制度。要加强发射台、监测台(站)、广播电视光缆传输线路维护单位与所在地公安机关及周边街道办事处、县(乡、镇)政府综合治理组织等有关部门的协调、沟通和配合，充分发挥居委会、村委会、治保会等基层组织和广大人民群众的作用，定期互访、通报治安情况，取得当地政府、有关部门的重视、支持和帮助，建立健全治安联防机制，加大广播电视设施群防群治的力度。

(五) 利用技术手段，实施有效监控。各级广播影视部门要加强对广播电视安全监控系统建设，利用技术手段对广播电视传输线路适时监控，及时判断遭破坏准确位置，人防与技防相结合，做到发生盗窃、破坏案件能第一时间发现，早报警、准定位，为及时抓获违法犯罪分子和尽快恢复广播电视播出创造有利条件。

六、工作要求

（一）统一思想，严密部署。各级广电部门要充分认识打击盗窃破坏广播电视设施专项斗争的重要性和必要性，要将此次专项斗争工作列入本单位的重要议事日程，切实加强领导。要逐级明确分管领导、有关部门单位负责人及联络员，在此基础上建立广播电视设施安全保护工作联席会议制度，认真抓好组织协调工作，解决广播电视设施安全保护工作中存在的突出问题，提高广播电视设施安全保护工作的水平。

（二）明确任务，落实责任。各级广电保卫部门负责打击盗窃破坏广播电视设施专项斗争的牵头组织协调工作；汇总各单位广播电视被盗窃、破坏的情况，提供重要线索，提出打击重点，配合公安机关查破案件；指导本省(自治区、直辖市)、新疆生产建设兵团广电系统及所属单位加强安全保卫工作和线路巡查守护工作，掌握整体工作的进展情况。各级广播电视宣传部门负责“三电”专项斗争的宣传报道工作，按照全国“三电”专项斗争宣传工作安排，协调广播电台、电视台落实宣传工作任务。各级广播电视科技部门负责广播电视设施安全传输监控系统建设，提高安全技术防范能力；制定广播电视线路安全传输标准，制定广播电视线路案件事故报告制度和广播电视播出安全的有关规定，及时掌握并通报广播电视被盗窃、破坏的情况信息。广播电视发射台、监测台(站)、光缆传输保障主管部门负责建立健全专门保卫机构和专业护线队伍，认真查找广播电视设施保护工作中存在的突出问题，加大发射台、监测台(站)、光缆传输保障单位物防、技防投入，为专业护线队伍配备巡线所必要的交通工具和防护装备，探索建立专群结合的广播电视设施巡护联防机制，检查落实广播电视设施保护的各项安全管理法规和广播电视设施遭破坏的应急预案，切实加强防范措施，有效提高广播电视设施安全防控能力。

（三）加强信息报送。各省广电行政部门要切实加强打击盗窃破坏广播电视设施专项斗争的信息报告工作。要主动向全国“三电”专项斗争领导小组办公室和各省级“三电”专项斗争领导小组办公室报送本部门领导重视、工作安排、查破案件、宣传报道、防控措施、经验成果等材料；每月10日前报送本部门开展打击盗窃破坏广播电视设施专项斗争进展情况和《“三电”专项斗争工作情况统计月报表》等相关材料。

各省(自治区、直辖市)广播影视局、新疆生产建设兵团广电局将本部门负责“三电”专项斗争工作的分管领导、主管部门负责人、联络员名单和联系方式以及每月10日前向本省(自治区、直辖市)、新疆生产建设兵团“三电”办报送的相关材料同时抄报广电总局保卫司。

广电总局关于进一步加强广播电视广告播放管理工作的通知

（2007年7月30日　国家广播电影电视总局发布）

近年来，广播电视广告播放秩序明显好转，社会反响良好。但一些广播电视播出机构为片面追求经济利益，仍存在违规播放广告的问题，主要有：一是有的电台、电视台大量播放内容虚假、格调低俗的医疗、药品、性保健品广告和各类性暗示广告；二是播放影视剧时违规超时、超次插播广告（有的电视台播出一部电影时，竟插播8次广告，时长达20多分钟）；三是违规播放游动字幕广告、挂角广告及不良短信和声讯服务广告；四是有的转播机构在转播其他台节目时，违规遮盖、覆盖和替换他台的广告。这些问题已经严重影响到了广播电视的社会公信力，群众意见较大。为坚决纠正这些问题，现将有关进一步强化广告播放管理的事宜通知如下：

一、严格把握导向，始终把社会效益放在第一位。广播电视广告与其他广播电视节目一样，具有很强的导向性，并与人民群众的生活、利益密切相关。因此，各级广播电视播出机构要严格按照《广告法》、《广播电视管理条例》和《广播电视广告播放管理暂行办法》等法律、法规的规定，切实履行和加强对广告内容的审查职责，要确保广告宣传导向正确，内容格调健康向上，要提高广告的思想性、艺术性和观赏性，促进和服务国家经济发展，大力弘扬社会主义核心价值观，有利于和谐社会建设。

二、严格依法播放广告，坚决纠正违规行为。各级广播电视播出机构要严格依法、依规播放广告，凡属虚假违法、内容不良、格调低下的医疗、药品、性保健品广告和各类性暗示广告一律不得播出。要采取切实措施，坚决纠正播放影视剧时违规超时、超次插播广告，违规播放游动字幕广告、挂角广告及不良短信和声讯服务广告，转播节目时违规遮盖、覆盖和替换他台的广告等突出问题。各广播电视播出机构和转播机构应将自查自纠情况于8月15日前上报上一级广播电视行政部门。

各级广播电视行政部门要切实履行管理职责，完善监管手段和制度，保证各项管理规定的落实。要加强对辖区内各播出、转播、传输机构的日常监管，对存在的问题要及时严格依法查处，并要防止反弹。省级广电行政管理部门应于8月20日前将本辖区内各广播电视播出机构和转播机构的自查自纠情况汇总后上报总局社会管理司。总局将继续加强监看、监管，对屡教不改或违规情节严重的，将依法给予通报批评、诫勉谈话、直至停播商业广告等处罚，并向社会公开曝光。

三、建立责任追究机制，增强社会责任感。各级广播电视播出机构和行政部门要进一步明确广告经营和管理人员的职责和义务，做到分工明确，责任到人。要建立健全责任追究制度，凡出现严重违规问题的，要对直接责任人给予必要的行政处分，要追究播出机构及管理部门的分管领导和主要负责人的责任。

四、建立并完善投诉机制，强化社会监督。各级广播电视行政部门和播出机构都要设立并向社会公开广播电视广告投诉电话，及时处理群众反映的问题。对有联系方式的群众投诉，需及时反馈处理结果。对一时难以采纳的建议，要主动说明情况，积极研究解决办法。

五、进一步加强培训，提高广告经营和管理人员的素质。省级广播电视行政部门应有计划地开展对辖区内广播电视播出机构和转播机构有关负责人的培训，进一步提高从业人员的政治意识、大局意识和责任意识，进一步增强从业人员依法办台、播出节目、经营播放广告和按规定转播节目的自觉性，从根本上保证和促进广播电视事业的健康繁荣和可持续发展。

请接到本通知后立即传达、转发辖区内各有关单位。各级广播电视行政部门和各级播出机构、转播机构都必须切实贯彻落实，为庆祝建国58周年和党的十七大胜利召开营造良好的社会文化环境和舆论环境。

广电总局关于禁止播出群众参与的整容、变性节目的通知

（2007年8月22日　国家广播电影电视总局发布）

近来，个别电视台违反广电总局《关于加强群众参与的选拔类广播电视活动管理的通知》规定，未经批准，擅自组织播出群众参与的整容选拔节目《美莱美丽新约》和其他涉及变性的节目。这些节目导向意识不强，画面血腥、恐怖、暴露、格调低下，活动组织奢华铺张，审查把关不严，片面追求收视率，引起观众强烈不满。为确保广播电视宣传导向正确、健康向上、切实抵制低俗，进一步提高广播电视的影响力、感染力和公信力，维护广播电视良好的社会形象和声誉，现通知如下：

一、各级广播电视行政部门和播出机构要始终坚持马克思主义指导思想，坚定中国特色社会主义共同理想。要牢固树立政治意识、大局意识、责任意识，牢记广播电视是党和人民的喉舌和工具，牢牢把握社会主义先进文化的前进方向，大力建设社会主义核心价值体系，努力倡导和谐理念，积极培育和谐精神，切实推动和谐文化建设，进一步形成全社会共同的理想信念和道德规范。

二、各级广播电视播出机构要明确媒体的社会责任，要大力宣传社会主义荣辱观，把社会效益放在首位。要倡导正确的世界观、人生观、价值观，引导青少年树立正确的审美观和道德观。抵制片面追求收视率的错误做法，抵制与社会主义核心价值体系相违背的、与建设和谐文化不相符的思想观念、生活方式和审美取向。不得以任何理由和名目策划、制作和播出违背伦理道德、亵渎科学与文明、侵犯个人隐私的节目和活动，违者要追究广播电视行政部门和制作播出机构的责任。

三、各级广播电视播出机构要切实按照《广电总局关于加强群众参与的选拔类广播电视活动管理的通知》要求，严格报批程序。经广电总局批准的地方上星频道、上星频率举办、播出的各种群众参与的选拔类活动须报省级广播电视行政部门审核后，提前三个月报广电总局批准。省级广播电视播出机构在本省（区、市）地面频道播出的群众参与的选拔类活动，须报省级广播电视行政部门审批。

四、自本通知发出之日起，各级广播电视播出机构一律不得制作播出群众参与的各类整容、变性节目（包括涉及变性的新闻、专题、访谈等各类节目），正在制作、播出的必须立即停止。

五、各级广播电视行政部门要切实履行监督管理职责，严格执行广电总局各项管理规定，科学管理、大胆管理，严肃纪律，坚决做到令行禁止。要按照本《通知》精神，对所辖区域内广播电视播出机构此类节目进行集中检查清理，发现问题，立即纠正，疏于管理者要承担失察责任。

六、近期，广电总局将对全国广播电视播出机构进行集中收听收看，凡违反本《通知》精神的，发现一起，处理一起。

广电总局关于进一步规范群众参与的选拔类广播电视活动和节目的管理通知

（2007年9月20日　国家广播电影电视总局发布）

近年来，群众参与的选拔类广播电视活动和节目，在创新广播电视形式、内容、手段等方面作了有益尝试，丰富和满足了人民群众多层次、多样化的精神文化需求。各广播影视行政部门和播出机构大都按照总局要求，对群众参与的选拔类活动和节目加强管理，取得了一定成效。但是，目前仍有一些群众参与的选拔类活动和节目在环节设计、评委选择、选手表现、表演内容等方面存在低俗问题，背离了积极、健康、向上的基本定位，损害了广播电视媒体的形象，观众反映强烈。为进一步规范管理，现将有关事项通知如下：

一、本通知管理内容包括各级电台、电视台制作播出的面向社会招募、组织选手参加的各类大赛、比赛、评奖、竞技及其它公布排名、获奖结果的广播电视活动和节目。

二、各省级、副省级电视台上星频道举办、播出群众参与的选拔类活动须报省级广播影视行政部门审核后，提前三个月报国家广电总局批准；中央电视台、中央人民广播电台、中国国际广播电台、中国教育电视台举办、播出各种群众参与的选拔类活动，提前三个月报总局批准。各级电视台上星频道申请举办、播出群众参与的选拔类活动如在境外设立赛区，必须向总局单项报批。省级、副省级电视台地面频道举办本辖区范围内群众参与的选拔类活动须报省级广播影视行政部门批准。

三、各省级、副省级电视台上星频道举办、播出群众参与的选拔类活动原则上每年不超过一项，每项活动播出时间不超过两个月，播出场次不超过10场，每场播出时间不超过90分钟。其中，决赛的最后一场可以采用现场直播方式，并至少延时1分钟播出，确保不出问题。分赛区活动不得在各省级、副省级电视台上星频道播出。自2007年10月1日起，各省级、副省级电视台上星频道所有群众参与的选拔类活动不得在19：30至22：30时段播出。举办群众参与的选拔类活动的后续巡演等各类活动，不得在各级电视台上星频道播出。

四、群众参与的选拔类活动和节目，环节设计必须紧扣选拔内容，主持人的主持词、评委点评、选手感言、亲友抒怀、插播画面等内容要大量减少，总时长不得超过整个节目的20%。选拔本身内容必须占整个节目时长80%以上。歌唱类（外国歌曲专题比赛除外）比赛中，每场演唱国内歌曲比例要占75%以上。

五、选手的台风、语言、发型、服饰要符合大众审美观念。要对选手进行严格筛选，不得选用品德低劣、素质低下的选手。应当表现选手坚强、成熟、自立、自信、健康、向上等精神风貌。不得制造噱头、刻意煽情和渲染悲切情绪，不得在节目中传播或暗示选手的负面消息和流言。选手年龄必须在18岁以上。举办有未成年人参与的选拔类活动必须向总局单项报批。

六、主持人要定位准确，增强社会责任意识，善于处理节目中的突发问题。主持人不得在节目中表达私人情感、好恶，不得刻意表现自己，主持词要简短，不得对选手、嘉宾、评委或其他表演者使用“哥、姐、弟、妹”等私人称

谓。主持人之间不得相互挖苦、吹捧、调情。

七、评委、嘉宾要具备权威性和专业性，要业界公认。评委、嘉宾要具有良好的社会公德、个人品德和文化涵养。评委、嘉宾点评要公正、专业、恰当、简短，要引导观众提高艺术鉴赏水平，不得谈论与选拔本身无关的内容，不得利用评委、嘉宾身份张扬自我，着装、发型等要得体。播出机构举办群众参与的选拔类活动获批准后，要在一个月内，经省级广播影视行政部门审核后向总局报送评委、嘉宾名单。更换评委、嘉宾需报省局、总局批准，并说明原因。

八、各级电视台上星频道或地面频道邀请境外人士作为嘉宾主持、评委、演员和策划加入群众参与的选拔类活动和节目制作，须按规定单独报总局批准。

九、要设立科学的评选标准和赛事规则。不得采用手机投票、电话投票、网络投票等任何场外投票方式。场内投票方式要公开、公平、公正，不得以各种方式误导、诱导观众投票。各种群众参与的选拔类活动一律不设奖金奖品。

十、举办群众参与的选拔类活动和节目的播出机构，必须明确各级责任人，明确所承担的义务和责任，对可能发生的问题要有明确的预案措施；主管负责人要对节目进行播前审查、全程把关。申请举办群众参与的选拔类活动需同时报送节目负责人名单，总局将在政府网站中予以公布。

十一、各播出机构对各级广播影视行政部门节目内容监管机构提出的问题，要高度重视、迅速整改。凡播出内容被总局节目内容监管机构第一次批评的，要立即整改；第二次批评的，总局将发出节目停播警告；第三次批评的，总局发出节目停播通知。对观众批评强烈、问题严重的节目，一经查实，总局即发出停播通知。对已被指出问题不立即整改的，总局在责令其立即停播的同时，取消该播出机构下一年度举办群众参与的选拔类活动资格或视情节进行其它行政处罚。

十二、各级广播影视行政部门要切实抵制低俗之风，加强对群众参与的选拔类活动和节目的管理。要建立相应的节目监督、警告、停播制度，并要将执行情况随时上报总局。凡问题性质严重的，要追究行政管理部门失察和不作为责任。

十三、中央电视台、中央人民广播电台、中国国际广播电台根据频道、频率定位，可以举办全国性群众参与的选拔类活动。中国教育电视台可以举办全国性群众参与的教育教学类选拔活动。中央广播电视播出机构要严格按照本通知精神，大幅度削减活动数量、场次、时长等，提高活动质量。所有此类活动均在19：30至22：30时段外播出。

十四、本通知中对播出时段、节目内容、选手、主持人、评委、嘉宾、投票方式和各级广播影视行政管理部门的要求适用于各级电视台凡有群众选拔、嘉宾互动、评委参与，设置排名、晋级的固定栏目。

十五、各级广播电视机构如在总局规定之外有特殊需要须播出、举办群众参与的选拔类活动和节目，可向总局单独报批。如须变更数量、场次、时段、时长等，作为特例按程序向总局申报。

十六、本通知中对节目内容、主持人、评委、嘉宾和各级广播电视行政管理部门的要求，同时适用于各类广播电视娱乐、访谈、直播节目。

十七、对于群众参与的选拔类广播电视活动和节目的管理规定，以本通知为准。

广电总局关于进一步加强广播影视节目版权保护工作的通知

（2007年9月26日　国家广播电影电视总局发布）

近年来，经过各级广播影视管理部门和播出机构的共同努力，全系统知识产权保护意识不断增强，播出机构侵权或盗播影视剧情况有明显改观。但仍有部分播出机构无视国家法律和总局有关规定，违规、侵权播出未获得合法授权或未取得发行许可的节目，影响了广播电视的社会形象。为进一步严肃纪律，整顿广播电视节目播出秩序，保护著作权人的合法权益，根据《中华人民共和国著作权法》、《广播电视管理条例》和总局有关规定，现通知如下：

一、统一思想，提高认识。各级广播电视行政管理部门要充分认识保护知识产权工作的重要性，从广播电视发展的全局出发，将知识产权保护工作作为一项长期性的工作任务来抓，贯彻管理工作始终。有条件的地方要尽快建立“知识产权保护工作领导小组”，由主管领导挂帅，辖区内播出机构负责人参加，制定相应的管理制度和监管措施，指导和监管辖区内各播出机构的知识产权保护工作，发现问题及时纠正，形成长效工作机制。

二、健全制度，严格审查。各级广播影视版权管理部门要切实督促各播出机构做好播出节目的审查把关工作，要在机构内部建立健全管理制度，规范节目播出行为。要认真落实节目“三审制”和重播重审制度，确保节目内容导向正确，坚决杜绝播出存在违反《广播电视管理条例》规定和总局有关规定内容的影视节目。

三、认真审验各项手续。各播出机构在播出非本机构制作的电影、电视剧、动画片和其它电视节目时，要严格按照《广播电视管理条例》和总局有关规定，认真审核所播节目的《许可证》手续或批准文件，要确保所播节目具备合法《广播电视节目制作经营许可证》、《动画片发行许可证》、《电视剧发行许可证》或《电影片公映许可证》。对于未按规定提供合法批准文件或相应发行许可的节目，坚决不得安排播放。

四、取得合法授权。各播出机构在购买已经取得上述合法批准文件或相应发行许可的节目，还须同时取得著作权持有者的合法播出授权，并依合同、协议在授权许可播放的时间和地域范围内进行播放。未取得合法播放权利的节目，一律不得安排播放。

在境外落地的国内电视频道，要妥善解决好落地国家或地区的节目合法版权问题，避免版权纠纷。

各播出机构开办的各类介绍境内、外电影或电视剧的影评、剧评资讯栏目，使用电影、电视剧片段超出合理使用范围的，须事先依法取得著作权使用许可。

五、认真进行清理。自本通知下发之日起，各播出机构要对照本通知要求，立即对本机构备播节目进行对照清理和认真自查。全面清理未取得合法播出授权和批准文件的节目，重点清查各类非法播出境内、外电影或电视剧的栏目，对于违规行为要立即停止并认真进行整改，对清理情况要进行登记，并报当地省级广播电视行政管理部门备案。

六、切实加强监管工作。各级广播电视行政管理部门要继续加大监管力度，充分利用现有监播手段加强对辖区内播出机构所播节目的监看工作和节目备案及抽查工作。发现问题及时纠正，并督促相关播出机构认真做好整改工作。对屡教不改，侵权、盗播情况严重的播出机构和广播电视节目制作经营机构，要依照《广播电视管理条例》等规定严肃查处，查处情况上报总局社会管理司备案。

总局社会管理司自通知下发之日起，将对全国各台贯彻情况进行专项监看，对仍不改正的播出机构将依法依规从严处罚。

请将本通知及时转发辖区内各播出机构，并认真监督执行情况。

广电总局关于严禁使用卫星电视无线电干扰器的紧急通知

（2007年9月27日　国家广播电影电视总局发布）

近来，河北、浙江、湖北、湖南等地出现非法生产、销售和使用卫星电视无线电干扰器的情况，个别单位出于部门利益考虑，使用卫星电视无线电干扰器干扰卫星广播电视信号接收，严重影响当地群众正常收看电视节目。信息产业部已发出《关于禁止非法研制生产和使用卫星电视无线电干扰器的紧急通知》（信部产〔2007〕459号），要求各地信息产业主管部门和无线电管理部门采取果断措施，依法严肃查处非法设置、使用卫星电视无线电干扰器的单位和个人。

根据《中华人民共和国无线电管理条例》，擅自设置无线电台站，干扰卫星广播电视信号正常传输，是严重违法行为，国家可依据《中华人民共和国治安管理处罚法》进行处理。

为确保十七大广播电视安全播出，根据中央领导的指示精神，各电台、电视台、网络公司等广播电视部门严禁购买和使用卫星电视无线电干扰器，广播、电视、网站、报刊杂志等媒体不得刊登有关卫星电视无线电干扰器的销售宣传广告。各级广电部门要加强监督检查，一经发现，及时予以纠正，并追究单位负责人的相关责任。

关于完善电影、电视剧类音像制品内容审查制度的通知

（2007年10月23日　国家广播电影电视总局发布）

目前我国每年都有大量电影、电视剧类音像制品出版发行，对于推动优秀影视作品创作生产、丰富人们精神文化生活发挥了积极作用。但由于内容审查制度还不健全、监管措施还不完善，一些含有暴力、低俗内容和盗版侵权的电影、电视剧类音像制品违规出版发行，扰乱了文化市场，造成了不良社会影响。进一步完善电影、电视剧类音像制品内容审查制度，切实加强管理，对于坚持正确文艺创作方向，营造良好社会文化氛围，打击非法出版行为，维护国家文化安全具有重要作用。为此，现通知如下：

一、完善电影、电视剧类音像制品出版发行前的内容审查制度，统一审查标准、审查机构。严格执行《电影管理条例》、《电视剧审查规定》的规定。所有国产影片必须在取得广电总局电影局颁发的《电影片公映许可证》后，才能以音像制品的形式出版发行。所有国产电视剧，都必须由广电总局和省级广电局进行内容审查，在取得广电总局或省级广电局的电视剧发行许可证后，才能以音像制品的形式出版发行。要进一步完善影视剧类音像制品的审查制度，严格审查标准，规范审查程序。

二、建立广电、新闻出版、文化部门信息通报制度，形成有效的信息监管沟通机制。为及时沟通信息，保证有效监管，广电总局电影局、电视剧司、国际司每个月将审查的电影、电视剧片目及审查结果和引进的电影、电视剧片目分别通报给新闻出版总署音像管理司和文化部文化市场司。新闻出版总署音像管理司每个月将出版发行的电影、电视剧类音像制品详细目录分别通报给广电总局电影局、电视剧司和文化部文化市场司。文化部文化市场司每个月将引进的电影、电视剧类音像制品详细目录分别通报给广电总局电影局、电视剧司、国际司和新闻出版总署音像管理司。

三、加大执法力度，坚决打击违规出版发行的电影、电视剧类音像制品。广电、新闻出版、文化等部门要严格依法行政，采取有效措施，严厉打击违规行为。电影、电视剧类音像制品必须经过审查批准并按审查通过的版本出版发行，音像出版单位不得擅自变更片名、内容等。新闻出版部门要加强对音像出版单位的监管，文化部门要加强对文化市场的监管，对未经审批的电影、电视剧类音像制品要责令停止出版、发行，已进入市场的要依法收缴和处罚。

四、进口电影、电视剧类音像制品，仍由文化部统一审查管理。除电影、电视剧类音像制品外，其他音像制品的审查，仍按现行管理规定执行。音像出版单位要严把选题关，严格履行编辑责任制度，坚决堵住内容审查漏洞。新闻出版总署要完善音像年度选题备案制度，加强对重大和敏感题材音像制品的审读工作，切实加强对音像出版单位的监管。

广电总局关于不得将恐怖题材的小说改编成电视剧的通知

（2007年10月29日　国家广播电影电视总局发布）

近来，一批恐怖题材的小说和出版物在市场上热销，这些作品片面追求感官刺激，内容庸俗无聊，审美格调低下，价值取向含混，主题思想消极，对社会公共利益特别是对未成年人的身心健康有着不良影响。据悉，有个别电视剧制作机构准备将恐怖小说改编成电视剧。为加强管理，特通知如下：

一、各省级广播影视行政管理部门要加强政治意识，大局意识，责任意识，积极做好创作引导，管理端口前移，加强对所属制作机构的沟通、引导和服务，不允许所属制作机构将恐怖小说改编成电视剧，坚决抵制电视剧创作追求恐怖、暴力、猎奇、刺激、惊悚的倾向。要进一步加强电视剧拍摄制作备案公示管理，认真审核报备剧目，对存在大量恐怖、惊悚、暴力内容的电视剧目应予以制止。

二、各省级广播影视行政管理部门要进一步完善审查程序和审查制度，加强完成剧的审查，对存在上述内容的剧目要严格把关，务必将问题解决在核发发行许可证之前。

三、各省级广播影视行政管理部门要认真履行播出管理职责，指导好所辖电视台，特别是上星频道黄金时段，要

加强电视剧的内容审查，做好播出调控，严格把好播出关。

四、各级广播电视播出机构对已经获准发行或已播出过的电视剧，如果发现剧中存在与现行要求及宣传口径不一致的内容，一律按现行标准进行处理，确保播出电视剧的导向正确，思想积极，格调健康。

广电总局关于核发广播电视付费频道许可证的通知

（2007年11月27日　国家广播电影电视总局发布）

根据《广播电视有线数字付费频道业务管理暂行办法》（广发办字〔2003〕1190号）的规定，广电总局将于近期开展广播电视有线数字付费频道的许可证申领和发放工作。具体事宜通知如下：

一、申领范围

广电总局批准且正式开播三个月以上的广播电视付费频道，可申领付费频道许可证。

二、申领程序

申领许可证的付费频道，应提出换证申请，并填写后附的《广播电视付费频道许可证申领表》，按以下程序报送广电总局审核合格后发证：

地方播出机构开办的付费频道，经当地和省级广播影视行政管理部门审核同意后上报；中央三台、电影卫星频道节目制作中心、广科院、新影厂、科影厂、中国教育电视台开办的付费频道，直接向广电总局提出申请；中央国家机关所属单位开办的付费频道，需报经所在的国家机关审核同意后向广电总局提出申请。

三、发证安排

各付费频道申领许可证的材料，请于今年12月10日前报送广电总局。经审核合格的付费频道，请于2008年1月份到广电总局领取许可证。经审核不合格的付费频道，将责令限期整改，整改合格的可予发证，不整改或整改不合格的将予以撤销。

附件：广播电视付费频道许可证申领表（略）

广电总局关于加强车载、楼宇等公共视听载体管理的通知

（2007年12月6日　国家广播电影电视总局发布）

近年来，车载、楼宇、机场、车站、商场（商铺）、银行、医院及户外的公共视听载体发展很快。为促进公共视听载体健康有序发展，现就有关问题通知如下：

一、加强公共视听载体播放视听节目管理是一项重要的广播电视管理工作。通过公共视听载体播放新闻、资讯及娱乐等各类视听节目，为广大流动人群提供及时快捷的信息和娱乐服务，逐渐成为一种新的视听节目播出形态，具备了与传统广播电视相同的媒体属性。各级广播影视行政管理部门要采取有效措施加强管理，督促从业机构遵守国家有关法规，同时建立健全内部监管机制，杜绝安全播出隐患。

二、通过公共视听载体播放视听节目必须经过依法审批。凡通过广播电视网、互联网及其他信息网络在车载、楼宇、机场、车站、商场（商铺）、银行、医院及户外公共载体播放视听节目的，均应按照《广播电视管理条例》（国务院228号令）和互联网视听节目服务管理的相关规定报广电总局批准。未经批准，不得通过广播电视网、互联网及其他信息网络在上述公共载体播放视听节目新闻、影视剧、体育、科技、娱乐等各类视听节目。

三、不得利用广告载体擅自播放视听节目。采用人工更换硬盘（CF卡、DVD）方式，在公共交通工具、楼宇内及户外设置的广告发布平台，只限于播放广告内容，不得播放新闻和其他各类视听节目。已经擅自播放视听节目的，应立即停止播出。

各省、自治区、直辖市广播影视行政管理部门在接到本通知后，应对辖区范围内公共视听载体的情况展开调查摸底，逐家登记。对于未经批准播放视听节目的公共视听载体，要将相关管理要求书面通知开办机构，督促其遵守有关规定。有关调查登记情况于2008年1月15日前报总局社会管理司。

广电总局关于进一步加强境外广播电视节目引进、播出管理的通知

（2007年12月18日　国家广播电影电视总局发布）

自《广播电视管理条例》（国务院第228号令）和《境外电视节目引进、播出管理规定》（总局第42号令）发布施行以来，各级广播电视机构基本能遵照有关规定引进、播出境外节目。这对丰富人民群众精神文化生活，增进对世界各民族优秀文化的了解发挥了积极作用。但近期发现，个别广播电视播出机构引进、播出的节目内容品位低俗，格调低下，甚至有导向问题；有的还违规播出未经审批、或未取得版权的境外节目。这些行为严重损害了广播电视的形象和社会公信力，在国内外造成了负面影响。

为确保广播电视宣传导向积极正确、内容健康向上，为广大受众，特别是青少年健康成长营造良好的舆论文化环境，现就进一步加强境外广播电视节目引进、播出管理有关事宜重申如下：

一、各级广播电视机构要严格遵守《广播电视管理条例》、《境外电视节目引进、播出管理规定》和总局《关于实施〈境外电视节目引进、播出管理规定〉有关事宜的通知》（广发外字〔2005〕523号），对用于广播电台、电视台播放的境外节目，必须按有关规定审批、备案后才能播出。

二、为规范广播电视节目流通渠道，发行各类广播电视节目包括境外节目的机构，必须持有《广播电视节目制作经营许可证》。各广播电视播出机构对未取得《广播电视节目制作经营许可证》的单位所制作、发行的节目不得引进、播出。

三、各级广播影视行政管理部门接到本通知后，要对辖区内广播电视播出机构引进、播出的境外节目进行检查清理，发现问题，要立即纠正，并将有关情况及时上报总局。

各级广播电视机构，特别是相关管理人员和责任人，要牢固树立政治意识、大局意识和责任意识，切实落实好对

引进、播出境外广播电视节目的审查、管理职责。对违反规定的单位和责任人，一经查实，总局将根据《中办、国办关于转发〈中共中央宣传部、国家广播电影电视总局关于建立违纪违规广播电视播出机构警告制度的意见〉的通知》（厅字〔2000〕48号）和《广播电视播出机构工作人员违反宣传纪律处分处理暂行规定》（广发纪字〔2002〕423号），严肃追究相关责任。

广电总局关于加强互联网传播影视剧管理的通知

（2007年12月28日　国家广播电影电视总局发布）

目前，有一些涉嫌侵权盗版、含有有违社会道德、色情淫秽甚至危害国家安全内容的影视剧在互联网上传播。为推动社会主义文化大发展大繁荣，建设社会主义核心价值体系，传播社会主义先进文化，弘扬优秀传统文化，根据《互联网视听节目服务管理规定》的有关规定，现就互联网传播影视剧（含境内外电影片、电视剧、动画片及其相应的音像制品，下同）的建设和管理问题，通知如下：

一、适应互联网发展需要，努力提高影视剧生产和网络供给能力。各级广电局要积极引导并鼓励影视节目制作机构多生产适合在互联网上传播的内容积极健康的影视剧。使积极健康的网络视听节目占据主导地位，推动和加快我国互联网视听服务产业的建设和发展。

二、加强互联网传播影视剧管理。要遵循互联网的特点和规律，按照社会主义先进文化建设的要求，加强领导、明确职责、落实任务，切实加强互联网传播影视剧的管理，以管理促发展，以发展促繁荣。用于互联网传播的影视剧，必须符合广播电影电视管理的有关规定，依法取得国家广电总局颁发的《电影片公映许可证》、《电视剧发行许可证》或《电视动画片发行许可证》，同时获得著作权人的网络播映授权。用于互联网传播的理论文献影视片须获得国家广电总局颁发的《理论文献影视片播映许可证》。未取得《电影片公映许可证》的境内外电影片、未取得《电视剧发行许可证》的境内外电视剧、未取得《电视动画片发行许可证》的境内外动画片以及未取得《理论文献影视片播映许可证》的理论文献影视片一律不得在互联网上传播。

三、切实加大管理力度，努力净化网络环境。各级广电局要依法行政，恪尽职守，加大管理力度，为发展和建设互联网视听节目服务产业创造良好的网络环境。在近期内开展以下工作：

（一）大力开展保护未成年人合法权益的宣传，自觉抵制网络色情节目。各地要组织和引导广播、电视、报刊及网络等各种媒体，加大对含有淫秽色情等有害内容影视剧在网上传播所带来的社会危害性的宣传力度，积极倡导健康文明的网络视听文化，引导公众特别是未成年人自觉抵制和远离各种有害视听节目。通过多种方式对《广播电视管理条例》、《电影管理条例》、《互联网视听节目服务管理规定》等相关广播影视法规进行宣传和解读，教育视听服务从业机构不得在网上传播含有反动有害、淫秽色情、暴力低俗、侵权盗版等《互联网视听节目服务管理规定》第16条禁止传播内容的影视剧，教育网民上传影视剧要自觉维护著作权人的合法权益，提高互联网行业的遵法、守法意识，为广大未成年人提供健康文明的网络活动空间。

（二）加强互联网站管理，依法开展视听服务。各地广电局要加强领导、明确职责、落实任务，通过多种方式向本辖区内网站传达总局管理要求，要努力做到让网站法人代表和本地电信企业各级分公司负责人熟知、掌握相关管理规定和管理要求。各地要组织力量、突出重点，对本辖区内的网络视听节目服务机构做一次全面专项实地检查，重点检查网络视听节目服务机构网上传播的影视剧是否符合相关规定，机构是否持有《信息网络传播视听节目许可证》。

（三）重点打击传播侵权盗版及含有淫秽色情等有害内容影视剧的行为。各地要加大对网上节目内容的监控力度，发现内容不符合规定或涉及侵权盗版的影视剧，要立即责令撤掉。对传播淫秽色情影视剧的，按照《依法打击网络淫秽色情专项行动工作方案》，及时通报当地公安机关组织清理，涉及网络违法犯罪的，由公安机关按法定程序立案处理。对于内部节目管理制度松懈、安全隐患较大、播出节目经常出现盗版和内容方面问题的互联网视听服务从业机构，要对其进行重点整改。对情节严重、屡教不改的，要按照《互联网视听节目服务管理规定》第25条规定，请电信管理部门依法予以查处。

请各省广电局将贯彻推进情况及时报国家广电总局社会管理司。

广电总局关于重申禁止制作和播映色情电影的通知

（2007年12月29日　国家广播电影电视总局发布）

近一个时期以来，部分影视制作单位和互联网视听节目服务单位为追逐经济利益，在海内外电影市场和互联网上，违法违规制作和播映一些带有色情内容的电影，对于广大青少年观众产生了极大的危害。为进一步净化银屏视频，加强对制作和播映色情电影的管理，确保为广大人民群众，尤其是青少年观众提供一个健康和谐的文化环境，促进文化大发展大繁荣，依据《电影管理条例》、《电影剧本（梗概）备案、电影片管理规定》（国家广播电影电视总局令第52号）、《互联网视听节目服务管理规定》（国家广播电影电视总局令第56号）、《关于加强互联网传播影视剧管理的通知》等法规，现做出如下通知要求：

一、要大力引导影视制片单位、互联网视听节目服务单位和影视工作者，进一步增强社会责任感，不断增强导向意识、责任意识、法律意识，牢牢把握正确导向，强化内容管理，努力提高影视作品的思想和艺术质量，始终坚持社会效益第一，两个效益相统一的原则，努力为广大人民群众和青少年观众提供健康有益、喜闻乐见、丰富多彩的优秀作品。

二、要进一步完善管理制度，加强内容审查，认真贯彻执行各项管理规定。不得制作和播映夹杂淫秽色情和庸俗低级内容，展现淫乱、强奸、卖淫、嫖娼、性行为、性变态等情节及男女性器官等其他隐私部位，夹杂肮脏低俗的台词、歌曲、背景音乐及声音效果等内容的有害影视作品，不得制作、传播未经广电总局的审查机构审查通过的第二个版本或内容片段，不得将未经审查通过或未按审查意见修改的作品在电影院、电视台播映，也不得在音像市场和互联网上传播，不得将未获得《电影片公映许可证》的作品及其内容片段提交国际电影节展和国际市场参展参赛。

三、要进一步落实管理责任，完善市场准入和退出机制，强化管理措施，创新管理手段，加强自律和自查。进一步明确“谁经营谁负责，谁审批谁负责”的属地管理原则，加强市场管理和网络搜索，一旦发现问题要及时提出纠正意见，并依法处理。对违反本通知第二规定的违法违规单位，依据《电影管理条例》予以处罚，并停止发行、放映违规影片；情节严重或不改正的，吊销《摄制电影许可证》或《摄制电影片许可证（单片）》，并按《电影管理条例》的相关规定变更、注销或吊销营业执照，3年内不能申请从事互联网视听节目服务，其法定代表人或主要负责人5年内不得从事相关电影业务；凡故意参加淫秽、色情电影制作的影片主创人员，一律不得参加各类影视评奖活动；情节严重或不改正的，给予纪律处分；屡教不改，造成恶劣社会影响的，国家影视审查机构对其所参与制作的所有电影电视片一律不予受理审查。

四、要进一步加强行业自律，各影视单位、视听节目服务单位和行业协会要积极引导广大影视工作者，树立正确的人生观、世界观、价值观，树立社会主义荣辱观，坚持八荣八耻，自觉抵制低俗之风，走德艺双馨的成才之路。

各级广电局要认真传达贯彻落实上述要求，高度重视并切实负责加强管理。各电影制片单位、各视听节目服务单位和广大影视工作者要加强学习和自律，努力营造一个健康和谐的影视发展环境，为兴起社会主义文化建设新高潮做出应有的努力。

请各省（区、市）广电局接此通知后，迅速将文件精神传至所辖各类影视制作单位、互联网视听服务单位及各级电视台。

广电总局办公厅转发财政部　国家税务总局关于宣传文化所得税优惠政策的通知

（2007年3月1日　国家广播电影电视总局办公厅文件发布）

现将财政部、国家税务总局关于宣传文化所得税优惠政策的通知（财税〔2007〕24号）转发给你们，请认真遵照执行。

财政部　国家税务总局关于宣传文化所得税优惠政策的通知

为继续支持我国宣传文化事业的发展，现将有关所得税政策明确如下：

一、对企事业单位、社会团体按照《捐赠法》的规定，通过中国境内营利性的社会团体、国家机关向科普单位的捐赠，符合《中华人民共和国企业所得税暂行条例实施细则》（财法字［1994］3号）第十二条规定的，在年度应纳税所得额的10%以内的部分，准予扣除。

二、自2006年1月1日起至2010年12月31日，对企事业单位、社会团体和个人等社会力量通过国家批准成立的非营利性的公益组织或国家机关对宣传文化事业的公益性捐赠，经税务机关审核后，纳税人缴纳企业所得税时，在其年度应纳税所得额10%以内的部分，可在计算应纳税所得额时予以扣除；纳税人缴纳个人所得税时，捐赠额未超过纳税人申报的应纳税所得额30%的部分，可从其应纳税所得额中扣除。

三、对宣传文化企事业单位按照《财政部国家税务总局关于宣传文化增值税和营业税优惠政策的通知》（财税［2006］153号）有关规定取得的增值税先征后退收入和免征增值税、营业税收入，不计入其应纳税所得额，并实行专户管理，专项用于新技术、新兴媒体和重点出版物的引进和开发以及发行网点和信息系统建设。

四、本通知所述科普单位，是指按照《科技部财政部国家税务总局海关总署新闻出版总署关于印发<科普税收优惠政策实施办法>的通知》（国科发改字［2003］416号）的有关规定认定的科技馆，自然博物馆，对公众开放的天文馆（台、站），气象台（站）、地震台（站），以及高等院校和科研机构对公众开放的科普基地等。

五、本通知所述宣传文化事业的性捐赠，其范围为：

1.对国家重点交响乐团、芭蕾舞团、歌剧团、京剧团和其他民族艺术表演团体的捐赠。

2.对公益性的图书馆、博物馆、科技馆、美术馆、革命历史纪念馆的捐赠。

3.对重点文物保护单位的捐赠。

4.对文化行政管理部门所属的非生产经营性的文化馆或群众艺术馆接受的社会公益性活动、项目和文化设施等方面的捐赠。

上述国家重点艺术表演团体和重点文物保护单位的认定办法由文化部和国家文物局会同财政部、国家税务总局及有关行业行政主管部门另行制订。

六、本通知自2006年1月1日起执行。此前规定与本通知规定不一致的，按本通知规定执行。

广电总局办公厅关于认真贯彻落实关于进一步加强和改进广播电视法制宣传工作意见的通知

（2007年4月3日　国家广播电影电视总局办公厅文件发布）

《广电总局关于进一步加强和改进广播电视法制宣传工作意见》（广发〔2006〕43号）（以下简称《意见》）下发以来，各级广播影视行政部门和播出机构认真学习，统一思想，检查清理，整改规范，广播电视法制节目总体情况良好。但是，仍有个别电视台没有很好把握文件精神，有的频道偏离定位，擅自引进播出涉及刑事犯罪案件的纪录片等节目；个别非法制类节目扩大选题范围，擅自播出刑事犯罪案件节目，内容含有凶杀、暴力、恐怖情节和场景。为认真贯彻落实《意见》精神，严肃宣传纪律，纠正违规行为，现通知如下：

一、各级广播影视行政部门和播出机构要正确认识广播电视法制宣传的重要性和必要性，牢固树立政治意识、大局意识、责任意识和阵地意识，认真贯彻落实《意见》精神，切实增强责任感和使命感，切实考虑广播电视法制节目的社会效果，严格防止追求猎奇刺激和娱乐化倾向，为构建社会主义和谐社会营造良好的法治环境和舆论氛围。

二、各频道（频率）尤其是青少频道、少儿频道，要正确定位，牢牢把握正确舆论导向，加强选题管理。要严肃宣传纪律，规范宣传行为，对未成年人的面部图象要做彻底的技术掩盖处理，对其声音也必须做严格的技术处理。不得炒作个别恶性案件；不得渲染凶杀、暴力、色情、恐怖等情节和场景；不得对犯罪行为、作案手段、犯罪心理做过细描写和分析；不得使用隐蔽拍摄、录音的表现手法，不得对犯罪细节进行情景再现。

三、经济类、生活类、服务类、娱乐类等非法制类宣传节目，要准确把握节目宗旨，不得擅自扩大选题范围，一般情况下，不得引进、制作、播出涉及刑事犯罪案件的节目。

四、不得全文引用案卷内容，不得披露政法机关办案细节，不得暴露侦查手段，不得描述审讯方法、策略、技巧，未经许可，不得公开侦查人员的照片、图像、姓名、家庭住址及其亲属的有关情况。严禁泄露情报来源、获取手段、交换方法以及侦查（侦破）工作思路及方案，通过秘密手段获取的证据和技术鉴定工作等情况；严禁泄露行动技术、勘验对比、堵截警力部署、互联网技术侦控和网络定位技术手段等内容。

五、各级广播影视行政部门要加强对法制宣传工作的领导，切实履行管理职责，及时掌握工作动态，深入调查研究，完善规章制度，明确管理责任。要加大广播电视法制类节目的收听收看工作力度，及时监督检查，及时发现问题，及时采取措施。

六、各省（区、市）广播影视行政部门和中央三台、中国教育电视台要严格按照《意见》要求，对所属广播电视播出机构的节目进行一次检查清理，发现问题，及时整改，并将检查清理情况于4月30日前上报总局宣传管理司。

关于进一步加强和推进“村村通”中央广播电视节目无线覆盖工程建设的通知

（2007年11月6日　国家广播电影电视总局办公厅、财政部办公厅文件发布）

根据《中共中央办公厅国务院办公厅关于加强公共文化服务体系建设的若干意见》（中办发［2007］21号）和《国务院办公厅关于进一步做好新时期广播电视村村通工作的通知》（国办发［2006］79号），加强农村中央广播电视节目无线覆盖是新时期广播电视村村通工程的重要内容，是构建农村公共文化服务体系的重要组成部分。目前，2007年一、二阶段无线覆盖工程中央财政补助资金已全部下达到各省（区、市），为进一步推进2007年农村中央广播电视节目无线覆盖工程建设，确保按照中央要求在2008年6月底前完成工程建设任务，现将有关事项通知如下：

一、进一步加强组织领导。各地一定要从把中央的声音传入千家万户的工作大局出发，从广大农民群众的迫切要求出发，充分认识加强农村中央广播电视节目无线覆盖工作的重要性、紧迫性，加强组织领导，切实把无线覆盖工作抓紧抓好。各地广电局要严格执行与广电总局签订的《加强农村中央广播电视节目无线覆盖工程建设任务责任书》，层层落实责任，精心组织，保质保量，确保按时完成建设任务。

二、严格按照合同及时支付货款。2007年工程量大，时间紧，发射机生产是保证整个工程进度的重要环节。广电总局已于今年3月和8月分别完成了一阶段和二阶段发射机集中招标采购，请尚未支付一阶段发射机生产预付款的省尽快支付，尚未签订二阶段工作发射机采购合同的省区广电局，抓紧与中标生产厂家签订合同，并于11月15日前将合同送广电总局“村村通”办公室。请广电局积极主动向财政厅（局）沟通发射机合同签订情况，严格按照合同支付发射机货款（包括预付款），确保发射机的生产、安装和调试按期完成。

三、按时完成附属配套设施的招标和建设。天馈线、铁塔、供配电等附属设施是发射机安装调试的基础和前提，点多面广，工程量大，是整个工程保质按时完成的关键。请各地广电局按照国家下达的建设任务，科学编制工程实施方案，抓紧铁塔、供配电等附属设施建设，积极商财政部门，抓紧组织完成附属设备设施招标工作，尽快签订合同并督促厂家按时完成安装调试工作。根据工程总体进度安排，各地务必于11月底前完成一阶段工程附属设施设备招标采购，12月底前完成二阶段工程附属设施设备招标采购。

四、加强沟通配合。全国农村中央广播电视节目无线覆盖工程国家补助资金采取中央财政转移支付方式直接拨付各地财政厅（局），各地广电局要与财政部门密切协作、配合，积极主动与财政部门沟通发射机招标采购、附属设备设施招标进展、工程建设进度等情况，规范附属设备设施政府采购工作和资金使用管理工作，共同把这项重要工作做好。

五、加强监督检查。请各地广电局按照中央关于在2008年6月底前完成建设任务的要求，结合本地工程实际情况，认真制订倒计时工作计划，落实责任人，并于11月14日前将倒计时计划表报广电总局“村村通”办公室。目前，工程建设已进入实施的关键阶段，广电总局将建立巡视督察督办机制，进一步加大工程的督察督办力度，请各地广电局按照《广电总局计财司关于做好农村中央广播电视节目无线覆盖工程建设进展情况上报工作的通知》（计计字［2007］212号）要求，每周四下班前将工程周报报广电总局“村村通”办公室。广电总局将根据各地倒计时工作计划和周报反映的进度，加强对重点地区和环节的督促、检查。

关于进一步加强广播电视气象灾害预警信息发布工作的通知

（2007年10月29日　中国气象局、国家广播电影电视总局发布）

广播电视是公众获取气象灾害预警信息的重要途径。继1993年和1996年国家广电总局和中国气象局联合印发《关于改进电视天气预报节目内容增加城市天气预报播出时次的通知》（国气天发［1993］4号）、《关于进一步加强电视天气预报工作的通知》（中气候发［1996］3号）以来，各级广播影视和气象部门密切合作，及时有效地向公众发布各类气象信息，取得了巨大的社会经济效益，受到各级党政领导、有关部门和广大人民群众的欢迎和好评。

目前，在全球气候持续变暖的背景下，极端天气气候事件频繁发生，特别是突发性气象灾害发生频率高、范围广、强度大，给人民生命财产安全造成了严重威胁。为贯彻落实中央领导同志对气象防灾减灾工作的重要指示精神和《国务院办公厅关于进一步加强气象灾害防御工作的意见》（国办发［2007］49号），经国家广播电影电视总局和中国气象局共同研究，现对进一步加强广播电视气象灾害预警信息发布传播和气象防灾减灾科普宣传工作通知如下：

一、各级广播影视部门和气象部门要站在深入贯彻落实科学发展观和构建社会主义和谐社会的高度，进一步加强合作，共同做好广播电视气象灾害预警信息发布传播和气象防灾减灾科学普及宣传工作，切实提高气象灾害预警信息发布的时效性，提升公众气象防灾减灾的意识和能力，提高全社会防灾减灾水平，最大限度地减少气象灾害造成的人员伤亡和财产损失。

二、各级广播影视部门和气象部门要继续发扬密切合作的优良传统，建立稳定有效的沟通合作机制，完善广播电视气象节目定时播发和气象灾害预警信息即时插播制度，努力在第一时间将气象灾害预警信息传送到公众手中。要积极创造条件，增加气象节目播出时间和频次，丰富气象节目内容，不断提高气象节目质量，努力满足公众对气象信息的需求。

三、各级气象部门要充分利用国家、省、市、县四级气象灾害预报预测系统，不断提高突发性气象灾害预警预报的准确率、时效性和精细程度，开发制作适合广播、电视等媒体播出的气象预警预报产品和满足防灾减灾、构建社会主义和谐社会和可持续发展需要的气象节目。

四、遇有突发性气象灾害，各级气象台站应立即通知并及时将气象灾害预警信息传至同级广播电台、电视台。各级广播电台、电视台收到气象灾害预警信息后，应根据不同种类气象灾害预警信息的级别（一般、较重、严重、特别严重），及时调整节目，采用主持人播报、字幕板、滚动字幕条等多种形式插播。遇有特别严重气象灾害，应立即中断正常节目进行插播，确保当地气象灾害预警信息及时、有效发布。

五、各级气象台站应根据国家有关政策、法规、建立严格的气象灾害预警信息审查签发制度，并对所发布的气象灾害预警信息内容负责。各级广播电台、电视台和同级气象台站应根据当地实际情况，协商确定不同种类不同级别气象灾害预警信息的插播方式和流程，建立稳定可靠的气象灾害预警信息传输通道，并指定专人负责，确保气象灾害预警信息传输安全、畅通。

六、各级广播影视部门和气象部门要充分发挥各自优势，结合当地气象灾害特点联合制作高质量的气象防灾减灾科普宣传节目，加大气象科普和防灾减灾知识宣传力度，深入普及气象防灾减灾知识，提高全社会气象防灾减灾意识和公众自救互救能力。要进一步加强气象广播电视宣传编辑记者、播音员主持人队伍建设，努力提高编辑记者、播音员主持人队伍整体素质，并将气象广播电视宣传编辑记者、播音员主持人队伍纳入广电部门的执业资格管理。

各级广播影视部门和气象部门接到本通知以后，应主动互相联系，制定进一步做好广播电视气象灾害预警信息发布和气象科普宣传工作的具体实施办法。

关于进一步治理整顿非法“性药品”广告和性病治疗广告的通知

（2007年11月27日　国家工商行政管理总局、中央宣传部、国务院新闻办公室、公安部监察局、国务院纠风办、信息产业部、卫生部、国家广播电影电视总局、新闻出版总署、国家食品药品监督管理局、国家中医管理局发布）

今年9月，中宣部主持召开清理整顿不良药品广告工作协调会以来，各有关部门按照统一部署，采取有力措施，积极开展清理整顿工作，取得了明显成效。部分发布不良药品广告的频道、频率、报刊受到处理，电视、广播、报纸、期刊等大众媒体发布不良药品广告现象明显减少；有关部门对网上违法性药广告采取了删除、屏蔽和过滤措施，不良药品广告有所改观；清理不良药品广告工作中各部门的工作目标和职责逐步明确；清理工作受到群众广泛好评和积极支持，为下一步治理整顿工作奠定了良好氛围和社会基础。但同时也要清醒地看到，利用互联网、都市类报纸、广播、电视发布不良药品、医疗服务广告的现象仍然存在，特别是网上发布非法“性药品”广告和性病治疗广告问题仍很突出，严重欺骗和误导消费者，扰乱市场秩序，污染社会环境，对未成年人的身心健康造成了极其恶劣的影响，社会各方面对此反响强烈。

为进一步巩固和扩大前一阶段清理整顿的成果，坚持和完善治理非法“性药品”广告和性病治疗广告的有效措施，推进整治工作深入开展，形成长效监管机制，经整治虚假违法广告专项行动部际联席会议研究，报请中央领导同志同意，现就进一步治理整顿非法“性药品”广告和性病治疗广告的有关工作通知如下：

一、重申和明确现行法律、法规和有关规定，加强媒体广告的审查和管理，严厉惩治和取缔发布非法“性药品”广告和性病治疗广告等不良广告的行为。

（一）各级新闻宣传管理部门要高度重视清理新闻媒体不良广告工作，切实加强领导，进一步强化对新闻媒体广告活动的管理，建立媒体发布不良广告的领导责任追究制度，总编辑、台长要对广告版面内容导向负责，对发布严重违法违规不良广告的要追究其领导责任，确保广告宣传导向正确，广告内容符合法律法规，广告格调健康向上。

（二）广电部门要在前一阶段工作取得明显成效的基础上，继续抓好清理不良广告有关规定的执行落实，使广播中的非法“性药品”广告和性病治疗广告有进一步改观。新闻出版部门要继续按照《关于禁止报刊刊载部分类型广告的通知》要求，加强报刊广告审读，依法处理刊载禁载广告的报刊。

（三）各级工商机关要进一步加强对不良广告的监测和检查，加大执法力度，对于不符合社会主义精神文明建设要求，有悖社会良好风尚的广告，要及时发现，坚决制止，依法严厉查处。

(四)新闻媒体要加强自律，落实法定广告审查责任，依法发布广告，自觉抵制各种含有不良内容的广告。建立健全内部审查责任制度，确保广告审查员“一票否决制”落到实处，不得将广告发布审查权交由广告代理公司行使。

二、从现在起到明年春节前，集中开展一次针对网上非法“性药品”广告和性病治疗广告的专项治理整顿行动。通过治理整顿，使网上非法“性药品”广告和性病治疗广告蔓延的势头得到有效遏制和根本扭转。这次集中治理整顿工作由工商部门牵头协调，有关部门各司其职，密切配合，共同采取措施，形成齐抓共管的整体合力，确保实现整治目标。

本通知所称非法“性药品”广告，是指含有性生活、性暗示等低俗内容的违法药品、保健食品、消毒类产品以及性仿真器械等广告。

治理整顿工作的重点及措施是：

(一)凡未取得《医疗机构执业许可证》在网上发布治疗性病广告及信息的，由卫生部门、中医药部门一律按非法行医查处；未取得《医疗广告审查证明》或擅自篡改其内容发布治疗性病广告的医疗机构，由卫生部门、中医药部门责令改正，给予警告或责令其停业整顿、吊销有关诊疗科目，并移交工商部门依法查处。

(二)凡未经药监部门审批，在网上发布含有性生活、性暗示等低俗内容的违法药品、保健食品广告及信息的，由药监部门依法对相关的药品采取行政强制措施，同时向卫生部门通报相关保健食品名单，由卫生部门依法暂停该产品的销售。对含有上述低俗内容的消毒产品广告及信息，由工商部门对广告进行查处，同时通报卫生部门，由卫生部门依法对产品进行查处。

(三)凡设计、制作、发布网上非法“性药品”广告和性病治疗广告的，由工商部门依照广告管理法律法规予以查处；情节严重的，暂停广告业务，直至取消广告经营、发布资格。

(四)凡未取得营业执照从事网络广告发布、网络交易及其他经营活动的，由工商部门及有关部门依法查处取缔。取得广告发布资格的互联网信息服务提供者未查验药监部门、卫生部门、中医药部门审批证明，违法发布“性药品”广告和性病治疗广告的，由工商部门从严从重查处，暂停其药品、医疗服务等广告发布业务。情节严重的，取消其广告发布资格。

(五)凡被工商部门、药监部门、卫生部门、中医药部门认定为非法涉性广告及信息、违法行为人拒不改正的，由相关监管部门通知通信管理部门对其网站予以关闭。

(六)凡未经药监部门、卫生部门、中医药部门审批，各网站发布的非法“性药品”广告和性病治疗广告，要坚决按照国务院新闻办《关于迅速删除网上违法性药广告的通知》，立即予删除。

(七)凡严重违反网络文化管理规定发布不良广告的，由网络文化行业高度重视部门取消其该项业务许可，通信管理部门取消其相应许可项目，工商部门依法办理变更登记或注销登记。

(八)党政机关、事业单位、社会团体主管的媒体单位网站，要在治理整顿中起带关作用，坚决抵制和拒绝非法“性药品”广告和性病治疗广告。

三、明确分工，落实责任，确实专项整治取得明显成效。

(一)党委宣传部门要加强对网络媒体广告导向的管理，协调组织有关涉性广告信息的政策认定；组织新闻单位对治理整顿工作的宣传报道以及对典型案例进行警示、曝光。

(二)外宣部门作为网络文化建设和管理的总体协调部门，要在治理互联网不良广告工作中起总协调作用，协调有关单位及时删除网上非法“性药品”广告和性病治疗广告。

(三)工商部门作为广告专项整治的牵头部门，要依法加强对广告的监管和广告经营资格的检查。凡是从事经营活动的网络信息服务提供者，必须取得营业执照；对已经被通信管理部门取消经营许可的，应当作法到工商部门办理变更或注销登记。要加强对网上广告的巡查和重点门户网站的监测，依法查处网上发布的非法“性药品”广告和性病治疗广告。对查处情况，要记入有关当事人的信用档案。要指导和督促经营性网站建立广告审查员制度，依法履行广告审查责任。

(四)药监部门要加强对网上药品广告发布的监测，依法打击非法销售药品的行为，对发布含有性生活、性暗示等低俗内容的违法药品广告，要采取行政强制措施，暂停该药品的销售。同时向通信管理部门通报销售非法“性药品”的网站名单，对提供虚假注册信息的网站移送公安机关处理。

(五)卫生部门、中医药部门要加强对网上医疗服务广告的监管，对监管中发现非法治疗性病的医疗服务网站名单要及时向通信管理部门通报。

(六)通信管理部门要依法加强对互联网信息服务提供者的行业管理；加强对基础电信运营企业、互联网接入服务提供者落实信息安全责任的监督检查，强化企业的社会责任，不提供、不传播不良和有害信息；密切配合有关部门加强对网上非法“性药品”广告和性病治疗广告的监管。

(七)广播影视和新闻出版部门要继续依法加强对媒体单位的管理，进一步落实有关措施，禁止刊播涉性广告，并组织落实好对专项治理整顿工作的宣传报道以及有关防范虚假和不良广告和正面宣传。

(八)公安机关要积极配合相关部门开展专项整治行动，对发布违法广告或信息构成犯罪的，依法追究刑事责任。

(九)监察机关和纠风机构要加强对有关行政部门依法行政、履行监管职责的监督，对措施不得力、整治工作成效不明显的，要限期整改；对拒不执行国家有关法律法规的，要依纪依法严肃处理；对问题严重的，要追究有关领导的责任。

四、各有关部门要站在构建社会主义和谐社会的高度，充分认识这次清理整顿工作的重要意义，按照整顿和规范市场经济秩序、加强网络文化建设和管理的基本要求，结合打击虚假违法广告和药品专项整治工作，切实加大对网上非法“性药品”广告和性病治疗广告的治理整顿力度，统一行动，重拳出击，形成强大声势，并充分发挥报刊、广播、电视、网络等媒体的作用，大力宣传治理整顿的措施和成果，及时曝光典型案例，同时要加强防范虚假及不良广告的正面宣传，营造良好的舆论和社会氛围，促进治理整顿工作取得预期成效。

各部门在治理整顿工作中要加强联系和信息沟通，及时向牵头单位反馈整治工作进展情况。工商部门要加强协调，认真做好治理整顿工作信息的汇总和分析，及时上报上级领导机关，并通报有关部门和新闻单位。

关于在文化体制改革中加强国有文化资产管理的通知

（2007年9月29日　财政部、中宣部、文化部、国家广播电影电视总局、新闻出版总署发布）

党的十六大以来，在党中央、国务院的正确领导下，文化体制改革工作顺利开展，取得了明显成效，随着各项改革措施的推进，新闻出版、广播影视、文化艺术领域的国有企事业单位占有和使用的国有资产（以下简称国有文化资产）总量不断增加，资本运作方式发生了新的变化。为确保文化体制改革健康有序进行，促进文化事业和文化产业发展，经党中央、国务院批准，现就将文化体制改革中加强国有文化资产管理有关问题通知如下：

一、要充分认识加强国有文化资产管理的重要性和紧迫性。新形势下，加强国有文化资产管理，对于坚持马克思主义在意识形态领域的指导地位，牢牢把握文化发展的主导权，确保国家文化安全，具有极为重要的意义。在深化文化体制改革中，各地区、各部门要从加强党的执政能力建设，创新党对意识形态工作的领导方式，加强和改进文化领域宏观管理的高度，进一步统一思想，提高认识，切实加强国有文化资产管理工作。

二、要明确管理职责，完善工作协调机制。财政部门要切实履行对国有文化资产的监管职责。文化行政主管部门在党委宣传部门的指导下，按照部门职责对所属企事业单位的国有文化资产实施具体管理。党委宣传部门要进一步做好宣传文化企事业单位主要领导干部的监督管理、文化体制改革的组织协调和宣传业务的指导工作，重大国有文化资产变动事项（比如，经营性文化事业单位转制为企业后的企业重组和股份制改造中涉及的重大资产变动等）财政部门、文化行政主管部门和党委宣传部门等部门要加强沟通和协调，共同做好国有文化资产管理工作。

三、要严格规范和履行国有文化资产管理和审批程序。国有文化企事业单位要遵守国家现行有关国有资产管理的法律法规，建立健全资产管理机构和规章制度。经营性文化事业单位转制为企业，必须严格遵守中央有关文化体制改革的规定和政策，认真做好资产清查、资产评估等基础工作，资产变动事项经文化行政主管部门审核同意后，报同级财政部门审批，并按有关规定办理。国有文化企业开展投融资活动，必须照有关规定做好资产评估工作，评估结果须报同级财政或国资部门备案或进行合规性审核；变更国有资产产权、国有股权，改变国有资产使用方向等事项，须报经同级财政或国资部门审批后，按照有关程序办理；凡涉及前述重大国有文化资产变动事项，须经同级党委宣传部门同意。已授权由国有资产监督管理部门负责监管的国有文化企业，其资产监管仍继续由国有资产监督管理部门负责，资产管理关系是否需要变动，由地方党委、政府决定。

四、要建立对国有文化资产管理的绩效考评机制。财政部门要会同党委宣传部门和有关文化行政主管部门，在调查研究的基础上同，参考有关国有资产绩效考评的规定，结合国有文化企事业单位的工作特点，尽快制定国有文化资产绩效考评办法。考评工作应把社会效益放在首位，实现社会效益和经济效益相统一，促进国有文化资产使用效益的提高，保证公益性国有文化资产安全完整，经营性国有文化资产保值增值，实现国有文化资产的合理流动和优化配置。要建立国有文化资产管理的激励和约束机制，将绩效考评结果与国有文化事业单位的经费安排、资产配置、国有文化资产经营者的收入分配真正挂钩。改进和完善国有文化企事业单位领导人任期审计制度，建立科学合理、可追溯的资产经营管理责任制。

五、要结合实际，及时制定加强国有文化资产管理的具体措施。国有文化资产管理涉及面广，情况复杂，需要在实践中不断研究和探索。在深化文化体制改革中，各级财政部门要会同相关部门在本通知精神的指导下，及时制定加强国有文化资产管理的具体措施。在文化体制改革试点过程中已对国有文化资产管理体制进行探索的地区，可结合本地实际继续探索实践，逐步调整、完善和规范。

16.统　计
Statistics

16. 统　计

责任编辑　张绍红
审 稿 人　丁俊杰

2007年全国广播电视播出机构情况

	单位	数 量
广播电视播出机构	座	2587
广播电台	座	263
电视台	座	287
广播电视台	座	1993
教育电视台	座	44

2007年全国广播电视传输覆盖情况

	计算单位	数 量
广播人口覆盖率	%	95.43
电视人口覆盖率	%	96.58
中短波转播发射台	座	802
调频转播发射台	座	10582
电视转播发射台	座	18249
微波线路	万公里	10
有线广播电视网络传输干线总长	万公里	301

2007年全国广播电视节目综合人口覆盖情况

地　区	广播节目综合人口覆盖率(%)	电视节目综合人口覆盖率(%)
全国合计	95.43	96.58
北京市	99.98	99.99
天津市	100.00	99.83
河北省	98.67	98.58
山西省	92.24	96.46
内蒙古自治区	92.98	91.44
辽宁省	98.23	98.22
吉林省	97.62	98.09

（续表）

地　区	广播节目综合人口覆盖率(%)	电视节目综合人口覆盖率(%)
黑龙江省	98.55	98.75
上海市	100.00	100.00
江苏省	99.86	99.87
浙江省	98.73	99.07
安徽省	96.07	95.44
福建省	97.05	98.25
江西省	94.86	96.44
山东省	97.35	97.22
河南省	96.94	96.87
湖北省	96.31	96.96
湖南省	89.03	94.69
广东省	97.04	97.29
广西壮族自治区	89.76	93.93
海南省	96.43	95.39
重庆市	92.63	96.03
四川省	95.90	97.05
贵州省	84.12	91.06
云南省	92.65	94.02
西藏自治区	85.81	86.94
陕西省	94.42	95.92
甘肃省	91.23	91.50
青海省	88.00	93.50
宁夏回族自治区	91.42	96.67
新疆维吾尔自治区	93.53	93.48
计划单列市	99.09	99.26
大连市	98.16	98.93
宁波市	100.00	100.00
厦门市	98.68	100.00
青岛市	98.22	98.03
深圳市	100.00	100.00

（广播电视综合覆盖人口：是指根据广电总局制定的《广播电视人口覆盖率统计技术标准和方法》，采用无线、有线等技术手段能够收听收看到中央或省、地市、县级广播电视节目的人口）

2007年全国公共广播节目播出情况

单位：时:分

地　区	合　计	全年公共广播节目播出时间（按节目类型分）					
		新闻资讯类节目	专题服务类节目	综艺益智类节目	广播剧类节目	广告类节目	其他类节目
全国合计	11272365:07	2229011:14	2535911:36	3264664:08	486855:15	1032147:29	1723775:25
总局直属	147403:29	44682:14	54230:05	28268:04	667:30	7828:22	11727:14
北京市	105456:00	17914:50	35431:51	20350:35	2007:30	10656:14	19095:00

续表

地区	合计	全年公共广播节目播出时间（按节目类型分）					
		新闻资讯类节目	专题服务类节目	综艺益智类节目	广播剧类节目	广告类节目	其他类节目
天津市	124013:40	19897:34	29329:36	41910:40	1507:08	16484:45	14883:57
河北省	429708:14	71227:10	129870:05	173038:13	5883:39	34692:47	14996:20
山西省	333335:57	66870:58	66853:27	96127:12	26244:35	28874:35	48365:10
内蒙古自治区	552905:42	100085:44	115619:53	203715:56	16506:13	32367:23	84610:33
辽宁省	671973:14	87394:36	150454:20	264023:08	21101:40	75869:25	73130:05
吉林省	353762:18	47541:02	75219:48	128320:19	9720:14	48936:54	44024:01
黑龙江省	389907:09	85744:31	82536:42	89099:23	17554:20	35993:10	78979:03
上海市	130510:42	32056:15	20149:39	34619:01	16968:00	16765:50	9951:57
江苏省	698534:23	126777:21	174448:01	164608:27	27238:35	79454:40	126007:19
浙江省	672586:32	130482:41	153390:36	162042:27	21285:38	71196:51	134188:19
安徽省	437619:47	84341:30	113761:55	115766:35	21018:18	37658:03	65073:26
福建省	499828:47	111783:26	100120:59	162790:46	8620:50	24398:15	92114:31
江西省	325485:20	83595:22	71707:53	81238:00	25502:00	27441:50	36000:15
山东省	726001:14	133959:50	152451:29	234564:22	35745:06	72632:18	96648:09
河南省	599233:05	104991:25	120570:53	201534:04	33304:15	53543:15	85289:13
湖北省	424812:37	78565:40	92166:01	122707:32	18964:45	48253:26	64155:13
湖南省	323374:23	72961:15	50664:25	85946:18	23488:00	34690:05	55624:20
广东省	753474:15	134939:07	136135:30	189763:18	41224:20	74505:10	176906:50
广西壮族自治区	273012:06	58368:46	59191:35	76678:00	11043:05	24370:38	43360:02
海南省	101386:40	25338:55	18797:17	32537:41	1693:20	6199:35	16819:52
重庆市	104378:40	24304:20	30199:19	27590:35	3771:15	7294:28	11218:43
四川省	400104:11	91308:51	92772:25	94728:10	13506:05	27345:35	80443:05
贵州省	113657:06	22205:37	32526:22	23276:00	4236:30	14385:27	17027:10
云南省	293386:22	61659:57	68629:03	75996:30	23540:00	26250:17	37310:35
西藏自治区	36379:00	4693:50	6803:15	12788:00	517:35	4511:20	7065:00
陕西省	362986:51	82979:54	100477:50	88133:54	14958:49	25217:45	51218:39
甘肃省	233423:25	63099:13	55455:15	48975:28	10921:20	16189:18	38782:51
青海省	47296:50	6149:45	8820:15	16131:00	1618:00	5717:00	8860:50
宁夏回族自治区	101763:32	25262:15	19603:26	33303:35	6431:20	9441:13	7721:43
新疆维吾尔自治区	504663:36	127827:20	117522:26	134090:55	20065:20	32981:35	72176:00
计划单列市	299366:45	58772:45	70975:19	74457:10	10948:06	31902:26	52310:59
大连市	74485:00	10811:00	15776:00	20555:00	2068:00	11842:00	13433:00
宁波市	82977:15	14602:15	19315:24	26217:40	4274:00	8079:46	10488:10
厦门市	36500:00	9712:45	7444:10	5648:45	1162:30	3535:30	8996:20
青岛市	71317:00	18260:45	16825:15	17917:15	2824:06	6100:10	9389:29
深圳市	34087:30	5386:00	11614:30	4118:30	619:30	2345:00	10004:00

2007年全国公共电视节目播出情况

单位：时:分

地区	合计	全年公共电视节目播出时间（按节目类型分）					
		新闻资讯类节目	专题服务类节目	综艺益智类节目	影视剧类节目	广告类节目	其他类节目
全国合计	14546657:00	1713301:06	1497370:59	1260883:42	6521340:20	1901834:22	1651926:31
总局直属	157218:03	45254:55	46590:20	20801:15	36201:11	8370:22	0:00
北京市	104069:47	13242:30	35345:55	8229:50	19248:57	13900:04	14102:31
天津市	148355:41	14777:10	37291:59	15700:25	52683:18	20923:19	6979:30
河北省	686286:43	84055:40	63281:01	88649:18	321867:55	100047:30	28385:19
山西省	441832:53	51427:15	30154:20	42314:35	183866:22	56600:26	77469:55
内蒙古自治区	574537:26	63492:12	57444:11	53437:43	262862:55	66842:21	70458:04
辽宁省	660102:48	47202:49	75643:03	107403:29	291285:56	85361:53	53205:38
吉林省	410211:43	26677:54	41691:53	64523:39	182131:12	67622:02	27565:03
黑龙江省	619272:11	60105:56	46551:24	40358:22	259838:27	63317:09	149100:53
上海市	172277:38	24715:37	31639:41	16757:47	63004:55	20949:25	15210:13
江苏省	726428:26	77924:15	80741:01	51473:13	320604:51	100191:19	95493:47
浙江省	659073:04	74528:55	58954:02	32278:06	302255:25	101530:18	89526:18
安徽省	590843:05	66735:08	56477:11	41991:01	305398:40	82696:05	37545:00
福建省	319756:04	53904:31	56793:17	22321:34	109696:23	45049:53	31990:26
江西省	574615:03	64589:28	45018:29	38049:16	294407:59	53573:33	78976:18
山东省	851858:18	81551:59	76266:14	70276:50	398515:23	137272:04	87975:48
河南省	829522:24	87998:51	70587:47	78938:07	393517:02	98423:23	100057:14
湖北省	590752:26	60118:27	51737:07	36691:00	309553:38	91472:38	41179:36
湖南省	742109:20	96625:46	57351:03	64812:53	335397:24	86788:32	101133:42
广东省	643134:58	90363:58	69078:08	48126:38	223741:16	93762:17	118062:41
广西壮族自治区	303198:23	53656:17	52214:40	26500:01	82874:51	56461:17	31491:17
海南省	82888:08	10682:06	12118:30	7905:38	36744:11	8301:08	7136:35
重庆市	225140:30	21456:09	25598:41	36887:57	93680:21	31012:46	16504:36
四川省	789267:22	111576:09	75395:50	65991:42	330345:04	99800:24	106158:13
贵州省	299448:01	62201:14	18282:58	17453:07	124020:39	51851:03	25639:00
云南省	664156:11	71866:35	67125:09	56380:28	326451:08	65172:27	77160:24
西藏自治区	42750:09	6186:35	3570:50	1732:10	18121:30	5060:00	8079:04
陕西省	532833:05	62636:10	58127:21	41349:16	241378:45	65386:19	63955:14
甘肃省	375613:28	48660:24	36260:40	25354:38	195344:12	34416:54	35576:40
青海省	66891:35	5577:18	7145:27	4694:30	32499:40	7550:43	9423:57
宁夏回族自治区	135844:48	15260:50	17142:10	9630:31	64277:20	19810:25	9723:32
新疆维吾尔自治区	526367:19	58248:03	35750:37	23868:43	309523:30	62316:23	36660:03
计划单列市	377835:25	34314:08	49380:30	24742:19	148869:50	58982:20	61546:18
大连市	89070:43	7102:18	11058:09	7584:28	38492:42	16655:37	8177:29
宁波市	85391:20	5514:10	5523:10	4150:50	38107:35	9163:40	22931:55
厦门市	48145:50	6431:25	8186:00	2937:35	13943:10	4523:20	12124:20
青岛市	86300:02	7965:45	12478:41	5858:56	30101:38	22708:43	7186:19
深圳市	68927:30	7300:30	12134:30	4210:30	28224:45	5931:00	11126:15

2007年全国广播节目制作情况

地区	全年制作广播节目时间	全年制作新闻资讯类广播节目时间	全年制作专题服务类广播节目时间	全年制作综艺类广播节目时间	全年制作广播剧类广播节目时间	全年制作广播剧数量		全年制作广告类广播节目时间	全年制作其他类广播节目时间
	小时	小时	小时	小时	小时	部	集	小时	小时
全国合计	6332506	1062423	1798165	1894881	76889	3765	63790	722411	777737
总局直属	175512	55984	100398	5834	493	427	759	5574	7229
北京市	90722	15621	32124	16528	516	13	517	9649	16284
天津市	75235	12992	19042	26395	504	31	194	13372	2930
河北省	243746	31264	98218	85228	121	271	328	22031	6884
山西省	155730	26292	39277	46546	2788	105	2507	18977	21850
内蒙古自治区	194600	35891	65547	57468	327	3	185	18695	16672
辽宁省	458424	53938	125039	182237	550	14	79	60410	36250
吉林省	215141	25985	50405	74964	497	76	306	39305	23985
黑龙江省	171227	36125	42507	41304	1651	38	2252	32578	17062
上海市	86733	23250	12959	25765	9183	58	1044	13293	2283
江苏省	528823	75389	151397	131008	11997	791	11422	65800	93232
浙江省	421305	69695	119946	118381	1484	5	664	50628	61171
安徽省	243778	31663	78377	79943	732	6	351	23188	29875
福建省	226057	41186	52212	78820	1346	8	1664	15984	36509
江西省	161762	30229	43253	48235	1925	74	2202	19317	18803
山东省	455106	71344	122326	150178	5846	302	5360	50585	54827
河南省	282592	41673	73673	100964	204	9	35	31920	34158
湖北省	229012	35884	58096	66235	1494	25	1615	33460	33843
湖南省	165054	27788	29738	53154	1914	67	1895	25970	26490
广东省	499438	96925	109497	134637	15539	691	8660	46250	96590
广西壮族自治区	170668	30768	44852	52277	1471	34	2601	15826	25474
海南省	35675	6655	8984	12432	230	21	538	3600	3774
重庆市	58513	9213	23609	13471	315	124	258	5713	6192
四川省	140725	30959	38880	36198	163	10	70	13870	20655
贵州省	67394	9277	26306	15894	1125	38	1077	6290	8502
云南省	177473	35321	43256	51547	3523	98	4867	17802	26024
西藏自治区	21040	2584	5454	10245	0	0	0	2122	635
陕西省	181158	28562	64010	53296	2413	139	4125	16794	16083
甘肃省	99464	20176	32707	28173	868	19	1730	10970	6570
青海省	31899	4943	6249	11545	578	33	370	5381	3203
宁夏回族自治区	53885	11836	12588	20657	1689	15	945	5713	1402
新疆维吾尔自治区	214615	33011	67239	65322	5403	220	5170	21344	22296
计划单列市	232681	41363	64999	66982	2177	29	2344	23161	33999
大连市	50456	8148	13146	18033	0	0	0	8802	2327
宁波市	65871	10907	16736	24522	0	0	0	6679	7027
厦门市	32692	9713	7444	5648	1162	5	1295	730	7995
青岛市	50853	7209	16059	14798	499	17	515	5542	6746
深圳市	32809	5386	11614	3981	516	7	534	1408	9904

2007年全国电视节目制作情况

地　区	全年制作电视节目时间	全年制作新闻资讯类电视节目时间	全年制作专题服务类电视节目时间	全年制作综艺益智类电视节目时间	全年制作影视剧类电视节目时间	全年制作电视剧数量		全年制作动画电视数量		全年制作广告类电视节目时间	全年制作其他类电视节目时间
	小时	小时	小时	小时	小时	部	集	部	集	小时	小时
全国合计	2553283	595190	545922	388349	96397	513	14189	234	10239	585277	342148
总局直属	29134	11938	9563	6236	706	18	528	15	459	—	691
北京市	54560	9819	21506	3462	2410	89	2591	66	1014	3488	13875
天津市	18149	3750	7016	4685	353	14	496	1	52	1192	1153
河北省	124242	20629	27501	30856	205	12	274	2	33	33352	11699
山西省	96384	20212	12434	12118	960	9	206	1	360	32310	18350
内蒙古自治区	57158	16010	12560	8345	48	2	36	1	139	15145	5050
辽宁省	194506	22552	40146	54939	3328	10	336	0	0	44599	28942
吉林省	65910	9197	12064	13089	171	9	217	1	12	27110	4279
黑龙江省	72607	16340	12752	9440	87	5	114	0	0	20344	13644
上海市	61275	14240	14338	14518	5910	45	1536	18	971	3698	8571
江苏省	156840	36168	39253	14832	3200	23	589	13	668	37712	25675
浙江省	140834	30172	26336	13195	14975	57	1509	24	744	37198	18958
安徽省	66822	19720	15929	10543	249	11	302	4	436	16807	3574
福建省	50250	19248	15001	5345	671	6	162	2	41	7228	2757
江西省	73286	20391	12120	9211	10634	6	299	—	—	17895	3035
山东省	149582	31276	30113	22302	8099	10	656	—	—	40559	17233
河南省	128835	29483	24564	24846	57	3	76	—	—	29939	19946
湖北省	83708	19743	22359	8557	271	10	192	17	380	22002	10776
湖南省	146279	36147	22591	19183	4301	13	168	30	2713	44988	19069
广东省	132211	34273	25381	13436	23831	57	1733	31	1714	16219	19071
广西壮族自治区	81355	24567	22318	12187	542	16	437	3	65	17393	4348
海南省	15502	3598	3413	2171	2353	5	100	—	—	1340	2627
重庆市	52276	9008	10187	18184	797	7	196	5	438	5781	8319
四川省	93223	31563	22037	13483	156	6	190	—	—	15294	10690
贵州省	37160	12210	7032	3307	2832	2	53	—	—	6673	5106
云南省	119698	29096	20558	10002	3929	0	0	—	—	28582	27531
西藏自治区	4615	1863	1073	296	436	38	532	—	—	680	267
陕西省	64465	18915	18550	9005	440	22	580	0	0	10281	7274
甘肃省	63642	17835	16088	9759	1322	1	27	—	—	12139	6499
青海省	26302	2289	2362	1233	—	—	—	—	—	7308	13110
宁夏回族自治区	38489	7788	9134	3413	2192	0	0	—	—	12117	3845
新疆维吾尔自治区	53984	15150	9643	6171	932	7	54	—	—	15904	6184
计划单列市	77353	13362	20811	11586	9944	14	346	6	187	12758	8892
大连市	17197	2788	6045	2519	900	1	20	—	—	4012	933
宁波市	12179	2862	2680	2275	0	0	0	—	—	2923	1439
厦门市	6827	2098	1979	834	537	—	—	1	26	261	1118
青岛市	13089	2093	3701	1818	1265	1	28	—	—	3663	549
深圳市	28061	3521	6406	4140	7242	12	298	5	161	1899	4853

2007年对国内广播使用语言种类

普通话	哈萨克语	海南话	藏语	广州话	朝鲜语
傈僳语	哈尼语	西双版纳傣语	蒙古语	白话	壮语
维吾尔语	临高话	儋州话	康巴语	彝语	闽南话
莆仙话	柯尔克孜语	雷州话	潮州话	客家话	福州话
佤语	德宏傣语	拉祜语	景颇语	瑶语	苗语
载瓦语	锡伯语	英语	日语	法语	德语
俄语	阿拉伯语	西班牙语	越南语		

2007年全国广播电视节目交易情况

地　区	全年广播节目购买、交换时间	全年电视节目购买、交换时间	全年电视节目国内销售额	全年电视剧国内销售额	全年动画电视国内销售额
	小时	小时	万元	万元	万元
全国合计	841212.00	4255567.00	236884.96	151967.46	23739.57
总局直属	2604.00	387.00	49862.74	28538.30	7451.80
北京市	19016.00	16894.00	71063.11	43834.87	1839.30
天津市	8882.00	21534.00	690.06	683.84	—
河北省	70038.00	255472.00	2085.16	2082.16	0.20
山西省	21686.00	109443.00	0.00	0.00	—
内蒙古自治区	31410.00	131015.00	—	—	—
辽宁省	87005.00	209766.00	2653.60	2563.60	0.00
吉林省	40071.00	135189.00	2043.50	1871.00	28.00
黑龙江省	33859.00	105065.00	—	—	—
上海市	13781.00	29895.00	23026.74	18808.78	1207.05
江苏省	31120.00	190582.00	9632.38	8510.14	1069.77
浙江省	101632.00	263180.00	29491.07	16820.59	2067.58
安徽省	37456.00	175867.00	2681.34	1803.00	90.00
福建省	10876.00	65481.00	3402.92	2964.90	97.02
江西省	14726.00	227919.00	10.00	—	—
山东省	62921.00	272449.00	1308.70	1308.70	—
河南省	47450.00	297148.00	0.00	0.00	—
湖北省	37753.00	263322.00	4423.95	1264.38	2918.00
湖南省	22071.00	219329.00	3523.22	1882.06	1336.16
广东省	22453.00	120698.00	20974.91	15187.13	3271.49
广西壮族自治区	14812.00	100371.00	99.52	83.72	—
海南省	12927.00	36421.00	—	—	—
重庆市	5329.00	60014.00	6607.33	491.58	2363.20
四川省	18551.00	165555.00	36.00	—	—
贵州省	8787.00	47110.00	—	—	—

续表

地　区	全年广播节目购买、交换时间	全年电视节目购买、交换时间	全年电视节目国内销售额	全年电视剧国内销售额	全年动画电视国内销售额
	小时	小时	万元	万元	万元
云南省	14142.00	227741.00	0.00	0.00	0.00
西藏自治区	2041.00	9008.00	—	—	—
陕西省	19780.00	219733.00	3268.71	3268.71	—
甘肃省	7331.00	94160.00	—	—	—
青海省	4785.00	31707.00	—	—	—
宁夏回族自治区	2743.00	27619.00	—	—	—
新疆维吾尔自治区	13174.00	125493.00	—	—	—
计划单列市	13802.00	82289.00	4801.76	2244.67	2228.73
大连市	4780.00	13105.00	1220.00	1220.00	—
宁波市	2426.00	25653.00	42.72	42.72	—
厦门市	891.00	13897.00	539.33	523.90	15.43
青岛市	5100.00	13479.00	0.00	—	—
深圳市	605.00	16155.00	2999.71	458.05	2213.30

2007年全国广播电视从业人员情况（简表一）

单位：人

地　区	从业人员	长期职工	按性别分		按学历分		
			男	女	研究生及以上	本科及大专	高中及以下
全国合计	645251	588663	420043	225208	10256	390313	244682

2007年全国广播电视从业人员情况（简表二）

单位：人

地　区	从业人员按职业划分					
	管理人员	专业技术人员	高级	中级	初中及以下	其他人员
全国合计	102227	307544	27348	89235	190961	235480

2007年全国广播电视从业人员情况（表三）

单位：人

地区	专业技术人员											
	编辑、记者				播音员、主持人				工程技术人员			
	小计	高级	中级	初级及以下	小计	高级	中级	初级及以下	小计	高级	中级	初级及以下
全国合计	110384	11671	35630	63083	23338	1441	6305	15592	117995	7940	31154	78901
总局直属	1986	468	747	771	337	93	109	135	3655	515	1352	1788
北京市	2157	256	789	1112	326	38	103	185	1149	102	374	673
天津市	1495	245	301	949	265	46	58	161	924	147	270	507
河北省	5198	805	1401	2992	1452	82	479	891	5869	475	1393	4001
山西省	4251	311	1473	2467	614	43	193	378	2921	166	988	1767
内蒙古自治区	3570	488	1253	1829	686	70	232	384	3131	266	1013	1852
辽宁省	5301	843	2067	2391	1114	87	346	681	5560	440	1667	3453
吉林省	3759	746	1271	1742	708	100	206	402	4792	456	1314	3022
黑龙江省	4946	788	1725	2433	815	82	268	465	4779	417	1380	2982
上海市	1845	111	627	1107	283	24	112	147	1402	108	397	897
江苏省	6479	347	1962	4170	1380	45	255	1080	7157	442	1932	4783
浙江省	5501	380	2044	3077	1443	40	361	1042	5139	302	1383	3454
安徽省	2951	252	1117	1582	908	42	258	608	2692	310	864	1518
福建省	2959	249	679	2031	654	31	136	487	2537	196	684	1657
江西省	2539	238	789	1512	796	26	172	598	2958	166	710	2082
山东省	7888	1250	3132	3506	1670	171	657	842	10025	857	2741	6427
河南省	7200	476	2297	4427	1146	62	321	763	5456	288	1196	3972
湖北省	5273	514	2029	2730	953	52	289	612	6362	341	2029	3992
湖南省	3814	306	1071	2437	855	24	245	586	6606	409	1700	4497
广东省	6093	377	1808	3908	1502	41	229	1232	6685	365	1558	4762
广西壮族自治区	2322	160	719	1443	482	22	101	359	3229	183	760	2286
海南省	901	61	173	667	183	8	32	143	782	52	180	550
重庆市	1068	140	386	542	248	32	72	144	2238	95	410	1733
四川省	5141	218	1266	3657	960	16	189	755	6001	131	1040	4830
贵州省	1945	145	466	1334	443	9	85	349	3076	69	534	2473
云南省	2995	352	969	1674	738	33	213	492	3520	182	873	2465
西藏自治区	297	36	76	185	100	13	19	68	817	14	166	637
陕西省	3571	344	922	2305	737	34	184	519	2463	145	582	1736
甘肃省	2330	182	605	1543	472	12	82	378	1839	93	505	1241
青海省	646	180	253	213	142	11	64	67	862	34	274	554
宁夏回族自治区	780	72	188	520	192	9	42	141	584	31	134	419
新疆维吾尔自治区	3183	331	1025	1827	734	43	193	498	2785	143	751	1891
计划单列市	3338	418	1196	1724	803	54	243	506	4311	382	1014	2915
大连市	767	124	289	354	129	9	48	72	747	84	249	414
宁波市	579	29	210	340	241	7	36	198	680	45	162	473
厦门市	372	41	128	203	49	8	25	16	284	41	103	140
青岛市	746	103	233	410	192	11	76	105	1781	105	264	1412
深圳市	874	121	336	417	192	19	58	115	819	107	236	476

2007年全国各地广播电视总收入情况

单位：亿元

地　区	总收入	地　区	总收入
北京市	73.42	湖北省	33.67
天津市	23.37	湖南省	56.72
河北省	28.75	广东省	109.38
山西省	15.95	广西壮族自治区	22.40
内蒙古自治区	17.92	海南省	5.29
辽宁省	38.36	重庆市	22.23
吉林省	19.22	四川省	42.87
黑龙江省	26.47	贵州省	13.60
上海市	104.94	云南省	22.47
江苏省	89.26	西藏自治区	3.27
浙江省	94.20	陕西省	22.55
安徽省	27.72	甘肃省	10.35
福建省	36.18	青海省	4.04
江西省	19.03	宁夏回族自治区	4.67
山东省	58.97	新疆维吾尔自治区	14.59
河南省	32.74	新疆生产建设兵团	0.84

2007年全国各地广播电视广告收入情况

单位：亿元

地　区	广告收入	地　区	广告收入
北京市	31.74	湖北省	14.89
天津市	3.68	湖南省	23.94
河北省	15.29	广东省	57.10
山西省	5.45	广西壮族自治区	8.29
内蒙古自治区	3.19	海南省	1.89
辽宁省	19.00	重庆市	9.76
吉林省	8.38	四川省	15.46
黑龙江省	11.65	贵州省	4.92
上海市	41.23	云南省	7.06
江苏省	43.13	西藏自治区	0.29
浙江省	39.06	陕西省	9.18
安徽省	17.20	甘肃省	2.05
福建省	14.75	青海省	0.27
江西省	8.29	宁夏回族自治区	1.43
山东省	30.69	新疆维吾尔自治区	2.66
河南省	16.13	新疆生产建设兵团	0.11

2007年全国各地有线广播电视收视费收入情况

单位：亿元

地区	有线广播电视收视费收入	地区	有线广播电视收视费收入
北京市	7.12	黑龙江省	7.41
天津市	2.78	上海市	7.67
河北省	6.00	江苏省	17.85
山西省	3.79	浙江省	16.19
内蒙古自治区	3.83	安徽省	3.49
辽宁省	9.37	福建省	7.56
吉林省	4.84	江西省	5.37

续表

地区	有线广播电视收视费收入	地区	有线广播电视收视费收入
山东省	15.03	贵州省	3.35
河南省	5.90	云南省	5.38
湖北省	8.12	西藏自治区	0.19
湖南省	8.32	陕西省	3.28
广东省	22.67	甘肃省	2.01
广西壮族自治区	6.86	青海省	0.61
海南省	1.34	宁夏回族自治区	1.32
重庆市	4.99	新疆维吾尔自治区	1.62
四川省	11.32	新疆生产建设兵团	0.36

2007年全国有线广播电视用户情况

地区	有线广播电视用户数(户)	数字电视用户数(户)	付费数字电视用户数(户)	有线电视入户率(%)
全国合计	153246781.00	26860544.00	1753945.00	39.90
北京市	3450671.00	1212016.00	1241.00	74.43
天津市	2132932.00	1092932.00	14610.00	64.90
河北省	5699000.00	367004.00	42568.00	28.28
山西省	3426790.00	644075.00	6800.00	32.56
内蒙古自治区	2604102.00	1039331.00	14920.00	35.62
辽宁省	5944098.00	1044442.00	15952.00	43.82
吉林省	2776711.00	541957.00	2319.00	32.19
黑龙江省	3938990.00	228656.00	31087.00	31.59
上海市	4992641.00	310082.00	107790.00	99.94
江苏省	14516983.00	3235823.00	112485.00	62.40
浙江省	10089080.00	1458914.00	311034.00	66.69
安徽省	3373098.00	409117.00	12116.00	17.76
福建省	4905870.00	758051.00	14795.00	51.29
江西省	3666749.00	64712.00	37746.00	28.48
山东省	13712703.00	1845903.00	52588.00	49.92
河南省	5447566.00	437845.00	51988.00	19.53
湖北省	6497035.00	430601.00	98041.00	34.79
湖南省	5101201.00	860786.00	20099.00	24.91
广东省	13457176.00	3559258.00	128478.00	62.26
广西壮族自治区	4872788.00	2007884.00	8563.00	35.45
海南省	764597.00	299797.00	0.00	35.50
重庆市	4307656.00	681991.00	24618.00	41.80
四川省	11203675.00	891857.00	347737.00	42.22
贵州省	3353596.00	690107.00	82325.00	29.29
云南省	4038096.00	992431.00	188366.00	33.87
西藏自治区	149539.00	120.00	0.00	25.06
陕西省	3890133.00	534998.00	11149.00	35.96
甘肃省	1842763.00	380716.00	0.00	26.47
青海省	344854.00	124561.00	11806.00	24.52
宁夏回族自治区	668078.00	537833.00	0.00	47.42
新疆维吾尔自治区	1620424.00	176744.00	2724.00	31.09
新疆生产建设兵团	457186.00	0.00	0.00	0.00
计划单列市	7507769.00	3393184.00	98064.00	80.78
大连市	1228807.00	829473.00	14278.00	69.54
宁波市	1537060.00	274260.00	23000.00	71.62
厦门市	568915.00	306600.00	5600.00	114.32
青岛市	2184833.00	936000.00	15000.00	86.45
深圳市	1988154.00	1046851.00	40186.00	84.40

17. 香港澳门台湾的广播电视

Broadcasting in Hong Kong, Macao and Taiwan

17.香港澳门台湾的广播电视

责任编辑　韩同慧
审 稿 人　周桂珍

2007年香港广播电视概况

2007年，香港社会稳定，经济充满活力。虽然下半年由于外围经济特别是美国次贷问题的影响，香港经济的增长速度放缓。但全年经济增长率仍达6.3%，出口增长达7.9%，私人消费增长强劲，增幅达7.8%，是1993年以来的最大升幅。全年访港人数达2800万。失业率大幅度下降，仅3.4%，是回归以来最低。财政盈余达到创纪录的1236亿元，是香港回归年以来的最高纪录。2007年，香港广播电视业蓬勃发展，两家免费的电视台按照政府规划于2007年底推出了高清晰的数码电视广播，免费的电视频道大幅增加。目前高清数码信号可覆盖香港50%的地区，政府要求2008年底应达到75%，各家电视台包括收费电视台纷纷投入巨资进行设备改造，迎接数码时代的到来。

广播电视管理

2007年6月，香港特区政府机构进行了调整，负责主管广播政策的工商及科技局改为商务及经济发展局，原工商及科技局局长王永平退休，马时亨被任命为商务及经济发展局局长，2007年7月1日起履行职责。商务及经济发展局是香港特别行政区政府的决策局之一，辖下的通讯及科技科负责制定广播政策。所属对广播电视行使管理职能的相关部门还包括：电讯管理局、影视及娱乐事务管理处和香港电台。负责监管广播电视事务的香港广播事务管理局，是依据广播电视条例组建的独立的法定机构，主要负责就申请广播节目服务牌照进行审查及向政府提出建议。根据统计：2007年广管局和影视及娱乐事务管理处共审理了1160个案件，涉及市民投诉5449起，向本港播出违规节目的广播电视机构发出劝喻、强烈劝喻、警告、严重警告和罚款共67起。

根据特区政府4 年前与无线、亚视两家免费电视台达成的协议，要求2007年底推出数码广播，2008年底覆盖全港75%以上地区，2012年底终止模拟广播。2007年底无线和亚视正式推出了高清晰的数码电视广播(此前一个月已经进行试播)，免费的电视频道大幅增加。香港数码地面电视广播采用国标制式，初期覆盖九龙半岛、香港岛北部、沙田部分地区和大屿山东部，覆盖人口约占香港总人口的一半，用户需加装解码器或更换综合数码电视机才能观看节目。香港特区政府于2007年12月31日晚在尖沙咀举行仪式，宣布正式启动数码地面电视广播，香港特区行政长官曾荫权出席了仪式。香港特区政府商务及经济发展局局长马时亨在仪式上说：“由今晚开始，香港正式进入数码广播新纪元，为观众带来更丰富、更优质的电视资讯和娱乐，及全新的视听效果。”数码电视广播启动后，亚洲电视和无线电视两家当地电视台将继续播放现有的4个模拟信号频道，同时以数码同步广播这些频道，并推出全新的标准清晰度和高清数码免费频道。同日，CCTV-4在亚视地面无线数字电视频道同步转播。市民可以自由选择什么时候从模拟信号转向数码地面广播的节目。特区政府正全力协助亚洲电视和无线电视加快数码网络建设，力争2008年8月前达至75%的覆盖率，让超过500万香港市民可安坐家中通过数码电视广播欣赏2008年北京奥运会的盛况。

2007年3月28日，公共广播服务检讨委员会提交报告，报告批评香港电台完全不符合公共广播服务的要求，建议另设新的公共广播公司，并表明港台不宜过渡为新的公司。另外，在此之前香港立法会资讯科技及广播事务委员会发表公共广播服务研究报告。建议香港的公共广播服务脱离政府架构，公共广播机构也可以不止一个，以法定机构及发牌制度来监管公帑。并建议公共广播机构议向立法会负责，避免政府的干预。围绕此议题社会上的争议较大，政治上也比较敏感，特区政府目前还未就此做出决定，继续进行公众咨询。

电 视

一、无线电视（免费电视）

香港有两家无线电视公司，共4个频道，为观众提供免费电视服务。

电视广播有限公司(TVB，简称“无线”)1967年11月19日开播。至2007年底，全公司包括海外公司及签约演员共有全职员工4500人，董事局主席是已经101岁的邵逸夫，现任集团总经理陈祯祥，主管集团整体业务运作。全公司2007年营业总额达43.26亿港元，比上年增长近3%； TVB是香港的上市公司，2007年年底每股盈利达2.89港元，每股派息1.8港元。2006年5月，公司股东大会决定投资4亿港币，发展高清晰度电视，2007年底已开始播出。

“无线”的翡翠台已在珠三角落地多年，并与广东省签署了落地权协议，从2005年上半年度开始收取特许使用权费。2006年8月，根据CEPA(香港与内地更紧密经贸关系安排)协议，“无线”在广州注册成立了“港视多媒体广告有限公司”，属TVB全资附属子公司。

2007年“无线”与中央电视台合作制作了电视剧《岁月风云》，配合庆祝香港回归10周年，6月份在中央电视台黄金时间播出。除此之外，“无线”还与湖南电视台、深圳电视台等内地电视机构进行了多次卓有成效的合作，取得了很好的成绩。

亚洲电视公司（ATV，简称“亚视”）

成立于1957年5月29日，不仅是香港第一家电视台，而且是全球第一家华语电视台。2007年6月特区政府行政会议批准亚视的申请，由查懋声家族控制的名力集团，以及北京中信集团旗下的侨光集团人股亚视，分别占58.33%及14.81%股份，名力集团主席查懋声出任亚视主席。由于中信集团是内地国企，进入香港传媒业较为敏感，所以中信没有派人出任会影响亚视具体日常运作的执行董事职位。亚视原大股东陈永棋及凤凰卫视主席刘长乐，持有的亚视股权将减至26.85%。股权变更后，亚视积极求变，下半年还启用了新的台标。

2007年底，亚视按政府规定推出数码广播后，共开通了8条数码频道，除同步播出本港台和国际台两套原有节目之外，还有一个频道按照合作协议转播中央第4套节目。另外重组了新闻财经和动感资讯、魅力资讯、文化资讯4个频道和一个ATV高清频道。

另外，2007年香港电台电视部制作了568.2小时的1694个电视节目，在“无线”、亚视和有线电视频道中播出，而且大部分在黄金时段播出。其中较重要的节目有“2006年香港时局大事回顾”、“赌海迷途”、“铁窗边缘”、“香港故事”和“铿锵集”等。

电视收视率方面：2007年6月至10月间，广播事务管理局委托香港精确市场研究中心进行了“2007年度广播服务意见调查”并将调查结果与2005年的调查结果进行了比较。结果显示：免费电视的渗透率为99.1%，有线电视和卫星电视的渗透率分别为67%和35%，免费电视与2005年相差不大，有线电视则由33.8%上长至67%。在两家无线电视的竞争中，“无线”(TVB)仍然占据明显优势。经常收看“无线”翡翠台节目的观众达到84.1%；收看“无线”明珠台（英语节目）的观众达4.6%；收看亚视本港台节目的观众为10.9%，收看亚视国际台节目的观众为0.3%。与2005年相比，亚视本港台和无线明珠台的收看比例有所增长。

由香港大学进行的“2007 电视节目欣赏指数调查”，全年4个阶段累积的被访人数达8635名，回应比率则介乎六成六与六成九之间，涉及本地制作的电视节目共225个。综合全年4个阶段的调查结果，225个本地制作的电视节目所得的总平均欣赏指数为69.38分，而平均认知率则为26.7%。以认知率5%或以上的电视节目计，全年度欣赏指数排名最高的20个节目如下：

向世界出发	（无线 ／ 娱乐）
南京说——大屠杀70年	（港台 ／ 信息）
最紧要正字	（无线 ／ 信息）
溏心风暴	（无线 ／ 娱乐）
星期二／日档案	（无线 ／ 时事及公共事务）
新闻透视	（无线 ／ 时事及公共事务）
海底漫游	（港台 ／ 信息）
杰出华人系列	（港台 ／ 信息）
铿锵集	（港台 ／ 时事及公共事务）
有线新闻	（有线 ／ 时事及公共事务）
最紧要健康	（无线 ／ 信息）
廉政行动2007	（无线 ／ 娱乐）
天下父母经	（港台 ／ 信息）
光影流情	（无线 ／ 娱乐）
新闻／财经／天气报告	（无线 ／ 时事及公共事务）
有线财经	（有线 ／ 时事及公共事务）
父母学堂	（港台 ／ 信息）
香港故事	（港台 ／ 信息）
警讯	（港台 ／ 信息）
一家人	（港台 ／ 娱乐）

以上20个节目当中，无线电视及香港电台制作的节目分别占9个，有线电视制作的节目则占2个，而亚洲电视则没有节目上榜。至于节目类型方面，20个节目中信息节目占9个，时事及公共事务节目占6个，而娱乐节目则占5个。

在全年225个被评分的节目当中，时事及公共事务节目占42个，信息节目占76个，而娱乐节目则占107个。不过，跟上一年一样，时事及公共事务节目的数量虽然较少，但整体表现则较佳，全年42个节目的平均欣赏指数达71.62分。其次，76个信息节目所得的平均欣赏指数亦有70.57分，表现不俗。至于娱乐节目的平均欣赏指数则有67.65分，相对落后。三个类别中欣赏指数最高的节目分别是无线的《星期二／日档案》、港台的《南京说——大屠杀70年》及无线的《向世界出发》。

二、有线电视及收费电视

2007年香港有线电视(收费电视)服务表面上处于“三足鼎立”的局面，但实际上是“两强相争”，即香港有线电视公司和电讯盈科NOW宽频电视两家的激烈竞争。银河卫星广播有限公司所属的无线收费电视，由于入户率较低，且进入NOW宽频电视单独计费入户，所以目前相对实力较弱。

香港本地收费电视节目服务共提供239条频道，其中29.7%（71条频道）属于本地制作，另外70.3%（168条频道)则是购自香港以外地方，主要是美国（70条频道)、中国内地（20条频道)、台湾地区(13条频道)、日本（13 条频道）及欧洲国家（11条频道）。

香港有线电视，属有线宽频通讯有限公司下辖香港有线电视公司经营，其73.4%的股份为九龙仓集团所持有。2007年底收视户已达88.2万户，比上年增加约10万户。香港有线电视2007年营业额23.4亿港元（比上一年减少10%），利润1.83亿港元，收益比2006年度略增1%。宽频上网用户减少7%，达30.6万户，宽频上网和电话业务实现盈利1.8亿元（2006年为1.29亿元），增长了40%。再加上资本性支出减少，弥补了有线电视盈利下降。公司年末股息0.05港元，与上一年相同。

2007年，为应对NOW宽频电视的挑战，香港有线电视获得欧洲联赛冠军杯、欧洲足协杯以及南非2010年世界杯、伦敦奥运会的独家转播权。2007年节目1–100频道仍同上年的设置，100以上为新开辟的单独收费频道如NBA等。

2007年香港有线电视公司旗下的骄阳电影公司还投资拍摄了《三国》等5部影片。2008年拟投拍15部影片，争取盈利。

NOW宽频电视，隶属于李嘉诚之子李泽楷的“电讯盈科有限公司”。于2003年9月开始提供收费电视服务，通过现有的电话及宽频线路把优质电视节目传送到家家户户。截至2007年底，NOW宽频电视提供超过141个频道节目，分为新闻资讯、娱乐休闲、旅游纪实、体育、生活潮流、电影戏剧、儿童外语及成人八个板块。电讯盈科的宽频网络可为全港所有主要商业地区及95%以上的住户提供服务。

2007年12月31日，NOW宽频电视的用户达88.7万户，上升16%，其中约50万户的平均月费达到或超过140元。2007年NOW宽频电视的收益达到17.03亿元，比2006年增长70%。

2007年10月，NOW宽频电视推出了“NOW新闻台”，全天24小时粤语播放，吸引了更多的用户，与有线电视的竞争更加激烈。

目前，香港有线电视与NOW宽频电视两家占据了大部分的市场份额。根据广播事务管理局委托香港精确市场研究市场研究中心进行的“2007年度广播服务意见调查”结果显示，收看率较高的收费电视频道是：有线新闻一台(18.1%)、电影一台(7.1%)、有线娱乐台(6.4%)。值得注意的是，提及NOW宽频电视频道的百分比由2005年的9.8%上升到28%，势头很猛，较受欢迎的频道是卫视电影台和英超台，正是前几年买断的频道。

无线收费电视（TVBPAYVISION即原银河卫视），由银河卫星广播有限公司经营。香港电视广播有限公司(TVB)是大股东之一。提供全数码、多频道收费电视服务，无线收费电视目前有40余条频道提供服务，其中包括“无线”（TVB）提供的8条频道。

2007年无线(TVB)向独立第三方Gemstone Pacific Limited出售了无线收费电视20%的股权。2007年5月14日，无线收费电视宣布委任杨振耀为行政总裁，杨在香港传媒界从业多年，曾在商业电台长期供职。由于“无线”具有很强的节目制作能力和大量的电视节目储备，业界一般预计会对有线电视的经营产生一定影响，但无线收费电视以前通过卫星传送模式入户。2005年5月，经香港广播事务管理局的批准无线收费电视可通过“和记环球电讯有限公司”的宽频网络入户，即使如此，入网户数仍不多。2006年4月28日，无线收费电视有限公司与电讯盈科的NOW宽频电视网络签署协议，无线收费电视通过NOW宽频电视的网络播放。从2007年全年业绩看，此举收效不大。

三、卫星电视（非本地电视节目服务）

2007年香港共有14家持有“非本地服务牌照”（即指提供“非以香港为主要目标市场的服务”）的广播机构，提供146条频道报务，但香港居民只可接收其中的43条。调查显示，2007年香港非本地节目的渗透率约为35%。另外，还有25家“其他须领牌的电视服务持牌机构”，主要为香港84间酒店提供服务。

凤凰卫视：于1996年3月开播，现通过卫星覆盖150多个国家和地区，主要有凤凰中文台、资讯台、电影台、欧洲台和美洲台等。2007年度，全年收入11.78亿港元，比2006年增长11.4%，盈利达2.78亿港元，比2006年增长31.2%。年末每股派息0.018元。

星空卫视（STARVISION）：为默多克新闻集团全资子公司。1991年4月投入服务，现有25个频道，以4种语言播出。

银河卫视：于1998年8月投入服务。目前提供32个频道，向全亚洲、澳洲和欧洲的观众播放综合娱乐、戏剧、新闻及电影节目。

华娱电视：是一个24小时普通话综艺娱乐卫星频道。目前节目内容和播出方式无任何变化，仍通过鑫诺卫星和亚卫3号卫星每天24小时以普通话播放资讯和娱乐节目。该频道主要为中国内地、港澳台地区、日本、东南亚、澳洲及中东地区提供服务。

阳光卫视：阳光文化媒体集团所有。2000年8月在香港创办，专门播放历史传记和各类文化有关的纪录片，近年开始少量播放影视剧，自制节目以访谈节目为主。

美亚电视有限公司：为香港美亚娱乐资讯集团附属公司。其经营的美亚电影娱乐频道于2001年3月28日播出。节目内容以电视剧及电影为主。

Starbucks(HK)：为李泽楷的电讯盈科数码动力有限公司全资附属公司。英文频道Network of the world，于2000年6月开播。

亚太卫视：属亚太卫视发展有限公司所有，于1998年8月启播，目前提供26条频道，在香港可通过公共卫星天线系统接收部分频道。

天浪卫视：是亚洲卫星有限公司与澳门有线电视股份有限公司合营的卫星电视，目前开通了中文、综合、英语综合、新闻、体育、卡通等7个频道。同时客户还可通过亚洲卫星接收37条内地其他卫星频道。

其他还有有线卫星电视、亚洲电视卫星频道、特纳国际亚太公司（英语频道）、pacific century matrix(HK英语及伊斯兰宗教节目)和Auspicious Colour Limited(佛教频道)。

广播电台

香港有三家广播电台：香港电台、商业电台、新城电台，共13个频率进行广播。其中香港商业广播有限公司(商业电台)三个频率，新城广播有限公司(新城电台)占三个频率，余下七个频率属香港电台(港台)。除港台第6台转播英国广播公司节目外，其他频率均为自制节目，每周节目制作量超过两千小时。根据广播事务管理局2007年委托精确市场研究中心所做的调查显示，香港电台广播服务的渗透与2005年的调查基本相同，15岁以上人士中约66.5%收听广播，比2005年调查略有提高。其中有40.7%每天收听，平均每天收听1.7小时左右。听众收听率较高的频率为：商业一台22.4%，香港电台一台20%，商业二台18.1%，香港电台二台14.7%，新城娱乐台7.8%，新城财经台6.9%，香港电台五台4.2%。与2005年的调查相比，新城财经台增幅较大。55.8%的听众对电台节目质量表示满意，比2005年的调查结果略低。

香港电台是香港特别行政区唯一的公营广播机构，自1928年开始为听众提供电台广播服务，每天24小时广播。隶属于香港商务及贸易发展局，为非赢利性机构。2007年由政府拨款4.56亿港元。港台现有人员774人，其中公务员约为600人，台长朱培庆（同时兼任香港广播处处长）在7月份由于桃色风波黯然下台后，代理台长是傅小慧。2007年香港电台制作节目5.01万小时，其中新闻节目约6500小时。港台有七个频率，七个频率设置同上年无变化。

商业电台隶属商业广播公司，董事局主席何骥，行政总裁俞铮。商业电台1959年开播。该台有三个频率：雷霆881（商业一台）——以资讯为主，主要播放新闻和公共事务节目、杂志式节目、广播剧、体育节目、音乐和清谈节目等。其招牌节目《在晴朗的一天出发》，每天上午直播，收听率很高。还播出财经节目《政经脉搏》、《人生交叉盘》等常态性节目，在星期日更提供儿童节目。叱咤903（商业二台）——中文流行歌曲频道。主要为年青听众播送流行音乐，有《叱咤乐坛》《万世巨星》等栏目。AM864——英语台，主要播出西方流行乐，并在固定时段播放新闻报道。

新城电台为李嘉诚和记黄埔和长江实业全资所有。行政总裁甘国亮。新城广播设有两个超短波中文频道（新城财经台及新城娱乐台）和一个英语中波频道(新城采讯台)，所有频道均每天24小时广播。

上述三家电台都通过各自的网站，全日24小时直播大部分节目。（中国广播电视香港记者站　温明亮）

2007年澳门广播电视概况

2007年，澳门特别行政区的经济发展继续向好，全年游客人数超过两千万，人均生产总值已超过香港。经济长足进步，对影视传播行业和文化创意产业提出了新的要求，亦为业界提供了更多的发展机会。中央电视台与澳门体育局合作举办了亚洲室内运动会的开、闭幕式晚会，对晚会和赛事进行了实况转播。中央人民广播电台继续实况转播每年一度的澳门国际音乐节的精彩节目，并首次直播了格兰披治国际大赛车。由澳门、珠海合作制作的20集电视连续剧《可怜天下父母心》摄制完成并播出。香港数字电视频道开始试播，促使澳门开始研究发展数字电视。如只是将澳门的电视台转为数字化相对简单，但涉及转播香港及境外讯号则需深入研究。因为澳门存在长期未能解决的特殊历史问题，回归前，当时的澳门政府在没有顾及澳门实际情况下，批出有线电视的专营合约，令当时为绝大多数澳门居民服务的公共天线公司(以下简称公天)无法得到合法身份，加上有线电视的大股东是葡萄牙电讯，令原属有线与公天间的营运问题提升到欧美极为敏感的版权问题，使问题国际化、复杂化。2007年8月“电信管理机及解码器”行动后，引起公天业者与电信办就公天经营及授权问题的争议。公天在9月1日傍晚开始停播包括澳门电视台在内的多个电视频道，以“显示存在价值”，40万居民无法收看澳门电视台，引起轩然大波。在特首何厚铧表示“我们坚持希望千万不要将澳门人看不到电视作为筹码，希望大家能够合理解决”后，事件前后持续了20个小时终告平息，公天恢复正常转播。公天公司之一的广星传讯现在取代葡萄牙电讯成为澳门有线的大股东，相信今后将有利于“澳门有线”的发展，同时希望从中寻求积极方案，解决多年来的公天问题。

澳门广播电视股份有限公司

澳门广播电视股份有限公司(简称澳广视)负责管理经营澳门中、葡文电台和中、葡文无线电视台。现行政总裁为江豫生，董事会主席为何鸿燊，副主席江豫生，董事陈致平、白文浩、苏朝辉。澳广视在1982年1月成立，初期采取“公有公营”经营模式，但连年亏损。1988年8月因不堪负累改组为“公私合营”，把注册资本5千万元的49.5%售予5家公司，变成一家由公私合营且享有法人资格的不具名有限公司。1995年的股东结构是：澳葡政府占50.5%、澳门旅游娱乐有限公司占19.5%、南光集团及何厚铧各占15%。由于何厚铧当选特首后不能再有私人赢利活动，故原由何厚铧所持有的15%股份于2000年转让与新韵有限公司。同年，旅游娱乐有限公司总经理何鸿燊将持有的19.5%股份转让与信诚达有限公司。2002年10月，新韵、信诚达两公司和南光集团先后将各自所持股份无条件赠与澳广视。三私人股东股份赠与澳广视后，澳广视股份分类变成政府持55.5%，澳广视本身持49.5%，特区政府于2005年购入澳广视的全部股份。

澳广视自成立至今，营运未如理想，一直亏损，最高时亏损以亿计。近5年来状况为，2002年亏损6870万澳门元，（以下元均为澳门元）2003年亏损6100万元，2004年亏损5890万元，2005年亏损5630万元，2006年亏损5900万元。2007年首次有盈余，2007年的广告收入较2006年增加近两成，人员支出亦有较大幅增加，实际收入及支出均为1亿零900 多万元，首次营业纯节余45000元。但是政府2007年津贴了澳广视7300万元。

澳广视的电视及声音广播服务批给合同，特区政府已于2005年7月续期和修订，将批给期限延长15年。特区政府同时身兼澳门电视及声音广播公共服务批给人和股东身份，委任一名政府代表监察和跟进其运作，并委任董事会成员担任管理职务。特区政府在对澳广视以续期和购入全部股份时，基于数项前提：本澳必须拥有电视及声音广播服务；电视及声音广播服务应向公众提供关于本地社会的资讯、讨论和跟进，以及高素质的教育、文化、娱乐节目；澳广视须具备稳健的财政状况和适当的投资，尤其需提高节目制作能力，方可达到上述目标。

澳门电视台

澳门电视台1984年5月13日开始试播。初始中、葡双语一个频道播出，随着电视台的发展，1988年分为中文台和葡文台两个频道。澳门电视台由澳门广播电视股份有限公司(澳广视)管理。

中文台和葡文台一直使用俗成的称谓，但澳广视的文件从来没有订出中文台与葡文台的分别。2007年3月澳广视董事会通过正名中文台为澳门电视台，葡文台为Canal Macao。

过去很长一段岁月，澳门居民由于没有本土电视台，故此只能全部依赖香港的电视台，接受他们的资讯。现在两个频道均为全天24小时播出。面对不大的澳门市场以及居民选择性的收视习惯，澳门电视台的节目有很大改进，制作了《澳门早晨》、《澳视新闻档案》等时事节目，加强了新闻时效。2007年3月22日起每周四播出长45分钟《风火台》，由一位主持与两位嘉宾以圆桌品茶形式讨论民生问题，一直坚持每天7：45及22：00播出普通话新闻。从收视上看，澳门居民还是较依赖此新闻节目来了解当天澳门的时事。中文台和葡文台新闻节目所占比重分别为11%和15%。同时，增加了世界和区域性大型体育比赛的直播，足球赛事、旅游览胜、体育新闻、烹调健身、财经信息等受到越来越多的澳门观众喜爱。此外，注意增加了丰富的内地资讯节目，内地电影、电视连续剧与韩国电视连续剧也经常在中文台黄金时间播出，收视率有较大提高。2007年播出了《大宅门》、《宰相刘罗锅》、《雍正王朝》等电视连续剧。连续几年直播了央视的《春节联欢晚会》。

澳门电视台有较大投资对设备更新实施数字化，将为澳门居民提供标清数字电视节目。2006、2007年的投资计划共2900万元，（澳门元下同）现已完成1670万元的投资，包括以930万元购置一部新的转播车，投资1670万元修建于综艺二馆的录影棚即将完工。自2006年4月，澳门电视台采用美国Systems Image Server硬盘系统播出，计划于2008年提供标清数字播出，新闻部全部数字化包括剪片、档案储存等后期制作设备，并于2008年增设标清频道。

2007年5月澳门电视台制作的介绍澳门历史文化的节目在贵州电视台播出，9月在澳门举办了为期3周的第一届贵州电视节，2007年还举办了重庆电视节和内蒙古电视节。通过与三台电视节目的合作交流，推动澳门与三地的居民加强对彼此的了解、推动社会和历史文化发展。

每年一届、已举办十届的《粤港澳普通话大赛》于2007年7月举行，澳门电视台与往年一样，连同预赛均播出了实况8场，这一赛事葡文台(Canal Macao)只为澳门约2%的居澳葡裔人士服务。周一至周五分两个时段播出(13：20至14：15与19：00至凌晨1：00，周末12：00至凌晨1：00)。其余时间转播葡萄牙广播电视广播(RTP)国际频道节目。

澳门广播电台

澳门现有两家广播电台

澳门广播电台

该台立足澳门，是本地最大最具代表性的电子媒体，中文频率使用AM900千赫FM立体声100．7兆赫播出，可覆盖澳门、香港、珠海、中山等地。目前新闻节目占15%。将近60%的人经常收听该台节目，每天坚持收听澳门电台节目的听众有13%，每周有3至5天收听者约占29%。澳门广播电台的黄金时间是上午7：00至10：00，其次为下午1：00至3：00。每周一至五早上播出的时事评论节目《澳门讲场》，为市民开辟了一个公开讨论和发表对各种社会事务意见的自由空间，听众的意见引起广泛关注。星期一至五黄昏播出的《纵横天下》内容紧贴国际大事、两岸动态及本地要闻，多位大学教授、讲师及时事评论员轮流担任客席主持，从不同角度剖析时局纵论时事，让听众及时深入了解新闻。除此之外，《详尽新闻》、《趣谈普通话》、《至爱新听力》、《澳门青年》等节目受到不同听众的欢迎。

自2005年始，与泛珠江三角洲地区省区10家电台(广东电台音乐之声、福建音乐电台、江西电台文艺音乐广播、广西电台文艺广播、湖南电台文艺频率、四川电台岷江音乐台、云南电台音乐之声、贵州电台音乐广播、海南广播电视台新闻综合广播、香港新城娱乐台)共同打造《9+2音乐先锋榜》节目。

澳门电台中文台开设网络直播。

葡文频率播出时间为周一至五早7：00至晚8：00，周末为早8：00至晚8：00，其余时间转播葡萄牙广播电台第一频道节目。每天播出9节新闻，两节体育新闻，未开设网络播出。

绿村广播电台

澳门第二家广播电台。该台没有自编的新闻节目，每天播出18个小时，主要是娱乐节目，还有一些宗教特约节目，深夜播出一次政府新闻司编发的新闻稿。该台发射功率10千瓦，可覆盖珠江三角洲一带。1994年，何鸿燊以东方基金会的名义收购该台。为整顿节目，于同年12月停播，2000年3月22日重新开播，复播后该电台的节目以为博彩、娱乐服务为主，实况播出并提供赛马和赛狗方面的信息，周一至五早7：00至下午5：00每逢正点播出(财经百科)、每逢半点播出《今日通胜》(玄学)节目。亦为各大机构社团以协助形式度身制作各类节目。

该台多次提出希望租用珠海发射机为其播出。澳门有线电视公司于1999年4月22日与澳门政府签署专营合同，2000年7月8日开始运营，是澳门唯一建立和营运公共电讯系统以专营方式提供收费的电视服务公司。节目频道由最初的30多个增至目前超过70个频道。前6年其股份由葡萄牙电讯公司、澳门广播电视有限公司、大西洋银行、澳门宇宙卫星电视有限公司等持有，由葡萄牙电讯公司的代表负责项目管理。

2007年，澳门有线电视公司股权变更完成，在澳门经营公共天线30多年的《广星传讯》以逾亿元的代价，购入葡萄牙电讯在有线电视的股权，成为澳门有线电视的大股东，《广星传讯》老板林润桓出任澳门有线董事局主席。据现高级管理人员称，已投资近两亿元，建立一个全新的多功能光缆网络，目前已覆盖全澳门九成区域。同时推出全新的有线频道及增值服务等，为澳门居民提供一个整合电视广播、通讯及增值服务于一身的新一代网络。希望与现有本地公共天线公司合作，解决澳门已久的公天与有线间的经营问题，总投资额不会少于3亿元。

目前澳门有线电视向客户提供来自中国内地、葡萄牙、美国、英国、德国、法国、意大利、日本、韩国、澳大利亚和香港、台湾地区的不同类型的电视节目。采用MPEG-2 DVB数码技术传送、解码，画面稳定清晰。中央电视台4、9频道，广东卫视、广东珠江台、福建东南卫视、南方电视台粤语频道等已进入澳门有线播出。

澳门有线电视用户每月基本服务费现为158澳门元，另加30元解码器月租费，解码器也可一次性购买。HBO、STAR MOVIE、CINEMAX、[V] International、MGM等频道按特级服务组合搭配两个频道每月88澳门元。

澳门卫星电视

澳门宇宙卫星电视股份有限公司(MSTV) 是澳门首家获准提供卫星电视服务的公司。

该公司1995年2月在澳门注册成立，是以股份制运作的民间商业卫星电视公司。1998年1月19日获当时的澳葡政府批发专营牌照，获批6个卫星电视频道经营权，有效期15年。2001年5月，经特区政府批准，卫星电视频道数量增加至12个。

2005年10月，原在其经营卫星频道播出节目的澳亚卫视购买了宇宙卫星电视股份有限公司大半股份，从而控股该公司，撤销了新闻部，公司频道经营、卫星播出系统保留。

原在其频道播出的“东亚卫视”于2007年12月31日停播。目前播出的只有“莲花卫视”商务频道和澳亚卫视中文台。卫星播控中心位于澳门东南端的路环岛龙爪角，为全数字、自动化播出控制平台。

澳亚卫视有限公司(MASTV)

2004年3月获批卫星电视专营牌照，有6个卫星电视频道经营权，牌照有效期15年。澳亚卫视中文台在2001年6月开播，在宇宙卫星电视股份有限公司重组后，于2004年3月宣布重新开播，内容为以新闻咨讯、娱乐、强档影视剧为主的综合性节目。该频道已获国家广电总局批准在2006年度内可继续供内地三星级以上涉外宾馆等单位申请接收。2006年4月，澳亚卫视与广东省广播电影电视局和南方广播影视传媒集团签订了落地协议书，使澳亚卫视进入珠江三角洲地区。6月又与广州、珠海、佛山、江门、肇庆、东莞、中山、惠州等8家地市电视台、网络公司举行了入网签约仪式。8月与广州、深圳市有线电视网签约在两地入网播出。节目目前通过亚洲2号卫星C波段和鑫诺卫星KU波段传输。澳亚卫视中文台节目已进入香港宽频与香港银河卫视。现工作人员有内地、澳门和台湾人士。该公司与电视中心位于澳门罗理基士大马路第一国际商业中心4、5层。中华卫星电视(集团)股份有限公司于2000年获发准照，提供卫星电视广播电信服务。

（中国广播电视澳门记者站 杨杰）

2007年台湾广播电视概况

2007年是台湾政局“台独”势力发展急剧膨胀的一年，也是岛内蓝绿决战的转折年，作为影响舆论发展的广播电视等媒体事业，不可避免地沦为正常政治斗争的工具，在激烈的对抗中挣扎前行、顽强发展。

一、经济不景气影响媒体发展势头

受台湾经济不景气的影响，岛内电视媒体的盈利日趋减少，不但五个无线电视台只有民视一家赚钱的局面没有改观，就连深受绿营青睐的三立有线电视台也面临财务窘境，爆发高层要求改变节目风格的人事与权力斗争，而最受人瞩目的明星艺人的收入，更显示这一问题的严重。在综艺节目方面，综艺界龙头张菲主持的节目，年度制作费也被砍1/3，张菲也自嘲现在是半天价天王，与以往收入不可同日而语。在2007年综艺界收入排行榜上，吴宗宪虽然仍以1亿台币（约2500万人民币）连续三度称雄，但比去年少了4340万台币（约1085万人民币）；虽然徐乃麟以7196万台币（约1792万人民币）跃居第2位，比去年多了1千多万台币(约250多万人民币)，但却是在其工作满档，同时主持6个节目辛苦赶工换来的；排行第三的胡瓜，2007年收入7012万元台币（约1753万人民币），也比去年少了688万台币（约170万人民币）。

在艺人排行榜上，2007年台湾艺人的收入，比起香港艺人可说是差了一截，赚钱最多的是周杰伦，按照每个广告代言价码500万元计算，他一口气拍了8个广告，17场巡回演唱会，再加上唱片分红，总收入为5960万元，仅比香港容祖儿多了60万，排名第4，与香港影星成龙2.3亿元、刘德华1.07亿元相比，简直相形见绌，甚至不及红不过自己的陈慧琳的7520万元。经济的不景气，让艺人荷包缩水，广播电台、电视台更是叫苦不迭，没有强大资金的驱动，业界改革发展的动力不断下滑。

二、台湾当局干扰NCC运作伤害媒体发展

成立于2006年2月22日，依政党比例组成“国家通讯传播委员会”(NCC)，在成立之初就充满争议，因其独立运作于当局控制之外，一直不被民进党当局所容忍，民进党除了“立院”党团扬言删除、冻结NCC预算，推动修正NCC组织条例外，台湾“行政院”迟迟不派任NCC9位一级主管，13席NCC委员只剩9席，使NCC陷入瘫痪，并提出所谓十大疏失及公务人员惩戒法来对NCC5位委员处以先行停职再送惩戒的处分，既不让NCC装修新大楼，也不核准NCC任何设备。NCC一年上缴72亿新台币规费，“行政院”却只拨给三亿业务费，使得许多业务都无法推动，而后，“行政院”又管制大陆节目业，将有线电视基金拨给“新闻局”，并收回NCC原有的“无线宽频接取业务”(WIMAX）等各项业务，7月21日，在“行政院”的控告NCC“组成违宪”之下，台“大法官第613号解释案”出炉，宣告NCC组织法部分“违宪”，要求NCC到期解散，台当局借机公开呼吁NCC委员应该“知所进退”，不要再赖在“黑机关”不走，而NCC全体9位委员24日下午宣布：继续忍辱负重，留任至本届台“立法院”任期终止之日，即2008年1月31日。

三、台湾当局舆论管控进入新阶段

台“行政院”通过污名化NCC，重开新闻局，进一步向泛蓝所掌握的媒体展开攻势。2007年 3月，TVBS记者邀请黑道分子上电视，播放自拍的黑道枪声录影带，对于受够了TVBS打弊之苦的绿营来说，终于抓住难得的机会，先是对TVBS大加挞伐，其次认为NCC罚新台币100万处罚太轻，“立委”李昆泽甚至呼吁民进党公职拒绝TVBS采访，同时要求TVBS立即关台，否则4月7日将发动10万人至TVBS抗议，并发起全民拒看TVBS运动。6月，NCC决议通过中广股权转让案，但由于中广为国民党党产的一部分，且占有台湾广播事业的近半份额，陈水扁当局必欲控制，不到一个月，就开始调查赵少康购买中广案，并撤销6月26日NCC同意中广股权移转给赵少康的处分，一举将国民党中投公司、中时集团所属荣丽公司与华夏公司和赵少康全部依据涉嫌违反公司法、背信罪移交检调调查；并将NCC也以涉嫌图利罪移送法办。最后赵少康终于于10月20日无奈宣布，由于不满民进党政府介入中广经营，所以他已向华夏公司提出解约要求，辞去中广董事长和总经理职务。

而对于有利于自身的电台和节目，民进党当局者完全放任甚至纵容其为政治斗争服务，达到打击排斥异已、抹黑对手的工具。2007年1月，台“中央广播电台”就在当局指使下，用“台湾观点”节目以“戒严与马英九现象”为主题，攻击马英九如同其他权威统治集团的权贵，在戒严时间享尽一切因戒严所带来的特权，并在没有证据的情况下，指控马英九担任过职业学生。其强力放送攻击国民党及其马英九的言论，已经沦为民进党公器私用为辅选工具。而游锡堃在高雄市长选举期间，操控媒体要求民视播足一天“走路工”，使得陈菊以一千多票的些微差距赢了黄俊英“党政高层”，对于《中国时报》对此事的报道，始作俑者游锡堃更是蛮横拒绝《中国时报》的采访，开了岛内当局封杀媒体的先河。而深绿媒体三立电视台制播的“二二八走过一甲子”专题报道中，用移花接木的民众遭枪杀跌落海里、运尸、武力镇压、河面浮尸等画面，以加重反映台湾“二二八”的惨状，主播播报的口吻也过于耸动、口语化，使很多民众信以为真实画面，误导历史，“国家通讯传播委员会”(NCC)认定三立不当引用画面，违反卫星广播法第十七条，“节目与广告咨询会议”多数决议应予核处，处罚新台币一百万元，还要三立高层“再教育”，但台湾当

局与绿营则对此选择性回避，显示民进党当局为政治斗争不分是非的态度，引发社会反感。

2007年10月，无国界记者组织指出，台湾新闻自由最大的敌人，不再是过去凭借威权领导的国民党执政者，而是经济上的既得利益者以及挟民粹以期制造一言堂言论的绿色执政者。部分经济上的既得利益者更通过种种不同渠道和政治上的既得利益者结合，意图掌控媒体，强势主导言论方向，甚至制造假民意，这种包裹民主外衣的言论压迫，在执政者通过言论检查，通过各种公权力的干预，逼迫媒体就范，可谓较过去粗暴式的言论管控更可怕，更具威慑力道。有关评论家也指出，2004年的“台湾民权侵犯报告”，列举台湾新闻遭遇的各种威胁，举其大者可以归类为操控媒体财金命脉、操控媒体报导内容、以公权力控制电台、干预媒体事务，不惜搜索报馆和公然威胁媒体，使台湾新闻自由已陷入险境，但三年来这些情况并未见有效改善。

四、广电事业在限制中顽强西进

在绵密的广播频率中，台湾本岛的广播电台不仅要面对日新月异的电视、网络媒体的挑战，还要接受地下电台见缝插针式的竞争，加之台湾岛地域狭窄，可跑新闻题材日益有限，NCC受行政干预无法独立运作，新闻自由遭到全面钳制，台湾广播事业面临的压力空间巨大，为寻求突破困境，有业者逐渐意识到西进大陆的商机。

2007年1月28日，中广邀请南京市新闻参访团参观中广，并于年底12月6日再邀请湖北省新闻工作者协会参观，加深两岸在新闻、娱乐节目上的交流与合作，而台湾广播公司节目主持人胡效华、吴育全、王鹏琇和任家慧等则于4月参访北京人民广播电台，两岸同行还就广播人才培养、广播媒体的延伸、网络广播以及广播相关文化创意产业的发展等话题进行了交流。8月8日，2008年北京奥运开幕式进入倒计时一周年，为了让台湾观众实时掌握北京奥运赛事，4家无线电视台，包括台视、中视、华视、民视8日宣布将再度携手合作，进行现场零时差的LIVE转播。4家电视台还规划以HDTV高画质规格，将这场极致的奥运竞技过程，完整地呈现在岛内民众面前。两岸广播电视的交流在台湾当局的禁锢之下，仍然有实质突破，显示媒体顽强的生命力与两岸和平发展大潮的势不可挡。

五、泛蓝打响对南部地下电台的反击战

2004年“319枪击案”，靠着地下电台散播的“连宋联共刺扁”的消息，使得大选一夕变盘，2006年高雄市长选举，借着某些地下电台的不实传播，让陈菊以些微之差胜出，2007年底，“公投绑大选”正在岛内饱受批评之际，地下电台谣传拒领“公投票”要罚5千，让许多南部民众转向。地下电台无证无照，占用频率，无人管控，却在民进党当局的默许下，一方面卖药牟利，一方面卖“独”防身，如果说在戒严时期，地下电台出现是以非主流的声音冲撞言论管制有其特殊意义，但在民进党上台后，电波市场开放，言论管制解禁，地下电台已经失去潜身“地下”的民主意义，但因其政治上采取挺绿、拥“独”策略，已形成了言论市场上最无忌惮的灰色地带。

为反制绿色地下电台，国民党打响对地下电台的反击战，一是首推恶搞电台，与绿地下电台对决。7月底，对于陈水扁重申不承认大陆学历，国民党推出的“受够啦”网站，在网络上推出辛辣搞笑的Kuso（意指恶搞）版广播节目，从脚本、主持到音效都由党工自己包办，即时针砭时弊。二是启动南台湾广播网。9月9日，国民党开始与高雄市成功电台采外包时段方式合作的“南台湾向前行”，此后，陆续与高屏凤鸣电台（AM981）、屏东南屏电台（AM89.3）及台南胜利电台（AM837）签约，以购买广告节目时段方式与电台合作，节目内容包括新闻报道、评论及邀访国民党“立委”参选人等，并与中南部20多家合法电台洽谈合作计划，以承租或购买时段方式播出节目，反制地下电台节目对国民党一面倒的批评，正式启动“南台湾空中作战计划”。“南台湾空中作战计划”建构起传播效力与涵盖范围广大的广播网，反制绿色地下电台，已从高雄市、屏东县往北延伸到嘉义市，并采更积极战略，改以现场播出接受听众叩应（call-in）方式，改变了以前民进党垄断地下电台的局面，许多不看电视、不看报纸的人，都只靠地下电台获取信息，不再仅仅是民进党的死忠选民，而成为接受信息多元的新型选民。国民党通过“南台湾空中作战计划”，逐渐掌握南部地区话语权，并最终在县市长选举、台北高雄市长选举甚至2008年“总统”大选中获得了丰厚回报。

六、广播电视业者积极保持技术优势

虽然受经济不景气影响，台湾传媒事业遭到严重波及，但台湾媒体起步早，底子厚，经过广播电视业总结经验，摸索前行，仍取得骄人成绩。

首先，广播电视覆盖率仍世界领先，截至2007年7月，台湾“新闻局”统计，岛内共有178家广播电台、5家无线电视台、有线及卫星电视频道220多个，另有未合法化的300多家“地下电台”，电视普及率100%、有线电视普及率85.2%。

其次，设备精良，在人口仅2300万、面积3.6万平方公里的市场中，拥有24小时新闻台7个，SNG（卫星转播车）82辆。

其三，技术先进，台湾广播电台积极推动DAB（Digital Audio Broadcasting）数码技术更新，音质纯净、抗干扰、抗电波衰减，电视台全面建置高清数字电视，采MPEG-2压缩标准，在传统无线电视台6MHZ频宽的电视频道里就可以传送1080线高画质电视，且高画质节目制作环境健全、节目后期制作非线性网络无宽化计划也已经通过，网络化运作机制日益突显。

第四，手机电视及MOD平台横空出世，在台湾手机看电视逐渐成为潮流，MOD（大电视）完成前后端平台开放，“多媒体内容传输平台服务”逐渐进入相当数量的手机用户，加上捷运、高铁、大厦等移动电视的普及，台湾人收看电视与收听广播几乎达到随心所欲的程度。

更重要的是，节目制作精良，2007年11月10日与17日，台湾第42届广播金钟奖和第42届台湾电视金钟奖颁奖典礼先后举行，年度广播金钟奖分为10个节目奖、8个个人奖、2个广告奖、2个电台奖和1个研究发展奖，其中汉声电台获得五个奖项，成为当年广播金钟奖大赢家，电视节目上，《危险心灵》获戏剧节目奖，黄河、高慧君分获戏剧男女主角奖，奖项遍地开花，节目质量也富有创新与突破，台湾电视节目、影片、唱片仍然保持较高的销量。

台湾广播事业，在外有电视、网络，内有地下电台，上有行政当局，下有技术发展瓶颈之下，在激烈的对抗中挣扎前行、顽强发展，2007年仍然取得了非凡的成果。

（海峡之声广播电台）

2007：与港澳台交流综述

2007年，广播影视成为对港澳台文化交流与合作的重要内容，收听收看大陆广播影视节目成为增进港澳台地区同胞对中华文化认同的重要途径，特别是惠港惠台政策的宣布实施鼓舞人心，进一步推动交流合作，在业内形成了心向祖国和赞成统一的主流氛围。

一、闽南话节目数量和质量大幅度提高 中央电视台译制的《香港十年》、《走遍中国》、《台商故事》、《名将之约》、《奥运岁月》等闽南语专题片在台湾等地播出。福建海峡广播影视译制中心译制的电视剧《白银谷》(45集)、专题片《宫廷药膳食补大全》(200集)已获准在台湾音像市场正式发行，首批生产3千套。厦门卫视已累积译制播出1万4千多小时闽南话节目，还拍摄了50多部闽南地方大戏。台湾地区收听收看大陆广播影视节目的观众与日俱增。

二、实现CCTV频道在香港免费电视落地转播 经过多方协同配合，CCTV–4于2007年12月31日在香港“亚视”地面无线数字电视频道同步播出，从此，香港市民能够完整免费收看中央电视台整频道节目。

三、配合香港回归10周年做好宣传报道工作 中央电视台及广东南方电视台、深圳电视台等单位与香港无线、亚视合办庆回归10周年晚会、合拍电视剧《岁月风云》等，积极配合了回归10周年宣传报道工作。

四、适时调整相关政策，进一步推动对港澳台交流合作 11月初，由广电总局领导在两岸城市文化创意产业论坛上宣布关于两岸合拍电视剧和台湾从业人员参与大陆电视剧拍摄的新政策，并面对台湾媒体阐释政策调整的初衷和背景。此政策发布实施，台湾社会和影视业界反响热烈，岛内媒体认为新的惠台政策将会极大地推动两岸影视交流合作，为两岸影视产业共同繁荣开创新局面，并有助于提升中国影视作品的外销潜力。在CEPA第四阶段，制订出台了内地与港澳合拍电视剧有关新政策，以鼓励支持内地与港澳合拍电视剧。

五、影视节目交流、人员往来更为活跃 2007年全年内地与港澳及台湾合拍、协拍电视剧和专题片40多部，合作、协作制作文艺晚会、专题节目50多个，开展节目展映、展销和节目交换、授权播出以及技术合作等项目近100个，合办了10多个业务交流研讨会。港澳台业界有80多个团组来访，内地业界100多个团组赴港澳台访问。

（国家广电总局港澳台办）

中央人民广播电台

2007年中央人民广播电台每月派出2名记者赴台湾地区驻点，1～12月，共有记者15批29人次赴台驻点采访。中央电台是目前大陆在台有驻点记者的三家媒体之一。

2007年1～12月，中央人民广播电台共派记者赴香港采访9批25人次。

中央人民广播电台中国之声记者采访台湾老艺人周松村

2007年，中央人民广播电台华夏之声的主要外宣节目《魅力中国》继续在香港电台普通话台播出，节目时间在原有的周播一小时的基础上另增加了20分钟的日播节目，扩大了节目的影响力。7月，该节目调整为每周日播出一小时。另外，对于2003年在香港电台普通话台开始播出的《华夏掠影》节目重新进行了改版，使港澳听众能更为及时、准确和全面地了解国内外的重大新闻。6月至7月，为庆祝和纪念香港特别行政区回归祖国10周年，华夏之声特别制作了20集大型系列音乐节目《歌声中的十年》，在华夏之声普通话频率和双语频率的4个音乐栏目中播出。6月30日到7月1日，华夏之声双语频率和普通话频率并机播出纪念香港回归祖国10周年大型直播节目《辉煌十年 荣耀香江》。向珠三角和港澳地区听众立体、全面地展示了香港回归10年来在政治、经济、民生和文化等各方面所取得的成就。2007年7月起，中央电台华夏之声《魅力中国》节目在澳门电台每周日的黄金时间播出，受到澳门听众的好评。2007年7月20日，华夏之声在北京举办了“我看香港回归10年有奖征文”颁奖典礼。“我看香港回归10年”有奖征文活动于2006年11月1日启动，至2007年5月底截稿，共收到来自全国20 多个省市自治区、香港、澳门特别行政区及海外的来稿6500多篇。香港全国人大常委曾宪梓、前香港律政司司长梁爱诗、澳门全国人大代表杨允中等均纷纷为活动赐稿。这次征文活动具有来稿范围广、地域跨度大、作者年龄跨度大、身份多样、文体多样等特点。共评出特别荣誉奖3名、一等奖8名。10月，中央人民广播电台华夏之声的两套节目与都市之声并机转播了第21届澳门国际音乐节三场演出的实况。华夏之声还播出了总长270分钟的《澳门乐韵》专题节目，既充分反映了音乐节的盛况，也体现了近年来澳门特区政府在发展文化事业上取得的突出成绩。

（中央人民广播电台）

中央电视台

2007年12月20日，新华社和中央电视台《新闻联播》同时播发了全国电视观众无记名投票选出的十大优秀节目，其中第十名是《海峡两岸》。这个成果是继2004年以来，《海峡两岸》连续4年被评为电视台十大优秀栏目之后的又一次突破。2007年，央视对台节目部编辑加大了对岛内各界人士的采访比例，通过卫星连线，与岛内媒体合作制作播出了200多期时事评论节目。与此同时，对台部的其他栏目如《台湾万象》、《缘分》、《天涯共此时》、《国宝档案》、《台商故事》等都取得了很高的收视率，名列中文国际频道收视率排行榜前十名之内。

2007年，央视对台节目编辑部将1539小时专题节目译制成闽南话节目，并分别交换给岛内的东森、三立、高点、人间等媒体，译制的专题节目主要是由中文国际频道播出的《国宝档案》、《台商故事》、《缘分》、《天涯共此时》、《走遍中国》、《中华医药》、《走进科学》、《名将之约》、《奥运岁月》等。2007年，为台湾地区翻译制作的电视剧有《鉴真东渡》、《凤求凰》、《连城诀》、《长恨歌》、《上海王》、《女子戏班》、《乾隆王朝》、《曹雪芹》等，均采取节目交换的方式在台湾播出。节目交流开始以后，东森台每天向中央电视台提供两小时新闻素材，用卫星传送，中午、下午各一次，由《海峡两岸》栏目组接收、编辑采用；人间卫视向中央电视台提供百集健康美食专题节目；高点提供了4个专题栏目的目录，由中央电视台任意选择。高点电视台自2007年10月起，将中央电视台提供的专题节目重新包装后，制作成《中国大探索》板块栏目，每天一期，每期1小时。每天首播一次，重播3次。春节期间高点台《中国大探索》节目收视率创下了历史新高，是平常的5倍。东森电视台自2007年4月23日开始，将中央电视台提供的奥运题材的专题节目进行包装，先后两次推出了《与名将有约》系列报道，每集两分钟，每集介绍一名大陆体坛名将在历届奥运会等国际赛事上创造的辉煌。系列报道首播时间是东森晚间黄金档的18至20时主要新闻时段，由东森"当家主持人"卢秀芳主播，每天滚动播出6次以上。除在东森新闻台播出以外，还在东森美洲台、亚洲台、"台湾Bttoday台"进行重播。《与名将有约》系列报道播出后，在岛内引起强烈反响。系列报道播出时，黄金档的新闻收视率由0.5%上升到0.7%。台湾人间卫视自2007年12月开始，陆续播出了《共同关注》的《因为爱所以爱》上下集、《脑瘫儿创业》和《拯救父亲》等节目。（央视海外节目中心对台编辑部）

与港澳台交流纪事

一月

2007年1月22日至2月2日，广电总局无线局一人、731台一人参加中华广播影视交流协会组织赴台湾交流访问团。

二月

2月7日，中央电视台李挺副总编会见了澳门葡语系奥林匹克运动委员会主席萧威利等一行。会见中，李挺副总编表示，通过葡语系运动会的召开，进一步加强了我们与葡语国家的交流；客人就中央电视台对葡语运动会的电视转播工作表示了感谢。

2月，湖北省广播电视总台妇女儿童广播主办的湖北少儿广播合唱团一行44人与来自港澳台以及内地的1000多名小朋友欢聚东方之珠——香港，参加"庆祝香港回归10周年金紫荆大联欢"活动。这次展演邀请了来自港、台及内地13个省的33支著名的团体，其中包括台湾基隆小学国乐团、成都市少年宫合唱团、云南红叶儿童合唱团、湖南雅礼中学管弦乐团等等。湖北少儿广播合唱团团员捧得银奖。

2月，四川广电集团党委书记陈华一行4人应台湾东森电视台邀请，赴台进行业务考察。

三月

3月5日，国家广电总局田进副局长会见澳门特区政府新闻局局长陈致平。

3月6日，应香港无线台（TVB）要求，广西广播电影电视局外事办将广西电视台2007年春节晚会播出带寄给香港无线中国事务部，供香港电视界同仁观摩交流使用。

3月8日，国家广电总局田进副局长会见香港新华传媒集团主席蔡冠森。

3月15日至24日，广电总局广科院技经所派1人随电影学会赴台湾地区考察。

3月，云南电视台申请引进20集台湾电视连续剧《天下第一味》。

四月

4月16日至19日，广电总局广科院电视所派1人赴香港参加世界移动电视会议。

4月18日至23日，应中华全国广播电视工作者联合会邀请，新疆电视台买买提艾力·阿不列孜赴香港参加研讨会。

4月20日，一场以"爱与和平"为主题的《妈祖之光相约东南》大型电视综艺晚会在台湾台中县大甲镇举办。由福建省广播影视集团、台湾台中县文化建设基金会和台湾东森媒体集团联合举办，福建东南卫视、海峡卫视、台湾东森电视、中天电视、年代电视向全球卫星直播和实况录播。

4月24日，国家广电总局田进副局长会见香港TOM传媒集团股东周凯旋。

4月26日，国家广电总局田进副局长会见香港电台副台长傅小惠。

4月27日，中央电视台胡恩副台长会见了香港无线台(TVB)总经理陈祯祥等一行。会见中，胡副台长指出：近几年，央视同无线台的合作更加紧密，双方应该在合作中相互借鉴，共同发展。《岁月风云》是一个很好的合作成果，同时也为双方合作提供了新的思路和方法，两台的高层对此也都十分重视。

4月，山东电视台、山东人民广播电台3人随省新闻办公室赴香港、澳门执行采访任务。

五月

5月15日至22日，广电总局无线局副局长黄晓兵赴香港参加2007年中国广播电视用户代表会。

5月16日，中央电视台赵化勇台长会见了台湾中天电视台总经理陈守国一行。会见中，双方对办青年海峡两岸知识大赛活动充满信心。赵台长表示，学生演讲比赛节目很受欢迎，但形式需有所变化，可适当增加才艺表演等项目来增加节目的可视性。

5月18日，台湾"中国新闻学会"理事长牟宗灿率领台湾媒体访问团一行12人考察青岛市广播电视局，青岛市广播电视局党委书记张相逢、纪委书记宋立建会见了客人并进行座谈，就广播电视新闻宣传及数字电视发展等问题进行了友好交流。晚上，青岛市委常委、统战部长张惠会见了台湾访问团一行，向客人介绍了青岛经济社会以及传媒业发展情况。青岛市广播电视局局长楼树军参加了会见。

5月26日，第6届"鄂港经济合作洽谈会"即"香港湖北周"的招商活动在香港举办，按湖北省委宣传部要求，湖北卫视制作15分钟形象宣传片《走进湖北》在香港招商活动现场播出，为招商会的圆满成功起到了极大的促进作用。

5月30日，香港亚洲电视负责人一行考察青岛市广播电视局，青岛市广播电视局总编辑胡滨会见了客人并进行座谈，双方就2007年青岛国际帆船赛和2008年青岛奥帆赛期间的技术支持、新闻采访、资源共享等方面的合作进行了讨论并达成了共识。

六月

6月8日，首届海峡两岸闽南语歌星选拔赛在福建泉州市广电中心落幕。这次大赛由泉州人民广播电台刺桐之声等海峡两岸有关单位共同承办。初赛分台湾和大陆两个赛区同时进行，海峡两岸共有近2000人报名参赛，两个赛区各决出前6名进人总决赛。最终泉州赛区选手叶国伟夺冠。

6月13日，香港凤凰卫视著名评论员曹景行应国际台邀请，与国际台编播人员进行座谈。曹先生以《香港10年》为主题，讲述了香港回归祖国10年的发展变化，并与国际台编辑记者就香港问题的报道进行了交流。

6月18日，福建广电集团和香港凤凰卫视联合制作的50集大型电视系列报道《海西连四方》正式开拍。该片着眼于"连四方"将触角延伸到港澳台和海外，该片在党的十七大召开前夕播出。

6月25日至7月5日，中央人民广播电台副总编辑王宴青带队共32人赴香港报道香港回归10周年活动。

6月26日，北京人民广播电台和香港电台联合举办的庆祝香港回归10周年大型系列活动"北京、香港，牵手10年"讲述会在中国紫檀博物馆举行。讲述会为大型纪实讲述节目，自5月中旬开播以来在北京、香港两地听众中引起强烈反响，节目文字出版成书，香港特别行政区第一任行政长官董建华先生亲自为该书作序。全国政协港澳侨台局局长乐美真，北京市政协副主席黄承祥参加。

6月，湖南卫视信号在香港30家酒店成功落地。

七月

7月1日，香港回归10周年纪念日。国际台台长王庚年率团赴香港进行采访报道。在港期间，王庚年台长应邀参访凤凰卫视，与凤凰卫视董事局主席、行政总裁刘长乐及执行副总裁兼中文台台长王纪言就两台有关合作事宜进行磋商，双方表示两台未来仍具有广阔的合作空间。

7月1日至13日，应台湾瑞迪广告事业股份有限公司邀请，云南人民广播电台台长覃信刚，常务副台长高国庆等14人，赴台湾进行业务交流。

7月9日，台湾东森电视台副总经理马咏睿一行来青岛电视台考察，青岛市广播电视局局长、电视台台长楼树军，副总编辑、电视台副台长何敬君会见了客人，双方就举办第二届"青岛电视周"等事宜进行了洽谈。

7月11日至15日，国家广电总局田进副局长率团赴港，协调央视频道在港落地有关工作。

7月15日至24日，由国家广电总局港澳台办组团，新疆电视台编译中心主任帕尔哈提·卡依尔赴台湾进行业务交流。

7月16日至29日，潍坊市广播电视学会组织全市广播电视系统部分单位负责人，赴台湾进行考察交流活动。

7月17日，"庆祝香港回归10周年——十载风云家国情、中华青年专列行"活动团837名港澳台青年抵达湖南，参观湖南广电。

7月下旬，青海广播电视局副局长、青海电视台台长白居壁赴台湾进行影视业务交流活动。

7月，应台湾传播管理研究协会的邀请，安徽电视台副台长禹成明率团赴台访问，探讨双方进一步合作事宜。

7月，山东电视台、山东人民广播电台3人随省委外宣办赴香港执行采访任务。

7月，山东菏泽广电局1人随国家广电局赴澳门参加国际广播电视展。

7月，应台湾传播管理研究协会的邀请，安徽电视台副台长禹成明率团赴台访问，探讨双方进一步合作事宜。

八月

8月2日，台湾TVBS电视台大陆事务部总监林大法先生一行到湖北省广播电视总台交流访问。

8月3日至5日，台湾传播管理研究协会访问团一行13人考察青岛市广播电视局，青岛市广播电视局副局长潘盛国、童季平会见了参访团一行，向客人介绍了青岛有线数字电视发展等方面情况。该参访团是应中国记协邀请来大陆进行"环渤海"访问的，旨在进一步拓展对台新闻交流工作渠道。

8月6日，由中央人民广播电台华夏之声主办的第三届"港澳听众联谊会暨节目研讨会"在新疆乌鲁木齐举行。中央人民广播电台台长王求出席联谊会并致辞。

8月8日，广西广播电影电视局局长阳建国一行赴香港与凤凰卫视、香港"无线"等媒体洽谈"聚焦广西·北部湾"合作项目。

8月15日，国家广电总局田进副局长会见香港"无线"董事总经理陈祯祥，协商在港转播央视节目。

8月20日，国家广电总局田进副局长会见香港商务及经济发展局局长马时亨，就央视频道在港落地事宜进一步交换意见。

8月23日，国家广电总局田进副局长会见参加两岸影视交流座谈会的台湾影视界代表15人。

8月23日，中央电视台赵化勇台长会见了香港无线台(TVB)总经理陈祯祥等一行。会见中，赵台长表示，两年前双方洽谈的预期合作项目，例如：大型专题报道、庆贺文艺晚会、合拍电视剧等都圆满地完成了，取得了良好的效果，收视率也很高。会谈中双方还就今后的发展和合作议题进行了探讨。

8月25日至9月23日，台湾中视"万里江山——大陆寻奇"电视摄制组赖宗正导演一行3人赴广西，行程4000多公里，历经14个市县采制"广西特辑"专题节目。

8月27日至9月1日，由中央人民广播电台主办的全球华语广播协作网年度会议分别在北京和青岛召开，台湾大众广播公司、香港电台派员参会。

九月

9月12日，澳门特区政府官员"新闻发言人培训班"一行14人到国际台访问，并接受了华语《CRI新闻会客厅》节目的采访。国际台华语中心主任田玉红等与访问团成员进行了座谈。

9月28日，国家广电总局田进副局长会见香港"亚视"（ATV）行政总裁何定均等高层管理人员。

9月29日，中央电视台赵化勇台长会见了香港"亚视"（ATV）运营总裁何定钧及亚视相关方面负责人一行5人。会谈中，赵台长指出，我们之间既是竞争对手，也是合作伙伴。考虑到香港民众的电视收看需求，我们之间可以合作的范围很广，例如新闻交换、专题片拍摄、频道栏目内容等。

十月

10月5日至31日，中央人民广播电台2批18名记者赴澳门采访第21届澳门音乐节相关活动。

10月7日，北京人民广播电台音乐广播、台湾台北之音Hit Fm、新加坡Yes933醉心频道、马来西亚988频道、香港电台等亚洲7家电台，联合在香港红磡体育馆举办"全球华语歌曲排行榜颁奖典礼"，北京音乐广播通过卫星音乐广播协作网向全国26家电台提供直播信号。

10月17日，国家广电总局田进副局长会见香港"无线"董事、总经理陈祯祥。

10月28日，中央人民广播电台华夏之声双语频率和普通话频率并机播出特别直播节目《和你在一起》。北京、广州、深圳、香港和澳门特区五地连线播出，全面回顾了华夏之声频率改革5年来的发展历程。

10月29日，国家广电总局田进副局长会见香港特区全国政协委员刘汉铨。

10月至11月间，香港无线电视广播有限公司"TVB"一行63人来云南昆明、石林、大理、丽江等地，拍摄20集古装电视连续剧《少年四大名捕》，省广电局对外中心派人全程协助其拍摄。

十一月

11月1日至3日，香港电台考察团一行5人考察了青岛电视台，青岛市广播电视局局长、电视台台长楼树军，副局长朱铁一会见了客人，双方就今后进一步加强技术合作达成了意向。

11月2日，国际台台长王庚年会见来访的香港有线电视有限公司总裁徐小明先生一行。双方就现代媒体发展思路交换了意见，就未来开展更广泛的合作达成初步共识。会见后，徐小明先生与国际台副总编李忠尚共同签署了《中国国际广播电台与香港有线电视有限公司关于节目落地合作的协议》。根据协议，国际台免费向香港有线电视有限公司提供4套广播节目，每套节目每天24小时在香港有线电视有限公司收费电视网及有关联的有线宽频网中播出，节目覆盖香港地区。

11月5日至17日，广电总局无线局副局长黄晓兵等赴台湾地区进行业务交流并参观访问。

11月7日上午，国家广电总局田进副局长会见参加两岸城市文化创意产业论坛暨影视对台政策调整发布会的台湾业界代表12人。

11月7日下午，国家广电总局田进副局长会见香港"亚视"董事会主席查懋声。

11月18日，中央人民广播电台华夏之声转播报道组在澳门现场直播第54届澳门格兰披治赛车锦标赛三级方程式决赛实况。

11月19日，经国家广电总局港澳台办公室同意，台湾中华广播联合总会杨碧村理事长一行20人赴广西桂林市考察，并参观了桂林市人民广播电台。

11月20日，中央电视台张华山副总编会见了香港电台（RTHK）傅小慧女士等一行。会见中，张副总编表示，我们同香港电台在业务上有很多往来，作为政府对外宣传的窗口，我们两台都担负着引导舆论导向的任务，香港已经回归10年，我们两地的合作将更加紧密，要共同携手打造中国的传媒品牌。

11月28日，济南电视台新闻中心《济南新闻》栏目制片人雷力赴香港对中国重汽香港成功上市进行全程跟踪报道。

11月30日至12月8日，中央人民广播电台华夏之声总监陈东建等6人赴香港及澳门与香港电台普通话台和澳门电台进行了交流研讨。

11月30日，国家广电总局田进副局长会见香港"亚视"（ATV）董事会主席查懋声。

11月30日，中央电视台赵化勇台长会见了香港"亚视"（ATV）董事会主席查懋声一行。会见中，赵台长肯定了双方合作的重要意义，同时希望能在解决了版权的前提下，提供更多的频道和节目在香港播出，让香港观众更多的收看到中央电视台的电视节目。双方在合作中，既要考虑到香港民众的电视收看需求，也要面向世界，广泛交流。

11月，山东电视台1人随中宣部组团赴台湾执行采访任务。

11月，山东广播电视学校3人赴香港交流学习。

十二月

12月12日至19日，应台湾东森电视台邀请，青岛市广播电视局局长、电视台台长楼树军率青岛电视台参访团一行6人，赴台考察了台湾电视业发展情况，并与台湾东森电视台董事长张树森就今后双方进一步加强交流与合作，特别是在2008年奥帆赛、啤酒节期间加强互动、扩大合作等工作进行了深入探讨，达成初步意向。考察期间，青岛电视台播放了青岛电视宣传片，并确定2008年元旦期间，在东森电视台举办"青岛电视周"活动。在台期间，楼局长会见了台湾著名时事评论员胡忠信、TVBS电视著名主持人张启楷及台湾山东同乡会负责人。在返经澳门期间，楼树军局长一行还走访、考察了澳门广播电视有限公司，与澳方公司高层就今后双方进一步加强交流与合作进行了深入探讨。

12月13日至15日，中央人民广播电台副总编辑杜嗣琨等4人赴澳门记者站调研。

12月27日，国家广电总局王太华局长、田进副局长会见香港"亚视"董事会主席查懋声。

2007年，中国广播艺术团广播民族乐团与澳门中乐团进行了文化交流活动，先后5次赴澳门协助演出，受到了澳门中乐团的高度赞扬。

18. 对外交流与合作

Exchange & Cooperation With Foreign Countries

18. 对外交流与合作

责任编辑 刘书峰
审 稿 人 周桂珍

国家广电总局对外交流与合作综述

一、2007年广播电视国际交流与合作情况

2007年，国家广电总局以科学发展观为指导，积极开展广播影视国际交流与合作，在广播影视节目海外落地、人员互访、技术交流、参与国际多边活动等方面取得了显著成效，大大增强了我广播影视在国际上的影响力和竞争力，为提升我国文化软实力作出了积极贡献。

（一）积极开展广播影视对外文化交流

1.广播影视对外交流成为国家级文化交流项目的重要内容。协调落实好俄罗斯“中国年”期间“俄中友谊之旅”及其它相关活动，为“中国年”的成功举办营造了良好的舆论氛围；作为中方组委会成员单位，积极参与、协调落实“中日文化·体育交流年”、中国“西班牙年”的各项活动，为增进中日、中西关系和文化交流作出积极贡献。

2.继续积极探索外宣与外援相结合的工作。广电总局培训中心和中广公司分别为非洲国家、发展中国家和东盟国家广电管理和技术人员举办培训班，为80个国家的323名学员提供了有针对性的培训，对增进相关国家广电机构对中国的了解起到积极作用。

3.中俄媒体小组升格为分委会，为推动中俄战略伙伴关系的发展作出积极贡献。2007年5月，中俄教文卫体合作委员会媒体合作工作小组第五次会议在北京召开。双方一致认为该工作小组去年进行了富有成效的工作，特别是为在中国举办的“俄罗斯年”和俄罗斯举办的“中国年”作出了积极贡献。双方同意工作小组升格为中俄媒体合作分委会。

（二）圆满完成总局领导出访任务，大力推动广播影视海外落地和对外合作。

2007年国家广电总局合理计划，精心组织，认真落实，较好完成总局领导出访任务，利用总局领导出访机会，开展了内容丰富的对外交流，建立起形式多样的国际交流网络和平台，大力推动广播影视海外落地，为对外展现国家良好形象，培育和加强我国“软实力”作出积极贡献。

中央电视台CCTV-4、CCTV-9、CCTV-E（西班牙语）和CCTV-F（法语）四个国际频道的节目信号通过卫星传送已覆盖全球。海外覆盖用户总数约8000户。中国国际广播电台每天对外用43种语言播出，通过本土发射、海外租机、租时段、建立海外调频台等方式，在许多国家和地区的城市直接落地，每天累计播出节目时数已达1112.5小时。

（三）积极参与国际组织和多边国际活动。

1.继续积极参加亚广联（ABU）、亚太广播发展机构（AIBD）的活动。在国际组织和多边活动中，坚持原则，积极维护国家利益。在总局领导指导下，组织中央三台、地方广电机构认真参与亚广联奖项评选，国际台节目获“对外广播奖”，中央台节目获“广播剧类奖”和“青少节目评委会特别推荐奖”，中央电视台总工程师丁文华荣获“2007年亚广联工程业界杰出奖”，江苏总台顾建国获“2007年亚广联最佳技术论文奖”。选送25人参加AIBD组织的境外培训班。

2.利用国内、国际广播影视节（展）平台，大力推动我影视产品走向国际市场。指导协调国际电视总公司和上海影视集团分别组织中央和地方多家电视台、民营影视机构参加戛纳春季电视节（MIPTV）和秋季电视节（MIPCOM)；积极协调并参与了2007年中国广播影视博览会、上海国际电视节、四川国际电视节、广州国际纪录片大会等重大活动。

（四）针对广播影视发展的重点工作和实际需要，拓展国际培训与合作渠道。

组织专业考察团赴芬兰、瑞典、丹麦和挪威访问，重点考察了北欧公共广播电视管理服务模式和广电数字化、我广播节目落地本土化运作；协调组织代表团赴英国就“数字化时代的媒体法规及战略管理”专题进行研讨和考察；与法规司合作，组织协调在杭州举办主题为“加强知识产权保护，促进广播影视交流”的国际研讨会。与世界知识产权组织合作在华举办了以知识产权保护为主题的研讨会。

（五）继续做好国外广播影视高层代表团的接待工作，增进了解，扩大合作。

2007年共接待了13批应邀来华访问的外国广播影视高级代表团，其中包括阿尔巴尼亚广电总局局长、韩国广播公司社长、古巴广播委员会主席、亚太广播发展机构主任等。此外，还安排总局领导会见，包括美、英、俄、意、法、西、芬兰、韩国等国负责媒体的部长，新闻集团、时代华纳、自由媒体集团、英国广播公司，日本NHK，韩国KBS等主流媒体和美国摩托罗拉、芬兰诺基亚、法国汤姆逊等大企业的高层负责人等。这些工作加强了广电总局与这些机构及媒体的交流与合作。

（六）积极做好境外摄制组接待工作，着力推进国产影视剧和动画片出口。

1.积极做好境外摄制组来华拍摄的审批及接待工作。

根据07年国务院新颁布实施《奥运会及其筹备期间外国记者来华采访管理规定》，及时调整管理办法，取得良好效果。2007年共有境外210批摄制组来华拍摄。其中巴西环球、墨西哥特莱维萨、匈牙利、捷克、阿根廷、巴西以及阿尔巴尼亚、利比亚、哈萨克斯坦等主流媒体机构的摄制组来华采访。

2.坚持政府推动和企业运作相结合，着力推进国产影视剧和动画片出口。完善促进文化产品出口的政策和机制，国家广电总局与商务部、外交部、文化部、新闻出版署、国务院新闻办共同制定了《文化产品出口指导目录》。经各地推荐和有关部门评审，由商务部、文化部、广电总局和新闻出版总署共同制定公布了《2007～2008年度国家文化出口重点企业目录》和《2007～2008年度国家文化出口重点项目目录》，其中有36家广播影视企业和39项广播影视项目分别列入了重点企业和重点项目。

3.创新国产影视节目出口模式。举办“中国电视节目海外营销研讨会”，首次采用理论研讨+项目推广方式，组织海内外影视机构现场选片、供片，实现了较好的交易成果。此外，通过组织全国各影视机构积极参与戛纳春、秋两季影视节展、香港影视节等活动，全年共实现国产影视节目海外销售约1000万美元的成果（不完全统计）。

4.努力培育文化产业骨干企业，积极支持文化企业参与国际竞争。与商务部就完善服务贸易统计工作、促进服务贸易重点部门出口等问题进行研讨；推荐中国国际电视总公司、中国电影集团为中国服务贸易协会理事单位。完善全国影视节目出口统计工作。

（七）做好引智工作，推动广播影视业的发展。

召开2007年广电总局外国专家聘请单位主管干部工作会议；推荐中央电视台英语专家艾德文先生获2007年度外国专家“友谊奖”；广电总局系统共聘用外籍专业人员225人。

二、进一步加强广播电影电视涉外行业管理

建立了部际联席会议制度等工作机制；组织举办了全国性省级、市级和县级“新形势下卫星电视接收设施管理培训”活动；顺利完成了国内境外卫星电视用户转星调整工作；有关管理法规完善工作取得了新进展；加强了卫星电视接收设施的管理；专项整治了各类网络非法传送节目的问题；指导、督促了相关机构进一步强化版权意识，规范境外节目引进播出工作。（国家广电总局国际合作司）

国家广电总局对外交流与合作大事记

一、主要出访

4月8～20日，田进副局长率团出访韩国、加拿大和墨西哥，出席中国电视长城（加拿大）平台正式开播仪式暨推介会，推动扩大平台落地范围；与墨最大的广播电视公司特莱维萨签署《合作备忘录》，我电视频道在其有线网实现了落地，并就组建长城（拉美）平台做了实地调研；了解我广播电视在韩国的落地和收视情况；综合考察了三国广播影视业态新变化、新技术应用和新媒体管理情况。

4月16～28日，张海涛副局长率团访问了西班牙、匈牙利和希腊，考察了三国广电数字化进展情况，了解了广播电视传输覆盖和公共服务的政策措施。

5月20～30日，雷元亮副局长率团访问了瑞典、丹麦和挪威，考察了北欧国家广播电视发展状况及管理体制，重点了解了三国在广电人力资源管理与开发、广播电视与新媒体的融合等方面的经验。

5月31日～6月11日，胡占凡副局长以中华全国新闻工作者协会副主席的名义率团访问了塞浦路斯、塞尔维亚和德国，与塞浦路斯和塞尔维亚政府高层、主要政党领袖、记协、主流广播电视台、报社等方面进行了深入交流，促进了两国新闻界的了解与合作。

6月18～29日，王太华局长率团访问了蒙古、芬兰和俄罗斯。王局长在蒙古拜会了蒙总理，与蒙公共广播电视公司签署了两国政府间广播电视合作协议；开辟了与北欧国家媒体管理高层间的交往合作机制，推动落实了中俄国家年活动。王局长还与三国政府主管部门、主流广播电视机构进行了深入交流，分别听取了中蒙合资桑斯尔有线电视公司、芬兰大众明天和中俄合资乌兰乌德有线电视公司的落地情况汇报，并实地考察了我广播电视节目在当地的接收。

11月18～30日，胡占凡副局长率团出访澳大利亚、印尼和伊朗，与三国政府主管部门进行深入交流，考察三国广播电视管理体制和发展情况，以及广播电视在印尼、澳大利亚落地情况。

二、主要来访

1月30日，田进副局长会见了中国电视长城（欧洲）平台的合作伙伴、法国陈氏传媒总裁陈克光一行。

1月31日，田进副局长会见了美国索尼影视娱乐公司董事会主席兼首席执行官迈克尔·林顿一行。

2月7日，赵实副局长会见了世界知识产权组织副总干事萨巴瓦先生和助理总干事王彬颖女士一行。

2月13日，王太华局长会见了来华访问的美国国际数据集团创始人兼董事长帕特里克·麦戈文先生一行。

2月27日～3月1日，接待韩国广播公司（KBS）社长郑渊珠访华。

3月16日，田进副局长会见了德国电视二台（ZDF）台长马克斯·沙赫特一行。

3月26日，张海涛副局长会见了摩托罗拉集团执行副总裁莫洛尼一行。

3月26日，赵实副局长会见了世界知识产权组织副总干事凯普林格先生一行。

3月29日上午，田进副局长会见了到总局拜会的美国自由媒体全球集团亚太区副总裁约翰·葛文一行。

4月2日，田进副局长会见了法国瑞德集团总裁保尔·齐尔克一行。

4月24日，田进副局长会见了来华访问的美国迪斯尼国际公司总裁安迪·伯德先生。

4月26日，田进副局长会见了来访的芬兰通讯管理局局长罗尼·海格曼女士一行。

5月25日，中俄教文卫体合作委员会媒体合作工作小组第五次会议在总局召开，中方小组组长、广电总局副局长田进同志参加会议并作主旨发言。

5月28日下午，田进副局长会见了到总局拜会的美国新闻集团新任全球副总裁兼星空传媒（中国）首席执行官高群耀一行。

6月1日，田进副局长会见了英国48家集团主席斯蒂文·佩里一行。

6月21日，张海涛副局长会见了诺基亚公司中国区总裁赵科林（Colin Giles）一行。

6月26日，田进副局长会见了应中国人民外交学会邀请访华的美国中国问题专家学者团沈大伟(David Shambaugh)等一行。

6月28日，胡占凡副局长会见了西班牙贸易旅游国务秘书派德罗·梅西亚一行。

6月30日～7月5日，接待墨西哥特莱维萨副总裁何塞·巴斯通访华。

7月11日，张海涛副局长会见了荷兰爱迪德公司首席执行官格雷厄姆·克尔一行。

7月12日，王太华局长会见了加拿大驻华大使罗岚(Robert G. Wright)，就中加广播影视领域的密切合作交换了意见。双方认为，可在影视合拍、节目交换、记者互访等领域进一步加强合作。罗岚希望加文化遗产部部长秋季访华时与我签署影视合拍协议；同时邀请王太华局长方便时访问加。

7月31日，张海涛副局长会见了摩托罗拉宽带联网部副总裁杰弗·罗曼一行。

8月15日上午，田进副局长会见了瑞典电视四台台长杨·谢尔曼一行。

8月20～27日，阿尔巴尼亚广播电视总局局长佩特里特·贝茨（正部级）一行4人应邀来华访问。8月21日，王太华局长会见了贝茨一行。王局长说，中阿两国关系及两国广电合作历史悠久，友谊深厚。近年来双方在广电领域的合作也不断深化。希望双方建立更有效的合作机制，及时沟通，在人员交流、节目交换、合作制片等方面加强务实合作。

10月9日上午，张海涛副局长会见了美国iBiquity Digital公司首席执行官罗伯特一行。

10月9日，田进副局长会见了澳大利亚广播公司(ABC）董事会主席莫里斯·纽曼一行。

10月10日，张海涛副局长会见了美国艾科斯塔通信公司董事局主席兼首席执行官查尔斯·厄根一行。

10月12日，田进副局长会见了美国映佳公司创始人、董事长谢诚刚。

10月12日，在新加坡政府在华举办“新加坡季”期间，接待新加坡新闻通讯艺术部常秘兼媒体发展局局长陈振南来访。田进副局长会见了陈振南一行。

10月22日，赵实副局长宴请了捷克文化部副部长。

11月15日，张海涛副局长会见了西班牙经济部旅游贸易国务秘书佩德罗·葛麦斯和西班牙亚伯提斯电信公司总经理托维亚斯·马丁内斯一行。

11月16日，田进副局长会见了西班牙塞万提斯学院院长卡门·卡法瑞尔一行。

11月19日，田进副局长会见了美国麒麟电视公司创始人兼董事长王嘉廉先生。

11月27日，张海涛副局长会见了法国汤姆逊集团总裁兼首席执行官弗兰克·唐夏一行。

11月28日，张海涛副局长会见了瑞士耐瑞唯信公司首席执行官安德烈·库德尔斯基一行。

12月26日，田进副局长出席了2007年中国电视长城平台工作总结大会，在会上充分肯定了长城平台取得的成绩，并针对目前存在的问题，对进一步建设和发展好长城平台提出了要求。

（总局国际合作司）

中央人民广播电台

2007年中央人民广播电台的对外交流工作在以往的基础上继续保持良好的发展势头，在以大型活动为龙头，以日常接待来访、安排出访为基石，以外宣节目为载体的对外交流与合作的各环节都取得了务实的成果。

一、大型活动——交天下广播朋友 促全球华语电台协作

1．由中央人民广播电台主办的2007’（中国）广播发展论坛暨全球华语广播协作网年度会议8月在北京、青岛两地举办，15家来自北美、澳洲、欧洲、港澳等地区和中央电台的40多位广播界同行、专家、学者与会。国家广播电影电视总局副局长田进，中央人民广播电台台长王求，中国奥委会副主席、北京奥组委主席助理屠铭德，广电总局国际合作司副司长曹寅等出席了开幕式。会议还安排了海内外华语广播机构代表对2008年北京奥运会的筹备情况及北京和青岛两地的奥运场馆进行了参观、采访。

2007年8月8日，北京奥运会倒计时一周年之际，中央电台第一套节目中国之声与各华语广播机构共同推出了10个半小时直播节目《和谐神州奥运来》，取得了圆满成功。

2．2007年5月，中央电台按2006年保加利亚总理访华时中保两国签署的协议（中央人民广播电台和保加利亚国家广播电台签署的合作协议为协议之一）邀请保加利亚国家广播电台少儿合唱团来京演出，该团在中央电台音乐厅和中山音乐堂及天津演出多场，反响良好。保加利亚驻华大使奥尔贝措夫先生多次对此事给予高度评价，并正式发函感谢中央电台的出色组织工作。保加利亚国家电台台长也来函邀请中央电台少儿广播合唱团在合适的时间访问保加利亚。

二、日常来访、出访——联络友情 拓展合作

记者的足迹踏遍四大洲，既是在完成新闻采访任务，也是在做中央电台的对外交往工作。另外中央电台也组团对国外一些广播公司进行访问交流，包括联合国电台，美国中国广播网，澳洲华人电台，加拿大广播公司等等；来访团组方面有日本NHK，韩国KBS，越南之声，新西兰华人电台，联合国电台等等。全年接待来访、安排出访90余批次。

大事记

出访

1月30日～2月10日，杜嗣琨副总编辑等7人出访美国、加拿大，与当地华语电台商谈合作事宜，以巩固全球华语广播协作网的建设。

5月，刘宝顺副台长等5人出访俄罗斯、乌克兰考察当地电台。

来访

5月16～22日，保加利亚国家广播童声合唱团应中央人民广播电台邀请，在北京、天津演出多场。保加利亚驻华大使奥尔贝措夫、杨波台长出席了有关的演出活动。

6月11日，杨波台长会见越南之声副台长黎停道一行5人。

7月30日，赵忠颖副台长会见韩国KBS资深播音员代表金成洙一行5人，韩国客人来中央电台朝语部进行业务交流。

8月27日～9月1日，全球华语广播协作网会议在北京、青岛召开，15家全球华语广播机构负责人及节目制作人员与会。

8月31日，王求台长与马来西亚寰宇公司高管会面，商谈节目合作。

9月24日，王求台长会见了捷克广播电台台长卡西克一行5人。

10月22日，王求台长会见了加拿大国际广播电台节目总监斯里维女士。

10月24日，王晓晖副台长会见非洲数字网络集团总经理菲内尔。

11月6日，钱岳林总工程师会见了肯尼亚国家媒体集团有限公司代表团一行10人。

12月9～20日，王求台长率团出访欧洲（英国、法国、德国）三国，与三国相关广播机构负责人商谈拓展合作及节目版权事宜。

中国国际广播电台

2007年，国际台共完成外事出访和接待项目230个，新签续签合作协议40多份，与世界主要媒体进行了人员、节目和信息的对口交流。

一、出访。出访团组136个，出访人员277人次。在境外执行出访任务包括：举办海外调频台开播仪式、考察落地项目、新闻采访、人员培训、参加国际会议、组织听众联谊会、新媒体推广、调研、驻外记者赴任等，出访国家遍及世界各大洲的70多个国家和地区。

二、来访。接待了来自90多个国家和地区的94个团组，共计1292人，比2006年增加了一倍多。国际台主办并接待的大型境外团组包括："中俄友谊之旅·中国行"、"中西文化之旅"、"奥地利记者中国行"等。

三、外工管理。2007年，国际台创新外事管理体系，制定和实施了外籍工作人员分类分级及薪酬管理改革方案和医疗保险改革，年初在10个语言部试点，10月18日起在全台推开。2007年共聘用外籍工作人员动态最高数额为136人，在职正式外工月均88人，新聘正式外工28人，离任36人。

一、主要出访

2月22日～3月8日，副台长王冬梅率考察小组一行2人，赴土耳其、埃及和肯尼亚对广播孔子课堂建设进行考察。

5月15～26日，副台长陈敏毅率代表团一行4人赴法国、葡萄牙和摩洛哥进行工作访问。访问期间，代表团与法国远程传输公司TDF中波广播负责人米歇尔·佩内鲁，就通过TDF公司下属摩纳哥蒙特卡洛发射中心（MCR）转播国际台节目事宜进行会谈并签署了会谈备忘录；拜访了葡萄牙国家台执行主席贡萨罗·雷伊斯，双方就合作事宜举行了会谈。

5月30日～6月11日，副台长夏吉宣率代表团一行5人访问保加利亚、罗马尼亚和匈牙利。访问期间，代表团分别与保加利亚国家电台台长瓦列里·多多洛夫先生、罗马尼亚国家广播公司总裁玛利亚·佐基娜女士、罗国际台台长尤金·可若卡鲁先生，以及匈牙利国家电台副台长约瑟夫·萨理先生等，就中罗和中匈间国际广播的节目交换、人员交流、专家选派、2008年共同采访报道奥运会等事宜进行了讨论并达成共识。代表团分别在当地举行了听众见面会。

6月10～23日，台长王庚年率代表团一行6人对巴西、阿根廷和古巴就推动节目落地、考察当地媒体情况等进行工作访问。访问期间，代表团与巴西媒体同行及侨领举行了座谈，并与《南美侨报》签署合作协议；出席了在福斯市举办的国际台与巴西侨网建立CRI专区协议签字仪式；拜会了阿根廷新闻局局长胡里奥·洛佩斯及即将上任的阿根廷国家电台台长加西亚·加菲；应邀与古巴广电局第一副局长鲁伊斯·阿科斯塔举行工作会谈，双方签署了《中国国际广播电台和古巴广播电视总局关于人员交流的合作备忘录》。此外，代表团在古巴巴拉德罗与巴拿马中文台共同举行了中国国际广播电台与巴拿马中文台合作意向书签署仪式。

6月19～30日，副总编李忠尚率团对俄罗斯、希腊和阿尔巴尼亚进行工作访问。访问期间，代表团与塔斯社第一副社长古斯曼进行了工作会谈；与英国国际广播网公司（WRN）总经理艾杰顿签署了《中国国际广播电台与世界广播网的协议》，与WRN发展经理库恩签署了《国际台与新世界广播网关于租用莫斯科中波738台时段的协议》；与雅典国际广播电台商定两台相互提供专题节目，进行"本土化"制作后在各自电台播出；会见了澳大利亚墨尔本3CW中文台台长兼西澳珀斯FM104.9调频台台长姜兆庆先生，就国际台租用珀斯FM104.9台10小时广播时段播出英语和华语节目事宜进行会谈；与阿尔巴尼亚国家广电总局局长贝茨就国际台在阿尔巴尼亚首都地拉那开办阿语调频节目频率、改进国际台在富卡拉租机播出的效果，以及人员交流等事宜进行了会谈。

7月16～27日，以纪检组组长张富生为团长的考察团一行5人对加拿大、美国进行访问。访问期间，同加拿大蒙特利尔电台负责人，就双方扩大节目合作，增加节目播出时段进行了探讨；对位于美国大华盛顿地区的新世界广播电台进行考察，与该台就整频率合作事宜进行调研；与洛杉矶美国银视网和洛杉矶电台就国际台“海峡飞虹”节目在美国镜像点对台湾播出，以及洛杉矶电台播出国际台英语节目情况等进行调研。

8月28日～9月8日，副总编李忠尚率团对瓦努阿图、澳大利亚和新西兰进行工作访问。访问期间，代表团就国际台整频率落地节目等事宜与当地电台举行了会谈。

9月2～13日，总会计师王文俊率团对巴西和阿根廷进行工作访问。

9月17～29日，副总编马为公率团对墨西哥、乌拉圭和委内瑞拉进行工作访问。访问期间，代表团参观了墨西哥城孔子学院，并与院方商讨了利用国际在线网上汉语教学平台推广海外汉语教学；与墨西哥国家电台台长埃克托尔·比利亚雷亚尔等领导层举行会谈，双方就开展节目和人员交流、新媒体领域合作等事宜达成初步合作意向；与委内瑞拉新闻通讯部副部长兼国家电台台长埃莱娜女士进行会谈，并就人员交流等方面的合作达成意向。

10月25日～11月5日，副台长赵铁骑率团赴埃及、突尼斯和阿尔及尔进行工作访问。

二、主要来访

2月1日，副台长夏吉宣会见来访的加拿大广播公司副总裁卡尔诺瓦勒，双方就在新媒体技术运用等方面开展合作进行了探讨。夏吉宣希望与广播公司在卫星广播、数字调幅广播(DRM)和新媒体技术运用方面加强沟通与联系，卡尔诺瓦勒表示愿意在人员培训、节目交流以及奥运会报道等方面与国际台开展合作，并可在卫星广播方面为国际台提供服务。

2月2日，副总编李忠尚会见来访的阿尔巴尼亚广播电视台摄制组一行。李忠尚就“国际台如何报道中国在改革开放中做取得的成就及国际台将如何报道2008年奥运会”等问题接受了采访。

2月6日，台长王庚年会见到访的俄罗斯驻华大使拉佐夫先生一行，双方就2006年成功举办“中俄友谊之旅”，以及2007年推动“俄罗斯媒体中国之行”和摄影展活动的具体事宜交换了意见，并就国际台组织网民与俄罗斯政要对话的可行性进行了商讨。王冬梅副台长和李忠尚副总编参加了会见。

2月13日，台长王庚年会见到访的缅甸驻华大使吴登伦一行。王庚年台长表示希望进一步增加对缅甸的中波、调频广播，以增强缅甸听众的收听效果。吴登伦表示愿意与缅甸国内相关部门进行沟通，促成国际台节目在缅甸的落地，并增进国际台与缅甸媒体的交流合作。

4月4日，副台长陈敏毅会见到访的伊朗议会代表团一行5人。双方就国际台波斯语开播50周年及双方加强合作、相互提供节目素材等事宜交换了意见。

4月5日，副台长夏吉宣会见由国防大学防务学院院长朱成虎少将带队的高级指挥班学员。这些学员来自俄语及西班牙语地区和国家，以及老挝、柬埔寨、泰国、孟加拉国和斯里兰卡等亚洲国家的高级军官。

4月11日，副总编李忠尚会见来访的波兰媒体协会主席马莱克·特拉赤克一行8人。双方就人员交流、节目交换等合作事宜进行探讨，并希望尽力促成两国在媒体领域的进一步合作。

4月18日，台长王庚年会见到访的巴拿马中文台台长古文源先生。双方就加强扩大节目合作、延长租时时长，重点在调频节目落地和网络电台建设等方面进行了磋商。

4月19日，副台长陈敏毅会见专程来访的斯里兰卡教育部部长苏西尔·普雷马贾扬德先生率领的斯中社会文化合作协会友好访华代表团一行。会见时，苏西尔·普雷马贾扬德先生宣布“中斯建交50周年暨‘中斯友好年’联合庆祝委员会”决定，对中国国际广播电台等4家中国机构予以表彰；对中国国际广播电台孔令保、王晓东等12名中方人士予以表彰，并颁发由斯里兰卡总理亲笔签名的“斯中友好特别奖”奖状和证书。

4月23日，副总编马为公会见了正在中国访问的“越南之声”代表团，并代表王庚年台长对代表团的来访表示欢迎。双方围绕广播、电视、互联网、手机广播电视新媒体的发展趋势交换了看法。

4月27日，副总编李忠尚会见了来访的BBC亚太地区业务发展总监纳尔·克瑞先生一行三人，宾主就加强双边媒体间的交流与合作，尤其是利用2008北京奥运会之机加强合作进行了会谈。

5月11日，国际台副总编李忠尚会见了英国世界广播网（WRN）执行董事加里·埃杰顿先生，双方就进一步推动国际台节目在欧洲落地等事宜交换了意见。同日，李忠尚会见了新西兰唐明集团董事长董燕女士，李忠尚希望唐明公司能够提供国际台在新西兰建台、购台或租时段的详细情况，以及新西兰对经营广播等媒体的法律条件。董燕女士表示愿与国际台合作，并通过国际台为当地华人华侨服务，也为当地民众提供了解中国的渠道。

5月14日，副台长陈敏毅会见到访的芬兰大众媒体公司组成的芬兰听众代表团。陈敏毅向客人介绍国际台的历史和现状，并对听众提出的问题进行了解答。代表团参观了国际台台史展、技术中心主控机房和英语中心，对国际台的机构设置、节目播出和运行情况做了全面的了解，并给予高度评价。

5月17日，副台长王冬梅会见到访的塞拉里昂记者协会会长易卜拉辛先生为团长的非洲英语国家联合新闻团一行20人。该团成员由塞拉里昂、肯尼亚、尼日利亚、坦桑尼亚、津巴布韦等15个非洲英语国家的主流媒体负责人和新闻官员组成。王冬梅就国际台汉语教学节目、对非洲报道宗旨及与非洲媒体合作等问题回答了记者们的提问。

5月23日，副台长夏吉宣会见来访的中山籍侨领代表团一行24人。代表团成员分别来自美国、加拿大、斐济、香港等国家和地区。夏吉宣希望和各位侨领开展合作，一起为华人华侨社团提供更好的服务。

5月24日，“2007年发展中国家广播电视技术管理官员研修班”一行31人到国际台访问，总工程师周毅会见了代表团，并向客人介绍了国际台目前使用国际先进技术设备向世界广播，以及新媒体发展情况。该研修班学员来自亚洲、非洲、大洋洲、拉丁美洲和欧洲等17个国家的广播电视机构。

5月24日，副总编李忠尚会见来访的拉美加勒比地区媒体高级考察团一行6人。宾主就加强双边媒体间交流与合作进行了会谈。李忠尚还就国际台在节目发送、数字电视业务、同国际国内媒体合作、外国专家情况及国际台对外广播的方式、对内广播的覆盖区域等问题回答了考察团员的提问。

5月29日，副总编李忠尚会见到访的阿富汗新闻文化部长。双方就两国媒体间交流进行了会谈。

6月5日，副总编李忠尚会见来访的日本NHK国际局局长江口三郎一行。双方就进一步拓展合作空间，特别是在人员交流与节目交换等方面的合作。

6月12日，副台长陈敏毅会见到访的越南之声电台副台长黎庭道一行5人。双方在节目交换、网络链接、人员交流等领域的合作进行了探讨。

6月20日，副台长陈敏毅会见前来参观的“广播电视高层管理研修班”一行72人。陈敏毅向研修班学员们介绍了国际台的发展和现状，并回答了国际台奥运节目转播、驻外记者站及听众俱乐部等问题。该研修班学员来自塞内加尔、格鲁吉亚、肯尼亚、黑山等43个国家的广播电视机构。学员们还参观了国际台相关语言部。

6月21日，副总编马为公会见到访的老挝新闻文化部公众媒体局局长万通·潘占衡等一行4人。双方表示，中老两国新闻界应扩展合作内容，除人员交流外，还应在节目制作等方面开展合作。会见后代表团接受了老挝语部采访。

6月25日，副台长王冬梅会见到访的美国福克斯新闻频道副总裁。双方就合作交流、节目落地等事宜举行了会谈。

6月29日，副台长夏吉宣会见到国际台参观的“2007葡语国家广播技术培训班”全体学员。夏吉宣向学员们介绍国际台的历史和发展现状，并表示愿与各位学员所在国的媒体开展合作，尤其是在2008年北京奥运会前后，探讨在奥运报道方面的合作。培训班学员来自几内亚比绍、东帝汶、葡萄牙、佛得角和莫桑比克5个葡语国家的广播电视机构。

7月3日，副总编李忠尚会见来访的墨西哥特莱维萨集团副总裁何塞·巴斯顿一行。双方就国际台与特莱维萨集团合作内容和形式进行了探讨。

7月11日，正在中国学习的“非洲国家新闻记者研修班”代表团到国际台参观访问，并接受国际台法语记者采访。该代表团由50名来自非洲18个法语国家的报刊和广播大使媒体的官员和记者组成。

7月12日，国际台副台长夏吉宣会见了来访的尼日尔最高新闻委员会主席达乌达·迪亚洛一行。宾主就加强双边媒体间的交流与合作进行了友好会谈。

7月18日，副台长王冬梅会见来访的美国Intelsat公司亚太区副总裁包大卫先生一行。双方就进一步加强业务沟通，确保国际台节目在海外收听效果进行了会谈。

7月23日，副总编李忠尚会见来访的世界华人协会主席胡荣强，宾主就积极争取合作，发挥其在世界华人中的影响力等进行了友好的会谈。

7月25日，总工程师周毅会见到访的“2007中国广播电视技术合作研修班”一行26人。周毅就国际台节目频率及覆盖范围等问题回答了学员们的提问。该研修班由广电总局委托中国广播电视国际经济技术合作总公司承办，学员来自阿尔巴尼亚、越南、肯尼亚、马里、蒙古等12个国家的广播电视机构。

7月31日，副台长夏吉宣会见来访的“发展中国家广播电视记者国际研修班”一行88人。夏吉宣希望学员们能为国际台与所在国媒体的合作架起桥梁。夏吉宣就2008年国际台奥运报道人员需求、海外记者站等问题回答了研修班学员的提问。该研修班是由商务部委托国际广电总局培训中心承办的，学员来自文莱、缅甸、古巴、多米尼加、埃及等49个国家的广播电视机构。

8月1日，副台长陈敏毅会见以韩国广播委员会振兴事业部部长文贤锡为团长的韩国广播委员会代表团一行4人。双方就扩大媒体间交流范围和合作内容进行了会晤。此次，韩国广播公司（KBS）派出编导和播音员在国际台朝语部进行为期一周的讲课，介绍韩国同行在广播节目策划与制作、播音技巧等方面的经验，并与朝语部探讨共同制作节目等。

陈敏毅副台长会见来访的韩国广播委员会和韩国广播公司代表团团长文贤锡

8月6日，副台长夏吉宣会见到访的NHK对内广播部主任一行。双方就节目交流，人员培训等事宜交换了意见。

8月7日，副总编马为公会见了来访的乍得新闻部秘书长穆罕默德一行5人。双方认为，国际台的节目可通过多种方式在乍得落地，如条件许可，双方可进行合作。

8月16日，副台长陈敏毅会见到访的斯里兰卡劳工部长阿达乌德·塞拉维拉特那一行。双方就进一步加强交流与合作，推动中斯全面友好关系发展等进行了交谈。斯里兰卡新任驻华大使卡努拉迪拉克·阿穆努加马陪同来访。

8月22日，台长王庚年会见到访的阿尔巴尼亚广电局局长佩特里特·贝茨，双方就加强合作与交流交换了意见。王庚年台长表示，长期以来，阿尔巴尼亚广电局通过自己的平台为国际台海外节目落地提供了良好服务，为今后双方开展进一步合作奠定了基础。贝茨先生是应国家广电总局邀请访问中国的，访问期间贝茨拜会了总局领导，参观了2007年中国国际广播影视博览会。同日，国际台副总编李忠尚会见了佩特里特·贝茨局长，就国际台节目在阿落地合作事宜进行了磋商。

8月27日，副台长陈敏毅会见到访乌拉圭众院国际委员会主席丹尼尔及乌驻华大使雷梅斯一行。双方希望能在媒体间进行多方面的合作与交流，并就具体合作内容和方式进行了探讨。

9月4日，副台长王冬梅会见来访的“第四届非洲国家政府官员新闻研修班”一行39人。王冬梅向客人介绍了国际台近年来的发展和现状，着重介绍了国际台节目在非洲国家覆盖和收听情况，以及建立“非洲总站”和开设“广播孔子课堂”的情况。她希望来访非洲国家新闻官员及媒体代表，为国际台与所在国媒体之间的合作牵线搭桥，并提出可行性建议。该研修班由中央对外宣传办公室承办，学员来自埃及、埃塞俄比亚、肯尼亚、坦桑尼亚、津巴布韦、多哥、加纳、卢旺达、尼日利亚、南非等30多个非洲国家。

9月5日，副台长王冬梅会见来访的科摩罗广电总局局长哈丽娅·阿布杜夫人一行3人。双方就加强广播合作事宜交换了意见。

9月5日，副总编马为公会见来京访问的越南记协代表团。马为公向客人介绍了国际台的发展和现状，以及多媒体发展的情况。代表团参观了国际台台史展，并接受了越南语部记者的采访。

9月18日，副台长陈敏毅会见来访的“加勒比国家新闻官员及记者国际研修班”一行34人。陈敏毅就国际台在加勒比国家和地区的节目落地、听众交流方面以及国际台与加勒比国家媒体间可以开展的合作项目等问题回答了研修班学员的提问。该研修班由中国商务部委托广电总局培训中心承办，学员来自巴哈马、巴巴多斯、多米尼克、格林纳达、牙买加、圣卢西亚和苏里南等10个加勒比国家及加共体的政府部门、广播电视和新闻机构。

9月19日，台长王庚年会见到访的以匈牙利《人民自由报》副总编拉兹罗为团长的东欧五国联合新闻团一行14人，并接受了新闻团记者的采访。新闻采访成员分别来自匈牙利、斯洛文尼亚、波黑、克罗地亚及黑山五国的新闻媒体机构。

9月21日，国际台副台长陈敏毅会见到访的土耳其新闻代表团。双方就媒体间相互交流、新闻资源共享、网络链接等方面的合作进行了探讨。

9月21日，副台长夏吉宣会见到访的非洲记者研修班。夏吉宣希望国际台与非洲国家媒体间加强合作，共同努力消除因西方媒体的片面报道所造成的不良影响。研修班学员表示愿与国际台合作。该研修班一行10人分别来自毛里塔尼亚、多哥、刚果（金）等8个非洲国家。

9月25日，台长王庚年会见来访的老挝党中央委员、中宣部部长潘隆吉·冯萨一行。双方希望在国际台万象调频台建立的基础上，进一步加强合作，走进两国人民的交流与友谊。冯萨一行还接受了国际台老挝语部的采访。

9月25日，台长王庚年会见到访的AC尼尔森媒介研究亚太地区客户服务总监聂毅立一行。双方希望通过开展合作，改进和完善国际台广播媒体受众的调研和推广工作。

9月27日，副总编李忠尚会见到访的尼泊尔国家计划委员会副主任博克莱尔一行4人。双方就国际台在尼首都加德满都建设一个国际台调频台，促进中尼两国相互了解和友谊等事宜进行了磋商。博克莱尔先生一行是应国家发改委的邀请来华访问的。

9月28日，台长王庚年会见正在北京出席奥运会2007年世界转播商大会的亚广联体育中心主任约翰·巴顿。王庚年表示，希望国际台在北京奥运会报道等方面进一步得到亚广联的支持和帮助。约翰·巴顿表示相信国际台在奥运报道中成为沟通中国人民与世界人民友谊的桥梁。北京奥组委媒体运行部及国际台合作交流办公室、事业发展办、新闻中心等有关负责人参加了会见。

10月16日，副总编李忠尚会见来京的柬埔寨国家电台副台长尹齐及国家电台负责技术的官员。双方表示，借2008年中柬建交50周年契机，在柬埔寨首都金边建立国际台调频台，并实现两台间节目和人员交流等多方面合作。

10月17日，副总编李忠尚会见来访的乌干达广播公司主席卡图拉姆一行2人。双方就节目落地、节目交换、人员培训等事宜进行了会谈。卡图拉姆2人是广播总局“电台电视台管理与运营国际研修班”的成员。

10月22日，副台长王冬梅会见应邀来台访问的“非洲数字网络传媒集团”总经理布鲁诺·非内尔先生。王冬梅说，国际台将通过多种传输方式与非洲国家电台、电视台、网络、平面媒体等开展合作，以便让非洲人民更好地了解中国。布鲁诺·非内尔先生表示希望与国际台开展合作，以使非洲听众在了解中国的同时，了解中国对非政策及中非合作等。

10月24日，副台长夏吉宣会见来访的中亚国家新闻从业人员研修班一行14人。夏吉宣向客人介绍了国际台的发展历史，以及在节目内容、报道手段、报道途径等方面发生的变化。他希望来访的学员能为国际台与所在国媒体的合作架起一座桥梁。中亚国家新闻从业人员研修班是商务部和外交部委托外交学院承办，学员为各中亚国家重要媒体机构代表或政府新闻官员。

10月24日，副总编李忠尚会见来访的土耳其“方向”电台台长于克塞尔·阿棱奇先生。双方就国际台节目在土落地、两台人员交流、互换节目素材等事宜进行了会谈。

11月6日，台长王庚年会见到访的古巴广电委主席洛佩兹一行6人。双方就加强人员交流和节目合作等事宜进行了沟通，并达成一致意见。

11月29日，副总编李忠尚会见来访的国侨办海外华人媒体高级研修班一行25人。李忠尚希望各华文媒体能与国际台加强交流，并在采访、节目交流、海外落地等方面深入开展合作。美国《美中信使报》总编、英国《英中时报》总编等对构建华文媒体信息平台，以及国际台华语广播“孔子课堂”等富有特色的文化类节目表示出兴趣，希望加强联系与合作。

11月30日，台长王庚年会见由雅典国际电台台长安塔纳西奥斯·卡费扎斯率领的希腊雅典国际电台代表团一行。双方就加强交流与合作达成共识，并签署了《中国国际广播电台与希腊雅典国际广播电台广播业务合作协议》。

王庚年台长与希腊雅典国际电台台长安塔纳西奥斯·卡费扎斯签署合作协议

12月5日，副总编马为公会见到访的以苏丹《最后时刻报》副主编埃勒辛迪·伊扎勒丁为团长的苏丹新闻代表团一行。双方就加强国际台和苏丹新闻界的合作特别是新媒体领域的合作交换了意见。会谈结束后，代表团接受了国际台阿拉伯语广播部的采访。

12月13日，副总编李忠尚会见到访的德国博世基金会中国项目负责人白马克，双方就博世基金会发挥其影响力，支持两国媒体间的合作及记者交流，促进双边关系等进行了友好会谈。

三、其他外事活动

3月19日，英语中心邀请美国有线新闻网CNN资深记者当娜·瑞乃女士就“优秀广播节目的产生”举行系列专题讲座。

3月23日，与国家汉语国际推广领导小组办公室、俄罗斯国立职业师范大学文化交流工作室签署了合作备忘录，决定在俄罗斯开设“广播孔子课堂”，通过广播和网络等形式向所有希望学习汉语的俄罗斯民众提供教学服务。

3月29日，由国际台主办、日本放送协会（NHK）协办的“中日网络对话”在北京和东京两地同时举行，国际在线日文网、中文网与日本NHK国际广播电台的中文广播节目对网络对话同步进行直播报道。这是国际台首次与境外主流媒体联合举办大型跨境网络对话直播活动。网络对话分别在春、夏、秋、冬四个季进行，分别以“中日国民相处之道”（3月29日）、“体育拉近中日距离”（6月27日）、“文化加深中日理解”（9月29日）和“青年－中日友好的未来”（12月24日）为主题。新华社、人民日报、中央电视台等30多家国内主要媒体对此次活动进行了现场采访；中国网、中国日报网站、新浪网、搜狐网等国内近50家网站对活动进行了图文报道；日本主流媒体NHK、共同社、东京新闻、经济新闻等采访了活动在东京的直播现场。

4月19日，国际台法语网站与中国驻法文化中心网站实现链接，成为第一个与该文化中心网站实现链接的网站。

4月21日～6月10日，与广西广电局联合举办“中国－东盟合作之旅”大型广播电视采访活动。由国际台、广西人民广播电台、广西电视台和香港凤凰卫视等媒体的40多名记者组成的采访团，历时50天，行程2万公里，先后对越南、柬埔寨、老挝、泰国、缅甸、马来西亚、新加坡、印度尼西亚、文莱、菲律宾等东盟10国的35个城市进行了采访。采访团共在多家媒体播发相关新闻和专题1600多篇（条），刊发图片2400多张。

4月25日，举行中国西班牙文化年“中国行”、“西班牙行”联合采访活动中外媒体见面会。国际台副台长王冬梅与国际奥委会委员萨马兰奇·萨利萨奇先生、西班牙环球探险公司中国代表托马斯先生出席了活动并回答了中外记者的提问。

5月24日，为配合“中俄友谊之旅·中国行”活动，国际在线联合千龙新闻网、东方网、浙江在线、大河网等14家地方新闻网站，共同推出“我带俄罗斯朋友游家乡”大型互动活动。该活动以“中俄友谊之旅·中国行”采访车队途径城市为主，鼓励网友对家乡的人文景观、地方特产、民族风情等通过图片展现给俄罗斯朋友。

5月25日～6月25日，由国家广电总局和国务院新闻办公室主办、国际台和俄通社－塔斯社共同承办的“中俄友谊之旅·中国行”中俄媒体联合采访报道活动。由俄通社－塔斯社等12家俄罗斯主流媒体以及人民日报、新华社、中央人民广播电台、中国国际广播电台等4家中国主流媒体组成的联合报道团，行程8600公里，完成了历时32天的采访报道活动。5月25日，在天安门广场举行隆重出征仪式，中宣部副部长、广电总局局长王太华，国务院新闻办副主任李冰，中俄“国家年”中方组委会秘书长、外交部部长助理李辉，广电总局副局长田进，北京市委常委、宣传部长蔡赴朝，中国国际广播电台台长王庚年以及俄罗斯驻华大使拉佐夫、俄罗斯联邦新闻出版与大众传媒署署长谢斯拉温斯基、俄通社－塔斯社社长伊戈纳坚科等200多位中俄两国各界人士出席了仪式。6月25日，活动结束仪式在北京国家体育馆（鸟巢）举行。国家广电总局副局长田进、中俄“国家年”中方组委会秘书长、外交部部长助理李辉、北京市副市长孙安民、国际台台长王庚年、俄罗斯驻华大使拉佐夫、俄通社－塔斯社副社长库奇科等出席仪式并发表讲话。

6月1日，台长王庚年应邀到古巴驻华使馆，与古巴驻华大使卡洛斯·米格尔·佩雷拉·埃尔南德斯先生进行会谈。双方表达了开展深入合作、促进两国广电事业的发展的良好愿望。佩雷拉在会见时建议国际台举办拉美国家驻华大使见面会、制作面向拉美地区的有关北京奥运的广播、电视专题节目等，从而在涉拉美地区的对外传播中发挥更大的作用。

6月1日，副总编李忠尚会见到访的美国银视广播网总裁比利·钟先生，双方就筹备中的东南工程台湾镜像站项目进行深入会谈。

6月5日～9月21日，中国西班牙年“中国行”联合越野采访活动。作为2007年中国西班牙年总体活动的一部分，联合越野采访活动分为摩托车队“中国行”和吉普车队“中国行”两个项目。在历时3个多月的时间里，西班牙方面的媒体记者和各界知名人士80多人先后与国际台工作组一起，行程4万多公里，途径新疆、青海等19个省、市、自治区。国际台对此次活动进行了多媒体报道。

6月8日，国际台首家广播孔子课堂在肯尼亚首都内罗毕举行揭牌仪式。中国教育部副部长袁贵仁、肯尼亚新闻部副部长瓦姆韦雷、肯尼亚教育部部长代表，中国驻肯尼亚大使张明、国际台副总编丁邦英，以及250多名肯尼亚各界人士参加了仪式。该课堂将依托国际台内罗毕调频台FM91.9的英语和斯瓦希里语广播，结合网络和面授实施汉语教学。

6月27日，副总编马为公会见来访的乌拉圭驻华大使路易斯·阿尔玛格罗先生。双方就两国媒体在人员交流、广播和新媒体节目的合作等方面进行了友好交谈。

6月，国际在线网络电台大型人物访谈节目《e谈到底》正式在美国生活电台播出。

8月23日、24日，国际台汉语普通话和朝语广播与韩国广播公司（KBS）联合制作播出《中韩建交15周年特别节目》（朝语节目）和《中韩建交15周年CRI－KBS特别节目——共创交流合作新时代》（汉语普通话节目），节目通过采访中韩两国大使、专家、企业界人士及普通百姓，介绍两国在经济、文化合作交流方面的成果。

8月，印尼驻华大使馆在印尼独立62周年庆典仪式上，授予国际台印尼语广播创办人之一的黄阿玲同志荣誉证书，以表彰他为促进中印友好合作关系所做出的卓越贡献。

9月12～27日，国际台举行自主策划的“中西文化之旅”采访报道活动。由副台长王冬梅率队，总编室、新闻中心、西拉中心、新媒体中心、《世界新闻报》等部门的12位记者组成多媒体采访团，分为南北两组，行程近6000公里，在马德里、巴塞罗那、圣地亚哥等13个城市进行实地采访，共采发各类中西文稿件5万多字，图片600多幅。

9月12日，“奥地利记者中国行”活动启动仪式在北京举行，国际台台长王庚年出席仪式，并会见了奥地利记者俱乐部主席图恩海姆先生率领的“奥地利记者中国行”记者团一行。奥驻华使馆临时代办舒适先生参加了会见。该团记者分别来自奥地利7家媒体，共12人。他们围绕中国与欧盟关系、中奥关系以及中国民族区域自治、环保等主题，在北京、上海、拉萨等地进行了为期12天的采访活动，行程近万公里。

9月24日，由国务院新闻办主办、国际台与契诃夫人文基金会承办的中俄“国家年”摄影比赛优秀作品展在中国驻俄罗斯大使馆开幕。中国驻俄罗斯大使刘古昌出席开幕式并发表讲话，国际台台长王庚年为开幕式发了贺信，俄罗斯联邦新闻出版与大众传媒署广播电视与大众传媒局局长阿金申致辞，中国国务院新闻办国际局副局长、俄罗斯“中国年”中国新闻中心主任丁晓鸣到会祝贺。中俄各界代表150余人参加了开幕式。开幕式上展出了反映中俄两国人文历史、自然风光、文化交流及现代时尚的优秀摄影作品100余幅。10月26日，该作品展在俄罗斯驻华大使馆开幕。俄驻华大使拉佐夫、国务院新闻办副主任钱小芊、中俄“国家年”中方组委会秘书长、外交部部长助理李辉、国际台台长王庚年、俄罗斯契诃夫人文基金会主席科宁等出席开幕式并致辞。100幅参展作品是2006年中俄双方分别组织记者到对方国家拍摄的当地风土人情，并由组委会评选出优秀作品分别在两国展出。

11月，在坦桑尼亚首都达累斯萨拉姆举行的国际斯瓦希里语广播大会上，国际台被授予传播斯瓦希里语突出贡献奖。坦桑尼亚联合共和国副总理沙穆胡纳向国际台代表丁邦英颁发了获奖证书。

11月2日，国际台赴蒙古国考察小组在乌兰巴托市与该市育才汉语学校正式签署了合建孔子课堂协议。这是国际台在海外建立的第二个广播孔子课堂。

11月7日，国际台与日本长野县日中友好协会合建的长野广播孔子课堂在长野正式挂牌。国际台赴日代表团团长张富生与长野县日中友好协会会长井出正一签署了合建广播孔子课堂的协议。

中央电视台

一、大事记

1月17日，副台长张长明会见了卢旺达驻华大使约瑟夫·博内萨。双方就两国电视台合作事宜交换了意见。

1月19日，台长赵化勇、副台长张长明在北京梅地亚宾馆出席了中央电视台中视国际传媒有限公司与加拿大罗杰斯有线传媒公司合作协议的签字仪式。这标志着中国电视长城平台将进入加拿大的有线电视网。中央电视台国际频道和将在春节期间首次和加拿大华人华侨见面。

1月24日，副总编袁正明会见了乌兹别克斯坦总统府文化、出版、创作首席卡尔什巴耶夫·穆尔塔扎先生一行。袁正明表示，自中央电视台2004年底到2005年初提出“频道品牌化战略”以后，整体收视份额有了很大提升；新台址的启用也将开拓更大的发展空间。

1月25日，副总编袁正明会见了澳大利亚联邦政府新媒体发展战略顾问瑞秋·狄克森女士一行。袁正明表示，整合成立的央视网络电视有限公司拥有限量颁发的播放牌照和中国最庞大的电视节目资料库，是其得天独厚的优势。

1月30日，台长赵化勇会见了美国纽约洋基队总裁兰迪·李文先生一行。赵化勇表示棒球运动在中国还是起步阶段，中国观众对棒球了解甚少，需要加大宣传力度。

2月6日，副总编程宏会见了意大利安莎通讯社常务董事兼总经理马里奥·罗索先生一行。程宏表示目前中意电视媒体的交流多为文化题材的节目交流，在新闻节目方面尚无直接的合作。希望双方建立合作关系。

2月6日，副台长孙玉胜会见了半岛英语电视台副台长安斯蒂及其驻京分社代表等一行。孙玉胜认为半岛电视台近10年来迅速崛起，很多宝贵的经验值得学习，今后可以在新闻、节目交换等很多方面展开交流与合作。

2月7日，副台长何宗就会见了法国汤姆逊集团首席运营官兼高级执行副总裁楚特先生一行。何宗就表示汤姆逊将重心从全球各地转向中国的战略是十分明智的，希望对方能在中国设立维修备件库，加快应急反应速度，保障中央电视台安全播出。

2月8日，副台长罗明会见了挪威Vizrt公司首席技术官兼全球副总裁彼得·雅克布森先生一行。罗明表示电视制作技术对推动电视事业的发展有着非常重要的作用。

3月6日，副台长张长明会见了罗马尼亚RC媒体集团RTV电视台台长索林·埃马社先生一行。会见中，张长明副台长表示，中央电视台对向RTV固定时段提供节目比较感兴趣，可以进一步考虑外方提出的方案。双方也可以拓展思路，采取节目交换、购买或双方联合拍摄等多种形式。

3月15日，台长赵化勇会见了德国电视二台台长马库斯·沙和塔先生一行。赵化勇表示，不仅两台高层互访和人员交流密切，下属部门和公司也开展了诸多合作。中央电视台国际电视总公司与德国电视二台在联合制作、节目互换等方面合作顺利，取得了令双方满意的效果。

3月15日，副台长何宗就会见了法国汤姆逊草谷公司副总裁奥克斯·雷米先生一行。何宗就表示，汤姆逊公司的切换机等设备在中央电视台使用量巨大，且多用于新闻播出等重要位置，长期以来双方一直保持着良好的商业合作关系，此次签署协议拉开了双方直接合作的帷幕。

3月20日，副台长张长明会见了法国政府投资部主席华伟立先生一行。张长明表示，中央电视台2月底派往美欧若干城市的考察组已经就每个地点的法律、技术、经营等方面内容提交了考察报告，愿双方共同努力，推动进一步合作。

3月21日，副台长张长明会见了美国华纳兄弟国际电视公司总裁施兴阁先生(Jeffery Schlesinger)等一行。张长明表示，中央电视台要想成为世界一流的电视媒体，需要具备“五优”：优质的电视节目、优质的合作伙伴、优秀的技术、优质的推销队伍以及优秀的人才。

3月22日，副台长孙玉胜会见了美国IMG公司高级合伙人罗伯特·劳伦斯·库恩博士一行。孙玉胜表示，IMG拥有许多优秀的国际赛事资源，中央电视台则是国内影响力巨大的媒体，双方需要新思维和新方法，集中优势，超越已有成就。

3月29日，副台长何宗就会见了英国电信办公室(Ofcom)节目内容与标准事物合伙人蒂姆·苏特先生一行。何宗就表示，中央电视台已经建立了先进的新闻共享系统、媒资管理系统、办公自动化系统和节目生产管理系统，提高了全台的工作效率。

4月2日，副台长胡恩会见了法国瑞得集团(Reed Midem)总裁兼首席执行官施保罗先生一行。胡恩表示，中央电视台与瑞得集团一直保持着良好的合作关系，中央电视台每年都派代表团参加瑞得集团主办的戛纳电视节。

4月5日，副台长罗明会见了法国国家广播电台台长阿兰·马瑟先生。罗明表示，法国数字电视运营模式合理，功能多样、价格合理。但这种模式目前在我国较难推广，主要跟现行的行业体制等因素有关。免费电视资源丰富、质量优秀和观众长期以来已经养成的免费看电视的习惯，是我国付费电视发展的两大制约。

4月12日，副台长罗明会见了美国摩根士丹利公司全球投资银行副主席克里斯多夫·哈兰德先生一行。罗明表示，利用互联网的优势，把电视与网络结合起来乃是电视产业应该思考解决的问题。

4月17日，副总编袁正明会见了瑞典营销协会主席玛丽安·路特斯基欧德女士一行。袁正明表示，中央电视台广告收入快速增长。中央电视台还将走出国门，举行推介会并与当地企业进行交流，谋求合作机会。

4月18日，台长赵化勇先后会见了来台拜访的乌拉圭大使路易斯·阿尔马格罗、佛得角大使儒利奥·德莫赖斯。赵台长表示，中央电视台很愿意同非洲以及拉美国家电视机构加强合作。可以以互办电视周的形式推动同各国媒体之间的交往。2008年恰逢中乌建交20年，赵台长还邀请两国国家电视台台长访华并就具体合作事宜进行商谈。

4月24日，副台长孙玉胜会见了国际奥委会(IOC)财经委员会主席理查德·卡里昂先生一行。孙玉胜表示，从1980年中央电视台第一次参加冬奥会转播报道至今，双方已经成功合作了27年。27年来中央电视台所做的一切，都是在追求奥运会传播效果的最大化。

4月27日，副台长何宗就会见了美国国际卫星公司(Intelsat)行政总裁菲力普·斯班克特先生(Mr Phillip Spector)等一行。何宗就表示，希望合并后新的Intelsat公司能继续认识到中央电视台作为国家电视台的重要性，一旦转播CCTV节目的Intelsat公司的卫星出现故障，希望中央电视台获得优先服务权，使其备用卫星能保证中央电视台节目的正常不间断播出。

5月15日，副台长何宗就会见了日本利达公司董事能岛先生。何副台长对日方关心中央电视台新台址建设的热情表示感谢，并对双方共同开发新台址的相关设备及其运行等事项，提出了具体方案。

5月15日，台长赵化勇会见了来台拜会的秘鲁驻华大使伍绍良先生。赵台长表示，今年3月在随同李长春同志访问秘鲁期间，他曾同当地各团体进行了有意义的交流活动，双方的合作可以从互播节目开始。

5月22日，副台长张长明会见了拉美加勒比地区媒体高级考察团。张副台长表示，今年3月，中国领导人访问了拉美7国，中央电视台西语频道正在积极落实，以更多更好地服务于拉美地区的观众，满足各方面的需求，让拉美了解中国，让中国走进拉美。

5月22日，副总编程宏会见了以意中基金会发展部主任袁萃明为团长的意大利记者代表团一行。程宏介绍了中央电视台概况以及中央电视台奥运会转播的准备情况，并表示愿与意媒体展开多种形式的交流与合作。

5月28日，副台长何宗就会见了欧洲通信卫星公司商务副总监弗兰西斯科·卡塔尔多先生一行。何宗就对欧洲通信卫星公司与中央电视台一直以来进行的合作表示感谢——如CCTV-4和CCTV-9在欧洲落地，胡锦涛主席出访非洲信号传送等；并表示双方可以开拓长期合作空间。

6月7日，副台长孙玉胜会见了韩国广播公司(KBS)副社长金弘一行。孙玉胜表示，韩方在多媒体数字化方面取得的许多成果值得借鉴，今年正逢中韩建交15周年，双方媒体可以通过多种形式开展纪念活动。

6月12日，副总编程宏会见了美国长空国际传媒集团主席兼总执行官迪沃捷里一行。程宏表示，长空集团是世界著名的传媒集团，而中央电视台则是中国最大、实力最强的电视台。以奥运项目为契机实现双方合作，能互相学习，加深了解，为将来长期合作打下基础。

6月13日，台长赵化勇会见了美联社总裁兼首席执行官托马斯·科利一行。赵化勇表示，中央电视台与美联社之间一直保持着密切的新闻合作，随着规模的扩大和海外业务的扩展，中央电视台需要更丰富和更迅速的新闻来源，正在积极扩充驻外记者队伍。

6月14日，台长赵化勇会见了印度ZEETV集团首席执行官帕拉迪先生一行。双方就中印《为友谊喝彩》大型晚会、CCTV-9在印落地等合作项目进行了讨论。赵台长还希望《为友谊喝彩》能成为CCTV-9在印度重新落地的开幕典礼。

7月2日，台长赵化勇会见了来台拜会的秘鲁副外长古铁雷斯先生。赵台长表示，中秘两国都有着悠久的历史、丰富的文化，中央电视台愿意进一步推动两国广电系统的合作与往来。可以在两国建交日和国庆日制作播出电视周。

7月3日，副台长张长明会见了墨西哥特莱维萨集团副总裁何塞·巴斯顿先生一行。张副台长表示期待同特莱维萨这样有国际影响力的大集团合作，借奥运契机，向世界介绍中国。

7月18日，副台长孙玉胜会见了土库曼斯坦文化和广播电视部长卡卡格尔季·恰雷亚勒杜尔德耶夫、文化和广播电视部副部长兼土库曼斯坦国家电视台台长沙杜尔德·阿洛沃夫、通信部部长霍扎·库尔班诺夫。孙玉胜向客人介绍了中央电视台频道、节目等发展情况，并希望与土电视机构建立交流与合作关系。

7月24日，副台长张长明会见了伊拉克驻华大使穆罕默德·伊斯梅尔先生一行。张副台长表示，中国人民很关心伊拉克的恢复情况，而目前我们从国外机构获得的新闻多是展现伊拉克战乱的一面，欢迎伊拉克电视机构提供其自制的新闻节目，展示伊拉克客观的一面。张副台长邀请伊拉克有关电视台访华，商谈合作细节，并在适当时候签署谅解备忘录或协议。

7月24日，台长赵化勇会见了来访的斯里兰卡大使阿穆努加马先生一行。赵台长向大使通报了今年6月率团访问斯里兰卡国家电视台时，同斯国家电视台台长的会谈成果——双方拟签署《节目交流协议》。大使还表示，斯里兰卡民众对中国和中国的节目十分感兴趣。建议将中国的名胜风光节目更多地在斯播放。

7月26日，副台长孙玉胜会见了英国汤姆森基金会总裁珍妮特·波士顿女士一行。孙玉胜表示，以东道国的报道转播机构参与奥运会并为世界各国提供大量公共信号是全新的挑战。中央电视台非常希望向国外一流媒体机构取经，在频道编排、比赛包装等方面进行交流和学习。

8月10日，副台长张长明会见了南非广播公司(SABC)董事会主席埃迪·范迪先生一行。张长明表示，双方一直保有良好的合作关系，CCTV-9可以同SABC新闻国际频道开展有关新闻互换的合作。

8月16日，副台长胡恩会见了利比里亚新闻部长劳普利先生一行。胡恩表示，媒体有责任帮助宣传介绍国家发展变化情况，双方电视机构可以开展人员交流等多方面的友好合作。

8月21日，台长赵化勇分别会见了前来与会的嘉宾韩国广播公司(KBS)副社长李元君、日本索尼公司社长中钵良治等一行。赵台长表示，KBS的奥运报道的经验值得学习。近年来，中韩电视机构的合作良好，《中韩歌会》等大型文体节目为两国的文化交流作出了贡献。

8月22日，副台长张长明会见了美国艾科斯塔卫星电视公司董事总经理昭杰伟一行。张长明表示，美洲长城平台关键在于为在美国的海外华人华侨提供了有关中国的最新情况，也为美国主流观众了解中国的真实情况提供了一个很好的平台。

8月22日，副台长胡恩会见了意大利国家电视台董事会董事乌尔巴尼先生一行。胡恩副台长希望意大利代表团通过参加有关技术、节目的展览，增进对中国电视技术及节目市场的了解，为双方下一步的合作打下良好的基础。

8月22日，副台长张长明会见了阿尔巴尼亚广电局长拜特里特·贝茨先生一行。张长明表示，中央电视台希望与国际主要电视机构建立紧密的关系和合作机制，每年都可有具体合作项目，如节目交换，高层互访等。

8月23日，台长赵化勇会见了韩国政府国政弘报处处长兼政府发言人金苍浩等一行。赵台长表示，中韩两国有着友好交往的历史，我们重视与韩国电视机构的多方位合作，着眼2008北京奥运，共同为观众提供优质的转播节目。

8月23日，台长赵化勇会见了德国巴伐利亚电视台副台长黑塞一行。赵台长表示，近年来双方在电视领域的交往密切，感谢黑塞先生22日在中央电视台“双周论坛”上所作的有关版权管理的主题报告，并希望他今后有机会更多地介绍德国在电视版权管理等方面的成功经验。

8月23日，台长赵化勇会见了应邀来京参加广博会的亚太广播机构(AIBD)主任贾瓦德·孟塔基一行。赵台长表示，亚洲媒体峰会是亚在广播发展机构最重大的年度项目，希望把它打造成规模最大、规格最高的讨论传媒界最关注话题的盛会。

8月23日，台长赵化勇会见了孟加拉国新闻部广播电视司长塔赫一行。赵化勇台长表示，两国媒体应该为促进双方的相互了解做出自己的贡献。

9月5日，台长赵化勇、副台长高峰分别会见了日本ADK广告公司董事长稻垣正夫等一行。赵台长表示，今年是中日邦交正常化35周年、中日文化体育交流年，此次日方带领歌舞伎来华公演，央视给予了报道。希望在广告领域里，与ADK公司开展进一步的合作。

9月11日，副台长张长明会见了科摩罗广电总局局长哈丽娅·阿布杜夫人一行。张副台长表示中科两国同为发展中国家，应互相帮助，共谋发展。我们应架起中科两国相互了解的桥梁，携手发展电视事业，抵制西方某些媒体的负面报道。

9月12日，副总编孙冰川会见了奥地利记者俱乐部主席弗雷德·腾赫姆先生一行。孙冰川表示，中央电视台一直注重与各国媒体从业人员的交流，此次奥地利记者俱乐部代表团来访能加深外国记者对中国和中国媒体的了解，增进两国间的友谊与合作。

9月17日，副台长何宗就会见了联想集团(Lenovo)总裁兼首席执行官威廉·阿梅里奥先生(Mr William Amelio)等一行六人。何宗就表示，中央电视台新大楼的落成，不仅将升级中央电视台的技术系统，提升中央电视台的节目制作质量，同时也将促进中央电视台管理水平的提高。希望联想集团今后积极参与中央电视台的技术招标活动。

9月19日，台长赵化勇会见了奥地利维也纳爱乐乐团理事会主席海尔斯伯格先生一行。赵台长表示，中央电视台与奥地利维也纳爱乐乐团一直保持着稳定的长期合作关系，而维也纳新年音乐会在中国也拥有了越来越多的观众。

9月25日，副总编孙冰川会见了沙特文化与新闻次大臣助理阿卜杜勒·阿齐兹先生一行。孙冰川表示，中阿文明对话将是世界媒体界的重大活动，中央电视台一定会给予重视。预计在2010年左右，中央电视台还会开办阿语国际频道。

9月25日，副台长张长明会见了老挝中央委员、中宣部部长潘隆吉·冯萨一行。张长明表示，老中两国之间有着传统友谊。中央电视台与包括老挝在内的东盟五国电视台合拍的《澜沧江·湄公河》大型纪录片已经进入收尾阶段，预计于明年年初正式播出。

10月8日，台长赵化勇会见了欧洲通信卫星公司总裁兼董事长朱力安诺·贝莱塔先生一行。赵化勇表示，欧洲通信卫星公司为全球客户提供了非常好的转播平台，让更多的对中国感兴趣的欧洲观众收看到了中国的节目。

10月11日，副台长张长明会见了哥伦比亚大使索托先生一行。张长明表示，哥伦比亚是地理位置非常重要的南美洲国家，希望西语频道的开播能够增进相互了解。随着2008奥运会的临近，这对让世界看到更加客观真实的中国非常重要。

10月17日，副台长张长明会见了乌干达广播公司(UBC)主席克里斯·卡图拉姆先生。张长明表示，近年中国同非洲国家合作领域更加广泛，友谊也逐步加深。“中非合作论坛”成功召开，温家宝总理出访非洲，既强调了中非合作的重要性，又促进了中非人民之间的相互沟通和了解。

10月18日，副台长胡恩会见了希腊广播公司(ERT)董事长兼总经理克里斯托斯·巴纳戈普罗斯先生一行。胡恩表示，ERT是2004年雅典奥运会的主播机构，而中央电视台明年也要承担北京奥运主播台的重任，在奥运转播方面有许多可以交流和学习的地方。

10月23日，中央电视台机关党委书记张海鸽会见了日本TBS电视台专务董事石原俊尔。张海鸽表示：双方不仅在节目合作方面有着切实的交流，两台的干部考察交流计划也得到持续的进行，这对双方的业务交流、吸收经验和增进互信是有益处的。

10月25日，副总编孙冰川会见了希腊雅典记协主席松波罗斯·巴那吉奥第斯先生一行。孙冰川表示，因奥运会的关系中央电视台与希腊广播机构的交往更加密切。希腊新闻界在报道奥运方面有着许多成功经验，中央电视台愿与希腊记协多开展交流，以便更好地筹备2008北京奥运会报道工作。

11月2日，台长赵化勇、副台长张长明分别会见了韩国数字卫星广播公司(KDB)社长徐东九一行。赵台长表示，感谢KDB推动中央电视台4套、9套节目在韩落地所作出的努力。中韩两国有着友好交往的良好势头，央视的国际频道通过KDB的传输，将更有效地面对韩国观众，提供了解中国的文化和历史，乃至市场方面的信息，促进两国的交流与友谊。

11月5日，台长赵化勇会见了来中央电视台拜会的古巴广播电视委员会主席洛佩斯一行。赵台长表示，《古巴视野》国际频道即将在我国落地播出，而中央电视台海外频道的节目在古已逐步落地，中古两国一直保有很好的交往。

11月5日，总编辑程宏副会见了太平洋岛国联合新闻代表团。程总编向客人介绍了中央电视台国际频道的相关情况，并回答了客人提出的有关中央电视台广告收入、新闻自由以及2008年奥运会转播的准备情况等问题。

11月12日，副总编袁正明会见了西班牙贸易旅游国务秘书(副部级)佩德罗·梅西亚先生一行。袁正明表示，西班牙国王卡洛斯6月访华期间与胡锦涛主席会谈时提出“希望中国电视台能播出推介西班牙产品的节目，以增进中国消费者对西班牙的了解”。决定经济频道派摄制组前往西班牙进行采访拍摄。

11月14日，副台长罗明会见了欧洲委员会科研总司司长胡斯·罗德里古兹先生以及欧洲新闻台总监迈克·彼得斯先生等一行，罗明代表中央电视台签署了与欧洲新闻台以及欧洲委员会之间的合作备忘录。主要包括欧洲委员会与欧洲新闻台授予中央电视台非独家播放使用欧洲科技节目(包括“未来”、“太空”以及“高科技”等)事宜。

11月19日，副台长张长明会见了泰国大众传媒公司(MCOT)新任总裁瓦桑先生一行。张副台长表示，双方的合作历史悠久，领域广泛。在中央电视台发起的大型纪录片《同饮一江水》中，澜沧江、湄公河沿岸6国友好协作，泰国部分的拍摄得到了MCOT的全力支持。

11月21日，副台长孙玉胜会见了伦敦2012年奥运会代表团一行。孙玉胜表示，2008北京奥运会的转播会创造多个第一，必将把奥运会全面丰富地呈现在世界观众面前，但庞大的制作任务仍需要各国媒体精英的帮助。

11月27日，副台长何宗就会见了日本日立麦克赛尔(MAXELL)公司社长角田义人等一行。何副台长表示，中央电视台的节目制作和播出使用了大量的MAXELL品牌的录像带。在安全播出方面，我们对高质量的磁带有更高、更新的要求——经过双方的合作开发，规范使用红色播出带已经显示出安全、稳定的效果。

11月28日，副总编李挺会见了新加坡新传媒集团新闻公司中文时事节目副总编辑胡敬中一行。李挺表示，将会通过亚广联新闻交换网和CCTV的国际频道同合作伙伴共享奥运相关素材和节目。

12月5日，副台长胡恩会见了马耳他驻华大使雪瑞布先生一行。胡恩表示，除了交换互播节目之外，欢迎马耳他摄制组来华拍摄报道。中央电视台将积极推动合作。

12月5日，副总编张华山会见了韩国广播公司(KBS)本部长(副总编级别)景明吉吉等一行。张华山表示，“中韩歌会”是两国国家电视台非常好的合作形式，促进了两国年轻一代的文化交流。2008年是《中韩歌会》十周年，双方一致表示要将这一年的歌会办得更隆重、更有特色。

12月13日，副台长何宗就会见了美国惠普公司全球媒体与娱乐行业副总裁斯蒂芬·麦克肯纳先生一行。何宗就表示，惠普公司北京团队一直与中央电视台保持着紧密联系。惠普公司在IT行业的雄厚实力和丰富经验，特别是该公司周密的前期市场调研和分析给我们留下了深刻的印象。

12月17日，台长赵化勇及副台长孙玉胜会见了国际奥委会第29届奥运会协调委员会主席维尔布鲁根先生一行。赵化勇表示，中央电视台一定会充分利用CCTV.com的新媒体平台，运用最新最好的技术，投入强干的新媒体记者队伍，让中国十几亿观众更加全面、及时地了解奥运。

二、中央电视台与国外广播电视机构签署的协议

6月14日，与阿根廷国家电视台签署谅解备忘录。

8月23日，与黑山广播电视台签署合作协议。

10月22日，与白俄罗斯国家广播公司签署合作协议。

12月27日，与香港亚洲电视有限公司签署中央电视台中文国际频道(CCTV-4)在香港亚洲电视有限公司地面无线数字电视频道转播的合作协议。

三、中央电视台接待的境外摄制组

1月9日～4月9日，接待德国GRUPPE5在江苏拍摄《故宫》。

3月3～13日，接待韩国KBS电视台在北京、河南拍摄专题片《儒学——孔子》。

3月5日～4月5日，接待德国GRUPPE5在北京、河北拍摄《长城》。

3月24日～4月12日，接待美国ambrica制片公司在北京、上海、深圳、山东拍摄《未来中国2007》。

3月19～23日，接待英国ITV电视台在四川拍摄《熊猫》。

3月19日～4月3日，接待德国ARD电视台在山东、广西、广东、陕西拍摄《中国音乐人》。

4月4～22日，接待奥地利Langbein skalnik媒介公司在浙江、上海、海南拍摄《中国传统中医》。

4月13～29日，接待美国探索少儿频道在内蒙古、甘肃、宁夏、陕西拍摄《了解地球》。

5月14日～6月20日，接待新加坡VHQ制片公司在北京、湖南、四川、陕西、山西拍摄《中国7大奇迹》。

5月8～18日，接待英国G4管理公司在北京、陕西、四川、西藏、上海拍摄《陆虎越野挑战赛》。

5月22日～6月1日，8月1日～9月1日，两次接待德国ZDF电视台在西藏拍摄《梦幻西藏》。

6月1～16日，接待德国ARD电视台在北京、黑龙江拍摄《乘火车看奥运》。

6月2～10日，接待新加坡BANG制片公司在北京拍摄《北京日记》。

6月4～7日，接待日本朝日TV电视台在北京、上海拍摄《新闻制作》专题片。

6月7～27日，8月25日～9月30日，两次接待韩国KBS电视台在北京、山西、河南、陕西、甘肃、新疆拍摄《面条之路》专题片。

6月23～30日，接待日本NHK电视台在河北、山西、湖北、安徽拍摄《日军毒气战真相》专题片。

6月27日～7月2日，接待比利时KNNAKNA制片公司在北京、山西、河北拍摄《北京特快》。

6月27日～7月6日，9月12日～10月14日，10月16日～11月18日，10月18日～11月16日，12月7～26日，五次接待比利时KNNAKNA制片公司在上海、浙江、江苏、北京、四川、重庆、深圳、青海等地拍摄《初来中国》。

7月20～30日，接待美国JUPITER制片公司在北京、河南拍摄《中国功夫》。

7月9～21日，接待新加坡亚洲新闻台在北京拍摄《中国奥运情结》。

7月16日～8月4日，接待日本NHK电视台在北京拍摄《经济最前线》直播活动。

8月6～12日，接待澳大利亚摄制组在北京拍摄奥运会纪录片。

8月8～23日，接待奥地利摄制组在北京、山东拍摄奥运会纪录片。

8月12～19日，接待加拿大探索频道在上海、浙江、江苏拍摄《中国制造》。

8月31日～9月14日，接待美国加勒比研究所在北京、上海拍摄人文纪录片。

9月5～16日，接待哥斯达黎加摄制组在北京、上海、广州拍摄生活纪录片。

9月22日～10月2日，接待德国ZDF电视台在陕西、浙江、江苏拍摄《神奇的地球中国篇》。

10月1日～11月30日，接待伊朗声像组织在北京、上海、云南、新疆拍摄《太阳、墙壁、东方》。

10月12～19日，接待日本NHK在上海、苏州拍摄《名曲画册》专题片。

10月13～22日，接待日本TBS在北京拍摄“2007全日空北京国际马拉松”转播活动。

10月8日～11月11日，接待美国国家地理在上海、西藏、新疆、四川拍摄《中国风光》。

11月4～17日，接待日本TBS在北京、大连拍摄《环球导视》专题片。

11月15日～12月8日，接待新加坡VHQ制片公司在云南、山西、湖南拍摄《最后的胜利者》。

11月20日～2008年2月10日，接待爱沙尼亚摄制组在北京、浙江、上海、天津、江苏拍摄《中国大城市发展》。

11月18日～12月18日，接待法国ONE PLANET制片公司在北京、陕西、青海、西藏拍摄《青藏铁路》。

11月7～15日，接待美国历史频道在北京、河北、山西拍摄《中国古都》。

11月29日，接待日本NEP在北京、大连拍摄制作“2007中日文化体育交流年闭幕文艺晚会”。

11月29日～12月14日，接待日本TBS在北京拍摄《MINOMONTA看中国》。

（中央电视台外事处）

无线电台管理局

2007年，无线局加大对外事工作管理力度，严格执行外事工作规定，结合无线局技术维护工作实际，加大技术骨干外出考察、培训力度，每个团组写出考察报告，年底汇编成册。全年共完成38个出访项目的组织工作，派出人员达140多人次。派出的团组中有发射台技术维护管理、转动天线技术、DRM技术等先进设备、新技术应用的交流考察团；有国际大型广播电视技术展览会的参展团（NAB、IBC等）；有国际科学技术会议团（ITU、HFCC、ABU、世界高塔等）；还有技术培训（赴瑞士工厂技术培训团）、海外发射基地和技术小组（阿尔巴尼亚、马里）的项目等。通过外出参观考察，一方面了解了广播电视发展的新动态、新技术，开阔了眼界和视野；另一方面交流了广播电视方面的技术和经验，借鉴了国外同行业广播电视技术维护和管理方面的成功做法；同时一些出访项目如赴美国加拿大进行卫星传输设备验收和培训，赴日本韩国进行微波设备验收培训考察团和赴以色列进行广播节目卫星传输编码复用及传输设备验收培训等对我局顺利完成十七大安全播出任务发挥了一定的保障作用。

主要出访

1月7～18日，无线局中央塔技术骨干赴澳大利亚、新西兰进行技术考察和设备验收。

1月10～24日，无线局副局长杨玉龙带团赴美国、德国进行100KW发射机考察。

1月20～27日，无线局频调处赴马来西亚参加2007年亚广联高频协调会。

1月29日～2月7日，无线局总工程师李国华、技工处毛旭辉、维护处刘岳峰，计财司杨小华，设计院李斌，北广电子科技股份有限公司叶进赴德国、葡萄牙考察转动天线。

2月3～11日，无线局组团赴阿联酋参加A07国际短波协调会。

2月17日～3月4日，无线局频调处杨敏敏参加信产部赴瑞士日内瓦国际电联ITU—R世界无线电行政大会（WRC—07）第二次预备会（CPM07—2）。

4月11～19日，无线局纪检组组长白凤英赴阿尔巴尼亚采立克台检查工作。

5月16～23日，无线局参加规划院考察团，赴英国进行中短波数字广播发展战略与频率规划技术考察交流活动。

5月16～25日，无线局开发处张利达前往阿尔巴尼亚采立克台，对150kW短波发射机进行自动化改造。

6月17～30日，无线局分党组书记、局长李智陪同总局局长王太华同志到蒙古、俄罗斯、芬兰进行工作访问。

6月19～26日，无线局专职党委副书记高福生等赴瑞士THOMSON公司进行短波发射机技术维护交流。

7月15～22日，无线局总工程师李国华随信息产业部出访团组，赴韩国参加世界无线电通信大会亚太电信联盟第五次筹备会议。

7月19日～8月2日，无线局总会计师吴桂兰、计财司崔永康等赴美国CPI公司和加拿大分部进行设备验收。

8月7～16日，无线局副局长黄晓兵率团赴日本NEC公司和韩国分部进行微波设备验收。

8月16～26日，无线局分党组副书记、副局长王向文、计财司于保安等赴以色列SCOPUS公司进行设备验收。

8月23日至9月2日，无线局频调处、科技司、监测中心、国际台组团赴英国参加HFCCB07国际短波频率协调会。

9月1～8日，无线局副局级调研员刘大荣赴马来西亚参加世界高塔协会2007年年会。

9月21～28日，无线局分党组副书记、副局长王向文赴阿尔巴尼亚采立克台检查工作。

11月12～26日，无线局分党组书记、局长李智参加总局考察团赴法国进行直播卫星考察工作。

12月7～17日，无线局副局长杨玉龙等赴加拿大发射台进行自动化及技术维护考察。

12月11～22日，无线局总工程师李国华等前往日本、韩国进行发射台技术考察。（无线局）

广播科学研究院

出访

2月28日～3月10日，马炬院长等3人赴爱尔兰参加DVB2007全球大会并赴英国访问IBC组委会。

3月14～22日，邹峰副院长一行2人赴比利时参加MODIBEC项目（中欧关于数字广播与移动通信的融合方面的合作项目）第一次讨论会。

3月27日～4月5日，2人赴英国参加IPTV2007论坛会议。

4月14～20日，有线所1人及高科技中心6人赴美国参展NAB并为CCBN招展。

4月14～29日，无线所1人随信产部团组赴瑞士参加ITU−R WP/SG3会议。

4月21日～5月10日，电视所1人随信产部团组赴瑞士参加ITU−R SG6会议。

6月9～21日，互联网所1人随信产部团组赴瑞士参加ITU−R WP/SG1工作会议。

6月18～23日，高科技中心2人赴美国参展Cable−Tec Expo2007博览会并为CCBN招展。

6月16～24日，有线所1人随信产部团组赴瑞士ITU−T SG9会议。

6月17日～23日，高科技中心3人赴新加坡参观2007亚洲广播展并为CCBN进行海外宣传拓展工作。

9月4～8日，马炬院长一行4人赴韩国参加2007年JMBTR & DGM中日韩三方技术会议。

9月6～6日，邹峰副院长一行5人赴荷兰参展IBC并顺访西班牙进行技术交流。

10月3～6日，邹峰副院长一行2人赴挪威参加DMB论坛理事会议。

10月15～19日，邹峰副院长赴瑞士参加ITU−R 2007无线电通信全会。

10月30日～11月2日，无线所程瑞庭随外事司组团赴伊朗参加第44届亚广联大会。

10月29日～11月9日，孟宪礼副院长一行3人赴德国比利时考察卫星交互电视技术。

11月，科技司王联副司长、电视所1人赴法国、西班牙、南非考察数字多媒体广播技术发展情况。

12月10～20日，杨杰总工一行5人赴澳大利亚考察数字电视交互技术、电子商务支撑技术。

12月12～18日，邹峰副院长、无线所1人赴比利时参加DMB会议和Modibec项目会议。

12月12～18日，5人赴法国考察数字电视结算平台技术。

来访

3月14日，美国MEDIAG3公司来进行技术交流；

7月11日，马炬院长、邹峰副院长等3人与微软电视全球副总裁恩里科·罗德里格斯（Enrique Rodriguez）一行在广播电视音像资料馆进行了会晤。双方就如何在广播电视领域进行技术合作，共同探讨新技术如何服务于广电行业。

8月22～26日，IABM、NAB、丹麦的Traix公司来访，与CCBN组委会进行合作交流。

10月10日，美国iBiquity公司来国家广电总局访问，介绍其HDRadio数字音频广播技术，马炬院长等5人等参加了此次技术交流活动。

11月15日，西班牙Abertis公司来国家广电总局考察访问，并签署合作备忘录。

12月3日，美国MEDIAG3公司来进行技术交流。

（广播科学研究院）

中广电广播电影电视设计研究院

2007年，设计院共出访团组18批，37人次，出访遍及亚洲、欧洲、美洲、非洲等国家和地区。其中技术考察3批7人次；援外工程考察及派设计代表11批18人次；4批12人次参加国际会议。

出访

2月12日～2月26日，吴纯举副院长一行2人赴安哥拉考察和慰问驻当地项目组。

4月14～21日，吴纯举等8人赴美国参加NAB展览会。

4月16～27日，许家奇院长陪同总局副局长张海涛赴西班牙、希腊、匈牙利考察数字电视。

5月4～30日，杨志刚等5人赴几内亚执行修复广电中心任务。

6月13～21日，林长海副院长赴新加坡参加国际电联会议。

8月3～月10日，许家奇等2人赴安哥拉参加商务谈判。

8月4日～12月27日，朱自淙赴玻利维亚执行援外工程任务；

9月8日～9月21日，何建平副院长等2人赴加拿大参加国际会议。

10月21～28日，2人赴柬埔寨执行落地项目。

10月28日～12月6日，1人赴也门执行援外工程任务。

10月28日～11月20日，1人赴坦桑尼亚执行援外工程监理任务。

来访

5月18～25日，由毛里求斯广播公司和基础设施部组成的援毛里求斯广电大楼项目外审组来华，对设计院该项目的初步设计进行了审查。

6月16～25日，由老挝新闻文化部公众媒体局和国家电视台组成的援老挝国家电视台第三频道建设项目外审组来华，对本项目的初步设计进行了审查。审查组在华期间与设计院就该项初步设计文件进行了认真的研究和审议，上访签署了审查纪要。老方对设计院的设计工作总体表示满意，认为中方可以依据初步设计和审查纪要的内容开展施工图设计工作。

10月15～22日，由安哥拉“国家对外情报局”副局长为团长的安哥拉代表团一行六人对我国进行了友好访问，审核了设计院安哥拉项目部《安哥拉对外情报中心大楼》初步设计文件，并于10月20日签署了全部设计文件及材料设备汇编。（中广电设计研究院）

广播电视规划院

一、出访

1月5～13日，无线所1人赴泰国参加亚太电信联盟第四次会议。

2月17日～3月2日，无线所1人赴瑞士参加ITU-R CPM07-2会议。

3月26～29日，无线所1人赴马来西亚参加亚广联第十届数字电视论坛。

4月21日～5月10日，标准所1人赴瑞士参加ITU-R SG6（春季）广播研究组会议。

5月16～22日，无线所1人与中央台、国际台、无线局各2人赴英国考察中短波数字广播发展战略与频率规划技术。

6月2～10日，无线所1人赴瑞士参加ITU-R WP4A会议。

6月10～15日，无线所1人赴马来西亚参加07世界无线电大会亚广联预备会。

6月13～21日，有线所1人赴新加坡参加ITU-T SG9会议。

7月1～8日，无线所1人赴俄罗斯参加中俄边境地区无线电频率协调会谈。

7月7日～8月16日，信息所1人赴美国参加中国传媒高级管理人员实践项目。

7月15～24日，中心所1人赴德国、英国进行多声道制作的应用和流程考察。

7月16～23日，无线所1人赴韩国参加07世界无线电大会亚太电信联盟第五次筹备会议。

7月21日～8月3日，一行4人赴德国参加广播电视系统电磁辐射和防护标准测试系统EMC设备培训。

7月29日～8月11日，副院长高少君一行4人赴瑞士参加广播电视系统电磁辐射和防护标准测试系统EMC设备培训。

8月25日～9月7日，4人与科技司张彩芬一行5人赴德国参加广播电视系统电磁辐射和防护标准测试系统半波暗室培训。

10月28～11月3日，信息所1人赴伊朗参加第44届亚广联大会。

10月22～11月16日，无线所1人赴瑞士参加世界无线电通信大会。

12月4～10日，中心所4人赴英国进行广播电视制播网络研究考察。

二、来访

3月29日，接待日本营电公司的技术人员并进行研讨，姜文波院长出席并致辞，技管办、有线所、无线所、电视中心所等部门的人员参加了研讨。

7月18日，计量检测中心接待美国泰克公司客户服务部副总经理Steve Aleshire、泰克科技（中国）有限公司客户服务部总经理范业光等泰克公司人员，双方就今后在仪器的维护、客服等事宜进行深入的讨论。

（广播电视规划院）

中国电视艺术家协会

6月28日～7月1日，由俄罗斯欧亚广播电视学会和中国电视艺术家协会共同主办的“第二届俄中电视合作论坛”在莫斯科举行。论坛得到莫斯科市政府和俄罗斯俄中经济贸易合作中心的协助。以中国电视艺术家协会副主席张晓爱为团长一行15人参加了论坛，俄罗斯前总理、现工贸商会主席普力马科夫会见了代表团的主要成员。

9月12～16日，由中国电视艺术家协会、日本放送人协会、韩国电视制作人联合会、天津电视台共同主办的“第七届中日韩电视制作者论坛”在天津举行。中国奥林匹克委员会名誉主席、国际奥林匹克委员会文化与教育委员会何振梁先生作特别演讲，中国文联副主席、书记处书记杨志今出席晚会并颁奖。

12月18～21日，由中国东盟协会、中国电视艺术家协会、云南省政府新闻办公室、云南省广播电视局等部门联合举办的“2007中国－东盟电视合作峰会”在昆明举行。云南省人民政府副省长刘平，中国人民对外友好协会副会长张长明，国际组织东盟秘书处助理秘书长潘梅斯瓦南等出席。会议主题是“加强中国与东盟各国之间的电视交流合作、促进共同发展。”（中国电视艺术家协会）

中国传媒大学

一、对外交流

（一）概况

对外交流工作包括接待来访外宾、公派出国、举办国际（双边）会议、短期讲学、讲座、学术交流、培训、学生交流等内容。2007年，接待了83个国家及地区的1045人次，其中包括106个团组；向22个国家和地区派出团组49个，360人次；共举办5个国际会议（含双边），接待境外代表117人次；与11个国家的17所大学和机构签署了合作协议。

（二）特点

1.学校为主体的各项交流项目稳步发展，交流国别增多，与名校合作增多，合作内容深入，交流项目多元。

2.以二级学院为主体的交流项目蓬勃发展，形成以学校为依托、以二级学院为支撑的对外合作交流格局。

3.国际会议成品牌，拓展了我校对外交流的深度和广度。

4.学生对外交流呈现形式多元、内容多样的发展态势。

二、外籍教师聘任管理工作

（一）概况

截至2007年年底，中国传媒大学在任外籍教师12人，其中10人为语言类教师，2人为专业类教师。分别任教于国际传播学院（7人），影视艺术学院（3人），信息工学院（2人）。

（二）特点

1.语言类与专业类专家数量对等。

2.加强短期专家聘请的力度。

3.管理更加规范化。

三、作风建设及日常管理

2007年，外事处更名为"国际交流与合作处"，进一步扩大并提升了境内外和海峡两岸交流与合作的范围和层次。修订规章制度及管理办法；进一步规范外事报批、审批程序、护照管理等工作；管理和规范档案工作（文件、文字、照片等）；加强业务与政策学习；加强财务、固定资产、礼品管理；建立简报、信息、网页管理。

（中国传媒大学）

北京市

2007年，北京市广播影视系统累计派出交流、考察、培训、报道等团组116批次394人次，圆满完成广播影视国际交流和外宣工作任务。

一、依法行政，提高外宣服务水平

（一）加强境外人员参与广播电视节目（剧）制作的管理。全年办理参加录制电视节目的境外嘉宾共74批，165人次，参加拍摄电视剧的外籍演员67人次，涉及电视剧26部。严格执行国家广电总局《外国人参加广播影视节目制作活动管理规定》等相关规定。

（二）进一步加强引进广播影视节目（剧）的管理。严格执行《中外合作制作电视剧管理规定》、《境外电视节目引进、播出管理规定》等相关规定。各播出机构严格遵守国家广电总局对引进节目（剧）的相关规定。

二、组织大型外宣活动

（一）2007年8月21日，由北京市广播电视局主办、首都广播电视节目制作业协会承办的"2007–2008年电视剧项目推介会"在京召开。首都广播电视节目制作业协会42家成员在本次推介会上联手推出118个电视剧项目，其中大多是计划在2008年开机拍摄的项目。应邀参加的有日本、韩国、新加坡、俄罗斯等国家和地区的32家制作及播出机构的50多位嘉宾，还有来自全国47家电视台(频道)的90多位代表。一大批项目达成合作意向或协议。

（二）为贯彻落实北京市外宣工作会议精神，按照国家广电总局关于广播影视"走出去"工程的一系列指示精神，紧紧抓住迎接2008年奥运会的契机，加大奥运宣传力度，加快广播影视走出去步伐，积极开展多种形式的广播影视对外合作交流，并组织制定"北京广播影视走进洛杉矶"大型外宣活动计划。包括：北京广播影视走进洛杉矶开幕酒会《缘——北京·洛杉矶奥运寻梦之旅》；电影《一个人的奥林匹克》推介会；在PBS电视网及洛城电台等当地主流媒体集中展播奥运外宣广播节目《倾听北京、感受奥运》、电视节目《北京印象》；请随团的文化、体育、影视名人接受当地媒体采访，参与当地媒体的节目；请好莱坞主流媒体《综艺》杂志对本次活动进行专访；与好莱坞电影公司及各主要广播电视机构洽谈。

三、精心打造长城平台北京电视台频道

自2004年10月长城（美国）平台正式在北美地区开播以来，长城（亚洲）平台、长城（欧洲）平台、长城（加拿大）平台也相继落地，长城（北美）平台目前订户已超过5万户，成为北美地区最大的中文电视台。长城（欧洲）平台订户超过6千户，而长城（加拿大）平台开播一个月不到，订户已突破4千户。长城平台BTV频道由于节目制作精良，内容丰富，在这四个平台上都被列为成员台，进一步提高了BTV品牌在海外的影响力。到2007年底，北京电视台有47个栏目在长城平台播出，包括亚洲、欧洲、加拿大、北美等地区，主要国家有美国、加拿大、法国、东南亚等十几个国家和地区。

长城平台北京电视台频道在节目内容和节目编排上作出较多调整，对重点节目、特别节目均在第一时间对海外播出。如及时安排播出"奥运倒计时500天"等大型活动。在春节、五一、十一的宣传工作中，专门制作播出新节目宣传片串联、重点节目的宣传串联，从而保证重点节目的重点宣传。此外，对《红楼梦中人》大型选秀活动也作为重点节目进行推出，扩大节目在海外的影响。

四、向境外输送中英文广播电视节目

到2007年底，北京人民广播电台有12个栏目在海外的24个国家和地区的电台播出。每天向海外传送约90分钟的中文节目，包括新闻、各种专题及文艺、音乐类节目，节目遍及澳大利亚澳洲广播电台、BBC英国广播公司、新加坡国际广播电台、加拿大国际广播电台等23家电台。开拓了美国洛杉矶1300电台和德国之声两家外宣落地电台，中文对外节目在美国大洛杉矶地区播出，与欧洲的主流媒体德国之声电台展开双向的节目交流合作。此外，北京电台

在中秋节还制作跨国话题连线类节目《情牵一线》特别节目——“天涯共此时”，同步连线北京、纽约、墨尔本三城市，向海外华人听众送去佳节祝福。

北京电视台全年共制作60个英语新闻，计200分钟，送美国CNN《世界报道》栏目、美国联邦公共广播公司MHz频道、GlobeCast卫星公司的MHz Worldview频道、Echostar卫星公司的长城（北美／亚洲／欧洲）平台北京电视台国际频道播出。每周制作471分钟中文节目向凤凰卫视欧洲台、凤凰卫视美洲台、加拿大城市电视台、美国纽约中文电视及美国斯克拉教育电视网输出。

北京市属影视制作机构全年共有19部影视剧和电视节目（共708集次）向海外20个国家和地区发行。

五、圆满完成重大外宣任务

（一）两会系列报道。北京电台外语广播1月底至2月初，推出一系列有关两会的外宣报道，如双语节目《小董看两会》，以外国人的视角评价、讨论会内会外的新鲜事儿。同其它系列台一起组织的两会现场直播，邀请人大代表和政协委员围绕奥运会筹备、城市管理等话题进行介绍。

（二）北京市民外语活动周。2007年北京市民外语活动周5月在朝阳公园举行，北京电台外语广播进行10小时的现场直播，第29届奥运会组委会执行副主席蒋效愚、北京市外办副主任杨柳荫等接受了直播专访。

（三）十大志愿者系列节目。共青团北京市委员会、北京志愿者协会联合相关单位发起2006北京十大志愿者评选活动。作为北京奥运重要的宣传点，北京电台外语广播于5月份推出10集系列节目（中英文各10集）——《十大志愿者的故事》。

（四）走进奥组委系列节目。在奥运会倒计时500天之际，北京电台外语广播、体育广播、交通广播等推出10集系列节目——《走进奥组委》，同时推向美国、加拿大、澳大利亚等国电台，通过记者访谈和广播特写的形式真实再现奥组委各部门的工作情况。

（五）推动外语广播的品牌活动。2007年2月，北京电台外语广播联合北京市民讲外语组委会、澳大利亚广播公司、澳大利亚国家旅游局举办的“我要去澳洲”北京超级英语大赛取得成功。“我要去澳洲”前后持续半年的时间，大赛最终决出的5名优胜者圆满完成了在澳洲5周的学习生活。

（六）2007年8月8日，北京2008年奥运会倒计时一周年之际，北京外语广播、体育广播、交通广播、城市管理广播、新闻广播联合直播了“北京2008年奥运会倒计时一周年特别节目”，通过ISDN线路同步在美国纽约地区播出。

（七）自2001年起，由北京人民广播电台音乐广播、广东人民广播电台音乐之声、上海东方广播电台、马来西亚988电台、新加坡碎心频道933等电台联合推出的《全球华语歌曲排行榜》电台日播节目与其同步进行的年度颁奖活动已顺利进行6年，2007年，该节目合作继续进行。

（八）北京电视台举办“2007年春节外国人中华才艺大赛”，历时6个月，40多个国家的近千名选手在中国的北京、浙江、云南，美国洛杉矶、德国汉诺威、埃及首都开罗和日本的藤泽市等分赛场参加了比赛，无论选手数量、选手水平都创了历届之最。2月20日，“2007外国人中华才艺大赛”“洋春晚”——同贺中国年晚会在北京卫视首播，并在BTV-2，CCTV-4进行重播。巴基斯坦驻华大使、韩国公使、奥地利驻华使馆文化参赞等都对北京电视台独具匠心的设计表示感谢。

（九）北京电视台从2007年8月8日起播出奥运英语节目《一呼百应迎奥运》，在北京卫视每天晚间6点29分推出一档时长1分钟的奥运学英语节目，为期一年。

五、加强与海外媒体的合作与交流

（一）2007年北京电台共接待20个批次、100多名境外来宾业务交流。从1月开始，北京电台与加拿大国际广播电台、BBC英国广播公司合作，主持人联合制作节目，内容包括中加两国在文化、教育、商业领域的友好合作与往来，节目在两台同时播出。8月初北京奥运倒计时一周年之际，北京电台还接待BBC英国广播公司大型采访团，围绕奥运场馆、奥运服务等筹备工作进行多语种采访。

（二）北京电台于2007年11月，组织“体验北京，感受奥运”——世界十大电台记者北京行活动。邀请世界有影响力的十大电台记者来北京，体验“做一周北京人”的感觉。世界十大电台分别通过各媒体多种语言向世界报道北京。

（三）北京电视台和奥组委新闻宣传部、北京奥运新闻中心、市外宣办和中央电视台海外中心联合举办的“相约北京——2007境内外知名电视媒体行动”于8月5日启动。该活动邀请了15家国际知名媒体、10家国际主流华人媒体、10家国内省级知名媒体采访北京，报道奥运。

出访

1月，北京电视台副总编辑、北京紫禁城影业公司总经理张强率团赴美国参加电视节。

3月，北京歌华有线电视网络公司常务副总经理王振华率团赴澳大利亚对第12届世界游泳锦标赛及F1澳洲站赛车大奖赛宽带分配和视频传输网络业务进行考察。

3月，北京歌华有线电视网络公司董事长张淼率团赴日本对GCT、Liberty Global Inc.和松下公司有线电视产业运营、数字电视机顶盒和智能卡及客户服务等进行考察、洽谈合作事宜。

4月，北京市广播电视局副局长李春良、北京电台副台长陈晓红率团赴英国、希腊进行外宣工作调研。

4月，北京北广传媒集团副总经理赵多佳赴美国参加美国传媒展览，同有关传媒机构进行了业务交流和合作探讨。

4月，北京电台总工程师王季平率团赴美国参加全美广播电视设备展并进行设备考察。

4月，北京电视台台长刘爱勤出访瑞士、西班牙。

4月，北京电视台副书记王云率团赴法国、英国洽谈节目交流、人员合作等事宜。

4月，北京歌华有线电视网络公司总工程师何拥军率团赴美国参观2007年美国广播电视展，对加拿大太平洋宽频带咨询公司就数字电视系统建设进行考察、洽谈合作事宜。

5月，北京电台总编陆莹率团赴捷克参加并转播布拉格之春国际音乐节音乐会。

5月、7月，北京电视台总编张晓率团赴英国、法国就节目交流及合作等进行洽谈。

5月，北京电视台副台长邵宣堂率团赴意大利等国进行考察。

5月，北京歌华有线电视网络公司监事会主席黄广泉率团赴日本对环球卡科技股份公司进行考察、洽谈合作事宜。

6月，北京市广播电视局纪检组长邓宏凤、北京电台党委副书记赵泽勤随北京市委宣传部赴美国进行培训。

6月，北京市广播电视局巡视员洪兵率团赴英国、希腊考察。

6月，北京歌华有线电视网络公司总经理卢东涛、副总工程师刘磊率团赴欧洲考察相关数字电视运营商和数字电视有条件接收（CA）系统提供商，洽谈合作事宜。

7月，北京市广播电视局总工程师何桂芝随国家广电总局考察团赴俄罗斯、瑞典进行技术考察。

7月，北京北广传媒集团总经理马朝军率团赴俄罗斯同俄罗斯媒体进行交流，重点对数字电视等新媒体业务市场进行考察，并会见俄罗斯欧亚广播电视学会副主席鲁金、学会国际部主任柳德米拉。商定了北广传媒集团派员参加全俄影视联欢节、新媒体合作有关事项。

7月，北京电台总工程师王季平率团赴日本洽谈系统建设工程事项。

8月，北京市广播电视局副局长臧增祥率团赴美国、日本进行新媒体业务考察和交流。

8月，北京北广传媒集团党委书记王荔茹率团赴加拿大西蒙菲舍商学院高级媒体管理人员培训班，为期21天。其间同加拿大中文广播电台、中文电视台、加拿大国家广播电视总公司、罗杰斯传媒集团、温哥华太阳报等传媒机构进行了广泛的业务交流。

8月，北京电台副总编陈晓海、台长助理李捷赴芬兰参加电台处级干部培训班。

8月，北京电台副总编亢亚志赴比利时进行业务交流。

8月，北京电视台副总编辑华艺随北京市委宣传部团组赴美国考察。

9月，北京电视台总工程师田方率团赴英国、荷兰参观电视设备展并进行技术交流。

9月，北京电台第一批赴北欧培训人员一行22人抵达芬兰赫尔辛基Stadia大学就新媒体技术、媒体管理等课程进行学习培训。

10月，北京市广播电视局局长孙向东率团赴比利时、瑞典对奥运大屏幕项目进行相关调研。

10月，北京电台台长汪良率团赴美国、加拿大进行媒体业务交流。

11月，海润影视制作有限公司董事局主席刘燕铭、执行总裁赵智江率团赴美国纽约参加电视连续剧《狼毒花》在美国首播庆典。《狼毒花》剧组总制片人、总发行人蒋晓荣，主要演员于荣光、童蕾等参加。

12月，北京电视台副书记王云率团赴加拿大洽谈中层干部培训事宜。

12月，北京市广播电视局局长孙向东、副局长李春良率团赴美国洛杉矶环球影城举办《一个人的奥林匹克》海外推广大型主题晚会，北京紫禁城影业公司总经理许建海、艺术总监王浙滨、编剧王兴东参加。

来访

1月，澳大利亚太平洋宽频带通讯公司（PBN）总裁Mr.Peter Saglietti等一行访问北京歌华有线电视网络公司，双方就奥运有线电视专网项目进行交流。歌华有线公司董事长张淼、常务副总经理王振华参加会谈。

2月，美国迪斯尼负责人一行访问北京电视台，台长刘爱勤等参加会见。

3月，美国探索亚洲电视网客人访问北京电视台，台长刘爱勤等参加会见。

3月，墨西哥特莱维萨电视网客人及越南数码电视网客人访问北京电视台，副总编辑华艺等参加会见。

3月，北京北广传媒集团副总经理王晓东在北京参加由中国贸促会组办的中美商务理事会2007年圆桌会议，并作了题为“关于知识产权保护体会”的发言。美国几家媒体总裁同时参加会议，作了交流发言。

4月，联合国广播电台台长一行访问北京电台，北京电台汪良台长等参加会见。

4月，英国BBC国际广播电台台长一行访问北京电台，北京电台总编辑陆莹等参加会见。

4月，美国尼尔森公司全球董事长兼首席执行官David L. Calhoun一行5人访问北京电台，希望在提供数据服务等方面与北京电台建立合作关系。

5月，日本松下电器公司全球机顶盒事业部部长香西卓一行访问北京歌华有线电视网络公司，双方就2008年北京奥运会松下数字电视机顶盒供货事宜进行交流。歌华有线公司董事长张淼、总经理卢东涛参加会谈。

6月，韩国驻华使馆公使一行访问北京电视台，总编辑张晓等参加会见。

6月，以色列电视台客人一行访问北京电视台，副总编辑华艺等参加会见。

7月，墨西哥特莱维萨集团副总裁何塞·巴斯顿先生一行5人访问北京电视台，双方就开展电视栏目、电视剧、技术等领域的交流合作达成多项共识。

7月，瑞典电视四台客人一行访问北京电视台，总编辑张晓等参加会见。

8月，英国BBC WORLD SERVICE记者代表团一行访问北京电台，北京电台总编辑陆莹等参加会见。

8月，意大利国家电视台台长一行访问北京电视台，台长刘爱勤等参加会见。

8月，日本SONY公司客人一行访问北京电视台，总工程师田方等参加会见。

8月，来自49个发展中国家的88位广播电视记者(官员)组成的国际研修班一行参观访问北京电视台。

8月，瑞典电视四台总裁杨谢曼先生一行参观访问北京电视台，北京电视台总编辑张晓接待参加会谈。

9月，加勒比国家新闻官员及记者研修班成员访问北京电台，北京电台汪良台长等参加会见。

9月，英国电视台客人一行访问北京电视台，总编辑张晓等参加会见。

9月，拉丁美洲传媒客人一行访问北京电视台，参加会谈。台长刘爱勤等参加会见。

9月，摩托罗拉公司高级副总裁George Simmons，副总裁Kevin Keefe一行访问北京歌华有线电视网络公司，双方就网络业务合作事宜进行洽谈。歌华有线公司董事长张淼及相关负责人参加洽谈。

9月，美国自由媒体公司全球高级副总裁、首席技术官Balan Nair携澳星联合通信公司、美国映佳国际传媒公司、华创伙伴公司相关负责人一行访问访问北京歌华有线电视网络公司，双方就网络业务合作事宜进行洽谈。歌华有线公司董事长张淼及相关负责人参加洽谈。10月16日在北京举行高速数据业务合作意向书议签字仪式。

10月，加拿大中文广播电台台长及节目总监一行访问北京电台，北京电台总编辑陆莹等参加会见。

10月，希腊媒体代表团访问北京电台，北京电台副总编辑陈晓海等参加会见。

（杨春青　荀菲　李增明）

天津市

一、利用外宣渠道，突出报道滨海新区，通过节目交换与境外落地节目塑造天津国际港口城市形象。

1．与中国国际广播电台合作宣传天津

利用中国国际广播电台平台，办好《中国之窗－天津篇》，相继播出了反映天津滨海新区外来务工人员幸福生活的《打工的生活很精彩》、反映天津注重生态环境建设的《蓟县毛家峪人的竹林之路》等优秀作品。

第七届中日韩电视剧制作者论坛在天津隆重举行

滨海广播邀请中国国际广播电台记者共同采访津港东疆保税港区封关运作的历史时刻；与中国国际广播电台合作，启动《走进滨海新区世界500强》系列报道。采访对象包括滨海新区管委会及相关部门负责人、不同行业的世界500强企业、摩托罗拉中国电子有限公司、空中客车中国公司等。

2．与境外广播电视机构的节目交换与节目合作

定期落地和交换的广播节目包括：在墨尔本3CW中文台每周一次的“您好，墨尔本！天津向您问候”节目、美国洛杉矶洛城双语台每天播出的“天津快讯”；寄送日本名古屋CBC中文台每周一次，每次15分钟的《魅力天津》；向新加坡城市频道《日上中天》节目提供连线直播，两周一次，每次7分钟。

2007年1月，由国际部制作的英语专题节目《百万吨海水淡化示范工程在天津》在英国伦敦英语广播频道Radio 4 of BBC（BBC第4套节目）的A World in Your Ear（你耳中的世界）节目播出。节目介绍了在水资源日趋紧张的大背景下，天津发展循环经济、实现海水淡化产业化的先进经验。

2007年来，天津电视台为美国CNN供片一直在国内供片电视媒体中处于领先地位，连续第二年供片播出在全国名列第一名。几乎每周都有天津台的新闻在CNN播出。节目组在国内外关注的中国可持续发展、滨海新区建设、环境保护、妇女儿童教育等热点问题上进行了深入报道。

2007年，中国第一档韩语电视节目《阿里郎时间》拍摄范围扩大到全国，收视率在天津卫视的排名保持在13位以前；10月中旬配合天津市政府新闻办公室在韩国仁川举行的“感知天津”活动专题报道收视率达到1.2%。与韩国KBS、阿里郎电视台、SBS、釜山电视台(KNN)、京仁放送以及韩国生活台（Living TV）等建立了良好的合作关系，通过交换节目等形式在上述电视台落地播出。节目主持人赴KBS参加了语言和主持方面的专业培训。2007年是中韩建交15周年，国际部与韩国阿里郎电视台合作完成、对等播放了4集电视专题片；策划了“中国天津电视周”展播活动，精心选编了7集共210分钟的节目制作成外文版，8月20日起每晚19：30在韩国阿里郎电视台连续播出一周。由天津市政府举办的“感知天津2007韩国行”活动中，栏目派出的独家采访记者与韩国当地媒体共同报道了活动盛况，在中央电视台国际频道、天津电视台新闻节目中也进行了播出。

二、为进一步加快滨海新区开发开放服务。

中英双语访谈广播节目《EAST AND WEST 老外》从周末播出改为每日播出，推出“奥运实用英语”广播节目，营造奥运良好氛围。

滨海广播在早间和中午分别推出了2档“滨海双语新闻”，介绍天津发展、滨海新区建设、生活资讯等，至今已经播出了600多期，深受听众、特别是外籍听众的好评。

天津电视台英语新闻2006年起开始在中央电视台英语频道（cctv—9）播出，2007年播出60条。邀请中央电视台著名记者、翻译来台培训；并派出记者赴央视交流学习。

三、利用境外友好电台渠道开展人员境外培训和友好交流。

2007年5～6月，滨海广播（国际部）选派员工1人赴德国之声进行两个月的培训，充分熟悉了境外广播媒体的运作流程和特点。

2007年9月至12月，滨海广播总监、国际部主任印永清被市委组织部派往澳大利亚墨尔本进行为期两个多月的挂职锻炼。

2007年9月，天津人民广播电台副台长杨红杰赴澳大利亚参加“文化产业新闻媒体管理培训”。

2007年天津电视台因公派出人员约113人，来访的有韩国、美国、西班牙、日本等同行。

四、举办各种活动，天津广播电视扩大影响。

1．“中日韩电视制作者论坛”圆满成功

9月12～16日，由天津电视台和中国电视艺术家协会、日本放送人会、韩国放送人会、韩国电视制作人会共同主办的“第七届中日韩电视制作者论坛”在天津隆重举行。中

国电视艺术家协会、中共天津市委宣传部的领导出席大会并致辞。中日韩三国近200名代表围绕“奥林匹克精神与电视人的责任——关爱民生、关注环境、关心儿童”主题进行了电视文艺、电视纪录片、电视文艺三个类别的研讨。对本次参展的电视剧、纪录片和电视综艺作品进行了观摩。9月15日晚，优秀电视作品颁奖晚会暨中日韩歌会在塘沽大剧院隆重举行。

2.“经典之约—第二届塞纳河上的婚礼”圆满成功

由天津电视台都市频道主办的“经典之约—第二届塞纳河上的婚礼”主题活动于5月12～23日成功举办，被法国参政院特别事务委员会主席，巴黎大区总督阿兰·奥海勒誉为“搭建中法交流新平台的创举”。中国驻法大使馆公使衔参赞钱卫、参赞孙海潮参加仪式并给予了高度评价。活动得到了法国电视一台、蓝色法国广播电台等多家当地知名媒体的关注和报道，法国ITELE电视频道还全程跟踪拍摄并播出了此次活动专题片，有力地增强了天津电视台的知名度和影响力。

3.“经典之约—第三届情醉夏威夷主题婚礼活动”成功举办

由天津电视台都市频道主办的“经典之约－第三届情醉夏威夷主题婚礼活动”历时8天于12月3日圆满结束。夏威夷当地政要出席了婚礼并对婚礼给予高度评价，天津电视台都市频道在《都市报道60分》节目中连续报道活动盛况，制作专题节目扩大活动的影响，实现活动品牌化、电视化的目标。

4.《鱼龙百戏》再次走出国门，“故里情怀”曲艺晚会在悉尼成功举行

天津电视台文化娱乐频道的《鱼龙百戏》栏目勇于创新，积极探索传播传统艺术的有效途径，继去年成功在美国洛杉矶举行《飞越太平洋》晚会之后，又把中华民族优秀的曲艺艺术带给了澳洲的手足同胞。（天津广电局）

河北省

2007年，河北省广播电视外事工作紧紧围绕广播电视改革发展，以促进广播电视对外交流为目的，各项工作有序展开。全年共审批办理出访报批19批，46人次。

3月22日，河北省广播电视技术中心2人赴丹麦、瑞典、芬兰、挪威技术考察。

4月6日，河北电视台技术中心一行4人赴美国、韩国技术交流考察。

4月18日，河北电视台经济频道一行5人赴荷兰采访拍摄。

7月21日，河北电视台一行5人赴美国举办画展采访拍摄。

8月25日，河北电视台2人赴以色列交流合作。

9月15日，段录沛局长率技术代表团一行6人赴德国、英国考察访问。

11月19日，河北电视台董晓山副台长一行5人赴韩国交流合作。

12月9日，河北省广播电视局武鸿儒副局长赴巴西、阿根廷考察卫星电视管理经验。（河北广电局）

内蒙古自治区

出访

1月10日，应蒙古国公众电视台邀请，内蒙古电视台一行8人赴蒙古国执行工作任务。

1月18日，应蒙古国信息产业发展中心邀请，内蒙古电台一行4人赴蒙古国参加内蒙古电台蒙古语节目在乌兰巴托落地开播仪式。

1月22日，应奥地利市政府邀请，内蒙古广电局一行8人赴欧洲考察，并参加由内蒙古电视台在维也纳举办的2007年新春音乐会活动。

2月初，应中国驻蒙古国大使馆邀请，内蒙古电视台蒙古语频道一行3人赴蒙古国执行工作任务。

3月中旬，内蒙古广电局1人随中广国际合作公司组团赴赤道几内亚执行技术援外任务。

3月30日，应蒙古国东方省政府邀请，内蒙古电视台一行2人赴蒙古国执行工作任务。

4月12日，内蒙古广电局1人随总局组团赴美国执行技术考察任务。

4月19日，内蒙古广电局1人随中广国际合作总公司组团赴韩国、美国执行技术考察任务。

5月23日，应法国杜尔市国际合唱比赛委员会的邀请，内蒙古广电局一行53人赴法国杜尔市参加第36届国际合唱比赛。

6月24日，内蒙古广电局一行3人随国家广电总局组团赴俄罗斯、蒙古国执行工作任务。

6月中旬，应蒙古国文化中心邀请，内蒙古电视台一行7人赴蒙古国执行工作任务。

7月9日，应蒙古国国家公众广播电视台邀请，内蒙古电视台一行4人赴蒙古国执行工作任务。

7月上旬，应澳中国际交流促进会邀请，内蒙古电视台1人随自治区广告协会组团赴澳大利亚执行考察任务。

7月20日，内蒙古广电局1人随国家广电总局组团赴日本、菲律宾执行工作访问任务。

7月下旬，内蒙古广电局1人随中广公司组团赴刚果执行技术援外任务。

8月中旬，内蒙古电视台1人随中广公司组团赴科摩罗执行技术援外任务。

8月下旬，应蒙古国广播电台邀请，内蒙古广播电台一行3人组团赴蒙古国执行采访任务。

8月15日，应蒙古国公众广播电视台邀请，内蒙古电视台一行5人赴蒙古国执行考察任务。

9月6日，内蒙古广电局1人随中广公司组团赴意大利、奥地利执行数字化运营管理考察任务。

9月15日，内蒙古广电局1人随中广公司赴科摩罗执行技术援外项目。

9月23日，应挪威法罗宝力合唱团——奥斯陆合唱团联合体协会主席卡里莱特鲁德邀请，内蒙古广播电视艺术团一行65人赴挪威参加文化艺术演出活动。

10月10日，应俄罗斯联邦卡尔梅吉共和国人文学院邀请，内蒙古广电局一行3人赴俄罗斯卡尔梅吉共和国参加文化交流活动。

10月11日，应日本国松崎良吉的邀请，内蒙古广播电台1人赴日本参加蒙古族教育发展研讨会。

10月15日，应蒙古国广电网络总公司邀请，内蒙古广电局一行6人赴蒙古国执行工作任务。

10月24日，内蒙古广电局协助总局接待安排日本NHK摄制组来内蒙古自治区执行拍摄采访任务。

11月20日，应法国驻华使馆邀请，内蒙古电视台一行2人随中宣部组团赴英国、法国、意大利执行考察任务。

12月2日，应日本索尼驻美国分公司邀请，内广电局一行5人赴美国考察。

来访

6月19日，蒙古国国家公共电视台太重孟和巴特尔及相关负责人参观考察内蒙古电视台。（内蒙古广电局）

辽宁省

2007年，辽宁电台继续积极与境外媒体合作交流，制作《精彩辽宁》节目，不仅扩大了辽宁在海外的知名度和影响力，也提升了辽宁人民广播电台的海外声誉和影响。辽宁电视台全年共派出友好代表团及境外采访记者组21个，分别前往美国、日本、韩国、英国、法国、西班牙、丹麦、奥地利、南美洲、新加坡、港澳等国家和地区进行友好访问或采访报道。与此同时，还积极邀请或接待境外电视媒体记者来辽宁考察、采访。先后邀请和接待了台湾东森电视台、日本北海道HBC放送、日本富山电视、韩国电视纪录片摄制组、朝鲜民主主义共和国中央通讯社、日本东京电视台等访问团或采访团60人次。（辽宁广电局）

吉林省

吉林电视台继续与英国无线卫星欧洲台和韩国中华TV、艺堂公司的合作，力争尽快实现吉林电视节目在美国、欧洲和韩国落地。吉林电台继续加强与澳洲广播电台和美国纽约中国广播网、美国洛杉矶洛城汉语广播电台的合作，《中国·吉林之声》节目在美国洛杉矶双语广播电台、美国纽约中国广播网电台播出受到欢迎。

吉林延边卫星电视频道于2006年8月10日正式开播后，成为全国第一个正式上星的地市级卫星电视媒体和朝鲜语卫星电视媒体，覆盖不断扩大，目前已在韩国、朝鲜等国家实现了覆盖，总覆盖人口已达5600余万。

吉林省广电局还组织实施了长白山直播工程、统筹省两台开设专栏，充分展示吉林厚重的历史积淀、独特的自然资源、浓郁的风土人情和天南地北吉林人的风采。为吉林省经济发展营造良好的域外舆论环境。以第四届东北亚博览会为平台，精心组织策划“吉林广播电视宣传周”活动。

12月14日，长春电视台台长崔永泉、副台长孙香凯会见了日本东京广播公司（TBS）国际部长小川润、国际媒体综合研究所主任研究员刘珂、制作局电视剧导演平野俊一、教育研修部永山由纪子等一行四人，会见双方回顾了几年来两台之间的友好合作与交流。平野俊一导演为长春电视台电视剧部、专题部等相关人员进行了题为“使脚本拍得倍加有趣的导演手法”、“电视剧拍摄的实际导演指导”的讲座，并与参加讲座的人员进行了互动。

（吉林广电局）

黑龙江省

一、出访

1月15～27日，黑龙江电视台王文堂副台长带队赴意大利都灵对2007年大冬会进行新闻采访并对本届大冬会在电视公共信号制作和信号分配传送方面进行了深入的技术考察，会晤了国际大体联和当地组委会广播电视方面的官员专家，为转播2009年大冬会做好技术准备。

9月21日～10月5日，黑龙江电视台常务副台长崔彬随省政府代表团赴美参加“黑龙江省情推介会（洛杉矶）”和“魅力黑龙江”电视周暨黑龙江卫视北美落地两周年庆祝活动。

10月20～24日，黑龙江电视台刘宁副台长率团对日本北海道电视台进行友好访问。

12月23～29日，黑龙江省广播电视局局长李寅奎应邀率团对韩国忠清北道进行工作访问。

二、来访

6月17日，美国东北华人协会会长杨维一行5人访问黑龙江省广播电视局。

8月24日，美国驻沈阳总领事馆文化领事柯儒澈先生一行两人到黑龙江省广播电视局进行工作访问。

9月2～4日，日本北海道电视台副台长樋泉实一行到黑龙江电视台进行工作访问，就纪念黑龙江省与北海道友好合作20周年，合作拍摄纪录片《原正市》进行协商并达成协议。

9月3～9日，以总局长尹德洙为团长的韩国放送公社(KBS)大邱放送总局代表团到黑龙江电视台进行访问，双方就进一步扩大合作领域等事宜进行了磋商，并签订友好合作协议。

11月26日，黑龙江省广播电视局局长李寅奎会见了韩国安重根项目策划发展有限公司总经理刘福国，并就与韩国企业合作开发大型户外彩色电子显示屏项目进行了初步商洽。

11月28日，黑龙江省广播电视局总编辑王春莉、黑龙江电视台常务副台长崔彬会见了韩国新千党委员长李圣洙和哈尔滨安重根项目策划发展有限公司董事长李甲龙、总经理刘福国一行，双方就合作开发大型户外彩色电子显示屏项目签订了意向性协议。（黑龙江广电局）

上海市

出访

1月10～19日，应美国全国电视制作人与管理者协会的邀请，上海文广新闻传媒集团总裁黎瑞刚率领代表团参加了一年一度的节目交易展（NATPE），并访问考察了哥伦比亚—派拉蒙集团、福克斯影视娱乐集团、迪斯尼—美国广播公司及其试金石影视制作公司，还与来自HBO、GAB和OpenTV的业务负责人进行了会见与交流。访问了尼尔森媒介研究的研发总部，听取了尼尔森媒介研究全球首席执行官鲍勃·麦肯关于数字媒体受众行为监测的详细介绍。

1月20～25日，应英国独立电视台的邀请，上海文广新闻传媒集团总裁黎瑞刚一行对英国节目制作和新媒体应用进行了专题考察。黎瑞刚会见了独立新闻有限公司首席执行官马克·伍德，就节目素材的新媒体开发利用等合作项目进行了富有成效的探讨。还听取了天空电视台、RDF制作公司、Cellcast、第二人生网络运营规划以及BEBO等媒体和网络公司的业务介绍。集团对外事务部、发展研究部和总编室的负责人随团考察。

5月23日，上海文广新闻传媒集团总裁黎瑞刚参加了在日本东京召开的“亚洲媒体未来”论坛，并发表了主题演讲。黎瑞刚会见了日本放送协会（NHK）会长桥本元一、论坛主办机构日本经济新闻社长杉田亮毅和韩国《中央日报》社长洪锡炫等。

7月2～7日，应法国陈氏传媒有限公司的邀请，上海文广新闻传媒集团党委书记卑根源率代表团对法国进行了访问。在法国访问期间，卑根源一行考察了长城平台（欧洲）的运营情况，听取了运营方对东方卫视节目的意见。卑根源与陈氏传媒董事长兼总经理陈克光进行了会谈，考察了长城平台的推广渠道。

7月8～15日，应日本北海道电视台的邀请，集团党委书记卑根源参加了在日本札幌举行的上海电视周开幕式。北海道知事和札幌市长在开幕当天先后会见了卑根源一行。在东京、大阪、长崎访问期间，卑根源与关西电视台、读卖电视台和长崎电视台的负责人进行了会谈。代表团还考察了STV–Japan公司，了解了东方卫视在日本发展的最新情况。

9月3～5日，应第二届欧亚媒体对话组织委员会的邀请，上海文广新闻传媒集团总裁黎瑞刚参加了在德国波恩举行的本次对话会议，并就新媒体产业在中国的发展及其影响发表了主题演讲。黎瑞刚还专程拜访了德国电视二台总裁马尔库斯·沙什特博士和法德合作文化频道，与文化频道总裁伦琴斯泰恩进行了会谈，并就未来的合作达成了广泛的共识。集团对外事务部和文广互动公司负责人参加了媒体对话活动和有关拜访。

9月2～13日，上海文广新闻传媒集团副总裁李尚智率访问团赴法国和瑞士拜访了法国视听博物馆（INA）、瑞士法语电视台（TSR Television Suisse）和瑞士视听博物馆（Audiorama）。为筹建上海视听博物馆，访问团此行特别就视听资料系统高效地保存和管理进行学习探讨。

12月5日，“上海—孟买手拉手活动”在印度孟买举行。上海市委副书记殷一璀和孟买市副市长拉吉夫共同参加了开幕式活动，这是两个城市近年来首次大规模的友好交流活动。开幕式上，由上海文广新闻传媒集团与印度ZEETV合作举办的上海电视周也同时启动，上海市政府新闻办副主任王建军、集团副总裁林罗华和ZEETV代表共同宣布了电视周的开幕。

来访

2月8日，上海文广新闻传媒集团总裁黎瑞刚、副总裁张大钟和高韵斐会见了澳大利亚麦格理银行集团亚洲区投资银行部CEO安德鲁一行。双方就媒体领域的最新发展趋势进行了探讨。

3月12日，上海文广新闻传媒集团党委书记卑根源会见了澳大利亚七网络总裁施莱恩（Ryan Stokes）一行。集团对外事务部负责人参加了会见。

3月19日，上海文广新闻传媒集团总裁黎瑞刚、副总裁张大钟会见了以马库斯·沙什特总裁为首的德国电视二台（ZDF）代表团。黎瑞刚和张大钟分别向代表团介绍了集团各个业务板块特别是新媒体方面的发展情况。

3月23日，上海文广新闻传媒集团总裁黎瑞刚会见了法新社全球总裁兼首席执行官皮耶尔·路易特（Pierre louette）一行。

4月2日，上海文广新闻传媒集团总裁黎瑞刚会见了美国著名投资家保罗·艾伦（Paul Allen）一行。集团副总裁张大钟、高韵斐和对外事务部负责人参加了会见。

4月3日，上海文广新闻传媒集团总裁黎瑞刚会见了瑞士信贷全球投资银行部联席主管、全球并购和战略顾问部主管迈克·格兰耐兹（Marc Granetz）先生一行。集团对外事务部负责人参加了会议。

4月27～30日，上海文广新闻传媒集团党委书记卑根源、总裁黎瑞刚、副总裁李尚智和总裁助理陈梁等领导分别会见了日本长崎电视台金子源吉社长一行。金子源吉社长的来访是为纪念上海电视台和日本长崎电视台友好交流20周年而合拍电视剧事宜。为了落实金子源吉访问的成果，长崎电视台董事副社长片山仁志一行于5月8日至10日访问集团，与集团总裁助理陈梁和影视剧中心负责人就共同策划合作拍摄反映中日友好交往的电视剧进行了深入有效的探讨。

6月19日，上海文广新闻传媒集团总裁黎瑞刚和副总裁高韵斐会见了英国路透集团首席执行官汤姆·克罗瑟（Tom Glocer）。集团对外事务部和第一财经负责人参加了会见。

7月31日，上海文广新闻传媒集团党委书记卑根源和副总裁林罗华会见了日本朝日放送株式会社（大阪）社长西村嘉郎一行。双方交换了经过更新的友好交流议定书。原议定书是1990年与当时的上海电视台签署的。集团对外事务部和电视新闻中心负责人参加了会见。

9月14日，上海文广新闻传媒集团总裁黎瑞刚会见了美国Venevision国际公司主席兼执行总裁路易斯·维拉努瓦（Luis Villanueva）访问团一行。访问团此行还拜访了集团下属五岸传播公司和上海文广互动电视有限公司，与两家公司的负责人进行了业务交流。

11月13～16日，日本读卖电视台新任社长高田孝治率代表团来访上海文广新闻传媒集团。集团党委书记卑根源和总裁黎瑞刚分别会见了代表团成员。在SMG—读卖工作会议上，双方在1983年签署的合作备忘录及1984年签署的业务关系缔结书等三份文件的基础上，就新闻报道、纪录片、体育赛事、大型活动等领域的业务重新签订友好合作协议。集团对外事务部、影视剧中心和电视新闻中心相关负责人参加了会见。

（袁悦）

江苏省

1月28日，由中国江苏省对外文化交流协会和江苏省广播电视总台联合主办、江苏国际频道和“2007北美春节联欢晚会北美组委会”共同承办的“2007北美春节联欢晚会”在美国洛杉矶帕沙迪纳大剧院举行。美国总统布什和夫人、美国国会议员桑切斯女士，中国文化部部长孙家正、中国国家广播电视总局局长王太华、驻美大使周文重分别发来贺信。省委常委、宣传部部长孙志军率领江苏对外文化交流访问团出席了晚会并致辞。春节期间，江苏卫视、江苏国际频道把晚会实况向亚洲、北美洲、欧洲、大洋洲的中国、日本、韩国、美国、加拿大、法国、新西兰等国家和地区播出。

2月，总台台长周莉赴美国、加拿大访问。

3月，江苏国际频道随“中国卫星电视长城（加拿大）平台”覆盖加拿大。

3月，总台副台长张建平、网络中心主任许如钢赴挪威访问。

4月12日，江苏城市频道的记者组对斐济进行了为期10天的独家采访。斐济多个国家政府部门的部长级官员接受了城市频道记者的采访。节目在“五一”期间播出。

4月，总台8人组团赴法国参加戛纳电视节。

4月，总台1人赴加拿大参加长城平台开播仪式暨推介会。

5月13日晚，由江苏广播电视总台发起，江苏省慈善总会、中共江苏省委外宣办、江苏省妇联联合主办，江苏国际频道、南京市妇联、马来西亚闪耀之星集团联合承办的2007“新城市 关爱儿童 感恩母亲”大型慈善义演活动暨大型综艺歌舞剧《菅芒花也有春天》在南京人民大会堂举办。江苏国际频道向4大洲的10余个国家转播了演出。

5月，总台派员赴美国参加“寻找中山—美国之旅”主题会议。

8月15日，江苏国际频道联合江苏省演艺集团共同推出了由中韩两国演职人员策划、制作大型的历史舞台剧《三国志·吴》，在南京人民大会堂举行。

8月，总台纪委书记邵明华率员赴澳大利亚、新西兰考察。

9月16～23日，由德国总理默克尔亲自倡议，歌德学院出面邀请的八家中国媒体组成“德中同行”活动首批赴德国采访团，江苏城市频道作为唯一受邀电视媒体和省级媒体参与采访。

9月，总台组团承办一行18人的“江苏省广播电视总台媒体管理赴美培训班”。

9月，总台1人赴英国参加“数字化时代的媒体法规及战略管理”研讨考察。

9月，总台技术人员4人赴美国进行技术考察。

（江苏广电局）

安徽省

出访

1月5～10日，安徽电视台派出摄制组前往马来西亚，采访“2007年马来西亚文化旅游年”。

6月26日，安徽省委常委、宣传部长臧世凯率领的安徽省新闻文化代表团在阿根廷首都布宜诺斯艾利斯举办了“中国安徽电视周”开幕式。省委宣传部副部长、省广电局局长张苏洲在开幕式上致辞，我国驻阿根廷使馆官员和近150名阿根廷政界、文化界和商业界人士以及当地华侨领袖等出席了开幕式。从27日开始，阿根廷的数字电视频道连续一周播放安徽的风光短片。

8月，省局副局长马雷、安徽人民广播电台副台长牛求群和安徽电视台公共频道副总监罗广金等3人，随安徽省委宣传部组织的代表团赴法国参加“媒体管理与新闻业务培训班”。

8月，10月，安徽电视台《淮军》摄制组赴韩国、越南采访。

11月12日，应国家海洋局邀请，安徽电视台新闻中心记者1人随雪龙号科考船赴南极，跟踪拍摄我国第24次南极科考任务。

来访

2月10日，安徽省委宣传部副部长、省局局长张苏洲会见韩国美格公司总裁李相民一行。

3月29日～4月3日，韩国KBS名牌栏目《走遍世界》摄制组来我省拍摄介绍安徽的节目。安徽电视台社教海外中心协助。

4月，安徽省委宣传部副部长、省局局长张苏洲会见了美国鹰龙传媒集团董事长苏盛义一行。

4月20日，安徽省委宣传部副部长、省局局长张苏洲会见马来西亚寰宇卫视集团总经理王建琨先生一行。

4月22日，在中央人民广播电台、中国国际广播电台的大力支持下，安徽人民广播电台与安徽省委外宣办共同举办了“和谐安徽行—国际广播记者看安徽”大型采访活动，邀请了英国、德国、日本、俄罗斯、西班牙、保加利亚等六国资深记者来安徽采访。在为期一周的采访中，各国记者走访了合肥、芜湖、黄山等地，共向全球发稿200篇左右，图片300多幅。

5月，中国徽商大会在合肥召开，澳大利亚华夏电视台应邀来肥采访。

6月3日，省局积极协助日本广播协会（NHK）来华制作的《中国铁路大纪行》。

7月2～6日，日本广播协会（NHK）《日军毒气战真相》电视专题片摄制组来安徽省固镇县进行实地采访拍摄。

8月31日～9月1日，韩国广播公司（KBS）社长郑渊珠率团来我省考察九华山。中宣部副部长、国家广电总局局长王太华会见了韩国广播公司代表团一行。

10月26日，安徽省委宣传部副部长、省局局长、安徽电视台台长张苏洲会见了来访的尼尔森媒介研究国际主席和行政总裁罗伯特.麦肯纳先生一行。签署了战略合作备忘录。

11月，联合国驻华总协调官员和联合国计划开发署代表来安徽考察期间访问了安徽电视台，并接受了电视台记者的专访。

12月30日，美国麒麟电视来访，就下一步合作项目签订了初步协议。

（安徽广电局）

山东省

出访

4月，山东电视台2人随广电总局赴美国参加NAB国际广播电视设备展览会。

7月，山东电视台祝丽华等2人随省委外宣办赴德国执行文化交流任务。

8月，山东省广播电视局王晓英等4人赴韩国、日本执行考察交流任务。

9月5～12日，济南电视台总编辑马利赴奥地利参加上海交响乐团在奥地利的演出活动，同时，与奥地利国家电视台就开展国际电视交流与合作进行探讨，并签署相关合作协议。

9月7～13日，济南市广播电视局局长张锋率技术考察团赴荷兰参加IBC2007广播电视展览会。

10月，山东电视台吕芃赴俄罗斯执行考察交流任务。

10月，山东省广播电视局吉保邦等5人赴澳大利亚、新西兰执行考察交流任务。

10月8～21日，由山东电视台和山东省委外宣办联合组织的山东省文化艺术访问团，赴韩国进行了为期14天的访问和演出，并就山东省艺术团体赴韩商演、孔子文化系列宣传活动等初步形成了共识与合作意向。

10月28日～11月9日和12月16～27日，济南市广播电视局分两批共16人赴日本NHK电视台考察参观。

11月，山东省广播电视局王模等5人赴南非、肯尼亚执行考察交流任务。

来访

2月2日，西班牙塞伯拉制作公司(ZEBRA PRODUCCTIONES)电视商业部部长和金融商业发展部部长一行来济对山东电视台进行了友好访问，韩国强台长会见西班牙客人。

2月底，美国麒麟电视台副董事长郝敬舫先生一行2人访问山东电视台。郝敬舫先生做了“美国的网络电视的现状和未来”专题报告，介绍了美国三网合一后，网络电视的最新发展动向。

3月1日，山东电视台吕芃副台长会见加拿大魁北克丹尼斯.布赫（Denis Briere）一行三人，并就媒体合作事宜进行洽谈。

3月2日，山东电视台韩国强台长会见德国巴伐利亚州电视台洛斯赫尔.盖哈德先生一行，就山东在巴州电视台举办山东电视宣传周相关事宜进行友好洽谈。

3月15日，印尼国际日报报业集团董事长熊德龙先生来山东电视台访问。双方就合作创办IPTV（网络华语教学电视台）的有关事宜作了深入的探讨并达成共识。

4月11～13日，韩国KBS全州放送总局局长徐殷燮访问团一行4人访问济南，与山东省人民政府新闻办公室和山东电视台就共同举办“中韩交流电视周”等事宜举行了会谈，韩国强台长参加会见。

6月20～24日，韩国大邱MBC电视台社长朴鲁兴一行四人对济南电视台进行了友好访问。

8月份，山东电视台泰山娃少儿艺术团迎来韩国全州文化交流团，中韩两国的小朋友以同歌共舞的形式进行了交流演出。

9月9日、11日，美国伊利市代表团、俄罗斯布拉茨克市代表团分别来到淄博市广播电视总台（局）参观访问，副市长韩家华陪同代表团参观。总台（局）党委书记、台（局）长吴兆金向客人介绍了淄博广电的发展情况。

9月20～29日，韩国KBS理事会理事李基旭、专务委员宋基伦和编导金大钟一行三人访问山东电视台，同台长韩国强、总编辑祝丽华就双方在电视剧、综艺节目等方面的合作进行商谈。

9月25～26日，哥伦比亚巴莱姆集团董事会主席阿莱汉德罗·桑托·多明格先生一行6人访问山东电视台，并就电视合作的相关事宜与韩国强台长进行了交流。

（山东广电局）

河南省

一、河南电视台《梨园春》栏目远赴南美继续“梨园飞歌”世界性演出

2007年中国农历新春佳节期间，应委内瑞拉国家文化委员会、中国驻委内瑞拉大使馆和中国驻巴西里约热内卢总领事馆的邀请，《梨园春》组织优秀艺术家在南美两国成功举办了三场中国戏曲、少林武术“梨园飞歌”巡演。

二、河南电视台《武林风》栏目对外交流情况

《武林风·少林寺传说》赴日本演出是2007中日体育文化交流年活动中最重要的活动之一。7月14日，《武林风·少林寺传说》正式登陆日本，在日本富士电视台的王牌游乐项目“台场冒险王”中每天出演三场，每场45分钟，共演52天、156场。该活动在河南电视台历史上尚属首次。

8月16日，在日本举办《武林风》决战东京——中日邦交正常化35周年纪念七对七对抗赛，这是《武林风》首次走出国门进行国际赛事。

9月22日，《武林风》举办第三届中越对抗赛。

11月17日，《武林风》举办第二届中泰对抗赛。

三、11月11～14日，河南电视台与韩国安东电视台、日本山形电视台联合在郑州举行三国电视高峰论坛。

（河南广电局）

湖北省

2007年4月18日，湖北卫视新闻中心3人赴挪威参加省政府外事办公室组织的“湖北挪威周”。

2007年8月，越南胡志明市电视台记者一行四人，到湖北进行友好采访，湖北卫视全力相助，并和对方结成友好台。

（湖北广电局）

广西壮族自治区

2007年，广西广播电视部门派出23批251人次，分别赴德国、俄罗斯、印度尼西亚、日本、韩国、希腊、西班牙、越南、泰国、马来西亚、澳大利亚、新西兰等国家，对境外的广播电视机构进行考察，开展业务交流合作。接待越南、泰国、日本、俄罗斯、柬埔寨、印度尼西亚等国家的友好人士16批205人次。

一、出访

3月15日，省局苏新生副局长一行5人赴东盟十国，做好“中国—东盟合作之旅”前期准备工作。

4月24日～6月10日，苏新生副局长率领中国国际广播电台、凤凰卫视、广西人民广播电台、广西电视台记者一行49人赴东盟十国开展大型国际采访活动，历经东盟各国35个城市，行程2万公里。

5月8～20日，省局阳建国局长一行6人赴东盟各国考察。

5月10～16日，广西电视台在越南胡志明市举办广西电视周。

5月13～19日，广西电视台在印度尼西亚雅加达举办广西电视周。

5月15日，广西电视台与印度尼西亚国家电视台合作在印尼巴厘岛共同举办“山水之约、美在巴厘”“金花聚会”大型直播文艺晚会。

5月17日，广西电视台黄著诚台长在泰国国家电视台11频道本部与拉坦那布昌·阿蒂萨普特台长正式签署了双方建立友好台关系协议书。

5月30日，省局朱日荣副局长率领一行13人赴澳大利亚、新西兰考察广播电视网络业务。

6月2～15日，省局副局长何丹一行15人，赴芬兰、丹麦进行考察和交流。

6月18日，省局纪检组长王玲跟随国家广电总局赴俄罗斯考察。

6月21日～7月4日，省局副巡视员赵愚随同国家广电总局赴德国考察。

6月23日～7月10日，广西壮族自治区党委宣传部部务委员沈明率领广西广播电视代表团一行7人赴巴西考察。

7月8～18日，广西广播电视考察团一行11人赴东盟相关国家进行对口交流。

7月31日，广西玉林电视台台长谢智光在韩国忠州MBC本部与韩国忠州MBC李裁银社长签署建立友好台关系协议书。

8月1～9日，广西电视台在加拿大新时代电视集团网络中举办第四届广西电视节，播出“连线东盟”、“大地飞歌”等七个专题节目。

8月17日，广西人民广播电台范健副台长一行10人赴越南广宁省进行对口业务交流，并洽谈双方建立友好台等事宜。

9月20～30日，广西广播电视考察团一行10人赴日本、韩国进行对口交流。

11月22日～12月5日，副局长何丹一行10人赴越南、印尼等东盟五国考察，对拟在广西南宁举办“中国—东盟影视周”相互交换了意见。

12月4～10日，应泰国国家广播电台的邀请，广西人民广播电台三位记者前往泰国采访第24届东南亚运动会。

12月6～20日，局长阳建国一行6人赴希腊、西班牙考察。

二、来访

1月25日，省局局长阳建国、广西人民广播电台台长文衍修在明园新都五号楼分别与泰国国家民联厅帕塔丽亚·苏玛诺副厅长、泰国国家广播电台昌提玛·乔山关台长签署长期合作协议书，正式建立双方友好姐妹关系。广西壮族自治区副主席吴恒会见泰国国家民联厅帕塔丽亚·苏玛诺副厅长。

1月25日，以泰国国家民联厅副厅长帕塔丽亚·苏玛诺女士为团长的泰国广播电视代表团访问广西电视台。与广西电视台台长黄著诚草签了《广西电视台·泰国11频道建立友好合作台意向书》。

3月7日，由越南广宁省广播电台陶惟吉台长率领的代表团一行11人访问广西人民广播电台、广西电视台。

4月18～22日，东盟新闻官员培训班马纳普·亚当先生一行19人到广西参观考察，与广西人民广播电台、广西电视台以及广西广播电视信息网络股份有限公司进行了业务对口交流。

4月19日，广西电视台与印度尼西亚国家电视台签署合作协议。商定于2007年5月11日至16日在印尼巴厘岛联合举办“中国广西电视台《寻找金花》印尼巴厘岛美丽聚会”系列文化艺术交流活动。

5月3～6日，日本NHK《中国铁路大纪行》电视摄制组关口智宏一行11人在广西桂林阳朔举办“桂林山水”现场直播活动。

5月12～17日，以汪玉西为团长的越南之声代表团一行10人到广西进行友好访问。

6月4～6日，由俄罗斯塔斯社、俄罗斯之声电台、俄罗斯电视台等12家主流媒体以及我国新华社、人民日报、中央人民广播电台、中国国际广播电台等中央新闻媒体共50多名记者到广西举办“中俄友谊之旅·中国行”大型国际采访活动，宣传广西。

8月12～16日，柬埔寨国家广播电台帕吞·希洛台长一行5人应邀到广西人民广播电台洽谈建立长期友好合作关系项目。

8月下旬，新加坡新传媒公司中国业务区副总裁王立凤访问广西电视台，双方洽谈了两台新闻交流与合作的事宜。

9月5～19日，由东盟九国、日本、香港凤凰卫视、中央人民广播电台、中央电视台、中国国际广播电台、广西人民广播电台、广西电视台等26家国内外广播电视主流媒体70多名记者组成的国际采访团，赴南宁、柳州、桂林、北海、崇左、防城港、钦州、玉林八个城市，行程2000多公里，对广西各行各业分40多项专题进行采访，通过新闻报道展现了中国—东盟携手合作、发展共赢的精神面貌。

9月11日，老挝国家电视台台长万菲特·布聪博士率领的代表团访问广西电视台。双方签订了合作协议，缔结为友好台。

10月27日～11月2日，应广西人民广播电台邀请，泰国国家广播电台斯蒂普·斯塔丽女士一行3人到广西访问，并采制第四届中国—东盟博览会节目。

10月29日，广西电视台与印度尼西亚第一传媒公司签署了广西卫视在雅加达落地入网协议书。

10月29日～11月5日，以孔炳亿为团长的韩国忠州

MBC代表团一行7人应玉林电视台邀请，对“中小企业商机·中国—玉林博览会”进行采访。

11月6日，以日本熊本放送常务董事长西尾国久为代表的日本熊本放送代表团访问广西电视台。

11月12～17日，应广西柳州电视台邀请，韩国原州MBC金润永社长一行7人到广西进行友好访问。副局长何丹会见并宴请了韩国代表团全体成员。（广西广电局）

重庆市

一、利用重庆直辖10周年契机，向海内外大力推介重庆新形象

1.举办“感受重庆—中外电视记者易地采访活动”

由中央电视台主办、中共重庆市委宣传部、重庆市人民政府新闻办公室和重庆广播电视总台承办了“感受重庆—中外电视记者易地采访活动”，联合国新闻部、美国纽约中文电视台、加拿大城市电视台、英国BBC、新加坡亚洲新闻台等10家境外媒体和24家内地电视台参加了为期10天的采访活动。34个摄制组分赴23个区县和市级部门进行拍摄采访。中央电视台中文国际频道（CCTV—4）连续展播获奖节目；参加采访的34家电视台播出了本台记者采访制作的节目；重庆广播电视总台科教频道和国际频道展播了全部节目。

2.在境外举办“重庆电视周”，向观众展示重庆10年巨变

新加坡新传媒集团在其中文普通话第8频道播出与重庆广播电视总台联合制作的5集系列短剧《麻辣重庆》。

在美国纽约中文电视台展播重庆电视台节目，联合国总部新闻中心官员、中国驻纽约总领事刘碧伟以及当地华人华侨代表出席了电视周新闻发布会。

9月，作为“俄罗斯中国文化年”重庆代表团重大活动之一，在俄罗斯的重庆友好州市克麦罗沃和沃罗涅日播出了专门制作的俄语版宣传片。

3.拍摄、制作特别节目

为重庆直辖10周年，拍摄、制作了5集系列片《感受重庆》，每集30分钟；6集系列片《外国领事眼中的重庆》，每集16分钟，邀请英国总领事夏添恩、日本总领事富田昌宏、加拿大领事欧阳飞、丹麦领事邵嘉儒、美国总领事包杰明、韩国总领事朴铜先等六位驻成渝的总领事和领事畅谈感受，反映重庆过去10年的变化。

4.国际频道特别编播

国际频道推出6.18特别制作和编播。播出反映重庆直辖10周年成就的系列专题片《感受重庆》、《外国领事眼中的重庆》、《易地采访节目展播》，每天30分钟，历时一个多月。

二、充分利用联合国广播电视协作体的窗口作用，扩大重庆在西方主流社会的影响

联合国新闻中心负责人恩维斯与李晓枫互访。联合国向总台提供的节目经过重新编辑后在《人文天下》栏目中播出了5集，共150分钟。

三、努力开拓对外交流渠道，通过广播电视节目广为传播重庆的新形象

截至2007年底，已与26家境外媒体建立了友好合作关系。向境外媒体传播具有自主版权的外宣节目共计52小时55分钟。其中，中国黄河电视台5小时10分钟，美国纽约中文电视台31小时50分钟，加拿大城市电视台8小时，江苏国际频道3小时20分钟。

2007年6月英国威尔士议会政府第一部长办公室对外关系部主任盖瑞·戴维斯先生来访问，就建立友好电视台、举办电视周、节目交流等方面的内容进行了商谈。

四、与在华外国友好机构保持交往，积极寻求合作机会

通过举办一年一度的重庆广电总台与驻成渝外国领事机构新春联谊会和制作特别节目《外国领事眼中的重庆》等方式，与美国、德国、法国驻成都总领事馆和英国、日本、柬埔寨驻渝总领事馆及加拿大、丹麦驻渝领事馆等外国机构保持了密切往来，《鸟瞰新重庆》等优秀外宣节目通过这些渠道向境外传播。

五、加大对中央广播电视媒体的宣传力度，为宣传重庆尽职尽责

重庆广电总台在中国国际广播电台播出11组专题节目《中国之窗》。庆祝重庆直辖10周年“走过十年”大型广播直播活动实现了重庆广播史上与中央电台第一次超长篇幅（90分钟）的联合直播。（重庆广电总台）

四川省

2007年，四川广电集团共派出10批52人次赴外考察访问。

出访

4月，集团总经理张翊一行5人赴法国参加戛纳电视节；应美国哈雷公司邀请，四川广电集团技术设备部一行10人赴美参加全美广播电视展。

4月、6月，四川广电集团703搬迁工程办公室20人分两批次赴日本富士通考察合同执行情况，并进行技术交流。

6月，省局局长何大新、四川广电集团管委会副主任钟叙昭等6人赴加拿大参加班夫电视节，商谈合作事宜。

7月，四川广电集团新闻中心首席编辑等2人赴墨参加2007“感知中国·墨西哥行”采访活动。

来访

10月17日，集团副总编、四川电视台副台长纪小荃会见了来访的以色列驻华使馆政治与新闻官员柯楷仪（Mr. Guy kivetz）先生一行。

10月23日，四川省广电局副局长蒋东升、四川广电集团管委会副主任、四川电视节组委会办公室主任钟叙昭会见了以捷克文化部副部长法兰提斯克·麦克斯先生为团长的捷克电影代表团一行。

11月19日，艾杰比尼尔森媒介研究全球经营管理主席克鲁西博士（Dr. Alberto Colussi）等一行拜会了四川省委宣传部副部长侯雄飞、四川省广电局局长何大新、四川广电集团管委会主任陈华等，双方签署了合作备忘录。

（四川广电局 四川广电集团）

云南省

2007年，云南省共组织因公出访13批67人次，派广播电视团（组）出国（境）采访5批9人次，接待国（境）外摄制组4批74人次，审核境外引进电视剧2部，审核境外演职人员参与国内影视剧拍摄与创作8人。其中，全年因公出访人数比上年增加34人，广电对外交流合作工作有了明显的进展，对外管理职能得到加强。

出访

2月20日～3月3日，应韩国KBS社长、首席执行官邀请，云南电视台台长杨文虎率常务副台长李小国、副台长褚嘉骅等6人赴韩国考察，就双方开展广播电视节目交流与合作进行洽谈。

3月5～10日，云南电视台记者2人随省政府外事办公室赴老挝、缅甸、泰国等3国，进行中老缅泰公路物流圈考察，并做相关报道。

3月16～30日，云南电视台记者2人随秦光荣省长赴越南、老挝、缅甸、柬埔寨等4国进行采访报道。

3月28日～4月8日，应老挝国家电视台台长邀请，云南电视台节目制作、传输发射技术人员4人赴老挝进行数字电视系统项目试验。

3月31日～4月6日，应老挝国家电视台台长邀请，云南电视台台长杨文虎，常务副台长李小国等3人赴老挝参加老挝数字电视有限公司成立仪式，并商谈合作相关事宜。

4月10～19日，应Sony公司邀请，云南电视台记者2人赴美国参加2007年美国广播电视设备展，了解当今先进广播技术应用方向。

5月8～16日，应国家广电总局邀请，局广播影视产业发展中心主任李勇华随团赴北欧访问，考察北欧电视制作及媒体管理经验。

5月28日～6月8日，应英国哈里斯公司和法国陈氏传媒邀请，云南电视台台长杨文虎等3人赴法国和英国访问，就云南电视台卫星频道在法国落地进行协商，对英国数字电视网络构成、运营模式和市场营销等情况进行考察。

6月11～22日，副局长曹继敏等2人，随中国电视国际经济技术合作总公司组织的广电系统管理领导和专业技术考察团，赴俄罗斯、芬兰考察广播电视数字系统设备管理和广播电视节目制作技术等情况。

6月20日～7月1日，孟中印缅汽车拉力赛在孟加拉举行，省外办特邀云南电视台记者2人随团考察昆明至加尔各答的道路状况。

9月12～18日，应越南之声广播电台台长武文贤邀请，云南人民广播电台副台长朱玉昆及该台相关频率负责人共7人，赴越南就双方电台加强人员互访，推进节目交流等进行商谈。

9月25日～10月2日，应省委、省政府邀请，云南电视台记者1人随团赴俄罗斯采访，报道"2007俄罗斯中国年"云南推介会。

9月26日～10月10日，应日本NHK ITEC 株式会社海外事业部邀请，省局日元贷款项目组第一批广播电视业务人员——云南人民广播电台副台长丁勇胜等8人，赴日本进行业务研修，学习日本媒体管理经验和最新设备使用方法。

10月2～9日，应美国爱家协会邀请，云南省新闻学会、云南人民广播电台共3人赴美国商谈双方节目交流事宜。

10月12～26日，按省政府外事办通知，省人大常委会副主任卢邦正率民族新闻代表团赴孟加拉、柬埔寨访问，云南人民广播电台、云南电视台记者2人受邀随团出访。

10月22～31日，应日本NHK ITEC 株式会社海外事业部邀请，省局日元贷款项目第二批广播电视业务人员——局纪检组长周云峰等8人，赴日本进行业务研修，学习日本媒体管理经验和最新设备使用方法。

11月13～17日，应老挝数字电视有限公司邀请，云南电视台常务副台长李小国等6人，赴老挝出席老挝数字电视有限公司无线数字电视启动仪式。

来访

1月18～21日，日本NHK电视台一行6人来云南拍摄电视节目《今日亚洲》，介绍中国及亚洲各国经济发展和往来等情形，省局对外中心全程协助拍摄。

3月5～19日，韩国KBS电视台一行2人来云南拍摄电视纪录片《云南风情》，介绍云南旅游风光、民族风情及历史文化，省局对外中心全程协助拍摄。

7月10～16日，泰国国家电视台11频道一行3人来云南拍摄电视纪录片《风情之大理丽江》，向该国介绍云南风土人情，省局对外中心全程协助拍摄。

（云南省广电局对外交流中心　何千）

西藏自治区

西藏人民广播电台对外广播宣传有着43年的开办历史。2001年增加了英语节目。每日播出节目90分钟，其中藏语60分钟，英语30分钟。节目通过调频：101.6兆赫，中波：846、594千赫，短波：4905、4920、5240、6110、6130、6200、9580、7125、9490千赫发射播出。

经过几十年的培养和发展，已经培养出了一支精干的对外广播宣传队伍，打造出了《故乡云》、《圣地西藏》等深受听众欢迎的藏语、英语对外广播名牌节目。在区内外、国内外拥有广泛的听众群，每年收到世界各国听众来信400～500封。深入揭批达赖，正面宣传西藏。努力发挥对外广播宣传的重要作用，宣传中国西藏巨大的发展变化，在国际上树立正确的中国西藏形象。展现新西藏各族群众在党的民族政策、宗教政策、富民政策指引下，在全国兄弟省市的大力支援下，政治上当家作主，经济日益发展，文化、卫生、教育等公共设施日益健全的历史事实。主要栏目包括藏语节目：《故乡云》、《圣地歌舞》、《圣地旅游》，英语节目、《西藏新闻》（C T B　n e w s）、《西藏旅游》，（Tibet tourism）、《目击西藏》（Eyes on the Tibet）、《周末音乐聚焦》（focus on music only Sunday）等。

（西藏广电局）

陕西省

截至2007年12月底，陕西省广播电影电视局对外交流工作进展顺利。全年参派我局主要领导出访4批16人次，出访国家主要是美国、韩国、俄罗斯、匈牙利、朝鲜，进一步拓宽了我省同上述五国在广电行业上合作的道路。同时，我局全年共接待了来自日本、德国、希腊、墨西哥等国的摄制组及参访团共计6批55人次。

一、出访

4月5～19日，局纪检组组长王明珍等3位同志随国家广电总局组团赴美国、韩国执行广播电视技术考察任务，为期14天。

7月1～12日，省局局长任贤良等7位同志赴俄罗斯、匈牙利两国进行考察访问，为期12天。全面考察俄罗斯圣彼得堡电视台的节目制作、转播、播控及系统运作和技术管理情况。

9月4～13日，省局局长任贤良等5位同志赴朝鲜友好访问，为期10天。

10月，省局副局长王勇同志由省委组织部选派赴美参加为期半年的公共管理培训。

二、来访

5月25～27日，配合NHK摄制组一行三人在陕拍摄以面食为题材的旅游专题片。

6月1～10日，8月25日～9月2日，两次协助日本NHK摄制组在陕西成功举行了《中国铁路大纪行》现场直播活动。

12月3～5日，协助中国国际广播电台接待希腊雅典国际台台长Athanasios Kafezas先生等一行6人来陕的参观访问。

12月5～7日，协助国家广电总局国际合作司接待德国巴伐利亚电视台代表团一行4人在陕西参观访问。

12月18～20日，协助国家广电总局接待墨西哥特莱维萨电视台在陕西拍摄专题片。（陕西广电局）

甘肃省

组织了20批、45人次的外事出访任务以及日本、意大利友好人士2批18人次的来访接待；输送市、州专业技术人员3批4人次到非洲马里等国援外。

9月7日，第十一届中国甘肃·日本秋田电视友好交流周活动在兰州举行，副省长咸辉会见了日本秋田电视台代表团一行，省局局长孙伟、总台台长武来银参加了会见。双方签订了进一步加强合作与交流的协议。

10月16～28日，应俄罗斯圣彼得市政府亚太合作中心总经理弗拉基米尔·亚历山大·热玛季斯先生的邀请，由政协甘肃省委员会科教文卫体委员会副主任、甘肃省广播电视协会会长张家昌团长率领的“中国甘肃电视文化交流代表团”一行5人，前往俄罗斯、波兰两国进行了电视文化交流周宣传和考察活动。与圣彼得堡市政府亚太合作中心、波兰国家电视台参观和座谈，并在当地国家电视台播放了《甘肃——铜奔马的故乡》电视片。

庆阳电视台拍摄制作的大型皮影戏专题片《盗草》赴法国参加了庆阳—巴黎文化周活动。

（甘肃广电局）

青海省

2007年度青海省广播电视局有5批共13人（次）分赴意大利、新加坡、日本、韩国等国家考察访问。

4月12～23日，青海电视台副台长赴意大利访问。

10月24日－11月2日，省局局长巨伟赴新加坡考察。

10月10～19日，省局副局长沃赛尼玛、青海人民广播电台台长牛海鸣等9人，赴日本进行广播电视相关设备使用的考察和培训。

10月16～25日，青海电视台党总支书记赴韩国考察韩国媒体、著名企业及文化体育界运作状况。（崔红梅）

新疆维吾尔自治区

2007年新疆广播电影电视局全年共出访27团（次）64人，接待来访5团（次）99人。主要为业务交流与合作、考察调研、采访报道、学习培训等。出访国家有：吉尔吉斯斯坦、乌兹别克斯坦、哈萨克斯坦、马来西亚、卡塔尔、阿联酋、法国、日本、巴基斯坦、突尼斯、摩洛哥、土耳其、意大利、美国、南非、埃及、英国、芬兰、蒙古国、荷兰、奥地利等。

新疆维吾尔自治区广电局与土耳其YON广播交流公司签署广播节目合作协议

出访

1月27日～2月2日，新疆电视台党委书记石永强赴卡塔尔、阿联酋进行电视落地考察。

3月1日起，自治区局长伊力汗·奥斯曼赴新加坡培训，在外停留1年。

3月20～24日，自治区广电局、新疆广电网络公司公司2人赴哈萨克斯坦协助解决我哈语电视节目技术故障。

4月12～23日，由中华全国新闻工作者协会组团，新疆人民广播电台台长徐樟梅赴意大利进行工作访问。

4月15日～7月21日，自治区副局长依德力希、新疆人民广播电台党委书记史林杰等6人赴吉尔吉斯斯坦、乌兹别克斯坦和哈萨克斯坦就双方广播电视合作有关事宜进行进一步洽谈。

6月4～17日，节传中心党委书记张军赴北欧进行广播电视业务考察。

6月5～19日，应自治区旅游局邀请，新疆电视台记者2人赴阿联酋、土耳其进行相关采访活动。

8月12～18日，根据外交部新闻司要求，新疆电视台7人赴吉尔吉斯斯坦协助完成胡锦涛主席出访新闻报道工作。

8月21～28日，新疆人民广播电台台长徐樟梅等5人赴吉尔吉斯斯坦举办《中国之声》节目研讨会。

9月5～18日，新疆电视台副台长木拉提·阿不都拉赴荷兰、奥地利进行广播电视业务考察。

10月16～29日，新疆人民广播电台技术部4人赴英国、芬兰进行广播电视业务考察。

10月23日～11月5日，新疆人民广播电台副台长周川、新疆电视台副台长赵飞等3人赴美国进行广播电视技术考察。

10月30日～11月12日，自治区广电局副局长黄伯红赴南非、埃及进行广播电视技术考察。

来访

2月25日～3月2日，蒙古国巴彦吾力盖省GCMM公司总经理米拉一行四人来访，双方署了合作协议，成立"赛尔克广播电视有限股份责任公司"。

5月17日，我局邀请土耳其YON广播交流公司阿德南一行两人洽谈广播节目合作事宜，并在深圳国际文化博览会上签署了广播合作协议。

8月1～2日，受商务部委托，总局培训中心国际研修班一行88人，参观访问了新疆广播电影译制中心、新疆人民广播电台、新疆电视台。

8月19日，接自治区外宣办通知，欧洲哈萨克文化交流协会一行四人来我区访问，并参观了新疆广播电影电视译制中心和新疆人民广播电台。

10月19日，土耳其YON广播交流公司台长克勒赫来我局进行工作访问，并参观了新疆人民广播电台和新疆电视台。

（梁可秋　王学英）

大连市

出访

3月20～23日，大连电视台记者2人赴韩国釜山参加第三届中日韩三台共同制作节目《家庭》工作会议。

7月13～18日，由副局长、大连人民广播电台台长段文武率访问团一行13人赴日本北九州国际广播电台签订缔结友好台协议及举办"大连的声音—东瀛放送"广播直播活动。这是大连电台与日本北九州地方两台第一次实现跨国广播直播活动。

8月26～31日，大连电视台记者3人赴韩国拍摄2007中日韩三台联合制作特别节目《家庭》。

9月12～23日，局长周大新率访问团一行4人赴法国汤姆逊公司和德国国家电视二台进行考察。重点考察无线数字电视发射、接收、应用和高新技术转播车等广播电视技术。

10月1～6日，由大连人民广播电台与日本福冈未来委员会联合举办的"中学生日本修学游"一行50人，赴日本进行友好交流活动。

来访

1月12日，日本NHK电视台记者山田真里来大连电视台参观。

2月4～9日，亚洲未来机构理事长渕上高当先生率6位委员来连，就中日青少年文化及媒体合作进行交流。大连市副市长邢良忠、副局长、大连电台台长段文武会见了渕上高当先生等人。

3月13～15日，韩国浦项MBC电视台朴战烈等一行2人来台访问，商讨关于联合拍摄中韩历史题材的纪录片事宜。

5月24～27日，日本金泽电视台记者古池良二等2人来连拍摄大连市日本周。

5月25日，日本NHK中部BRAINS公司木屯猪一郎社长等一行6人来访。

7月13～15日，西日本电视台制片人滨田俊彦、韩国釜山电视台制片人李湖义来连参加中日韩《家庭》工作会议。

8月7日，日本九州观光推进协会秀岛龙介部长一行4人来大连电视台访问。

8月13日，日本ALPHA音像公司井上重泰社长一行3人来连商谈外宣合作事宜。

8月22日，美国驻沈阳总领馆领事柯儒澈、许同阳来访。

11月6～8日，日本福冈市长吉田宏访问大连。在日本亚洲未来机构成员的陪同下，专程到大连广电中心，协商两地媒体合作交流等事宜。

（大连广电局）

宁波市

7月10～16日，宁波电视台一行7人应邀访问韩国江陵MBC电视台，这是继两台2006年建立友好合作关系后，宁波电视台首次访问韩国江陵MBC电视台。代表团还走访了韩国三星集团、江陵市政府、韩国MBC总台等地。

（宁波广电局）

加勒比海新闻代表团在厦门广电集团交流访问

厦门市

9月9日上午，来自巴哈马、巴巴多斯、多米尼克、格林纳达、牙买加、圣卢西亚和苏里南等10个加勒比国家及加共体的36名新闻官员和记者到厦门广电集团参观交流。集团党委书记、总裁周旻介绍了集团情况。

（厦门广电局）

青岛市

出访

2007年，青岛市广播电视局在对外交流中出访3批9人次：

7月12～26日，山东省委常委、青岛市委书记阎启俊，青岛市委常委、宣传部长王伟率青岛市友好访问团赴俄罗斯圣彼得堡市访问，并出席俄罗斯"中国年"有关活动。局长楼树军随同访问，并代表青岛电视台与圣彼得堡市古巴拉电视公司（100台）签署友好合作备忘录；参观考察了古巴拉电视公司、彼尔姆电视七台、乌克兰敖德萨电视台，与古巴拉电视公司台长米哈伊尔·尤里维奇就进一步加强媒体合作达成了共识，与彼尔姆电视七台签署了友好合作关系协议书，与敖德萨电视台签署了友好台际关系协议。在圣彼得堡市与彼尔姆市分别举办了"青岛广播周"和"青岛电视周"。

8月28～31日，在青岛参加"2007中国广播发展论坛暨全球华语广播协作会议"的中国、美国、俄罗斯等15家华语广播机构的40多位广播界人士，考察了青岛人民广播电台新闻频道直播室和数字音频直播车。

8月30日～9月7日，局副总编辑、电视台副台长何敬君带领青岛电视台有关部门负责人赴韩国釜山KNN和大邱MBC电视台考察，并举行了青岛电视周活动。就联合策划"友城大拜年"春节节目达成意向。

9月25日～10月1日，副局长潘盛国赴英国考察了华为公司在英国贝辛斯托克的分部，对网络管理、信息化个性服务及增值业务发展情况进行了考察。

来访

2007年，青岛市广播电视局在对外交流中来访8批70人次：

4月16日，局党委书记张相逢，总编辑胡滨会见德国曼海姆市前第一副市长诺伯特·艾格博士一行，双方就青岛电视台与莱因内卡电视台的合作和举办电视周及小白帆艺术团8月份赴德演出等问题进行了友好交流。

6月7日，巴西创新技术及数字化商业集团副总裁安东尼·泰勒斯一行人来考察青岛市广播电视局，局总编辑胡滨，副总编、电台副台长王玮会见了客人。

6月13日，德国电视二台首席国际时政记者舒尔茨先生一行考察青岛电视台，舒尔茨先生向青岛市广播电视局总编辑胡滨转交了德国电视二台台长马库斯·谢赫特给楼树军台长的信件。

9月14日，德国电视二台采访团一行4人就2008年奥运宣传等工作考察了青岛市广播电视局，青岛市广播电视局局长、台长楼树军，副总编辑、电视台副台长何敬君会见了采访团一行。

9月27日，韩国釜山有线电视会长、大林有线电视购物董事长辛相宗一行5人考察青岛市广播电视局，青岛市广播电视局局长、台长楼树军会见了客人，双方就电视购物等节目合作事宜进行了交流。

10月26日，参加国家广电总局举办的"广播电视国际研修班"的阿尔巴尼亚电视台、柬埔寨电视台、埃及开罗卫视等14个国家媒体共36名代表来考察青岛市广播电视局，对奥运场馆建设和赛事转播等情况进行了考察。局长楼树军，副局长潘盛国、童季平会见了考察组一行并进行座谈。

12月13日，古巴信息通信部部长、革命司令拉米罗·巴尔德斯·梅内德兹一行8人考察了青岛广电移动数字电视公司地面发射系统、节目编辑及广播发射系统，了解了我国国标地面数字系统在青岛的实际应用情况。副局长童季平陪同考察。

（青岛广电局）

19. 附　录
Appendixes

19. 附 录

责任编辑 罗建平
审稿人 赵玉明

史志资料

《广播周报》总目录（下）

《广播周报》简介

本刊自2006年版以来，连续刊登《广播周报》总目录。本期内容为《广播周报》复刊第43期（总第239期）至第116期（总第312期），时间为1947年7月至1948年12月。至此，已全部刊毕。另，鉴于历史原因，对目录中的不当文字未予删改，敬请读者注意。

《广播周报》复刊第四十三期

（1947年7月6日 总第239期）

编者广播
军事与广播（专论） 杨 坚
白金汉宫 纯 文译
艾德礼夫人（新闻人物） 吴 彤译
战后欧洲无线电事业（续完） 杨宗万译
法兰西母亲的优遇（特稿） 爱 莲
维生素（科学讲话） 刘伊农
实用五灯改为六灯外差式收音机（续完） 陆起民
听众问讯
历史与青年（青年讲话） 胡叔云
征兆（访问对话） 原载美国全邦广播公司季刊创刊号
Lou hazam 著 纯 文译
一队严守纪律的虫军（小朋友通讯）(6) 佩 茵
倒写的字（补白）
微波副刊
如此云云（花边新闻） 编 者
记老马（播音员生活） 刘作楫
千虑一失（译屑） 蓉 译
人间味 蓉 译
富翁和画家（小故事） 蓉 译
漫谈动作的美 觉 寺
能辨声辨色的鱼（特译小品） 秉 译
蝙蝠也用雷霆 秉 译
贺友人结婚（临江仙） 钱羽霄
阅画报有感（诗苑） 张礼文
夫妻恨 亦 风

《广播周报》复刊第四十四期

（1947年7月13日 总第240期）

编者广播
中国之蝗灾（专论） 程淦藩
科学与文化（学术讲座） 顾毓琇
炸药发明家诺贝尔 懋 德
世界最香的城市（特译稿） 吴 彤译
人类学的重要发展（时代知识） 北平台
维生素（科学讲话·续完） 刘伊农
征兆（访问对话）（续完）
原载美国全邦广播公司季刊创刊号
Lou hazam 著 纯 文译
实用交直流五灯外差机之一般（听众服务） 陆起民
听众问讯
找寻食物的远足队（小朋友通讯）(7) 佩 茵
新闻与文学（文化讲话） 徐蔚南
怎样探勘铀矿苗？（科学新知） 纯文译
微波副刊
如此云云（花边新闻） 编 者
冒险性（特译小品） 刘元伯译
间话堂名（拉杂谈） 姗 姗
赣州撤退的回忆（流亡散记） 老 董
DDT（讽刺对话） 陈 蓉
姓名大观（不妨偶记） 姗 姗
糖（家庭常识） 陈 蓉
新辞典 伪勃司脱

《广播周报》复刊第四十五期

（1947年7月20日 总第241期）

编者广播
中国之蝗灾（专论·续完） 程淦藩
生前在恐怖中生活的希特勒（特译稿） 蓝 海译
美国犯罪大王（世界珍闻） 海 南译
论萧伯纳的戏剧（特稿） 天 青译
早晨的默想（特译小品） 刘元伯译
桃花源记与石灰岩盆地 王立本
航空时代的新地图（地理讲话） 陶绍渊
实用五灯长短波机之商榷（听众服务） 陆起民
听众问讯
补白：人生小语 湘 花
迫死坡 通 谦
大蜘蛛是造桥专家（小朋友通讯）(8) 佩 茵
伊朗妇女（异地风光） 蕙 石
微波副刊
如此云云（花边新闻） 编 者
记凡尔赛王宫 沧 一
随园之伟大（不妨偶记） 碧 波

筇竹寺（昆明杂忆） 通 谦
孙传芳海州受窘记（民史拾遗） 养 怡
犹记辞（诗苑） 通 谦

《广播周报》复刊第四十六期

（1947 年 7 月 27 日 总第 242 期）

编者广播
国防科学今后努力的方向（专论） 天津台
英国预言家威尔士（特译稿） 文 山译
法国的音乐（特稿） 王益之
伊朗妇女（异地风光 · 续完） 蕙 石
省电式长短波四灯外差机（听众服务） 陆起民
听众问讯
你为什么要活下去？（生活漫谈） 薇 心
摇彩机似的宇宙观（科学新知） 铁 衣译
大蜘蛛的打猎场（小朋友通讯）(9) 佩 茵
草原故事（广播剧） 陈望野
微波副刊
如此云云（花边新闻） 编 者
南方的山地蛮子——摩伊族（蛮荒采风录） 君 沛
疾病奇谭（特译稿） 文 琦译
武义亲王与嵩山四友（民史拾遗） 养 怡
谈日光节约（小掌故） 沈 馥
人名录趣（不妨偶记） 知 止

《广播周报》复刊第四十七期

（1947 年 8 月 3 日 总第 243 期）

编者广播
美术与人生（专论） 亚 尘
伟大思想家莎士比亚（特译稿） 少 夫译
冷与热（科学讲话） 许桢阳
命运在你自己的摆布（青年讲话） 罗钧清
世界名音乐家介绍（三四续） 纯 文译
三十七 史特拉乌斯
乡镇都市实用外差式线路（听众服务） 陆起民
听众问讯
联合国大厦的设计图样（纽约通讯）
世界童子军大检阅（巴黎通讯） 平 凡
航空时代的北冰洋（地理讲话） 陶绍渊
上海青年馆速写（广播通讯） 杨 安
期待（广播剧） 黎 鸣作
大蜘蛛如何打猎（小朋友通讯）(10) 佩 茵
微波副刊
如此云云（花边新闻） 编 者
疾病奇谭（特译稿 · 续完） 文 琦译
小阿咪（儿童的话） 霄
四足鸡妖在日出世！
关于“打” 迟 晓
对话一则 纯 译

《广播周报》复刊第四十八期

（1947 年 8 月 10 日 总第 244 期）

编者广播
建设心理上的长城（专论） 陈立夫
英国的市集（特译稿） 吴 彤译
间谍也需要艺术（节译稿） 蓝 海译
世界名音乐家介绍（三五续） 纯 文译
三十八 李查德 · 史特拉乌斯
美国报纸近况（特载稿） 许君远
剧本创作问题（文艺杂话） 熊佛西
乡镇都市实用外差式线路（听众服务） 陆起民
听众问讯
按纽战争（科学新知） 铁 衣译
期待（广播剧 · 二续） 黎 鸣作
佩带宝剑的飞虫（小朋友通讯）(11) 佩 茵
微波副刊
如此云云（花边新闻） 编 者
播音员自传 魏祖东
无线电和太阳黑点（科学常识） 沈 毅
世界最先完成的电视广播网 秉 译
生死测验法（特译小品） 秉 译
免得啰嗦 秉 译

《广播周报》复刊第四十九期

（1947 年 8 月 17 日 总第 245 期）

编者广播
无线电广播教育在战后中国的急需（专论） 赵 冕
建设心理上的长城（续完） 陈立夫
美国三大广播网面临空前危机（特稿） 迟 晓译
世界名音乐家介绍（三六续） 纯 文译
三十九 斯德拉芬斯基
直升飞机新用途（科学新知） 吴 彤
马赛曲的产生经过 娄绍莲
捕盗新述（新闻线外） 冯 深译
乡镇都市实用外差式线路 陆起民
听众问讯
人体的奇妙（生理珍谈） 纯 译
期待（广播剧 · 三续） 黎 鸣
日光的应用（特译稿） 蓝 海译
太阳光为我们做些什么工作？（自然科学） 柳 絮
“黑炭国”的“前进”婚俗（异地风光） 君 沛
见义勇为的孩子（小朋友通讯）(12) 佩 茵
微波副刊
如此云云（花边新闻） 编 者
奇男子苗沛霖（革命故事） 孝 伯
瘦何足患？ 自 鹏
点名（不妨偶记） 小 春
他的笑话自己也不爱听（漫画）
地道幽默（二则） 李 铀
字数最多的机关名称 秋 士
讨奸商檄（仿讨武曌檄） 弦 子
俗语与生肖（补白） 弦 子

《广播周报》复刊第五十期

（1947 年 8 月 24 日 总第 246 期）

编者广播
纪念复刊一周年
无线电广播教育在战后中国的急需（专论 · 续完） 赵 冕
阿根廷的“彩虹”——柏隆夫人（特译稿） 吴 彤译
人类与虐疾的战争（科学新知） 吴中复译
巴黎悲剧与喜剧演出考试记（巴黎通讯） 平 凡
听众问讯
世界名音乐家介绍（三七续） 纯 文译
四十 泰 罗
被人遗忘的电影发明者纽米尔（名人逸事） 蓝 海译
构造活动的公共汽车（补白） 尧 天

英国王冠的劫难　海　南译
乡镇都市实用外差式线路（听众服务）　陆起民
收听太阳的信号（补白）　冯　深译
原子炸弹之父（新闻线外）　朱　谋
收音机制造的大进步（特稿）　纯　文译
黄叶酸（科学常识）　孟　炎
你愿做个不要脸的人吗？（小朋友通讯）(13)　佩　茵
微波副刊
如此云云（花边新闻）　编　者
婚戒的历史与传说（不妨偶记）　清　水
罗虚戴尔城（合作常识）　新　美
智慧之屑　慧　芳
批评家　幽　然
记者身份的微妙　宏
忘了自己　牛　耳
相对论（名人幽默）　朱　梵译
留声机初出现时的情形　永　白

《广播周报》复刊第五十一期

(1947 年 8 月 31 日　总第 247 期)

编者广播
边疆史地之研究（专论）　方龄贵
世界最大望远镜（特稿）　吴　彤
美苏广播战（特稿）　朱荣生译
万国邮务公会（补白）　纯　文译
台湾土人玉山族（异地风光）　钱　韵
世界名音乐家介绍（三八续）　纯　文译
四十一　柴可夫斯基
悲多汶名曲介绍（音乐漫谈）　陈石芝
第三交响曲
第七交响曲 A 长调
极区探险在科学上的收获（特译稿）　罗竟青译
照相机式收音机之线路（听众服务）　陆起民
听众问讯
说唐（历史讲话）　梅　阁
英国桂冠诗人谭尼森　吴中复译
投机取巧者的下场（小朋友通信）(14)　佩　茵
微波副刊
如此云云（花边新闻）　编　者
介绍我自己（播音员自传）　朱以平
爱情与国际婚姻　徐仲年
眼睛与婚姻　凌　波
信不信由你（四则）　秉　译
新丈夫经　雨　辰
治印小谈　雨　子
新太太经　小　春译

《广播周报》复刊第五十二期

(1947 年 9 月 7 日　总第 248 期)

编者广播
共匪祸国阴谋的分析（时论）　叶秀峰
说鲸（科学新知）　蓝　海译
甘地和印联独立（特稿）　吴　彤
英国的警察（特载稿）　上海台
美国少年先锋图（儿童讲话）　程宗周
意境与感觉（艺术讲话）　罗　庸
利用无线电周波加热（无线电常识）　叔　云译
简单二管业余外差式机（听众服务）　陆起民
听众问讯
关于“超级音波”之实验（科学奇谈）　海　南译
热情的萧邦（音乐讲话）　陈石芝
世界名音乐家介绍（三九续）　纯　文译
四十二　华格纳
“电眼”的妙用（补白）　冯　深译
补救笨拙的好方法（小朋友通信）(15)　佩　茵
微波副刊
如此云云（花边新闻）　编　者
写我自己（播音员自传）　朱美书
世界最大的钟（海外猎奇）　老　儒
习字篇于白
犹太人与钱（小故事）　小　平
笑涡　化　中
聊斋新评　若　水
它们的出身（小掌故）　召　容
一语中的海鸣
气候预测公司　敏　士
暑期讲学花絮（广播通讯）　北平台
诗苑（三首）　陈次三
附锦
大中华唱片厂筹办纪要（活页）

《广播周报》复刊第五十三期

(1947 年 9 月 14 日　总第 249 期)

编者广播
共匪祸国阴谋的分析（时论·续完）　叶秀峰
历史上有名的守财奴（特译稿）　兰　海译
怎样欣赏音乐？（音乐讲话）　陈石芝
自然界的超常感觉（动物讲话）　纯　译
纽约的金扶梯（补白）　中　译
可怕的麻疯（特载稿）　高子祺
防痨新药 B·C·G·（科学新知）　化　岩
贵阳鳞爪（异地风光）　少　英
三国演义的社会意义（文学讲话）　李辰冬
简单二管业余外差式机（听众服务?续完）　陆起民
听众问讯
英国广播公司的听众调查组（特稿）　吴　彤译
到世界的尽头去？（小朋友通讯）(16)　佩　茵
世界名音乐家介绍（四十续）　纯　文译
四十三　威　伯
少年同盟兄弟共和国（儿童讲话）　程宗周
微波副刊
如此云云（花边新闻）　编　者
生活在黑暗中（播音员自传）　郑隐飞
排字（小常识）　耀　芳
人生小语（随感漫笔）　湘　花
为唐伯虎叫屈　弦　子
聊（四则）　公　文
讨臭虫檄（游戏文章）　弦　子
两张利嘴（小故事二则）　自　鹏
戒肉篇（不妨偶记）　绍　蓉
对话两则　道　明
智识拾零　慧　芳

《广播周报》复刊第五十四期

（1947年9月21日 总第250期）

编者广播
眼前世界文化的趋向（专论） 胡 适
沙漠中的生活（特译稿） 柳 絮译
三国演义的社会意义（文学讲座?续完） 李辰冬
孔学盛衰与国家安危（国学讲话） 张效彬
诗歌走向通俗的路（文艺杂谈） 田 丁
生活与学习（青年讲话） 陈石芝
美国少女营火会（儿童讲话） 程宗周
硒整流器之种种（听众服务） 陆起民
听众问讯
望穿秋水（广播剧） 陈望野
解围一年（广播通讯） 大同台
地球会跌下去吗？（小朋友通讯）(17) 佩 茵

微波副刊

如此云云（花边新闻） 编 者
在工作中去寻找乐趣（播音员自传） 张志存
死是可怕的吗？（生活漫谈） 薇 心
万钱与万元（小故事） 宇 宙
漫话稿费（不妨偶记） 碧 波
嗅味广告（科学奇谈） 清 水
中国有几种方言？（读书抄） 宏 熊
商人歌（游戏文章） 老 板
科学新闻（四则） 中 译
理发师的螺旋标（小掌故） 美 玲译
翻案之诗 惠 云

《广播周报》复刊第五十五期

（1947年9月28日 总第251期）

编者广播
眼前世界文化的趋向（专论·二续） 胡 适
活地狱魔鬼岛（特译稿） 小 佛译
海底冷藏车（科学奇谈） 林海南译
美国的“都江堰”（特写） 吴 彤
拆穿地球的秘密（小朋友通讯）(18) 佩 茵
“联合国歌”中译本的商榷 李士钊
关于“联合国歌”原词的改译 迟 晓
孔学盛衰与国家安危（国学讲话·续完） 张效彬
硒整流器之种种（听众服务?续完） 陆起民
听众问讯
望穿秋水（广播剧·续完） 陈望野
金文著录（国乐杂谭） 百 丰

微波副刊

如此云云（花边新闻） 编 者
几只奇怪的钟（世界珍闻） 质 平
她已死了！（译屑） 馨 译
人体电波（科学新知） 行 译
人生小语（随感漫笔） 湘 花
一张半票（小故事） 馨 译
五十年来的女人改变了多少？ 秉 译
战时趣闻（二则） 中 甫译
幸运的丹麦（特译稿） 戟 门译

《广播周报》复刊第五十六期

（1947年10月5日 总第252期）

编者广播
眼前世界文化的趋向（专论·续完） 胡 适
成功湖的“怪人”（特写） 吴 彤译
索笑集（特译小品） 纯 译
独脚跳舞专家杰克乔司（海外猎奇） 戈 冀译
世界歌唱大王（节译稿） 林海南译
三国演义的艺术价值（文学讲座） 李辰冬
交直流110伏脱新式收音注意事项（听众服务） 陆起民
听众问讯
沈浮在空气中的地球（小朋友通讯）(19) 佩 茵
清歌一曲（广播剧）
中央台试播 天津台编剧
留声警报（补白） 铁 衣译
惟有创造是人生的出路（生活漫谈） 薇 心

微波副刊

如此云云（花边新闻） 编 者
译屑 馨 译
特别把公费的由来（小掌故） 慎 熊
君子之类（杂文小品） 慕 白
树亭旅馆（特译稿） 润 译
面子问题（随感漫笔） 慕 白
雷达点滴（科学新知） 中 译
美国究竟怎样富？（小统计） 明 森译

《广播周报》复刊第五十七期

（1947年10月12日 总第253期）

编者广播
中国基本教育问题（专论） 袁敦礼
人类如何进化来的（特译稿） 林海南译
生物之自然发生说（学术讲座） 爽 秋
世界童子军大露营（巴黎通讯） 一 帆
三国演义的艺术价值（文学讲座·续完） 李辰冬
信号振荡器（听众服务） 陆起民
漫谈新诗（文艺讲话） 李光璧
血的战斗（广播剧） Halstead Welles作
纯 文译
你猜太阳有多远多大（小朋友问讯）(20) 佩 茵

微波副刊

如此云云（花边新闻） 编 者
记苦斗中的吴瑞云小姐（播音员小传） 定 风
艺术家（讽刺小品） 汲 泉
随机应变（特译小品） 海 天译
带有舞姿的旧剧身段（不妨偶记） 戏 迷
自圆其说（小对话） 海 天译
七重笑（随便谈谈） 望 梅
收付两讫 绍 潜译

《广播周报》复刊第五十八期

（1947年10月19日 总第254期）

编者广播
中国音乐的新途径（专论） 张肖虎
最残忍的娱乐——斗牛（特译稿） 林海南译
今年百老汇走红的剧作家安特森（名人逸事） 中 甫译
修正日常食物的几种观念（节译稿） 纯 译
解放后的法国新闻事业 王益之
纽约动物园花絮（海外珍闻） 李 文编译
星球旅行即将实现（科学新知） 化 岩
伦敦街道的历史背景（英伦漫话） 均 青译
信号振荡器（听众服务·二续） 陆起民
血的战斗（广播剧） Halstead Welles作

纯 文译
为什么会有白天和黑夜？（小朋友通讯）（21） 佩 茵
微波副刊
如此云云（花边新闻） 编 者
独眼无忧（特译小品） 高 刚译
街头散记（新闻线外） 紫 生
名泉杂话（不妨偶记） 凤 侣
人生小语（随笔漫感） 湘 花
归绥八景（异地风光） 含 凉
污衣怎样洗涤？（家庭常识） 智 慧

《广播周报》复刊第五十九期

（1947年10月26日 总第255期）

编者广播
世界大战后心理的改造（专论） 陈雪屏
北极空奇象（海外猎奇） 林海南译
沙漠能变为沃野乎？（特译稿） 蓝 海译
萧翁延医记（名人逸事） 纯文译
萧伯纳与威尔斯（补白） 中 译
记徐悲鸿教授（特载稿） 竟 青
信号振荡器（听众服务?续完） 陆起民
听众问讯
广播宣传战之理想与现实（特稿） 朱 莹译
如何导演广播剧？（广播漫谈） 天津台
大气随着地球旋转（小朋友通讯）（22） 佩 茵
西山脚下（广播剧） 天津台
微波副刊
如此云云（花边新闻） 编 者
以水代酒（小故事） 纯 译
科学趣闻（四则） 中 甫译
最新式的住宅（世界珍闻） 智 慧
收音机上可装闹钟（广播新闻） 均 译
窗户捐（不妨偶记） 明 森译
实逼至此（英伦点滴） 青 译
世界七大发明（读书抄） 白 石
举办暑期学术讲座程序表（专载） 北平台

《广播周报》复刊第六十期

（1947年11月2日 总第256期）

编者广播
宗教对于西北边防的重要性（专论） 马宏道
诸葛武侯之政治特识与外交国策（历史讲话） 白 梅
美国的大众老师（特译稿） 蓝 海
决定事业成败的性格（个性修养） 纯 文译
“动之城”交通素描（英伦杂话） 林海南译
翻译小说在法国（特稿） 徐仲年
宋朝傀儡戏和影戏（特载稿） 孙楷第
交直流高周配谐式收音机（听众服务） 陆起民
一年和四季的常识（小朋友通讯）（23） 佩 茵
西山脚下（广播剧·续完） 天津台编剧试播
微波副刊
如此云云（花边新闻） 编 者
元（不妨偶记） 鬼谷子
51型派克笔 建 设
传电的橡皮（科学新知） 仓 一
人生小语（随笔漫感） 湘 花
中国古代藏金之富（读书札记） 李晓耘
讼累（小故事） 姗 姗

推背图（民间传说） 鬼谷子
艺术圈内的生活（播音员自传） 黄鼎峰

《广播周报》复刊第六十一期

（1947年11月9日 总第257期）

编者广播
二次大战后地理教育应有的趋向（专论） 黄国璋
智利的“所罗门王”（特译稿） 吴 彤译
未来大都市（科学预言） 陈希业译
谈火箭旅行（广播对话） 纯 文译
游离层与无线电波（无线电讲话） 吕秉义
薄命的修贝尔（音乐讲话） 陈石芝
日历上的掌故（漫谈） 澄 渊
小型唱片扩大机（听众服务） 陆起民
评徐霞客游记（文艺杂谈） 白 梅
广播音乐 英 新译
最近逊位的荷兰威廉女皇（小朋友通讯）（24） 佩 茵
夫妻之间（广播剧） 陈望野作
微波副刊
如此云云（花边新闻） 编 者
艺术圈内的生活（播音员自传?续完） 黄鼎峰
瀛闻偶拾（世界珍闻） 林海南译
希腊的一个雄性国
世界最大的地图
特殊美容器
宝石生电，当心你的手指
百万美金巨猩猩
神秘之别墅
圣保罗教堂无恙
奇贵之书
飞行最速的鹿蝇

《广播周报》复刊第六十二期

（1947年11月16日 总第258期）

编者广播
二次大战后地理教育应有的趋向（专论·续完） 黄国璋
安达斯探险（特译稿） 永 灵译
深渊怪鱼（科学新知） 蓝 海译
热带国家的科学发展（特稿） 吴中甫译
钢琴圣手李斯特（音乐讲话） 陈石芝
中国国歌的故事（音乐史话） 李士钊
西北黄土（地理讲话） 黄泽机
法国总统的生活（小朋友通讯）（25） 佩 茵
扩大器与调幅器暨收音机低放部分（听众服务） 陆起民
银光（广播童话剧） 黎 鸣
微波副刊
如此云云（花边新闻） 编 者
白宫的历史（不妨偶记） 张 啸
瀛闻偶拾（世界珍闻） 林海南译
奇闻
珍贵的狒狒
降落伞部队的装备
如雷的扩音机
怪洞

《广播周报》复刊第六十三期

（1947年11月23日 总第259期）

编者广播

联合国教文组织与中国（专论） 胡叔云译
古坟发掘记（特译稿） 蓝 海译
牙疾预防法（特稿） 李 文译
中国国歌的故事（音乐史话） 李士钊
西北黄土（地理讲话·续完） 黄泽机
扩大器与调幅器暨收音机低放部分（听众服务·二续） 陆起民
穷苦中奋斗出来的贝文外相（小朋友通讯）(26) 佩 茵
联合国大会是这样的（广播对话 中篇连载）(1) 迟 晓译
联合国第一届大会的成就 资料室
联合国永久会址 资料室
微波副刊
如此云云（花边新闻） 编 者
中国菜（如是我闻） 陈 蓉
漫话电影观众 陈 蓉
世界最小的人（海外珍闻） 衣 译
瀛闻偶拾（世界珍闻） 林海南译
飞蛇
骑兵解除了
魂门！
世界妇女时装中心
爱妻鸟
拾零
翰林（不妨偶记） 陈 蓉

《广播周报》复刊第六十四期

（1947年11月30日 总第260期）

编者广播
地缘政治上的北极形势（专论） 殷伯西
美国军器旧货店（特译稿） 璇 风译
动物园里的科学研究（科学新知） 罗均青译
爱迪生赠给文豪托尔斯泰的礼物（文坛逸话） 蓝 海译
敷衍（读史札记） 陈 蓉
澳大利亚广播剧演员贝特尔登小史（特写） 纯 文译
一八一二年序曲作者柴考夫斯基（音乐讲话） 陈石芝
国乐一夕谈（特稿） 永灵译
世界艺术没落与中国艺术复兴（艺术讲话） 徐悲鸿
扩大器与调幅器暨收音机低放部分（听众服务·三续） 陆起民
穷苦中奋斗出来的贝文外相（小朋友通讯·续完）佩 茵
联合国大会是这样的（广播对话 中篇连载）(2) 迟 晓译
请购FM收音机（特载稿） 彭 译
微波副刊
如此云云（花边新闻） 编 者
瀛闻偶拾（世界珍闻） 林海南译
芝加哥的大屠场 月光铃
谈就刑（不妨偶记） 默 堂
饮酒与猜拳 清 水
民间歌谣 慎 熊

《广播周报》复刊第六十五期

（1947年12月7日 总第261期）

编者广播
新疆交通与工业之前瞻（专论） 余谦六
抽烟会剥夺人类生殖力吗？（科学新知） 纯 文译
深埋冰雪的宝藏（特） 蓝 海译
菲洲班坦得部落杂记（异地风光） 林海南译
世界艺术没落与中国艺术复兴（艺术讲话·续完） 徐悲鸿
扩大器与调幅器暨收音标机低放部分（听众服务·四续） 陆起民
听众问讯
这可能是一个男人的世界吗？（特译稿） 履 冰译
印度总理尼赫鲁（小朋友通讯）(27) 佩 茵
联合国大会是这样的（广播对话 中篇连载）(3) 迟 晓译
各种颜色的鹅蛋（补白） 均 青译
大中华新出音乐唱片介绍
微波副刊
如此云云（花边新闻） 编 者
穷是耻辱吗？（随笔小品） 养 竹
林庚白相面（如是我闻） 鬼谷子
梅兰芳与跑龙套（不妨偶记） 鬼谷子
七字批语（阵中故事） 老 乡
值得深思（特译稿） 独 见译
墙壁文学（讽刺小品） 慕 白
国际合作（幕后新闻） 仁 林译
有趣的数字（科学常识） 奇

《广播周报》复刊第六十六期

（1947年12月14日 总第262期）

编者广播
中小学音乐教育（专论） 赵梅伯
广告探照灯（特译稿） 蓝 海译
海底捞舰（特稿） 均 青译
美国歌王平克劳斯贝小史（漫谈） 纯 文译
止血纱布（补白） 品 华
鸟类之智能与技巧（科学新知） 东南风译
明日的伦敦（伦敦通讯） 冯 深译
扩大器与调幅器暨收音机低放部分（听众服务·五续） 陆起民
印度总理尼赫鲁（小朋友通讯之二十七·续完） 佩 茵
金焦两山探胜记（特写） 行 素执笔 诚 之摄影
胜利进行曲（广播剧） 邓乐夫原著 翁炳荣改编
微波副刊
如此云云（花边新闻） 编 者
话蟹（不妨偶记） 虞 明
音乐形体化的彩虹曲（影评） 采 风
瀛闻偶拾（世界珍闻） 林海南译
英海岸日渐下沉
全球一年总雨量
摄人魂魄的警笛
纽约夜景观赏楼
应付汽车肇祸
人体小知识

《广播周报》复刊第六十七期

（1947年12月21日 总第263期）

编者广播
新教育与国际合作（专论） 谢循初
英国人的“精神享受”（英国通讯） 吴 彤
人造喉头（科学新知） 纯 文译
天崩地裂话火山（特译稿） 蓝 海译
动物界尾巴之妙用（漫谈） 永 灵译
百年前物价（不妨偶记） 李家咸

人类个性分析（心理讲话） 道远
扩大器与调幅器暨收音机低放部分（听众服务·六续） 陆起民
印度圣雄甘地（小朋友通讯之二十八·续完） 佩 茵
胜利进行曲（广播剧·续完） 邓乐夫原著 翁炳荣改编
大中华平剧唱片介绍
微波副刊
如此云云（花边新闻） 编 者
联合国之声李蓉女士素描 赵 云
圣诞老人考证（小掌故） 纯 译
瀛闻偶拾（世界珍闻） 林海南译
海外奇遇
狮子贬价了
母亲学校
军狗光荣史
附刊照片：汉口广播电台最近活动（四帧）

《广播周报》复刊第六十八期

（1947 年 12 月 28 日 总第 264 期）

编者广播
新教师与研究（专论） 陈选善
X 光新用途（科学新知） 林海南译
回声的故事（漫谈） 蓝 海译
法国的鲜花和香水精（特稿） 平 凡
大黄的护齿作用（特译稿） 纯 文译
萑符声里话保定（广播通讯） 河北台
听众问讯
扩大器与调幅器暨收音机低放部分（听众服务·七续） 陆起民
人类个性分析（心理讲话·续完） 道 远
印度圣雄甘地（小朋友通讯之二十八·续完） 佩 茵
装腔作势（广播喜剧） 台湾台
微波副刊
如此云云（花边新闻） 编 者
科学故事 蓉 译
安全薄玻璃的发明
三十年前战场上传来的虎疫
饮食信条（小常识） 庸
大豆营养分析（科学新知） 蓉
人间味（随笔小品） 蓉
暹罗人口荒 庸

《广播周报》复刊第六十九期

（1948 年 1 月 4 日 总第 265 期）

编者广播
民国三十七年元旦颂词 行 素
知与行的相互作用及其理论（专论） 商鸿逵
未来世界电化事业重心尼加拉（特译稿） 东南风译
欧美不朽名著百种（1）（中篇连载） 纯 文译
头痛断送你的家庭幸福（医学讲话） 高子祺
宇宙射线（科学新知） 黄友谋
世界最小的国家（补白） 罗 译
美国国务卿马歇尔（小朋友通讯之二十九） 佩 茵
扩大器与调幅器暨收音机低放部分（听众服务·八续） 陆起民
听众问讯
冬令救济劝募广播杂写（广播通讯） 上海台
装腔作势（广播喜剧·续完） 台湾台
微波副刊
如此云云（花边新闻） 编 者
如此答案（学府珍闻） 雍
柿（科学常识） 蓉
厚与实（读书札记） 庸
犹太风（特译小品） 雍 译
瀛闻偶拾（世界珍闻） 林海南译
无声火车
沙漠发现奇玻璃
新奇乐器
燃烧弹之敌
好莱坞的假须

《广播周报》复刊第七十期

（1948 年 1 月 18 日 总第 266 期）

编者广播
生物科学对于人类的贡献（专论） 郭毓彬
杀人光线是什么？（科学新知） 蓝 海译
眼内用眼镜（特稿） 澄 渊
美洲印第安人的图腾柱（异地风光） 东南风译
伦敦报馆街（特译稿） 冯 深译
欧美不朽名著百种（中篇连载·二续） 纯文译
原子时代的圣地（特约通讯） 吴秉文
扩大器与调幅器暨收音机低放部分（听众服务·九续） 陆起民
调幅波与调频率之区别（听众问讯） 陆起民
美国国务卿马歇尔（小朋友通讯之二十九·续完） 佩 茵
新疆青年歌舞访问团广播花絮（特写） 上海台
人体美在艺术上之表现（艺术讲话） 陈希业译
兄弟行（广播剧） 中央台
微波副刊
如此云云（花边新闻） 编 者
四宜（花边小品） 庸
地名与文献（不妨偶记） 庸
生活与人生（随笔杂感） 蓉
贤愚之别（读书抄） 蓉
瀛闻偶拾（世界珍闻） 林海南译
最猛的蛇
能御枪炮的男子
神秘博士

《广播周报》复刊第七十一期

（1948 年 1 月 25 日 总第 267 期）

编者广播
新教师与社会领导（专论） 欧元怀
极乐鸟（科学新知） 东南风译
洛克斐勒基金与学术研究（特稿） 林海南译
欧美不朽名著百种（中篇连载·三续） 纯 文译
乐音高低图解介绍（音乐常识） 紫 明
扩大器与调幅器暨收音机低放部分（听众服务·十续） 陆起民
听众问讯
美国风云人物贝尔纳斯（小朋友通讯之三十） 佩 茵
不列颠广播发展的回顾（特译稿） 迟 晓译
人类美在艺术上之表现（艺术讲话·续完） 陈希业译
BBC 的开账节目（节译稿） 秉 文译
兄弟行（广播剧·二续） 中央台
微波副刊

如此云云（花边新闻） 编 者
希望（随笔小品） 白 宏
人体小知识（科学新知） 民
不要小看你的汗毛!
缺少大脑不会立刻死亡
瀛闻偶拾（世界珍闻） 罗 译
不挑丝的丝袜
机制照相机
玻璃家具
袖珍录音机
汽车上喷新漆

《广播周报》复刊第七十二期
（1948年2月1日 总第268期）

编者广播
自立更生之道（专论） 李 蒸
尼龙史话（特译稿） 林海南译
电业之父卫斯亭豪斯传（名人逸事） 冯 深译
鱼类的智慧（漫谈） 张 弓译
了解美国的五十本书（名著介绍） 长 生译
欧美不朽名著百种（中篇连载·四续） 纯 文译
扩大器与调幅器暨收音机低放部分（听众服务·续完） 佩 茵
彰武战役目击记（特载稿） 刘燕平
襁褓中的江西广播电台（广播通讯） 曹自明
兄弟行（广播剧·续完） 中央台
微波副刊
如此云云（花边新闻） 编 者
瀛闻偶拾（世界珍闻） 罗 译
海底电话线
空中水泥
活动屋顶
红内线加热法
乱弹之什（随笔杂感） 慕 白
生与死
人情淡薄
人生与戏

《广播周报》复刊第七十三期
（1948年2月8日 总第269期）

编者广播
中国艺术之未来发展（专论） 陆鸿年
疟患在远东（特译稿） 陈希业译
法国海军学校（巴黎航信） 平凡
世界语研究（特稿） 杨小坚译
爱因斯坦外记（名人逸事） 林海南译
欧美不朽名著百种（中国连载·五续） 纯 文译
发音室里是否需要有观众?（漫谈） 吴 彤
外差式交直流机之改进（听众服务） 陆起民
幼年时代的蒋主席（小朋友通讯之三十一） 佩 茵
宁和镇（广播剧） 厦门台
微波副刊
如此云云（花边新闻） 编 者
俊杰（随笔小品） 四 维
人鬼之间（人生小品） 易 水
抢饭碗和捧饭碗（讽刺小品） 雄
冲角推进式直升飞机（科学珍屑） 绅 译
桥（不妨偶记） 慎 熊

《广播周报》复刊第七十四期
（1948年2月15日 总第270期）

编者广播
教育社会学的重要（专论） 张 怀
准备月宫之行（特写） 含 凉译
天寒地冻话雪花（特译稿） 林海南译
怎样拍摄五彩卡通片?（科学新知） 蓝 海译
欧美不朽名著百种（中篇连载·续完） 纯 文译
从播音到收音（广播常识）(1) 迟 晓
外差式交直流机之改进（听众服务·续完） 陆起民
英国的彩色电视（特载稿） 秉 文译
巴基斯坦领袖真纳（小朋友通讯之三十二） 佩 茵
重建中的浙赣路（特约通讯） 许 枫
宁和镇（广播剧·二续） 厦门台
微波副刊
如此云云（花边新闻） 编 者
科学珍屑
治疗冻疮新剂维他命k 纯 译
纸上录音 中 译
空中救生船 中 译
科学人造雨 甫 译
瀛闻偶拾（世界珍闻） 罗 译
塑胶眼镜
新梳具
玻璃照相机
保热的咖啡壶
冬暖夏凉公共汽车

《广播周报》复刊第七十五期
（1948年2月22日 总第271期）

编者广播
以生产来建设农村复兴中国（专论） 章元玮
被人忽略的小行星（科学新知） 陈希业译
人类开始向火山挑战（特译稿） 蓝 海译
怎样安排你的婚后生活?（青年讲话） 蕙 云
癌的克星脾脏制剂（医学珍闻） 纯 文译
从播音到收音（广播常识）(2) 迟 晓
外差收音机各级之概述（1）（听众服务） 陆起民
6E5管之电容器试验器 民
巴基斯坦领袖真纳（小朋友通讯之三十二·续完） 佩 茵
浙台义播小记（广播短讯） 浙江台
宁和镇（广播剧·续完） 厦门台
剿匪总动员（歌曲） 中央台
在那遥远的地方（青海民歌） 中央台
微波副刊
如此云云（花边新闻） 编 者
牛津与剑桥（不妨偶记） 若 水译
读史随笔 仁 林
没字碑
达观
茶叶收割机（科学珍屑） 奇 生
小丑（花边小品） 仁 林
半年来的播音生活（播音员介绍） 张友岚
上海电台最近活动（照片二帧）

《广播周报》复刊第七十六期

（1948年2月29日　总第272期）

编者广播
广播特有性能的检讨（专论）　赵树正
几种奇异的动物（科学新知）　蓝　海译
纳粹的人种侵略（特译稿）　永　灵译
过份使用精力的祸害（医学讲话）　纯　文译
伦敦塔皇冠被劫追记（漫谈）　杨小坚译
外差收音机各极概述（2）（听众服务）　陆起民
从播音到收音（3）（广播常识）　迟　晓
听众问讯　中央台
新缅甸的联邦政府（小朋友通讯之三十三）　佩　茵
悲多芬雷娥罗娜序曲第三（名曲浅释之一）　孟文涛
拉纤行（新歌介绍）　中央台
花非花（新歌介绍）　中央台
怎样安排你的婚后生活（青年讲话·续完）　蕙　云
正气（广播剧）　蒙　辛
微波副刊
如此云云（花边新闻）　编　者
我的播音生活（播音员素描）　郭泾武
影讯一束（特译稿）　慎　熊译
英明星飞美拍片
舞台名剧搬上银幕
原子影片在英预演
价值二百磅的闹声
行头最多的女明星
两部文学名著
全球标准时区图　资料室
中国标准时区图　资料室

《广播周报》复刊第七十七期

（1948年3月7日　总第273期）

编者广播
中国妇女的责任（专论）　钱沧硕
美国会七女议员略历（特译稿）　戈　冀译
今日英国妇女的一般生活（特写）　纯　文译
何谓中子（科学新知）　继　儒
悲多芬D大调小提琴协奏曲（名曲浅释之二）　孟文涛
萧斯培卡维施（西洋名作曲家介绍）　张　弓译
英国广播公司怎样分析听众（特载稿）　扬　风译
外差收音机各级概述（3）（听众服务）　陆起民
从播音到收音（4）（广播常识）　迟　晓
新缅甸的联邦政府（小朋友通讯之三十三·续完）　佩　茵
正气（2）（广播剧）　蒙　辛
汉口之广播乐剧活动（广播短讯）　崇
微波副刊
如此云云（花边新闻）　编　者
售货员的心理作战（节译稿）　白　梅译
瀛闻偶拾（世界珍闻）　白　梅译
新奇的电光新闻牌
救火员女胜于男

《广播周报》复刊第七十八期

（1948年3月14日　总第274期）

编者广播
实施宪政与厉行法治（专论）　罗志渊
现代编辑的任务（漫谈）　冯　深译
人类向第四界进攻（科学新知）　林海南译
机制无线电收音机（特载稿）　铁
广播节目与人才（特译稿）　吴秉文译
从播音到收音（5）（广播常识）　迟　晓
外差收音机各极概述（4）（职众服务）　陆起民
美国流行歌曲作家哥舒文评传（西洋作曲家介绍）慎　熊
联合国二届大会的秘书厅工作　资料室
杜卡小巫师管弦乐诙谐曲（名曲浅释之三）　孟文涛
英国首相艾德礼（上）（小朋友通讯之三十四）　佩　茵
天津之杂耍播音大会（广播通讯）　天津台
正气（3）（广播剧）　蒙　辛
微波副刊
如此云云（花边新闻）　编　者
英王的传驿官（特译稿）　鲁　林译
瀛闻偶拾（世界珍闻）　罗　译
美国石油商
直升飞机拍电影
史坦培克
新作
汽车增产
钻石（科学新知）　海　天

《广播周报》复刊第七十九期

（1948年3月21日　总第275期）

编者广播
为实现新理想而戡乱（专论）　王慕尊
流亡在“欧洲公园”的比王（特写）　吴　彤编译
驻华美国军事顾问团团长巴大维中将简历（国际人物）　含　凉译
微伤可能使你中毒丧生（医学漫谈）　陈希业译
人类向第四界进攻（续完）　林海南译
天雨鱼蛙考（科学新知）　纯　文译
英国首相艾德礼（中）（小朋友通讯之三十四）　佩　茵
外差收音机各级概述（5）（听众服务）　陆起民
从播音到收音（6）（广播常识）　迟　晓
青岛市冬令救济广播募捐记（广播通讯）　向　哲
史特劳斯蓝色多恼河圆舞曲（名曲浅释之四）　孟文涛
上海台举行国民教育讲座（广播短讯）　上海台
去年联合国的实际成就（特载稿）　黄　远译
正气（5）（广播剧）　蒙　辛
微波副刊
如此云云（花边新闻）　编　者
少年罪犯感化制（特译稿）　均　青译
男女之间（特译小品）　勒　克译
痛苦—道德—忧虑—蠢愚—服装—主动—游玩—冒险
惊人的数字（小统计）　海　玲
新闻记者不见林语堂（艺林佳话）　天
求婚（花边小品）　天
额头（译屑）　天
算年龄（数字趣味）　熊
发光强烈十倍的电灯　纯　译

《广播周报》复刊第八十期

（1948年3月28日　总第276期）

编者广播
如何使用民权？（专论）　潘公展
人类辉煌的战利品（上）（科学新知）　白　梅译
世界影都好莱坞（特译稿）　扬　风译

比才阿莱城姑娘第一组曲（名曲浅释之五） 孟文涛
驻华美国海军顾问团团长赛伯海军少将生平（国际人物） 含 凉译
微伤可能使你中毒丧生（医学漫谈·续完） 陈希业译
从播音到收音（7）（广播常识） 迟 晓
外差收音机各级概述（6）（听众服务） 陆起民
一群再生机的线路（无线电漫谈） 民
英国首相艾德礼（下）（小朋友通讯之三十四） 佩 茵
独具风格之新颖节目（广播通讯） 天津台
北平广播电台最近活动（照片三帧）
正气（5）（广播剧） 蒙 辛
科学零讯 纯 文译
追寻（新歌介绍） 中央台
微波副刊
如此云云（花边新闻） 编 者
十七世纪英国桂冠诗人约翰德来登 清 水译
十八世纪英国大文豪约翰生博士 清 水译
先生休矣！（杂感） 慕 白
如此诗人？（杂谈） 慕 白

《广播周报》复刊第八十一期
(1948 年 4 月 4 日　总第 277 期)

编者广播
怎样培养儿童的勇敢精神（专论） 陈鹤琴
人类辉煌的战利品（下）（科学新知） 白 梅译
英国如何投资儿童事业？（特载稿） 清 水译
关于孩子心智的几点研究（特译稿） 纯 文译
论童婚（生理讲话） 林海南译
外差收音机各级概述（7）（听众服务） 陆起民
从播音到收音（8）（广播常识） 迟 晓
一群再生机的线路（2）（无线电漫话） 民
英国财相克里浦斯爵士（上）（小朋友通讯之三十五） 佩 茵
乐队指挥托斯加尼尼逸事（音乐家介绍） 伯 展
柴可夫斯基胡桃钳组曲（名曲浅释之六） 孟文涛
正气（6）（广播剧） 蒙 辛
微波副刊
如此云云（花边新闻） 编 者
十七世纪英国桂冠诗人约翰德来登 清 水译
微真空管改装的助听器 怡 秋译
瀛闻偶拾（世界珍闻） 罗 译
塑胶洋囡囡
兽皮管钢笔
世界最小打字机
经久耐用新皮革
日新月异玻璃织物
英国邮票畅销
英国阅书热

《广播周报》复刊第八十二期
(1948 年 4 月 11 日　总第 278 期)

编者广播
中西文艺之交流（专论） 林文铮
航空新世界（科学新知） 陈希业译
试验飞行的机师学校（特写） 扬 风译
竞争为美国资源之一（特译稿） 纯 文译
去年之美国出版界（国外文坛漫话） 均 青译
少年图书馆（世界珍闻） 清 水译
联合国的长子——特里雅斯德（特载稿） 林海南译
普罗可菲也夫彼得与狼（名曲浅释之七） 孟文涛
保柴林尼（西洋作曲家介绍） 张弓译
忆南京（新歌介绍） 中央台
汴水流（新歌介绍） 中央台
从播音到收音（9）（广播常识） 迟 晓
外差收音机各级概述（8）（听众服务） 陆起民
一群再生机的线路（3）（无线电漫谈） 民
英国财相克里浦斯爵士（中）（小朋友通讯之三十五） 佩 茵
正气（7）（广播剧） 蒙 辛
微波副刊
如此云云（花边新闻） 编 者
成功湖（联合国介绍） 资料室
历史（杂谈） 望 梅
怪食谱（不妨偶记） 慧 云
十年后的飞机速度（科学新知） 清 水译

《广播周报》复刊第八十三期
(1948 年 4 月 18 日　总第 279 期)

编者广播
戡乱动员的自我检讨（专论） 卢 前
原子时代先驱（特译稿） 戈 冀译
峨眉山上的猴子（异地风光） 华冈岩
满江红（新歌介绍） 中央台
英国电影业领袖杰阿瑟蓝克（名人传记） 含 凉译
神秘的 Q 热病（医学珍闻） 纯 文译
李姆斯基柯萨可夫史赫拉莎组曲（名曲浅释之八） 孟文涛
古诺（西洋名作曲家介绍） 张弓译
联合国的长子——特里雅斯德（特载稿·续完）林海南译
英国儿童广播节目（广播漫谈） 吴 彤
广播剧的表现领域与分幕（特稿） 钟 卒
从播音到收音（10）（广播常识） 迟 晓
外差收音机各级概述（听众服务·续完） 陆起民
一群再生机的线路（无线电漫谈·续完） 民
英国财相克里浦斯爵士（下）（小朋友通讯之三十五）佩 茵
浮船坞观光记（广播通讯） 周珠凤
正气（8）（广播剧） 蒙 辛
微波副刊
如此云云（花边新闻） 编 者
飞机自动降落之电波控制（科学新知） 青 译
有甚于此者！（续史摘记） 大 呆
呓语草（漫感随笔） 白 洛
苦难险薄（花边小品） 湘 花
细辣（不妨偶记） 青
预借奠仪（世界珍闻） 含 凉译
绍兴人上坟（异地风光） 慎 熊

《广播周报》复刊第八十四期
(1948 年 4 月 25 日　总第 280 期)

编者广播
历史与历史小说（专论） 商鸿逵
早产婴儿救护法（家庭讲话） 蕙 云译
大导演卡山成功史（名人逸事） 长 生译
女子大学创始人玛丽李盎（特译稿） 清 水译
英国五艘主力舰的拆毁（特稿） 纯 文译
弗斯特（西洋名作曲家介绍） 张 弓译
罗西尼威廉特尔序曲（名曲浅释之九） 孟文涛译

我怎样求学的？（自学经验）　李石曾
简单修理仪器（无线电漫谈）　陆起民
从播音到收音（11）（广播常识）　迟　晓
英国枢密大臣莫里逊（上）（小朋友通讯之三十六）佩　茵
正气（9）（广播剧）　蒙　辛

微波副刊

如此云云（花边新闻）　编　者
剑媒（不妨偶记）　钝　斋
人工痣（科学珍闻）　于　宙
提高女权（博君一笑）　天　岳
爱的话（花边小品）　天　戈
吻(新辞源)　天　戈
神通广大（杂谈）　于　宙

《广播周报》复刊第八十五期

（1948年5月2日　总第281期）

编者广播
首任大总统蒋公略传（特载稿）
格林匿治天文台乔迁（世界珍闻）　纯　文译
联合国新闻处（特载稿）　野天译

学府特辑

哈佛大学校长柯南特　于　宙译
闲话牛津　均　青译
战后的剑桥大学　均　青译
听众问讯　中央台
单管长短波收音机（无线电漫谈）　陆起民
从播音到收音（12）（音播常识）　迟　晓
唱片简史（漫谈）　陈祖祥
悲多芬第六田园交响乐（名曲浅释之十）　孟文涛
英国枢密大臣莫里逊（中）（小朋友通讯之三十六）　佩　茵
正气（广播剧·续完）　蒙　辛

微波副刊

如此云云（花边新闻）　编　者
记克兰伦斯大厦（特译稿）　蕙　云译

瀛闻偶拾（世界珍闻）　双　木译

蓓屈来斯的儿童读物
伦敦儿童模型交通区
电影配合儿童教育
儿童俱乐部
剑媒（不妨偶记·续完）　钝　斋

《广播周报》复刊第八十六期

（1948年5月9日　总第282期）

编者广播
首任副总统李公略传
佳话从婚姻开始（西藏代表访问记）
宗族间的大融合（满族代表访问记）
绣花瓜帽自成风格（新疆代表访问记）
动物的社会阶级（特译稿）　周　斌译
格利格皮尔金特组曲（名曲浅释之十一）　孟文涛
漫谈美国图书馆（美国介绍）　王重民
美国各种图书馆概况（节译稿）　冯　深译
从播音到收音（13）（广播常识）　迟　晓
大中华唱片厂访问记（特译稿）　本报专访
起死回生的“苏发”新药（科学新知）　白　梅译
中华万岁（广播短剧）　寒　光译
英国枢密大臣莫里逊（下）（小朋友通讯之三十六）　佩　茵

微波副刊

如此云云（花边新闻）　编　者
灭种罪（联合国介绍）　资料室
拍马之道（杂谈）　王　呆
走狗（不妨偶记）　王　呆
妾之称谓（小掌故）　芬

《广播周报》复刊第八十七期

（1948年5月16日　总第283期）

编者广播
小说转移社会心理论（专论）　卢宗　C
伦敦堡故事（特稿）　吴　彤
英伦动物园（上）（特译稿）　纯　文译
大西洋上的气象船（科学新知）　露　亚译
世界运动会会场温布烈（世界珍闻）　海　天译
快乐与个性（修养讲话）　林海南译

海外文坛简讯（节译稿）　罗　译

诗人歌德二百周年诞辰纪念
乔叟诗集再度在英国文坛走红
研究拉穆是延年益寿的妙法
莫索格斯基展览会的绘画（名曲浅释之十二）　孟文涛译
少女的愿望（新歌介绍）　中央台
从播音到收音（14）（广播常识）　迟　晓
伤兵（广播短剧）　寒　光译
美国妇女界权威罗斯福夫人（上）（小朋友通讯之三十七）　佩　茵

微波副刊

如此云云（花边新闻）　编　者
整形外科圣手麦克音陀爵士（名人逸事）　青　译

瀛闻偶拾（世界珍闻）　中　甫译

世界最大飞机
造就影星新法
英国人的电影癖
英法间计划开辟海峡隧道

《广播周报》复刊第八十八期

（1948年5月23日　总第284期）

编者广播
实施音乐教育（专论）　刘作楫
英伦动物园（下）（漫谈）　纯　文译
半数人类在饥饿中（特译稿）　彦　文译
英国珠宝业概况（伦敦通讯）　扬　风译
歌剧的广播（特载稿）　长　生译
杜伏舍克新世界交响乐（名曲浅释之十三）　孟文涛译
还乡行（新歌介绍）　中央台
从播音到收音（广播常识·续完）　迟　晓
英国广播公司的妇女节目（特稿）　吴　彤
北平台的节目年（广播通讯）　朱鉴曾
国民大会堂播音设备（特写）　钱凤章
美国妇女界权威罗斯福夫人（中）（小朋友通讯之三十七）　佩　茵

微波副刊

如此云云（花边新闻）　编　者
中国之友前驻华大使高斯（国际人物志）　清　水译
男人眼里的女人（特译稿）　芬　译
经营美国对中国经济援助的霍夫曼小史（名人逸事）　清　水译
爱的话（花边小品）　湘　花

《广播周报》复刊第八十九期

(1948年5月30日　总第285期)

编者广播
怎样培养儿童良好习惯？（专论）　陈鹤琴
闲话瑞士（漫谈）　纯　文译
电力战胜洪水顽敌（特译稿）　露　亚译
动物珍闻（补白）　仁　林译
日冕受热于声说（科学新知）　铁　衣译
读者信箱　邝雪林
英国的钟表制造工业（特写）　戈　冀译
斯麦塔那之波西米亚的草原和森林　摩多河（名曲浅释之十四）　孟文涛译
保卫东北（新歌介绍）　萧　森词　韩荷生曲
美国妇女界权威罗斯福夫人（下）（小朋友通讯之三十七）　佩　茵
科学珍闻　双　木译
雷达探勘油矿
新式钻矿机
英国广播公司参观记（英伦通讯）　郑崇武　王溶如
山岩（广播短剧）　寒　光译
微波副刊
如此云云（花边新闻）　编　者
中国之友前驻华大使高斯（国际人物志·续完）　清　水译
管理英国领港与灯塔的三一大厦（特译稿）　清　水译
救济（花边小品）　呆
"功名证"（随感漫笔）　呆
文章与老婆（杂谈之一）　慧
圣人与傻瓜（杂谈之二）　慧
婚的名称（不妨偶记）　小　苹

《广播周报》复刊第九十期

(1948年6月6日　总第286期)

编者广播
新闻学与历史学（专论）　胡传厚
英国人怎样娱乐？（特译稿）　彦　文译
科学能防止犯罪吗？（节译稿）　清　水译
珍视你的眼力（科学对话）　纯　文译
印刷出来的广播收音机（特载稿）　铁　衣译
救火三奇珍（科学新知）　洛　林译
全运会的广播经过（广播通讯）　陈锡铨
斯特拉文斯基火鸟组曲（名曲浅释之十五）　孟文涛译
英国广播公司参观记（英伦通讯·续完）郑崇武　王溶如
意大利首届新总统艾诺迪（小朋友通讯之三十八）　佩　茵
还魂草（上）（广播剧）　黎　鸣作
微波副刊
如此云云（花边新闻）　编　者
从威尔斯的预言说起（漫谈）　曹聚仁讲　程　伦记
靰拉草（广播通讯）　赵振民
南极发现三十年前铭辞（世界珍闻）　双　木译

《广播周报》复刊第九十一期

(1948年6月13日　总第287期)

编者广播
土地改革的先决问题（专论）　万钟庆
府上安全否（漫谈）　纯　文译
美国新闻教育（特译稿）　长　生译
英国与新闻自由（节译稿）　扬　风译
农业技术上的新天地（科学新知）　彦　文译
联合国职员与各国通话（特载稿）　铁　衣译
云想衣裳花想容（新歌介绍）　中央台
共匪暴行纪实　辛寿水
谈赋（国学讲话）　闻国新
听众问讯　编辑室
"印度之莺"奈都夫人（上）（小朋友通讯之三十九）　佩　茵
还魂草（中）（广播剧）　黎　鸣作
微波副刊
如此云云（花边新闻）　编　者
世界科学发祥地皇家研究院（特译稿）　含　凉译
川康边区夷族观光团灌音记（广播通讯）　上海台
报纸公式设计
国内新闻　呆记者
省市新闻　呆记者
副刊　呆记者
国外新闻　呆记者
收音机线路参考栏（1）　资料室

《广播周报》复刊第九十二期

(1948年6月20日　总第288期)

编者广播
国学与音乐（专论）　闻国新
女权至上的台东阿美族（异地风光）　蒋　颐
苏格兰警厅如何训练侦探？（特载稿）　碧　波译
世运会中的世运村（特写）　野　天译
夜间保安公司（漫谈）　纯　文译
美国小剧场运动（特译稿）　凌　波译
电子显微镜之装置及使用（英伦通讯）　孙文海
听众问讯　编辑室
如此"民主自由"（匪区内幕）　金　寿
斯特拉文斯基春之祭礼舞蹈曲（名曲浅释之十六）孟文涛
美国歌剧（节译稿）　凌　波译
李大妈（新歌介绍）　中央台
还魂草（下）（广播剧）　黎　鸣作
读者信箱　董休宁
"印度之莺"奈都夫人（中）（小朋友通讯之三十九）　佩　茵
微波副刊
如此云云（花边新闻）　编　者
不能下决断的人之悲剧（文化短讯）　于　宙译
戏剧家王尔德（名人逸事）　于　宙译
科学珍闻　露　亚译
新式售邮票机
两百海哩的海底电线
民（新辞源）　老　天

《广播周报》复刊第九十三期

(1948年6月27日　总第289期)

编者广播
希伯莱思想与基督教文学（专论）　吴德辉
乞丐之都（异地风光）　吴　彤译
一个热爱中国的英国人（特译稿）　中　甫译
福尔摩斯作者科南道尔（名人传记）　四　维译
如何防止疲劳（漫谈）　彦　文译
依波里托夫伊凡诺夫高加索素描组曲（名曲浅释之十七）　孟文涛

匪也有宗教自由吗？（匪区内幕） 张慈慧
第七届全国运动会实况转播经过（广播短讯） 上海台
听众问讯 编辑室
“印度之莺”奈都夫人（下）（小朋友通讯之三十九）佩 茵
谢谢母亲（儿童广播） 翁炳荣
微波副刊
如此云云（花边新闻） 编 者
乔治艾略特的小说（文艺批评） 清 水译
英国的新歌剧（英伦通讯） 清 水译
白牙与黑牙（博君一笑） 士 兵
拿破仑当哨兵（小故事） 士 兵
国花（小集锦） 士 兵
小职员十苦（花边小品） 白 露文
一人一只球（笑话） 士 兵
贪官十美（花边小品） 白 露文
收音机线路参考栏（2） 资料室

《广播周报》复刊第九十四期
（1948年7月4日 总第290期）

编者广播
耕者有其田说之分析（专论） 费孝通
锤金业在英国（特译稿） 纯 文译
做母亲的要信任幼稚学校（节译稿） 清 水译
书籍的插图艺术（特稿） 彦 文译
如何预防黄热病？（医学漫谈） 露 亚译
元剧杂谭（艺术讲话） 天 行
加拿大广播近况（上）（特载稿） 迟 晓译
斯特劳斯音诗吉柯德先生（名曲浅释之十八） 孟文涛
听众问讯 编辑室
扬威秦陇的马继援将军（上）（小朋友通讯之四十）佩 茵
飞歌四六——八零六机之障碍特征（无线电常识） 思
微波副刊
如此云云（花边新闻） 编 者
原子能的未来（特译稿） 清 水译
庆祝首任行宪大总统（梨花大鼓） 士 兵
武则天（老实话） 呆 子
特别快信（博君一笑） 呆 子
盲人统计（释屑） 昔 睡译
女人眸子（杂感漫笔） 呆 子

《广播周报》复刊第九十五期
（1948年7月11日 总第291期）

编者广播
新教育哲学检讨（专论） 友 松
世外桃源的海地国（特译稿） 纯 文译
世界糖荒的前途（节译稿） 戈 冀译
美国青年的政治活动（漫谈） 胡初云译
感情抽象化（心理讲话） 锡 侯
狗（英国杂谈） 吴 彤
加拿大广播近况（中）（特载稿） 迟 晓译
参观英无线电展览印象（英伦通讯）
郑崇武 王溶如 孙文海
拉威尔鹅妈妈组曲（名曲浅释之十九） 孟文涛
扬威秦陇的马继援将军（中）（小朋友通讯之四十）佩 茵
飞歌四六——八零六机之障碍特征（续完） 思
微波副刊
如此云云（花边新闻） 编 者
新型的儿童电影（特译稿） 碧 波译

世运会话旧（不妨偶记） 戈 冀译
左宗棠自勉联（名人轶事） 平 章
一代文宗张之洞轶事（如是我闻） 吴 贞
古人的怪癖（读史抄） 杨 俊
收音机线路参考栏（3） 资料室

《广播周报》复刊第九十六期
（1948年7月18日 总第292期）

编者广播
国际和平与教育（专论） 张 怀
海军科学在秘密发展中（科学新知） 于 宙译
原子能可治癌症吗？（医学漫谈） 自 鹏译
英国无线电收音机零件展览（特稿） 纯 文译
加拿大广播近况（下）（特载稿） 迟 晓译
感情抽象化（心理讲话·续完） 锡 侯
法国人怎么庆祝他们的国庆？（巴黎通讯） 珍 尼
圣桑“动物狂欢节管弦乐幻想曲”（名曲浅释之二十）
孟文涛
红豆词（新歌介绍） 中央台
扬威秦陇的马继援将军（下）（小朋友通讯之四十）佩 茵
游龙戏凤（一）（广播剧） 郭建英
微波副刊
如此云云（花边新闻） 编 者
忙与闲（自由谈） 吴德辉
瀛闻偶拾（世界珍闻） 双 木 慎 熊合译
全世界最进步的无线电话系统
防止衣服蛀蚀的新化学品
直升飞机救护灯塔看守者
作战武器的相反用途
X光可辨出假邮票

《广播周报》复刊第九十七期
（1948年7月25日 总第293期）

编者广播
美国教育的特征（专论） 胡叔异
美国的函授学校（特译稿） 白 宏译
「皇家苏格脱」火车（漫谈） 纯 文
嗜好与人生（随笔小品） 玉珍
格雷夫斯罗马素描之一——白孔雀（名曲浅释之廿一）
孟文涛
朋友，你在那里？（新歌介绍） 中央台
英国广播公司参观记（英伦通讯） 郑崇武 王溶如 孙文海
万用表欧姆范围的扩展（听众服务） 思
听众问讯 中央台
国防部长何应钦将军（上）（小朋友通讯之四十一）佩 茵
游龙戏凤（二）（广播剧） 郭建英
收音机线路参考栏（4） 资料室
微波副刊
如此云云（花边新闻） 编 者
重力的来源（科学珍讯）
忙与闲（自由谈·续完） 吴德桢
公务员吟（六首） 廖 丁
剧作家的难关百老汇（上）（特译稿） 岩 鹰

《广播周报》复刊第九十八期
（1948年8月1日 总第294期）

编者广播
科学和社会生活（专论） 陈绍馨

伦敦之中国木刻展（特译稿） 杨小坚译
大科学家爱因斯坦的风度（名人逸事） 纯 文
分信机（科学新闻） 双 木
人工造雨（科学新知） 彦 文译
听众问讯 编辑室
葛许温的蓝色狂想曲——钢琴协奏曲（名曲浅释之二十二） 孟文涛
英国广播所用的声效（特载稿） 吴 彤
游龙戏凤（三）（广播剧） 郭建英
庆祝总统就职颂词（新歌介绍） 甘 涛
英国广播公司参观记（英伦通讯·续完） 郑崇武 王溶如 孙文海
国防部长何应钦将军（下）（小朋友通讯之四十一） 佩 茵
微波副刊
如此云云（花边新闻） 编 者
蒋公就任大总统（梨花大鼓） 天津台
瀛闻偶拾（世界珍闻） 天 青译
最强的X光射线可治恶性瘤
测量棉纱杂质之秀雷分析机
剧作家的难关百老汇（下）（特译稿） 岩 鹰
要想嫁！（江南民歌） 雅 芬
海内存知己，天涯若比邻！（广播漫画） 丰子恺

《广播周报》复刊第九十九期

（1948年8月8日 总第295期）

编者广播
科学之功罪（专论） 林仲达
科学对人类究有多大帮助？（特译稿） 均 青译
电缆工业的新贡献（特载稿） 宇 宙译
诗义探讨（上）（国学讲话） 夏 琦
怎样才算是个正常的人？（卫生讲座） 中央台
泰乐管弦乐组曲神镜（名曲浅释之二十三） 孟文涛
坐镇天山的宋希濂将军（上）（小朋友通讯之四十二） 佩 茵
托管问题（广播对话） 邓乐夫
战斗英雄（新歌介绍） 察哈尔台
微波副刊
如此云云（化边新闻） 编 者
伦敦漫谭（节译稿） 长 生译
枢密院的沿革
市长的职务
流亡花鼓 林兴亚
写字的情绪（随笔漫感） 明
贪食的动物（世界珍闻） 于 顺译
晋朝石崇的豪奢（读史抄） 五 马
新辞源 阿 朗
滑绳表演（不妨偶记） 阿 朗
收音机线路参考栏（5） 资料室
各台呼号周率及播音时间

《广播周报》复刊第一百期

（1948年8月15日 总第296期）

编者广播
纪念复刊一百期 编 者
制癌新武器（医学漫谈） 纯 文译
照相术之新发展（科学新知） 冯 深
南半球最大望远镜（科学珍闻） 双 木译
中国的寄生虫病（卫生讲话） 中央台
汇票未经收到，如何向邮局请求兑还汇款？（邮政常识） 资料室
李姆斯基柯萨可夫金鸡组曲（名曲浅释之二十四） 孟文涛
听众问讯 中央台
坐镇天山的宋希濂将军（中）（小朋友通讯之四十二） 佩 茵
诗义探讨（中）（国学讲话） 夏 琦
到联合国去（广播对话） 邓乐夫
微波副刊
如此云云（花边新闻） 编 者
平民作曲家艾立克柯兹（西洋音乐家介绍） 清 水译
新奇的无线电照相（特译稿） 冯 深译
瀛闻偶拾（世界） 慎 熊
无刺的蜜蜂
天空中的飞蛇
飞机无线电操纵术

《广播周报》复刊第一百零一期

（1948年8月22日 总第297期）

编者广播
科学研究之重要性（专论） 李书华
电影上的音响（特译稿） 彦 文译
妇女在孕期中的卫生（卫生讲话） 中央台
亨德尔水上音乐管弦乐组曲（名曲浅释之廿五） 孟文涛
坐镇天山的宋希濂将军（下）（小朋友通讯之四十二） 佩 茵
诗义探讨（下）（国学讲座） 夏 琦
收音机线路参考栏（6） 资料室
马家寨（上）（广播剧） 史曦
微波副刊
如此云云（花边新闻） 编 者
美国共和党副总统候选人华伦小史（新闻人物介绍） 清 水
镁质合金制造的飞机（科学珍闻） 大 呆
杯水集（杂感漫笔） 羽 生
左右难（花边小品） 万 天译
邮政常识 资料室
欲求函件稳妥保险 请按报值挂号交寄
附：各台呼号周率及播音时间

《广播周报》复刊第一百零二期

（1948年8月29日 总第298期）

编者广播
孙子学派（专论） 张琦翔
长了翅膀的国家（特译稿） 蕙 云译
美国之电视业（特稿） 彦 文译
英国铁都雪斐尔特（节译稿） 中 甫译
砂眼（卫生讲话） 中国卫生教育会
英国标准公司成音部分概况（英伦通讯） 郑崇武 孙文海 王溶如
格利格A短调钢琴及管统乐协奏曲（名曲浅释之二十六） 孟文涛
马家寨（中）（广播剧） 史 曦
战斗英雄（新歌介绍） 察哈尔台
邮政常识 资料室
怎样使用邮局专用信箱，专用信袋，及私人小型信箱？
微波副刊
如此云云（花边新闻） 编 者
美国共和党副总统候选人华伦小史（新闻人物介绍） 清 水译

胡适之作老新郎（名人轶闻） 多 人
新夫妻（小对话） 呆
心（不妨偶记） 多 人
街头音乐（随感） 多 人
博君一笑（特译小品） 海 译
熟悉的暗礁
梦中的吻
上班的时候
附：各台呼号周率及播音时间

《广播周报》复刊第一百零三期

（1948年9月5日 总第299期）

编者广播
稳定币值与管理物价（专论） 资料室
杜威这个人（新闻人物述评） 初 云译
美国的夏季戏院（特译稿） 宙 译
修理用之真空管试验器？（1）（听众服务） 起 民
柴可夫斯基：
罗蜜欧与朱丽叶——幻想体序曲（名曲浅释之二十七） 孟文涛
悠悠岁月（新歌介绍） 中央台
马家寨（下）（广播剧） 史 曦

微波副刊

如此云云（花边新闻） 编 者
十八世纪英国最优秀女诗人：
克里斯丁纳·洛塞谛和她的诗（海外文坛逸话）清 水译
包罗万象的公共图书馆（特译稿） 蕙 云译
偷闲学拜年（民间佳话） 慎 熊
女人不可少的条件（编译稿） 慎 熊
宋哲元禁演走麦城（不妨偶记） 慎 熊
收音机线路参考栏（7） 资料室
邮政常识 资料室
怎样使用邮局专用信箱?专用信袋，及私人小型信箱(续完)
举办暑期学术讲座（专载） 北平台
附：各台呼号周率及播音时间

《广播周报》复刊第一百零四期

（1948年9月12日 总第300期）

编者广播
中国思想界之新使命（专论） 陈如一
杜威这个人（下）（国际人物述评） 初 云译
美国历史上的第三党（特译稿） 亚 尘译
安勒斯珂：
罗马尼亚狂想曲之一——A大调（名曲浅释之二十八） 孟文涛
都达尔和玛丽亚（新歌介绍） 中央台
修理用之真空管试验器（2）（听众服务） 起 民
怎样编演综合性儿童节目？（广播漫话） 台湾台
夫妇之间（一）（广播对话） 台湾台

微波副刊

如此云云（花边新闻） 编 者
乱弹之什（随笔杂感） 默 堂·昔 睡
友情
人与畜生
瀛闻偶拾（海外文坛短讯） 宇 宙
李顿勋爵逝世
田园文学走红
女作家美奈尔百周诞辰
透明养气面罩（科学零讯） 宇 宙译
假定你是美国的大总统！（特译） 亚 尘译
暴发户必读（花边小品） 阮 韵
邮政常识（特载） 资料室
委托邮局代付水电费的手续
附：各台呼号周率及播音时间

《广播周报》复刊第一百零五期

（1948年9月19日 总第301期）

编者广播
理想的文学批评（专论） 郭麟阁
幽僻神秘的斐济群岛（异地风光） 品 华
人尽其才与个性测验（上）（心理讲话） 觉 六
修理用之真空管试验器（3）（听众服务） 起 民
婴儿人工营养法（卫生讲话） 中国卫生教育社
不要过度抽烟（夫妇之间之二） 郑璇孚作
台湾台播

微波副刊

如此云云（花边新闻） 编 者
栗子（散文） 欧阳碧
名人签字值多少钱?（不妨偶记） 慎
“挖空心思”想专利（特译稿） 文 琦译
收音机线路参考栏（8） 资料室
附：各台呼号周率及播音时间

《广播周报》复刊第一百零六期

（1948年9月26日 总第302期）

编者广播
怎么样说话？（专论） 徐朗秋
美国人和美国文化（上）（特译稿） 长 生译
童年印象影响整个人生（儿童讲话） 雷 苏
人尽其才与个性测验（下）（心理讲话） 觉 六
修理用之真空管试验器（4）（听众服务） 起 民
婴儿的健康生活（卫生讲话） 中国卫生教育社
种菜（广播对话?夫妇之间之三） 陈 燡
德布西：
海——三首交响小品（名曲浅释之二十九） 孟文涛
江南梦（新歌介绍） 中央台

微波副刊

如此云云（花边新闻） 编 者
瀛闻偶拾（世界珍闻） 林 译
未来的英国式汽车
试验制造中的小飞机
世界运动会花絮（英伦通讯） 吴 彤
梨花大鼓
难民自述（单弦牌子曲） 金受申
祝中华（岔曲） 李润之
从军乐（岔曲） 一市民
农谚和天气（不妨偶记） 予明
中央广播事业管理处各台“新币制谈话”节目统计
附：各台呼号周率及播音时间

《广播周报》复刊第一百零七期

（1948年10月3日 总第303期）

编者广播
孔门的教育法（专论） 俞平伯
美国人和美国文化（下）（特译稿） 长 生译
伤风与风无关（上）（卫生讲话） 中国卫生教育社

提供青年两个问题（上）（青年讲座） 秋 士
谈童话（文艺杂谭） 李家村
比才：卡门组曲（名曲浅释之三十） 孟文涛
修理用之真空管试验器（5）（听众服务） 起 民
儿童与人生（儿童讲话） 雷 苏
听众问讯 编辑室
怎样预防夏令流行病？（广播对话·夫妇之间之四）陈 熼
微波副刊
如此云云（花边新闻） 编 者
边陲风情
活动珠宝店 晓 风
伸舌为礼 晓 风
玉树十多 晓 风
时代前面的女人（花边小品） 慎
收音机线路参考栏（9） 资料室
邮政常识（特载） 资料室
未纳航空资费信函，不再利用航机带运。
中央广播事业管理处各台“新币制谈话”节目统计（2）
附：各台呼号周率及播音时间

《广播周报》复刊第一百零八期

（1948 年 10 月 10 日　总第 304 期）

编者广播
总统广播演词：勤俭建国运动纲领（上）
勤俭运动（专论） 陈裕光
广播的教育性（漫谈） 李家村
发展中的空气灭菌研究（科学新知） 梅 阁译
伤风与风无关（下）（卫生讲话） 中国卫生教育社
修理用之真空管试验器（6）（听众服务） 起 民
瓦格纳：
“漂泊的荷兰人”歌剧序曲（名曲浅释之三十一） 孟文涛
保庄稼（新歌介绍） 察哈尔台
双十史话（历史讲话） 新 恩
提供青年两个问题（下）（青年讲话） 秋 士
微波副刊
如此云云（花边新闻） 编 者
赛珍珠小记（名人逸事） 素 译
瀛闻偶拾（世界珍闻） 林 译
霍乱与百日咳的新特效药
飞行速度新记录
农谚和天气（不妨偶记） 予 明
举办暑期学术讲座续志（专载） 北平台
邮政常识（专载）
定额汇票对公众有什么便利？
世界各国国际广播一览（特载） 资料室
中央广播事业管理处各台“新币制谈话”节目统计（3） 资料室
附：各台呼号周率及播音时间

《广播周报》复刊第一百零九期

（1948 年 10 月 17 日　总第 305 期）

编者广播
特载
总统广播演词：勤俭建国运动纲领（下）
前行政院院长张群广播演词：日本观感（上）
职业妇女应有的条件（妇女讲话） 念 能
红缨枪（新歌介绍） 察哈尔台
怎样指导儿童读报？（儿童讲话） 杨孝祺
定额汇票对公众有什么便利？（下）（邮政常识） 资料室
七匹布（一）（广播剧） 陈 澄编剧 中央台播
修理用之真空管试验器（7）（听众服务） 起 民
广播艺术（漫谈） 言 岑
听众问讯 中央台
附载
各台呼号周率及播音时间
中央广播事业管理处各台之海外广播
全国电台节目表
中央广播事业管理处各台“新币制谈话”节目统计（4）

《广播周报》复刊第一百十期

（1948 年 10 月 24 日　总第 306 期）

编者广播
特载
前行政院院长张群广播词：日本观感（下）
陈副院长立夫广播演词：道德重整与勤俭建国
自由主义（上）（专论） 胡 适
怎样免除儿童挑选食物的习惯？（家庭讲话） 玉 珍
我国的民间歌谣（漫谈） 李家村
现代青年应走的道路（上）（青年讲话） 普 义
修理用之真空管试验器（8）（听众服务） 起 民
七匹布（2）（广播剧） 陈 澄编剧 中央台播
德米特里（新歌介绍） 中央台
拥护改革币制歌 上海台
斯特拉文斯基：
“彼特鲁希卡”管弦乐组曲（名曲浅释之三十二）孟文涛
附载
各台呼号周率及播音时间
全国电台节目表
收音机线路参考栏（10） 资料室
中央广播事业管理处各台“新币制谈话”节目统计（5）

《广播周报》复刊第一百十一期

（1948 年 10 月 31 日　总第 307 期）

编者广播
特载
吴秘书长铁城广播演词：勤俭建国运动与改革政风
监察院于院长右任广播演词：行宪后之国床日献辞
现代青年应走的道路（下）（青年讲话） 普 义
自由主义（下）（专论） 胡 适
婴儿的营养（育婴常识） 蕴 瑛
航空母舰简介（科学新知） 李家村
英国标准公司机件装置概况（英伦通讯）
郑崇武 孙文海 王溶如
赛·加乐夫指挥下的：
顿河哥萨克合唱队（名曲浅释） 健 译
修理用之真空管试验器（续完）（听众服务） 起 民
七匹布（3）（广播剧） 陈 澄编剧
中央台播
听众问讯 编辑室
附载
各台呼号周率及播音时间
全国电台节目表
中央广播事业管理处各台“新币制谈话”节目统计（6）

《广播周报》复刊第一百十二期

（1948 年 11 月 7 日　总第 308 期）

编者广播

特载

前首都卫戍总司令孙连仲氏广播演词：组训民众应有的认识

福建省政府李主席良荣广播演词：官民一致努力达成戡乱建国任务

华中大学理学院院长卞彭年博士广播演词：科学工作与合作

民众教育的重要性（专论）　普　义

谈“读书指导”（教育讲话）　陆　劭

信号检查器（1）（听众服务）　陆起民

滑翔机（科学新知）　李家村

国父孙中山先生（广播剧）　邓乐夫著　迟　晓译

附载

各台呼号周率及播音时间

全国电台节目表

中央广播事业管理处各台“新币制谈话”节目统计（7）

《广播周报》复刊第一百十三期

（1948 年 11 月 14 日　总第 309 期）

编者广播

特载

联合国日总统特颁文告：重申对联合国信心

联合国日蒋夫人广播演词：为儿童呼吁之成就

本处处长吴道一广播演词：台湾广播事业观感

中山堂开文化晚会（台北通讯）

新县制与新青年（专论）

破伤风病（科学新知）　星全

介绍台湾省第一届博览会（台湾通讯）　台湾台新闻组

精神紧张（漫谈）　炎

信号检查器（续完）（听众服务）　陆起民

听众问讯　中央台

世界上最可鄙的人（上）（广播剧）　邓乐夫著　李荣光译

一岁以后的儿童应当怎样吃饭？（卫生讲话）　中国卫生教育社　中央台播

附载

各台呼号周率及播音时间

收音机线路参考栏（11）　资料室

全国电台节目表

中央广播事业管理处各台“新币制谈话”节目统计（8）

《广播周报》复刊第一百十四期

（1948 年 11 月 21 日　总第 310 期）

编者广播

特载

中央广播事业二十周年纪念辞　存　素

朱家骅氏联合国日广播演词：维持和平的道路

气候变化对于历史演进的重要（专论）　张星　R

莎翁故乡（英国通讯）　吴　彤

什么是真自由？（漫谈）　玉　珍

学校和社会的关系（教育讲话）　杨国杰

青年的责任与修养（青年讲话）　荀　潜

故乡（新歌介绍）　中央台

世界上最可鄙的人（中）（广播剧）　邓乐夫著　李荣光译

高灵敏度通电表自制及说明（1）（听众服务）　陆起民

附载

各台呼号周率及播音时间

全国电台节目表

中央广播事业管理处各台“新币制谈话”节目统计（9）

《广播周报》复刊第一百十五期

（1948 年 11 月 28 日　总第 311 期）

编者广播

社会部谷部长正纲联合国日广播演词：儿童急救工作在中国（特载）

略论流行歌曲（艺术义谈）　刘作楫

科学的性格（科学讲）　叶梅生

英国广播周报（特译稿）　吴　彤

申请改寄邮件的手续和纳费的标准（邮政常识·上）　资料室

波罗丁 B 小调第二交响乐（名曲浅释之三十三）　孟文涛

高灵敏度通电表自制及主明（听众服务）（续完）　陆起民

孕妇和乳母的营养（卫生讲话）　中国卫生教育社　央台播

不要过份束缚丈夫（夫妇之间之五）　杜兆楠作　台湾台播

世界上最可鄙的人（下）（广播剧）　邓乐夫著　李荣光译

附载

各台呼号周率及播音时间

收音机线路参考栏（12）　资料室

全国电台节目表

中央广播事业管理处各台“新币制谈话”节目统计（10）

《广播周报》复刊第一百十六期

（1948 年 12 月 5 日 总第 312 期 ）

编者广播

世界文化（专论）　李石曾

培养最高人格（青年讲话）　陈先柄

国际高周率广播会议第一周会议情况略志

文学作品应该具有的特质（文艺讲话）　广　田

谈文艺运动（漫谈）　向　宸

什么是音乐？（艺术讲话）　天　岩

人造雪（科学新知）　静普

布拉姆斯：悲伤序曲（名曲浅释之三十四）　孟文涛

听众问讯　中央台

谈互相尊敬（夫妻之间之六）　靳佩芳作　台湾台播

觉悟（上）（广播剧）　洛　林

申请改寄邮件的手续和纳费的标准（邮政常识 下）　资料室

附载

各台呼号周率及播音时间

全国电台节目表

本报暂行停刊紧要启事

踊跃参加慰劳工作（特载）　沈慧莲

（李煜　赵玉明）

外国广播电视资料

2007年各国国际广播电台基本情况统计表

亚太地区

国家	台名（或呼号）	语言种数	日播时数	主要发射功率（千瓦）及传输方式	使用频率	使用语言（每天播出时数）	备注
阿曼	阿曼苏丹国广播电台	2	23小时	短波 100×2 并通过阿拉伯卫星、热鸟卫星和尼罗河卫星等共9颗卫星传送节目。节目进入因特网。	10个	阿拉伯语（22小时）英语（1小时）	
阿塞拜疆	阿塞拜疆之声	6	8小时	中波125×1 15×1 短波170×1 100×2 15×1 节目进入因特网。	2个	阿拉伯语（1小时）阿泽利语（3小时）波斯语（1小时）俄语（30分）土耳其语（1小时）英语（1小时30分）	
巴基斯坦	巴基斯坦广播电台	17	27小时04分	短波250×2 100×5 节目进入因特网。	22个	阿拉伯语（45分）阿萨姆语（30分）达里语（30分）俄语（30分）古吉拉特语（30分）汉语普通话（30分）孟加拉语（1小时30分）尼泊尔语（30分）普什图语（15分）僧伽罗语（30分）泰米尔语（1小时）土耳其语（30分）维吾尔语（30分）乌尔都语（15小时34分）伊朗语（45分）印地语（1小时30分）英语（1小时15分）	
巴林	巴林广播电台	1	24小时	通过阿拉伯3A卫星传送节目。节目进入因特网。	/	阿拉伯语（24小时）	
朝鲜	朝鲜之声	9	56小时30分	中波500×1 短波250×4 200×20 并通过泰星传送节目。	31个	阿拉伯语（2小时）朝鲜语（8小时20分）德语（3小时）俄语（5小时）法语（7小时）汉语普通话（8小时）日语（9小时10分）西班牙语（4小时）英语（10小时）	
	平壤广播电台	1	24小时	中波1500×1 500×3 50×1 并使用邮电部部分短波设备发送节目。	10个	朝鲜语（24小时，对东南亚播出）	
菲律宾	菲律宾国际广播电台	2	3小时30分	用美国之音提南转播台发射机广播（中波1000×1 短波250×12 50×3） 节目进入因特网。	6个	菲律宾语（2小时）英语（1小时30分）	
韩国	韩国国际广播电台	11	50小时04分	中波1500×1 500×2 短波250×3 100×8 节目进入因特网。	25个	阿拉伯语（1小时）朝鲜语（24小时）德语（1小时）俄语（3小时）法语（1小时）汉语普通话（3小时）日语（5小时）西班牙语（1小时30分）印尼语（3小时）英语（日均播出6小时34分）越南语（1小时）	
科威特	科威特广播电台	3	28小时	短波500×5 另通过阿拉伯卫星、热鸟卫星等5颗卫星传送节目。节目进入因特网。	11个	阿拉伯语（24小时）波斯语（2小时）菲律宾语（2小时）	
老挝	老挝广播电台	5	4小时30分	短波10×1 调频2×1 节目进入因特网。	1个	法语（1小时）柬埔寨语（1小时）泰语（30分）英语（1小时）越南语（1小时）	
马来西亚	马来西亚之声	8	24小时55分	中波700×1 短波500×2 100×9 并通过马来西亚卫星传送节目。 节目进入因特网。	7个	阿拉伯语（1小时30分）马来语（7小时，其中“伊斯兰之声”3小时）缅甸语（1小时）汉语普通话（2小时）菲律宾语（2小时30分）泰语（1小时30分）印尼语（4小时）英语（5小时25分，其中“伊斯兰之声”3小时）	
蒙古	蒙古之声	5	5小时30分	中波500×1 短波500×1 250×1 100×1 50×3	3个	俄语（日均播出47分）汉语普通话（1小时）蒙语（1小时）日语（日均播出1小时13分）英语（1小时30分）	

续表

国家	台名（或呼号）	语言种数	日播时数	主要发射功率（千瓦）及传输方式	使用频率	使用语言（每天播出时数）	备注
孟加拉国	孟加拉国广播电台	6	7小时15分	短波250×2 节目进入因特网。	1个	阿拉伯语（30分）孟加拉语（3小时30分）尼泊尔语（30分）乌尔都语（30分）印地语（30分）英语（1小时45分，其中有“伊斯兰之声”30分）	
日本	日本广播电台	22	63小时05分	短波300×7　100×4 在斯里兰卡等国家使用短波转播，并通过新天7号、泛美8、9、10共4颗卫星传送节目。 节目进入因特网。	84个	阿拉伯语（1小时15分）波斯语（1小时）朝鲜语（2小时50分）德语（1小时）俄语（3小时40分）法语（2小时10分）汉语普通话（3小时50分）马来语（1小时20分）孟加拉语（1小时）缅甸语（1小时20分）葡萄牙语（1小时）日语（21小时）瑞典语（30分）斯瓦希里语（1小时）泰语（1小时20分）乌尔都语（1小时）西班牙语（1小时50分）意大利语（30分）印地语（1小时）印尼语（2小时10分）英语（11小时）越南语（1小时20分）	
沙特阿拉伯	沙特阿拉伯王国广播电台	12	39小时	短波500×8　350×4　100×2　50×6 并通过亚洲卫星、阿拉伯卫星、热鸟卫星、新天卫星等8颗卫星传送节目。节目进入因特网。		39个　阿拉伯语（20小时）班巴拉（1小时）波斯语（2小时）法语（4小时）孟加拉语（1小时）普什图语（1小时）斯瓦希里语（1小时）索马里语（1小时）土耳其语（2小时）乌尔都语（2小时）乌兹别克语（2小时）印尼语（2小时）	对国内广播的一般性阿拉伯语节目使用2000×4、1600、1200、1000千瓦中波频率每天播出20小时，可覆盖整个阿拉伯地区。
斯里	斯里兰卡 节目进入因特网。	7	21小时01分	短波300×2　100×2　35×3　10×10	7个	坎纳达语（30分）马拉雅兰语（1小时30分）僧伽罗语（3小时5分）泰卢固语（1小时30分）泰米尔语（5小时10分）印地语（5小时40分）英语（日均播出3小时36分）	
塔吉克斯坦	塔吉克斯坦广播电台	4	8小时	中波1000×1　800×1　500×1　150×1　100×1 短波　1000×2　100×5　50×1 节目进入因特网。	2个	阿拉伯语（30分）波斯语（3小时30分）达里语（3小时30分）英语（30分）	
泰国	泰国广播电台	12	11小时45分	短波100×1　50×1　10×3 另使用美国国际广播局在当地的发射设备发送节目（中波1000×1　短波500×7） 并通过泰星3号传送节目。 节目进入因特网。	15个	德语（15分）法语（15分）汉语普通话（15分）柬埔寨语（15分）老挝语（15分）马来语（15分）缅甸语（15分）日语（15分）泰语（5小时）印尼语（15分）英语（4小时15分）越南语（15分）	另通过美国国际广播局在当地的转播台使用中波对东南亚地区每天平均播出2小时47分泰语节目。
土耳其	土耳其之声	27	60小时45分	短波500×7　250×3 并通过热鸟卫星、澳普图斯卫星、泰星、国际通信卫星和本国卫星等共7颗卫星传送节目。 节目进入因特网。	53个	阿尔巴尼亚语（1小时20分）阿拉伯语（3小时50分）阿泽利语（2小时20分）保加利亚语（1小时20分）波斯语（2小时50分）波斯尼亚语（1小时20分）鞑靼语（55分）德语（1小时50分）俄语（1小时50分）法语（55分）格鲁吉亚语（55分）哈萨克语（55分）汉语普通话（55分）吉尔吉斯语（1小时20分）罗马尼亚语（1小时20分）马其顿语（55分）塞尔维亚/克罗地亚语（25分）土库曼语（1小时20分）土耳其语（22小时45分）乌尔都语（55分）乌兹别克语（1小时20分）西班牙语（1小时50分）匈牙利语（55分）希腊语（1小时50分）英语（4小时10分）意大利语（25分）	

续表

国家	台名（或呼号）	语言种数	日播时数	主要发射功率（千瓦）及传输方式	使用频率	使用语言（每天播出时数）	备注
新加坡	新加坡国际广播电台	4	11小时	短波250×6 并通过亚洲卫星和电信卫星传送节目。 节目进入因特网。	6个	汉语普通话（3小时）马来语（3小时）印尼语（2小时）英语（3小时）	
叙利亚	大马士革广播电台	8	34小时30分	中波200×1 100×1 短波500×4 并通过热鸟卫星传送节目。 节目进入因特网。	6个	阿拉伯语（24小时）德语（1小时）俄语（1小时35分）法语（1小时）土耳其语（1小时）西班牙语（1小时15分）希伯来语（2小时30分）英语（2小时10分）	
亚美尼亚	亚美尼亚之声	8	4小时21分	长波500×1 中波1000×1 500×1 短波1000×3 100×5 50×1 节目进入因特网。	4个	阿拉伯语（30分）阿泽利语（日均播出26分）波斯语（30分）格鲁吉亚语（10分）库尔德语（30分）土耳其语（日均播出19分）亚美尼亚语（日均播出1小时26分）耶记提语（30分）	
伊朗	伊朗伊斯兰	29	117小时	中波750×2 600×4 500×1 400×3 100×1 50×1 10×2 短波500×28 350×1 250×5 100×10 并通过热鸟卫星、电星、阿拉伯卫星等4颗卫星传送节目。 节目进入因特网。	127个	阿尔巴尼亚语（3小时）阿拉伯语（24小时）阿泽利语（4小时30分）波斯尼亚语（3小时）德语（2小时）达里语（10小时）俄语（5小时）法语（2小时）格鲁吉亚语（1小时）哈萨克语（2小时）汉语普通话（2小时）豪萨语（2小时）库尔德语（5小时）孟加拉语（3小时）普什图语（5小时）日语（1小时）斯瓦希里语（3小时）塔吉克语（3小时）土库曼语（9小时）土耳其语（4小时）乌尔都语（4小时30分）乌兹别克语（1小时30分）西班牙语（5小时）希伯来语（1小时30分）亚美尼亚语（2小时）意大利语（1小时30分）印地语（1小时30分）印尼语（2小时）英语（4小时，其中包括对美国广播的“正义之声”电台1小时）	
以色列	以色列之声	13	43小时23分	短波500×1 300×4 100×1 并通过本国阿莫斯卫星传送节目。 节目进入因特网。	16个	阿姆哈拉语（30分）阿拉伯语（18小时30分）波斯语（日均播出49分）俄语（1小时）法语（1小时15分）拉第诺语（25分）罗马尼亚语（30分）提格雷语（15分）西班牙语（30分，另与拉第诺语每周六混播25分）希伯来语（17小时30分）匈牙利语（30分）依地语（25分）英语（1小时10分）	
印度	全印广播电台	27	71小时45分	中波1000×2 300×1 200×1 短波500×6 250×13 100×3 50×4 并通过新天6号卫星传送节目，部分发射机内外共用。 节目进入因特网。	72个	阿拉伯语（3小时15分）俾路支语（1小时）波斯语（1小时45分）达里语（1小时45分）俄语（1小时）法语（45分）古吉拉特语（1小时）汉语普通话（1小时30分）坎纳达语（45分）马拉雅兰语（1小时）缅甸语（1小时）孟加拉语（6小时30分）尼泊尔语（3小时）旁遮普语（2小时30分）普什图语（2小时）萨莱基语（30分）斯瓦希里语（1小时）泰卢固语（30分）泰米尔语（5小时30分）泰语（45分）乌尔都语（12小时45分）信德语（3小时30分）印地语（5小时15分）印尼语（1小时）英语（8小时30分）僧伽罗语（2小时30分）藏语（1小时15分）	
印度尼西亚	印度尼西亚之声	11	13小时	短波250×9 100×3 50×2 并通过电信卫星传送节目。 节目进入因特网。	1个	阿拉伯语（1小时）朝鲜语（1小时）德语（1小时）法语（1小时）汉语普通话（1小时）马来语（1小时）日语（30分）泰语（30分）西班牙语（1小时）印尼语（2小时）英语（3小时）	

续表

国家	台名（或呼号）	语言种数	日播时数	主要发射功率（千瓦）及传输方式	使用频率	使用语言（每天播出时数）	备注
约旦	约旦广播电台	2	18小时45分	短波500×3 并通过阿拉伯卫星3D和3A传送节目。	7个	阿拉伯语（15小时15分，其中3小时是军队广播）英语（3小时30分）	
越南	越南之声	13	30小时54分	中波2000×1 短波100×11　50×2 并租用英国、加拿大、奥地利的发射设备转播，还通过热鸟3号卫星传送节目。 节目进入因特网。	11个	俄语（1小时48分）德语（26分）法语（2小时22分）汉语广州话（1小时18分）汉语普通话（1小时18分）柬埔寨语（1小时26分）老挝语（1小时）日语（2小时48分）泰语（1小时56分）西班牙语（52分）印尼语（2小时14分）英语（5小时50分）越南语（7小时36分）	
澳大利亚	澳大利亚广播电台	4	30小时43分	短波100×7　10×3 在斐济、所罗门群岛和瓦努阿图等地使用调频广播；并通过泛美2号、8号卫星及印尼Cakrawarta 1号卫星传送节目。 节目进入因特网。	36个	汉语普通话（1小时30分）皮金语（日均播出2小时43分）印尼语（2小时30分）英语（24小时，包括转播BBC世界电台的英语节目1小时）	
新西兰	新西兰国际广播电台	1	24小时	短波100×2 节目进入因特网。	9个	英语（24小时）	使用多种太平洋地区语言播出新闻。

欧洲地区

国家	台名（或呼号）	语言种数	日播时数	主要发射功率（千瓦）及传输方式	使用频率	使用语言（每天播出时数）	备注
阿尔巴尼亚	地拉那广播电台	8	10小时59分	中波500×1 短波100×7，50×2 并通过欧洲通信卫星传送节目。 节目进入因特网	11个	阿尔巴尼亚语（6小时59分）德语（57分）法语（日均播出25分）塞尔维亚语（30分）土耳其语（日均播出13分）希腊语（日均播出13分）意大利语（日均播出25分）英语（日均播出1小时17分）	
奥地利	奥地利国际广播电台	1	19小时38分	中波60×1 短波500×1　300×2 100×5 并通过阿斯特拉卫星传送节目。 节目进入因特网。	8个	德语（19小时38分）	
白俄罗斯	白俄罗斯广播电台	4	15小时	中波700×1 短波250×1　150×1　75×1 节目进入因特网。	7个	白俄罗斯语（2小时，另有国家电台每天对俄罗斯播出8小时）德语（1小时）俄语（2小时）英语（2小时）	
保加利亚	保加利亚广播电台	10	36小时36分	中波500×2 短波500×2　250×4 100×3　50×4　15×1 节目进入因特网。	18个	阿尔巴尼亚语（日均播出2小时39分）保加利亚语（日均播出7小时9分）德语（2小时30分）俄语（5小时30分）法语（3小时30分）塞尔维亚语（日均播出2小时39分）土耳其语（1小时30分）西班牙语（4小时30分）希腊语（日均播出2小时39分）英语（4小时）	
比利时	弗兰德国际广播电台	1	4小时	中波300×1 短波250×2　100×1	4个	荷兰语（4小时）	
	法语区广播电视台国际台	1	17小时15分	并通过阿斯特拉1H、热鸟3号等6颗卫星传送节目。 节目进入因特网。	1个	法语（17小时15分）	
冰岛	冰岛广播电台	1	2小时50分	短波 20×1 节目进入因特网。	2个	冰岛语（2小时50分）	
波兰	波兰广播电台	7	11小时	短波100×5 并通过热鸟卫星传送节目。 节目进入因特网。	22个	白俄罗斯语（1小时）波兰语（2小时30分）德语（1小时20分）俄语（2小时20分）世界语（50分）乌克兰语（1小时）英语（2小时）	

续表

国家	台名（或呼号）	语言种数	日播时数	主要发射功率（千瓦）及传输方式	使用频率	使用语言（每天播出时数）	备注
德国	德国之声	29	115小时48分	中波1000×1 700×1 200×1 80×1 5×1 短波500×20 100×12 在卢旺达、葡萄牙、斯里兰卡等地设有转播台，另在阿尔巴尼亚、阿富汗、卢旺达、孟加拉、马其顿、塞尔维亚、新加坡等国用调频/中波广播，并通过阿斯特拉卫星、尼罗河卫星、亚洲卫星、泛美卫星、热鸟卫星等12颗卫星传送节目。节目进入因特网。	123个	阿尔巴尼亚语（1小时30分）阿拉伯语（5小时）阿姆哈拉语（50分）白俄罗斯语（30分）保加利亚语（2小时）波兰语（30分）波斯语（2小时）波斯尼亚语（45分）达里语（1小时）德语（24小时）俄语（12小时30分）法语（3小时）汉语普通话（2小时40分）豪萨语（2小时30分）吉卜赛语（每周日播出30分）克罗地亚语（50分）罗马尼亚语（2小时）孟加拉语（1小时）马其顿语（1小时30分）普什图语（1小时）葡萄牙语（1小时）塞尔维亚语（1小时30分）斯瓦希里语（2小时50分）土耳其语（日均播出1小时26分）乌克兰语（30分）乌尔都语（1小时30分）印地语（1小时）印尼语（2小时）英语（15小时）多语混播（23小时53分）	
俄罗斯	俄罗斯之声	32	90小时34分	中波1200×4 1000×3 600×1 500×1 150×1 40×1 10×3 短波2000×2 1000×14 250×45 200×24 150×2 120×6 100×101 80×11 另用白俄罗斯、德国、塔吉克斯坦等国的调频发射设备广播，并通过欧洲通信卫星等共4颗卫星传送节目。节目进入因特网。	124个	阿尔巴尼亚语（1小时）阿拉伯语（5小时）保加利亚语（2小时）波兰语（1小时）波斯语（2小时）朝鲜语（3小时）达里语/普什图语（2小时）德语（7小时）俄语（22小时）法语（5小时）芬兰语（每周一至五各播出30分）汉语普通话（4小时）捷克语（45分）罗马尼亚语（1小时）蒙古语（每周一至六各播出1小时）孟加拉语（30分）挪威语（每周二、四各播出30分）葡萄牙语（1小时30分）日语（2小时）瑞典语（每周一、三、五各播出30分）塞尔维亚语（3小时）斯洛伐克语（30分）土耳其语（1小时）乌尔都语（2小时）西班牙语（2小时30分）希腊语（1小时）匈牙利语（45分）意大利语（1小时）印地语（1小时30分）英语（15小时）越南语（1小时）	
法国	法国国际广播电台	10	51小时30分	短波500×21 在法属圭亚那设有短波发射台（500×6），在阿富汗、加蓬、阿尔巴尼亚，几内亚比绍、牙买加、肯尼亚等数十个国家和地区使用调频广播；并通过阿斯特拉1H、热鸟4号、西班牙1C、帕拉帕C2、国际通信卫星801、新天7号等共10颗卫星传送节目。节目进入因特网。	61个	波斯语（1小时30分）俄语（2小时）法语（19小时）汉语普通话（4小时）老挝语（30分）葡萄牙语（2小时）西班牙语（3小时，其中包括特别节目30分）英语（5小时）越南语（2小时），另有气象报道（30分）；此外，蒙特卡罗电台每天对南非、中东和欧洲地区广播12小时阿拉伯语	
芬兰	芬兰广播电台	3	39小时44分	中波600（内外兼用）短波500×3 250×1 100×1 通过热鸟3号、亚洲2号、国际通信卫星10-02、雷鸟3号和天狼星3号共5颗卫星传送节目。节目进入因特网。	26个	俄语（日均播出3小时24分）芬兰语（24小时）芬兰语/瑞典语混播（日均播出8小时11分）瑞典语（日均播出4小时9分）	
荷兰	荷兰国际广播电台	4	37小时06分	短波500×4 100×1 在马达加斯加、荷属安的列斯群岛设有海外发射台，并通过其他一些国家的短波广播设备转播，以及通过阿斯特拉卫星、亚洲卫星、国际通信卫星、电星、澳普图斯卫星、泰星、泛美卫星共7颗卫星传送节目。节目进入因特网。	48个	荷兰语（15小时51分）西班牙语（6小时15分）印尼语（3小时54分）英语（11小时6分）	

续表

国家	台名（或呼号）	语言种数	日播时数	主要发射功率（千瓦）及传输方式	使用频率	使用语言（每天播出时数）	备注
捷克	布拉格广播电台	6	21小时21分	短波100×3 并用其他一些国家的短波设备转播，还通过阿斯特拉3A卫星传送节目。 节目进入因特网。	22个	德语（日均播出2小时19分）俄语（1小时48分）法语（2小时15分）捷克语（5小时24分）西班牙语（3小时36分）英语（日均播出5小时59分）	18
克罗地亚	克罗地亚（又名克罗地亚之声）广播电台	1种以上	43小时	中波600×1　100×1 50×1　10×2 短波100×1　10×10 并通过热鸟6号和新天卫星传送节目。 节目进入因特网。	11个	克罗地亚语（19小时）其他多种语言混播（24小时）	
立陶宛	维尔纽斯广播电台	2	3小时30分	中波500×1　150×1 100×1 短波100×1 节目进入因特网。	4个	立陶宛语（1小时30分）英语（2小时）	
罗马尼亚	罗马尼亚国际广播电台	12	34小时35分	中波400×1 短波250×6　120×2 100×1　50×1 并通过热鸟、欧洲通信和澳普图斯共3颗卫星传送节目。 节目进入因特网。	75个	阿拉伯语（1小时30分）阿罗蒙语（1小时30分）德语（2小时30分）俄语（2小时）法语（日均播出6小时9分）汉语普通话（1小时）罗马尼亚语（日均播出5小时26分）塞尔维亚语（1小时30分）西班牙语（4小时）乌克兰语（1小时30分）意大利语（1小时30分）英语（6小时）	
马其顿	马其顿广播电台	4	1小时44分	中波1200×1 节目进入因特网。	1个	阿尔巴尼亚语（日均播出26分）保加利亚语（日均播出26分）希腊语（日均播出26分）塞尔维亚语（日均播出26分）	
葡萄牙	葡萄牙国际广播电台	1	21小时	短波300×4　100×4 并使用德国之声在当地的转播台设备以及通过热鸟4号、亚洲2号卫星等6颗卫星传送节目。 节目进入因特网。	24个	葡萄牙语（日均播出21小时）	
瑞典	瑞典国际广播电台	10	22小时38分	中波600×1 短波500×3　10×1 并通过泰星和天狼星2号传送节目。 节目进入因特网。	20个	阿拉伯语（每周六播出30分）亚述语（每周四、五各播出30分）白俄罗斯语（30分，每周播出4次）波斯语（每周一、二、三各播出30分）德语（日均播出1小时26分）俄语（日均播出3小时26分）吉卜赛语（每周六播出2小时）库尔德语（每周六播出30分）瑞典语（日均播出11小时59分）英语（日均播出4小时43分）	
塞尔维亚	塞尔维亚国际广播电台	12	5小时06分	通过塞尔维亚广播电视台的设备播出。 节目进入因特网。	1个	阿尔巴尼亚语（15分）阿拉伯语（6分）德语（30分）俄语（30分）法语（30分）汉语普通话（15分）意大利语（30分）塞尔维亚语（1小时）西班牙语（30分）希腊语（15分）匈牙利语（15分）英语（30分）	
塞浦路斯	塞浦路斯广播公司	1	日均13分	使用BBC在当地转播台的短波发射设备传送节目 短波300×8　250×2 并通过希腊2号卫星传输节目。	3个	希腊语（每周五、六、日各播出30分）	
斯洛伐克	斯洛伐克广播电台	6	10小时30分	短波250×4 节目进入因特网。	14个	德语（2小时）俄语（1小时30分）法语（1小时30分）斯洛伐克语（2小时）西班牙语（1小时30分）英语（2小时）	
乌克兰	乌克兰国际广播电台	3	27小时	中波1200×1　1000×1 30×1　5×2 短波1200×2　1000×4 250×2　100×9 节目进入因特网。	5个	德语（3小时）乌克兰语（20小时）英语（4小时）	

续表

国家	台名（或呼号）	语言种数	日播时数	主要发射功率（千瓦）及传输方式	使用频率	使用语言（每天播出时数）	备注
西班牙	西班牙对外广播电台	6	33小时25分	短波350×6 250×2 并通过亚洲卫星、西班牙卫星、热鸟卫星等共5颗卫星传送节目。 节目进入因特网。	43个	阿拉伯语（日均播出4小时）俄语（日均播出21分）法语（日均播出2小时51分）塞法尔迪语（30分，每周播出3次）西班牙语（24小时）英语（日均播出2小时）	
希腊	希腊之声	2	24小时29分	短波250×5 100×1 并通过电星12传送节目。 节目进入因特网。	5个	英语（日均播出29分）希腊语（24小时）	
匈牙利	布达佩斯广播电台	7	24小时08分	短波250×2 100×2 并通过热鸟卫星传送节目。 节目进入因特网。	15个	德语（日均播出1小时17分）俄语（日均播出1小时4分）法语（1小时）西班牙语（1小时）匈牙利语（日均播出16小时43分）意大利语（1小时）英语（日均播出2小时4分）	
意大利	意大利国际广播电台	27	30小时49分	中波600×1 120×1 100×1 20×1 短波100×6 60×1 另使用其他一些国家的短波设备转播，并通过亚洲卫星、欧洲通信卫星、泛美卫星、热鸟卫星等9颗卫星传送节目。 节目进入因特网。	52个	阿尔巴尼亚语（20分）阿拉伯语（1小时50分）阿姆哈拉语（20分）保加利亚语（20分）波兰语（35分）丹麦语（20分，每周3次）德语（40分）俄语（1小时20分）法语（1小时5分）捷克语（35分）克罗地亚语（20分）立陶宛语（20分）罗马尼亚语（40分）葡萄牙语（35分）瑞典语（20分每周3次）塞尔维亚语（20分）世界语（每周六播出20分）斯洛伐克语（30分）斯洛文尼亚语（15分）索马里语（40分）土耳其语（20分）乌克兰语（20分）西班牙语（1小时）希腊语（20分）匈牙利语（20分）意大利语（日均播出15小时43分）英语（1小时40分）	
英国	英国广播公司世界电台	30	112小时26分	中波500×1 短波500×10 300×10 250×17 海外发射台设在塞浦路斯、阿曼、塞舌尔、阿森松岛、斯里兰卡、新加坡和泰国等地；另在阿富汗、阿塞拜疆、孟加拉、布隆迪、喀麦隆、斐济、加纳、肯尼亚、匈牙利、牙买加、阿联酋、瓦努阿图、苏丹、坦桑尼亚等100多个国家进行调频/中波播出，并通过阿拉伯卫星、非洲卫星、亚洲卫星、热鸟卫星、国际通信卫星、欧洲通信卫星等19颗卫星传送节目。 节目进入因特网。	184个	阿尔巴尼亚语（日均播出2小时51分）阿拉伯语（19小时）阿泽利语（30分）波斯语（日均播出6小时43分）达里语（4小时45分）俄语（日均播出11小时4分）法语（2小时30分）豪萨语（1小时30分）卢旺达语/隆达语（30分）汉语普通话（6小时）罗马尼亚语（日均播出2小时）孟加拉语（1小时30分）缅甸语（日均播出1小时21分）尼泊尔语（30分）普什图语（4小时45分）葡萄牙语（日均播出1小时4分）僧伽罗语（30分）斯瓦希里语（日均播出2小时31分）索马里语（2小时30分）塔吉克语（45分）泰米尔语（30分）土耳其语（日均播出1小时21分）乌尔都语（2小时）乌克兰语（日均播出3小时16分）乌兹别克语（2小时）西班牙语（1小时）印地语（2小时30分）印尼语（2小时）英语（24小时）越南语（1小时）	

非洲地区

国家	台名（或呼号）	语言种数	日播时数	主要发射功率（千瓦）及传输方式	使用频率	使用语言（每天播出时数）	备注
埃及	开罗广播电台	20	57小时45分	短波500 × 5 250 × 9 100 × 13 节目进入因特网。	26个	阿尔巴尼亚语（1小时）阿法尔语（1小时）阿拉伯语（21小时30分）阿姆哈拉语（1小时30分）波斯语（2小时）德语（1小时）俄语（1小时）法语（2小时30分）豪萨语（3小时）普什图语（1小时30分）葡萄牙语（1小时15分）斯瓦希里语（2小时）索马里语（30分）土耳其语（2小时）乌尔都语（2小时）乌兹别克语（1小时）西班牙语（1小时15分）意大利语（1小时）印尼语（1小时30分）英语（9小时15分）	
安哥拉	安哥拉 国家广播电台	2	2小时	中波 25 × 1 短波100 × 2　50 × 1　5 × 1 节目进入因特网。	2个	法语（1小时）英语（1小时）	
埃塞俄比亚	埃塞俄比亚 广播电台	5	5小时	短波100 × 3 节目进入因特网。	2个	阿法尔语（1小时）阿拉伯语（1小时）法语（1小时）索马里语（1小时）英语（1小时）	
利比亚	非洲之声	5种以上	27小时	短波500 × 9　100 × 19 10 × 5 另由法国广播发射设施传送，并通过亚洲卫星、西班牙卫星和大西洋飞鸟卫星传送节目。 节目进入因特网。	13个	阿拉伯语（7小时）阿拉伯语/其他语言混播（11小时）法语（2小时）豪萨语（3小时）斯瓦希里语（2小时）英语（2小时）	
摩洛哥	摩洛哥 广播电台	1	20小时	通过阿拉伯卫星、阿斯特拉卫星、热鸟卫星和欧洲通信卫星等共6颗卫星传送节目。 节目进入因特网。	5个	阿拉伯语（20小时）	
尼日利亚	尼日利亚之声	8	18小时05分	短波250 × 3 节目进入因特网。	2个	阿拉伯语（30分）法语（2小时）福尔福德语（1小时）豪萨语（2小时）斯瓦希里语（30分）伊格博语（30分）英语（11小时5分）约鲁巴语（30分）	
南非	南非广播电台	6	21小时	短波500 × 3　250 × 8 100 × 10 并通过泛美卫星传送节目。 节目进入因特网。	11个	法语（2小时）罗济语（2小时）尼昂加语（2小时）葡萄牙语（1小时）斯瓦希里语（2小时）英语（12小时）	
突尼斯	突尼斯 国际广播电台	1	15小时10分	中波200 × 1 短波500 × 2　100 × 3 并通过阿拉伯卫星、热鸟卫星、国际通信卫星和欧洲通信卫星共5颗卫星传送节目。 节目进入因特网。	5个	阿拉伯语（15小时10分）	

美洲地区

国家	台名（或呼号）	语言种数	日播时数	主要发射功率（千瓦）及传输方式	使用频率	使用语言（每天播出时数）	备注
阿根廷	阿根廷 国际广播电台	7	13小时01分	短波100 × 1　50 × 2 节目进入因特网。	4个	德语（日均播出43分）法语（日均播出1小时26分）葡萄牙语（日均播出1小时26分）日语（日均播出1小时26分）西班牙语（日均播出5小时51分）意大利语（日均播出43分）英语（日均播出1小时26分）	

续表

国家	台名（或呼号）	语言	日播	主要发射功率（千瓦）及	使用	使用语言（每天播出时数）	备注
古巴	哈瓦那广播电台	9	28小时47分	短波250×4 100×6 50×1 并通过热鸟卫星传送节目。 节目进入因特网。	17个	阿拉伯语（30分）法语（3小时30分）瓜拉尼语（1小时）克里奥尔语（2小时）葡萄牙语（2小时）世界语（每周日播出4次共2小时）西班牙语（11小时）英语（8小时）盖丘亚语（30分）	
加拿大	加拿大国际广播电台	7	29小时52分	短波250×6 100×3 并通过国际通信卫星、亚洲卫星、热鸟卫星和电星传送节目。 节目进入因特网。		51个　阿拉伯语（2小时57分）俄语（58分）法语（8小时55分）汉语普通话（2小时56分）葡萄牙语（日均播出1小时15分）西班牙语（3小时56分）英语（8小时55分）	
美国	美国之音	35	96小时12分	在本土以及泰国、吉布提、北马里亚纳岛、斯里兰卡、博茨瓦纳、德国、科威特、摩洛哥、菲律宾、圣多美等地设转播台，发射设备约略共计 中波1000×2 600×4 150×1 100×1 短波500×38 250×34 100×32 50×9 并在阿富汗、阿尔巴尼亚、哈萨克斯坦、巴林、孟加拉、加蓬、加纳、塞浦路斯、伊拉克、以色列、肯尼亚、科威特、卡塔尔、阿联酋、塞尔维亚、亚美尼亚等数十个国家进行调频/中波广播；还通过亚洲卫星、热鸟卫星、国际通信卫星、新天卫星和电星共5颗卫星传送节目。 节目进入因特网。	189个	阿尔巴尼亚语（1小时30分）阿姆哈拉语（1小时）阿泽利语（30分）奥洛摩语（每周一至五各播出30分）波斯语（5小时）朝鲜语（3小时30分）俄语（3小时）法语（日均播出3小时13分）格鲁吉亚语（30分）豪萨语（日均播出1小时51分）汉语广州话（2小时）汉语普通话（12小时）柬埔寨语（1小时30分）克里奥尔语（日均播出1小时21分）克罗地亚语（45分）库尔德语（5小时）老挝语（30分）卢旺达语/隆达语（日均播出1小时4分）孟加拉语（1小时30分）缅甸语（1小时30分）葡萄牙语（日均播出1小时51分）塞尔维亚语（日均播出1小时6分）斯瓦希里语（日均播出51分）泰语（日均播出51分）提格雷尼亚语（每周一至五各播出30分）土耳其语（日均播出54分）乌克兰语（日均播出47分）乌兹别克语（30分）西班牙语（3小时）印地语（1小时）印尼语（日均播出4小时56分）英语（24小时，包括对各地区的特别英语节目）越南语（2小时30分）藏语（4小时） 此外，2006年9月29日开办了一套专门对阿富汗、巴基斯坦边界居民广播的普什图语节目（2小时）	
	马蒂广播电台	1	24小时	由空载发射机及通过佛罗里达海岸发射台用50千瓦调频发射机一架发送节目；还通过西班牙卫星和新天卫星传送节目。 节目进入因特网。	12个	西班牙语（24小时）	
	自由亚洲广播电台	9	36小时	租用俄罗斯、亚美尼亚、哈萨克斯坦、塔吉克斯坦、蒙古等国的中、短波发射机和美国国际广播局在德国、斯里兰卡的转播台进行短波发射；并通过欧洲通信卫星传送节目。 节目进入因特网。	84个	朝鲜语（4小时）汉语广州话（2小时）汉语普通话（12小时）柬埔寨语（2小时）老挝语（2小时）缅甸语（2小时）维吾尔语（2小时）越南语（2小时）藏语（8小时）	
	自由欧洲/自由电台（台址设在布拉格）	14	70小时13分	用美国国际广播局设备，使用中波、短波传送。 并通过亚洲卫星、热鸟卫星、国际通信卫星和新天卫星传送节目。 节目进入因特网。	62个	阿瓦尔语（40分）白俄罗斯语（8小时）车臣语（40分）切尔克斯语（40分）鞑靼语/巴什基尔语（4小时）达里语（6小时）俄语（20小时）哈萨克语（6小时）罗马尼亚语（日均播出1小时13分）普什图语（6小时）塔吉克语（6小时）土库曼语（6小时）乌兹别克语（5小时）	

续表

国家	台名（或呼号）	语言种数	日播时数	主要发射功率（千瓦）及传输方式	使用频率	使用语言（每天播出时数）	备注
	明日广播电台（广播节目由自由欧洲/自由电台负责）	1	24小时	用美国国际广播局设备传送，并通过阿拉伯卫星、热鸟卫星、亚洲卫星等9颗卫星及调频传送节目。节目进入因特网。	22个	波斯语（24小时）	美国广播管理委员会（BBG）于2002年12月开办，专门对伊朗广播。
	自由阿富汗广播电台（广播节目由自由欧洲/自由电台和美国之音的达里语、普什图语部负责）	2	12小时	用美国国际广播局设备传送，并通过热鸟卫星和亚洲卫星传送节目。节目进入因特网。	7个	达里语（6小时）普什图语（6小时）	美国广播管理委员会于2001年1月开办，专门对阿富汗广播。
	自由伊拉克广播电台（节目由自由欧洲/自由电台负责）	1	8小时	用美国国际广播局设备传送，并通过热鸟卫星和亚洲卫星传送节目。节目进入因特网。	1个	阿拉伯语（8小时）	美国广播管理委员会于1998年10月开办，专门对伊拉克广播。
	萨瓦广播电台（又称中东广播网，主要对象为阿拉伯青年听众）	1	24小时	用卫星、中波、调频播出，并通过阿拉伯卫星、热鸟卫星等5颗卫星传送节目。节目进入因特网。	4个	阿拉伯语（24小时）	美国广播管理委员会于2002年3月开办，专门以中东和北非的阿拉伯青年为对象。
	阿什那广播电台（节目由美国之音制作）	2	8小时	用美国国际广播局设备传送。节目进入因特网。	8个		达里语（4小时）普什图语（4小时）美国广播管理委员会于2004年4月开办，专门对阿富汗广播。
	"您的世界"广播电台（节目由美国之音制作）	1	12小时	用美国国际广播局设备传送。节目进入因特网。	7个	乌尔都语（12小时）	美国广播管理委员会于2004年5月开办，现专门对巴基斯坦广播。
	第7广播电台（节目由美国之音制作）	3	1小时03分	用美国国际广播局设备传送。节目进入因特网	4个	恩德别列语（每周一至五各播出30分）绍纳语（每周一至五各播出30分）英语（每周一至五各播出30分）	美国广播管理委员会于2003年4月开办，专门对津巴布韦广播。
委内瑞拉	委内瑞拉国家广播电台	1	6小时34分	使用古巴的短波发射设备传送节目。节目进入因特网。	10个	西班牙语（日均播出6小时34分）	

附1.

	台名（或呼号）	语言种数	日播时数	主要发射功率（千瓦）及传输方式	使用频率	使用语言（每天播出时数）	备注
联合国	联合国广播电台	3	33分	使用南非、英国和阿森松岛发射设备播出节目。节目进入因特网。	5个	阿拉伯语（每周一至五各播出15分）法语（每周一至五各播出15分）英语（每周一至五各播出15分）	

世界广电传媒近期发展态势

近年来，经济全球化和快速前进的新兴信息技术为世界广播电视传媒带来了深刻变革，使之呈现出新的发展态势。

一、数字化进程稳步前行

当前，广播电视数字化已是全世界范围内不可逆转的潮流，各国政府都在努力推进本国广播电视的数字化进程。

1．数字电视进入规模转换阶段

2006年，全球数字电视用户已达到2.2亿，数字电视平均普及率达20%。其中，英国数字电视（包括数字地面电视、数字有线电视和数字卫星电视）已覆盖全国2040万户家庭，普及率达到全国家庭的80.5%，位居全球首位；数字电视普及率第二位的是日本，为71%；美国第三，普及率为53%。排名第四到第七位的国家依次是瑞士（49%）、意大利（48%）、法国（41%）和德国（30%）。

在电视数字化的进程中，起步早、发展快的数字卫星和有线电视仍呈强劲势头，如美国的两大数字卫星电视经营商——卫星直播公司（DirecTV US）和艾科斯塔公司（EchoStar），其订户在2006年9月合计已达2844万，基本已经占到美国电视用户总数的25.3%；数字有线电视订户到2006年底已达到3260万户。英国的免费数字卫星电视台Freeview的家庭订户已上升到840万户，其成功经验不仅引起欧洲国家，也引起世界许多国家的关注。此外，英国的BSkyB和日本的Sky PerfecTV也已成为世界上的主要数字卫星电视经营商。它们的订户分别为817.6万（截至2006年7月30日）和412.67万（截至2006年11月底）。法国的Canal Satellite公司和韩国的SkyLife公司近年来也进入发展快速、运营成功的数字卫星电视运营商之列。据预测，到2010年，欧洲数字有线电视的订户数量将升至3800万户。

数字地面电视是电视全数字化的关键。经过多年的探索，现在相当一部分国家已经启动或正在进行由模拟电视向数字电视全面转换的程序，各国政府的推动力度明显加大，包括政策法规的拟定、资金补贴及大力开展社会宣传以提高民众认同度等。据不完全估计，在未来两三年到七八年间，世界上约四五十个或更多国家将完成模拟电视的全数字转换。目前，荷兰与卢森堡已于2006年先后完成了这一转换，成为世界上第一批数字电视国家。安道尔、瑞典、瑞士、捷克、丹麦、德国、奥地利、挪威、葡萄牙、西班牙、美国等国计划在2010年之前停止模拟电视，进行全数字电视播放。据世界性的数字电视组织公布的不完全统计信息，现在世界上已开办或即将开办数字地面电视的国家有加拿大、阿尔巴尼亚、克罗地亚、比利时、爱沙尼亚、俄罗斯、沙特阿拉伯、乌克兰、爱尔兰等约40个国家，其中阿尔巴尼亚、安道尔、克罗地亚、比利时、奥地利、爱沙尼亚、法国、德国、希腊、摩洛哥、日本、美国等国家的地面数字电视人口覆盖率均已达到或超过50%。越南、匈牙利、冰岛、伊朗、老挝、新西兰、波兰等近30个国家已确定了数字电视技术标准并进入了试播阶段，还有一些国家尚未确定采用何种数字电视技术标准。

2．数字广播逐步推开

数字广播在全球已日益普遍。据世界数字广播论坛组织的调查和预测，目前，全世界约有4.75亿人可以接收到1000多套DAB节目；数字广播（DAB）接收机从1998年开始上市，现在全世界已有200多种品牌，约500万台上市出售；到2012年，全球数字广播接收机将达到1.45亿台，其中欧洲、中东和亚洲地区将拥有1.1亿台，占全球市场的75%。

截至2007年第一季度，数字广播覆盖达到全国35%以上人口的国家依次是：

国　别	覆盖人口	统计时间
新加坡	100%	2003.6.30
比利时	98%	2004.1.23
马耳他	95%	2006
丹麦	90%	2004.3.22
以色列	85%	2004.3.5
英国	85%	2006
德国	85%	2006
瑞士	80%	2007年初
葡萄牙	75%	2004.2.11
挪威	70%	2005
韩国	52%	2006
西班牙	50%	2003.1.23
荷兰	50%	2005
意大利	45%	2004.3.12
芬兰	40%	2004.1.26
瑞典	35%	2004.2.11
加拿大	35%	2004.2.9

此外，法国、奥地利、澳大利亚、爱尔兰、克罗地亚、匈牙利、爱沙尼亚、立陶宛、捷克、波兰、土耳其、印度、南非等国的数字广播仍在继续扩大人口覆盖范围；希腊、科威特、印度尼西亚、马来西亚、墨西哥、摩纳哥、新西兰、斯洛伐克、斯洛文尼亚等国从2005或2006年也都加入到广播数字化行列中，先后开始了数字广播或数字广播试验。

二、新兴传输平台蓬勃发展

伴随数字广播电视的发展，多种新型传输平台不断涌现并进展迅速，如高清电视、IP电视、移动车载电视、手机电视（DVB−H）、宽带电视、个性电视以及有线业的“三合一服务”等，在不少发达国家已得到长足发展，并呈现令人鼓舞的发展前景。

高清电视。高清电视近年的发展令人瞩目。2005年底，西欧、北美和亚太地区共开办有67个高清晰度电视台（频道），高清晰度电视家庭共有3400万，占所有电视家庭（7.19亿户）的4%。据预测，到2010年，这些地区的高清晰度电视家庭可达到1.05亿户，占所有电视家庭的13%；高清晰度电视台（频道）将达到210个。届时，高清晰度电视将为全球带来13亿美元的收益；直接入户卫星电视（DTH）、数字有线电视、IP电视（IPTV）和数字地面电视（DTT）将成为高清晰度电视广泛传输及其接收机数量快速增加的有力平台。

手机电视（DVB−H）。手机电视（DVB−H）作为新兴业务的核心增长点，在各国受到大力推动，2006年更呈现快速发展的态势。目前，全球34个国家开办有47个DVB−H手机电视试验服务。意大利是全球第一个推出DVB−H标准的商用手机电视的国家（2006年5月），其首家开办商用手机电视服务的公司现已拥有25万用户。其后芬兰和英国也相继开办了商业性手机电视服务。据专业咨询机构Strategy Analytis预测，到2011年，意大利的手机电视用户数量将到达600万，市场规模将达到近4.7亿欧元。美国的手机电视产业在2005年已取得约4750万美元的收入，用户约达120万户，并走向国际市场。现在除上述几国外，在2006年或2007年开始进行DVB−H手机电视试验的还有奥地利、丹麦、法国、德国、荷兰、葡萄牙、西班牙、瑞典、瑞士、爱尔兰、阿尔巴尼亚、匈牙利、俄罗斯、澳大利亚、新加坡、马来西亚、越南、菲律宾、印度、卡塔尔、乌拉圭等国家。

DMB数字移动多媒体服务。以数字音频技术为基础的DMB数字移动多媒体服务同样得到市场青睐。据2007年6月19日worldDMB报道，目前全世界已有约400万台DMB接收机出售，品牌多达150多种。据一些市场调查咨询机构预测，到2010年，全世界DMB数字移动多媒体服务的用户将达到1.248亿人，DMB手机的数量将从2005年的13万部上升到2010年的8350万部。

韩国于2005年5月1日首家正式推出商业性DMB-S数字移动多媒体服务，向用户提供音乐、电视剧、体育、游戏、新闻、教育和电影等7个视频频道、20个音频频道，通过4800个地面中继发射机覆盖信号难以到达的区域、地铁和建筑物等。播出后2周内，用户数达到2万，平均每天新增1500人；3个月后，用户数突破10万。到2005年底，用户已达30多万。据韩国电子与电信研究所预计，到2010年DMB-S的用户将达到430万，而DMB-T的用户可能达到1000万以上。目前，欧洲电信标准协会已批准DMB标准用于欧洲移动多媒体内容和服务的传送。德国、法国、英国、西班牙、意大利、荷兰等国已经或准备进行DMB试验；新加坡、印度、巴西和墨西哥等国也接受了DMB标准。

IP电视。IPTV自2006年以来进入了快速发展期，目前在这一市场起着引领作用的是欧洲和亚洲。2006年，欧洲在全球的IPTV市场所占份额达到了51%（其中西欧为50%），亚洲占38%，北美占11%。非洲和拉美的IP电视发展滞后。2004年，全球IPTV市场收入仅为6亿美元，2007年预计可达到58亿美元，2008年前后将突破100亿美元，2010年达到153亿美元。2004年，全球IPTV用户190万，2006年达到了800万，2007年估计用户可达到1470万，2011年将突破1亿。

“三合一服务”。此外，有线业新涌现的“三合一服务”近年也日渐兴盛，如开办了此项服务的英国NTL Telewest公司、法国YPSO公司、西班牙Ono公司、德国KDG+Unity集团公司等都已垄断了本国市场。

三、媒体购并长盛不衰

近年来，市场化、大型化、全球化以及传播技术手段的复合化正在成为世界传媒业发展的显著特点。它们在广播电视传媒业的表现之一，那就是媒体集团不仅在本行业内部，而且以跨行业参股、兼并或是收购的方式急速扩张，形成巨型企业集团，强化其在市场领域的主控地位，以进行巨额资本、跨媒体、跨行业、跨地区经营。

上世纪90年代掀起的世界媒体兼并、购并高潮经过几年的相对平稳期，这一两年再次在欧美传媒界卷起新一轮巨澜。如2006年的美国时代华纳公司和康卡斯特公司联合收购美国第五大有线电视运营商阿德菲亚(Adelphia Communications Corp.)案，以美国西班牙语传媒运营商萨班资本集团（Saban Capital Group）为首的购并财团收购美国西班牙语广播公司Univision案，英国有线电视公司NTL购并英国Telewest Global公司案，美国Kohlberg Kravis Roberts(KKR)和英国Permira组成的并购财团成功地跨国收购德国Prosieben-Sat1的50.5%股权（包括88%的投票权股）案等。2007年除美国两大数字卫星广播公司46亿美元的购并案在业界颇引人注目外，自入夏以来，还有两大购并事件引起全球瞩目：一是传媒大亨默多克手下的新闻集团于8月1日宣布以50亿美元的总价收购拥有《华尔街日报》等知名媒体的道琼斯公司，并已于8月28日得到了美国联邦贸易委员会的批准；一是加拿大的汤姆森金融公司于5月宣称将斥资172亿美元收购著名媒体英国的路透社，从而创造出全球最大的金融信息服务提供商。

这种跨媒体、跨行业兼并与购并的动因，一方面是由于当前世界广电产业结构的调整、市场格局的剧烈变化，另一方面是和广电产业日益成为信息社会支柱产业，利润巨大、前景光明密不可分的。广播电视指日可待的数字化以及新媒体的兴旺发达与远大前景，促使广播电视产业得到快速增长，显示出强大的发展势头。据普华永道公司《全球娱乐与媒介展望2007》预测，就全球电视业来说，到2011年，美国的市场规模将从2006年的622亿美元增加到854亿美元，年均复合增长率达6.5%，依然占据全球头把交椅；拉丁美洲将从2006年的79亿美元增加到121亿美元，成为全球发展最快的市场；欧洲、中东、非洲和亚太市场的高清电视、数字录像和多媒体平台的发展到2010年也将吸引大量广告。全球电视传输产业（包括有线、卫星、计次点播电视、电话及其他多媒体传输服务）将从2006年的1606亿美元增加到2011年的2507亿美元，年均复合增长率为9.3%；其中美国将从2006年的946亿美元增加到2010年的1233亿美元，亚太地区、拉美地区和欧洲、中东、非洲地区的电视传输产业年均复合增长率都高出全球的数字，分别达到18.1%、14.5%和12.3%，美国和加拿大分别为5.4%和5.7%。就全球广播业（包括户外广告）来说，欧洲、中东、非洲地区的收入将从2006年的249亿美元增加到2011年的301亿美元；在美国，车载移动广播和多媒体广播将极大地促进卫星广播订户和卫星广播平台广告收入的增长；在亚洲地区，数字广播的发展将大大增加广播广告的收入。

这种跨媒体、跨行业的兼并与购并显示，在高新技术迅猛发展，新市场、新领域层出不穷的背景下，广电传媒正不断地由单一媒体、单一经营走向多种媒体、多元经营，集广播、电视、有线、网络、出版、通信、电影、娱乐及其他新媒介于一体，在经营资本和规模上也在不断趋向形成巨无霸式的传媒航母，其目的是从资金、技术等各个方面做好充分准备，以应对世界传媒产业的巨大变化和信息技术的突飞猛进所带来的冲击和挑战，占领和垄断新兴市场。而众多媒体巨鳄的出现，打乱了原有的广电传媒市场格局，加剧了新兴媒体市场的争夺与竞争，世界广电传媒市场的垄断趋向开始增强，跨媒体、跨行业、跨地区经营已形成潮流。

四、监管体系普遍调整

面对广播电视业一系列全方位的新变化，各国政府于近年来纷纷根据本国广播电视的发展现状而修改、调整法规政策和监管机制，以应对数字化时代带来的诸多变化，给广播电视在未来数字化时代的健康有序快速发展铺平道路。

在修改政策法规方面，各国虽然有所不同，但大致不出三个方面：一是应对新传播技术的迅猛发展，修订、补充广播电视法规或出台相应新法规。如美国、加拿大、英国、德国、意大利、澳大利亚、芬兰等国家对新媒体、数字广播电视的管理、频率的发放等都制定了新的规则。二是加强内容质量监管、确保公众利益。如英国2006年2月公布的关于公共电视质量的报告中，提出了强化公共电视质量的一系列改革措施；2006年3月公布的政府白皮书，对英国广播电视，主要是公共广播电视在数字时代的职责、经营模式以及监管框架等作出了规划，特别是提出建立数字时代的新型公共广播服务系统——公共服务发行商（Public Service Publisher)，要求它通过一系列新型运作机制为公众提供多样化的公共广播电视内容。美国于2006

年制定了《广播电视品位维护法》，严格了广播电视内容传播的标准和对不良内容的惩罚力度。三是对传输与内容市场的整合加强管理。如欧盟于2006年6月公布了《关于电子通信管理框架的评估报告》，部分修改了频率政策、电子通信服务管理政策等；并对1989年制定的《电视无国界指导方针》进行了修改，以建立将广播电视、IPTV、流媒体、在线广播等线性视听服务与视频点播等非线性视听服务区别对待的监管框架。此外，美国、加拿大、英国、法国、德国、意大利、澳大利亚、韩国、日本、欧盟等国家和区域性组织还纷纷修改了有关反垄断的法律规定，限制媒介市场的过快集中和过度垄断，防止国外资本对本国广电媒介的控制，并促进本国内容产业的发展，确保市场竞争有序进行。

在监管机制方面，几年来的一个明显趋向是相当多的国家为适应当前世界广播电视的巨大变化而实施"大机构"综合管理，以大幅度简化行政管理框架，减少监管机构与职能的重叠，对电信与传媒产业更好地进行跨行业的均衡管理，确保公众选择各种服务的权利。如英国在2003年根据新的《英国通信法》，重组了新的电信与广电监管机构——通信办公室(Ofcom)，形成了新的监管体系和协调监管机制；2005年英国政府对英国广播公司的管理框架也进行了改革，取消了原英国广播公司理事会和执行委员会，组建英国广播公司托管委员会(BBC Trust)和新的执行委员会，以使监管与运营两种职能互相分离、互相独立。美国为进行跨行业监管，早在2002年3月即对联邦通信委员会进行了机构调整，同时建立起了由联邦通信委员会、司法部反托拉斯局、联邦交易委员会等部门共同构成的监管、制衡机制。韩国于2000年3月重新组建了韩国广播电视委员会（KBC），作为处理所有与广播电视有关事务及管理以前未纳入法律体系的互联网内容的一揽子机构，并且于2006年7月成立了广播电视?通信融合委员会，对广播电视与通信两个系统监管机构之间的关系以及IPTV、数字电视、数字内容产业发展等重大问题进行政策研究。澳大利亚于2005年7月1日将原澳大利亚通信局（ACA）和澳大利亚广播局（ABA）正式合并，成立澳大利亚通信媒体局（ACMA）。新加坡也将新加坡广播管理局、影片和刊物局同新加坡电影委员会合并为新加坡媒体发展管理局，以更好地协调对媒体业的管理，并推动媒体业的长期发展。

随着数字化时代的来临，各国广播电视的监管体制和政策还将为适应新的变化而不断调整，从中近期看，各国广播电视监管体系的改革将集中于调整通信政策与广播电视政策，构建新的特别是内容的监管体制机制，制定新的公共服务政策、产业发展政策、市场竞争政策、有效限制市场的过度垄断等。

五、内容传播呈现多种新趋向

多形态趋向加强。新技术发展的趋势表明，各种媒介间的传统壁垒已经消失，不同平台之间正呈现出互补关系。因此越来越多的广播电视机构，特别是大的媒体集团，都已搭建了包括广播、电视、网络、有线、卫星及多种新媒体平台，因此，节目的传播形态由原来的单一样式趋于多种样式，既在广播网或电视网播出，也以文字、音频与视频相结合的形态出现在网站上；既在模拟电视频道播出，也在数字频道播出；既在免费的有线电视频道上播出，又在互动点播电视频道上供订户选看；既在传统媒体上播出，也在手机等移动载体上供受众收阅。如德国之声近年一直在实施"多平台战略"，即向短波、中波、调频广播平台，卫星、有线、地面电视平台，数字广播电视平台和包括互联网、音视频播客服务、点播服务、MP3以及一切以IP技术为基础的、用于移动装置上的新兴平台全方位出击。又如英国广播公司专门对拉丁美洲广播的西班牙语蒙多电台2007年通过阿根廷贝尔格拉诺大学FM 90.9调频电台和美国直播电视台975频道，将其对拉美的调频广播覆盖范围由阿根廷扩大到了玻利维亚、智利、哥伦比亚、巴拉圭、秘鲁、乌拉圭和委内瑞拉，基本覆盖了全拉丁美洲的听众，并且成为了一个多平台传播的媒体，即不仅使用短波、中波、调频，还用互联网、卫星与有线电视和播客进行传播。

多文化合作趋向加强。新世纪，由于信息的全球化传播越来越普遍，不同文化间进行双边或多边广播广播电视合作以利于内容传播，也是当前的明显趋向。如BBC近5年来在印度、柬埔寨、尼日利亚、埃及、缅甸、尼泊尔、柬埔寨、南非、索马里、苏丹、埃塞俄比亚、加纳、尼日尔等约30多个国家开展联合项目，共同制作节目，以此增强内容的亲和力和贴近性。印度的艾滋病人位居世界第二、仅次于南非，BBC即与印度国家广播电台和电视台共同制作有关预防艾滋病等传染病及性卫生等知识的节目，包括制作一部交互式电视连续剧、一部"真人秀"旅游电视系列节目、一个广播热线节目和若干插播广告，播出时间总长为10个月，除印度国家电台和电视台外，还有1000多家印度电台、电视台播出了这些节目和广告。据尼尔森公司的调查，在印度北部5个邦，共有60%的目标受众收听、收看了节目，达5000多万人；有些电视节目的全国周收视人口甚至达到1.5亿。

本土化趋向加强。卫星、网络等新传播技术的迅速普及和广泛应用，使广播电视内容的跨文化传播已成为普遍现实。为最大程度地争取受众、占领市场，实施节目的本土化基本上已成为当前所有进行跨文化传播的广播电视媒体的共同策略。新闻集团、CNN、美国音乐电视网、BBC、德国之声电视台等世界级大媒体公司均以此方略进军全球各大地区。其主要方式是：根据对象地区或国家受众的需求与喜好，对节目模式、内容编排、形式、风格、语言直至采播主持人员等进行全方位的本土化包装，针对不同地区制作不同节目版本，并在当地或一定区域范围内设置信息采集、节目制作机构，充分利用当地的信息、文化、人力资源等等，使跨文化传播的广播电视节目越来越突出对象地区或国家当地的本土色彩。如美国之音中东广播电视公司聘用当地专业人士担任记者和编播、主持人员，使用阿拉伯语，利用当地节目资源，将原创节目进行富有阿拉伯民族特色的包装或改造，创建符合中东受众思维与接受习惯的节目模式。象其广播网的传播模式就是以中东地区5种阿拉伯方言播出最流行的音乐味引导，促使当地青年一代逐渐习惯接受美国新闻与时评等的内容。

普适化趋向加强。跨文化传播也使许多进行国际传播的广播电视机构在注重节目本土化的同时，日益注重节目中包含的世界共通的文化内核、多元文化的共同关注，即普适性。象环保、医疗、健康、教育、贫穷、妇女、儿童等世界普遍关注的问题，经常成为一些进行全球或地域性传播的广播电视机构在创制节目时的主题；对一些战乱频仍的国家，它们还增加难民救援、家园重建等主题。这些具有普适性主题的节目对不同文化的受众产生了强大和广泛的共同吸引力。像BBC在阿富汗、埃及、沙特阿拉伯、叙利亚和也门这些妇女平等、就业、教育等问题较为突出的国家，分别制作了《今日世界妇女》、《我的生活》等节目，以广播热线、论坛等互动形式探讨妇女健康、教育、工作、家庭、子女、烹调等问题以及音乐、文学等，同时使这些国家的妇女能够了解别国妇女的状况；用波斯语、普什图语、索马里语、尼泊尔语、葡萄牙语和阿泽利语制作了有关这些国家的难民儿童的谈话节目；用英语、豪萨语、伊格博语和约鲁巴语，以广播连续剧和讨论节目形式对非洲国家播出公共教育节目《声音》。美国对外广播电视机构近年也制作了多档针对贫穷国家的医疗健康节目，主题包括艾滋病、肺结核等疾病的防治知识，儿童营养及与养育知识，以及保健与现代医学进展等信息，满足当地受众需要，达到赢得受众的目的。

娱乐性趋向加强。数字技术和各种新平台的出现使广电频道数量和容量迅速增加，对于内容的需求因而急剧上升。从目前来看，填补这些内容空白的，除新闻、信息类节目是一大潮流外，则属娱乐性节目。据英国Ofcom对本国公众进行的一项以对数字电视认知度的调查，选择数字电视的受众最希望看的节目类型中以音乐、体育及电影、电视剧等其他娱乐性节目为最多。以BBC为例，它所开办的10套数字广播节目中有7套基本上是音乐、体育节目；它的8个数字电视频道中，除一个全新闻频道、两个儿童频道、一个议会频道、一个综合性频道外，有三个都是以电视剧、喜剧、音乐、电影、综艺、文化类节目为主的频道。据美国广播广告局（RAB）2006年的一项调查，美国最受欢迎的15类电台中，有13类是各种音乐电台，1类是体育电台，1类是新闻／谈话电台。

互动性趋向加强。新传播技术进一步改变了广播电视传统的单向传播方式，极大地增强了与受众的互动。数字广播电视、网络广播电视、手机广播电视、付费点播电视、个性录像机、宽带电视等等为开发和拓展广播电视与受众的互动提供了极其广阔的天地。据美国互动电视联盟称，目前在美国已有上百家公司开办或制作互动电视节目，其中不仅包括迪斯尼／美国广播公司、家庭影院公司、康卡斯特有线公司、美国在线、娱乐体育节目公司等著名媒体，还有大量不少其他通信、传媒集团；全国现共有5000多万家庭拥有互动电视机顶盒，可以接收不同层次的互动电视节目。英国已有70%以上的家庭可以接收游戏节目、进行电视或网上购物等互动服务。BBC现已开办了娱乐频道、新闻频道、体育频道和气候频道共4套互动电视节目，并在其儿童数字电视频道上开办了互动服务。其互动体育频道可在屏幕上打开2至5个小屏幕同时观看各场的比赛，尤以每年转播的温布尔登网球赛赢得的英国观众为最多，2005年该比赛的第一天就有约265万观众以互动方式收看。目前在英国位居第一的互动电视节目制作公司——双向电视公司（Two Way TV）2006年仅为英国独立电视网（ITV）就提供了500多小时的互动节目，并在澳大利亚和新西兰也开办了互动电视内容与技术服务。英国的BSkyB、NTL、Telewest等卫星—有线电视公司、英国电信（BT）等都开办了付费点播的电影、体育、图文、游戏等各种互动电视服务，吸引了大量订户。

（温飙）

中国人民大学新闻传播学博士论文篇目统计表（1988～2008）

序号	入学年份	专业名称	作者姓名	论文题目	导师	通过年份
1	1984.09	新闻学	童兵	马克思主义新闻思想奠基人——马克思恩格斯新闻思想研究	甘惜分	1988.01
2	1985.09	新闻学	刘建明	社会主义初级阶段的舆论形态	甘惜分	1988.06
3	1985.09	新闻学	尹韵公	明代的新闻传播事业	方汉奇	1988.07
4	1985.09	新闻学	郭镇之	中国电视史稿	方汉奇	1988.09
5	1986.09	新闻学	喻国明	中国新闻改革的现实动因和未来走向	甘惜分	1989.12
6	1989.10	新闻学	杨磊	中国报纸副刊史（解放前部分）	方汉奇	1992.04
8	1989.09	新闻学	胡太春	中国报业经营管理史稿	方汉奇	1993.04
9	1990.09	新闻学	蔡铭泽	中国国民党党报研究（1927-1949）	方汉奇	1993.04
10	1990.09	新闻学	颜建军	论第四产业的崛起	甘惜分	1993.04
11	1990.09	新闻学	季燕京	新闻哲学导论—关于新闻传播主体性问题的探索	甘惜分	1993.04
12	1990.09	新闻学	何庆良	先秦诸子传播思想研究	甘惜分	1993.06
13	1992.09	新闻学	董炜	当代新闻职业道德论纲	蓝鸿文	1995.05
14	1992.09	新闻学	王甫	视觉传播优势与电视新闻的崛起	甘惜分	1995.06
15	1994.09	新闻学	陈绚	新闻权力论	童兵	1996.03
16	1994.09	新闻学	展江	战时新闻传播诸论	童兵	1996.03
17	1993.09	新闻学	陈昌凤	二战以后的香港报业研究	方汉奇	1996.04
18	1993.09	新闻学	焦国标	人物新闻研究	蓝鸿文	1996.05
19	1993.09	新闻学	王锋	中国共产党创业时期新闻思想发展简论	甘惜分	1996.05
20	1993.09	新闻学	赵先权	论新闻传播的全球化策略	郑兴东	1996.05
21	1994.09	新闻学	刘燕南	台湾报业转型发生机制研究	甘惜分	1997.05
22	1994.09	新闻学	张功臣	外国记者与中国革命研究	蓝鸿文	1997.05
23	1994.09	新闻学	秦新春	电视新闻评论研究	郑兴东	1997.05
24	1995.09	新闻学	曹鹏	论报业集团——中国市场经济条件下报业发展研究	郑兴东	1998.04
25	1995.09	新闻学	程曼丽	中国历史上的第一份近代报纸——《蜜蜂华报》研究	方汉奇	1998.04
26	1995.09	新闻学	王献花	中美经济新闻异同及成因——《经济日报》与《华尔街日报》的比较	蓝鸿文	1998.04
27	1992.09	新闻学	宣增培	信息技术的进步对大众传播的——网络媒介发展趋势初论	甘惜分	1998.04
29	1995.09	新闻学	李彬	唐代文明与新闻传播	方汉奇	1998.05
31	1996.09	新闻学	胡正荣	广播电视媒介管理创新体系研究	成美	1999.04

续表

序号	入学年份	专业名称	作者姓名	论 文 题 目	导 师	通过年份
32	1996.09	新闻学	李 磊	《述报》研究——对近代国人第一批自办报刊的一个个案分析	方汉奇	1999.05
33	1996.09	新闻学	陆 地	中国电视产业发展战略研究	童 兵	1999.05
35	1996.09	新闻学	刘国基	整合营销传播系统研究	郑兴东	1999.05
36	1996.09	新闻学	刘舜发	中国电视与舆论监督研究	郑兴东	1999.11
37	1997.09	新闻学	刘 宏	论中国传媒的双重角色——舆论引导者和经济创收者	郑兴东	2000.03
38	1997.09	新闻传播学	蔡 雯	新闻传播的策略与组织——宏观新闻编辑研究	郑兴东	2000.03
39	1997.06	新闻学	王君超	媒介批评导论	郑兴东	2000.04
40	1997.09	新闻学	邓利平	负面新闻信息传播的多维视野	郑兴东	2000.04
41	1997.09	新闻学	杨雪梅	中国新闻思潮的源流	童 兵	2000.05
42	2002.09	新闻学	董 岩	新闻责任论	梁 衡	2000.05
43	1998.09	新闻学	杨保军	新闻事实论	童 兵	2000.09
44	2001.09	新闻学	刘林利	日本报刊媒体的中国报道研究	成 美	2000.10
45	1998.09	新闻学	柯达群	后殖民文化与中文报业煽情文化——90年代香港个案研究	童 兵	2000.11
46	1997.09	新闻学	付昌波	表达自由与参政权利的实现——新闻舆论监督的几个基本问题研究	童 兵	2001.01
47	1998.09	新闻学	王朝晖	新闻信息资源开发论	郑兴东	2001.03
48	1998.09	新闻学	屈小平	电视传播与社会互动研究	郑兴东	2001.04
49	1995.09	新闻学	陈 勇	电视广告传播效果的心理学研究	童 兵	2001.05
50	1998.09	新闻学	初广志	加入WTO中国新闻传播业的影响及对策研究	成 美	2001.05
51	1998.09	新闻学	傅 勇	中国证券信息传播研究	童 兵	2001.05
52	1996.09	新闻学	陈富清	江泽民舆论导向思想研究	郑兴东	2001.10
53	1998.09	新闻学	胡黎明	"焦点现象"研究	童 兵	2002.03
54	1999.09	新闻学	高金萍	全球化背景下中美新闻文化比较论	童 兵	2002.03
55	1999.09	新闻学	詹万里	论互联网新闻传播的自由与控制	童 兵	2002.03
56	1999.09	新闻学	郎劲松	中国新闻政策体系研究	童 兵	2002.03
57	1999.09	新闻学	裴延辉	当代西方传播集团经营管理战略透视	成 美	2002.04
58	1999.09	新闻学	宋素红	中国妇女报刊与女新闻工作者研究	方汉奇	2002.04
59	1999.09	新闻学	刘澜昌	香港一国两制下的新闻生态	成 美	2002.04
60	1999.09	传播学	唐 凌	全球化背景下的对话——对一种新的传播理念的探讨	喻国明	2002.05
61	1999.09	新闻传播学	赵彦华	媒介市场评价指标体系研究——理论、方法与应用	喻国明	2002.05
63	1999.09	新闻传播学	林 江	网络传播控制中的权利、冲突与控制——兼论美国网络传播控制模式	郑兴东	2002.05
64	1997.09	新闻学	饶立华	流亡者的报纸——《上海犹太纪事报》研究1943.7-1944.3	方汉奇	2002.11
65	2000.09	新闻学	张殿元	广告文化批评研究	童 兵	2003.03
67	2000.09	传播学	李 岚	电视产业的量化理论——从评估方法到评估体系	喻国明	2003.03
68	2000.09	传播学	韩运荣	传媒经济理论演进模式研究——以近二十年中国传媒经济理论的发展为例	喻国明	2003.03
69	2000.09	传播学	高贵武	大众传播的人际化与人际传播的大众化——主持传播研究	郑兴东	2003.03
70	2000.09	新闻传播学	张 志	中国广电事业政府规制改革研究	郑兴东	2003.03
71	2000.09	新闻学	仇东方	定格9.11——探析英国主流媒体的新闻理念和报道倾向	成 美	2003.04
72	2000.09	新闻学	史媛媛	清代前中期新闻传播史	方汉奇	2003.04
73	2000.09	传播学	丁汉青	广告流：理论与实证分析	喻国明	2003.04
74	2000.09	传播学	何海明	非完全市场化的媒介营销策略	喻国明	2003.05
75	2001.09	新闻学	盛希贵	影像传播论	成 美	2003.10
77	1999.09	新闻学	赵永华	在华俄文新闻传播活动史	方汉奇	2003.11
78	2001.09	传播学	王 海	反垄断背景下美国传媒的集中化研究	程曼丽	2004.03
79	2001.09	传播学	翁昌寿	出版国际化研究	程曼丽	2004.03
80	2001.09	传播学	刘小燕	中国政府形象传播研究	程曼丽	2004.03
81	2001.09	新闻学	赵曙光	电视消费主义研究	郭庆光	2004.03
82	2001.09	新闻学	陈新华	新时期中国新闻业发展动因研究	梁 衡	2004.03
83	2001.09	传播学	施清彬	报业运作与市场导向：香港近年报纸商业化问题之研究	喻国明	2004.03
84	2001.09	传播学	张小争	中国娱乐业与传媒业整合的研究	喻国明	2004.03
85	2001.09	新闻学	贾国飚	新闻框架研究——中国主流媒体新闻框架的一般性分析	蔡 雯	2004.04

续表

序号	入学年份	专业名称	作者姓名	论 文 题 目	导 师	通过年份
86	2001.09	新闻学	唐 宋	中国财经新闻报道研究	蔡 雯	2004.04
87	2001.09	新闻学	彭 兰	花环与荆棘——中国网络媒体的第一个十年	方汉奇	2004.04
88	2001.09	新闻学	宋 晖	中国记者职业群体的诞生与初步崛起（19世纪晚期–1927年）	方汉奇	2004.04
89	2001.09	传播学	禹建强	我国新闻媒体市场化的问题及对策研究	郑兴东	2004.04
90	1998.09	新闻学	余 勇	试论中国社会转型期新闻报道的价值取向	成 美	2004.10
91	2000.09	新闻学	陈彤旭	争夺与控制——20世纪的青年报刊史研究	方汉奇	2004.11
92	2001.09	传播学	徐瑞青	电视文化形态论——兼议消费社会的文化逻辑	喻国明	2004.11
93	2001.09	传播学	宋建武	中国报业法人治理结构及其变革问题研究	郑兴东	2004.12
94	1999.09	新闻学	雷海秋	中国行业报的历史衍变（1949–2004）	方汉奇	2005.04
95	2001.09	传播学	钟 新	危机传播研究——信息流及噪音分析	喻国明	2005.04
96	2002.09	新闻学	孙聚成	新闻传播与国家发展理论研究	成 美	2005.04
97	2002.09	新闻学	徐 利	中国近代社会变迁中的报刊改革（1860–1911）	方汉奇	2005.04
98	1996.09	新闻学	周小普	东方的微光 林中的响箭——中国电视新闻早年历史	方汉奇	2005.05
99	2000.09	新闻学	唐景莉	全球化新闻传播与大学德育创新研究	成 美	2005.05
100	2001.09	传播学	张晓辉	大众媒介变迁中隐私公开现象研究	郭庆光	2005.05
101	2002.09	新闻学	许向东	社会转型期弱势群体新闻报道研究	蔡 雯	2005.05
102	2002.09	新闻学	吴海荣	大众传媒新闻信息资源增值研究	蔡 雯	2005.05
103	2002.09	传播学	张洪忠	大众媒介公信力理论研究	喻国明	2005.05
104	2002.09	新闻学	汪 武	论媒介与社会主义	郑保卫	2005.05
105	2002.09	传播学	王淑军	公共危机管理中的媒体角色研究——SARS危机的启示	郑保卫	2005.05
106	2002.09	传播学	吴风华	以人文本：我国大众传播的新理念	郑兴东	2005.05
107	2002.09	传播学	张艳秋	信息社会媒介素养研究——兼论中国媒介教育的必要性与可行性	郭庆光	2005.05
108	1996.09	新闻学	张 征	新闻发现论	成 美	2005.06
109	2002.09	新闻学	傅 宁	中国近代儿童报刊的历史考察	方汉奇	2005.06
110	2002.09	传播学	勒 一	中国大众媒介公信力测评研究	喻国明	2005.06
111	2002.09	新闻学	杨立新	“左”倾错误时期的《人民日报》(1957年–1978年)	方汉奇	2005.09
112	2000.09	新闻学	冯 隽	新闻媒介论	童 兵	2005.10
113	1996.09	新闻学	涂光晋	时代之“声”——新时期中国新闻评论研究	方汉奇	2006.01
114	2000.09	新闻学	杜 婕	基于文化视角的奥运传播研究	程曼丽	2006.03
115	2002.09	传播学	崔慈芬	跨媒体新闻平台建构趋势之研究——以台湾地区东森媒体集团为例	郭庆光	2006.04
116	2003.09	新闻学	刘学义	转型时期媒体言论话语权实践的社会路径分析	蔡 雯	2006.04
117	2003.09	传播学	刘 津	“自媒体”与虚拟空间社会生活的公共化——博客传播研究	陈力丹	2006.04
118	2003.09	新闻学	贾士秋	中国电视节目主持人管理创新研究	成 美	2006.04
119	2003.09	传播学	鞠宏磊	英美广播电视产权制度变迁及其对我国的启示	郭庆光	2006.04
120	2003.09	新闻学	朱 颖	犯罪新闻报道的法学思考	郑保卫	2006.04
121	2003.09	传播学	张金玺	美国大众传播中的公共诽谤问题研究	郑兴东	2006.04
122	2002.09	新闻学	林玉凤	鸦片战争前的澳门新闻出版事业（1557–1840）	方汉奇	2006.04
123	2003.09	传播学	朴根爱	中韩两国电视国际新闻比较研究——以9.11事件、阿富汗战争、伊拉克战争等3个案例为中心	郭庆光	2006.05
124	2002.09	传播学	刘一赐	“共和媒体”的浮现与未来新闻模式——兼论媒体生态进化	喻国明	2006.05
125	2002.09	新闻学	王 彤	中国报业组织人力资源管理研究	郑保卫	2006.05
126	2002.09	传播学	李 烽	信息化时代通讯社影响力研究——新华社发展战略探讨	郑兴东	2006.05
127	2003.09	传播学	王 眉	网络传播中的名誉侵权问题研究	陈力丹	2006.05
128	2003.09	传播学	付玉辉	大媒体产业：电信业和传媒产业融合的新阶段——中美电信业和传媒业关系研究	陈力丹	2006.05
129	2003.09	新闻学	唐海江	大众媒介与社会动员——政治文化视角下的清末政论报刊(1895–1911)	方汉奇	2006.05
130	2003.09	传播学	孙卫华	媒体市场化与电视分众	郭庆光	2006.05
131	2003.09	传播学	支庭荣	中国大众传播系统信息能力综合评价模式研究	喻国明	2006.05
132	2003.09	传播学	谢 征	在综合国力框架中认识传媒实力——兼论作为国际竞争软实力的传媒实力	喻国明	2006.05
133	2003.09	传播学	王 菲	数字新媒体时代下的媒介融合论	喻国明	2006.05
134	1997.09	新闻学	赵 赜	策略性传播研究	成 美	2006.06

续表

序号	入学年份	专业名称	作者姓名	论文题目	导师	通过年份
135	2002.09	传播学	张　燕	网络传播的公共话语空间	喻国明	2006.06
136	2002.09	传播学	郭洪新	从管制到调适：关于新闻舆论控制新思维的探讨	喻国明	2006.06
137	2003.09	新闻学	阴卫芝	媒体伦理规范研究	成　美	2006.06
138	2003.09	新闻学	唐远清	对“新闻无学”论的辨析及反思——兼论新闻学学科体系建构和学科发展	郑保卫	2006.06
139	2003.09	新闻学	殷　莉	清末民初新闻出版立法研究（1898–1926）	郑保卫	2006.06
140	2001.09	传播学	黄　文	数字化语境中的图像传播	郑兴东	2006.11
141	2001.09	新闻学	罗哲宇	当代中国社会转型期新闻中的伦理话题与媒体的社会责任	成　美	2007.04
142	2001.09	传播学	洪贤智	中国香烟广告研究——从法律规范、传播学喻符号学观点切入	郭庆光	2007.04
143	2004.09	新闻学	甘　露	突发性公共危机报道难点与对策研究	蔡　雯	2007.04
144	2004.09	新闻学	许　颖	互动.整合.大融合：媒介融合时代新闻传播的变革	蔡　雯	2007.04
145	2004.09	新闻学	宋　妍	媒介休闲文化初探	成　美	2007.04
146	2004.09	新闻学	吴果中	民国时期《良友》画报与上海都市文化研究	方汉奇	2007.04
147	2004.09	新闻学	汤李梁	传媒竞争力的评测	梁　衡	2007.04
148	2004.09	新闻学	修　宇	中国汽车传媒研究	梁　衡	2007.04
149	2004.09	新闻学	姜　昕	新闻传媒的科学传播研究	郑保卫	2007.04
150	2004.09	新闻学	阮成利	革新开发以来越南新闻传播业的革新与发展研究	郑保卫	2007.04
151	2004.09	传播学	王辰瑶	新闻架构与社会变迁——1949年以来我国新闻经典报道解读	陈力丹	2007.04
152	2004.09	传播学	朱至刚	晚清的言论秩序	陈力丹	2007.04
153	2004.09	传播学	林瑞琪	罗马天主教会二十世纪传播政策分析——对大众传媒认知的转变：从抗拒到采纳	陈力丹	2007.04
154	2004.09	新闻学	赵云泽	中国时尚杂志的历史衍变及报刊时尚传播的历史分析	方汉奇	2007.04
155	2004.09	传媒经济学	韩晓宁	传媒时代电视产业平台化趋势及对策	喻国明	2007.04
156	2004.09	新闻学	赵星耀	社会主义市场经济条件下中国西北欠发达地区报业发展研究	郑保卫	2007.04
157	2004.09	传播学	蔡　勇	简单：整合影响传播的一个关键词——理论模式与运用	郑兴东	2007.04
158	2003.09	传播学	张　涛	企业危机传播管理研究——危机传播与企业组织形象重构	郭庆光	2007.05
159	2004.09	新闻学	翁　杨	新闻的观念——论新闻理论认知图式的反思与重建	郑保卫	2007.05
160	2004.09	传媒经济学	颜　梅	数字化电视产业平台化趋势及对策	喻国明	2007.05
161	2002.09	传播学	张慧宇	组织危机传播控制研究	程曼丽	2007.10
162	2002.09	新闻学	王学文	媒介融合背景下中国报纸出路研究	蔡　雯	2007.10
163	2001.09	传播学	刑建毅	中国广电整体转型研究	喻国明	2007.10
164	2004.09	传媒经济学	陈　端	变革图景中的媒介价值建构	喻国明	2007.10
165	2002.09	传播学	李丽颖	美国影视剧的跨文化接受研究——中国大学生收视行为的案例分析	程曼丽	2007.11

（刘书峰）

中国传媒大学新闻传播学博士论文篇目统计表（2007）

序号	入学年份	专业名称	作者姓名	论文题目	导师	通过年份
1	2001	新闻学	金梦玉	中国网络媒体发展研究	赵玉明	2007
2	2003	传播学	高　萍	中国电影产业化进程中的院线制研究	周鸿铎	2007
3	2003	传播学	刘婧一	媒介融合环境下的电视节目营销策略	周鸿铎	2007
4	2003	传播学	彭　宁	基于大众传媒的中国近代教育传播	周鸿铎	2007
5	2003	广播电视新闻学	崔　林	拟人际传播——电视新闻的传播模式与符号结构	朱羽君	2007
6	2003	广播电视新闻学	王　志	拟态人际传播和电视面对面	朱羽君	2007
7	2003	广播电视新闻学	范晓晶	中国电视节目历程变迁初探	赵玉明	2007
8	2003	广播电视新闻学	张　彩	老龄化社会与老年广播研究	曹　璐	2007
9	2003	广播电视新闻学	万　梅	转型期社会重大突法事件管理中的广播媒介应对研究	曹　璐	2007
10	2003	广播电视新闻学	李建刚	传播技术与广播创新发展	曹　璐	2007
11	2003	广播电视新闻学	庞　亮	梅益广播电视宣传思想研究	赵玉明	2007
12	2003	国际新闻学	贺文发	论突发事件的对外报道	杨正泉	2007
13	2003	新闻学	雷润琴	信息博弈说	郑保卫	2007

续表

序号	入学年份	专业名称	作者姓名	论文题目	导师	通过年份
14	2004	编辑出版	蔡翔	大学出版发展战略研究	王武录 柳斌杰	2007
15	2004	传播学	张自力	健康传播的社会性：近代中国疫病健康传播的话语分析	陈卫星	2007
16	2004	传播学	麻争旗	译学与跨文化传播——对翻译的基本认识	陈卫星	2007
17	2004	传播学	沈东	转型期中国电视节目议事框架的形成机制——以中央电视台《当代工人》为例	胡正荣	2007
18	2004	传播学	黄炜	构建中国广播电视新媒体政策体系研究	胡正荣	2007
19	2004	传播学	丁迈	我国典型报道的受众心理研究	刘京林	2007
20	2004	传播学	何其聪	食品安全报道的受众心理研究	刘京林	2007
21	2004	传播学	商建辉	竞争活力与规模经济——中国都市类报业产业组织优化研究	刘燕南	2007
22	2004	传播学	杭孝平	中国电视体育节目研究	周鸿铎	2007
23	2004	传播学	刘江红	传媒娱乐业控制体系分析——中国传媒娱乐业调控机制历史嬗变	周鸿铎	2007
24	2004	传播学	张春河	信任类产品营销传播心理效果的线索评价方法研究	柯惠新	2007
25	2004	传播学	龙小农	非洲范式：西方媒体与非洲形象的建构	刘继南	2007
26	2004	传播学	李正国	论国际传播与民族主义	刘继南	2007
27	2004	传播学	曾繁旭	中国环保NGO报道背后的博弈：国家控制、媒体策略以及NGO合法性建构	陈卫星	2007
28	2004	传播学	黄刚	整合与互动——论互联网对于社会研究方法发展的意义	柯惠新	2007
29	2004	传播学	徐培喜	全球传播秩序的辩论	郭镇之	2007
30	2004	传媒经济学	赵亮	产业融合的经济学分析	昝廷全	2007
31	2004	广播电视新闻学	杜友君	电视新闻节目规范研究	叶凤英	2007
32	2004	广播电视新闻学	李升科	社会转型时期的对农电视传播研究	叶凤英	2007
33	2004	广播电视新闻学	谢勤亮	影像与历史：年鉴学派视野下的中国纪录片	朱羽君	2007
34	2004	广播电视新闻学	高传智	九十年代电视新闻场域的变化及其影响	朱羽君	2007
35	2004	广播电视新闻学	李艳	在人际传播与大众传播的交叉点上——电视人物专访节目研究	叶凤英	2007
36	2004	广播电视新闻学	田维钢	新技术时代的电视新闻制播发展趋势研究	朱羽君	2007
37	2004	广播电视新闻学	刘书峰	广播电视志理论与实践初探	赵玉明	2007
38	2004	广播电视新闻学	杨继红	新媒体格局下的数字电视业务拓展研究	曹璐	2007
39	2004	广播电视新闻学	于忠广	新时期对农广播发展研究	曹璐	2007
40	2004	广告学	刘宏	广告文本的象征建构	山本武利	2007
41	2004	广告学	李晓红	中国电视媒体战略成本管理	丁俊杰	2007
42	2004	广告学	王伟	融合与转型——数字媒体时代我国电信与广电的博弈思考	黄升民	2007
43	2004	广告学	郭瑾	当代中国广告批评的图景与脉络——基于批评的社会过程的考察	刘立宾	2007
44	2004	广告学	卫五名	现代公共关系100年：诞生、演进及其趋势——以美国公共关系的系谱研究为例	刘立宾	2007
45	2004	广告学	陈素白	《1979～2006：中国城市居民广告意识变迁研究》	黄升民	2007
46	2004	广告学	杨雪睿	分化与重聚——对城市居民消费行为的重新解构	黄升民	2007
47	2004	国际新闻学	赵鸿燕	中外记者招待会研究	刘洪潮	2007
48	2004	国际新闻学	马越舟	论大众传媒在苏东剧变和颜色革命中的作用	刘洪潮	2007
49	2004	国际新闻学	丁志涛	国际媒体腐败与反腐败研究	刘洪潮	2007
50	2004	国际新闻学	王婷	中国电视对外传播的效应和品牌策略	杨正泉	2007
51	2004	国际新闻学	徐扬	重大国际新闻事件电视直播研究	蔡帼芬	2007
52	2004	新闻学	廖少炫	珠三角地区城市电视台创新战略研究	雷跃捷	2007
53	2004	新闻学	王卫明	论新时期中共党报的定位与功能	王武录	2007
54	2004	新闻学	张传香	党报经营模式研究	王武录	2007
55	2004	新闻学	刘伯贤	“入世”后我国媒介生态嬗变与党报发展对策研究	王武录	2007
56	2004	新闻学	曾英	党报舆论引导能力研究	王武录	2007

（南玉霞、庞亮）

中国传媒大学新闻传播学研究生入学试题选

中国传媒大学2007年攻读博士学位研究生入学试题选

新闻理论与历史

1．论加强我国新闻法制建设的意义。(25分)
2．试论媒介批评的功能、标准和方法。(25分)
3．阐述1978年以来我国新闻事业所取得的主要成就、经验和教训。(25分)
4．试析反“客里空”运动的经过及意义，它对我们今天做好新闻工作有何启示。(25分)

传播理论与历史

1．分析社会分层理论与媒介研究的关系。(30分)
2．结合实际评析媒介涵化理论。(30分)
3．谈谈你对媒介融合的看法。(20分)
4．评析文化工业理论。(20分

国际新闻理论与历史

1．试论新闻传媒在构建和谐社会过程中应发挥的重要作用。(1200字以内，50分)
2．卫星电视的快速发展，使我国掌握了先进的对外传播手段。电视直播在对外传播中发挥着突出作用。你认为我们应如何更好地利用电视直播节目对外介绍中国？(800字以内，50分)

舆论学基础

1．试论当前舆论引导工作出现的新变化。　(50分)
2．试论新闻舆论产生的条件和过程。(50分)

广告理论与广告史

1．解释“病毒营销”(10分)
2．CTR的年初数据显示，2007年我国广告市场(刊例价)增长为9%，第一次低于11%的GDP增长率，有人认为这是广告市场出现拐点的征兆，请评述这一现象。(30分)
3．自2003年我国启动有线数字电视市场以来，截至2007年底，中国有线数字电视用户数已经超过2700万，请从产业政策、市场现状等角度出发解析我国有线数字电视的发展历史。(60分)

报刊理论

1．试论新闻宣传与建设社会主义核心价值体系。(40分)
2．试谈党报工作人员队伍现状及趋势。(30分)
3．试谈党的“十六大”以来党报事业开拓创新的成果。(30分)

新闻采编

1．试述我们的新闻工作要把体现党的意志同反映人民心声统一起来。(40分)
2．试述《人民日报》版面特点。(30分)
3．试谈新闻工作者的自律和他律。(30分)

新闻史论

1．论新闻出版自由。　(50分)
2．五四时期中国媒介批评之评析。　(50分)

传播心理学

1．从心理学视角分析传媒如何保持持续的影响力和吸引力？(25分)
2．解析网络人际交往中印象管理的特点。(25分)
3．举例说明在新媒体情境下出现的“公民做新闻”现象对构建社会和谐心理的积极作用。(25分)
4．阐释优秀的多媒体记者应具备的“多媒体意识”和“多媒体技能”。(25分)

传播业务

1．简论新闻报道客观性的构成要素并举例说明。(25分)
2．简论大众传媒建构社会关系的表达模式并举例说明。(25分)
3．如何评价周正龙“虎照门”事件的传播意义。(25分)
4．为什么说互联网上的舆情有偏差？主要原因是什么？(25分)

传媒政策与法规

答题方式：作文(两题任选一题)(100分)
1．对互联网舆论监督作用的思考。
2．对我国政府信息公开制度的评论(以《政府信息公开条例》施行为视角)。

国际传播

论述题：
1．试论中国国际传播研究的未来走向和发展趋势。(30分)
2．试论中国媒体实施国际传播的有效途径。(30分)
3．请运用席勒的“文化帝国主义”理论，分析一个国际传播现象。(40分)

国际关系史论

1．论请阐释“和谐外交”的实质内容。(40分)
2．从美朝“音乐外交”看文化外交在国际关系中的作用。(30分)
3．最近西方有些人利用达尔富尔问题向中国施压，呼吁抵制北京2008年奥运会。你如何理解这一行为？如何理解政治与体育的关系？(30分)

社会科学研究方法

1．试阐述社会研究中“个案式”与“通则式”解释模式的辩证关系。(20分)
2．如何理解社会科学研究中概念化和操作化定义的含义和作用，并就“国家形象”为例进行简要的说明。(25分)
3．试阐述社会研究中普遍应该遵循的伦理规范，并就其中的一些或(至少)一个规范，谈一下你个人的看法。(25分)
4．试就围绕即将召开的2008年北京奥运会，针对外国人心目中中国的“国家形象”的研究，简要阐述在设计研究计划中需要考虑和确定的重要方面，并撰写出一个研究计划书的提纲。注意，由于时间有限，不必详细阐述，但是要包含计划书的基本要素。(30分)

受众与传媒生态

1．据报道：“央视市场研究公司(CTR)在2008年春节联欢晚会节目播出过程当中，采用电话调查方法，对全国406个区县、2063个家庭进行了调查。结果显示：在全国收看电视的家庭中，约有96.5%的家庭收看了中央电视台的春节联欢晚会。AGB尼尔森媒介研究公司采用人员测量仪对全国11个省和直辖市、4.71亿人群中11000个样本户进行调查，结果显示：约有1亿多户家庭收看了本届春节联欢晚会，占所监测市场总家庭户的71.8%。”请就这两种不同的调查结果谈谈你的看法。(30分)
2．试比较结构性和行为性受众研究与社会文化性受众研究的不同，并分析原因。(30分)
3．试分析我国手机电视的兴起对传统电视传媒生态的影响及

原因。（40分）

国际新闻业务

1. 在2007年2月召开的慕尼黑安全政策会议上，俄罗斯总统普京猛烈抨击美国“几乎无节制”地在世界上滥用武力。这是自冷战结束以来俄罗斯元首对美国最为严厉的批评。请分析俄美关系变化的原因及其未来关系走向。（1200字以内，50分）
2. 近年来，随着全球气候变暖，以美国为首的一些国家肆意宣传“中国气候威胁论”。请根据你所掌握的事实、资料写一篇评论。（1000字以内，50分）

电视新闻

1. 论手机和网络等新媒体的信息传播对主流媒体新闻传播的影响以及主流媒体如何应对。（50分）
2. 从北京奥运宣传来论述政府如何利用传媒树立国家形象。（30分）
3. 近来假新闻时有发生，请分析出现的原因以及对媒体自律的看法。（20分）

广播电视理论与历史

1. 试分析抗日战争时期延安新华广播电台的建立和宣传工作。（25分）
2. 试评析中央电视台《焦点访谈》。（25分）
3. 试分析20世纪80年代广播电视“自己走路”的主要内容和在实践中取得的成效。（25分）
4. 试分析广播电视在构建和谐社会中的作用。（25分）

广播新闻

1. 谈谈在信息时代广播如何实现从“贴身媒介”向“贴心媒介”转变的思路（30分）
2. 结合当前广播新闻界的实际，谈谈对“新闻娱乐化”这一提法的认识。（30分）
3. 结合北京早间新闻传媒生态环境，对“中国之声”、北京“新闻广播”和“环球资讯”的节目安排进行分析，并提出如何优化的意见。（40分）

附：三家电台节目表

中央人民广播电台“中国之声”节目表（节选）

6:00 整点新闻
6:30 新闻和报纸摘要
7:20 早知天下
8:15 奥运在线（早间版）
8:40 财经在线
9:30 早报早读

北京人民广播电台“新闻广播”节目表（节选）

6:20 气象服务
6:30 转播中央电台新闻和报纸摘要节目
7:00 北京新闻
7:25 新闻热线
7:30 新闻大视野
7:49 大宝体育大世界
8:00 资讯早8点
9:00 我的奥运情
9:35 北京新闻 新闻热线（重播）

国际电台“环球资讯”节目表（节选）

6:00 世界，您早
7:00 第一资讯
8:00 第一资讯
9:00 环球媒体浏览
10:00 记者说世界

理论舆论学

1. 试论舆论传播的特征。（50分）
2. 试论危机传播的舆论引导。（50分）

应用舆论学

1. 分析目前在我国加强和改进舆论调查的目的和意义。（25分）
2. 试举例说明网络舆论调查在实现决策参考功能方面有什么特点，为什么？（25）
3. 如何测量舆论调查中涉及到的重要概念？请就“生活满意度”这个概念为例进行简要的说明。（20分）
4. 试就北京市市民的“生活满意度”问题，设计一个北京市民的舆论调查，请说明调查的目的，设定调查的范围、方法和调查的主要内容，并结合第3题“生活满意度”的操作性定义，设计一个简明的调查问卷。（30分）

编辑出版理论与实践

1. 试谈编辑方针。（30分）
2. 试谈今日我国出版产业的基本特征。（30分）
3. 力争社会效益与经济效益双赢——试谈党报当前经营管理（40分）

中国传媒大学2007年攻读硕士学位研究生入学试题选

新闻学基础

新闻理论部分（50分）

一、名词解释（每题5分，共10分）
1.“五个根底”
2. 新闻手段

二、简答题（每题10分，共20分）
1. 简述新闻事业反映舆论的双重性。
2. 简述我国新闻工作联系群众的主要方式。

三、论述题（20分）

党的“十七大”政治报告指出：“要健全民主制度，丰富民主形式，拓宽民主渠道，保障人民的知情权、参与权、表达权、监督权。”结合所学新闻理论有关知识，请你谈谈对这段话的理解。

新闻史部分（50分）

一、名词解释（每题5分，共15分）
1.《东西洋考每月统记传》
2. 星法庭
3.《实践是检验真理的唯一标准》

二、简答题（每题10分，共20分）
1.《人民之友报》的创办及其意义。
2. 简述早期《申报》对新闻业务的改革。

三、论述题（15分）

试述1911年之前中国早期报刊思想的发展。

新闻业务部分（50分）

一、名词解释（每题5分，共10分）
1. 广播通讯
2. 公共广播电视

二、简答题（每题10分，共20分）
1. 简述采写经验性新闻的要领。
2. 什么是新闻体裁？广播电视新闻体裁都有哪些？

三、应用题（20分）

将下面所给的材料改写成一条消息，要求：自拟标题，字数控制在500字左右。

资本运营：找到了一把金钥匙

对许多读者来说，资本运营可能是个不甚明了也无需关心的经济学术语。可武汉三镇的老百姓，却是在“希岛风波”的震动中开始认识它的。

山东有个青岛海尔集团，人所共知。武汉有个希岛海尔，却鲜为人知。这两个“海尔”都是国有大企业，又都是靠80年代中期引进德国利勃海尔电冰箱生产技术起家的。然而在市场上，此海尔不敌彼海尔。就在希岛海尔产品积压、债台高筑、濒临破产之时，青岛海尔却蒸蒸日上，急于扩大生产规模。于是，两个海尔实行了兼并联合。希岛海尔60%的股权归了青岛海尔，同时变更企业工商注册登记，由青岛海尔实行控股经营。

一个大城市的大企业被外地企业控股、兼并，对本地人来说，不能不是一个“刺激”。重组的是资产，冲击的是观念。此举引起了社会的广泛争议。《湖北日报》辟专栏连续20天刊登有关的讨论，“希岛风波”由此席卷武汉三镇和荆楚大地。

不到两年的时间，兼并后的武汉海尔公司偿还了原企业的到期债务，改进了产品，改进了管理，3.2亿元的沉淀资产被盘活了，1000多名职工保住了工作岗位，一个即将倒闭的企业重新焕发了生机。

希岛海尔震醒了许多人，资本流动不仅不是流失，而且是保值增值！资本运营一时间被当成了魔术，人们争着学习、掌握、运用。继“希岛海尔”之后，是一个又一个“风波”。

曾现“花容月貌”的武汉荷花牌洗衣机，于1993年底陷入了严重的亏损，产品积压，企业停产。危难之际，走上了与无锡小天鹅洗衣机厂联合经营之路。由武汉洗衣机厂生产产品，小天鹅公司出管理、产品标准，并打小天鹅的品牌销售。此棋一出，全厂皆活。第二年该企业完成产值8000万，减亏1200万。1995、1996两年更是上了一个大台阶。“小天鹅吃掉荷花”——品牌竞争和品牌兴衰，更使人明白了无形资产的奥妙。

“马应龙”是武汉的一家老字号国有制药厂。几十年死不了，也没有活好。1995年通过转让股权，由深圳保安集团控股经营。结果厂还是那个厂，人还是那些人，可两年的功夫，企业净资产增值900万元，幅度达82%，利润由341万元猛增到1524万元，成为武汉制药行业的一颗新星，当地舆论界称之为“宝马效应”。“宝马效应”使人们明白了，资本运营不只是能够“解困”，更是“攀升”之路。

一向散、小、乱的武汉纺织服装业，通过资本运营，几十家中小企业组成了“冰川”、“江南”、“一棉”三大集团。这一来好比手头攥成了拳头。产业得以升级，设备得以更新，产品得以换代。一时间，“汉派服装”成了盛行中原的新名词。

由“希岛风波”等等起头的这场资本运营之潮，从企业又波及到政府机关，成了办公桌旁议论的热门话题。人们相互交流，读书学习，研究资本运营这个新课题。武汉市委、市政府抓住时机，把握航向，一项项规范扶植资本运营活动的法规、政策纷纷制定出台；新的国有资产运营实体宣告成立；直接负责资本运营工作的武汉市副市长张代重被邀请到一些地方交流情况；湖北省委书记贾志杰、省长蒋祝平及时肯定武汉的经验，并派出调查组总结他们的经验。资本运营的思路和实践在深化、在拓展！

在采访中，记者和省市领导同志，武汉市国资委的同志、国资经营公司的同志，在资本运营中发生变化的企业经营者，还有荆门、宜昌、鄂州市委市政府的领导人，进行了广泛交谈。我们好像是上了一堂资本运营的政治经济学课程，内容是丰富的。归纳他们的看法、说法，主要有三点：

第一，如果我们不用资本的眼光，而是用实物的眼光看国有企业时，很可能只看到问题和困难，看到的是资产的沉淀。但是如果用资本的眼光看国有经济，看到的是庞大国有资产的价值，看到的是希望和光明。

第二，用资本运营的眼光看国有经济，能看到它的病根。那就是它缺乏流动。资本的本性在于增值，而增值的条件是流动。国有资产如果不流动，便失去了活力，失去了生命。

第三，用资本运营的眼光看国有经济，在找到病根的同时，也使我们找到了医治这一病根的药方，即流动。

结论是简明的：资本运营是从整体上搞活国有经济的一把金钥匙。

传播学理论与历史

一、名词解释（每题6分，共计30分）

1．个案研究法

2．熵

3．赖利夫妇模式

4．社会责任理论

5．英尼斯

二、简答题（每题20分，共计40分）

1．简述芝加哥学派对传播学的贡献。

2．简述罗伯特·帕克对大众传播研究提出的主要命题

三、论述题（第1题20分，第2题、第3题各30分，共80分）

1．比较中国和西方的媒介产业制度，并结合实际谈谈媒介控制对社会的影响。

2．在文化呈现出多元化发展趋势，大众传播趋向“小众传播”的情况下，世界杯、奥运会等媒介事件却始终能够吸引众多受众，请你谈谈对这一问题的认识。

3．用说服理论分析国台办副主任王在希就陈水扁的“公投制宪 ”所发表的措辞严厉的讲话中的传播技巧。(在答题纸上，只要指出每一段的说服技巧，而不需要重新抄写王在希的讲话)

材料：

“公投制宪”是一项极其危险的举动。陈水扁为了谋求自己连任，不惜将台湾的利益作为竞选工具，把广大台湾人民作为赌注，把台湾同胞推到与祖国大陆冲突的边缘，这是极不道德的，是在破坏台海和平。其所作所为，是要把台湾同胞多年来的艰辛成果毁于一旦。

“台独”是一条底线。我们一再表示，我们希望和平解决台湾问题，因为台湾同胞是我们的骨肉兄弟，我们不愿看到兵戎相见。但最终能否实现和平统一的目标，并不是完全取决于祖国大陆方面。如果台湾的当权者，与社会上“台独”分裂势力勾结到一起公开搞“台独”，公然向祖国大陆挑衅，那武力恐怕就难以避免。“台独”就是战争，也就是这个道理。李登辉为了给“台独”分裂势力壮胆，消除中间选民对他们搞“台独”的忧虑，一再误导舆论，甚至说什么“中共是纸老虎”，宣传什么如果大陆对台动武，美国会保护台湾。这是很危险的，是极不负责任的说法。

不管是从历史上还是法理上看，台湾都是中国神圣领土不可分割的一部分。海峡两岸同属一个中国，这是两岸过去一直的共识。任何人企图用公投的方式，达成“台独”分裂的目的，都是不能容忍的，也是非法的。打着民主的旗号搞“台独”，利用民意搞分裂，这是陈水扁的一大特色。陈水扁当局推动“公投立法”，就是试图为其今后搞“台独公投”提供法律依据，图谋通过公投来实现“台独”主张。

……

对台湾地区领导人的选举，我们一直认为是台湾内部的事情，我们不会介入，但对利用选举大搞“台独”分裂活动，我们将旗帜鲜明地坚决予以反对，这是我们的一贯立场。

综合考试（新闻传播学）

一、专业词语解释（5小题，每小题6分，共30分）

1．甲骨卜辞

2. 乡土文学
3. 曹魏屯田
4.《一千零一夜》
5. 通假

二、填空题（每空1分，共20分）

1. 纵观中国古代小说的发展过程，大致可以归纳为四个阶段、四种形态，即魏晋以前的以记叙神话、记录异闻奇事为主的（　　　）；由魏晋《世说新语》一类的语焉不详的“志人小说”发育而成，于唐代逐渐盛行的如《长恨歌传》、《莺莺传》、《柳毅传》一类的（　　　）；随着市井经济的发展而于宋代迅速发育成长的（　　　），这种小说具有便于说听的特点；元、明时期，古代小说进入了注重形象塑造、整体布局、语言通俗，通称为（　　　）发展阶段。后这一阶段涌现了包括“四大名著”在内的一系列富于吸引力的长篇小说，以及以“三言”、“二拍”为代表的（　　　）短篇作品。（5分）
2. 于1988年逝世的沈从文先生，是现代卓有成就的历史家、考古学家和文学家。在文学领域，他一生创作了30多种短篇小说集和6部中长篇小说。他的小说分别取材于他的故乡——（　　　）生活和都市生活，前者主要彰显人性美，代表作有被誉“理想生命之歌”的（《　　　》）和（《　　　》）；后者通过对都市腐朽生活的揭露，鞭挞自然人性丧失的现象。他的作品被译成日、美、英和前苏联等40多个国家的文字出版，并两度被提名为（　　　）文学奖评选候选人。（4分）
3. 古代史上的“十六国”，指西晋分崩离析后出现在北方的割据政权。其中十四个是由合称为“五胡”的匈奴、（　　　）、羯、（　　　）和（　　　）等少数民族的首领建立的。这些政权存在的时间，最长不过59年，最短的则只有11年，但割据状态却前后持续了70多年。（3分）
4. 在中国统一的封建王朝中，持续统治时间最长的王朝是（　　　），最短的则是（　　　），直接统治的版图最大的王朝是（　　　）。（3分）
5. 世界史上的四大文明古国，一般指（　　　）、（　　　）、中国和（　　　），其中只有中国绵延不绝地保持和发扬自己的文明传统。（3分）
6. 在欧洲文艺复兴先驱人物中，有三位意大利的作家，他们是：著有长篇史诗《神曲》的诗人（　　　），以叙事诗《阿非利加》知名的彼特拉克，以及作家（　　　），他的著作《十日谈》迄今仍然具有巨大的吸引力。（2分）

三、问答题(第1题必答，2、3任选一题；每题15分，共30分；全答按前2小题计分)

1. 简述我国古代文体的演变历程。
2. 试述“丝绸之路”的形成、发展以及对中外经济、文化交流的影响。
3. 略述美国“门罗主义”的主要内容及其产生的后果。

四、古文阅读（20分）

下面是唐朝著名诗人杜牧《阿房宫赋》的节录。其中某此字、词使用繁体字（卷中以加【】的宋体字标出），请仔细阅读后按后面四项要求完成答卷。

阿房宫赋

六王【畢】，四海一。蜀山{兀}，阿房①出。覆【壓】三百余里，隔离天日。骊山北构而西折，直走咸阳。二川溶溶，流入宫墙。五步一楼，十步一阁；廊腰缦回，檐牙高啄。各抱地势，钩心斗角。盘盘②焉，囷囷③焉，蜂房水涡④，矗不知其几千万落！长桥卧波，未云何龙？复道行空，不霁何虹？高低冥迷，不知西东。歌台暖响，春光融融；舞殿冷袖，风雨凄凄。一日之内，一宫之间，而气候不齐。

妃嫔媵嫱⑤，王子皇孙，辞【樓】下殿，辇来于秦，朝歌夜弦，为秦宫人。（略对宫廷生活的描述）燕、赵之收藏，韩、赵之经营，齐、楚之精英，几世几年，取掠其人，倚迭如山。一旦不能有，输来其间。{鼎铛}玉石，金块珠砾，弃【擲】逦迤，秦人视之，亦不甚惜。

嗟乎一人之心千万人之心也秦爱纷奢人亦念其家奈何取之尽锱铢用之如泥沙使负栋之柱多于南亩⑥之农夫架梁之椽多于机上之织女钉头磷磷多于在{庾}之粟粒瓦缝参差多于周身之帛缕直栏横槛多于九土之城廓管弦呕哑多于市人之言语使天下之人不敢言而敢怒独夫之心日益{骄固}戍卒叫⑦函谷【與】⑧楚人一炬可怜焦土⑨

呜呼灭六国者六国也非秦也{族}秦者秦也非天下也嗟夫使六国各爱其人则足以拒秦使秦复爱六国之人则【遞】三世可至万世而为君谁得而族灭也秦人不暇自哀而后人哀之后人哀之而不鉴之亦使后人而复哀后人也（文据《古文观止》）

注：①阿房（音e阴平　pang阳平），据说是秦始皇兴建的宏伟宫殿。②盘盘，周回，形容建筑物相互照应。③囷囷(qun阴平)，圆形的谷仓，“囷囷”形容曲折回旋。④蜂房，形容房屋密集；水涡，形容整个建筑的格局如同水流的旋涡。⑤妃嫔媵嫱，宫廷里不同等级女性的称号。嫱（qiang阳平），媵（ying去）。⑥南亩，泛指农田。⑦戍卒，指陈胜、吴广，“戍卒叫”即他们的起义呼号。⑧函谷，函谷关，地在今河南灵宝市东北，“函谷举”指刘邦由此西进咸阳。⑨這句意為以項羽爲首的起義軍一把火，阿房宫化爲一片焦土，這是多麼可惜的事。

1. 请为文本中最后两段加标点（2分；标点错3处以下不扣分，错3处以上连前3处一并扣分，每处扣0.2分，扣完2分为止；标点时写前、后各两字，如“王畢，四海”）

2. 文中有6个以加【】标出的繁体字，请将它们改为规范的简体字（每字0.5分，共3分）

①畢　　②壓　　③樓
④擲　　⑤與　　⑥遞

3. 解释文中用加{}标出的词语（每词1分，共5分）

①兀——　②鼎铛——　③庾——
④骄固——　⑤族——

4. 写一则读后感（10分；要求：适当联系实际，内容集中，文字简洁，不超过200字）

五、政论写作（50分）

1. 题目：公务员考试“热”联想

2. 新闻由头：据《京华时报》报道，今年聘任公务员的考试，考生规模为设立公务员考试14年来之最，全国共有64万人，较去年增长12%；仅北京地区就有8万余人参考。与人事部提供的近1.4万个招录职位相比，2008年国家公务员的考、录比约为46∶1，高于2007年的42∶1，低于2006年的48.6∶1。

3. 写作要求：

(1) 可以自定主题，而以“公务员考试“热”联想”作为副题；
(2) 紧密结合当前社会现实；
(3) 力求论点集中、中肯、有新意，文字简洁、生动；
(4) 篇幅1200左右，多于1400字或少于800字适当扣分（不超过5分）

中央三台驻外及驻港、澳、台记者名单

中央人民广播电台驻香港、澳门记者名单

站　名	记者
驻香港记者站	金　涛　邵莉莉　吴新伟
驻澳门记者站	安亚强

中国国际广播电台2007年驻外及驻港、澳记者名单

站　名	赴任记者	卸任记者
驻美国站	许欣铎　刘　伟	
驻墨西哥站	刘双燕　刘　娜	
驻联合国站	伊怀杰	
驻阿根廷站	尹晓通　孙　宇	
驻法国站	李　茜　邓颖平	
驻英国站	彭　丽　李宁静（7.2赴任）	赵　阳（3.17卸任）
驻意大利站	王宝泉　贾延宁	
驻以色列站	袁　奇（1.11赴任）	廖吉波（10.5卸任）
驻巴基斯坦站	张　娟（8.3赴任） 薛晓云（8.3赴任）	李　罡（7.30卸任） 陈　翔（8.31卸任）
驻俄罗斯站	王学俭	苑听蕾（11.26卸任）
驻埃及站	颜　旭（3.19赴任） 郑　磊（10.12赴任）	石　凌（3.16卸任） 于小青（8.6卸任）
驻尼日利亚站	汪　渝	郑云峰
驻韩国站	张　敏　金锦哲	
驻津巴布韦站	年永刚	程庆华(4.27离开记者站)
驻肯尼亚站	丁邦英　谢　意	隋艳霞（6.3卸任）
驻新加坡站	吕　清	
驻巴西站	施　倞　鲁　扬	
驻泰国站	陆永江	吴若蕾（10.3卸任）
驻瑞士站	段秀杰	钱慰曾（1.16卸任）
驻澳大利亚站	陈　枫（8.19赴任）	程　浩（7.27卸任）
驻卡塔尔站	葛怀宇　申　旭（4.20赴任）	靳力希（1.26卸任）
驻日本站	张国清　付　颖（8.1赴任）	王颖颖（7.13卸任）
驻土耳其站	刘文俊（9.5赴任）	莫志伟（9.30卸任）
驻塞尔维亚站	王智敏（5.1赴任）	王　萍（5.21卸任）
驻印度站	牛卫东　耿海艳（7.21赴任）	赵新宇（1.25卸任） 牛卫东（12.18卸任）
驻德国站	阎　尉（5.9赴任） 黄　刚	李　岩（5.31卸任）
驻比利时站	王　坚　秘小胜	
驻香港站	段　爽　梁　弢　张军勇	
驻澳门站	张秀娟	
驻波兰站	汤　黎	曲若琨（11.16辞职）
驻哈萨克斯坦	王向东（1.15赴任）	王德禄（1.15赴任）
驻伊朗站	原　丁（1.10赴任）	王　鑫（1.10赴任）

2007年中央电视台驻外及驻港澳台记者名单

站　名	记　者
驻华盛顿站	高　军　侯明古　牛海峰
驻布鲁塞尔站	王银桩　陈　琳
驻曼谷站	张　莉　王玉国
驻伦敦站	杨　真　李庆庆
驻莫斯科站	路　彪　丁　勇　王　溪
驻悉尼站	陶　冶　侯　佳
驻开罗站	梁玉珍　杨　春　陆　晔
驻巴黎站	李　宾　林　文　李玲玲
驻东京站	孙　岩　李卫兵
驻纽约站	杨福庆　杨　平
驻新德里站	孔琳琳　曾　晋
驻柏林站	季　芸　黄　成
驻约翰内斯堡站	李仲扬
驻多伦多站	方　健
驻里约热内卢站	杨雪梅　陈凯培
驻香港站	马赤后　侯福梅　叶双印　常　江 张利中　贾建京　周　涛　陈　璇
驻澳门站	门继光　李涧松
台北驻点	（每月不定期换人）

索 引

INDEX

汉语拼音索引

A

B

C

H

J

K

L

M

N

P

Q

R

S

Y

Z

数字索引

英文字母索引

中韩之桥栏目组

民声直播

记者现场采访

新闻部全体人员

大连开发区电视台

大连开发区电视台 1994 年 6 月经国家广播电影电视部批准筹建，于 1998 年获广电部颁发的许可证，呼号为大连经济技术开发区有线广播电视台，2001 年 6 月国家广电总局批准更名为大连开发区电视台。

坚持“关注时代、服务社会、贴近生活、启迪人生”的办台宗旨，大连开发区电视台社会影响越来越大，开发区电视台自开办以来，先后开设了《开发区新闻》、《改变》、《第二故乡》（日语）、《中韩之桥》（韩语）、《英语 5 分钟》、《新生活》等栏目，节目具有鲜明的现代化、国际化色彩和浓郁的地方特色，及时报道全区经济、政治、文化和党的建设等方面取得的成就，力求贴近百姓、贴近生活，为群众所喜闻乐见。

大连开发区电视台在国家、省、市各项电视节目评奖活动中屡获佳绩：参与拍摄的 8 集电视连续剧《远山远水》荣获 23 届全国电视剧飞天奖，同时并获 21 届中国电视剧金鹰奖；《突发事故应急处理大演习》荣获 2003 年中国广播电视新闻奖现场直播类二等奖；《大连开发区新年鸣钟仪式》荣获 2002 年中国广播电视新闻奖新闻直播类三等奖；2001 年承办《同一首歌》走进开发区现场晚会。

大连开发区电视台充分利用频道资源，发挥媒介优势，宣传大连开发区的经济建设和社会进步，发挥舆论监督作用，在提升电视节目生产制作能力的同时树立良好的社会形象。

国家大剧院节目制作部

部门简介

国家大剧院节目制作部是集电视节目录播、直播、专栏节目、高清电影、电视剧、出版级音乐作品的前后期制作和国家大剧院剧目创作于一身的部门。我们拥有 6+2 讯道高清录制系统，可录制歌剧院、戏剧场、音乐厅、小剧场以及 200 平米演播室的各种剧目和专栏节目；两个专业录音棚，其中 300 平米音乐录音棚，可容纳编制百人以上的乐队录制曲目；对白录音棚可作为电影电视剧后期配音使用。国家大剧院节目制作系统是一个集前期策划、拍摄及后期编辑制作、成品包装等功能于一身的节目制作中心。同时，作为一个创意性工作为主的部门，将为大剧院的舞台和整体形象锦上添花。

录制系统

节目制作部目前拥有一套 8 讯道全数字高清晰度电视转播系统，其中包括六台 SONY HDCAM 系列 HDC-1580 数字高清摄像机和两台遥控数字高清摄像机 HDC-X310K，配有 HJ17e*7.7B IASE 标准镜头、HJ40*10B IASD-V 长焦镜头和 HJ11e*4.7B IASE 广角镜头，转播系统拥有高、标清多格式数字切换台 MFS-2000，高清及标清多格式演播室编辑录像机等视频设备，可以完成系统内高标清间的转换。拥有 STUDER VISTA6 全数字调音台和音频工作站多声轨录音系统。转播系统还铺设了从中央控制机房连接到公网的光纤通路，系统中各主要设备也都做了应急备份，已经具备完成歌剧院、戏剧场、音乐厅所有演出的现场直播或者转播录制工作的能力。

后期系统

国家大剧院节目制作部拥有完善的后期制作系统。其中包括苹果 Fianl cut pro 高清非线性编辑单元四套，苹果 shake 特效合成单元一套，苹果 color 调色系单元一套。六套单元通过光纤连入苹果 Xsan 网络系统，所有数据共享于 30T 的 RAID 中心磁盘阵列中，配合索尼 HDCAM、DIGITAL BETA 录像机，可以实时制作高清指标的电视节目。此外，部门还配备有 2K 实时的高端特效系统 Flame 一套，具备进行电影级特效制作工作的能力。

音频系统

国家大剧院节目制作部转播音控室配备 Studer 全数字调音台和 Protools 音频工作站，能够进行剧院内的现场录制和后期制作，也可以进行演播室节目制作。后期制作系统配置两套 Protools 音频工作站和 Control24 控制台，主要用于电视栏目和专题片等音频制作。录音棚区大录音棚近 300 平方米，选用顶级音乐制作调音台和周边制作设备，实现多声道节目和高端音乐产品制作。小录音棚既可以单独使用进行影视作品的混音，又可作为录音小室与大录音棚联动工作。节目制作部各音频制作区域均被连接到 SAN 网络，既彼此独立，又相互关联，实现了每一制作站点的多重功能。

CSM Media Research

索福瑞媒介研究

索福瑞媒介研究是CTR市场研究与TNS集团共同建立的合资公司，致力于专业的电视收视和广播收听市场研究，为中国大陆地区和香港传媒行业提供可靠的、不间断的视听调查服务。作为电视、广播节目和广告交易的“通用货币”，索福瑞媒介研究拥有世界上最大的受众调查网络，推及全中国11亿9千万和香港640万的视听人口。对全国217个市场(1个全国测量仪网、24个省网和包括香港特别行政区的192个城市网)提供独立的收视率及收听率调查数据，调查网络覆盖5.4万余户家庭，超过17.8万样本人口，对1,294个主要电视频道的收视情况和378个主要广播频率的收听情况进行全天候不间断地监察。

中国电视广播受众研究网络

CSM Media Research China Panel Network

Revealing TV and Radio audiences from national, provincial & city perspectives

2007-2008

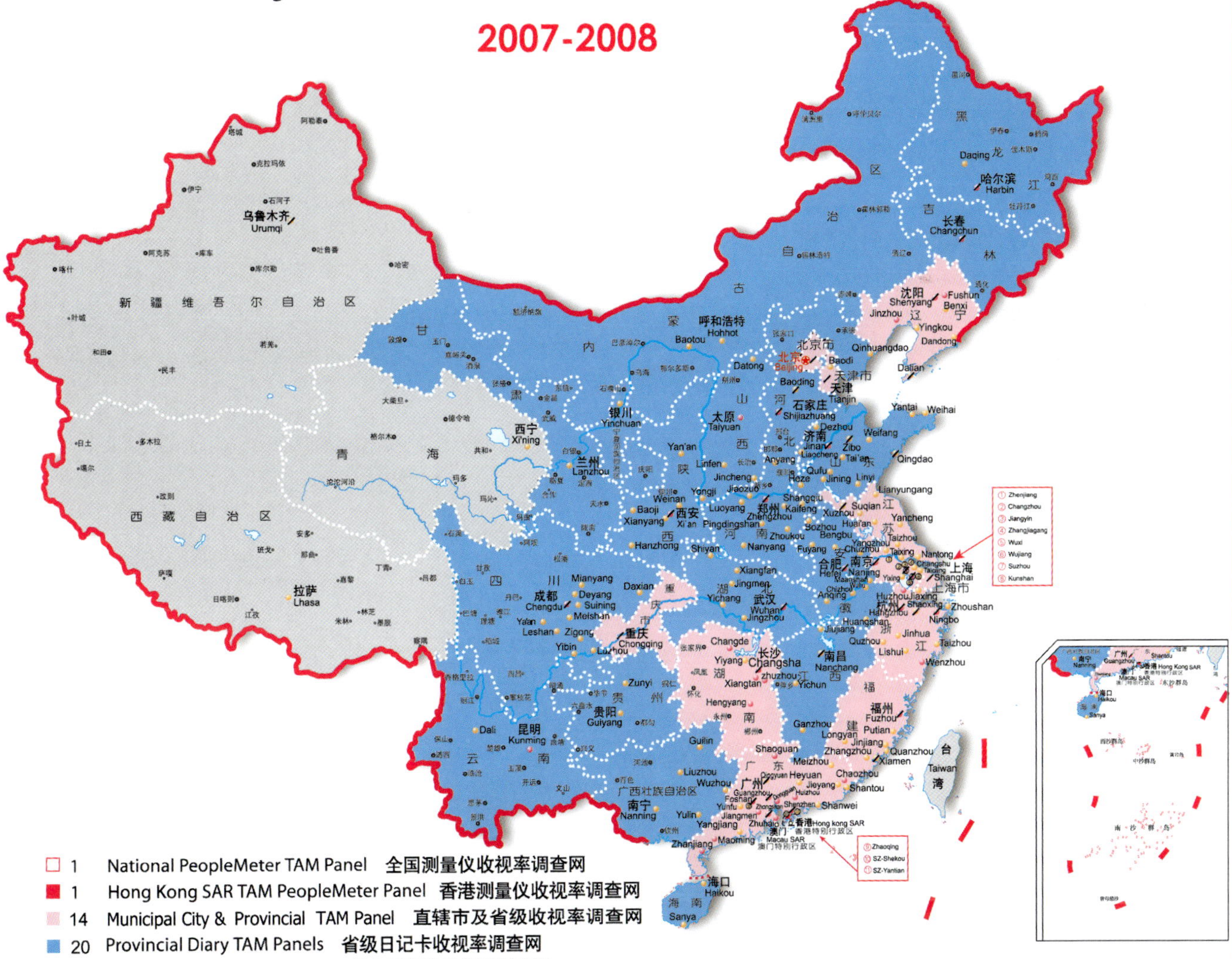

□ 1 National PeopleMeter TAM Panel 全国测量仪收视率调查网

■ 1 Hong Kong SAR TAM PeopleMeter Panel 香港测量仪收视率调查网

■ 14 Municipal City & Provincial TAM Panel 直辖市及省级收视率调查网

■ 20 Provincial Diary TAM Panels 省级日记卡收视率调查网

● 47 City PeopleMeter TAM Panels 城市测量仪收视率调查网

● 126 City Diary TAM Panels 城市日记卡收视率调查网

/ 36 City Diary RAM Panels 城市日记卡收听率调查网

CDM 中数传媒 China DTV Media

中央数字电视传媒有限公司 China DTV Media Inc. Ltd.（简称“中数传媒”CDM）。是由中央电视台投资组建、经国家广播电影电视总局授权的中国数字付费电视集成运营平台，是我国第一家覆盖全国范围、从事数字付费频道集成及代理营销业务的运营机构。

中数传媒以数字电视技术为事业发展的基础，以创意新电视为频道集成的核心理念，以互惠营销为市场运营的主导思想，探索出三位一体发展中国数字付费电视的办法和方向。历经四年的发展，中数传媒现已成为中国数字电视第一平台，集成频道数第一、累计签约用户第一、主营业务收入第一、服务质量第一、频道品质第一，确立其行业的领军地位。

中数传媒积极致力于数字付费电视频道的自制和集成，是目前国内数字电视平台中集成频道数目最多、频道种类和内容最为丰富的集成平台。2007 年，中数传媒共集成频道 40 余个。其中央视风云自主创办了《第一剧场》、《世界地理》、《风云音乐》、《风云剧场》、《央视精品》、《怀旧剧场》、《风云足球》、《女性时尚》、《国防军事》、《高尔夫 · 网球》等 12 个风云系列频道，并陆续集成了《靓妆》、《留学世界》、《游戏竞技》、《天元围棋》、《孕育指南》、《汽摩》、《彩民在线》、《东方物流》、《英语辅导》、《高尔夫》、《环球奇观》、《快乐购物》、《发现之旅》、《老故事》、《梨园》、《现代女性》、《老年福》、《摄影》、《中小学同步辅导》、《先锋记录》、《青年学苑》、《早期教育》、《书画》、《中视购物》、《DV 生活》、《财富天下》、《城市建设》等地方数字付费频道。

截至 2007 年 12 月，与中数传媒签约的全国有线电视网络公司达到 160 多家，中央数字电视平台上的数字付费频道的市场覆盖率稳步提高。覆盖全国有线电视用户 7000 多万户，数字电视用户超过 1750 万户，拥有在线付费用户总和达 411 万。中数传媒包揽了全国收视费 90% 以上的市场份额。

中数传媒坚持以人为本，服务于民的信念。紧贴时代脉搏，把握世界风尚，传播先进文化。在付费电视产业中，中数传媒愿与产业链各端建立紧密的利益共同体，“整合资源、互惠营销”，积极推动产业快速健康的发展，肩负起“服务于民、造福社会”的社会责任，丰富人民的文化生活。

地址：北京市海淀区羊坊店路
9 号京门大厦三段十层
邮编：100038
电话：010-51925188
网址：www.tv.cn

北京同方吉兆科技有限公司

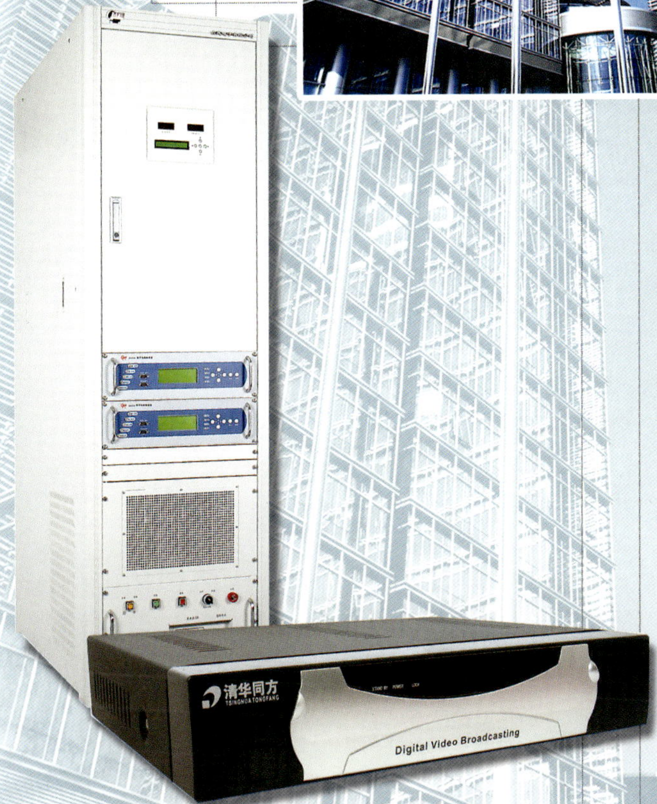

北京同方吉兆科技有限公司是同方股份有限公司控股的一家数字电视领域高科技公司，由北京吉兆电子有限公司和北京同方凌讯科技有限公司于 2007 年合并建立，在同方股份数字电视产业链中负责系统设备的研发、制造和销售，涵盖从发射端到接收终端的一系列产品及全面解决方案。同方吉兆拥有多项自主研发的专利产品及标准，是同方教育、娱乐资源向数字电视行业推广的通道，也是同方参与数字电视投资与运营的重要窗口，承担着推动国家广电行业数字化进程的历史责任与社会责任。

同方吉兆立志成为中国数字电视领域最好的一家集运营、服务和设备提供为一体的高科技公司。目前同方吉兆服务用户涵盖全国 31 个省市的电视台、广播电台、广播电视局、广电网络公司，产品出口非洲、亚洲、南美洲、大洋洲和欧洲等 26 个国家和地区。2006 年，同方吉兆电视发射机市场占用率全国第一，双向数字电视机顶盒市场占用率全国第一，位居有线数字电视机顶盒、调频广播发射机第一集团。2007 年同方吉兆发射机以优良的产品，自主创新的技术和长期的售后服务保障连续两次中标国家广电总局；在国家奥运城市工程中，积极参与数字电视地面覆盖项目的考察和实施，以优质的发端、终端产品服务奥运，造福数字电视观众。

天地人传媒
COSMOS MEDIA

天地人传媒有限公司前身为中国电视艺术家协会影视中心，法人代表杨伟光。公司在北京市工商行政管理局注册。公司为混合所有制企业公司，是集影视策划、制作、发行、动画片制作、电视综艺专题片制作，设计、制作、代理、发布广告，文化艺术活动策划，承办展览展示，文化艺术咨询和艺人经纪于一体的大型专业传媒公司。

公司秉承“精品至上、优秀节目为王”的宗旨和理念，汇聚传媒领域最具创造力和运营力的精英团队，充分融合新技术、新媒体、新模式，为推动国内影视传媒业的健康发展而努力，以提升文娱产品“中国制造”的国际影响力为目标。公司先后参与投资、策划制作了大型情景喜剧《家有儿女》和25集电视剧《家有爹娘》等优秀影视作品，取得了广泛的公众认知和良好的社会反响，公司的品牌影响力日益扩大。

目前，公司正在策划制作：情景喜剧《家有儿女》第五部100集、《家住小区》100集、《家有邻居》60集；动画片《家有儿女》200集；长篇电视剧《家有爹娘》第二部30集；《我是大官》30集等；

参股制作的有大型历史电视剧：《红楼梦》50集、《孔雀东南飞》20集以及正在策划的大型电视连续剧《秦始皇》等。

天地人传媒有限公司整合自身优势资源，同全国31个省市台合作，组建了情景喜剧剧场《家有儿女剧场》，该剧自2007年7月1日起正式播出以来，受到全国观众普遍欢迎。公司倾力打造的第二个播出平台——《天地人和剧场》，2008年3月1日起在全国30多个省市电视台同时播出。

- 用形式生动、风格清新、幽默诙谐的故事
- 传播一种启发引导式的教育方法
- 家长与孩子互动
- 诠释健康家庭的深刻内涵
- 是一部教育性、趣味性、娱乐性和知识性完美结合的优秀剧作

《家有儿女》的主角夏东海是《京城少年》杂志社的主编，在国外生活过一段时间，有乖巧的大女儿夏雪和在美国出生的小儿子夏雨，回国后与一个离异的女护士长刘梅重新组合了一个大家庭。刘梅还带有一个调皮捣蛋的儿子刘星，于是在这样一个家中，不同家庭出身，不同的血缘，不同的年龄，不同的出生地，不同的性格的三个孩子与他们的父母之间发生了许多喜剧性的故事。在充满矛盾冲突和解决矛盾冲突当中表现出来的温馨、和谐、关爱和智慧，让全剧洋溢着童真童趣。

广告

辽宁省丹东有线电视网络公司

公司总经理刘先成

市民喜看精彩的数字电视

丹东，地处黄海之滨、鸭绿江畔，与朝鲜民主主义人民共和国隔江相望，是中国最美丽的边境城市。它曾经历“雄赳赳、气昂昂，跨过鸭绿江”的抗美援朝战争的洗礼。在改革开放的今天，英雄的丹东儿女，用智慧和双手把丹东建设成一座具有现代气息的城市。而丹东有线电视工作者，也为丹东信息化建设搭建了重要的信息平台，为丹东的美丽增添了靓色。

丹东有线电视城域网从1992年开启，2000年6月份网台分离后，成立了丹东有线电视网络公司，从此翻开了丹东有线电视事业崭新的一页。公司先后投入大量资金进行了网建、网改和搭建数据业务平台的综合建设。建立了视频、数据通讯、计算机网络三位一体的星环交替、三网合一、长短结合的有线数字化网络。建成了现代化的有线前端综合业务平台。网络上联省干线网，下联市辖县（市）干线网，与全国干线网互联互通。2003年8月，开通了有线宽带业务，开办了“丹东有线”网站，为“丹东走向世界，世界了解丹东”打开了新的信息窗口。2005年2月，开通了有线电视付费数字电视业务，传送120余套数字电视节目和公司自办的NVOD特色节目，自办了“数字丹东”本地化节目，为丹东人民打造了丰富多彩的精神文化节目，为中外友人来丹东提供了个性化的文化娱乐生活。目前，公司已经拥有模拟、数字、宽带和集团用户20多万户，是丹东地区实际接入用户最多的网络。公司始终以“公司是我，我是公司”的零距离服务感恩用户，美化城市。建立了一系列规范的服务体系。不断投资合并，改造市郊乡镇网，并向偏僻沟岔村延伸，实施村乡通工程。积极参与公益事业，扶持弱势群体，年年获得上级组织的表彰。2007年，公司总经理刘先成获市“最受尊敬的企业家”称号，并当选市人大代表，公司授予“文明单位”和“最受尊敬的企业”等多个光荣称号。

地址：辽宁省丹东市振兴区纤维街38号
邮编：118002
联系电话：(0415)203334
网址：http//www.ddcatv.com.cn

公司大楼

城郊维修现场

公司营业厅

世界网于方寸
天下尽在手中

吉林广电网络

吉林广电网络
与您携手共创信息化的美好明天

吉林省广播电视信息网络集团有限责任公司(以下简称“吉林广电网络集团”),是全省区域性广播电视信息网络运营企业。主要负责吉林省内有线电视网络的建设、开发、经营和管理,有线电视节目的接收和传送,以传输视频信息和开展网上多功能服务为主业。

作为吉林省信息产业的主要力量之一,吉林广电网络集团多年来致力于提高吉林省有线电视网络建设水平和经营管理水平,积极发展有线数字电视、有线宽频、互动吉林等创新业务,为文化产业的健康发展起到了积极作用。根据省委、省政府整合全省广电网络资源的统一部署,吉林省广播电视信息网络集团有限责任公司于2004年9月28日开始组建,于2005年9月29日正式揭牌成立。经过几年的努力运作,基本实现了四个转变,即“事转企、模转数、单转双、分散转集约”。使广电网络资源在全省范围内实现了全程全网整合,建立了全省广电网络统一管理、统一经营、统一业务、统一标准,省、市、县三级贯通的集约化经营的广播电视网络新体制。2005年3月开通数字付费节目。2005年12月,建成具有国际先进水平的千万户级数字电视服务平台。2006年8月开通96633客服热线和呼叫中心。2006年10月,“吉林广电网络”网站开通。2006年10月,《吉林视讯》数据广播开播。2007年1月,吉林省政府代省长韩长赋在吉林省十届人大五次会议作政府工作报告中要着力解决好民生问题重点抓好的八件实事中提出,将实施60万户有线电视数字化整体转换工作。2007年6月,吉林省政府批转了《吉林省有线电视数字化整体转换实施方案》,确定了吉林省有线电视数字化整体转换的时间安排、操作模式、服务内容、计费方法等。2007年7月集团公司启动了ISO9001质量管理体系认证工作以及以“四化”为核心内容的管理工程,以现代管理方式和管理手段为支撑,建立起现代化、规范化、制度化的企业管理体系。2007年8月,正式启动吉林省有线电视数字化整体转换工作,截止到2007年末,全省有线电视数字化整体转换累计整转用户731,831户;累计发放机顶盒758,154台。

目前,吉林广电网络省级光缆干线长5000公里,由2个2.5G的SDH省干网和各市县HFC接入网络组成,共设有51个节点站,干线网络结构分为东西两个环,网络保护采用自愈复用段保护环方式,安全可靠。吉林广电网络集团现已向全省用户传输66套数字整体转换节目(含3个自办准视频点播节目)、53套数字付费电视节目、12套立体声广播节目、吉林视讯和股票信息等数据广播节目,同时提供有线宽带互联网接入服务、互动吉林等业务。可充分满足广大电视用户多方面、多层次、多样性的精神文化和经济生活需求。

吉林省广播电视信息网络集团有限责任公司
Jilin Province Broadcast & Television Information Network Group Co.,Ltd
客服热线:96633 WWW.JL96633.COM

广告

五岸传播 WINGS MEDIA

五岸传播　　传播应有尽有

WingsMedia, on the air

五岸传播，全球传媒业的华语节目提供商。

五岸传播是上海文广新闻传媒集团（SMG）全资投入的从事国内国际节目发行、节目代理和节目合作的子公司。五岸传播以SMG目前年生产量两万小时的节目生产为发行基础，发行内容包括SMG现有13家模拟电视频道和11套广播频率的版权节目。五岸传播此外还整合大量国内外优秀节目，打造国内外节目营销平台。

五岸传播协助SMG各频道创造符合市场定位的节目；五岸传播致力于培育全国的华语节目市场，开发具有商业潜力的合作项目；五岸传播肩负着传播海内外一流华语节目的重任，致力于成为国内电视行业及多类新型平台至为重要的节目提供商及代理商。

五岸传播，传播应有尽有。

国内发行

国际发行

项目合作

新媒体平台内容提供商

东方有线网络有限公司

2007年总体工作：

- 明确了互动电视、有线通的业务发展战略，并制定了有效的用户发展计划；
- 丰富了企业数据业务的产品线，提升了市场竞争力；
- 完成了营业厅规划，并实施了营业厅的试点工作；
- 制定了分公司属地促销管理流程，由分公司根据属地特点进行促销活动；
- 加强了电视媒体广告的投放，提升了公司品牌和互动电视品牌的知名度。

"互动电视"新闻发布会

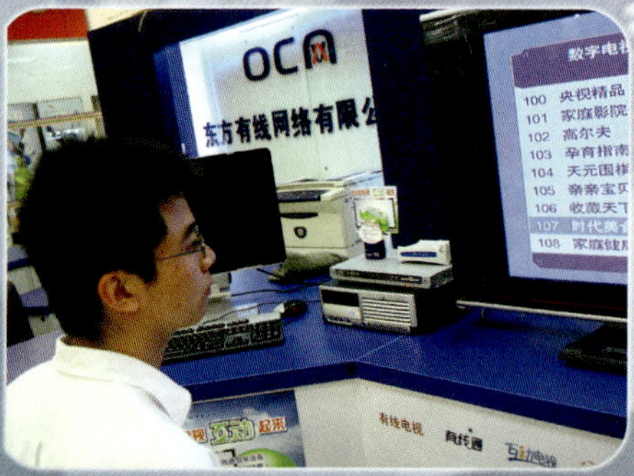

互动电视业务主要工作及取得的成效：

1. 完成了互动电视品牌制定和产品定义

自 2007 年 6 月 1 日起，对原数字电视增值业务名称进行统一，将数字电视增值业务名称统一为"互动电视"，原数字付费电视"35*24 套餐"更名为"互动电视基础型套餐"，并入互动电视套餐方案中，统一使用全景 5500EU 机顶盒。为整转大规模启动后数字电视增值业务的开展统一了思路。

2. 制定了整转区业务推广模式

整转区以付费频道体验和交互应用促销为主。自 2007 年 5 月 18 日开始整转开户促销方案的销售，主要依托代理商进行现场设摊和入户直销的模式，为整转区业务推进模式的确立和 2008 年整转区销售指标的实现做了良好铺垫。

3. 制定了有线通用户中发展互动电视策略

策划制定了《互动电视进万家》，利用有线通七周年庆的契机，充分利用有线通庞大的优质客户资源来推广互动电视用户。活动于 10 月 1 日正式开始，目前销售数据稳步上升，计划年底至少完成 3 万户。

智讯传播

IMM
创造活力　传播欢乐
www.inmotionmedia.tv
智讯传播

上海市长寿路587号沙田大厦1012室　电话：021-62321871
网址：www.inmotionmedia.tv　邮箱：vip@inmotionmedia.tv

智讯传播是一家结合及聚集了18年中国及海外传媒、国际广告经营管理与执行工作经验的影视节目内容供应与发行、广告销售及客户服务、媒体咨询及广告策划、制作、多媒体平台经营及合作等多元化业务为一体的传播广告机构。

公司管理层在广告销售策划及媒体经营方面曾在“兆立传媒-Sila Communications Group”、“凯络媒体-Carat China”、“北京亚环-《630剧场》”、“中天传播集团”有过18年多的经营经验。智讯传播（In Motion Media）主要致力发展公司在中国及海外节目和媒体资源合作、客户及业务开拓、广告投放、中国原创动漫投资及发展、形象授权经营，打造“动漫欢乐谷”中国原创动漫多媒体播出及广告合作平台，在推动中国原创动漫内容：

“动漫欢乐谷”耗资超过人民币2千多万资源、分别在广州动漫产业基地及上海建立长期发展及合作。提供超过五千分钟中国优质原创2D及3D动漫精彩吸引节目内容，推动传统媒体及新媒体整合营销方式

北京&上海制作部聚集了一群来自中、港、台电视及动漫制作的专业人员，包括监制、导演、编剧、摄影师及各部门工程人员，凭着我们独特的创意及专业水平，从筹划、创作、摄录制作摄影、皆能提供优质及完善的服务。

智讯传播在中国发展已经营五年，凭借稳健及进取、学习及发挥的经营态度、　这几年间在中国原创动漫发展领域取得了国内外好评并建立一批拥有相当实力的合作伙伴，在中国已建立超过80多个城市的电视台及网络媒体合作关系与播出平台，“动漫欢乐谷-Animation Fun Vally”缔造中国原创动漫播出舞台，公司再继续发挥“创造活力、传播欢乐”的精神。

动漫欢乐谷
ANIMATION FUN VALLEY

创造活力　传播欢乐

BesTV 百视通公司

BesTV 百视通公司是上海文广新闻传媒集团（SMG）旗下的新媒体公司之一，是中国大陆首家专门从事 IPTV 业务运营的新媒体公司。

2005 年 3 月，SMG 获得了国家广电总局颁发的全国首张 IP 电视集成运营牌照。2005 年，SMG 与中国电信集团公司、中国网通集团公司达成合作，在中国大陆逐步开展了 IP 电视业务试点和商业运营。

BesTV 百视通公司依托 SMG，拥有强大的内容生产、内容管理、技术研发与新媒体运营综合优势，并在内容创新和渠道创新领域积极投入，全面打造中国健康和谐的 IP 电视产业链，构筑可持续发展的新媒体业务商业模式。百视通公司先后在哈尔滨、上海等城市启动 IP 电视试点。创立了中国广电、电信分工合作、优势互补的 IP 电视发展创新业务模式，得到业界及合作商的肯定，被国际传媒誉为全球 IP 电视主流模式之一。

BesTV 百视通公司以搭建符合中国国情的新媒体运营平台为己任，热忱建立与产业链各环节的精诚合作、共赢互补，共同探索具有中国特色的新媒体发展之路。

BesTV 百视通公司利用新技术，为用户提供“电视新看法”，追求做“最好的电视”，为广大用户提供个性化、时尚化和互动化的 IP 电视业务服务与体验。

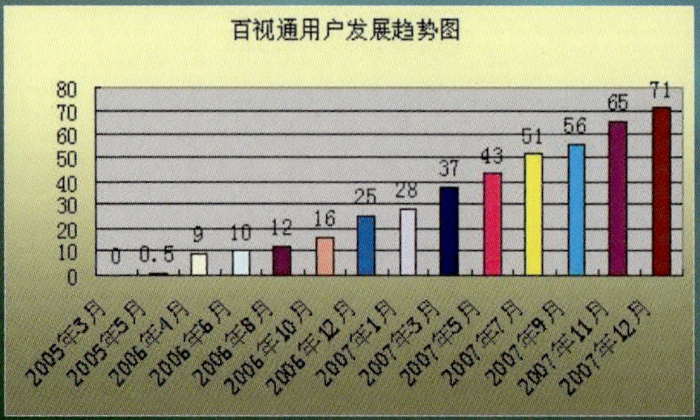

广告

四川广电星空长虹数字移动电视有限公司

电视动起来　生活更精彩

四川广电星空长虹数字移动电视作为四川广播电视集团新兴媒体业务，于 2006 年 9 月 29 日正式开播，被誉为全川最大的户外电视媒体。

四川广电星空长虹数字移动电视有限公司在全力建设覆盖全省的采用国家标准的地面数字电视覆盖网，利用信号覆盖优势，率先在全省打造一个集公交车、出租车、长途车、私家车等多类移动终端为一体的全省数字移动电视交通覆盖网，并最终将终端网络建设成“立体的全方位的现代新锐公共资讯网”。通过市场培育，品牌建设和管理等方面的创新工作，使星空长虹数字移动电视成为四川省最具影响力的户外电视媒体，掌控重要传播渠道，打造具有核心竞争力的一流现代新锐媒体，占据全国城市数字移动电视中的主导地位。

2008 年 2 月，成立不到两年的四川星空长虹数字移动电视有限责任公司凭借着飞速发展的实力当选为全国移动电视协作体常务理事单位。

2008 年 2 月 24 日－2 月 26 日，四川广电星空长虹数字移动电视有限公司总经理伍昌邻率队参加由北广移动传媒主办的“第二届全国移动电视协作体峰会”。并被选举为全国九个移动电视协作体常务理事会成员之一。

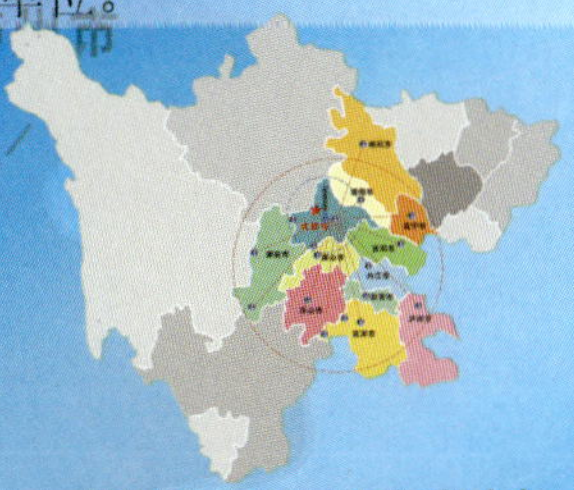

四川星空长虹数字移动电视节目信号将通过 3 期工程实现对全川的无盲点覆盖，保证节目稳定、高质量播出。

2006 年 9 月 29 日，被誉为“全川最大的户外电视媒体”的四川广电星空长虹数字移动电视正式开播。

全国人大常委会原副委员长许嘉璐在四川省委省政府领导的陪同下参观四川星空长虹数字移动电视展区。

2008 年 1 月 9 日，四川省委常委、宣传部长黄新初在四川广电集团党委书记、管委会主任、四川电视台台长陈华一行的陪同下到四川广电星空长虹数字移动电视进行考察，并对公司数字电视产业的发展前景给予了充分的肯定。

高斯贝尔—数字电视技术行业的先导者

高斯贝尔公司被确定为湖南电广网络数字电视整体平移的主供应商，高斯贝尔机顶盒已成为有线电视网络数字化平移的主流产品

Welcome to WWW. GOSPELL-DTV. COM

深圳市高斯贝尔数码科技有限公司隶属于高视集团，是前端系统、CAS系统、SMS系统、EPG系统网管系统、MMDS数字微波系统、全系列终端接收设备（DVB）的生产制造商，并提供优质的交钥匙工程。作为数字电视行业的先导者，高斯贝尔开发并规模化生产具有独立知识产权的数字电视系统全系列产品，技术先进，符合国内外行业标准，已在全国 70 多个数字系统成功使用并投入运行。

地址:深圳市高新区科技南路威新软件园1号楼4楼东翼 电话:+ 86 (755) 26716192 传真:+ 86 (755) 26716142 邮箱:sales@gospell-dtv.com

广告

GOSPELL
高 斯 贝 尔
科 技 服 务 大 众

宁波意美捷影视设备有限公司

Ningbo EIMAGE Studio Equipment Co., Ltd

简介：

宁波意美捷影视设备有限公司成立于2006年春，以迎合新数码市场不断发展壮大的需求。

公司产品主要以影视设备器材为主，包括：C型架、悬臂架、灯架、可适应在不同环境下拍摄的多种摄影灯、专业摄像机三脚架、可完成完美影视拍摄的云台、高度2米到5米的中型摇臂等等。历经三年的努力，意美捷产品已经达到了广播电视摄影器材领域的专业级水平，成为广电行业的知名品牌。

意美捷影视设备有限公司始终坚持质量第一，服务至上的经营理念，让公司的发展更上新的台阶。

地 址： 宁波市镇海骆驼工业区杭甬南路373号

邮 编： 315202

电 话： +86-574-86590061，+86-574-86590034

传 真： +86-574-86590060，+86-574-86590068

网 址： www.weifengchina.com

Ningbo EIMAGE Studio Equipment Co., Ltd. Is founded in the spring of 2006, all the products are designed for the growing demands of the new digital market.

Our products are mainly the support equipment in the video and broadcasting field. C-stands and boom stands are suitable for different kinds of lights respectively in different positions. Professional stable tripods for heavy video, cameras and quality fluid heads are perfect for smooth video/film taking. Also, middle size Jib Arms, height range from 2m to 5m, for different kinds of video taking requests. Over the last 3years E-Image products have been developed to the highest broadcast industry standard to serve the professionals, and is now becoming a recognized brand name.

Our company bases the aims on below two main values: The production of high quality professional video and film tripods and supports. Using our design experience to provide quality service to our customers.

Add: #373 South Hangyong RD,Luotuo INDU DIST,Ningbo,China

Tel: 86-574-86590067

Fax: 86-574-86590068

Website: www.weifengchina.com

StarQ

中国第一部3D武侠动画剧

★★★★★

国内外众名家鼎力推荐

荣膺多个重量级奖项

杭州玄机科技信息技术有限公司（简称：StarQ杭州玄机）。主营动画片、动画电影的制作生产发行、图书音像及衍生产品。公司成立于2005年，是一家年轻而充满活力的集团运营性公司，也是最早一批入驻杭州国家动画产业基地的企业之一。旗下拥有五大系列电视动画片，其中包括秦时明月动漫系列、快乐星猫动漫系列、星猫文化动漫系列、星猫名著动漫系列和星猫Flash综合系列。

StarQ杭州玄机拥有一批高学历高素质并具有丰富经验的制作人才和发行骨干，拥有资深的专业团队，多媒体的宣传平台，健全成熟的海内外发行渠道，年生产量达3000分钟以上。StarQ杭州玄机虽然年轻但是成熟，虽然年轻但是自信。StarQ的目标是势必打造成图书音像、电视、动漫三大产业全一体化的公司，成功打造一个中国动漫产业王国！

2007年4月 入选中国广电总局2007年度第一批推荐的优秀国产动画片

2007年4月 获得第三届中国国际动漫节“美猴奖”最佳系列动画片奖提名

2007年6月获得第十三届上海电视节“白玉兰奖”最佳中国动画形象提名

2007年10月荣获2007（第九届）四川电视节“金熊猫”奖国际动画作品评选“电视动画”入围奖

2007年12月荣获由国家广电总局颁发的政府最高奖“中国广播影视大奖—广播电视节目奖（第20届“星光奖”）优秀动画节目奖”

2008年1月主题曲《月光》获第四届原创动画漫画艺术大赛“金龙奖”内地及港澳台年度最佳动画歌曲奖

2008年1月获第四届原创动画漫画艺术大赛“金龙奖”内地及港澳台年度最佳人气动画奖

2008年1月获第四届原创动画漫画艺术大赛“金龙奖”2007年度最佳系列动画奖

2008年1月荣获国家广电总局颁发国家级“2007年度全国动画精品”二等奖

2008年2月22日 “秦时明月”手机动画喜获第二届中国原创手机动漫大赛评委会专项大奖—最佳动漫造型奖。

2008年2月22日 “秦时明月”手机动画喜获第二届中国原创手机动漫大赛人气优胜奖。

2008年4月29日 获第四届中国国际动漫节“美猴奖”动画系列连续片奖

2008年4月29日 获第四届中国国际动漫节“美猴奖”动画片最佳形象奖

玄 机 科 技 荣 誉 出 品

www.qinsmoon.com

《秦时明月之百步飞剑》DVD由新汇集团上海声像出版发行，《秦时明月之百步飞剑》动漫书由浙江少年儿童出版社出版发行

总经理：沈乐平 电话：13817697227 email:shen.robin@starq.cn

杭州玄机科技信息技术有限公司 浙江省杭州市滨江区江南大道3880号华荣时代大厦4楼 邮编：310053 电话：0571－87859366 传真：0571－87859365

广告

广东有线广播电视网络股份有限公司

广东有线广播电视网络股份有限公司经国家广电总局和广东省人民政府批准，以原省有线电视台的网络为主要经营资产，由广东省广电系统 113 家股东单位共同发起设立。该公司于 2000 年 12 月 28 日正式挂牌成立，是专门负责广东省行政区域内建设、维护和管理有线电视网络的主要运营机构，是广东省信息产业的主要组成部分。

经过 7 年多的努力奋斗，公司在保障全省广播电视节目安全播出和有效覆盖的基础上，进一步强化发展广播电视节目传输的基础业务，积极拓展数字电视和数据传输、宽带互联网等扩展业务和增值业务，实现了网络经营收入的逐年稳步增长和国有资产的保值增值。现已建成以广州为中心，连接全省 21 个省辖市和大部分县（市），且与海南、广西、湖南、福建四省（区）的国家广播电视干线光缆网连接。干线光缆总长度达 4500 余皮长公里，形成在珠江三角洲地区为 4 个交叉环路、粤东和粤西各一个环路，共有 6 个环路组成的双向自愈拓扑结构。干线网络传输设备使用 2×2.5Gbit/s 同步光缆数字设备，顺利实现通过公司网络平台向全省各地传输广播电视节目。

公司所拥有的广东有线视讯宽带网是省委、省政府的重要信息服务网络。公司秉承“用户在心中、服务是天职”的职业标准，不断完善客户服务体系，实现了客户服务的集中管理和统一监督，具备了为所有客户提供全面、规范和优质服务的能力，客户满意度不断提高。

未来几年，公司将进一步完善有线广播电视安全传输的技术手段和制度建设，继续促进有线数字电视基础业务和网络资源业务稳定增长和增值业务的快速增长，不断完善基础网络建设与数字电视平台建设，积极推进全省有线电视网络整合，使公司真正成为南方广播影视传媒集团事业产业发展的基础和省市县三级贯通的纽带，早日成为具备电信级运营水平的现代股份制广播电视网络企业。

原创动力
Creative Power Entertaining
广东原创动力文化传播有限公司
Creative Power Entertaining

广东原创动力文化传播有限公司由一群有丰富经验、年轻而高素质的创作及制作精英组成。拥有创作、设计、制作、发行的开拓实力，致力发展、制作中国新一代的原创卡通。多元化业务包括节目发行、广告代理、人偶剧制作及专利授权的经营。

公司自成立以来，成功制作并发行了第一套爆笑幽默卡通片《宝贝女儿好妈妈》和长篇益智趣味卡通片《喜羊羊与灰太狼》，在全国各省市电视台全城热播，屡获殊荣、更被广电总局推荐为优秀国产动画片。广东原创动力将永远坚持中国的原创精神，努力开创具有自己民族文化内涵、新鲜幽默、并且富有娱乐性的卡通动画及影视作品，积极建立电视平台及发展海内外市场，致力开创中国原创卡通品牌的新天地。

- 2007年11月5日，《喜羊羊与灰太狼》荣获国家广电总局颁发的：“2005年度全国少儿节目精品及动画精品评审”——“优秀国产动画片一等奖”；
- 2006年12月8日，原创动力获得中国动画学会年会评选“全国动画企业十强” 排行 第五位，广东地区排行第一位；
- 2006年11月28日，原创动力获得由广东省广播电影电视局授予“国家动画产业基地”；
- 2001－2005年度广东民营影视企业“电视动画片生产奖”；

www.22DM.com

广电总局推荐的中国优秀动画片

《宝贝女儿好妈妈》

故事讲述了一个普通家庭的平凡生活，反映了现代社会都市生活中人与人之间的关系，以爆笑、轻松的表现形式昭示了中国传统的伦理、道德观念，让人轻松之余回味无穷。

15分钟／集 共260集

广电总局推荐的中国优秀动画片

《小宋当家》

少年小宋父母双亡，与姑姑宋心相依为命。聪明、懂事、好学的小宋在成长过程中经历了种种磨难，用自己的聪明才智为乡亲排忧解难，惩恶扬善是一部少年励志片。

15分钟／集 共100集

《七色战记》

在遥远浩瀚的宇宙中，邪恶的黑暗星球正吞噬着其它星球，而仅存下来的七色彩虹星球内族却又互相发动战争，危在旦夕。一个与世无争的异类“灰溜溜”，凭着满腔热血的心，化解了内族争斗，共同对付黑暗星球。

15分钟／集 共120集

《蹴鞠小英雄》

宋朝徽宗年间，北方金人举兵压境，并提出以蹴鞠来决定国家存亡。在危急关头，洪风、向流云等人以高超的球技挫败了金人的阴谋。为避高俅追杀，他们最后远走西域，传播中华蹴鞠文化于世界，再现了宋朝的蹴鞠之戏，印证了足球源于蹴鞠，源于中国的传说。

15分钟／集 共120集

广告

广西广电网络

广西广播电视信息网络股份有限公司

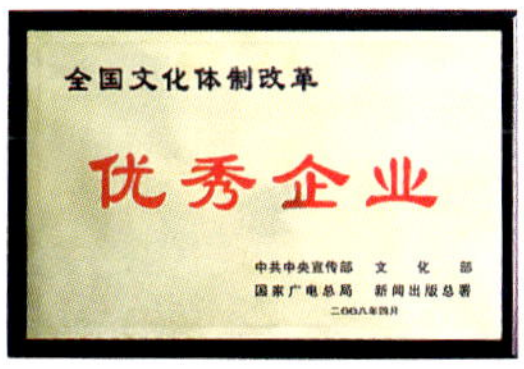

广西广播电视信息网络股份有限公司是在整合全区广电网络资产、改革广电网络管理体制基础上，于2004年5月经自治区人民政府批准成立的国有股份制企业。公司实行一级法人治理结构，区、市、县三级垂直管理，下设90个市、县分公司，共有职工3000多名。

公司注册资本11.205亿元。拥有连通自治区所有市、县及大部分乡（镇）的广电光缆干线网，中央和自治区广播电视各套节目，各省、自治区、直辖市卫星频道节目以及各市、县广播电视节目通过干线网统一传输，是广西行政区划内经政府授权统一规划、统一建设、统一管理、统一运营有线广播电视网络的企业。

公司成立以来，依托"全区一张网"的优势，坚持体制机制、服务体系和业态创新，在农村大力推进广播电视村村通工程建设，在城市积极推进有线电视数字化，不断探索有线电视网络产业化发展道路，网络综合实力实现跨越式增长：至2007年底，公司拥有光缆总长30616公里，比2003年末增加近2万公里；年末公司总资产29.96亿元，比成立之初增长188.35%；年末网络用户总数达284.4万户，其中数字电视用户超过200万户；

2005至2007年连续三个完整运营年度中，分别实现营业收入3.68亿元、6.15亿元和7.53亿元，年平均增长率达37.67%，跻身"首届全国文化企业30强"，被评为"全国文化体制改革优秀企业"，受到中宣部、文化部、国家广电总局、新闻出版总署联合表彰。

作为广西信息化建设的主要力量之一，在确保广播电视公共服务的前提下，公司充分发挥数字电视网络优势，积极开发和提供集团数据专网、互动电视、互联网接入、电子商务、远程医疗、远程教育等服务，满足用户多层次、多样化、个性化的精神文化和信息资讯需求，逐步打造成管理科学化、经营规模化、业务多元化、服务多样化的大型文化骨干企业。

广西广电网络新概念营业厅

公司数字电视播出机房

公司基本完成广西全区县以上城市有线电视数字化整体转换

改革、创新、发展中的新兴文化市场主体
——贵州省广播电视信息网络股份有限公司

贵州省广播电视信息网络股份有限公司是在贵州省委、省政府领导下，根据中央关于文化体制改革的精神，在进行了近一年多广泛深入的调研和各方面充分准备的基础上，按照现代企业制度建立起来的新兴文化企业。这些年来，随着社会经济的发展，贵州省广播电视事业及有线电视网络也有了长足的发展。但由于广电网络分属于各级广电机构，分散经营，重复建设，发展缓慢，管理粗放，效益低下，隐患较多。省委、省政府根据党中央和国务院有关要求，作出整合全省广电网络，推进信息化发展的重大决策，对全省89个网络机构进行重组，组建贵州省广播电视信息网络股份有限公司，从而建立起全省广播电视网络统一规划、统一建设、统一管理、统一运营的新体系，实现资源优化配置，开发广电网络产业，推进省文化产业发展和社会信息化建设的进程，实现省广播电视事业、产业的跨越式发展，更好地为省经济、政治、文化和社会建设服务。

2008年3月27日，贵州省广播电视信息网络股份有限公司成立大会会场。

贵州省省委副书记王富玉（右二），省委常委、宣传部长谌贻琴（左二）到会祝贺并为公司授牌。

公司在组建中严格遵循政治性、科学性、规范性和兼顾性原则。通过整合全省广电网络，进一步扩大中央和省、市(州、地)广播电视节目的有效覆盖，确保广播电视节目安全播出和传输；公司将按照《公司法》和企业有关法规，对全省广电网络进行建设、开发和运营、管理；遵循市场经济规律进行产业开发和资本运营，不断提高社会和经济效益，实现国有资产的保值、增值；充分利用直播卫星、地面数字电视、移动多媒体、高清电视等技术手段，促进广电网络数字化、信息化，使传统的电视机转变为现代多媒体信息终端，为广大群众和社会各界提供丰富多彩的公共数字电视、付费电视、视频点播、宽带上网、阳光政务、电子商务、生活资讯、远程教育等多功能服务；拉动广播电视节目（信息）制作产业和数字电视相关设备制造业的发展，形成我省新兴广播电视产业链，为全省经济文化发展及社会信息化作出更大的贡献。

公司监事会主席李成杰

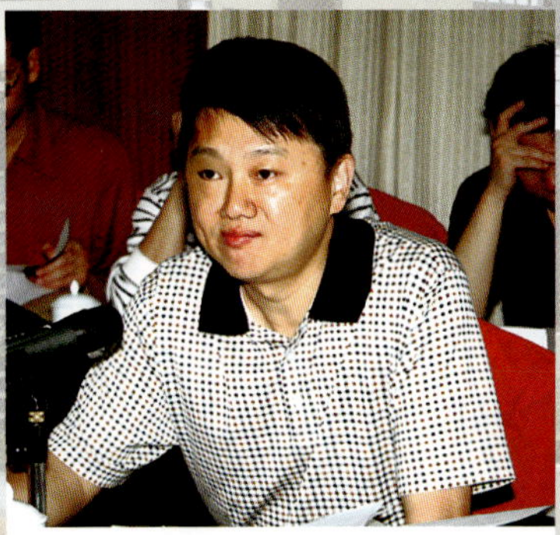

公司董事长陈海宇

公司总经理刘文岚

公司于 2008 年 3 月 27 日正式挂牌成立。该公司的成立，对全省广电网络进行了初步整合，省、地、县共 89 家广电等网络机构，以各自的网络资产重组入股省网络股份有限公司，形成股份公司和 84 个分公司。其中，市(州、地)级分公司 9 个，县(区、市)分公司 75 个。员工 3453 人；网络资产存量约 25 亿元。股份公司为一级法人，对市(州、地)、县(市、区)分公司实行垂直分级管理，各级分公司为股份公司的非法人派出机构。股份公司设股东会、董事会、监事会，依据《公司法》制定公司章程。通过网络整合，公司具有了产业化发展的良好基础，政策、管理、资金、技术、市场、人力资源等产业要素开始科学有效地聚集，为广电网络事业、产业的跨越式发展创造了十分有利的条件。据测算，通过努力，从目前到“十二五”期间，公司的资产规模将超过 50 亿元，累计收入达到 50 亿元，年创收将达到 20 亿元左右。

公司成立，为推进全省有线广播电视数字化整体转换理顺了关系、加快了进程

贵州省广播电视信息网络股份有限公司的宗旨是：服务宣传，服务社会，服务大众；公司的理念是：至诚至善，用心服务；公司的精神是：团结协作，开拓务实，优质高效，创新发展。作为贵州省文化体制改革和文化产业发展的第一家对省、市、县实行三级贯通，统一管理的新兴大型文化企业，必将在推动贵州省文化、广播电视事业及产业的发展中发挥出更大的作用，必将在贵州省的政治、经济、文化和社会建设中作出更大的贡献，必将在新的历史时代，谱写出崭新的历史篇章！

数字化整转采用宣传推进、现场发放、上门安装机顶盒的方式，目前全省已发放机顶盒 80 余万台。

公司谋求多业务发展，在付费电视、政务信息、新闻会萃、地方信息、互动电视等方面均有成效，图为对农村党员干部进行远程教育有线电视网络平台演示。

公司以服务宣传、服务大众、服务社会为宗旨，做好电视数字化推进中的各项服务保障工作，图为维护人员在冰雪凝冻期间进行抢修。

贵州省广播电视网络股份有限公司
董 事 长：陈海宇　总 经 理：刘文岚
监事会主席：李成杰　副总经理：卢永康
副总经理：罗宽成

天府成广 数字成广 诚信成广

37年广播电视设备制造……
WWW.CCGTV.COM

成都成广电视设备有限公司（原国营630厂），是国家定点研制、生产模拟/数字广播电视发射设备和天馈系统的高新技术企业，具有37年的发展历史。是承担国家“村村通”、“西新工程”、“全国农村中央广播电视节目无线覆盖工程”“CMMB多媒体移动广播工程”的骨干企业。

在广大新老朋友的支持下，2007年为国家“广播电视无线覆盖工程”作出了突出的贡献。

- 2007年3月、8月，中标国家广播电影电视总局一阶段/第二阶段全国农村中央广播电视节目无线覆盖工程项目，需方：四川、重庆、贵州、广西、云南、河北、辽宁、江苏、江西、山东、河南、广东等省所需 设备523台。
- 2007年至今，中标陕西、山西、贵州、四川、重庆、青海、河南、江西、新疆、新疆建设兵团、云南、甘肃等12省级招标天馈线项目934套；
- 2008年1月，中标国家广播电影电视总局无线局新疆、青海两省CMMB移动多媒体广播技术实验设备项目。

分米波电视发射天线

产 品 系 列

◆VHF/UHF1W-10KW全固态电视发射机
◆FM1W-10KW全固态立体声广播发射机
◆DMB-T/H数字电视发射系统
◆CMMB移动多媒体广播系统
◆“村村通”多路电视/调频广播发射机
◆调频智能广播系统
◆各类广播电视发射天线及配套设备

质量管理体系认证证书
ISO9001:2000
GB/T 19001-2000
中国质量认证中心

质量管理体系认证证书

1000W数字电视发射机

成都成广电视设备有限公司
CHENGDU CHENG GUANG TV EQUIPMENT CO.,LTD

地址:成都市解放路一段158号 电话:028-83373918 83332986
传真:028-83342453 E-mail: cgtv630@163.com

走中国特色城镇化道路，按照统筹城乡、布局合理、节约土地、功能完善、以大带小的原则，促进大中小城市和小城镇协调发展。以增强综合承载能力为重点，以特大城市为依托，形成辐射作用大的城市群，培育新的经济增长极。

《中国共产党第十七次全国代表大会报告》

2007年10月15日

Taking a path of urbanization with Chinese characteristics, we will promote balanced development of large, medium-sized and small cities and towns on the principle of balancing urban and rural development, ensuring rational distribution, saving land, providing a full range of functions and getting larger cities to help smaller ones. Focusing on increasing the overall carrying capacity of cities, we will form city clusters with mega cities as the core so that they can boost development in other areas and become new poles of economic growth.

The Report to the Seventeenth National Congress of the Communist Party of China on Oct. 15, 2007

《中国城市经济年鉴》编委会

《中国城市经济年鉴》编辑部

前　言

据统计，我国城市的发展，对我国经济社会的发展起了极大的推动作用。目前，城市经济在国民经济发展中的比重已经居于主要地位。我国GDP总值的70%，税收的80%，均来自城市。国家和各地区的政治、经济、文化中心都是各地区的大型和特大型城市。中国的城市布局已经从落后的分散转变为今天较为发达和协调发展的城市体系。在中国特色社会主义理论指导下，中国城市经济获得空前增长和繁荣，城市经济已成为整个国民经济成长壮大的引领力量。城市的科学、协调、可持续发展的重要性是专家学者和各级领导者们十分重视并长期探索的一个重要问题。

在城市化道路的选择上，根据中国国情，必须遵循科学发展观的要求，坚持以大城市为主导，大、中城市为主体，小城市和小城镇为基础，走科学规划、布局合理、功能完善、用地节约、绿色发展的城市化之路。因此，我国的城市化要加强大城市、特大城市的提升与发展，建成大、中、小城市和小城镇相结合的城市体系，对中、小城市和小城镇，也要注意扶植它们的建设发展。特别是目前，一些大城市和特大城市，资源环境已经不堪重负，今后城市化的重点应放在中、小城市和小城镇上。

为深入贯彻落实科学发展观，更好地总结城市在现代化建设进程中的经验教训，探索现代城市发展的重大理论和实践问题，中国城市经济学会和中国城市经济杂志社编辑出版《中国城市经济年鉴》，每年发行一本。《2010中国城市经济年鉴》内容包括：一是一年来党中央、国务院和有关部委颁发的重要政策文件；二是刊载2009年全国城市经济分类统计资料以及各地级以上城市有关统计资料；三是系统阐述新中国成立六十年来中国城市经济建设、改革开放的发展成果与经验；四是编选2009年出版的中国城市经济研究的重点专著以及重点论文；五是汇集全国市长在本年度发表的对落实科学发展观，展示城市建设管理的创新思路与辉煌成就的文章；六是专门编辑了中国城市特色研究成果，包括城市竞争力、循环经济、低碳经济、总部经济、旅游经济、临空经济、轨道交通等现代经济门类；七是对各有特色的典型城市的推介；八是全国经济2009年的大事记。这本年鉴，还专门对全国城市经济的研究机构、全国城市经济高等院校和著名经济学家作了专题的汇编和介绍，为全国研究机构、学校、专家、学者进行学术交流提供平台。

《2010中国城市经济年鉴》是一部全国性、综合性、资料性年鉴，是各级领导科学决策和规划城市现代化建设与发展，专家学者研究中国城市经济和中国特色城镇化道路的必备参考书；是广大读者案头实用的知识性和综合性的图书；是一部展示中国城市经济发展轨迹，总结改革发展经验，开展创新研究，科学规划未来的一本有重要参考价值的文献图书。

本年鉴的出版和发行得到了我国各城市领导、中国城市发展研究会以及有关专家、学者的大力支持，在此表示诚挚的感谢。由于编者水平所限，本卷年鉴的缺点和不足一定在所难免，恳请广大读者对《2010中国城市经济年鉴》的编纂工作提出宝贵的批评和建议。

编者

2010年9月

PREFACE

According to statistics, China's urban development has played a great role for promoting economic and social development in China. At present, urban economy has become dominant in the development of national economy. About 70% of our country's GDP and 80% of the tax come from cities. The political, economic and cultural centers of the country and various regions are all large cities or super-sized mega-cities. China's distribution on cities has changed from the obsolete disorder into today's fairly coordinated development. Under the guidance of the theory of socialism with Chinese characteristics, China's urban economy has achieved unprecedented growth and prosperity. Urban economy has become the leading force of the development national economy. How to improve the development of cities in a scientific, coordinated and sustainable way is an important issue which has been paid much attention by experts and officials while still require long term exploration.

Based on China's current condition, we must follow the scientific concept of development in choosing the way to urbanization. We should take mega-cities as leaders, meanwhile using large and medium-sized cities as the main part, and the small cities and counties as basics. We should accomplish the process of urbanization through scientific planning, rational distribution, function improvement, saving land, and environment protection. Therefore, our country's urbanization should enhance the promotion and development of mega-cities and large cities, while establishing interrelated urban system between large, medium, small cities and small towns. We should also support the construction and development of medium, small cities and towns. In particular, nowadays, since natural resources and environment in some mega-cities and large cities have already been overloaded, going forward, we should shift the focus of urbanization to medium, small cities and towns.

In order to thoroughly implement the scientific concept of development, better summarize the experience and lessons in urban modernization, explore significant theoretical and practical issues of modern cities' development, China society of Urban Economy and its journal, China Urban Economy, edited and published China Urban Economy Yearbook on an annual basis. The "2010 China Urban Economy Yearbook" includes the content of: (i) Major related policies issued by the Party Central Committee, the State Council and the relevant ministries during the last year; (ii) 2009 national urban economy statistics and statistics of cities above the prefecture level; (iii) Achievements and experience gained from China's urban economy construction and reform and opening up through the last six decades; (iv) Key books and articles on China urban economy research published in 2009; (v) Mayors' articles relating the implementation of scientific concept of development in urban economy, and innovative ideas and outstanding achievements in construction and administration on cities; (vi) Research result on China-characteristics cities, including contemporary economic categories like, cities' competitiveness, recycling economy, low-carbon economy, headquarter economy, tourism economy, airport economy, rail transportation, etc; (vii) Promotion of some typical cities with different features; (viii) A 2009 chronology for major events on national economy. This Yearbook also compiled and introduced national-wide research institutions, colleges and universities, and famous economists who focus on the research of urban economy, which provides them a platform for academic exchange.

"2010 China Urban Economy Yearbook" is a national-wide, integrated and informative yearbook. It is a necessary reference book for officials at various levels in scientific planning and decision-making. It is also a reference for experts and scholars in their study on China urban economy, urbanization and cities' modernization. It is welcomed by general readers as an integrated and informative book. It shows significant value in tracking the development of China urban economy, summarizing reforms and developments, initiating innovative research and scientific planning of the future.

In publishing and issuing the Yearbook, we received great support from the Research Institute of China Urban Development, officials in different cities, and relevant experts and scholars. We truly appreciate their help. It is inevitable for the Yearbook to have loopholes due to the editors' limited knowledge and skills. As such, your precious comments and suggestions will be highly appreciated.

Editors

September 2010

目录

目录

目录

目录

目 录

目录

CONTENTS

CONTENTS

CONTENTS

CONTENTS

CONTENTS

CONTENTS

CONTENTS

中国城市经济相关政策文件>>>

珠江三角洲地区改革发展规划纲要
(2008–2020年) (节选)

国家发展和改革委员会

二〇〇八年十二月

前　言

珠江三角洲地区是我国改革开放的先行地区，是我国重要的经济中心区域，在全国经济社会发展和改革开放大局中具有突出的带动作用和举足轻重的战略地位。改革开放以来，在党中央、国务院的正确领导下，珠江三角洲地区锐意改革，率先开放，开拓进取，实现了经济社会发展的历史性跨越，为全国改革开放和社会主义现代化建设做出了重大贡献。当前，国内外经济形势发生深刻变化，珠江三角洲地区正处在经济结构转型和发展方式转变的关键时期，进一步的发展既面临严峻挑战，也孕育着重大机遇。在改革开放30周年之际，从国家战略全局和长远发展出发，为促进珠江三角洲地区增创新优势，更上一层楼，进一步发挥对全国的辐射带动作用和先行示范作用，特制定珠江三角洲地区改革发展规划纲要。

本规划纲要的规划范围是，以广东省的广州、深圳、珠海、佛山、江门、东莞、中山、惠州和肇庆市为主体，辐射泛珠江三角洲区域，并将与港澳紧密合作的相关内容纳入规划。规划期至2020年。

本规划纲要是指导珠江三角洲地区当前和今后一个时期改革发展的行动纲领和编制相关专项规划的依据。

一、加快珠江三角洲地区改革发展的重要意义

（一）30年改革发展的成就。

改革开放30年来，珠江三角洲地区充分发挥改革“试验田”的作用，率先在全国推行以市场为取向的改革，较早地建立起社会主义市场经济体制框架，成为全国市场化程度最高、市场体系最完备的地区；依托毗邻港澳的区位优势，抓住国际产业转移和要素重组的历史机遇，率先建立开放型经济体系，成为我国外向度最高的经济区域和对外开放的重要窗口；带动广东省由落后的农业大省转变为我国位列第一的经济大省，经济总量先后超过亚洲“四小龙”的新加坡、中国香港和中国台湾，奠定了建立世界制造业基地的雄厚基础，成为推动我国经济社会发展的强大引擎；人口和经济要素高度聚集，城镇化水平快速提高，基础设施比较完备，形成了一批富有时代气息又具岭南特色的现代化城市，成为我国三大城镇密集地区之一；城乡居民收入水平大幅提高，覆盖城乡的社会保

障体系初步形成，教育、科技、文化、卫生、体育等各项社会事业迅速发展，公共服务体系基本建立。珠江三角洲地区已经站在了一个新的更高的历史起点上。珠江三角洲地区改革发展的巨大成就雄辩地证明，发展是硬道理，改革开放是发展中国特色社会主义、实现中华民族伟大复兴的必由之路。

（二）面临的挑战和机遇。

在经济全球化和区域经济一体化深入发展，尤其是当前国际金融危机不断扩散蔓延和对实体经济的影响日益加深的背景下，珠江三角洲地区的发展受到严重冲击，国际金融危机的影响与尚未解决的结构性矛盾交织在一起，外需急剧减少与部分行业产能过剩交织在一起，原材料价格大幅波动与较高的国际市场依存度交织在一起，经济运行困难加大，深层次矛盾和问题进一步显现。主要是：产业层次总体偏低，产品附加值不高，贸易结构不够合理，创新能力不足，整体竞争力不强；土地开发强度过高，能源资源保障能力较弱，环境污染问题比较突出，资源环境约束凸显，传统发展模式难以持续；城乡和区域发展仍不平衡，生产力布局不尽合理，空间利用效率不高；社会事业发展相对滞后，人力资源开发水平、公共服务水平和文化软实力有待进一步提高；行政管理体制、社会管理体制等方面的改革任务仍然繁重，改革攻坚难度越来越大。同时，珠江三角洲地区也面临着重大机遇：国际产业向亚太地区转移的趋势不会改变，亚洲区域经济合作与交流方兴未艾，中国—东盟自由贸易区进程加快；我国仍处在重要战略机遇期，工业化、信息化、城镇化、市场化、国际化深入发展，粤港澳三地经济加快融合，经济发展具有很强的后劲；特别是经过改革开放30年发展，珠江三角洲地区积累了雄厚的物质基础，经济实力、区域竞争力显著增强，这些都为珠江三角洲地区加快改革发展提供了有利条件和广阔空间。

（三）重要意义。

在新形势下，推进珠江三角洲地区加快改革发展，充分发挥自身优势，着力解决突出问题，变压力为动力，化挑战为机遇，把国际金融危机带来的不利影响降到最低程度，加快推动经济社会又好又快发展，既是该地区转变经济发展方式的必然选择，也是我国当前保持经济增长的迫切要求和实现科学发展的战略需要。加快珠江三角洲地区的改革发展，有利于推进珠江三角洲地区经济结构战略性调整，增强经济发展的动力和活力；有利于提高我国的综合实力、国际竞争力和抵御国际风险的能力，更好地参与国际经济合作与竞争；有利于辐射和带动环珠江三角洲和泛珠江三角洲区域的经济发展，促进形成优势互补、良性互动的区域经济发展新格局；有利于贯彻“一国两制”方针，保持港澳地区长期繁荣稳定；有利于深化体制机制创新，为建立实现科学发展的体制机制探索新路径、提供新经验。

二、总体要求和发展目标

（一）指导思想。

高举中国特色社会主义伟大旗帜，以邓小平理论和“三个代表”重要思想为指导，深入贯彻落实科学发展观，进一步解放思想，坚持改革开放，努力争当实践科学发展观的排头兵。着力构建现代产业体系，加快发展方式转变，率先建立资源节约型和环境友好型社会；着力推进科技进步，增强自主创新能力，率先建立创新型区域；着力解决民生突出问题，促进城乡区域协调发展，率先构建社会主义和谐社会；着力深化体制改革，勇于推进体制机制创新，率先建立完善的社会主义市场经济体制；着力加强与港澳合作，扩大对内对外开放，率先建立更加开放的经济体系。要把解决当前问题与谋划长远发展结合起来，保持珠江三角洲地区经济平稳较快发展，为保持港澳地区长期繁荣稳定提供有力支撑,为我国改革开放和社会主义现代化建设做出新的更大贡献，率先建成全面小康社会和基本实现现代化。

（二）战略定位。

——探索科学发展模式试验区。赋予珠江三角洲地区发展更大的自主权，支持率先探索经济发展方式转变、城乡区域协调发展、和谐社会建设的新途径、新举措，走出一条生产发展、生活富裕、生态良好的文明发展道路，为全国科学发展提供示范。

——深化改革先行区。继续承担全国改革“试验田”的历史使命，大胆探索，先行先试，全面推进经济体制、政治体制、文化体制、社会体制改革，在重要领域和关键环节率先取得突破，为实现科学发展提供强大动力，为发展中国特色社会主义创造新鲜经验。

——扩大开放的重要国际门户。坚持“一国两制”方针，推进与港澳紧密合作、融合发展，共同打造亚太地区最具活力和国际竞争力的城市群。创新国际区域合作机制，全面提升经济国际化水平，完善内外联动、互利共赢、安全高效的开放型经济体系。

——世界先进制造业和现代服务业基地。坚持高端发展的战略取向，建设自主创新新高地，打造若干规模和水平居世界前列的先进制造产业基地，培育一批具有国际竞争力的世界级企业和品牌，发展与香港国际金融中心相配套的现代服务业体系，建设与港澳地区错位发展的国际航运、物流、贸易、会展、旅游和创新中心。

——全国重要的经济中心。综合实力居全国经济区前列，辐射带动能力进一步增强，形成以珠江三角洲为中心的资源互补、产业关联、梯度发展的多层次产业圈，建设成为带动环珠江三角洲和泛珠江三角洲区域发展的龙头，成为带动全国发展更为强大的引擎。

……

三、构建现代产业体系

促进信息化与工业化相融合，优先发展现代服务业，加快发展先进制造业，大力发展高技术产业，改造提升优势传统产业，积极发展现代农业，建设以现代服务业和先进制造业双轮驱动的主体产业群，形成产业结构高级化、产业发展集聚化、产业竞争力高端化的现代产业体系。

（一）优先发展现代服务业。

支持珠江三角洲地区与港澳地区在现代服务业领域的深度合作，重点发展金融业、会展业、物流业、信息服务业、科技服务业、商务服务业、外包服务业、文化创意产业、总部经济和旅游业，全面提升服务业发展水平。支持广州市、深圳市建设区域金融中心，构建多层次的资本市场体系和多样化、比较完善的金融综合服务体系。支持符合条件的优质企业上市融资，扩大直接融资比重。培育具有国际竞争力的金融控股集团，尽快在深圳证券交易所推出创业板、完善代办股份转让系统，支持建设广东金融高新技术服务区。大力发展金融后台服务产业，建设辐射亚太地区的现代金融产业后援服务基地。发展一批具有国际影响力的专业会展，扩大中国（广州）进出口商品交易会、中国（深圳）国际高新技术成果交易会、中国（珠海）国际航空航天博览会、中国（广州）中小企业博览会、中国（深圳）国际文化产业博览交易会的国际影响力，打造世界一流的会展品牌。

推进白云空港、宝安空港、广州港、深圳港等一批枢纽型现代物流园区建设，完善与现代物流业相匹配的基础设施，带动广东建设世界一流的物流中心。建设以珠江三角洲地区为中心的南方物流信息交换中枢，进一步确立珠江三角洲地区的国际电子商务中心地位。着力发展外包服务业，到2012年，培育2～3个国家级国际服务外包基地城市，形成较为完整的国际服务业外包产业链。支持发展研究设计、营销策划、工程咨询、中介服务等第三方专业服务机构，促进科技服务业和商务服务业发展。加快发展人力资源服务业，扶持一批立足本地、辐射全国、具有国际竞争力的人力资源服务机构，促进人力资源合理流动和有效配置。培育一批创意产业集群，加快建设珠江三角洲国家级软件和动漫产业基地。大力发展总部经济，鼓励国内外大型企业以及有影响力的中介服务机构在珠江三角洲地区设立总部或分支机构。建设全国旅游综合改革示范区，建成亚太地区具有重要影响力的国际旅游目的地和游客集散地。到2020年，现代服务业增加值占服务业增加值的比重超过60%。

（二）加快发展先进制造业。

充分利用现有基础和港口条件，重点发展资金技术密集、关联度高、带动性强的现代装备、汽车、钢铁、石化、船舶制造等产业，坚持走新型工业化道路。加快发展装备制造业，在核电设备、风电设备、输变电重大装备、数控机床及系统、海洋工程设备5个关键领域实现突破，形成世界级重大成套和技术装备制造产业基地。加快发展以自主品牌和自主技术为主的汽车产业集群，打造2～3家产值超千亿元的特大型汽车制造企业，建设国际汽车制造基地。发展大功率中低速柴油机等船舶关键配套装备，打造产能千万吨级的世界级大型修造船基地和具有现代化技术水平的海洋工程装备制造基地。以宝钢重组韶钢、广钢为契机，建设现代化的千万吨级湛江钢铁基地。集约发展石化产业，集中力量在深水港口条件好、环境承载能力相对较大的沿海地区，依托条件较好的现有企业，高标准建设2～3个千万吨级炼油、百万吨级乙烯炼化一体化工程，力争形成世界先进水平的特大型石油化工产业基地。支持发展通用飞机制造产业，壮大新能源汽车产业。大力培育精细化工、医药等产业，提升规模和水平，形成新的经济增长点。到2020年，先进制造业增加值占工业增加值的比重超过50%。近期，要适度控制新增产能，加快结构调整，为长远发展奠定基础。

……

四、提高自主创新能力

完善自主创新的体制机制和政策环境，构建以企业为主体、以市场为导向、产学研结合的开放型区域创新体系，率先建成全国创新型区域，成为亚太地区重要的创新中心和成果转化基地，全面提升国际竞争力。

（一）推进核心技术的创新和转化。

围绕现代产业发展的需求，着力抓好关键领域的引进消化吸收再创新和集成创新，积极推进原始创新，加快创新成果转化，实现产业技术跨越式发展。重点开展电子信息、生物与新医药、先进制造、新材料、节能与新能源、环保与资源综合利用、现代农业等关键领域的自主创新，掌握一批行业核心和共性技术。实施产业前沿技术重大攻关计划，开展关键领域联合科技攻关，实施节能减排与可再生能源、创新药物的筛选与评价、下一代互联网、新一代移动通信等自主创新重大专项，支持产学研合作和区域联合承担国家重大科技专项。加强大学科技园、科技成果孵化器和中试基地建设，新建一批创新成果产业化基地，组织实施高技术产业化示范工程，支持国家重大创新成果在珠江三角洲地区转化。大力发展技术评估、产权交易、成果转化等科技中介服务机构，构建技术转移平台，促进创新成果转化。力争到2012年，年发明专利申请量达600件/百万人口，在一些重点领域自主创新接近或达到世界先进水平。到2020年，基本实现由“广东制造”向“广东创造”转变。

（二）强化企业自主创新主体地位。

引导创新要素向企业集聚，鼓励企业加大研发投入，强化本土企业在自主创新中的主体地位。支持探索促进自主创新的政策举措，鼓励率先建立和完善增强企业自主创新能力的政策体系。完善企业自主创新激励机制，全面落实企业研发费用税前加计扣除等自主创新优惠政策，加大创新产品的政府采购力度。支持企业与全国高等院校、科研院所共建高水平的技术研发机构和人才培养机构，组建企业技术中心，共同承担国家重大科技项目。加强行业公共技术平台和创新服务体系建设，为企业自主创新提供公共服务支撑。培育一批创新能力强、经济效益好的创新型企业，重点支持打造50家国家级和10家世界领先的创新型龙头企业。

……

五、推进基础设施现代化

按照统筹规划、合理布局、适度超前、安全可靠的原则，紧紧抓住当前扩大内需的战略机遇，加快交通、能源、水利和信息基础设施建设，推进区域基础设施一体化发展，提高保障水平，实现基础设施现代化。

（一）建设开放的现代综合交通运输体系。

大力推进交通基础设施建设，形成网络完善、布局合理、运行高效、与港澳及环珠江三角洲地区紧密相连的一体化综合交通运输体系，使珠江三角洲地区成为亚太地区最开放、最便捷、最高效、最安全的客流和物流中心。尽快建成珠江三角洲城际轨道交通网络，完善区内铁路、高速公路和区域快速干线网络，增强珠江口东西两岸的交通联系。重点建设环珠江三角洲地区高速公路、中山至深圳跨珠江口通道、港珠澳大桥、深港东部通道、广深港高速铁路、沿海铁路、贵州至广州铁路、南宁至广州铁路，以及广州、深圳、佛山、东莞城市轨道交通等重大项目。加强城市公共交通基础设施及广州、深圳、珠海等交通枢纽建设，完善区域公交网络。提高珠江三角洲高等级内河航道网的现代化水平，有效整合珠江口港口资源，完善广州、深圳、珠海港的现代化功能，形成与香港港口分工明确、优势互补、共同发展的珠江三角洲港口群体。加快广州白云国际机场扩建，巩固其中心辐射地位并提高国际竞争力，扩容改造深圳宝安机场，提升其服务水平，将其发展为大型骨干机场。加强珠江三角洲民航机场与港澳机场的合作，构筑优势互补、共同发展的机场体系。到2012年，珠江三角洲高速公路通车里程达3000公里，轨道交通运营里程达1100公里，港口货物吞吐能力达9亿吨，集装箱吞吐能力达4700万标箱，民航机场吞吐能力达8000万人次；到2020年，轨道交通运营里程达2200公里，港口货物吞吐能力达14亿吨，集装箱吞吐能力达7200万标箱，民航机场吞吐能力达1.5亿人次。

（二）构建清洁安全可靠的能源保障体系。

统筹区域内外能源基础设施建设，以电力建设为中心，构建开放、多元、清洁、安全、经济的能源保障体系，满足珠江三角洲地区经济社会发展需要。加快开展前期工作，规模化发展核电，延伸核电产业链，推进核电自主化，把广东建成我国重要的核电基地和核电装备基地。优化发展火电，在沿海沿江建设一批环保型骨干电厂，在珠江三角洲区内负荷中心建设支撑电源，统筹推进区域热电冷联供和清洁发电示范工程。合理配置广东省内电源和“西电东送”外区电源，确保电网安全稳定运行。进一步完善珠江三角洲电网和跨区域输电通道，构建电力安全体系及应急处置体系，提高电网抗灾害能力和电力减灾应急能力。在符合国家重点油气项目战略规划布局的前提下，加快油气基础设施建设及LNG接收站建设，统筹推进油气管网一体化，建设区域石油流通枢纽和交易中心。稳步推进能源储备工程，建设石油储备基地和大型煤炭中转基地。加强国内外能源合作,多渠道开拓能源资源。积极开发新能源和可再生能源，重点建设风力发电场和太阳能利用工程。到2020年，建成供应能力强、结构优、效率高的现代能源保障体系。

……

六、统筹城乡发展

按照城乡规划一体化、产业布局一体化、基础设施建设一体化、公共服务一体化的总体要求，着力推进社会主义新农村建设，完善和提升城市功能，率先形成城乡一体化发展新格局。

（一）提高城乡规划和建设管理水平。

切实加强统筹城乡的规划布局，建设与经济发展水平相适应的现代化城乡示范区，打造具有岭南特色的宜居城乡。建立以主体功能区规划为基础，国民经济和社会发展规划、土地利用规划及城乡规划相互衔接的规划体系。合理划定功能分区，明确具体功能定位，改变城乡居民区与工业、农业区交相混杂的状况，优化城乡建设空间布局。按照一体化的要求，统筹编制城乡规划，加强配套设施建设，改善农村人居环境。因地制宜改造城中村、拆除空心村、合并小型村，加快推进城乡新社区建设。加强城乡非农产业空间布局的统一规划，优化农村产业结构，统筹城乡产业发展。探索城乡统一规划、统一建设、统一管理的新机制，提高城乡规划建设管理水平。提高规划制定的公开性、透明性和群众参与度，推进规划编制和实施的法制化进程。

（二）加强农村基础设施建设。

提高城乡基础设施建设一体化水平，着力加强农村基础设施建设。大力推进农村饮水安全工程，提高农村供水保证率和质量安全水平。提高农村公路建设等级和标准，健全农村公路管护机制，完善农村路网体系，加快农村出行公交化步伐，2020年建成覆盖城乡、方便快捷的公交客运网络。加快农村现代物流基础设施建设，鼓励城市商贸流通企业向农村延伸，健全城乡连锁经营体系。推进建设农村清洁、经济的能源体系，进一步健全城乡统一供电网络，推广农村沼气、生物质清洁燃料、太阳能等可再生能源技术，实现农村居民普遍用上清洁经济能源目标。实施农村清洁工程，加快建设农村垃圾、污水集中处理系统，实现农村废弃物和人畜粪便无害化处理，改善农村卫生条件和人居环境。

……

七、促进区域协调发展

按照主体功能区定位,优化珠江三角洲地区空间布局, 以广州、深圳为中心，以珠江口东岸、西岸为重点，推进珠江三角洲地区区域经济一体化,带动环珠江三角洲地区加快发展,形成资源要素优化配置、地区优势充分发挥的协调发展新格局。

（一）发挥中心城市的辐射带动作用。

广州市要充分发挥省会城市的优势,增强高端要素集聚、科技创新、文化引领和综合服务功能，进一步优化功能分区和产业布局，建成珠江三角洲地区一小时城市圈的核心。优先发展高端服务业，加快建设先进制造业基地，大力提高自主创新能力，率先建立现代产业体系。增强文化软实力，提升城市综合竞争力，强化国家中心城市、综合性门户城市和区域文化教育中心的地位，提高辐射带动能力。强化广州佛山同城效应，携领珠江三角洲地区打造布局合理、功能完善、联系紧密的城市群。将广州建设成为广东宜居城乡的“首善之区”，建成面向世界、服务全国的国际大都市。深圳市要继续发挥经济特区的窗口、试验田和示范区作用，增强科技研发、高端服务功能，强化全国经济中心城市和国家创新型城市的地位，建设中国特色社会主义示范城市和国际化城市。

（二）优化珠江口东岸地区功能布局。

以深圳市为核心，以东莞、惠州市为节点的珠江口东岸地区，要优化人口结构，提高土地利用效率，提升城市综合服务水平，促进要素集聚和集约化发展，增强自主创新能力，面向世界大力推进国际化，面向全国以服务创造发展的新空间，提高核心竞争力和辐射带动能力。着力建设深圳通信设备、生物工程、新材料、新能源汽车等先进制造业和高技术产业基地。加快东莞加工制造业转型升级，建设松山湖科技产业园区。积极培育惠州临港基础产业，建设石化产业基地。珠江口东岸地区要加快发展电子信息高端产品制造业，打造全球电子信息产业基地。大力发展金融、商务会展、物流、科技服务、文化创意等现代服务业，推进产业结构优化升级，构建区域服务和创新中心。

……

八、加强资源节约和环境保护

实行最严格的耕地保护制度和节约用地制度，提高资源节约集约利用水平，切实加强环境保护和生态建设，增强区域可持续发展能力，率先建立资源节约型和环境友好型社会。

（一）节约集约利用土地。

严格执行土地利用总体规划和年度计划，切实落实耕地和基本农田保护目标。统筹建设占用和补充耕地规模，积极整理开发部分低效园地山坡地补充耕地，加大土地整理复垦力度，严格实行耕地占补平衡。积极探索耕地保护严、建设占地少、用地效率高的科学发展道路，创新土地管理方式，建设国家节约集约用地试点示范区。支持加大闲置土地处置力度，盘活存量建设用地。有效保护河口和海岸湿地，合理有序将围填海造地和滩涂资源用于非农建设，减少对现有耕地的占用。加强土地需求调控，实行更严格的区域土地供应政策、土地使用标准和市场准入标准，实行差别化供地政策，积极推进工业园区按照产业集聚、布局合理、用地集约的原则进行提升改造，推进交通基础设施、城乡建设用地集约化。探索用地审批制度改革，简化程序，强化监督。探索建立土地收益调节机制，利用经济手段提高土地利用集约化水平。

（二）大力发展循环经济。

坚持开发节约并重、节约优先，按照减量化、再利用、资源化的原则，大力推进节能节水节材，加强资源综合利用，全面推行清洁生产，形成低投入、低消耗、低排放和高效率的经济发展方式。落实节能减排目标责任制，严格实施新建项目节能评估和审查制度。抓好重点用能单位节能管理，加快工业、建筑、交通等领域的节能降耗技术改造，到2020年单位地区生产总值能耗下降到0.57吨标准煤。鼓励发展符合国家政策的资源综合利用项目，推动垃圾发电、余热利用发电等工程建设。加强用电需求侧管理，建立节电管理长效机制。实行用水总量控制和定额管理，到2020年，工业用水重复率达到80%。建设城镇再生水利用系统。制定清洁生产推行规划，指导和督促企业推行清洁生产。制定循环经济推进规划，积极探索有利于资源节约和循环经济发展的地方性价格、财政政策，建成一批符合循环经济发展要求的工业园区，形成资源高效利用、循环利用的产业链。鼓励生产和使用节能节水节材产品、可再生产品和节能环保汽车，形成健康文明、节约资源的生产和消费模式。

……

九、加快社会事业发展

以改善民生为重点，大力发展各项社会事业，切实做到全体人民学有所教、劳有所得、病有所医、老有所养、住有所居，打造全国高水平、高品质社会事业发展示范区，促进人的全面发展，实现人民幸福安康、社会和谐进步。

（一）优先发展教育。

——优化基础教育结构。合理配置义务教育办学资源，逐步解决常住人口子女平等接受义务教育问题。从实际情况出发，由地方财政统筹考虑，逐步实现普及学前到高中阶段教育。以中等职业教育为重点，大力发展职业教育，率先实现农村中等职业教育免费。推进校企合作，建设集约化职业教育培训基地，面向更大区域配置职业技术教育资源，把珠江三角洲地区建设成为我国南方重要的职业技术教育基地。高等教育普及化水平进一步提高，显著提升高校科技创新与服务能力。

——以新的思维和机制推动高等教育发展上水平。支持港澳名牌高校在珠江三角洲地区合作举办高等教育机构，放宽与境外机构合作办学权限，鼓励开展全方位、宽领域、多形式的智力引进和人才培养合作，优化人才培养结构。加大对国家重点建设大学支持力度，到2020年，重点引进3～5所国外知名大学到广州、深圳、珠海等城市合作举办高等教育机构，建成1～2所国内一流、国际先进的高水平大学。

——争创国家教育综合改革示范区。制定中长期教育发展纲要，率先探索多种形式的办学模式和运作方式。改革应试教育模式，全面实施素质教育。积极开展教学改革和教师队伍建设改革试验，深化人才培养模式改革，探寻符合人类文明成果传承规律的教育方式。扩大高等教育办学自主权，推进高等学校治理模式改革。积极探索完善以政府投入为主，多渠道筹措教育经费保障机制。

（二）完善医疗卫生服务。

——提高公共卫生和医疗服务水平。加强疾病预防控制、妇幼保健、精神卫生、职业卫生等公共卫生机构建设。加强重大疾病防控、医疗救治和卫生监督体系建设，提高突发公共卫生事件应急处置能力。大力发展城乡基层医疗卫生服务体系，提高医疗卫生服务水平，切实解决人民群众看病就医问题。深入开展爱国卫生运动，普及国家卫生镇。到2012年，率先建立覆盖城乡居民的基本医疗卫生制度；到2020年，实现城乡居民人人享有优质的医疗卫生服务。

——优化配置医疗卫生资源。统筹规划和使用大型医疗设备、检验仪器，启动门急诊病历“一本通”和医疗机构医学检验、医学影像检查结果互认，考虑实际服务人口等因素合理确定大型医疗设备配置数量。推动医疗卫生资源向农村基层、城市社区倾斜。统筹高层次医学人才和面向基层的实用卫生人才的培养与引进。充分发挥中医药在预防保健医疗服务中的独特优势，加快基层医疗卫生机构中医科、中药房的标准化、规范化建设，率先建立健全中医“治未病”预防保健服务网络。

——推进医疗卫生机构管理体制和运行机制改革。开展公立医院改革试点，破除以药补医模式，完善公立医院经济补偿机制。积极促进非公医疗卫生机构发展，形成投资主体多元化、投资方式多样化的办医体制。探索政事分开、管办分开、医药分开、营利性和非营利性分开的实现形式，在医药卫生体制改革中发挥试验区作用。

……

十、再创体制机制新优势

继续发挥珠江三角洲地区特别是经济特区的“试验田”和示范区作用，以行政管理体制改革为突破口，深化经济体制和社会管理体制改革，健全民主法制，在重要领域和关键环节先行先试，率先建立完善的社会主义市场经济体制，为科学发展提供强大动力。

（一）创新行政管理体制。

——根据建立中国特色社会主义行政管理体制的总体要求，按照经济调节、市场监管、社会管理和公共服务的基本定位，遵循精简、统一、效能的改革方向，着力转变职能、理顺关系、优化结构，充分发挥市场在资源配置中的基础性作用，努力建设服务政府、责任政府、法制政府和廉洁政府。全面推进政企、政资、政事、政府与市场中介组织分开。凡是能够由市场机制调节的事，坚决放给市场；凡是应由企业自主决策的事，一律交还企业；凡是能够由社会组织解决的事，积极移交社会组织管理；凡是应由政府承担的职责，要切实履行好。政府要把精力集中到落实国家宏观调控的政策措施，改善发展环境，推动经济发展，促进就业和社会保障，加强市场监管，规范市场秩序，加快社会事业发展，切实保护生态环境等方面上来。增强处置突发公共事件和社会治安综合治理的能力。按照财力与事权相匹配的原则，科学配置地方各级政府的财力，增强市（地）、县（市）政府提供公共服务的能力。进一步理顺和明确垂直管理部门与地方政府权责关系。制定各项配套措施，完善各级政府主要职责的考核、审计和问责制度。

——进一步优化政府组织体系和运行机制。支持深圳市等地按照决策权、执行权、监督权既相互制约又相互协调的要求，在政府机构设置中率先探索实行职能有机统一的大部门体制，条件成熟时在珠江三角洲地区及全省推行。选择部分有条件的地方推行机构编制科学化、规范化、法制化管理试点，探索机构编制管理与财政预算、组织人事管理的配合制约机制，合理配置行政事业编制。适应经济社会发展需要，选择有条件的地方合理调整行政区划。试行省直管县体制，进一步扩大县级政府经济社会管理权限。积极推进乡镇机构改革。按照强镇扩权的原则，对具备一定人口规模和经济实力的中心镇赋予部分县级经济社会管理权限；对与县级政府驻地联系紧密的乡镇，在条件成熟时转为县级政府的派出机构；对规模较大和城镇化水平较高的特大型乡镇，整合设立地级市的市辖区。创新乡镇事业站所管理体制，构建新型农业社会化服务体系。

——改进政府管理和服务方式。深化行政审批制度改革，继续清理和调整行政审批项目，进一步减少和规范行政审批。支持中山市开展创新审批方式改革试点。改进企业登记方式，试行告知承诺制。推进行政事业性收费改革，减少收费项目，率先在珠江三角洲地区实行审批管理“零收费”

制度。建立和完善跨部门统一互联的电子政务平台，积极推行网上办公和政务处理。完善行政监督制度，加快推进省、市、县和镇级电子监察系统的四级联网。推进政务公开，完善政府信息发布制度，充分发挥政务信息对经济社会活动和人民群众生产生活服务的引导作用。强化行政规划和行政指导，扩大委托购买服务和合约式管理，推行现代行政管理方式，降低管理成本，提高工作效率。实现政府管理方式向规范有序、公开透明、便民高效的根本转变。

——按照责权利相统一的要求，构建专业管理相对集中、综合管理重心下移的城市管理体制。整合行政执法资源，建立综合行政执法体系，减少行政执法层次，避免政出多门。建立政府内部相关领域信息共享和联动工作机制。健全行政执法争议协调机制，完善行政执法责任制、评议考核制和责任追究制。深化城市公用事业改革，建立多元化的投资机制和规范高效的运营机制，逐步放开公用事业的建设和运营市场。创新公用事业监管模式，构建政府、公众和社会三方共同参与、有机结合的监管评价体系。

（二）深化经济体制改革。

——农村经济体制改革。稳定和完善农村基本经营制度，现有土地承包关系要保持稳定并长久不变，制定实施相关配套政策。培育农民新型合作组织，大力发展农民专业合作组织，发展多元化的农业社会化服务体系。积极推进集体林权制度改革，确立农民经营主体地位。积极培育和发展农村土地承包经营权流转市场，支持有条件的地方发展多种形式的规模经营。全力推进农村土地确权登记发证工作，做好农村各类土地登记资料的收集、整理、共享和汇交管理，提供农村土地登记结果查询服务。继续深化征地制度改革，逐步缩小征地范围，完善征地补偿机制，依法征收农村集体土地，按照同地同价原则及时足额给农村集体组织和农民合理补偿，解决好被征地农民就业、住房、社会保障。加快推动农村集体建设用地使用权流转，逐步实现集体建设用地与国有土地同地同价，建立城乡统一的土地市场。创新宅基地管理制度，严格宅基地管理，依法保障农户宅基地用益物权。开展城镇建设用地增加与农村建设用地减少挂钩试点，优化土地利用结构和布局。健全农业投入保障机制。建立政府引导、多方投入的村级公益事业建设新机制，制定村级公益事业建设“一事一议”财政奖补办法。重构农村信用基础，开辟农村金融服务新路子。支持惠州、佛山、中山等市开展统筹城乡发展综合改革试点。

——财政和投资体制改革。按照基本公共服务均等化和主体功能区建设的要求，完善公共财政体系。探索建立财政预算编制、预算执行和监督审查既相互制衡又相互协调的财政管理体制。健全财力与事权相匹配的体制，理顺各级财政收入分配关系。调整财政支出结构，重点向有利于促进基本公共服务均等化的领域倾斜。增加体现主体功能区的因素，健全转移支付办法。改革财政资金分配办法，建立和完善通过制度健全、公开透明方式取得财政资金的机制。完善投资项目管理，扩大地方投资项目审批核准权限。完善政府投资管理制度，规范政府投资行为，开展政府投资项目公示试点。

——金融改革与创新。允许在金融改革与创新方面先行先试，建立金融改革创新综合试验区。支持符合条件的企业发行企业债券。培育股权投资机构。建立创业投资引导基金，发展创业投资。创新中小企业融资模式，积极建立中小企业信用担保基金和区域性再担保机构，发展小额贷款公司和中小企业投资公司。稳步推进金融业综合经营试点。稳妥开展和创新人民币外汇衍生产品交易，便利各类经济主体汇率风险管理。研究开放短期出口信用保险市场，扩大出口信用保险的覆盖面，支持外向型企业做大做强。在国家外汇管理改革的框架下，深化境外投资外汇管理改革，选择有条件的企业开展国际贸易人民币结算试点。健全内部控制和风险防范机制，加强金融监管，防范和化解金融风险。

——企业体制改革。借鉴先进国家国有企业治理经验，创新国有资产运营和监管模式。完善国有资本有进有退、合理流动的机制，加快国有经济布局和结构调整，积极推进国有企业公司制股份制改革，大力发展混合所有制经济，促进国有企业整体改制上市，进一步增强国有经济活力、控制力和影响力。积极推动国有资产向关键领域、支柱产业和先导产业集中。建立现代企业制度，完善法人治理结构。改革和完善国有企业经营管理人才选拔任用制度，建立职业经理人市场。建立健全国有企业风险管理体系。探索发展多种形式的新型集体经济。运用资本转让、股权结构调整、企业整合和其他有效形式，推进集体企业改革。大力发展民营经济，放宽非公有制企业的投资领域和行业限制，合理引导进入金融服务、公用事业、基础设施建设等领域。鼓励非公有制企业自身改革，建立现代法人治理结构，做大做强。

——完善市场环境。加快推进电、油、气、水、矿产等资源性产品及要素价格改革，建立反映市场供求状况、资源稀缺程度和环境损害成本的价格形成机制。改革土地供给制度，完善经营性用地土地使用权的招标、拍卖和挂牌制度，强化市场机制对配置土地资源的基础性作用。进一步打破行政性垄断和地区封锁，推进市场一体化。推进水务管理体制改革。完善行政执法、行业自律、舆论监督、群众参与相结合的市场监管体系。创新市场监管模式，健全行政执法与司法相衔接的监管机制。规范市场经济秩序，健全产品质量监管机制。加快社会信用体系建设，建立和完善以组织机构代码和身份证号码等为基础的实名制信用信息体系。建立健全企业信用警示、惩戒以及信用预警机制，营造诚实守信的社会环境。探索适度开放信用服务市场。清理、完善现有政策法规。规范市场经济秩序，建立稳定规范的政策和法制环境。

……

十一、构建开放合作新格局

进一步发挥“窗口”作用，以粤港澳合作、泛珠江三角洲区域合作、中国—东盟合作为重要平台，大力推进对内对外开放，全面加强与世界主要经济体的经贸关系，积极主动参与国际分工，率先建立全方位、多层次、宽领域、高水平的开放型经济新格局。

（一）提升开放型经济水平。

——创新对外贸易发展方式。发挥在全国的龙头带动和示范作用，优化进出口结构，坚持以质取胜，加快推进对外贸易从货物贸易为主向货物贸易与服务贸易并重转变。积极推动外贸经营模式的转变，运用全球资源，延伸产业的国际链条，发展高端贸易。鼓励加工贸易延伸产业链，扶持一批有规模、有优势的加工贸易企业从贴牌生产、委托设计向自主品牌转型，增强设计研发能力和品牌营销能力，增加内销业务，支持建设全国加工贸易转型升级示范区。科学规划、合理设立海关特殊监管区和保税业务监管网点，支持珠江三角洲地区保税加工业和保税物流业可持续健康发展，在制定全国海关特殊监管区域规划中，统筹考虑设立白云空港综合保税区问题。大力发展金融、软件、文化等服务贸易，建立一批国际服务外包基地。率先实行符合国际惯例的质量、安全、环境、技术、劳工等标准，加快“电子口岸”建设，实现海关查验、检验等方面的规范化、国际化、便利化。服务贸易占进出口总额的比重2012年达20%，到2020年达40%以上。

——提高利用外资水平。积极吸引世界500强企业和全球行业龙头企业投资，严格限制低水平、高污染、高能耗的外资项目进入。引导外资投向高新技术产业、现代服务业以及研发、营运中心等，推动能源、交通、环保、物流、旅游等领域国际合作。积极开展金融、教育、医疗、文化等领域中外合资、合作试点。积极引导和鼓励海外优秀人才前来创业、投资。实现利用外资从资金为主提升到以先进技术、管理经验和高素质人才为主，从制造业为主向制造业与服务业并重的转变。

——加快实施“走出去”战略。鼓励有条件的企业在国外建立生产基地、营销中心、研发机构和经贸合作区，开展境外资源合作开发、国际劳务合作、国际工程承包；购并国外掌握关键技术的中小企业、研发机构和营销网络。完善支持企业“走出去”的总体协调机制，在资金筹措、外汇审核、人员进出、货物通关、检验检疫、项目管理等方面建立便捷高效的境内支撑体系，在领事保护、风险防范、信息沟通、政府协调等方面建立境外服务体系。到2020年，形成10个年销售收入超200亿美元的本土跨国公司。

——努力构建规范化、国际化的营商环境。合理利用国际惯例与规则，积极参与国际规则、标准的制定，主动建立与其相适应的体制机制。强化合约精神、法治观念和商业信用意识，建立完善的法制、透明稳定的商业制度和规范的商业纠纷解决机制，培育熟悉国际规则的金融、法律、会计等方面专业人才队伍。在企业设立、经营许可、人才招聘、产权登记和跨境交易等方面提供便利、高效的服务，保护投资者权益，与港澳共建全球营商环境最佳的地区之一。

——积极防范国际经济风险。建立对国际经济风险的预警机制和防范机制，主动应对和防范国际经济风险。健全跨境资金流动监控和预警机制。积极防范由国际金融创新与合作、跨国产业并购、国际产业技术标准调整、国际贸易争端、汇率变动、国际能源资源价格波动等带来的风险。

（二）推进与港澳更紧密合作。

——推进重大基础设施对接。本着互惠互补的原则，加强与港澳的协调合作，充分发挥彼此的优势，支持与港澳在城市规划、轨道交通网络、信息网络、能源基础网络、城市供水等方面进行对接。加快建设广深港客运专线，尽快开工建设港珠澳大桥、深圳东部过境高速公路和与香港西部通道相衔接的高速公路等基础设施，积极推进莲塘/香园围口岸规划与建设，积极推进深港空港合作等项目。支持港口、码头、机场等基础设施建设、运营和管理等方面的合作。支持共同规划实施环珠江口地区的“湾区”重点行动计划。积极开展与港澳海关合作，深化口岸通关业务改革，探索监管结果互认共享机制，加强在打击走私、知识产权保护方面的合作。支持广东省与港澳地区人员往来便利化，优化“144小时便利免签证”。

——加强产业合作。全力支持在珠江三角洲地区的港澳加工贸易企业延伸产业链条，向现代服务业和先进制造业发展，实现转型升级。同时支持劳动密集企业顺利过渡，并协助港资企业拓展内地市场，以增加应对外部环境急剧变化的能力。深化落实内地与港澳更紧密经贸关系安排（CEPA）力度，做好对港澳的先行先试工作。支持粤港澳合作发展服务业，巩固香港作为国际金融、贸易、航运、物流、高增值服务中心和澳门作为世界旅游休闲中心的地位。坚持上下游错位发展，加强与港澳金融业的合作。支持港澳地区银行人民币业务稳健发展，开展对港澳地区贸易项下使用人民币计价、结算试点。鼓励共同发展国际物流产业、会展产业、文化产业和旅游业。加大开展银行、证券、保险、评估、会计、法律、教育、医疗等领域从业资格互认工作力度，为服务业的发展创造条件。支持珠江三角洲地区企业到香港上市融资。支持科技创新合作，建立港深、港穗、珠澳创新合作机制。规划建设广州南沙新区、深圳前后海地区、深港边界区、珠海横琴新区、珠澳跨境合作区等合作区域，作为加强与港澳服务业、高新技术产业等方面合作的载体。鼓励粤港澳三地优势互补，联手参与国际竞争。

——共建优质生活圈。鼓励在教育、医疗、社会保障、文化、应急管理、知识产权保护等方面开展合作，为港澳人员到内地工作和生活提供便利。推动专业技能人才培训的合作。完善粤港澳三地传染病疫情信息通报与联防联控、突发公共卫生事件应急合作机制和食品、农产品卫生事件互通协查机制。支持建立劳动关系协调合作机制。共同建立绿色大珠江三角洲地区优质生活圈。鼓励建立污染联防联治机制，开展治理环境污染、共建跨境生态保护区、保护水库集水区。支持粤港共同研究合作发展清洁能源及可再生能源，实施清洁生产等方面的合作，建设具有经济效益的区域能源供应销售网络。确保输港澳农副产品和供水的优质安全。支持粤港澳合作推行清洁能源政策，逐步实现统一采用优于全国其他地区的汽车燃料、船舶燃油与排放标准，力争改善珠江三角洲地区空气质量。支持发展珠江三角洲区域的循环经济产业，鼓励粤港澳开展物料回收、循环再用、转废为能的合作，研究废物管理合作模式。

——创新合作方式。加强与港澳协调沟通，推动经济和社会发展的合作。支持粤港澳三地在中央有关部门指导下，扩大就合作事宜进行自主协商的范围。鼓励在协商一致的前提下，与港澳共同编制区域合作规划。完善粤港、粤澳行政首长联席会议机制，增强联席会议推动合作的实际效用。坚持市场为主、政府引导的原则，进一步发挥企业和社会组织的作用，鼓励学术界、工商界建立多形式的交流合作机制。

……

十二、规划实施的保障机制

要充分认识推进珠江三角洲地区改革发展的重大意义，切实加强对规划实施的组织领导，完善规划实施机制，保障规划顺利实施。

（一）加强组织领导。

广东省和国务院有关部门要切实加强对规划纲要实施的组织领导，制订实施方案，明确工作分工，完善工作机制，落实工作责任。要在国家有关部门的指导下，编制有关重点领域的专项规划。要按照本规划纲要确定的功能定位和发展重点，抓紧推进相关项目的组织实施。要从解决当前最紧迫、最突出、最重大的问题入手，实化措施，为规划纲要的顺利实施奠定基础。在规划纲要的实施过程中，要注意研究新情况，解决新问题，总结新经验，重大问题要及时向国务院报告。

（二）加强统筹协调。国务院有关部门要结合各自职能，加强对规划纲要实施的指导。要依据本规划纲要的要求，制定本部门支持珠江三角洲地区改革发展的具体政策措施，在有关规划编制、政策实施、项目安排、体制创新等方面给予积极支持，并做好组织协调工作。要加强部门之间的沟通和协调，指导和帮助地方解决规划纲要实施过程中遇到的问题。

……

国务院关于推进重庆市统筹城乡改革和发展的若干意见(节选)

国发〔2009〕3号

各省、自治区、直辖市人民政府，国务院各部委、各直属机构：

重庆市是中西部地区唯一的直辖市，是全国统筹城乡综合配套改革试验区，在促进区域协调发展和推进改革开放大局中具有重要的战略地位。设立直辖市以来，重庆市坚决贯彻中央的决策部署，努力实施西部大开发战略，经济社会发展取得重要成就，已经站在新的历史起点上。重庆市集大城市、大农村、大库区、大山区和民族地区于一体，城乡二元结构矛盾突出，老工业基地改造振兴任务繁重，统筹城乡发展任重道远。在新形势下，党中央、国务院对重庆市改革发展提出更高要求，赋予重庆市新的使命。加快重庆市统筹城乡改革和发展，是深入实施西部大开发战略的需要，是为全国统筹城乡改革提供示范的需要，是形成沿海与内陆联动开发开放新格局的需要，是保障长江流域生态环境安全的需要。在当前应对金融危机的关键时期，尤其要把保持经济平稳较快增长作为首要任务，将解决当前困难与谋求长期发展结合起来，不断增强发展活力，着力解决劳动就业、社会保障、教育公平、医疗卫生、居民住房、库区移民、扶贫开发等重要民生问题，切实维护社会稳定。要站在全局和战略的高度，充分认识加快重庆市改革开放和经济社会发展的重大意义，努力把重庆市改革发展推向新阶段。为此，提出以下意见：

一、推进重庆市统筹城乡改革和发展的总体要求

（一）指导思想。

高举中国特色社会主义伟大旗帜，深入贯彻落实科学发展观，深入实施西部大开发战略，进一步解放思想，锐意进取，加快推进统筹城乡综合配套改革，着力解决“三农”问题；加快推进结构调整和自主创新，着力发展内陆开放型经济；加快推进基础设施和公共服务设施建设，着力改善城乡人居环境；加快推进环境保护和资源节约，着力构建长江上游生态屏障；加快推进社会事业发展，着力做好库区移民和扶贫开发工作，形成有利于科学发展与社会和谐的新体制，促进经济社会又好又快发展，努力把重庆建设成为西部地区的重要增长极，长江上游地区的经济中心和城乡统筹发展的直辖市，在西部地区率先实现全面建设小康社会的目标。

（二）基本原则。

——坚持城乡统筹，促进城乡协调发展。始终把解决好“三农”问题作为全部工作的重中之重，加大以工促农、以城带乡力度，把基础设施建设和社会事业发展的重点放在农村，促进城乡经济社会一体化发展。

——坚持科学发展，着力转变发展方式。加快推进产业结构优化升级，提高自主创新能力，形

成产业新格局和竞争新优势。把节约资源和保护环境放在突出位置，实现经济社会发展与人口资源环境相协调。

——坚持以人为本，推进和谐社会建设。把改善人民生活作为一切工作的出发点和落脚点，解决好群众最关心、最直接、最现实的利益问题。大力发展社会事业，促进基本公共服务均等化，保障社会公平正义。

——坚持改革开放，推进体制机制创新。以统筹城乡综合配套改革试验为工作抓手，在重要领域和关键环节率先突破，破除制约经济社会发展的体制机制障碍。全面提高对内对外开放水平，加快建立内陆开放型经济体系。

……

二、促进移民安稳致富，确保库区和谐发展

（五）落实移民扶持政策。移民搬迁安置任务完成后，要适时将工作重点转向促进移民安稳致富，建立促进库区稳定发展的长效机制。加大移民后期扶持力度，逐步增加移民后期扶持资金，切实解决移民长远生计问题。完善移民就业扶持体系，加大职业教育、技能培训、市场信息、创业引导和就业援助工作力度，提高移民就业再就业能力。加快库区产业开发和基础设施建设，继续对库区移民就业再就业实施资金和政策倾斜，提供更多本地就业岗位。以基本养老、医疗和失业保险为重点，将农村进城镇安置移民、城镇占地移民、生态屏障区及地质灾害避让移民纳入社会保障体系。对移民搬迁安置的遗留问题要做细致工作，帮助移民解决生产生活中的实际困难和问题，建设和谐稳定新库区。抓紧编制实施三峡库区和移民安置区基础设施建设和经济社会发展规划，统筹解决库区当前突出矛盾和长远发展问题。

（六）支持库区产业发展。积极发展适合库区特点的优势特色产业，是实现移民搬得出、稳得住、逐步能致富的主要途径。加强对库区产业发展的指导和支持，制定产业政策、区域发展规划和审批项目，都要对库区给予优先支持。积极发展能源及矿产资源深加工、石油天然气化工和盐化工、机械制造、纺织服装、现代中药及生物医药等重点产业，支持库区城镇移民生态工业园建设，增加对园区基础设施建设投入补助。鼓励优质产业向综合条件较好的万州、涪陵等库区城镇布局，探索创新产业园区多元共建和异地投资利益分享新机制。严格执行库区生态环境保护要求，严禁高污染行业企业落户。认真落实全国对口支援三峡库区移民工作五年规划纲要，鼓励更多的省市、企业向重庆提供人才、资金和项目援助，探索更加有效的对口支援方式，增强库区的造血功能和发展后劲。继续发挥库区产业发展基金的扶持作用。依法开征三峡电站水资源费。尽快编制并报批三峡库区后续工作规划，统筹考虑三峡库区后续工作资金需求，抓紧研究制定国家重大水利工程建设基金政策出台后的分配方案和管理办法。

……

三、发展现代农业，推进新农村建设

（八）优化农业结构和布局。加快农业结构战略性调整，构建现代农业产业体系。统筹规划农业布局，科学确定“一圈两翼”农业发展重点，打造“一圈”城郊都市型农业示范区、“渝东北

翼”库区生态农业走廊和“渝东南翼”山地特色农业基地。稳定基本农田和粮食播种面积，提高单产水平，继续实施良种补贴等支持政策，确保粮食产量不低于1100万吨。推进大中型农业灌区工程建设，加快实施小型农田水利工程，大力发展旱作节水农业和节水灌溉。鼓励和支持农民开展各种小型农业基础设施建设。加强山区综合开发，加快林业产业发展。推进柑橘优势产业带建设，继续实施柑橘种苗补贴政策。支持重庆现代畜牧业示范区建设，加大对规模化养殖小区、良种繁育体系、动物疫病防控体系建设的扶持力度，加强畜牧业发展和养殖废弃物无害化处理和综合利用。加强农业标准化建设，确保农产品质量安全。支持重庆建设全国农业机械化综合示范基地，继续实施农机具购置补贴政策，认真落实农业机械化各项税费优惠政策。

（九）改善农村生产生活条件。扎实推进社会主义新农村建设，加快农村基础设施建设和社会事业发展步伐，着力解决农民生产生活中的突出问题。统筹城乡建设规划，将基础设施建设和公共服务的投入重点放在农村。在重庆开展“通村公路”建设试点，支持具备条件的建制村水泥（沥青）路建设，将已撤并乡镇的公路改造纳入“通村公路”工程统筹安排。增加农村饮水安全工程建设投入，加快解决农村饮水安全问题。大力推进农村沼气建设，发展集中沼气。实施农村生态环境综合治理，改善小城镇和村庄人居环境。加快农村电网改造后续工程建设。继续推进“村村通”电话工程，加强农村地区互联网接入能力建设和面向“三农”的信息服务平台建设。健全农村公共设施维护机制，提高综合利用效能。增加公共财政对农村教育、文化、卫生、体育、就业服务和社会保障等基本公共服务的投入，加强农村社会事业专业技术人才队伍建设，促进城乡基本公共服务均等化。

……

四、加快老工业基地改造，大力发展现代服务业

（十一）加快国有企业改革和非公有制经济发展。充分利用国家支持政策，发挥重庆产业门类齐全、专业人才集聚的优势，积极探索新机制和新模式，推进老工业基地改造。加快国有经济布局和结构的战略性调整，促进国有资本逐步向关系国家安全、国民经济命脉的重点领域集中，加快形成一批拥有自主知识产权和国际知名品牌、国际竞争力较强的优势企业。对参与老工业基地改造、符合国家产业政策的项目，在项目审核、土地利用、贷款融资、技术开发、市场准入等方面给予支持。建立健全国有资本经营预算制度，推动国有资本经营收益投入基础设施建设和公共服务领域。深化国有企业公司制股份制改革，鼓励和引导个体、私营等各种所有制经济参与国有企业改造。创造促进非公有制经济加快发展的公平竞争环境，落实中央在融资、财税、市场准入等方面的各项政策，促进中小企业向“专、新、特、精”方向发展。加快南桐、松藻、天府等采煤沉陷区综合治理，推进资源枯竭地区经济转型。加快采煤沉陷区棚户区和城镇危旧房改造。

（十二）着力构建特色优势产业集群。充分发挥现有工业基础优势，培育发展新兴产业，增强主导产业的优势和活力。发展壮大汽车摩托车、装备制造、石油天然气化工、材料工业和电子信息五大支柱产业，形成实力雄厚、关联性强的优势产业集群。做强做大汽车摩托车产业，发展小排量、混合动力等节能环保型汽车、柴油车，推进零部件产业的优化升级，建设有利于自主开发的汽车综合试验场，增设国家摩托车质量检测中心，加快建成中国汽车名城和摩托车之都。振兴装备制造业，支持重庆发展风力发电和轨道交通配套装备。鼓励发展重型铸锻件、齿轮箱、大型柴油机配

件等基础零部件产业。建设柴油机关键零部件、传动部件生产基地，创建西部特种船舶、高压输变电设备制造基地。高水平发展石油天然气化工产业，拓展产业规模和产业链。优化提升材料工业，做好重钢环保搬迁和产品结构升级改造。增加氧化铝有效供应，提高精加工的水平。加强国家高新技术产业基地建设，大力发展高新技术产业，提高其在经济总量中的比重。

……

五、大力提高开放水平，发展内陆开放型经济

（十六）加快北部新区和保税港区建设。设立重庆北部新区内陆开放型经济示范区，形成高新技术产业研发、制造及现代服务业聚集区。支持北部新区在土地、财税、金融、投资、外经外贸、科技创新、管理体制等领域先行先试。继续发挥北部新区内各类国家级园区的特色和辐射带动作用，形成一区多园、良性互动、错位发展的格局。加快重庆两路寸滩保税港区建设，保税港区功能和有关税收政策比照洋山保税港区的相关规定执行。合理配置海关、出入境检验检疫人员和监管设施，确保有效监管。认真研究设立“两江新区”问题。

（十七）进一步扩大对外开放。认真落实国家鼓励出口的各项政策，调整出口产品结构，挖掘出口市场潜力，努力保持出口稳定增长。充分利用两个市场、两种资源，加快转变贸易发展方式，大力发展机电产品、高新技术产品出口，发展服务贸易，承接国际服务外包和加工贸易的转移。积极吸收国外资金、技术和人才，注重与外资企业开展形式多样的投资贸易合作。支持具备条件的企业走出去设立生产和研发基地，购并高新技术企业和研发机构。

……

六、加快基础设施建设，增强城乡发展能力

（二十）加强水利设施建设。按照解决工程性缺水和提高水资源利用效率并重的原则，提高城乡水利设施建设能力和水资源利用水平与保障能力。继续支持“泽渝”一期工程建设，优化“泽渝”二期工程规模，因地制宜地建设一批中小型水源工程。开工建设大足玉滩水库，开展巴南观景口、南川金佛山等大型水库前期工作。加快城镇供水工程、沿江沿河县城及重点集镇防洪护岸工程和病险水库除险加固工程建设，提高城乡居民饮水、农业灌溉用水、防洪减灾的安全保障水平。加快水价机制改革，提高水资源管理水平，保障水利良性发展。

（二十一）加快综合交通运输枢纽建设。加快对外通道建设，优化运输衔接，完善综合交通运输体系，尽快建成长江上游地区综合交通枢纽。加快建设襄渝复线、宜万、兰渝、渝利铁路和遂渝复线，尽快开工建设渝怀复线、重庆至贵阳铁路、重庆至万州铁路、成渝客运专线、黔江—张家界—常德铁路，规划建设郑渝昆等铁路，形成以重庆铁路枢纽为中心，多条便捷化、大能力对外通道为骨干的铁路网布局，推进团结村铁路枢纽与保税港区物流联动。加快重庆辖区国家高速公路网络建设，稳步开展地方高速公路建设，加快建成“一环两射一联”市内高速公路骨架，国家和省级干线公路达到三级及以上标准，实现“四小时重庆”和“八小时邻省”的公路通达目标。推动长江上游航运中心建设，统筹规划岸线资源和港口布局，重点建设主城、万州、涪陵三个港区，以及长江、嘉陵江、乌江高等级航道。实施改扩建工程，提升江北国际机场枢纽功能。加快发展支线航

空，尽快建成黔江机场，开展巫山机场前期工作。尽快完成近期建设规划修编，加快城市轨道交通发展。合理规划地下管网，有效利用地下空间。加强港口、铁路、公路、机场、城市道路的衔接，构建一体化交通换乘系统。支持重庆进行综合交通体制改革试点。加快综合信息基础设施建设，优先考虑在重庆开展“三网融合”试点，支持建设直达国际的专用高速通信通道。

……

七、加强资源节约和环境保护，加快转变发展方式

（二十四）大力推进节能减排。优化能源结构，提高环境保护标准，减少污染物排放和能源消耗。建立多部门联动的减排工作机制，实行环境准入制度。加快淘汰落后生产能力，遏制“两高一资”行业增长，严格控制新的污染。大力实施节能减排重点工程，加快节能减排能力建设。推进节能减排和发展循环经济的关键技术开发和推广。强化节能减排目标责任制，完善节能减排统计监测和考核实施办法。积极开展循环经济试点，做好工业园区循环经济发展规划，把重庆建成中西部地区发展循环经济的示范区。完善资源价格形成机制，探索建立环境资源有偿使用的市场调节机制，建立和完善重污染企业退出机制、绿色信贷、环境保险等环境经济政策，加快形成节约环保型的生产、流通和消费方式。

（二十五）加强城乡污染综合治理。以确保城乡集中式饮用水源地和三峡库区水质安全为重点，加强对城乡污染的综合防治。实施三峡库区及其上游水污染防治规划，对纳入规划的污水和垃圾处理、重点工业污染源治理、次级河流污染整治等项目，中央财政继续给予补助。加快落实污水、垃圾处理费征收政策，合理确定收费标准，确保治污设施正常运营。加大农村环境保护力度，强化畜禽养殖污染防治，实施有机肥推广示范工程，促进养殖废弃物向有机肥料的转化、推广和应用。加强污染治理技术研发，力求在“水华”控制、消落区整治、小城镇污水垃圾处理、面源污染防治等关键领域取得技术突破。

……

八、大力发展社会事业，提高公共服务水平

（二十七）优先发展教育事业。加快教育体制改革，形成城乡教育一体化发展机制，支持重庆建设国家统筹城乡教育综合改革试验区。推进义务教育均衡发展，改善农村中小学办学条件，城乡普通中小学和学前教育师资配置逐步达到统一标准，推进农村中小学现代远程教育发展，加大寄宿制学校建设力度。将农民工随迁子女接受义务教育纳入公共教育体系。加快普及农村高中阶段教育，重点发展农村中等职业教育。探索职业教育发展新机制，加强职业教育基础能力建设，大力完善职业教育与培训体系，重点推动职业教育集团化办学模式改革，健全协作培养、分段培养等技能人才培养方式。继续对重庆高校招生计划适度倾斜，扩大库区、贫困地区和少数民族地区招生比重。支持重庆高等教育发展和重点学科建设。提高普通高等学校生均综合定额，尽快达到部属高校水平。积极发展幼儿教育、特殊教育和民族教育。

（二十八）完善城乡医疗卫生体系。深化医药卫生体制改革，加快建立覆盖城乡居民的基本医疗卫生制度，在西部地区率先实现人人享有基本医疗卫生服务的目标。支持重点市级医院现代化建

设，加强县级医疗机构基础设施建设和乡村、社区卫生服务机构标准化、规范化建设。加大对基层医疗机构和公共卫生的投入，加强疾病预防控制、卫生监督、妇幼保健、精神卫生等公共卫生机构建设，提高公共服务水平、应急救治能力，以及重大传染病、慢性病和地方病的预防控制能力。扶持中医药发展。加强城乡基本公共卫生服务，逐步实现公共卫生服务均等化。建立基本药物制度，完善基本药品和医疗服务定价政策。健全计划生育奖励扶助制度，加强农村基层计划生育技术服务体系建设，稳定低生育水平。完善人口管理与决策信息系统，建立快速、科学的人口信息采集和监测机制。

……

九、积极推进改革试验，建立统筹城乡发展体制

（三十一）建立以城带乡、以工促农的长效机制。调整国民收入分配格局，加大对农业和农村发展的支持力度，构建新型工农关系和城乡关系。完善农业支持保护制度，扩大公共财政覆盖农村范围，确保各级财政支农投入总量和比重逐年增加，建立健全促进城乡基本公共服务均等化的政府投入机制。提高政府土地出让收益用于农业土地开发和农村基础设施建设的比重。拓宽支农资金渠道，强化支农资金整合运用。推进强农惠农政策的规范化和制度化，不断加大强农惠农政策力度。加大对农民专业合作社的财政金融扶持，加快构建新型农业社会化服务体系，完善相关支持政策。统筹市区、城镇与乡村发展，加快小城镇建设，积极发展农村非农产业，壮大县域经济，发挥工业化、城镇化及大中城市对农业农村发展的辐射带动作用。支持重庆构建城乡一体的基层公共科技服务体系，引导科技要素向农业和农村转移。创新农工商合作、联营、一体化经营体制，发展农业产业化经营，扶持壮大龙头企业，鼓励龙头企业与农民建立紧密型利益联结机制。

（三十二）建立统筹城乡的土地利用制度。稳定和完善农村基本经营制度，赋予农民更加充分而有保障的土地承包经营权，现有土地承包经营关系要长久不变。继续推进集体林权制度改革。合理安排和调控城乡用地布局，实行最严格的耕地保护制度和最严格的节约用地制度，严格执行耕地占补平衡制度。尽快划定永久性基本农田，建立保护补偿机制，确保基本农田总量不减少、用途不改变、质量有提高。加强土地整理工作，支持和指导重庆创新土地整理复垦开发模式。按照依法自愿有偿原则，允许农民以转包、出租、互换、转让、股份合作等形式流转土地承包经营权。规范承包方之间以土地承包经营权入股，开展“发展农民专业合作社”试验项目。严格农村宅基地管理，保障农户宅基地用益物权。稳步开展城乡建设用地增减挂钩试点。设立重庆农村土地交易所，开展土地实物交易和指标交易试验，逐步建立城乡统一的建设用地市场，通过统一有形的土地市场、以公开规范的方式转让土地使用权，率先探索完善配套政策法规。加快重庆土地利用总体规划修编，按照“前期适当集中，后期相应调减”的原则，在近期新增建设用地总规模不变的前提下，试行近两年增加土地利用年度指标、后几年相应减少年度指标的管理方式，积极推进征地制度改革。

……

十、加强组织领导，落实各项任务

（三十六）切实加强指导协调。国务院各有关部门要根据自身职能，抓紧研究制定并认真落实

支持重庆市改革发展的细化方案和具体措施，加强工作指导和统筹协调。各有关部门要指导重庆编制实施重点领域的改革发展规划和重大项目建设方案，保障专项规划与全国规划相衔接，做好重大项目的前期工作。各有关部门要把重庆市纳入本部门已启动或拟开展的改革试点范围，推进实施部市共建协议。着眼于增强西部地区自我发展能力，促进重庆市统筹城乡发展，把中央财政对重庆市建市补助列入中央对重庆的体制补助基数，进一步加大中央财政转移支付、中央预算内专项资金和中央预算内投资以及其他中央专项资金对重庆的投入力度，提高重庆市的财力水平。在政策实施过程中，各有关部门要加强调查研究和督促检查，及时总结经验，帮助重庆市解决改革发展中的困难和问题。中央国家机关、企事业单位和沿海经济发达地区要加大对重庆市的对口帮扶力度。

……

国务院

二〇〇九年一月二十六日

海南省人民代表大会常务委员会公告

第14号

《海南经济特区促进中小企业发展条例》已由海南省第四届人民代表大会常务委员会第八次会议于2009年3月25日通过，现予公布，自2009年7月1日起施行。

海南省人民代表大会常务委员会

2009年3月26日

海南经济特区促进中小企业发展条例（节选）

（2009年3月25日海南省第四届人民代表大会常务委员会第八次会议通过）

第一章　总　　则

第一条　为了优化中小企业经营环境，促进中小企业健康发展，维护中小企业合法权益，根据《中华人民共和国中小企业促进法》及有关法律法规，结合本经济特区实际，制定本条例。

第二条　本条例适用于在本经济特区内依法设立的中小型的各种所有制和各种形式的企业。

中小企业的划分标准按照国家规定执行。

……

第二章　资金支持

第八条　省人民政府应当设立中小企业发展专项资金。市、县、自治县人民政府可以设立中小企业发展专项资金；没有设立专项资金的，应当根据实际情况为促进中小企业发展提供财政支持。

中小企业发展专项资金主要用于下列扶持中小企业的事项：

（一）支持中小企业公共服务平台、小企业创业基地建设；

（二）支持信用担保体系建设；

（三）支持中小企业技术创新、技术进步、资源综合利用和信息化建设；

（四）支持中小企业服务体系建设，开展培训、咨询和信息服务等工作；

（五）支持中小企业承担和参与国际标准、国家标准和行业标准的制定修订工作；

（六）支持中小企业专业化、集聚化发展以及与大企业的协作配套；

（七）支持中小涉农企业、乡镇企业推进农业产业化经营；

（八）用于与国家扶持中小企业资金的配套；

（九）支持中小企业开拓市场；

（十）其他支持中小企业的事项。

中小企业发展专项资金使用应当公开透明，建立政府公告、社会推荐、专家评审等制度。具体使用管理办法由设立专项资金的人民政府另行制定。

第九条　省人民政府和有条件的市、县、自治县人民政府应当推进信用征集、信用评价、信用档案和失信惩戒等中小企业信用制度建设，建立中小企业信用数据库，并按国家和本省规定向社会公开。财政、税务、工商、环保、质监、劳动保障、住房公积金管理等有关部门应当提供中小企业的基础信用信息。

人民银行和有关金融机构应当支持地方信用体系建设。

……

第三章　创业扶持

第二十条　县级以上人民政府及其有关部门应当保护中小企业依法参与市场公平竞争的权利。凡法律、行政法规未禁止的行业和领域，中小企业均可投资和经营。

第二十一条　工商行政管理部门对中小企业实行直接核准登记制，市、县、自治县工商行政部门可以委托辖区工商所核准登记。对符合注册条件的，工商行政管理部门应当自受理之日起5个工作日内核发营业执照。

……

第四章　创新推动

第二十八条　县级以上人民政府应当不断增加对中小企业科技创新的经费投入，可以设立中小企业技术创新专项资金，以风险投资、贷款贴息、拨款资助等方式支持中小企业进行技术创新活动。

县级以上人民政府应当根据具体情况，组织中小企业申报国家各类科技型计划项目，并对计划项目给予扶持。

对中小企业技术创新项目以及为大企业产品配套的技术改造项目，各级人民政府及金融机构在贷款、贷款贴息等方面予以扶持。

第二十九条　省人民政府可以设立创业投资引导基金，通过参股和提供融资担保等方式扶持创业投资企业的设立和发展。

县级以上人民政府可以对中小企业投资公司给予政策支持和风险补偿。对创业投资企业投资中小高新技术企业的，依法实行投资收益税收减免或投资额按比例抵扣应纳税所得额等税收优惠政策。

……

第五章　市场开拓

第三十三条　县级以上人民政府支持中小企业参与国有企业和集体企业的改组、改制、改造，对其可以采取不同方式给予适当补贴。对中小企业出资重组经营困难的国有企业或者购买国有企业产权，资金支付暂有困难的，经国有资产监督管理部门授权经营公司同意，可以分期支付，但首期支付金额不得低于收购总价的30%，分期支付的总期限不得超过3年，并按银行同期流动资金贷款利率在税后支付利息。

第三十四条　县级以上人民政府及其有关部门应当鼓励和支持符合条件的中小企业到境外投资，参与国际贸易，开拓国际市场，参加国际性展览展销，建立国外营销网络和研发机构，参加境外投（议）标等活动。

省人民政府及其有关部门应当组织或者鼓励、支持商会、行业协会组织中小企业参加全国性或区域性的商品展览展销会，举办本省中小企业产品展览、推介、促销活动，帮助中小企业开拓市场。

……

第六章　社会服务

第四十一条　县级以上人民政府应当建立健全中小企业服务体系，鼓励和引导社会力量建立各类中介服务机构，为中小企业提供金融、创业辅导、技术支持、管理咨询、信息传递、人才培训、市场开拓、法律支持、知识产权保护等方面的服务。

政府资助建立的中小企业服务机构应当免费或者低收费为中小企业提供服务。

第四十二条　省中小企业行政主管部门建立中小企业网，为中小企业创业、融资、技术创新、市场开拓等提供信息服务。省人民政府有关部门应当提供相关信息。

省中小企业网应当为中小企业发展提供有关的工商、财税、融资、产业投资、劳动用工、人才档案管理、户籍管理、社会保障、子女入学等方面的法律、法规和政策信息，并建立和充实科研机构、科技项目、科技人才信息库，促进中小企业与科研机构合作，引进科技项目和人才。

省中小企业网应当及时通报国内外市场动态、经贸活动等市场信息，为中小企业发布产品供需信息提供服务，并不得收取赞助费。

……

第七章　权益保护

第四十六条　国家机关及其工作人员不得有下列行为：

（一）非法改变企业的产权关系，非法占有或者使用企业财产；

（二）侵犯中小企业依法享有的经营自主权和用工自主权；

（三）强制或者变相强制中小企业提供赞助、接受有偿服务、加入协会或者订购报刊杂志和其他资料；

（四）违反国家和本省有关规定要求中小企业参加培训、达标、评比、鉴定或者考核等活动；

（五）在履行管理职责时，为中小企业指定环境影响评价、安全评价、产品质量认证等中介机构；

（六）截留、挪用中小企业发展专项资金或者其他扶持资金；

（七）其他侵犯中小企业合法权益的行为。

第四十七条　中小企业因配合环境保护、城市规划、道路建设或者其他城市建设项目，经营活动受到影响或者需要拆迁的，政府及其有关部门应当依照国家和本省的有关规定予以妥善安置和相应补偿。

……

第八章　附　　则

第五十四条　本经济特区以外的省内中小企业参照本条例执行。

第五十五条　本条例实施中的具体应用问题，由省人民政府负责解释。

……

国务院关于支持福建省
加快建设海峡西岸经济区的若干意见（节选）

国发〔2009〕24号

各省、自治区、直辖市人民政府，国务院各部委，各直属机构：

为贯彻落实党的十七大精神、国民经济和社会发展“十一五”规划纲要的部署，支持和推动福建省加快建设海峡西岸经济区，促进该地区又好又快发展，现提出以下意见：

一、充分认识支持福建省加快建设海峡西岸经济区的战略意义，明确总体要求和发展目标

（一）重大意义。海峡西岸经济区东与台湾地区一水相隔，北承长江三角洲，南接珠江三角洲，是我国沿海经济带的重要组成部分，在全国区域经济发展布局中处于重要位置。福建省在海峡西岸经济区中居主体地位，与台湾地区地缘相近、血缘相亲、文缘相承、商缘相连、法缘相循，具有对台交往的独特优势。近年来，福建省大力推进海峡西岸经济区建设，综合实力不断增强，为进一步加快发展奠定了坚实基础。当前，两岸关系出现重大的积极变化，为海峡西岸经济区加快发展和开展与台湾地区合作提供了重要机遇。支持福建省加快海峡西岸经济区建设，是进一步发挥福建省比较优势，实现又好又快发展的迫切需要；是完善沿海地区经济布局，推动海峡西岸其他地区和台商投资相对集中地区发展的重大举措；也是加强两岸交流合作，推进祖国和平统一大业的战略部署，具有重大的经济意义和政治意义。

（二）总体要求。高举中国特色社会主义伟大旗帜，坚持以邓小平理论和“三个代表”重要思想为指导，深入贯彻落实科学发展观，从维护中华民族核心利益、促进祖国统一的大局出发，牢牢把握两岸关系和平发展的主题，着力推进两岸交流合作，促进两岸互利共赢；着力转变经济发展方式和增强自主创新能力，提高经济发展质量和水平；着力统筹城乡和区域发展，提高经济社会发展的协调性；着力深化改革开放，增强发展的动力和活力；着力改善民生，推进社会主义和谐社会建设；着力加强生态文明建设，提高可持续发展能力，将海峡西岸经济区建设成为经济持续发展、文化更加繁荣、综合竞争力不断增强、人民群众安居乐业的和谐区域，为全局做出更大贡献。

……

二、发挥独特的对台优势，努力构筑两岸交流合作的前沿平台

（五）建设两岸经贸合作的紧密区域。按照同等优先、适当放宽的原则，以信息、石化、机械、船舶、冶金等产业为重点，提升台商投资区和国家级经济技术开发区的载体作用，密切与台湾

相关行业协会、企业的联系，促进两岸产业深度对接，形成以厦门湾、闽江口、湄洲湾等区域为主的产业对接集中区。发挥海峡两岸农业合作试验区、现代林业合作实验区的窗口、示范和辐射作用，促进对台农业资金、技术、良种、设备等生产要素的引进与合作。推动对台离岸金融业务，拓展台湾金融资本进入海峡西岸经济区的渠道和形式，建立两岸区域性金融服务中心，推动金融合作迈出实质性步伐。建立海峡两岸旅游合作机制，共推双向旅游线路，培育“海峡旅游”品牌。加强与台湾现代服务业合作，建设海峡西岸物流中心。实行更加开放的对台贸易政策，扩大对台贸易。健全涉台法律法规，依法保护台胞的正当权益，为台胞投资兴业、交往交流提供便利条件和优质服务。制定相关政策措施，鼓励和支持有条件的企业到台湾投资兴业，推动建立两岸产业优势互补的合作机制，促进两岸经济共同发展。

（六）建设两岸文化交流的重要基地。全方位、多层次开展与台湾地区的交往，推动文化交流、人员互动。加快推进闽南文化生态保护实验区建设，提升闽台缘博物馆的交流功能。深入开展两岸文化对口互动活动，深化两岸科技、教育、卫生、体育等方面合作。加强祖地文化、民间文化交流，进一步增强闽南文化、客家文化、妈祖文化连接两岸同胞感情的文化纽带作用。

……

三、加快现代化基础设施建设，强化发展保障

（八）加强综合交通运输网络与对外通道建设。按照促进海峡西岸经济区发展和两岸直接“三通”的要求，大力推进交通基础设施建设，形成内地到福建的便捷交通走廊。整合港湾资源，形成以厦门港、福州港为主，布局合理的东南沿海地区港口发展格局。集中力量加快海峡西岸经济区高速公路网建设，尽快打通省际的断头路，加强纵深推进、南北拓展的高速公路建设，加快建设北京至福州高速公路，尽快形成高速公路网络。将海峡西岸经济区铁路发展项目纳入国家中长期铁路网调整规划，加快建设温福、福厦、厦深、龙厦、向莆铁路，规划建设北京至福州、昆明至厦门高速铁路以及城际铁路和一批港口铁路支线，形成连接海峡西岸经济区与长三角、珠三角以及中西部地区的大运力快捷铁路运输通道。完善厦门、福州等机场两岸空中直航的设施条件，合理布局支线机场，开辟国内外新航线，形成以福州、厦门国际机场为主的干支线机场相结合的空港布局。

（九）加强沿海能源基础设施建设。充分利用优良港口条件，积极利用国际国内两种资源，强化能源保障，优化能源结构。结合沿海煤运港口的建设，合理布局沿海大型煤电，适时推进超临界、超超临界火电建设。进一步完善核电厂址前期工作，加快推进宁德、福清核电等项目建设。积极发展风力、潮汐等新能源。进一步完善电网建设，加强与华东电网的联网，加快开展与南方电网联网的前期工作。布局建设石油储备基地和煤炭中转基地。加强台湾海峡油气资源的合作勘探和联合开发。结合液化天然气接收站的布局，加快输气管网建设，逐步提高民用燃气覆盖率。

……

四、增强自主创新能力，推进产业结构升级

（十一）加强海峡西岸区域创新体系建设。采取更加有效的政策措施，大力推进集成创新和引进、消化、吸收再创新，努力打造特色鲜明的区域创新体系。健全多元化科技投入体系，建立稳定的各级财政科技投入增长机制。整合科技资源，推动跨部门、跨区域的科技合作。支持信息、医

药、生物、新材料、新能源、海洋等领域应用基础研究，加强高技术和产业关键共性技术开发，造就一批竞争力强的优势企业和知名品牌。鼓励、支持台商投资高新技术园区，吸引台湾科研机构和科技人员共同创建创新平台。建设海峡西岸高新技术产业带，使之成为承接台湾高新技术产业与技术转移的载体。加强国家重点实验室、工程技术（研究）中心和公共服务平台建设。加快科技成果转化与应用，提高科技对经济增长的贡献率。

（十二）大力发展现代农业。按照高产、优质、高效、生态、安全的要求，加快转变农业发展方式，促进农业结构优化升级，构建现代农业产业体系。加快农业科技创新，加强农业新品种、新技术、新肥料、新农药、新机具的推广应用。加强对农业的支持和保护。稳定发展粮食生产，努力保持粮食自给能力不降低。大力发展畜牧业、园艺业、林竹产业、水产业等优势产业，积极培育水产品、蔬菜、水果、食用菌、茶叶、花卉等特色农产品。大力发展品牌农业，支持培育一批农产品加工示范园区、示范企业和示范项目，扶持壮大农业产业化龙头企业。加强闽台农业合作，推进农产品出口加工基地建设，扩大特色优势农产品出口。加强农业基础设施建设，提高土地产出率、资源利用率。加快农产品质量安全体系建设，建立健全新型农业社会化服务体系。

……

五、统筹区域内协调发展，促进互动融合

（十六）推进形成科学合理的主体功能区。发挥发展基础较好、环境资源承载能力较强等有利条件，把海峡西岸沿海具备条件的地区作为全国主体功能区的重点开发区域，推进新型工业化和城镇化，进一步提高人口与经济聚集程度。在山区贯彻以保护为主、开发为辅的原则，最大限度地保护山川秀美的生态环境。按照贯彻落实科学发展观的要求，做好主体功能区规划编制，科学划分主体功能区域，完善区域发展政策，创新管理体制，强化陆海统筹、山海联动，优化基础设施和产业布局，促进经济社会发展和资源环境相协调。

（十七）统筹城乡协调发展。加强海峡西岸城市群发展的规划协调，提高城市建设与管理水平，增强产业和人口承载能力、辐射带动能力，逐步形成以区域中心城市为骨干、中小城市和小城镇为基础的城镇体系。统筹好土地利用总体规划、城乡规划、基础设施建设、就业、社会保障等的发展，加快建立城乡基础设施共同发展机制、城乡公共服务均等供给制度、城乡衔接的社会保障体系，促进基础设施向农村延伸、公共服务向农村拓展、社会保障向农村覆盖。各大中城市要切实履行市带县、市帮县的责任，加大城市人才、智力、资金等对农村的支持，加快社会主义新农村建设，实现以城带乡，统筹发展，加快形成城乡经济社会一体化发展新格局。

……

六、全面深化改革开放，增强经济社会发展动力活力

（二十）增创体制机制新优势。进一步发挥厦门经济特区在体制机制创新方面的试验区作用。从海峡西岸经济区的实际出发，围绕建立有利于科学发展的体制机制和扩大两岸交流合作的需要，先行试验一些重大改革措施。继续深化农村综合改革，推进城乡统筹综合配套改革试验，建立以工促农、以城带乡的长效机制。在严格执行土地用途管制的基础上，促进农村集体建设用地依法流转，逐步建立城乡统一的建设用地市场。深化金融改革与创新，扩大金融改革试点，在多种所有制金融

企业、离岸金融业务等方面进行改革试验，完善创业风险投资机制。深化行政管理体制改革，着力转变政府职能，提高行政效能。加强法制建设，大力推进依法行政，着力构建规范透明的法制环境。进一步改善民营经济发展环境，激发民营经济发展活力。大力推进外贸、港口、社会管理等领域改革，探索建立有利于扩大两岸交流合作的新机制。

（二十一）积极合理有效利用外资。提高利用外资水平，更加注重引进先进技术、管理经验和智力资源。创新外商投资管理方式，简化审批程序。进一步优化外资结构，引导外资投向主导产业、高新技术产业、现代服务业和节能环保等领域。积极研究海峡西岸经济区范围内的国家级开发区扩区、调整区位和省级开发区升级，拓展开发区的功能，提高土地利用率。加强海关特殊监管区域建设，积极推进各类海关特殊监管区域的整合。支持在台商投资区和台资企业密集地区开展海关保税物流中心试点。规范招商引资行为，实行统一的土地、税收政策，营造公平、开放的投资环境。

……

七、加快社会事业发展，促进社会和谐

（二十四）大力推进人力资源建设。以人才资源能力建设为核心，着力培养学术技术带头人、科技领军人才和一线创新人才，抓紧培养先进制造业和现代服务业所需的高技能应用型人才，为海峡西岸经济区建设提供坚强的人才保证和智力支持。加强人的能力素质建设，支持发展职业教育，培养高素质劳动者和实用型、技能型人才。调整高校学科设置，加快培养经济建设紧缺急需的人才，建立起与两岸产业对接相适应的人才培养结构，提升高等教育质量和水平。进一步拓展两岸职业教育合作，支持开展两岸校际合作、职业培训、资格考试和认证、职称评定、人才引进和人力资源开发等试点工作。健全人才政策体系，鼓励台湾科技、教育等领域人才到海峡西岸经济区创业，形成广纳群贤、充满活力的吸引人才和使用人才的良好风尚。

（二十五）加强文化基础设施建设和文化产业发展。大力推进文化基础设施建设，加快建立覆盖城乡的公共文化服务体系，建立健全运行保障机制。加大投入力度，加强图书馆、博物馆、文化馆、文化站等文化设施建设，积极推进文化信息资源共享、广播电视“村村通”和农村电影放映等文化工程建设，进一步完善城乡公共文化服务网络。加强网络文化建设和管理，营造良好网络环境。整合文化资源，打造一批地域特色明显、展现海峡西岸风貌、在国内外具有影响力的文化品牌，重点保护发展闽南文化、客家文化、妈祖文化、红土地文化、船政文化、畲族文化、朱子文化等特色文化。加强文物、非物质文化遗产保护，完善历史文化名城等基础设施，妥善保护历史文化街区。推动文化与经济融合，大力发展文化创意产业，建立海峡两岸文化产业合作中心，着力培育专、精、特、新文化企业，努力使海峡西岸经济区成为全国重要的文化产业基地。

……

八、加快生态文明建设，实现经济社会可持续发展

（二十七）全面推进节能减排。落实节能减排目标责任制。强化固定资产投资项目节能评估和审查，对新上项目严把产业政策关、资源消耗关、环境保护关。大力实施重点节能工程，突出抓好高耗能行业和重点耗能企业的节能减排工作。引进台湾先进节能环保技术，积极推进和支持重点台资企业的节能减排。积极发展循环经济，开展国家循环经济试点。建立和完善再生资源回收体系，

促进重点行业废弃物再利用和城市生活垃圾资源化利用，提高工业用水循环利用率。建立淘汰补偿机制，加快淘汰落后生产能力。

（二十八）加强生态建设和保护。积极推进集体林权制度改革，提高林地保护和管理能力，加强森林资源的抚育更新，保持森林覆盖率居全国前列；优化森林资源结构，提高森林资源质量，强化森林资源的生态功能。加强水资源管理，完善取水许可和水资源有偿使用制度，加强水资源总量控制和定额管理，健全流域管理和区域管理相结合的管理体制。完善闽江、九龙江等流域上下游生态补偿办法，推动龙岩、汕头、潮州建立汀江（韩江）流域治理补偿机制，推进生态环境跨流域、跨行政区域的协同保护。

……

九、加强组织领导，落实保障措施

（三十）加强统筹协调。支持海峡西岸经济区加快发展是中央确定的重要工作方针，国务院各有关部门要明确责任，从自身职能出发，抓紧制定细化方案和具体措施，将政策措施落到实处。

加强规划指导。由发展改革委会同福建省及相关地区、有关部门抓紧编制《海峡西岸经济区发展规划》，以指导和促进海峡西岸经济区充分发挥后发优势，在更高的起点上实现又好又快发展。在规划编制过程中，要注重与其他规划和相关政策的衔接。

加大资金投入和项目支持。中央财政转移支付、中央预算内专项资金和中央预算内投资，以及其他中央专项资金，都要加大对海峡西岸经济区的扶持力度，特别要加大对原中央苏区县、革命老区、少数民族地区的扶持力度。安排中央预算内投资等资金时，福建革命老区、少数民族地区等参照执行中部地区政策，福建原中央苏区县参照执行西部地区政策。适当降低中央投资项目地方投资比例，支持发展特色产业和重大项目建设，对海峡西岸经济区的基础设施建设给予专项补助。对具有全国或区际意义、有助于形成海峡西岸经济区整体竞争力的项目，在项目布点与审批、土地利用等方面给予重点支持。

（三十一）赋予对台先行先试政策。建设海峡西岸经济区，符合两岸人民的根本利益。要以中央对台工作总体方针政策为指导，在两岸综合性经济合作框架下，按照建立两岸人民交流合作先行区的要求，允许在对台经贸、航运、旅游、邮政、文化、教育等方面交流与合作中，采取更加灵活开放的政策，先行先试，取得经验。

支持扩大两岸经贸合作。按照同等优先、适当放宽的原则，鼓励承接台湾产业转移，允许国家禁止之外、不涉及国家安全的各类台商投资项目在海峡西岸经济区落地，加快台商投资项目审批。积极推动海峡两岸双向投资，对赴台投资项目简化审批程序，加快审批和核准节奏。在两岸建立长期、稳定的经贸合作机制过程中，允许海峡西岸经济区在促进两岸贸易投资便利化、台湾服务业市场准入等方面先行试验，适当增加对台合作的用地指标。设立对台农产品出口加工基地和台湾农业技术、新品种推广中心，增设台湾农民创业园。扩大“区港联动”政策覆盖范围，在现有海关特殊监管区域政策的基础上，进一步探索在福建沿海有条件的岛屿设立两岸合作的海关特殊监管区域，实施更加优惠的政策。探索进行两岸区域合作试点。积极推动建立两岸金融业监管合作机制，在此机制下，优先批准台资银行、保险、证券等金融机构在福建设立分支机构或参股福建金融企业，支持设立两岸合资的海峡投资基金，进一步扩大两岸货币双向兑换范围，逐步建立两岸货币清算机制。

支持两岸交流交往。把福建沿海机场、港口等作为两岸直接“三通”的首选地。适时增加福建沿海港口为对台海上货运直航口岸。推动福建机场与台湾实现空中直航，增加航班、航线。支持福建作为对台邮件总包交换中心。支持开拓对台旅游市场，适时扩大大陆居民从福建口岸赴台湾旅游。支持福建试行便利两岸人员往来的管理办法，包括为台湾本岛居民办理来往大陆通行证和大陆居民赴台旅游证件等。进一步发挥福建作为两岸事务重要协商地的作用。

支持平台载体建设。适时推进厦门、福州台商投资区扩区和新设立泉州台商投资区。支持继续办好涉台重大经贸文化活动。推动妈祖文化申报世界非物质文化遗产。设立海峡两岸文化产业园，建设一批对台文化交流与合作基地。

……

国务院

二〇〇九年五月六日

江苏沿海地区发展规划（节选）

国家发展改革委

二〇〇九年七月

序　言

江苏沿海地区处于我国沿海、长江和陇海兰新线三大生产力布局主轴线的交汇区域，包括连云港、盐城和南通三市所辖全部行政区域，陆域面积3.25万平方公里，海岸线长954公里。2008年末总人口1964万人，地区生产总值4863亿元，人均地区生产总值24760元，高于全国平均水平。

江苏沿海地区区位优势独特，土地后备资源丰富，在提升长江三角洲地区整体实力、促进全国区域协调发展中具有重要战略地位。为更好地贯彻落实科学发展观，推动这一地区又好又快发展，增强服务带动中西部地区发展的能力，完善全国沿海经济布局，特制定江苏沿海地区发展规划。

本规划是指导这一地区今后一段时期发展的纲领性文件和编制相关规划的重要依据。

规划期为2009～2020年。

第一章　发展基础与重大意义

第一节 发展条件

独特的区位优势。江苏沿海地区是长江三角洲(以下简称长三角)的重要组成部分，南部毗邻我国最大的经济中心上海，北部连接环渤海地区，东与东北亚隔海相望，西连新亚欧大陆桥和长江黄金水道，是陇海兰新沿线地区出海通道的战略要冲。

专栏1：新亚欧大陆桥简介

新亚欧大陆桥又称第二亚欧大陆桥，从中国东海岸的连云港到欧洲西海岸的荷兰鹿特丹，全长10870公里，其中中国境内4131公里，沿线涉及江苏、山东、山西、安徽、河南、陕西、甘肃、宁夏、青海、新疆10个省区，面积377.1万平方公里，人口4.55亿，经济规模9.32万亿元，分别占全国的39.3%、34.4%、37.3%；东向日本、朝鲜、韩国等国家；西经中亚、西亚、俄罗斯、东欧、中欧、西欧等40多个国家和地区。所经过国家和地区的面积为3970万平方公里，占世界陆地面积的26.6%；居住人口22亿，占世界人口的36%。

与西伯利亚大陆桥相比，新亚欧大陆桥具有明显优势，地理位置和气候条件优越，运输距离短，辐射面广，对亚太地区吸引力大。新亚欧大陆桥的发展，为沿线国家和亚欧两大洲经济贸易交流提供了一条便捷的大通道，对形成陆桥经济走廊、扩大亚太地区与欧洲的经贸合作、促进亚欧经济的发展与繁荣，具有重要意义。

良好的资源条件。拥有约占全国1／4的海域滩涂湿地和百万亩低产盐田，生物多样性丰富，土地后备资源得天独厚；岸线资源优良，具备在淤泥性海岸建设深水海港的技术条件，连云港港可布局建设30万吨级航道和码头；海洋资源和风力资源丰富，旅游资源独特；地势平坦，水系发达；区域开发适宜性较好，空间开发潜力较大。

丰富的人力资源。拥有各类人才133.2万人，占总人口的比重达6.8%；基础教育和职业教育较为发达，高中阶段毛入学率达93%，职业技术教育在校生超过32万人；拥有高等院校14所，在校大学生 16.7万人；劳动力素质总体较高。

较好的产业基础。农业开发历史悠久，生产条件优越，产业化和规模化经营水平较高，是黄淮海平原和江淮地区国家粮食主产区的重要组成部分；工业呈现加速发展态势，纺织、机械、汽车、医药、化工等产业具有一定的规模和配套能力，区域产业分工格局初步形成；服务业发展水平逐步提升，现代物流等生产性服务业处于加速发展阶段，生活性服务业发展模式不断创新。

较完善的基础设施。作为全国主要港口的连云港港和南通港辐射带动能力不断增强，南通、盐城和连云港三个机场的运输能力快速增长，新长铁路、沿海高速公路、苏通大桥等相继建成通车，区域综合交通体系初步形成；能源结构逐步优化、供给充足；水利设施较为完善，水资源供给和防洪保安能力显著增强。

第二节 发展机遇和挑战

随着经济全球化和区域经济一体化的深入发展，国际间产业转移和区域间经济合作不断深化，为江苏沿海地区加快发展提供了有利条件。同时，国家区域发展总体战略以及相关政策措施的深入实施，为江苏沿海地区发展提供了新的机遇，赋予了新的使命，注入了新的活力和动力。

长三角地区经济一体化进程加快。长三角地区地理上连为一体，经济发展和市场体系的内在联系十分紧密，多层次区域合作机制逐步形成。《国务院关于进一步推进长江三角洲地区改革开放和经济社会发展的指导意见》(国发〔2008〕30号)，把江苏沿海地区全部纳入长三角区域范围，该地区发展条件和政策环境更加有利，将进一步促进生产要素合理流动和优化配置，加快与长三角核心区的对接和融合。

国家西部大开发和中部崛起战略深入实施。随着中西部地区经济发展和对外开放步伐的加快，与东部沿海地区深化合作的内在需求进一步增强，对江苏沿海地区出海通道等基础设施建设和对外开放水平提升提出了新要求；中西部地区的崛起，将为江苏沿海地区提供更为广阔的市场空间，为产业发展提供有力支撑。

国际区域合作不断深化。随着我国积极参与和推动国际区域经济合作，江苏沿海地区与新亚欧大陆桥沿线国家以及东北亚各国的经济联系将更加紧密，为本区域充分利用两个市场两种资源、提升对外开放水平、强化新亚欧大陆桥东方桥头堡的地位和作用创造了新机遇。

全球经济面临新一轮调整。我国具有发展实体经济的良好基础和广阔市场前景，随着国际金融资本加速向实体经济转移，江苏沿海地区面临承接国际产业转移的新机遇；同时，随着我国扩大内需各项政策的推进，将有利于这一区域发挥区位和资源优势，强化以内需为主导的产业发展。

与此同时，江苏沿海地区加快发展也面临着较为严峻的挑战和压力。一是发展模式需要创新。面对国际金融危机给我国经济发展带来的冲击和影响，加快发展不能沿袭传统的工业化模式，必须转变发展方式，优化产业结构，走新型工业化道路。二是港口功能和城市带动能力需要提升。中心城市实力不强，主要港口服务功能不够健全，对区域发展的辐射带动作用没有得到有效发挥。三是科技创新能力需要加强。自主创新品牌和自主知识产权数量不多，高级专业技术人才相对缺乏，集聚科技、人才资源的能力较弱，对沿海地区产业发展的支撑作用有待提高。四是体制机制需要进一步改革创新。目前的体制机制还不适应加快发展的要求，在行政管理、城乡统筹、区域合作、土地资源开发、环境保护等方面要加大改革创新力度。

……

第二章　总体要求与发展目标

第一节　指导思想与原则

江苏沿海地区发展的指导思想是：高举中国特色社会主义伟大旗帜，以邓小平理论和“三个代表”重要思想为指导，深入贯彻落实科学发展观，进一步解放思想、抢抓机遇、深化改革、扩大开放，充分发挥江苏沿海地区区位独特、土地后备资源丰富等比较优势，把加快建设新亚欧大陆桥东方桥头堡和促进海域滩涂资源合理开发利用作为发展重点，统筹城市与农村、陆地与海洋、经济与社会发展，着力优化空间布局，推进区域一体化发展，着力转变发展方式，建设资源节约型和环境友好型社会，着力保障和改善民生，加快构建社会主义和谐社会，着力加强区域合作，增强新亚欧大陆桥东方桥头堡的辐射带动作用，不断提高综合实力和竞争力，努力将江苏沿海地区建设成为我国东部地区重要的经济增长极，在区域协调发展和对外开放中发挥更大作用。

江苏沿海地区发展的原则是：

坚持科学布局，促进集聚发展。优化空间开发格局，选择发展基础好、资源环境承载力强的地区，推进集中集聚开发，促进港口、产业、城镇互动发展。依托现有大中城市，注重提升功能，推进城镇集聚发展；依托省级以上开发区，优化产业布局，形成产业集群；依托深水港口，实施节点开发，集中发展临港产业。

坚持合理分工，促进一体化发展。根据资源条件和现有基础，加强区域内部资源整合，合理确定各地功能定位和主导产业，强化产业间的分工协作；统筹区域重大基础设施建设，提高共建共享、互联互通水平；加强行政管理和政策对接，形成统一市场体系，促进生产要素合理流动和优化配置。

坚持保护环境，促进可持续发展。在发展理念上高度重视环境保护，充分考虑资源环境承载力，推进可持续发展；在空间布局上明确保护范围，划定重要生态功能区域；在开发建设上提高环境准入标准，推进清洁生产，发展循环经济，加强污染治理和生态建设；在管理上加强环境保护执法力度，严格落实环境保护政策和措施。

坚持开放合作，促进共同发展。进一步提高对外开放水平，积极参与国际产业分工与合作，在更高层次上承接国际产业转移；加强与周边地区、泛长三角地区、中西部地区、新亚欧大陆桥沿线国家及东北亚地区的合作，创新区域与国际合作机制，在合作共赢中谋求新的发展。

第二节 战略定位

立足沿海，依托长三角，服务中西部，面向东北亚，建设我国重要的综合交通枢纽，沿海新型的工业基地，重要的土地后备资源开发区，生态环境优美、人民生活富足的宜居区，成为我国东部地区重要的经济增长极和辐射带动能力强的新亚欧大陆桥东方桥头堡。

我国重要的综合交通枢纽。以连云港港为核心，联合南通港、盐城港共同建设沿海港口群，综合发展陆路交通和航空业；大力发展国际航运和现代物流，进一步提高综合服务能力，服务中西部地区和长江中上游地区的经济发展，成为我国重要的综合交通枢纽、陇海兰新沿线地区最便捷的出海通道和对外开放窗口，逐步形成亚欧之间重要的国际交通枢纽。

专栏2：新亚欧大陆桥沿线合作情况

近年来，新亚欧大陆桥沿线合作不断加强，连云港相继与甘肃、新疆、河南、陕西等陇海兰新沿线地区签订了跨区域合作协议，推动与中西部地区开展多层次、多渠道、多领域的合作。

物流合作。港口集团在山西侯马等多个地区合资建设集装箱场站，组织两地货物对流运输。口岸船、货代理单位在中西部多个城市设立办事处。港口每年进出的铁矿砂、氧化铝、铝锭、化肥、煤炭、化工原料、钢铁、粮食、农副产品等大宗货物主要来自中西部地区。

铁路系统合作。连云港相继开通了至郑州、西安、成都、西宁等地的集装箱“五定”班列，1997年开通了至阿拉山口过境集装箱“五定”班列，2007年延伸到莫斯科，实现了真正意义上的欧亚贯通。在货源组织方面，对外成功开发了日本、韩国和东南亚地区的大陆桥货源市场，对内开发了中西部重要城市的东西行上下桥货源，为中西部地区打通了重要的双向进出口通道。目前利用新亚欧大陆桥开展过境运输的国家和地区有20多个，运输的主要品种有机械设备、汽车及配件、矿产品、农副产品等十多个大类。2008年，新亚欧大陆桥经由连云港口岸发送的过境集装箱运量达6.4万标箱，同比增长8%，占新亚欧大陆桥总运量的比重达40%。

口岸单位合作。连云港海关、连云港检验检疫局分别和内地10多个重要城市的对口单位开展了进口货物转关、转检业务，中西部地区进出口企业可在当地海关、检验检疫局办理出口货物验放手续，口岸海关、检验检疫局直接放行。

我国沿海新型的工业基地。依托深水港口资源，优先发展石化、造船等临港产业；立足现有产业基础，加快发展现代纺织、新型装备制造、新材料、新医药等优势产业，提高高技术产业比重，推进传统产业全面升级，建设具有较强国际竞争力的新型工业基地。

我国重要的土地后备资源开发区。立足沿海海域滩涂资源丰富的独特优势，科学规划土地资源，积极探索有效的开发方式，合理划分农业、建设和生态用地空间，增强粮食安全保障能力，创新土地利用管理机制，推进土地节约集约利用，进一步拓展长三角发展空间。

生态环境优美、人民生活富足的宜居区。充分利用滨海临江、区域生态环境良好的优势，大力推进生态城镇建设，进一步优化人居环境，形成人与自然和谐相处的良好局面；积极发展社会事业，不断增强公共服务能力，提高城乡居民生活水平和质量，打造成为经济繁荣、社会和谐、生态良好的沿海宜居地区。

专栏3：江苏沿海滩涂资源开发潜力

中国工程院牵头组织20多位院士和有关专家经过一年多的深入研究，形成了“江苏省沿海地区综合开发战略研究”报告。该研究成果提出：江苏沿海地区海域滩涂资源丰富，且每年仍以 2 万多亩的速度淤涨，是我国不可多得的土地后备资源，特别是盐城沿海和南通北部沿海地区更具备大规模围填的条件。近期可在盐城射阳河口至南通东灶港之间的大丰、东台、如东、启东海岸和琼港外的辐射沙洲等地进行围填，形成270万亩的土地后备资源；远期可在东沙、条子泥、腰沙等浅滩沙洲进行围填，可形成700万亩土地后备资源。

……

第三章　空间布局

第一节　空间结构

根据资源环境承载能力、开发密度和发展潜力，结合区域总体功能定位，进一步调整优化空间布局，适度扩大城镇空间和农业生产空间，合理布局农村居住空间，保障生态空间，实现国土空间的集约利用和有效保护。

城镇空间。包括城镇建设空间、工矿空间、交通空间和其他建设空间。合理确定城镇建设和产业发展空间，有序扩大中心城市和县城镇空间，充分利用盐田和海域滩涂拓展临港城镇和产业发展空间，加强存量建设用地的调整和改造，整合零散的工业用地，提高建设用地开发效益，增加城镇绿化空间和生态休闲空间。

农村空间。包括农村居住空间和农业生产空间。切实保护耕地资源特别是基本农田，保障粮食安全；合理利用渔业、林业、畜牧业生产空间，加强农村土地复垦整理，综合开发利用海域滩涂资源，拓展农业发展空间；优化调整农村居民点，合理布局居住空间。

生态空间。包括林地、草地、湿地和盐田等。清晰界定自然保护区、水源保护区、海洋生态保护区等重要生态功能区的范围，明确保护要求，加强维护修复；加强与城市、产业空间相衔接的生态廊道建设，规划永久性绿色开敞空间，提高生态空间布局的合理性。

第二节　开发布局

以连云港、盐城和南通三市的市区为极点，促进生产要素集聚，注重发展高技术产业，提升服务业发展水平，加快推进城市化进程，提升对周边地区的辐射带动能力；以沿海地区主要交通运输通道为轴线，加快沿线城镇发展，进一步强化腹地产业优势，构建产业和城镇带；以临近深水海港的区域为节点，加快布局临港产业，建设临港工业集中区和物流园区，培育和壮大临海城镇；以三极为中心，以产业和城镇带为依托，以沿海节点为支撑，促进互动并进，形成“三极、一带、多节点”的空间布局框架。

“三极”。重点加快连云港、盐城和南通三个中心城市建设，扩大城市规模，加强中心城市之间以及与周边地区的联系，增强辐射带动作用；以开发区为依托，以大企业、大项目为载体，坚持走新型工业化道路，不断提升产业层次；进一步增强现代城市功能，提升对外开放水平，成为外资进入陇海兰新沿线地区的集聚扩散区，积极承接国际资本与先进技术，并逐步扩散到内陆腹地。

“一带”。依托沿海高速公路、沿海铁路、通榆河等主要交通通道，促进产业集聚，重点发展新能源、汽车、新型装备、新材料、现代纺织、新兴海洋等优势产业，提升现代农业发展水平，加快现代物流、研发设计、金融商务等生产性服务业发展步伐，形成功能清晰、各具特色的沿海产业和城镇带。

“多节点”。以连云港港为核心，连云港徐圩港区、南通洋口港区和吕四港区、盐城大丰港区、滨海港区、射阳港区，以及灌河口港区为重要节点，根据各自比较优势，合理分工，错位发展，集中布局建设临港产业，发展临海重要城镇，促进人口集聚，推进港口、产业、城镇联动开发，构建海洋型经济发展新格局，成为提升沿海地区整体发展水平的支撑点。

第四章　重大基础设施建设

本着适度超前的原则，进一步加快交通、水利、能源等重大基础设施规划和建设步伐，推进一体化发展，提高保障能力。

第一节　沿海港口群建设

发挥港口资源丰富的优势，加快以连云港港为核心的沿海港口群建设，壮大港口实力，提升服务功能，发挥连接南北、沟通东西的桥梁作用，建设我国重要的综合交通枢纽，成为辐射带动能力强的新亚欧大陆桥东方桥头堡。

完善港口体系。连云港港是国家沿海主要港口及区域性中心港口，江苏沿海港口群的核心，我国综合运输体系的重要枢纽，是上海国际航运中心北翼重要组成部分，要加快深水航道建设，开辟新港区，大力发展集装箱干线运输，增强港口功能，拓展服务领域，提升为中西部地区服务的能力；南通港是国家沿海主要港口，上海国际航运中心北翼重要组成部分，要充分发挥沟通江海的特殊区位优势，大力推进江海联运，加强与长江中上游港口的合作，建设能源、原材料综合性物流加工基地，增强对长江中上游地区的服务功能；盐城港是区域性重要港口，是上海国际航运中心的喂给港和连云港港的组合港。按照建设国际航运中心的要求，进一步明确各港区的功能定位，加强分工协作，以临港产业项目为依托，加快港区建设，增强对腹地经济发展的服务带动作用。

扩大港口能力。推进连云港港30万吨级深水航道建设，尽快启动徐圩、赣榆港区进港航道建设，并根据产业发展需要及时浚深；积极推进灌河口、滨海和射阳河口航道整治工程，推进大丰港区、洋口港区深水航道升级前期研究论证工作。加快连云港区大堤作业区10万吨级以上集装箱泊位建设，尽快论证确定原油、矿石等大型专业化深水泊位布局，推动煤炭下水港建设，推进赣榆港区深水泊位和灌河港区万吨级以上泊位建设；加快洋口港区10万吨级以上泊位建设，推进吕四港区建设，做好腰沙、冷家沙建港条件的研究论证，开发建设启海、通海港区，提升沿江港口群在区域发展中的带动能力；加快大丰港区建设，逐步成为综合性港区，推进滨海港区10万吨级深水码头建设，支持大丰港区、滨海港区、射阳港区发展能源、石化等临港产业，促进港口更好地为地方经济发展服务。提高远洋运输能力，开辟和加密集装箱远洋干线航线航班，积极引进国内外知名航运公司，加强联合协作，逐步形成覆盖全球的国际航运网络。

提升服务功能。大力发展港口物流，拓展保税、国际贸易、金融保险、信息咨询等功能。加快建设连云港航运交易市场，提高连云港口岸查验单位级别和查验设施水平，开设两翼港区一类口岸，建设电子数据交换(EDI)信息管理系统，完善口岸“大通关”体系。加强与陇海兰新沿线及苏北其他地区的跨区域口岸协作，在主要城市建设具有综合物流集散功能的内陆“无水港”，拓展“属地申报，口岸验放”和检验检疫直通放行业务，延伸口岸功能，逐步扩大通关适用范围。积极推进连云港至莫斯科国际班列西延，实现新亚欧大陆桥全线贯通，简化进出境货物通关、转关和过境手续，提升通关贸易便利化水平，吸引新亚欧大陆桥沿线更多货物选择连云港口岸通关。

专栏4：江苏沿海港口总体发展格局

1. 连云港港。由连云、赣榆、徐圩、前三岛和灌河5大港区组成。连云港区规划为以集装箱和大宗散货运输为主，兼顾客运和散、杂货运输的综合性港区，是服务中西部地区的重要枢纽港区。徐圩、赣榆港区依托临港工业起步，逐步发展成为为腹地经济发展和后方临港工业服务的综合性港区，同时徐圩港区承担中西部地区能源等重要物资出海口功能。前三岛港区规划以石油运输为主。灌河港区以散杂货和化工品运输为主，兼顾船舶修造。

2. 南通港。由11个港区组成。其中2个在沿海地区，分别为洋口港区和吕四港区；9个在长江沿岸，分别为如皋港区、天生港区、南通港区、任港港区、狼山港区、富民港区、江海港区、通海港区和启海港区。洋口港区利用烂沙洋深槽建设深水航道，未来可满足20万吨级海轮乘潮通航，规划建设以原材料、煤炭、石油化工、液体化工等散货运输为主，并兼顾集装箱运输的综合性港区，主要为临港工业开发服务，远期发展大宗散货中转及油品运输。吕四港区主要为临港开发区和产业开发服务，兼顾为周边地区发展服务。

3. 盐城港。形成以大丰港区为主，滨海港区、射阳港区、响水港区共同发展的总体格局。大丰港区规划为以通用散杂货、石油化工和集装箱运输为主的综合性公用港区，兼顾能源、石化等临港工业开发功能。滨海港区规划为以服务后方临港工业开发为主的港区，近期主要为能源产业服务，以煤炭和大宗散货运输为主，远期逐步发展部分公用货物运输功能。射阳港区规划为以散杂货、化工品和集装箱运输为主的综合性港区，逐步发展临港工业和现代物流。响水港区以承担散杂货和化工品运输为主。

第二节　综合交通体系

铁路大通道建设。围绕连接长三角和环渤海、加强与中西部地区交流联系的目标，强化区域对外通道建设，优化路网结构，提高路网质量。加快建设沿海铁路大通道，重点建设黄岛至连云港至盐城、南通至上海铁路，实施新长铁路盐城至南通段复线电气化扩能改造，构建大能力铁路通道；加快陇海铁路客运专线建设，实施连徐线电气化扩能改造，进一步强化陆桥铁路大通道能力；新建宿州至淮安至连云港铁路；实施宁启铁路复线电气化工程，新建南通至启东铁路，强化沿江铁路通道，进一步完善区域铁路网络；根据连云港徐圩、南通洋口、盐城大丰等港区发展需要，规划建设相关港口铁路支线。到2020年，形成“两纵三横”干线为骨架的铁路网络，总规模达到1100公里。

广域航空通道建设。优化整合机场资源，发挥整体优势，提升服务能力。扩建连云港白塔埠机场并提升为国家一类开放口岸，根据发展需要规划迁建新机场，实施军民分设，建设服务苏北鲁南地区、面向亚太的区域性国际航空港；盐城机场继续发挥开放口岸优势，新辟货运功能，增强联系日本、韩国的国际运能，建设区域性支线机场；南通机场要加强与上海的合作，加快航空口岸对外开放，进一步加强运输服务能力，做好配套服务，加入上海国际航空枢纽网。

航道网建设。加快干线航道建设，扩大水运中转能力。以连云港港疏港航道为重点，加快连申线、盐河、灌河等骨干航道建设，推进淮河入海航道、通扬运河、刘大线等港口集疏运航道建设，打通连徐水运通道；加快实施长江口航道整治三期工程，逐步推进-12.5米深水航道向上延伸，增强沿海地区对长江中上游地区的辐射作用。到2020年，形成以“一纵四横”干线为骨架的水运通道网络，总规模达到1920公里。

高等级公路网建设。进一步增强过江通道能力，重点建设崇启和崇海过江通道。加快推进国道和省道干线公路网改扩建工程，实现高等级公路与沿海港口和产业集中区直接连接，建设贯通南北的临海高等级公路，提高临海地区公路技术等级和路网整体效率。到2020年，形成以“三纵六横”干线为骨架的沿海地区公路网络。

专栏5：江苏沿海地区综合交通体系

“两纵三横”铁路建设。规划总规模达到1100公里，其中新建770公里，既有线复线电气化扩能改造330公里。“两纵”是指沿海铁路和新长铁路，“三横”是指陇海铁路通道、宿淮连铁路和宁启铁路。

航空机场建设。连云港机场，提升为国家一类口岸。盐城南洋机场和南通兴东机场，是地区航线网络的重要节点，主要服务城市辖区产生的直接航空客货需求和通过对邻近航空市场腹地聚集和辐射产生的间接航空客货需求。

“一纵四横”内河干线航道建设。规划总规模达到1920公里。“一纵”是指连申线(三级航道)。“四横”是指连云港港疏港航道及盐河(三级航道)、灌河(三级航道)、刘大线(四级航道)、通扬运河(三级航道)。规划建设洋口、射阳、滨海等港区疏港航道。

“三纵六横”公路建设。规划总规模达到3018公里，其中高速公路1024公里，干线公路1994公里。“三纵”是指沿海高速公路、G204、临海高等级公路；“六横”是指连徐高速公路、徐宿淮盐高速公路、江海启高速公路、宁启高速公路、G310、G328和S211。规划建设联系沿海港口、城镇和产业集中区等重要节点的高等级公路网络。

综合交通运输信息系统建设。利用现代信息技术，建立跨交通方式、跨行政地域的信息共享机制，加强政府信息公开，有效连接运输企业和运输枢纽，搭建通畅的信息渠道，促进跨部门业务合作，鼓励第三方开发，形成综合运输服务信息化平台。

……

第五章　产业发展

依托连云港、盐城、南通三市产业基础和比较优势，实施错位发展，建立区域产业分工体系，切实转变经济发展方式，加快推进产业优化升级，形成以现代农业为基础、先进制造业为主体、生产性服务业为支撑的产业协调发展新格局。

第一节　现代农业

大力发展高产、优质、高效、生态、安全的现代农业，实现由传统农业向现代农业的转变，走具有中国特色农业现代化道路，建成国家重要的商品粮基地、农产品生产加工和出口基地、农业观光休闲基地。

着力优化农业结构。稳定粮食生产，做强棉花、油菜、蚕桑、啤酒大麦等特色优势产业。加强耕地保护，利用海域滩涂围填增加耕地资源，稳定粮食种植面积，提高粮食生产能力，重点支持盐城等地建立优质商品粮棉生产基地和长三角农副产品供应基地。坚持区域化、规模化、标准化连片种植，建设双低油菜生产基地。以市场为导向，积极发展设施农业和园艺业。建立健全农产品质量安全体系，提高无公害、绿色和有机农产品比重，创建沿海生态农业品牌。充分发挥国有农场在调整农业结构、发展现代农业中的作用。到2020年，粮食播种面积保持2800万亩，总产量达到1200万吨。

大力发展海洋渔业。实施水产良种工程，建设沿海鱼蟹虾贝藻及海珍品良种基地；发展设施渔业，推进百万亩生态鱼池改造和规模连片高效特色标准化池塘建设，提高现代渔业综合生产能力；积极开展海洋牧场建设，增殖水生生物资源，保护水生生态环境，促进渔业可持续发展；加强水产品生产加工基地建设，培植骨干加工企业，延长产业链；加快渔港建设，促进沿海观光休闲渔业发展，进一步拓展海洋渔业发展空间。建设水产品供给、休闲旅游为一体的现代渔业基地。

加快建设农产品加工产业基地。围绕优势特色农产品，鼓励发展精深加工，提高农产品附加值和综合利用水平。积极发展食品工业，打造一批农业产业化国家级和省级重点龙头企业、全国农产品加工示范基地和创业基地、农产品加工研发分中心，支持有条件的地区建设农产品加工园区；依托南通、射阳、东海等外向型农业综合开发区，大力发展出口农业。

积极发展农村新型合作组织。创新农户与龙头企业的利益联结机制，大力发展产加销一体型和农村专业服务型的农民合作经济组织，努力使农民在农产品生产、加工、流通等增值环节获得更多收益。引导农民整合生产要素，鼓励建立土地股份合作社，积极探索在更大范围、更高层次上组建农民专业合作社联合社，提高市场竞争力。

第二节　先进制造业

坚持走新型工业化道路，积极推进清洁生产和循环经济的发展模式，发展技术含量高、附加值高的临港产业、优势产业和新兴产业，不断增强产业竞争力，建成长三角乃至东部沿海地区重要的新型工业基地。

积极发展临港产业。适应快速增长的市场需求，利用沿海地区较好的区位和资源条件，合理布局石化、钢铁、车船、粮油加工等临港产业。依托沿海深水港口，结合周边市场需求，按照国家有关产业政策，适时在江苏沿海地区规划布局石化项目，注重发展市场需求大的高附加值石化深加工产品。加快调整钢铁产业空间布局，促进淘汰落后产能，推进企业重组，引导沿江及内陆地区，特别是城市钢铁企业向连云港转移，重点发展满足沿海先进制造业基地所需的钢铁产品。提升汽车和船舶产业发展水平，重点发展乘用车和远洋运输船舶，形成车船零部件研发制造基地，支持盐城发展大中型客车和专用车，建设汽车试验场，支持南通发展具有国际竞争力的船舶制造产业，加强研发设计，建成世界一流的船舶修造产业基地。利用国际大宗农产品中转和仓储条件，积极发展粮油加工业，提高精深加工水平。

加快发展优势和新兴产业。立足现有产业基础，增强自主创新能力，加快提升优势产业，积极拓展新兴产业。加快发展工程材料、复合材料、功能性高分子材料等，建设国家级碳纤维生产基地。重点提升机械设备、电力设备、机床、集装箱等产业规模和档次，创造条件发展大型整机装备产业。运用高新技术和先进适用技术改造提升纺织工业，努力形成名牌和规模效应。实施科技兴海战略，大力发展海洋经济，积极发展海洋化工，形成盐碱联合开发、盐化和石化相协调的发展格局。培育全国重要的医药龙头企业，重点发展具有自主知识产权的创新药。

……

第六章　城乡发展

按照城乡一体化发展的总体要求，走新型城镇化道路，加快推进社会主义新农村建设，大力发展社会事业，提高基本公共服务均等化水平，形成城乡统筹发展的新局面。

第一节　推进城乡统筹

加快城乡一体化发展步伐，促进公共资源在城乡之间均衡配置，生产要素在城乡之间自由流动，形成以工促农、以城带乡、城乡互动的长效机制。

推进城乡发展规划一体化。建立统筹城乡的规划体系，促进各级各类规划的相互衔接和协调，优化区域空间布局；探索统一规划、统一管理的新机制，提高规划制定的公开性、透明性和群众参与度，加快规划实施的法制化进程。

推进城乡基础设施一体化。统筹城乡交通、市政公用、水利、电力、电信、环保等重大基础设施建设，推进城乡道路、供水排水管网和污水处理设施有效衔接，加快城乡公交一体化，加强农村环卫设施建设，逐步实行城乡垃圾统一收集处理，促进城乡基础设施共建共享。

推进城乡公共服务一体化。统筹规划、合理布局城乡科技教育、医疗卫生、文化体育等社会事业，加大对农村公共服务投入，加强农村社区服务设施建设，鼓励城市优质社会事业资源进入农村，使农村居民享受到与城市居民均等的公共服务。

推进城乡就业社保一体化。统筹管理城乡人力资源，营造公平就业环境；加快建设城乡一体化的社会保障体系，不断完善农村养老、医疗等社会保障制度，全面落实被征地农民基本生活保障，逐步实现城乡社会保障制度并轨。

第二节　提升城镇发展水平

发展壮大中心城市。连云港以建设连接长三角与环渤海的国际性海港城市为目标，盐城以建设我国沿海地区现代化工商城市为目标，南通以建设长三角北翼经济中心为目标，加快中心城市建设，强化在区域发展中的辐射带动作用。到2020年，把连云港、盐城、南通建成经济实力较强的特大城市，在全国沿海城市中的地位明显提高。

提升县(市)城镇发展水平。加快县(市)城镇发展，培育和壮大区域化、专业化的特色产业，壮大县域经济实力，增强为产业发展的服务支撑能力。到2020年，努力把江苏沿海地区有条件的县(市)城镇建成中等以上城市。

加快培育小城镇。临港小城镇是沿海港口建设、产业发展和人口集聚的重要依托，围绕形成中小城市的目标，统一规划，合理布局，加快临港产业发展，促进人口集聚，有序扩大城镇规模。加强具有特殊地形地貌、传统文化特色的小城镇保护和利用，发展旅游等特色产业，强化独有的自然和文化特色。

……

第七章　海域滩涂资源开发

发挥江苏沿海滩涂资源丰富的优势，选择合适的区域进行适度围填开发，形成大规模的土地后备资源，有效拓展发展空间。

第一节　依法科学围填海域滩涂

依法科学编制海域滩涂围填开发规划，根据海域滩涂资源和近岸海洋条件，进一步深化研究沿岸海洋物理环境的变化趋势，在不破坏生态环境、不改变辐射沙洲总体动力格局、不影响深水航道的前提下，依法合理确定围填的范围、时序。近期重点对海岸潮间带和潮下带滩涂、高程在理论基准面2米以上的海域滩涂进行围填开发。到2020年，规划围填270万亩海域滩涂。

第二节　高效利用围填的土地资源

对围填形成的土地资源，探索新的开发模式，促进土地集约高效利用。统筹考虑产业开发、城镇建设、农业生产和生态保护，合理确定建设用地、农业用地和生态用地的比例，其中农业用地、生态用地、建设用地分别占围填面积的60%、20%和20%。海域滩涂围填利用以综合开发为方向，优先用于发展现代农业、耕地占补平衡和生态保护与建设，适度用于临港产业发展。

对农业用地实施规模化开发，发展种植业和养殖业，建设国家大型商品粮棉基地，培育发展海水灌溉农作物，增加农业供给能力，开展非粮食生物燃料植物的规模化种植。对生态用地重点用于自然保护区、天然湿地、沿海防风林、护岸林草建设，维护生态平衡。对建设用地要科学规划、集约利用，集中布局城镇、港口和大型临港产业，提高投资强度和产出效率。在推进风电项目建设过程中，可采用与农业开发、生态建设兼顾相容的方式，提高土地资源利用率。

……

第八章　生态建设与环境保护

实施严格的环境保护政策，加强区域生态环境共同建设、共同保护和共同治理，推进重要生态功能区建设，有效控制环境污染和生态破坏，大力发展循环经济，提高环境支撑能力，努力建设环境友好型社会。

第一节　加强生态建设

依据生态服务功能定位和生态敏感度，加快92个重要生态功能区建设，构建“四纵五横”的生态廊道，强化生物多样性保护，维护生态系统稳定，确保区域生态安全。

专栏6：重要生态功能区

重要生态功能区是指具有保障饮水安全、维护生物多样性及区域生态平衡作用的区域，是构筑生态安全屏障的国土空间。江苏沿海地区重点建设自然保护区、森林公园、风景名胜区、饮用水源保护区、洪水调蓄区、水源涵养区、重要渔业水域、重要湿地、清水通道维护区、生态公益林、水产种质资源保护区、海洋特别保护区12大类、92个重要生态功能区。6个自然保护区：包括盐城湿地珍禽国家级自然保护区、大丰麋鹿国家级自然保护区、启东长江口北支湿地省级自然保护区、云台山省级自然保护区、中华鲟自然保护区、沿海防护林和滩涂保护区(海安)。

10个森林公园。包括云台山森林公园、锦屏山森林公园、华都森林公园、东台黄海森林公园、射阳海滨森林公园、大丰林海森林公园、石湖森林公园、伊芦山森林公园、大南森林公园、狼山森林公园。

9个风景名胜区。包括云台山风景名胜区、大伊山风景名胜区、大纵湖风景名胜区、九龙口风景名胜区、濠河风景名胜区、老洪港风景名胜区、苏通大桥北桥头公园风景名胜区、石港风景名胜区、江海风景名胜区。

11个饮用水源保护区。包括蔷薇河饮用水源保护区、横沟水库饮用水源保护区、叮当河饮用水源保护区、古泊善后河饮用水源保护区、南六塘河饮用水源保护区、蟒蛇河饮用水源保护区、射阳县饮用水源保护区、阜宁县饮用水源保护区、启东市饮用水源保护区、海门市饮用水源保护区、南通市西北片饮用水源保护区。

7个洪水调蓄区。包括石梁河水库洪水调蓄区2个、西双湖洪水调蓄区1个、新沂河洪水调蓄区2个和淮河入海水道洪水调蓄区2个。

7个水源涵养区。包括安峰山水源涵养区、马陵山水源涵养区、李埝水源涵养区、房山水源涵养区、塔山水源涵养区、神龙泉水源涵养区、西塘河水源涵养区。

4个重要渔业水域。包括启东市重要渔业水域、通州近海岸渔业水域、如东县北部重要渔业水域、如东县南部重要渔业水域。

8个重要湿地。包括临洪河重要湿地、灌云县东滩重要湿地、武障河重要湿地、马家荡重要湿地、里下河重要湿地、长江(通州市)重要湿地、沿海滩涂重要湿地(盐城)、长江(海门市)重要湿地。

15个清水通道维护区。包括通榆河清水通道维护区7个、新洋港清水通道维护区、泰东河清水通道维护区、新通扬通榆运河清水通道维护区、海门市清水通道维护区、如海运河清水通道维护区、焦港清水通道维护区、拉马河清水通道维护区、立新河清水通道维护区。

5个生态公益林。包括大夹山生态公益林区、怀仁山生态公益林区、沿江堤防生态公益林区、江海堤防生态公益林区、沿海生态公益林区。

2个水产种质资源保护区。包括海州湾中国对虾国家级水产种质资源保护区、蒋家沙竹根沙泥螺文蛤国家级水产种质资源保护区。

8个海洋特别保护区。包括连云港海州湾海湾生态与自然遗迹国家级海洋特别保护区、海门蛎蚜山牡蛎礁国家级海洋特别保护区、盐城麻菜桁和外磕脚领海基点海洋特别保护区、废黄河三角洲侵蚀性滨海湿地特别保护区、竹根沙海洋特别保护区、东沙海洋特别保护区、顾园沙海洋特别保护区、灌河口滨海湿地特别保护区。

自然保护区建设。加强盐城珍禽和大丰麋鹿国家级自然保护区、启东长江口北支河口湿地和云台山省级自然保护区建设，按照国家法律法规对自然保护区实施优化布局和严格管理。加大对国家级自然保护区的生态补偿，将盐城市列为国家生态补偿试点地区。加强野生动物疫源疫病监测防控体系建设。

生态廊道建设。在现有沿海防护林体系基础上，以重要生态功能保护区和海堤公路、河流湿地为主构建“四纵五横”的生态廊道网络。“四纵”包括新海堤、老海堤、沿海高速和通榆河廊道，“五横”包括石梁河水库—新沭河—临洪河口、黄河故道、苏北灌溉总渠、新洋港—大纵湖、长江口北支生态廊道。在城镇和产业密集区周围建设开敞式的绿色生态空间，在交通主干道两侧建设防护隔离林带，在临港产业园区周边建设生态隔离区。

饮用水源地保护。建立以长江、洪泽湖和京杭运河为主水源，以引江河—新通扬河—泰东河—通榆河、洪泽湖—淮沭新河—蔷薇河—新沭河、京杭运河—淮沭新河及沿江自引供水线等为水源网络干线，以沿海地区集中式饮用水源地和备用水源地为节点的饮用水源安全网络。严格水源地保护，一级保护区内禁止一切与保护水源无关的活动，二级保护区禁止新建、改扩建排放污染物的建设项目。加强清水通道建设，强化沿岸现有排污口整治，确保河流水质达到水功能区划要求，2012年前取缔清水通道沿线的全部排污口，禁止布局污染项目。

滩涂湿地保护。编制湿地保护规划，建立湿地管理信息系统，建设湿地保护示范基地。建立黄河故道重要湿地生态保护区，做好灌河、新沂河、临洪河等重要入海河口湿地及大纵湖、九龙口、马家荡等内陆湖荡湿地的保护工作，推进滨海湿地海洋特殊保护区建设，形成我国东部最集中、规模最大、最具观赏价值和生态价值的湿地景观区。

海洋渔业保护与生态修复。合理调整海洋禁渔区，完善禁渔期制度。实施重点海域生态环境恢复工程，保护海洋鱼类重点产卵场、索饵场及洄游通道。针对重要渔业水域和保护目标建立水产种质资源保护区和繁殖保护区，建设多功能人工鱼礁群，开展主要经济生物资源种群恢复与增殖，实施大规模人工增殖放流。

……

第二节　大力发展循环经济

按照“减量化、再利用、资源化”的总体要求，大力推进节能、节水、节材、节地，加大资源回收利用，提高资源利用效率，从根本上降低资源的消耗，从源头上减少废弃物的产生，把江苏沿海地区建设成为全国重要的循环经济产业带。

以国家级和省级开发区为载体，明确产业发展方向，按照产业链优化项目选择和空间布局，形成产业集群。大力开发和推广应用节能和资源综合利用新技术、新工艺。推进行业、企业和园区发展循环经济，形成企业之间、产业之间的资源利用循环链。全面推进重点企业清洁生产，加快重点行业绿色制造，在能源、化工、船舶、造纸、粮油加工等行业建设一批“零排放”试点示范项目，完成对化工、印染等重点行业强制性清洁生产审核，在有条件的地方建设国家级循环经济示范园区。推进各种废旧资源回收和循环利用，建立可再生资源回收、加工和利用系统。到2020年，工业用水重复利用率达到98%，工业固体废弃物综合利用率接近100%。建立城市生活垃圾分类、回收、再造系统，推广城市及区域中水回用系统，强化建筑节能等新技术应用。大力推广能效标识产品、节能节水认证产品、环保产品、有机产品、良好农业规范认证产品，完善绿色产品标识制度，倡导公众绿色消费。

第九章　保障措施

进一步深化改革，扩大开放，加快体制机制创新，将政府宏观调控与市场配置资源的基础性作用相结合，将自身努力与国家政策支持相结合，确保规划目标的顺利实现。

第一节　深化体制改革

深化行政管理体制改革。加快政府职能转变，进一步强化经济调节、市场监管、社会管理和公共服务职能，构建责任政府、服务政府和法治政府。创新政府管理模式，加快行政审批制度改革，减少和规范行政审批。推进政府机构改革，优化政府管理层次，完善政绩考核制度，提高行政运行效率。加快省直管县改革，进一步扩大县(市)经济管理权限。赋予一定人口规模和经济实力的中心镇部分县级经济社会管理权限。深化事业单位改革，推进社会事业管理体制创新。完善公共财政体系，规范财政转移支付，调整县乡税收分配关系，强化乡镇公共服务职能，增强基层政府提供公共服务的能力。

加快市场一体化进程。健全统一开放、竞争有序的现代市场体系，发展各类生产要素市场和商品市场，促进生产要素合理流动和资源优化配置；建设区域投融资平台，积极引进国内外战略投资参与江苏沿海地区发展；建立区域信用平台与体系，加快政务诚信、商务诚信、社会诚信建设，营造诚实守信的社会环境；建立区域质量互认制度，完善市场监督体系，规范市场秩序；积极推进行业协会改革，培育以企业为主体的新型行业协会，鼓励行业协会开展区域合作。

建立生态建设和环境保护新机制。实施最严格的环境保护制度，落实污染减排考核和责任追究制度，实行环境保护“一票否决”和问责制。积极探索并建立生态补偿机制，加大对自然保护区等重要生态功能区的生态补偿。完善水资源保护制度，明晰跨界水质保护责任，加大对下游受污染地区的补偿与赔付。完善环境容量和排污总量倒逼机制，做到增产不增污。加强产业政策、环境准入和污染物排放标准的约束机制，从源头防止环境污染和生态破坏。建立污染物减排的激励机制，加大对下游受污染地区的补偿与赔付。

创建良好的法制环境。大力推进依法行政，加强政府法制建设。全面贯彻实施《政府信息公开条例》，推进政务公开。建立健全决策权、执行权、监督权既相互制约又相互协调的权力结构和运行机制，健全程序规则和问责机制，推进行政执法责任制，加强行政监察。

第二节　扩大开放合作

大力发展开放型经济。实施“引进来”与“走出去”相结合的对外开放战略，优化利用外资结构，发挥外资对产业升级和技术扩散的促进作用，积极承接国际产业转移，重点引进高技术产业和先进制造业项目，扩大服务外包；着力提高利用外资质量，注重引进先进技术、管理经验和智力资源；支持跨国公司在江苏沿海地区设立总部、研发中心和专业服务机构；鼓励企业与国际跨国公司进行合作配套，促进形成产业集群；积极利用国际金融组织贷款、外国政府贷款、国际产业投资基金，为江苏沿海地区发展提供资金支持；鼓励和支持有实力的企业到境外投资，扩大对外承包工程和劳务合作。

强化与长三角其他地区的互动。进一步加强与上海、苏南等地区重大基础设施的衔接，积极开展产业合作，建立长三角地区农副产品供应基地，承接上海、苏南等地区的产业转移，推动长三角地区产业优化升级，促进互动发展。进一步加强与苏北其他地区的合作，服务和带动苏北腹地经济发展，提升外向型经济发展水平。积极推进泛长三角区域合作。

加强对中西部地区的服务带动。充分利用新亚欧大陆桥出海通道便捷的交通条件和不断增强的服务功能，进一步扩大与中西部地区在产业、科技、人才、信息等领域的交流与合作，增强辐射带动作用。

密切与环渤海地区的联系。积极发挥承南启北的作用，加强与环渤海地区的沟通，推进技术、项目、人才的交流，促进产业分工与协作，加强连云港与青岛、日照之间的港口合作以及其他基础设施对接。

加强国际合作。深化与新亚欧大陆桥沿线和日韩等东北亚国家的经济贸易合作，举办沿线国家和地区经济合作论坛，促进互利共赢。推动建立沿线国家共同参与的高层次协调机制，定期磋商解决重大问题，进一步推动经贸合作与交流。

……

关中——天水经济区发展规划（节选）

国家发展改革委

二〇〇九年六月

关中——天水经济区（以下简称经济区）包括陕西省西安、铜川、宝鸡、咸阳、渭南、杨凌、商洛（部分区县）和甘肃省天水所辖行政区域，面积7.98万平方公里，2007年末总人口为2842万人，直接辐射区域包括陕西省陕南的汉中、安康，陕北的延安、榆林，甘肃省的平凉、庆阳和陇南地区。

经济区地处亚欧大陆桥中心，处于承东启西、连接南北的战略要地，是我国西部地区经济基础好、自然条件优越、人文历史深厚、发展潜力较大的地区。加快经济区建设与发展，有利于增强区域经济实力，形成支撑和带动西部地区加快发展的重要增长极；有利于深化体制机制创新，为统筹科技资源改革探索新路径、提供新经验；有利于构建开放合作的新格局，推动西北地区经济振兴；有利于深入实施西部大开发战略，建设大西安、带动大关中、引领大西北；有利于应对当前国际金融危机的影响，承接东中部地区产业转移，促进区域协调发展。

本规划依据党的十七大精神和《中华人民共和国国民经济和社会发展第十一个五年规划纲要》、《西部大开发"十一五"规划》编制，规划期为2009–2020年。

第一章　发展基础

改革开放三十年来，特别是西部大开发战略实施以来，经济区经济社会发展取得显著成就，进入了快速发展阶段。随着国际国内经济形势的变化，经济区发展面临新的历史机遇与挑战。

第一节　发展现状

（一）经济稳步增长。2000年至2007年，经济区地区生产总值年均增长13%，2007年达到3765亿元，占西北地区的28.6%；地方财政收入年均增长15%，2007年达到189亿元，占西北地区的16.3%。经济增长速度不断加快，运行质量明显提升，发展实力显著增强。人均地区生产总值接近2000美元，工业化、城镇化加速推进。

（二）基础设施明显改善。2000年至2007年，共完成全社会固定资产投资9511亿元，年均增长23.4%，相继建成一批国家重大工程项目。区域综合交通设施日趋完善，电力、通信、市政等基础设施保障能力不断增强。

（三）产业发展迈出新步伐。农业基础地位进一步巩固，现代农业快速发展。工业增势强劲，产业结构调整加快，2007年规模以上工业增加值实现1271亿元，占西北地区的23.8%。商贸旅游业等第三产业不断壮大，所占比重明显高于西部地区平均水平。

（四）社会事业加快发展。基本公共服务逐年改善，教育、卫生、文化事业不断进步，社会保障体系逐步健全。人民生活水平明显提高，2007年城镇居民人均可支配收入和农民人均纯收入均比2000年翻了一番。

第二节　发展优势

战略区位重要。经济区处于我国内陆中心，是亚欧大陆桥的重要支点，多条铁路、公路、航线、管线在此交汇，是全国交通、信息大通道的重要枢纽和西部地区连通东中部地区的重要门户。

科教实力雄厚。拥有80多所高等院校、100多个国家级和省级重点科研院所、100多万科技人才，2007年研究与发展经费支出占地区生产总值比重达2.7%，显著高于全国平均水平，科教综合实力居全国前列。

工业基础良好。拥有国家级和省级开发区21个、高新技术产业孵化基地5个和大学科技园区3个，是国家国防军工基地、综合性高新技术产业基地和重要装备制造业聚集地。

文化积淀深厚。该区域是华夏文明重要发祥地、著名的丝绸之路源头和羲皇故里，也是13个王朝古都所在地，拥有大量珍贵的历史文化遗产和丰富的人文自然资源。

城镇带初步形成。西安特大城市对周边地区辐射带动作用明显，区域内城镇化进程不断加快。2007年底，经济区城镇化率达到43%以上，西陇海沿线城镇带已具雏形。

……

第二章　总体要求

推进经济区科学发展，必须进一步明确发展的指导思想和原则，找准发展重点，明确发展目标，创新发展模式，提升发展质量，实现经济社会又好又快发展。

第一节　指导思想

高举中国特色社会主义伟大旗帜，以邓小平理论和“三个代表”重要思想为指导，深入贯彻落实科学发展观，进一步解放思想，深化改革，扩大开放，在西部地区实现率先发展。着力转变发展方式，提高区域综合竞争力，率先建成内陆开放型经济区；着力推进自主创新，优化经济结构，率先构建创新型区域；着力统筹城乡改革，加快城镇化进程，率先实现城乡一体化发展；着力改善民生，加强社会事业建设，率先建成基本公共服务均等化示范区。力争用10年多一点的时间，把经济区建设成为全国区域协调发展新的重要增长极，实现经济繁荣、山川秀美、人民富裕、社会和谐。

第二节　基本原则

——坚持以人为本，促进和谐发展。努力改善民生，把提高人民生活水平作为一切工作的出发点和落脚点。

——坚持统筹兼顾，注重协调推进。注重城市与农村、人与自然、经济发展与社会进步相协调，实现经济社会可持续发展。

——坚持深化改革，推进体制创新。加快行政管理体制改革和经济体制改革，为发展提供强大动力。

——坚持开放合作，实现互利共赢。积极参与国内外区域分工与合作，寻求合作机遇，拓宽合作领域，在合作中谋求发展。

第三节　战略定位

——全国内陆型经济开发开放战略高地。优化对外开放格局，创新区域合作机制，拓展对外开放空间，提升对外开放水平。

——统筹科技资源改革示范基地。推进科技创新体制改革，加快产学研一体化，统筹军民科技互动发展，促进科教优势向经济优势转化，为建设创新型国家探索新路径。

——全国先进制造业重要基地。以装备制造业和高技术产业为重点，打造航空航天、机械制造等若干规模和水平居世界前列的先进制造业集群，培育一批具有国际竞争力的企业和知名品牌。

——全国现代农业高技术产业基地。以杨凌国家级农业高新技术产业示范区为依托，发展新型农业生产方式，建设现代农业技术推广服务平台。

——彰显华夏文明的历史文化基地。充分发挥历史文化资源集聚优势，建设国际文化交流平台，打造一批具有世界影响的历史文化旅游品牌，展现和弘扬中华优秀传统文化。

……

专栏1：经济社会发展主要指标

……

第三章　空间布局

根据资源环境承载能力、现有开发强度和发展潜力，科学确定功能分区，优化经济区人口分布、生产力布局、产业结构和城乡布局，促进人与自然和谐发展。

第一节 空间结构

城市地区。按照土地集约、产业集聚、资源集合、人口集中的原则，夯实基础设施，改善投资环境，优化工业布局，提升产业层次，形成较大规模的产业集聚和较高水平的工业园区。适当扩大城市空间，提升城市服务功能，有序承接人口转移。以特大城市为依托，促进大中小城市和小城镇协调发展，形成辐射带动作用强的城市群。

农村地区。稳定基本农田数量，加大关中平原、渭北旱塬、天水川道、商丹盆地耕地保护力度。根据当地农业资源条件，实现种植业、养殖业的良种化、专业化、规模化和基地化。加强闲散用地整合，鼓励低效益用地增容改造和深度开发。结合新农村建设积极推进节地型村镇改造，合理减少农村居住用地，促进农村各项建设节约集约用地。

生态地区。坚持保护优先、适度开发、点状发展，对秦岭北麓、黄土丘陵沟壑水土流失防治区，以及退耕还林、天然林保护等地区，因地制宜发展资源环境可承载的生态旅游等特色产业，加强生态修复和环境保护。对自然保护区、重要水源地、重要湿地等实行强制保护，严格控制人为干扰，禁止各类开发建设活动。

专栏2：空间结构表

地 区	分 类	面 积（平方公里）		
		2007年	2012年	2020年
城市地区	中心城区	773	1030	1730
	产业集中区	530	583	710
	区域交通	550	665	800
	发展备用	1667	1320	1067
	小 计	3520	3598	4307
	占区域面积比重（%）	4.41	4.51	5.40
农村地区	农村居民区	3522	3256	3050
	农业地区	54573	54762	54159
	小 计	58095	58018	57209
	占区域面积比重（%）	72.80	72.70	71.69
生态地区	自然保护区	11240	11240	11240
	重要水源地	1383	1383	1383
	生态恢复区	5561	5561	5661
	小 计	18184	18184	18284
	占区域面积比重（%）	22.79	22.79	22.91
合 计		79800	79800	79800

第二节 空间战略

构筑“一核、一轴、三辐射”的空间发展框架体系。

“一核”：即西安（咸阳）大都市，是经济区的核心，对西部和北方内陆地区具有引领和辐射带动作用。

“一轴”：即宝鸡、铜川、渭南、商洛、杨凌、天水等次核心城市作为节点，依托陇海铁路和连霍高速公路，形成西部发达的城市群和产业集聚带。

“三辐射”：即核心城市和次核心城市依托向外放射的交通干线，加强与辐射区域的经济合作，促进生产要素合理流动和优化配置，带动经济区南北两翼发展。以包茂高速公路、西包铁路为轴线，向北辐射带动陕北延安、榆林等地区发展；以福银高速公路、宝鸡至平凉、天水至平凉等高速公路和西安至银川铁路为轴线，向西北辐射带动陇东平凉、庆阳等地区发展；以沪陕、西康、西汉等高速公路和宝成、西康、宁西铁路为依托，向南辐射带动陕南汉中、安康和甘肃陇南等地区发展。

第三节　城镇体系

构建由核心城市、次核心城市、三级城市、重点镇和一般镇五级组成的城镇体系。

——核心城市：加快推进西（安）咸（阳）一体化建设，着力打造西安国际化大都市。2020年，都市区人口发展到1000万人以上，主城区面积控制在800平方公里以内。把西安市建设成国家重要的科技研发中心、区域性商贸物流会展中心、区域性金融中心、国际一流旅游目的地以及全国重要的高新技术产业和先进制造业基地。

——次核心城市：宝鸡、铜川、渭南、商洛、杨凌、天水的中心城区。以这些次核心城市为节点，加快人口聚集、产业聚集，构筑较大规模的城市群。支持宝鸡等条件较好的城市率先发展，将宝鸡建成百万人口以上的特大城市、经济区副中心城市。

专栏3：次核心城市功能和规模

宝鸡市。主要发展机床制造业、重型汽车制造业、有色金属加工制造业、商贸旅游业。2020年，城市建成区人口达到120万人，面积控制在130平方公里，建成区域重要的交通枢纽，国家新材料研发和生产基地，生态园林城市。

铜川市。主要发展能源、建材、农副产品加工业。2020年，城市建成区人口达到55万人，面积控制在60平方公里。

渭南市。主要发展机械电子、生物医药、农副产品加工业，适度发展煤炭化工产业。2020年，城市建成区人口达到75万人，面积控制在80平方公里。

商洛市。主要发展现代材料、现代中药、绿色食品加工以及生态旅游等产业。2020年，基本实现商（州）丹（凤）一体化，城市建成区人口达到50万人，面积控制在68平方公里。

杨凌区。主要发展现代农业示范、现代农业科教和装备制造、生物医药、食品加工与农资等产业。2020年，城市建成区人口达到30万人，面积控制在35平方公里，建成国家农业高新技术产业示范区。

天水市。重点发展机械制造、电工电器、医药食品、现代农业及商贸旅游等产业。2020年，城市建成区人口达到80万，面积控制在80平方公里。

——三级城市：包括韩城、彬县、蒲城、华阴、礼泉、蔡家坡、洛南、柞水、凤翔、陇州、长武、甘谷、秦安、武山等中小城市。加强城市基础设施建设，改善产业发展基础和条件，促进企业集中布局和配套生产，提高经济发展的集约化水平，大量吸纳周边农村富余人口，打造一批特色鲜明、功能完善、产业配套的中小城市。

——重点镇：靠近中心城市和交通枢纽等基础较好的中心镇，重点发展农副产品加工业、采矿业和旅游业，实施"关中百镇"建设工程和经济综合开发示范镇建设工程，合理安排重点镇建设、农田保护、产业集聚、村庄分布、生态环境等空间布局。

——一般镇：其他建制镇，重点提升面向农业、农村、农民的公共服务和市场服务能力，促进城镇发展。

……

第四章　构建创新型区域

充分利用科技优势、区位条件和产业基础，统筹各类科技资源，提升自主创新能力，形成具有核心竞争力的区域创新体系，实现关键领域和核心技术的重大创新突破，引导创新要素向企业集聚，形成特色产业集群。

第一节　体系创新

坚持政府引导和市场配置相结合，整合创新资源，聚集创新要素，强化创新功能，建设特色鲜明和优势突出的区域创新体系。支持西安在统筹科技资源、提高自主创新能力方面开展综合配套改革试验。依托高新技术开发区、经济技术开发区、高新技术产业基地、大学科技园区等，大力扶持科技创新型企业，积极承接国家重大科技项目，把各类园区建设成为高新技术研发聚集地、孵化基地和产业化基地。加强重点实验室、工业研究院、工程研究中心和企业技术中心建设。统筹军民结合、军地结合、寓军于民的国防科技创新体系的协调发展。加快建立以企业为主体，以市场为导向，以大专院校、科研院所为支撑，产学研相结合的创新体系。

第二节　技术创新

统筹原始科学创新、关键技术自主创新、重大系统集成创新的协调发展，统筹支持基础研究、高技术创新、知识技术转移转化和规模化产业化的协调发展。不断提高关键核心技术创新、系统集成创新和引进消化吸收再创新能力，在重点领域和核心技术实现突破性进展。大力支持产业技术联盟，搭建公共服务、技术转移和知识产权交易平台，促进科技成果转化为现实生产力和区域核心竞争力。重点推进航空航天、新材料、电子信息、先进制造、现代农业等领域的研发创新和成果转化。在重点领域掌握一批核心技术，拥有一批自主知识产权，造就一批具有国际竞争力的企业。

……

第五章　产业发展

以市场为导向，发挥产业优势，促进结构调整，延长产业链条，加强配套分工，推动产业升级，形成产业集群，构筑若干特色优势产业基地。

第一节　航空航天

依托西安阎良国家航空高技术产业基地，重点发展大型运输机、涡桨支线飞机、通用飞机等主干产业，航空发动机及配套产业、机载系统等分支产业，航空关键部件、专用设备、维修业务等配套产业。加快新舟系列飞机产业化、大型飞机零部件生产及服务外包。以西安国家民用航天产业基地为载体，重点培育和发展航天运载动力产业集群、卫星及卫星应用产业集群。

专栏4：西安阎良国家航空高技术产业基地

阎良航空制造园。重点发展大型运输机、涡桨支线飞机以及大型客机零部件制造。

蒲城通用航空产业园。依托蒲城通用机场和低空空域资源，重点发展通用航空飞行员培训、航空俱乐部等通用航空产业项目。

咸阳空港产业园。重点发展民用飞机维修、定检、大修、客改货、公务机托管、零部件支援、航空物流等项目。

宝鸡航空安全装备产业园。重点发展光纤通信系统、组合导航系统、飞行安全监测系统等。

第二节　装备制造

以西安、咸阳、宝鸡、天水为集中布局区域，加强重点产业集群建设，强化区域整体实力和竞争能力，全面提升重大装备制造水平。重点发展数控机床、汽车、特高压输变电设备、电子及通信设备、工程机械和特种专用设备、太阳能电池等产业。加快企业优化重组和战略性调整，打造一批主业突出、技术领先、管理先进、具有核心竞争力的装备制造企业集团。

专栏5：装备制造业

数控机床。重点发展数控精密机床、加工中心、螺杆式空压机研制开发，提高产品可靠性和精度保持性。加快实施宝鸡秦川、天水星火数控机床等项目。

汽车及零部件。重点发展重型商用车、轿车、豪华大客车和重型汽车发动机、变速器等零部件制造，加快实施陕重汽重型商用车、法士特重型汽车变速器、比亚迪轿车等项目。

输变电设备。加快特高压交直流输变电成套设备的研制产业化，实施超高压交直流输变电设备产业化等项目。

电子信息及元器件。重点发展雷达整机、通信、导航、半导体照明设备，电子元器件、电工电器、电子专用材料研制生产，加快实施高亮度LED产业、高纯硅材料加工等项目。

工程机械。重点发展液压挖掘机、推土机、沥青混凝土搅拌设备、摊铺机、液压式山地拖拉机等大型、成套和专用特色产品。

冶金重型装备。重点发展连铸设备、板带冷热连轧成套设备、涂镀层加工成套设备、高速线材精轧机、重型锻压设备。

石油钻采设备。重点发展石油钻机、泥浆泵、螺旋缝埋弧焊管、直缝电阻焊管等产品，加快实施宝鸡石油机械搬迁、石油钢管连续管及套管生产线等项目。

能源化工装备。重点发展煤炭机械装备、煤化工装备、化工机械装备、石油机械装备、电力机械装备、工程机械装备、车辆改装及环保设备制造产业，加快实施宝钛重型化工装备制造等项目。

风力及太阳能发电设备。重点发展现代风力发电设备零部件，加快实施西安船舶设备工业公司大功率风力发电机组产业化、陕柴重工风电设备配套件、天水电气传动所风力发电传动控制系统、商洛太阳能电池等项目。

第三节　资源加工

以宝鸡、渭南、铜川、商洛、天水等地为重点，加快重要矿产资源开发及深加工。宝鸡重点发展铅锌、钛产业，建设钛材料生产和集散基地。渭南重点发展煤炭、化肥、钼精深加工等产业，建设钼产业生产科研基地。铜川重点发展铝加工、建材、陶瓷等产业，建设现代建材基地。商洛重点发展钼、钒等采冶加工和多晶硅等新型材料产业。天水以非金属矿产资源开发利用为重点，大力发展建材产业。依托辐射区内延安、榆林、平凉、庆阳等地的煤炭、石油、天然气资源，促进能源化工产业向资源综合利用延伸。

第四节　文化产业

发挥该地区历史源远流长、文化积淀深厚的优势，积极发掘历史文化遗产，传承和创新秦风唐韵、佛道宗教等历史文化。大力弘扬现代文化，发展广播影视业、新闻出版业、文艺演出业和创意产业。构建一批文化产业基地，壮大一批名牌文化企业，培育陕西作家群、唐乐舞系列、长安画派等现代文化品牌。

专栏6：文化产业园区(基地)

临潼文化产业园区。以华清池、秦始皇陵遗址公园等历史文化遗迹为依托，建设华清池椒园和芙蓉园。

曲江文化旅游产业园区。以盛唐文化为特色，建设西安曲江遗址公园等。

法门寺文化园区。恢复法门寺唐代风格佛教建筑群。

西部影视基地。建设西部影视城，完善西部数字化影视制作基地。

华夏始祖文化园。以黄陵黄帝陵、宝鸡炎帝陵以及天水伏羲庙、卦台山为核心，建设华夏始祖文化园。

第五节　旅游产业

以西安为中心，加快旅游资源整合，大力发展历史人文旅游、自然生态旅游、红色旅游和休闲度假旅游。加强精品旅游景区和精品旅游线路建设，完善配套设施和服务功能，提升旅游资源产业化经营水平。加强旅游管理机制创新，大力发展旅游经济，把经济区建设成为国际一流的旅游目的地。

专栏7：精品旅游线路和旅游景区

一、西安国际旅游都市

以西（安）咸（阳）为中心，打造国际旅游都市。完善城市旅游服务功能，培育世界级旅游精品，增强旅游中心城市的吸引力和辐射功能。

二、精品旅游走廊

西安—宝鸡—天水丝绸之路旅游走廊。

华山—翠华山—太白山、天水—陇南—九寨沟、天竺山—柞水溶洞—牛背梁自然生态旅游走廊。

西安—延安—榆林、庆阳—平凉—延安红色旅游走廊。

西安大慈恩寺—宝鸡法门寺—平凉崆峒山—天水麦积山宗教旅游走廊。

商洛牧护关—商州文化古城—龙驹古寨—金丝峡谷—商南城—三省石旅游走廊。

三、旅游精品区

周秦汉唐文化旅游精品区。以临潼秦兵马俑和秦始皇陵为中心，建设秦文化旅游区；以茂陵、汉阳陵和汉长安城遗址为重点，建设汉文化旅游区；以乾陵、昭陵和唐长安古城为重点，建设唐文化旅游区；以宝鸡西周遗址、天水先秦文化遗迹为支撑，建设周文化旅游区。

华山潼关旅游精品区。建设华山人文自然旅游景区，再现潼关八景。

天水人文自然旅游精品区。伏羲庙、麦积山等古历史文化旅游景区，天水关、街亭古战场等三国古迹旅游景区景点。

宝鸡人文旅游精品区。炎帝陵祠、青铜器博物馆、周原遗址、钓鱼台、周公庙、雍城和秦公大墓遗址等周秦文化旅游景区。

铜川历史文化与自然风光旅游精品区。玉华宫遗址、耀州窑遗址、药王山等。

商丹人文生态旅游精品区。仓颉造字遗址、商邑遗址、金丝峡谷、丹凤红色旅游等。

第六节　现代服务业

大力发展现代物流业，进一步加大物流基础设施建设力度，加快西安国际港务区、咸阳空港产业园、宝鸡陈仓、商洛、天水秦州、麦积等重点物流园区项目建设。充分发挥西安作为国家级物流节点城市的辐射带动作用，积极研究设立西安陆港型综合保税区，着力打造在国内有重要影响的内陆港口岸和亚欧大陆桥上重要的现代物流中心，逐步形成区域一体化的物流新格局。加强城乡商业网点和农副产品交易中心、批发市场建设，培育大型流通骨干企业。加强农村流通基础设施建设。

发展壮大金融、会展业。积极发展各类金融机构，创新融资方式，着力打造西安区域性金融中心。以欧亚经济论坛、中国东西部合作与投资贸易洽谈会、中国杨凌农业高新科技成果博览会、中国国际通用航空大会为龙头，进一步整合会展资源，加快西安世界园艺博览会场馆、杨凌农业展馆等项目建设，完善西安曲江国际会展中心、浐灞国际会议中心等会展平台服务功能，建设以西安为中心的会展经济圈。

第六章　新农村建设

第一节　农业生产

加大基本农田保护力度，稳定播种面积，加强中低产田改造，构建区域性商品粮生产基地。加快农业结构调整，科学确定区域农业发展重点，促进农产品向优势产区集中，建成若干特色农产品产业带。加快建设现代农业示范工程，建立农业标准化示范基地。搞好农田水利设施建设，通过推广旱作节水技术、健全节水机制等措施，建设一批旱作节水灌溉示范区，积极发展雨水集蓄利用、渠道节水改造等工程。积极发展保护性耕作，建设保护性耕作示范区。

专栏8：四大农业工程

粮食单产提高工程。积极推广优良品种繁育、旱作农业等实用技术，建设优质小麦、高产玉米基地。

果业提质增效工程。实施果树良种苗木繁育、生态果园、果品市场、产业服务与管理体系、灾害防御体系、质量安全体系等项目。

设施蔬菜建设工程。在城市郊区建设设施蔬菜基地。

畜牧业倍增工程。建设生猪、秦川牛、奶畜、家禽等一批标准化养殖示范小区，培育一批畜产品加工企业。

第二节　农业产业化

优化农副产品加工布局，促进农副产品加工聚集区建设。大力提升农业产业化水平，重点发展粮油、果蔬、畜禽、奶制品等深加工业。以培育龙头企业发展带动农产品基地建设，积极培育一批知名品牌和竞争力强的企业。大力发展特色产业，壮大县域经济。加快发展杨凌国家级农业高新技术产业示范区。

专栏9：杨凌国家级农业高新技术产业示范区

建设成为我国干旱半干旱地区农业科技创新中心、现代农业发展示范辐射高地、城乡一体化表率，着力打造现代农业创新、国际科技合作、现代农业企业孵化、良种繁育、标准化生产、农产品加工、现代物流和休闲农业等示范项目，形成“核心示范—区内带动—区外辐射”的示范推广新格局。

……

第七章　基础设施

加强基础设施建设，构建布局合理、设施先进、畅通便捷、城乡共享的基础设施网络，为加强经济区内部经济联系和扩大对内对外开放奠定坚实基础。

第一节　交通

加强交通运输体系建设，提高综合运输能力。充分发挥各种运输方式的优势，扩大规模、完善网络、优化结构，建设现代化综合交通网络。加快铁路客运专线、煤炭运输通道、关中城市群城际铁路以及西安铁路枢纽建设，构建以西安为中心的发达的铁路网络。加快陕甘两省高速公路网和连接中心城镇及资源富集区、通达县乡（镇）村的道路建设，提高公路等级和通达能力。力争到2010年，实现区域内部通道和对外交通干线网络化；到2020年，实现区域内所有县（市、区）通高等级公路，通乡（村）公路全部实现水泥或沥青路面，形成以西安为中心的“两环三横四纵六辐射”高速公路网络。进一步强化西安咸阳国际机场枢纽功能，有序建设支线机场。建成覆盖中心城市和重点用户的油气管网系统。

专栏10：交通建设重点工程

一、公路建设

新建国家高速公路连霍线宝鸡—牛背、沪陕线西安—蓝田—商州、福银高速公路联络线、十堰—天水等线；新建平凉—宝鸡—汉中、咸阳—旬邑、渭南—蒲城—白水—黄龙、府谷—华阴—商州、西安大环线、西咸北环线、合阳—铜川—彬县—凤翔、大荔—铜川—淳化—永寿—岐山、乾县—扶风—凤翔、商州—柞水、丹凤—镇安—宁陕、法门寺—绛帐、太白—凤县、平凉—天水、天水—武都等线。改扩建国家高速公路连霍线潼关—西安—宝鸡、包茂线西安—铜川—黄陵等线。

二、铁路建设

建设郑州—西安—兰州客运专线、西安—汉中—成都铁路快速客运通道、大同—西安铁路、西安—平凉铁路、平凉—天水铁路、黄陵—韩城铁路以及一批铁路支线和专线；西安—合肥铁路复线、西包铁路扩能改造、西康铁路二线、陇海、宝中铁路扩能改造，西安、宝鸡、天水铁路枢纽工程。关中城市群城际客运系统。

三、航空和机场建设

扩建西安咸阳国际机场，新建宝鸡机场，迁建天水机场。

四、管道建设

加快陕北—陇东—关中的石油、天然气管道建设，积极推进建设新疆—西安—广东输气管道以及兰州—天水—宝鸡天然气管道输送工程。

第二节　能源

优化发展火电，加快淘汰小火电机组，优先建设“上大压小”电站项目。鼓励发展热电联产，重点解决地级城市集中供热问题。科学布局煤电基地，采用高效、清洁技术改造现役火电机组。建设好西安灞桥热电厂、渭河发电厂改扩建，秦岭电厂“上大压小”扩建、韩城二电厂二期、蒲城电厂三期。有序开发旬（邑）耀（州）、彬（县）长（武）、麟（游）陇（县）等地煤炭资源。扎实推进彬长、平凉、庆阳煤电一体化等大型燃煤坑口电厂等项目。积极发展新能源和清洁能源。

建设乾县、渭南、宝鸡、西安南等750千伏变电站，建成经济区750千伏网架。建设陕北、陕南、天水至关中、天水至陇南的750千伏输电通道。优化330千伏及以下电网结构，实现各级电网协调发展，提高网架运行稳定性。

……

第八章　生态环境

加强生态环境保护与建设，推进资源综合利用，着力建设资源节约型、环境友好型经济区。

第一节　生态建设

强化生态环境保护，加强自然生态和生物多样性保护，建设秦岭北麓、渭北山地生态屏障。巩固退耕还林成果，加大天然林保护、三北防护林保护、水土保持、湿地保护与恢复等工程建设力度。加快推进渭北、天水等黄土高原丘陵沟壑区水土流失综合治理。加强西安、宝鸡、商洛、天水等秦岭山地生态功能区生态环境保护与建设，提高水源涵养能力。加快实施平原绿化、人居生态环境建设工程，积极创建国家环境保护模范城市、生态园林城市、生态示范乡镇、环境优美乡镇，加快建设宜居区域。

第二节　环境保护

坚持预防为主、综合治理，远近结合、标本兼治，着力解决流域水污染、矿区环境污染、大气污染和农村面源污染等突出环境问题。加强饮用水水源地的保护，控制入河污染物排放，加大城镇生活污水和垃圾收运处理设施建设，提高污水处理率和垃圾无害化处理率。积极推进农村环境综合整治，加快工业污水处理与再生利用设施及电厂脱硫设施建设，全面实施矿区环境综合整治。严格执行国家大气污染物排放标准，努力改善区域空气环境质量。

第三节　资源节约

坚持开发与节约并重、节约为先原则，大力发展循环经济，建立节能型产业结构，加大节能新产品新技术研发、生产、推广力度。新建、改扩建项目，率先实行国际先进水平的能耗、物耗、水耗等标准，降低单位产出能源资源消耗。提高资源综合利用水平，加快淘汰高耗能、高污染、资源型落后产能。推进韩城、彬长等城市和蒲白、澄合等矿区实施资源型城市转型，搞好铜川资源枯竭城市可持续发展试点，抓好杨凌、韩城以及商丹等循环经济园区试点建设，把经济区建设成为循环经济产业集聚区。

第九章　公共服务

大力发展社会事业，缩小基本公共服务的城乡差别，全面提升公共服务水平，推动和谐社会建设。

第一节　教育

加快发展教育事业，提高教育现代化水平。巩固普及九年义务教育成果，基本普及高中阶段教育。加大农村寄宿制学校建设力度，加强学校标准化和教育信息化建设。大力发展职业教育，以农村中等职业教育为重点，建立一批职业教育培训基地、公共实训基地、农民工培训示范基地和再就业培训基地。稳步发展高等教育，将西安交通大学、西北工业大学、西北农林科技大学、西安电子科技大学等建设成为国内一流、世界知名的高等院校，把西安建设成为我国重要的高等教育和科学研究基地。完善现代国民教育体系，加快学习型社会建设。

第二节　卫生

建立覆盖城乡居民的基本医疗卫生制度，完善公共卫生服务体系、基层医疗服务体系、基本医疗保障体系和药品供应保障体系。重点加强县、乡、村三级卫生服务网络和城市社区卫生服务体系建设。完善疾病预防控制和应急救治体系，提升市级医疗救治能力和应对突发公共卫生事件、重大疫情、重大疾病、新发传染病等的快速应急处置能力。加强县级人民医院、妇幼保健院、中医院以及乡镇卫生院、村卫生室建设。加强人口和计划生育服务体系建设，完善计划生育管理机构和服务网络。

……

第十章　改革开放

进一步解放思想，转变观念，深化改革，扩大开放，完善有利于科学发展、和谐发展的体制机制，把经济区打造成为社会主义市场经济体制建设的先行区域，东西部互动和对外开放的重点区域。

第一节　深化改革

推进国有企业改革和支持非公有制经济发展。深化国有企业公司制、股份制改革，建立健全现代企业制度。加快调整国有经济布局和结构，鼓励、支持和引导非公有制经济发展。落实放宽市场准入的各项政策，积极支持民间资本参与国有企业改革，进入基础设施、公用事业、金融服务和社会事业等领域。充分发挥非公有制经济在调整结构、开拓市场、增加投入、扩大就业中的重要作用。

推进要素市场体系建设。积极培育发展技术市场，促进科技成果转化，保护知识产权。建立统一的人力资源市场和人力资源开发管理机制，促进劳动力在区域内自由流动。建立和完善土地使用权市场，严格管理土地一级市场，完善集体土地征用和补偿制度，建立合法规范的农村土地承包权市场，加强土地储备和有序供给。

推进民生领域改革。加快教育、公共卫生体制改革，促进城乡公共服务发展一体化。深化劳动就业体制改革，努力改善创业和就业环境，缓解就业压力。推进户籍制度改革，逐步取消城乡户籍限制，实行城乡统一的户籍登记管理制度。

推进行政管理体制改革。切实转变政府职能，减少和规范行政审批，提高行政效率。强化社会公共管理和服务，构建责任型政府和服务型政府。深化农村综合改革，着力增强乡镇政府社会管理和公共服务职能。

第二节　扩大开放

推动经济区与东中部地区互动合作，夯实合作基础，创新合作机制，拓展合作领域，增强合作效益。鼓励和引导东中部地区在经济区内共建产业园和设立综合性物流园区，积极承接东中部地区产业转移。优化投资环境，切实保护好各类投资者的合法权益。

加大引进国际产业资本和金融资本力度，提高引进外资质量。支持企业赴境外资本市场上市融资和发行债券，提升企业国际化资本运营能力。提高企业国际竞争力，扩大出口规模，优化外贸结构，拓展航空航天、装备制造、机械电子等领域高附加值产品的国际市场。坚持“引进来”和“走出去”相结合，提高统筹利用国际国内两个市场、两种资源的能力，推动区域对外开放，特别是加大向西开放的力度，拓展向西开放的广度和深度。

第十一章 政策措施

在充分发挥市场配置资源的基础性作用的同时，加大政策支持力度，做好规划组织实施。

第一节 财税政策

加大一般性财政转移支付和基础设施、生态环境、重点项目、产业发展、公共服务等专项转移支付力度。将部分公益性项目的国债转贷资金逐步转为拨款。

在统筹考虑企业承受能力的基础上，适当提高探矿权、采矿权使用费征收标准和矿产资源补偿费费率。建立矿业企业矿区环境治理和生态恢复的责任机制。从2009年起，中央在安排探矿权采矿权使用费和价款支出时，加大对经济区矿产资源开发地区的生态环境治理恢复和发展的投入。

在南水北调中线工程涉及的水源保护地区，对因水源保护造成的地方财政减收增支，中央和省级财政通过一般性转移支付给予一定的补助。

第二节 金融政策

积极引进金融机构，大力发展地方金融机构。整合地方金融资源，积极推动城市商业银行、城市信用合作社合并重组。推动发展新型农村金融机构，探索建立村镇银行和资金互助社。鼓励民营金融机构发展，支持设立小额贷款公司、担保机构和典当公司。

创新融资方式。发展创业投资和股权投资。发展中小民营企业贷款业务、农户小额信贷业务。积极发展企业债、短期融资券和中期票据等债务融资工具。支持经济区内大型市政、城建企业发行节能环保、城市建设特别企业债券。

第三节 投资政策

进一步加大政府投入力度。支持西安统筹科技资源改革示范基地建设，对先进制造业、高技术产业、现代农业高技术产业等基地建设给予必要的扶持。对经济区内公益性及以公益性为主的农村基础设施、生态环保、社会事业等领域的项目建设，逐步加大投入力度，取消或减少县及县以下资金配套。

优先布局重大建设项目。由国家审批或核准的水利、交通、生态环境、特色农业、航空航天、优势能源、矿产资源开发利用和旅游等重点产业项目，优先在经济区布局。支持有市场、有效益的资源就地加工转化。

积极鼓励社会投资。加大招商引资力度，对区外企业特别是东部企业投资经济区特色优势产业、节能环保项目等，在项目审批、核准方面在同等条件下优先考虑，并给予税收、土地等方面的合理优惠。允许和鼓励民间资本在符合国家政策法规的条件下，通过参股、控股、兼并、收购等形式，参与国有企业资产重组。鼓励民间资本以独资或股份制形式成立各种非金融类投资公司。

……

辽宁沿海经济带发展规划（节选）

前 言

辽宁沿海经济带位于我国东北地区，毗邻渤海和黄海，包括大连、丹东、锦州、营口、盘锦、葫芦岛6个沿海城市所辖行政区域，陆域面积5.65万平方公里，海岸线长2920公里，海域面积约6.8万平方公里。2008年末，常住人口约1800万人，地区生产总值6950亿元，人均地区生产总值38605元。辽宁沿海经济带是东北老工业基地振兴和我国面向东北亚开放合作的重要区域，在促进全国区域协调发展和推动形成互利共赢的开放格局中具有重要战略意义。为进一步完善我国沿海经济布局，促进辽宁沿海经济带又好又快发展，充分发挥其对东北等周边地区的辐射带动作用，特制定辽宁沿海经济带发展规划。本规划是指导辽宁沿海经济带今后一个时期发展的纲领性文件和编制相关规划的重要依据。规划期为2009-2020年。

第一章 发展基础与重大意义

第一节 发展优势

辽宁沿海经济带是我国北方沿海发展基础较好的区域，具有诸多的比较优势。区位优势明显。位于环渤海地区重要位置，是东北经济区与京津冀都市圈的结合部，地处东北亚经济圈的关键地带，与日本、韩国、朝鲜隔海或邻江相望，邻近俄罗斯、蒙古，是东北地区对外开放的重要门户，是欧亚大陆通往太平洋的重要通道。资源禀赋优良。拥有约2000平方公里的低产或废弃盐田、盐碱地、荒滩和1000多平方公里可利用的滩涂；镁、硼、钼、石油、天然气等资源储量较大；有港岸线约1000公里，80%以上尚未开发；双台河口、丹东鸭绿江口湿地等国家级和省级自然保护区陆域面积1300多平方公里。工业实力较强。造船、机床、内燃机车、成套设备等装备制造业具有较强的国际竞争力；石化、冶金等原材料工业在国内具有举足轻重的地位，石油、电力等能源工业规模较大；拥有一批国家骨干企业和大量高素质工程技术人员及产业工人。交通体系发达。大连、营口等港口拥有300多个生产性泊位，其中万吨级以上泊位132个，已同160多个国家和地区的300多个港口有贸易往来；依托沈山、哈大等干线铁路，形成了较为完备的疏港和支线铁路运输网络；沈大、沈山、丹大、盘海营等多条高速公路贯穿区内；大连、丹东、锦州3个空港已开辟87条国内航线和46条国际航线。

第二节　机遇与挑战

在经济全球化和区域经济一体化深入发展的大背景下，辽宁沿海经济带发展面临着前所未有的机遇。国家继续深入实施东北地区等老工业基地振兴战略，东北地区步入全面振兴的新阶段，为辽宁沿海经济带加快发展注入新的活力和动力；我国已进入工业化、城镇化快速发展阶段，特别是国家坚持扩大内需的方针，为辽宁沿海经济带发挥优势、加快发展提供广阔空间；国际区域经济合作不断深化，生产要素流动和产业转移日益加快，为辽宁沿海经济带提升开放型经济水平创造有利条件。辽宁沿海经济带进一步发展仍然面临着较为严峻的挑战。整体发展缺乏统筹协调，尚未形成一体化发展格局；产业集聚度不高，结构有待进一步优化；淡水资源严重不足，生态环境压力较大；体制机制尚不完善，对外开放总体水平不高。此外，当前国际金融危机的影响日益显现，调整经济结构、扩大国内需求、保持经济平稳较快增长的压力也在加大。

……

第二章　总体要求

第一节　指导思想

高举中国特色社会主义伟大旗帜，以邓小平理论和江泽民“三个代表”重要思想为指导，深入贯彻落实科学发展观，进一步解放思想，进一步深化改革开放，进一步转变发展方式，着力优化空间布局，着力提高自主创新能力，着力改善民生，着力节约资源和保护生态环境，努力实现科学发展、和谐发展、创新发展、一体化发展，率先实现全面振兴东北老工业基地的目标，在振兴东北和促进全国区域协调发展以及对外开放全局中发挥重要作用。

第二节　发展原则

坚持统筹兼顾、协调发展。既要立足当前，又要谋划长远；既要突出重点，又要全面推进；既要加快自身发展，又要加强与周边地区协调互动，努力实现城市农村相互促进、经济社会同步发展。坚持良性互动、共同发展。突破行政区划界限，促进生产要素合理流动和优化配置；统筹区域重大基础设施建设，提高共建共享、互联互通水平，促进区域一体化发展。坚持发挥优势、集约发展。依托资源条件、产业基础和港口优势，以市场为导向，打造特色突出、竞争力强的产业集群，提高集约化规模和水平。坚持保护环境、持续发展。加强生态建设，注重环境保护，提高环境准入标准，开展清洁生产，推进节能减排，加大污染治理力度，实现可持续发展。

……

第三章　空间布局

进一步提升大连核心地位，强化大连—营口—盘锦主轴，壮大渤海翼(盘锦—锦州—葫芦岛渤海沿岸)和黄海翼(大连—丹东黄海沿岸及主要岛屿)，强化核心、主轴、两翼之间的有机联系，形成“一核、一轴、两翼”的总体布局框架。依据战略定位，充分考虑现有开发强度、资源环境承载能力和发展潜力，因地制宜、发挥优势，培育建设一批发展思路清晰、功能定位准确、产业分工合理、示范带动作用突出的重点区域和产业集群。

第一节　提升核心

进一步增强大连的综合实力，完善服务功能，提升其核心地位和龙头作用，带动区域加快发展，服务东北老工业基地振兴。建设大连大窑湾保税港区，完善航运基础设施和服务体系，努力建设东北亚国际航运中心；拓展物流网络，搭建高效物流平台，建设一批辐射面广、流动量大的优势货品及集装箱物流基地，形成一批各具特色的分拨和配送中心，加快构建东北亚国际物流中心；建设“星海湾”金融商务区，引进和培育高层次金融人才，改善金融业发展环境，吸引和集聚中外金融机构，健全现代金融组织和服务体系，逐步建成区域性金融中心；建设先进装备制造业基地、造船及海洋工程基地、大型石化产业基地、电子信息及软件和服务外包基地，大力发展集成电路、海洋与生物工程等高技术产业集群，构筑具有国际竞争力的现代产业聚集区。

第二节　强化主轴

大连—营口—盘锦主轴是哈大和东北沿海两个一级发展轴线的重要组成部分。强化这一主轴，在支撑东北沿海经济带快速崛起的同时，服务带动哈大经济带优化升级。加快大连长兴岛临港工业区建设，重点发展船舶制造、石油化工、机床、精密仪器仪表等，配套发展航运、物流、商贸等现代服务业，形成临港产业集群。加快营口沿海产业基地建设，重点发展装备制造、电子信息、精细化工、现代物流等产业，逐步建成大型临港生态产业区。加快盘锦辽滨经济区建设，重点发展中小型船舶修造、光电、海洋工程装备制造、合成橡胶等产业。依托沈大交通走廊和大连、营口、盘锦等重点城市，建设好各类国家级、省级开发区。

……

第四章　产业发展

推进产业结构优化升级，做强具有基础优势的先进装备制造业和原材料工业，做大高技术产业，加快发展现代服务业和现代农业，利用信息技术改造提升传统优势产业，提高产品质量，逐步形成以先进制造业为主的现代产业体系。

第一节　做大做强优势工业

壮大先进装备制造业。重点发展资金技术密集、关联度高、带动性强的交通运输设备、通用设备及成套设备制造业，支持大型压缩机、大型重载精密轴承、大型船用曲轴、数控机床及功能部件等产品的研发，在重点领域和关键技术环节实现突破。调整船舶工业结构和布局，大连、葫芦岛重点发展大型、高附加值船舶制造及海洋工程装备等产业；丹东、营口、锦州、盘锦积极发展以修船、中小型专用船舶制造为主的各具特色船舶工业。加快发展以客车及发动机、电力机车为重点的交通运输设备制造业，大连重点发展发动机、城市轨道车辆和大功率交流传动电力机车；丹东、锦州重点发展大中型客车和汽车安全气囊等汽车零部件产业。大连、营口重点发展数控机床、制冷设备、特种轴承基础件等通用设备制造业。盘锦、营口、大连重点发展石油装备、冶金成套装备、风电设备及港口和机场仓储物流装备等大型成套设备。提升原材料工业。石化产业重点发展原油加工、乙烯、合成材料和有机材料，加快发展精细化工产业，培育形成若干高技术含量、高附加值的精细化工产业集群。统筹考虑中俄原油管线建设和俄罗斯及其他地区原油进口因素，结合锦西炼油异地改造，适当扩大葫芦岛等地炼油能力，盘锦、锦州重点发展石化下游深加工和高端石化产品。冶金产业重点发展精品板材、特钢产品和钢材深加工，大连重点发展以不锈钢、轴承钢、工模具钢、齿轮钢、弹簧钢和高合金钢为主的特钢产品；营口重点发展宽厚板、冷(热)轧薄板等；葫芦岛、锦州重点发展有色金属产品生产加工。营口重点发展镁质材料，大连重点发展以化学建材为主的新型建筑材料。发展高技术产业。大连、营口、锦州重点发展集成电路、电力电子器件、半导体照明、应用电子、移动通信等电子信息产品，建设具有国际竞争力的电子信息产业基地；葫芦岛培育电子信息产业基地，承接京津冀地区电子信息产业转移。大连、营口重点发展基因工程制药、疫苗、生物芯片、检验试剂盒、动物药、海洋药、中药饮片及生物医用材料等。以大连新材料产业国家高技术产业基地及中科院大连科技创新园为依托，重点发展膜、信息光电、纳米、金属复合、精细化工等高性能新型材料和复合、节能环保材料；加大丹东硼化工新材料开发和利用，加快发展锦州、营口钛白粉产业。发挥锦州光伏产业优势，发展硅材料，逐步建成多晶硅和硅电池研发生产基地。

第二节　加快发展现代服务业

大力发展面向生产的服务业。依托重要交通通道和运输网络，加快建设大连国际物流中心和营口—盘锦、锦州—葫芦岛、丹东区域性物流中心，支持发展重点物流园区；培育现代物流企业集团，发展第三方物流；加快电子口岸建设，完善物流信息平台，提高对腹地物流服务的能力和水平。积极推进金融创新，健全金融市场体系，推进大连区域性金融中心建设。提高增值电信业务、软件服务、计算机信息系统集成和互联网产业发展水平，加强信息化应用系统建设，建立综合性软件服务公共技术平台和公共信息应用平台，建设城市管理以及适应东北亚国际航运中心发展的信息化系统，重点在大连建设具有国际竞争力的软件开发和服务外包产业基地。扶持和培育技术创新型第三方服务企业。推进服务业标准化。积极发展面向民生的服务业。运用信息技术和现代经营方式改造提升传统商贸业，优化城市各类流通设施和商业网点布局，加快建设和完善农村流通设施和流通网络，支持一批现代大型商贸企业做大做强，发展专业特色市场，积极发展现代流通业态和营销方式，营造便捷、舒适的消费环境。进一步加强滨海、边境、湿地、人文、森林等旅游景区的建设，加强优势旅游资源的开发，积极发展红色旅游和工业、农业观光等特色旅游，整合资源，打造精品旅游线路，提高服务和管理水平，密切与省内、东北和环渤海地区旅游合作，推进旅游一体化发展。积极扶持会展、创意等新兴文化产业发展。依托大连动漫产业优势，打造具有国际影响力的动漫产业集聚区。推进文化事业单位转企改制，形成一批具有市场竞争力的大型文化企业和企业集团。

第三节　大力发展现代农业全面推进农业结构调整

培育优质专用良种，加快标准粮田建设，推进粮食集约化、专业化生产，建设优质粮食生产基地，稳定和提高粮食综合生产能力。积极发展果品、花卉等特色农业，推进产业化经营，建设特色农产品生产基地。积极推进畜牧饲养和经营方式的转变，大力发展水产养殖和精深加工，推广稻田河蟹生态模式养殖，建设一批规模化、标准化养殖加工基地。继续推进渔业资源增殖放流和海洋牧场建设，扶持壮大远洋渔业。加快建设农产品加工基地。鼓励发展优势农产品精深加工和综合利用，进一步加大研发力度，促进产学研结合，延长农业产业链，提高农产品附加值，打造一批农业产业化国家重点龙头企业和农产品生产加工基地。盘锦、营口、丹东重点发展优质稻米生产加工；大连、丹东重点发展水产品和畜产品生产加工；大连、营口、锦州、葫芦岛重点发展优质水果、设施蔬菜、名特优杂粮、薯类、花卉生产加工；丹东及大连的东部山区重点发展食用菌、中药材、蚕桑等特色农产品生产加工。建立健全农业技术服务和安全防控体系。健全农业技术推广、动植物疫病防控、农业机械化监理鉴定、农产品质量监管及村级服务站点等公共服务机构，建立新型农业社会化服务、技术服务体系和农产品质量安全监督监测体系。鼓励发展多元化的农村社会化服务组织和农民专业合作社，扶持社会力量兴办服务三农的公益性机构和经济实体。

……

第五章　城乡发展

坚持走新型城镇化道路，构建以特大城市为龙头、大城市为主体、中等城市及各类中小城镇有序发展的网络化城镇体系。以发展县域经济为载体，加快社会主义新农村建设，促进城乡之间公共资源均衡分配和生产要素自由流动，加快形成城乡经济社会一体化发展新格局。

第一节　推进城乡统筹

统筹城乡规划建设与管理。优化城乡土地利用，合理规划市县域城镇建设、农田保护、产业集聚、村落分布、生态涵养等空间布局。统一规划城乡基础设施建设，形成城乡衔接的公共交通、供水供电、邮电信息、广播电视网络和生态建设、环境保护一体化发展格局。加强城乡社会管理，改革户籍制度，放宽中小城市落户条件，将在城镇稳定就业和居住的农民有序转变为城镇居民。统筹城乡产业发展。坚持把发展现代农业、繁荣农村经济作为首要任务，优化农村产业结构，发展农村服务业和乡镇企业。引导城市资金、技术、人才、管理等生产要素向农村流动，进一步增强第二、三产业对第一产业的服务带动作用，促进一、二、三产业联动发展。加快构建覆盖城乡、通畅便捷的现代化市场体系。统筹城乡公共服务体系。提高农村公共服务的财政保障能力，逐步推进城乡基本公共服务均等化。建立城乡统一的人力资源市场，完善覆盖城乡的公共就业服务体系，引导农村富余劳动力有序外出就业和就近转移就业，扶持农民工返乡创业。加强农民工权益保护，逐步实现农民工在劳动报酬、子女就学、公共卫生、住房租购等方面与城镇居民享有同等待遇，改善农民工劳动条件。扩大农民工工伤、医疗、养老、失业保险覆盖面。

第二节　提高城镇综合功能

增强中心城市功能。大连要重点拓展航运、金融、研发、物流和信息服务等核心功能，加快建设东北亚国际航运中心、国际物流中心、区域性金融中心和产业聚集区，成为我国北方对外开放的重要门户。丹东要发挥沿海、沿江、沿边的区位优势，进一步拓展商住、旅游、贸易等城市功能，建成我国东北东部地区重要的现代化沿海边境城市。锦州要发挥区域交通枢纽和辽西中心城市的作用，全面提升城市和锦州港服务功能，逐步建成临港产业基地、我国东北西部地区重要的出海口。营口要依托港口和临近腹地的优势，建成东北地区重要的出海通道、环渤海地区重要的临港工业基地和现代化港口城市。盘锦要依托石油等资源优势，推进资源型城市转型，加快发展特色优势产业，加强湿地等生态资源保护，建成我国重要的商品粮生产基地、具有北方水乡特色的石油化工城市和环境宜居的滨海水城。葫芦岛要发挥区位优势，积极承接京津冀都市圈辐射，进一步发展有色金属、电子信息等产业聚集区，建成辽西走廊文化旅游休闲观光带和滨海宜居城市。在拓展城市功能的同时，进一步加强城市基础设施和公共服务设施建设。加强重点城镇建设。依托综合交通通道，加强城镇组群建设，积极培育若干区位优势明显的新兴城镇，增强综合支撑能力和服务功能；加快县城关镇和重点镇发展，推进小城镇发展改革试点工作。重点建设一批有规模、有特色的产业园区，引导资金、技术、人才等生产要素加快向园区聚集。

……

第六章　社会事业

以解决事关人民群众切身利益的现实问题为出发点，加快发展各项社会事业，逐步推进基本公共服务均等化。

第一节　积极发展教育文化卫生事业

大力发展职业教育，加快推进重点中等职业学校和技工培训集团建设，积极开展形式多样的职业教育培训，增强职业技能培训能力。适应产业发展的需要，培养特色和专业人才。以大连为重点，建设高技能人才培训基地、公共实训基地和继续教育研修基地。巩固和提高九年义务教育，加大对农村义务教育发展的支持力度，促进义务教育均衡发展。全面提升高等教育质量与服务水平，充分发挥大连、锦州等高校优势，加大船舶制造、软件开发、生物工程、金融等领域高层次人才培养力度，提升沿海高校人才培养、科技创新和服务经济社会发展的能力。加快构建覆盖城乡的公共文化服务体系，大力推进文化信息资源共享工程，加强县级图书馆、文化馆、乡镇综合文化站和村文化室等文化基础设施建设。完善公共医疗卫生服务体系。加强疾病预防控制和医疗救治体系建设，努力控制重大传染病，防治职业病、地方病，健全突发公共卫生事件应急体系。积极探索公立医院体制改革，促进非公有制医疗机构发展。构建城市医院和社区卫生服务机构分工协作、双向转诊的新型城市卫生服务体系；建设农村卫生服务体系，健全县乡村三级医疗卫生服务网络，努力实现人人享有基本医疗卫生服务的目标。

第二节　努力扩大就业

拓宽就业渠道，努力扩大就业规模。继续落实就业和再就业各项政策。积极开发公益性就业岗位，加大对自主创业、自谋职业的政策支持力度。加强就业和再就业培训，建立健全职业技能培训体系。完善就业培训政策。实施农村劳动力转移培训阳光工程，进一步提高农村富余劳动力转移就业能力。认真做好高校毕业生、复员军人及城镇新增劳动力的就业工作。加大对就业困难人员特别是零就业家庭的就业援助力度。规范人力资源市场秩序和企业用工行为，依法保障劳动者合法权益。

……

第七章　基础设施

统筹规划基础设施建设，完善现代综合交通运输体系、高效清洁稳定的能源保障体系、水资源开发配置和防洪减灾体系、高速安全覆盖城乡的信息网络体系，增强区域发展的支撑能力。

第一节　加快交通运输体系建设

港口。以大连港为核心，整合港口资源，优化港口功能分工，打造现代化港口集群，构筑大连东北亚国际航运中心，形成以大连港、营口港为主要港口，锦州港、丹东港为地区性重要港口，葫芦岛港、盘锦港为一般港口的分层次布局。大连港以远洋干线集装箱运输为主，兼顾近洋和内贸集装箱运输，形成集装箱运输干线港。营口港、锦州港和丹东港以内贸和近洋航线集装箱运输为主，并承担向周边集装箱干线港的喂给运输，形成集装箱运输支线港。煤炭运输系统以锦州港为内蒙古东部地区煤炭下水港，大连港、营口港、丹东港等港口为煤炭接卸港，主要为沿海电厂等企业服务。进口原油运输系统形成以大连港为主、营口港和锦州港为辅的接卸港布局。沿海铁矿石运输形成以大连港和营口港为主，锦州港和丹东港为辅的接卸港布局。散粮运输形成以大连港为主，营口港、锦州港为辅的粮食装船港布局，根据沿海粮食加工工业的布局和发展需要，在大连港、营口港、锦州港和丹东港布局建设粮食接卸设施。

铁路。加强连接区域内外的快速铁路通道建设，重点建设北京—沈阳—哈尔滨(大连)、锦州—营口、沈阳—丹东等铁路客运专线，打通东北东部铁路通道和东北西部沿海港口至内蒙古东部地区的煤炭运输通道。加快建设区域内城市轨道交通和各港区疏港铁路，逐步建成现代化的铁路运输系统，实现区域内主要干线的客货分线运输和铁路客运快速化。

公路。完善区域内高速公路网络，建设丹东—通化、丹东—海城、庄河—盖州、绥中—凌源、盘锦—阜新、皮口—长兴岛等多条高速公路。加快区域内国省干线改造和农村公路建设。

航空。加快推进大连、锦州机场迁建和营口机场前期论证，以及大连周水子国际机场、丹东机场扩建，全面提升机场服务水平，逐步培育形成以大连门户枢纽机场为主，以丹东、锦州等支线机场为辅的民用航空格局。增加连接日本、韩国、俄罗斯远东和欧洲、北美的国际航线航班。完善与国内各主要城市间的干线网络，加大航班密度。积极发展支线航空。

第二节　加强能源设施建设

优化能源结构，增强能源供应能力，提高能源利用效率，鼓励清洁利用能源。加强电源建设，调整火电装机结构，继续推进“上大压小”。积极发展热电联产，建设城市区域大型热电联产工程及县(区)热源工程。加快发展清洁能源和可再生能源，推进大连红沿河二期和葫芦岛徐大堡沿海核电、大连驼山等沿海风电场、丹东蒲石河等抽水蓄能电站等工程建设。加强电网改造和建设，完善电网结构和布局，实施城乡电网改造和建设工程，提高配电网供电能力和技术水平。推进油气基础设施建设，加强辽河油田勘探开发，加快锦州国家石油储备基地、大连液化天然气接收站等大型油气项目建设。

……

第八章　开放合作

进一步拓展对外开放的广度和深度，全面加强国际国内区域经济合作，着力构建东北地区对外开放的重要平台，加快形成内外联动、互利共赢、安全高效的开放型经济体系。

第一节　提升开放型经济水平

转变对外贸易发展方式。进一步优化出口产品结构，提高汽车及零部件、船舶等机电产品和大型成套设备以及其他高附加值产品的出口比重，扩大高新技术产品出口。推进加工贸易转型升级，提升产业层次和加工深度。大力发展海外工程承包、信息技术、金融保险、国际运输等服务贸易，有序承接国际服务业转移。积极引进造船、机械装备等先进技术和进口关键设备及零部件。加强食品、农产品安全监管，扩大食品、农产品出口。提高利用外资质量和水平。积极吸引外商投资，进一步扩大利用外资规模，引导外资更多地投向高技术产业、现代服务业、先进制造业、基础设施建设和生态环保领域。吸引跨国公司设立地区总部、研发中心、采购中心、培训中心。充分发挥大连国家软件基地的集聚作用，大力引进国内外软件企业。创新利用外资方式，引导和规范外商参与国有企业改组改造。加快实施“走出去”战略。鼓励和规范具备一定规模和条件的机床、造船、钢铁等企业在国外建立生产基地、营销中心、研发机构，开展境外资源合作开发、国际劳务合作、国际工程承包。通过并购国外企业和研发机构，获取关键技术和营销网络。建立健全相关支撑和服务体系，为企业“走出去”创造良好条件。

第二节　扩大与其他国家和地区的经济合作

积极开展与东北亚各国的经贸合作。发挥比较优势，进一步扩大与日本、韩国在经济、技术、人才等方面的合作，不断提高合作水平。大力发展边境互市贸易，巩固发展与俄罗斯、蒙古、朝鲜的经贸关系，不断扩大贸易规模，拓展合作领域。充分利用和完善现有经贸合作机制，进一步创新合作方式，为不断扩大经贸合作创造条件。加强与其他国家和地区的交流合作。积极参与中国—东盟自由贸易区合作，努力拓展优势产品出口市场，探索合作种植和加工橡胶、棕榈油等产品的新途径。充分发挥“新辽经贸理事会”合作机制的作用，加强与新加坡在金融、教育、质检、物流、港口、旅游、环保、交通、新闻出版等领域的双边合作。深化与我国港澳台地区的经贸合作。继续扩大与欧美等发达国家在技术研发、经济贸易、产品质量安全等方面的合作。

……

第九章　资源环境

高度重视资源节约、环境保护和生态建设，倍加珍惜水资源和土地等资源，强化渤海环境治理和保护，实行科学合理、严格完善的管理制度，推进资源节约型和环境友好型社会建设，增强区域可持续发展能力。

第一节　节约保护水资源

实行最严格的水资源管理制度，全面实施建设项目水资源论证、取水许可和用水总量控制与定额管理相结合的制度，推进取水、供水、用水等全过程节水，严格水资源有偿使用，形成有利于促进水资源节约保护的水价形成机制。大力推广应用节水新产品、新工艺、新技术。积极开辟多种水源，研究劣质水、微咸水和海水等非常规水资源的开发利用，鼓励有条件的生活小区、工业企业建立中水回用系统。制定电力、石化、钢铁等行业和高耗水企业节约用水的管理办法。加强水资源保护，强化水文水资源设施监督监测，建立水质预报、预警和应急处理制度。加强水功能区和入河排污口监督管理，实现水功能区水质目标要求。严格保护城乡饮用水源地，建立区域供水安全保障体系。实施地下水保护行动计划，遏制地下水超采。

第二节　节约集约利用土地等资源

严格执行土地利用总体规划和年度计划，严格保护基本农田和涉及公共利益、具有特殊功能的林地、湿地。加大土地整理复垦力度，实施土地整理复垦开发重点工程。最大限度地利用矿山废弃地、废弃盐田、重度盐碱地和荒滩。落实耕地占补平衡的法定义务，做到基本农田数量不减少、用途不改变、质量有提高。严格土地用途管制，控制建设用地过快增长，重点用好存量建设用地和未利用地，支持重点发展地区优先使用规划起步区内土地。优化生活用地，提高小城镇和农村的建筑容积率，减少占用耕地。推进征地制度改革，逐步缩小征地范围，完善征地补偿机制。建立和完善土地收购储备制度，进一步规范经营性土地招拍挂出让制度，扩大土地有偿使用范围。依据已批准的土地利用规划和城乡规划，促进土地合理流转。合理开发和保护海岸线资源，严格控制海岸线的使用，按照已批准的海洋功能区划确定的类型区推进海岸线开发，保护原生海岸生态系统。统筹协调各涉海产业的用海布局，避免盲目圈占海域。加强海域使用的监督管理，从严控制围填海用海项目。节约、集约使用稀缺的近海海域资源。

……

第十章　保障措施

加大政策支持力度，加快构建有利于科学发展、和谐发展、创新发展、一体化发展的体制机制，提高自主创新和人力资源支撑能力，确保规划顺利实施。

第一节　推进体制机制创新

深化行政管理体制改革。进一步转变政府职能，实现政企分开、政资分开、政事分开以及政府与市场中介组织分开，加快构建责任政府和服务政府。改进政府管理和服务方式，进一步减少和规范行政审批。优化政府组织结构，减少行政层级，理顺职责分工，提高行政效率，降低行政成本，探索适应区域发展需要的行政管理模式。加快完善行政管理法规体系，实行重大行政决策听证、行政决策合法性审查、行政决策责任追究制度。继续推进国有企业改革和非公有制经济发展。鼓励重点企业跨所有制、跨区域联合重组，促进生产要素向关键领域、支柱产业和新兴产业集中。积极推进国有企业公司制改革，大力发展混合所有制经济，推进国有企业整体改制上市，进一步增强国有经济活力、控制力和影响力。创新国有资产运营和监管模式，完善国有资本有进有退、合理流动的机制。改革和完善国有企业管理人才选拔任用制度，建立职业经理人市场。建立健全国有企业风险管理体系。培育电力市场，推进电力市场化改革。鼓励发展民营经济，逐步提高其在经济总量中的比重。平等保护各类产权，推进各种所有制经济平等竞争和相互促进，增强区域经济活力。推进其他重点领域改革。深化金融体制改革，推进地方中小金融机构和农村金融机构改制、重组和上市。发展产权交易市场，加快建立网络化产权交易平台，尽快形成统一互联、流转顺畅的产权交易体系。创新金融服务体系，完善社会信用体系。加快财政体制改革，按照基本公共服务均等化和主体功能区建设的要求，完善公共财政体系。健全财力与事权相匹配的财政体制，理顺各级财政收入分配关系。调整财政支出结构，重点向有利于促进基本公共服务均等化的领域倾斜。同时，要进一步完善农村经济体制，加快市场体系建设。建立健全区域一体化发展机制。推进区域内交通、能源、水利等基础设施共建共享、互联互通。建立信息资源利用一体化保障机制，统一信息交换规范和标准，促进信息资源的互通共享。加快环境监测治理一体化，共同建设区域内联防预警机制，统一环保标准，实现区域内空气和水污染同步治理。统筹公共事务管理，推进区域基本公共服务均等化。

第二节　提高自主创新能力

构建区域创新体系。完善以企业为主体、市场为导向，产学研相结合的技术创新体系，建设一批重点实验室、工程研究中心和企业技术中心。引导和支持大中型企业建立研发机构，逐步提高研发投入比重。培育一批具有自主知识产权、有较强国际竞争力和辐射带动能力的大型企业集团。建立科研机构与高等院校有机结合的知识创新体系，促进创新要素的集成和整合，建设一批高水平的科技创新基地。完善科技创新服务体系，培育一批具有地方特色的科技企业孵化器、公共技术服务平台和科技中介机构。研究制定鼓励高技术企业和传统企业相互融合的政策措施。营造鼓励自主创新的环境。建立由经济、科技、知识产权等部门共同参与的政策制定协调机制，加快制定和完善有利于促进自主创新的各项政策措施。进一步改善支持创新的投融资环境，鼓励发展创业风险投资，拓宽高新技术企业融资渠道。加大对初创期和成长期创新型企业的引导性投入。健全知识产权保护体系，营造保护自主知识产权的制度环境。

……

横琴总体发展规划（节选）

前　言

珠海市横琴岛地处珠江口西岸，与澳门隔河相望，是珠江口一个环境优美、生态良好的海岛。经过多年建设，基本实现了“六通”（桥通、路通、水通、电通、邮通、口岸通），建成了横琴大桥、莲花大桥，设立了国家一类口岸，修建了贯通全岛的环岛公路，接通了供水管道，建成了11万伏变电站，为下一步发展奠定了良好的基础。

充分发挥横琴毗邻港澳的区位优势，抓住《珠江三角洲地区改革发展规划纲要（2008-2020年）》赋予珠三角“科学发展、先行先试”的重大机遇，推进与港澳紧密合作发展，对于促进珠江口西岸地区经济发展形成新的增长极，促进澳门经济适度多元发展和港澳地区长期繁荣稳定都具有重要的战略意义。

为加快横琴开发建设，发挥带动珠三角、服务港澳、率先发展的作用，特制定本规划。规划范围为横琴岛，土地总面积106.46平方公里，规划期至2020年。

第一章　横琴开发的重要意义

（一）推进横琴开发，有利于构建粤港澳紧密合作的新载体，为珠三角地区“科学发展、先行先试”创造经验。《珠江三角洲地区改革发展规划纲要（2008-2020年）》赋予珠三角地区“科学发展、先行先试”的使命，鼓励粤港澳三地优势互补，创新区域合作机制，率先建立全方位、多层次、宽领域、高水平的开放型经济新格局，联手参与国际竞争。横琴作为粤港澳紧密合作的新载体，可充分发挥三地在人才、技术、市场和管理体制等方面的优势，促进区域间人员、物资、资金和信息的高效集聚和合理流动，形成新的政策优势和体制创新优势，以政策、体制创新促发展模式创新，为珠三角地区深化改革、扩大开放、探索科学发展模式进行试验和提供示范。

（二）推进横琴开发，有利于促进澳门经济适度多元发展和维护港澳地区长期繁荣稳定。2009年《政府工作报告》要求进一步加强内地与港澳的合作，巩固香港国际金融中心地位，促进澳门经济适度多元发展。以横琴为载体，通过创新合作机制与管理模式，共同打造跨界合作创新区，有利于弥补港澳土地资源有限和劳动力相对短缺的劣势，为逐步改变澳门经济结构比较单一的问题提供新的空间；也有助于粤港澳三地发挥各自优势，克服市场发育程度和相关管理制度的差异，搭建港澳地区技术、人才等优势资源进入内地的新通道。

……

第二章　总体要求和发展目标

第一节　指导思想

高举中国特色社会主义伟大旗帜，以邓小平理论和“三个代表”重要思想为指导，深入贯彻落实科学发展观，进一步解放思想，坚持改革开放，大胆探索，先行先试，充分发挥横琴独特的区位优势，推进体制机制创新，突出发展特色，着力形成核心竞争力，着力实现经济社会和生态环境协调发展，着力推进粤港澳紧密合作，为促进珠江口西岸地区经济发展形成新的增长极，促进澳门经济适度多元发展和港澳地区长期繁荣稳定提供有力支撑。

第二节　发展定位

以合作、创新和服务为主题，充分发挥横琴地处粤港澳结合部的优势，推进与港澳紧密合作、融合发展，逐步把横琴建设成为带动珠三角、服务港澳、率先发展的粤港澳紧密合作示范区。

——“一国两制”下探索粤港澳合作新模式的示范区。创新通关模式，以横琴为载体大力推进粤港澳融合发展，聚合珠三角的资源、产业、科技优势与港澳的人才、资金、管理优势，加强三地在经济、社会和环境等方面的合作，率先探索建立合作方式灵活、合作主体多元、合作渠道畅顺的新机制，为推进粤港澳更紧密合作提供示范。

——深化改革开放和科技创新的先行区。在内地与香港、澳门关于建立更紧密经贸关系的安排（CEPA）框架下进一步扩大开放，进一步发挥香港、澳门的自由港优势，大力推进通关制度创新、科学技术创新、管理体制创新和发展模式创新，为港澳人士在横琴就业、居住和自由往来提供便利，大力提升国际化水平，建设高水平的科技创新和产业化基地，在改革开放的重要领域和关键环节率先取得突破，为珠三角“科学发展、先行先试”创造经验。

——促进珠江口西岸地区产业升级发展的新平台。加强珠澳合作，大力吸纳国外和港澳的优质发展资源，打造区域产业高地，通过高技术的转移、扩散和外溢效应，促进珠三角和内地传统产业的技术改造和优化升级。拓展澳门的产业发展和教育科研空间，促进澳门经济适度多元发展。

……

第三章　空间布局

第一节　功能分区

依据横琴的发展目标，采用系统推进、滚动开发的空间发展模式，构建科学合理、与产业体系相配套、与资源环境相协调的布局体系，形成各具特色、紧凑发展、紧密关联的“三片、十区”的功能布局。

（一）商务服务片。

位于小横琴山以东、以北的沿河地区，大力发展有利于促进产业和人口集聚的商务服务业，形成辐射国内外的服务产业链。

——口岸服务区。位于现有横琴口岸附近，充分利用人员、物资、资金高效流动的优势，同时结合港澳优势，建设亚太地区具有重要影响力的现代服务型口岸地区。

——中心商务区。位于与澳门一河之隔的北山咀地区，主要发展信息服务、外包服务、商务办公等产业，构建国际化的工商支持服务体系，建设珠海乃至珠江口西岸最有吸引力、最具活力、高端商务人才最集中的亮点地区。

——国际居住社区。位于马骝洲水道以南、小横琴山北侧，为岛上人员提供具有国际一流水准的优质生活环境。

（二）休闲旅游片。

位于大横琴山以南，横琴岛南侧的沿海地带，着力打造与港澳联动发展的旅游精品项目和精品线路，建设山水融合、自然与人文共生共荣的休闲度假胜地。

——休闲度假区。位于自然景观资源丰富的大横琴山南部沿海地区，主要发展具有国际水准的度假酒店、影视基地以及海上运动、主题游乐、邮轮码头等休闲项目，促进香港、澳门、珠海的旅游一体化发展，携手打造世界级的“黄金海岸”。

——生态景观区。建设大小横琴山森林公园与二井湾湿地公园。大小横琴山和二井湾湿地是横琴岛的重要生态资源，运用现代科学技术在保护的基础上建设公园，实现自然景观和人文景观的完美结合。

（三）科教研发片。

位于大、小横琴山之间，中心沟两侧，重点发展具有创新引领功能的科教研发和高新技术产业等，打造开放型区域科技创新体系，提升横琴的科技创新能力和水平。

——教学区。位于环岛东路以东、口岸服务区南侧，充分利用港澳国际化专业人才培训资源优势，建立高端专业人才培训基地，突出教育、培训方面的“聚合效应”，与科技研发基地、高新技术产业区共同构建“产学研”综合体。

——综合服务区。位于区位良好的中心沟东部，是横琴岛的综合服务中心，建设服务全岛的行政办公、商业金融、文化体育、教育医疗等公共服务设施。

——文化创意区。位于环境幽静的中心沟中部，大力发展设计业、广告业、传媒业等服务产业，提高传统制造业的文化附加值；积极引进港澳及国际先进的文化创意和管理公司，开发具有国际竞争力的动漫、影视、广告等文化产品。

——科技研发区。位于自然环境优良的中心沟西部，通过集聚科技资源，吸引国内外高科技公司和高端人才，建设高水平研发中心，推进高新技术成果转化和产业化，提升自主创新能力。

——高新技术产业区。位于横琴西北角地势平整的大小芒州，主要发展电子信息、生物制药、新能源、航空零配件等高科技产业，努力建设成为自主创新和科技转化能力强的生态型高新技术产业基地。

第二节　开发强度

（一）建设用地规模。

坚持节约集约利用土地，优化布局，采用地理信息系统（GIS）对用地建设适宜性进行综合评定，加强与珠海市、镇两级土地利用总体规划衔接，并为澳门适度多元发展提供必要的空间。2015年建设用地规模控制在12平方公里；2020年建设用地规模控制在28平方公里，人均建设用地控制在100平方米。

各类建设用地规模及比例如下：

表3-1　建设用地平衡表（2020年）

序号	用地代码	用地名称			面积（公顷）	占建设用地（%）
1	R	居住用地			590.65	21.09
2	C	公共设施用地			704.63	25.17
		其中	C1	行政办公用地	51.70	1.85
			C2	商业金融业用地	230.35	8.23
			C3	文化娱乐用地	115.08	4.11
			C4	体育用地	150.21	5.36
			C5	医疗卫生用地	8.94	0.32
			C6	教育科研设计用地	144.85	5.17
			C7	文物古迹用地	3.5	0.13
3	M	工业用地			292.79	10.46
4	W	仓储用地			92.09	3.29
5	T	对外交通用地			167.51	5.98
6	S	道路广场用地			415.00	14.82
7	U	市政公用设施用地			101.98	3.64
8	G	绿地			415.85	14.85
		其中	G1	公共绿地	250.09	8.93
			G2	生产防护绿地	165.76	5.92
9	D	特殊用地			19.50	0.70
合计		城镇建设用地			2800.00	100

（二）空间管制。

根据资源环境、工程地质等城市安全条件，结合可持续发展目标，科学划定禁建区、限建区、适建区和已建区四大空间管制区，引导横琴有序开发。

——禁建区。指为维护区域生态安全和自然人文特色，实行严格保护的地区，禁建区包括大小横琴山、二井湾红树林湿地以及磨刀门水道与马骝洲水道交界处的滩涂湿地等，面积为57.90平方公里；

——限建区。指为实现规划目标，在规划期内严格限制开发建设的区域，面积为20.56平方公里；

——适建区。指根据其用地性质和利用现状，适合在规划期内开发建设的地区，面积为17.84平方公里；

——已建区。指现状已经建成的地区，面积为10.16平方公里。

表3-2 “四区”划定表

分区	面积（平方公里）	管制要求
禁建区	57.90	原则上禁止任何建设活动
限建区	20.56	严格限制开发建设。对选址有特殊要求、确有必要开发建设的，在不突破规划建设用地规模的前提下，可申请对规划布局进行调整
适建区	17.84	节约集约用地，结合发展目标，科学合理的确定开发模式、规模和强度
已建区	10.16	综合协调区内功能布局，继续完善配套设施，加强更新改造和环境整治
合计	106.46	——

（三）主要功能区开发强度。

在注重生态环境保护、合理配套城市景观和市政设施的前提下，对各功能区的开发强度实施分类指导和严格控制，将横琴建设成为土地节约、集约、高效利用的示范地区。

表3-3 开发强度表

序号	主要功能区	建筑密度（%）	限高（米）	绿地率（%）	容积率
1	中心商务	30	180	35	3.0－4.0
2	综合服务	35	120	35	2.0－2.5
3	口岸服务、国际居住社区	30	80	35	1.5－2.0
4	科技研发、文化创意、教学区	25	50	40	1.2－1.5
5	高新技术产业	30	50	35	1.2－1.8
6	休闲度假	20	30	45	0.8－1.2

第四章　产业发展

第一节　产业发展目标

加快转变产业发展方式，优化产业结构，发展以高端服务业为主导的现代产业。深化落实CEPA，为澳门居民在横琴投资、就业创造条件，促进澳门经济适度多元发展。

——建设珠江口西岸地区的区域创新平台，形成研发设计、文化创意等若干产业集群，实现要素向园区集聚、企业向园区集中。

——建设服务港澳的商务服务和休闲旅游基地，形成一批有影响力的商务企业，接待游客人数大幅度增加。

——到2020年，第三产业增加值占地区生产总值的比重超过75%，达到世界发达国家以服务业为主导的中心城市水平；高技术产业增加值占工业增加值的比重不低于80%。

第二节　产业发展重点

充分发挥横琴的区位、环境和政策优势，吸引港澳和国际高端人才和服务资源，重点发展商务服务、休闲旅游、科教研发和高新技术等产业。禁止博彩业。

（一）建设粤港澳地区的区域性商务服务基地。

充分利用香港国际金融中心、贸易中心的地位及资讯发达的优势，拓展澳门作为国际性商贸平台的带动效应，鼓励港澳的商务服务优势向横琴拓展，重点发展信息服务、外包服务、商贸服务等产业，将横琴建设成为珠江口西岸地区率先承接港澳服务功能的区域性商务服务基地，为珠江口西岸地区及广大内陆地区发展提供全方位的服务。

1. 培育现代信息服务业。

吸引港澳国际资讯服务企业在横琴发展，依托国内信息基础设施和信息产业人才，整合商业化信息产业资源，着力抓好信息数据库建设和规模化产业经营，把横琴建设成促进珠江口西岸地区产业升级、产品推广和澳门建设区域商贸平台的现代信息服务产业基地。

——推进粤港澳区域电子商务合作。大力支持电子商务企业进入横琴，建立多币种商务交易应用服务平台，提供面向珠澳各类企业的第三方电子商务服务，以及面向珠江口西岸地区专业市场、产业园区、产业集群的电子商务平台服务，建设以横琴为中心的珠江口西岸地区物流信息交换中枢和国际电子商务中心。

——加强信息资源开发利用，推进公共基础性数据库建设。加快信息资源开发产业化进程，整合区域网络资源，推动各大电信企业对横琴电信资源的共同开发利用，实现电信基础设施的共建共享。创新信息服务的技术规范和安全机制，提供基础信息网络和重要信息系统安全保障技术服务。鼓励珠海及横琴结合发展实际，统筹国际通信需求，通过建设国际通信专用通道等方式提高国际通信能力，保障国际通信高效、安全、畅通。

2. 发展外包服务业。

充分发挥横琴的区位优势，积极发展以电子信息、金融后台服务等为主的外包服务业务，将横琴建设成为澳门、香港第三产业的后台服务基地。

——设立服务外包园区。支持承接港澳金融、物流等行业的后台服务。

——重点建设金融后台服务基地。支持在横琴发展金融后台服务产业，引导和鼓励港澳地区金融机构、国外金融机构，以及内地金融机构在横琴设立各类后台服务机构。

3. 发展商贸服务业。

依托港澳，不断完善和壮大横琴商业贸易产业，努力提升服务水平，推动总部经济发展，将横琴打造成为粤港澳的商贸服务基地和服务业合作发展的平台。

——打造商业特色街。建设名牌名店商业街、世界美食街、酒吧茶艺风情街等，鼓励世界名牌服装精品、特色美食、中华老字号餐饮等品牌和连锁企业在横琴落户。

——完善报税、展示、加工、仓储、运输、冷藏、包装、配送、电子商务、保险、国际货代、报关等现代服务功能，为横琴的现代服务产业体系提供有力支持。

（二）建设与港澳配套的国际知名旅游度假基地。

利用香港、澳门对国际高端游客的吸引力，结合横琴海岛型生态景观的资源优势发展休闲度假产业，将横琴打造成为与港澳配套的国际知名休闲旅游胜地；发展高品质度假旅游项目，把粤港澳特色旅游资源串联成“一程多站”的旅游线路，开辟旅游共同市场，增强澳门旅游业对珠江口西岸地区的辐射力。

——整合现有旅游资源，发展高品质休闲度假项目，建设高档度假酒店、疗养中心、游艇俱乐部、滨海游乐、湿地公园等海岛旅游精品，建立合理、完善的旅游产业链，充分挖掘潜力，提升横琴的旅游产业水平。

——加大对旅游业及相关服务产业的政策扶持力度。对旅游建设项目在用地、信贷等方面给予政策支持；搞好旅游配套设施建设，加强旅游市场管理，提高旅游接待能力；促进港珠澳区域旅游一体化，扩大区域和国际间的旅游合作，共同开发旅游市场。

（三）建设珠江口西岸的区域性科教研发平台。

依托港澳科技教育资源优势和内地人才资源，加强粤港澳三地的科技合作与交流，重点发展研发设计、教育培训、文化创意等产业，将横琴建设成为服务港澳、服务全国的区域创新平台，促进澳门传统产业的转型升级，提升珠江口西岸地区的自主创新能力。

1. 培育研发设计产业集群。

通过汇聚港澳及国内外优势科技资源，特别是将港澳的商业化研发和广东的基础性研发相结合，构建开放的科技创新体系。着力抓好集成创新和消化吸收再创新，积极推进原始创新，提高面向珠澳优势产业核心技术的创新能力。加快创新成果转化，培育技术市场，促进技术扩散，使横琴成为珠江口西岸地区乃至华南地区重要的技术创新摇篮。

——开展省部联合自主创新综合试验，着力建设横琴省部产学研合作综合示范区。鼓励横琴企业与国内外大学、科研机构联合开展产学研合作，建立产学研技术创新联盟、省部产学研结合示范基地和创新平台；有计划、多渠道地吸引和促进国内外名校、科研院所在横琴进行高新技术项目的研发、中试和产业化，加快产学研一体化和科技创新步伐。实施企业科技特派员启动计划，支持布局建设国家重大科技基础设施、重要科研机构和具有重大创新能力的项目。

——构建开放融合的创新体系，着力引进研发机构。加大引进力度，鼓励国内外科研机构在横琴建立分支机构，鼓励跨国公司和世界500强企业在横琴设立先进制造业高端研发中心或研发总部，加快建设以企业为主体的科技创新体系。充分利用现代信息技术，引进、消化、吸收、再创新先进制造业中的中高端生产环节和生产工艺，促进珠澳制造业的升级改造。

2. 开展教育培训。

充分利用香港和澳门国际化专业人才培训资源优势，建立面向粤港澳三地，以高端专业人才、技术人才培训和普通高等教育为主的教育培训园区，开展全方位、宽领域、多形式的智力引进和人才培养合作，优化人才培养结构。

——吸引港澳及内地高校在横琴办学。利用名校品牌资源，汇集名校师资力量，有系统、全方位地培养适宜澳门和珠江口西岸地区产业发展需求的技术人才，为珠江口西岸地区各级政府和社会管理阶层开展高级培训，培养更多更具国际化思维和市场开拓能力的新型管理人才。

——建设虚拟大学园。通过网络连通大学、大学派出机构及研究机构，搭建合作互动平台；创造教育机会，提高培训质量。

3. 发展文化创意产业。

促进港澳以及国际文化创意产业与珠江口西岸地区的产业升级需求相结合，以工业设计、会展设计和动漫设计等为重点，吸引港澳及珠三角的文化创意产业人才，培育一批有国际竞争力、有知名品牌和自主知识产权的大企业和一批有增长潜力的中小企业，形成集群效应和规模效应，把横琴建设成为珠江口西岸地区重要的文化创意产业基地。

——打造特色园区，形成统一的区域品牌。整合要素，形成合力，吸引海内外文化公司、设计企业进园发展，扩大横琴文化创意产业的区域品牌影响力。

——打造文化创意产业发展平台体系，提高文化创意产业生产效率和水平。引导政府、企业、高校、科研机构、行业组织等多元投入，共同参与，建设面向社会、资源共享的文化创意产业平台体系，如工业设计平台、辅助设计中心、快速成型中心等。

（四）建设融合港澳优势的国家级高新技术产业基地。

充分利用珠海现有的高校资源及珠海软件园、珠海航空产业园的技术支撑及珠三角的技术力量，依托国内市场需求，吸引港澳及珠三角的知识密集型制造业到横琴扩大生产，重点发展CEPA协议中原产于港澳，享受免税政策的电子信息、生物医药、新能源、环保、航空制造等产业，把横琴打造成为珠江口西岸地区融合港澳优势的国家级高新技术产业基地，支持澳门发展技术含量和附加值相对较高的工业，提升珠江口西岸地区的产品附加值。

——吸引国内外高端电子信息、节能环保、航空零配件企业向园区转移集聚。其中，电子信息产业着力建设软件基地和集成电路、IC设计基地及各类专业孵化器，吸引国内外电子信息领域研发机构入驻；节能环保产业着力发展风能、太阳能、环保技术设备等；航空产业着力发展航空零配件、航空电子等。

——鼓励澳门、香港与内地特别是广东开展生物医药科技合作，打造横琴生物医药产业集群。研发具有高新技术水平的制剂产品、高附加值的原料药和海洋药物，发展医药中间体、基因工程和生物工程制药、工业酶制剂、新型合成与半合成药物等生物制药领域，积极延伸现有医药产业链，向医疗器械、生物制药等高科技环节扩展。

第三节　产业发展策略

（一）加强适应横琴发展需要的高端产业人才体系建设。

加快留学生创业园、博士后科研工作站和创新实践基地建设，吸引港澳及国内外优秀人才和创新团队到横琴创业，采取灵活多样的方式，引进国内外知名专家、拔尖人才和高层次留学人员。建立横琴人才培训体系，充分开发多层次的人力资源，加快培养科技精英、创新人才、高级管理人才和大批高素质劳动力。支持开展工业设计人员等职业能力评价认证体系试点。创新人才引进、培养、评价、任用、表彰激励和服务保障机制，实施高端人才引进计划和培养工程，搭建高端人才聚集的平台，形成人才高地。

（二）积极实施以企业为主体的自主知识产权品牌战略。

加强各类企业技术研发中心建设，鼓励企业加大研发投入。建立和完善增强企业自主创新能力的政策体系，完善企业自主创新激励机制，全面落实企业研发费用税前加计扣除等优惠政策。以自主知识产权品牌带动珠江口西岸地区及澳门优势产业发展，加强科技基础条件平台建设，积极培育开发电子信息、生物工程、生物制药、新能源、航空电子等领域具有自主知识产权和较强市场竞争力的核心技术和产品。将打造以企业为主体的品牌战略和推广“横琴创造”、“横琴设计”的区域特色品牌相结合，创新和推广横琴发展模式，提高区域产业竞争力。实施知识产权和技术标准战略，加大知识产权保护和应用力度，支持参与和开展行业、国家和国际有关标准的制订工作。

（三）建立多层次的产业投融资体系。

拓宽直接融资渠道，建立创业投资引导基金，培育股权投资机构，支持符合条件的横琴开发运营机构和企业在全国银行间市场发行债务融资工具，或直接发行企业债券。创新中小企业融资模式，建立中小企业信用担保机构和区域性再担保机构。鼓励发展小额贷款公司和中小企业投资公司。探索开办和推广知识产权、收益权、收费权和应收账款质押融资，积极发展租赁融资。吸引国际企业参与横琴的投资建设。稳步增加地方财政对横琴产业发展的投入，完善政府对科教研发和高新技术产业的支持机制。

第五章　基础设施

坚持可持续发展和以人为本，加快横琴基础设施建设，建立以公共交通为主导的高标准、现代化的综合交通体系，引导城市空间发展和功能布局优化；以节水、节能及绿色城市为目标，合理利用资源，建立创新型、环保型、节能型的现代化市政公用设施体系，实现城市功能，保障城市安全。

第一节　交通

加强与区域交通基础设施的衔接，完善集疏运和换乘系统，实现与港澳及珠江口西岸地区紧密相连；大力发展公共交通，完善内部交通网络建设，提高岛内交通效率。

（一）对外交通。

1. 高速公路。规划建设高速公路，与京港澳高速公路广澳并行线（京珠高速公路）和西部沿海高速公路珠海支线（广珠西线）连接；新建金海高速公路，从横琴口岸向西沿大横琴山北麓，在二井湾南部跨过磨刀门水道，向西连接珠海机场，加强横琴与港澳、珠江口西岸地区的联系。

2. 城际轨道。规划建设轨道交通线路连接珠海市区、横琴、珠海机场，与广州—珠海城际等轨道交通有机衔接，并预留与澳门连接的条件。

3. 口岸。结合轨道交通车站对现有口岸进行扩容改造，将横琴口岸建设成一个集人流、物流于一体的“大通关”口岸，强化交通枢纽设施建设，实现无缝换乘和便利通关。在横琴岛与内地之间增设特殊口岸区域监管线，同步规划建设边防执勤基础设施。

4. 连澳通道。预留建设两个或两个以上连接澳门的交通通道，实现两地人员及物资的畅顺流动；优先考虑在教学区与澳门之间设置便捷通行通道。

（二）内部交通。

1. 道路网系统。构筑由主干路、次干路、支路组成的“环网相扣”的城市道路骨架格局。建设“两横一纵一环”的城市主干路网，将各城市组团串接起来，并与城市次干道结合成为环网相扣的道路骨架，同时通过横琴大桥、横琴二桥、莲花大桥和金海大桥实现与区域交通网络的连接。

2. 公共交通系统。落实公交优先政策，以轨道交通为骨干，大力发展常规公交，建立起对私家车出行具有竞争力的一体化公共交通体系。加强轨道交通与常规公交衔接，建设横琴口岸换乘枢纽，实现“零距离换乘”。

3. 慢行交通系统。以人为本，提倡步行及自行车交通方式，为步行及自行车出行创造安全、便捷和舒适的交通环境。优化完善步行交通系统，建设高品质步行空间；构建自行车廊道系统，发展“自行车＋公交”出行模式，鼓励自行车短距离出行。

第二节　能源

按照适度超前的原则，加快电网建设，构建清洁、开放、安全、可靠的电力供应体系。依托省级电网，提高电网受电、供电能力和可靠性，积极开发风能、太阳能等新能源，实现区域内热电冷联供，配套建设完善的地上、地下电力通道系统，形成技术先进、清洁高效、安全可靠、环境友好的现代化城市电网。至2020年，横琴本地最大用电负荷保障能力达到50万千瓦。

加快燃气设施建设，推进城市燃气化进程，实现燃气气化率100%。加快输气干线建设，扩大南海天然气就近向横琴及澳门供气，并与广东省天然气主干网连通。加快城市燃气管网设施建设，构建以城市高压、中压二级管网系统为框架的供气网络，城市燃气中压管网以大环小枝、环枝结合的方式敷设，构筑供应充足、储配灵活、配套完善的安全供气体系。

……

第六章　公共服务设施

按照服务区域、共建共享的理念，丰富服务层次，建立以人为本、层次清晰、布局均衡、方便高效的公共服务体系，满足横琴及更大区域范围的发展需求，为居民提供高质量、国际化水准的公共服务。

第一节　公共服务设施体系

重点发展服务横琴的大型行政、办公、文化、体育、医疗卫生、教育科研及商业等服务设施，同时积极发展服务珠海市以及更大区域范围的高标准商务办公、教育科研及旅游休闲等设施。根据服务范围的不同，将横琴的公共服务设施分为三个等级：第一级为市级公共服务设施，主要服务范围为珠海市及更大区域范围；第二级为分区级公共服务设施，服务范围为整个横琴岛；第三级为片区级公共服务设施，服务范围为岛内各功能片区。

公共服务设施	等级	服务功能
商业金融业服务设施	市级	在横琴东北角设置集商务办公、商业金融等于一体的综合服务设施，面向国际市场，吸引港澳和国际高端服务业入驻
	分区级	在中心沟东部，设置服务横琴的行政、商业、教育、体育等设施，建设综合服务区
	片区级	分别在各片区中心位置布置服务该片区的零售、餐饮、超市、金融、邮政等设施，高效满足居民日常生活需求
行政办公设施	分区级	在综合服务区中部建设横琴管委会办公中心，成为横琴行政办事机构的驻地
	片区级	分别在各片区中心位置布置服务该片区的物业管理、社区事务受理等设施，满足居民日益增长的生活服务需求
教育科研设施	市级	在环岛东路以东、横琴口岸以南，以及中心沟西部的科技研发区，安排教育培训、科技研发等功能，提供产学研成果交流、信息咨询等功能设施，显著提升科技创新能力
	片区级	在各居住区设置中学、小学和幼儿园，为居民提供便捷、高质量的教育服务
文化体育设施	市级	在中心沟中部设立文化创意区，积极承接港澳创意文化辐射，建立展示粤港澳合作的特色文化窗口。在大横琴山南部设置休闲度假区，为全球游客提供高品质的休闲娱乐及服务
	分区级	综合服务区中部建设服务横琴的体育设施，建设与现代化城市功能相匹配的城市体育中心
	片区级	各片区均设置文化站和体育文化设施，创新公共文化服务方式，营造积极向上的文化氛围
医疗卫生设施	分区级	在综合服务区布置服务全岛的综合医院和疾病控制中心，提供最优良的医疗卫生服务
	片区级	各片区结合居住布局，高标准设置社区卫生服务中心，保障居民人人享有便捷的医疗卫生服务

第二节　公共服务设施发展策略

加大地方财政对大型公共服务设施的投资力度。引导人口、资源及产业的集聚，强化公共投资对横琴城市空间结构的引导作用，规范城市空间开发的时空秩序，确保城市空间的合理发展。

实现局部地区公共服务设施的优先发展。近期公共投资的重点是完善中心商务区、口岸服务区、综合服务区和高新技术产业区的公共服务配套设施，保证首期开发的顺利完成，快速聚集人气。

第七章　生态环境

坚持生态优先原则，倡导绿色生活方式，发展循环经济，落实生态功能分区管理，构筑科学合理的生态体系，确保饮水洁净、空气清新、土地干净、食物安全、居住环境优美，将横琴建设成为宜居宜业的生态型示范城市。

第一节　生态空间结构

以森林、海洋、湿地三大生态系统为骨干，充分利用山、海、岛等生态要素，组合、串联各种自然资源和绿色空间，构建“双核、双环、绿楔交织”的城市绿网格局，形成山水与城市均衡渗透、特色与秩序同在、高端产业与高质量生活并重的优美景观，实现“人与自然和谐共生，天人合一”的宜人环境。

——构建大横琴山和小横琴山两个生态绿核。将大小横琴山高程在50米以上部分山体进行保护，形成城市的两大“绿核”，发挥核心景观及绿化功能，保持整体生态系统的平衡。

——构建以周边水域和生态防护林组成的两条生态屏障环。建设由十字门水道、马骝洲水道、磨刀门水道及南海海域共同围合而成的蓝色生态屏障环和沿海岸线后退120米以上的生态防护林、二井湾湿地组成的绿色生态屏障环，共同维护海岛生态安全，保持生物多样性。

——构建有机分布、网络交织的生态绿楔系统。构建由中心沟形成的“中心生态水廊”，重要交通通道沿线的“绿色交通廊道”和城市功能区之间的“绿化隔离廊道”形成的楔形绿地系统，发挥有机分隔与联系作用，为岛内居民提供广阔的郊野游憩休闲空间，改善城市环境质量和居民生活质量。

第二节　环境功能区划

坚持保护优先、预防为主、防治结合、源头治理与末端治理相结合的原则，科学划定环境功能分区。全年城市空气质量达到Ⅱ级以上标准；水源保护区达到地表水二类水质标准；横琴周边近岸海域，除北边海域即马骝洲水道达到三类海水水质标准，其余海域达到二类海水水质标准；城市生活垃圾无害化处理率达到100%。

第三节　生态环境建设策略

构筑完善的环境保护体系。加强岸线管理，严禁未经处理向海洋排放污染物、倾倒废弃物，保护海洋环境免受陆源污染；建设突发性重大生态环境监测、监管、预警、预报和应急系统网络，建成与珠海市环境监测一体化的现代化环境监测体系，实现“数字环保”目标；使用安全、节能、可循环利用的绿色建材，建设生态型居住区。进行建筑生态景观设计，推广节能型住宅、中水回用和垃圾分类收集处理，构建舒适、健康、安全、优美的宜居环境；建立环境信息公众参与机制，加大环境保护的教育和宣传力度。

构建以循环经济为主体的生态城市建设模式。用循环经济的理念指导横琴的经济建设和社会发展，以提高资源利用效率为核心，在全社会建立“资源—产品—再生资源”的反馈式流程，发展循环经济型产业，最终实现资源开发、市政服务、工农业生产、商品流转和居家生活领域的废物减量化、再利用和资源化，建立横琴建设和发展的生态经济模式。

环境功能区划	功能分区	地区	分区执行标准
大气环境	二类空气环境质量功能区	横琴全岛	《环境空气质量标准(GB 3095-1996)》二级标准
水环境	饮用水水源保护区	望天台水库、上牛角水库和红旗村水库	《地表水环境质量标准（GB 3838-2002）》II类标准
	景观水功能区	中心沟开发区形成的中央景观水体	《地表水环境质量标准（GB 3838-2002）》Ⅳ类标准
	二类近海岸海水功能区	除马骝洲水道之外的横琴周边近岸海域	《海水水质标准（GB 3097-1997）》II类标准
	三类近海岸海水功能区	北边海域即马骝洲水道	《海水水质标准（GB 3097-1997）》Ⅲ类标准
声环境	1类噪声环境质量功能区	大小横琴山；小横琴山以北的国际居住社区；环岛东路以东、口岸服务区南侧的教学区；二井湾湿地及大横琴山南部沿海地区的休闲度假区	《声环境质量标准（GB 3096-2008）》1类标准
	2类噪声环境质量功能区	中心商务区；中心沟两侧的科技研发区、文化创意区和综合服务区；其他居住、商业混杂区	《声环境质量标准（GB 3096-2008）》2类标准
	3类噪声环境质量功能区	高新技术产业区和口岸服务区	《声环境质量标准（GB 3096-2008）》3类标准
	4类噪声环境质量功能区	城市交通干线道路两侧	《声环境质量标准（GB 3096-2008）》4类标准

第八章　开发管理模式

第一节　开发模式

横琴开发坚持面向世界、优先港澳、政府主导、市场运作的模式。

——面向世界：充分发挥横琴的区位、体制和政策优势，积极吸纳国际优势资源和先进要素，特别是要通过与澳门联合进行招商引资，不断拓展国际市场空间，使横琴成为扩大对外开放的重要窗口和平台。

——优先港澳：在与国际、国内投资者相同条件下，优先考虑港澳投资进入横琴，优先考虑港澳投资机构参与资源配置，大力支持澳门经济适度多元发展和香港现代服务业发展。

——政府主导：充分发挥政府宏观调控职能，制定投资准入条件及政策，强化服务意识，为企业营造良好的投资、经营环境。

——市场运作：横琴的资源配置及使用原则上采用市场化运作。

第二节　管理模式

建立两层机构、一站式服务的管理模式，包括管理委员会（以下简称管委会）和开发运营公司两个层次的管理架构，其中管委会为行政管理机构，承担行政管理职能；开发运营公司为投资建设管理机构，负责招商引资、投资建设等具体事项。

（一）第一个层次：管委会。

管委会是横琴的行政管理机关，是珠海市人民政府的派出机构，经珠海市人民政府授权，对横琴依法行使管理职能。管委会的主要职能是：根据国家法律法规和上级行政部门的授权，负责横琴行政管理和经济管理。根据有关规定和授权，行使相应的行政许可权和其他行政管理权（包括规划、土地自然资源、建设、交通、环保等行政管理权）；任免行政官员、横琴开发运营公司负责人；在权限内对投资项目和进口行使审批权；制定并组织实施横琴经济和社会发展规划；监督检查横琴规划的实施；履行社会管理职能；协调国家口岸联检部门、金融管理部门等在横琴设立的分支机构及其工作；处理横琴内的其他有关事宜。

管委会按照“精简、统一、效能”的原则设立工作机构，横琴外的行政机构一般不在横琴设立分支机构。管委会推行“一站式服务”和“社会服务承诺制”，建立“全过程、全方位、全天候”的服务体系、“公开、公正、公平”的市场秩序和“科学、规范、透明”的法治环境。

（二）第二个层次：开发运营公司。

采取股份有限公司形式，由珠海市政府所属的投资公司控股，可以吸收中外特别是港澳机构或公司共同出资组建，实行市场化管理。主要功能是基础设施开发、招商引资、物业管理、项目管理、咨询服务、产业开发、风险投资等业务。

第九章　保障措施

第一节　政策支持

在《珠江三角洲地区改革发展规划纲要（2008-2020年）》及CEPA框架下，建立与横琴发展定位相匹配，与港澳自由港政策相适应的粤港澳合作创新机制，促进三地人员、物资、资金和信息的高效集聚和合理流动，特别是为支持澳门经济适度多元发展创造条件。

（一）将横琴纳入珠海经济特区范围。

目前，珠海经济特区范围为香洲区大部分地区，面积约121平方公里。考虑到加快推进横琴发展的需要，将横琴纳入珠海经济特区范围，并按照经济特区有关政策和办法实施管理。

（二）创新通关制度。

1. 分线管理。按照既有利于横琴开发和人员、货物、交通运输工具进出方便，又有利于加强查验监管的原则，横琴口岸设置和通关制度实行分线管理。横琴与澳门之间的口岸设定为“一线管理”，承担出入境人员和交通运输工具的出入境边防检查、检疫功能，承担对进出境人员携带的行李物品和交通运输工具载运的货物的重点检查功能，承担对进出横琴货物的备案管理功能，以及承担对枪支弹药、国家秘密文件资料等国家禁止、限制的进出境物品的管理功能。横琴与内地之间设定为“二线管理”，主要承担货物的进出境报关、报检等查验监管功能，并承担对人员携带的行李物品和交通运输工具载运的货物的检查功能。

2. 查验监管模式。

（1）人员。对出入境人员及其携带的行李物品，实行现行查验模式。对出入境人员携带的本外币现钞，实行严格的现场查验管理。

（2）交通运输工具。澳门牌照交通运输工具从澳门进出横琴可根据双边协议优先适用原则，由广东省政府根据国务院授权与澳门特区政府签订相关协定，就澳门机动车进出横琴事宜做出规定，且相关车辆仅限在横琴内行驶。

（3）进出境货物。对横琴与澳门之间的进出货物实行备案制，并进行重点检查。对横琴与境内区外之间的进出货物实行报关报检制。横琴内的货物自由流转。

（4）对出入境人员及携带的行李物品、交通运输工具和货物实施检疫。

3. 税收政策。岛内企业比照海关特殊监管区域的税收政策执行。

4. 外汇管理政策。实行境内一般区域外汇管理政策，但保税货物项下外汇管理比照海关特殊监管区域外汇管理政策执行。

5. 完善口岸基础设施和边防设施，加强查验力量。

按照上述原则，有关部门要抓紧会同广东省研究制定具体实施办法和操作细则，并按规定程序报批。此项制度创新仅限在横琴试行，有关部门和广东省要在实践中及时总结经验，完善相关制度和办法。

（三）鼓励金融创新。

鼓励横琴在金融业务、金融机构准入、金融市场、金融产品等方面进行创新，拓展融资渠道。按照有关管理办法设立横琴股权（产业）投资基金。开展金融产品和服务创新试点。开办和推广知识产权、收益权、收费权和应收账款质押融资，大力发展租赁融资，支持符合横琴产业发展规划的行业和企业发展。优化电子支付环境，大力推广非现金支付工具特别是电子支付工具。在加快推进建立统一的法律制度和有效的监管机制背景下，允许横琴金融机构开展综合经营试点。研究开展个人本外币兑换特许业务试点。进一步加强广东与澳门金融管理部门、反洗钱监管部门和司法部门在反洗钱和反恐怖融资领域的政策协调与信息沟通。加强跨境外汇和人民币资金流动监测工作，防范洗钱和恐怖融资犯罪活动的发生，确保横琴外汇资金流动风险可控、有序监管。

（四）实行更加开放的产业和信息化政策。

支持横琴发展现代服务业，鼓励实行更加开放的产业和信息化政策。支持设立服务外包园区，承接澳门、香港金融、物流等行业的后台服务。鼓励创新信息化管理模式，横琴与澳门之间的电信业务采用更优惠的通信资费方案。在CEPA总体框架下，允许国内电信运营商与澳门电信运营商合作，经营横琴增值电信业务。

（五）支持进行土地管理制度改革。

支持横琴推进节约集约用地试点工作，创新土地管理方式，增强政府对土地供应的调控能力。根据横琴岛开发进展的需要，国家适当增加广东省新增建设用地指标，由广东省视具体情况进行安排。在不突破规划建设用地规模、不破坏海岸带和海洋生态环境的前提下，可依法适当围填海，用于发展建设。

……

第十章　近期建设行动计划

第一节　近期建设规模

根据横琴近期发展的产业配置，采用就业人口测算法，并充分考虑服务澳门方面的居住人口、口岸通勤人口和旅游人口的需要，至2015年，人口规模为12万人，建设用地规模12平方公里。

第二节　近期建设重点

（一）重点建设片区。

1. 教学区。在环岛东路以东、口岸服务区南侧、邻十字门水道，充分利用港澳国际化教育资源优势，建立以高端专业人才、技术人才培训和普通高等教育为主的教学区，横琴岛的市政配套建设要充分考虑教学区的需求，在教学区与交通枢纽及主干道间设置足够的绿化隔离带，减轻交通噪声对教学区的影响。

2. 中心商务区。在十字门水道和马骝洲水道交汇的北山咀地区，促进商务办公、信息服务、外包服务等生产性服务业的聚集，大力促成区域性中心商务区的形成。

3. 口岸服务区。依托横琴口岸，建设口岸服务区，充分利用人流、物流、资金流高效流动的优势，完善现代仓储、配送、运输等功能。

4. 综合服务区。在横琴口岸以西，小横琴山南部，建设服务横琴的行政办公、教育医疗、商业金融、文化体育等功能的综合服务区。

5. 高新技术产业区。在横琴西北角建设高新技术产业区，主要发展电子信息、生物工程、新能源、航空零配件等高科技产品。

6. 休闲度假区。在横琴南部建设休闲度假区，主要布置滨海度假、滨海游乐等旅游功能区。

（二）重点建设设施。

1. 交通。接通京港澳高速广澳并行线至莲花大桥；建设广珠城际轨道延伸线，实现横琴与区域轨道交通系统的对接；加强横琴口岸配套设施建设，完善口岸功能；建设环岛路、中心北路、横琴中路等主要干道和先行开发地区的部分道路，搭建城市道路网骨架；建设横琴口岸公交枢纽，初步形成公交网络。

2. 能源。建成220千伏变电站1座，110千伏变电站3座，建成与珠海市域相连的220千伏电力通道和横琴本地110千伏环网；近期完成横琴陆上首站和横琴门站建设，配套建成输气干线和重点地区中压管线，初步形成安全可靠的能源供应系统。

3. 供排水。为保证近期供水安全，在中心北路北侧小横琴山东端新建加压泵站、高位水池各一座，水池容积1万立方米，泵站近期规模5万吨/日。新建横琴污水处理厂，近期规模为5万吨/日，占地面积为6公顷。新建雨水调蓄池，一般布局在山脚、绿地和雨水排出口等地势低洼地区，以便于雨水的收集。

4. 信息。电信运营商根据需要建设目标局所，并共建共享综合通信设备间、基站等通信设施，形成移动、固话、互联网等全业务服务体系。

5. 综合防灾。近期建设普通消防站3座，水上消防站1座，并结合城市绿地和广场设置避难场所和避难通道。

国务院关于进一步实施东北地区等老工业基地振兴战略的若干意见（节选）

国发〔2009〕33号

各省、自治区、直辖市人民政府，国务院各部委、各直属机构：

实施东北地区等老工业基地振兴战略五年多来，振兴东北地区等老工业基地工作取得了重要的阶段性成果。以国有企业改革为重点的体制机制创新取得重大突破，多种所有制经济蓬勃发展，经济结构进一步优化，自主创新能力显著提升，对外开放水平明显提高，基础设施条件得到改善，重点民生问题逐步解决，城乡面貌发生很大变化。实践证明，中央实施振兴东北地区等老工业基地战略的决策是及时的、正确的。但也要清醒看到，东北地区等老工业基地体制性、结构性等深层次矛盾有待进一步解决，已经取得的成果有待进一步巩固，加快发展的巨大潜力有待进一步发挥。在当前形势下，认真总结振兴工作实践经验，进一步充实振兴战略的内涵，及时制定新的政策措施，既是应对国际金融危机、促进全国经济平稳较快发展的需要，也是推进东北地区等老工业基地全面振兴的需要。为此，现提出以下意见：

一、优化经济结构，建立现代产业体系

（一）加快推进企业兼并重组。要坚持市场主导和政府引导相结合，进一步打破地区、行业、所有制界限，优化资源配置，推动企业兼并重组，培育具有国际竞争力的大型企业集团。东北地区企业联合重组涉及“债转股”资产处置的，应根据实际情况试行新的处置方式，合理处置“债转股”股权。支持中央大型企业集团和地方企业相互联合重组。鼓励民营企业、外资企业等各类投资主体参与老工业基地企业改革重组。优先支持实现兼并重组的企业进行技术改造。

（二）大力发展非公有制经济和中小企业。创造公平竞争环境，平等保护各类产权，促进非公有制经济加快发展。落实融资、财税及市场准入等方面的政策，积极支持民间资本进入基础设施、公用事业、金融服务和社会事业等领域。推动国有资本、民营资本和外资经济的融合，积极发展混合所有制经济。允许职工在企业改制中持有一定比例股份。引导中小企业创新体制机制，提高经营管理水平和市场竞争力。充分发挥东北地区等老工业基地大企业聚集的优势，鼓励中小企业与大企业形成产业链的协作配套关系，促进其向“专精特优”方向发展。完善中小企业创业融资服务，继续推动中小企业信用体系和信用担保体系建设，支持东北中小企业信用再担保公司及其分支机构扩展业务。

（三）做优做强支柱产业。贯彻落实重点产业调整振兴规划，加大结构调整力度，加快淘汰落后，防止重复建设。积极推进信息化与工业化融合，用现代信息手段改造传统产业，提高数字化、智能化水平。提高对东北老工业基地调整改造项目的中央预算内资金支持比例。支持东北老工业

基地优势产业、骨干企业、重要品牌扩大市场份额。大力发展东北地区具有优势的大型铸锻件、核电设备、风电机组、盾构机械、先进船舶和海洋工程装备、大型农业机械、高速动车组、大功率机车、高档数控机床等市场急需产品及关键配套件。鼓励采购国产设备和推广应用首台（套）重大技术装备。进出口银行每年安排一定的信贷额度用于支持东北地区重大技术装备出口，人民银行和外汇局要在政策上给予支持。努力促进东北地区汽车产业调整结构，重点发展自主品牌汽车、小排量汽车、新能源汽车及关键零部件。继续调整钢铁工业产品结构，加强节能减排，淘汰落后产能，提高市场竞争力，同时加大资源勘探开发和对外合作力度，提高矿石资源的保障水平。优化提升石化产业，抓紧组织实施大型炼油、乙烯项目，提高加工度，发展精细化工、化肥等。

（四）积极培育潜力型产业。依托装备制造业整机制造能力强的优势，发展基础配套零部件、加工辅具和特殊原材料等。依托国防军工企业汇集的优势，发展军民两用技术，促进军民融合，增强军工企业的辐射带动作用。依托原材料加工基地的优势，努力发展下游特色轻工产业。依托农林产品商品量大、品质好，畜牧养殖业发达的优势，大力发展农林畜产品精深加工业。依托北方中药材资源优势，发展现代中药（北药）产业。依托地处东北亚中心的地缘优势，加强与周边国家的能源和资源开发合作。积极发展航空航天、电子信息、生物医药、新能源、新材料等新兴产业。鼓励地方政府设立专项扶持资金，支持潜力型产业发展。

……

二、加快企业技术进步，全面提升自主创新能力

（七）加大企业技术改造力度。企业技术改造是老工业基地调整改造的重要内容，也是振兴工作取得成效的一条重要经验。要继续加大对企业技术改造的支持力度，从现有相关投资专项中分离设立东北地区等老工业基地调整改造专项，以及利用新增中央预算内投资，支持东北地区等老工业基地企业技术改造和技术进步，近期筛选一批项目予以重点支持。中央国有资本经营预算资金用于东北老工业基地中央企业的比例应有所增加。抓紧完成装备制造产业投资基金设立工作，重点支持东北地区装备制造企业技术改造和兼并重组。

（八）提高自主创新能力。充分发挥东北地区等老工业基地的人才优势，建立健全鼓励自主创新的体制机制。要在老工业基地重点发展领域，依托重要骨干企业、重大工程项目，组织实施一批带动力强、影响面广、见效快的技术创新和高技术产业化项目。要充分利用东北地区等老工业基地的科研和产业优势，通过国家重大科技专项和创新能力建设专项，支持建设一批工程研究中心、工程实验室和企业技术中心，突破一批核心技术和关键共性技术。支持企业有效吸纳利用国际创新资源，提高集成创新和引进消化吸收再创新能力。支持老工业基地引进一批重点行业发展急需的创业、研发领军人物及团队。国家“千人计划”、“百人计划”等项目要重点支持东北老工业基地的海外高层次人才引进工作。鼓励采取技术入股、期权激励等更加灵活的政策措施，为引进高端人才并使其发挥作用创造良好的环境。

……

三、加快发展现代农业，巩固农业基础地位

（十）大力发展现代农业。东北地区具有发展现代农业得天独厚的条件。要围绕提高土地产

出率、资源利用率和劳动生产率，抓紧研究制定加快东北地区现代农业发展的政策措施。结合实施全国新增1000亿斤粮食生产能力规划，加强东北地区粮食生产能力建设，形成稳固的国家粮食战略基地。加大粮食丰产科技工程实施力度，大力推广高产优质、节本增效新技术。优化农机结构，提高农业机械化水平。加大农机具停放场库和机耕道建设力度。研究实施深松等重点环节农机作业补贴。抓紧研究稳定玉米、大豆生产的长效机制，适时对东北地区玉米、大豆继续实行国家收储政策。发挥国有农场在建设现代农业、保障国家粮食安全等方面的积极作用，大力开展“场县共建”，为地方农业发展提供示范和社会化服务。加强东北地区农业对外合作，支持有条件的企业到周边国家和地区从事农业合作开发。

（十一）加强农业和农村基础条件建设。开展以水利为重点的农业基础设施建设和以水、电、路、气等为重点的村镇基础设施建设。推进引嫩入白、三江平原灌区、尼尔基水库下游灌区、绰勒水利枢纽下游灌区、大安灌区、大型灌溉排水泵站更新改造等重大水利工程建设，加快实施病险水库除险加固、节水灌溉示范和小型农田水利工程。实施农户科学储粮专项，推广科学储粮技术，支持粮食银行等新型粮食仓储流通业态发展。推进散粮“入关”铁路直达，提高散粮铁水联运比例，建设大型粮食物流基地、节点和战略装车点，以及粮食仓储和烘干设施。积极推进农业信息化，建立和完善农业科技支撑和社会化服务体系，提高服务水平。统筹城乡发展，结合社会主义新农村建设，加快小城镇和中心村发展，全面改善村镇居民生产生活条件。加快解决农村饮水安全问题。取消农村公益性建设项目县及县（场）以下资金配套。

四、加强基础设施建设，为全面振兴创造条件

（十二）加快构建综合交通运输体系。开工建设京沈、沈丹、哈齐客运专线和吉图、大丹、哈牡、哈佳等铁路，推进牡绥等既有线路改造和东北沿边铁路、伊尔施—阿日哈沙特铁路、白音华—赤峰—锦州港煤运专线、同江铁路大桥、沿海疏港铁路建设。统筹干线和支线机场建设，完善东北地区机场布局，抓紧推进“十一五”期间东北地区机场的改扩建和新建迁建工作，做好“十二五”期间机场改扩建、新建迁建的前期工作。根据东北地区公路建设相对滞后和高寒地区的特点，进一步加大对黑龙江、吉林和内蒙古东部地区的高速公路和“村村通”公路建设投资力度。成立东北地区交通基础设施建设协调推进组，协调、指导和推进东北地区交通设施建设，组织编制东北地区综合交通运输规划。

（十三）优化能源结构。抓紧开工建设内蒙古东部和东北两大千万千瓦级风电基地、内蒙古东部和黑龙江煤电外送通道等项目，加快辽宁红沿河二期工程、徐大堡和吉林核电项目的前期工作。加强东北地区电网建设，大力推进既有电网改造，提升骨干电网送电能力。加大农村电网特别是粮食主产区和林区的电网改造力度。研究解决风电等分散电源上网问题。率先在东北电网开展智能电网建设试点。

五、积极推进资源型城市转型，促进可持续发展

（十四）培育壮大接续替代产业。发展接续替代产业是资源枯竭城市实现经济转型的根本出路。组织实施好资源型城市吸纳就业、资源综合利用和发展接续替代产业专项，扶持引导资源型城市尽快形成新的主导产业。鼓励开发银行等各类金融机构加大对资源型城市可持续发展的支持。对

资源型城市发展接续替代产业，在产业布局、项目审核、土地利用、贷款融资、技术开发、市场准入等方面给予支持。支持资源型城市接续替代产业园区建设，积极承接产业转移。组织研究制定资源型城市接续替代产业发展规划并做好实施工作。

（十五）构建可持续发展长效机制。抓紧出台资源型城市可持续发展准备金制度，由政府统筹部分准备金专项用于解决资源型城市环境治理等问题。在资源开采处于成长期或成熟期的资源型城市开展可持续发展试点。抓紧研究制定《资源型城市可持续发展条例》。省级人民政府要切实负起责任，出台支持资源型城市可持续发展的政策措施，并将转型工作情况纳入资源型城市人民政府主要领导干部综合考核评价体系。

……

六、切实保护好生态环境，大力发展绿色经济

（十七）加强生态建设。坚持以生态为主导的林业和林区经济发展方向，进一步调减东北地区国有重点林区木材采伐量，促进林区经济转型和可持续发展。继续实施天然林保护工程，完善政策措施，加大支持力度。巩固退耕还林成果，加强育林和管护。高度重视大小兴安岭的生态屏障作用，组织编制大小兴安岭林区生态保护与经济转型规划。全面推进集体林权制度改革，稳步推进国有林权制度改革试点。切实加强天然草场恢复和保护、黑土区水土流失综合防治等生态工程建设。切实加强湿地保护与恢复、沙化土地治理和矿山环境整治等生态工程建设，组织实施黑龙江扎龙湿地核心区生态移民。

（十八）积极推进节能减排。严格执行相关法律法规、规划和产业政策，加强重点污染源总量控制。限制高耗能、高污染行业扩张，关停小火电、小钢铁、小造纸、小水泥等污染严重的小企业。以能源、原材料、装备制造和农产品加工等行业为重点，加强对各类工业园区的建设管理，推行清洁生产。支持开发和应用低碳技术。鼓励发展循环经济。大力推广应用节能技术产品，发展节约能源、节省土地的环保型建筑和绿色建筑，组织实施好节能产品惠民工程。

……

七、着力解决民生问题，加快推进社会事业发展

（二十）千方百计扩大就业。要切实把就业工作摆在更加突出的重要位置，落实促进大学生、农民工和困难群体的就业政策，确保就业形势稳定。发挥好政府投资和重大建设项目带动就业的作用，积极开发公益性工作岗位，努力使“零就业家庭”实现至少一人就业。积极落实扶持创业的各项政策措施，以创业带动就业。鼓励服务业、中小企业、非公有制经济更多吸纳就业，引导和支持困难企业采取灵活用工、弹性工时、技能培训等办法，尽量不裁员。

（二十一）积极完善社会保障体系。加快推进城镇职工养老保险省级统筹，适当提高企业退休人员基本养老金标准。进一步完善城乡最低生活保障制度。积极推进农村新型养老保险试点，全面提高新农村合作医疗保险覆盖面。做好被征地农民社会保障工作。完善工伤保险政策法规，进一步扩大工伤保险覆盖面，抓紧解决“老工伤”人员待遇纳入工伤保险统筹管理问题。

……

八、深化省区协作，推动区域经济一体化发展

（二十四）推进区域一体化发展。鼓励东北地区实行跨省（区）经济合作，促进生产要素合理流动，提高一体化发展水平，近期先行组织开展旅游、物流、交通和科技方面的一体化协作。认真组织实施《东北地区振兴规划》，做好规划任务落实、督促检查工作，加快规划内重大基础设施一体化建设。推进内蒙古东部地区与东北三省的产业对接和合理分工。进一步研究支持东北地区等老工业基地调整改造的税收政策。

（二十五）建立东北地区合作机制。建立东北地区四省（区）行政首长协商机制，定期研究协调跨省（区）重大基础设施项目建设、产业布局，以及区域协调发展等问题，并对老工业基地调整改造的重大事项提出意见建议。

九、继续深化改革开放，增强经济社会发展活力

（二十六）深化国有企业改革。加快推进国有企业改革，努力建立健全现代企业制度，进一步增强老工业基地经济活力。在企业改制过程中，要坚持依法按程序办事，公开透明操作，切实维护职工的合法权益，防止国有资产流失。东北地区各级人民政府要加快推进厂办大集体改革试点工作，有关部门要抓紧总结前期试点工作，进一步完善试点政策。妥善处理中央企业和中央下放地方政策性关闭破产企业及地方依法破产国有企业退休人员医疗、工伤保障和社会职能移交等问题。抓紧完成东北地区装备制造业银行不良贷款处置工作。加快推进粮食、商贸、建筑、农垦、森工、文化等领域的国有企业改革。

（二十七）加快推进其他领域改革。尽快确定东北符合条件的地区开展国家综合配套改革试点。积极推进省直管县财政管理方式改革，研究建立县级基本财力保障机制。完善企业债券发行政策，探索多样化的企业债信用增级方式。大力发展多种形式的新型农村金融机构，推进农村金融产品和服务创新。加快发展农业保险，扩大试点范围、增加险种，加大中央财政保费补贴力度。建立健全农村土地承包经营权流转和林业要素交易市场，规范管理，加强服务。清理涉及企业的行政事业性收费，落实好符合条件企业缓缴社会保险费、降低费率和扩大失业保险基金支出范围等政策措施，进一步减轻企业负担。推进城市供热体制、农村水利管理体制改革。

……

中国图们江区域合作开发规划纲要（节选）
——以长吉图为开发开放先导区

前　言

为深入贯彻落实科学发展观，在新的历史起点上进一步推进图们江区域改革开放，加快提升我国东北地区沿边开放的水平和质量，依据国务院长期以来关于中国图们江地区开发开放以及参与东北亚区域合作的有关文件精神，并与《东北地区振兴规划》相衔接，编制本规划。

本规划的主要范围是中国图们江区域的核心地区，即吉林省范围内的长春市、吉林市部分区域和延边州（简称长吉图），同时辐射我国其他参与图们江区域国际合作的辽宁省、黑龙江省和内蒙古自治区等地区，并涉及我方与周边国家合作的相关内容。

规划期自2009年至2020年。

本规划是指导中国图们江区域特别是长吉图地区合作开发的行动纲领和编制相关专项规划的依据。

一、重大意义

1992年，在联合国开发计划署的倡导下，中、俄、朝、韩、蒙五国共同启动了图们江区域合作开发项目。16年来，在合作各方的积极推动下，图们江区域合作机制不断健全，合作领域不断拓展，合作方式不断创新，为进一步推进中国图们江区域国际合作以及东北地区的对外开放打下了坚实基础。长吉图地区特别是对外合作前沿地区经济社会加快发展，开发开放取得明显成效，主要表现在：经贸往来日益密切，珲春边境经济合作区、出口加工区、中俄互市贸易区等合作平台不断健全，作用进一步凸显；国际通道建设进展顺利，长春——图们高速公路、珲春——俄罗斯扎鲁比诺港铁路全线贯通，口岸功能不断完善；保障和支撑经济社会发展的基础设施条件大幅改善，一批能源、水利等重大基础设施工程相继竣工，有的已经开始发挥作用；我国参与大图们江区域合作的主体格局初步形成，珲春市与毗邻地区投资、贸易、旅游和过境运输等领域有了实质性进展，边境合作开发与吉林省腹地特别是吉林、长春等地区呈现互动发展态势。实践证明，图们江区域国际合作开发极大地加快了长吉图地区的对外开放进程，极大地改善了这一地区的基础设施环境，极大地提高了这一地区的人民生活水平，极大地促进了这一地区的经济社会全面进步。充分利用现有基础，深入推进长吉图地区开放开发和图们江区域开发合作，具有十分重大的战略意义。

（一）有利于增强我国在图们江区域合作中的综合实力，推动合作开发再上新台阶。经过十几年的开发建设，图们江区域已成为我国参与东北亚地区合作的重要平台。牢牢把握区域经济一体化不断加快的大趋势，统筹国内和国际两个大局，在东北地区加快培育基于图们江、面向东北亚的开放载体，有利于增强我国参与图们江区域合作的综合实力，不断提升合作开发的层次；有利于生产要素跨境流动和优化组合，加强我国与东北亚国家经济互补关系，实现互利共赢，进一步营造东北亚地区和平发展的国际环境。

（二）有利于提升沿边地区的国际合作和对外开放水平，形成我国东北地区新的经济增长极。我国图们江区域与东北亚国家资源禀赋互补性强，经济技术合作的空间广阔，加快发展的潜力巨大。以推进长吉图率先发展为重点，全面推进中国图们江区域合作开发，有利于为深化沿边开放探索经验，增强自我发展能力；发展形成长吉图开发开放先导区，有利于挖掘对外开放合作的潜力，形成具有发展活力的新的增长区域，为全面振兴东北老工业基地和促进区域协调发展发挥促进与支撑作用。

……

二、总体要求

（一）指导思想。

高举中国特色社会主义伟大旗帜，以邓小平理论和“三个代表”重要思想为指导，深入贯彻落实科学发展观，深化改革开放，以长吉图为开发开放先导区,立足图们江，面向东北亚，服务大东北，全面推进图们江区域合作开发。坚持调整和优化产业布局，构建结构合理、技术升级的特色产业新体系；坚持保护与开发并举，探索资源节约、环境友好的开发新路子；坚持大胆创新和率先示范，建设富有活力、运行高效的我国沿边开放新机制；坚持统筹国内与国际合作，培育优势互补、互利共赢的联动发展新格局，努力建设我国沿边开放开发的先行区和示范区。

（二）战略定位。

——我国沿边开放开发的重要区域。以长吉图开发开放先导区建设为主体，鼓励在促进沿边地区与内陆腹地优势互补和联动发展、开拓陆海联运国际运输新通道、探索沿边地区跨境经济合作模式等方面先行先试，推动图们江区域合作开发在更高层次上向纵深发展，为全国沿边开放开发提供经验和示范。

——我国面向东北亚开放的重要门户。适时推进跨境交通运输工程合作建设步伐，尽快打通东北东部铁路和公路大通道，逐步建成我国东北地区新的国际通道。

——东北亚经济技术合作的重要平台。以珲春边境经济合作区为窗口，依托长吉图产业基地，吸引域外投资者参与调整产业结构和优化产业布局，加强边境区域经济技术合作，推动建设跨境经济合作区，使长吉图区域成为东北亚地区优势互补、内外联动的有效合作载体，为构建更加开放的经贸合作区域创造条件。

——东北地区新的重要增长极。发挥区位独特、政策集成、环境容量大、资源承载力强的比较优势，做大做强特色优势产业，进一步优化区域产业分工协作，合作建设具有核心竞争力的新型工业和现代服务业、现代农业示范基地，充分发挥长吉图开发开放先导区在吉林省经济社会发展的引擎作用，提升东北地区的整体综合实力。

……

三、加快建设长吉图开发开放先导区

建设长吉图开发开放先导区，加速推进长吉图地区一体化进程，并作为一个整体参与国际合作，有利于更好地发挥长吉支撑图们江区域合作开发的直接腹地作用，是我国推进图们江区域开发开放的需要，是实现东北地区等老工业基地全面振兴的需要，是加强东北亚区域各国合作的需要。要按照统筹规划、分步推进的原则，优化空间布局、明确重点任务、加大政策支持，加快先导区建设。

（一）优化空间布局。

统筹推进长吉图开发开放，促进长吉图一体化发展，形成窗口、前沿、腹地有机联结、功能协调、有效互动的空间布局。

1. 形成分工明确的区域发展格局。

——进一步发挥珲春开放窗口作用。研究赋予珲春更加灵活的边境贸易政策，探索双边、多边合作的有效方式；加快珲春俄、日、韩和香港工业园区建设，增强边境经济合作区经济实力；推进与毗邻边境地区基础设施的合作建设，推进投资贸易和人员往来便利化。适度扩大城市规模，提升国际合作竞争力，把珲春开放窗口建设成为集边境区域性出口加工制造、境外资源开发、生产服务、国际物流采购、跨国旅游等多种对外合作形式于一体的特殊经济功能区，成为图们江区域合作开发桥头堡。

——加快提升延龙图开放前沿功能。以总体规划共制、基础设施共建、产业发展同构、公共事务同管，推进延龙图城市整合进程，强化长吉腹地与窗口之间的纽带传导功能。加快生产要素集聚，打造先进加工制造业、现代物流、旅游及高技术等产业为主体的产业体系；发挥口岸群优势，扩大经贸合作,建设延边国家级经济技术开发区；深化对日、韩、俄科技合作，加快延吉高新技术产业开发区的建设和发展，积极推进其升级为国家级高新区的工作。把延龙图建设成为图们江区域重要的物流节点和国际产业合作服务基地。

——强化长吉直接腹地支撑能力。发挥科技、人才、产业优势，打造“长东北”新区和吉林北部工业新区，加快建设长吉国家重点开发区域,成为图们江区域的资源要素集聚高地、产业和科技创新高地、国际物流枢纽中心和东北亚国际商务服务基地。长吉地区要发挥支撑图们江区域合作开发的直接腹地作用，有选择地将相关配套产业向前沿和窗口地区转移，支持和鼓励企业利用对外通道开展国际物流业。

2. 促进城镇协调发展。

提高长吉图区域城镇化水平，继续巩固长春和吉林两个特大城市核心地位，加快延龙图组合城市向大城市发展，逐步把珲春打造成为大城市，努力把区域内交通轴线的主要节点城市打造成中等城市，分步推进县城镇升级为小城市，因地制宜发展边境贸易、长白山旅游、新能源开发、资源加工、农产品加工等特色产业，加快人口向中心城镇集聚，促进区域内各类城市层次清晰、功能互补、布局合理、协调发展。

（二）加快产业提升。

以提高自主创新能力为支撑，大力推进产业结构升级，建设以现代农业和特色农业为基础、以先进制造业和现代服务业为主体的产业体系。

1. 新型工业。

要加快提升产业层次，培育壮大龙头企业，重点推进各类开发区和县域工业集中区建设，全力打造具有自主创新能力和核心竞争力的汽车、石化、农产品加工、光电子信息、冶金建材、装备制造、生物、新材料八大新型工业基地。

汽车产业。进一步支持一汽进入世界级跨国公司行列，不断增强具有自主知识产权的整车生产能力，提高整车国产化率，重点推进百万辆汽车增产、专用车基地建设、新能源汽车开发、百户专业化零部件企业集团培育等工程。

石化产业。支持中石油吉化公司积极推进石化产业向原料多元化、产品精深化、产业延伸化发展，建设吉林化学工业循环经济示范园区，突出发展基础化工、化工新材料、配套化学品、化纤纺织、生物化工、天然气化工六大产业，推进吉化千万吨炼油、百万吨乙烯工程建设。

农产品加工业。适度发展玉米深加工，提高产品附加值；农畜产品加工要向终端食品、生物保健品方向延伸，率先建立食品安全体系，争创全国知名品牌；重点开发长白山林特产品及矿泉水特色资源，向绿色食品、有机食品、高档保健品方向延伸，提高产品的国际知名度。

电子信息产业。以长春国家光电子产业基地为龙头，加快提升产业集聚度，培育和发展光显示、激光制造及加工、光电装备制造、汽车电子、电力电子及半导体器件、软件六大产业。

冶金建材产业。加强矿产资源整合，推动技术进步和产品升级，注重节能降耗和环境保护，建设新型矿产资源综合开发基地。规划建设敦化铁矿项目。

装备制造业。以中国北车集团长客股份公司为龙头，以长春轨道交通装备制造产业园、吉林风电核电装备产业园、长春和延边农机产业园为载体，发展独具特色的装备制造业。

生物产业。充分发挥区内生物医药和现代中药等产业发展优势，实施千亿元医药产业工程。重点建设长春国家生物产业基地、吉林生物高技术产业园区、敦化-延吉现代中药产业带，组织实施生物医药、淀粉化工、生物资源保护及开发利用等生物产业高技术工程。

新材料产业。依托吉林化工循环经济产业园区、长春高新区、吉林经济开发区，加强资源要素整合，提升自主创新能力，大力发展以特种纤维材料、合成树脂与改性材料、合成橡胶材料为重点的新材料产业。

2. 现代服务业。

大力提升现代服务业层次，拓宽产业领域，着力发展现代物流、特色旅游、文化创意、服务外包、商务会展以及金融保险业。

总部经济。借助东北亚博览会平台，依托长春南部新城商务区，建设长春·东北亚国际商务区。要围绕打造东北亚总部基地，积极促进国内、国际知名企业设立地区总部，引导省内知名大中企业集团设立研发、采购、营销中心等职能总部。

现代物流业。依托区域综合交通网络，支持一批物流企业做大做强，构筑长春、珲春为两极，吉林、敦化、延吉为重要物流节点，依托珲春-阿尔山、哈尔滨-大连、东部通道等交通干线，西接内蒙古、北连绥芬河及满洲里、南通大连及丹东港，形成双向流动的现代物流网络。积极引进和培育物流龙头企业，开展第三方物流，在长吉重点建设汽车、石化、农产品、建材、冶金等专业物流园区，在延龙图和珲春重点建设面向东北亚的国际物流基地。

特色旅游业。充分发挥区域内独特的旅游资源优势，以生态游、民俗游、冰雪游和边境游为主题，以长白山自然保护区、松花湖风景名胜区、净月潭森林公园为重点，突出景区升级改造、旅游资源开发、旅游设施建设，着力培育一批特色突出的高品位旅游景区，深入开发一批吸引力强的知名旅游线路，策划宣传推介一批全国一流的名牌旅游产品，建成融生态、民俗、冰雪于一体的国际知名旅游目的地和国内旅游活动中心，形成特色鲜明的长吉图旅游产业带。

文化创意产业。发挥区域内民族风情和关东历史文化特色，加强文化产业设施和基地建设，打造东北区域动漫及创意产业中心。依托长春、吉林和延边现有的文化创意产业园区，集中力量建设影视、歌舞、汽车文化、出版印刷、艺术品流通、艺术创作、展览等多功能的文化创意产业基地。

服务外包产业。充分发挥区域内高校、科研机构及企业的信息产业人才和研发优势，大力发展软件与信息服务外包，不断扩大对日、韩服务外包，积极开拓欧美市场。鼓励软件企业与高校、科研院所及国际知名软件企业合作，打造软件与信息服务外包产业集群。

商务会展业。大力培育会展主体，完善会展基础设施，健全会展业运行监管机制。积极开展国际合作，引进知名会展企业落户，围绕资源、产业、产品、文化、区位等特色优势，把“中国吉林·东北亚投资贸易博览会”、“中国长春国际汽车博览会”、“中国长春国际农业食品博览交易会”办成全国著名会展品牌。

金融保险业。积极推进地方金融机构改革，整合区域内金融资源，壮大地方金融实力，积极引进国内外各类金融、证券、保险等金融机构，拓展国际金融业务，优化区域内金融生态环境。

3. 现代农业。

以扩能力、增收入、强基础、保安全、建制度、重民生为总体要求，实施《吉林省增产百亿斤商品粮能力建设总体规划》，加快灌区改造、沃土培肥、黑土区治理、标准粮田、良种培育和推广、全程农业机械化示范、生产技术集成与普及、病虫草鼠害预防、空中云水利用等项目建设，稳步提高区域内粮食综合生产能力。实施畜牧业攻坚战略，推动畜牧业产品、质量、管理、规模全面升级。推进水产标准化健康养殖，发展特色水产品生产。实施园艺特产创业计划、棚膜蔬菜建设、人参产业振兴计划、北药现代化基地、林业产业化等特色农业发展工程。

4. 科技创新。

加大科技投入，加快推进技术创新工程，发展高新技术产业集群，促进科技成果产业化，为产业发展提供强劲支撑和动力。积极发挥省部合作平台的指导作用，依托高校、科研院所及企业，瞄准国际国内高新技术产业发展前沿和方向，针对区域内重点产业关键技术和共性技术，建设和完善产业共性技术研发平台，集中力量、联合攻关，在关键领域和核心技术研发上取得突破。企业要以提升产业竞争力为核心，围绕重点产业和技术优势领域，加强自主创新资源整合，建立自主创新体系及运行机制。建立健全政府支持、市场引导的产学研内在结合机制，完善科技中介服务体系，搭建科技成果转化服务平台，促进科技、人才优势转化为产业和经济优势。重点建设和完善一批科技创新中心、国家工程实验室、国家工程研究中心、国家和省认定企业技术中心、国家合作平台或研发中心，把长吉图建设成为全国重要的创新型区域。

……

四、积极促进长吉图与国内区域联动

在着力推进长吉图开发开放先导区内部联动发展的同时，加强长吉图区域与国内其他区域的经济联系与合作，建立区域性联合推动机制，实现资源优势互补、产业合理分工、基础设施协同共建、区域经济协调发展，全面推动中国图们江区域合作开发。

（一）加强与吉林省其他地区的有机联动。

统筹长吉图区域与吉林省其他地区的协调发展，在对外通道等基础设施建设、产业分工与布局等方面有机联动、合力推进。

加强与吉林省南部的有机联动，共同搞好东北东部通道建设，强化与辽中南城市群和辽宁沿海经济带的联系；共同推进中部引松供水工程，增强长春、四平等城市供水保障能力；推进靖宇核电项目建设，增强长吉图电力保障能力；承接长春、吉林的产业梯度转移和产业链延伸，建设汽车零部件配套基地、现代农业和农产品加工基地；合力推进长白山旅游经济带建设，共同优化旅游线路和旅游服务，壮大长白山旅游经济；共同实施松花湖、白山湖、红石湖“三湖”的水源地保护和天然林保护工程，对长白山生态环境实施一体化保护治理。

加强与吉林省北部的有机联动，共同与北部的德（惠）扶（余）榆（树）和南部的四平市打造沿哈大经济带，形成南北对外通道；加强与黑龙江口岸城市的联系，共同打造东北地区沿边开放格局；依托长吉图的产业辐射和带动，建设农产品加工基地和资源加工基地；协同搞好松花江流域综合治理。

加强与吉林省西部的有机联动。吉林市与松原市共同建设石油化工基地，形成资源开采与加工分工协作、相互融合的区域产业集群；加快吉林省“西电东送”工程进度，积极引进域外一次能源，保障长吉图电力供需平衡，逐步完善主干电网。共同治理松花江流域，加强东北防护林建设和生态治理，打造吉林省西部生态屏障。

（二）加强与东北其他地区的协同互动。

长吉图与东北其他地区的经济联系密切，特别是在沿边对外开放方面，形成了各具特色的国际合作平台。加强产业合作和基础设施对接，进一步发挥各自比较优势，在更大的范围内统筹谋划图们江区域的开发开放，有利于形成分工明确、错位发展、互利共赢、协同推进图们江区域合作开发的新格局。

完善综合交通运输网络是东北地区联动发展的重点和基础。要以运输通道和主要交通枢纽为建设重点，统筹协调铁路、公路、港口、航空各类运输方式，提高综合运输能力，构筑“一横三纵”交通综合通道布局。充分发挥白城——阿尔山、长春——白城、长春——图们铁路通道作用，建设长春——松原——白城——石头井子省际高速公路，形成连接内蒙古的横向公路运输通道；建设哈尔滨——大连铁路客运专线、适时改扩建五里坡——拉林河高速公路，形成哈尔滨——长春——大连纵向综合交通通道；建设沈阳——吉林铁路复线和荒岗——草市高速公路，形成东北东部沈阳——吉林——哈尔滨纵向综合运输通道；建设东北东部铁路和小沟岭——新开岭高速公路，形成东部沿边纵向综合运输通道。

加强沿海港与内陆港深度合作。依托南北铁路通道，改善和提升长春铁路货运口岸和吉林站现有基础条件，建设长春内陆港、吉林内陆港，利用海关跨关区快速通关等便捷通关措施将口岸功能向内陆延伸，承接大连港、营口港功能并享受相关政策，实现大连、营口沿海港和长春、吉林内陆港一体化管理。

加强煤炭、油气等能源开发利用与合作。加快石油、天然气基础设施建设，完善油气输送管道网络，研究建立区域石油天然气交易中心。改善煤炭运输条件，积极促进与内蒙古东部地区合作，规划建设大型供煤矿区。建设东北三省一区间超高压输电线路，提高电力运输效益。

统筹推进水利基础设施建设。加强防洪减灾、水资源合理配置和高效利用、饮用水安全保障、水土流失治理和水生态环境保护。加快哈达山水利枢纽等水资源调蓄重点工程建设，加强水资源统一管理，兼顾上下游用水权益，完善流域综合管理体制。

推进区域产业分工协作和优势互补。鼓励重点企业跨区域联合与重组，促进各种要素合理流动，充分发挥哈尔滨、长春、沈阳、大连等中心城市的人才和科技优势，打造东北地区高技术产业高地。

……

五、大力推进长吉图参与图们江国际区域合作

国际合作是贯穿图们江区域开发开放的主线，是实现大图们江区域共同发展的关键。在新的历史起点上推进长吉图开发开放和图们江区域国际合作，要统筹国际国内两个大局，创新对外开放观念，明确科学发展任务和目标，制定有效政策措施，健全完善协商协调机制，着重解决重大困难和问题，实现新突破新进展，逐步形成全方位、宽领域、多层次、高水平的图们江区域开发与国际合作新格局。

（一）加快建设国际大通道畅通工程。

重点实施综合交通运输基础设施合作项目，构筑贯通东北经济区的国际运输通道，提升长春龙嘉机场通关综合能力，建设国际空港物流通道。

1. 跨境基础设施合作项目建设。

积极推进珲春口岸国际商品交易中心建设，进一步完善珲春——扎鲁比诺——束草——新潟航线陆海联运。加快沿边重要口岸基础设施建设，进一步增强通关过货能力，提高口岸利用效率和经济效益。

2. 国际空港物流通道建设。

在长春龙嘉国际机场国航和南航公司两个海关监管库的基础上，完善龙嘉国际机场保税仓库及报关厅的功能，延伸国际空港物流通道功能，增加空港货物吞吐量。完善公共信息系统，以经营航空货物为特色，发挥辐射作用，建设成为东北腹地进出口空地联运中转点和配送中心、东北亚航空物流中心。强化延吉空港国际物流功能。

（二）积极推进跨境经济合作区建设。

充分发挥珲春边境经济合作区在图们江地区开发开放中的作用，尽快形成集投资贸易、出口加工、国际物流等于一体的多功能经济区。积极创造条件，逐步建设跨境经济合作区。在基本建成跨境边境合作区以及图们江区域国际大通道的基础上，探讨在珲春市建立更加开放的经贸合作区域，提高边境地区的开放合作水平。

……

六、规划实施保障

要以科学发展观为指导，从统筹东北边疆地区、民族地区加快发展和积极参与东北亚区域合作的战略高度，统筹协调、精心组织、锐意创新、务实推进，采取有效举措，保障规划实施。

（一）加强组织领导。

吉林省要切实做好本规划的落实工作，制定具体实施方案，完善工作机制，落实工作责任；要在国家有关部门的指导下，组织编制有关重点领域的专项规划，按照规划确定的功能定位和发展重

点，有序实施有关重大项目和工程。国务院各有关部门要加强沟通和协调，指导和帮助地方解决规划实施过程中遇到的实际困难和重大问题。中国图们江地区开发项目协调小组要进一步发挥指导和协调作用，搞好省部区际关系协调，代表中国政府参与大图们江区域合作开发机制等有关工作，注重研究新情况，提出重要建议，重大问题及时向国务院报告。

（二）强化政策支持。

国务院有关部门要依据本规划要求和本部门职能，在有关专项规划编制、政策措施制定及组织实施、重要生产力布局及重大项目安排、体制机制改革创新等方面给予积极支持。

——统筹安排区域内新增建设用地计划指标，支持开展城乡建设用地增减挂钩工作，盘活存量闲置土地，增加区域内建设用地增量供给，确保重大项目建设用地。

——对区域内建设项目的审批、核准、备案，给予优先支持。加大与毗邻地区交通基础设施合作项目建设的支持力度。引导和鼓励各类企业走出去开发利用境外战略资源。将区域内国际合作产业园区建设纳入双边政府间合作支持项目。支持在区域内有条件的地方研究设立海关特殊监管区域。

——交通基础设施建设、口岸建设专项资金，依据本规划对区域内重点项目、工程或企业给予重点扶持。对外经济技术合作及外贸发展基金，依据资金管理办法规定，在同等条件下对区域内重点项目、工程和企业给予优先考虑。有关图们江地区国际合作项目可按规定程序申报亚洲区域合作专项资金。

——继续推进区域内资源型城市经济转型工作，在重大项目布局、示范试点安排以及扶贫帮困等方面给予重点倾斜。

——支持吉林省开展组建图们江合作开发股份银行前期研究工作，条件成熟时按有关程序报批。研究建立图们江区域合作开发信托基金，引进创业投资、股权基金和项目融资机构，鼓励境外金融机构在该区域内设立机构。

——制定相关政策，创新人才使用机制，优化人才发展环境，加大对图们江区域的人才支持力度，鼓励与发达省份开展人才交流，引进具有国际化视野的高层次经营管理和企业家领军人物及团队；推进人才队伍建设和人力资源市场建设，培养高技能、实用型高级产业人才以及金融、商务、物流等现代服务业紧缺人才。

……

国务院办公厅关于应对国际金融危机保持西部地区经济平稳较快发展的意见

国办发〔2009〕55号

各省、自治区、直辖市人民政府，国务院各部委、各直属机构：

今年以来，西部地区按照党中央、国务院的统一部署，全面落实应对国际金融危机的一揽子计划和相关政策措施，各项工作取得积极成效，经济企稳向好的势头日趋明显。但西部地区经济总量小，产品处于产业链低端，生产方式比较粗放，自我调整能力弱，目前经济回升的基础还不稳定、不巩固、不平衡。有效应对国际金融危机的冲击，保持西部地区经济平稳较快发展的良好势头，是坚定不移地深入推进西部大开发的客观需要，是贯彻落实科学发展观、构建社会主义和谐社会的必然要求，对于扩大国内需求、挖掘发展潜力、拓展回旋空间，促进全国区域协调发展具有重要的战略意义。西部地区要坚定信心，抓住国家扩大内需的机遇，更加注重推进结构调整，更加注重保障和改善民生，更加注重深化改革开放，化解国际金融危机影响，继续保持经济平稳较快发展。经国务院同意，现提出以下意见：

一、加强基础设施建设，打牢长远发展基础

扩大铁路网规模。加强西部铁路客运专线、区际通道和“三西”煤运通道建设。强化既有线路扩能改造，加快神朔线扩能改造和兰渝、南广、贵广、太中银等一批重点铁路建设。开工建设西安至宝鸡客运专线、西安至安康铁路增建二线等。

加快干线公路网和水运基础设施建设。推进银川至武汉、西安至合肥等8条西部开发干线公路建设。开工建设连霍高速安西至星星峡段、库尔勒至西宁西部通道敦煌至当金山口段等重点公路。加强西部地区国省道改造，继续实施西部地区乡村“畅通工程”和“通达工程”，重点解决乡镇、行政村通公路和乡镇通沥青（水泥）路问题。继续开展农村乡镇客运站、农村公路渡口码头改造和渡改桥等专项建设。进一步推进长江黄金水道、北部湾沿海港口等水运基础设施建设。

加快枢纽机场和支线机场建设。加快推进西安、成都、重庆等区域枢纽机场改扩建，以及阿尔山、固原、吐鲁番等支线机场建设。完善干线机场功能，新开工建设一批支线机场，积极促进支线航空发展。

大力推进实施重点水利工程。继续推进病险水库除险加固和防洪工程建设，支持“润滇”、“泽渝”、“兴蜀”、“滋黔”等水源工程建设。加大四川都江堰、宁夏青铜峡、内蒙古河套等大型灌区续建配套与节水改造力度。开工建设四川亭子口、内蒙古海勃湾、西藏旁多等水利枢纽工程。

推进能源基础设施建设。加快西气东输二线、骨架电网、农村电网改造等重点基础设施项目建设，完善西电东送电网。推进宁东等大型煤电基地建设，尽快竣工投产发挥效益。

加强城镇、信息等基础设施建设。加快重庆、成都、西安等西部中心城市轨道交通建设。加快推进城镇污水、垃圾处理设施建设。做好电信基础设施共建共享，大力推进第三代移动通信网络建设。推动西部地区统一电子政务网络建设。

做好重点项目储备和前期工作。抓紧做好中亚、泛亚、南亚等国际运输通道规划研究。加快国家高速公路、西安—成都和重庆—贵阳—南宁等铁路通道以及中国至周边国家（地区）铁路通道前期工作步伐。推进陆上能源资源战略安全大通道建设。开展引汉济渭、重庆观景口、新疆布尔津河西水东引一期工程、卡拉贝利水利枢纽工程等项目前期工作。

二、加大环境保护和生态建设力度，促进建设资源节约型和环境友好型社会

巩固退耕还林、退牧还草成果。组织实施好巩固退耕还林成果规划，落实基本口粮田、农村能源、生态移民、后续产业发展、补植补造和退耕农户培训等各项措施，解决退耕农户当前困难和长远生计问题。做好荒山荒地造林工作。完善退牧还草政策，加快实施退牧还草工程，扩大实施范围，加强人工饲草地、牧区水利和棚圈建设，以建促退推动草畜平衡和舍饲圈养。

继续推进重点生态工程建设。扎实推进三北防护林、京津风沙源治理、天然林保护、青海“三江源”自然保护区建设、甘肃石羊河流域综合治理、甘肃甘南黄河重要水源补给区生态保护与建设等重点工程。抓好黑河、塔里木河流域综合治理，推动黄河、长江中上游水土保持和黄土高原淤地坝建设。加快编制祁连山水源涵养区、青藏高原东南缘生态环境保护与建设规划。加大云南迪庆两江流域生态保护力度。推进石漠化水土流失治理。

强化环境综合治理。加大丹江口库区及上游、三峡库区、黄河中上游、滇池等重点流域、区域水污染防治力度，继续开展排污权有偿使用和交易试点。做好环境监测，加强农村环境综合治理和工业污染治理。深化第二批国家循环经济示范试点，支持建设一批循环经济重点项目，全面推行清洁生产，加快淘汰和关闭浪费资源、污染严重和不具备安全生产条件的企业。加强地质灾害防治，积极推进矿山地质环境恢复治理和重点地区土地开发与复垦。推进灾区建筑废弃物等资源化。

三、调整产业结构，转变经济发展方式

加快发展特色农业。积极改造中低产田，大力发展旱作农业、节水农业。启动坡耕地水土流失综合治理工程，建设一批高标准基本农田。加强四川成都平原、陕西关中平原、内蒙古河套地区、宁夏沿黄地区、甘肃河西走廊等粮食生产能力建设。积极推进优质棉、糖料、油料、烟叶、水果、花卉、茶叶、蚕桑、马铃薯、畜产品、中药材、天然橡胶等生产基地建设，建成一批农产品加工示范基地，培育一批带动力强的龙头企业。支持陕西杨凌农业高新技术产业示范区、甘肃天水航天育种示范区和广西、云南亚热带农业示范区建设。扶持优质农产品生产基地建设和农业产业化龙头企业发展，提高产业化水平，加强农业农村先进实用技术转化应用和科技服务。

推进工业优化升级。组织实施和认真落实国家重点产业调整和振兴规划。积极发展技术引领型产业，提高航天航空、现代装备制造、电子信息、国防科技、新能源、新材料等产业发展规模和水平，推动陕西阎良民用航空、甘肃金昌新材料、四川成都生物、德阳重大装备制造等高技术产业基地建设。优化发展资源利用型产业，促进能源化工及矿产资源加工业集约发展，提高资源综合利用水平。建成新疆独山子石化1000万吨炼油、100万吨乙烯项目，加快长庆、涩北等一批重点油气产

能建设。逐步建设鄂尔多斯、塔里木、准噶尔、柴达木、四川盆地石油天然气的开发、综合利用和外输基地。进一步加大企业技术改造步伐，提升技术水平和产品竞争力。

提升自主创新能力。加强在西部地区部署国家科技基础设施，继续建设一批国家级重点实验室、工程技术研究中心。支持科研院所、企业承担国家重大科技专项，围绕西部地区面临的共性关键问题开展科技攻关。继续保持和加大对西部高新区的政策支持力度，扶持科技型中小企业发展。发挥国防工业科技优势，鼓励军民结合、军地结合，支持绵阳科技城发展。

提升现代服务业发展水平。加强旅游基础设施建设，完善旅游区基础设施，积极发展自然生态旅游、乡村民俗旅游，培育和开发一批精品旅游景区线路。继续推进“农产品批发市场升级改造”、“万村千乡市场工程”、“双百市场工程”及农村商务信息服务工程。积极培育电子商务服务业，着力发展文化、会展、创意等现代服务业，加快发展服务外包。加大地方金融资源整合力度，大力完善地方法人银行机构的公司治理，鼓励股份制商业银行和外资银行到西部地区设立分支机构。完善中小企业融资担保体系，推动村镇银行等农村新型金融机构发展，扩大西部地区农村小额贷款覆盖面。

引导产业有序转移。发挥东部地区资金、技术、人才、管理优势和西部地区资源、市场、劳动力优势，引导东部地区产业向西部地区梯度转移。依托交通干线、枢纽，选择一批具备一定基础条件的城市开展承接东部地区产业转移试点，推动建立承接产业转移的示范园区和东西部地区互动产业合作示范园区。严把产业政策关、环境保护关和资源集约利用关，防止落后产能向西部地区转移。研究制定中西部地区承接产业转移的具体政策。国家审批、核准的重大产业项目优先在西部地区布局。

四、加强民生工程建设，促进社会和谐

加快保障性安居工程建设。加快城市廉租住房建设，加大国有林区（场）、垦区、矿区棚户区、城市棚户区以及中央下放地方煤矿棚户区的改造力度。扩大游牧民定居工程和农村危房改造试点范围，加快完成边境一线地区茅草房、危房改造。推进边远地区乡镇教师、医务人员周转房建设。

改善农村生产生活条件。增加农村基础设施投入，逐步取消公益性建设项目县及县以下资金配套。力争用2～3年时间，基本解决西部地区农村人口饮水安全问题。到2010年基本实现乡镇通沥青（水泥）路、建制村通公路。加快发展小水电代燃料及农村沼气。完善农产品市场体系，支持西部地区大宗农副产品批发市场、集贸市场等流通基础设施建设，推动连锁经营向农村延伸。建立农村客运政策性补贴制度。

加大扶贫开发力度。继续增加扶贫资金投入，落实对低收入人口全面实施扶贫政策的措施。加大整村推进力度，提升产业化扶贫水平，积极稳妥地推进移民扶贫工作，提高农村贫困人口的自我发展能力。优先支持革命老区、民族地区、边疆地区扶贫开发，加大对特殊类型贫困地区扶持力度。制定农村最低生活保障制度与扶贫开发政策有效衔接办法。

做好农民创业就业工作。在总结四川南充、甘孜和甘肃甘南等地试点工作经验的基础上，选择部分条件成熟的县（市），扩大农民创业促进工程试点范围。加强农村劳动力转移就业服务和职业技能培训体系建设，继续实施农村劳动力技能就业计划、农村劳动力转移培训阳光工程、星火科技培训、雨露培训计划。引导农民有序外出就业，鼓励农民就地就近就业，扶持农民工返乡创业，提

高非农收入。

五、加快社会事业发展，提高基本公共服务水平

优先发展教育。进一步普及巩固九年义务教育，继续支持并尽快完成西部地区剩余42个县的“两基”攻坚任务。争取3年内基本解决农村“普九”债务问题。支持民族地区“双语”教育。继续实施农村初中校舍改造工程和中小学校舍安全工程，加大危房改造和农村寄宿制学校建设力度。加快发展农村中等职业教育，改善办学条件，加强基础能力建设，逐步实行中等职业教育免费。基本实现每个地级市和30万人口以上的县有1所独立设置的特殊教育学校。继续支持高等教育发展，逐步提高西部高等教育资源短缺地区的高考录取率。

提高基本医疗卫生服务水平。积极推进医疗卫生体制改革，优化区域卫生规划，加强公共卫生服务体系建设，在县医院标准化等医疗卫生专项建设经费中给予西部地区更大倾斜。大力发展中医药和民族医药。巩固和发展新型农村合作医疗，扩大参合农民受益面，提高受益程度。加强重大疾病、地方病预防控制和突发公共卫生事件处置等工作。加快妇幼卫生、基层计划生育服务体系建设，稳定低生育水平，扩大少生快富工程实施范围。

完善基层公共文化服务体系。加快广播电视村村通、乡镇综合文化站、西新工程第四期、全国文化信息资源共享、流动舞台车和农村电影放映等工程建设，提高县级文化馆、图书馆等级标准。做好西部地区自然遗产、非物质文化遗产和大遗址保护，加强重点文物保护工程等建设。加强抢救性文物、历史文化名城名镇名村等保护工作。继续实施农民体育健身工程。

提高就业和社会保障水平。落实促进高校毕业生、农民工和困难群体就业的政策，努力提高就业水平。进一步扩大各项社会保险覆盖范围，加强基本养老服务体系建设，启动新型农村社会养老保险试点，全面建立被征地农民社会保障制度，实行先保后征。提高优抚对象抚恤补助标准，适当提高城市低保标准和补助水平。

加大人才开发力度。进一步完善西部地区人才开发政策措施，建立健全吸引人才、留住人才、用好人才的体制机制。采取多种形式，积极培养一批农村实用人才、专业人才和高层次人才等西部开发急需的各类人才。鼓励和支持设立不同层次、多种形式的西部人才开发资金渠道。积极引进智力，大力吸引海内外高层次人才到西部地区创业。增加中央财政资金投入，对长期坚持在基层工作的教师、医务人员给予奖励，对符合国家有关政策的支援西部边远贫困地区的教师、医务人员给予资助。完善干部交流机制，引导人才向西部地区流动，鼓励社会志愿者到西部基层服务。

六、统筹区域发展，积极培育经济增长极

推动重点经济区率先发展。积极推进成渝、关中—天水、广西北部湾等重点经济区成为引领和带动西部大开发的战略高地。加快重庆、成都统筹城乡综合配套改革步伐，推动关中—天水经济区率先构建创新型区域，支持西安建设统筹科技资源改革示范基地。推动广西北部湾地区开发开放，加快国家高新技术产业带建设。积极推进广西钦州、重庆两路寸滩保税港区建设。研究设立西安陆港型综合保税区的可行性。开展成渝经济区、陕甘宁革命老区、内蒙古呼包鄂、新疆天山北坡等重点地区发展规划编制工作。积极推进跨区域城市一体化建设，加快成渝城乡一体化以及西安—咸阳、乌鲁木齐—昌吉等城市一体化进程，引导各类要素跨区域合理流动。

引导资源富集区可持续发展。抓紧在青海柴达木、内蒙古鄂尔多斯、四川攀枝花、新疆准噶尔、贵州六盘水等资源富集区开展循环经济区试点，推进资源有序开发。加大矿产资源勘探力度，形成一批能源、矿产资源重要接替区。加快甘肃白银、宁夏石嘴山、云南个旧、陕西铜川、重庆万盛区等资源枯竭城市转型。研究制定资源富集区可持续发展指导意见。

加快少数民族地区和革命老区发展。认真落实党中央、国务院关于支持西藏、新疆、宁夏以及青海等省藏区经济社会发展的政策措施。加大对贵州南部、广西北部、云南东部以及新疆南疆三地州、武陵山区、川北地区、甘南地区等集中连片特困民族地区发展的支持力度，探索开发模式。支持发达地区与少数民族地区开展劳务输出对口支援工作。加大对人口较少民族地区发展的扶持力度，扶持一批特困人口集中的民族自治县发展县域经济。进一步推进兴边富民行动计划，组织编制边境地区开发开放规划。增强革命老区自我发展能力，重点解决好革命老区的交通、水利、教育、卫生等突出问题，鼓励依托能源、矿产、农业、红色旅游等优势，发展特色优势产业。开展《陕甘宁革命老区振兴规划》编制前期工作。

推动重点边境城镇跨越式发展。加快重点边境口岸城镇建设步伐，完善边境经济合作区功能，扩大边境互市贸易规模，提高出口加工水平。积极推动广西东兴、云南瑞丽、新疆伊宁、内蒙古满洲里进一步扩大开放，加强与周边国家和地区的资源能源开发利用合作，建成沿边开放的桥头堡。

七、深化改革开放，构建对内对外开放新格局

推进体制机制改革。切实转变政府职能，减少和规范行政审批，提高行政效率。强化社会公共管理和服务，构建责任型政府和服务型政府。加快非公有制经济发展，优化发展环境，提高其在国民经济中的比重。加快国有经济布局和结构调整，深化国有企业改革，积极培育大企业、大集团。加快推进资源税改革，进一步完善矿产资源补偿费中央与地方的分配关系。研究建立生态补偿机制，先期在青海“三江源”等大江大河源头区、生态位置极为重要的区域开展生态补偿试点，建立国家生态保护综合试验区。进一步完善西部大开发长期稳定的资金渠道。

加强东中西部地区互动。坚持政府推动、市场运作、机制创新、互利共赢的原则，鼓励东中部地区设立各类区域合作专项资金，促进各类生产要素合理流动。推动东西部地区共建长期稳定的能源及矿产资源开发基地。建立和完善各类跨行政区的区域经济协作组织和行业性组织。继续建设好东西部合作与投资贸易洽谈会、西部国际博览会等东西部地区互动平台。积极推动东部发达地区对口帮扶西部贫困地区工作。加快建立健全区域协调互动机制，形成东中西部地区协调互动、相互促进、共同发展的新格局。

开展对外经济交流与合作。加大引进国际产业资本和金融资本力度，提高西部地区利用外资的质量和水平，支持国际资本通过创业投资基金、股权投资基金投资符合国家政策导向的重点项目和企业。实施“走出去”战略，引导、鼓励和支持西部地区企业积极参与对外投资、对外承包工程和对外劳务合作。充分利用国际区域合作组织的平台作用，广泛参与大湄公河次区域经济合作和中亚区域经济合作。建立中亚投资经贸合作示范中心，加快霍尔果斯国际合作中心、凭祥综合保税区建设。大力发展边境贸易，积极探索边境地区开发和对外开放的新模式。

八、加快地震灾区灾后重建，全面完成规划任务

全面推进民生工程恢复重建。实施好《汶川地震灾后恢复重建总体规划》。优先保障灾区群众的住房建设，2009年底基本完成农村居民住房重建任务，全面启动城镇住房重建工作。抓好学校、医院等公共服务设施的恢复重建。重视解决边远贫困地区群众的困难。

加快基础设施和产业恢复重建。优先安排干线公路、农村公路、县乡公路客运站、通信、电网和供电设施等建设，积极推进农村饮水和新建城镇水源工程建设。加强地质灾害防治和生态修复，做好受损堤防、水库的除险加固和堰塞湖治理，确保汛期防洪安全。结合群众就业推进产业重建，加快农业生产设施和农产品市场恢复，促进旅游业振兴。

加强综合协调。完善综合协调机制，切实解决灾后恢复重建工作中的重大问题。加强督促检查，落实财税、金融、土地、环保、产业等方面政策。统筹用好政府投入、对口支援、社会募集、国外优惠紧急贷款、企业自筹等资金，提高资金使用效益，确保工程质量。完善对口支援实施方案，做好项目、资金、物资等衔接工作。完成灾后恢复重建总体规划中期评估，根据实际及时调整、充实和完善，开展灾区长期稳定发展规划研究。

九、加大投入力度，落实组织保障

继续加大政策支持力度。中央资金投入要继续向西部地区倾斜，逐步增加对西部地区一般性转移支付和专项转移支付。中央扩大内需新增投资继续向西部地区倾斜，重点投向西部地区民生工程、基础设施、生态环境和灾后恢复重建等领域，增加投资规模，优化投资结构，促进西部地区经济社会平稳较快发展。充分发挥中央和地方两个积极性，通过政府投入带动银行贷款和社会投资，引导民间资本投向符合国家产业政策的项目。

狠抓政策和工作落实。国务院西部地区开发领导小组各成员单位要结合实际，按照职能分工，切实落实好各项任务。发展改革委要积极做好综合协调，完善西部大开发的政策措施，研究解决西部大开发的重大问题，推动西部地区经济社会平稳较快发展。

国务院办公厅

二〇〇九年九月三十日

国家发展改革委关于印发
黄河三角洲高效生态经济区发展规划的通知

发改地区〔2009〕3027号

山东省人民政府，国务院各部委、各直属机构：

根据《国务院关于黄河三角洲高效生态经济区发展规划的批复》（国函〔2009〕138号）精神，现将《黄河三角洲高效生态经济区发展规划》（以下简称《规划》）印发你们，并就有关事项通知如下：

一、黄河三角洲位于渤海南部的黄河入海口沿岸地区，土地资源优势突出，地理区位条件优越，自然资源较为丰富，生态系统独具特色，产业发展基础较好，具有发展高效生态经济的良好条件。加快这一地区发展对于推进发展方式转变、促进区域协调发展和培育新的增长极具有重要意义。要认真领会国务院对《规划》的批复精神，把《规划》实施作为应对国际金融危机、贯彻区域发展总体战略、保护环渤海和黄河下游生态环境的重大举措，把生态建设和经济社会发展有机结合起来，促进发展方式根本性转变，推动这一地区科学发展。

二、请山东省人民政府做好《规划》的组织实施工作，认真落实《规划》提出的各项任务，确保《规划》目标的实现。要加强《规划》实施的组织领导，制订具体方案，明确工作分工，完善工作机制，落实工作责任。要按照《规划》确定的功能定位、空间布局和发展重点，制定和调整相关专项规划，切实加强生态建设和环境保护，有序推进重点项目建设。要进一步加大对黄河三角洲高效生态经济区的支持力度，推动产业集聚，提升发展实力。要根据《规划》提出的原则和方向，创新合作方式，加强与周边地区特别是天津滨海新区和辽宁沿海经济带的紧密合作。

三、请国务院有关部门结合各自职能，从促进全国区域协调发展和保护环渤海、黄河下游生态环境的战略高度，进一步加强对黄河三角洲高效生态经济区建设的支持和指导。要按照《规划》要求，制定和完善本部门支持黄河三角洲高效生态经济区发展的政策措施，做好与相关专项规划的衔接，在资金安排、项目布局、体制创新等方面给予积极支持。要加强部门之间的沟通协调，指导和帮助地方解决《规划》实施过程中遇到的困难和问题，为促进黄河三角洲高效生态经济区发展创造良好的政策环境。

四、我委将按照国务院批复精神，对《规划》实施情况进行跟踪分析、督促检查，加强与国家总体规划及相关专项规划的衔接，会同山东省人民政府组织开展《规划》实施评估，及时向国务院报告实施情况。

国家发展改革委

二〇〇九年十二月二日

黄河三角洲高效生态经济区发展规划（节选）

国家发展改革委

二〇〇九年十二月

前 言

黄河三角洲位于渤海南部的黄河入海口沿岸地区，在环渤海地区发展中具有重要的战略地位。国家高度重视黄河三角洲可持续发展，在国民经济和社会发展“十五”计划、“十一五”规划纲要中明确要求这一地区大力发展高效生态经济。在新的历史条件下，为进一步推进黄河三角洲高效生态经济发展，完善全国沿海经济布局，特制定黄河三角洲高效生态经济区发展规划。

本规划的范围包括山东省的东营市、滨州市，潍坊市的寒亭区、寿光市、昌邑市，德州市的乐陵市、庆云县，淄博市的高青县和烟台市的莱州市，共19个县（市、区），陆地面积2.65万平方公里。本规划是指导黄河三角洲地区今后一个时期发展改革的行动纲领和编制相关专项规划的依据。

规划的近期目标到2015年，远景展望到2020年。

一、发展背景

经过多年的开发与保护，黄河三角洲地区经济社会发展取得巨大成就，生态建设和环境保护成效显著，已具备发展高效生态经济的良好基础，具有在新的起点上进一步实现科学发展、建设生态文明的优势条件，也面临重大机遇和挑战。

（一）发展优势

土地资源优势突出。土地后备资源得天独厚，目前区内拥有未利用地近800万亩，人均未利用地0.81亩，比我国东部沿海地区平均水平高近45%。未利用地集中连片分布，其中盐碱地270万亩，荒草地148万亩，滩涂212万亩，另有浅海面积近1500万亩，黄河冲积年均造地1.5万亩，随着沿海风暴潮防护体系的建设和完善，土地后备资源还将逐步增加，具有吸引要素集聚、发展高效生态经济的独特优势。

地理区位条件优越。位于京津冀都市圈与山东半岛的结合部，与天津滨海新区最近距离仅80公里，和辽宁沿海经济带隔海相望，是环渤海地区的重要组成部分，向西可连接广阔中西部腹地，向南可通达长江三角洲北翼，向东出海与东北亚各国邻近，具有深化国际国内区域合作、加快开放开发的有利条件。

自然资源较为丰富。有已探明储量的矿产40多种，其中石油、天然气地质储量分别达50亿吨和2300亿立方米，是全国重要的能源基地。地下卤水静态储量约135亿立方米，岩盐储量5900亿吨，是全国最大的海盐和盐化工基地。海岸线近900公里。风能、地热、海洋等资源丰富，具有转化为经济优势的巨大潜力。

生态系统独具特色。处于大气、河流、海洋与陆地的交接带，是世界上典型的河口湿地生态系统，多种物质和动力系统交汇交融，陆地和淡水、淡水和咸水、天然和人工等多类生态系统交错分布，具有大规模发展生态种养殖业、开展动植物良种繁育、培育生态产业链、发展生态旅游的优越条件。

产业发展基础较好。经过多年的开发建设，形成了一批竞争力较强的支柱产业、实力雄厚的骨干企业和市场占有率较高的知名品牌。原油、原盐、纯碱、溴素、金矿等产量分别达到2774万吨、2222万吨、220万吨、18万吨和19吨，占全国的15%、37%、12%、85%和6%，原油一次加工能力、石油装备制造业产值、黄金加工量、纺织和造纸生产能力分别达到4650万吨、435亿元、90吨、1600万纱锭和398万吨，占全国的11%、40%、32%、17%和5%。高技术产业发展势头良好，形成了一批国家循环经济示范园区和示范企业。县域经济发展迅速，特色产业初具规模。

（二）机遇挑战

当前，黄河三角洲高效生态经济发展面临着良好机遇。经济全球化和区域经济一体化深入发展，国际国内合作交流不断加强，产业转移步伐加快，为黄河三角洲壮大特色优势产业、提升发展水平提供了有利条件；国家高度重视黄河三角洲开发建设，加大对高效生态经济发展的支持和指导，为黄河三角洲又好又快发展创造了良好的政策环境；我国正处于发展方式转变和经济结构转型的关键时期，发展高效生态经济，推进生态文明建设，为黄河三角洲资源综合开发利用和可持续发展带来了前所未有的机遇。

同时，黄河三角洲区域经济发展的结构性矛盾和深层次问题仍然存在，经济社会与人口、资源、环境协调发展的任务繁重，发展高效生态经济面临着较为严峻的挑战。重大交通基础设施相对滞后，港口建设规模较小、功能较弱、配套能力不强，缺少疏港铁路及与周边区域连接贯通的干线铁路，内联外接的高速公路网络尚未形成；产业结构层次偏低，传统农业比重大，工业技术含量偏低，服务业发展滞后；成陆时间较短，生态环境比较脆弱，淡水资源相对贫乏，近海地区生态保护及堤防修复压力较大；大企业嵌入式特征明显，开放型经济发展滞后。

……

二、总体要求

（一）指导思想

高举中国特色社会主义伟大旗帜，以邓小平理论和“三个代表”重要思想为指导，深入贯彻落实科学发展观，以资源高效利用和生态环境改善为主线，着力优化产业结构，着力完善基础设施，着力推进基本公共服务均等化，着力创新体制机制，率先转变发展方式，提高核心竞争力和综合实力，打造环渤海地区具有高效生态经济特色的重要增长区域，在促进区域可持续发展和参与东北亚经济合作中发挥更大作用。

（二）发展原则

坚持生态优先，实现可持续发展。牢固树立生态文明观念，在保护中开发，科学确定区域功能定位和产业空间布局，积极发展园区经济，大力发展高附加值产业和高端产品，维护渤海湾和黄河下游流域生态安全。

坚持统筹兼顾，推进一体化发展。实行区域发展统一规划、陆地海洋统一布局、重要资源统一管理、重大基础设施建设统一推进，发挥比较优势，促进生产要素合理流动和优化配置。

坚持互利共赢，促进共同发展。加快与天津滨海新区、辽宁沿海经济带及山东半岛在重大基础设施建设、产业发展、企业合作等方面的全面对接，提升区域合作层次和水平，促进环渤海地区互动并进、共同繁荣。

坚持改革开放，推动创新发展。着力构建有利于高效生态经济发展的体制机制，全方位拓展对外开放的广度和深度，为区域可持续发展提供制度保障和市场空间。

……

三、空间布局

依据总体功能定位和资源环境承载能力，统筹考虑生态保护、经济布局和人口分布，优化空间结构，形成核心保护区、控制开发区和集约开发区合理分布的总体框架。

（一）核心保护区

主要包括自然保护区、水源地保护区和海岸线自然保护带，约占区域面积的14%左右。要严格限制各类开发建设活动，稳定生态系统结构，维持生物多样性等生态服务功能，构筑生态安全屏障。

自然保护区。要结合主体功能区规划编制，调整核定保护区面积，实行严格的环境保护制度，加大投入力度，完善保护区管理体制，引导人口有序转移，促进自然保护区生态环境良性发展，实现污染物“零排放”，重点发展生态旅游业，适度开发绿色食品。

水源地保护区。对河流源头、沿岸水源涵养区和水库库区实行强制性保护，加快实施流域综合治理，加强库区周边植被修复与保护，严禁发展有污染的产业，合理安排城镇建设，严格控制人口规模。

海岸线自然保护带。合理划分海岸线功能，保护海域资源，实施集中集约用海，搞好浅海护养，加强人工造林，重点发展滨海旅游、生态旅游、绿色种植、健康养殖等产业。

……

（二）控制开发区

主要包括沿海岸线的浅海滩涂、高效生态农业区以及黄河现行和备用入海流路。综合开发利用滩涂资源，因地制宜发展农副产品生产和加工、观光休闲农业等产业，在资源环境承载能力相对较强的特定区域，适度发展低消耗、可循环、少排放的生态工业。

浅海滩涂。充分考虑区域生态环境相对脆弱的特点，适度发展养殖业，有序发展原盐业，加快发展滨海旅游业，合理开发海水资源、滩海油田和风能，严禁发展重化工业。

高效生态农业区。按照优质、高效的原则，着力发展生态农业，合理利用渔业林业畜牧业生产空间，促进农产品生产向优势产区集中，提高农业综合生产能力，严格保护基本农田，加强农田水利工程设施建设，支持黄河三角洲荒碱地综合治理，有计划地对荒碱地进行开发治理及改造中低产田。到2015年，治理荒碱地100万亩，改造中低产田300万亩，发展节水灌溉面积250万亩。

黄河入海流路区。在黄河现行流路区严格限制生产建设活动。在备用流路区控制城镇建设和人口迁入居住，实行依法有序利用。

……

四、加强生态建设和环境保护

按照建设生态文明的要求，切实加强生态建设，加大环境保护力度，节约集约利用资源，推进资源节约型、环境友好型社会建设，全面增强区域可持续发展能力。

（一）推进生态建设

加强生态林、自然保护区、水源涵养区、重要地质遗迹、湿地、草地、滩涂和生物物种资源的保护，维护生物多样性和植物原生态，恢复和增强生态服务功能。加强沿海防护林体系工程建设，完善基干林带，实施泥质海岸防护林封育试点。构筑近海生态防护屏障，促进渤海湾生态环境改善。加快水系林网、道路林网和农田林网建设，因地制宜推进连片成片造林，推行林经间作和枣粮间作。实施城乡绿化和水系整治，加强城市园林绿化建设，建设优良人居生态环境。加强对水源地保护区、矿区地面塌陷区、落地油污染区、海（咸）水入侵区等生态脆弱区和水土流失、海沙开采退化区的综合治理。适度增加黄河口生态用水指标，保持河口地区生态平衡。逐步完善生态环境补偿机制。建设海洋自然保护区和特别保护区，实施典型海洋生态系统修复示范工程。到2015年，国家级自然保护区全部达到规范化建设要求，东营、莱州、寿光、昌邑、邹平、博兴、乐陵等基本达到生态市（县）建设标准。

（二）强化环境保护

坚持预防为主、综合治理，严格执行环境保护标准和污染物排放总量控制制度，加强环境共同保护、共同治理，切实提高环境承载能力。加快城市（镇）垃圾、污水集中处理设施建设，加强对已建成污染处理设施的运行监管。加大工业治污力度，依法关停超标排放企业，杜绝工业污染向农村地区转移。加强农村环境保护，以畜禽养殖污染、土壤污染、农村生活垃圾污染治理为重点，有效控制农村面源污染。加大重点河流污染治理力度，加强小流域综合治理。完善生态环境监测预警和监督执法体系，落实污染物减排考核和责任追究制度。加强对海洋工程、海上油气勘探开发及海洋倾废的环境保护监管，实施海洋环境监测预警预报工程。探索建立排污权有偿使用和排污权交易市场。力争到2015年，重点行业及年耗能5000吨标煤、年取水30万立方米以上的重点企业70%开展清洁生产审核；城市生活垃圾无害化处理率和饮用水源地达标率分别达到90%、98%。

……

五、构建高效生态产业体系

按照生态建设和经济发展协调推进的要求，充分发挥区位和资源优势，推动产业结构优化升级，形成以高效生态农业为基础、环境友好型工业为重点、现代服务业为支撑的高效生态产业体系。

（一）加快发展高效生态农业

按照高效、生态、创新的原则，大力发展现代农业和节水农业，建设全国重要的高效生态农业示范区。到2015年，粮食总产量达到700万吨，畜产品210万吨，水产品200万吨，蔬菜980万吨。

绿色种植业。实施引进、试验、示范、繁育与推广工程，推广立体高效农业、生物质能多层次利用和多能互补等技术，积极发展耐碱、耐旱、节水、优质、高产、生态、安全种植业。加大中低产田改造力度，推进连片规模开发、集约高效发展。完善良种引进—工厂化繁育—种植—加工—保鲜—销售产业链，提高种植业标准化生产水平，建设全国重要的优质粮棉、特色果蔬生产加工出口、经济林草基地。

生态畜牧业。发挥牧草资源丰富的优势，集约化规模化发展奶牛、肉牛、肉羊、肉鸭等畜牧业，加强动物疫病防治，建成一批特色养殖基地。规划改良天然草场和规模较大的饲料粮种植区，配套建设畜禽加工和生产安全保障设施，支持现代畜牧业示范园建设，打造饲草种植—饲料加工—畜禽养殖—奶业—屠宰加工—冷藏—销售产业链，促进农工贸一体化、产供销一条龙发展，推动循环种养、生态养殖和绿色能源建设有机结合。

生态渔业。重点发展水产增殖业、健康养殖业和精深加工，大力发展远洋渔业和休闲渔业。实施渔业资源修复行动计划，保护近海滩涂主要经济生物资源，加大水域环境管理与治理力度，有效恢复渔业生态。加快浅海滩涂和沿黄盐碱涝洼地规模化开发，推进优势特色水产品标准化生产，建设环渤海地区重要的水产品物流贸易中心。加强渔政渔港设施建设，发展渔港特色经济。

……

（二）积极发展环境友好型工业

坚持走新型工业化道路，以园区为载体，大力发展循环经济，提升产业整体素质，促进产业集群化发展。到2015年，规模以上工业增加值达到6000亿元。

高技术产业。加强创新能力建设，大力发展电子信息、生物工程、新材料等产业，培育海洋生物医药、海洋功能食品、海洋工程材料、海水综合利用等海洋高技术产业，加快形成一批高成长、带动能力强的骨干企业，开发一批具有自主知识产权的核心产品，建设以新型油田化学品、盐化工为特色的新材料产业基地。支持东营软件产业、莱州和寿光种业发展。

装备制造业。着力提高研发系统设计、加工制造、系统集成和关键总成技术整体水平，壮大产业规模，培育优势品牌，形成技术先进、竞争力强的装备制造业体系。石油装备，依托优势企业，加强技术引进和自主创新，提高石油成套设备研发能力，开发生产系列配套产品，重点发展石油钻采装备和石油工程技术服务，形成集研发制造服务于一体的石油装备高端产业链，着力打造特色鲜明、技术高端、国内一流的石油装备产业基地。在东营设立国家石油装备工程技术研发中心。加强协作配套，提高汽车发动机、关键零部件技术水平，壮大产业集群，打造全国重要的汽车零部件生产基地。按照“专、精、特”的要求，积极发展船舶及海洋工程装备配套设备和船舶维修等。加快发展纺织装备、通用飞机及零部件、工程机械、体育装备器材和风力发电、海水淡化、输变电设备等制造业。

轻纺工业。加快装备更新、工艺革新和产品创新，严格控制污染，提升纺织、造纸工业技术含量和产品附加值，建设全国重要的轻纺工业基地。开发时尚、健康、个性化高档家纺服装产品，培育自主品牌，促进棉纺、化纤、织布、印染、家纺、服装配套发展。因地制宜推进林浆纸一体化，积极发展生态造纸。

……

六、强化基础设施支撑

加强基础设施一体化建设，形成配套完善的水利设施、快捷畅通的交通网络和安全清洁的能源保障体系，增强发展高效生态经济的支撑能力。

（一）加强水利设施建设

加快防风暴潮和引供水体系建设，加大黄河入海流路治理力度，构筑生态保护和经济发展的安全屏障，提高水资源供应保障能力。

防潮堤。按照新建和改造加固并重的原则，加大对防潮堤建设的支持力度，高标准规划建设防潮体系。关键岸段堤坝按50年一遇建设，根据实际需要对部分堤坝适当提高标准，充分发挥防潮堤的防潮减灾、交通旅游、生态建设、滩涂增殖、产业开发等综合功能。到2015年，新建防潮堤400公里，改造加固400公里；到2020年，沿海防潮体系基本建成。

引供水设施。按照兴利除害、开源节流的原则，加强水利设施建设，提高水资源保障能力。统筹调配淡水资源，科学利用地表水，合理利用地下水，控制地下水超采。利用南水北调东线工程引调长江水。按照水量分配指标，在保障河道最低生态用水的前提下提高黄河水利用效率。扩大再生水、海水和微咸水利用规模。适度建设平原水库，实施现有水库加固衬砌增容工程。推进城市河道改造与污水处理设施、景观建设相结合，提高水利工程综合效益。实施一批重点河道治理工程和灌区改造工程，重点加强大型灌区续建配套与节水改造项目建设，增强农田灌排设施抗御自然灾害和防洪除涝排碱供水能力。大力推进海水直接利用，适度发展海水淡化。加大黄河口治理力度，完善分洪、退洪设施，提高防洪减灾和利用洪水能力。稳定现有黄河入海流路，留足备用流路。

……

（二）加快交通设施建设

按照统筹规划、适度超前的原则，加快重大交通设施建设，打通连接京津冀、长三角和东北地区的陆海通道，形成便捷、通畅、高效、安全的现代综合运输网络。

港口。统筹规划港口发展，积极建设散杂货、多用途和液体化工等深水泊位以及航道、防波堤等公用基础设施建设，扩大通过能力，提升综合服务功能。东营港主要服务胜利油田、石化基地和东营临港产业区的开发建设。潍坊港和滨州港主要为两市临港产业服务，以散杂货运输为主，兼顾石油化工产品的运输。莱州港区重点发展油品、液体化工品中转储运，积极发展散杂货和集装箱喂给运输。适应经济社会发展需要，逐步拓展港口功能，形成分工明确的黄河三角洲港口群。加强港口与铁路、公路的连接，构建港口快速集疏运体系，推进与环渤海其他地区港口的合作对接，拓展周边地区和内陆腹地。

铁路。重点建设黄骅至大家洼、德州至龙口至烟台等铁路，配套建设相关支线和疏港铁路，鼓励大企业、工业园区、物流园区建设专用线，加快现有铁路扩能改造，推进铁路站点和货场的建设升级，完善铁路路网结构，提高技术等级和装备水平。加快区域内城际快速通道建设。

公路。加快高速公路建设和普通路网升级改造，进一步优化路网结构，提高通达能力。重点建设滨州、东营、潍坊公路运输枢纽，推进各县（市、区）中心客运站的建设和改造。加强农村公路建设，加快县乡公路改造，完善路网体系。

机场。合理规划机场布局及规模，积极增加航线航班，加快发展通用航空，建设区域性支线机场。到2015年，机场客运量争取达到80万人次。

……

七、加快社会事业发展

以保障和改善民生为重点，大力发展各项社会事业，推进基本公共服务均等化，形成覆盖城乡、设施完善、适应生态经济发展的公共服务体系。

（一）大力发展科技事业

整合区域科技资源，构建开放型区域创新体系，努力提高自主创新能力，增强科技对经济增长的支撑作用。依托黄河三角洲可持续发展研究院等机构，加强创新平台建设。加快建设中国石油大学国家大学科技园及其"生态谷"、潍坊滨海科教创新园区，形成一批高水平的科研机构、重点创新和产学研合作平台。构建国家与地方创新联动机制，加强与国家科研院所、大专院校联合攻关，重点在河口生态治理、盐碱地改良、生态农业、环境保护、循环经济、资源综合利用等关键领域和核心技术方面取得突破。加快发展技术市场，培育区域科技创新服务中心和科技中介组织，促进科技成果产业化。支持建设重大创新能力项目，推动黄河三角洲国家可持续发展实验区建设。

（二）优先发展教育事业

加大教育投入，深化教育改革，优化教育结构，促进教育事业协调发展。推动公共教育资源向农村和贫困地区倾斜，实施校舍安全工程和学校标准化建设，以改革农村教师补充机制为重点，加强教师队伍建设，推进城乡义务教育一体化。加强职业教育基础能力建设，整合职业教育资源，推行工学结合、校企合作、半工半读、顶岗实习培养模式，扩大职业教育办学规模，鼓励发展集约化、规模化的职业教育集团，提升职业教育实训能力。支持地方优化高等教育结构，提升高等教育质量，加强发展高效生态经济所需人才的培养，提升高等学校创新与服务能力。重视发展学前教育，加快发展成人教育和继续教育，引导民办教育健康发展，形成多层次、开放式的终身教育体系。加强人力资源建设和人才培养，设立区域人才发展专项资金，积极引进国内外优秀人才。

……

八、创新体制机制

进一步深化改革开放，形成经济发展与生态保护有机结合、良性互动、协调推进的体制机制，为高效生态经济发展提供强大动力和制度保障。

（一）推进重点领域和关键环节改革

行政管理体制改革。加快转变政府职能，强化政府社会管理和公共服务职能，推进政企分开、政资分开、政事分开、政府与市场中介组织分开，减少和规范行政审批。优化政府组织体系和运行机制，减少行政层次，降低行政成本。创新区域经济管理模式，建立统筹协调、权责一致、精简高效的管理体制。合理调整行政区划，推进统一高效开发。完善政务信息发布制度，实现政府行政管理方式向规范有序、公开透明、便民高效的根本转变。

财税体制改革。围绕推进基本公共服务均等化和功能区建设，调整财政支出结构，重点支持社会事业发展、自然生态保护与修复、循环经济发展、重大基础设施建设，加大对财政困难县转移支付力度。

金融改革与创新。按照相关管理办法，建立黄河三角洲产业（股权）投资基金。组建开发担保公司，提供融资担保服务。完善农村信用社管理体制，坚持县（市）法人地位的长期稳定，组建农村商业银行。支持办好邮政储蓄银行，引导邮政储蓄资金回流。支持发展村镇银行、小额贷款公司等新型农村金融组织，建立健全农民小额信用贷款和农户联保贷款制度。积极稳妥发展产权交易市场。支持在流转土地使用产权、林权和海域使用权抵押融资方面先行先试。

土地管理体制改革。在坚持实行最严格的耕地保护和节约用地制度的前提下，适应黄河三角洲高效生态经济发展的需要，改革土地管理和土地利用方式。加强土地利用总体规划的管控和引导，积极探索土地利用规划动态管理模式。实行土地利用计划差别化管理，对重大项目建设特别是使用未利用地的建设项目，国家在安排用地计划时予以倾斜。鼓励对宜农土地后备资源进行开发，新增耕地在保证规划确定的耕地保有量和基本农田保护面积不减少的前提下，允许在省域内用于占补平衡。组织实施国家级重大土地整治工程。稳步推进城乡建设用地增减挂钩。强化土地节约集约利用，建立评价与考核制度，将评价结果与土地利用年度计划指标的分配相挂钩。做好土地确权登记工作，规范推进农村土地管理制度改革。支持开展未利用地开发管理改革试点。

（二）构建开放型经济体系

构建对外开放平台。支持有条件的省级开发区升级为国家级开发区，鼓励开发区创建国家生态工业示范园区。依托东营和莱州临港产业区，根据实际业务需要设立保税仓库、出口监管仓库，为设立综合保税区创造条件。

加快转变外贸发展方式。大力扶持机电产品、高新技术产品和有机农产品出口，提高高附加值产品的出口比重，加快建设科技兴贸出口创新基地。积极发展进口贸易，扩大能源、重要资源性产品、关键零部件、先进技术和设备进口。积极承接国外中高端制造业转移，促进加工贸易转型升级，大力发展服务贸易。积极推动与日韩的经贸合作，全面加强与欧美的经贸合作。

提高利用外资水平。结合优化产业结构，创新利用外资方式，扩大利用外资规模。利用国际金融组织贷款和外国政府优惠贷款，支持节能减排和生态建设。积极引进跨国公司和全球行业龙头企业，设立区域性总部、研发中心和生产基地。鼓励外资参与企业改组改造和城市基础设施建设。严格限制低水平、高污染、高能耗的外资项目进入。

加快“走出去”步伐。依托大企业在境外开发战略资源，重点加强能源开发合作。创新对外投资和合作方式，推动石油装备、纺织、化工等优势产业到境外投资。鼓励有实力的企业对外承包承揽工程，采用BOT、租赁、承包等多种形式开发境外工程市场。

……

九、规划实施和保障

山东省人民政府要切实加强对规划实施的组织领导，制订实施方案，明确工作分工，完善工作机制，落实工作责任，推动规划实施。要按照规划确定的功能定位、空间布局和发展重点，制定和调整相关专项规划，切实加强生态建设和环境保护，有序推进重点项目建设。要逐级建立目标责任考核制度，确保落实规划目标任务。

国务院有关部门要加强调查研究，指导解决规划实施中遇到的重大问题，通过现有渠道加大对重大项目、重点工程和特色产业的支持力度，指导和推动土地、金融等重要领域的改革创新。

……

鄱阳湖生态经济区规划（节选）

国家发展改革委

二〇〇九年十二月

前　言

鄱阳湖位于长江中下游南岸、江西省北部，是我国最大的淡水湖，是四大淡水湖中唯一没有富营养化的湖泊，同时也是具有世界影响的重要湿地。在未来发展中，鄱阳湖地区既肩负着保护"一湖清水"的重大使命，又承载着引领经济社会又好又快发展的重要功能。在新的历史时期，从国家战略全局和长远发展出发，为积极探索经济与生态协调发展的新模式，建设好鄱阳湖生态经济区，为我国大江大湖区域综合开发提供良好示范，特编制鄱阳湖生态经济区规划。

规划范围包括南昌、景德镇、鹰潭3市，以及九江、新余、抚州、宜春、上饶、吉安的部分县（市、区），共38个县（市、区），国土面积5.12万平方公里，2008年实现地区生产总值3948亿元，年末总人口2006.6万人。

本规划是指导鄱阳湖生态经济区建设的纲领性文件和编制相关规划的重要依据。规划期为2009年至2015年，远期展望到2020年。

第一章　发展背景

第一节　现实基础

鄱阳湖是长江的重要调节器，年均入江水量达1450亿立方米，约占长江径流量的15.6%，水质长年保持在Ⅲ类以上，鄱阳湖水量、水质的持续稳定，直接关系到鄱阳湖周边乃至长江中下游地区的用水安全。鄱阳湖承担着调洪蓄水、调节气候、降解污染等多种生态功能，拥有丰富的鱼类、鸟类等物种资源，是全球95%以上的越冬白鹤栖息地，在保护全球生物多样性方面具有不可替代的作用，是我国重要的生态功能保护区，是世界自然基金会划定的全球重要生态区，是我国唯一的世界生命湖泊网成员，在我国乃至全球生态格局中具有十分重要的地位。千百年来，鄱阳湖地区为中华文明的发展作出了重要贡献。

鄱阳湖地区位于沿长江经济带和沿京九经济带的交汇点，是连接南北方、沟通东西部的重要枢纽；毗邻武汉城市圈、长株潭城市群、皖江城市带，是长江三角洲、珠江三角洲、海峡西岸经济区等重要经济板块的直接腹地；该区域基础条件较好、发展潜力较大，是中部地区正在加速形成的增长极之一，在我国区域发展格局中具有重要地位。

鄱阳湖生态经济区以江西省30%的国土面积，承载了全省近50%的人口，创造了60%以上的经济总量，具有良好的发展基础。改革开放特别是21世纪以来，江西省对鄱阳湖地区的开发治理做出了不懈的努力，先后实施了山江湖开发治理工程、昌九工业走廊建设、九江沿江开发等一系列重大战略，在推动经济社会发展、保护生态环境方面取得了显著成就。该区域生态农业发展势头良好，有机食品产量位居全国前列，是我国著名的鱼米之乡和重要的商品粮油基地；新型工业初具规模，初步建立了以汽车、航空及精密仪器制造、特色冶金和金属制品加工、中成药和生物制药、电子信息和现代家电产业、食品工业、精细化工及新型建材等为核心的产业体系；基础设施条件较好，初步形成了便捷的立体交通网络，构建了安全可靠的电力供应体系；旅游业发展较快，是我国中部地区重要的旅游目的地；教育、文化、卫生等公共服务体系较为完善。

第二节　挑战与机遇

未来一段时期是鄱阳湖生态经济区工业化、城镇化加速推进的重要时期，能源资源需求将大幅增加，节能减排任务更加艰巨，环境保护压力更加突出；与我国经济发达地区相比，鄱阳湖生态经济区的综合经济实力不强，区域竞争力较弱，优势产业和优势企业不多，社会事业发展滞后，人力资源开发培养不足，生态经济区经济社会发展的基础较为薄弱；重开发、轻保护的传统发展模式惯性依然较大，有利于科学发展的政绩综合考评体系尚未建立，有利于促进资源整合、强化污染综合防治的宏观统筹机制仍然存在障碍。尤其值得重视的是，由于区域内外生态环境的持续变化和全球气候变暖，鄱阳湖水位变化异常，连续多年出现历史罕见低水位，鄱阳湖水体污染呈日益加重趋势，保护“一湖清水”的压力不断增大，直接威胁鄱阳湖的生态功能，同时，低水位一定程度上助长了血吸虫孳生繁殖，威胁着湖区群众身体健康和经济社会发展。上述问题和矛盾，都需要在鄱阳湖生态经济区建设中予以重视和解决。

同时，建设鄱阳湖生态经济区也面临良好的机遇。国内外对可持续发展已形成广泛共识，保护生态环境是当代人类生存发展的必然选择，资源节约的发展模式、山川秀美的生态环境正在成为新的竞争优势；我国确立了节约资源、保护环境的基本国策，提出了走可持续发展道路、建设资源节约型和环境友好型社会、建设生态文明等一系列战略思想和重大举措，初步形成了比较完善的生态环境保护法律法规体系，生态建设和环境保护力度不断加大；国家促进中部地区崛起战略深入推进，中部地区的发展条件逐渐改善，战略地位不断提升。所有这些，为鄱阳湖地区转变发展方式，努力走出一条生态环境和经济社会协调发展的新路子，奠定了良好基础。

……

第二章　总体要求

第一节　指导思想和基本原则

高举中国特色社会主义伟大旗帜，以邓小平理论和“三个代表”重要思想为指导，深入贯彻落实科学发展观，以促进生态与经济协调发展为主线，以体制创新和科技进步为动力，转变发展方式，创新发展途径，加快发展步伐，努力把鄱阳湖地区建设成为全国生态文明与经济社会发展协调统一、人与自然和谐相处的生态经济示范区。

——坚持生态优先，促进绿色发展。把生态建设和环境保护放在首要位置，把资源承载能力、生态环境容量作为经济发展的重要依据，探索建立反映资源环境成本和生态效益的绿色国民经济核算体系，保护“一湖清水”，建设绿色家园，发展生态产业，实现在集约节约利用资源中求发展，在保护生态环境中谋崛起。

——坚持科学布局，促进协调发展。遵循区域生态经济功能特性，把握开发节奏、时序和强度，明确功能分区，优化空间布局，促进人口、产业、资源集聚，推动经济社会发展与资源节约、生态环境保护相互协调、相互促进。

——坚持改革开放，促进跨越发展。加大重点领域和关键环节改革力度，率先创新生态补偿、水权交易、综合开发、资源节约和环境保护等体制机制。加强区域融合与对接，扩大国际生态经济交流与合作。

——坚持以人为本，促进和谐发展。以保障和改善民生为重点，大力发展各项社会事业，让生态文明建设的成果惠及广大人民群众，促进社会和谐进步。

第二节　发展定位

——全国大湖流域综合开发示范区。正确处理经济建设、人口增长与资源利用、环境保护的关系，鼓励率先探索生态、经济、社会协调发展的新模式，走出一条生态良好、生产发展、生活富裕的文明发展之路，为全国其他湖区综合开发和治理发挥示范作用。

——长江中下游水生态安全保障区。发挥保障长江中下游水生态安全的重要作用，大力加强生态建设和环境保护，切实维护生态功能和生物多样性，着力提高调洪蓄水能力，努力创造一流水质、一流空气、一流生态、一流人居环境，构筑区域生态安全体系。

——加快中部崛起重要带动区。培育一批具有较强竞争力的核心企业和知名品牌，建成全国粮食安全战略核心区和生态高效农业示范区，建成区域性的先进制造业、商贸和物流中心，培育若干在全国有重要影响的重大产业集聚基地，建设国际知名的生态旅游区和休闲度假区，争当中部地区崛起的排头兵。

——国际生态经济合作重要平台。切实保护鄱阳湖“一湖清水”，全方位、立体式展示中国坚持生态与经济、人与自然和谐发展的新成就；广泛开展国际经济和技术交流，积极借鉴国际生态经济发展的经验和模式，充分发挥鄱阳湖生态经济区的自身特色，探索建立国际生态经济合作新机制。

围绕上述定位，着力构建安全可靠的生态环境保护体系、调配有效的水利保障体系、清洁安全的能源供应体系、高效便捷的综合交通运输体系；重点建设区域性优质农产品生产基地，生态旅游基地，光电、新能源、生物及航空产业基地，改造提升铜、钢铁、化工、汽车等传统产业基地。

……

第三章　生态建设和环境保护

以湖体保护、滨湖控制、生态廊道建设为重点，建立流域综合管理体制，强化宏观管理和综合协调，统筹湖区及流域上下游、干支流的生态建设和环境保护，推进流域综合治理，提高环境容量和生态功能，增强可持续发展能力。

第一节　湿地保护

采取工程治理与自然修复相结合的方式，加大湿地恢复治理力度，增强净化水质、涵养水源、休养生息的能力。

加强湿地保护与恢复。巩固退田还湖、还泽、还滩成果，实施鄱阳湖湿地生态恢复工程，建立湿地自然恢复区，完善引水设施体系，实施水位和水文周期调节，恢复湿地植被；治理乱堵堰、乱栽树、乱排污，严禁一切破坏湿地的行为。加强柘林湖、仙女湖等库区湿地保护，实施小型湖泊、山塘、港汊、农田、溪流湿地保护工程，禁止非法侵占。加强人工湿地建设，加快湿地动态监测体系和基础数据平台建设，合理建设城市河段、湖泊湿地，提升国家级湿地公园建设管理水平。

加强野生动植物保护。加强候鸟保护，严厉打击非法捕猎、贩运、销售候鸟行为，加快完善候鸟疫病监测防治体系。实施鱼类资源保护工程，落实休渔措施，妥善安排因实施渔业资源养护措施造成生活困难的部分渔民生活；加强鄱阳湖鳜鱼、翘嘴红鲌等国家级水产种质资源保护区的建设与管理，为鱼类洄游、繁殖、生息提供优良场所。严格保护和封育湖区沙洲天然植被，禁止垦荒放牧。加强珍稀濒危野生动物保护，建设鄱阳湖珍稀濒危野生动物救护与繁育中心，重点加强白鹤、江豚、鲥鱼等濒危物种保护，维护种群数量。加强鄱阳湖国家级自然保护区、南矶山国家级湿地自然保护区建设和管理，完善国家、省、县三级自然保护区体系，形成生物多样性保护网络。

第二节　污染防治

坚持防治并举，统筹生产生活、兼顾城市乡村，实行最严格的污染防治政策，全面提高污染防治水平。完善防控监测体系，提高环境监管能力，加快防污治污工程建设，落实污染物排放总量控制制度，加强水功能区监督管理，化学需氧量、氮（总氮或氨氮）、总磷、二氧化硫等主要污染物排放及削减量原则上优于国家要求，并加以分解落实。

加强生活污染防治。加快建设城镇生活污水处理设施，完善管网收集系统，到2015年所有市县和重点镇建成污水处理厂，污水集中处理率达到85%。污水处理厂出水达到一级排放标准，对排放湖泊水库的执行更严格的标准。采取分散与集中相结合的方式，积极开展村镇生活污水处理设施建设，率先建成滨湖控制开发带乡镇污水处理设施。科学划定饮用水水源保护区，完善标识与警告设施，严禁设置排污口，严禁可能危害水源功能的开发建设及活动。加快建设城乡生活垃圾处理设施和收集系统，提高固体废弃物减量化、无害化和资源化水平，统筹城乡收运处理体系，因地制宜采取适宜技术和运行机制，推进农村生活垃圾处理，推行“村收集、乡转运、县处理”的城乡垃圾一体化处理模式，到2015年所有市县建成城镇生活垃圾处理设施，生活垃圾无害化处理率达到80%以上。推进县级医疗废弃物集中处置中心建设。

加强工业污染防治。提高产业准入门槛，所有工业企业必须按照国家要求做到持证排污和达标排放，防止产业承接中的污染转移。淘汰工艺落后、污染严重、不能稳定达标排放的生产能力，污染排放不达标或对当地环境影响严重的企业必须实行“关停并转”，建立并实施水污染排放强度大的工业企业退出机制。鼓励工业企业在稳定达标排放的基础上进行深度治理，推行清洁生产。加强“五河”22个重点污染河段治理，有效削减氨氮、总磷、重金属和高锰酸盐等主要污染物排放量。加快园区工业废水处理设施和雨污分流系统建设。推进电力、钢铁、有色、化工、建材等重点行业二氧化硫和粉尘防治。加快重点污染企业排污在线实时监测体系和环境监测预警体系建设，加强高污染、高危险物品和放射源安全监管和应急体系建设，加快危险废弃物处置设施建设。

加强农业面源污染防治。推广测土配方施肥技术，鼓励使用有机肥和农家肥；推广生物防治技术，鼓励使用高效低毒低残留农药，减少农药施用量；大力推广高效节水灌溉技术，提高农业水、肥、药的利用效率；合理布局畜禽水产禁养区和集中养殖区，推广畜禽排泄物收集与再利用模式，加大畜禽养殖场改造和大中型沼气工程建设，加强污水和粪便无害化处理，禁止未处理排放；加强水产养殖污染治理，推广生态健康养殖；大力推广秸秆综合利用技术，加强农膜、地膜回收利用，推广使用可降解材料。

第三节　绿色屏障建设

围绕全省森林覆盖率达到63%的目标，加强林、草业生态体系建设，形成密布城乡、点线面结合的绿色屏障，进一步增强生态系统功能。

构建生态廊道。坚持宜林则林、宜草则草原则，积极建设沿湖、沿河、沿路生态保护带。在滨湖控制开发带建设鄱阳湖防护林，在“五河”沿岸积极开展绿化带建设，大力实施交通沿线绿色通道工程，推进实施农田林网工程，合理布局城镇和产业密集区周边的开敞式绿色生态空间。

加强植树造林。重点加强“五河”及一、二级支流源头保护区的水源涵养林、水土保持林以及森林公园建设，积极实施造林绿化工程，加大造林补植、低效林改造、阔叶树补植力度。加快建设油茶林，因地制宜发展工业原料林、能源原料林、药用林等经济林。加强森林防火和病虫害防治，在生态比较脆弱、水土流失比较严重的区域和森林公园等地区实行封山育林、禁伐天然阔叶林。巩固林业产权制度改革成果，落实退耕还林后期扶持政策。扩大生态公益林补偿范围，提高补偿标准。

强化水土保持。以小流域为单元，综合治理水土流失。加大工程治理力度，加强坡耕地、崩岗、荒山、荒坡、残次林、沿湖沙山、沿河沙地及交通沿线侧坡等水土流失易发区的治理。大力推进水土保持生态修复工程，加大封育保护力度，促进水土流失轻微地区植被恢复。加强对开发建设项目的水土保持监督管理，做好城镇化过程中的水土保持工作。

……

专栏1：生态环境保护体系建设工程

……

第四章　环境友好型产业发展

按照生态与经济协调发展的要求，改造提升传统产业，发展生态经济，努力构建以生态农业、新型工业和现代服务业为支撑的环境友好型产业体系。

第一节　发展高效生态农业

坚持用现代手段装备农业，用现代科技改造农业，用现代经营形式发展农业，巩固和加强粮食主产区地位，大力发展高产、优质、高效、生态、安全的现代农业。

提高优质粮食生产能力。进一步强化国家粮食主产区地位，明确维护国家粮食安全的责任，执行最严格的耕地保护制度，稳定提高粮食播种面积。根据《全国新增1000亿斤粮食生产能力规划（2009-2020年）》，加强农业基础设施建设，提高优质稻谷综合生产能力；大力推进农业综合开发、基本农田整治和农田水利设施建设，增加土地复垦和中低产田改造的投入，实施土地整治重大工程、沃土工程和测土配方施肥工程。落实国家支农惠农政策，完善各项补贴，加大对粮食主产区财政奖励和粮食生产项目扶持力度。

开发绿色有机农产品。依托山水资源条件和生态环境优势，大力推广“猪（牛）——沼——果（粮、鱼、油、菜）”生态农业发展模式，重点开发特种水产、有机绿茶、特色果业、无公害蔬菜、食用菌、优质生猪和水禽等一批各具地方特色的绿色、无公害、有机农产品，实现区域农产品无公害生产。创建一批规模化的绿色食品原料标准化生产基地，壮大一批竞争力强的绿色食品、有机农产品加工龙头企业，建立和培育壮大一批优质农产品出口专业基地。

推进农业产业化经营。着力推进以“企业＋合作组织＋基地＋农户”为主的农业产业化经营模式，完善企农利益联结机制。做强做大龙头企业，提高农产品加工增值能力、运储保鲜能力、市场开拓能力和带动农民增收致富的能力。推进农产品精深加工，延长产业链条，实现农产品多层次、多环节的转化增值，提高农业综合效益。加强农产品品牌建设，扶持并促进特色资源农产品进行地理标志登记，强化农产品注册商标和地理标志保护，加大品牌整合和推介力度，培育一大批影响力大、竞争力强、具有鄱阳湖地域特色的农产品品牌。

建立生态农业服务体系。加快培育适应区域化、专业化、规模化发展要求的农民专业合作组织，培养专业化服务人才。加强基层农业技术推广体系建设，培育农技推广服务组织，加快生物技术、良种培育、丰产栽培、节水增效、有机农产品、疾病防控、防灾减灾等领域科技创新和推广应用。加快制定农产品生产基地生产、加工、包装、储运标准和生产技术规范，全面建设省（部）、市、县（场）和批发市场四级农产品质量安全检测检验体系。推进农产品产地批发市场、物流配送分发中心、大中城市销地市场建设，严格执行绿色通道政策，加快形成流通成本低、运行效率高的农产品营销网络。

专栏2：优质农产品生产基地

• 新增优质稻谷生产能力工程：建设标准农田、新增粮食生产用地，实施基本农田建设工程；实施科技提升和防灾减灾能力建设工程，建设良种繁育基地、高产创建示范片、机插育秧与推广示范基地，推广高产稳产优质品种，扩大水稻机插面积；实施生态农业服务体系建设工程，完善乡级农业综合技术培训体系，建设耕地质量监测区域站、病虫灾害监测预警与防控区域站及监测网点、水稻新品种和新技术集中展示区，培育植保专业防治、农机专业作业服务组织，扶持粮食生产合作组织和种粮大户。

• 优质油菜基地建设工程：在油菜主产县建设标准油料生产基地和油菜良种繁育基地；建设油菜高产创建示范片，每年推广轻简高效栽培技术800万亩以上；建设150万亩油菜的机械化生产示范基地，到2015年油菜机开沟免耕直播应用面积达到80%；建设50片1000亩以上病虫害防控和耕地地力提升示范区；建设油料作物病虫灾害监测预警与防控区域站及监测网点。

• 鄱阳湖水产品生产能力建设工程：重点实施标准化池塘改造工程、水产良种繁育工程、渔业生态环境监测体系建设工程。改造标准化池塘水产健康养殖基地；改扩建苗种繁殖能力5亿尾以上规模的大宗水产苗种扩繁场和鄱阳湖特色资源性品种良繁场；建立鄱阳湖渔业生态环境监测体系。

• 生态柑橘基地建设工程：重点实施优质高产标准化生态橘园建设工程、柑橘良种繁育体系建设工程、采后处理加工能力建设工程和病虫防控体系建设工程。新建和改造生态橘园，建设国家级良繁场，扶持现代化柑橘生产加工企业。

• 生态茶园建设工程：重点实施有机生态茶园建设工程、采后处理加工能力建设工程和茶叶市场体系建设工程，完善良种繁育体系。新建有机生态茶园，改造传统茶园；建设国家级无性系茶树良繁场；配套建设南昌绿茶专业批发综合市场。

• 食用菌生产加工基地：依托鄱阳湖生态优势和重点龙头企业技术优势，建设绿色食用菌生产及深加工基地，配套建设相应研究开发中心、交易中心以及生态农业观光园区。

• 优质蔬菜基地建设工程：重点建设100万亩优质蔬菜基地，包括标准化设施蔬菜基地、以供应香港为主的无公害标准化出口蔬菜基地、现代集约化蔬菜育苗场，培育现代蔬菜加工企业。

第二节　创建新型工业体系

突出特色、严格准入、优化布局，以工业园区为平台，以骨干企业为依托，推广循环经济发展模式，推进节能减排降耗，着力增强自主创新能力，积极承接国内外产业转移，促进项目集聚、产业集群，形成科技含量高、经济效益好、资源消耗低、环境污染少的新型工业体系。

大力发展循环经济。淘汰高耗能落后装备，对拟建高耗能项目先行开展节能评估和审查。突出抓好资源综合利用，按照资源—产品—废弃物—再生资源的反馈式循环利用模式，全面改造工业制造、矿山开发等方面的流程工艺，大力推广清洁生产，着力推进废旧资源及工业废渣、废水、废气再利用，提高矿产的采选率、冶炼回收率。推进重点行业、重点企业循环经济发展，着力推进钢铁、化工和有色金属等行业改造生产流程、优化生产工艺、延伸产业链，提高单个企业生产全过程的资源能源循环利用程度，实现企业间副产物和废物交换、能量和废水梯级利用，实现资源利用最大化和废物排放最小化。积极创建一批融生态产业链设计、资源循环利用为一体的生态工业园区和循环经济工业园区，合理规划园区企业结构，将原料生产企业和初级产品、中间产品、最终产品生产企业有机组合、相对集聚；加强园区数字化系统建设，实现园区与外界信息共享，推进资源和能源流动转换，拓展园区循环经济发展空间。

改造提升传统优势产业。加快运用高技术和先进适用技术改造传统产业，实施传统产业信息化工程，促进工业结构调整和节能减排。依托景德镇陶瓷传统优势，充分利用现代科技，大力促进艺术陶瓷精品化，提升建筑陶瓷和日用陶瓷的市场竞争力。在严格控制产能总量的前提下，依托现有钢铁企业，改进生产工艺流程，淘汰落后产能，开发应用新技术，提高产品层次和市场竞争力。加快淘汰立窑等落后水泥生产能力，积极推广窑尾余热发电等节能和环保技术，支持建设节能环保型建材项目。依托永修星火有机硅基地、樟树和新干盐化工基地，重点发展有机硅深加工产业，积极培育盐化工、氟盐化工产业链。依托纺织服装特色工业园区，积极承接产业转移，加快技术进步，培育自主品牌，扶持发展一批服装设计机构，振兴南昌、九江、抚州三个纺织工业基地。加快发展绿色、智能型家电，建设南昌家用电器制造、出口基地。

大力发展先进制造业。加强信息技术、生物技术、现代管理技术与制造业的融合，按照环境友好、集群发展的要求，重点在特种车船、装备制造、高精铜材、光伏产业等领域实现突破。加快现有整车生产能力配套，重点发展新型环保汽车、特种专用车、大中型内河船舶、海运支线船舶，积极开发高精度船用导航系统、船用机电一体化设备，建设汽车及零部件产业基地和九江船舶制造基地。着力发展环保机械、工程矿山机械、港口搬运机械、大功率装载机等制造业，重点开发中小型发电成套设备和特殊用途的专用电机以及高效、节能、大容量输变电设备，推动循环流化床系列锅炉大型化。以江铜集团为龙头，重点发展高精度、高性能、高附加值产品，着力延伸产业链、发展配套产业，努力打造现代铜产业基地。

加快发展高技术产业。坚持全面提升与重点突破相结合，突出自主创新，加快科技成果产业化，重点发展电子信息、生物、航空、新能源和新材料等高技术产业。大力发展新能源产品，加快高纯硅材料、薄膜太阳能电池、光伏电池及组件等产业技术的升级，建设全球重要的光伏产业基地。依托南昌半导体照明工程产业化基地和一批核心企业，大力推进硅衬底发光材料生产新工艺产业化，重点发展半导体发光材料和器件、新型显示器、节能照明产品，提升产业层次，延长产业链，扩大产业规模。依托南昌生物产业国家高技术产业基地，发挥生物医药的比较优势，着力抓好传统中药的二次开发、创新药物的研发及产业化，争取在新型中药制剂、治疗艾滋病新药、抗癌原料药和医疗器械等领域取得新突破，开发一批具有国际领先水平的新产品。依托南昌国家高新技术产业开发区，重点发展显示器、存储器等信息器件和计算机等终端电子产品，扶持第三代移动通信产品和应用软件产品开发。依托大型航空工业集团以及重点研究所，积极发展民用飞机，研制开发高级教练机、多用途直升机，积极参与我国大飞机部件研制和生产，提高飞机部件专业化生产能力，大力推进南昌航空高技术产业基地建设。

专栏3：新型工业产业基地

● 光电产业基地：以南昌为中心，重点建设硅衬底发光二极管（LED）芯片及器件项目、LED照明光源项目、高亮度LED显示屏项目、LED背光源项目、有机发光器件（OLED）项目、计算机等终端电子产品项目、第三代移动通信产品研发及产业化项目。

● 新能源产业基地：以南昌、新余为中心，重点发展高性能且资源高效利用的高纯硅材料、太阳能电池组件与发电系统、兆瓦级以上风电设备和螺杆膨胀发电机组等项目。

● 生物产业基地：以南昌、樟树为中心，依托南昌生物产业国家高技术产业基地和樟树中药产业传统优势，重点推进中药现代化，建设治疗艾滋病新药、抗癌原料药、新型功能糖、血细胞分析仪器、磁共振成像系统等产业化项目，积极培育生物医药、生物农业等新兴产业，形成从生物医药到生物医疗器械、生物医学工程、生物农业的完整产业链。

● 铜冶炼及精深加工产业基地：以鹰潭、南昌为中心，以江铜集团为龙头，提高铜冶炼水平，重点开发铜引线框架、铜板带、铜箔、特种漆包线等高精度、高性能产品。

● 优质钢材深加工基地：以超量或等量淘汰省内落后钢铁产能为前提，依托新钢、萍钢、南钢现有生产能力，以区域市场需求为导向，重点发展船板、弹簧钢、建筑用钢、线材等钢材深加工产品，提升钢材深加工水平。

● 炼油及化工产业基地：以九江为中心，实施九江石化油品质量升级工程，适时实施化肥原料路线改造项目，落实环保措施；以永修为中心，重点发展有机硅单体和有机硅系列深加工；以樟树、新干为中心，积极开发离子膜烧碱、纯碱以及无机氯产品和有机氯产品。

● 航空产业基地：以南昌、景德镇为中心，积极参与民用飞机制造，承担国际航空转包生产任务，重点建设南昌航空工业城。

● 汽车及零部件生产基地：以环湖中心城市为重点，重点开发乘用车、商用车、特种车、混合动力汽车和纯电动汽车，以及小型高速柴油机、汽油发动机、变速器、柴油车超低排放后处理装置。

……

第五章　重大基础设施建设

坚持统筹布局、适度超前、安全环保、集约用地原则，加快水利、交通、能源和信息等重大基础设施建设，大力提升共建共享、互联互通水平，形成与建设生态经济区相适应的基础设施支撑体系。

第一节　强化水利设施

按照兼顾防洪与抗旱、生产与生活、当前与长远的要求，加快构建调控有力、配置合理的现代化水利保障体系，确保防洪安全、饮水安全、粮食安全和生态安全。

推进重点水利工程建设。加快推进峡江、浯溪口水利枢纽工程建设，继续实施病险水库除险加固工程，启动大中型病险水闸除险加固工程。重点研究、适时推进鄱阳湖水利枢纽工程建设。按照调枯不调洪、增加有效灌溉面积、保护湿地、控制血吸虫的原则，在科学评估论证工程对湿地、候鸟（尤其是白鹤等珍稀濒危鸟类）、鱼类洄游、防洪、水质、泥沙淤积等的影响以及江湖关系变化的基础上，进行环境影响评价，开展工程特征水位、调度运用方案等关键技术的研究，进行物理模型试验，为工程立项建设创造条件。

加强主要圩堤和河道治理。完成鄱阳湖区重点圩堤、“五河”重点段防洪整治工程，提高南昌等设防中心城市防洪标准，进一步完善县级以上城市防洪排涝体系，使之达到长江流域防洪规划确定的防洪标准；因地制宜开展中小河流治理、山洪灾害防治和鄱阳湖蓄滞洪区安全建设，实施乌沙河综合整治、河湖疏浚和尾闾河道整治工程。

完善灌溉排涝系统。建设廖坊水利枢纽灌区，继续推进大型灌区续建配套，建设和改造中型灌区和小型灌区；加快排灌泵站更新改造。

第二节　完善交通体系

推进陆、水、空各种交通方式一体化协调发展，形成连接南北、沟通东西的综合运输通道格局，构建高效便捷的综合交通运输体系。

铁路建设。推进铁路干线建设，完善联港出海、连接东南、沟通东部、安全便捷的铁路通道网络。重点建设南昌至九江铁路客运专线、向莆铁路、九景衢铁路、皖赣铁路增建二线、沪昆铁路客运专线杭长段、京九电化、武九铁路扩能工程等干线铁路。

公路建设。加快国家高速公路网和中心城市主通道建设，完善环鄱阳湖公路体系。重点建设杭瑞高速公路、济广高速公路等国家高速公路网路段和南昌至德兴、彭泽至湖口、永修至武宁等地方加密高速公路，改造干线公路，建设一批港区与干线公路衔接的疏港道路。

水运建设。以九江、南昌港口建设为重点，加快鄱阳湖水系的航道建设，建立联系紧密、运行高效、环境优良的生态水运体系。重点建设鄱阳湖高等级航道，加强长江九江段、赣江下游、鄱阳湖湖区的港口码头等航运设施建设。

机场建设。推进干支线机场建设，形成广覆盖、大密度的航空通道。完成昌北国际机场和景德镇机场扩建，建设南昌国际航空港，推进建设宜春明月山机场，适时建设赣东上饶三清山机场。

……

第六章　构建生态文明社会

以培育生态文化为先导，以建设绿色乡村、生态城镇为抓手，以改善民生为重点，努力构建生态文明社会。

第一节　建设绿色乡村

大力推进社会主义新农村建设，改善农村生产生活条件，提高公共服务水平，促进农村经济社会全面进步，建设富裕文明、安宁祥和的美好家园。

优化村庄布局。加强规划引导，重点建设中心村和中心集镇，推进农村土地整治，加大空心村整治力度，逐步取消零星分散的农村居住点，加强乡村规划与城镇规划的衔接，形成布局合理、节约用地、城乡贯通的村镇建设格局。保护具有历史文化价值的传统村镇，加大农村非物质文化遗产、文物古迹、名镇名村、古树名木保护力度。

打造生态家园。加强基础设施建设，全面硬化入村通道和村内道路，完善村内供水管网和排水沟渠，推广实施以电代燃项目。加快沼气、秸秆、太阳能等可再生能源利用，形成清洁、经济的农村能源体系。实施以奖促治，大力开展农村环境综合整治。以改善村容村貌为重点，实施农村清洁工程，加快实施改水、改厨、改厕、改圈，开展垃圾集中处理，因地制宜建设农村生活污水处理设施，加强村旁、路旁、宅旁、水旁绿化，不断改善农村卫生条件和人居环境。在有条件的地区大力推进农家乐等乡村休闲游。开展绿色生态家园创建活动，建成一批全国环境优美乡镇和生态村。

树立文明乡风。广泛开展文明村镇、诚信集市、十星家庭、环保志愿服务等群众性精神文明创建活动，倡导农民崇尚科学、诚信守法、抵制迷信、移风易俗，形成男女平等、尊老爱幼、邻里和睦、勤劳致富的社会风尚。大力开展送戏下乡活动，实施农村电影放映工程，丰富农民闲余文化生活。加强农村党组织和基层政权建设，推进村务公开和民主管理，依法保障农民自治权利。

第二节　创建生态城镇

尊崇城镇自然风貌，突出历史文化传承，提升城镇功能品位，打造富有特色魅力、宜居宜业宜游的生态城镇。

营造宜居环境。着力优化城镇空间结构，合理布局城市工业区、生活休闲区、商业服务区，注重历史文化遗迹保护。加强绿地建设，依托城镇公园、广场、社区、道路、湖泊、湿地，实施绿化净化美化工程，提高城镇绿化率，扩大城镇绿地空间；实施交通畅通工程，大力发展公共交通，重点建设和改造连接主要功能分区的城市干道，建设大中城市快速环路，加快推进南昌城市轨道交通工程建设；全面落实总量控制和定额管理相结合的用水管理制度，改造城镇供水设施，建设重点城市应急备用水源工程；加强城镇环保基础设施建设和市容市貌综合整治，塑造城镇文明形象。

引导绿色消费。鼓励使用节能节水节材产品和可再生产品，形成健康文明、节约资源的生产和生活方式。推动新建住宅和公共建筑节能，推进城市公共照明系统节能改造，引导节能环保型汽车消费，推广使用太阳能产品和浅层地热能利用设备；淘汰落后用水技术设施，推广使用节水型器具，提高中水回用及污水再利用率；禁止使用实心黏土砖，控制产品过度包装，逐步取消一次性餐具；推进废旧物资和可再生资源回收利用，支持发展废弃物回收再利用产业，提高资源循环利用率。在政府采购中优先购买环境标志产品和强制采购节能产品范围内的产品。

完善社区功能。围绕构建和谐社区，进一步完善社区综合服务中心、就业服务中心、社会保障服务机构、社区卫生服务中心和健身娱乐文化等设施。加强社区基层组织建设，健全社区居民自治、民主管理等相关制度，强化规范化管理，提高服务水平。

……

第七章　促进区域协调发展

充分发挥鄱阳湖生态经济区龙头作用，以长江、浙赣铁路和京九铁路为依托，以沿江、沿线城市为支撑，形成“干”字形区域发展格局，引领带动周边地区和革命老区加快发展。

第一节　发挥中心城市的辐射带动作用

以省会城市为核心，区域其他5个中心城市为重点，加快构建鄱阳湖城市群，形成以点带轴、以轴促面的城镇集群发展模式。

南昌：全面提升中心城区的高端要素集聚、科技创新、文化引领和综合服务功能。强化昌北经济开发区、高新技术开发区和出口加工区的引领作用，重点发展汽车、航空、医药食品、电子信息、新型材料等产业，全面提升先进制造业基地水平；加快发展金融、商贸、物流、会展、旅游、服务外包等现代服务业，建设区域性商贸物流、金融、旅游集散中心，（全国重要的服务外包示范基地。加快形成南昌一小时经济圈，联动发展新建、安义、进贤、余干、南昌县城和丰城、樟树、高安市区。

九江：进一步发挥通江达海的区位优势，加快临港产业开发，积极发展商贸旅游业，建成赣北区域中心城市、现代化港口旅游城市、区域性物流枢纽和长江沿岸重要工业基地。以九江城区为中心，联动发展瑞昌、沙河、湖口、彭泽沿江城镇板块以及德安、共青、永修、星子、都昌南部城镇板块。

景德镇：依托千年瓷都的产业基础和品牌优势，积极推进资源枯竭城市转型，大力发展功能陶瓷、结构陶瓷、生物陶瓷、工艺陶瓷和精品建筑陶瓷，培育陶瓷文化创意产业，建设世界瓷都、赣东北工业重镇和文化生态旅游城市。以景德镇城区为中心，联动发展浮梁、鄱阳、万年县城和乐平市区，形成以景德镇为中心的赣东北城镇群。

鹰潭：发挥铜产业基础、交通枢纽、旅游资源优势，建设世界铜都、赣东北物流中心和道教文化旅游城市；依托中心城区，向东逐步与贵溪城区连接成片，向南逐步建成宝山片区，进一步建设余江县城。

新余：着力发展光伏、钢铁和旅游产业，建设光伏产业基地、特种钢材制造基地和赣西区域中心城市；以主城区为依托，重点建设下村、罗坊工业基地。

抚州：大力发展特色农产品加工、医药轻纺和文化产业，创建工业新城和文化生态旅游名城；以新城区为依托，联动建设东乡县城，加快融入南昌一小时经济圈。

进一步加强各中心城市的协调互动，开展工业园区和产业基地共建，加强上下游产业的配套协作，推进市场体系、基础设施、体制机制对接，打造鄱阳湖城市群。积极推动鄱阳湖城市群与省内其他城市的联动发展，推广生态经济区成熟的经验和做法，增强辐射带动作用，形成优势互补、各展所长、协同发展的新格局。

第二节　统筹城乡发展

按照构建新型工农、城乡关系的要求，以城乡规划、产业布局、基础设施建设为突破口，促进公共资源在城乡之间均衡配置、生产要素在城乡之间自由流动，推动城乡经济社会发展融合。

推进城乡一体化发展。统筹土地利用和城乡建设，实行城乡建设用地增减挂钩试点，合理安排市县域城镇（农场）建设、农田保护、产业聚集、村落分布、生态涵养等空间布局。统筹城乡基础设施建设，大力提升农村公路的通行通达能力，完善城乡供电网络，保障城乡饮水安全。统筹城乡产业发展，优化农村产业结构，发展农村服务业和乡镇企业，引导城市资金、技术、人才、管理等生产要素向农村流动。统筹城乡劳动就业，加快建立城乡统一的人力资源市场和公平竞争的就业制度，依托县、街道（乡镇）、社区社会保障平台提供就业服务，在充分利用已有的公共就业服务及培训设施的基础上，加强职业技能培训体系建设，做好就业培训工作。统筹城乡社会管理，推进户籍制度改革，放宽中小城市落户条件，促进农民向城市有序转移。选择有条件的城市开展统筹城乡发展综合配套改革试点。

提高基本公共服务均等化水平。国家支持在区域内开展基本公共服务均等化试点。把社会事业建设的重点放在农村，全面提高农村公共事业财政保障水平。促进城乡教育均衡发展，完善农村义务教育经费保障机制，提高义务教育经费保障水平，加大投入力度，实施中小学校舍安全工程，加快农村寄宿制学校建设，改善农村学校办学条件。以农村为重点，大力发展职业教育，逐步实现农村中等职业教育免费。重点加强农村中小学教师队伍建设，提高教学质量。妥善解决农村留守儿童教育问题。加强县级疾病预防控制机构建设和县级卫生监督所能力建设。进一步加强农村医疗卫生服务体系建设，着力提高乡镇卫生院服务能力和水平，采取多种形式支持村卫生室建设。加快构建覆盖城乡的公共文化服务体系，推进文化信息资源共享工程，加强县级图书馆和文化馆、乡镇综合文化站、社区文化中心和村文化室等建设。建立健全公共文化服务运行保障机制。完善农村困难群体帮扶机制，加快乡村敬老院建设。加快中心村镇体育设施建设，开展农民健身活动。

壮大县域经济实力。把发展县域经济作为实现城乡统筹的基本载体，大力改善县域基础设施条件，着力提升工业园区发展水平，不断提高公共服务水平和行政效能，营造良好的发展环境。全面推行财政省管县，建立县级财政稳定增长机制，促进财力与事权相匹配，赋予县级更大发展自主权；加快新型工业化步伐，着力壮大资源加工型、劳动密集型、产业配套型和科技应用型的工业企业，不断提高资源利用效率，特别注重生态环境保护，形成特色明显、竞争有力、前景广阔的产业支撑体系。

……

第八章　深化改革开放

不断深化改革，创新体制机制，鼓励在生态环保方面先行先试，形成有利于生态与经济协调发展的体制环境。加强区域合作和国际交流，大力发展开放型经济，不断提升发展水平。

第一节 推进重点领域改革

推进行政管理体制改革。强化政府在生态建设和环境保护等公共服务领域的职能。进一步完善公共财政体制，加大生态环境因素在公共财政分配中的权重。建立多元化的投资体制和规范高效的运营机制，逐步放开公用事业的建设和经营市场。以水资源管理为核心，积极开展流域综合管理体制改革试点工作。注重规划和政策调控，注重协调和信息引导，减少和规范行政审批。推进政务公开，提高行政效率，降低管理成本。建立健全公众参与、专家论证和政府决定相结合的行政决策机制，推进依法决策、科学决策、民主决策。

推进所有制结构不断完善。深化国有企业改革，推进重点行业跨所有制、跨区域联合重组；积极推进国有企业公司制、股份制改革，大力发展混合所有制经济；创新国有资产运营和监管模式，建立健全国有企业风险管理体系，完善国有资本有进有退、合理流动的机制。大力发展非公有制经济，落实放宽市场准入的各项政策。依法保护各类产权，创造各种所有制经济公平竞争的环境，形成多种所有制经济相互促进、共同发展的生动局面。

推进市场一体化。进一步打破生态经济区内各行政区的行政性垄断和地区封锁，加强与周边地区市场对接，健全统一开放、竞争有序的现代市场体系，促进生产要素合理流动和资源优化配置；围绕转变发展方式、保护生态环境，完善市场信用体系，建立健全失信惩治制度；着力统一准入标准和技术标准，建立市场准入和质量互认制度；积极推进行业协会建设，培育以企业为主体的新型行业协会，鼓励行业协会开展区域合作。建立公共资源统一交易平台。加快发展统一规范的产权交易市场。规范推进农村土地管理制度改革。稳步推进大交通改革和城际交通公交化试点。

第二节 推动生态环保机制创新

探索建立绿色国民经济核算考评机制。研究绿色国民经济核算方法，开展环境污染、生态破坏成本以及水、湿地、森林等资源价值等方面的核算，探索将发展过程中的资源消耗、环境损失和生态效益纳入经济发展水平的评价体系，为环境税费、生态补偿、自然资源管理、产业结构调整、产业污染控制政策制定以及公众环境权益维护等提供科学依据。建立体现科学发展的政绩考评机制，将提升经济发展质量、保护生态环境作为领导干部考核的重要内容；切实落实环境保护责任，严格执行领导干部环境保护一票否决制，引导树立正确的政绩观，逐步实现从单纯追求经济增长向注重生态与经济协调发展的转变。

建立健全生态环保长效机制。建立健全跨界污染联合治理机制和污染事故应急处理机制，严格执行重大环保事故责任追究制度；逐步建立城镇污水、垃圾处理市场化运营和监管机制；强化产业政策、环境影响评价制度、环境准入和污染物排放标准的约束作用。

积极推进相关改革试点。加快推进水、电、矿产等资源型产品及要素价格改革；在国家有关部门指导下，开展排污费改环境税试点；探索建立水权交易制度，开展水资源取(使)用权出让、转让和租赁；积极推进生态合作、产业共建、财政支援、异地开发、生态资源交易等多种方式的生态补偿试点，探索开展鄱阳湖流域湿地生态补偿试点；探索建立上下游生态补偿机制以及排污权有偿使用和交易机制；创造条件设立南方林业产权交易中心；建立以资源节约、环境保护技术为主要特色的技术交易市场。

……

第九章　保障措施

充分认识建设鄱阳湖生态经济区的重大意义，切实加强对规划实施的组织领导，完善规划实施机制，坚持自身努力和国家支持相结合，确保规划目标的顺利实现。

第一节　加大国家支持力度

加大财税政策支持。健全财政转移支付办法，加大对生态建设和环境保护以及改善农村特别是湖区、老区农（渔、牧）民生产生活条件项目的支持力度；加大中央财政对区域内资源枯竭城市转移支付力度；加大中央财政性建设资金投入，重点安排区域内重大基础设施、生态环境保护等项目建设；对资源综合利用、替代能源和清洁生产、节能节水、环境保护专用设备等符合国家产业政策的产品，以及国家需要重点扶持的高新技术企业，按规定给予税收政策支持。

加强金融政策支持。支持按照相关管理办法设立鄱阳湖生态经济区股权（产业）投资基金、区域生态环境保护基金和行业性的创业投资基金；支持区域内城市商业银行改革发展，引进战略投资者，并支持符合条件的中小银行跨区域设立分支机构；按规定程序和条件给予再贷款、再贴现资金支持；支持符合条件的企业发行企业债券；加强与国际金融组织合作，探索推进金融支持节能减排和绿色信贷的示范项目；加大对政策性险种财税支持力度；鼓励保险公司开设农业保险、环境保险和科技保险等专业保险品种；开展保险资金投资未上市公司股权试点。

给予重大项目支持。国家在有关规划、重大项目布局及项目审批、核准等方面予以重点倾斜；将鄱阳湖流域纳入国家重点流域治理范围，支持区域内重大环保设施和生态工程建设；国家在土地开发整理、农业综合开发、标准农田建设等项目资金上优先安排鄱阳湖生态经济区；推进开发区、工业园扩区升级，建设一批生态农业示范园、生态工业示范园、循环经济实验区和生态旅游示范区；支持符合条件的地区设立海关特殊监管区。

第二节　强化组织实施

国务院有关部门要按照职能分工，切实加强对鄱阳湖生态经济区建设的指导和协调。依据本规划的要求，制定本部门支持鄱阳湖生态经济区建设的具体政策措施，在有关规划编制、政策实施、项目安排、体制创新等方面给予积极指导和支持。加强部门之间的沟通协调，指导和帮助地方解决本规划实施过程中遇到的困难和问题，为鄱阳湖生态经济区建设创造良好的政策环境。

江西省要切实加强组织领导，确定综合协调机构加强对区域内市（县）的工作指导，建立区域内城市之间和省直部门之间的协商沟通机制；加快完善有利于生态环境保护的地方性法规和规章，创造良好的政策环境；在国家有关部门的指导下，编制重点领域的专项规划，按照本规划确定的功能定位和发展重点，抓紧推进相关项目的组织实施；进一步完善公众参与和民主监督机制，做好规划及相关信息的公开工作，建立规划实施情况定期公告制度，保障社会公众通过法定程序和渠道参与规划的实施和监督。

……

中国城市经济统计资料>>>

中华人民共和国2009年国民经济和社会发展统计公报

（资料来源于中华人民共和国国家统计局）

2009年，全国各族人民在党中央、国务院的领导下，以邓小平理论和“三个代表”重要思想为指导，深入贯彻落实科学发展观，认真贯彻积极的财政政策和适度宽松的货币政策，全面落实应对国际金融危机的一揽子计划和政策措施，国民经济形势总体回升向好，各项社会事业取得新的进展。

一、综合

初步核算，全年国内生产总值335353亿元，比上年增长8.7%。分产业看，第一产业增加值35477亿元，增长4.2%；第二产业增加值156958亿元，增长9.5%；第三产业增加值142918亿元，增长8.9%。第一产业增加值占国内生产总值的比重为10.6%，比上年下降0.1个百分点；第二产业增加值比重为46.8%，下降0.7个百分点；第三产业增加值比重为42.6%，上升0.8个百分点。

图1 2005-2009年国内生产总值

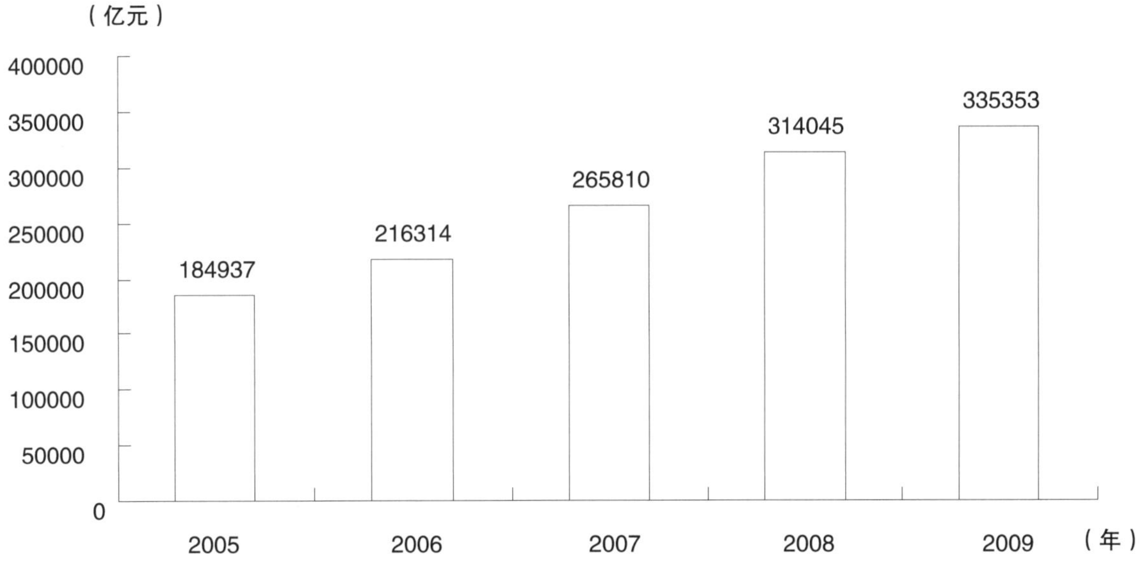

全年居民消费价格比上年下降0.7%，其中食品价格上涨0.7%。固定资产投资价格下降2.4%。工业品出厂价格下降5.4%，其中生产资料价格下降6.7%，生活资料价格下降1.2%。原材料、燃料、动力购进价格下降7.9%。农产品生产价格下降2.4%。农业生产资料价格下降2.5%。70个大中城市房屋销售价格上涨1.5%，其中新建住宅价格上涨1.3%，二手住宅价格上涨2.4%；房屋租赁价格下降0.6%。

图2 2005-2009年居民消费价格涨跌幅度

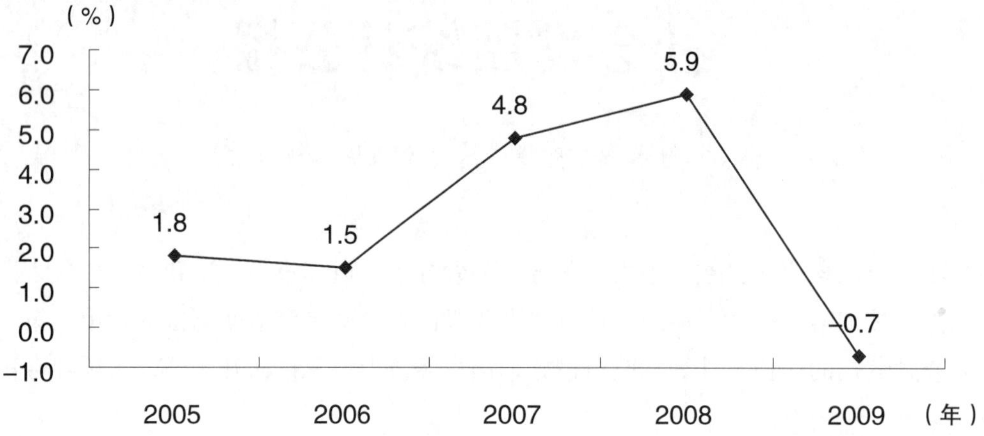

表1 2009年居民消费价格比上年涨跌幅度 单位：%

指　　标	全　国	城　市	农　村
居民消费价格	-0.7	-0.9	-0.3
食品	0.7	1.0	0.1
其中：粮食	5.6	5.7	5.5
肉禽及其制品	-8.7	-8.5	-9.2
油脂	-18.3	-17.9	-18.8
鲜蛋	1.5	1.3	2.0
鲜菜	15.4	15.0	16.7
鲜果	9.1	9.0	9.5
烟酒及用品	1.5	1.7	1.3
衣着	-2.0	-2.2	-1.6
家庭设备用品及服务	0.2	0.3	0.0
医疗保健及个人用品	1.2	1.1	1.5
交通和通信	-2.4	-2.7	-1.8
娱乐教育文化用品及服务	-0.7	-1.2	0.6
居住	-3.6	-4.6	-1.5

年末全国就业人员77995万人，比上年末增加515万人。其中城镇就业人员31120万人，增加910万人，新增加1102万人。年末城镇登记失业率为4.3%，比上年末上升0.1个百分点。

年末国家外汇储备23992亿美元，比上年末增加4531亿美元。年末人民币汇率为1美元兑6.8282元人民币，比上年末升值0.1%。

图3　2005-2009年年末国家外汇储备

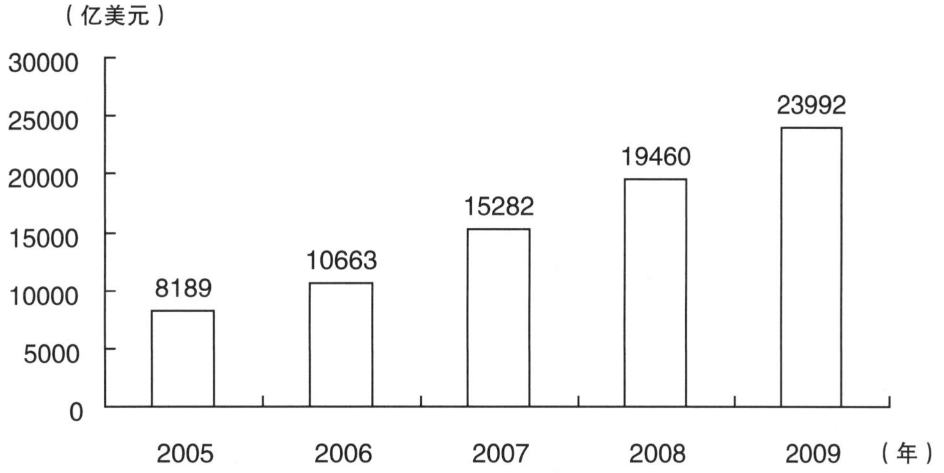

全年财政收入68477亿元，比上年增加7147亿元，增长11.7%；其中税收收入59515亿元，增加5291亿元，增长9.8%。

图4　2005-2009年财政收入

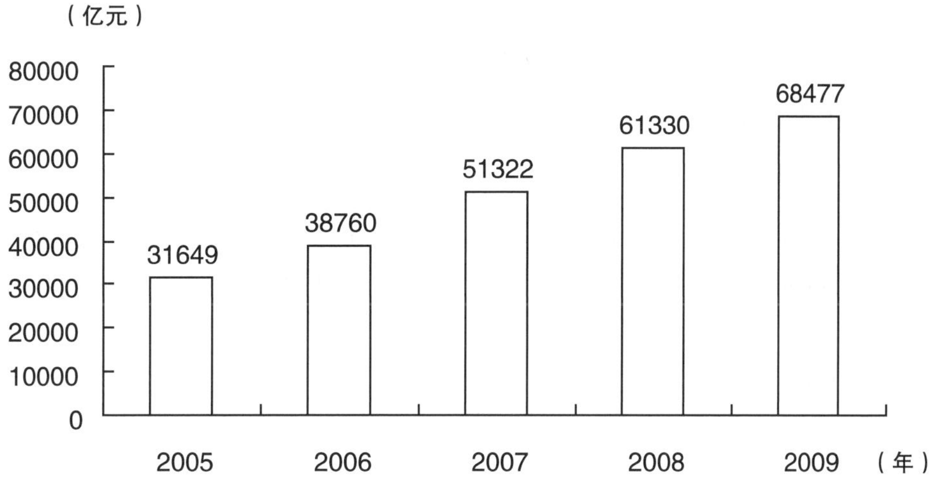

二、农业

全年粮食种植面积10897万公顷，比上年增加217万公顷；棉花种植面积495万公顷，减少80万公顷；油料种植面积1360万公顷，增加76万公顷；糖料种植面积188万公顷，减少11万公顷。

全年粮食产量53082万吨，比上年增加211万吨，增产0.4%。其中，夏粮产量12335万吨，增产2.2%；早稻产量3327万吨，增产5.3%；秋粮产量37420万吨，减产0.6%。

全年棉花产量640万吨，比上年减产14.6%。油料产量3100万吨，增产5.0%。糖料产量12200万吨，减产9.1%。烤烟产量280万吨，增产6.7%。茶叶产量135万吨，增产7.1%。

全年肉类总产量7642万吨，比上年增长5.0%。其中，猪肉产量4889万吨，增长5.8%；牛肉产量636万吨，增长3.6%；羊肉产量389万吨，增长2.4%。生猪年末存栏46985万头，增长1.5%；生猪出

图5 2005-2009年粮食产量

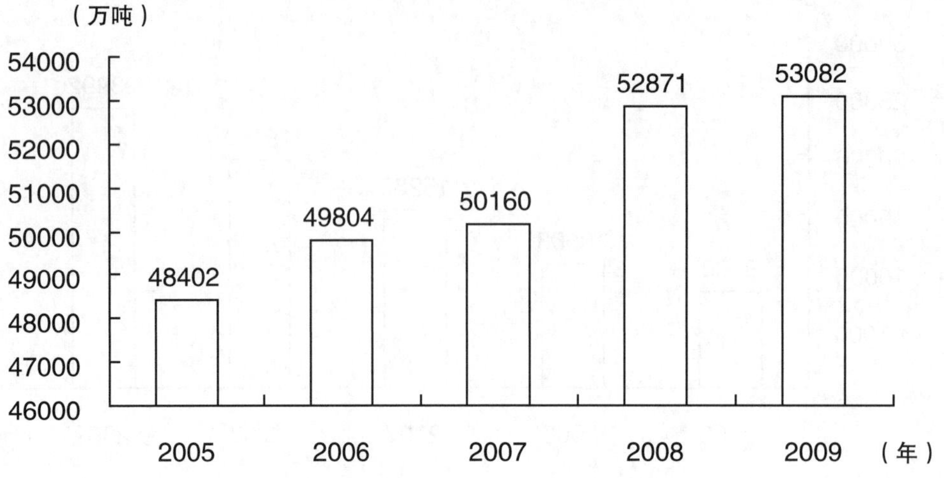

栏64507万头，增长5.7%。牛奶产量3518万吨，下降1.1%；禽蛋产量2741万吨，增长1.4%。

全年水产品产量5120万吨，增长4.6%。其中，养殖水产品产量3635万吨，增长6.5%；捕捞水产品产量1485万吨，增长0.1%。

全年木材产量6938万立方米，比上年下降14.4%。

全年新增有效灌溉面积147.1万公顷，新增节水灌溉面积182.6万公顷。

三、工业和建筑业

全年全部工业增加值134625亿元，比上年增长8.3%。规模以上工业增加值增长11.0%，其中国有及国有控股企业增长6.9%；集体企业增长10.2%，股份制企业增长13.3%，外商及港澳台商投资企业增长6.2%；私营企业增长18.7%。分轻重工业看，轻工业增长9.7%，重工业增长11.5%。

图6 2005-2009年工业增加值

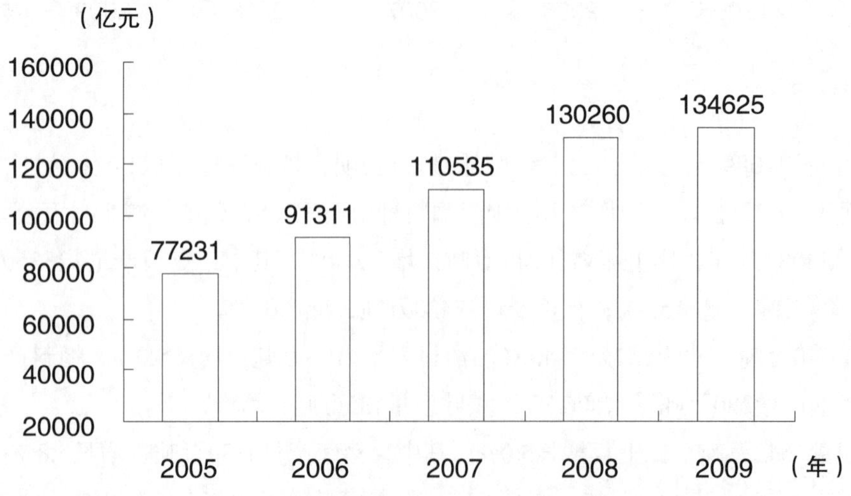

全年规模以上工业中，煤炭开采和洗选业增加值比上年增长8.3%；石油和天然气开采业增长4.8%；农副食品加工业增长15.9%；纺织业增长8.5%；通用设备制造业增长11.0%；专用设备制造业增长13.0%；交通运输设备制造业增长18.4%，其中汽车制造增长20.3%，船舶制造增长20.7%；通信设备、计算机及其他电子设备制造业增长5.3%；电气机械及器材制造业增长12.0%。6大高载能行业比上年增长10.6%，其中，非金属矿物制品业增长14.7%，化学原料及化学制品制造业增长14.6%，有色金属冶炼及压延加工业增长12.8%，黑色金属冶炼及压延加工业增长9.9%，电力、热力的生产和供应业增长6.0%，石油加工、炼焦及核燃料加工业增长5.2%。高技术制造业增加值比上年增长7.7%。

表2　2009年主要工业产品产量及其增长速度

产品名称	单 位	产 量	比上年增长%
纱	万吨	2393.5	12.7
布	亿米	740.0	4.2
化学纤维	万吨	2730.0	13.0
成品糖	万吨	1321.2	–8.9
卷烟	亿支	22901.5	3.2
彩色电视机	万台	9898.8	9.6
其中：液晶电视机	万台	6765.3	85.2
家用电冰箱	万台	5930.5	24.7
房间空气调节器	万台	8078.2	–1.9
一次能源生产总量	亿吨标准煤	28.0	5.8
原煤	亿吨	30.50	8.8
原油	亿吨	1.89	–3.1
天然气	亿立方米	851.7	6.1
发电量	亿千瓦小时	37146.5	6.3
其中：火电	亿千瓦小时	29827.8	10.2
水电	亿千瓦小时	6156.4	–3.3
核电	亿千瓦小时	701.3	2.5
粗钢	万吨	56803.3	12.9
钢材	万吨	69626.3	15.2
十种有色金属	万吨	2650.1	5.2
其中：精炼铜（电解铜）	万吨	413.5	9.1
原铝（电解铝）	万吨	1296.5	–1.5
氧化铝	万吨	2379.3	3.3
水泥	亿吨	16.5	16.0
硫酸	万吨	5960.2	16.9
纯碱	万吨	1938.4	3.0
烧碱	万吨	1832.4	–1.1
乙烯	万吨	1066.3	8.0
化肥（折100%）	万吨	6599.7	9.8
发电机组（发电设备）	万千瓦	11729.3	–11.9
汽车	万辆	1379.5	48.2
其中：基本型乘用车（轿车）	万辆	748.5	48.6
大中型拖拉机	万台	37.1	30.6
集成电路	亿块	414.4	–0.7
程控交换机	万线	4147.4	–9.5
移动通信手持机	万台	61924.5	10.7
微型计算机设备	万台	18215.1	33.3

1-11月全国规模以上工业企业累计实现利润25891亿元，比上年同期增长7.8%。

表3 2009年1-11月规模以上工业企业实现利润及其增长速度 单位：亿元

指 标	利润总额	比上年同期增长%
规模以上工业	25891	7.8
其中：国有及国有控股企业	7514	-4.5
其中：集体企业	545	10.3
股份制企业	13890	4.2
外商及港澳台商投资企业	7511	16.9
其中：私营企业	6849	17.4

全年全社会建筑业增加值22333亿元，比上年增长18.2%。全国具有资质等级的总承包和专业承包建筑业企业实现利润2663亿元，增长21.0%，其中国有及国有控股企业697亿元，增长23.9%。

图7 2005-2009年建筑业增加值

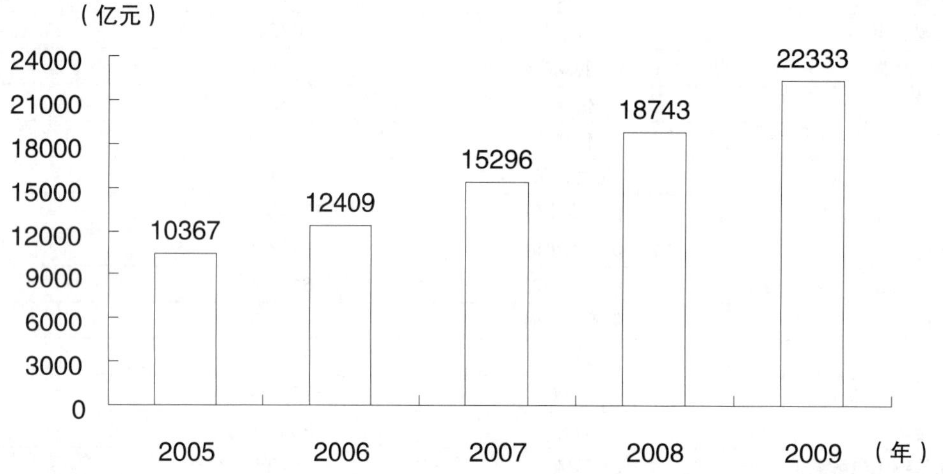

四、固定资产投资

全年全社会固定资产投资224846亿元，比上年增长30.1%。分城乡看，城镇投资194139亿元，增长30.5%；农村投资30707亿元，增长27.5%。分地区看，东部地区投资95653亿元，比上年增长23.0%；中部地区投资49846亿元，增长35.8%；西部地区投资49662亿元，增长38.1%；东北地区投资23733亿元，增长26.8%。

在城镇投资中，第一产业投资3373亿元，比上年增长49.9%；第二产业投资82277亿元，比上年增长26.8%；第三产业投资108489亿元，比上年增长33.0%。

全年房地产开发投资36232亿元，比上年增长16.1%。其中，商品住宅投资25619亿元，增长14.2%；办公楼投资1378亿元，增长18.1%；商业营业用房投资4172亿元，增长24.4%。

图8 2005-2009年全社会固定资产投资

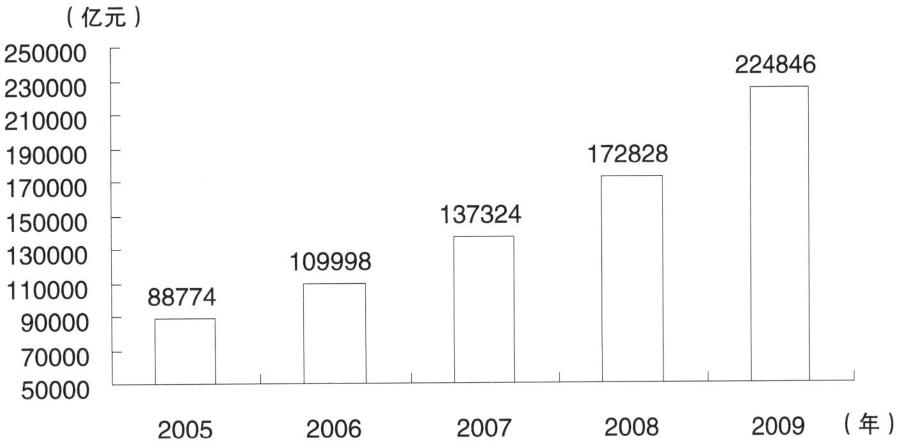

表4 2009年分行业城镇固定资产投资及其增长速度

单位：亿元

行　　业	投资额	比上年增长%
总计	194139	30.5
农、林、牧、渔业	3373	49.9
采矿业	8093	18.2
其中：煤炭开采及洗选业	3021	25.9
石油和天然气开采业	2793	4.4
制造业	58817	26.8
其中：农副食品加工业	2826	38.2
食品制造业	1513	32.4
纺织业	1768	14.8
纺织服装、鞋、帽制造业	1051	17.0
石油加工、炼焦及核燃料加工业	1835	0.4
化学原料及化学制品制造业	6006	26.9
非金属矿物制品业	5948	43.5
黑色金属冶炼及压延加工业	3206	-1.3
有色金属冶炼及压延加工业	2202	16.8
金属制品业	2836	29.2
通用设备制造业	4465	37.6
专用设备制造业	3111	37.3
交通运输设备制造业	4965	31.3
电气机械及器材制造业	3545	51.2
通信设备、计算机及其他电子设备制造业	2627	6.7
电力、燃气及水的生产和供应业	13482	28.5
其中：电力、热力的生产与供应业	11078	22.8
建筑业	1884	57.6
交通运输、仓储和邮政业	23278	48.3
信息传输、计算机服务和软件业	2515	18.0
批发和零售业	4451	39.4
住宿和餐饮业	2333	34.4
金融业	349	38.2
房地产业	43065	19.9
租赁和商务服务业	1887	50.4
科学研究、技术服务和地质勘察业	1066	48.5
水利、环境和公共设施管理业	17814	45.1
居民服务和其他服务业	506	61.8
教育	3231	37.2
卫生、社会保障和社会福利业	1689	58.5
文化、体育和娱乐业	2117	47.4
公共管理和社会组织	4189	29.3

表5 2009年固定资产投资新增主要生产能力

指　　标	单 位	绝对数
新增发电机组容量	万千瓦	8970
22万伏及以上变电设备	万千伏安	27161
新建铁路投产里程	公里	5557
增建铁路复线投产里程	公里	4129
电气化铁路投产里程	公里	8448
新建公路	公里	121013
其中：高速公路	公里	4391
港口万吨级码头泊位新增吞吐能力	万吨	31318
新增光缆线路长度	万公里	149
新增数字蜂窝移动电话交换机容量	万户	27580

表6 2009年房地产开发和销售主要指标完成情况

指　　标	单 位	绝对数	比上年增长%
投资完成额	亿元	36232	16.1
其中：住宅	亿元	25619	14.2
90平方米以下住宅	亿元	8351	24.1
经济适用房	亿元	1139	17.3
房屋施工面积	万平方米	319650	12.8
其中：住宅	万平方米	250804	12.5
房屋新开工面积	万平方米	115385	12.5
其中：住宅	万平方米	92463	10.5
房屋竣工面积	万平方米	70219	5.5
其中：住宅	万平方米	57694	6.2
商品房销售面积	万平方米	93713	42.1
其中：住宅	万平方米	85294	43.9
本年资金来源	亿元	57128	44.2
其中：国内贷款	亿元	11293	48.5
个人按揭贷款	亿元	8403	116.2
本年购置土地面积	万平方米	31906	-18.9
完成开发土地面积	万平方米	23006	-19.9
土地购置费	亿元	6039	0.7

五、国内贸易

全年社会消费品零售总额125343亿元，比上年增长15.5%。分地域看，城市消费品零售额85133亿元，增长15.5%；县及县以下消费品零售额40210亿元，增长15.7%。分行业看，批发和零售业零售额105413亿元，增长15.6%；住宿和餐饮业零售额17998亿元，增长16.8%；其他行业零售额1932亿元，增长2.5%。

在限额以上批发和零售业零售额中，汽车类零售额比上年增长32.3%，粮油类增长13.0%，肉禽

图9 2005-2009年社会消费品零售总额

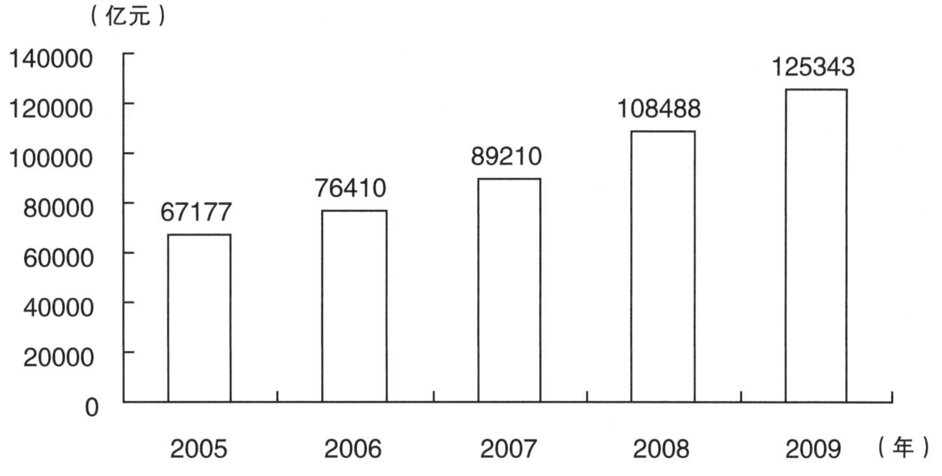

蛋类增长8.3%，服装类增长20.8%，日用品类增长15.6%，文化办公用品类增长6.7%，通信器材类下降1.3%，化妆品类增长16.9%，金银珠宝类增长15.9%，中西药品类增长21.7%，家用电器和音像器材类增长12.3%，家具类增长35.5%，建筑及装潢材料类增长26.6%。

六、对外经济

全年货物进出口总额22072亿美元，比上年下降13.9%。其中，货物出口12017亿美元，下降16.0%；货物进口10056亿美元，下降11.2%。进出口差额（出口减进口）1961亿美元，比上年减少1020亿美元。

表7 2009年货物进出口总额及其增长速度 单位：亿美元

指　标	绝对数	比上年增长%
货物进出口总额	22072	−13.9
货物出口额	12017	−16.0
其中：一般贸易	5298	−20.1
加工贸易	5870	−13.1
其中：机电产品	7131	−13.4
高新技术产品	3769	−9.3
其中：国有企业	1910	−25.8
外商投资企业	6722	−15.0
其他企业	3384	−11.6
货物进口额	10056	−11.2
其中：一般贸易	5339	−6.7
加工贸易	3223	−14.8
其中：机电产品	4914	−8.7
高新技术产品	3098	−9.4
其中：国有企业	2885	−18.5
外商投资企业	5452	−12.0
其他企业	1719	7.9
进出口差额（出口减进口）	1961	−

表8　2009年主要商品出口数量、金额及其增长速度

商品名称	单位	数量	比上年增长%	金额（亿美元）	比上年增长%
煤	万吨	2240	-50.7	24	-54.7
钢材	万吨	2460	-58.5	223	-64.9
纺织纱线、织物及制品	——	—	—	600	-8.4
服装及衣着附件	——	—	—	1071	-11.0
鞋类	——	—	—	280	-5.7
家具及其零件	——	—	—	253	-6.0
自动数据处理设备及其部件	万台	131331	-8.5	1224	-9.4
手持或车载无线电话	万台	58280	9.4	396	2.7
集装箱	万个	69	-77.2	19	-78.6
集成电路	百万个	56608	16.8	233	-4.2
液晶显示板	万个	192414	-5.1	192	-14.1
汽车（包括整套散件）	万辆	35	-45.2	47	-47.3

表9　2009年主要商品进口数量、金额及其增长速度

商品名称	数量（万吨）	比上年增长%	金额（亿美元）	比上年增长
谷物及谷物粉	315	104.6	9	22.7
大豆	4255	13.7	188	-13.9
食用植物油	816	8.4	59	-30.1
铁矿砂及其精矿	62778	41.6	501	-17.4
氧化铝	514	12.1	13	-26.6
煤	12583	211.9	106	201.3
原油	20379	13.9	893	-31.0
成品油	3696	-5.4	170	-43.7
初级形状的塑料	2381	34.5	348	2.2
纸浆	1368	43.7	68	2.1
钢材	1763	14.3	195	-16.9
未锻造的铜及铜材	429	62.7	226	18.0

表10　2009年对主要国家和地区货物进出口额及其增长速度

国家和地区	出口额(亿美元)	比上年增长%	进口额(亿美元)	比上年增长%
欧盟	2363	-19.4	1278	-3.7
美国	2208	-12.5	774	-4.8
中国香港	1662	-12.8	87	-32.6
东盟	1063	-7.0	1067	-8.8
日本	979	-15.7	1309	-13.1
韩国	537	-27.4	1026	-8.5
印度	297	-6.1	137	-32.3
中国台湾	205	-20.8	857	-17.0
俄罗斯	175	-47.1	213	-10.7

图10　2005-2009年货物进出口总额

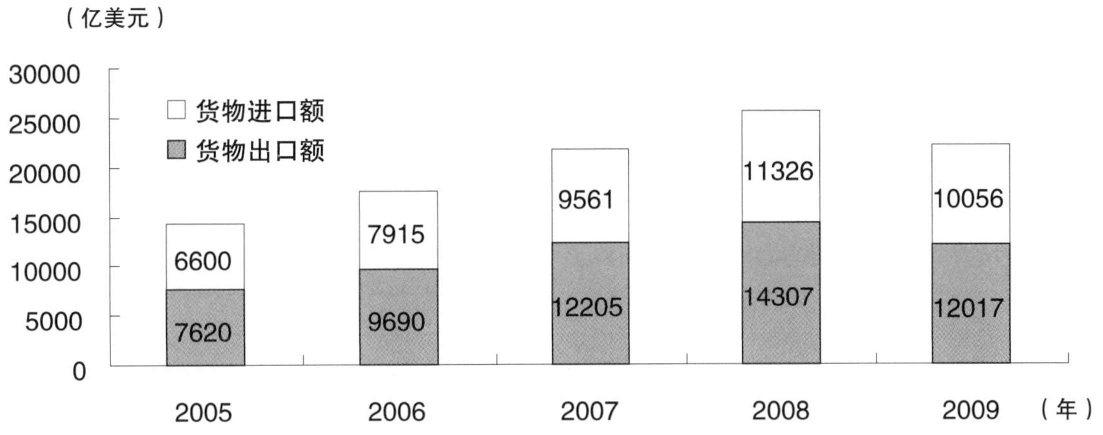

全年非金融领域新批外商直接投资企业23435家，比上年减少14.8%。实际使用外商直接投资金额900亿美元，下降2.6%。其中，制造业占52.0%；房地产业占18.7%；租赁和商务服务业占6.8%；批发和零售业占6.0%；交通运输、仓储和邮政业占2.8%。

表11　2009年分行业外商直接投资及其增长速度

行业	企业数（家）	比上年增长%	实际使用金额（亿美元）	比上年增长%
总计	23435	–14.8	900.3	–2.6
农、林、牧、渔业	896	–2.3	14.3	20.0
采矿业	99	–33.6	5.0	–12.6
制造业	9767	–15.6	467.7	–6.3
电力、燃气及水的生产和供应业	238	–25.6	21.1	24.5
建筑业	220	–16.0	6.9	–36.7
交通运输、仓储和邮政业	395	–24.5	25.3	–11.4
信息传输、计算机服务和软件业	1081	–15.9	22.5	–19.0
批发和零售业	5100	–12.9	53.9	21.6
住宿和餐饮业	502	–20.7	8.4	–10.1
金融业	52	108.0	4.6	–20.3
房地产业	569	25.9	168.0	–9.7
租赁和商务服务业	2864	–8.7	60.8	20.2
科学研究、技术服务和地质勘察业	1066	–42.0	16.7	11.2
水利、环境和公共设施管理业	183	32.6	5.6	63.4
居民服务和其他服务业	207	1.0	15.9	178.3
教育	20	–16.7	0.1	–63.0
卫生、社会保障和社会福利业	18	80.0	0.4	127.0
文化、体育和娱乐业	158	–7.1	3.2	23.0
公共管理和社会组织	—	—	—	—
国际组织	—	—	—	—

全年非金融类对外直接投资额433亿美元，比上年增长6.5%。

全年对外承包工程业务完成营业额777亿美元，比上年增长37.3%；对外劳务合作完成营业额89亿美元，增长10.6%。

七、交通、邮电和旅游

全年交通运输、仓储和邮政业增加值17058亿元，比上年增长3.7%。

表12　2009年各种运输方式完成货物运输量及其增长速度

指　标	单　位	绝对数	比上年增长%
货物运输总量	亿吨	278.8	7.5
铁路	亿吨	33.3	1.9
公路	亿吨	209.7	9.4
水运	亿吨	31.4	3.0
民航	万吨	445.5	9.3
管道	亿吨	4.4	1.3
货物运输周转量	亿吨公里	121211.3	9.8
铁路	亿吨公里	25239.2	0.5
公路	亿吨公里	36383.5	10.7
水运	亿吨公里	57439.9	14.0
民航	亿吨公里	126.3	5.6
管道	亿吨公里	2022.4	4.1

表13　2009年各种运输方式完成旅客运输量及其增长速度

指　标	单　位	绝对数	比上年增长%
旅客运输总量	亿人	297.7	3.8
铁路	亿人	15.2	4.3
公路	亿人	278.0	3.6
水运	亿人	2.2	2.9
民航	亿人	2.3	19.7
旅客运输周转量	亿人公里	24773.6	6.8
铁路	亿人公里	7878.9	1.3
公路	亿人公里	13450.7	7.8
水运	亿人公里	69.1	5.8
民航	亿人公里	3374.9	17.1

全年规模以上港口完成货物吞吐量69.1亿吨，比上年增长8.2%，其中外贸货物吞吐量21.4亿吨，增长8.6%。港口集装箱吞吐量12082万标准箱，下降5.8%。

年末全国民用汽车保有量达到7619万辆（包括三轮汽车和低速货车1331万辆），比上年末增长17.8%，其中私人汽车保有量5218万辆，增长25.0%。民用轿车保有量3136万辆，增长28.6%，其中私人轿车2605万辆，增长33.8%。

全年完成邮电业务总量27313亿元，比上年增长14.6%。其中，邮政业务总量1632亿元，增长16.4%；电信业务总量25681亿元，增长14.4%。全年局用交换机容量减少1644万门，总容量49219万门；新增移动电话交换机容量27580万户，达到142111万户。固定电话年末用户31369万户。其中，城市电话用户21178万户，农村电话用户10191万户。新增移动电话用户10614万户，年末达到74738万户。年末全国固定及移动电话用户总数达到106107万户，比上年末增加7947万户。电话普及率达到79.9部/百人。互联网上网人数3.8亿人，其中宽带上网人数3.5亿人；互联网普及率达到28.9%。

图11　2005-2009年年末电话用户数

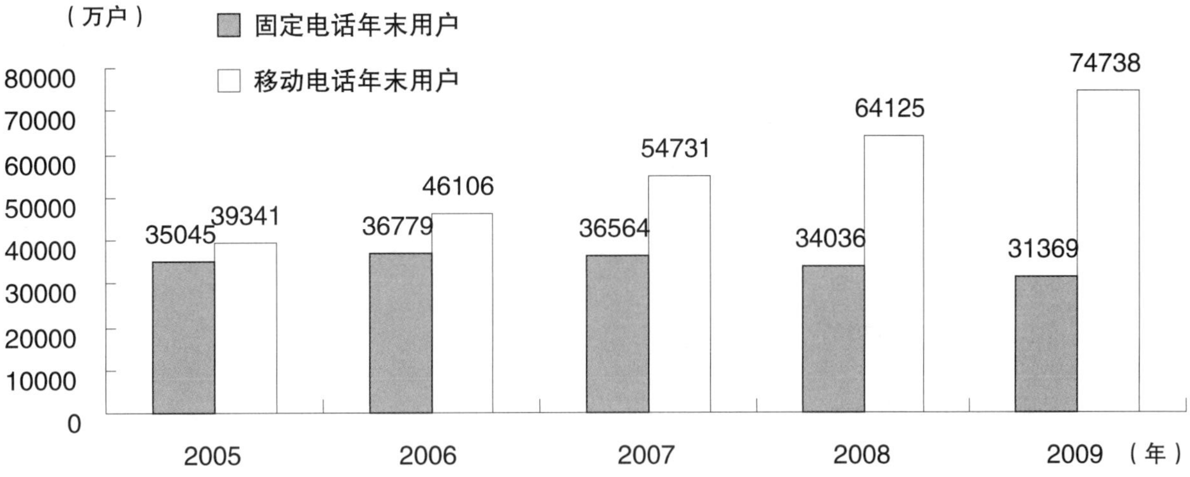

全年国内出游人数达19.0亿人次，比上年增长11.1%；国内旅游收入10184亿元，增长16.4%。入境旅游人数12648万人次，下降2.7%。其中，外国人2194万人次，下降9.8%；香港、澳门和台湾同胞10454万人次，下降1.1%。在入境旅游者中，过夜旅游者5088万人次，下降4.1%。国际旅游外汇收入397亿美元，下降2.9%。国内居民出境人数达4766万人次，增长4.0%。其中因私出境4221万人次，增长5.2%，占出境人数的88.6%。

八、金融

年末广义货币供应量（M_2）余额为60.6万亿元，比上年末增长27.7%；狭义货币供应量（M_1）余额为22.0万亿元，增长32.4%；流通中现金（M_0）余额为3.8万亿元，增长11.8%。

年末全部金融机构本外币各项存款余额61.2万亿元，比年初增加13.2万亿元。其中人民币各项存款余额59.8万亿元，增加13.1万亿元。全部金融机构本外币各项贷款余额42.6万亿元，增加10.5万亿元。其中人民币各项贷款余额40.0万亿元，增加9.6万亿元。

全年农村金融合作机构（农村信用社、农村合作银行、农村商业银行）人民币贷款余额4.7万亿元，比年初增加9727亿元。全部金融机构人民币消费贷款余额5.5万亿元，增加17976亿元。其中，个人短期消费贷款余额0.6万亿元，增加2465亿元；个人中长期消费贷款余额4.9万亿元，增加15511亿元。

全年上市公司通过境内市场累计筹资3653亿元，比上年增加1255亿元。其中，首次公开发行A

表14　2009年全部金融机构本外币存贷款及其增长速度　　单位：亿元

指　　标	年末数	比上年末增长%
各项存款余额	612006	27.7
其中：企业存款	224357	36.5
城乡居民储蓄存款	264761	19.5
其中：人民币	260772	19.7
各项贷款余额	425597	33.0
其中：短期贷款	151353	17.7
中长期贷款	235579	43.5

图12　2005-2009年城乡居民人民币储蓄存款余额

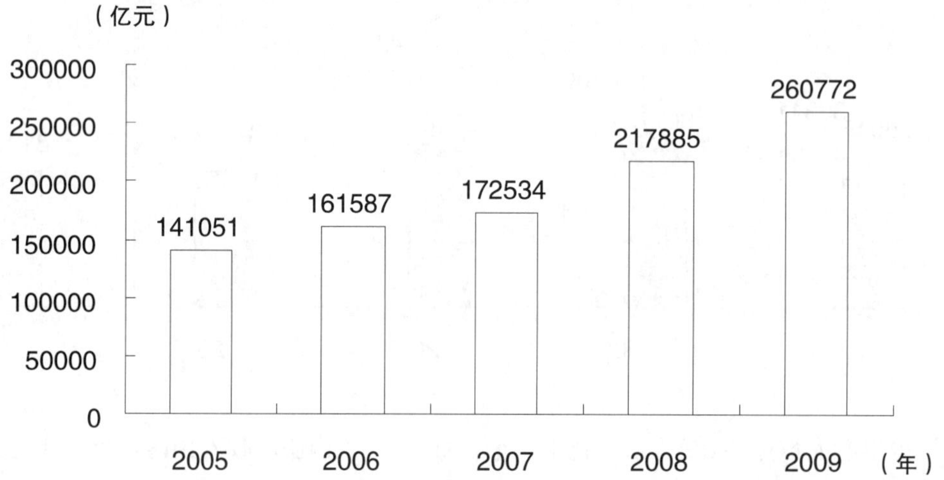

股99只，筹资2062亿元，增加995亿元；A股再筹资（包括配股、公开增发、非公开增发、认股权证）筹资1591亿元，增加259亿元；上市公司通过发行可转债、可分离债、公司债筹资813亿元，减少185亿元。全年首次公开发行创业板股票36只，筹资204亿元。

全年发行非上市公司企业（公司）债券4252亿元，比上年增加1885亿元。企业发行短期融资券4612亿元，增加281亿元；中期票据6987亿元，增加5250亿元。发行中小企业集合票据12.7亿元。

全年保险公司原保险保费收入11137亿元，比上年增长13.8%，其中寿险业务原保险保费收入7457亿元；健康险和意外伤害险业务原保险保费收入804亿元；财产险业务原保险保费收入2876亿元。支付各类赔款及给付3125亿元，其中寿险业务给付1269亿元；健康险和意外伤害险赔款及给付281亿元；财产险业务赔款1576亿元。

九、教育和科学技术

全年研究生教育招生51.1万人，在学研究生140.5万人，毕业生37.1万人。普通高等教育本专科招生639.5万人，在校生2144.7万人，毕业生531.1万人。各类中等职业教育招生873.6万人，在校生2178.7万人，毕业生619.2万人。全国普通高中招生830.3万人，在校生2434.3万人，毕业生823.7万人。全国初中招生1788.5万人，在校生5440.9万人，毕业生1797.7万人。普通小学招生1637.8万人，在校生10071.5万人，毕业生1805.2万人。特殊教育招生6.4万人，在校生42.8万人。幼儿园在园幼儿2657.8万人。

图13　2005-2009年普通高等教育、中等职业教育及普通高中招生人数

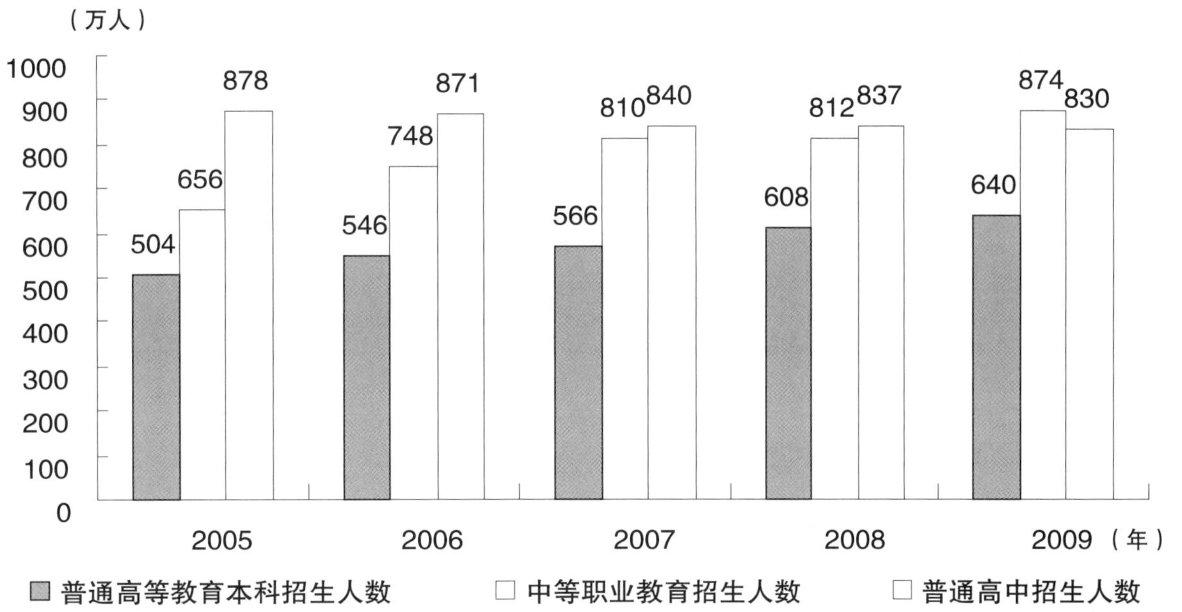

全年研究与试验发展（R&D）经费支出5433亿元，比上年增长17.7%，占国内生产总值的1.62%，其中基础研究经费272亿元。全年国家安排了639项科技支撑计划课题，1328项“863”计划课题。累计建设国家工程研究中心127个，国家工程实验室85个。国家认定企业技术中心达到636家。省级企业技术中心达到5011家。启动实施新兴产业创投计划，支持设立20家创业投资基金。全年受理国内外专利申请97.7万件，其中国内申请87.8万件，占89.9%。受理国内外发明专利申请31.5万件，其中国内申请22.9万件，占72.8%。全年授予专利权58.2万件，其中国内授权50.2万件，占86.2%。授予发明专利权12.8万件，其中国内授权6.5万件，占50.9%。截至2009年底，有效专利152.0万件，其中国内有效专利119.3万件，占78.5%；有效发明专利43.8万件，其中国内有效发明专利18.0万件，占41.1%。全年共签订技术合同21.4万项，技术合同成交金额3039亿元，比上年增长14.0%。全年成功发射卫星6次。首台千万亿次超级计算机系统“天河一号”研制成功；嫦娥一号卫星成功受控撞月。

年末全国共有产品检测实验室25000个，其中国家检测中心414个。全国现有产品质量、体系认证机构168个，已累计完成对4.1万个企业的产品认证。全国共有法定计量技术机构3760个，全年强制检定计量器具4560万台（件）。全年制定、修订国家标准3158项，其中新制定2102项。全年中央气象台和省级气象台共发布气象预警信号2737次，警报3950次。全国共有地震台站1457个，地震遥测台网32个。全国共有海洋观测站66个。测绘部门公开出版地图2060种，测绘图书307种。

十、文化、卫生和体育

年末全国共有艺术表演团体2478个，文化馆3214个，公共图书馆2833个，博物馆1996个。广播

电台251座，电视台272座，广播电视台2087座，教育台44个。有线电视用户17398万户，有线数字电视用户6200万户。年末广播节目综合人口覆盖率为96.3%；电视节目综合人口覆盖率为97.2%。全年生产故事影片456部，科教、纪录、动画和特种影片102部。出版各类报纸437亿份，各类期刊31亿册，图书70亿册（张）。年末全国共有档案馆4035个，已开放各类档案7991万卷（件）。

年末全国共有卫生机构28.9万个，其中医院、卫生院6.0万个，社区卫生服务中心（站）2.6万个，妇幼保健院（所、站）3013个，专科疾病防治院（所、站）1315个，疾病预防控制中心（防疫站）3543个，卫生监督所（中心）2706个，诊所及其他19.3万个。卫生技术人员522万人，其中执业医师和执业助理医师216万人，注册护士174万人。医院和卫生院床位396万张。乡镇卫生院3.9万个，床位91万张，卫生技术人员89.8万人。全年甲、乙类法定报告传染病发病人数377.6万例，报告死亡15105人；报告传染病发病率284.34/10万，死亡率1.14/10万。

全年运动健儿在30个项目中共获得142个世界冠军，11人3队22次创22项世界纪录。在第十一届全国运动会上，共有7人9次创超5项世界纪录；12人3队21次创16项亚洲纪录；29人5队52次创39项全国纪录。

十一、人口、人民生活和社会保障

年末全国总人口为133474万人，比上年末增加672万人。全年出生人口1615万人，出生率为12.13‰；死亡人口943万人，死亡率为7.08‰；自然增长率为5.05‰。出生人口男女性别比为119.45：100。

表15　2009年人口数及其构成　　单位：万人

指　标	年末数	比重%
全国总人口	133474	100.0
其中：城镇	62186	46.6
乡村	71288	53.4
其中：男性	68652	51.4
女性	64822	48.6
其中：0-14岁	24663	18.5
15-59岁	92097	69.0
60岁及以上	16714	12.5
其中：65岁及以上	11309	8.5

全年农村居民人均纯收入5153元，剔除价格因素，比上年实际增长8.5%；城镇居民人均可支配收入17175元，实际增长9.8%。农村居民家庭食品消费支出占消费总支出的比重为41.0%，城镇为36.5%。按2009年农村贫困标准1196元测算，年末农村贫困人口为3597万人。

年末全国参加城镇基本养老保险人数23498万人，比上年末增加1607万人。其中参保职工17703万人，参保离退休人员5795万人。参加城镇基本医疗保险的人数40061万人，增加8239万人。其中，参加城镇职工基本医疗保险人数21961万人，参加城镇居民基本医疗保险人数18100万人。参加城镇医疗保险的农民工4335万人，增加69万人。参加失业保险的人数12715万人，增加316万人。参加工伤保险的人数14861万人，增加1074万人。其中参加工伤保险农民工5580万人，增加638万人。参加

图14　2005-2009年农村居民人均纯收入

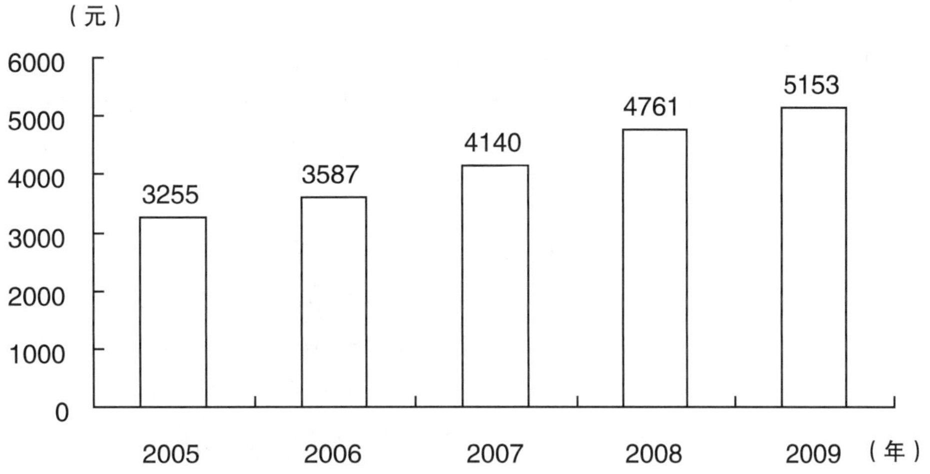

图15　2005-2009年城镇居民人均可支配收入

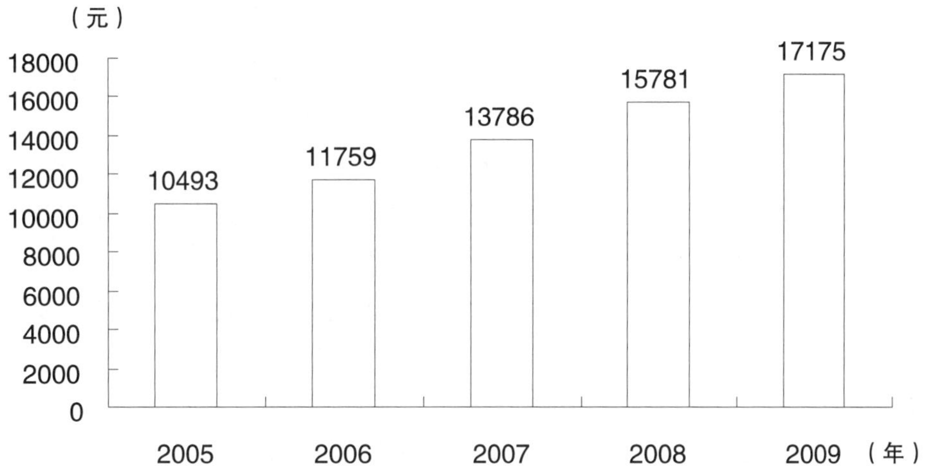

生育保险的人数10860万人，增加1606万人。2716个县（市、区）开展了新型农村合作医疗工作，新型农村合作医疗参合率94.0%。新型农村合作医疗基金累计支出总额为646亿元，累积受益4.9亿人次。新型农村社会养老保险试点顺利启动。年末全国领取失业保险金人数为235万人。

年末全国共有各类提供住宿的收养性社会服务机构3.9万个，床位275.4万张，收养各类人员208.8万人。其中，农村养老服务机构3.0万个，床位188.5万张，收养各类人员151.1万人。各类不提供住宿的社区服务设施14.0万个，其中，社区服务中心9726个，社区服务站2.5万个。全年2347.7万城市居民得到政府最低生活保障，比上年增加12.9万人；4759.3万农村居民得到政府最低生活保障，增加453.8万人；554.3万农村居民得到政府五保救济，增加5.7万人。全年救助城市医疗困难群众417.2万人次，救助农村医疗困难群众688.4万人次；资助1047.8万城镇困难群众参加城镇医疗保险，资助3689.8万农村困难群众参加新型农村合作医疗。全年销售社会福利彩票756亿元，直接接收社会捐赠款41亿元。

十二、资源、环境和安全生产

全年土地整理复垦开发补充耕地26.9万公顷。

全年全国国有建设用地供应总量31.9万公顷，比上年增长44.2%。其中，工矿仓储用地11.9万公顷，增长44.1%；房地产用地10.3万公顷，增长36.7%；基础设施等其他用地9.7万公顷，增长53.0%。全年全国105个重点监测城市综合地价比上年上涨5.0%，其中商业地价上涨5.6%，居住地价上涨7.9%，工业地价上涨1.6%。

全年水资源总量23763亿立方米，比上年减少13.4%；人均水资源1784.9立方米，减少13.8%。全年平均降水量583.1毫米，减少10.9%。年末全国大型水库蓄水总量1805亿立方米，比上年末少蓄水156亿立方米。全年总用水量5933亿立方米，比上年增加0.4%。其中，生活用水增加2.9%，工业用水减少0.6%，农业用水增加0.6%，生态补水减少9.8%。万元国内生产总值用水量209.3立方米，比上年下降7.6%。万元工业增加值用水量116.4立方米，下降8.2%。人均用水量445.7立方米，下降0.1%。

国土资源调查及地质勘察新发现大中型矿产地398处，其中，能源矿产地107处，金属矿产地177处，非金属矿产地109处，水气矿产地5处。有65种矿产新增查明资源储量，其中，石油11.2亿吨，天然气7234亿立方米，原煤503.6亿吨。

根据第七次全国森林资源清查结果，截至2008年，森林面积19545万公顷，森林覆盖率20.36%，活立木总蓄积量149.13亿立方米，森林蓄积量137.21亿立方米。

全年完成造林面积588万公顷，其中人工造林389万公顷。林业重点工程完成造林面积447万公顷，占全部造林面积的76.0%。全民义务植树24.8亿株。截至年底，自然保护区达到2529个，其中国家级自然保护区319个。新增综合治理水土流失面积4.8万平方公里，新增实施水土流失地区封育保护面积2.7万平方公里。截至2009年底，已确权集体林地面积为10093万公顷，其中发放林权证的面积为7573万公顷。

全年平均气温为9.8℃，共有9个台风登陆。

初步测算，全年能源消费总量31.0亿吨标准煤，比上年增长6.3%。煤炭消费量30.2亿吨，增长9.2%；原油消费量3.8亿吨，增长7.1%；天然气消费量887亿立方米，增长9.1%；电力消费量36973亿千瓦小时，增长6.2%。全国万元国内生产总值能耗下降2.2%。主要原材料消费中，钢材消费量6.9亿吨，增长22.4%；精炼铜消费量753万吨，增长39.7%；电解铝消费量1439万吨，增长14.4%；乙烯消费量1066万吨，增长8.0%；水泥消费量16.3亿吨，增长17.0%。

七大水系的408个水质监测断面中，Ⅰ-Ⅲ类水质断面比例占57.1%，比上年提高2.1个百分点；劣Ⅴ类水质断面比例占18.4%，比上年下降2.4个百分点。七大水系水质总体上持续好转，部分流域污染仍然严重。

近岸海域299个海水水质监测点中，达到国家一、二类海水水质标准的监测点占72.9%，比上年上升2.5个百分点；三类海水占6.0%，下降5.3个百分点；四类、劣四类海水占21.1%，上升2.8个百分点。

在监测的612个城市中，有504个城市空气质量达到二级以上（含二级）标准，占监测城市数的82.4%；有100个城市为三级，占16.3%；有8个城市为劣三级，占1.3%。在监测的327个城市中，城市区域声环境质量好的城市占4.9%，较好的占70.0%，轻度污染的占23.9%，中度污染的占1.2%。

年末城市污水处理厂日处理能力达8664万立方米，比上年末增长6.9%；城市污水处理率达到72.3%，提高2.1个百分点。集中供热面积35.6亿平方米，增长2.0%。建成区绿地率达到34.4%，提高1.1个百分点。

全年各类自然灾害造成直接经济损失2524亿元，比上年下降78.5%。全年农作物受灾面积4721万公顷，增加18.1%。其中，绝收492万公顷，增加22.0%。全年因洪涝灾害造成直接经济损失655亿元，增加0.5%；死亡902人，下降10.8%。全年因旱灾造成直接经济损失1099亿元，增加2.58倍。全年低温冷冻和雪灾造成直接经济损失172亿元，死亡40人。全年因海洋灾害造成直接经济损失100亿元，下降51.3%。全年累计发生赤潮面积14102平方公里，增加2.7%。全年实际发生各类地质灾害1.0万起，直接经济损失18.3亿元，死亡331人。全年大陆地区共发生5级以上地震24次，成灾8次，造成直接经济损失27.4亿元，死亡3人。全年共发生森林火灾8808起，下降37.7%。

全年生产安全事故死亡83196人，比上年下降8.8%。亿元国内生产总值生产安全事故死亡人数为0.248人，下降20.5%；工矿商贸企业就业人员10万人生产安全事故死亡人数为2.4人，下降14.9%；煤矿百万吨死亡人数为0.892人，下降24.5%。全年共发生道路交通事故23.8万起，造成6.8万人死亡，27.5万人受伤，直接财产损失9.1亿元；道路交通万车死亡人数为3.6人，减少0.7人。

注：

1.本公报中数据均为初步统计数。

2.各项统计数据均未包括香港特别行政区、澳门特别行政区和台湾省。

3.部分数据因四舍五入的原因，存在着与分项合计不等的情况。

4.国内生产总值、各产业增加值绝对数按现价计算，增长速度按不变价格计算。

5.大高载能行业分别为：化学原料及化学制品制造业、非金属矿物制品业、黑色金属冶炼及压延加工业、有色金属冶炼及压延加工业、石油加工炼焦及核燃料加工业、电力热力的生产和供应业。

6.钢材产量及消费量数据中均含部分使用钢材加工成其他钢材的重复计算因素。

7.固定资产投资按东部、中部、西部和东北地区计算的合计数据小于全国数据，是因为有部分跨地区的投资未计算在地区数据中。其中：东部地区是指北京、天津、河北、上海、江苏、浙江、福建、山东、广东和海南10省市；中部地区是指山西、安徽、江西、河南、湖北和湖南6省；西部地区是指内蒙古、广西、重庆、四川、贵州、云南、西藏、陕西、甘肃、青海、宁夏和新疆12省（区、市）；东北地区是指辽宁、吉林和黑龙江3省。

8.房地产业投资除房地产开发投资外，还包括建设单位自建房屋以及物业管理、中介服务和其他房地产投资。

9.表11中“金融业”是指国民经济行业分类中的证券分析与咨询、保险辅助服务和其他金融活动等。

10.原保险保费收入是指保险企业确认的原保险合同保费收入。

11.特种影片是指那些采用与常规影院放映在技术、设备、节目方面不同的电影展示方式，如巨幕电影、立体电影、立体特效（4D）电影、动感电影、球幕电影等。

12.城镇职工基本医疗保险人数包括参保职工和参保退休人员。城镇居民基本医疗保险的参保对象是不属于城镇职工基本医疗保险覆盖范围的城镇非从业人员。

13.农村五保救济是指老年、残疾或者未满16周岁的村民，无劳动能力、无生活来源又无法定赡养、抚养、扶养义务人，或者其法定赡养、抚养、扶养义务人无赡养、抚养、扶养能力的村民，在吃、穿、住、医、葬方面得到的生活照顾和物质帮助。

14.建设用地供应总量是指报告期市、县人民政府根据年度土地供应计划依法以出让、划拨、租赁等方式将国有建设用地使用权提供给单位或个人使用的国有建设用地总量。

15.地价是指根据《城市地价动态监测技术规范》，以城市监测点地价为基础，综合土地市场和房地产市场交易价格测算反映城市整体状况的土地价格水平。综合地价是指同一城市或地区的不同用途土地的平均价格水平。

16.万元国内生产总值用水量按2005年不变价格计算，邮电业务总量按2000年不变价格计算。

2009年中国城市经济相关统计数据

年末总人口与就业人员

单位：万人

地区	年末总人口	就业人员
全国	133474	77995
北京市	1755	1255
天津市	1228	507
河北省	7034	3900
山西省	3427	1600
内蒙古自治区	2422	1142
辽宁省	4319	2190
吉林省	2740	1185
黑龙江省	3826	1687
上海市	1921	929
江苏省	7725	4536
浙江省	5180	3825
安徽省	6131	3690
福建省	3627	2169
江西省	4432	2244
山东省	9470	5450
河南省	9487	5949
湖北省	5720	3024
湖南省	6406	3908
广东省	9638	5643
广西壮族自治区	4856	2863
海南省	864	431
重庆市	2859	1878
四川省	8185	4945
贵州省	3798	2341
云南省	4571	2730
西藏自治区	290	169
陕西省	3772	1919
甘肃省	2635	1407
青海省	557	286
宁夏回族自治区	625	329
新疆维吾尔自治区	2159	829

地区生产总值及增长速度、人均地区生产总值

单位：亿元

地区	地区生产总值	地区生产总值比去年增长（%）	人均地区生产总值
北京市	11865.9	10.1	68788
天津市	7500.8	16.5	62403
河北省	17026.6	10.0	24284
山西省	7365.7	5.5	21544
内蒙古自治区	9725.8	16.9	40225
辽宁省	15065.6	13.1	34898
吉林省	7203.2	13.3	26319
黑龙江省	8288.0	11.1	21665
上海市	14900.9	8.2	78225
江苏省	34061.2	12.4	44232
浙江省	22832.4	8.9	44335
安徽省	10052.9	12.9	16391
福建省	11949.5	12.0	33051
江西省	7589.2	13.1	17185
山东省	33805.3	11.9	35796
河南省	19367.3	10.7	20447
湖北省	12831.5	13.2	22450
湖南省	12930.7	13.6	20226
广东省	39081.6	9.5	40748
广西壮族自治区	7700.4	13.9	15923
海南省	1646.6	11.7	19166
重庆市	6528.7	14.9	22916
四川省	14151.3	14.5	17339
贵州省	3893.5	11.2	10258
云南省	6168.2	12.1	13536
西藏自治区	441.4	12.4	15295
陕西省	8186.7	13.6	21732
甘肃省	3382.4	10.0	12852
青海省	1081.3	10.1	19454
宁夏回族自治区	1334.6	11.6	21475
新疆维吾尔自治区	4273.6	8.1	10026

地区生产总值构成

（地区生产总值=100）

地区	第一产业	第二产业	工业	建筑业	第三产业	交通运输、仓储和邮政业	批发和零售业
北京市	1.0	23.1	18.5	4.6	75.9	3.9	13.2
天津市	1.7	54.8	50.0	4.8	43.5	6.2	11.2
河北省	13.0	52.1	46.4	5.7	34.8	8.9	6.6
山西省	6.5	54.6	48.2	6.4	38.9	7.0	7.6
内蒙古自治区	9.6	52.5	46.3	6.1	38.0	8.0	9.4
辽宁省	9.4	51.9	45.4	6.5	38.7	5.2	9.5
吉林省	13.6	48.5	41.7	6.8	37.9	4.4	9.4
黑龙江省	13.9	47.3	41.2	6.1	38.8	5.2	8.6
上海市	0.8	39.9	35.9	4.0	59.4	4.3	14.7
江苏省	6.5	54.1	48.3	5.7	39.5	4.1	10.4
浙江省	5.1	51.9	45.8	6.1	43.0	3.8	9.5
安徽省	14.9	48.8	40.4	8.3	36.4	4.6	7.1
福建省	9.9	48.6	41.2	7.5	41.5	6.3	8.5
江西省	14.5	51.3	41.8	9.5	34.3	5.1	7.1
山东省	9.5	56.3	50.4	5.9	34.1	5.3	8.7
河南省	14.3	56.6	50.9	5.7	29.1	4.4	5.4
湖北省	14.0	46.1	39.4	6.6	40.0	5.0	7.1
湖南省	15.2	43.9	37.2	6.7	40.8	5.3	8.6
广东省	5.1	49.3	45.9	3.4	45.6	4.4	10.0
广西壮族自治区	18.9	43.9	37.2	6.7	37.2	4.6	7.1
海南省	28.1	26.9	18.3	8.7	45.0	5.3	10.3
重庆市	9.3	52.8	44.7	8.1	37.9	5.3	8.0
四川省	15.8	47.4	40.1	7.3	36.7	3.7	6.1
贵州省	14.2	37.9	32.2	5.7	47.9	10.2	7.5
云南省	17.2	41.8	33.9	8.0	40.9	2.8	8.9
西藏自治区	14.5	30.9	7.4	23.5	54.6	4.7	6.1
陕西省	9.6	43.7	43.7	9.0	37.7	5.1	8.2
甘肃省	14.7	44.7	35.2	9.5	40.6	6.3	6.8
青海省	9.9	53.3	43.6	9.7	36.8	4.6	6.1
宁夏回族自治区	9.5	51.0	40.3	10.6	39.5	7.3	6.0
新疆维吾尔自治区	17.8	45.7	37.0	8.7	36.5	4.4	5.9

注：本表按当年价格计算。

东、中、西、东北地区主要经济指标（一）

指标	单位	东部10省市合计或平均	东部10省市合计占全国的比重（%）	中部6省合计或平均	中部6省合计占全国的比重（%）
国民核算					
国内（地区）生产总值	亿元	194670.9	53.7	70137.3	19.4
第一产业	亿元	12822.7	36.5	9606.0	27.3
第二产业	亿元	96489.3	53.9	35374.5	19.8
第三产业	亿元	85358.9	57.6	25156.8	17.0
固定资产投资					
全社会固定资产投资额	亿元	95653.1	43.7	49846.3	22.8
对外贸易					
货物进出口总额	亿美元	19471.4	88.2	776.7	3.5
出口总额	亿美元	10612.0	88.3	419.1	3.5
进口总额	亿美元	8859.4	88.1	357.7	3.6
农业					
主要农产品产量					
粮食	万吨	13817.4	26.0	16615.2	31.3
棉花	万吨	188.4	29.5	176.5	27.7
料油	万吨	809.0	25.6	1385.7	43.9
工业					
主要工业产品产量					
原煤	万吨	28390.3	9.6	105834.4	35.9
原油	万吨	7280.9	38.4	555.4	2.9
发电量	亿千瓦小时	15269.6	41.1	8628.4	23.2
粗钢	万吨	31465.2	55.4	11779.9	20.7
钢材	万吨	41876.4	60.5	12606.1	18.2
建筑业					
建筑业总产值	亿元	42267.5	55.7	14802.4	19.5
国内贸易					
社会消费品零售总额	亿元	71058.5	53.6	26409.7	19.9
物价总水平					
居民消费价格指数	上年=100	99.0		99.4	

注：东部10省市和中部6省合计占全国的比重以全国各地区合计数为100计算。

东、中、西、东北地区主要经济指标（二）

指标	单位	西部12省区市合计或平均	西部12省区市合计占全国的比重（%）	东北3省合计或平均	东北3省合计占全国的比重（%）
国民核算					
国内（地区）生产总值	亿元	66867.7	18.5	30556.8	8.4
第一产业	亿元	9198.5	26.1	3549.7	10.1
第二产业	亿元	31860.8	17.8	15234.0	8.5
第三产业	亿元	25808.3	17.4	11773.0	7.9
固定资产投资					
全社会固定资产投资额	亿元	49662.3	22.7	23733.0	10.8
对外贸易					
货物进出口总额	亿美元	915.1	4.1	908.9	4.1
出口总额	亿美元	519.1	4.3	466.5	3.9
进口总额	亿美元	396.0	3.9	442.4	4.4
农业					
主要农产品产量					
粮食	万吨	14245.4	26.8	8404.0	15.8
棉花	万吨	272.5	42.7	0.3	0.05
料油	万吨	825.7	26.2	133.9	4.2
工业					
主要工业产品产量					
原煤	万吨	141054.2	47.8	19774.4	6.7
原油	万吨	5472.1	28.9	5640.6	29.8
发电量	亿千瓦小时	10821.3	29.1	2427.3	6.5
粗钢	万吨	7397.6	13.0	6141.5	10.8
钢材	万吨	8469.5	12.2	6298.3	9.1
建筑业					
建筑业总产值	亿元	12941.3	17.1	5852.7	7.7
国内贸易					
社会消费品零售总额	亿元	23038.7	17.4	12171.7	9.2
物价总水平					
居民消费价格指数	上年=100	100.3		100.1	

注：西部12省区市和东北3省合计占全国的比重以全国各地区合计数为100计算。

固定资产投资

单位：亿元

地区	全社会固定资产投资	城镇固定资产投资
全国	224845.6	194138.62
北京市	4616.9	4149.63
天津市	4738.5	4446.83
河北省	12267.0	10472.25
山西省	4943.2	4509.56
内蒙古自治区	7318.9	7144.35
辽宁省	12292.6	11605.17
吉林省	6411.3	5958.62
黑龙江省	5029.2	4696.08
上海市	5143.7	4718.76
江苏省	18950.0	14266.88
浙江省	10741.6	7453.64
安徽省	8985.8	7940.55
福建省	6231.2	5548.61
江西省	6642.4	6006.69
山东省	19034.5	15439.10
河南省	13704.6	11455.01
湖北省	7866.9	7183.68
湖南省	7703.5	6880.09
广东省	12941.5	10238.46
广西壮族自治区	5237.2	4689.88
海南省	988.2	942.57
重庆市	5214.3	4855.11
四川省	11387.3	9061.43
贵州省	2401.7	2040.02
云南省	4526.4	4117.53
西藏自治区	379.4	328.66
陕西省	6249.0	5890.47
甘肃省	2363.0	2076.38
青海省	798.3	689.12
宁夏回族自治区	1075.9	964.16
新疆维吾尔自治区	2710.9	2418.51
不分地区	5950.8	5950.85

货物进出口总额（按经营单位所在地分）

单位：亿元

地区	货物进出口总额	出口额	进口额
全国	22072.2	12016.6	10055.6
北京市	2148.7	483.8	1664.8
天津市	638.4	298.9	339.4
河北省	296.1	156.9	139.2
山西省	85.5	28.4	57.2
内蒙古自治区	67.7	23.2	44.6
辽宁省	629.3	334.4	294.8
吉林省	117.5	31.3	86.2
黑龙江省	162.2	100.8	61.5
上海市	2777.5	1418.8	1358.7
江苏省	3388.3	1992.4	1395.9
浙江省	1877.3	1330.2	547.1
安徽省	156.4	88.9	67.5
福建省	796.6	533.3	263.3
江西省	126.6	73.6	53.0
山东省	1389.7	795.0	594.7
河南省	134.4	73.5	60.9
湖北省	172.3	99.8	72.5
湖南省	101.5	54.9	46.6
广东省	6110.7	3589.6	2521.2
广西壮族自治区	142.3	83.8	58.6
海南省	48.1	13.1	35.1
重庆市	77.1	42.8	34.3
四川省	242.3	141.5	100.8
贵州省	23.0	13.6	9.5
云南省	80.2	45.1	35.1
西藏自治区	4.0	3.8	0.3
陕西省	84.0	39.9	44.2
甘肃省	38.2	7.4	30.9
青海省	5.9	2.5	3.3
宁夏回族自治区	12.0	7.4	4.6
新疆维吾尔自治区	138.3	108.2	30.0

固定资产投资价格指数、居民消费价格指数

（上年=100）

地区	固定资产投资价格指数	居民消费价格指数
全国	97.6	99.3
北京市	97.1	98.5
天津市	97.6	99.0
河北省	96.5	99.3
山西省	98.1	99.6
内蒙古自治区	98.5	99.7
辽宁省	97.0	100.0
吉林省	99.4	100.1
黑龙江省	97.6	100.2
上海市	97.0	99.6
江苏省	97.7	99.6
浙江省	96.7	98.5
安徽省	96.0	99.1
福建省	98.0	98.2
江西省	96.1	99.3
山东省	96.9	100.0
河南省	96.4	99.4
湖北省	98.8	99.6
湖南省	99.7	99.6
广东省	96.7	97.7
广西壮族自治区	97.9	97.9
海南省	97.7	99.3
重庆市	97.8	98.4
四川省	98.3	100.8
贵州省	100.5	98.7
云南省	98.1	100.4
西藏自治区	—	101.4
陕西省	99.3	100.5
甘肃省	101.5	101.3
青海省	100.9	102.6
宁夏回族自治区	100.2	100.7
新疆维吾尔自治区	98.0	100.7

房地产价格指数

（上年=100）

项目	2003年	2004年	2005年	2006年	2007年	2008年	2009年
土地交易价格指数	108.3	110.1	109.1	105.8	112.3	109.4	105.4
居住用地	112.4	111.6	110.3	106.0	113.7	111.3	106.4
经济适用房用地			105.3	108.2	105.1	109.3	102.9
商品住宅用地						102.6	106.3
普通住宅用地	113.0	111.8	108.9	105.7	113.2	111.6	105.9
高档住宅用地	105.9	107.6	120.5	107.4	117.0	107.6	109.1
工业用地	101.3	104.3	103.6	104.7	105.9	103.7	102.2
商业营业用地	104.9	110.4	107.9	106.4	113.0	111.1	106.0
其他用地	104.4	105.5	106.7	103.5	103.8	105.5	106.2
房屋租赁价格指数	101.9	101.4	101.9	101.4	102.6	101.4	99.4
住宅	107.5	102.2	100.5	101.4	102.6	102.2	99.2
经济适用房			101.2	100.1	100.3	100.1	100.1
廉租房			100.0	100.2	100.4	100.0	91.0
商品住宅						102.6	99.7
普通住宅			100.6	102.3	103.6	102.0	100.3
高档住宅			100.1	100.2	101.2	107.0	95.8
非住宅						100.6	99.6
办公楼	99.9	100.2	102.9	100.9	102.9	99.9	100.4
商业营业用房	99.6	102.0	101.7	101.8	102.7	100.6	99.0
其他用房			104.5	101.9	100.9	102.5	101.2
物业管理价格指数			100.0	100.3	100.5	100.5	100.4
住宅			100.1	100.2	100.3	100.5	100.4
非住宅						100.6	100.4

各地区规模以上工业企业主要经济指标（一）

单位：亿元

地区	主营业务收入	主营业务成本	主营业务税金及附加	营业费用	税金总额	利润总额
全国	474608.6	403816.3	7292.8	11991.7	21129.2	25890.8
北京市	10606.3	9096.2	149.6	402.7	451.9	561.1
天津市	11470.2	10034.2	121.2	279.2	338.4	612.1
河北省	21213.0	18621.6	228.9	360.8	777.1	1112.7
山西省	7968.8	6559.8	89.5	262.8	588.7	339.8
内蒙古自治区	9366.2	7644.1	133.8	225.7	534.2	653.2
辽宁省	24322.9	21030.2	505.2	420.6	989.6	781.8
吉林省	8007.9	6921.1	195.4	240.7	432.2	455.5
黑龙江省	6612.3	5072.7	204.9	156.0	556.2	761.4
上海市	22271.9	18847.7	382.0	777.1	940.8	1246.0
江苏省	64061.9	56505.7	486.2	1356.3	2137.2	3198.2
浙江省	33972.0	29193.4	393.4	863.4	1283.6	1742.5
安徽省	10737.2	9179.0	190.2	328.0	516.2	416.4
福建省	14438.6	12439.1	164.9	374.6	451.4	652.2
江西省	8618.3	7371.8	121.9	163.6	392.9	402.6
山东省	64463.1	55217.4	742.2	1259.9	2581.8	3936.7
河南省	25153.6	21276.8	347.1	552.6	1212.5	2062.3
湖北省	13235.1	11015.2	312.5	397.6	697.6	675.8
湖南省	11141.0	8871.9	357.5	288.2	715.6	488.5
广东省	56467.7	48160.1	540.7	1842.2	1789.5	2643.1
广西壮族自治区	5486.2	4691.8	91.5	151.5	299.2	196.8
海南省	886.7	668.6	68.4	26.6	119.1	85.3
重庆市	5796.8	4834.9	87.6	194.9	267.4	269.7
四川省	15299.5	12808.1	203.3	459.0	729.1	794.3
贵州省	2727.4	2149.1	111.5	92.2	257.7	153.2
云南省	4367.2	3257.5	417.8	124.4	676.3	265.4
西藏自治区	42.5	32.8	0.7	2.8	4.5	5.6
陕西省	6985.4	5271.1	263.8	188.0	616.8	679.6
甘肃省	3351.1	2778.8	163.6	61.0	294.0	140.8
青海省	939.6	756.1	20.0	19.6	67.3	80.8
宁夏回族自治区	1207.9	1008.5	25.1	42.8	71.2	57.3
新疆维吾尔自治区	3390.4	2500.8	172.7	77.1	339.2	420.3

注：本表为2009年1-11月快报数据（下表同）。

各地区规模以上工业企业主要经济指标（二）

单位：亿元

地区	亏损企业亏损总额	应收账款净额	产成品	资产总计	负债合计	全部从业人员平均人数（万人）
全国	3270.3	52555.8	23636.3	470700.8	278667.5	8346.3
北京市	159.9	1901.1	529.9	19009.2	9697.7	120.8
天津市	102.3	1426.8	445.6	11619.6	7584.2	128.4
河北省	130.1	1457.5	974.3	19325.1	12025.0	308.5
山西省	209.6	940.4	636.2	15330.2	10365.4	210.3
内蒙古自治区	73.5	729.8	412.3	11491.6	7163.9	106.0
辽宁省	208.0	2309.8	1207.6	23436.4	14335.7	346.9
吉林省	77.3	759.5	345.8	8299.0	4864.2	122.8
黑龙江省	67.0	745.5	368.5	8744.0	5284.5	141.3
上海市	218.1	4028.3	1235.9	24278.2	12895.4	278.5
江苏省	293.7	8316.5	2783.5	51430.9	30341.5	972.8
浙江省	176.9	5461.4	2333.7	38224.1	23576.9	769.8
安徽省	63.6	1126.9	623.7	11458.8	7181.7	214.7
福建省	94.0	1659.2	790.1	12993.5	7050.1	347.2
江西省	29.6	483.1	310.5	6494.3	3741.6	165.6
山东省	133.4	3135.2	2276.0	43324.1	23420.2	877.0
河南省	155.7	1454.2	700.6	19096.0	11003.7	417.4
湖北省	81.4	1306.3	777.7	16145.5	9003.4	242.1
湖南省	75.6	829.6	495.0	9396.4	5732.8	221.0
广东省	349.7	8819.6	3044.2	49171.1	29459.8	1351.5
广西壮族自治区	65.4	533.7	419.6	6484.3	4165.6	112.8
海南省	11.6	90.2	53.7	1264.2	732.0	11.2
重庆市	28.9	653.9	311.0	6283.0	3869.7	130.3
四川省	96.5	1581.1	820.6	16771.9	10655.3	290.7
贵州省	68.4	362.9	194.9	4864.6	3245.8	74.3
云南省	63.6	512.5	344.6	7973.6	4702.8	83.0
西藏自治区	3.4	9.2	4.0	247.1	59.0	1.7
陕西省	94.5	988.9	467.8	11423.4	6724.5	129.4
甘肃省	42.4	279.0	261.1	4849.9	2995.5	66.7
青海省	15.0	122.3	113.8	2528.4	1681.5	17.6
宁夏回族自治区	24.8	159.6	122.1	2589.2	1767.0	26.2
新疆维吾尔自治区	56.5	371.8	232.4	6153.3	3362.0	60.0

各地区规模以上工业企业主要经济效益指标

地区	总资产贡献率（%）	资本保值增值率（%）	资产负债率（%）	流动资产周转次数（次）	成本费用利润率（%）	产品销售率（%）
全国	12.9	114.2	59.2	2.5	5.9	97.5
北京市	6.8	108.7	50.9	1.6	5.6	99.2
天津市	10.4	115.2	65.3	2.2	5.7	97.2
河北省	12.8	115.6	62.2	3.0	5.6	97.0
山西省	8.4	112.2	67.6	1.5	4.5	96.4
内蒙古自治区	13.8	125.1	62.3	2.9	7.9	96.6
辽宁省	9.7	102.8	61.2	2.5	3.5	97.2
吉林省	13.7	114.3	58.6	2.9	6.0	97.3
黑龙江省	18.0	109.0	60.4	2.1	13.5	97.2
上海市	11.1	109.6	53.1	2.0	6.0	98.9
江苏省	13.1	113.5	59.0	2.7	5.3	98.1
浙江省	10.6	113.5	61.7	1.8	5.4	97.2
安徽省	10.9	126.0	62.7	2.5	4.1	97.1
福建省	11.4	116.0	54.3	2.6	4.8	97.2
江西省	16.0	123.9	57.6	3.6	5.2	98.7
山东省	19.1	120.9	54.1	3.8	6.7	98.4
河南省	21.8	118.3	57.6	3.6	9.1	97.8
湖北省	11.1	114.9	55.8	2.3	5.6	97.2
湖南省	16.5	115.8	61.0	3.5	5.0	98.6
广东省	11.5	110.0	59.9	2.3	5.0	96.5
广西壮族自治区	10.8	115.8	64.2	2.4	3.8	95.7
海南省	20.8	114.5	57.9	2.3	11.5	98.2
重庆市	11.3	115.2	61.6	2.3	5.0	97.8
四川省	12.3	120.8	63.5	2.4	5.6	97.6
贵州省	11.5	117.4	66.7	1.7	6.2	94.5
云南省	14.6	111.9	59.0	1.6	7.2	95.7
西藏自治区	5.4	114.8	23.9	0.7	14.3	94.0
陕西省	14.7	124.4	58.9	1.6	11.4	96.6
甘肃省	11.5	108.4	61.8	1.9	4.6	96.2
青海省	8.9	114.1	66.5	1.4	9.5	93.6
宁夏回族自治区	7.7	121.8	68.2	1.6	5.0	94.0
新疆维吾尔自治区	15.4	107.7	54.6	1.9	15.1	94.8

各地区建筑业主要效益指标

地区	企业个数（个）	计算劳动生产率的平均人数（万人）	按建筑业总产值计算的劳动生产率（元/人）	人均竣工产值（元/人）	人均施工面积（平方米/人）	人均竣工面积（平方米/人）
全国	68283	4153.6	182647	105446	141.4	55.3
北京市	3229	162.6	249693	126916	139.7	32.1
天津市	1272	55.6	325246	159574	114.6	37.3
河北省	2077	129.9	191669	97089	137.9	53.6
山西省	1543	81.2	218438	66641	73.4	23.7
内蒙古自治区	766	73.2	129986	84990	77.7	39.1
辽宁省	4184	191.4	176307	101125	102.7	43.3
吉林省	861	61.7	186807	100549	82.8	47.5
黑龙江省	1680	81.9	162007	70860	58.8	30.4
上海市	2871	112.3	340948	184880	169.5	48.1
江苏省	8284	604.4	168468	126368	163.0	67.1
浙江省	4656	463.5	201730	132881	227.5	85.3
安徽省	2334	141.9	159925	87140	128.6	59.2
福建省	2034	133.3	162194	99464	157.6	50.1
江西省	1214	75.4	170354	104184	157.9	75.4
山东省	6004	307.1	149095	85152	127.4	52.2
河南省	3744	200.9	177214	95114	121.5	55.4
湖北省	2789	214.6	158872	71240	96.8	43.7
湖南省	1838	139.1	180145	111203	169.3	71.4
广东省	4198	172.3	212859	128012	173.2	58.9
广西壮族自治区	953	49.4	187833	112739	181.5	67.5
海南省	103	10.4	136780	67685	109.7	36.5
重庆市	2338	114.9	164296	96885	142.9	61.4
四川省	3295	245.2	134132	69543	106.9	42.8
贵州省	559	31.9	159654	63515	151.6	40.1
云南省	1930	68.8	171458	91048	110.7	49.6
西藏自治区	153	5.2	170216	142214	54.0	4.3
陕西省	988	103.7	223008	83211	90.1	27.8
甘肃省	760	46.9	122810	65316	99.9	34.5
青海省	378	12.1	165665	58957	38.2	15.5
宁夏回族自治区	474	20.5	126608	97723	103.2	45.1
新疆维吾尔自治区	774	42.5	178816	110956	120.9	56.1

2009年中国城市经济大事记>>>

2009年中国城市经济大事记[①]

1月2日 武汉城市圈“两型社会”综合配套改革试验空间、产业发展、综合交通、社会事业、生态环境规划纲要等五个专项规划，经湖北省省委、省政府审议通过后，由省政府正式印发实施。

1月4日 湖南省举行长株潭“两型办”成立授牌暨国务院批准实验区总体方案新闻发布会。长株潭实验区改革总体方案和城市群区域规划获得国务院批准，成为全国改革实验区的首例。

1月8日 《珠江三角洲地区改革发展规划纲要（2008—2020年）》发布，为我国珠江三角洲地区的改革发展确定了探索科学发展模式试验区等五大战略定位。

1月26日 国务院下发《关于推进重庆市统筹城乡改革和发展的若干意见》，对重庆市统筹城乡改革和发展提出十大项，三十七条意见和要求。

3月1日 江苏省环保厅正式公布《江苏省重要生态功能保护区区域规划》，这给江苏的生态功能保护区的开发利用画上了“红线”。

3月12日 国务院发布《关于拉萨市城市总体规划的批复》(国函〔2009〕27号)，原则同意修订后的《拉萨市城市总体规划(2009—2020年)》。

3月16日 国务院发布《关于批准无锡市城市总体规划的通知》(国办函〔2009〕36号)，原则同意修订后的《无锡市城市总体规划(2001—2020年)》。

3月28日 国务院发布《关于批准辽阳市城市总体规划的通知》(国办函〔2009〕44号)，原则同意修订后的《辽阳市城市总体规划(2001—2020年)》。

4月14日 中国社会科学院举行“2009《城市竞争力蓝皮书》发布暨中国城市竞争力研讨会”。这份由社会科学院文献出版社出版的蓝皮书是中国城市竞争力课题组的第七次年度报告。

4月20日 财政部、住房和城乡建设部共同发布《太阳能光电建筑应用示范项目申报指南》，明确将对三类太阳能光电建筑应用示范项目进行补贴，最高补贴标准分为20元/瓦和15元/瓦两个档次。

4月28日 国务院办公厅，正式下发了《关于重庆统筹城乡综合配套改革试验总体方案的复函》，正式批复了重庆市上报的《重庆市统筹城乡综合配套改革试验总体方案》。

4月29日 国务院总理温家宝主持召开国务院常务会议，讨论并原则通过《关于2009年深化经济体制改革工作的意见》，决定调整固定资产投资项目资本金比例。

5月6日 中国政府网全文刊登《国务院关于支持福建省加快建设海峡西岸经济区的若干意见》。在这份文件中，海峡西岸经济区的战略定位为两岸人民交流合作的先行先试区域，服务周边地区，发展新的对外开放的综合通道，东部沿海地区先进制造业的重要基地，我国重要的自然和文化旅游中心。

---

① 本《大事记》所涉及的有关官方文件发布及重大会议与活动的信息来源为：中华人民共和国政府网站（http://www.gov.cn）、国家各部委官方网站以及各大媒体新闻报道。

5月13日　国土资源部发出《关于切实落实保障性安居工程用地的通知》，要求加快保障性住房用地供应计划的落实，加强和规范保障性住房用地供应管理。

5月19日　国务院正式批复同意建立全国整顿和规范市场经济秩序部际联席会议制度。

5月21日　四川省政府举行专题新闻发布会，通报了国务院正式批复的《成都市统筹城乡综合配套改革试验总体方案》，并允许成都市在9大方面先行先试的相关情况。

5月25日　中国政府网公布了《国务院批转发展改革委关于2009年深化经济体制改革工作意见的通知》。

5月26日　在深圳召开了国务院批准的《深圳市综合配套改革总体方案》新闻发布会。《方案》提出了深圳要争当科学发展的示范区、改革开放的先行区、自主创新的领先区、现代产业的集聚区、粤港澳合作的先导区、法治建设的模范区，强化全国经济中心城市和国家创新型城市地位，加快建设国际化城市和中国特色社会主义示范市的目标定位。

6月2日　《2009—2011年廉租住房保障规划》出台，总体目标是从2009年起到2011年，争取用三年时间，基本解决747万户现有城市低收入住房困难家庭的住房问题。

6月5日　国家应对气候变化领导小组暨国务院节能减排工作领导小组会议在北京召开。会议听取并审议了发展改革委关于2008年节能减排工作进展情况、2009年工作安排以及应对气候变化有关工作情况的汇报。

6月10日　国务院常务会议讨论并原则通过《江苏沿海地区发展规划》。

6月24日　国务院常务会议原则通过了《横琴总体发展规划》。

6月25日　国务院正式发布《关中—天水经济区发展规划》。

6月30日　发展改革委、住房城乡建设部联合发出《关于做好城市供水价格管理工作有关问题的通知》，在明确水价调整的总体要求的情况下，要求各地严格执行水价调整程序，完善水价计征方式，理顺水价结构，同时做好对低收入家庭的保障工作，加强宣传解释。

7月1日　国务院总理温家宝主持召开国务院常务会议，部署2008年度中央预算执行审计查出问题的整改工作，讨论并原则通过《辽宁沿海经济带发展规划》。

7月6日　财政部、住房和城乡建设部发布《关于印发可再生能源建筑应用城市示范实施方案的通知》(财建〔2009〕305号)。

7月14日　国务院印发《关于江苏沿海地区发展规划的批复》。

7月17日　国务院批复同意成立以住房和城乡建设部为牵头单位的保障性安居工程协调小组。

8月14日　国务院正式批准实施《横琴总体发展规划》。

8月24日　国务院关于应对气候变化工作情况的报告，研究制订《关于发展低碳经济的指导意见》。

9月8日　国家统计局发布《新中国成立60周年经济社会发展成就系列报告》。

9月23日　在国务院常务会议上原则通过《促进中部地区崛起规划》。

9月27-28日　广州召开了《广州城市总体发展战略规划（2010—2020年）》专家研讨会，再开国内先河，首次将主体功能区规划、城市总体规划与土地利用总体规划“三规合一”。

10月17日　全国城市“十二五”规划编制工作会议暨第六届中国城市论坛北京峰会在朝阳规划艺术馆举行。

10月18日 “2009杭州国际宜居城市论坛”隆重举行。联合国世界旅游组织全球媒体展览部主管阿拉·布莱索洛娃、住房和城乡建设部房地产市场监管司司长沈建忠等出席论坛并致辞，德国德累斯顿市长海尔玛·奥洛兹等作专题演讲。

10月26日 国家能源局举行能源经济运行发布会，国家能源局综合司司长周喜安对当前能源运行状况进行了详细解读。

11月5日 北京发布《促进城市南部地区加快发展行动计划》，首次提出构建“一轴一带多园区”的城市南部地区产业发展格局。

11月16日 国务院正式批复《中国图们江区域合作开发规划纲要——以长吉图为开发开放先导区》。

12月2日 国家发展改革委发出《关于印发黄河三角洲高效生态经济区发展规划的通知》。

12月3日 国务院已正式批复《黄河三角洲高效生态经济区发展规划》。以此为起点，黄河三角洲地区的发展上升为国家战略，成为国家区域协调发展战略的重要组成部分。

12月12日 国务院正式批复《鄱阳湖生态经济区规划》，建设鄱阳湖生态经济区上升为国家战略。这是新中国成立以来江西省第一个上升为国家战略的区域性发展规划。

12月15—16日 “首届中国城市经济发展与国际合作论坛”在北京举行。此次论坛以“和谐、发展、合作、共赢”为主题，来自美国、英国、德国、日本，以及中国大陆和香港的政界、学界代表共计200余人参加。

12月22日 “中国城市经济科学发展（耒阳）论坛暨2009中国城市经济学会年会”在湖南耒阳隆重召开。此次会议由中国城市经济学会、中共衡阳市委、衡阳市人民政府共同主办，《中国城市经济》杂志社、中共耒阳市委、耒阳市人民政府承办。

12月24日 国务院正式批准实施《甘肃省循环经济总体规划》。

12月24日 住房和城乡建设部、国家发展和改革委员会、财政部、国土资源部及中国人民银行联合发布《关于推进城市和国有工矿棚户区改造工作的指导意见》(建保〔2009〕295号)。

12月31日 国务院公布了《关于推进海南国际旅游岛建设发展的若干意见》。

中国城市经济研究文献 >>>

2009年中国城市经济研究著作选载

《中国经济社会发展新思考》

作者：王茂林　　出版社：中国时代经济出版社

出版日期：2007年1月1日　　页数：589页

书号：ISBN 978-7-80221-240-4

内容简介：

本文集收录了作者近8年来有关我国经济社会发展问题的文章70多篇，是作者对处于新世纪之交关于经济社会发展问题进行新思考的汇集，反映了作者在进入21世纪初关于中国未来经济社会发展战略进行的一些新探索。发展是中国改革开放28年来的一个最重大的主题，也是新世纪未来中国长时期的主题。发展涉及内容非常广泛，本书共分为宏观发展问题、城市发展问题、区域发展问题和能源发展问题等五篇，各篇集中探讨一个方面的发展问题。本书宗旨在于围绕发展主题，进行新的思考。所有文章都是对未来的展望，都是站在新发展阶段起点坐标上对未来发展问题的探讨。

《财政金融五十年》

作者：周道炯　　出版社：中国财政经济出版社

出版日期：2009年8月1日　　页数：608页

书号：ISBN 978-7-5095-1205-0

内容简介：

"加强和改进金融监管，防范和化解金融风险"，就是要用科学的方法进行金融监管，保持金融稳定，促进经济又好又快发展，为我国经济健康发展保驾护航。通过对美国次贷危机以及之后引发的一系列金融连锁反应的反思和总结，我国金融业要切实加强和改进金融监管，健全监管协调机制，有效防范和化解金融风险，维护国家金融稳定和安全。为此，中国财政经济出版社组织出版了《财政金融五十年》一书。

本书作者周道炯先生先后在中国建设银行、中国投资银行、国家开发银行、财政部党组、人民银行理事会、国务院证券委、中国证监会、国务院稽查特派员总署、九届全国人大财经委任职，长期从事财政、金融工作。本书紧密结合我国国情和个人经历，发表了许多真知灼见。向读者展示了在每个重大历史时期作者对改革方向的思考和阐述，对中央政策的解读，以及在政策探索中的理论交锋，具有重要的研究价值、文献价值和理论价值。对了解我国财政金融工作的发展历程，对进一步做好财经工作均是很好的参考，值得收藏和精读。

2009中国城市经济丛书：

《中国城市经济六十年》

主编：王茂林　　出版社：中国城市出版社

出版日期：2009年12月　　页数：505页

书号：ISBN 978-7-5074-2238-2

内容简介：

《中国城市经济六十年》把新中国城市经济60年的发展分为23章，从理论和实践的结合上进行了综合思考，全面地描绘了中国城市经济发展的轨迹，客观地分析了中国城市的演变动因，深刻地探索了中国城市经济的发展方向路径，力求站到新的高度看待现实问题、提出新的发展思路。这本凝聚了集体智慧的专著，对城市建设者、管理者和城市经济实践者、研究者都将大有裨益。

《中国市长论城市经济》

主编：张巨功　　出版社：中国城市出版社

出版日期：2009年12月　　页数：420页

书号：ISBN 978-7-5074-2238-2

内容简介：

《中国市长论城市经济》（2009版）中收录的77位市长署名文章，从城市管理者的独特视角，回顾了我国城市经济发展的历程，对新的历史时期城市经济发展中的若干重大课题进行了深入研究和探讨。该书可以大略反映近几年中国城市经济的变化和发展路径，以及每一时期的发展重点和所要解决的主要问题，显现城市经济的发展脉络。全书分为科学发展篇、城市创新篇、特色发展篇、区域经济篇、城乡统筹篇。《中国市长论城市经济》（2009版）一书是市长们在城市经济工作中着力提高经济增长质量和效益，坚持可持续发展的辛勤探索，是城市领导展示执政理念，交流执政经验的重要平台。

《中国特色社会主义经济发展研究》

作者：冯更新　　出版社：河南人民出版社
出版日期：2009年2月　　页数：279页
书号：ISBN 978-7-215-05944-3

内容简介：

我国在改革开放的推动下，经济和社会发生巨大变化，中国特色社会主义经济建设已进入新的历史发展阶段。特别是党的十七大全面系统地阐明了中国特色社会主义理论体系的构架和内涵，并对中国特色社会主义经济的发展做出总结和新的战略部署。新阶段、新形象、新任务促使作者创新思考，以此书作为作者20年前出版的《伟大的十年——中国经济体制改革的梗概和成就》、《建设中国特色的社会主义经济》两本书的续篇探讨中国特色社会主义经济发展问题。本书内容虽然先探讨了社会主义市场经济体制和机制的完善问题，但其重点是研究发展问题，特别是突出研究中国特色社会主义市场经济发展内涵和质量问题。

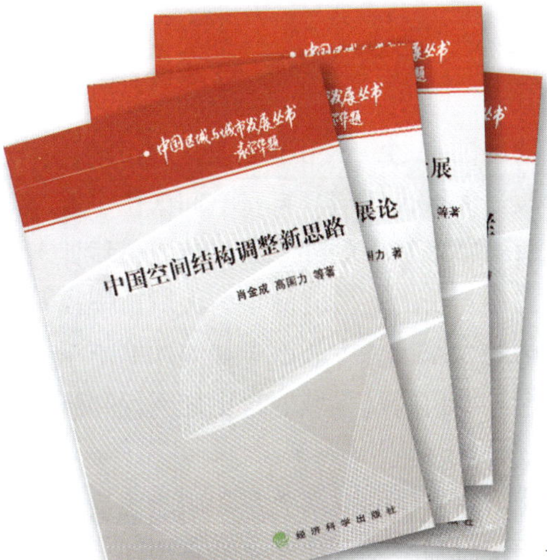

《中国区域和城市发展丛书》

主编：肖金成　　出版社：经济科学出版社
出版日期：2009年3月　　册数：12册
书号：ISBN 978-7-5058-7903-4

内容简介：

本丛书汇集了近年来在国内有一定影响的区域经济学者对区域和城市发展等重大问题进行深入研究的一批成果，内容涵盖区域发展、城市发展、空间结构调整、城市体系建设、城市群和小城镇的发展等内容。其中，有的是为“十一五”规划进行前期研究的课题报告，有的是作者们多年探索的理论成果，也有的是课题组接受地方政府委托完成的实践成果。这些著作既贴近现实，又具有一定的理论深度。丛书的出版，不仅可以丰富区域与城市发展的理论，而且对促进区域科学发展、协调发展以及制订区域发展规划和发展政策具有重要的实践参考价值。

《中国区域与城市发展丛书》其重要特点是针对中国区域发展的现实，揭示中国区域发展现实存在的突出问题，并提出为促进区域协调发展的政策建议。

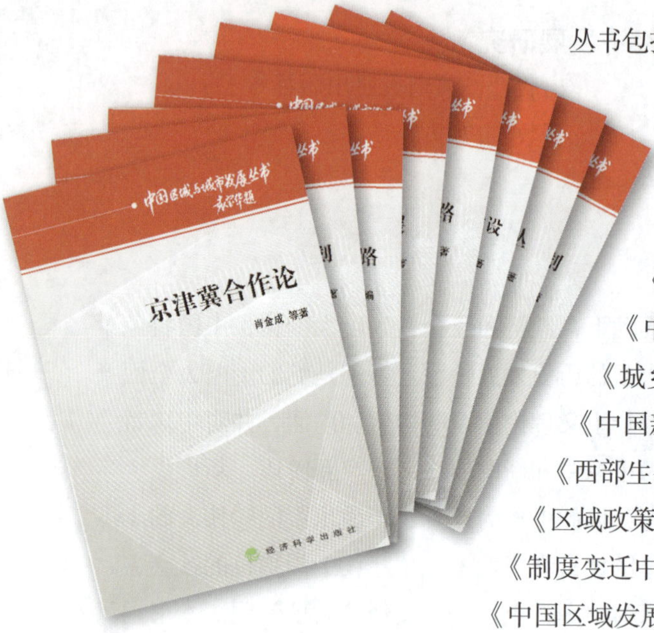

丛书包括：

《中国空间结构调整新思路》	肖金成	高国力等著
《区域经济不平衡发展论》		高国力著
《中国十大城市群》	肖金成	袁朱等编著
《京津冀合作论》		肖金成等著
《中原城市群战略与规划》	刘福垣	周海春等著
《中国区域规划的基本思路》	肖金成	王青云主编
《城乡统筹与小城镇发展》		邱爱军等著
《中国新型城镇化之路》		程必定著
《西部生态与可持续发展》		董锁成等著
《区域政策与主体功能区规划》		李娟著
《制度变迁中的农村基础设施建设》		李军培 著
《中国区域发展论丛》		肖金成著

《大城市卫星城研究》

主编：王圣学　　出版社：社会科学文献出版社

出版日期：2008年12月　　页数：432页

书号：ISBN 978-7-5097-0519-3

内容简介：

中国是当前世界经济发展最快的国家之一，由于工业化和市场化的强力推进，城市化进入加速阶段。大城市凭借其自身空间区位、要素禀赋、信息集中度高等优势吸引了越来越多的外来人口流入，城伴随着市规模快速扩张。在可预见的相当长的一段时间里，大城市规模扩张的势头不会减弱。那么，中国的大城市（中心区）如何才能不至于毫无边际的向周边蔓延？这是未来城市经济领域值得更加重视和研究的重大问题。

大城市的中心区的空间和功能采用怎样的空间关系和职能关系一直处于争论和探索的状态。城市的规模和经济发展水平没有达到一定水平是不具备发展卫星城的实力的；同样当城市发展到相当规模的时候，大城市中心区需要寻找到一条可持续的空间扩张路径来满足城市发展需要，靠无限制扩张是行不通的。我国工业化和城市化高速发展，中心区的无限制扩张是可以控制的，也是必须控制的。《大城市卫星城研究》通过探讨建立卫星城来控制大城市中心区的无限制扩张，指出利用卫星城促进大城市进一步持续、健康发展的方式是可行的。该书通过理论研究、专题研究和实证分析三个方面，从不同角度对大城市卫星城理论的中外比较、卫星城选址、土地利用、卫星城城市设计与形象问题、生态环境问题、卫星城的产业结构与主导产业选择、实证研究等方面进行了系统的论证和阐述。

《中央商务区研究》

主编：蒋三庚　　　　　　　出版社：中国经济出版社

出版日期：2008年9月　　　页数：355页

书号：ISBN 978-7-5017-8634-3

内容简介：

作为目前我国第一部系统阐述中央商务区（CBD）建设与发展的研究专著，该书在理论研究探索方面，较为系统地阐述了CBD形成发展的内在成因和演变规律，把企业生态群理论、现代服务业集群及风险理论引入CBD研究，具有一定纵深度和广域度；在产业发展实践方面，分析阐述了CBD现代服务业集聚的形成机制、运行模式和影响因素，并专章分析了国内外主要城市政府在CBD发展过程中的作用，对于促进CBD发展具有切实的实践价值。此外，该书着眼于国际借鉴，还较为全面地总结了国际著名CBD在产业发展、政策引导和人才聚集等方面的成败得失，具有很强的借鉴指导意义。

《36位著名学者纵论新中国发展60年》

作者：中国社会科学院马克思主义研究学部

出版社：中国社会科学出版社

出版日期：2009年10月　　　页数：512页

书号：ISBN 978-7-5004-8194-2

内容简介：

本书是为纪念新中国成立60周年，中国社会科学院马克思主义研究学部组织编写的，由著名社会科学家（如王伟光、李慎明、朱佳木、刘国光等）纵论新中国发展60年为主题的著作。他们以马克思主义的深邃目光、学者的独特视角，纵论新中国发展60年。综论发展成就，评论经济建设，总结经验教训，畅谈学科发展，展望美好未来；注重时代性，坚持批评性，提倡创新性；坚持理论联系实际，坚持和发展马克思主义，为实现中华民族伟大复兴提供智力支持。

《中央商务区（CBD）现代服务业发展研究》

作者：张杰　　出版社：经济科学出版社

出版日期：2009年6月　　页数：333页

书号：ISBN 978-7-5058-8378-9

内容简介：

该书以2009年经济科学出版社“中青年经济学家文库”系列之一推出，是目前我国第一部从现代服务业角度系统解读CBD产业发展的学术专著。针对CBD现代服务业发展进行理论归纳分析和实证剖析研究，不仅具有重要的理论价值，更具有迫切的现实意义和参考指导作用。

该书着眼于国际借鉴和产业发展，结合理论梳理和实践指导，以翔实资料和一手数据为基础进行分析阐述。全书共分三篇：理论篇，归纳了现代服务业发展的理论渊源和实践动态，进行了产业集群的国际比较，提出并阐述了CBD现代服务业发展演变的“蒲公英”式特征；借鉴篇，针对曼哈顿、新宿等地国际著名CBD现代服务业的发展情况，对CBD进行了国际比较和借鉴分析；实证篇，择取北京CBD功能区现代服务业发展为例，针对国际金融业发展模式等专题进行了深入分析和实证研究。

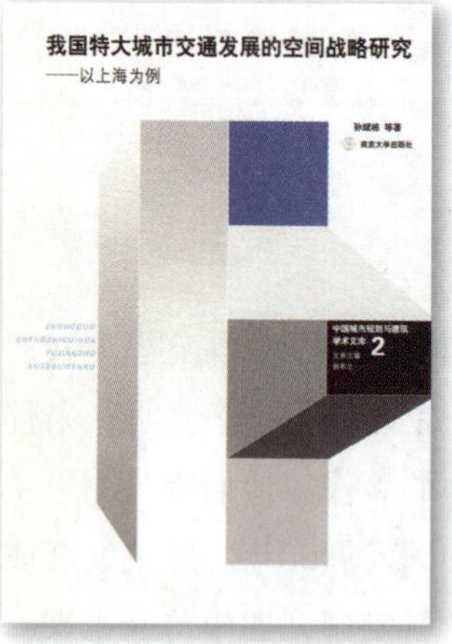

《我国特大城市交通发展的空间战略研究——以上海为例》

作者：孙斌栋　　出版社：南京大学出版社

出版日期：2009年3月　　页数：205页

书号：ISBN 978-7-3050-5803-5

内容简介：

该书从上海存在的城市交通问题出发，分析了传统的交通供给和交通需求政策对于缓解交通拥堵的效用，并从上海自身实际、世界大都市的交通发展经验和国内特大城市交通发展策略比较三个方面，阐述空间结构优化对于疏解特大城市交通拥堵的必要性。在理论研究和国内外文献分析的基础上，主要以上海为例进行了一系列实证研究和计量分析。最终提出我国特大城市交通疏解的空间模式、战略取向以及上海城市交通发展的空间策略。

本书主要供城市规划、城市地理和城市交通领域的科研、教学和规划设计人员阅读，也可供城市规划和城市交通管理机构和城市发展决策人员参考使用。

《集群创新与高新区转型》

作者：滕堂伟 曾刚等　　　　出版社：科学出版社

出版日期：2009年4月　　　　页数：332页

书号：ISBN 978-7-0302-2591-7

内容简介：

国家高新区是建设创新型国家重要的战略空间，目前正处于转型发展的关键时期，走产业集群与创新集群有机结合之路是其战略选择，运用全球价值链治理与运行规则是其战术选择。本书系统地评述了产业集群的理论成果，分析了国家高新区建设产业集群的意义、路径与模式，论述了打造创新集群对增强国家高新区自主创新能力、建设创新型经济的意义及其行动策略和方式。

本书以上海张江高科技园区为案例，介绍了这一国家级引领型高新区的形成发展历程、特征与运行模式。并从产业集群、创新集群、全球价值链的视角，对张江高科技园区的集成电路、生物医药、软件、创意、光电子等产业集群的形成、发展、升级的过程，影响因子及其效应进行了系统的分析和研究，对张江科学城的创新创业环境优化、产学研一体化等关键问题进行了重点论述。

本书可供地理学、经济学、管理学等专业领域的师生参考，也可供相关政府管理部门、企业管理者参考。

《都市大开发——空间生产的政治社会学》

作者：陈映芳等　　　　出版社：上海古籍出版社

出版日期：2009年4月　　　　页数：683页

书号：ISBN 978-7-5325-5283-2

内容简介：

本丛书的宗旨，是希望对跨学科的、经验实证的城市社会研究有所贡献、有所推动。在这套丛书中，我们所要描述和分析的，是作为社会的城市。城市社会的转型及其扩充、发展，是当今中国社会演变的最重要、最深刻的内容之一。由于城市社会研究的内容涉及从人口生态、空间形态、社会结构到社会生活、社会意识以及人的行为、心理等各个层面，还涉及全球化的背景以及城市作为一种社会类型的跨地域、跨文化的共通性，所以，其研究的艰巨性不仅在于这项工作需要有实证性的调查研究，需要跨学科的交叉研究，更需要有各种形式、各种层面的比较研究，包括国际间的、城市间的对照和比较。

2009年中国城市经济研究论文选载

探索中国特色的城市化之路

周干峙

中国特色的城市化，应该具备这样的特点：城乡统筹、快慢适度、结构多样、有利环保、改善生态。

一、什么是城市化

关于城市化的含义，学术界的观点大体相同而略有不同。所谓城市化主要是指农业人口向非农业人口转移和生产、生活方式集约程度的提高（包括乡村向城市方向提高和城、乡两方面自身品质的提高）。笔者认为，为表述清楚，要区分城市化和城市化水平两个概念。前者是一般抽象概念，后者指具体的状况。城市化水平包括：城市人口占总人口的比重、城市设施水平和村镇设施的水平，以及城镇布局结构的状况等等。城市化是工业化和现代化的结果，它们互为因果。严格讲，很难讲怎样去推动。19世纪末，西方地理学者就发现把城市化水平（人口比重）按工业化前、工业化时和后工业化三大历史阶段划分，呈“S”形曲线，说明工业化前和工业化时两个阶段并没有城市“化”问题，到后工业化时期甚至有“逆城市化”现象。我曾把城市经济在总体经济中比重按这历史三阶段分析，大体上呈同构现象，但小城镇所占比重呈“V”形曲线，这三条曲线大体上是对应的。

从世界实际情况看，各国城市化趋势大体相同，而又不尽相同，特别是城市化水平各不相同。一些欠发达国家城市人口比重并不一定低，大城市人口所占比重也相当大，如墨西哥；北美城市，超级大城市多，城市化比率却并不是最高；欧洲由于历史原因，小城镇发达；荷兰人口密度大于日本、中国，但布局均匀，并无百万人口以上特大城市；智利、巴西等则相对集中，特别集中在沿海有利地区。城市化虽然由于多种因素，各国各地不同，但大体都是可以预测的。20世纪90年代初我国不少学者，在当时城市化水平为20%时，预测到90年代末将达30%，后来又预测到21世纪初，将达40%以上，大城市也将由二十几个增至三十多个，现在看来相差不远。

二、什么是中国特色的城市化

中国特色的城市化究竟应该怎样？有哪些特点？笔者认为有以下四点：

(1)城乡统筹。从现实和发展看，中国不同于一般工业化国家，城市化不可能以农民进城和排除农业为主，必须要保留相当一部分农业和农民。①十几亿人口的大国，必须自己解决吃饭问题，有一部分人从事农业生产，过农民日子；②从历史文化条件看，也必须保留一部分人生活在农村，而不是消灭农村；③从人居需求看，也需要一部分兼具城乡优点的新农村和新农民；④从保增长看，也不可能消灭农村，需要利用资源、设施逐步向探索中国特色的城市化之路过渡；⑤从保稳定需要看，户口制度难能很快取消。

中国的城市化率，应逐步提高，但应有一个合适比率。已有不少研究认为我们不必像欧美一些高城市化率的国家，能达到和保持在70%左右较妥。我认为这一估计是符合实际的。

(2)快慢适度。城市化的速度和工业化、现代化的速度密切相关，但又不完全相同。由于城市背景因素和相关条件比较复杂，一般，农民进城要先于工业化，有一较长的历史过程；而城市停止增长要晚于工业化；国际间条件不同实际速度也不同，一般“家大业大”跑得慢，小家则变得快。快了易失稳，我国长期以来城市增长率在1%左右，不少学者主张保持在1%~1.2%，我也认为是合适的。

(3)结构多样。城市大、小，地区组合，以及流域组合、资源组合多种多样，而且受行政体制、历史渊源、政策思想等影响，城市群结构的疏密、大小等必然是多种多样的，而且历史形成的状况也各不相同。目前全国形成4个超大城市群，若干个基于历史的地区性城市群，基本合理，不可能像一个小地区那样变化多端。

(4)有利环保、改善生态。不少工业化先行国家，为城市迅速发展，往往以牺牲环境为代价，我国城市化起步晚，但与环境可持续发展的结合却并不晚（几乎在同一时期），而且在工业化政策上也制止了一些先污染后治理的做法。几十年来，城市化水平提高了，但总体上环境也有明显改善。城市绿化率、污水治理率、固体废物处理率都有较大提高。最近还把节能减排提到重要高度，碳排率及自然能源利用率作为新指标也将对城市环保产生深远影响。

由于中国特色的城市化问题提出时间还不长，从实践中探索和解决的问题还有一定局限性。我们应清醒地看到，尚在发展中的城市化这一人类的“复杂的巨系统”还要进一步发展，还会有新的问题需要有新的探索和新的经验，人们的认识也会更上一层楼，可以更为完满地回答这一问题。

【作者简介】周干峙，江苏苏州人，建筑学和城市规划专家。中国城市经济学会副会长，原建设部副部长，中国科学院院士，中国工程院院士。

中心城市改革及对城市经济发展的作用
——中国中心城市改革十年总结

林　凌

在改革10年的理论和实践中，一个重要的突破，就是确立了城市特别是中心城市在我国社会主义商品经济运行体系中的经济中心地位和作用。党的十二届三中全会关于经济体制改革的决定明确指出："城市是我国经济、政治、科学技术、文化教育的中心，是现代工业和工人阶级集中的地方，在社会主义现代化建设中起着主导作用。只有坚决地、系统地进行改革，城市经济才能兴旺繁荣，才能适应对内搞活、对外开放的需要，真正起到应有的主导作用，推动整个国民经济更好更快地发展。"城市改革的目标是："要充分发挥城市的作用，逐步形成以城市特别是大、中城市为依托的，不同规模、开放式、网络型的经济区。"十年来，特别是1983年以来的改革，是朝着这个方向进行的。但不足的是，把城市作为一个整体对象进行理论研究和改革还做得很不够。现在我们正在积极构筑新体制的框架，正在把国民经济的运行转换到"国家调节市场，市场引导企业"的新轨道上来。在这个伟大的实践中，如何摆正城市在新体制框架结构中的位置，如何充分发挥城市在新的运行机制中的作用，就显得更加重要。本文拟就这个问题，发表一些个人的看法。

一、城市的经济中心地位和作用是商品经济发展的产物

为了说明这个问题，我们有必要对城市的产生及其经济中心作用的形成作一点历史考察和分析。

城市是随着社会分工和商品经济的发展而形成的。人类社会第一次大分工，产生了游牧业同农业的分离；第二次大分工，实现了手工业同农业和畜牧业的分离；第三次大分工，则出现了由工商业劳动同农业劳动分离而引起的城市和乡村的分离。最早出现的城市，由于民族、地域、历史等条件的不同而存在种种差异，但它作为经济中心的地位和作用，从一开始，就明显地显现出来。

商品经济是为交换而产生的经济。初始的商品交换，是小规模、小范围，而且是没有固定的场所的。随着生产力的发展。剩余产品越来越多，人们发现通过一个中心枢纽来进行交换，既可满足多方面的需要，效益又会好些。于是一个个作为商品集散地的城镇，就在当时交通运输特别是水运便利的地方产生出来。随后，有些继续发挥集散中心的作用，有些则在手工业、现代工业、金融业、各种服务业发展的基础上，形成现代城市，现代的经济中心，如我国长江上游的经济中心重庆市，就是这样发展演变而来的。据《巴县志》记载："重庆当二江（长江、嘉陵江——作者注）合流，有舟航转运之利，蜀之西南北旁及康藏以至滇黔之隅，商货出入输会必于重庆，故重庆者，蜀物所萃，也四方商贾辐辏之地也。"这是对最初的重庆市的生动写照。有些城市，最初是作为统治阶级的政治中心、宗教中心、军事中心而建立起来的。居住在这些城市的，多是皇亲国戚、政府官吏、军队警察、宗教祭司，以及从事各种非农业劳动的平民。由于统治和生产、消费的需要，政治中心就很自然地演变为政

治和经济双重中心。在历史上，欧洲的一些城堡，我国的一些古都，在手工业和商贸最繁荣的时期，既是政治中心，又是经济中心，有的人口多达百万之众。其中不少又演化为现代城市、现代的经济中心。如我国西安市（古称长安），早在西汉时期，人口已有30万人，手工制造行业达数十种，城内集中设市，商业繁荣。到了唐代，长安人口增加到约100万人，手工业和商业有了进一步的发展，是当时世界上最大的城市。现在则演变成为我国西北地区的经济中心。

18世纪英国产业革命之后，改变了城市形成的历史，机器大工业在城市的集中，成了现代城市、现代经济中心形成的基础。因为大工业企业需要许多工人在一个工厂里共同劳动，要求他们必须住在工厂附近，于是为他们及其家属提供各种服务的手工业、商业应运而生；大工业企业需要共同利用电、水、铁路、公路、邮电通倍等公共设施，需要得到各类企业的相互协作配合，才能取得较大的经济效益，因而各种不同的工业企业竞相向城市集中，大工业的产品一开始就是商品，它的原材料的获得和产品的销售就需要有商业作媒介，于是各种市场和交易所就在城市中发展起来，而商业的发展又吸引了工业企业的集中。商业又使城市与城市、城市与乡村、国内与国际发生了紧密的经济联系，随即引起了各城市间在生产上新的分工，使每一个城市都有自己的特殊的工业部门占着优势。随着商品经济和科学技术的速度发展，现代城市，特别是现代的中心城市，已经成为现代化生产最集中、商品化程度最高的地方；它有着精细的专业分工和发达的横向协作，把组成城市经济的各类商品生产者和经营者结合成一个相互依存的有机整体。创造着巨大的社会财富，它不但是工业生产中心，而且是流通中心、交通中心、金融中心、信息中心、消费中心，具有广泛的经济功能；它吸纳了全国大多数人口，集中了脑力劳动者和体力劳动者中的最精粹的部分，形成了现代化的生活方式；它以自己强大的辐射力、吸引力和服务力，与周围地区、全国各地的城市和世界各国的城市建立了广泛的经济联系，形成区域性、全国性以至于世界性的经济中心；政府机关，大公司总部，各种交易场所，信息、报纸、电台、电视等向中心城市的集中，增强了中心城市对经济的调节功能；科技、教育、文化、艺术、出版在中心城市的发展，使中心城市成为精神产品生产、流通的中心和现代精神文明传播和普及的中心。早在1913年，列宁就指出："在现代各个国家，甚至在俄国，城市的发展要比乡村迅速得多。城市是经济、政治和人民精神生活的中心，是前进的主要动力。"①列宁的这个论断，现在得到了更充分的证明。

从以上的历史考察和分析中，我们可以引申出以下几点结论。

第一，城市从本质上讲，是人类社会分工和商品经济发展的产物。所有的城市，包括大城市、中等城市、小城市、小集镇，都是由于在商品生产和商品交换中，在一定区域范围内，发挥经济中心的作用而逐步形成的，因而都是一定经济区的中心。这里，城市是经济中心作用的载体，经济中心作用是城市的基本功能。现在，我们讲的中心城市，是指各类城市中居于中心地位的城市，主要是指大中城市。一般大中城市都是综合性的、多功能的经济中心，也有专业性的经济中心。

第二，城市经济本质是商品经济，是为交换而生产的经济，因此，它的本质必然是开放的。城市形成初期就产生的商品集散功能，所以能一直延续到当今的现代化城市，就是以对外开放为前提条件的。开放的效果，由城市的辐射、吸引和综合服务三种能力表现出来。吸引就是"集"。有多大地域范围、多大规模的商品到这个城市来集散，取决于城市的吸引力和为"集"而提供的仓储、交通运输等综合服务能力。辐射就是"散"。有多少商品能够辐射到多大半径的区域，占领多大规模的

① 《列宁全集》第19卷，264页，北京，人民出版社，1959。

市场，取决于城市的经济实力和为“散”而提供的综合服务能力。开放是决定城市兴衰的关键。

第三，城市是一个有明确疆界的地域概念，但城市的经济活动则是没有明显的疆界限制的。城市由于各自的商品经济能量大小不同，其经济活动的范围也不同。能量大的，范围就大；能量小的，范围就小。从而形成与城市的行政区相区别的大小不等，疏密相间的经济区和经济网络。在这里，城市是经济区的中心，是经济网络的枢纽，但与经济区并无任何行政隶属关系。

第四，城市化是人类社会发展的一个历史进程，城市化的程度是一个国家经济发达程度的基本标志之一。18世纪英国产业革命以来的城市化，是由工业化和生产的商品化、社会化和现代化的推动而发展起来的。反过来，不断使人口集中而发展起来的现代化大中小城市，特别是中心城市，又成为推动整个经济社会发展的“前进的主要动力”。这是任何社会制度的国家发展过程中的共同规律。

二、我们在城市经济理论和政策上的失误

我国是一个城市经济和城市化很不发达的国家，是通过农村包围城市的革命战争的道路取得社会主义胜利的。1949年中华人民共和国即将诞生的前夕，党的七届二中全会曾根据毛泽东的报告，作出党的工作重心要由乡村转移到城市的战略决策。这无疑是十分正确的。然而，由于理论和政策上的失误，尽管我们在城市工业和其他建设上取得了巨大的成就，党的这一战略决策却并未得到正确的贯彻。城市特别是中心城市作为经济、政治和人民精神生活中心的作用，作为前进的主要动力的作用，没有得到发挥，相反受到阻碍。

我们在城市经济理论和政策上的失误，主要表现在以下几个方面：

第一，以产品经济理论否定了城市经济的商品性。长期以来，我们否认社会主义经济是商品经济，因而也就否认了城市经济的商品性。尽管我们的城市拥有现代化大生产的一切部门，工业企业生产的都是为交换而不是为自己消费的产品，但除生产消费品外，其他物质形态的产品都不承认是商品，非物质形态的产品，如知识形态的产品，劳务形态的产品，资金形态的产品，更与商品无缘。就是生活消费品，也因为长期实行凭票定量供应制度而被排除在商品交换之外，实际上也没有被当做商品对待。整个城市经济处在产品经济理论和政策的束缚之下。古老的城市就已形成的商品集散功能，为产品的统购和调拨所代替，为商品集散服务的、已经社会化了的仓库业、交通运输业等，在社会上消失了，倒退为政府部门和工商企业家家都设仓库，家家都备汽车的小生产状态；由钱庄、票号发展起来并成为商品经济重要组成部分的现代金融业——各种商业银行被取缔了，而代之以供应、调拨、结算资金的，对经济不起任何调节作用的国家供给制银行；由于城市不再是一个大市场（城市作为一个大市场，是由商品经济条件下城市的本质决定的），城市也就不可能也不需要再向各类商品生产者和经营者发出各种市场信号和经济信息，一切为此服务的交易所、事务所、信息集输机构，都变得无用武之地而被淘汰；作为协调同行业企业的经济活动、保护同行业企业的利益、沟通本行业与政府之间的联系的行业组织，也被作为封建行会组织加以取缔，而代之以各级政府的部门管理。总之，属于商品经济的许多东西都被革除，城市经济的生机和活力也就被窒息了。

第二，以条块分割的管理体制肢解了城市经济的内在联系。城市经济是由各类企业及其生产经济活动所组成的。各类企业的存在和活动，由于专业化和协作的发展而形成紧密的内在联系，从而使城市经济成为一个有机的整体。企业的经济效益，在相当大的程度上，依靠这个有机整体的社会

化水平的不断提高而提高。然而，由于我们实行了条块分割管理企业的体制，一个中心城市企业，竟然要由中央的二十多个部、省的二十多个厅、市的二十多个局来分别管理。这种由几十双手直接插入城市、分别管理数以千计的企业的体制，不但不能提高城市的专业化协作水平、反而在部门之间、企业之间竖起壁垒，把城市经济已形成的内在联系肢解得七零八落；城市经济的社会化水平不但没有提高，反而在向部门、企业的“大而全”、“小而全”方向发展。在这种情况下，企业很难在城市的社会化中得到提高经济效益的外部条件。

第三，以封闭的行政区划进行经济活动，阻碍了城市经济中心作用的发挥。城市从它诞生之日起，其经济活动就是没有明确的疆界的。正因为如此，城市才成为一定区域的经济中心。然而，我们在解放后实行的管理体制，却是按行政区域来管理城市经济活动的。在这种管理体制下，城市和省、专区、县一样，都是一个块块。国家对城市，无论下达生产计划，分配财政任务，调拨物资等，都是按一个块块来对待的。城市的经济活动只能在城市的行政区划范围内进行，不能直接同他市、他省、他地发生直接的经济联系，要进行这种联系，必须按行政层次，经过批准。至于同外国进行交易往来和技术合作，就更没有这种权力了。这样的体制，首先割断了城市与周围农村长期自然形成的商品经济联系，使城市饱尝了蔬菜、副食品短缺的苦头，周围地区的农民也因此受到很大的经济损失。以重庆为例，过去长江、嘉陵江两岸、木船鳞次栉比，蔬菜、副食品、水果等从两江上游的农村源源不断地运往重庆；后来严格限制了木船在两江的航行，限制了跨地区的商品流通，这种景象就没有了。重庆被迫由政府来开辟菜地，组织副食品供应，虽然尽了很大努力，也很难满足居民的需求。这样的体制，还破坏了城市本来具有的可以远远超出行政区划的范围进行各种经济活动的功能，使城市失去了经济中心的作用和推动区域经济不断前进的主要动力的作用。

第四，片面强调建设生产性城市，削弱了中心城市的多功能作用。解放初期，我们曾提出变消费城市为生产城市的方针，目的在于促进城市工业化生产的发展，这是正确的。但由于对这个方针的片面理解，以为城市的功能就是物质产品的生产，把流通的功能、分配的功能、消费的功能等，特别是把流通的功能放在很次要的地位。至于其他非物质产品生产和流通的功能，包括各精神产品生产和流通的功能更未受到重视。流通功能是一个包括产品供销、交通运输、金融、信息、仓储等在内的综合性很强的功能，是中心城市各种功能的核心功能。而恰恰在这个方面，由于产品实行统销，中心城市这个大市场受到削弱，使大流通的功能严重萎缩。

第五，片面追求工业建设，扩大工业生产规模，把城市单纯看做是工业基地，严重忽视城市基础设施和第三产业的建设，造成城市产业结构的畸形发展。长时期以来，我们以为城市经济就是发展工业生产，城市就是工业基地，而不懂得，或者不大重视保证工业健康发展的基础设施的建设和为工业发展配套及提供服务的第三产业的建设。至于房地产业、旅游业、租赁业等，更属于不能发展的产业之列。城市基础设施，包括交通、通信、能源供应、给水排水、环境保护、住宅建设、园林绿化等，是城市工业和其他事业赖以建设的基础；城市的多功能作用也是建立在合理的产业结构之上的。每一种功能都必须有一种或几种产业作它的基础，否则功能就无所依存。由于我们忽视了这些方面的建设，使城市工业规模超过了现有基础设施的承受能力；加上基础设施的严重老化，人为地制造了城市的经济、社会、生产一系列的重大比例失调。过去被认为是资本主义“城市病”的问题，包括城市人口的膨胀、交通拥挤、环境污染、居住困难、能源供应不足、土地和水资源短缺、犯罪等，在我们的社会主义城市里也严重发展起来。事实证明，这类问题是城市社会发展过程中的共同性问题，与社会制度没有必然的联系。

以上五个方面的失误，加上另外三个方面的失误，即人口政策上的失误，使人口增长失去控制，农村政策上的失误，排斥以至于反对依靠农民的力量来发展农村的第二、第三产业；城镇政策上的失误，忽视小城镇的经济中心作用，取消镇的建制，把大量小城镇人口转化为农业人口，使得我国城市化水平的提高十分缓慢。根据1985年的统计，全国城市人口的比重为20.3%，比1949年的10.6%增长近一倍，然而与发达国家的75%的水平比，与全世界平均41.3%的水平比，与发展中国家平均的34%的水平比，我们都是相当低的。这种状况，不能不说是我国经济发展速度和经济效益低下的一个重要原因。

三、十年城市改革的成就与经验教训

早在1979年，国务院财经委员会派到四川来考察产业结构的学者、专家，在考察了重庆之后，考察组的负责人——中国社会科学院财贸经济所所长刘明夫同志，明确提出了中心城市的概念和充分发挥像重庆这样一类大城市的经济中心作用的问题。天津理论界从1980年起就开始了中心城市问题的理论研究。他们从研究马、恩、列、斯关于城市问题的基本理论为开端，联系实际研究了如何发挥我国中心城市作用的问题。在马克思诞生100周年之际，天津社会科学院经济研究所出版了《马克思、恩格斯、列宁、斯大林论城市》一书，对运用马克思主义城市理论研究我国的中心城市和城市经济体制改革问题，起到了积极的推动作用。此后，研究中心城市经济理论推进城市改革，成了经济理论界的热门课题和经济体制改革的重要内容。从1981年到1987年全国城市经济理论研究工作者和实际工作部门的同志，先后在天津、武汉、重庆、上海、兰州举行了5次有关中心城市理论和改革问题的讨论会，并于1985年在上海成立了中国城市经济学会，开始了创立具有中国特色的城市经济学的时期。

在改革实践上，从1981年的全国五届人大四次会议提出“以大中城市为依托，形成各类经济中心，组织合理的经济网络”开始，到1987年党的第十三次代表大会，几乎每次党和国家的重要会议都提出了充分发挥城市首先是大中城市的作用和城市改革的目标、要求和政策。特别是1984年党的十二届三中全会关于经济体制改革的决定，把城市在国民经济发展中的性质、地位、作用作出了科学的、理论的概括，对城市改革的目标提出了明确的要求。与此同时，国家经济体制改革委员会，于1981年选择常州、沙市两个中等城市进行城市经济体制综合改革试点；1983年2月党中央、国务院又批准在省辖大城市重庆进行综合改革度点，以后又陆续批准武汉等8个城市按重庆模式试行单列。此外，全国还有几十个城市被列为综合的或单项的改革试点市。加上沿海14个城市和几个经济特区实行对外开放，在我国形成了内地城市的综合改革和沿海城市的开放相互促进的城市改革新高潮。在这一时期，我国特别重视了新城市的建设。1987年全国城市总数达到350多个，比1980年增加50%。

十年研究，十年改革，取得了一系列重要成就。

第一，城市经济理论研究的起步和突破，是城市改革最重要的成就。在过去几十年的经济理论研究中，我们几乎没有独立地研究过城市经济理论，创立城市经济学更是近几年的事，比西方晚了几十年。我们研究过城乡经济关系。研究过缩小以至于消灭城乡差别，但结论不是提高农村人口城市化的水平，而是要抑制城市的发展来适应农村的落后状况。改革十年，我们从零开始，闯开了城市经济理论研究的大门。通过对城市的产生、发展及其在经济社会中的作用的历史考察和对我国城市经济状况的分析，我国的经济学者们在理论上得出了对我国城市改革有指导意义的几个结论，一是城市是人类社会分工的商品经济发展的产物。城市经济的基本属性是商品性，一个城市就是一个大市场。要使我国城市经济得到发展，从而推动整个国民经济的进步，核心问题是实现城市经济的商品化，即把被传统的产品经济理论所歪曲了的物质形态的、知识形态的、劳务形态的、资金形态的产品都逐步使之商品化，相应地把各种市场建立起来，使城市的产品经济迅速转向商品经济运行的轨道。需要坚持的只有一条，这就是社会主义商品经济与资本主义商品经济在所有制方面根本不同。在这个方面，我们在实践上已取得很大进展。除发展了商品市场外，各种要素市场，包括技术市场、资金市场、劳务市场、房地产市场、产权市场等都在开拓和形成之中。二是城市特别是大中城市的功能是多样化的。从全社会看，城市至少有三大方面的功能，即列宁所说的经济、政治和精神生活中的功能。正因为城市具有这样巨大的功能，才成为推动人类社会“前进的主要动力”。从经济领域来看，城市的中心功能更遍及生产、流通、交通、金融、信息、消费以及科技、教育等各个方面。要发挥城市的作用，必须改革单纯强调工业生产功能的陈旧观念，进行多功能的建设，特别要围绕城市是一个大市场这一城市的基本属性进行多功能建设。在这个思想指导下，近十年来，城市基础设施和第三产业的建设是新中国成立以来发展最快的时期，第三产业在整个国民生产总值的比重有了大幅度提高，多种中心功能正在形成。三是城市不论大中小城市，都是一定区域的经济中心。它同周围地区有着疏密不同的经济联系，但没有明显的行政隶属关系。它是靠自己的辐射力、吸引力和综合服务能力来建立起这种联系的。由这种联系所产生的影响较大的范围，就是以某一城市为中心的经济区，联系的通道就是经济网络。要发挥城市的作用，就必须充分发挥其经济中心的作用。努力增强它们的辐射力、吸引力和综合服务能力。现在全国一些地区已开始出现以中心城市为依托的经济区、经济带和经济网络的雏形，这是令人可喜的一个历史性进步。

第二，打破分割，打破封闭实行对内对外开放。体制上的分割和封闭是窒息城市经济活力的两条绳索。不解开这两条绳索，发挥城市经济中心作用不过是一句空话。

改革中，打破分割的主要措施是，在中央的部和省的厅基本上不直接管理企业的前提下，把城市行政区范围内各种隶属关系的企业，原则上都下放到中心城市管理，使城市政府有权对城市的整个经济进行以专业协作为主要内容的调整改组、合理布局和综合平衡。这对城市经济的稳定协调发展，社会化水平和聚集效益的提高是很有利的。但是从把企业改造成为一个不再是任何政府行政机构附属物的、独立的社会主义商品生产者和经营者来看，这个措施还是过渡性的。随着城市改革的深入发展，城市政府的各个局，也将实行基本上不再直接管理企业的原则。

在改革中打破封闭、实行对内对外开放，要比打破分割困难得多。从本质上讲，城市经济是以变换为目的的经济，是要求开放、反对封闭的经济。城市生产的商品绝大部分要销往市外，同时要有同样大比重的产品（包括原材料和制成品）销进市内，因此，城市经济又是大进大出的经济。但由于改革中我们一时还无法摆脱财政分灶吃饭的财政包干的体制，而这种体制必然要使城市产生保护主义，同样会使城市周围的地区产生保护主义，从而影响城市的开放。针对这种情况，我们在改革中仍然采取一些打破封闭的措施。一是打破城乡分割，实行市领导县的体制，促进城乡经济的一体化的发展，二是由中心城市政府牵头，在自愿、平等、互利的基础上，与周围省、市建立松散的经济协调组织，发展区域的经济；或与沿江、沿铁路线的大中小城市进行经济协作，开发沿江、沿路经济带；或在城市密集的城市群之间，实行经济协作和联合。三是由城市内的大企业牵头，打破行政界限，在全国范围发展横向技术经济联系，组织企业集团。四是在国家授权范围内，直接开展对外贸易，引进技术、装备和资金。五是在全国范围进行零部件招标和人才招聘，请国外人员当厂长，自觉借助外部的先进力量，同时，对内部“左”的、保守落后的、小生产的状态和习惯势力进行有力的冲击，给全市的企业树立一个对立面，造成一种强大的压力，从而在内部激发出一种奋发图强的力量，促进城市和企业的改革，促进技术的进步和经济的发展。六是大力增强城市的经济实力，经济实力是打破封闭的物质力量。商品的渗透力是很强的，只要有价廉物美、适销对路的商品，任何封闭的堡垒都可以被打破。

第三，与打破分割、打破封闭相联系的一项重大改革，就是国家对重庆等9个省辖大城市实行了计划单列，并赋予这些城市政府以省一级的经济管理权力。对省辖大城市的计划单列，我们曾在20世纪50年代中、60年代初实行过两次，但实行不久就取消了。这次实行的计划单列与前两次有很大的不同。一是目的不同，前两次都是临时的行政性措施；这一次是为发挥省辖大城市的经济中心作用而进行的体制改革。二是范围不同，前两次都是5项主要经济计划单列，这一次是经济、社会、科技发展计划全单列。三是市政府的经济管理权力不同，前两次单列、市政府的权力没有改革；这次是在计划单列的同时，又赋予市政府省一级的经济管理权力。四是企业管理体制不同，前两次计划单列没有企业的隶属关系；这次是在计划单列的同时把不同隶属关系的企业原则上都下放到省辖大城市管理。五是财政体制不同，前两次计划单列未包括财政计划单列，市财政收入采取中央、省、市三级或中央、省两级分成体制，市财政收支主要由中央财政决定。六是行政待遇不同，前两次只是计划单列。除个别情况外，市政府及其下属机构均不能参加全国召开的省一级负责人的会议；这次计划单列，市政府及其下属机构获得了参加全国性会议的权力，同时，中央及中央各部门发给省的有关经济工作方面的文件，也发给了市。七是经济活动方式不同，前两次基本上都是在城市行政区划范围内进行经济活动；这次是打破城市行政区划的束缚，在全国范围内进行经济活动，并取得了直接进行对外贸易的权力。

经济管辖范围与行政管辖范围的同一，经济管理权限行政管理权限同等，是旧体制模式的基本特征。这种模式与发挥大城市的经济中心作用的要求是根本不相容的。从行政管辖范围来讲，古今中外任何城市都是有的。如同从没有无国界的国家一样，也从来没有一个无行政边界的城市。但作为经济中心的城市，其经济边界却是模糊的和不确定的。旧体制的缺陷不在于给城市划定一个行政边界，而在于把城市的经济活动限制在这个行政边界之内。因此打破这种管辖范围的同一和管理权力的同等，正是我们城市改革的一个重要目标。计划单列尽管还不能从根本上解决旧体制与发挥大城市经济作用这个矛盾，但毕竟向前迈出了一个重要步伐。因为计划单列发生作用的基本方向，是在超越城市行政边界的更大范围内，发挥城市的经济中心作用，而不是要把城市搞成行政管辖范围更大的“块块”。只要沿着计划单列这条路子走下去，并积极进行计划、财政等体制的改革，是有希望实现我们的改革目标的。

第四，对我国农村城市化的道路进行了有益的探索。农村人口城市化是人类社会发展的一个合乎规律的进程。迄今为止的农村人口城市化，都是在自发状态下进行的。这种自发性既推动了城市化的进程，又给城乡人民带来深重的苦难。这种情景不仅见诸历史文献之中，而且仍是当今世界存在的活生生的现实。由此，人们提出这样的问题，在我国社会主义条件下，能否找到一条可以避免自发性而又具有中国特色的农村人口城市化道路。回答是肯定的，然而又是困难的。因为我国是世界上人口最多特别是农村人口最多的、经济不发达的国家，寻找这样一条道路将会遇到一系列特殊问题。因此，必须在理论上、实践上进行大胆深入的探索。近几年来，我国的经济理论工作者，从我国乡镇企业的发展和小城镇的建设中得到有益的启示。

国际的经济表明，农村人口城市化是由两个基本因素推动的。一是工业化，二是农业现代化。工业化及其引起的第三产业的发展，要求农村劳动力大量向城市集中，从而导致农村人口的城市化。然而这种集中不是无条件的，而是有条件的。没有农业劳动生产率的大幅度提高，就不可能把农业劳动力从农业的束缚中解放出来，也不可能为现有城市人口和不断转移到城市的人口提供越来越丰富的粮食和其他农副产品；不可能为工业的发展提供充足的农副产品原料，工业化和农村人口城市化也就难于实现。就世界各国情况来看，凡是城市人口比重很高的国家，没有一个不是实现了农业现代化的。我国20世纪60年代初，由于农产品匮乏而被迫将大量城市人口向农村遣散，就是农村人口城市化受到农业生产水平制约的一个例证。总之，工业和农业现代化这两个相辅相成的基本要素，是世界上所有国家实现农村人口城市化所要走的共同道路。

但从我国的实际情况来看，工业化和农业现代化，面临着人口总量多，农村和城市人口分量都多这样一个特殊的矛盾。人口总量多，国民收入的大部分不得不用于消费，可用于工业建设的部分相对就少了。城市和农村人口都多，现有城市消化本身剩余劳动力都有困难，要吸收大量农村劳动力就更困难了。因此，农村的剩余劳动力主要靠农村自己来消化。在这种情况下，我国的工业化和农村人口城市化，只有通过双重经济结构来实现。即一方面由国家，企业等多方面投资来发展现代化大工业和第三产业，由此促进城市工业和第三产业的较快发展；另一方面，依靠农民的力量和国家的扶持，发展手工业和传统技术为主的小型工业，发展建筑业、交通运输业和其他第三产业，也就是我们通称的乡镇企业。城市工业和第三产业的进一步发展，可以消化城市新成长的和现有企业富余出来的劳动力，还可以吸收部分劳动力；乡镇企业的发展，则可大量吸收农村的剩余劳动力。农林牧副渔业等第一产业是分散的产业，第二、第三产业则是趋向于集中的产业。集中的结果，必然会在全国农村造就出千万个小城镇来。这样，人口就会逐步向小城镇集中。开始的时候，从事第二、第三产业的农民绝大部分都不可能是专业的，都是兼营土地的兼业户，都不可能吃商品粮，必须自己种粮自己吃。但随着农业现代化的实现，这些兼业户将变成专业户、专业合作社和各种经济联合体，变成吃商品粮的城镇居民。而小城镇也会由于本身的发展和技术改造，或现代大工业和交通运输业在其周围的分布，变成现代化的大中城市和摆脱了传统乡镇模式的、环境优雅、空气清新、生活方式城市化的城镇。从这个意义上说，双重经济结构将在我国社会主义工业化和农村人口城市化中起决定性作用。现在我国已有8000多万农村劳动力从事乡镇企业，小城镇已由1980年的3000多个增加到1985年的7596个，增加1.5倍，可以有把握地说，我国农村人口城市化，将通过城市的工业化和乡镇企业、小城镇，这样一条独特的道路走出来。

我们在城市改革中虽然取得以上这些成就，但由于认识和体制上的原因，还有一些重大问题需要我们在深化改革中解决。

第一，在省市关系上，轻市重省的思想仍然是城市特别是中心城市的作用不能得到充分发挥的重要原因。这里有现行行政管理体制的影响，也有对城市的地位和作用认识不足的问题，还有权力和利益的分配问题。因此，尽管计划单列给城市的经济社会发展带来新的活力，对省的经济社会发展带来重大影响，但至今仍然有很大阻力，一些已出台的改革措施仍得不到落实，甚至省市之间发生尖锐的矛盾。随着我国的工业化和生产商品化、社会化和现代化的发展，城市的数目将大大增加，城市化水平将有大幅度提高，城市对周围地区及广大农村的推动作用将越来越大。城市特别是大中城市将要逐步取代省的一些职能，将是一个不可避免的趋势。对此，我们应有清醒的认识和卓识的远见。从现在起，就要下功夫培育城市的发展和实力的增强。而不应设置障碍。

第二，在城市对内对外开放上，由于现行财政体制的束缚，从实际上看，城市仍然被认为是一个实行多种经营的大公司，市长是这个大公司的总经理、市政府下的委局是这个大公司的科室机构，市政府向国家上缴税金，国家对市政府实行留利制度。这种把城市当做企业来对待的格局基本未变，因此，城市特别是计划单列城市，仍然是一个扩大了的“块块”，政企不分依旧，保护主义未减，开放度仍然较低，重复生产、重复建设，“大而全”、“小而全”还在盛行。这些当然不只是城市的问题，而是全国性的问题。如果不改革包干的财政体制，全国各省、市、县等都成了有自己独立利益的经济主体，全国块块林立，上下交争利，左右互封锁，市场被分割，令不行禁又不止，要建立起社会主义商品经济新秩序是很难的。

第三，城市内部的经济管理，仍然没有从传统管理思想和体制的束缚下解放出来。企业并没有因下放到中心城市管理，使捆在身上的绳索有所放松。在一些城市，为了自己的利益，企业的自主权被截留，绳索反而被捆得更紧了。由于城市市场体系尚未形成，供销、资金等渠道尚未理顺，企业的一些难度较大的问题，还得找中央和省解决，有些还要找市长解决，市政府忙于抓生产、抓收入，为企业的发展提供服务尚未真正提上议事日程。城市政府职能的转变，企业有事主要找市场而不是主要找市长，尚有待于整个经济体制的转轨。但在这方面，城市本身还是大有可为的。

四、中心城市在新体制中的地位和作用

经过十年改革的探索和实践，我国经济体制改革的目标模式和框架结构已经基本上勾划出来。目标模式是：建立一个能够促进社会主义商品经济充分发展的新体制。框架结构则由三个相互联系的环节所组成：一是作为独立的社会主义商品生产者和经营者的企业，包括各种所有制形式的企业；二是为各类商品生产者和经营者进行生产经营活动提供的场所——完备的、统一的、开放的、竞争的、有序的市场体系，三是国家为规范各类商品生产者和经营者的行为，调节市场活动，维护市场秩序，协调全社会成员的利益分配，保证国民经济持续、稳定、协调发展而建立的以间接手段为主的宏观调控体系。这三个环节的关系是：“国家调节市场，市场引导企业。”这也就是我国社会主义商品经济的新的运行机制。现在我们正在建设的新体制大厦，基本上就是按照这个蓝图施工的。

在新体制框架结构和新的经济运行机制中，城市特别是中心城市处于什么地位呢?

第一，城市是各类商品生产者和经营者——企业，特别是大中型企业最集中的地方，是我国现代生产力集聚的中心，国家财力、物力的主要供应基地。根据1986年的统计，在我国353个建制市中，集中了全国工业企业数的69.4%，职工人数的68.7%，固定资产原值的69.1%，工业总产值的69.7%，产品销售收入的70.5%，税利总额的76.6%。从建立新体制的框架结构来看，城市企业正是支撑这个框架结构的顶梁支柱。

第二，城市本身就是一个大市场，中心城市则是庞大的中心城市。现在我国已经形成和正在开拓的市场，包括工业消费品批发和零售市场，生产资料批发市场、资金市场、技术市场、房地产市

场、产权市场，劳动力市场等基本上都在城市，并正在形成以大中城市为中心的城市网络。据不完全统计，近年来，我国工业消费品批发总额的65%左右集中在城市。生产资料批发总额的80%左右集中在城市，信贷资金总额的75%左右集中在城市。不仅如此，我国的城市特别是中心城市，已开始成为经济波动的寒暑表。交通通信网络、金融网络、信息网络等已在中心城市之间联通，物资的供求、产品结构的变动、消费品流行款式的兴衰、物价的升降等，很快就能在中心城市反映出来。市场的无序状态也主要表现在城市。因此，从建立新体制框架结构看，抓住了城市特别是中心城市市场体系的建设和市场秩序的建立，就抓住了建立新体制框架另一根支柱——市场的根本。

第三，城市特别是中心城市，是经济管理机构集中的场所，经济管理手段最先进的地方。政府经济管理机关，包括中央各部、省的各厅、市的各局以及中央和省的经济管理派出机构都集中在中心城市；中央的、省的、市的、民间的金融机构都集中在中心城市；近几年发展起来的大的企业集团总部也都设在中心城市；建在三线地区的大型企业大都在中心城市开设了“窗口”；北京、上海、广州、深圳几乎都设有全国各省、市政府的办事机构，中小城市政府的办事机构则云集在省会城市；至于租赁中心城市的旅馆、饭店房间的企业办事机构则比比皆是。集中在中心城市的政府经济管理机构，在旧体制下具有直接的行政宏观管理职能，在新体制下，则具有以间接手段为主的宏观调控和行业管理职能。集中在中心城市的地方政府办事机构，主要任务是向官方的经济管理机构、国外厂商驻在机构和各种民间性的经济组织收集国内外经济、科技信息和情报，并为本地区的经济社会发展取得上级政府在资金、物资等方面的支持。至于大的集团公司总部，对其各地所属同样要发挥管理和调控的职能，收集经济、科技信息和情报也是他们的重要任务。由于中心城市所形成的这种中枢管理机能，在国家宏观调控体系中必然居于重要地位。因此，中心城市成为新体制框架结构中第三根支柱——国家宏观调控体系的重要组成部分，是不以人的意志为转移的。

从上述分析，我们可以毫不夸张地得出结论：城市特别是中心城市是新体制框架结构的基本支撑点。离开中心城市或削弱、否定中心城市的地位和作用，新体制是建立不起来的。

国民经济的运行机制是“国家调节市场，市场引导企业”。由于城市本身就是一个大市场，中心城市是庞大的中心市场，因此，城市特别是中心城市就自然地成为国家调节的主要对象。同时，城市是企业特别是大中型企业密集的地方，这些企业都是要靠市场来引导的对象，因此，城市特别是大中城市作为大市场，又成为引导企业的主要力量。由于中心城市具有强大的中枢管理机能，国家宏观调控的职能必然要有一部分向中心城市政府分解，这样就会形成两个层次的宏观调控。通过以上的分析，我们又可以得出另一个无可辩驳的结论：城市特别是中心城市是我国国民经济新的运行机制的一个个重要枢纽。离开这些枢纽，或削弱、否定这些枢纽的地位和作用，我国国民经济的运行机构就难以形成。

五、进一步发挥中心城市作用的改革思路

根据我国经济体制改革的过程。中心城市的改革，应紧紧围绕加快新旧体制转换的步伐，建立新体制的框架结构，使国民经济在新的运行轨道上前进这一中心来进行。为此，进一步发挥中心城市的作用，集中地讲，就是要发挥中心城市作为新体制框架结构的基本支撑点和国民经济新的运行机制的枢纽的作用，把中心城市改造成为开放式、网络型、多功能、社会化、现代化的经济中心。按照这个总思路，应把中心城市作为一个整体对象，进行如下一些改革。

第一，改革国有制，重新构造城市经济的微观基础，造就出真正独立的社会主义商品生产者和经营者，为新体制培育出具有强烈的自主经营、自我积累、自负盈亏、自我改造、自我发展意识的支柱。

国有企业的改革可分三种类型：一是国有小企业，可采取有偿转让产权的形式改变为集体所有制或私人所有制企业，也可以取消法人资格与其他企业合并。二是关系国民经济命脉的基础设施部门和天然垄断部门仍属国家所有，实行直接经营或承包经营。三是除上述两种以外的大中型，原则上都可从变革产权关系入手，实行多种形式的股份制。现有国家独资企业，可在承包制的基础上实行分账管理，逐步发展为由国有股、劳动集体共有股、职工个人股、其他企业股、社会团体股等组成的股份制企业；现有企业集团，可在打破“三不变”（所有制不变、企业隶属关系不变、税利解交渠道不变）的基础上，组成以资金联合为核心层的股份制企业；现有中央、地方几级政府和企业共同投资兴办的企业，也可改为股份制企业；今后新建企业一律实行股份制，除各级政府、企业投资外，银行、社会保险基金会、社会公共团体、城市居民都可以成为投资者和企业的股东。有些可以改造为生产出口产品的企业和国家急需的产品的企业，还可吸收外国投资者入股，或把一部分国有股转让给外国投资者，形成中外合资的股份制企业。在这样的股份制企业里，国有股可多可少，可有可无，可进可退。具体占多大比例，由国有资产管理和经济机构根据企业在国民经济中的地位、国民经济发展的要求和调整产业结构的需要来决定。有的控股、有的参股、有的退出，有的投入，不拘一格。这样改革以后，从一个企业看，纯粹的国有独资形态是不存在了；但从全社会看，国有制仍然控制着国家的经济命脉，只是改变了它的控制形式和取消了国家根本就不应该管的那一部分罢了。这样的企业可以称为混合所有制，仍然是社会主义公有制。

实行股份制，必须界定企业的产权关系，摆脱政府主管部门利用所有权对企业进行的非法律规定的行政干预。具体办法是，建立独立的国有资产管理局盈利性的国有资产经营公司。现有国有资产，经过合理的评估，全部转为国有资产经营公司在企业的股份，股权代表由国家资产经营公司派出，红利由企业向国有资产经营公司交纳。国有资产经营公司也是企业，不是政府机构，它只是企业的股东之一，同企业没有隶属关系，无权干预企业的经营活动。

第二，依托中心城市这个大市场，形成我国的社会主义市场体系和市场网络。

社会主义市场体系的主要载体是城市特别是中心城市，市场网络主要由大中小城市和城镇之间复杂的纵向联系和横向联系所构成。因此，建立市场体系和市场网络必须先从城市特别是中心城市做起。

市场体系所追求的目标是完备性、统一性、开放性、竞争性和有序性。市场的统一性和开放性同财政体制相联系。不改革现行的财政包干体制，分割和封闭就难以打破，统一的、开放的市场就难以真正形成，这一点一时还难以做到。市场的竞争性同商品的供求关系相联系。总需求超过总供给的局面不能改变，许多商品处在卖方市场，垄断就难以真正打破，竞争性的市场就难以真正形成。这一点一时也难以完全做到。为此，在市场体系的建设上，必须努力推进财政体制的改革。治理经济环境，抑制通货膨胀，缓解供求矛盾，以实现市场的统一性、开放性和竞争性；与此同时，必须把市场体系建设的重点放在完备性和有序性上。

完备性，就是要从促进商品经济的进一步发展出发，把已经有了基础和雏形的商品市场和各种要素市场完善和发展起来。城市特别是中心城市，要成为工业消费品、农副产品、生产资料的批发贸易中心。生产资料市场主要是要打破条块分割，把原属于中央、省、市各部门的物资供销机构与原主管部门脱钩，并逐步转化为自主经营、自负盈亏的物资企业，进入中心城市的生产资料市场。中央、省、市物资系统设在中心城市的企业，一律实行政企分离，独立核算，自负盈亏。这两类物资企业要逐步纳入中心城市政府物资管理机构的行政管理之下。城市特别是中心城市要成为金融中心，形成全国性的金融网络，排除地方政府的行政干预，使之成为联结各种市场的总纽带。随着股份制的推行，要把债券、股票等证券交易市场建立起来。此外，劳务市场、技术市场、房地产市场等都是改革迫切需要建立的市场。首先应在中心城市形成。

有序性就是要建立起正常的市场秩序。目前市场秩序紊乱，垄断性“官倒”、多环节“官倒”、乱涨价和乱收费、行贿索贿、收受回扣等不正当交易有严重发展。必须采取有力的行政和法律手段加以整顿和打击，把正常市场秩序建立起来。

建立市场体系，必须要与价格、税制、金融、工资等改革紧密结合起来，逐步形成有机结合的市场信号体系，成为国家调节市场、市场引导企业的重要手段。国有商业、物资企业都是自主经营、自负盈亏的商品生产者和经营者。原由这些企业承担的商品储备、吞吐调剂、平抑物价等任务，应交中心城市政府物资、商业管理机关承担，使物资也成为国家调节市场的重要手段。

第三，以中心城市为依托，在全国逐步形成各种规模，各种类型的经济区、经济带、形成纵横交错的经济网络。

根据近几年的实践，以中心城市为依托形成的经济区和经济网络，可根据城市经济辐射范围的大小，由近及远，划分为三个不同层次的区域。一是中心城市所在的行政区，包括城区、郊区和所带的县；二是超出行政区范围，与中心城市经济紧密联系的区域；三是中心城市经济影响区，即中心城市某些最强的辐射线（包括产品优势、技术优势、资金优势等）所能达到的区域，包括全国和世界许多地方。建立这三个层次的经济区和经济网络，应成为中心城市改革的重要任务。

实行市带县的体制是我国近年来的一项重要改革。市带县形成的区域是行政区。应在城市政府统一领导下，依靠行政力量和城乡商品交换的力量，推行城乡一体化，包括城乡流通一体化，城乡交通运输一体化，城乡工业生产和布局一体化，中心城市与卫星城镇建设一体化，城乡金融、信息网络一体化，城乡精神文明建设一体化。把行政区改造成为行政经济区。

以中心城市为依托的经济区有多种形态。除由中心城市向周围辐射形成的经济圈外，还有与周围密集的中等城市发展横向联系形成的城市群，有同沿岸、沿江、沿线（铁路线）的城市发展横向联系形成的经济带。近几年来，辽宁中部城市群，长江沿岸经济带，陇海、兰新铁路沿线经济带已略见雏形，发展下去，对我国设想的生产力布局结构，即“T”型结构（由沿海与长江沿岸所组成）或“n”型结构（沿海、长江沿岸、陇海、兰新沿线）的实现，将产生重大影响。中心城市应在发展各种类型的经济网络中，进一步作出自己的努力。

经济区、经济带、经济网络的形成，必须按照商品经济等价交换的原则，建立在自愿、平等、互利的基础之上。在现行体制下，各级政府，包括中心城市政府都是利益主体，政府之间的互相联系也必须按商品经济原则进行。

第四，实行以中心城市为辐射源的对内对外开放，把对外开放扩大到全国各中心城市；对内开放，根本上要改革财政体制，弱化以至于取消各级政府包括中心城市政府的利益主体地位。但从我国改革的进程来看，在近期还难以实现财政体制的改革，中心城市政府必须从这个实际出发，走出一条在现行体制下实现开放的新路子。这里最重要的是增强自己的经济实力，不但要拥有一批价廉物美、适销对路、名扬全国以至于世界的拳头商品，而且要不断创新，并能为消费者提供优质服务。只要有强大的经济实力，封闭壁垒就会打破。如果消极地实行保护主义，自己设置的壁垒地位会被别的强手攻破的。

对外开放是我国的一项基本国策。这种开放是全方位的。沿海地区是对外开放的重点，但并不排斥内地中心城市的对外开放，现在我国正在实施更有远见和更为广泛的沿海地区发展战略和对外开放政策，但如果忽视内地经济的发展，不但沿海地区的战略会因失去内地在资源、技术、人才方面的支援而难以实现；还可能由于国家对沿海地区经济政策的过度倾斜，带来东西部之间经济发展和人民群众收入水平过分悬殊的严重后果。为此，在沿海地区实行开放的同时，必须赋予内地中心城市以更大的对外开放权力和政策，以带动内地经济的发展。

内地中心城市实行对外开放，既要吸取沿海地区的经验，也要从实际出发，采取不同的模式。重点应放在对现有老企业的合资改造、合资经营、或出让部分股权引进先进技术装备上。要把优惠政策直接给予企业，不要建立沿海城市那样的开发区。

第五，发挥中心城市多功能作用，加强城市基础设施建设，优化城市的产业结构。

中心城市的多功能作用，是建立在合理的产业结构之上的。每一种功能都必须有统一的物质基础作保证，否则，这种功能就难以形成。当前的主要任务是抑制已经过度膨胀的加工工业的发展，切实加强基础设施和第三产业的建设，把城市多功能的物质基础打牢靠。为此，中心城市政府的投资主要应用在这个方面；同时，还可把一些大企业的铁路专用线、轮船码头、物资仓库、汽车运输队、修理车间、生活服务设施等，先在企业内部实行独立核算、自负盈亏，然后对外开放，为全社会提供服务。再进一步，使这些单位与原企业脱钩，逐步形成独立的为全社会服务的新型产业，如仓库业、汽车运输业、设备修理业、生活服务业等。这些新兴产业的形成，必将大大提高城市的专业化、社会化水平、提高城市的辐射力、吸引力和综合服务能力。

为了促进中心城市各种产业的协调发展，特别是促进基础设施和第三产业的发展，还必须改变评价中心城市经济发展水平的指标体系，即把工农业生产总值改为国民生产总值。各城市之间的经济发展水平，可用人均国民生产总值比较。

第六，充分发挥中心城市作为精神产品基地的作用，推动全国社会主义精神文明的建设。

中心城市不仅是物质产品生产和流通的中心，也是精神产品生产和流通的中心。城市和农村比较起来，精神产品生产和流通更具有城市特别是中心城市的特色。生产科学的、健康的、具有时代精神的精神产品，并向全社会普及，以满足人民精神生活的需要，是中心城市的一项特殊功能。

精神产品包括自然科学、社会科学和文化艺术产品，如研究成果、科学著作、建筑设计、文艺作品，以及图书、报纸、杂志、电视、广播、录像、电影、戏剧、美术、音乐、舞蹈等。这些产品是人类劳动所创造的知识产品，有些表现为物质形态，有些表现为非物质形态。从事这些产品生产的，是大专院校、科研单位、设计单位、报社、杂志社、出版社、电视台、广播电台、音像出版社、剧团、乐团、歌舞团等被称之为事业单位的机构。

在商品经济条件下，生产精神产品需要物质资料和复杂的脑力、体力劳动，这些产品同样具有使用价值和价值。为了能使这些产品在全社会流通。同样需要市场，同样有体现其价值和供求状况的价格，同样有同类产品、不同类产品以及生产这些产品单位之间的竞争，同样要讲求经济效益和社会效益。因此，精神产品也是商品，但是一种特殊商品。在社会主义条件下也不例外。

传统理论否定了社会主义条件下精神产品的商品性，对精神产品的生产和流通实行了单一的国有制和高度集中的管理，经费上实行国家财政供给制，同时，又给精神产品生产者以种种错误的意识形态上的限制甚至打击，使精神产品生产的发展受到严重障碍。改革开放以来，精神产品生产领域受到经济领域改革的冲击，发生了很大的变化，但由于理论认识上的分歧，政策上的反复，管理体制改革尚无定论，并且出现一些管理失控现象。改革精神产品生产流通体制已成为中心城市综合改革的一项迫切任务。

根据精神产品生产的特点，在所有制方面，要打破政府官办形式，改为以公有制为主体的多种所有制形式。除少数必须由政府举办外，多数应改为集体所有、股份制混合所有、私有和个体所有等民办形式；有些还可实行精神产品生产单位与工交企业等联合所有、共同举办的形式。在经营方式方面，原则上实行两种经营模式：多数单位逐步实现自主经营、自负盈亏；少数单位逐步做到以自己的收入补偿支出，维持简单再生产。政府给以必要的补贴，进行扩大再生产，产品价格也分两类，一类由市场定价，另一类由国家定价。从事科研、文艺创作、演出等人员的工资全面放开，依法征收个人所得税。在管理方面，凡设在同一中心城市的精神产品生产单位，原则上由中心城市有关部门依法进行管理监督。对精神产品生产单位的劳动者，城市政府要给予马克思主义的指导，同时要坚持“百花齐放，百家争鸣”的方针，为从事精神产品生产的劳动者创造一个民主、和谐、融洽的环境。同时，对诲淫诲盗、黄色下流等毒化人民思想、破坏社会主义精神文明建设的产品要坚决取缔。在流通方面，要逐步建立起各种精神产品市场，建立起流通网络，特别要做好向广大农村传播现代精神文明的工作。目前的情况是，农村经济发展了，人民物质生活改善了，但由于现代文明的精神产品供给匮乏，农民又自觉不自觉地把旧的意识形态，甚至封建迷信的东西拿出来充实自己的精神生活，造成一种经济发展，文化落后的现象。中心城市要自觉承担改变这种状态的责任。

第七，扩大中心城市政府的权力，通过责权利的划分和行政体制，财政体制等的改革，调整好中央、省同中心城市政府的关系。

中心城市是经济运行轨道上的一个个枢纽站。通过这个枢纽的是纵横交错的经济网络。如果这个枢纽站没有相应的行政的、经济的和法律的管理权力，就会造成枢纽本身的混乱，整个经济运行就会受到障碍。因此，要发挥中心城市的作用，仅仅从经济上承认中心城市是经济中心地位是不够的，还必须在国家行政体系中，在经济管理权力上，给中心城市政府以明确的地位和相应的权力。

在现代经济中，经济管理权力和相应的行政管理权力的配置，大体是：企业是独立的商品生产者和经营者，拥有充分的经营管理自主权；中央政府是国家行政权力的主要执行者，宏观经济的主要调控者，拥有全局的战略决策权和重大经济比例关系和利益关系的调控权，没有国家宏观调控的经济在世界上已不复存在；在这两头之外，由于中心城市是工业、贸易、交通、金融、人口、消费等的高度集中地，中心城市政府自然地拥有相当大的行政管理和经济管理权力，这种权力不表现在所管辖的区域范围的大小上，而表现在所直接管理的经济、社会事务的总量上，中心城乡以外的地方政府，虽拥有相当大的管辖范围，但从所直接管理的经济、社会事务总量看，远远小于中心城市政府，实际的行政和经济管理权力也小于中心城市政府。根据这些原则，应给予中心城市政府相当于现在省政府的经济管理权力，有的还可以在某些方面超过现在省的权力。为了扩大中心城市的行政管理和经济管理权力，在方法上可以从“计划单列”这一模式过渡。为了加强中心城市政府对商品经济的管理，建立起社会主义商品经济的新秩序，还应赋予中心城市人大和政府一定的商品经济管理方面的立法权。

第八，建立中央政府和中心城市政府两级宏观调控体系。

我国社会主义商品经济的运行机制是“国家调节市场、市场引导企业”。这也是我国经济基本的宏观调控模式。中心城市是各种企业的高度集中地，是各类市场聚合而成的中心市场，是人口集聚最多、商品消费和社会共同消费（公共交通、上下水道等）最大的场所，因而也是经济生活中一切波动最敏感的寒暑表。全国经济一有风吹草动，首先会从中心城市反映出来。因此，国家调节市场，首先调节中心城市这个中心市场；市场引导企业，首先要引导高度集中在中心城市的各种企业。这种调控不是由中央政府直接进行的，而是由中央政府制定方针政策，由中心城市政府结合实际来实施的，有些是地方性的调控。也是省政府通过中心城市政府来实现的；这种情况说明，我国宏观经济的调控，从主要方面来说，实际是中央政府和中心城市政府组成的两级调控体系。

中央政府的调控目标是：经济发展速度的适度增长，总需求与总供给的大体平衡，积累与消费、工业与农业、基础工业与加工工业的大体协调，财政收支的大体平衡，信贷的大体平衡、国际收支的大体平衡、价格总水平的基本稳定，劳动就业的适度保障，居民收入的适度增长与公平分配等。调控手段是：制定经济社会的发展战略目标和指导性中期经济发展计划；制订导向性的产业政策，运用金融、财政和价格政策，运用生产资料的吞吐调剂手段，运用法律手段，等等。

现在我国正处在由行政手段直接调控为主向以经济法律手段间接调控为主的方向过渡。调控目标尚未明确，调控手段尚未形成配套体系，整体调控机制尚未形成，需要加快改革步伐。

中心城市政府的调控目标与中央政府的调控目标是一致的，是为实现中央政府的调控目标服务的，但也应结合自己的实际，确定一些特殊目标，如发挥本身优势的目标等等。

为了发挥中心城市的调控功能，中央政府应赋予中心城市政府结合实际运用调控手段的权力。包括，在中心城市建立具有省一级权力的中央银行分行，有权在国家规定的幅度范围内，灵活运用利率杠杆；在中心城市建立国有资产管理局和资产经营公司，有权运用投入和调出国有资金的手段，调整中心城市的产业结构和企业结构；在中心城市建立强有力的生产资料经营中心和物资吞吐调剂机构；在中心城市建立强有力的生产资料经营中心和物资吞吐调剂机构，有权运用物资手段，调节市场，平抑物价，保护生产者和消费者的利益在中心城市率先实行财政分税体制，有权在国家规定的国税税率范围内和地方税的部分，灵活运用税率杠杆；在投资体制未改革前，中心城市政府有权对各种来源的投资，包括中央各部门的投资进行统筹和综合平衡，避免重复建设和投资膨胀。中心城市人大和政府有权在中央没有相应法规的情况下，制定地方性的暂行经济法规和经济管理暂行条例，待中央统一立法后，按统一法律执行，以及早在中心城市建立起社会主义商品经济新秩序。

适应中心城市政府行政地位的提高和宏观调控功能的增强，必须改革城市政府的管理机构。基本方向是：加强经济综合管理部门、经济调节部门、经济信息部门、经济监督部门、经济立法和司法部门、城市基础设施建设和管理部门、市场管理部门等；建立国有资产管理局和资产经营公司，精减产业管理部门；强化区政府的作用，扩大区政府管理社会公共事务方面的权力。

【作者简介】林凌，四川省社科院学术顾问，原副院长，中国城市经济学会名誉副会长。
（本文来源于“中国体改研究会通讯”[1988]第50号和《中心城市综合改革研究》）。

中国城市化进程中的“合理性危机”论

张鸿雁

当前，虽然金融风暴带来的经济危机席卷全球，但是中国的城市化仍然以其前所未有的姿态发展着。中央政府出台了全新土地流转政策，接着是十几个城市宣布取消农村户口。按当代中国城市化率的预期发展，如果2038年中国的农业人口降至15%的话，将有8.5亿人口完成城市化过程，或者可以这样说21世纪初的中国正在实践着法国学者孟德拉斯的证言——农民的终结，而且可以想象，亿万农民的城市化发展必然产生或伴生诸多的社会问题和矛盾，并且还将有一个持续的过程。在高速发展的城市化中，中国的社会在克服旧有社会问题的同时也必然会产生新的社会问题。关键的是，人们经常把某些发展中的社会问题归结为城市化的后果，对城市化的意义及相关社会问题的产生，在心理上和政策上均准备不足。如果不能科学地认识城市化进程中的社会问题，就不能对未来20年中国农业社会向城市社会转变提出具有超前性和科学性的战略决策。这必将影响中国国家整体现代化的进程。因此，研究中国城市化进程的社会问题并提出科学有效的对策，是国家现代化总体战略的重要组成部分。

一、城市化进程中社会问题的文化属性

任何时代的社会发展必然都会存在社会问题，人类社会就是在解决社会问题的发展中进化的。关键是一种社会制度和社会机体对现存社会问题是否有很好的解决能力，这是对一个社会机体的重要的评价体系。我们要问的是，某些社会问题是在什么社会前提下发生的？是否可以避免？如果我们对现存或者是未来的城市问题能够有一个理性与科学的认知，我们对相关问题的控制与把握就会成为可能。中国古语云：“智者见于未萌。”即良性的城市发展应该是很少发生社会问题的，当社会问题处在萌芽状态时就能够被发现并加以解决。这也是本文的核心价值所在。

在人类社会的发展中，人们总是设想构建一种没有社会问题的公平、公正的理想型社会，并在“群体理性”的前提下去发展这个社会。但是，在现实的社会发展中我们会发现，社会“群体理性”、“群体理想”与社会物质财富和物质空间存在总是处在一个矛盾的对立统一之中，人类社会总是在自然资源稀缺性的矛盾整合中不断发展进化的，理性社会群体行为或者是理性组织行为的目的，必然是希望能够让大多数人都提高生活质量，并满足他们的要求。满足大多数人提高生活质量的要求，必然是一个社会整体理性的表现过程。但是，大多数人提高生活质量的社会理性实施与实践过程，又必然作用于自然资源，以开发、消耗社会财富和自然资源作为发展前提，而自然资源和社会财富对于人类整体来说，永远是不充分的。理性的社会整体需求、群体理性要求的社会整体生活质量的提高，是以开发、利用和交换自然资源为必然因果关系的，而自然的任何部类自然资源和现存的社会物质财富资源都是有限的。相反，人类社会人口增长却是一个必然的“非限阂性”的过程（到目前为止，人类的人口始终是一个增量）。因此，一个社会群体的整体生活质量提高，需要

与自然资源和现存社会物质财富创造的总量相匹配，但是这只是一种“理想类型”。人类生活质量提高与自然资源稀缺、社会财富问题的不充分的矛盾与人类社会是一个伴生现象与过程。在这个层面上的认识就是，社会存在即为社会问题。一个社会进化的程度越高，这个社会整体理性的需要与自然及物质财富总量之间的矛盾就越大，同时社会的危机存在的程度也就越高。进一步说，社会整体理性需求与社会理想行为构建的人类社会进化过程，与现存物质财富及自然资源的有限性所形成的矛盾是永远并存的，是人类社会发展与自然环境之间存在矛盾的必然性过程，也是人类社会与自然关系永恒的二律背反的规律。人类的城市化是人类社会的进化过程，也是“人类群体理性”与“群体理想”的必然，城市的发展是人类通过集聚存在的方式与自然发生关系，城市化的水平越高，人类社会对自然资源的要求也越多，如土地、水和森林等。因此，人类城市化与城市现代化即人类的现代化过程，也必然是一个社会问题的存在、衍化、整合过程。

对现当代中国城市化进程中的社会问题的认识，必须上升到一个全新的理论高度。德国是一个城市社会问题控制相对较好的国家，德国社会学家哈贝马斯在《合法化危机》一书中提出的合理性危机的理论值得我们参考。中国的城市化出现的社会问题，也是一个社会的系统性行为，正如该书《中译者序言》中所说的，哈贝马斯认为当代资本主义存在着四种危机：经济危机；合理性危机，“即行政系统不能做出足够量的合理决策以协调经济系统发出的矛盾指令”；合法化危机，即社会文化系统不能为社会整合提供足够的合法性以确保社会成员对社会的信任；动机危机。哈贝马斯的四种危机前两种的描述并没有什么创新，关键是他论述的“合理性危机”和“合法性危机”的概念，对认识当代中国城市化是有直接借鉴价值的。他认为“合理性危机”表现为社会文化系统不能使社会成员生产足够的参与动机。与当代中国社会城市的发展十分类似。当代中国城市化进程总体上说成效是显著的，其所反映的社会结果也是正向的，是一种社会进步的表现形式。但是，由于缺乏对城市化的科学管理和对应政策不到位，使得大众缺乏对城市化发展的公共价值的认同，特别是由于人为因素造成的某些政策性偏差，使中国的城市化出现了诸多意外问题，或者说本不应该发生的问题发生了。这些问题具有典型意义上的“合理性危机”特征，即“行政系统不能做出足够量的合理决策以协调经济系统发出的矛盾指令”。相关社会问题的伴生，在很大程度上是城市化过程中的制度系统控制方面出现了问题，如土地问题、人口迁移问题、农民生存问题、住房问题、城市拥挤问题、环境恶化问题、群体抗法事件问题，等等。这些问题在表象上无不表现了制度上的“合理性危机”特征。虽然很多失误看起来只是某些人的管理方式的失误，或者是制度性投入失误，但是，问题的本质告诉我们，中国城市化中的很多问题本来是可以避免的，是城市化发展中责任的普遍缺失、城市管理的普遍缺位造成的。城市化进程中的社会问题以及产生的失误对国家经济、国家总体安全发展战略是有负面影响的，如不加以认真对待，有可能转化为更深层面的社会问题。

亨廷顿说：“现代化带来的一个至关重要的政治后果便是城乡差距”，“在很大程度上，城市的发展是衡量现代化的尺度”。城市化是社会进步，城市人口增长是社会进步，但是也是社会问题的前提和表现。城市是一个大系统，因此，当社会系统结构所能容许解决问题的可能性低于该系统继续生成所必需的限度时，就会产生危机。在这个意义上，危机被看成是系统整合的持续失调。很显然，某些城市政府的管理系统几乎不能有效解决社会问题，主要是社会已经发生了变迁，而行政体系不能针对社会需求变化而实现体制创新。事实上，一个社会的系统性创新能力比创新本身更重要，只有这样才能提出超前的管理规范，以保证社会的良性发展。哈贝马斯认为：“社会系统的危机不是由于环境的突变，而是由于结构固有的系统要求彼此不能相容、不能按等级整合所造成的。”城市化过程中出现某些社会问题就是城市系统的危机，在哈贝马斯那里可以看成两个层面：一个是合理性危机，主要表现是行政的合理性的破坏是由于各种利益团体的对立产生了与社会整体系统异质的结构”；另一个是合法化危机，主要是系统的局限，行政干预文化传统出现负作用。经济社会与文化问题政治化会牵动城市的整体，特别是现代社会信息高速的传递，会形成各种各样的影响关系，如显性和隐性影响与问题、即时性影响、近期影响和中远期影响问题等。或者还可分为对经济的影响、政治的影响、社会发展速度的影响、价值观念的影响、行为影响、整体组织结构及系统的影响。这一影响可描述为：“城市的行政管理，在某种意义上就是对影响整个城市社会发展稳定的社会问题的控制与治理。”在城市化的进程中，我们看到了中国社会问题的变化与深化。在这一问题上，我们必须从不同的角度认识和分清中国城市化进程中所形成的社会问题的类型。

二、城市化进程中社会问题的社会属性

对城市化进程中相关社会问题的认知，不同的学科有不同的解释模式，运用“合理性危机理论”加以分析不难看出，中国城市社会问题在现阶段更具有突发性、地方性、价值取向性、政策滞后性和操作失误性。除了我们熟知所谓必然性和偶然性问题、积极性与消极性问题、结构性与功能性问题、整体与局部问题、世界性与区域性等问题之外，本文认为下面的五个问题是近期最值得关注的社会属性类型。面对新的城市发展变迁，我们必须进一步从理论层面对社会问题进行再梳理，建立一个在城市化进程中对社会问题进行整体认知的平台。

1. 城市化进程中的突发性与地方性社会问题

“突发性社会问题”虽然存在于一般的社会关系之中，但是在社会改革、变迁和转型期，突发性事件还具有时代的典型性。目前，中国城市中出现的突发事件可以说是类型多，“突发性”转化为“濒发性”的相关事件屡屡发生，包括“突发性环境污染事件”、“突发性疫情事件”、“突发性抗法事件”等，很多仅仅是一件很小的事情，却演化成重大事件。这需要我们必须从学理和法理的角度进行深入的研究和分析。

当代中国的社会改革是一场意义深远的社会变迁与变革。从世界范围来看，任何社会改革和社会变迁都是利益的再调整和再分配，是社会经济、政治和文化秩序的更替与重构，有可能或者必然使一部分人的利益受到伤害。加之，在社会变迁期，社会结构的稳定性较差，社会运行机制的调控能力相对弱化，社会管理体系往往会出现制度、政策和法律上的空洞，甚至在某些领域社会管理体系和规范会出现“权力真空”；新旧规范交替，新旧价值体系冲突，加之社会不同阶层与群体的收入距离又在拉大，某些不公平的社会现象增多，使得部分群体和个体的被剥夺感意识增强；过度信息化和市场不规范所形成的不对称的信息生活方式，反而使一部分人的信息获取形成偏执与偏好状态。在这样的前提下，不准确、不对称的信息传递往往会形成不同群体的不同价值认知和不同利益群体的分化整合要素。在这种情况下，小群体与个人利益的要求成为一种主要倾向，在争取利益的过程中，由于传统规范已经失去作用，个体或群体自我约束力往往会产生变异，在特定的环境中十分容易发生地位、角色和个人利益取向的错位，进而出现目的和手段的错位。一旦发生某些事件便会形成诱发因素，出现个体甚至群体性失范，局部出现社会失控的现象，导致一些出人意料的突发性社会问题的爆发。

在这类社会问题的发生中，在当前还有一个时代性特点，即突发性的地方性社会问题的多发性，而且很多突发性事件就是由地方性事件因素引起的。进一步说，一些城市的社会问题是因为城市的地方性法规不完善、地方城市政府管理系统失调引起的，或者说是地方性管理模式及管理能力不足引起的。这里强调的“地方性”既包含了地方性问题的“地方性原因”（如同样是房屋拆迁，有的城市就处理得很好，而有的城市就处理得不好），也包括了地方事件的地方性表现特质。中国是一个过度差异的社会，偌大的中国既有原始的自然经济类型，又有工业化城市区域，更有上海等后现代城市社会生活方式。因此，在全国范围内对某一类事件用一种政策来规范管理是不能达到有效治理的目的的。

有人认为世界已经进入全球化了，社会问题应该是一种普遍化的现象，具有某种共性。诚然，在总体上说城市化进程中的社会问题具有一定的普遍性，但是对于中国来说，由于地区的差异及其发展水平的差异，包括文化的差异是显性的，中国城市社会问题的地方性十分典型，只有清楚地认识这一点，才有可能提出具有针对性的政策与方针。“我们可以从全球化的一个定义开始，‘行为活动的世界性扩散、洲际关系的扩张、社会生活全球范围的组织以及共有的全球意识的增长’……一种新型城市——全球城市正在出现，并引起人们大量的思考和研究。全球化已自然而然地引起那些从事商业的人们的极大兴趣，特别是新的全球市场出现的以及伴随而生的意识形态”。

高速化发展中的中国城市化，既要关注人类整体的共性问题，又要关注个性化的城市问题，既要关注普遍性的问题，如弱势群体问题、老龄化问题等，更要关注个性化的地方性问题，并且及时地以不同的方式解决地方性重点问题。由于城市和区域经济发展水平的差异，特别是地区生活水平与收入差异过大，不同城市群体的群体价值取向和群体要求也是不同的；同样，每个城市突显的社会问题排序也是不同的，而主要问题的解决是解决相关伴生性的社会问题的重要手段。如沈阳等老工业城市的主要问题有就业和生活保障问题，大连等一些城市因缺水而严重制约了其城市的发展，无锡凸显的是环境污染问题。这些问题的真正解决都需要有针对“市情”和“地方性”问题的政策和法规。

2. 城市化进程中的文化失调与价值冲突问题

城市化最显性的社会变迁，往往集中在文化行为与观念变迁领域。丹尼尔·贝尔认为：“变革观念同时也主宰现代经济与现代技术。但经济技术领域的变革通常受到可利用资源的限制。政治领域的变革里情况也差不多。现存的体制结构，对立竞争集团的否决权，以及某种程度上的传统影响，都会限制其中的创新活动。而表现符号和表现形式的变革却在文化领域内通行无阻……先锋派观念一旦为人所接受，它将在礼节、道德以至于政治领域内确立起文化至上的制度化形式。”中国城市化的进程是一种典型的农业社会向工业社会变迁的过程，伴随世界文化的一体化、西方文化价值观的冲击和乡村人口向城市的大迁移，使旧的价值观念与文化体系被逐渐打破，而新的价值观念与体系未能形成，城市社会里越来越缺乏主流文化，越来越缺乏对城市主题社会文化的认同：人们处在一个传统文化行为丧失、变异、模仿和创新的潮流之中，新的行为文化以多元化的形式呈现在新的城市社会环境之中，相应出现了大量的社会失范和越轨行为，如机体越轨、仇富心理、权力腐败、假冒伪劣产品充斥市场等。奥格本在《社会变迁：关于文化和本性》一书中提出了“文化堕距”的概念，强调了任何社会变迁都会出现“社会失调”、“文化滞后”和主流文化缺失的现象，表现为某种“社会堕距”——文化变迁滞后与非同步现象。他说：“问题在于，现在文化的各个部分不是以同样的速度变迁，有的部分快，有的部分慢。但是，不同部分是密切联系，相互随存的。文化一部分的迅速变迁必然要求其他相应的部分也随着变迁。比如，工业和教育是相互依存的，工业的变迁必然要求教育体制的改变以适应工业的变迁。工业和教育是两个变量，如果工业首先变化，而教育跟着做出相应的调整，那么，工业就是自变量，而教育是因变量。在中国很明显的是，工业化变化速度十分惊人，而教育改革一直不到位。这仅从一个角度说明了中国城市化进程中政治、社会、文化和伦理发展不同步的现象。城市发展越快，城市中不同文化的异质性群体就越多，进而形成不同价值冲突的群体。‘模式的不平衡必然要导致各部分的失调。在变迁社会，各部分的变迁速率是不一致的，这就要产生一系列的失调。变迁社会在整体结构上关系紧张’。现实的中国，在价值取向的分歧体现在各个领域，如对经济适用房建设的价值取向分歧；对网迷病态定性的价值取向分歧；对未婚同居价值取向的冲突，等等。阶值冲突的本质是利益冲突，在转型期这种冲突可以在各个领域发生”。

3. 城市化进程中的结构空洞与功能性失调问题

从一般意义上讲，社会发展需要一种和谐的运作状态，即一种合理的社会结构关系，或者称之为社会结构的稳定与社会变迁的整体性结构进化。城市化过程中的社会结构变迁，是一种开放型的“耗散结构”变迁形式，必然表现为从无序——到有序——再到无序——再重新到有序过程，这是一种进化型的社会结构变迁，即是某种社会结构、区域结构、经济结构被打破的过程，社会处于一种相对失衡的状态，这是一种“远离平衡”进化型社会结构增长，其中社会群体的利益结构、城市与生态结构、城市经济结构、城市产业结构、人口与社会关系结构等都处在变迁过程中，有些领域会出现“结构性空洞”和“结构性功能失调”。原有的中国城市化和中国经济发展结构本身就存在着不合理的因素，如中国东西部城市化差异、城乡多梯度社会结构、社会分配不公等，有些问题在城市化未发生时就已经存在，抑或说有没有城市化这些问题都必然存在，有些社会问题是城市化进程中的结构性调整的必然结果，有些是城市化过程中的结构性变迁新引发的问题。因此，“结构性空洞”和“结构性失调”是当代中国城市化的一个表现。由城市化发展引起的社会问题，也必须或者必然随着城市化的发展得到解决。如城市第二、第三产业结构调整形成的下岗问题。有些城市一味强调城市结构高级化、科技产业高级化，可是这个“高级化的产业结构”，却没有相应高级化的产业人才和高级化的就业群体，第二和第三产业在转移的过程中，很多低学历的劳动就业者无法转移到高级产业中去，进而出现典型的结构性失业。当然，此类问题只有在城市化的进一步发展中得到解决。“功能性失调”是中国当代城市社会现阶段存在的突出问题，这其中包括了城市对社会问题管理控制的失调、包括社会机制在转化过程中要素不同步转化形成的机能失调等，如“城市拥挤不经济”，城市生活的阶层区隔，弱势群体成为被遗忘的角落等。换个角度看，这些是城市功能性存在的社会属性问题，由于社会本身资源的有限性，城市空间的价值性差异越来越大，因此而形成的城市社会阶层之间的差异也越来越大。这也是西方城市社会学家对城市特有属性的解释之一，即城市是一个存在“导质性”人群的聚居地，城市本身就是差异化的社会，城市越大差异越大，这是城市社会关系的本质。因此，政府不仅要关注城市的高速发展，更要关注城市社会差异的深化，关注社会差异因素引起的社会问题。这应该是现存城市政府的重要功能；也因此，城市化进程中的“结构性空洞”和“功能性失调”的解决是当务之急。从拥挤到不拥挤再到拥挤及至不拥挤的适当解决；从不充分就业到充分就业再到不充分就业及至就业的某种程度的解决，虽然此类问题永远存在于城市社会之中，但是这恰恰是城市政府存在的价值所在。

4. 城市化进程中的政策性滞后与操作失误问题

当代中国的城市化使很多人感觉措手不及，中国30年的城市化，几乎走完了西方近百年的历程，发展迅猛的城市化使很多地区的农民在一夜之间从农民转化为市民，面对前所未有的农业人口向城市集中的城市化，无论是理论界还是城市管理界，对这一问题都没有很好的理论准备。特别是在西方发达国家城市化已经具有成熟的理论和经验条件下，我们却还在争论不休。

目前，中国城市化理论和发展模式受到严峻挑战：一是城市社会来临、“农民终结”社会建构的城市化及再城市化决策思想的挑战；二是城市社会问题控制能力与解决能力的挑战；三是城市生长机理、特质认知及方法论的挑战；四是中国传统城市管理体制与机制不适应现实的挑战；五是城市规划理念滞后及规划决策方式的挑战；六是城市管理人才能力与需求的挑战；七是建构数字化、循环社会型城市模式和科学技术应对能力的挑战。正因为理论准备不足，几乎所有城市的现行政策明显地滞后于城市化的发展。如土地流转政策、人口就业政策、城市贫困人口住房政策、房地产及相关物业管理政策等，都大大滞后于城市化的发展。这是值得我们深思的问题。事实上，当前出现的一些社会问题发生的直接原因多是因为政策不到位或不合理引起的。

中国的城市化是一种“制度型城市化”，由于权力过于集中，加之缺乏理论指导，城市化发展中管理者一直没有找到“合适的位置”，要么是“越位”，要么是“缺位”。城市社会问题的严重程度与城市管理水平和制度的科学性呈正相关。特别是中国的城市表现为一定意义的“政绩主体”，极易形成城市过度膨胀和城市间的过度竞争。在一定意义上，中国已经形成单体城市利益与国家利益的博弈关系。因此，在城市的管理体系与管理思想上，出现了某种偏执和认知误区，城市竞争和城市政绩往往通过以“买卖土地为核心的招商型城市经营与建设模式”来实现，造成了某些城市的“建设性破坏”，如“过度的城市造美运动”，大规模高速化拆迁，大比例大尺度空间建设形成的土地浪费，过度的城市化的外部化，房地产商企业行为的大“规模造城运动”等，使城市的规模增长成为城市化的主要形式，从而引发了一系列的社会问题。这些问题包括城市内涵式现代化的缺失等，如生态环境建设、城市就业率、市民幸福指数等被忽视。特别需要明确指出的是，几乎所有的城市都表现出规划的滞后性，一些城市甚至在短短的不到五年的时间里，城市发展多次突破规划，而有些城市甚至年年都在“搞规划”。简言之，目前一些在城市化进程中出现的社会问题与城市管理操作失误有直接关系，城市整体管理上的真空到处可见，如违章搭建屡禁不止，乱占土地层出不穷。很多城市仍然处在“问题发生时无人过问，积重难返时亦无办法”的状态。

上述所论及的问题，都是当前国城市最急需获得认知和解决的问题，而这个“认知和解决”的视角就是“合理性危机”的中国式解读。

三、城市化进程中应对社会问题的对策及思考

“制度投入型城市化”是中国城市化的一个特点，也是相关社会问题屡屡发生的一个直接性的重要原因。因此，解决这一问题的方式也必须在制度层面予以寻求。制度层面的改革与创新是解决当前城市社会问题的最直接的方式之一。哈贝马斯认为：“我们就把危机与一种客观力量的概念联系起来，这种客观能够剥夺一个主体的某些正常控制能力。把这一过程说成是危机，这就暗含着一种规范意义——危机的解决应使陷于危机的主体获得解放。”现实的中国社会是个六种社会类型共

存的“多梯度社会结构体”，只有通过自上而下的制度型调整才有可能完全奏效，要达到这样的目的，必须实现中国城市化运营模式的多重转换。

一是要创造解决弱势群体需求的城市行政机制与能力从传统行政管理型向社会全员福利型转型。创造社会公平，是社会和谐的前提。目前发生的问题告诉我们，城市中的生活水平差异扩大、收入差异扩大、被剥夺感增强、社会福利体系不充分是社会问题频发的直接原因之一。而一个责任型政府必须创造城市社会的福利机制，才能创造城市市民共同的城市。在现阶段，城市政府应该在解决弱势群体需求方面有所作为，一个城市政府应该知道一个城市有多少贫困人口，有多少户居民还住在10平方米以下的房子里，有多少需要直接照顾的人群，并提出对应性解决办法。应当认识到，减少城市社会差异是城市政府的主要责任。

二是要创造“城市法人化模式”城市管理从中央权力集约型向城市部分自主立法转型。地方性城市管理法规与政策的创造城市法，或称“城市法人”，在地方区域政治、经济与文化发展日益重要，成为制定发展战略的焦点。在全球化浪潮中，地方性经济文化增长已经成为区域经济社会发展的前提。城市自身创造条件以适应经济全球化的能力，已成为可持续发展的关键因素。这一次全球性金融危机，中国很多城市自己出台政策“自行救市”已经显现了地方性治理的价值。中国城市发展水平差异大，城市产业结构和类型不同、城市规模、资源和发展腹地不同，更有文化地域结构的不同，很多社会问题具有典型的地方性特点，城市应该有能力根据地域性特点和城市本身的特点，制定相关的城市管理法治体系，以形成市民社会的契约关系和机制。事实上，西方很早就已经推行了“独立城市法人”体系。美国社会学家贾恩弗兰克波奇在《近代国家的发展社会学导论》一书中说：在中世纪西方，城市的发展不只是生态学那种独特的定居，稠密的定居居民专心地从事城市生产和商业经营，而且还是政治上的自治统一体。在中国的城市化发展中创造区域性的科学分类指导体系，而“城市法人化模式”，是分类管理城市的最好方法之一。这也是西方城市化进程中的一个成功经验。

三是要创造以城市普遍就业为核心的生活体系——让城市从传统居住型向核心就业型转型。“让城市充满选择机会”，这曾是伦敦的城市建设理念。城市社会稳定的基础是就业，多项研究成果和设想表明，城市就业越充分，社会越安定。充分就业是和谐城市建设的根本。抑或可说是政府存在的主要价值就是开发市民就业体系，不让一个人失业应该是中国城市创新的最高价值和理想类型。虽然这一目标很难实现，但它仍然应该作为中国城市化进程中的一个理想追求。

四是全新的政府服务创新体系从传统城市行政管理型向“政府服务型管治模式”转型。必须改变传统的城市管理模式，从一般意义上的行政管理向“城市客户型服务与管治模式”转型。简称为“服务型管治模式”。所谓“服务”，即把城市管理者所面对的所有对象都当做好客户来管理，并创造新的客户型服务规范与体系；所谓“管治”即面对新形势，把突发事件作为日常管理工作的一部分，即将城市风险预警机制和风险管理作为日常服务管理机构的重要工作，同时更要创造一种对突发事件的日常快速的、有效的、高技术化的应对处理能力和体系。“服务型管治模式”的创新，核心在“治”而不是管，“治”包含着建构与创新，包括对城市全员、环境的社会责任。这一模式本身在支持经济发展时，其中包含的相关地方性政治与经济政策、就业政策、福利政策，更能动员地方民众的力量参与城市建设。事实上，在20世纪90年代的西方，很多城市已经构建了企业服务型政府管理模式，那里的很多城市已经被称为“企业家城市”。

在服务型城市的创新中，应建立全新的城市生活保障系统，从传统单位型社区生活向“城市照顾型”社区生活体系转型。西方城市发展进程中的一个重要的创新，是“社区照顾体系”的提出。虽然“社区照顾体系”的提出是针对需要照顾的老年人为主，但是，这是一个和谐城市发展的必需。从社区照顾，走向“城市照顾”，这是一个全新的概念，而且应该成为具有中国特色的一个发展模式。

四、结语

当前，当务之急是创建城市社会责任体系和目标，减少城市化的耗能成本，让城市化的正功能获得全面发挥。而要达到这样的目的，就必须强调“建设民生为先型城市政府”，任何城市的发展战略的提出，任何城市遇到的发展中的问题，都应该以发展民生问题作为优先选择内容，凡是遇到城市民生问题都要优先一步处理。只有把城市建立在让市民幸福的最终价值取向上，中国的城市和城市化才能够和谐发展。

【作者简介】张鸿雁（1954—），南京大学社会学院副院长，教授，博士研究生导师，中国城市社会学会副会长，江苏城市现代化研究基地主任，首席专家，享受国务院政府特殊津贴专家。

参考文献

[1]13个省市取消农业户口和非农业户口的划分.东方早报,2008-12-10

[2]H. 孟德拉斯.农民的终结.北京:中国科学出版社,1991:284

[3]哈贝马斯著,刘北成译.合法化危机.台北:桂冠图书股份有限公司,2001:3

[4]哈贝马斯著,刘北成译.合法化危机.台北:桂冠图书股份有限公司,2001

[5]塞缪尔.P.亨廷顿著,王冠华等译.变化中的政治秩序.北京:三联书店,1989:66

[6]哈贝马斯著,刘北成译.合法化危机.台北:桂冠图书股份有限公司,2001:4

[7]哈贝马斯著,刘北成译.合法化危机.台北:桂冠图书股份有限公司,2001:68

[8]张鸿雁,闵学勤.城市市民对中国城市化进程中的社会问题认知——中国六城市电话访调报告.社会科学,2005(6):18

[9]乔治.里茨尔著,王云桥,宋兴无译.虚无的全球化.上海:上海译文出版社2006:99-100

[10]丹尼尔·贝尔.资本主义文化矛盾.北京:三联书店,1989:79-80

[11]威廉·费尔丁·奥格本著.王晓毅,陈育国译.社会变迁:关于文化和本性.杭州:浙江人民出版社,1989:106

[12]威廉·费尔丁·奥格本著,王晓毅,陈育国译.社会变迁:关于文化和本性.杭州:浙江人民出版社,1989:107

[13]威廉·费尔丁·奥格本著.王晓毅,陈育国译.社会变迁:关于文化和本性.杭州:浙江人民出版社,1989:227

[14]张鸿雁.人类城市化的“城市文化基因”与城市社会再造文化因子论.社会科学,2003(9)

[15]H.孟德拉斯著,李培林译.农民社会的终结.北京:中国社会科学文献出版社,1991:284,300

[16]张鸿雁.“制度主导型”城市化论.城市管理,2006(2)

[17]哈贝马斯著,刘北成译.合法化危机.台北:桂冠图书股份有限公司,2001:4

[18]张鸿雁.论当代中国城乡多梯度社会文化类型与社会结构变迁——依据“社会事实”对“二元结构”的重新认知.南京社会科学,2007(9)

[19]贾恩弗兰克·波奇.近代国家的发展——社会学导论.北京:商务印书馆,1997:40

[20]亨利·皮雷纳.中世纪的城市.北京:商务印书馆,1984:111

[21]黄源协.社区照顾:台湾与英国经验的检视.台北:扬智文化事业股份有限公司,2000:13

中国特色城镇化道路的内涵和发展途径

肖金成 等

城镇化作为人类社会现代化进程中的必由之路，各个国家都依据各自基础条件自发或自觉地探索适合自身国情特点的发展道路。中国特定的人口规模、资源禀赋、城乡关系、区域差异以及社会经济发展的阶段性，决定了中国必须从基本国情出发，按照中国特色社会主义的根本要求，不断探索，走一条具有中国特色的城镇化道路。

一、中国国情与加快推进城镇化的重要意义

我国国土面积居世界第三位，但适合人类居住的空间有限；人口众多而素质不高；实现城镇化又面临着特定发展阶段和社会主义市场经济体制不健全等多方面因素的约束。充分认识我国的这些基本国情特点是探索中国特色城镇化道路的基础和前提。

（一）国情特点对城镇化的影响

1. 宜居土地和水资源不足，人地关系紧张

我国虽拥有960万平方公里广袤的国土，但土地资源中山地占33.3%，丘陵占9.9%，盆地占18.75%，平原仅占11.98%，适宜城镇发展的土地资源非常匮乏。通过对综合高程、年降水量、≥10℃积温、土地利用、土壤侵蚀、地形坡度、地貌等各地理因素对人类居住地适宜性的影响分析，发现一类宜居土地仅占全国国土面积的19%，而且主要分布在东中部地区，又与优质农田高度重合。在这些地区既要发展农业，解决吃饭问题，又要建设城镇，享受现代文明，人地矛盾相当突出。

受自然与人为多种因素的影响，我国的生态环境十分脆弱。国土的一大部分属于干旱和半干旱区域。西北干旱区和青藏高原区生态十分脆弱，而东部季风区因降水集中，却容易引起旱、涝、山体滑坡等自然灾害。这些地区对人类经济活动特别敏感，环境承载能力低下，极易出现生态环境退化现象。从水资源的分布看，我国水资源分布南多北少，东丰西缺，80%左右集中于长江流域及以南地区，但开发利用难度较大。目前我国城市缺水问题十分严重，尤以环渤海湾和西北地区最为突出。今后城市缺水形势会更加严峻，将从以工程型缺水为主向资源型与水质型缺水为主转变。水资源越来越成为影响城镇化道路的重要限制因素之一。

2. 人口多尤其是农村人口多，人口流动规模和空间跨度大

人口众多是我国的基本国情。2007年我国人口达到13.2亿人，在占世界7.2%的国土面积上居住了占世界21%的人口。据国家人口发展战略研究课题组2007年2月公布的研究成果，21世纪中叶我国人口总量峰值将达到15亿人。届时中国的城镇化水平预计将达到70%以上，总量超过10亿的城镇人口将成为全球最大的城镇人口群体。这不仅意味着空前的资源环境压力，同时也表明未来将有3亿～3.5亿的人口从农村转移到城市和城镇。

受地区发展不平衡和利益导向的影响，农村富余劳动力呈现出跨省流动，即由不发达地区向发

达地区转移，从西向东流动的趋势。不仅人口流动数量大，而且由西至东的空间跨度也相当大。东南沿海地区的务巨人员来自于四川、贵州、河南等中西部省份。如此规模和空间跨度的城镇化进程是人类历史上前所未有的。

3. 区域间发展水平差异较大

辽阔的地域使我国各地区在自然、经济地理和区域文化方面差异显著，经济发展水平差距较大。2006年人均GDP，上海57,695元，北京50,467元，而贵州仅为5,787元，云南和甘肃也未到10,000元。就城镇化而言，东部的城镇化水平远远高于中西部地区，2006年，全国平均水平为43.9%，广东为63%，辽宁为58.99%，浙江为56.5%，江苏为51.9%，而贵州却只有27.46%，甘肃只有31.09%。东部地区处于工业化中后期，城镇体系较为完整；西部大部分地区处于工业化、城镇化发展的初期阶段，不仅中小城市、小城镇难以得到充分发展，而且大城市发展速度也很慢。多个研究表明，随着经济全球化和信息化程度的提高，这种空间分化现象还会进一步加强。

4. 面临着发展阶段及体制机制的约束

处于工业化中期阶段是我国又一个重要的基本国情。工业化、城镇化、市场化和现代化是今后一个时期重要的发展目标。在努力发展高技术产业和知识经济，提高国际竞争力的同时，我们还必须面对每年近千万的农村人口转移所带来的就业压力问题。经过20多年的努力，我国初步建立起了社会主义市场经济体制的基本框架，市场配置资源的基础性作用不断加强，但市场经济体制仍处于发展完善阶段。同时，科学发展观作为指导今后相当一个时期经济社会发展的指南，提出的时间不长，各方面的配套工作还未完成，缺乏相应的保障机制。户籍制度（特别是附加在户口之上的社会保障制度）、土地制度、财税制度、地方政府政绩考核制度都存在着制约城镇化健康发展的因素。

综上所述，人口规模巨大，特别是需要向城镇转移的人口规模巨大，而本身的土地和水资源相对有限；处于经济社会转型和加快实现工业化、现代化的关键时期，承担着加快产业结构升级和吸纳大量人口就业的双重压力；不可能像发达国家那样通过对外大量移民减轻人口压力，也不可能像它们那样在长达百年的时间内从容地、逐个阶段地完成城镇化过程。这一切使得我国的城镇化发展面临着世界上所仅见的复杂条件和环境。

（二）中国推进城镇化进程的重要意义

城市化是促进城乡、区域协调发展的根本途径。加速农村富余劳动力向城镇地区的转移，提高我国的城市化率，是我国全面进入小康社会的必然选择。城市化进程对解决中国的人口问题至关重要。（1）城市化是解决日益严重的农村富余劳动力的唯一出路。农村经济的进一步发展和现代化进程的顺利进行，需要将滞留在农村的大量富余劳动力转移到城市的二、三产业，摆脱目前严重失调的人口城乡分布格局对国民经济持续健康发展的制约。（2）城市化是提高总体人口素质的重要举措。城市丰富的教育资源和高效的资源利用有利于人口科学文化素质的提高。（3）城市化有利于降低人口出生率。城市人口较高的生活水平、较多的妇女就业机会、较高的教育水平，有利于改变人们的生育观念，提高孩子的养育成本，从而降低人口出生率。

城市化有利于解决生态退化问题。造成生态退化问题的根本原因主要是人类对自然资源的不合理利用。在中国西部地区，恶劣的自然环境和贫穷落后的生活方式，造成了人们对土地、草原、林地等自然资源的过度利用，加剧了生态退化。在生态脆弱区减少居住人口，依靠自然的力量恢复生态是最有效的方式。城市化为生态移民提供了条件。考虑到中国因众多的人口集中在农村地区所带来的对自然资源的过大压力，以及遍地开花的乡镇企业所造成的日趋严重的环境污染和资源浪费，城市化对中国可持续发展的重要性更为明显。随着城市化进程的不断进行和城市化率的不断提高，农村居民的数量会不断减少，农民人均收入会不断提高，对土地等自然资源的压力也随之降低，为生态退化问题的解决提供了条件。

城市化是提升中国经济发展水平的根本出路。作为一个需要迅速提高人民生活水平的发展中大国，中国需要保持持续稳定的较高经济增长率。城市作为一种伴随经济发展而出现的人类聚落形态，具有经济上的集聚功能和扩散功能，能够带动周边地区的经济发展，而且城市规模越大，功能越齐全，其辐射范围就越广。诺贝尔经济学奖获得者、美国经济学家斯蒂格利茨预言，影响未来世界经济发展的两件大事是美国的高科技发展和中国的城市化。实践表明，我国的城市化率每增加1%，就可拉动当年国内生产总值1%～2%。由此可见，城市化已经成为决定我国经济增长的关键性因素，不加快城市化进程，就难以实现农村经济的现代化，我国国民经济发展就难以跃上一个新台阶。

二、中国特色城镇化道路的基本内涵

城镇化是由农业人口占很大比重的传统农业社会向非农业人口占多数的现代文明社会逐步转变的历史过程。人口向城镇集中或迁移的过程包含了人口、空间、经济、社会转换等多方面的内容，最终体现于现代文明和现代生活方式的传播和扩散。城镇化道路可以理解为实现城镇化这一过程的原则和方式，亦即推动城市化进程所采取的模式。它涉及城市发展与乡村发展的关系，即随着城市化推进，城市发展的同时，农村地区是否能实现农业现代化和农村繁荣；涉及人口、资源与环境的关系，即在生产和生活方式变革的同时，能否实现土地、水等资源的可持续利用和生活环境的改善；涉及对不同规模和职能城镇之间关系的处理，即不同规模和职能的城镇之间能否形成共生、互补、高效的关系，成为有机统一的整体。

从我国基本国情条件出发，总结我国城镇化的实践经验，深入贯彻落实科学发展观，遵循城镇化发展一般规律，中国特色城镇化道路的基本内涵可以概括为：与中国人口多、耕地少的基本国情相适应，以功能互补的城市群为主体形态，实现大中小城市和小城镇的合理布局与协调发展；以集约利用为导向，实现资源环境可持续发展；以城乡统筹为主线，实现与农村现代化同步发展；以区域主体功能为基础，实现适应不同区域特点的多元化发展；提高各级城市和城镇的承载能力，加快农村人口向城市和城镇的转移，按照统筹城乡、布局合理、节约土地、功能完善、以大带小的原则，形成资源节约、生态良好、经济高效、社会和谐的城镇发展新格局。

中国特色城镇化道路具有以下几个基本特点：

（一）大中小城市和小城镇协调发展，大中城市成为我国吸纳农村人口的主要载体

在城市布局上，合理布局城市群和大中小城市，形成既能适应全球化挑战，又能服务农村、农民、农业的城镇化体系网络。包括超大城市和特大城市在内的大城市，是我国参与经济全球化的主要区域，是提高我国世界产业分工体系中地位的承载体。今后需要通过大力发展高技术和知识含量的现代制造业和生产性服务业，着力提升经济的整体素质和产业结构的层次。这既是提高我国国际竞争力的必然要求，也是通过产业升级控制人口过快增长的有效手段。大中城市是我国吸纳农村人口的主要载体。大中城市绝大多数分布在交通干线上，基础设施相对比较完善，产业基础比较雄厚，服务业发展有很大的潜力，随着产业链的延伸和产业配套能力的提高，对劳动力的需求不断扩

大。小城市和小城镇是城乡经济发展与交流的桥梁和纽带。随着大城市产业结构的升级和调整，小城市和小城镇应加快劳动密集型加工业和服务业的发展，从而发挥其在大量吸纳农村富余劳动力等方面的重要作用。我国目前有1.9万多个建制镇，数量众多但规模较小。按照每个县重点发展3～5个城镇估算，全国可重点建设6,000～10,000个有发展条件的建制镇。

（二）集约利用土地等资源，走集约型城镇化道路

宜居土地有限、水资源短缺是我国的基本国情，而中国的城镇化规模将是人类历史上空前的，如果按照传统的城镇化发展模式，将对资源环境形成巨大的压力。在未来中国城镇化发展过程中必须坚持人口、资源、环境之间相协调的原则，集约利用土地、水等资源，切实保护好生态环境和历史文化环境，走可持续发展、集约型城镇化道路，以尽可能低的物质成本消耗和其他自然资源的高效利用，实现城镇化进程中人与自然的和谐。

（三）以城乡统筹为主线，推动城乡共同繁荣

城镇化过程中的城乡统筹就是建立城乡经济良性循环，城市特别是中小城市和小城镇要加快劳动密集型加工工业和服务业的发展，促进其对于乡村劳动力的吸纳能力。通过城镇农产品加工企业向农村地区的延伸，加快农业产业化步伐，提高农业生产率，促进农民增收。以新农村建设为依托，改善农村地区生产和生活环境。充分发挥市场机制的基础配置作用和体制创新，完善城乡之间劳动力、土地等生产要素的合理流动。

（四）因地制宜，探索适应不同区域特点的城镇化发展模式

从我国各地区发展条件和发展水平差异较大的基本国情出发，根据各地经济社会发展水平、区位特点、资源禀赋和环境基础，实施有区别的城镇化战略及相关政策措施，因地制宜地确定不同的城镇化模式和城镇发展空间形态，确定各地城镇化发展的目标，以此实现对国土空间的高效利用，把城镇化过程与重塑全国经济空间格局的过程有机结合起来。

三、中国特色城镇化道路的实现途径

中国特色城镇化道路需要依靠相关的制度建设和政策设计加以实现。

（一）切实促进人口城镇化

城镇化的本质内涵是实现人口由乡村向城镇的转移，城镇化的最终目的是要为人的全面发展创造条件，因此，城镇化的核心是人口的城镇化，城市化政策的核心也应是促进人口的城镇化。

按照“十一五”规划中提出的分类引导的原则，有两类农村人口应转变为城镇人口并享有城市人口应有的权利，一是在城市已有稳定职业的农村进城务工人员及其家属；二是因城市建设征地失去承包地的农民。对于前者，按照有关部门关于进一步深化户籍制度改革的意见，将其纳入城镇户口和享有当地居民的权利的问题并不突出。而对于后者则难度相对较大，主要原因在于其人口数量多。据统计，我国非农建设占用耕地每年约250万～300万亩，如果按人均1亩地推算，意味着每年大约有250万到300万农民失去土地。1987年至2001年，全国非农建设占用耕地共3,395万亩，多数研究估计，至少3400万农民因此完全失去土地或部分失去土地。

对于这部分人口应针对不同情况，将社会保险与生活保障有机结合起来，使之成为真正意义上的城镇居民。对于失去劳动能力的人口应由征地城市政府负责实行基本保障；对于劳动年龄段人口可将其纳入城镇职工基本养老保险体系并加强就业指导和职业培训；未到劳动年龄段一次性发给

征地安置补助费。近年来，一些经济发达地区和大中城市为解决失地农民的生活保障问题进行了探索，对于一些地区已取得的经验应及时加以总结和推广。此外，对于数量更加众多而只在统计意义上属于城镇人口的农民工，需要落实《国务院关于解决农民工问题的若干意见》，增加地方政府对于农民工的公共管理责任和服务职能，提高其在市镇的生活质量。与此同时，增加农民在县域内的非农就业机会，引导部分农民向中小城市和小城镇转移并定居。

（二）引导城市和城镇集约发展

我国土地综合利用程度与发达国家的城市比较，属于中高密度类型。但是在中观和微观层面看，土地的粗放利用仍很普遍。近二十年来，美、英等国学者提出“精明增长”和“紧凑城市”的理论，值得我国重视和借鉴。我国也应把确定城市各种合理的建设密度作为一项重要的公共政策，在城市规划和管理方面强调紧凑、集中、高效的发展模式，充分挖掘现有城市用地的潜力，加强对现有社区的改建和对现有设施的充分利用，促进城市从外延式扩大占地规模向内涵式提高城市容积水平转变，引导城市集约化发展，形成紧凑、高效的城镇用地格局。

一是修正《城市规划建设用地标准》。参考东京、中国香港等人多地少地区的城市人均建设用地标准，适度降低我国现行的城镇综合用地总体标准，适当提高土地利用强度，并根据不同区域资源和环境的承载能力制订具体的控制标准。二是实施引导城市集约化发展的公共政策。对于盘活存量土地，加强城市土地再开发的项目给予财税和产业准入方面的支持，以从政策上鼓励走城市用地内涵式挖潜的发展道路。鼓励利用城市地下空间，如地下商场、地下停车场、地下设备间等，并大力加强地下人防工程利用，提高城市建设用地的利用率。三是推进土地市场化进程，优化配置土地资源，调整产业结构，促进老城区焕发新的活力。完善现行城镇用地制度，严格推行经营性土地使用权挂牌出让制度，形成由市场决定土地价格的机制，让价格真正反映土地的稀缺程度和成本。四是对小城市和小城镇的建设用地严格控制。小城市和小城镇由于地价低，容易出现土地粗放利用的问题，可通过规划进行控制。凡未编制规划和规划未依法批准的城市和城镇，禁止非农占地，以确保全国范围内的土地集约利用。

（三）促进城市群健康发展

“十一五”规划中明确提出要以城市群作为城镇化的主体形态。城市群以经济发达的大城市为中心，通过经济集聚和扩散作用，带动周边城市和农村的发展，共同形成统一的生产和流通网络。在城市群地区，通过生产要素在城市群地区不同规模城市之间的流动和配置，促进了城乡交流和优势互补，因而城市群是一种高效配置经济资源并促进城乡统筹发展的空间组织形式。发展城市群可有效遏止相邻城市间对经济要素的激烈竞争，城市之间形成合理的功能分区，避免出现大城市过大，小城市过小的“马太效应”。目前应着力促进已初步形成的10大城市群的健康发展。

一是进一步优化其空间布局。合理疏散核心城市的部分职能，引导和促进周边城市以及整个区域城镇体系空间结构的调整和优化，逐步形成合理有序的城镇空间结构。借鉴国外经验，提倡城乡相间的空间发展格局。在加强产业集聚发展形成产业和城镇密集带的同时，充分利用已有河流、林带等生态廊道以及公共绿地、防护林、自然和人工水体，构建结构完善、功能强大的生态网络，保留足够自然生态空间，提高宜居性。二是优化产业结构。加强城市群中不同规模城市、城镇之间的产业分工，增强城市群整体竞争力和可持续发展能力，形成内部结构合理、空间组织有序、资源节约、环境友好的区域产业体系。三是突破行政区界限，探讨城市群管理的体制和机制。通过建立城市群的协调机构，研究制定统一的区域政策，组织开展区域合作，形成协调对接机制，提高城市群区域的综合管理水平。

（四）逐步形成科学合理的城镇化空间格局

城镇化是落实空间开发战略布局的重要环节。我国未来区域发展和布局将按照主体功能区来组织，这就要求结合主体功能区的划分，合理组织城镇发展的空间格局。

在全国城市空间布局上要以国家中心城市和区域中心城市为核心组织区域经济活动，以线穿点、以点带面。在“十一五”规划纲要中明确的四条经济带（沿海、长江、陇海兰新线、京广京哈线）是我国最重要的经济发展轴线。在这四条发展轴线上分布有100座城市；所有直辖市、半数以上的省会城市、十大城市群也都分布在这四条发展轴线上。通过集中发展、集群发展、集约发展，将能吸纳和承载更多的人口，经济规模也会快速增长。通过培育具有国家战略意义和辐射带动作用的增长极，形成新的区域中心城市，带动欠发达地区的发展。对限制开发地区，采取“据点”发展模式，以做强中心城市为重点，实行“内聚外迁”的城市发展与人口政策，加快人口空间集中化进程。重点发展现有城市、县城和有条件的建制镇，成为本地区集聚经济、人口和提供公共服务的中心。对禁止开发地区，结合国家出台的就业培训、转移指导、对口支援移民、生态移民等相关政策，以多种方式大力推动人口迁出。

（五）提高城市规划建设管理水平

我国已步入城镇化快速发展阶段。今后二十年，我国城镇化将持续快速发展。这一时期正是社会结构剧烈变动、利益关系深刻调整的时期，各种矛盾、问题将会在城镇得到集中反映。按照科学发展观的要求，实现我国经济社会全面、协调、可持续发展，客观上要求有效地发挥政府和市场对城镇化的调节作用，通过加强城市规划和相关政策建设，切实提高城市管理和服务水平。

为推进资源节约型城镇化发展，城市规划和城市建设要从当地地理条件出发，充分论证能源、水土资源对城市布局、功能分区及空间拓展等方面的影响，以此确定适宜的城镇规模和城市功能。明确规划实施的主体和责任，提高城市规划的科学性、权威性和约束力，城市规划要以区域发展战略和区域规划为基本依据。完善法律法规，依法加强对规划实施的监督管理，及时发现和纠正规划实施中的偏差，保证规划全面实施。通过科学规划，合理引导城市发展的规模、速度、节奏，优化产业结构和空间结构。同时，加大对于城市间和城镇间生态空间的管制，加强对生态园区和生态廊道的保护，有效发挥其在改善城市环境质量、维持生物多样性和提高城市宜居性方面的作用，形成城市发展中的生态安全格局。加强城市发展中的节能降耗工作，减少城市中废弃物排放量。加强城市在环境保护方面的基础设施建设力度，提高城市工业垃圾、生活垃圾的综合利用水平和回收处理水平。加强城市基础设施建设和管理的协调，改变目前部门分割、各自为政所带来的城市基础设施重复建设和低效运行的问题，提高城市基础设施管理和公共服务能力。

（六）进一步加快体制创新

从“十五”计划提出加快城镇化进程以来，户籍制度、土地制度、财税和投融资体制以及社会保障制度等成为促进城镇化健康发展的体制创新重点领域。适应走中国特色城镇化道路的要求，需要在上述领域加快综合配套改革的力度，以形成完整的、体系化的制度基础。

目前出现的城镇化过程中用地不集约的问题，有着深层次的制度原因；需要通过土地、财税、基础设施建设、投融资体制的综合改革加以解决，才能达到“疏”“堵”结合、标本兼治的目的。

在目前采取的严格控制土地的措施、规范土地出让金收支管理以及落实建设用地税费政策等“治标”政策的基础上，需要深化农村集体土地的产权改革这项“治本”的制度改革，使农村土地和城市土地产权制度尽快并轨，实现同地、同权和同价。同时，按照有利于实现人口城镇化的原则，完善城市政府财税体制；通过征收财产税等方式，使城市依靠改变居住环境、吸引人口和提升物产价值增加税收，改变目前城市财税主要来源于工业企业的状况。在此基础上，改革现行财政政策，允许城市政府通过发行市政债券等手段，扩大城镇基础设施建设的资金来源渠道。

在户籍制度改革方面，抓紧研究建立有序的准入制，进一步降低门槛，完善公安部颁布的以具有合法固定住所为基本条件的户口迁移条件准入制，允许符合具有可靠职业和稳定收入的外来人口在经常居住地落户，引导流动人口融入当地社会。鼓励家庭移民，家庭中凡有人在城镇有固定职业者，允许其家庭成员落户。

在住房制度方面，多层面完善外来人口的住房保障制度。制定解决外来务巨人员住房问题的长期政策。参照城市住房公积金制度，制订并实行外来务工人员住房公积金制度；对建立公积金账户的外来务工人员，允许其以公积金购房和支付房租。建设一批低标准的廉租房，向包括外来人口在内的无力购房的低收入群体出租。

在社会保障制度方面，主要是解决资金来源问题和流动人口社会保障的可转移问题。逐步创造条件，实现社保账户可以在全国范围内转移。在流动人员个人养老保险账户的可转移问题上，应加快在农民工输入和输出大省之间进行养老保险关系转移的对接试点工作，在取得经验的基础上向全国推广除农村人口流入的城市政府增加投入外，对于目前在一些地区出现的“双放弃”（放弃承包权和宅基地）换社保的做法，进行总结和研究，在完善测算标准和程序的基础上，在全国推行宅基地、承包地换社保的政策。

【作者简介】肖金成，国家发展和改革委员会国土开发与地区经济研究所副所长、研究员、博导。

参考文献

[1]傅崇兰, 周明俊. 中国特色城市发展理论与实践[M]. 北京：中国社会科学出版社，2003

[2]高德步. 英国工业革命时期的“城市病”及其初步治理[J]. 学术研究，2001(01)

巨型城市区域研究的沿革和新进展

顾朝林

一、城市区域研究的萌芽思想

早在1898年，英国城市学家、现代城市规划的先驱者霍华德就出版了《明天：一条通向真正改革的和平道路》（*Tomorrow: A Peaceful Path to Real Reform*），主张将城市周边地域的城镇纳入城市规划的考虑范围，把城市和乡村的改造作为一个统一的问题来处理，从而提出城镇集群的概念。

1915年，英国苏格兰生物学家、社会学家，近代西方人本主义城市规划思想家格迪斯（P. Geddes）通过对英国城市的研究，出版了《进化中的城市》（*Cities in Evolution*）。基于对城市发展进化的分析，格迪斯发现当时的城市处在这样的变化中：一方面，城郊的疏散已经造成城市在更大范围的扩展，但是在由某些地方性要素如煤矿、铁路、公路、运河在空间上交织形成的节点，使工业的集聚和经济规模进一步扩大，使城市发展明显地集中在这些地区。格迪斯称这类地区为集合城市或城市集聚区。他主张把城市规划建立在对周边地域环境的潜力和限度分析上，探索外部环境对城市布局形态和地方经济体系的影响关系。这促使他突破城市的常规范围，强调把自然地区作为规划的基本框架。

二、早期的大都市区域研究

1. 大都市区

都市区（Metropolitan Arean, 简称MA）是美国的一种联邦统计标准，一般概念是一个较大的人口中心及与其具有高度社会经济联系的邻接地区的组合，常常以县作为基本单元。1949年美国协调委员会（Interagency Committee）定义了标准大都市区（Standard Metropolitan Areas, 简称SMA）的概念。在20世纪50年代、60年代、70年代、80年代和90年代分别建立了标准都市区（Standard Metropolitan Area）、标准都市统计区（Standard Metropolitan Statistical Area）、都市统计区（Metropolitan Statistical Area）和都市区（Metropolitan Areas），以界定指标体系。2000年美国人口普查局对原先的指标体系进行了很大程度的简化，定义了基于中央核心统计区域（Core Based Statistic Area）的界定指标体系，即每个CBSA至少有一个人口普查局定义的人口不少于5万的城市化地区或者人口不少于1万的城市群，这个标准定义了两类CBSA：大都市统计区（Metropolitan Statistical Area）和小都市区统计区（Micropolitan Statistical Area）。

由于美国的划分方法对其他欧美国家都市区的界定有较大的影响，西方各国仿效美国建立了相类似的概念。如英国的“标准大都市劳动区（SMLA, Standard Metropolitan Labour Area）”和“大都市经济劳动区（MELA, Standard Economic Labour Area）”，加拿大的“人口普查大都市区（CMA, Census Metropolitan Area）”，德国的“就业密集地区”，法国的“ZPU（Zone De Peuplement Industrielou Urbain）”，澳大利亚的“人口普查扩展城市区（CEUA）”，瑞典的“劳动力市场区

（LMA）”，意大利的“城市化区域（Urbanized Region）”等。苏联将都市圈理解为“城市集聚区”。

2. 大都市连绵带

1957年，法国地理学家戈特曼在《经济地理》（*Economic Geography*）杂志发表《大都市连绵带：美国东北海岸区的城市化》（*Megalopolis or the urbanization of northeastern seaboard*），提出了大都市连绵带的概念。戈特曼认为：在大都市连绵带，支配空间的形式已不再是单一的大城市或大都市区，而是聚集了若干个大城市，在人口和经济活动等方面发生密切联系的一个多核心、多层次的巨大整体。戈特曼研究中的大都市连绵带具有特定的条件：第一，沿特定轴线发展的巨大多核心城市体系；第二，城市间存在多种形式的相互作用；第三，空间形态上互相连接的都市区；第四，产业高度集聚。

1975年，希腊建筑学家道萨迪亚斯出版《建设安托邦》（*Building Entopia*），书中将人类居区分为10个层次，其中将“城市连绵区”定义为：在一个广阔的地域范围内，若干个大小不等、类型不同的动态特大城市和大城市，互相穿插发展形成一种错综复杂的结构，其内部有若干个交通系统、通信系统和各种用途的土地利用混杂一体，有时甚至互相冲突的一种规模巨大的新聚居形式。

3. 核心——边缘结构

1965年，美国区域发展与规划专家弗雷德曼在《美国规划师研究》（*Journal of the American Institute of Planners*）发表《城市场》（*The Urban Field*）一文。他认为：城市场是一种着眼于未来的、理想的城市空间形式，是一个空间广阔的、由完善的社会经济联系网深化而成的、有着相对低密度的、广阔的多节点的区域结构，它包括城市居民巨大的生活空间或活动范围。在通常的情况下，大城市的场域可以延伸至离核心城市数十公里以外的范围，这个范围远远超出城市建成区，包括游憩区和城市远郊区，形成一个核心城市得以扩张的、整合的功能性或经济性空间，并囊括了实现城市机能良好运作所不可或缺的种种设施。

1973年，弗雷德曼通过对委内瑞拉的实证研究，提出了区域空间演化模式（Evoluton pattern of regional space）——核心边缘模式。弗雷德曼将城市区域的发展分为四个阶段：工业化前阶段、工业化初期阶段、工业化成熟阶段和空间相对均衡发展阶段。核心边缘模式解释了一个区域如何由一个互不关联、孤立发展变成彼此联系、发展不平衡，又由极不平衡发展变为相互关联的平衡发展的区域系统的。

三、早期的世界城市研究

1966年，英国城市规划学家霍尔出版了《世界城市》（*The World Cities*），将世界城市定义为：一般应是所属国家内重要的政治中心、商业金融和财政中心，同时也是巨大的人口中心、文化中心和大型国际航空港所在地。书中对伦敦、巴黎、兰斯塔德、莫斯科、莱茵、鲁尔、纽约、东京进行了分析。

1986年，弗雷德曼发表了《世界城市假说》（*The World City Hypothesis*），从七个方面描述了全球经济与城市化过程的关系：

——城市与世界经济整合的程度及其在新的国际劳动地域分工中的地位，将决定城市的功能与结构重组；

——世界上的主要城市如伦敦、纽约、东京等，将成为全球性资本流动的出发点和归结点，资本的空间流动有可能导致国际城市体系的形成；

——处于国际城市体系顶端的城市，即是“世界城市”或“国际城市”；

——除了经济上的控制功能外，国际城市的另一个重要作用是它们的“榜样效应”，如纽约、伦敦、洛杉矶、巴黎和东京等国际城市，不仅是生产与消费中心，同时也是信息、娱乐和其他文化用品的生产与传播中心；

——国际城市还是国际、国内劳动力以及移民的主要集中地；

——国际城市的空间与阶级分化现象突出；

——国际城市往往需要高昂的社会成本以保证其正常运行。

同时，弗雷德曼提出了关于世界城市的7个指标：主要的金融中心、跨国公司总部所在地、国际机构的集中地、商业（第三产业）部门的高度增长、主要的制造业中心（具有国际意义的加工工业等）、世界交通的重要枢纽（尤其指港口和国际航空港）、城市人口规模达到一定的标准。

在此基础上，弗雷德曼进一步提出了世界城市体系的概念。

四、全球城市及其区域研究

20世纪80年代以来，全球生产要素的自由流动，新国际劳动地域分工格局进一步形成，全球市场建立，世界产业结构发生重构与转移，形成新的产业布局和城市化空间。全球化背景下城市区域研究成为20世纪80、90年代的热点。

随着20世纪80年代以来的全球化进程，世界工业分布发生了重大的变化：重心从老的工业国——美国、西欧和日本——向亚太、拉美和迅速工业化的其他国家和地区转移。世界经济增长与大城市发展相辅相成，全球化正在重塑全球城市体系，使得加入全球化过程的一部分城市增长迅速，而远离全球化过程的城市普遍处于衰退。

20世纪80年代以来，信息技术促进生产服务业的发展，全球化成为新的社会过程。一方面，全球化加剧了地方之间对资金的竞争，一个公众要求“良好的商业环境”表现出来的过程：放松管制、私有化、税收让步、补贴、放松环境控制；另一方面，经济全球化进程深刻而全面地作用于世界城市化进程。相关研究发现，世界上主要城市的快速发展与两个全球过程相关：第一个是经济全球化，第二个是服务业的快速增长。

世界城市化趋势表明，大城市，尤其是世界城市（全球城市）发展迅速。

1. 全球城市

1991年，萨森发现：当代的全球化主要与新通信和信息技术有关。相关的技术创新形成了相互对立的空间趋势：经济活动的分散化和集聚性。在全球化过程中，城市作为地理和社会的角色不仅没有消亡，反而越来越成为现代生活的中心，也正是全球化带来的技术转移激发了城市区域作为所有生产活动基地的地位，无论是制造业还是服务业，高科技产业还是一般性产业，都是如此。据此，萨森从城市的功能属性提出一种新型城市全球城市的概念。在分析的过程中，他强调了先进生产性服务业的作用，并通过分析服务业公司的巨大跨国网络进行全球城市研究。

1996年，卡斯特尔（Castel）认为网络是信息社会的新社会形态。新出现的通信和信息技术，已经出现的网络新层域、范围和强度正在改变我们社会的物质基础，据此，提出全球流空间的概念，并将其描述成生“三明治结构”：第一层是基础设施；第二层是从全球互联网到全球航空网构成的电子脉冲圈；第三层是空间经济组织。

2000年，道格拉斯认为：全球城市是世界的“指挥和控制”中心，大量的金融公司、生产性服务业和跨国公司总部综合体的大本营。它们作为交互作用的舞台，允许面对面接触、政治联系、艺术和文化活动。每一个城市通过投资、贸易、移民和电信的庞大的触须同世界上的客户和市场、供应者和竞争者、消费者和生产者联系起来。作为全世界商品链的最劳动密集型部分的串，全球城市反映了全球经济在全球中心集中高技术、高附加值功能和在发展中边缘分散化的技术、低附加值功能的趋势。全球城市的政府被迫贡献大量公共资源以创造容纳全球投资的建成环境，产生一系列的关键政策项目，城市不仅是经济集聚体和世界市场的顾客集体，而且是政治共同体形成的舞台。全球化了的城市化过程表现为两个特征：城市区域的全球化和城市市民社会和政体的碎化。

2001年，霍尔也对全球城市进行了定义，他采用文献方法采集发生重要新闻的城市、高素质国际移民、专家和管理人员作为直接指标，对重要生产性服务业公司分支机构的地理分布状况等进行评价。

2001年，萨森论述了全球城市和城市区域之间的跨界交易，就全球城市模型提出六种组织化假设，它们是：全球化导致了经济活动在地理上的分散，管理、协调、服务和金融成为公司网络运行得更复杂的战略中心功能；这些中心功能是如此复杂，以至于大的全球性公司的总部倾向于向非常专门化的服务公司购买会计、法律、公共关系、项目计划、通信和其他服务项目；非常专门化的服务公司在非常复杂和全球化市场区位集聚并遵循规模经济原则；越来越多的公司总部外购它们最复杂且非标准化的功能；专门化的服务公司需要提供全球性服务，最终促进城市间跨界交易和网络的稳定增长；日益增长的高质量高赢利的专门服务公司促进了城市间空间和社会经济的不平衡，由全球性金融网络、全球城市区域形成跨界网络。

2003年，顾朝林、张勤等出版了《经济全球化与中国城市发展跨世纪中国城市发展战略》，针对新时期我国城市化与城市发展所面临的一些重大的理论和实际问题，将国家城市体系放到世界城市体系大背景下进行研究，对世界城市体系发展趋势、经济全球化和信息社会化倾向、我国对外开放的成就以及对发达国家城市发展过程中的经验和教训进行剖析，以探求我国城市化与城市发展在经济体制转型过程中可能出现的新问题和新动向，并提出相应的对策和政策建议。

2. 全球城市区域

2000年，西蒙德斯（Simmonds）和哈克（Hack）出版了《全球城市区域》（*Global City Region*）。该书认为，21世纪的城市化主要表现在城市土地利用和城市区域内人口的快速增加。但是，20世纪末城市学家发现，城市的形态正在发生快速巨大的变化，我们正进入一个新的城市时代。他们将11个城市区域放在全球城市联合体的框架内详细分析，并将这些城市区域称为“全球城市区域”。

2001年，斯科特（Scott）出版了《全球城市区域：趋势、理论和政策》（*Global City-Regions: Trends, Theory, Policy*）。这本书主要集中分析了传统的城市区域”和全球化之间的关系，强调一些大都市承担着全球化过程的功能。与此同时，全球化本身也对全球范围内的这些城市区域施加重要的影响。这些全球城市区域由于大量的移民的到来，使得文化和人口出现明显的多样性。过去的大都市关注的是1～2个中心城市，全球城市区域正成为快速成长的多中心或多集群城市集群，例如上海和珠江三角洲的全球城市区域人口均超过3,000万人，区域的外围城市和边缘城市快速增长，远远落后于城市中心地区的边缘和农村地区依靠自身的力量也快速发展成为城市地区。

2001年，霍尔在对全球城市进行定义后，进一步定义与全球城市联系紧密的边缘地区和全球城市本身构成的全球城市区域。全球城市区域的地理结构具有明显的多中心性，主要包括传统中心城区、较新的商务中心、内边缘城市、外边缘城市、最外围边缘城市、专门化的郊区中心等。

2001年，萨森在对全球城市与全球城市区域进行比较论证时指出：全球城市区域的范围可能容纳国家更多的经济部门，全球城市更为突出的是作为全球经济的战略过程部分；全球城市更强调系统化的经济结构：金融和专业化服务；全球城市也更趋向于成为经济和空间的增长极，且过多地集中了极高或极低收入的就业岗位。

2001年，弗雷德曼发表《全球化时代的城际网络》（*Intercity Networks in a Globalizing Era*）一文，主要就城市区域在全球化经济背景下作为中心节点进行研究。他发现信息、商业、人口、思想和意识在全球化背景下变得更容易穿透原有的国家边界；人力资本、社会成本、自然资源、环境、经济和社会基础设施、直接的生产工厂和设备成为创造区域财富的重要因素。文章还就黄海区域合作区进行了实证研究。

2003年，吴良镛进一步提出了城市地区理论。他认为，全球性的城市竞争与区域性的城市合作共同塑造了新的城市景观：在很多地区，城市间经济要素与人员等交流频繁，城市以前所未有的速度结合起来，形成“全球城市地区”或“区域城市网络”；在空间结构上，可能包括数个地理上独立但相互邻近的中心城市。

五、全球区域与巨型区域的研究

全球化背景下的城市化正在营造一种新空间秩序，城市之间的联系更加紧密，多极多层次的全球城市网络正在形成。全球化通过贸易和投资的技术和信息的转化使接受者获益，也通过交叠的管制环境问题“概述”或“压缩”了发展和快速增长的国家城市化速度，并创造了新型的环境挑战。更进一步，这些方面在本土的国家和地方政策调节下产生了异化。

1. 全球化的流空间

2004年，泰勒（Taylor）发表了《世界城市网络》（*World City Network: a Global Urban Analysis*）。这本书是1998年建立起来的“全球化与世界城市研究组和网络”（Globalization and World Cities Study Group and Network, GaWC）的研究成果，论述了作为全球服务中心的世界城市网络是怎样通过主要金融和商务服务公司为全球化服务的。这个分析挑战了世界只是政区拼图的传统观点，将网络中的城市看成是一种流空间，在地域上看是场所的空间。

2. 巨型城市区域

2005年，霍尔（Hall）认为：中国和欧洲的城市在21世纪还会有一些相同的特征，这主要表现在三个方面：中国和欧洲的城市将会成为复杂的全球经济的一部分，即成为全球化的城市，在全球范围内这类城市之间相互交换物质，相互提供服务；出现巨型城市区域，结构复杂的庞大网络状城市复合体将由数量可多达30～40个城市以及周边的小城镇组成，被称为“多中心巨型城市区”；出现大型城市开发建设项目，这些大型项目依赖于先进的交通设施、市政设施和公共服务设施，包括机场和高速公路。

2006年，霍尔（Hall）发表了《多中心大都市：欧洲巨型城市区发现》（*The Polycentric Metropolis Learning From Mega-city Regions in Europe*）。霍尔进一步强调：巨型城市区域在空间和职能上都不是单中心而是多中心的，这是一种全新的城市形态，由物质形态相互分离但功能上相互联系的10～50个城镇集聚在一个或多个较大的中心城市周围，通过新的功能性劳动分工组织起来形成一个个不同的功能性城市区域，再被高速公路、高速铁路和电信电缆的流动空间联结起来。欧洲有英国东南部、德国鲁尔、莱茵美茵、荷兰兰斯塔德、法国巴黎、比利时中部、大都柏林、瑞士北部等8个巨型城市区域。

2006年，张敏、顾朝林等通过分析长江三角洲地区不断深入的全球化进程和不断加强的城镇一体化态势，提出长江三角洲地区是中国最有可能建设成为全球城市区的区域，进而从全球城市区的空间建构和功能组织的角度，提出通过提升上海全球城市功能，打造南京、杭州、苏州、宁波的次级全球城市职能，强化城市间的功能联系，构筑区域网络一体化支撑体系，构建“多中心层域式、网络状一体化”的长江三角洲全球城市区。

张晓明、张成介绍了巨型城市区产生的背景、概念和研究进展，指出巨型城市区由形体上分离但功能上相互联系的20到50个城镇组成，在一个或多个较大的中心城市周围集聚，通过新劳动功能分工显示出巨大的经济力量。然后参照POLYNET项目组的研究方法和国内相关研究成果，通过构建“功能性城市区域”界定了长江三角洲巨型城市区的范围，并采用生产性服务业从业人员结构数据对16个主要功能性城市区域之间的功能联系进行了分析。张晓明在介绍巨型城市区的概念的基础上，从多中心、功能性和网络性三个角度对长江三角洲巨型城市区的特征进行了初步分析，并指出长江三角洲巨型城市区是一个多中心网络状的城市区域。闫小培、毛蒋兴等也以珠江三角洲地区为例，进行了巨型城市区域土地利用变化的人文因素分析。

3. 全球区域

2005年，吴志强等提出全球区域的概念。李红卫对全球区进行了定义：全球区应具备两个条件：第一，区域的规模和作用应具有全球的影响力。该区是一个城市密集区，由至少一个大都市区组成，人口超过1000万人，人口密度超过250人平方公里，具有全球性交通航运枢纽、金融中心或某一方面的产业中心，控制全球某一方面的资源，对全球城市经济的发展具有重要作用。具体而言，全球区至少应拥有一个以上的世界城市，具有金融中心、国际机场、信息港等功能。第二，区域的文化和制度应具有长远发展的个性。全球区是一个城市联盟区，也具有独特的文化区域，是世界城市文化的重要组成部分。此外，全球区也是一个扁平化网络，各城市在区域发挥独特的作用，各城市之间的关系也逐渐由辐射与被辐射转变为互相合作和依存。

4. 巨型区域

2005年，美国区域规划协会编制的《美国2050》（*American 2050*）也提出了“超大都市连绵区（Beyond megalopolis）”的概念。最新的识别标准是：至少联结着两个或更多的现有大都市区；预计到2040年总人口将超过1000万；衍生出一系列相邻的大都市区或小都市区；组成一个具有显著的历史背景和共性特征的“有机的”文化区域；占据大致相近的自然环境；通过一些主要的交通基础设施将巨大的城市核心联系起来；由各种货物流和服务流形成一个功能性的城市网络；创造出一个适合于开展大尺度区域规划的地理单元；位于美国境内；以县为基本单元。其后，“超大都市连绵区”被正式定名为“巨型区域”，该区域包括东北海岸、中西部地区、加州南部、墨西哥湾等10个巨型区域，人口约1.97亿人，占美国人口的68%，聚集了80%的百万人口以上的大城市。

六、发展中国家大城市地区研究

弗里德曼和富克斯及佩尼亚（Fuchs and Pernia）认为，发展中国家的城市体系和城市化的步伐和空间结构，越来越依赖于它们在工业国家资本主义积累过程中的角色，新的全球秩序下发展中国家很难从依附城市化中逃脱。

1991年，加拿大城市地理学家麦吉用城乡过渡区（Desakota）的术语描述亚洲发展中国家和地区（如印尼爪哇、泰国、印度、中国大陆和台湾的核心地区等）出现的与西方大城市连绵区类似但发展背景又完全不同的新型空间结构。麦吉用Desakota来表示这种出现在人口密集的热带地区，处于大城市之间的交通走廊地带，借助于城乡间强烈的相互作用，以劳动密集的工业、服务业和其他非农业的迅速发展为特征的地区。其中，Desa原指乡村，Kota即城市。麦吉用交通线将中心城市、城市外围地区、城乡过渡区、人口稠密的乡村地区、人口稀少的边缘地区联合起来的地区来描述亚洲大城市连绵区的空间结构。麦吉还将亚洲各国的城乡过渡区分为三种：第一种为日韩型。邻近大城市的乡村地区，人口大量流入城市或转入非农业产业部门；第二种为中印泰型。由两个或多个大城市相互向对方扩散而形成的新发展地带，铁路和高速公路最终将这些大城市相互连接起来，从而在这些城市间形成狭长的发展地带；第三种为邻近国家次中心城市地区。城市向农村地区扩散较慢，以农业为主。

2003年，香港地理学家薛凤旋通过不同的亚洲案例提出了扩展型大都市区的概念。薛凤旋等认为：扩展型大都市区主要因全球经济一体化的影响，所在国日趋对外开放的经济政策也使国内经济日渐和国际市场、资金和技术接轨，大城市地区以其全国最通达的对外和对内交通、通信，最大行政及金融中心和优质人才集中地的优势，成为外资进入该国市场、购买或利用其人力和天然资源的地区总部。基于此，它也是进出该国的资金流、物流、技术流和信息流的最方便门户。但蓬勃发展的经济使这些大城市的狭小空间不敷应用，因而一些劳动和土地密集型的低增值的经济活动需要转移到外围的城郊和农村，在这些大城市周围形成庞大的“城乡交接带”或“半农半工贸带”。

霍尔认为，中国的大都市地区既与世界上其他的大都市由相似的属性，又有其自身的特性。在全球经济格局中， 中国很明显地处在一个非常独特的位置：它已经成为“新的世界工厂”，生产了很多先进的消费品，并利用着一种低生产成本和先进技术结合的优势，这与当今很多发达国家经济体（19世之间的德国、20世纪中期的日本和美国硅谷）的早期发展在历史上相似。中国的发展速度和多中心大都市地区的规模又是显然不同的：生产的过程被组织在各个分离的地区的“集群”而且又是高度网络化的城市群，尤其是长江三角洲和珠江三角洲。

七、中国大城市区域研究

改革开放30年来，我国经济总量已经从1978年的3,600多亿元上升到2008年的30万亿元，城市人口从17,245万人增长到59,379万人，城市化水平也从17.92%上升到44.9%，国家进入全面的社会转型和城市化快速发展阶段。在党的十七大上，胡锦涛总书记提出了到2020年人均GDP在2000年的基础上翻两番的目标。根据目前的趋势，这一目标的实现在很大程度上依然取决于中国继续推进城市化战略。据麦肯锡全球研究所（Mckinsey Global Institue, MGI）2008年研究报告的数据，到2025年大约10亿中国人居住在城市，中国将出现219座百万人口大城市和24座500万人口的巨型城市；到

2025年，中国有可能产生15个平均人口规模达2500万的超级城市，或是11个平均覆盖人口超过6000万、相互之间经济联系紧密的“城市群”。根据2007年的资料，中国长江三角洲、珠江三角洲、京津唐、辽中南、山东半岛和海峡西岸六大巨型城市区（面积占国土面积的12.38%，人口占全国的22%,GDP占全国的50.01%，引进外国直接投资占全国的78.86%，进出口总额占全国的87.33%），已成为国家经济和社会发展的核心地区（见下表）。这类地区的发展将成为科学家、政治家和全体国民关注的问题。下文就这类地区的研究进展进行文献综述。

中国6大城市连绵区的基本情况（2007）

名称	总面积（平方公里）	总人口（万人）	GDP（亿元）	引进外国直接投资（万美元）	进出口总额（亿美元）	人口密度（人/平方公里）	人均GDP(元)
全国	9,600,000	132,129	246,619	7,480,000	21,738	367	18,665
长江三角洲	110,821	9,722.8	43,235	8,219,562	7,787	877	44,468
珠江三角洲	54,743	4,409.4	26,060.01	2,215,019	6,133	805	59,101
京津唐	70,729	4,997.6	19,052.02	1,812,400	2,751	707	38,123
辽中南	81,673	2,946.3	10,368	1,975,628	520	361	35,190
山东半岛	73,311	4,235.7	17,068	979,400	1,066	578	40,296
海峡西岸	54,542	2,755	7,567	1,437,946	727	505	27,466
合计	445,819	29,066.8	123,350	166,399,550	18,984	652	42,437
占全国%	12.38	22.00	50.01	78.86	87.33	177.66	227.36

资料来源：中国统计信息网。

1. 城市——区域观

城市与区域是相互依存的关系，城市借区域而立，区域借城市而兴。南京大学宋家泰首倡“城市——区域观”，该理论强调城市的总体规划布局必须把城市与区域统一起来，城市及其借以存在和发展的一定区域间具有不可分割的动态统一关系，具有多层次、开放性的特点。按照这一理论，城市总体规划必须以区域发展为基础来确定城市发展性质、发展规模以及城市空间布局，多层次的城市区域，“体系是中国城市经济区的本质特征。区域分析和区域规划是城市规划的基础，城市规划是区域规划的深化和具体化，必须改变传统的就城市论城市、就区域论区域”的做法，使城市规划思想和方法取得突破性的进展。据此，区域自然条件、经济条件、社会条件的分析工作作为城市发展研究、城市规划的基础得到广泛开展。

这一时期，还有学者在区域调查的基础上展开了区域经济开发及其模式研究、中心地理论在城市规划中的推广应用、城市规划中的区域分析、城市经济区的影响因素分析和经济区划等实践工作。目前，通信技术发展迅速，随着经济全球化的来临，城市的区域范围扩大，垂直联系加强，“城市——区域观”也被赋予了新的内容。

2. 城市经济区

中国城市经济活动主要受城市经济活动规模的制约，这对城市的技术和经济水平差异造成了一定影响，但影响不大。周一星和张莉根据城市中心性的等级体系，确定京津唐、长江三角洲和珠江三角洲为全国的经济核心区，并划分出北方区、东中区和南方区3个一级城市经济区和11个二级区，进而对中国当前的经济空间组织形成了许多新的认识。

3. 大都市区

周一星建议中国建立一套能接轨国际的包括都市区在内的城市地域概念。他提出了中国的城市功能性地域“城市经济统计区”的界定指标体系。由于在我国城乡联系并不主要表现为通勤联系，而是综合反映在城市与其外围地区之间人口、物资、资金、信息、技术等方面的种类繁多的联系，难以获取全面准确的资料，需要寻找一项简单易行的统计指标。因此，周一星假设，在一定的空间范围内核心城市与他周围县的社会经济联系强度，与这些县的非农化水平有密切关系，可以用县的非农化水平来代替通勤流指标。为了验证这种假设，孙胤社采用统计分析方法研究了影响北京市与25个周围县之间客流量和客流比例的主要因素，在线性模式和乘积模式两种方程下对影响北京地区客流量的17个因素作了逐步回归，结果表明周围县与中心市的客流强度主要由各县的非农业人口比例和农村非农业人口劳动力比例两因素决定，王兴中也采用类似方法对西安都市区进行了界定。周一星等在国家自然科学基金重点资助项目《中国沿海城镇密集地区空间集聚与扩散研究》中确定了中国都市区的界定指标体系。此后，顾朝林等对该指标体系进行局部调整，提出了新的界定指标体系。

4. 城市实体地域

周一星和史育龙总结了在城市的行政地域与景观地域严重背离的情况下，继续使用行政地域区分城乡的种种弊端，认为解决问题的关键，在于建立适合中国特点又具有国际可比性的城市实体地域概念，作为城乡划分及统计的地域基础；提出以下限人口规模、非农化水平和人口密度3个指标定义城市实体地域，并在实证研究的基础上，通过对中国城市空间形态的分类，提出了一套完整的划分方法和工作程序。宋小冬、柳朴和周一星将行政辖区进一步划分成建成区、近郊区、乡村，城镇实体地域由前二类组成。由于中国处于快速城市化的进程中，城镇实体地域和建成区一样，正在不断扩张，城镇实体地域的划分应该不断更新、调整。

5. 城市群

1992年，姚士谋出版了《中国城市群》，提出了城市群的概念。他认为，城市群是在特定的地域范围内，具有相当数量的不同性质、类型和等级的城市，依托一定的自然环境条件，以一个或两个特大或大城市作为地区经济的核心，借助于综合交通网的通达性，发生与发展着城市个体之间的内在联系，共同构成一个相对完整的城市“集合体”。

2000年，张京祥出版了《城市群体空间组合》，提出了城镇群体的概念，即是指一定范围内具有密切社会、经济、生态等联系，而呈现出群体亲和力及发展整体关联性的一组地域毗邻的城镇。城市群体空间，则是指在这一城镇群体化发展区域内，由这些具体的城镇及分布其间的区域环境共同组成的空间，亦即为一个包括城镇建设占据的实体空间及城镇间的区域基质空间（乡村、生态区域）的有机地域系统，其本质特征是网络性。

2002年，吴良镛通过对上海及其周边地区空间发展的研究，认为像上海这样的特大城市，不单纯是以某特大城市为核心、若干卫星城相环绕的网络体系，而是以点、线、面相结合，呈多核心的城镇群的方式向区域整体化发展。2003年，周干峙将类似的区域描述为“高密集连绵网络状大都市地区”。

2008年，李浩引入生物群落的学术思想对城镇密集地区进行了研究，提出了城镇群落的概念，给出的定义是：在特定空间或特定生境下，由一定的人类聚居单元及其他生物种群所组成，表现出一定的形态特征和空间结构，与区域空间环境之间彼此影响、相互作用并具有特定功能的城乡空间集合体，它是一个相对完整的地域空间和生态学功能单位。

6. 城市连绵区

顾朝林、张勤、蔡建明、牛亚菲、孙樱等在《经济全球化与中国城市发展跨世纪中国城市发展战略》一书中开始了对中国大城市连绵区的研究。顾朝林、柴彦威、蔡建明等编纂的《中国城市地理》第十三章专门对中国大都市密集区进行了研究。2008年，顾朝林、于涛方、李王鸣等出版了《中国城市化——格局 过程 机理》，对长江三角洲、珠江三角洲等城市密集区以及若干不同地域类型区的城市化格局、过程和模式进行了深度和重点不同的分析。

2008年，邹德慈等完成了《我国大城市连绵区的规划与建设问题研究》，认为我国的大城市连绵区主要分布在经济发达的东部沿海地区，由北而南依次分布着辽宁中南部、京津唐、山东半岛、长江三角洲、福建海峡西岸和珠江三角洲六个大城市连绵区。其中长江三角洲、珠江三角洲两个大城市连绵区已经基本形成，京津唐大城市连绵区处于加速形成的过程中，辽宁中南部、山东半岛、福建海峡西岸已经显现出大城市连绵区空间形态的雏形。

【作者简介】顾朝林（1958—），男，江苏靖江人，清华大学建筑学院城市规划系教授，博士研究生导师，博士，中国地理学会副理事长，中国城市规划学会常务理事，建设部城乡规划专家委员会委员，中国地名与行政区划学会常务理事，中国城市科学研究会理事，教育部地理学教学指导委员会副主任，建设部城市规划专业教学指导委员会副主任，建设部城市规划专业评估委员会委员。

泛长三角“统分结合”的区域合作机制

程必定

以2008 年元月胡锦涛总书记在安徽视察时提出“安徽要积极参与泛长三角区域发展分工”为标志，学界讨论已久的“泛长三角”话题已进入国家战略决策层面，在中国区域经济发展的新格局中，泛长三角区域经济大发展的时代已经到来。泛长三角地区又是一种新型的合作区域，实现泛长三角区域经济的大发展，必须构建起有活力、可操作的区域合作机制。泛长三角的区域合作机制必然是长三角区域合作机制的拓展，深入研究长三角区域合作机制的形成及其演变趋势可以认为，泛长三角地区应该构建“统分结合”的区域合作机制。

一、从合作区域到区域合作机制

1. 合作区域的缘起

合作区域是地理上相连的区域，在较长的区域合作中逐步形成的具有相互依赖、相对稳定区域关系的经济综合体。显然，合作区域是缘起于区域合作。

区域合作是由于区域的资源禀赋差异，为发挥区域比较优势，最大限度地取得区域比较利益，在区域分工中形成的区域经济关系。显然，区域合作是区域分工的必然产物，国家或地区之间凡是存在区域分工的情况，必然会有区域合作。

在中外经济发展史上，区域合作不仅久有历史，而且是普遍存在的。尤其是第二次世界大战以后，随着经济发展区域化和国际化的演进，区域合作更是蓬勃发展，并且形成一定的合作范式和共性特征。概括起来说，区域合作的基本范式和共性特征是：以国家或地区（地方）的政府为主导，以合作组织为载体，以合作协议为依据，但在地理上不一定完全接壤。在改革开放后的我国，区域合作也广泛发展，在省（市）区之间、地市之间乃至县与县之间，都有大量的区域合作组织或协议，区域合作蓬勃发展。

国际上，区域合作可分为两种类型：一是综合性的区域合作，如东南亚国家联盟（ASEAN）；二是专业性的区域合作，如石油输出国组织（OPEC）。国内的区域合作也可分为两种类型：一是跨省市的区域合作，如南京经济圈；二是省内的区域合作，如安徽的合肥与淮南市的同城化协议。不同类型的区域合作围绕不同的目标运作，在促进经济发展的区域化、国际化中发挥着重要作用。

但是，这种区域合作具有不稳定性，合作方若有不承诺协议的，区域合作就会解散。如东非共同体（EAC），由坦桑尼亚、肯尼亚、乌干达三国政府于1967年12月发起成立，但合作中出现冲突而于1977年10月解散，仅仅存在10年。国内也有这种情况。比如上海经济区，1982年12月成立，但1988年6月解散，前后只存在6 年。因此，区域合作的发展与成熟必然要走向合作区域。

合作区域既不同于行政区，也不同于经济区，是一种以区域合作为纽带的新型区域，或“第三种区域”。目前，国际上最为完善的合作区域是欧洲联盟，已有统一的货币欧元；国内比较成熟的，跨省区的如长三角，省内跨区域的如湖南的长株潭。

综合国内外合作区域的形成及其运作规则可以看出，这类区域的基本特征是，依靠国家或地区（地方）政府的力量，不改变行政区划，但打破行政区界限，遵循区域经济发展规律的客观要求，实现合作方可持续的“双底”或“多赢”，并且不断地调整和完善区域合作关系，逐步成为一种具有紧密型相互联系的区域经济综合体。其核心因素是，在长期的合作关系中，已构建起一种新型的区域合作机制。

2. 区域合作机制

从区域经济学的角度看区域有三种类型，即行政区、经济区和合作区，每类区域都有不同的运行机制，以不同的方式和不同的力度作用于区域经济发展。

行政区是国家为了行政管治和国家建设，按法律规定和行政程序，对领土进行合理的分级、分层区划而形成的区域。行政区的一个基本特征是分级分层设置国家行政机关，具体管理区域内的行政事务，形成垂直式的有约束力的行政机制。可以说，行政区的运行机制就是这种行政机制。这种机制因有行政主体（政府）的保障而具有可操作性，但却难以避免行政因素的限制而导致低效率。

经济区是在一定的区域范围内，由人的经济活动所造就的、具有特定地域构成要素的、不可无限分割的经济社会综合体。经济区的特定地域构成要素是经济中心、经济腹地和经济网络，按照市场经济规律的客观要求配置资源。可以说，经济区的运行机制是市场机制。显然，这种机制因为以市场机制配置资源而具有效率，但却因为没有运行主体而缺乏可操作性。

合作区是政府主导、多方共赢的新型区域。这种区域既离不开政府的力量，又打破行政区界限；既遵循市场经济规律的客观要求，又体现合作方政府的战略意图；既在形态上不同于行政区和经济区，又在内涵上吸纳了行政区和经济区的积极因素，是行政区运行机制和经济区运行机制的融合。由于行政区的运行机制是行政机制，经济区的运行机制是市场机制，那么，合作区的合作机制是行政机制与市场机制的结合。显然，这样的结合对这两种机制既能扬其长，又能避其短，因而是一种既有效率、又具有操作性的运行机制，并且能被政府和企业接受与运用。

基于上述考虑，便可具体讨论泛长三角的区域合作机制应该是什么样的模式。由于泛长三角的区域合作机制是长三角区域合作机制的扩展，就有必要分析长三角区域合作机制的形成及其演变趋势。

二、长三角区域合作机制的形成、演变及其向泛长三角地区的拓展

1. 长三角区域合作机制的形成

长三角不是行政区，也不是经济区，而是在长期的区域合作中形成的一种合作区。长三角合作区形成的标志，是1997年由“小长三角”16个城市发起的“长三角城市协调会”，成为构建区域合作机制的起点。目前，区域合作范围已由“小长三角”地区的16个城市扩大到“大长三角”地区的沪、苏、浙三省市，逐步形成了政府、行业、企业三个层次相互联动的区域合作机制。

一是在政府层面，形成了“高层领导沟通协商、座谈会明确任务、联络组综合协调、专题组推进落实”的省（市）级政府合作机制。所谓高层领导沟通协商，即从2004年起，沪、苏、浙三省市党政主要领导每年召开协商会议，就事关区域发展全局的重大战略问题和重大事项进行磋商，在决策层构建了长三角区域合作体系中的政府磋商机制。所谓座谈会明确任务，就是三省市每年轮流承办由常务副省（市）长参加的“沪苏浙经济合作与发展联席会”，按照决策层磋商的区域合作重

点，明确工作任务和各方责任，在协调层构建了政府合作机制。联席会下设联络组和专题组，在执行层构建了合作执行机制。如联络组负责执行中的综合协调，专题组负责对重大合作问题的研究并提出执行实施方案。这样，通过在决策层、协调层和执行层的密切合作，分级分层构建了衔接合理、运行有效的政府合作机制。

二是在行业层面，形成了有关职能部门牵头组织沟通协商的行业性跨区域的共建共享合作机制。沪、苏、浙三省市政府的许多职能部门围绕共同关心的跨区域重大事项，也相应建立了行业性的联席会议或联络制度，通过多种形式的沟通、协商、协调达成共识，然后付诸实施，逐步形成行业性跨区域的共建共享合作协调机制。目前，长三角城市间已有40多个部门和行业建立了这种合作协调机制，一些重点行业和领域已取得了实质性的突破。如三省市人事部门建立了“长三角人才开发一体化联席会议”制度，构建长三角网上人才市场，开展专业技术职务任职资格互认；环保部门建立了“污染联防、信息沟通和通报”机制，联合开展环保专项活动，逐步建立和完善跨界污染防范和治理应急预案；交通部门建立了“长三角地区道路货运一体化工作联席会议”制度，构建无障碍的综合交通体系，一些相邻城市呈现了“同城效应”；旅游部门已编制了旅游一体化发展规划，在统一旅游标识、统一对外宣传和旅游投诉异地处理等方面取得进展。在科技、能源、信息、信用、自主创新和区域规划等方面的行业性跨区域合作，也都逐步深入推进，取得了许多重要突破。目前，长三角地区已着手在国内率先尝试组建若干个区域性行业协会，在政府间合作平台外开辟“第二合作平台”，更进一步地破除行政壁垒，推进长三角区域一体化。

三是企业层面，形成以市场为基础、以政府为引导的企业自主参与合作机制。在各级政府的积极推动下三省市充分发挥企业在区域合作中的主体作用，在重大项目上积极开展多领域、深层次的经济技术合作，政府的战略意图落实到企业层面，企业也在合作中取得新的发展。合作项目涉及工业、农业、基础设施、旅游等行业，并逐步延伸到科技、教育、人口卫生等社会公共领域。如上海的上汽、宝钢、百联、华联、绿地、电气、建材等优势企业以资产、技术、管理等优势，在长三角地区开展广泛合作，投资兴建了一批大批企业；浙商在上海、江苏两地发展的投资者达75万人，投资总额达2,000亿元；江苏也有大量的企业在上海和浙江投资发展，在项目合作中形成了以企业为主体的生产要素跨区域流动的新格局。银行业的区域合作也逐步发展，三省市14家城市商业银行已签署了战略合作协议，市民可以直接异地跨行存取款。在其他方面，企业之间的合作机制也在形成，如长三角大型科学仪器设备协作共用网系统已基本构建并运往三省市384家科研、教育和卫生单位的3620台（套）大型科学仪器已经实现共享，许多企业和科研、高等学校还围绕一些重大项目开展合作攻关，企业之间的合作逐步进入更深的层次、更大的范围。

上述三个层次的合作机制相互交融、相互联动，推进了长三角区域合作的纵深发展，在许多方面取得了具有长远意义的积极成效。特别是有效打破了行政分割的体制性顽症，积极构建区域协调发展新机制，促进了区域经济的发展。据中山大学的一份研究报告测算，以1990年至2002年间的长三角城市群为样本，由于长三角城市经济协调会的成立，运行地方分割对区域协调发展的阻碍作用下降45.7%。在应对全球金融危机的新形势很长三角地区进一步加强了区域合作，区域合作机制更显示了巨大的作用。

2. 长三角区域合作机制的演变趋势及其向泛长三角地区的扩展

以2008年8月6日《国务院关于进一步推进长江三角洲地区改革开放和经济社会发展的指导意

见》（国发[2008]30 号文件）下发为标志，长三角地区在更高的起点上谋划更好更大的发展。在这种背景下长三角地区的合作机制将会进一步创新、完善，将会出现两大新趋势：一是区域合作机制的深化；二是区域合作机制的扩展。

所谓区域合作机制的深化，是指在长三角地区的内部，沪、苏、浙三省市之间的区域合作将会提升为区域联动，区域合作机制也就深化为区域一体化机制。因为从全球化和国家战略的要求看，长三角地区将会形成三大区域功能：一是亚太地区重要的国际门户；二是全球重要的先进制造业基地；三是具有较强竞争力的世界级城市群。为此，长三角地区将在产业、市场、体制、政策、环境等广泛领域加强融合、互动发展，进入区域一体化的新阶段。而要推进区域一体化发展，三省市的区域合作必然会提升为区域联动，形成区域一体化机制，这是长三角区域合作机制深化的必然趋势。在共同应对全球金融危机的新情况下，沪、苏、浙三省市更加自觉地认识到这种趋势，在不少领域积极谋划一体化发展。已经提到议事日程或付诸实施的一体化发展至少有五个方面：一是重大基础设施建设的一体化，推进长三角地区形成同城效应；二是市场发展一体化，构建长三角区域统一大市场；三是资源节约和环境保护一体化，推动长三角建设成为资源节约型、环境友好型社会；四是区域创新体系建设一体化，推动长三角地区成为创新型区域；五是城乡发展一体化，推进长三角地区成为城乡统筹发展、和谐发展的示范区。为了推进多领域的一体化发展，沪、苏、浙三省市已在相应领域完善和提升区域合作机制，有的从事务性合作正在转向政策性对接，有的从局部性合作正在转向整体性谋划，还有的从阶段性合作正在转向制度性安排，区域合作机制向区域联动机制的深化出现逐步加快势头。

所谓区域合作机制的扩展，是指长三角区域合作机制将会向区域之外、特别是向泛长三角地区延伸、扩展。因为一方面，长三角地区要培育和发挥上面提到的三大区域功能，特别是在“后金融危机时代”增强三大区域功能作用，既要推进产业转移，不断降低资源、环境和商务成本压力，又要增强生产要素的聚集，不断提升产业层次、创新能力和国际竞争力，就必然会开拓区域发展新空间，充分利用区域外、特别是泛长三角地区的比较优势“腾笼换鸟”，实现新的提升。而经验表明，长三角地区无论是推进产业转移，还是增强要素集聚，实行平等共享的区域合作是最好的选择。因此，从长三角地区自身发展的要求看，区域合作机制向区域外、尤其是向泛长三角地区的扩展，具有必然趋势。另一方面，长三角是我国重要的增长极，对区域外的辐射与带动功能逐步增强，其他地区、尤其是泛长三角地区应该主动承接长三角地区的产业转移，积极融入长三角市场，进一步促进本地区的体制创新、经济发展。而经验表明，其他地区、尤其是泛长三角地区无论是承接长三角地区的产业转移，还是融入长三角市场，实行互利互赢的区域合作是最有效的途径。因此，从其他地区、尤其是泛长三角地区自身发展的要求看，积极推进与长三角地区的区域合作，从而导致长三角的合作机制向泛长三角地区的扩展，也就具有必然趋势。

3. 长三角合作机制扩展对泛长三角地区的影响

长三角区域合作机制演变趋势所产生的重大影响之一，是促进“泛长三角合作区域”的形成和发展；同样的，长三角合作机制向泛长三角地区的扩展，对泛长三角地区的经济发展将会产生重大影响。

关于泛长三角地区的区域范围，目前的区域边界尚较模糊，学术界也有多种说法，但无论是“3+1”说、“3+2”说，还是“3+3”说、“6+1”说，由于安徽和江西两省与长三角山水相连，接壤边界线也长，在沪、苏、浙以外的泛长三角地区，安徽和江西都会从长三角的边缘成为长三角扩容的前沿，成为长三角最先“泛化”的省份，长三角区域合作机制的扩展，对两省加快发展将会创造更好的条件。

区域经济学在揭示区域发展关系方面有一条基本规律，即区域的外部性内部化和区域的内部性外部化规律。因为每个区域都有其内部性和外部性，在开放的区域系统，区域的内部性和外部性会相互影响的。对于欠发达地区而言，区域外的先进因素总会向区域内部传递，逐渐改善区域内部的落后性，这就叫做区域外部性的内部化；对发达地区而言，区域内较强的生产能力总会寻求更大的资源配置空间，从而出现经济能量向区域外的辐射就叫做区域内部性的外部化。如果区域之间存在着合作机制，区域的外部性内部化和区域的内部性外部化将会有机联结，从而会加快发达地区与不发达地区的协调发展。在泛长三角的形成和发展过程中，长三角区域合作机制在长三角内部的深化和向泛长三角地区的扩展，就会从区域内部性的外部化和区域外部性的内部化这两个方面，对安徽和江西的经济发展产生重大影响：从区域外部性的内部化而言，长三角地区区域功能的提升，一些产业必然要向泛长三角地区转移，安徽和江西紧邻长三角，又有相对丰富的资源条件和相对低廉的生产成本，有利于在产业转移与承接方面形成区域合作机制，安徽和江西会在承接长三角的产业转移中提升产业结构，促进经济发展；从区域内部性的外部化而言长三角地区强大的生产能力将会在更大的空间范围配置资源，在生产、消费领域都会对区域外产生更大的市场需求，安徽和江西各自都有优势产业、特色产品和较强的资源承载能力，有利于在市场供需方面形成区域合作机制，从而会开拓两省在长三角地区的消费市场，更会拉动两省的经济发展。因此，泛长三角的形成、发展和长三角区域合作机制的提升、拓展，对安徽和江西的经济发展将会长期产生长远意义的战略影响。

三、统分结合：泛长三角区域合作机制

泛长三角地区应该构建什么样的区域合作机制，可以从长三角区域合作机制中找到答案。因为泛长三角区域合作机制是长三角合作机制的必然拓展，而长三角的区域合作机制是行政机制与市场机制的有机结合，政府承担主导作用，那么，泛长三角区域合作机制也应该是政府主导下的行政机制与市场机制的有机结合。又从长三角区域合作机制的运作看，政府的主导作用有“统”有“分”、统分结合。由此可以认为，“统分结合”应该成为泛长三角区域合作机制的具体模式。政府、企业和中介组织是区域合作的三大主体，应该在三个层次构建统分结合的区域合作管理模式：

一是政府层次的统分结合。政府结构具有层级特征，每个层级政府都是区域合作主体，但每个层次政府的治理权力和功能不同，对区域合作的主导贡献也会不同。为保障区域合作的科学性、合理性和可持续性，在政府层级必须实行有“统”有“分”、统分结合的区域合作管理。那就是，重大的合作事项应由泛长三角地区最高层次的省（市）级政府统一签订合作协议，履行协议的责任与义务同时要放开并支持市、县等较低层级政府之间自主开展区域合作，在合作项目上引导政府间区域合作重心的下移。上一层级政府不仅要放开下一层级政府之间的区域合作，还应帮助解决和协调其在区域合作中出现的重大问题，保证政府体系在区域合作中发挥相应的主导作用。对于泛长三角地区的各级政府来说，不仅要致力于本区域的经济发展，更应着眼于泛长三角经济的长远发展，在区域合作中对“统”与“分”都应合理定位，自觉维护“统分结合”区域合作机制的运行。

二是政府与企业的统分结合。在市场经济条件下，企业是区域合作的主体，政府对区域合作主

导作用的发挥，是通过企业间的合作具体实现的。政府可以引导企业间的合作，但不可替代企业间的合作，因此，政府与企业之间在区域合作中也要有“统”有“分”，统分结合。所谓“统”，就是政府要为企业发挥区域合作的主体作用创造条件，尤其是给予政策支持，优化企业合作的区域环境，通过政府间的合作对企业合作给予实质性的帮助，解决企业在合作中无力解决的困难和问题。所谓“分”，就是政府要尊重企业作为区域合作主体的地位与作用，遵循市场经济规律的客观要求，放手企业之间在投资、技术、销售及产业链分工等方面的自主决策、自由合作，共同组织合作事项的实施，合作收益共享、合作风险共担，在合作中形成利益共同体，将区域合作利益下移。对于泛长三角地区的各省（市）来说，各级政府都应注重调动企业对区域合作的积极性、主动性，鼓励企业多渠道、多形式开展合作，将发展泛长三角地区的分工合作，真正构建在企业合作的基础之上。

三是政府与中介组织的统分结合。中介组织主要是指各行各业的行业协会，是政府之外的“第二合作平台”，又是企业合作的桥梁纽带，在区域合作中具有政府和企业都不可替代的作用。特别是在经济区域化、国际化的新形势下，产业分工的领域与空间都在不断拓展，行业协会的优势与作用日益凸显：政府需要行业协会在区域合作中的产业引领，企业需要行业协会在区域合作中的事务协调。从某种意义上讲，中介组织的发育和作用程度，决定着区域合作发展的广度和深度。但是，在区域合作中，行业协会与政府的关系十分重要，政府与其也应有“统”有“分”，统分结合。对政府来说，应转变职能，将行业管理的社会职能分离给行业协会等中介组织，积极培育和支持行业协会的发展，放手它们独立处理合作事宜，帮助解决其在发展中的难点问题；对行业协会等中介组织来说，要积极承担自己的业务职能与社会责任，积极为企业的跨区域合作服务，与企业共享共担合作中的收益与风险。泛长三角地区的各级政府应率先分离政府的行业管理职能，开发和培育中介组织资源，增强中介组织的独立法人职能，为企业间的跨区域合作构架广阔的“第二合作平台”，发挥更好的“桥梁纽带”的作用。

当前，鉴于安徽省与长三角在区位上更近、联系上更多、发展上更紧的客观条件，2008年12月15－16日在宁波召开的沪、苏、浙两省一市党政主要领导第五次峰会，也邀请安徽省党政主要领导参加，标志着泛长三角已实现了由“虚”向“实”的跨越。非常高兴的是，这次会议也明确提出，长三角地区政府层面要建立“三级运作、统分结合、务实高效”的区域合作机制。政府决策层、协调层和执行层的“统分结合”运作，被视为区域合作机制的基本模式。这是对长三角区域合作多年实践的科学概括，也应该成为泛长三角区域合作机制的灵魂。不过，这种区域合作机制只是在政府层面，还应向企业和中介组织推进，在政府与企业之间、政府与中介组织之间，也应该构建“统分结合”的区域合作机制。这样，三个层次的统分结合密切配合，泛长三角地区才可能形成比较完善而又可操作的区域合作机制。

四、政府管理体制的创新

泛长三角地区在上述三个层次构建“统分结合”的区域合作机制，政府处于关键地位，因此，推进政府管理体制的创新，对于构建区域合作机制也就具有关键性意义。

从当前的情况看，“统分结合”的区域合作机制在政府层面已迈出了坚实的步伐，必然会带动政府与企业及中介组织之间“统分结合”的形成和发展，而这又取决于泛长三角地区政府管理的创新成效。

泛长三角地区的各级政府在构建“统分结合”的区域合作机制的过程中，政府管理体制创新的方向应是，为进一步发挥市场和企业的基础性调节机制而对政府在区域合作中的功能再造。从长三角、珠三角等地区的实践经验看，政府功能再造的重点应在三个方面：一是在跨区域的交通、能源、环境保护等基础性建设和营运体制的功能再造方面，主要是发挥政府的主体作用，吸引企业按市场机制进入投资和管理，形成政府与企业共赢的合作机制。二是在要素流动、资源配置和区域市场发展等的功能再造方面，主要是发挥政府的引导作用，充分发挥企业在合作中的主体作用，形成公正性、透明性的合作机制。三是在产业发展、资源开发、土地利用等体制机制的功能再造方面，主要是发挥政府的指导作用，形成市场化、可持续的合作机制。政府应在上述三个方面推进体制创新，而长三角在这方面已有一定的经验积累，完全有可能率先创新，并扩大到泛长三角的广大区域。

围绕“统分结合”区域合作机制的构建而推进政府管理体制、机制创新，是泛长三角地区的长期使命，但是，面临“后金融危机”时代的新形势，政府管理体制的创新更为紧迫。因为只有推进政府管理体制的创新，才可能顺利地构建“统分结合”的区域合作机制，更好地发展泛长三角地区的区域合作，从而开拓泛长三角地区经济大发展的新时代。

【作者简介】程必定，中国城市经济学会常务理事，安徽省社会科学界联合会党组书记、常务副主席，研究员。

参考文献

[1]国务院关于进一步推进长江三角洲地区改革开放和经济社会发展的指导意见（国发[2008]30号）

[2]洪银兴，刘志彪. 长江三角洲地区经济发展的模式和机制[M]. 清华大学出版社, 2004

[3]殷君伯，刘志迎主编. 泛三角区域发展分工与合作[M].安徽人民出版社, 2008.12

[4]程必定. 论区域的外部性内部化和内部性外部化[J]. 经济研究, 1995(07)

[5]安徽省政协十届二次常委会暨“积极参与泛长三角区域分工论坛材料汇编”（内部资料）.2008－5－15

[6]李广斌等. 由冲突到合作：长三角区域协调路径思考[J]. 江淮论坛, 2008(04)

[7]齐峰. 泛长三角区域合作机制之探讨[J]. 三江论坛宁波经济, 2009(01)

虚拟经济对区域经济学的冲击

付晓东

一、网络冲击区域经济

虚拟经济，即非物质性产品经济已经渗入我们的生活。随着计算机技术、信息技术、空间技术的迅猛发展，人类社会正在发生着一场深刻的变革，我们熟悉的世界正在改变，我们的未来正在被创造。网络经济、信息经济、知识经济带来的一个直接影响就是空间距离不再是制约经济活动的主要因素，虚拟的、非物质性产品正在逐步扩大其在国民经济中的份额，这一新的经济现象已经悄然改变着经济空间区位，引起区域经济关系的变动，开始对区域经济学固有理论产生强烈的冲击，一些原理和原则需要重新审视和认识，区域经济学进入了重大变革时代，面临发展的春天。

（一）网络熨平了“距离”特征，环球“同此凉热”

人类在征服自然的进程中，曾有过几次划时代的认识飞跃，其中也伴随着空间区位的变动特征。陆权时代，麦金德（英国地缘政治学者1861—1947年）在《地缘政治论》中宣称：谁控制了亚欧大陆谁就掌握了世界。海权时代，马汉（美国历史学家、地缘政治学者1840—1914年）在《海军战略论》中宣称：谁控制住海洋，谁就统治了世界。空权时代，赫里克说：谁统治空间，谁就控制了世界。而在信息网络（知识经济）时代，可以说谁掌握了网络（知识），谁就掌握了未来。谁错过了信息网络（知识经济）革命，就等于丧失了在21 世纪取得世界领先地位的机会。

“计算不再只和计算机有关，它决定我们的生存”（信息社会的传教士尼葛洛庞帝在其《数字化生存》中的名言）。电脑这个只会计算0和1的精灵，正在兵不血刃、潜移默化地改变着我们的生活，改变着我们的世界观，重塑着我们的价值体系。目前，信息技术正以涨潮般的速度发展，远程教育、远程医疗、可视会议、电子商务、电子政务等在不断延伸。被托夫勒称之为人类文明的第三次浪潮正席卷着世界的每一个角落，网络化、信息化、知识化已成为不可逆转的历史进程。就拿网络来说，Internet 带来了一个全新的世界，这就是赛伯空间（Cyberspace），即虚拟空间。在这个世界里，比特（Bit）（信号）以光速运行，时空障碍消失了，到上海和到纽约几乎是同样的距离，地球真的变小了，成了“地球村”。网络的出现，使信息交流脱离了地域的分割和局限，为资源共享在一定程度上的实现创造了条件；也使得影响投资区位、经济区位、资源配置的因素发生了重大变化。出现了美国巴菲特的智囊总部远离闹市，坐落乡村，总部经济应运而生的现象。

（二）区域空间的概念在淡出，区域经济需重新审视

人类本身生活在地域空间中，而空间的概念却在逃逸出人类的生活。实际上这只不过是传统的空间概念已经过时，它正在发生异变，有了新的含义。新的空间将会削弱人类城乡聚居的差异，信息时代将会使摩天大楼和绿色原野“同此凉热”。难怪美国的一位房地产经理深有感触地说，信息高速公路正在取代购物中心、办公大楼和其他不动产，成为经商售货和提供服务的主要场所，这种

潮流对房地产的出售、出租和价格具有毁灭性的打击。

由此可以看出，网络信息时代和知识经济一方面将带来人们意识观念的改变，影响人们的生活习惯、价值判断、行为方式，另一方面将引起空间概念的变化，导致基础条件、生产设施和营销方式的改变。这一系列直接或间接的变化必将引发区位价值的升降变化，引起区域经济学研究对象的变化。因此，以新的视野认识和评价区位、重新审视区域经济学，就显得十分必要。

（三）区域经济学原本存在的条件和基础受到震撼

区域经济之所以在社会经济生活中具有不可抹杀和被忽视的地位，是因为它本身有其存在的必然性和客观性。不管经济活动的形式如何，它都离不开真实的空间地域，不同的空间地域条件又会对经济活动产生不同程度的作用和影响，这就是我们常说的区域性特征。那么，为什么会存在区域性特征呢？也就是说，为什么会产生区域经济呢？

美国区域经济学家埃德加·胡佛认为，区域经济的产生原因有3个：一是生产要素的不完全流动性，二是经济活动的不完全可分性，三是距离成本。生产要素当中的劳动力、资金和技术等是可以完全流动的，土地、矿藏和水资源等是不完全流动的。而可以完全流动的生产要素，其流动的过程也要受到管理体制、利益主体等多方面的制约。经济活动的分布则呈现出有序的聚集态势，并非杂乱无章地随意分布。最后，空间的位置因素产生距离，经济活动必须克服距离的影响，因此，距离成本支出不可避免。在不同的空间位置，距离成本耗费相差很大。上述3 个要素决定了经济活动的区域性，也决定了经济结构的区域性。然而，区域经济依托的这3个基石，已经不是坚不可摧，受到了网络新技术的强烈冲击。网络技术使人类的经济活动超越“距离”的约束，距离成本的支出也不是必不可少的。在虚拟经济中，在不同的空间位置进行交易，距离成本的耗费近乎忽略不计。此时，空间“距离”的概念要重新审视，“区域”概念也要修正，“空间维”的思考也需要更新观念。

二、虚拟经济为区域经济学带来的发展机遇

网络技术的进步，使得虚拟经济迅速发展，实际上，它已经从多方面向区域经济渗透影响，并逐步改变着我们的思维方式、生存生活方式、经济运行方式，由此衍生出无穷的发展机遇。

（一）虚拟经济突破地域限制促使生产力布局均等化

区域经济受地域性的影响十分强烈。经济发展条件和现实的区内差异或者区际差异是社会发展过程中的一种普遍现象，它的存在和变化对区域经济的发展产生了诸多直接和间接的影响。以区际关系来看，任何两个区域或城市的经济发展程度都会有所不同，存在着明显的经济差异。首先，任何两个区域或城市在资源禀赋、要素结构、发展历程等方面都不会相同，决定了他们在经济结构、经济基础和经济发展中的条件不尽相同。其次，各区域或城市在不同时期区域经济发展总体格局中所处的地位、所起的作用也不会相同。再次，受区位因素的影响，各区域或城市开展对外经济交流、进入国内和国际市场的程度不一样，从而，它们所获得的发展机遇也不一样。最后，各区域或城市的经济主体在经济决策、组织和管理水平等方面也存在较大的差异。因此，形成了区域之间的经济差异。

由此可知，区域经济要想健康、顺利地推进和发展，与该区域条件的结合不容忽视。而虚拟经济则一反传统的区位条件，基于网络技术的经济活动，基本不需要十分严格的区位，或者说区位已经不构成限制因素。网络已经把经济活动延伸至了全球各个角落。人们常说的美国和印度形

成的软件业、服务外包贸易，即是这种虚拟经济的典型表现。在美国机构（公司、医院等）把一天的经营处置等事项在下班时传至印度，此刻，印度到了早上，在这里经过将数据资料按照要求汇总加工，当晚发回美国，美国又迎来了新的一天和收到了全新的经过处理分析的数据资料，开展进一步的工作。还有，典型的全球网上专家会诊、咨询案例，足不出户即可解决一些重大疑难问题。再有网络学校、电子商务等更是数不胜数。可见，网络技术把各区域发展的起点推向了新的起点平台，各个区域重新回到了经济发展的起跑线上，也就是完成了一次洗牌。对于原本落后的地区这是一次难得的赶超先进国家的均等机遇。虚拟经济的发展潜能将成为一些国家和地区未来发展及转型的契机。

（二）虚拟经济提供了有力的新的认识工具

实际上，区域经济学的许多原理体现了实体经济的理念，比如，生产布局紧凑原则、生产基地接近消费中心，还有区域经济倡导地区特色发展和产业集中度观念，都含有空间地域、因地制宜的内容；再有，区域经济的企业集聚和集群也有互相利用、节省成本、借鉴发展的区位优势形成的内在机制；这些原理和原则在物质产品经济层面上，揭示了区域经济的理念和精神，为区域生产体系的构建提供了强有力理论基础。但在网络技术条件下，“紧凑”、“集聚”、“集群”在网络领域变成了很容易实现的事情；这时只需要鼠标轻轻一点，一个交易迅即完成。在网络空间和知识经济中，随着“距离”对人们的消费、生产活动的影响日见减弱，厂商和其他市场主体（包括政府）的行为会发生许多新的变化，厂商区位选择、消费方式的变革、虚拟经济（产业）的新生崛起、管理方式的革命，这种新的空间经济形势，都将给我们社会经济发展带来许多重大的影响和冲击。很容易看出，虚拟经济改变了经济要素的组合和集聚方式，它将对原有的经济生活体系进行冲击（甚至是颠覆性的）和改进，许多生产力布局条件和因素都在不同程度的发生变化，这种情况下，原有的生产布局和区域发展模式就受到挑战，传统的区域经济理论需要深刻反思和认识。

网络技术作为一种新型的手段，虚拟经济作为一种新型的经济活动形态，也都为区域经济提供了新的认识工具和认识视角。这样，我们就可以在继承传统的区域发展模式基础上，根据新的虚拟经济空间所提供的机会与条件，提出新的区域发展模式，包括区域发展新的理念和着眼点、区域发展总体战略的新内容和新机制、产业选择洗牌的新机会和新生长点、区域优势和劣势的重新认识和新发掘、区域发展模式的试行手段和新机制，等等。同时，更新观念，在区域经济发展中突出虚拟经济（非物质性）、追求谨慎满足；更加促进挖潜改造、提升潜力、塑造不同于以往空间的新型功能，更加强调标新立异、改革创新、推陈出新，加速更新换代、缩短生命周期等。

（三）虚拟经济为区域经济提供了新的发展方向

区域作为一个特定的空间形式，其经济活动（运行）方式可以是多样的、多重的、多层面的，也就是说，区域可以根据自身的条件选择适合的经济活动方式。从另一个角度说，多种经济活动方式可以在一个地区内同时存在、共同发挥作用。而往往新的经济形态会更具推进力和活力，激发原有经济活动的潜力，虚拟经济就是这样一种新的形态，预示着区域经济发展改革的方向。

首先，虚拟经济为区域经济发展提供了新的思维视角。通过“无距离成本”这一机制，不仅对空间地域范围需要重新界定，同时对资源要素也需要重新审视，在这种虚拟经济模式下，经济活动得到空前的延展，产业链条得到极大的延伸，它会引起相关产业的发展，提供更多的就业岗位，为区域经济发展创造了新的增长点。这种发展模式既节约资源与成本，又可以通过产业链的增加，整体推进产业结构升级和社会进步。对于许多地区而言，简单沿袭、照搬传统的粗放式经济增长模式已经不容许也没有机会了，而且随着社会的发展与技术的进步，必须放弃以资源开发为重点的发展模式，转向以信息服务等高端产业为内容的发展方向。逐步减少对资源的消耗和依赖，培养以技术、服务为核心的新的增长点，由资源密集型向技术密集型转变，提升产业结构，改进区内产业素质，提高经济的质量，保持持续稳定的发展。

其次，虚拟经济有利于区域产业结构的全面优化和升级。过去，区域产业结构在进行优化和升级时，多考虑政策因素、技术因素、效益因素。有了虚拟经济思想后，不仅考虑物质性实体因素外，还引入了虚拟的非物质性因素，使得一个区域的产业结构在技术含量、效益含量、生态环境含量增加的同时，还增加了一个全新的虚拟关联效益含量。这是一种全面的、整体的、持久的、根本的产业结构突破、改进和提高。比如，利用虚拟经济的"无距离成本"机制提升区域产业结构，实现区域经济从资源依赖模式到技术支持模式转变。如美国纽约附近的费城自1980年以来，服务业迅速增长而制造业逐步下降，尤其是商业服务业、创意产业（包括建筑设计、工业设计和工程咨询产业）、教育、医疗保健业等，这些产业成为当今费城经济活动的主体。在我国许多城市城区都提出了发展创意产业、创建创意城市的思路。这里提到的创意产业，与一般的高新技术产业有根本的区别，创意产业创造的均为"非物质成品"，而一般高新技术产业产品为"物质成品"（软件业除外），创意产业包括研发设计创意、建筑设计创意、文化传媒创意、咨询策划创意、时尚消费创意。行业包括软件业、游戏动漫业、建筑设计业、产品设计业、平面设计业、广告业、教育培训业、文化传媒业等。创意产业的发展并不一定需要与产业区相邻近，它不需要配套的生产线，不需要太多的空间去生产和存放，对空间大小的需求是有限的。创意阶层适宜的工作地点的主要特点是具有松散的、优美的、有大量适宜放松和交流的场所。它将成为财富创造和城市生活并存的标志性空间，是城市全力打造的新的理想家园。这是一个超越以往思维定式的与众不同的产业空间。比如，落户南京的盛大网络发展有限公司，拥有包括游戏实验室、软件安全实验室、硬件系统实验室、易用性实验室、测评电子信息平台研究室等在内的一体化、自动化、专业化的测评体系，一开始占地面积仅为1071平方米，员工仅有100人，在南京运营2个月就实现1.97亿元收入，交纳地方税近700万元，毛利率超过70%（现代快报、金陵晚报，2004）。我国许多地方在积极地探索创意产业基地这种新形式，如:苏州工业园区动漫产业园、无锡太湖数码动画影视创业园、杭州打造"动漫之都"、成都数字娱乐产业软件园、北京数字娱乐产业示范基地（石景山）等。这些城市运用虚拟经济对区域产业结构展开全面的优化和升级。

再次，用虚拟经济构筑产业链网，有利于稳固区域内核心产业。利用虚拟经济思想进行区域产业规划时，可以有意识的拓展产业链，最大程度地使各产业之间形成有机联系。当然，必须注意到产业链中核心的资源要素应具有稳定性，核心的产业应具有发展前景。虚拟经济可以大大增进本城市与世界各地的相互了解和往来，准确掌握国际市场信息，有效引进和消化国外先进科学技术、设备设施和管理经验，增加出口，使城市的学习能力、创新功能大大加强。比如，利用虚拟经济，加强现代服务业的建设。我们已经知道服务、服务外包是现代高端服务业的组成部分，具有科技含量高、附加值高、资源消耗低、环境污染少、吸纳就业能力强、产出与效益高、国际化水平高的特点，有助于解决经济发展中出现的诸多经济和社会问题，如交通、环境、产业转型和提升等问题，使得城市的产业结构更趋软化和高效化。构筑这一产业链条，可以进一步推进区域内的现代服务业面向国际市场，迎来新的发展机遇。外包根据供应商的地理分布划分为境内外包和离岸外包。境内外包是指承包商与发包商来自同一个国家，服务外包在国内完成。离岸外包则指承包商与发包商来自不同国家，外包服务跨国完成。

最后，虚拟经济的发展也会有力地控制城市规模随经济发展而无限膨胀的趋势，可以强化和完善城市经济功能。虚拟经济对于目前的特大型城市来说，更有着极佳的效果和作用，减少占地，减少交通流量，节约资源能源，创造新的岗位，提高附加值等，对于城市的运行、布局、功能的发挥起着完善和促进的有效作用。各种电子服务，诸如，网上银行、电子政务、电子商务、网络学校等已经把城市生活推向了无纸化、无形化、无物质化的时代。

三、对区域经济学客观基础的再认识

区域经济学尽管在网络等新技术的进步中受到了冲击和影响，迫使我们深入思考其生存的客观基础和发展前景。其实，仔细想来，新的技术带给我们一个全新的视角。换一个角度来看区域经济学，它仍有着存在的必然性和现实性，有赖以存在和发展的逻辑前提和客观基础，需要对前面已经提到过美国区域经济学家埃德加·胡佛对区域经济学依托的基石再认识，加以改进，就可以构成区域经济学存在的必然性。网络虽然可以抵消距离的影响，但是，地域条件的实质性差异（自然禀赋）、经济活动的极化性（要素聚集特性）和空间距离的不可灭性仍将是区域经济学的重要支撑。

（一）自然禀赋的差异性

自然禀赋的差异性包括自然条件的不同性、资源的稀缺性、生产要素分布的不均匀性和不完全流动性。人类的经济活动总要落脚在一定的地域空间上，而这个地域空间经过亿万年的沧海桑田变迁，自然条件千差万别。一些地方的自然条件适于人类的生存与发展，而另一些地方就不适宜或难以适应人类的生存与发展需要。由此产生了区域差异、区域位势或区位的不同，这可以理解为自然形成的区域“级差地租”。与人类需求的无限性相比较，无论是自然资源、人力资源，还是社会经济资源及社会财富，都是有限的。这些稀缺的资源，即使分布均匀，由于区位效应的作用，也会向某些地区集聚。由此产生了对资源进行优化配置、使经济发展质量达到最大化的生产力布局这一区域经济学的基本理论。倘若资源不是稀缺的而是无限的，那么，区位将失去位势，区域差异消失，区域经济就成为无本之源了。生产要素分布的不均衡性和生产要素的不完全流动性，使得人类的经济活动不可能形成空间均衡化。假如生产要素分布是均衡的，或者即使不均衡但却在空间上可自由流动，各要素供给自然会从要素富集地区流向稀缺地区，形成世界大同的“均质”状态，要素可随时随处供给，这样，将不会存在交换，不会有要素价格，实际上意味着经济活动的停滞、窒息和死亡。因此，自然禀赋的实质性差异和要素的不完全流动性是区域经济的灵魂与活力所在，是区域经济分异的前提，也是区域经济多样性、互补性和区域分工的基础。

任何国家和地区的经济发展都是在一定的区域内完成和实现的。不同的区域环境会塑造出性质各异、层次不同、各具特色的区域经济发展模式。这也是为什么世界各国各地经济发展类型千姿百态、异彩纷呈、没有完全相同经济模式的原因所在。中国古代的先哲早就对此有过深刻认识：“不务天时，则财不生，不务地利，则仓廪不盈。”（《管子·牧民篇》）。这就是空间基础造就的。我们知道，许多发达国家和地区的成功经验固然好，但往往难以学习、借鉴过来；甚至在一些地方成功的模式，用在另一些地方却失败了。其中原因之一是空间地域条件是不能复制和模仿的，包括自然、历史、人文等差异不是立刻就可照抄照搬过来的。

（二）经济活动的极化性

毫无疑问，自然禀赋的差异可以导致区域经济分异，但并不是自然禀赋完全一致时就不产生分异。自然条件的不同、资源的稀缺性、要素分布的不均衡性和不完全流动性是解释区域经济差异存在的一个必要条件，而不是充分条件。从不均衡性来看，它是流动性产生的前提条件，只有不均衡才会产生流动的需要，但要素的不完全流动性阻止了要素均衡的实现途径，产生了区域差异；从均衡条件看，即使要素分布完全一致，理论和现实都证明经济的空间格局也将不完全一致。因此，不论在自然条件均质的情况下，还是自然条件不均质的情况下，区域经济差异产生的更为根本的因素是人为因素，这就是人类经济活动的极化性。

经济活动的极化性表现为规模经济和集聚经济，它是由经济本身的趋利性和节约性而导致的。在经济规律的作用下，要素的流向总是趋向于使其增值或提高效率的方向。规模经济和集聚经济使得各生产要素和经济单位集结在一定空间上，形成极化点或经济增长极，这些极化点、增长极在极化效应的作用下，不断壮大、强化，从而形成以城市为极化中心的区域经济。

（三）空间距离的不可灭性

人类的经济活动需要在一定的地域空间内展开，即便是那些能够克服“距离”、“区位”影响的企业机构，有空间就有距离，既然要进行经济活动，就会产生运动，产生位移，就仍要在某些未“虚拟”化的领域克服空间的距离限制，支付距离成本。尽管现代科技和现代交通、通信业的发展已将全世界变成了“地球村”，使空间距离对人类活动的限制越来越少，但只要距离存在，一些经济活动就要支付距离成本，就要占用时间，而“时间就是金钱”。这些距离成本仍会迫使一些实体经济活动局限于一定的地域空间范围内。

综上所述，自然禀赋的差异和空间距离的不可灭性是区域差异的基础，这是自然力形成的，靠人力是难以改变消除的，人类只能顺其自然，趋利避害，加以利用。这不仅是区域经济多样化、区域分工的前提，也恰恰是区域经济研究的中心内容。经济活动的极化性，是人类经济活动对区域条件的利用、改造，它既有扩大区域经济差异方面的作用，也有缩小区域经济差异方面的影响，而区域经济学研究的目的与任务即是使所有区域在发挥各自优势、尽可能获得进一步健康发展的条件下，走向更高层次的均衡，使人类的物质生活条件趋于均等化。

【作者简介】付晓东（1960—），男，内蒙古包头市人，副教授，博士。中国人民大学城市与区域经济研究所党委书记。主要从事区域经济、城市经济教学与研究工作。

参考文献

[1]陈炎. Internet改变中国[M]. 北京: 北京大学出版社, 1999:3, 23

[2]张敦富. 区域经济学原理[M]. 北京: 中国轻工业出版社, 2005

[3]陈秀山, 张可云. 区域经济理论[M]. 北京: 商务印书馆, 2003

[4]马长清. 天津创意产业经济发展提速[J]. 环渤海经济瞭望, 2007(8):16−17

[5]王俊, 汤茂林, 黄飞飞. 创意产业的兴起及其理论研究探析[J]. 地理与地理信息科学, 2007, 23(5):67−70

[6]张婷婷, 徐逸伦. 我国创意城市发展理念之反思[J]. 现代城市研究, 2007(12):32−39

[7]威廉·阿朗索. 区位和土地利用——地租的一般理论[M]. 北京: 商务印书馆, 2007

民族地区城市经济发展的特点及对策研究

江曼琦　翟义波

一、民族地区城市经济发展现状

城市是区域的核心，城市经济发展状况直接影响着一个地区经济的发展情况。在经济欠发达的民族地区（本文的民族地区指少数民族人口比例大于20%的省、区，具体为西藏、新疆、青海、贵州、广西、宁夏、云南和内蒙古），其城市经济发展对整个区域的发展更是具有举足轻重的地位。

改革开放以来，民族地区城市经济发展取得了巨大成就。民族地区43个（不包括拉萨）地级市（市辖区）以18.4%的人口，创造了民族地区42.13%的GDP，以及37.28%的地方财政收入，对民族地区经济贡献巨大（表1）。

表1　民族地区地级及地级以上城市国民经济和社会发展主要指标

指标	全国总计	地级城市合计（市辖区）	地级城市占全国比重（%）	民族地区合计	民族地区地级市合计（市辖区）	民族地区地级市占民族地区比重（%）
年末总人口（万人）	131,448.0	36,763.8	27.97	18,839	3,466.5	18.40
地区生产总值（亿元）	210,871.0	132,271.9	62.73	20,587.3	8,678.5	42.13
工业总产值（亿元）	316,589.0	200,035.2	63.20	17,173.8	8,888.2	51.75
固定资产投资总额（亿元）	109,998.2	61,229.3	55.66	11,673.3	4,294.3	36.79
地方财政收入（亿元）	18,303.6	10,862.3	59.35	1,630.4	607.8	37.28
社会消费品零售额（亿元）	76,410.0	47,515.1	62.18	6,271.2	3,354.1	53.48

数据来源：中华人民共和国国家统计局.中国统计年鉴2007, http://www.stats.gov.cn/tjsj /2007/indexch.htm;
中经网统计数据库：http://202.113.20.216:90/ 。

但是，民族地区在取得巨大成绩的同时，其城市发展也存在较多问题：城市化水平总体滞后于工业化水平，落后于全国城市发展水平，城市数量少、规模小；在民族地区43个地级市中，有约74.4%的城市非生产性行业居首位，约有35%的城市非生产性行业就业比例在40%以上，最高的广西贺州市，其非生产性行业的就业比例达到58.51%。城市无法提供较多的就业岗位，缺少经济支撑。城市各种经济要素聚集程度低，聚集效益差，城市贡献度低。迫切需要加快城市发展的步伐，以城市为依托和核心，促进民族地区整体经济的全面发展。

二、民族地区城市产业结构特点

城市经济发展与其产业结构构成密切关联，民族地区城市经济产业结构明显不同于非民族地区，表现出自身的特点。

（一）服务业比重虚高

根据三次产业结构来分析城市产业结构的类型，共有6种排列组合方式。如果按照国民经济的重心落在何种产业上来划分一个社会处于何种阶段上，前工业化阶段国民经济的重心在农业部门（Ⅰ）；工业化阶段重心在工业部门（Ⅱ）；后工业化阶段，重心在服务业部门（Ⅲ），可以将6种组合合并为三个类别。将民族地区地级城市的产业结构与非民族地区相对比，结果如表2。

表2　民族地区与非民族地区城市产业结构比较

地区	地级城市个数	地级城市所处阶段					
		前工业化阶段			工业化阶段		后工业化阶段
		Ⅰ＞Ⅱ＞Ⅲ	Ⅰ＞Ⅲ＞Ⅱ	Ⅲ＞Ⅰ＞Ⅱ	Ⅱ＞Ⅰ＞Ⅲ	Ⅱ＞Ⅲ＞Ⅰ	Ⅲ＞Ⅱ＞Ⅰ
全国	267	0	1	4	2	177	83
非民族地区	224	0	1	2	1	159	61
民族地区	43	0	0	2	1	18	22

注：I 表中只包括除拉萨以外的地级及地级以上的城市。2 统计口径为市辖区，数据为2006 年度。3 数据来源：中经网统计数据库，http://202.113.20.216:90/ 。

表2表现出两大差别：第一，民族地区进入后工业化的地级城市达51%，超过非民族地区27%的比重；第二，民族地区位于前工业化阶段的地级城市少于非民族地区。这是否说明民族地区的城市发展优于非民族地区，城市已经走完了工业化的道路？事实上显然不是。分析其原因是多方面的，而最重要的是民族地区工业发展滞后，城市发展还停留在以提供中心地职能为主的发展阶段。其表现出的城市产业结构后工业化的特征，应该是"虚高"的表现，其反映的实质是第二产业发展的滞后。

第三产业分为生活性服务业和生产性服务业。其中，生产性服务业伴随着技术进步与分工深化，从生产环节中逐步分离出来，是后工业化阶段城市的主要组成部分。民族地区工业发展滞后，没有第二产业的需求，为生产服务的第三产业自然无法发展，正所谓"皮之不存，毛将焉附"。与此相反，城市作为民族地区居民的生活服务中心，尤其是行政管理中心，各种行政管理功能被加强。随着经济的发展，人民生活水平提高后对于生活性服务的要求提高，导致了第三产业的发展超过了第二产业。这一点在就业情况中已经体现出来。民族地区城市就业主要集中在国家机关、党政机关和社会团体等行业里。农林牧渔服务业、地质勘察业、水利管理业、交通运输仓储及邮电通信业等比重高于全国，而金融保险业、房地产业、社会服务业、卫生体育和社会福利事业、科学研究和综合技术服务业比重远低于全国，城市生产性服务业基本处于萌芽阶段。同时，个别像云南丽江等少数城市作为文化旅游城市的崛起，使得民族地区许多地级城市产业结构出现Ⅲ＞Ⅱ＞Ⅰ的状况。

可以说，民族地区众多城市产业结构Ⅲ＞Ⅱ＞Ⅰ的状况，并不是因为第三产业已发展到相当阶段而实现的产业结构的"质"变，相反是地区工业基础薄弱的表现。这同时也提醒我们，在传统的工业发展受到资源环境的约束下，在工业发展滞后的情况下，民族地区生产性服务业的发展缺少市场需求。

（二）工业以资源开采和初级加工为主体

从第二产业内部来看，民族地区工业以资源开采和初级加工为主体，产业链条尚未形成，产品附加值低，沦为初级原料供应地。分析新疆、广西、宁夏、贵州四省第二产业前五位行业和所占的

表3 民族地区部分省（区）第二产业前五位的行业和比重

	第一位	第二位	第三位	第四位	第五位
全国	通信设备、计算机及其他电子设备制造业（7.78%）	黑色金属冶炼及压延加工业（7.70%）	电力、热力的生产和供应业（7.59%）	石油和天然气开采业（6.57%）	化学原料及化学制品制造业（5.93%）
广西	农副食品加工业（15.14%）	电力、热力的生产和供应业（12.37%）	黑色金属冶炼及压延加工业（8.89%）	交通运输设备制造业（8.23%）	有色金属冶炼及压延加工业（8.06%）
宁夏	电力、热力的生产和供应业（27.43%）	煤炭开采和洗选业（13.90%）	有色金属冶炼及压延加工业（9.88%）	化学原料及化学制品制造业（9.24%）	纺织业（6.22%）
贵州	电力、热力的生产和供应业（25.46%）	烟草制品业（11.48%）	有色金属冶炼及压延加工业（9.54%）	煤炭开采和洗选业（7.95%）	化学原料及化学制品制造业（6.95%）
新疆	石油和天然气开采业（73.01%）	电力、热力的生产和供应业（4.94%）	煤炭开采和洗选（2.24%）	化学原料及化学制品制造业（2.22%）	有色金属矿采选业（2.14%）

数据来源：中华人民共和国国家统计局中国统计年鉴2007，http://www.stats.gov.cn/tjsj/ndsj/2007/indexch.htm.

比重（表3），位于前五位的行业不仅绝大多数属于能源和原材料的初级加工，而且所占的比重较大，高新技术产业比重低。

（三）生态环境压力大

民族地区经济基础薄弱，生产技术水平低，工业生产大多采取粗放发展形势。从单位污染排放以及单位能耗来看（表4），其工业生产是典型的污染大、能耗高的粗放方式。

民族地区单位工业增加值污染物排放量处于高排放行列之中，普遍高于全国和非民族地区。例如废水排放量中，最低的北京仅为5.6吨／万元，而广西则位于全国的榜首，达到81吨／万元。而单位能耗中，民族地区的宁夏、青海和贵州分别以0.532、0.381、0.255千瓦小时／元居全国前三位，而最低的北京仅为0.078千瓦小时／元。

与此相反，在环境治理方面，民族地区受资金、技术和人才的限制，防止环境污染方面的能力较弱（表5），对本已脆弱的生态环境，造成很大的压力。

三、民族地区城市经济发展对策

（一）优化城市产业结构，创新城市经济发展模式

城市是产业发展的载体和平台，产业是城市发展的基础和支撑。民族地区城市未来产业结构既要完成产业升级的补课，又要将工业发展与信息业、服务业重组结合起来，提高工业自动化、信息化水平，使民族地区产业能够尽快融入国家乃至国际产业分工体系和产业价值链中去。民族地区为我国环境脆弱区，许多地方为限制发展区，甚至于禁止发展区，使未来经济发展既面临资源与环境的约束，还面临发展高新技术产业必须具备的智力、信息资源、技术、基础设施等缺位。为此，民族地区城市产业结构的优化，不能走传统的老路，也不必追求高、精、尖技术，而是需要创造城市经济新的发展模式。

1. 走新型工业化道路，信息化与工业化相结合改造城市传统产业

新型工业化是中国工业化发展中一种新的发展模式，是为了缩小自身与发达国家之间现代化水平的差距，尽快赶上发达国家现代化的发展步伐而采取的进取性很强的一种发展模式和发展战略。新型工业化的基本特点是通过信息化与工业化的相互融合，发挥信息技术的渗透和关联带动作用，

表4　民族地区与全国和非民族地区工业污染物排放及能耗比较

	民族地区	全国	非民族地区
单位工业增加值废水排放量（吨/万元）	32.9292	11.7841	21.8562
单位工业增加值SO_2的排放量（吨/万元）	0.0617	0.0224	0.0188
单位工业增加值烟尘排放量（吨/万元）	0.0211	0.0085	0.0073
单位工业增加值粉尘排放量（吨/万元）	0.0006	0.0003	0.0003
单位工业增加值固体废物排放量（吨/万元）	0.0560	0.0143	0.0104
单位工业增加值固体废物产生量（吨/万元）	3.6164	1.6596	1.4806
单位CDP能耗（电量，千瓦小时/元）	0.1782	0.1349	0.1302

数据来源：中华人民共和国国家统计局中国统计年鉴2007，http://www.stats.gov.cn/tjsj/ndsj/2007/indexch.htm.

表5　民族地区与全国和非民族地区工业污染物处理率比较（%）

	工业废水排放达标率	工业二氧化硫去除率	工业烟尘去除率	工业粉尘去除率	工业固体废物排放率
全国	92.2	41.5	96.8	91.0	0.9
非民族地区	93.4	44.0	97.1	91.7	0.7
民族地区	83.4	31.5	95.3	85.3	1.5

数据来源：中华人民共和国国家统计局中国统计年鉴2007，http://www.stats.gov.cn/tjsj/ndsj/2007/indexch.htm.

提高工业的竞争力，并建立起以高新技术为支撑的强大工业体系，为信息化提供坚实的物质基础和用武之地。

新型工业化道路既是第一、二、三产业结构调整优化的进程，也是创造更多就业岗位的进程。中国过去的工业化是以资金密集型的重工业为主导，并且严格限制农村劳动力向城市流动，这样一来，工业发展对于吸纳农村富余劳动力的作用十分有限。民族地区人口多，劳动力成本比较低，农村人口文化水平普遍较低。新型工业化道路强调工业发展要有利于农业劳动力持续转移和城市化程度的提高，用现代化装备来武装劳动密集型产业，由技术密集型和资金密集型产业带动劳动密集型产业的扩张。这意味着将为农村人口向城市的流动提供更多的就业岗位，吸纳大量传统工业化时期所不可能吸纳的大量劳动力进入城市工作。

2. 将民族资源转换成经济资源，以非工业化模式跨越式发展

根据North的城市输出基础理论（Export Base），一个城市的发展，关键在于能否在该城市建立起输出基础产业，城市的外生需求扩大是城市经济增长的主动力。工业一般是构成城市输出基础产业的主要组成部分。然而，民族地区城市工业经济整体实力薄弱，加上环境与资源各种限制，未来依靠工业带动城市的发展并不现实。例如，国家关于金沙江流域天然林保护工程项目的全面实施，以及煤炭关、并、压、产等政策的全面贯彻后，云南丽江市森林工业彻底退出了丽江支柱产业的行列。迄今为止丽江工业结构中仅仅剩下电力、蒸汽、煤炭采选业、有色金属矿物制品业、水泥、化肥、制糖等行业。2005年工业仅占28%；与此相对应的第三产业的比重却达到了48%。因此，民族地区城市的发展，尤其是中小城市的发展，如果希望走工业化后带动现代服务业的发展的传统路径，将在很长一段时间内难以获得成效。

在非民族地区优化城市产业结构的方向上，一般将高新技术产业和生产性服务业作为发展的重点。然而，民族地区教育科技水平不高，发展高新技术短期内很难获得人才的支撑。民族地区最强的比较优势是包括民族文化、民族医药、民族手工艺品等的民族资源。在人们生活水平提高后，民族资源日益受到非少数民族乃至国际人士的青睐，具有极高的经济价值。因此，在部分城市通过深入挖掘民族的特色资源，用现代的管理和服务手段，可以使其具备转化为具有经济资源，实现快速发展的可能。

（二）充分发挥自身优势，培育和壮大特色产业

一些学者认为，民族地区可以作为东中西三级梯队的第三级，通过承接东中部的产业转移而发展其经济。我们认为这只是一相情愿的美好愿望，至少在相当长的时期内难以实现。首先，东部转移的产业通常能源消耗大、环境污染大，民族地区本身脆弱的生态环境并不适合承接这些产业。其次，即使东部有转移的产业，大多是技术水平低、利润差的产业，如果以此调整产业结构，其结果是民族地区永远跟在东部的后面，差距越拉越大。最后，假设东部真的有产业要转移，其首先考虑的并不一定是西部，本地区欠发达地区、中部地区应该是其首选。从中国东中西部多年的发展实践来看，真正转移成功的产业寥寥无几。美国西部发展崛起中，西海岸的新兴产业完全没有东部传统产业的影子。因此，民族地区城市的发展不能将希望寄托于外部的产业转移上，而应扬长避短，充分利用民族地区的各种资源优势，发展特色产业，提升产业竞争力，缩小与非民族地区的经济差距，为民族地区城市实现跨越式发展提供一条新的发展路径。

1. 利用文化与自然资源，发展特色旅游产业

民族地区旅游资源丰富，既有独特秀美的自然景观，也有文化深厚的历史遗迹，还有风情浓郁的民族风俗。随着经济全球化和开放程度的不断加深，世界各种文化之间的交流不断增多，不同的民族文化呈现出日益强大的吸引力，并且呈现出巨大的经济潜力。2007年，绝大部分民族地区省（区）旅游总收入增长的速度快于全国，西藏增长速度甚至是全国的3倍多。城市作为现代旅游业发展的支撑点，是一个地区旅游业的基地、集散地和辐射中心。旅游业是劳动密集型行业，其关联效应比较大，可以带动住宿、餐饮、交通、商贸等一系列相关产业的发展，其快速发展可以为城市提供大量的就业岗位，成为民族地区经济发展的新增长点。

2. 利用边境区位优势，发展口岸经济

口岸是对外开放的门户，是一个国家与其他国家进行一切交往的必经之路。口岸经济是指国家和边境地区以口岸为依托，围绕口岸物流、人流、资金流、信息流等形式的多行业、多部门、多层次、多环节、多功能分工协作的综合经济体系。

民族地区具有无与伦比的发展口岸经济的优势。我国与邻国2.2万多公里的陆地边界中，民族地区就达到了1.9万多公里。截至目前，民族地区一类口岸达到61个，其中水运口岸13个，航空口岸12个，公路口岸31个，铁路口岸5个。新疆、内蒙古、云南、广西和西藏五省（区）均直接与外国接壤，处于对外开放的最前沿，具有向西亚、中亚、南亚和东南亚发展的便利，构成了我国大西北和大西南地区对外开放的门户和通道。另外，民族地区一些民族与相邻国家具有近似的历史、文化、信仰、语言以及相同或相近的生活方式和民情风俗，很多民族跨界而居（新疆就有10个民族属于跨界民族），源远流长的民族和经济文化往来，是开展口岸经济的有利条件。

在经济全球化的今天，各国都在扩大对外开放程度，发展对外经济。民族地区周边的国家更是

不甘人后，积极发展口岸经济，例如，与广西、云南接壤的越南，计划在2020年前建立30个口岸经济区。口岸经济内容比较广泛，民族地区应该根据自身经济发展情况和本辖区所拥有口岸的特性，主要在边境贸易、出口加工贸易、旅游贸易以及服务贸易等方面下大力气，完善和发展口岸经济，带动和促进民族地区经济发展。

3. 依托生物与医药资源，发展少数民族医药产业

民族地区素有“动物王国”、“植物王国”的美誉。民族医药是以各少数民族文化为背景的传统医药。20世纪90年代初，在国家的大力扶持下，民族医药企业如雨后春笋蓬勃兴起，民族医药企业开始摆脱小作坊式的手工生产，逐渐向现代医药企业转型。奇正、奇康维药、晶珠藏药、贵州神奇、百灵等一批民族成药已闻名全国。随着人们养生、保健意识的增强，天然药品在国际市场上需求量增大。民族传统医学追求人与自然的和谐，将人体与自然界看做是对立统一的整体，以“天人合一”的医学理论指导医药实践活动，采用绿色食品、天然药物、心理行为、传统物理疗法等治疗疾病，受到广泛的关注。我国的中医药（汉医药）和少数民族医药等传统医药，在世界上特别是欧亚各国受到欢迎，已传播到130多个国家和地区，具有广阔市场和发展前景。民族医药是医药产业中最具特色最有潜力的部分。

发展民族医药事业，可以作为民族地区发展经济的新的增长点。在民族地区重点培养和扶持一批具有民族特色、临床疗效确切、市场前景广阔、生产条件及企业管理好的民族医药生产基地和企业，引导和培育民族医药生产企业在弘扬传统的基础上，向科技型、规模化方向发展，提高其科技水平、提高医药产品的技术含量。

4. 民族文化与现代技术相结合，发展文化创意产业

越是民族的，越是世界的。不同的民族有不同的文化，这些优秀的文化是在漫长的历史中创造、沉淀与积累下来的，是我国文化宝库中重要组成部分。民族文化具有独特性、地域性、多样性，充满本民族的浓郁特色，保持着独特的魅力。对民族文化的继承和发扬，不仅有利于加强各民族的认同感和归属感，也有利于地方特色的创造，促进地方经济的发展，为城市发展注入活力。

在民族文化挖掘中，也需要创新。民族文化创意产业，是文化创意产业向民族文化的延伸、向民族地区的拓展。民族文化创意产业是把民族文化转化为商品和服务，把潜在文化优势转化为现实经济优势。在文化创意产业风生水起的今天，应当探索从民族文化资源到创意产业的价值转换，找到民族地区文化创意产业与市场经济的最佳契合点。从朱哲琴的音乐到刀郎的歌曲，从《云南映象》到《印象·刘三姐》，为人们提供了新鲜、美妙的视听新体验。这些融合了少数民族文化元素的文化创意产品的走红，证实了民族文化的吸引力和经济潜能。以文化为主线，与现代技术相结合，形成丰富多彩的创意产品与服务，彰显民族文化特色，自然就会成长为具有深厚文化底蕴的魅力城市。

5. 依托特色农牧资源，发展农副产品加工

除了矿产资源外，我国民族地区具有丰富的农牧资源。由于水、热、光能充沛，农牧产品天然具有绿色产品的特点，一些产品还具有极高的营养和保健价值，如新疆的雪莲、宁夏的枸杞、西藏的红景天等特色生物资源。我国绝大部分草场资源分布在民族地区，五大牧场其中四个分布在民族地区。良好的草场资源，决定了民族地区畜牧业发展迅速，为从畜牧养殖到畜牧产品深加工产业链的逐步形成奠定了基础。依靠这些农牧资源，对农产品精深加工，生产特色绿色食品，不仅提高了

产品的附加值，而且可以带动其他相关产业的发展。

（三）围绕特色产业，打造特色产业链

任何产业发展都是一个相互关联的系统，特色产业的发展离不开相配套产业的支持。目前民族地区资源开发型产业链条短、产业辐射带动能力低，根据民族地区可能发展的特色产业，以及民族地区的社会经济发展状况，建议重点在两方面打造特色产业链。

1. 改造提升传统的服务业

旅游业以及边境贸易的发展都离不开酒店、餐饮在内的城市传统服务业的发展。交通、住宿、餐饮等接待能力不足，直接制约着旅游业和边境贸易的发展。民族地区发展旅游和边境贸易的一个突出特点就是旅途遥远、景点分散，旅客出游成本高，所以很多城市具有非常重要的中转职能，例如从内地去新疆旅游几乎全部需要在乌鲁木齐市中转。

因此，民族地区城市当前的紧迫任务就是，在全面推进重大基础设施建设、不断完善城市功能、塑造城市美好形象的同时，围绕特色产业的发展，用先进的管理手段和工具，发展传统服务业，以全面提高人民的生活质量，不断提升和优化城市赖以生存和发展的良好环境，并直接或间接地为社会创造较多的就业岗位，吸引更多的人口流入，为城市经济的发展创造更大的生产和消费市场。

2. 资源产业向精深加工转型延伸产业链

民族地区自然资源丰富，尤其是石油、煤炭、金属矿产、非金属矿产、稀有矿产等资源储量大、分布广，是我国重要的能源和矿产基地，是名副其实的聚宝盆。

在以前发展中，民族地区的一些城市利用矿产资源形成了资源型城市。但以资源开采初级加工为主的产业结构和粗放式的资源利用方式，不仅导致了资源的极大浪费，而且工业污染致使当地生态环境破坏严重。未来发展需要转变方式，在坚持市场导向、科技支撑和保护环境的前提下，合理开发，提高民族地区矿产资源的价值贡献，增强市场竞争力。在现有资源型产业基础上，以再生资源替代非再生资源，以人力资源代替自然资源，通过把资源产业做大、做强、做精，延伸产业链条，提高产品附加值和资源转化能力，实现城市可持续发展。

（四）统筹兼顾全面发展，走可持续发展之路

民族地区绝大部分地区属于干旱区，森林覆盖率和植被覆盖率相当低，青藏高原、黄土高原和蒙新高原三大地理单元构成的生态环境系统极为脆弱。根据有关研究表明，少数民族地区除广西属于中度生态环境脆弱区外，宁夏、西藏、青海、贵州、新疆均属于极强度生态环境脆弱区，内蒙古、云南则属于强度生态环境脆弱区。民族地区生态脆弱的客观事实决定了民族地区的现代化发展必须十分重视生态环境。在脆弱生态环境的严重制约下，切实转变以消耗资源和粗放经营为特点的经济增长方式，将环境保护作为衡量社会经济发展的重要标志。认真落实经济发展与环境保护相统一的原则。在经济发展中，要采取循环经济的模式，通过清洁生产、资源循环利用，在不同的企业群体间形成资源共享和废弃物循环利用的生态产业链，把工业污染程度降到最低，实现生态经济系统的良性互动。

【作者简介】江曼琦（1963－），女，湖南临澧人，南开大学城市与区域经济研究所教授，博士生导师；翟义波（1975－），男，河北承德人，南开大学城市与区域经济研究所博士研究生。

参考文献

[1]吕宛青，苏丽春．民族地区特色产业发展与人口集聚的交互效应——以丽江中心城市为例[J]．开发研究，2007(4):35～40

[2]赵跃龙，张玲娟．脆弱生态环境定量评价方法的研究[J]．地理科学，1998,(2):73～78

[3]陈佳贵，黄群慧，钟宏武．中国地区工业化进程的综合评价和特征分析[J]．经济研究，2006,(6):4～15

跨行政区流域区域合作机制研究
——以北京和周边的河北为例

吴瑜燕　张可云

区域经济合作兴起于20世纪50年代，之后在世界范围内蓬勃发展。加强区域经济合作以推动区域经济协调发展，是保证整个国民经济持续健康发展的重要举措。生态系统和社会经济系统是不可割裂的，任何经济体在发展过程中都无法回避生态环境的约束。因而，区域合作不能仅停留在经济合作的层面上，区域生态合作也是区域合作的重要内容。本研究旨在构建实现经济和生态“双效益”的区域合作机制。

一、北京与周边地区经济环境现状及合作现状

北京与周边地区（本文主要研究北京以及河北省的张家口、承德地区）在环境及经济方面关系密切，它们的区域合作主要在生态环境和产业合作两个领域进行。

（一）北京—张承地区水环境与经济发展现状

经过几十年的建设与发展，北京市具备了强大的综合经济实力，正逐步向国际化大都市迈进。然而，水资源问题一直是北京经济发展的制约因素。北京市曾多次出现严重的用水危机。20世纪80年代初，连续5年的枯水期造成北京水资源短缺，之后又经历了从1999年开始的连续9个干旱年，北京发展受到了严重影响。

随着上游地区水资源开发利用力度的加大和北京城市发展规模的扩大，北京水生态系统的不稳定性日益加剧。北京属于海河流域，境内分布有蓟运河、潮白河、北运河、永定河和大清河五大水系的各大支流。除北运河发源于北京市外，其他四条水系发源于境外的河北、山西和内蒙古。北京水生态系统的对外依赖性由此可见一斑。其中，河北的张家口和承德与北京水系关系最密切，是北京重要的地表水源地。

1. 张家口市

张家口市位于河北省西北部，分为坝上、坝下两个不同的自然区域，总人口450万人，其中农业人口310万。张家口是北京工业用水和生活用水的主要集水地，官厅水库、密云水库的地表水源主要来自这一地区。同时，张家口自身又属于缺水地区，人均水资源占有量仅440立方米。特别是坝上地区，由于多年干旱和蔬菜业的发展，地下水位平均下降1米多，最大降幅近10米。汇入官厅水库的洋河、桑干河以及汇入密云水库的黑河、白河分别流经张家口地区的怀来县和赤城县，这两个县与北京市紧邻，同北京的生态环境关系密切。

2. 承德市

承德市地处河北省东北部，处于华北和东北两个地区的连接过渡地带，与北京山水相依，地

缘相接，同属一个生态系统。承德也是北京的重要水源地，是坝上和蒙古高原风沙南侵入京的最后屏障。境内的滦平和丰宁两县同时还是潮河入库前重要的流经地，而潮河是密云水库的重要补给水源。滦平县和丰宁县属于国家级贫困县，县域经济对农业的依赖性较大。自1999年以来，由于连续9年降水量达不到常年平均值，潮河源头下缩十几公里，一级支流由常年河变为季节河。滦平县境内、紧邻丰宁南部的潮河干流连续三年出现季节性断流现象。

（二）北京—张承地区社会经济与生态环境关系

从北京在京津冀都市圈内的战略定位看，北京有责任带动周边贫困地区发展。北京经济发展水平也使得它具有一定的带动周边贫困地区发展的能力。北京的持续发展需要周边地区的支撑，发展所需的原材料等物资要依赖周围区域的供应，同时周边地区也是重要的产品市场。周边贫困地区落后的经济现状在一定程度上制约着北京的持续发展。

然而，恶劣的生态环境使周边这些贫困地区陷入生态破坏与经济落后的恶性循环。张承地区是我国少有的贫困地区与生态脆弱区、水资源保护区、生态敏感区四重耦合区域。“环京贫困带”的21个县市中有18个分布于张承地区。落后的经济和低收入导致该地区生产方式的落后，而粗放式的经济增长方式又造成生态环境破坏，反过来制约本地经济发展水平的提高。在潮河、黑河、白河、洋河、桑干河的上游流域，人与自然环境的矛盾更为突出。要使这些区域走出“低水平发展陷阱”，除进行内部资源整合外，还须通过加强区域合作获取外力以带动本地经济发展。

（三）北京—张承地区合作项目及实施情况

随着对生态环境关注度的提升，生态环境区域合作逐渐深入。目前北京与冀北的张承地区在水资源、流域生态林等项目的区域生态环境合作已初见成效，合作协商平台的构建、管理与协调小组的成立使区域合作在原有基础上增加了新的内容。

1. 区域水资源合作

区域水环境合作的思路是随着水源地实地调研、保护区的划定、监督管理机构的设置等方面工作的深入而日趋成熟。1995年，北京市人大常委会颁布了《北京市密云水库怀柔水库和京密引水渠水源保护管理条例》。同年，北京与承德共同组建经济技术合作协调小组及水资源保护合作小组等七个专业合作小组，双方以水源保护，促进共同发展为宗旨，推进多领域合作。1999年，国家水利部组织北京市及河北省承德、张家口和山西省大同、朔州等上游地区共同编制了《21世纪初期（2001－2010年）首都水资源可持续利用规划》。2001年，国务院批准了该规划，并将实施年限由2010年提前到2005年完成，即《21世纪初期（2001–2005年）首都水资源可持续利用规划》。2004年，针对首都水资源的严峻形势和加强区域合作的新要求，北京市与河北省加强了水资源合作并逐步扩展到其他领域，积极探索合作的长效机制。2005年北京市与张家口市、承德市分别组建了水资源环境治理合作协调小组，制订了《北京市与周边地区水资源环境治理合作资金管理办法》，确定从2005–2009年，北京市财政每年从水利基金中安排部分资金（每年2000万元资金），专门用于北京市与密云、官厅两库上游市外地区的水资源保护及水环境治理合作项目。2006年，北京市与河北省双方就交通基础设施建设、产业分工调整、共同市场开发、水资源和生态保护等重点领域的实质性合作取得基本共识，于10月11日签署了《北京市人民政府、河北省人民政府关于加强经济与社会发展合作备忘录》。北京市从2006年开始每年划拨2000万元生态补偿基金，直接发放到张家口承德相关区县，部分用于当地“稻改旱”项目。

2. 区域森林资源合作

《北京市人民政府、河北省人民政府关于加强经济与社会发展合作备忘录》不仅包括经济合作，还涉及了生态水源保护林建设、京冀森林防火基础设施设备建设、京冀林木有害生物联防联治等项目的合作。

京冀生态水源保护林工程建设项目的建设范围为与北京市接壤的张家口市赤城县、怀来县和承德市丰宁县、滦平县的密云、官厅水库流域集水区，重点是潮河流域、白河流域和永定河流域。京冀生态水源保护林建设和森林保护合作项目的投资由北京市承担，平均每年3000万元，具体数额按照年度建设合作任务确定。

此外，区域生态环境合作还包括各地区子项目。第一批7个水资源环境治理合作项目（北京市共提供资金2200万元）包括：滦平县潮河流域农村生活垃圾填埋场项目、滦平县潮河流域1.1万亩节水灌溉项目、丰宁县九龙集团环境治理技改项目、赤城县白河流域1万亩节水灌溉项目、赤城县黑河源头治理项目、阳原县桑干河流域1万亩节水防渗项目、宣化区羊坊污水处理项目。这7个项目的实施，预计将实现节水1950万m^3，增加北京市入境水量1300万m^3的目标。作为整个区域生态环境合作的补充，子项目为区域合作的全方位开展在内容上和形式上进行了完善和延伸。

3. 北京—张承地区产业发展合作

北京与张承地区产业发展合作表现出明显的梯度性和互补性特征。目前，北京与冀北县市的产业合作主要集中在农产品深加工、基础设施建设、房地产开发、旅游等领域，还有许多领域的合作有待进一步拓宽。

根据新的城市功能定位，北京开始了以首钢外迁为代表的产业转移。目前，北京与张承地区区域产业合作的主要模式是“政府搭台，企业唱戏”。例如，赤城县的沸石开发项目和陶粒生产线等项目就是政府有意识地引导的结果，其中北京市的“推”与承德市的“拉”发挥了同等重要的作用。张承地区具有地域临近、信息灵便、销售渠道通畅等优势，可以向京津提供畜牧、大棚蔬菜、果品、花卉等农产品，具有稳定的销售市场。自2004年承德与北京市开展农业合作以来，双方的各类农业合作项目已达80多个，总投资额超过70亿元，涉及科技、信息、生态、水资源保护、农产品生产加工等多个领域。中小企业在政府的引导下进行产业链延伸，北京一批企业将生产基地转移到周边地区，开始形成研发、营销在京，生产基地在外的地域产业分工格局。北京三元集团相继与张家口、承德两市政府签署《农业经济技术全面合作协议》，联合建设奶源、饲料饲草、有机蔬菜等生产基地，并在河北迁安建设了奶源基地，带动了与周边地区的农业产业化合作；供需双方在合作中各自发挥产地优势与市场优势，在合作中都获得了利益。

二、北京与周边地区区域合作存在的问题

生态环境和产业合作在经过试点后，目前已经进入项目实施阶段，所取得的成效是显著的。但是，北京与张承地区区域一体化程度仍不高。受全国区域管理体制不完善的影响，北京—张承地区生态环境与产业合作存在一系列突出问题：

第一，区域协调机构缺失。虽然在区域合作过程中成立了一些相关机构，但这些机构均是临时性的，没有足够的权威性，而且临时机构所安排的工作程序也不明确。这些问题导致合作项目的信息反馈和调整再实施周期拉长，也造成合作过程中的利益争端无法及时有效地解决。例如在“稻改

旱”项目实施过程中，价格波动引发了补偿金额调整争议。机构缺失拉长了协调周期，严重影响了农民实施“稻改旱”项目的信心和投入力度。

第二，合作项目的前瞻性不足，缺乏统一的规划。生态环境与经济社会是相互影响的，协调人与自然的关系需要有一定的前瞻性。20世纪90年代以来，北京与周边地区在合作过程中制定了一些有针对性的规划，但由于各个规划是由不同的部门制定与实施的，规划与项目之间缺乏必要的协调。一般而言，分散的项目远不如整合后的项目组合对地方的带动作用强。由于生态环境项目具有极强的环境问题针对性，目前的区域合作项目在一定程度上具有“头痛医头，脚痛医脚”的特点，区域环境和产业合作没有一个具有前瞻性的整体规划。

第三，经济与环境项目的衔接不足。张承地区地方政府的财政收入主要来源于矿产资源采选业等初级产业。在这一发展阶段，经济发展与环境保护存在明显的矛盾。生态治理与修复需要大量的资金投入，但资源采选业不可避免地会对生态环境造成破坏。转变经济增长方式以实现经济与生态的良性发展，要求双方合作必须综合考虑经济系统和环境系统，注重经济合作与环境合作项目的衔接与协调。

第四，产业链延伸不够，产业合作项目缺乏前向联系与后向联系，在增进地方经济利益特别是提高居民收入方面的作用不明显。一方面，企业无法充分利用当地相对廉价的劳动力和农产品等优势，实现规模效益；另一方面，一些成功的企业取得了经济收益没有惠及当地居民，这与区域合作的初衷相背离。

第五，区域合作信息收集与服务水平较低，影响了企业跨区域活动。由于缺乏足够、实用的信息，政府在引导企业跨区域合作方面没有充分发挥作用。

三、原因分析

在环境保护方面，区域合作相对于非合作情形应该是帕累托有效率的。为什么在现实中，北京与周边地区的环境保护区域合作收效不明显，而全方位的合作更是步履维艰呢？其原因主要有：

第一，外部性的非对称性。张、承两市是北京重要的水源地和环保屏障，属北京的水源保护和空气净化区域。这种“上风上水”的地理位置使得张承所造成的污染对北京的影响要大于对自身的影响。尤其是在上下游之间，基本上表现为前者对后者的负外部性。外部性的对称程度直接影响行政区间环境保护合作机制设计中的方式选择、执行力和利益成本分配等问题（Mitchell和Keilbach，2001）。

第二，北京周边地区处于欠发达状态，存在大量国家级贫困县，经济发展水平与北京差距巨大。著名的EKC（环境库兹涅茨曲线）表明，环境污染水平和经济发展水平之间呈倒U形关系，即当初始经济发展水平较低的时候，环境污染水平随着经济发展水平的提高先增后减。根据已有的关于中国的经验研究（彭水军、包群，2006），北京大致处于EKC的右半部分，即环境污染水平和经济发展水平呈负相关；而其周边地区则处于EKC的左半部分，即环境污染水平和经济发展水平呈正相关。这是一个处于不同发展阶段的行政区间的环境保护合作问题，需要解决落后地区环境污染和经济发展之间的冲突。

第三，目前不存在一个能够很好统筹和协调两个地区的经济发展和环境保护的区域管理机构。这一级区域管理机构或者职能的缺失，使得两个地区居民福利之和最大化的目标很难实现，地方政府各自为政，在本地区利益最大化的目标下进行经济发展和环境保护的策略选择；另外，这一机构的缺失也就没有了能完成政策制定和监督实施的第三方，而且环境污染水平的评价缺乏一个普遍被接受并具有法律意义上的体系。目前北京和周边地区的环保合作，主要表现为不存在隶属关系的地区间合作。能否实现合作的关键在于该合作是否能够激励相容、自我实施。

另外，由于北京是中国的首都而不是一般的行政区，特殊的地位使得这一区域的环境保护政策变得更加复杂。

如何从环境保护与经济发展两难的困境中走出来，进而在区域层面上实现整体利益的提升。北京市与张承地区在区域生态一体化过程中实际上是“生态环境的利益共同体”。

四、北京—张承地区环境保护区域合作的政策建议及结论

建立生态环境的区域合作机制使处于不同发展阶段的区域有一个提供交流的平台，并实现区域经济一体化和生态一体化。建立区域合作机制旨在维持和增进流域生态服务功能价值，对利益受损或为环境保护作出牺牲的主体进行合理补偿，避免由于单方牺牲而拉大贫富差距引起的不平衡感，并将贫困问题对流域环境保护的负面影响降低到最低程度。

（一）环境保护区域合作机制的构架

北京与周边地区环境保护区域合作机制研究就是要将补偿和合作的形式与内容规范化和制度化。周边地区是生态的保护者和建设者，北京受益于周边地区的付出，处于公平与可持续的角度，二者的责任与义务需通过建立机制来明确。这一机制就是要明确合作中涉及的利益主体、合作方式、合作的空间和时间尺度等问题，并将这些问题规范化、制度化及市场化。在研究北京—张承地区生态环境保护区域合作机制过程中，一个很重要的问题就是流域生态补偿。生态补偿应坚持污染者付费原则（PPP）、使用者付费（UPP）及受益者付费（BPP），基于环境保护的区域经济合作应本着有利于保护地区与受益地区共同发展、保持相对稳定性和持续性以及合理安排空间层次和时间秩序等原则。相应地，本文构建了北京—张承地区生态环境保护区域合作机制的基本框架，包括三个层面：国家、区域、地方层面。国家层面制定和完善相关的法律法规，完善有利于区域利益转移与合作的区域政策，建立流域管理委员会，成立生态环境保护基金；区域层面建立北京—冀北流域管理机构，属于国家级流域管理委员会的分支，组建本流域的环境保护区域合作基金；就地方政府而言，从生态补偿、对口支援和经济合作三个角度，来促进地方和区域的经济发展与生态环境保护。

（二）政策建议

从理论上看，我们可以通过适当的补偿来诱导或者通过制裁来强迫相关地区参与环境领域或进行全面的合作。但是，制裁通常是不合适且无效的，这种制裁对于周边地区环境绩效优秀的企业及本地居民是不公平的（Dasgupta等，2002）。而且在一个国家内部，制裁很难实施。对于北京而言，尽管在政治地位、经济实力上处于强势，但是也很难对周边地区实施可置信的威胁强迫周边地区减少污染排放。补偿机制实际上是一种互利的交易行为，通过重新分配实现的帕累托改进部分的收益，受益地区弥补受损地区的福利损失。所以，无论是从区域和谐还是从效率的角度而言，补偿机制是首选。根据科斯定理，即使不存在强有力的、无所不知的、仁慈的中央计划者，补偿这个重新分配收益的过程肯定是可行的，但是需要满足一系列严格的条件，如信息完全且对称、交易成本为零等（Maler，1990），而且需要一个第三方来监督合同的执行（Barrett，1994）。双方可以选择

纳什（Nash）谈判解或者Shapley值法等方法进行合作利得的分配（Barrett，2005）。综合考虑多方因素，北京与周边地区环境保护的区域合作政策应注意如下几点：

1. 环境保护过程中的短期行为与长期决策

上游生态建设的需求一般来源于对本地区利益的考虑，如果缺乏来自下游的补偿，上游地区则缺少为环境建设投资的激励。下游对上游的补偿很多是通过转移支付来进行的。直接的转移支付可以让上游政府在污染削减途径上有更多的选择余地，但也存在着这样一个问题：上游可能通过暂时的关停企业的方式解决污染问题，而不是关注长期的治污效果。因此，对处于下游地区的北京市来说，转移支付只能是短期行为。之所以称为短期行为，并不是指政策执行年限，而是指这些措施不是解决问题的根本办法。从长期决策角度看，下游地区向上游地区进行转移支付并不是唯一可行的办法，将各种税收汇总的财政收入用于上游的污染补偿缺乏合理的经济基础，更合理的经济来源是下游各用户为水资源的环境价值所支付的使用费以及为污染排放许可所支付的排污费收入。上游地区可以借鉴国际上环境谈判中所使用的“事务关联”方案，通过人力资源、技术以及商业投资的方式换取上游的生态环境上的投入。这一工作应交给区域合作部门来完成。

2. 处理补偿机制、帮扶机制和经济合作机制关系的问题

生态补偿、对口支援和经济合作是北京—张承地区环境区域合作的主要内容。补偿机制、帮扶机制和经济合作机制关系如何处理，直接影响着区域合作的效果。（1）补偿机制是区域合作的基础。张家口与承德处于上风上水的位置，为保护北京市的水环境和空气质量作出了很大牺牲，影响了经济发展的速度。经济基础本身较弱的区域却肩负着保护生态环境的重任，如不进行合理的补偿，环境保护和建设将无从谈起。（2）经济合作是区域合作的根本出路。上游的张承地区矿产资源丰富，许多县市的主导产业是金属与非金属矿采选业。开采和加工矿产资源容易造成水土流失、水源破坏。这些地区发展愿望强烈，禁止区域内的资源开发是不现实的，而只能引导和扶持中上游地区发展替代产业，因地制宜地培育地方经济新的增长点，提升上游地区的产业竞争力，逐步优化地区经济结构体系。鼓励下游受益区的企业到上游生态脆弱区兴办资源环境保护事业。经济合作是解决环境保护“头痛医头，脚痛医脚”弊病的重要措施，是保护北京上游生态环境的根本出路所在。（3）帮扶机制是重要支撑。张承地区的经济发展水平差距很大，建立对口支援关系有助于上游地区解决环境保护的具体问题，能在短时间内提高环境保护的能力以防止环境恶化。因此，在上游水源保护区的经济未发展起来之前，帮扶机制是区域合作的一个重要支撑。北京与张承地区的帮扶机制现在已由纯粹的支援转为对口支援协作、开发式扶贫。随着合作的逐步开展，张承地区的帮扶机制将逐渐被经济合作所替代。

3. 区域合作机构及政策设计力量安排的建议

从许多国家的经验来看，阻碍政策制定的一个普遍因素是环境保护机构或环境区域合作机构及政策设计部门力量的薄弱和资源的缺乏。表现为资金不足，人员配置、培训和实验室及其他设备的配置跟不上。此外，环境保护机构不应该仅仅被看成是环境警察，而且要成为现代可持续技术和技能的来源，因此，除了必要的控制功能之外，信息和技术的传播、研究支持与扩展服务也是政策制定考虑因素中必不可少的。

4. 区际生态补偿中政府与市场关系选择的建议

北京—张承地区环境保护区域合作鉴于流域生态资源的公共物品属性，生态问题的外部性、滞后性及社会矛盾复杂性和社会关系变异性强等因素，由流域区际进行民主协商，采取横向转移支付的方式，可以大大降低组织成本、提高运行效率，因此，准市场模式是现阶段我国具有可行性、可操作性和普遍适用性的流域区际生态补偿模式。准市场的流域区际生态补偿模式，实质上是流域区际共同治理生态环境的动态博弈过程。通过流域区内地方政府间的合作，实现生态保护外部效应的内部化，让生态保护成果的受益地区支付相应的费用，使生态建设地区得到合理回报，这样将有利于克服生态产品消费中“搭便车”现象，是激励公共产品的足额供给和实现生态资本增值的一种经济制度安排。在流域区际生态补偿与合作过程中，能交给企业、市场去做的或者市场有效率的环节尽量交给市场。

（三）主要结论

通过以上分析，本文得出如下结论：（1）北京与张承地区经济发展阶段的差异性，决定了处于不同发展阶段的区域对环境需求的不尽相同，由此产生区域冲突和区域矛盾。（2）生态环境保护区域合作不仅仅是生态环境层面的合作，同时还体现在经济领域全方位的合作。单纯的生态合作不能完全解决张承地区生态环境的根本问题。（3）目前区域合作的形式和内容比较单一和单向，缺乏一套能统筹解决环境问题的机制。（4）北京与其周边地区在环境污染和保护的问题上有三个突出的特点：外部性的非对称性；北京是中国的首都；北京周边地区经济发展水平与北京差距巨大。（5）北京—张承地区生态环境保护区域合作的基本框架包括三个层面：国家、区域、地方层面。（6）补偿机制、对口支援机制和经济合作机制是北京—张承地区环境保护区域合作的三大机制。

【作者简介】吴瑜燕，女，福建龙岩人，中国人民大学区域经济与城市管理研究所博士生。张可云，男，湖南临湘人，经济学博士，中国人民大学区域经济与城市管理研究所教授，博导。

参考文献

[l]Alberto, A. and Charles, P.(2000) “Transboundary Extemalities in the Environmental Transition Hypothesis” Environmental and Resource Economics 17, 353-373.

[2]Barret Scott, (1994a), “Conflict and Cooperation in Managing International Water Resource”, The World Bank Policy Research Department, Policy Research Working Paper，1303.

[3]陈瑞莲, 胡熠. 我国流域区际生态补偿: 依据、模式与机制[EB/OL]. http://cpac.zsu.edu..cn/library.asp:id=549

[4]彭水军, 包群. 经济增长与环境污染——环境库兹涅茨曲线假说的中国检验[J]. 财经问题研究, 2006（8）

[5]托马斯·思德纳. 张蔚文, 黄祖辉译. 环境与自然资源管理的政策工具[M]. 上海: 上海人民出版社, 2005

[6] 杨小凯, 张水生. 新兴古典经济和超边际分析[M]. 北京: 中国人民大学出版社, 2000

[7] 曾文慧. 越界水污染规制——对中国跨行政区流域染污的考察[M]. 上海: 复旦大学出版社, 2007

[8]张可云. 京津冀都市圈合作思路与政府作用重点研究[J]. 地理与地理信息科学, 2004(4)

城市土地价格效应对城市土地集约利用的影响机理研究

王家庭　季凯文

一、引言

作为一种经济景观，城市是社会经济活动空间集聚的结果，是空间经济体系格局的最高表现，是一定地域中各种市场力量相互交织在一起并大规模集中的必然结果。因此，城市经济的本质特征就在于其空间集聚性。集聚经济的存在，促使各种生产和生活活动在城市集聚，最终导致城市土地供不应求，城市土地价格上涨。为了继续获取集聚经济所带来的成本节约等效益，最经济的做法是用非土地投入来替代土地投入，减少城市土地的使用量，增加劳动、资本、技术等要素的投入，提高城市土地利用的集约度。这就是城市土地价格效应对城市土地集约利用影响的最终体现。因此，为了充分揭示城市土地价格效应对城市土地集约的影响机理，本文将从居民和企业这两个角度就城市土地价格上涨如何影响城市土地的集约利用进行具体分析，以便城市土地管理和决策部门充分认识到健全和完善城市土地市场机制的重要性。

二、城市土地集约利用内涵的经济学分析

城市土地集约利用是在特定时段中、特定区域内的一个动态的、相对的概念，它是指在一定的自然、经济、技术和社会条件下，根据城市的定位及发展目标，在满足城市规模发展适度，使城市获得最大规模效益和集聚效益的基础上，以城市合理布局、优化用地结构和可持续发展为前提，通过适度增加存量土地投入、改善经营管理等途径，不断提高城市土地资源利用效率，以期取得良好的经济、社会和生态环境效益。

从经济学的角度来看，城市土地集约利用是在一定区位价值条件下，区别不同的用地性质，实现其城市土地利用的边际社会收益与边际社会成本相等。城市土地集约利用表现为城市土地利用的改进，存在4种改进方法：一是在城市土地利用数量保持不变的情况下，在其他社会福利（如生态、环境等）不变或者提高的同时，单位城市土地的产出增加；二是在城市土地利用数量减少的情况下，在其他社会福利（如生态、环境等）不变或者提高的同时，单位城市土地的产出不变；三是在城市土地利用数量减少的情况下，在其他社会福利（如生态、环境等）不变或者提高的同时，单位城市土地的产出增加；四是尽管城市土地利用数量增加，但是其他社会福利和单位城市土地产出提高的百分比高于城市土地数量增加的百分比。

其中，城市土地利用的社会收益是指城市土地产出的社会价值量。居住用地的社会产出价值量在于居民居住效用（包括居民的满意度、美誉度以及居民的通勤便利程度）；商业用地的社会产出

价值量在于单位土地上企业的资金流；工业用地的社会产出价值量在于单位土地上企业的产值。城市土地利用的社会成本是指城市土地利用时发生的成本，包括经济成本及其他非经济成本（如外部成本等）。经济成本主要是指独立的经济利益个体由于其影响单位城市土地产出最大化的土地利用行为所产生的成本。而外部成本则主要是指由于经济利益个体的影响社会福利最大化的土地利用行为而产生的成本，主要包括对生态、环境等的影响而产生的成本。

三、城市土地价格效应对城市土地集约利用的影响机理

按照西方经济学的一般原理，任何一种经济活动都需要投入多种要素，而每一种要素的投入量都与其价格紧密相关。一般来说，当一种要素的价格相对较高时，其投入量就较小。随着城市化的快速发展，城市某一特定区域的土地需求上升，而城市土地的供给是完全无弹性的，因此，由城市土地供求关系决定的城市土地均衡价格相应上升。根据经济学基本原理，城市土地价格的上涨可以促使城市土地使用者减少土地的使用量，进而促进城市土地的集约利用。下面将就城市土地价格效应如何影响城市土地集约利用展开分析。

从城市土地的角度来讲，可以将“经济人”分为城市土地的供给者和使用者两种。城市土地供给者是政府，他们负责为城市土地市场提供土地，同时也起着引导人们集约利用城市土地的作用。城市土地的使用者包括居民和企业两种，他们会对城市土地价格的变化作出最直接的反映。因此，笔者从居民和企业这两个角度来分析城市土地价格效应对城市土地集约利用的影响机理。

（一）居民的角度

一种商品价格变动所引起的该商品需求量变动的总效应可以被分解为替代效应和收入效应两个部分，即价格变动的总效应 = 替代效应+收入效应。其中，由于商品的价格变动所引起的实际收入水平变动，进而由此引起的商品需求量的变动为收入效应；由商品的价格变动所引起的商品相对价格的变动，进而由商品的相对价格变化所引起的商品需求量的变动为替代效应。收入效应表示消费者的效用水平发生的变化，替代效应则不改变消费者的效用水平。

居民关于土地的行为对城市土地集约利用与否起着十分重要的作用。土地价格上升就会产生价格效应，即在非土地消费品价格不变的情况下，土地价格的变化将引起居民消费均衡的变化。此价格效应又可以分解为替代效应和收入效应。由两种消费品之间交换比率的变化所引起的需求变化为替代效应；由具有更高的购买力而引起的需求变化为收入效应。为了详细考察居民要素替代对城市土地集约利用的影响，必须对这两种效应进行更为具体的分析。所采用的方法是把价格的变动划分为两个步骤：第一步，相对价格发生变动，同时调整货币收入使购买力保持不变；第二步，对购买力进行调整，同时使相对价格保持不变。即当居民收入保持不变而土地消费价格发生变动时，预算线绕纵轴转动。我们把这种调整看做两个阶段：首先是转动，即预算线绕最初选择的需求束转动；然后是移动，即这条转动的线移动到新的需求束上。

对此作出了最好的说明。这里土地消费价格由P_1上升到P_1'，这意味着预算线绕纵截距M/P_2转动并变得更加陡峭。我们可以把预算线的这种变动分为两步：第一步是预算线绕着原需求束转动；第二步是转动后的预算线向外移动到新的需求束上。首先分析替代效应（这里的替代效应指的是斯勒茨基替代效应。也可以运用希克斯替代效应进行分析，其分析过程与方法与斯勒茨基替代效应相同。为了简便起见，本文只选取了斯勒茨基替代效应进行分析。）在图1中，当城市土地消费价格

为P_1时，无差异曲线与预算线的切点为X，效用水平为U_1，对土地的消费量为X_1。当城市土地消费的价格上升到P_1'（$P_1'>P_1$）时，新的均衡点为Z，效用水平为U_3，对土地的消费量为X_1'。设M′表示恰好能使原先的消费束X支付得起的货币量，这也是转动后的预算线所代表的货币收入量。既然消费束X按照（P_1，P_2，M）和（P_1'，P_2，M′）都恰好能支付得起，因此有：

$M' = P_1'X_1+P_2X_2$

$M=P_1X_1+P_2X_2$

$M'-M=X_1(P_1'-P_1)$

令$\Delta M=M'-M$，$\Delta P=P_1'-P_1$则$\Delta M=X_1\Delta P$

图1　城市土地价格效应对城市土地集约利用的影响机理

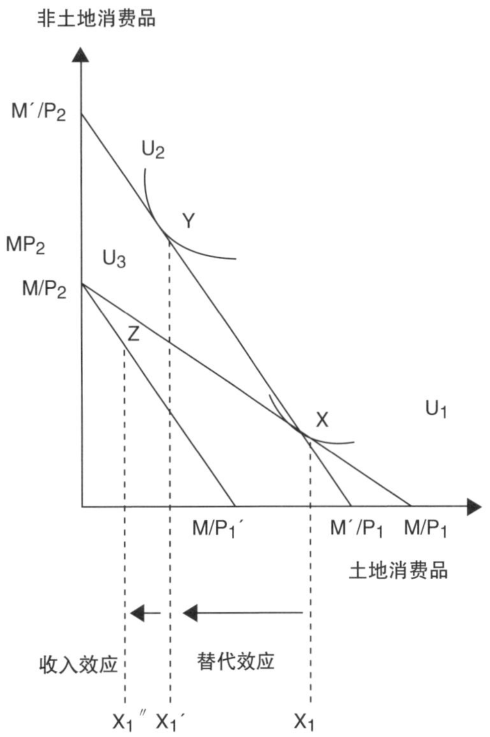

这个方程表明，为了使原先的消费束按照新的价格仍然支付得起，货币收入必须作出的变动恰好等于土地的消费量与价格变动量的乘积。当城市土地消费价格提高时，必须提高收入才能支付得起原先的消费束X。即：当土地消费价格提高时，为了保持购买力不变，就必须提高消费者的收入。

转动后的预算线是按照新的价格组合（P_1'，P_2），收入变动ΔM的预算线。尽管消费束X仍然是支付得起的，但是通常，它并非转动后的预算线上的最佳消费组合。如图1，用Y表示转动后的预算线上的最佳消费组合。这个消费束就是在城市土地消费价格提高时，调整货币收入以使原先的消费束X仍然支付得起之后的最佳消费束。从消费束X到Y的移动就是替代效应，它指的是当城市土地消费价格提高，但是购买力保持不变时，消费者如何用非土地消费来代替土地消费的情况。更确切地说，替代效应ΔX_1^S衡量的是在城市土地消费的价格由P_1提高到P_1'时，同时货币收入由M提高到M′时，城市土地消费量所发生的变化，即：$\Delta X_1^S=X_1'-X_1$。

由于$X_1'<X_1$，则$\Delta X_1^S<0$，因此，由上式可知，由于城市土地消费价格提高，相对来说非土地消费价格就下降，于是人们就会用非土地消费品来代替土地消费品，并且其替代效应与价格变动的方向相反：如果城市土地消费品的价格上升，那么由替代效应所引起的需求就会下降。

现在转向价格调整的第二阶段——移动。预算线的平行移动是在相对价格保持不变时发生的移动。因此，价格调整的第二阶段就是收入效应。使消费者的收入从M′下降到M，并使价格组合保持在（P_1'，P_2）上不变。在图1中，这种变化使消费束从Y移动至Z。从消费束Y到Z的移动就是收入效应。更确切地说，收入效应ΔX_1^n衡量的是在城市土地消费的价格保持在P_1'上不变时，同时货币收入由M′下降到M时，城市土地消费量所发生的变化，即：$\Delta X_1^n=X_1''-X_1'$。

在这里，假设城市土地消费品是一种正常商品，即其消费量与消费者收入呈正方向的变动关系。因此，当货币收入由M′下降到M时，其消费量就由X_1'下降到X_1''，则$\Delta X_1^n<0$，即：收入效应与价格变动的方向相反。

价格变动的总效应：$\Delta X_1 = \Delta X_1^s + \Delta X_1^n$

因此，通过居民的要素替代可以大大节约城市土地使用量，提高土地的集约利用水平。如果没有要素替代，则居民在城市的任何地方均可以使用同样的土地量，从而造成各个地方的人口分布呈现一种均质性。而一旦发生要素替代，距离市中心越近，土地价格越高。在一定的收入约束下，居民总是会减少土地消费量，增加非土地消费量。由于要素替代，越接近市中心，单位面积土地上的非土地消费越多，居住面积越大，单位土地利用强度越大。总之，要素替代可以大大促进城市土地集约利用。

（二）企业的角度

企业作为现代经济活动的主体之一，在城市经济中起着十分重要的作用。为了进行正常的生产经营活动，企业必须投入包括土地在内的多种生产要素。为了便于分析，将企业的所有投入划分为土地投入和非土地投入，其中非土地投入包括劳动、资本、技术等。当城市土地价格较高时，其他要素的价格就相对较低，从而其他要素投入对土地就有较高的替代率，即土地投入将减少，而非土地投入将增加。

由替代原理可知，不同要素之间的替代受它们价格的影响。因此，不同价格条件下，土地投入与非土地投入之间的替代关系是不一样的。为了简单起见，假设非土地投入的价格不变，同时假设等成本线为直线。当土地价格升高时，其他要素对土地的替代率就会增加。所以，随着城市土地价格的升高，企业会用其他非土地投入来替代土地的投入，从而减少城市土地的使用量，提高城市土地集约利用程度。

图2 典型企业的生产均衡（不考虑土地投入）

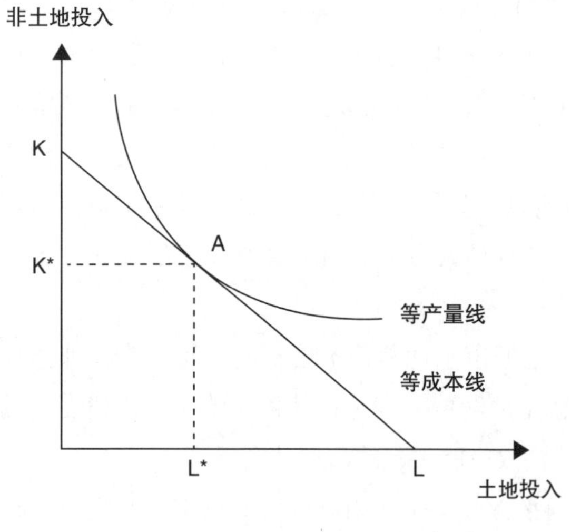

图3 典型企业的生产均衡(考虑土地投入)

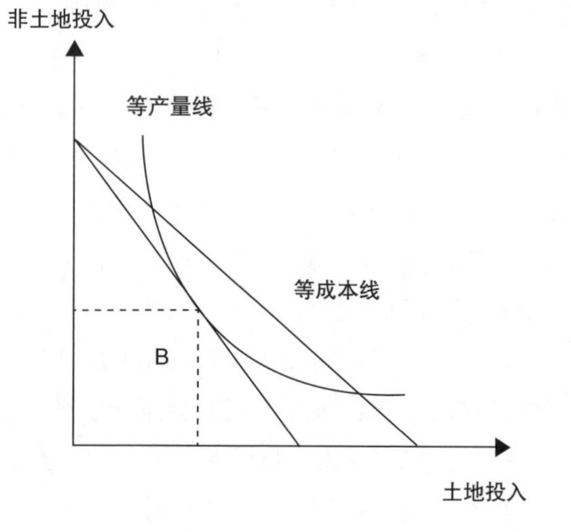

假设企业在非土地投入上实现了资源的最佳配置（如图2）。并且企业在土地使用上存在粗放利用，即企业在土地投入与非土地投入上未达到最佳配置。结合图2和图3，尽管企业实现了非土地投入的最佳组合，但是由于土地粗放利用的存在，非土地投入与土地投资之间未达到最佳组合，在图形上表现为等产量线与等成本线相切，只有当等产量线和等成本线相切时，土地投入与非土地投入达到最佳组合。当城市土地价格提高时，则等成本线会绕着其纵轴截距向内旋转。当其旋转至图

3中B点时，等产量线与等成本线相切，此时实现了土地投入和非土地投入的最佳组合，同时非土地投入的数量也提高了。

随着城市经济的发展，城市土地资源的价值不断提升，同时土地上的资本、劳动和技术等投入的数量也不断增加，企业用非土地投入替代土地投入的现象不断增多，城市土地集约利用的空间日益扩大，城市土地集约利用潜力不断提高。

四、结论与建议

随着城市的不断发展以及城市化进程的不断加快，同时受城市土地供求关系的影响，城市土地价格会呈现一个不断上升的趋势。从居民的角度来讲，城市土地价格上涨可以通过替代效应和收入效应来促进城市土地的集约利用；从企业的角度来讲，随着城市土地价格的升高，企业会用其他非土地投入来替代土地投入，从而减少城市土地的使用量，提高城市土地集约利用程度。但是这一切必须以合理的城市土地价格为前提，而完善的城市土地市场有利于形成合理的城市土地价格。因此，建立完善的城市土地市场对于促进城市土地集约利用具有重要的意义。完善土地市场机制，实现城市土地的集约利用，必须注意以下几个方面：

1. 明晰产权，降低土地转让成本，促进城市土地资源的有效流转。

理顺产权关系是市场经济发展的一个前提条件。因此，为了发展和完善城市土地市场，必须建立国有土地使用权流转制度，界定城市土地交易中的产权关系。建立国有土地使用权流转制度的中心任务是在明确界定土地产权关系的基础上，建立和完善土地使用权的有偿转让制度，降低土地转让成本和提高土地保有成本，消除城市土地资源因闲置或利用不充分而造成的浪费。

2. 充分引入市场竞争机制，盘活城市存量土地。

城市土地作为一种生产要素，应自发地参与市场经济的流转，通过市场的竞争机制实现城市土地资源的合理配置；调整和调节城市发展中供给与需求的关系。因此，必须在当前城市土地市场中充分引入市场竞争机制，通过市场竞争机制调整高效率和低效率用途用地的位置关系，提高土地整体使用效率，促进城市土地的集约利用。

3. 建立有效的城市土地管理机制，加强对城市土地市场的有效监管。

由于城市土地市场中信息不对称等因素的存在，城市土地市场会出现“失灵”的情况，从而不利于城市土地市场机制作用的发挥。城市土地市场机制作用的发挥必须以良好的城市土地市场环境和市场秩序为前提。因此，必须建立一个有效的城市土地管理机制，加强对城市土地市场的有效监管，维护城市土地市场秩序，创造一个良好的城市土地市场环境，进而充分发挥城市土地市场机制的作用，促进城市土地的集约利用。

4. 加强中介服务机构的培育和管理。

我国当前城市土地市场发育不完善、中介机构不健全、信息不灵通或存在严重扭曲的情况，可能导致资源的盲目配置，造成城市土地资源配置结构失调，供需关系不平衡，从而进一步导致城市土地市场的无序和不健康发展。因此城市土地市场的健康发展，除了有一个有效的土地管理体制和运行机制以外，还需要一个与之相适应的健全的中介机构。

【作者简介】王家庭，南开大学中国城市与区域经济研究中心副教授，经济学博士，硕士生导师，主要从事城市与区域经济、土地与房地产经济等方面研究；季凯文，南开大学中国城市与区城经济研究中心硕士研究生，主要从事城市与区域经济、土地与房地产经济等方面研究。

参考文献

[1]伊利, 莫尔豪斯, 滕维藻译. 土地经济学原理[M]. 北京: 商务印书馆, 1982

[2]周诚. 土地经济学[M]. 北京: 农业出版社, 1989

[3]范里安, 费方城译. 微观经济学: 现代观点[M]. 上海: 上海三联书店, 上海人民出版社, 1999

[4]蔡孝箴. 城市经济学[M]. 天津: 南开大学出版社, 1998

[5]江曼琦. 聚集效应与城市空间结构的形成与演变[J]. 天津社会科学, 2001,4

[6]何芳. 城市土地集约利用及其潜力评价[M]. 上海: 同济大学出版社, 2003

[7]靳共元, 陈建设. 中国城市土地使用制度探索[M]. 北京: 中国财政经济出版社, 2003

[8]谭术魁. 中国城市土地市场经营研究[M]. 北京: 中国经济出版社, 2001

[9]陶志红. 城市土地集约利用几个基本问题的探讨[J]. 中国土地科学, 2000,14

[10]董黎明, 袁利平. 集约利用土地——21世纪中国城市土地利用的重大方向[J]. 中国土地科学, 2000,14

[11]孙本良. 发挥政府调控职能——城市土地集约利用面面观[J]. 理论探讨, 2003,11

全国城市经济研究机构汇编 >>>

本章以行政区划为序。

中国城市经济学会

一、学会简介

中国城市经济学会(CHINA SOCIETY OF URBAN ECONOMY)，是中国城市经济领域的全国权威性学术团体。1986年5月在上海正式成立，第一、二、三届会长汪道涵，第四届会长周道炯、第一副会长王茂林。第一届名誉会长王任重，第二届名誉会长费孝通，第三届名誉会长李铁映，第四届名誉会长李铁映、汪道涵。荣誉顾问费孝通、顾秀莲。学会经中华人民共和国民政部登记注册，主管单位为中国社会科学院。在第一届学会成立年会上，时任上海市市长的江泽民同志出任本会顾问。在1991年第二届年会上，时任国务院副总理的朱镕基同志到会接见与会代表，并做了“关于城市经济发展与城市建设”的重要讲话。

（一）学会的宗旨

开展城市经济理论前瞻性理论研究，总结城市发展经济经验，传播城市现代化建设信息，推动全国学术研究成果交流，繁荣城市经济，促进城市发展。学会的学术研究包括城市经济、城市建设、城市管理、城市化进程等多个领域。如城市发展战略、城市规划布局、产业结构调整、城市基础设施、区域经济与城市、城市科技文化及城市交通、环境、房地产、企业发展、土地利用等。

（二）学会的组织结构

学会理事由三部分组成：一是在任或离任的城市领导干部；二是专家学者；三是热衷于城市经济研究的知名企业家。

学会有广泛的团体会员和个人会员，其中包括：直辖市、副省级市、地级市、县级市(县)的市(县)长和职能部门的领导人员，中央有关部委的领导干部；重点科研院所、大专院校的知名专家、学者、教授；会员中还有一批知名企业家。学会的学术活动有这三方面的成员参加，更具有群众性、权威性、指导性和可操作性。

（三）学会的经常性工作

1. 作为全国性学会，针对城市经济改革和发展中的重大理论和实践问题，特别是热点、难点问题，动员和组织会员及相关专家、学者进行深入的研究，提出研究报告、政策建议或出版专著。在此基础上进行学术研讨和交流，以推动城市改革和经济的发展。学会还组织全国性经济研究成果评选、城市经济干部专业培训等活动。

2. 本着发展城市、服务城市的宗旨，学会凭借雄厚的智力资源优势和健全的组织网络，为各城市提供发展战略、发展规划、基础设施、房地产业、土地利用、功能定位、结构调整、环境治理、文化产业、企业发展等项目的研究和咨询，直接为城市和企业的发展管理服务。

二、学会领导

学会创始人，第一、二、三届会长汪道涵

名誉会长	李铁映 汪道涵
荣誉顾问	费孝通 顾秀莲
顾　　问	刘国光 陈光键 王洛林 陈佳贵 王先进 蔡孝箴 吴树青 苏文川 韩恩甲
会　　长	周道炯
第一副会长	王茂林
名誉副会长	程安东 王梦奎 汪光焘 王德惠 李德水 柯茂盛 林　凌 靳善中 王荣轩 王守海 李荣怀
副 会 长	周干峙 高尚全 龙永枢 夏克强 李春涛 黎子流 张卓元 李京文 杨重光 罗海藩 万良适 林兆木 饶会林 牛凤瑞 刘维新 李光荣 宋志平 杜复新 梅俊林
秘 书 长	张巨功

三、历年年会

1986年5月	中国·上海	中国城市经济学会成立大会
1992年5月	山西·太原	中国城市经济学会第二届年会暨山西省城市经济学会年会
1999年12月	江苏·南京	中国城市经济学会第三次会员代表大会暨理论研讨会
2003年9月	山西·太原	中国城市经济学会第四届年会暨中国城市经济发展研讨会
2004年10月	山西·晋城	全国小城镇高峰论坛暨《中国城市经济》创刊五周年庆典
2005年6月	北京·顺义	2005品牌战略高层论坛
2005年8月	内蒙古·包头	城市经济与能源(电力)发展高层论坛
2006年9月	中国·上海	中国城市经济学会成立二十周年庆典暨中国城市持续、协调、科学发展高层论坛
2007年9月	山西·大同	大同市科学发展·战略转型高层论坛暨2007年中国城市经济学会年会
2008年12月	河北·霸州	促进城乡一体化发展(霸州)高层论坛暨中国城市经济学会2008年会
2009年12月	湖南·耒阳	中国城市经济科学发展(耒阳)论坛暨2009年中国城市经济学会年会

四、联系方式

地址：北京市朝阳区望京西路48号金隅国际D座901

邮编：100102

电话（传真）：010-82563039

曾庆红、李铁映出席中国城市经济学会成立大会（1986年）

国家领导人朱镕基出席中国城市经济学会第二届年会（1992年）

国家领导人费孝通出席中国城市经济学会第三次会员代表大会（1999年）

国家领导人李铁映与会长周道炯出席中国城市经济学会第四届年会（2003年）

1986年在上海举行中国城市经济学会成立大会

1992年5月在山西太原举行中国城市经济学会第二届年会

1999年12月在江苏南京举行中国城市经济学会第三次会员代表大会

2003年9月在山西太原举行中国城市经济学会第四届年会

《中国城市经济》杂志

《中国城市经济》是经国家新闻出版总署批准的国内外公开发行的一本研究城市经济前沿课题、展示城市经济最新成就的国家级重要经济类期刊，由中国社会科学院主管、中国城市经济学会主办，拥有全国二百八十八位城市市长顾问平台。《中国城市经济》是交流城市发展经验的平台、研究城市经济理论的纽带、开展城市经济合作的桥梁和服务市长工作的参谋。

《中国城市经济》的读者群体明确定位于城市政策的制定者、城市发展的决策者、城市理论的研究者、城市管理的实践者、城市建设的投资者。杂志受众覆盖到中国655座城市的党政领导，以及全国各省市党委、政府政策研究部门的专家，党校、行政学院的学者，著名高等院校、科研院所经济学科的教授。

组织机构

主 管：中国社会科学院

主 办：中国城市经济学会

联 办：北京特华财经研究所

高级顾问：

李铁映　王茂林　周道炯　王梦奎　李　灏　刘国光　刘济民　王洛林

陈佳贵　周干峙　张卓元　李京文　林　凌　黎子流　王荣轩　王守海

编委会主任：龙永枢

编委会副主任：杨重光　王　力

社长：张巨功

主编：杨重光

副社长：张国才　李　东　王　琦　司　汉

副主编：王利公　倪鹏飞　赵　弘　韩建军

联系方式：

地址：北京市朝阳区望京西路48号金隅国际D座901

邮编：100102

电话（传真）：010-82563039

电子邮件：cityeconomy@126.com

本刊网址：www.cuew.com

寄语《中国城市经济》

第十届全国人大常委会副委员长 李铁映

《中国城市经济》要面向城市经济的实际，多登实际的东西。要抓重大课题，要登重要研究成果。要把市长们正在做的事情反映出来。要多给市长们提供信息，多登一些典型城市的动态，多宣传一些工作做得好的城市。《中国城市经济》是办给读者特别是市长看的、不是办给办刊人员自己看的，一定要办活，要有信息性、参考性、实证性，对城市经济工作真正起到咨询指导作用。

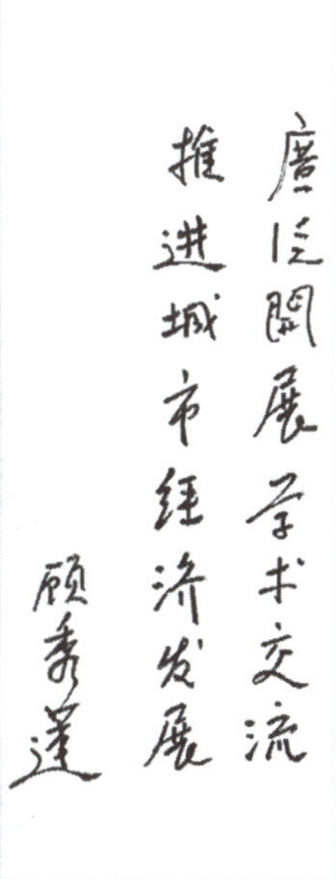

推动中国城市经济又好又快地发展

第十届全国人大常委会副委员长 顾秀莲

中国国土辽阔，城市比较多，而且城市情况差异很大，又有直辖市，又有中等城市，还有小城市，城市研究的内容是非常丰富的——既有经济范畴，又有社会范畴，还有人文范畴，所以这是一条非常重要的战线。特别是有这样一个学会来分析中国城市经济的建设是非常有意义的，你们的杂志报道了很多有分量的文章，我通过阅读杂志，了解了改革开放以来的城市发展、城市建设的情况。

沟通国内与国际间的桥梁

2008年11月1日，中国城市经济学会第一副会长王茂林（右一）在学会秘书长张巨功（左一）的陪同下，会见了美国前国务卿基辛格博士（中）。当王茂林副会长介绍学会主要研究城市经济理论与实践中的焦点、热点和难点问题，学会还有自己的刊物《中国城市经济》杂志时，基辛格博士随即拿起了一本《中国城市经济》翻阅浏览。最后，还在一本2008年第8期《中国城市经济》杂志上欣然签名留念。

中国城市经济
CHINA URBAN ECONOMY

国际标准刊号：ISSN/1008-9721　国内统一刊号：CN11-4085/F　邮发代号：2-549

权威性　理论性　典型性　实用性

- 赠送党和国家领导同志参阅期刊
- 赠送各部委、各省、自治区、直辖市党政领导同志参阅期刊
- 中国城市县区党政领导同志必备期刊
- 中国城市开发区领导同志必阅期刊
- 财经界领导人、专家学者和企业家必阅期刊

《中国城市经济》编委会主任　龙永枢

《中国城市经济》杂志社社长　张巨功

《中国城市经济》杂志社主编　杨重光

亲切的关怀　巨大的支持

《中国城市经济》杂志“权威性、理论性、典型性、实用性”的办刊特色，受到各级党政领导同志和社会各界的广泛赞誉，是党和国家领导同志的参阅期刊之一。《中国城市经济》创刊后，得到党和国家领导人的亲切关怀，贾庆林、贺国强、周永康、刘淇、刘云山、张高丽、张德江、俞正声、李铁映、成思危、蒋正华、顾秀莲、陈锦华、王文元、徐匡迪等多位领导人在《中国城市经济》撰稿发表文章，以及400多位城市的书记、市长（含副市长）在本刊发表了文章。

中国城市经济网：www.cuew.com

北京市城市经济学会

一、学会简介

北京市城市经济学会于1981年成立。第一届会长吴大坤，第二届会长周永源，第三届会长邹祖烨，本届会长曹学坤。

北京市城市经济学会是由从事城市经济、城市管理、城市经营和研究机构、高等学府的相关专家、学者、优秀企业家及有影响的社会人士，自愿结成，依法核准登记的非营利性、学术性、具有法人资格的社会团体。

主管单位：北京市社会科学界联合会，北京市发展改革委员会。

北京市城市经济学会是中国城市经济学会的团体会员。学会年龄结构为“老、中、青”三结合，以中年为主。

（一）学会宗旨

贯彻改革开放精神，落实科学发展观，遵守法律、法规和国家政策；坚持理论联系实际，团结凝聚专家、学者、企业家，与相关业务机构紧密协作，积极开展城市经济前瞻性理论研究和学术交流，促进城市经济的可持续发展。

（二）学会任务

（1）紧密团结专家、学者、企业界和政府相关机构，相互沟通、相互促进，重点对城市、区域、产业发展、城市科技发展、企业发展战略等相关政策进行研究。

（2）组织学术会议，专题研究，社会调查、咨询服务、专业培训，会议组织等活动，开展城市经济前瞻性理论研究和学术交流。

（3）编辑出版书刊、决策参考等。

二、学会领导

会长：曹学坤（北京市政府原副秘书长、北京市物资总公司董事长）

常务副会长：武力（中国食品工业投资管理有限公司董事长）

秘书长：刘春英

三、联系方式

地址：北京市西城区二七剧场路5号

邮编：100045

电话：68010265

信箱：csjjxh@sina.com

山西省城市经济学会

一、学会简介

山西省城市经济学会是山西省城市经济领域具有权威性的民间学术团体。1990年6月在太原成立，第一届会长王茂林，第二届会长孙文盛，第三、四届会长万良适，在山西省民政厅登记注册，曾多次被评为山西省优秀学会。

（一）学会宗旨

积极开展城市经济理论与实践问题研究，总结山西城市经济发展经验，传播现代城市建设信息，推动城市学术研究成果交流，繁荣城市经济理论研究，促进城市经济社会发展。学会的学术研究包括城市经济发展、规划、建设、运营、管理以及城镇化进程等多个领域。

（二）学会的组织机构

学会有广泛的团体会员和个人会员，包括有关部门省辖市、县级市的市长主要负责人及其有关部门的领导，重点科研院所，大专院校的知名专家、学者、教授、还有一批知名企业家。

二、学会领导

会长：万良适

常务副会长：吴德春、许一友、袁纶华

秘书长：加年丰

三、联系方式

联系人：刘智荣

地址：太原市南内环街413号太原市政协

邮编：030084

电话：13835107659

0351-7241934

0351-5633010

大连市城市经济学会

一、学会简介

（一）学会性质与构成

大连市城市经济学会是于1994年1月成立的民间学术团体，由热心于城市经济问题研究的各方面人士结合而成。现有团体会员21个，个人会员76人。会员基本是来自于大专院校、科研机构的专家学者；政府及其各职能管理部门的领导和专家；企业家以及各种城市基层单位的有识之士。目前，学会正着手建立一个“学、官、企、事、媒”“联姻”的新型学术组织。

（二）学会宗旨与任务

大连市城市经济学会的基本宗旨是促进具有中国特色的社会主义城市经济的发展，推动城市经济理论的进步。为此，一方面，组织会员和社会力量开展城市经济理论研究，解决城市经济发展中存在的问题，为有关部门科学决策提供咨询服务；另一方面，广泛开展城市经济学知识的理论宣传活动，普及城市化规律，提高城市经济管理人员的工作素质。

学会的主要工作任务是：（1）组织会员面向社会，调查研究，提供咨询，为政府部门决策服务；（2）组织会员协作攻关，配合经济体制改革和城市发展实践，进行专题研究，推进城市经济学科的新发展；（3）与国内外学术团体建立联系与合作，组织学术交流，探讨学术观点，广泛传播城市经济学思想；（4）积极发展会员，培养科研骨干队伍，调整会员结构，壮大学术力量，增加人们的城市经济学方面的人力资本。

（三）近五年来学会的主要工作

致力于城市经济前沿问题研究，为发展具有中国特色的城市经济理论体系作出贡献。大连市城市经济学会先后数次承办主办了各层级学术研讨会。其中由中国城市经济学会学科建设专业委员会主办，东北财经大学、大连市政府经济研究中心承办的“中国城市经济理论前沿课题研讨会”，反响强烈，为城市经济前沿问题研究提高广阔平台，为学者交流提供桥梁。另外，学会联合东北财经大学公共管理学院举办多次学术交流活动，先后邀请美国、日本学者、国内知名学者到东北财经大学进行学术交流，促进对于前沿问题的研究。

围绕城市发展的主题和中心任务，组织了专门性课题研究。在全国城市化和振兴东北老工业基地的发展中，针对城市发展过程中遇到的重大问题，学会动员了专家学者组成课题组有针对性地开展了12项专题研究。所选课题基本上包括了城市发展中急需探索和解决的重大问题，它们涉及城市功能和性质、区域城市化、港口发展、产业结构、外向性经济、招商引资、私营经济的发展、法制建设、物价、社会保险、金融、财政、交通等各个领域。在几乎没有课题经费的情况下，学会自筹资金，克服了各种困难，保证课题研究的顺利进行。其中 6 个重点课题按质按期按量完成，这些课题有的呈报各城市有关部门，引起了重视，有的已被采纳，取得了较好的经济效益和社会效益。

配合国家经济体制改革，结合城市发展的实践，开展学术研讨活动，取得丰硕成果。近年来先后组织了全国性的城市经济研讨会，本市内的学术研讨会，组织部分会员进行笔谈和专题座谈会。就如何建设国际性城市、发挥大连市在中国东北地区的“龙头”作用、如何促进大连市可持续发展战略的实施等城市经济体制改革中出现的新课题进行了认真而广泛的讨论。所进行的会议得到社会好评。学会就城市经济学的前沿理论问题，城市文化问题，东北老工业基地建设问题，承办了区域性的理论研讨会。通过学术研讨活动，推动了城市经济基础理论的研究，提高了会员的学术水平，并且一些有益的研究成果和学术思想反馈给政府及相关部门，为政府部门决策起了很好的参考作用。

二、学会领导

会长：韩增林（辽宁师范大学副校长，教授、博士生导师）

常务副会长：张军涛（东北财经大学公共管理学院院长，教授、博士生导师）

秘书长：王雅莉（东北财经大学公共管理学院教授、博士生导师）

三、联系方式

地址：辽宁省大连市沙河口区尖山街217号

邮编：116023

电话：0411-84710058

江苏省城市经济学会

一、学会简介

江苏省城市经济学会（以下简称学会）成立于1993年8月。会长为江苏省人民政府研究室原副主任、江苏省城市发展研究院院长张锋教授，现任秘书长为江苏省社科院张卫研究员。学会挂靠江苏省人民政府研究室。

学会围绕江苏城市发展中的现实问题，开展了一系列的学术活动。

2003年8月，学会所办的省城发院与南京市政府、省发改委、南京财经大学、中国社科院城市发展与环境研究中心、中科院南京分院联合主办了“第三届城市发展论坛——南京都市圈互动发展研讨会”，会议形成的“关于推进南京都市圈互动发展的专家建议”得到了江苏省委李源潮书记的重视，作了“支持”的重要批示。

2003 年10月，学会所办省城发院与仪征市人民政府联办了“沿江开发与仪征跨越式发展研讨会”。

2004年5月，为迎接省委、省政府召开全省城市工作会议，学会举行了“江苏城市化战略和城市化进程的现状与对策”的专题座谈会。

2004年11月，学会和省城发院、省发改委、省建设厅、省国土厅联办了“第六届江苏城市发展论坛——江苏沿江市区农村城市化研讨会”。

2005年5 月，学会举行了“建设和谐城市理论与实践研讨会”。

2005年8 月，学会所办省城发院与省信息产业厅、连云港人民政府联办了 “第五届江苏城市发展论坛暨投融资环境”为主题的研讨会，就推进东陇海线产业建设进行研究探讨。

2005年12月，学会与省城发院、中国社科院城市发展与环境研究中心、中国环境科学研究院、国家环保总局南京环境科学研究所、省经贸委、省环保厅、省发改委、省建设厅联办了“2005中国生态城市建设高层论坛暨第六届江苏城市发展论坛——生态城市与循环经济研讨会”，会议通过并发表了“中国生态城市建设南京宣言”。

2006年2月，在学会召开的第三次会员代表大会上，举行了“提升江苏城市化水平学术研讨会”。

2006年7月，学会与省城发院、省发改委、无锡市人民政府、中国城市经济学会联办了“2006中国城市可持续发展高层论坛暨第七届江苏城市发展论坛——城市可持续发展的目标与途径高层研讨会”，会上发表了“长三角16城市可持续发展评价”，通过了“中国城市可持续发展无锡共识”，向沪、浙、苏三省市省委、省政府、国家发改委、科技部、建设部、中英政策研究室、国务院研究室报送了“关于把长三角城市群建设成我国城市可持续发展示范区”的专家建议。

二、学会领导

会长：张锋（江苏省城市发展研究院院长，城市经济学会长江三角洲城市发展研究中心主任、研究员）

秘书长：张卫

三、联系方式

地址：南京市中山东路300号长发中心A幢2层A座江苏省城市发展研究院办公室

邮编：210002

电话：025-83704779

安徽省城市经济学会

一、学会简介

安徽省城市经济学会成立于2007年9月8日，是由安徽省城市经济理论研究和实际工作者自愿结合组成的，是经安徽省民政厅核准登记的学术性、非营利性社会团体法人，是安徽省乃至全国城市经济学研究与实践的重要社会力量。学会遵循“百花齐放，百家争鸣”的方针，搭建政、产、学、研交流合作的平台，为繁荣安徽省城市经济学研究，推动理论研究与实践相结合，服务安徽省地方经济建设和社会发展做贡献。

学会以发展单位会员为主，目前共有单位会员34个，个人会员120余名。安徽省人大常委会副主任朱先发同志任名誉会长，安徽省委宣传部副部长、安徽省社会科学界联合会主席黄传新研究员任会长。学会秘书处设在安徽省唯一综合财经院校——安徽财经大学。

学会成立以来，致力于安徽城市和县域经济研究。从2007年开始，学会连续研制并发布四届《安徽县域经济竞争力报告》，把为地方经济和社会发展服务落到实处。2010年3月20日，学会成功举办首届“安徽省县域经济高峰论坛”，在全省范围内引起强烈反响，收效显著。

目前，学会与8市、县达成“十二五”规划和专项规划编制合作事宜，并在决策咨询、吸纳会员、人才培养做了扎实工作。加强与中国城市经济学会、兄弟省（市）城市经济和其他专业交流，力争把学会锻造成安徽省经济和社会发展的民间智库。

二、学会领导

会长：黄传新（现任中共安徽省委宣传部副部长、安徽省社会科学界联合会主席、安徽财经大学教授）

秘书长：周加来（原安徽财经大学经济学院院长、现安徽财经大学副校长、安徽城市经济学会常务副会长）

三、联系方式

地址：安徽省蚌埠市宏业路255号

邮编：233041

电话：0552-3116066

山东省城市经济学会

一、学会简介

山东省城市经济学会经山东省民政厅批准成立，属山东省一级社团，业务主管单位为山东省社会科学界联合会。在筹备之初，学会得到了中国城市经济学会、山东省有关部门有力支持。原省委副书记王修智、原省人大常委会副主任王道玉、原省政协副主席李殿魁多次召集发起人，研究有关问题，并担任学会名誉会长。学会是由山东省城市经济理论研究和实践工作者自愿组成的，学术性、非营利性社会团体法人，遵循“百花齐放，百家争鸣”的方针，着力培养和挖掘人才，繁荣山东省城市经济研究，服务山东省城市经济建设和社会发展。

（一）学会宗旨

整合多种资源，立足山东，服务各级政府决策，服务城市发展，为政府和企业提供各类高端智力服务。以学术研究推动城市建设和管理，促进城市经济发展。为山东发展献智献策献力，为国家发展献智献策献力，为中华民族复兴献智献策献力，创办省内一流学术类社会团体，打造知名智库机构。

（二）研究方向

1. 国家创新型城市建设研究。

2. 发展循环经济节能减排建设和谐城市研究。

3. 城市发展战略（包括国际先锋城市建设）研究，重点关注城市交通、环境、企业发展、土地利用、文化等。

4. 县域经济研究。

5. 其他相关研究。

对上述领域进行前瞻性理论与实践研究。

（三）业务范围

1. 组织开展城市经济调查，提出发展城市经济的研究报告，为政府决策和制定政策提供建议和依据。

2. 围绕城市经济学学科体系建设、城市科学发展、城市区域布局、城市经济规律、城市经济开发区、城市经济文化一体化等比较前沿课题进行深入研究，为山东城市经济发展提供理论支持。

3. 通过开展研讨会、论坛等形式，组织开展城市经济方面的学术交流与合作。

4. 举办讲座、培训班等，加强人才培训，提高城市经济管理人员水平。

5. 编辑出版。

二、学会领导

会长：王道玉（山东省人大常委会原副主任、党组成员，中共第十四、十五届人大代表，第六届省委委员，第七届人大代表）

秘书长：武顺建

三、联系方式

地址：济南泉城路院前街1号

邮编：250011

电话：0531-86550006

武汉市城市经济学会

一、学会简介

武汉市城市经济学会成立于1985年，是全国大城市中较早成立城市经济学会的城市。该学会以马列主义、毛泽东思想、邓小平理论、“三个代表”重要思想和科学发展观为指导，遵循理论联系实际的原则，为武汉改革开放、经济发展和城市建设提供理论依据和对策建议。

2009年，武汉市城市经济学会在武汉市社会科学联合会的直接领导下，面对全球金融危机以及武汉两型社会建设深入推进等重大社会新形势和新任务，适时调整工作重点和方向，围绕市委市政府的中心工作，展开了大量的研究工作。

一是积极应对金融危机对武汉经济社会的影响，展开经济形势分析研究，为武汉市委、市政府更好地应对金融危机，把握经济发展的趋势，出台科学的应对之策，推动经济持续快速发展提供咨询服务。如主持完成《2009年一季度武汉市经济形势分析报告》和《2009年上半年武汉市经济形势分析报告》。分析报告从发挥政府公共职能、扩大产业投资和刺激消费需求三个方面提出了具有可操作性的对策建议。

二是加强对经济发展方式转型、两型社会建设、可持续发展等相关领域的研究，为探寻一条高收益、低能耗、轻污染的可持续发展道路而努力。如主持完成《武汉城市圈两型社会综合配套改革试点成效研究》课题。课题研究总结武汉城市圈综合配套改革试点的工作成效及问题，对今后武汉城市圈进一步发挥先行先试作用、推进综合配套改革试验工作具有重要的指导借鉴与启示作用，同时对我国“十二五”时期全面推进两型社会建设和加快转变经济发展方式具有重大的现实意义，对如何深化完善现代经济社会发展制度也具有重要的参考价值。

三是公开发表了部分研究成果，由学会常务副会长沈金华同志完成的《经济发展企稳回升，复苏之路任重道远》一文发表于2009年9月17期的《武汉宣传》。同时，学会日常工作联系人曾翔旻同志还积极参加由武汉市政协《和谐》杂志组织的新中国成立60周年征文活动，曾翔旻同志完成的《60个春秋，重点项目改变了武汉》一文收录到《和谐》杂志2009年第四期发表。

二、学会领导

会长：陈梦浓

常务副会长：沈金华

三、联系方式

地址：武汉市汉口三阳路3号

邮编：430017

电话：027-82831655

湖南省城市经济学会

一、学会简介

湖南省城市经济学会是湖南省党政机关、企事业单位及社会各界有志于从事城市经济问题研究的理论和实际工作者自愿组成的群众性学术团体，是湖南省社会科学界联合会的团体会员。

湖南省城市经济学会是在1996年4月成立的湖南省内唯一从事城市经济问题研究的学术团体。现有团体会员190个，个人会员340个。主要业务范围是：组织开展学术活动，承接相关专业科研课题，提供决策咨询服务；编辑出版城市经济研究的书刊资料，组织培训城市建设、管理和研究人才；推荐相关科研成果等。学会成立以来，开展了一系列富有社会影响的活动，受到湖南省各界和国内权威研究机构的重视。1996年，主办“在战略转移中加速中西部城市发展”学术研讨会，汪道涵、周干峙等知名人士与会，人民日报、经济日报作了专题报道；1997年，组织“中国城市发展：跨世纪回顾与展望”主题征文，经济日报特辟专栏刊登部分征文作品；1997年，开展“长株潭经济一体化”课题研究，主要成果进入湖南省委、省政府决策；2007年组织对长株潭“3+5”城市群建设与发展进行专题调研，形成《关于长株潭“3+5”城市群建设与中部崛起战略研究》系列报告，得到时任省委书记张春贤的重要批示并进入省委决策；2007年举办“长株潭‘3+5’城市群市长论坛”，中央政策研究室副主任郑新立，中科院院士、著名经济地理学家陆大道，北京大学杨开忠教授等知名专家学者和“3+5”城市群8位市长共同探讨城市群发展的目标、路径及政策措施，国内有关媒体做了重点报道。同时，编辑出版会刊《城市经济论坛》，以其典雅的风格和强烈的学术性赢得了学术界和政府界广大读者的好评，成为全国城市经济研究的重要阵地之一。

二、学会领导

会长： 罗海藩（中国城市经济学会副会长、湖南省人大常委会原副主任）

秘书长： 张富泉（中国城市经济学会常务理事、湖南省委政研室副主任）

三、联系方式

地址： 长沙市韶山路1号省委大院四号办公楼（410011）

电话： 0731-82218780

邮箱： csjjlt2005@sina.com

深圳市城市经济学会

一、学会简介

深圳市城市经济学会经深圳市民政局批准成立于2007年5月，属深圳市一级社团，业务主管单位为深圳市社会科学联合会。在筹备之初，学会得到中国城市经济学会王茂林第一副会长的重视和支持，王会长并为学会指明了大方向："深圳城市经济学会要立足深圳，研究深圳，服务政府决策，这样才能得到政府的支持。"并且亲任学会名誉会长。深圳市有关领导和各相关部门领导都给予了有力支持。深圳城市经济学会与合作智库机构主要领导和顾问，有国家主要研究机构知名权威专家相关领导，有深圳市人大常委、委员，深圳主要研究和教学单位领导，多位国务院特别津贴专家，涵盖了深圳和国家级城市经济研究的主要机构与专家；学会创会会员多数为研究员、副研究员、教授、副教授，其中约二十多位有博士学位，十几位有硕士学位。

（一）学会与合作智库机构的宗旨和目标

整合多种资源，立足深圳，面向全国，服务各级政府决策，服务城市发展，为政府和企业提供各类高端智力服务。以学术研究推动城市建设和管理，促进城市经济发展。

为深圳发展献智献策献力，为国家发展献智献策献力，为中华民族复兴献智献策献力，创办国内一流学术类社会团体，打造国际知名智库机构。

（二）学会的核心精神

蓝海智慧，点金财富。八方携手，共创奇迹。追求精彩，备升价值。创新、务实、高效，和谐、文明、守法。

（三）主要研究方向

1. 国家创新型城市建设研究。

2. 发展循环经济节能减排建设和谐城市研究。

3. 城市发展战略（包括国际先锋城市建设）研究，重点关注城市交通、环境、企业发展、土地利用、文化等。

4. 支柱产业及主要朝阳产业研究。

5. 其他相关研究。

二、学会领导

会长：魏达志（深圳大学产业经济研究中心主任，经济学院教授，深圳市人大常委）

秘书长：赵玉桢（中国城市经济学会信息中心副主任）

三、联系方式

地址：深圳市上步南路国企大厦永辉楼

邮编：518031

中国社会科学院城市发展与环境研究所

一、简介

中国社会科学院城市发展与环境研究中心（简称“城市中心”）组建于1994年10月，1997年经中编委批复同意成为院属科研机构，具有独立的法人地位。

城市中心成立以来，围绕着我国城市发展与环境理论研究和应用研究方面做了大量的工作，在科研和人才培养方面取得较大成绩。先后承担了国家社科基金课题、国家自然科学基金课题、院重点课题、院重大课题的研究10余项，承担并完成国家和地方政府委托的课题100多项。出版专著20多部，发表学术论文200余篇，撰写研究报告100多部。其中有相当一部分成果在各地区、城市建设中转化为现实，取得明显的经济效益和社会效益。

城市中心广泛开展国内外学术交流工作，选派多名青年科研骨干赴德国、荷兰、英国、日本、法国等国进行学术交流与合作研究。在国内先后接待了德国、日本、澳大利亚、加拿大等国家和中国台湾、澳门、香港等地区的专家、学者来访。多次成功地组织全国性学术研讨会和专业培训会议。加强了与政府、科研院校及企业的联系。

城市中心在中国社会科学院研究生院设有城市发展系，并在国内外招收研究生。主要招生方向是：可持续发展经济学、城市经济学、环境经济学、土地与房地产、城市规划建设与管理、城市生态环境与可持续发展等。

城市中心设有博士后流动站，主要接收和培养城市经济、环境经济、可持续发展经济、土地与房地产、城市规划与管理、气候变化等方面的博士后人才。

几年来，经过全体同志的努力，城市中心完成了初创阶段，取得了很大成绩。建立起了综合性的城市发展与环境研究学科；围绕我国的城市发展与环境问题开展了有关基础理论研究和应用研究，取得了一批优秀成果，为国家城市建设和环境管理做出了贡献；聚集和锻炼了一批城市及环境科学领域的专业研究人才，形成了一支以中青年科研骨干为主体的，富有朝气的科研队伍。

城市中心今后的发展目标：根据我国城市发展的需要和城市中心职能定位，城市中心应逐步建设成为全国城市学科的学术研究与交流中心、城市决策咨询中心，城市建设与管理人才的培养基地（“两个中心、一个基地”）。

根据中央机构编制委员会办公室和中国社会科学院人事教育局《关于城市发展与环境研究中心更名为城市发展与环境研究所的批复》（中央编办复字〔2009〕132号）（社科〔2009〕人字141号），“中国社会科学院城市发展与环境研究中心”于2009年11月12日批复文件下达之日起正式更名为“中国社会科学院城市发展与环境研究所”。

研究所所长：潘家华

副所长：张新平　魏后凯

下设机构：综合办公室　城市经济研究室　城市规划研究室　城市与区域管理研究室　土地经济与不动产研究室　环境经济与管理研究室　可持续发展研究室　气候变化经济学研究室

二、联系方式

地址：中国北京市东城区先晓胡同十号

邮编：100005

电话：010-65252160

传真：010-65238909

电子信箱：city-bgs@cass.org.cn

北京国际城市发展研究院会展经济研究所

一、简介

北京国际城市发展研究院会展经济研究所由民间学术团体联合发起，是为适应中国会展业面对经济全球化而成立的专业研究机构。成立后先后推出了“中国会展发展指数系统”和《中国会展经济报告（2002）》。

北京国际城市发展研究院会展经济研究所旨在研究中国及全球会展业动态，并将致力于中国会展经济的发展以及会展与区域经济发展的研究，以推动中国会展业迎接“入世”挑战和建立全球化战略，为中国政府和企业提供有关全球会展领域最权威的调研报告和战略指导，并在学术界提供中国一流专家的独特见解。

二、设立背景

1. 引导中国会展业的全球化调整。会展业以其超常的关联影响和经济带动效应，在中国业已成为一个新的经济增长点，全球会展企业将以并购等方式进入中国会展业，同时中国会展企业也将采取相应的全球化战略，以面对新的国际竞争环境。“会展经济研究所”力图通过研究成果对中国会展业如何应对经济全球化趋势形成重要的借鉴和参考价值。

2. 适应中国区域经济发展的新格局。研究会展经济与区域经济的发展战略与政策；建立并运用数学模型，进行科学的定量研究和中长期预测，提出对策建议；接受委托参与或组织对有关部门、地区和单位的中长期发展规划进行研究，提出咨询意见。

3. 研究会展现代理论提高学术水准。会展经济涉及经济、法律、社会学、政治学等多学科领域，是综合的前沿性课题。中国学者的研究与贡献将成为全球会展界关注的热点。

三、联系方式

地址：北京市朝阳区小营路9号亚运豪庭B座22L室

邮编：100101

电话：010-64810961

传真：010-64810343

华东师范大学中国现代城市研究中心

一、简介

华东师范大学中国现代城市研究中心成立于2003年3月，并于2004年11月正式通过教育部的评审，成为普通高等学校人文社会科学重点研究基地。中心主任为宁越敏教授，副主任为丁金宏教授、陈映芳教授、孙斌栋教授和魏也华教授，学术委员会主任为上海交通大学高汝熹教授。现有专职研究人员17名，兼职研究人员23名，其中国外学者3名。下设四个研究室：城市经济与规划研究室、城市人口与社会发展研究室、城市历史与文化发展研究室、城市制度与管理研究室。

长期以来，华东师范大学相关学科的研究者十分关注中国的城市化、城市经济、社会、文化、历史、环境等问题。1979年，在国内率先招收城市地理学方向的研究生，1980年代初开展城市人口与社区调研，此后历史学、文化等方面的学者也开始从事城市研究。

中心依托中国近现代史、世界史、中国现当代文学、人口学、人文地理学五个博士点，历史学、中国文学、地理学三个博士后流动站，形成了城市经济与可持续发展、城市人口与社会发展、城市史、城市文化研究、城市制度等特色研究方向。中心坚持走理论与实践相结合的道路，立足上海、服务全国，近五年来承担了国家社会科学基金、国家自然科学基金、教育部、上海市等重大研究项目20余项，政府、企业和社会机构委托项目60余项，获得省部级优秀成果奖励20项，为我国及上海的城市健康发展献计献策，为繁荣我国的社会科学做出了重要贡献。

城市经济与规划研究室专职研究员：

宁越敏教授（华东师范大学与上海社会科学院双聘教授）　孙斌栋教授　魏也华教授（美国犹他大学）　曾刚教授（华东师范大学与上海社会科学院双聘教授）　汪明峰副研究员　屠启宇教授（上海社会科学院与华东师范大学双聘教授）

兼职研究员：谷人旭教授　殷德生副教授　孔翔副教授

二、联系方式

地址：上海市中山北路3663号华东师范大学文科大楼13楼

邮编：200062

电话：021-62233821

传真：021-62223074

电子信箱：cmccs@mail.ecnu.edu.cn

天津市社会科学院城市经济研究所

一、简介

天津市社会科学院城市经济研究所，1999年10月在原经济研究所基础上成立。该所以城市经济理论、城市经济体制改革、天津市经济发展为主要研究方向，并承担外地经济管理部门的调研课题。该所在城市经济与管理、城郊经济、金融证券理论等方面不断推出新的研究成果，并与国外几所大学及科研机构建立学术交流关系。

现有专职研究人员12人，其中高级研究人员6人，有硕士学位及在读硕士生5人。现任所长韩士元，副所长阎金明。该所骨干学科为“城市经济学”。主要代表性成果有《从国际资产证券化浪潮看天津资本市场战略取向》、《天津率先基本实现农业现代化研究》、《城市经济发展前沿——天津经济焦点透析》、《信息化带动工业化的理论与策略》、《北京、上海、重庆、广州、山东、辽宁经济增长点的选择培育及其对天津的启示》、《进一步发挥天津保税区对天津及北方经济发展的示范带动作用》等。共承担市级课题6项，院级课题10余项。出版论著6部，发表学术论文及研究报告200余篇。成果获市级奖14项，院级奖13项。

二、联系方式

地址：中国天津市南开区迎水道7号

邮编：300191

电话：022-23368739

传真：022-23362739

长江三角洲城市发展研究中心

一、简介

为深入贯彻落实党的十七大精神，积极推进长三角城市群一体化发展的理论研究和科学实践，中国城市经济学会和江苏省城市发展研究院（以下简称苏城院）合作创立了长江三角洲城市发展研究中心（以下简称长发中心）。

长发中心这一学术研究与交流平台的发展宗旨是整合长三角及有关地区的研究力量，着重研究推介具有率先发展和示范意义的长三角城市与城市群发展的理论与实践问题，为长三角城市政府和社会提供决策咨询服务。它的主要任务是编纂年度长三角城市发展报告和《长江三角洲城市年鉴》，并联办《城市评论》，开展有关长三角城市与城市群发展问题的系统研究，举办“长江三角洲城市发展论坛”。长发中心将努力构建国内一流的推进城市现代化和城市群一体化发展的智库，发挥多方面的综合优势，进行理论创新和实证研究，开展高水平的学术交流、咨询服务和其他活动，积极推进长三角城市群的科学发展、率先发展、和谐发展。2008年12月在苏州举办了“首届长江三角洲城市发展论坛暨第八届江苏城市发展论坛”，主题是长三角城市新发展：创新·和谐·共赢。2010年1月在上海举办第二届长江三角洲城市发展论坛，主题是上海四个中心建设与区域经济一体化。

长发中心由厉无畏（全国政协副主席）、张怀西（全国政协原副主席）、周道炯（中国证监会原主席、中国城市经济学会会长）、王茂林（全国人大法制委原副主任、中国城市经济学会第一副会长、中国生产力学会会长、世界生产力科学院院士）担任顾问；由龙永枢（中国社科院原副院长、中国城市经济学会副会长）、陈焕友（中共江苏省委原书记）、李金明（浙江省政协原主席）担任名誉主任；由张锋（中国城市经济学会常务理事、江苏省城市经济学会会长、江苏省城市发展研究院院长、江苏城市科学研修学院院长）担任主任；由杨重光（中国社科院研究员、中国城市经济学会副会长、《中国城市经济》主编）、张巨功（中国社科院原局长、中国城市经济学会秘书长、《中国城市经济》杂志社社长）、顾性泉（上海市人民政府发展研究中心副巡视员）、袁钢（上海市城市经济学会副会长兼秘书长、上海城市发展信息研究中心副主任）、莫建备（中共上海市委宣传部市哲学社会科学规划办公室主任）、胥和生（上海市经济学会副秘书长、上海城市经济进修学院院长）、范朝礼（中共江苏省委研究室副主任）、徐之顺（中共江苏省委宣传部省哲学社会科学规划办公室主任）、沈建明（中共浙江省委政策研究室副主任）、蓝蔚青（浙江省哲学社会科学联合会顾问、原党组副书记、研究员）、曾骅（浙江省哲学社会科学联合会专职副主席）、陈宏毅（环球传播有限公司董事长，曾在中共中央办公厅工作）担任副主任；由陈宏毅担任秘书长；由侯晋中（《中国城市经济》杂志社外联部主任）、陈世嘉（原上海城市经济进修学院常务副院长）、吴苏贵（上海市人民政府发展研究中心科研处处长）、褚京卫（浙江省社科联 民办社科研究机构管理〈调研〉处处长）、张启祥（南京市信息中心发展研究部副主任）担任副秘书长。

长发中心设立学术专家委员会，下设发展规划组、产业经济组、区域建设组，指导各项科研工作和“报告”、“年鉴”的编撰工作。并设立办公室、秘书处、协调处、学术活动部、咨询服务部。

二、联系方式

地址：南京市中山东路300号长发中心A幢2层A座苏城院内

邮编：210002

电话：025-83704779

传真：025-83304779

江苏省城市发展研究院

一、简介

江苏省城市发展研究院（以下简称苏城院）成立于2001年11月。苏城院成立九年多来，积极开展了城市经济、社会发展的研究、咨询活动，主办了“江苏城市发展论坛”。城市论坛现已成为江苏城市发展问题重要决策咨询形式，至今已举办了八届。在第三届论坛上苏城院与南京财经大学、安徽省社会科学院联合发起成立了“南京都市圈发展论坛组委会”，并把那次会议作为首届南京都市圈发展论坛，以后每年轮流在南京都市圈12市举办一次专题研讨会。

苏城院由国家住房和城乡建设部原副部长、现北京市副市长黄卫，江苏省人大副主任丁解民、省政府原副省长王荣炳、东南大学建筑研究所所长、中国科学院院士齐康教授担任名誉院长；由刘国光、周干峙、高尚全、李京文、张卓元、李云峰、黄健、章剑华、徐山瀑、毛伟明、周岚、宋林飞担任顾问；由中国城市经济学会常务理事、江苏城市经济学会会长张锋教授担任院长，由江苏省城市经济学会常务理事、东南大学经济管理学院仇向洋教授担任执行院长，由江苏省城市经济学会副会长、南京大学社会学院副院长、城市科学研究中心主任张鸿雁教授担任副院长。研究院下设办公室、城市评价中心、城市经济规划中心、创意产业促进中心、城建企业家联盟、创意家企业家联盟和城市经济、城市形象、城市房地产三个研究所与江南、江海、淮海、南京四个研究院，以及科研部、管理部、《城市评论》编辑部，并与中国城市经济学会和长江三角洲城市经济协调会联办了《长江三角洲城市年鉴》，已出版发行了2003年至2009年卷。

苏城院先由江苏省人民政府研究室主管，2007年按照民政部归口管理要求，改由江苏省社科联主管，一直受中国城市经济学会指导，为江苏省城市经济学会主办，是经江苏省民政厅批准成立的民办非企业单位，属公益性的社会咨询研究机构。主要承担城市建设（包括城市数字平台建设）和区域发展研究、咨询、规划、教育（非学历）、国际合作项目等业务，为城市政府及社会服务。苏城院把“奋进、崛起、可持续”作为发展目标，既致力于加强城市发展研究，促进江苏和我国城市的“奋进、崛起、可持续”，同时力求研究院自身的“奋进、崛起、可持续”。苏城院将为推动21世纪我国城市发展研究的繁荣和促进江苏及我国城市化与城市现代化的进程做出应有的贡献。

二、联系方式

地址： 中国江苏南京市虎踞北路10号省机关3号楼3楼

邮编： 210013

电话： 025-83397532

传真： 025-83397531

厦门市经济研究所

一、简介

厦门市经济研究所成立于1992年4月，为县（处）级财政全额拨款单位，直属厦门市发展和改革委员会，下设6个科级部门，分别是战略发展研究室、产业经济研究室、公共经济研究室、数量经济研究室、经济信息研究室和办公室。

该所为综合性经济研究机构，主要职能是：参与厦门市国民经济和社会发展中长期规划的研究编制以及重要文件的调研起草，参与厦门市国民经济运行状况的分析和预测以及重大经济社会热点问题调研，承担国家计委、市政府和市计委下达的各类研究任务，为社会各界和有关部门提供相关的研究咨询服务等。

该所也是我市重要的人才培养基地和人才储备库。建所十多年来，为国家和厦门市输送了大量人才，陆续有同志走上国家部委司级和厦门厅、局级领导工作岗位。目前全所编制28个，拥有高级职称研究人员7名，中级职称研究人员5名，博士3名，其中有2人被厦门市组织部列为重点学科带头人和中青年优秀知识分子。

该所具备良好的科研基础和条件，科研软硬件设施比较完善，研究氛围宽松融洽，管理制度科学有效，确保充分调动科研人员的积极性和创造力。建所十多年来，全所共完成省委、省政府、市委、市政府、市计委及市有关部门和社会各界委托的调研课题150多项，其中有1项成果获得福建省第二次社会科学优秀成果奖二等奖，10余项成果分别获得厦门市历次社会科学优秀成果奖二、三等奖；在国家级刊物上发表文章8篇，在省级公开刊物上发表文章30多篇，在市级刊物上发表文章100多篇，科研工作硕果累累。

经过十多年来的蓬勃发展，厦门市经济研究所已逐步成长为我市经济学科权威研究机构，被公认为市委市政府的参谋部、人才库和资料库。随着事业单位改革的深化和推进，研究所将秉承“团结、拼搏、严谨、务实”的精神，站在更高的起点、以全新的姿态投入科研工作，为厦门市经济社会发展出谋划策。

二、联系方式

地址：厦门市湖滨南路95号B座四层

邮编：361004

电话：0592-2213348

电子信箱： lzs@xmyjs.com.cn

武汉戈特曼城市圈经济研究所

一、简介

武汉戈特曼城市圈经济研究所是由湖北省发改委主管，专门研究武汉城市圈“两型”社会建设和区域一体化而成立的研究机构，目前已经承担了省市多项课题研究工作，如《武汉城市圈蓝皮书》的编辑出版工作、武汉城市圈发展论坛的组织工作。武汉戈特曼城市圈经济研究所的服务范围包括社会经济研究、经济投资顾问咨询与经济研讨、会务组织、展览策划、其他资讯咨询。研究所承担了湖北省、武汉市和武汉城市圈政府和企业委托的研究、调研等多项课题，其诚信、专业赢得了广泛的赞誉。研究所依托省、市社会科学院，聚集全社会知名专家、学者，致力于研究武汉城市圈经济和社会发展，为武汉城市圈区域一体化和“两型”社会改革试验区服务。我们竭诚欢迎政府、企业、研究机构和社会各界共同参与，共同发展。

所长：徐芳，副所长：李春洋。

二、联系方式

地址：武汉市武昌区中南路2-6号中建工行广场C座

邮编：430070

电话：027-59422692

传真：027-59422691

万国城市经济研究院

一、简介

万国城市经济研究院是中国第一家以城市经营管理、工业发展研究、服务业发展策划、园区规划与策划的专业机构。研究院成立10多年来，在为国家、地方、园区、城市、企业制定发展战略、提供专业管理、策略发展方面已走在同行前列，拥有全球1000个城市、数万个城镇、数千个专业市场、上百个科技文化产业园区等二三产业个性化数据库和一批国内外著名专家作支撑。是专门从事城市战略规划、项目开发、商业模式设计、社会服务管理、重大项目策划、招商组织、干部职业培训的机构，已为国内外城市、园区、企业提供过几百项优质的战略与对策咨询研究服务。

经过十余年的探索，形成了城市进程中的“8C”理论分析方法，产业发展中的“1+X”理论等，已广泛运用于实践。该院先后有5名全职专家被建设部、国家计委、国家开发行、亚洲有关国际机构聘为顾问。

十余年来，万国城市经济研究院为客户提供的服务价值已过千亿元，为东莞数十平方公里发展工业和新城型园区进行了长达10多年的研究服务，对深圳180个工业区，涉及数十条街村，上万家企业和数百平方公里的改造、建设，并成功地进行了商业策划设计。“天津航空城”从概念到商业策划，仅用2年时间，空客已协议投资70亿欧元，10多家国际航空巨头表示落户，协议投资超过1000亿元人民币。

二、联系方式

地址：广州市天河区广园东路1841号新峰大楼6楼

邮编：518008

电话：020-87739957

贵州省社会科学院城市经济研究所

一、简介

贵州省社会科学院城市经济研究所是贵州省社会科学院所属以城市经济为研究方向的经济类综合研究机构。成立于1985年，现任所长胡晓登，副所长杨晓航。全所人员8名，其中科研人员7人，行政秘书兼资料员1人。研究人员中二级研究员1人，四级研究员1人，副研究员2人，副研究馆员1人，助理研究员2人，实习研究员1人。具有博士学位1人，硕士学位4人，学士学位的2人，其中归国留学研究生2人。主要研究方向：城市经济、产业经济、环境经济。具体研究方向：1.工业经济与产业经济。2.经济发展与环境经济。3.城镇发展与城乡一体化。

近年来主要研究成果有：出版专著13部；主持和常务主持国家级科研课题14项 ，其中完成9项，在研5项；省部级科研项目 39 项，国际合作项目4项，横向课题15项；发表论文约300 余篇，其中核心期刊以上论文45 篇；获省政府优秀成果6项，其中一等奖2项；呈送中央政治局常委等《成果要报》1份；科研成果转化为政策建议、决策咨询、省政协提案等13份。

科研成果和科研方向主要分为国家级综合性研究、地方性重大问题应用研究两大方面。在国家级综合性研究方面，承担或常务主持国家社会科学基金项目14项：《西南喀斯特山区石漠化治理与脱贫发展研究》（国家九五中长期重点项目）《西南水电资源开发中少数民族移民研究》（1997年项目）；《西部落后地区政府机构改革研究》（1998年项目）；《产权制度改革与多民族贫困地区社会稳定》（2000年项目）；《加入WTO与西部落后地区政府道德建设问题》（2002年项目）；《加入WTO与西部落后地区政府道德建设问题》（国家社科2002年项目）；《转型期群体性事件研究——以西部重大群体性事件为重点》（2005年西部项目）；《人口与环境 贫困与发展——以贵州省为例》（2005年西部项目）；《西部少数民族失地农民状况实证调研与方略对策研究》（2006年项目）；《西部地区推进农村人口城镇化的对策研究》（2007年项目）；《东西部区域利益协调与加快西部少数民族经济社会发展研究——以“西电东送”为典型实证》（2007年项目）；《西部地区基层政府提供公共服务能力实证研究》（2007年项目）；《农民工市民化权益的建立与保护研究》（2009年项目）；《人口双向流动趋势下西部地区农民政治参与的政策对策研究》（2009年项目）；《治理社会群体性事件的制度机制与途径方法研究——以西部矿/群矛盾引发的群体性事件为重点》（2009年项目）。在地方性重大问题应用研究方面，主要有：《贵州重大战略性经济利益——“西电东送”电价若干问题研究》、《贵州投资环境与吸引外资》、《贵州“三农”问题的历史性契机：“打工经济”研究》、《贵州农民工经济研究》、《贵州“三农”问题重中之重：农民增收的实证性长效机制研究》、《贵州“西电东送”电价中“真实移民成本”研究》、《城镇化进程中失地农民土地补偿机制及生存发展问题研究》、《贵州投资环境与吸引外资研究》、《贵州投资环境评价与监测受理办法研究》、《取消农业税后基层财政收入结构研究》等。

主要获奖是贵州省人民政府第五次哲学社会科学优秀成果一等奖2项：《跨世纪的水电移民方略——西南水电资源开发中少数民族移民问题研究》贵州省人民政府第五次哲学社会科学优秀成果一等奖，排名1；《社会转型时期的群体性事件研究——以预防和解消西部重大群体性事件为重点》2009年贵州省人民政府第七次哲学社会科学优秀成果一等奖，排名2。

主要决策成果有国家社会科学规划办公室《成果要报》第22期（总第197期），题为《关于解决西南水电移民问题的思路与政策建议》，报：中央政治局委员、候补委员，中央书记处书记、国家主席、副主席，国务院总理、副总理、国务委员，全国人大常委会委员长、副委员长，全国政协主席、副主席；新华社“国内动态清样”《胡晓登建议：五大机制建设应对西部重大群体性事件》等。

二、联系方式

地址：贵州省贵阳市梭石巷93号

邮编：550002

电话：0851-5933891

全国城市经济高等院校汇编>>>

本章以行政区划为序。

北京大学城市与环境学院

一、学院简介

北京大学城市与环境学院以地理学为主体，包含环境科学、生态学、城市规划等多个相关学科，具有理、工、文多学科交叉的综合优势。学院拥有地理学国家一级重点学科，自然地理和人文地理两个国家二级重点学科。学院有地理学国家理科基础科学人才培养基地和地表过程分析与模拟教育部重点实验室。

学院下设4个系和1个研究所，即城市与区域规划系、城市与经济地理系、资源与环境地理系、生态学系和历史地理研究所。另有地理科学研究中心、城市规划设计中心等十多个研究中心。目前北京大学建筑学研究中心也挂靠在城市与环境学院。

二、师资力量

城市与环境学院师资力量雄厚，有院士2名、长江学者3名、杰出基金获得者9名（包括3名海外杰出青年基金），教育部跨世纪人才、新世纪优秀人才共2名。“环境生物地球化学创新群体”是国家自然科学基金首批支持的创新群体。

学院中既有以侯仁之先生为代表的老一辈学界泰斗，又有一大批中青年学术骨干。他们活跃在资源、环境、生态和城市规划等各个领域，既推动着地理学及相关的资源、环境、生态和城市规划等学科的理论创新，又为国家的可持续发展做出了贡献。

三、历史沿革

北京大学地理学教育的历史最早可追溯到1904年在京师大学堂文学科中设地理学门。但据王恩涌先生考证，当年仅仅是个计划，并未实现。在北大最早讲地理学课程的是张相文教授，他1917—1919年在北大讲授《中国地理沿革史》，编有《中国地理沿革史》讲义。

北京大学城市与环境学院的学科发展历史与清华大学的地理系和燕京大学的历史系有更直接的渊源。清华大学于1928年成立地理系，著名的地质学家翁文灏担任第一任系主任。地理系于1929年招收学生。由于系的发展，到1933年，在学科上有了扩大，下设地理、地质、气象三个组，分别培养地理、地质、气象方面人才，改名为地学系。

抗日战争开始后，清华、北大、南开三校合并，于1938年4月在云南昆明改为西南联合大学。原清华地学系与北大地质系合并为地质地理气象学系。抗战胜利，三校回迁，原清华地学系与北大地质系各回本校，清华原地学系的气象组也单独成系。

1950年初，因当时国家急需地质人才，清华地学系中的地质组单独成立地质系，地学系只留有地理组。

1952年，为适应国家建设，全国高校进行大调整，原清华的地学系调整到北京大学，与燕京大学历史系少数教师一起成立地质地理系。当时，学习苏联培养人才的经验，地理学采取按二级学科成立专业的方法，分别制订教学计划以培养专门人才。在地质地理系，1952年设有自然地理专业。1955年又设立了经济地理与地貌两专业，同时引进部分地质学教师，开始招收地质专业学生。这种方式是我国地理学高等人才培养上的重要变化。

由于“文化大革命”的冲击，高校于1966年停止招生。

北大地质地理系于1972年开始恢复招生。当时，考虑到世界发达国家在环境污染、城市化与卫星遥感技术等方面对地理学发展的影响，确定地理学的专门人才培养采取理科专业与应用相结合，自然地理与环境保护相结合、经济地理与城乡规划相结合、地貌与遥感技术相结合，以培养理科应用人才。这使地理学人才培养又提高到一个新阶段。它不仅是文、理结合，而且是文、理、应用、技术大综合。

1978年，地理学方面的学科与地质学方面的学科分别成立地理系与地质系。地理系下设自然地理、地貌和经济地理三个专业。随着学科发展日益重视应用的趋势，也为了让更多人了解这一老学科的新变化，于1989年将地理学系改名为城市与环境学系。1993年，环境科学本科专业开始招生。2000年，城市规划五年制本科专业开始招生。

由于国家对环境问题的重视，北大在2002年将原城市与环境系和环境科学中心合并成立了环境学院。2003年，生态学本科专业开始招生。2007年5月，学校决定将环境学院的两部分分开，原城市与环境学系所属部分成立了城市与环境学院。

四、人才培养

城市与环境学院目前设有5个本科专业：环境科学、生态学、资源环境与城乡规划管理、地理科学、城市规划。学院现有本科生近450人。

学院设有9个硕士研究生专业：自然地理学、人文地理学、环境地理学（地理学）、历史地理学（地理学）、地貌与环境演变（地理学）、城市与区域规划（地理学）、景观设计学（地理学）、第四纪地质学、建筑设计及其理论。共有在读硕士生近200人。

学院设有6个博士研究生专业：自然地理学、人文地理学、环境地理学（地理学）、历史地理学（地理学）、地貌与环境演变（地理学）、第四纪地质学。共有在读博士生170余人。

学院还设有地理学博士后流动站。

在“211工程”和“985”计划的支持下，学院的硬件条件得到了迅速改善，为提高人才培养的质量奠定了基础。目前，北京大学生态与环境研究网络塞罕坝实验站已经建成并投入使用，大老岭实验站也已启动，为学生的生态、环境和地理学的实习提供了条件。学院还建立了人地系统与环境遥感实验室，供学生开展遥感、地理信息系统和城市设计方面的实验。

五、科学研究

2001年以来，学院每年都有国家自然科学基金重点项目和重大研究计划项目得到批准，其中2004年获得批准的重点项目3项，重大研究计划项目1项，2005年获得重大研究计划项目2项。2008年获批准的国家自然科学基金项目20项，其中重点项目1项。2001—2004年每年参与和主持的“863”、“973”项目均在2项以上。直接进入本院的横向项目平均每年在15项左右。

2003年，本院共有2个项目获教育部自然科学一等奖，分别是陶澍教授牵头的“重金属形态的时空分异、影响因素及生态效应”以及方精云院士牵头的“中国陆地生态系统碳循环与植被生产力的研究”，另有蔡运龙教授牵头的“中国农业——农村发展可持续性的区域评价、区域战略及操作途径”获该年度教育部科技进步一等奖。

2005年，方精云院士牵头的“中国陆地生态系统生产力和碳循环的研究项目”获得国家自然科学二等奖。许学工教授参与的（排名第四）“渤海西南岸滨海油区环境演变卫星监测及预测研究”获得国家科技进步三等奖。

城市与环境学院基础研究与应用研究并举，两方面的科研经费接近。2001—2007年，无论是横向经费还是纵向经费，总体上呈上升趋势。2008年度全院科研经费总额达到4500万元。

近年来，学院在国际、国内刊物上发表论文的数量均呈稳步增加的趋势。方精云院士曾在*Science*上一年内连续发表2篇论文。2006年全院在SCI和SSCI收录刊物上发表论文近70篇。

首都经济贸易大学城市学院

首都经济贸易大学城市学院的成立是首都经济贸易大学近年来学科建设和专业、院系调整的改革成果。由原城市经济系、公共管理系和首都经济研究所、不动产研究所共同组建而成。学院具有较全的办学档次和规格。研究生层次可以授予区域经济硕士学位和行政管理硕士学位；本科层次可以授予城市管理、行政管理、公共事业管理、土地资源管理和广告学五个相关专业的学士学位；成人教育和大专层次开设了房地产开发经营与物业管理、广告学专业；此外还开设了相关专业的在职研究生班。

该院的组建本着“立足北京、服务北京”的特色战略，将区域经济和公共管理学科加以整合，形成了一支具有城市管理学科以及相关学科带头人和学历层次高、知识结构合理的教师队伍。城市学院整合了首都经济贸易大学为北京城市服务的教学和科研单位，成为该校研究教学型单位的试点学院，并加大科学研究、社会服务和人才培养的结合。城市学院的建立，可以进一步丰富与城市管理相关的学科专业，进一步突出城市管理的功能与特色，不断加强教学与科研的结合与促进，为首都城市改革、发展、建设和经营管理服务，以及为实现城市管理制度创新服务，提高为首都服务的能力和质量，为首都经济建设输送优良人才。

一、历史沿革

城市学院是该校近年来在学科建设和院系调整中成立的新院。由原城市经济、公共管理、首都经济、不动产等系所共同组建而成。学院覆盖区域经济和公共管理两个学科。其中，区域经济学为北京市重点学科，行政管理学为北京市重点建设学科。1994年获硕士学位授予权，2006年获区域经济学博士学位授予权。

二、结构

现设四个系和两个研究所：城市与区域经济系、土地资源与房地产管理系、公共管理系、广告管理系、首都经济研究所、不动产研究所。

学院硬件设施完备，设有房地产信息系统模拟、地籍测量与管理、电子政务、摄影与数码技术等实验室，及都市郊区和新农村建设科研平台。

三、层次

学院实行多层次办学，包含本科教育和研究生教育。可授予城市管理、行政管理、土地资源管理、公共事业管理、广告学、社会工作6个专业的学士学位，可授予区域经济和行政管理的硕士学位，可授予区域经济学的博士学位；成人教育开设了房地产开发与物业、行政管理和广告学等相关专业。此外，还开设了相关专业的在职研究生班。

四、规模

学院拥有一批知名度较高的教授。目前有专职教师51人，其中教授和副教授有34人，有博士学位的教师占总数的30%。学院现有本科教学班35个，本科生与研究生合计约1300人。

五、教学科研成果

近两年来已有3门课程被评为校级优秀课程，有1名教师被评为校级优秀主讲教师。有2门课程被列为校级重点建设课程；有3本教材被评为校级精品教材；有1本教材被评为市级精品教材。2006年和2007年两年，有3名教师入选全校十大科研标兵。2009年起广告专业从城市学院分离，并入人文学院。

北京师范大学
资源与环境科学系区域经济教研室

北京师范大学区域经济研究室包括四摊：经济学院一摊，包括唐任武、赵明教授等4～5人在内，侧重于世界经济研究；宏观经济研究所一摊，包括李晓西教授在内，3～4人，侧重于宏观经济、特别是区域差异研究；资源科学研究所一摊，包括刘学敏、史培军、杨明川等在内，侧重于区域开发和经济体制研究；另一摊是原地理系（现资源与环境科学系）的经济地理（区域经济）教研室，包括梁进社、吴殿廷、周尚意、葛岳静教授等在内，是师大区域经济研究的主体，研究领域很广，包括区域分析、区域规划、人文地理、旅游开发等。下面介绍的，就是这一摊的情况。

一、简介

区域经济/人文地理教研室是本系重要的教学与科研组织单位之一，现有教授4名、副教授3名、留日博士1人。师资阵容精干、知识结构完整。此外，还有10余名国内外知名学者（包括中国科学院院士、国家统计局副局长、原国家土地局副局长等）在此担任客座教授，经常进行国内外学术交流。曾获得过国家和省级多项教学科研奖励。邬翊光教授获得首届(1986年)竺可桢野外工作奖。目前拥有人文地理学和区域经济学两个硕士点，在读研究生50余名。主要研究方向包括：区域发展与规划、城市土地管理与房地产开发、世界人口、资源与环境等。

二、主要特色

（一）积极为经济建设主战场服务

本教研室的科研主攻方向是城市和区域经济发展与开发规划。近20年来，先后参加过京津唐国土综合规划，黄土高原开发治理，晋陕蒙接壤带环境治理与农业发展，海岸带综合管理等“六五”、“七五”、“八五”、“九五”多项国家科技攻关重点项目。主持承担过多项国家自然科学基金项目和20余项省市政府委托的横向课题。所主持完成的内蒙古自治区“九五”规划，陕西省优势产业筛选，北京市城市建设布局，主导产业定位和房地产开发，大连市跨世纪发展战略，鞍山市旅游业“十五”规划，西部开发旅游发展战略等项目，取得了较大的经济效益和社会效益。

（二）不断开辟新的研究领域

我国正处在快速发展时期，面临着前所未有的机遇与挑战，为人文地理、区域经济等学科提出了新的课题。为此，本教研室先后开辟了城市房地产开发、土地管理与规划、小城镇建设规划、旅游开发规划等研究领域，主持完成了10余项国家部委和地方政府委托的研究项目。为教师扩大研究领域、多出成果提供了保障，使教研室的硬件建设不断改善；也为研究生提供了很好的科研锻炼机会。这些成果也得到社会的认可和欢迎。

（三）用理科的手段研究社会经济问题

人文地理、区域经济都具有半文半理的性质。本教研室在区域分析与规划定量方法方面进行了有益的探索，如中心地理论的数学模型，大宗货物，行业空间配置的线性对偶模式，大宗物资供销区位、资源配置与区域发展、区域可持续发展的时空耦合模型，农作物优化布局、区域开发决策支持系统，城市与区域信息系统实验室建设等。

（四）毕业生德才兼备

改革开放以来，本教研室培养了百余名硕士研究生。他们个个德才兼备，在各自的岗位上建功立业，为母校争得了荣誉。近年毕业生中，约1/4出国或在国内攻读博士学位，1/4到政府机构从事高级管理、行政工作，1/4到大学科研院所从事教学科研工作，1/4在商海或业界驰骋。20世纪80年代初培养的研究生，如今都已成为教学、科研和管理方面的骨干人才，有的还成为省、地级领导干部。

三、努力方向

和国内外一流大学的同类专业相比，和北京师大建设“有特色、国内一流、世界知名的研究型大学”目标相比，本教研室的师资数量还不够强大，质量还有待提高。为此，必须新招聘一定数量的博士、特别是留学博士加盟，招收更多、更优秀的研究生入室，在不断提高教学、科研水平的基础上，力争“一点三高”。“一点”即博士点。“三高”包括：培养更高质量的毕业生、发表更高水平的教学科研成果、获得更高级别的课题和奖励。

中国人民大学区域经济与城市管理研究所

中国人民大学区域经济与城市管理研究所是全国首批区域经济学2个博士点之一，1996年设立博士后流动站，2002年被评为全国重点学科，为中国人民大学25个重点学科之一。培养了国内第一批区域经济专业的高级人才，藏有完整系统的区域经济研究文献资料。

区域所50余年来，走过辉煌的历程，其前身是“经济地理教研室”（1950—1978）及“生产布局教研室”（1978—1988），前者在20世纪五六十年代，后者在七八十年代都居国内各高校相同专业前列，配合国家经济建设完成了诸多科研任务，培育和输送了许多专业人才，为本学科的建设作出了突出的成就和贡献，被国内外同行公认为“中国经济地理学的代表”。1978年，经济地理教研室更名为“生产布局教研室”，并设立了生产布局本科专业；1982年生产布局教研室开始招收经济地理硕士研究生，1987年开始招收博士研究生；1997年，经济地理与生产布局专业更名为区域经济学专业；1988年，在生产布局教研室的基础上成立区域经济研究所（计划单列）；1994年，区域经济研究所与软科学研究所合并。2001年7月，我校公共管理学院成立，我所成建制进入公共管理学院，正式定名为“区域经济与城市管理研究所”，形成目前的专业发展局面。我所的专业方向以区域经济和城市经济为主，确立了以硕士生、博士生、博士后为主体、MPA为辅助的人才培养体系，是国内高层次区域经济学人才的培养基地。现任所长为陈秀山教授。

该所定编20人，现有在职人员13人（其中教授4名，副教授5名，讲师1名），兼职教授5人（拉萨市委副书记王海平、建设部总规划师陈晓丽、国家计委国土开发与地区经济研究所副所长肖金成、中国城市规划设计研究院副院长李晓江、建设部城建司副司长王凤武）。队伍短小精悍，富有朝气，本所正式在编的10名教师均为50岁以下的博士或在读博士，7名教师曾在国外进修或学习。我所下设区域经济与城市经济两个研究室。目前主要研究方向有：（1）区域经济理论与方法；（2）区域经济政策与产业布局；（3）城市经济、规划与管理；（4）区域可持续发展。

产业布局与区域经济研究国内领先。我所是最早和最完整从国外引进“区位论”理论的研究单位，为国内区域经济专业的发展起到了奠基性的作用。在区域经济理论与政策研究等领域目前仍处于前列。区域经济专业在全国的生产力布局和区域经济开发研究方面取得了突出业绩，获得一项国家社科二等奖和一项国家社科三等奖，这在全国同类专业中是唯一的。曾获得60多项省部级以上科研成果奖，发表著作、教材50余部，论文500余篇。1999—2001年我所推出了国内第一套共计16本“区域经济系列丛书”，总结了国内近20年区域经济研究的成果，对国内区域经济学的发展起到了推动作用；我学科点为本学科的建设作出了突出的成就和贡献，被国内外同行公认为“中国经济地理学的代表”。

全国区域经济学学术中心。该所已成为国内区域经济学术研究与交流中心。中国区域经济技术合作研究中心、中国投资环境学会、全国经济地理研究会等国家一级学术团体均挂靠我校，以我所为依托；同时，该所是中国区域科学协会、中国地理学会、中国软科学学会、中国区域经济学会等全国性学会理事单位。2002年10月主办区域经济学学科建设研讨会。

全国区域经济学教师培训中心。长期以来，该所承担了为地方院校培训区域经济学专业教师的工作，接待了数十所院校的进修教师、访问学者，并与北大、南开、兰州大学等兄弟院校保持着密切的学术联系。2002年经教育部委托举办本专业教师培训班。

对外交流。近年来，该所不断扩大对外交流，与法国巴黎第十二大学、英国伦敦大学、英国曼彻斯特大学、英国格林尼治大学、日本京都大学、韩国中央大学、德国凯泽斯劳滕大学、俄罗斯科学院等定期进行学术和人员交流，与我国台湾省的政治大学、逢甲大学和高雄中山大学、香港理工大学、香港大学有学术互访，定期与韩国举办学术研讨会，具有一定的国际影响。

未来发展的战略目标：国外知名，国内一流，科研领先；用5 ~ 10年的时间发展成为国内区域经济学研究的一面旗帜。

培养目标与就业方向：培养与输出区域经济与城市经济高层次人才，为公共、私人区域机构和城市管理机构所从事的区域经济发展活动以及现有产业的维持和扩张、城市规划与管理提供技术支持和咨询服务。专于区域（城市）经济及其规划、区域投资环境评价与投资决策、区域融资、区域与城市管理、区域经济政策、产业布局、区域开发的综合研究分析。

教授简介

陈秀山，男，1954年10月出生，经济学博士，教授，所长，博士生导师，全国经济地理研究会常务理事，中国翻译家协会社科翻译委员会理事，德国杜易斯堡大学、凯泽斯劳滕大学访问教授，江西财经大学兼职教授。主要研究领域为区域经济理论与政策、区域经济发展与规划、社会主义市场经济理论及体制与政策，曾多次赴德国研修。

张可云, 男，1964年出生，经济学博士，教授，博士生导师，所长助理，兼任中国区域科学协会常务理事、中国区域经济技术合作研究中心副秘书长、全国经济地理研究会理事等职。主要研究领域为西方区位理论、区域经济关系与政策、青藏高原产业布局与宏观经济等，曾于1998年赴英国研究“欧盟国家地区经济关系与区域政策”。

王海平， 男，1956年出生，经济学博士，教授 ，西藏自治区拉萨市委副书记，区域所兼职博士生导师。研究方向：宏观经济调节与控制、经济政策学、城市经济学、宏观计划理论和方法、地区经济开发与规划。

孙久文，男，1956年出生，在读博士，教授，区域经济研究室主任，兼任北京市人民政府顾问，北京市科技进步奖评审委员，中国区域科学协会常务理事。主要研究领域：区域经济理论、区域规划、城市管理。

叶裕民，女，1962年出生，经济学博士，教授，城市经济研究室主任。中国城市经济学会理事，兼学科建设专业委员会委员，中国区域科学协会理事，全国经济地理研究会理事，北京市地理学会常务理事兼青年委员会主任，北京市城市科学学会理事，北京市城市经济学会理事，北京市城市规划学会城市化与小城镇专业委员会委员。主要研究领域：区域经济学、区域开发、城市经济学、城市管理、城市化。

北京城市学院

北京城市学院（简称BCU）是经中华人民共和国教育部批准成立的一所综合性普通高等院校，以本科教育为主，同时举办专科层次的高等职业教育。学院前身海淀走读大学，成立于1984年，是新中国第一所具有颁发国家承认学历资格的民办高校。建校以来，学院坚持党和国家的教育方针，以“改革探索、勤奋进取、艰苦创业、开拓前进”为校训，以城市就业人才需求为导向，致力于培养服务现代城市建设与管理的高素质人才，在探索中国高等教育体制改革和培养应用型人才方面取得了有目共睹的成绩与经验，从而在名校林立的首都迅速崛起，成为中国民办高校的一面旗帜。

“面向市场，自主办学”是学院始终坚持的办学理念，经过不断的整合优化，学院现已形成多层次、多学科、多形式培养应用型人才的专业体系与办学格局，本、专科专业近百个，拥有理、工、文、法、管理、经济等多个学科学位授予权。学校还面向社会开展成人高等教育、高等教育自学考试教育、职业资格与技术等级证书培训，发展社区教育。

学院大力推进国际化，实行开放式办学，先后同二十几个国家的高校建立了学术交流和合作关系，每年都互派教师和留学生，通过多种形式开展与国外合作办学，培养开拓型、国际化高素质人才。

学院以其扎实的培养能力、鲜明的办学特色和良好的社会声誉吸引着万千莘莘学子，成为历年考生报考的热门高校，招生规模连续多年居全市各普通高校前列，是全国唯一一所重点专业进入二本录取批次的民办大学。学院毕业生以“适应能力强、实用本领多、综合素质高”著称于京城各大用人单位，涌现出一大批行业骨干和就业新星。据北京市统计，学院的毕业生就业率连续十年在首都六十多所高校中名列前五名之内。在保持高就业率的同时，学院更注重就业单位的高质量，为毕业生发展创造了广阔的平台。

今天的北京城市学院面临前所未有的历史机遇。面向未来，北城人将继续深化改革，锐意进取，为建设新型的综合性大学，为中国教育的改革和发展做出更大的贡献。

学院简介

北京城市学院是改革开放以来北京市发展最快的高校之一，学校规模不断扩大，硬件设施日益完善。目前学院拥有主校区、城北、大学城三大校区（正在筹建昌平校区），现占地面积550亩（含租赁、借用），校舍建筑面积25万平方米，学生近3万人。图书馆藏书108万册，实验实训室140余个（校外实训基地96个），并建有配套齐全、功能先进的体育馆、计算中心、学生公寓（租借）等设施。

师资力量与科研成果

学院拥有专任教师800余人，兼职教师2000余人，其中专任教师中60%以上具有高级职称或硕士、博士学位；兼任教师队伍相对稳定，多为来自周边高校、科研院所的优秀教师和生产、建设、管理一线卓有成绩的实践专家，其中不少是知名权威人士。师资力量的多样化为日常教学带来了鲜活的生命力，也为民办院校师资队伍的建设提供了有益的尝试和宝贵的经验。作为一所综合性大学，学院十分重视教育研究和科学研究。“八五”以来，承担了各级科研课题与教改研究项目40多个，获得国家级成果二等奖一项、省部级科技进步三等奖三项、国家级专利一项；发表论文1300多篇、出版专著28部、教材110部。先后成立人工智能、信息安全等多个研究所，在民办高等教育、高职教育和人工智能、信息安全、城市信息化研究等方面取得了突出成绩，并多次获得国家和北京市奖项。学校共有六个研究所，每年都举办学术论坛，发表研究成果，2003年以来，发表论文（作品）600余篇，有21篇被EI等三大索引收录。学院对信息安全的研究处于国内领先地位，完成了三项“863”高科技研究项目，完成了国务院信息办委托的研究任务两项。开发了用于保证网络信息安全的《海达安全隔离与信息交换系统BCU Gap7710》等产品，已通过国家公安部等单位的认证，正式生产销售，并在中央国家机关、北京市、国防科工委分别组织的采购招标里中标。

学部与专业简述

北京城市学院成立当年，学校经批准开设6个本科专业，同年开始招收四年制本科生和二年制“专接本”学生，逐年增加学部设置，现共开设20个本科专业，71个专科专业。现在开设的20个本科专业分别为：计算机科学与技术、软件工程、电子信息工程、信息管理与信息系统、土木工程、生物技术、中药学、法学、公共事业管理、资源环境与城乡规划管理、国际经济与贸易、会计学、金融学、工商管理、旅游管理、英语、艺术表演、艺术设计、动画、传播学。

教育教学

北京城市学院非常重视教学工作，2003年以来，多次召开教学讨论会，针对教学中的问题，发动全校教师深入讨论，统一认识，明确方向，总结经验，制订措施，使学校的本科教育迅速走上正轨。

上海财经大学财经研究所

上海财经大学财经研究所是设立于中国久负盛名的高等学府——上海财经大学的一所独立建制的综合性专职学术与政策研究机构。财经研究所成立于1983年。20多年来，财经研究所致力于对中国经济所面临的经济与战略问题进行高层次的研究。财经研究所的使命是：产生高水平的理论与应用研究成果，鼓励客观的经济分析与公开的学术讨论，为中国公共政策的形成与决策提供信息与帮助，为企业决策提供咨询与人员培训，同时促进与国际研究机构在经济科学研究领域的学术交流。

财经研究所在依靠上海财经大学、充分分享学校丰富的学术资源和设施的同时，仍保持着运作方面的独立性。财经研究所鼓励有创造性的、客观的、严谨的学术研究，并努力促进学术观点自由的交流与传播。财经研究所现设有区域经济学博士点、农业经济管理博士点、国防经济博士点、能源经济与环境政策博士点，区域经济学硕士点、农业经济管理硕士点、国防经济硕士点、能源经济与环境政策硕士点、城市经济与管理硕士点以及林业经济管理硕士点，面向国内外招收和培养博士研究生、硕士研究生，以及研究生课程进修班在职学员。

财经研究所下设的研究机构有：区域经济研究中心；城市及房地产经济研究中心；都市农业经济研究中心；国防经济研究中心；宏观经济暨经济安全研究中心；企业竞争力研究中心；能源战略研究中心。

财经研究所的专职科研队伍由具有博士学位及高级职称的海内外的优秀研究人员组成。财经研究所在区域经济、城市经济、房地产经济、宏观经济分析与预测、公司治理与产权理论、世界经济、农业经济管理、资本市场、石油经济等学术领域已取得了显著成果。研究人员擅长的外语语种有英语、俄语、韩语、日语、法语等，并与英国、法国、日本、俄罗斯、韩国，中亚地区国家，以及我国的香港、台湾进行广泛学术交流与合作，互派访问学者。

财经研究所的研究项目一般由各个研究人员决定。这些研究项目将理论研究与实证研究有机地结合在一起，反映了研究人员多样的背景与广泛的特长。财经研究所鼓励研究人员自由探索长期悬而未决的难题与尚待开发的处女地，以最好地发挥自身的学术特长和满足自身的研究兴趣。同时，财经研究所也积极支持那些与现实经济发展密切相关、意义重大的研究项目。自2002年以来，财经研究所每年出版一期高质量的区域经济发展报告与一期城市经济发展报告，获得了社会的一致好评。

财经研究所作为一个思想库在创立伊始就吸引了一批富有创造力的研究人员。财经研究所积极发展与政府和产业部门的密切联系，是上海市政府发展研究中心常务理事单位，先后承接了大量国家社会科学基金项目、国家自然科学基金项目、省部级规划课题与决策咨询课题项目，获得了包括孙冶方奖在内的一大批省部级以上奖励，并通过承接大型企业和各级政府的委托咨询课题，直接为现实经济服务。

上海城市学院

上海城市学院是通过上海市教育评估院评估，上海市奉贤区教育局批准，上海市教委备案成立的一所以培养高等应用型、复合型人才为主的综合性、全日制民办高等院校。学院环境优美，建筑风格独特，布局合理，设施齐全，绿化面积达65%以上，三季有花，四季常青，是一所人文型、园林式、现代化校园。

学院地处集教育、科技、旅游开发为一体的上海市奉贤区，南倚会聚华东理工大学、上海师范大学等多所全国著名高等学府的奉贤海湾大学城和碧海蓝天、风景秀丽的海湾旅游休闲度假区；东邻我国最大的深水港——上海国际航运中心洋山深水港和投资总额高达1200亿元的上海新的制造业、物流业基地——临港新城，是青年学子求知成才的理想高等学府。

学院坚持“厚生，厚德，厚技”的校训与以人为本、自强不息、厚德载物的人文精神，通过理论教学、实习实训和校企合作等方式，提高学生的知识水平及实践能力。学院现设有工业工程系、人文社科系、计算机系、经济管理系、金融贸易系、艺术系6个系，共有建筑工程、工业自动化、计算机信息管理、国际贸易等21个热门本、专科专业和多个实践技能培训基地。学院现有全日制在校大学生近3000人。

上海城市学院拥有一大批知识渊博、教学经验丰富的专家教授，并紧紧依托复旦大学、上海交通大学、同济大学、华东师范大学等上海著名高校和科研院所的雄厚师资力量和丰富的教学经验，建立了一支专兼结合的高水平师资队伍。此外，还成立了由知名专家学者、教授组成的具有学院特色的教学督导委员会，形成一套以质量保证、监督、评估为一体的教学质量管理体系，确保学生接受高质量的高等教育。学院自成立以来，学生考试成绩在上海市同类院校中始终名列前茅，赢得了社会各界的一致好评，上海市政府、市教委以及奉贤区政府的各级领导多次莅临学院指导工作，对学院所取得的办学佳绩给予了充分肯定和高度评价。

学院拥有一支责任心强、工作耐心细致且具有丰富管理经验的专职学生管理队伍，学生管理工作严格规范。根据在校学生实际情况，实行半封闭式管理。各班级安排“一正两副”三位辅导员负责学生的学习生活管理、心理健康教育及社会实践活动等，培养学生的自主创新能力，帮助学生树立正确的人生观、价值观、就业观，为其尽早融入社会做好准备。

学院坚持专业设置以市场需求为导向，全方位育人，积极推行“双证”（学历证书、技能证书）制度，培养具有一专多能的高素质人才。为增强学生的就业竞争力，学院专门成立“就业指导委员会”、“大学生就业指导中心”，帮助学生分析就业环境，教育学生树立正确的择业观念，并采取走出去、请进来等多种形式举办毕业生招聘洽谈会，努力实现校企“零距离”合作，致使学院的毕业生推荐率达100%，就业率达95%以上，形成供不应求之势。在2006年毕业生洽谈会上，有50多家企事业单位及新闻媒体参加，其中，华硕集团上海分公司、上海奉贤建工集团、杭州萧山国际机场、上海锦江旅游集团等著名企业一次性签订就业协议百余人，并有多家企业与学校签订了“用人意向”、“订单式培养”等书面协议。

在经济全球化的今天，学院积极学习和借鉴发达国家的教育理念与办学模式，积极开展国际交流与合作，已与英国格林尼治大学、加拿大莫哈克学院等世界知名高校建立了协作伙伴关系，并与这些院校开展了深层次、多领域的合作与交流，开辟了多项留学项目，为学生提供了广阔的选择余地和发展空间。

学院坚持立足上海，面向全国的发展战略，并始终贯彻以学生为本位、以教学为中心、以服务为宗旨、以就业为导向的办学思想，努力构建“创特色学科，树品牌专业，建精品课程，铸一流技能”的教育教学新格局，保持培养社会急需的应用型、复合型高技能人才的办学方向，努力推进学校向更高目标迈进。

上海城市管理职业技术学院

上海城市管理职业技术学院是经国家教育部备案的全日制普通高校，隶属于上海市建设和交通委员会。上海市园林学校、上海市住宅建设学校为学院的附属中专。

学院的前身——上海市业余土木建筑学院，创建于1956年11月，著名市政和道路工程专家赵祖康为第一任院长，建设市政专业知名人士徐以枋、陈植、钱学中等先后担任学院院长。2001年4月，经上海市人民政府批准，正式转型为独立设置的高等职业技术学院，现任院长为谢卫平先生。

学院占地总面积326.85亩，建筑面积71163.88平方米，正在规划建设的建筑面积32000平方米。学院有四个校区（虹漕南路123号、河南北路301号、军工路2360号、杨树浦路2219号）及若干个分校和教学点。

学院注重学生综合素质和能力的培养，积极为学生取得“一张文凭，多种证书”创造条件，选派优秀学生赴新加坡、中国香港和全国各地参加大型专业展览和学术活动，建立了完善的奖学金、助学贷款等制度。现开办全日制高职教育、成人高等学历教育、成人培训教育、中等职业技术教育以及中外合作办学，教职工总数408人，在校学生6000余名，每年开展各类成人培训13000余人次。

资质及荣誉

上海市成人高等教育优良院校

上海市文明单位

建设部教育工作先进单位

国家建设类一级资质培训机构

南开大学城市与区域经济研究所

南开大学城市与区域经济研究所是在成功申报国家重点学科区域经济学基础上建立的，由原经济地理和城市经济两个博士点学科的人员和机构合并而成。其中：原经济地理专业，1930年代初由鲍觉民先生创建,1950/1964/1978年先后招收研究生，1984年获博士点授权（第二批），合并前为经济研究所城市与区域经济研究室；原城市经济专业，1980年代初由蔡孝箴先生创建，1981年招收研究生，1993年获博士点授权，合并前为经济学系城市经济与房地产教研室。现有博士生导师6人（含兼职），副教授、讲师3人，目前在读的博士生和硕士生合计50余人。

南开大学城市与区域经济研究所十分注重中国城市与区域经济方面的应用研究。有关人员以往在区域经济协调发展与区域经济政策、区域经济合作、城市化与城市发展、城市与区域交通规划和政策等领域，先后承担了多项国家、部委及课题。在区域经济学理论研究方面，已经出版了《区域经济学》、《城市经济学》、《区域经济学手册》等一些具有较大影响的专著、译著。自1978年恢复招收研究生以来，已培养硕士70多位、博士30多位、博士后6位（含原经济研究所城市与区域经济研究室和经济学系城市经济与房地产教研室）。原城市经济专业曾荣获国家优秀教学成果二等奖和天津市优秀教学成果一等奖。

一、城市与区域经济研究所的发展背景

（一）区域经济学是经济全球化条件下应用经济学研究的一个重要前沿领域

经济全球化是当今世界经济发展的一个重要趋势。经济全球化是各种资源在全球范围内自由流动的过程。在这一过程中，城市与区域的作用更加凸现，研究在此过程中城市与区域所呈现的前所未有的新特点、新趋势、新问题，是当代经济学研究中的一个热点领域，区域经济学科在其中担负着重要的任务。

（二）区域经济学是对当前中国地区与行业发展起重要作用的学科之一

国家“十五”期间的重要战略任务：实施城镇化战略，促进城乡共同进步。实施西部大开发战略，加快中西部地区发展，合理调整地区经济布局，促进地区经济协调发展。

（三）南开大学区域经济学学科点经过多年的发展，已具备了相应的学科基础

南开大学区域经济学学科主要由原经济地理和城市经济两个博士点学科合并而成，其中：

经济地理：1930年代初由鲍觉民先生创建，1950/1964/1978年招收研究生，1984年获博士点授权（第二批）。

城市经济：1980年代初由蔡孝箴先生创建，1981年招收研究生，1993年获博士点授权。

二、本学科点现有的学科特色和优势

（一）注重中国城市与区域经济应用研究

南开大学区域经济学学科点从其创立至今一直注重中国城市与区域经济的应用研究。自“九五”以来，本学科点的重点研究领域主要有：区域经济协调发展与区域经济政策，区域经济合作，城市化与城市发展，海峡两岸经贸关系与台湾省经济发展，城市与区域交通规划和政策。在上述应用领域，先后承担了：国家自然科学基金/国家社会科学基金项目6项，世界银行、UNDP等国际合作项目4项，国家计委、科技部、教育部基金项目18项，各级政府委托项目17项，企业委托项目31项，并向中央有关部委、各级地方政府和企事业单位提供了大量的研究报告。

（二）坚持应用研究与基础理论研究的结合

本学科点的应用研究是以南开大学经济、管理学科的综合优势为依托的，十分重视对区域经济学理论的研究：自“九五”以来，先后出版了《区域经济学》、《城市经济学》、《社会主义城市宏观经济学》、《区域发展理论研究》、《区域经济运行机制研究》、《城市交通分析》等一些理论性的专著。在“九五”期间，本学科点共获得省部级以上科研成果奖9项。

（三）坚持科学研究与人才培养并重

本学科点在教学方面具有很强的能力和较高的质量：自1978年恢复招收研究生以来，已培养硕士60多位、博士20多位、博士后6位。城市经济专业硕士点、博士点系统建设曾荣获国家优秀教学成果二等奖和天津市优秀教学成果一等奖。《区域经济学》教科书已经成为北京大学等多所高等院校的研究生教材。《城市经济学》荣获教育部优秀教材奖。

（四）注重采用现代科技手段进行研究和教学

本学科点近年来一直在尝试利用高新技术手段促进学科发展：建立了区域和城市地理信息系统（GIS）实验室。已经建成了包含全国省、地两级600多个行政区域，1：100万比例尺的区域经济数据库。在《天津市工业布局战略东移研究》等课题的研究中应用了地理信息系统（GIS）技术。

（五）拥有一支具有创新精神、充满活力的学术队伍

本学科点的梯队结构和人员组成特点：

高学历：所有50岁以下的中青年教师都具有博士学位或正在攻读博士学位；年轻化：2/3的教师在45岁以下，其中有一半在35岁以下；复合性：40%的教师具有经济学以外的学士学位，其中理科背景居多；开放性：60%以上的教师有在国外学习、研究的经历，并聘请国内外一些知名学者担任兼职教授。

（六）积极探索新的研究体制和机制

本学科点以南开大学中国城市与区域经济研究中心作为对外交流的窗口：设立了由官产学各界人士组成的理事会；充分利用了南开大学与多个省市区的省校合作关系；与一些有实力的企业建立了长期合作关系；建立了与国外和港澳台地区高校的合作关系；形成了充分利用外部资源、合理调度校内研究力量的新型研究机制。

河北工业大学城市学院

一、学院简介

河北工业大学城市学院于2001年经河北省人民政府批准成立，于2004年经教育部重新审核予以确认。城市学院从2001年开始招生，现设有本科专业46个，涵盖理、工、经、管、文、法六大学科门类。在校本科生10980人，固定师资队伍980人，其中城市学院专任教师102人，聘期一年以上的河北工业大学教师878人。

学院现占地面积800余亩，校舍建筑面积219590平方米。学院固定资产总值42455万元。并建有保证教学、生活需要的各种先进设施。图书馆现有面积8897平方米，现藏书41.23万册。学生用计算机1272台、多媒体教室38间、语音室19间，教学仪器设备总值达7000余万元。同时，学院已实现校内外联网。学院拥有标准田径场、篮球场、网球场等体育场馆。

学院实行学分制和弹性学年制，以鼓励学生勤奋读书，努力学习。学生在校期间，允许跨学科辅修二学位，对学习成绩优秀者，每年颁发综合及单科学习优秀奖。二年级初优秀学生允许根据个人志向再次选择专业。近年来我院学生参加全国及各省、市的各项竞赛多人获奖。2005年毕业生参加全国研究生招生考试，有近10%的学生考取硕士研究生。

学院党政领导始终坚持河北工业大学“勤奋、严谨、求实、进取”的优良传统，坚持社会主义办学方向，坚持走内涵发展的道路，努力提高办学质量和办学效益。紧密围绕“以教学为中心”开展工作，营造了浓厚的大学文化氛围，大学生业余文化生活丰富多彩，有力地推动了良好校风的建设。

二、师资力量

现有在职教职员工2300余人，其中专任教师1300余人，具有副高级以上职称人员600余人，具有博士学位教师306人，博士生导师86人，硕士生导师452人；国家级教学团队1个，省级教学团队2个；长江学者奖励计划特聘教授岗位2个，教育部高等学校教学指导委员会委员8人，享受国务院政府特殊津贴专家15人，国家和省有突出贡献中青年专家18人，新世纪百千万人才工程国家级人选2人，教育部新世纪优秀人才2人；河北省“燕赵学者”2人，河北省新世纪“三三三人才工程”人选14人；有70余人担任省级以上专业学会或协会的正副理事长、秘书长。现有全日制在校生近2万人，其中本、专科生1.5万余人，研究生3500余人。另有成人本专科教育学生1.5万人。经河北省人民政府批准、教育部予以确认、依托河北工业大学创立的独立二级学院——河北工业大学城市学院，成立于2001年，现设有46个本科专业，在校生1.1万人。

重庆大学城市学院

重庆大学城市学院是重庆大学直属本科学院，是以城市建设、城市规划、城市管理为主的建筑学院。该学院以土木工程、工程管理、建筑结构、桥梁隧道、市政建设等建筑学科而著称，是重庆大学直属25个二级学院之一，现位于重庆市沙坪坝区渝碚路131号重庆大学C区，学校前身系1974年3月成立的中国人民解放军基本建设工程兵学校，1984年9月经国家教委批准改为重庆建筑专科学校，划归原中国建设部下中国建筑工程总公司主管，重庆建专曾被誉为中建系统的黄埔军校，1992年4月更名为重庆建筑高等专科学校。1997年3月被国家教委确定为全国示范性高等工程专科重点建设学校。2000年5月重庆建筑高等专科学校（重庆大学C区）与重庆建筑大学（重庆大学B区）同时并入重庆大学（重庆大学A区）。1997年重庆大学成为国家首批进入“211工程”的全国重点大学，紧接着2001年9月，教育部与重庆市签署部市共建协议，重大成为34所“985工程”大学。2003年12月，重大升级为副部级高校，成为31所副部级高校之一，成为国家重点建设的大学。学院以高等学历教育、职教师资培训及全校本科生、研究生进行工程实践训练为主要任务，是教育部重点建设的15所国家示范高等技术学院之一。

学院现有：工程造价、土木工程、市政工程、给排水等专业，学院坐落在重庆市沙坪坝商业、文化中心的重庆大学A、C校区，占地面积20万平方米，建筑面积约10万平方米；有校级工程技术培训中心、院级实验实训中心、多媒体及电教中心、图书馆等现代教学设施；有价值3000余万元的各类先进教学仪器设备。

为培养社会急需的高级技术应用型人才，学院近三年先后投资2000多万元建成了数控、计算机通信、电子商务、广告制作、建筑工程与测量、楼宇智能化等25个在国内具有先进水平的教学实习实训基地，每年可接纳近6000名本、专科生和研究生进行各种实用高新技术培训。学院坚持走产学研结合、校企共建的道路。先后与德国西门子公司、中日合资建设雅马哈公司、中国铁通重庆分公司、中国邮电器材总公司、广州数控设备厂、重庆巴山仪器厂、重庆第二机床厂、重庆第二建筑工程公司、重庆鹏程电脑研究所等26家企事业单位合作，建成20多个稳定的校外教学实验、实训基地。

重庆大学城市学院积极探索适应城镇化建设需要的应用型人才的培养模式和途径，从多方面深化教学改革，几年来我院先后有4个专业被教育部遴选为国家级教改试点专业；5个专业被评为重庆市教改试点专业；学院先后主持完成国家“九五”重点科技攻关项目1项；参研教育部“十五”规划重点课题1项；主持教育部新世纪教改工程重点科研项目1项、重庆市新世纪教改重点科研项目2项；承担教育部规划教材建设项目10项。学院主研的“高校教学实训基地新模式研究与实践”项目获国家优秀教学成果二等奖和重庆市首届优秀教学成果一等奖。

学院突出以行业为依托、专业技术应用能力和综合素质培养为特色的办学理念，受到了上级领导的关心，李岚清、陈至立、吕福源、周远清、贺国强、吴启迪以及重庆市主要党政领导先后来我院视察指导工作。学院重视国内外的学术交流与合作。近三年来，美国、英国、德国、加拿大、新加坡、马来西亚以及我国香港等国家和地区的20多所著名高校和清华大学、上海交大、东南大学等国内50多所高校的领导、专家先后到学院访问、参观和学术交流。学院也派出有关人员去国内外大学参观、学习。

太原城市职业技术学院

太原城市职业技术学院是经山西省人民政府批准并经国家教育部备案，由太原经济管理干部学院、太原市工业经济学校、太原市城市建设学校合并成立的一所普通高等学校，2000年起就获得了全国普通高等教育招生资格。学院承担普通大专（含五年制高职）、普通中专和成人高等教育的任务，设有财会系、工商管理系、经济系、行政管理系、工艺美术系、计算机系、机电系、公关系和基础部八系一部，开办的专业涉及财经、管理、建筑、艺术、法律、信息和机械等多个方面。

一、学院简介

太原城市职业技术学院成立于2003年7月1日，学院经山西省人民政府批准并经国家教育部正式备案，在原太原经济管理干部学院、太原市工业经济学校、太原市城市建设学校三校基础上组建而成。是一所集高等职业教育、中等职业教育、高等成人教育、职业培训于一体的综合性高等职业院校。学院位于太原市胜利桥西兴华街，地处汾河西畔，东邻滨河公园、森林公园，南与漪汾苑小区、市体育中心隔路相望，地理位置优越，交通方便。经过整合的学院师资力量雄厚，教学设施完善，现有教职工365人，具有高级职称59人，研究生学历（含在读）教师85人，“双师素质”教师73人。

二、基础设施

学院现有教学仪器设备总值1623万元，专业实训室35个，校外实训基地41个，其中建筑技术实训基地为国家级职业教育实训基地。学院设有多媒体教室18个，省级职业技能鉴定站3个、考试点2个，培训中心1个。图书馆纸质藏书16.7万册，电子图书40万册。占地180亩的校园绿化美化渐成规模，环境优雅。学院现有与教学相配套的各类实验室、机房、专业教室30余个，可完全满足专业教学的要求。学院的图书馆和阅览室宽敞明亮，体育设施齐全，建有标准体育场及足球场、篮球场、排球场等。在原有600人餐厅的基础上，又新落成可同时容纳1000人就餐的餐厅；其二层为大礼堂，保证了学生集会、文艺演出和文体娱乐活动在室内举办。学院住宿条件优越，实行公寓化管理。

太原城市职业技术学院为充实和加强专业学科建设，该院常年特聘一批专家学者、大型企业的总工程师、总会计师、总经济师和各行业主管部门的领导参与或主持学院各专业学科的教学委员会，其中大部分被聘为该院的客座教授或兼职教师。该院设有“国家职业技能指定考核点”，毕业生在取得毕业证的同时还会取得国家职业技能等级证书；该院还是山西省计算机应用能力考试指定考核点，学生在毕业时应取得省级计算机应用能力考试合格证，这些都为毕业生就业上岗创造了必要条件。根据省教育厅的政策规定，在校的大二学生还可通过参加教育厅组织的“专升本中期选拔”考试升入相应的本科院校。该院所开设的专业很好地顺应了社会需求，周边省（区）争相在我院安排招生计划，生源地区已拓展到河南、内蒙古、陕西、青海、甘肃、河北、新疆等省（区）。目前，该院各类在校生规模达到4500多人。

三、合作交流

学院高度重视同社会、企业的合作与联系，积极创新办学模式，先后与太原飞驰汽车零部件公司、太原大昌汽车修理厂、山西千禧集团联合办学，进行校企合作，实行“订单式”人才培养模式。与我国北大青鸟APTECH（阿博泰克)、加拿大枫华国际投资集团、韩国理工大学合作办学，引入了国际领先的人才培训模式，在专业建设中采用了学历教育和培训体系相结合的方式。学院也高度重视教学科研工作，共承担国家、省、部级科研课题5项，在国家、省、部级刊物公开发表学术论文和研究报告近200篇，公开出版学术专著和教材60余部。

大连理工大学城市学院

大连理工大学城市学院经国家教育部批准成立于2003年3月，是东北首家按新机制、新模式举办的“985”工程院校独立学院，是隶属于大连理工大学的新型全日制普通高等本科院校。学院以工科为主体、以外语强化优势为特色，工学、文学、管理学、经济学、艺术学等多学科协调发展。

一、学校周边环境

学院地处中国十大最具经济活力，世界最适宜居住城市之一，东北海滨名城——大连，位于充满现代化勃勃生机的大连市高科技经济技术开发区，背靠风景秀丽的大赫山（又称大黑山）风景名胜区，与生态公园童牛岭及丽娇湾海滨风景区毗邻。交通便利，门前的快速轨道列车40分钟抵达大连火车站青泥洼桥商业圈。学院依山傍水，周边环境优美，与蕴涵国际化理念却充满中国特色底蕴文化的学院相映衬，清新恬静又适宜学习生活的环境铸造了学院在大连乃至全国大学的品牌。

二、硬件设施

学院现占地近千亩(55.1万平方米），校舍面积近23万平方米，教学行政用房面积14.3万平方米，教学仪器设备价值4835万元，图书47.5万册。校园内花团锦簇，绿树成荫，办学设施齐全、先进，宁静却大气磅礴的建筑风格与大海相呼应，为学生创造了一流的学习和生活的条件。也突出了“海天一色，海纳百川”的海滨城市和人的淡雅性格。

三、师资队伍

学院隶属于大连理工大学，由大连理工大学全面负责城市学院的教学和管理。学院依托大连理工大学雄厚的师资队伍（专任教师487人，其中副高级职称以上179人）和丰富的教学资源及管理经验，采用新机制组建一支以专任教师为主，兼职教师为辅的学院教师队伍。

四、办学规模

学院充分发挥大连理工大学的综合办学优势，根据社会经济发展的需求设置专业。目前设有计算机工程学院、电子与自动化工程学院、经济管理学院、建筑工程学院、外国语学院和视觉艺术与传媒学院等二级学院和工程实践中心及基础教学部、体育部，23个专业，50个专业方向。学院面向全国招生，现有在校本科生近8500人。毕业颁发大连理工大学城市学院毕业证书。符合学士学位授予标准的，将按照国务院学位委员会、教育部规定对符合学士授予条件的学生授予大连城市学院学士学位证书。

江苏城市职业学院

江苏城市职业学院，是经江苏省人民政府批准成立并经教育部备案的全日制公办普通高等学校，面向全省招收高职专科学生。学院坚持社会主义办学方向，坚持“以市场需求为导向，以能力培养为中心”的办学指导思想，以服务江苏经济社会发展、培养高素质应用型人才为宗旨，加强内涵建设，强化规范管理，注重教学质量，营造积极向上的校园文化，努力为江苏经济社会发展培养应用型人才。

学院坐落于省会南京市，本部现有定淮门校区、定淮门东校区、应天校区和挹江门校区，设有传媒艺术系、城市科学系、信息工程系、建筑工程系、公共管理系、财经系、外语系以及教育研究、教学支持服务和党政管理等机构，下辖苏州、无锡、常州、南通、连云港、徐州、淮安、盐城、宿迁、化工（南京）以及昆山、常熟、吴中、张家港、武进、宜兴、江都、靖江、泰兴、南京城东、南京建邺21个办学点（校区）。

学院现有教职工 546 人，其中教授 15 人、副教授 78 人，拥有一支学术水平较高、教学经验丰富、结构合理的教学、研究和管理队伍，形成了由享受国务院政府津贴专家、江苏省有突出贡献中青年专家、省“333工程”培养对象、省“青蓝工程”中青年学术带头人培养对象构成的高层次人才队伍。学院还与美国、英国、日本、澳大利亚、韩国以及中国香港、澳门等地区的高校建立了良好的交流合作关系，并长期聘请外籍教师任教。

学院注重现代化教学环境的营造，教学基础设施齐全，具备良好的办学条件。拥有校舍面积16万平方米，教学用计算机1700余台，语音实验室575个座位，多媒体教室4953个座位，馆藏纸质图书25万余册，电子图书 48 万册。学院具备良好的实践教学条件，现有设施先进的校内实验室 50 多个，覆盖了理、工、文、经、管理等学科，与法院、检察院、银行、环保系统、教育系统、IT 行业、建筑行业等单位合作，建成了 20 多个校外实训基地，着力培养学生的动手能力及分析问题、解决实际问题的能力。

温州大学城市学院

一、学院简介

温州大学城市学院是经国家教育部批准设立的独立学院，由原温州大学经济学院、信息科学与工程学院合并组建。城市学院目前有全日制在校学生7093人。学院“立足温州、服务浙江、面向全国”，为社会培养高级应用型、复合型的人才。

学院依托温州大学的办学基础，充分发挥先进的办学模式的优势，形成了自己鲜明的办学特色。

学院坚持“贴近社会、贴近产业、贴近国际”的办学思路，并确立“会做人、会做事、会求知、会创新”的人才培养基本目标 。学院把“会做人”作为人才培养的第一要义，并着力培养学生的专业知识和专业技能；同时通过创造性的教学活动培养学生的创新观念和创造的能力。

二、师资力量

学院依托温州大学办学优势，根据现代科学技术发展趋势和地方经济社会发展需求设置专业。学院面向全省招生，目前有全日制在校学生7093人。 学院由温州职业技术学院原院长、浙江省高职教育研究会会长周锦成教授任院长。学院拥有一支年龄结构合理、素质优良、教学和管理经验丰富且具有强烈敬业精神的教师队伍。学院现有教职员工370多人，80%以上的任课教师由温州大学的优秀教师担任，外籍专家4人，毕业于国内知名大学的资深正副教授共100多人，10多人入选浙江省高校中青年学科带头人、浙江省“151人才工程”以及温州市“551人才工程”，并有数人享受政府特殊津贴。

学院坚持产学研相结合，致力于服务地方经济社会建设，现设有温州大学民营经济研究中心、温州大学计算机网络技术研究所、浙江省汽摩配行业技术创新服务中心等科研机构。几年来，学院承担并完成了36项国家、省、市级科研、教研项目，同时在国家级出版社出版教材、专著26部，产生了良好的社会影响。

三、教学设施

温州大学城市学院教学基础设施完善，在共享温州大学先进教学资源的同时，学院教学仪器设备价值3000多万元，拥有ERP、国际贸易仿真、计算机网络等30多个实验室和完善的网络多媒体教学设施，并建立了30多个稳定的校外实践教育基地。学院按照“经世致用”原则，坚持产学研相结合。设有温州大学温州经济研究所、温州大学民营企业家成长研究中心、温州大学市场调查研究中心、温州大学信息技术研究所、温州大学计算机网络技术研究所、浙江省汽摩配行业技术创新服务中心等 10多个科研机构。近几年来，承担并完成了30多项国家、省、市级科研、教研项目，有10多项荣获省、市级科研和教学成果奖励，在国家级出版社出版教材、专著20多部，产生了良好的社会影响。

四、办学特色

学院秉承“因材施教”的教学原则，积极研究和探索独立学院的教育与教学规律，抓教风促学风，大力推行“目标管理与行为养成相结合”的教育管理模式。与浙江大学、复旦大学、厦门大学等国内著名高校建立了密切的合作关系；与全球最大的网络公司思科系统公司合作举办“思科网络技术学院”项目，培养与国际接轨的IT应用人才。学院教学建设成果显著，拥有1个国家教育部教改试点专业、1个省高等教育重点建设专业和2个校重点建设专业，1门“国家精品课程”、2门“省级精品课程”。

学院坚持以学生为本的理念，从严管理，爱心教育，社会服务。建院以来，本着“快乐、团队、成就、实用”的信念，鼓励广大同学积极参加各项素质教育活动，努力打造“魅力城市”、“欢乐城市”、“活力城市”、“实力城市”即“四季城市”品牌校园文化。2004年城市学院团委荣获省级先进团委称号；同时社会人士倾心关注与支持城市学院发展，设有秦亮助学金等多项特色奖助学金。学院借助人才开发中心等途径有效地帮助学生开拓就业通道，近几年来，毕业生一次就业率明显高于同类高等院校。

浙江大学城市学院

一、学院简介

浙江大学城市学院（Zhejiang University City College，ZUCC）成立于1999年7月，是国家教育部和浙江省人民政府批准设立，由浙江大学、杭州市人民政府合作办学，并与浙江省电信实业集团共同发起创办的全日制本科普通高校，是中国首家按新型模式办学的独立学院，被誉为中国独立学院的办学典范。现任院长是浙江大学博士生导师吴健教授，现任党委书记是中共浙江大学党委委员胡礼祥教授。

二、招生

浙江大学城市学院面向全国招生，目前有全日制本科学生 12000余名。学生德体合格，在学院规定的学习期限内达到学院最低毕业学分要求，由学院颁发根据国家统一规格印制的“浙江大学城市学院”全日制普通高校本科毕业证书。符合浙江大学学士学位授予条件者，经城市学院统一申请、浙江大学学士学位审定工作委员会审定，可获浙江大学学士学位证书。2003年起，学院依托浙江大学招收全日制硕士研究生和外国留学生。

三、培养方向

浙江大学城市学院继承和发扬浙江大学“求是创新”的优良校风，锐意改革，开拓进取，以“倡导合格基础上的扬长教育，注重学生全面素质提高基础上的个性发展”为育人理念，全力实施“全员育人、全过程育人、全方位育人”，着力构建“按社会需求设专业，按学科打基础，按就业设模块，使学生横向可转移、纵向可提升”的本科培养体系，强化学生的应用能力、创新意识和创新能力，努力为社会奉献具有社会责任感和较强的社会政治经济建设能力，具有国际视野和参与国际竞争能力的高素质应用型、复合型、创新型人才。

四、师资队伍

经过八年的发展，学院已经建成了一支德才兼备、生师比匹配、专兼比合理、学历结构优化的师资队伍。专任教师队伍中46% 的教师具有高级技术职称，73%的教师具有硕士以上学历。

五、科研工作

浙江大学城市学院重视学科建设、科研开发与产学研合作。目前有计算机应用技术、药理学、国际贸易学、企业管理 4 个市级重点学科和新闻学、通信与信息系统、机械制造及自动化 3 个学院扶持学科；有药物信息与新药研究、集成化信息处理与控制、网络与计算机开放实验室3个市级重点实验室和商务信息分析、数字化设计与制造2个学院重点实验室。设立了工业中心、会展研究与服务中心、城市研究中心等26个科学研究与开发机构。在杭州市和浙江省各地建立了160余个产学研合作基地。

六、发展方向

浙江大学城市学院是在中国高等教育改革与发展过程中应运而生的新型大学。学院中长期建设与发展总体目标提出，在今后的15年内，将浙江大学城市学院建设成为一所办学与地方经济社会发展需求紧密结合，独立学院运行机制优势充分发挥，现代大学管理制度健全完善，应用型人才培养模式特色鲜明，培养质量稳定优秀，科研开发与技术服务成效卓著，中外合作办学优势突出，在培养应用型、复合型、创新型人才方面国内领先的新型大学。

浙江大学公共管理学院

浙江大学公共管理学院由原经济学院行政管理与公共政策研究所、劳动与社会保障研究所、劳动经济与公共政策研究中心、原环资学院土地资源管理系及土地科学与不动产研究所、原法学院比较政治与公共管理研究所、原管理学院科教发展战略研究中心、浙江大学管理培训中心等单位组建而成。

浙江大学公共管理学院（简称公管学院）成立于2005年7月，院址设于浙江大学玉泉校区。下设政府管理系、土地管理系、公共政策与公共经济系、社会保障与风险管理系、信息资源管理系、政治学系、社会学系7个系，设有浙江大学行政管理研究所、浙江大学风险管理与劳动保障研究所、浙江大学土地科学与不动产研究所、浙江大学政府与企业研究所、浙江大学台湾研究所、浙江大学信息资源管理研究所、浙江大学政治学研究所、浙江大学社会学研究所、浙江大学社会建设研究所9个校级研究所和浙江大学公共管理学院电子政务研究所1个院级研究所。

学院拥有1个教育部战略研究基地“浙江大学科教发展战略研究中心”，2个浙江省哲学社会科学重点研究基地“浙江大学劳动保障与公共政策研究中心”和“浙江大学地方政府与社会治理研究中心”，10个校级交叉学科研究中心：浙江大学中国土地勘测规划院东南土地研究中心、浙江大学欧洲研究中心、浙江大学台港澳研究中心、浙江大学区域与城市发展研究中心、浙江大学公民社会研究中心、浙江大学非传统安全与和平发展研究中心、浙江大学公共政策研究中心、浙江大学非物质文化遗产研究中心、浙江大学民政研究中心和浙江大学中国社区建设研究中心，4个院级研究中心：浙江大学公共管理学院国有资产监督与管理研究中心、浙江大学公共管理学院全球领导力研究中心、浙江大学公共管理学院政府绩效评估研究中心和浙江大学公共管理学院国学与公共管理研究中心。学院还设有教育部与德国汉斯·赛德尔基金会协议成立的国际合作培训机构——浙江大学管理培训中心，为工商企业和政府管理部门提供培训和咨询服务。土地资源管理、社会医学与卫生事业管理、教育经济与管理被批准为浙江省重点学科（2009年新增）。

学院拥有公共管理博士后流动站；公共管理一级学科博士点（涵盖行政管理、社会医学与卫生事业管理、教育经济与管理、社会保障、土地资源管理5个二级学科博士点和信息资源管理、非传统安全管理2个自设二级学科博士点）和政治学理论二级学科博士点，以及政治经济学、劳动经济学、企业管理、管理科学与工程4个共建学科博士点；拥有图书馆学、情报学和档案学1个一级学科硕士点，行政管理、社会医学与卫生事业管理、教育经济与管理、社会保障、土地资源管理、情报学、档案学、中外政治制度、国际关系、中共党史、信息资源管理、政治学理论、非传统安全管理、图书馆学、社会学15个二级学科硕士点以及行政管理、土地资源管理、城市与房地产管理、社会保障、风险管理、信息资源管理、电子政务、政治学与行政学、国际政治和社会学10个本科专业方向。学院还设有浙江大学MPA教育中心，该中心是国家首批MPA专业学位教育试办单位，也是首家以优秀成绩通过国务院学位办教学合格评估的办学单位。目前，学院已形成了博士、硕士和专业学位教育、本科和继续教育的完整教学体系。

2009年，学院招收本科生177人、硕士研究生128人、博士研究生42人，毕业本科生106人、硕士研究生106人、博士研究生23人。2009届本科毕业生一次就业率为96.23%，毕业研究生一次就业率为96.43%。应届本科毕业生考研录取率为29.25%，出国率为2.83%。2009年度共有182人获得MPA硕士学位。

学院现有教职工130人，其中教授32人，副教授50人（2009年新增4名）；博士生导师23人，硕士生导师60人，学院在站博士后44人。学院现有全日制在校本科生489人，研究生453人，其中博士研究生192人，硕士研究生261人，MPA研究生985人。

2009年，学院科研经费到款2508.08万元，纵向经费占总经费比率为44.79%，比2008年的1862.09万元增长了34.69%；获批国家级重大项目2项；获批国家基金项目14项，其中国家社科基金项目4项，国家自然科学基金10项，国家自然科学基金批准率为40%，远超学校平均批准率27%；2009年获得各类科研成果奖励25项，其中获省部级以上科研成果奖励18项（其中特等奖1项）；发表一级刊物论文106篇，权威刊物论文21篇，SSCI收录论文8篇，SCI收录论文6篇，EI收录论文4篇；出版专著15部，编著及教材17部，译著7部。

学院积极开展国内外学术交流，国际合作日趋紧密，国际化程度逐步提高。2009年度共举办了5次国际性学术会议和1次两岸经贸合作研讨会。聘请短期外专项目获学校立项16项，接待来访专家（包括港澳台地区）230人次；学院教师有65人次赴美国、澳大利亚、加拿大、英国、德国、瑞士、日本、新加坡、韩国等国家以及港澳台地区，进行合作研究、进修培训、访问考察、参加学术会议等交流活动。

江西城市职业学院

一、学院简介

江西城市职业学院是经江西省人民政府批准并经国家教育部备案，具有独立颁发国家高等教育学历资格的全日制综合性普通高等民办院校，学院突出“健全人格+复合专业+实践能力”的“三元育人”特色，着力为服务城市化建设培养复合型、应用型、创造型人才，内设：电子学院、管理学院、商务学院、建筑学院、机电学院、翻译学院、信息学院、人文学院、音乐学院、美术学院十大学院和城市高级技工学校、中专学校、城院驾校。

学校坐落在“物华天宝、人杰地灵”的历史名城南昌。校园面积2300亩，建筑面积58万平方米，在校生20000余人。梅岭校区坐落于梅岭国家森林公园入口处，校园规划独具匠心，草坪、绿树、花坛、纵横交错的林荫道以及千姿百态的园林小品，簇拥着28万平方米的大小建筑，与梅岭秀丽的峰峦自然契合，相映成趣，构成一幅天造地设的花园式校区，被誉为怀珠抱玉一般拥起的一座现代袖珍型“城市”。星城校区是我校的新校区，坐落于新建幸福水库旁，占地1900余亩，设计新颖，布局独到，充分体现了“人文之城”、“艺术之城”、“园林之城”、“和谐之城”的校园文化品质定位，是一所清灵俊美的“江南山水园林大学”。从大门中部惜时如金的“沙漏”雕塑，到壮阔的“开元大道”、恢弘的“大三元广场”、七彩的“音乐喷泉”、碧波荡漾的“浴星湖”、诗意盎然的“语星桥”、超大规模的“星洲运动场”、亮丽的“星空剧场”和现代化的图书馆、科技馆、艺术馆、体育馆、信息馆，以及学术中心、跨文化中心、音乐中心、行政中心、实训中心、商业中心，构成了一幅美丽的校园风光。星城校区必将孕育一批批、一代代“星”级学子。

学校拥有一支热爱高等教育、素质较高、专兼结合、数量充足、结构合理的高素质师资队伍，一批省内外知名教育、教学、管理专家担任管理和教学骨干。学院教学设施齐全，满足各专业实践教学需求。建设了多媒体教学中心、校园宽带网络系统，数字化图书馆藏书64万余册，设有先进的广播电视中心，3个标准全塑胶的万人体育运动场，语音设备460座，多媒体教室260间，电子阅览室2个，6个大型综合学术报告厅。拥有先进的教学计算机3200多台，建有：计算机网络实验室、计算机硬件实验室、计算机软件开发实验室、单片机接口技术实验室、电子电工实验室（国家科技部、劳动部联合开发的电子电气教学实验基地）、电气化实验室、经贸管理与财会综合模拟实验室、数控机床实验室、建筑技术实验室、电脑艺术设计实验室、金工实习基地等；校外有各种专业实习基地68个。美术、音乐学院拥有画室、琴房（包括多媒体教学琴房）、练功房等。资产总值近6.2亿元，其中教学科研设备价值8500余万元。

学院贯彻“以人为本、质量立校”的办学思想，实施“人才强校、文化铸校、和谐兴校”的发展战略，着力实践董事长黄玉林先生独创的具有划时代进步意义的“健全人格+复合专业+实践能力”的“三元育人”模式；建立了“待同学为朋友、育英才为己任”的新型师生关系，坚持“因材施教个性化教学、严爱结合人性化管理”的现代教管模式，培养了一批又一批“有灵气、有悟性、能创新、高情商的城市之星”；学校积极为学生就业开拓思路，已先后与3000多家用人单位建立合作关系，采取“订单式”培养，与用人单位签订赞助定向培养合同书，确保了历年毕业生就业率均达96%以上。鲜明的育人特色、优良的教学质量，使学校获得“教实学、育真才、严管理、优就业”的良好赞誉，并先后被全国性权威公众机构评为“全国首批十所就业型重点大学”、“全国首批教育教学质量示范高校”、“毕业生就业工薪前十强”、“江西省优秀学院”、“国家知名高职院校十大就业典范”等荣誉称号。

未来十年，学校将全方位夯实基础、创新改革，着力提升教育质量和办学水平，把学校建成国内一流并逐步走向国际的山水园林大学，实现新一轮的历史性跨越！

二、办学定位

以高职为依托，以本科为杠杆，以应用文科为特色的，为城市化建设培养复合型、技能型、应用型人才的现代教学型大学。

本定位包括以下界定：（1）学历层次：专科与本科并行，依然突出“高职”特点，这在民办高校往后相当长的一段时间内不会有太大改变。本科是提升学校教学水准的杠杆，也是学校未来应当致力发展的方向，并尽可能扩大本科的比重。（2）学科特色：以“应用文科”和“服务城市化建设”同其他民办高校区别开来，在营造学科专业个性的同时，形成自己的优势学科，从根本上提高自己的办学层次与办学水平。（3）培养目标：突出服务城市化，学生知识结构为复合型、技能型和应用型，与“三元育人模式”相吻合并形成因果关系；毕业生就业期望为中高级蓝领和初中级白领，简称“金蓝领，银白领”或“金蓝银白”。（4）学术地位：“教学型大学”，并努力向“教学研究型大学”发展。

山东城市学院

山东城市学院于1984年经山东省教育厅批准，由中大集团投资创办，集高、中等教育和高级技能培训并存、文理兼容于一体，位于山东省青岛市。设两个教学区，占地面积200亩，建筑面积近34000余平方米，在校生2500余名。

热门的优势专业 学院始终以就业为导向，面向社会，适应市场，灵活办学。根据建设国际知名特色城市和国家科研、制造、出口基地发展需要，开设旅游管理、数控技术、机电、物流报关等企业急需的、待遇高岗位好的十多个热门专业，为国家培养具有本科、专科学历，综合素质高、适应能力强、掌握一技之长的高、中级专业人才，为学生毕业后顺利就业奠定基础。

雄厚的师资力量 学院奉行“专家治校、名师执教”的办学方针，面向全国招聘教师，组成了以全国优秀教师、专家、教授为带头人的“双师型”教师队伍，现有教职工228人，专任教师174人，其中具有高、中级职称者占85%。

齐备的教学设施 学院建有标准化的教学楼、实验楼、学生公寓楼、大中型餐厅。设有大型多媒体教室、网络微机室、语音室、电力拖动实验室、家电实验室、电子电工试验室、制图室、图书阅览室；建有数控实训室、钳工实训室及电气焊实训室；拥有网球场、排球场、篮球场、乒乓球场和足球场；配有邮政所、电话超市、理发室、洗浴室、卫生室、商店、水果店、洗衣房，为学生创造优良便捷的学习、实训、生活环境。

有效的安全保障 学院实行封闭式准军事化管理，与当地公安机关联手共建“平安博益”。校园周边民警值勤巡逻，校内安排保安值班；每天有一名院长带领中层干部、值班教师24小时值勤；定期进行法制教育，举办消防、交通、食品安全知识讲座、消防逃生演习；严禁管制刀具等违禁品进入院内，严禁学生外出上网，扎实有效地为学生创造安全和谐、积极向上的学习氛围。

100%的安置就业 学院紧连开发区内的保税工业园区、临港工业园区、港物流工业园区。其中世界500强企业有20余家，投资几百亿元的大炼油、大造船、大钢铁、大物流项目陆续建成，为毕业生就业安置提供了广阔空间。办学三十年来，毕业生10000余人，就业安置率达到了100%。实行为毕业生免费跟踪服务三年的有力举措，满足了学生及家长的要求，赢得了社会各界的好评。

优良的社会信誉 诚信办学，硕果累累。学院优越的办学环境、齐备的教学设施、雄厚的师资力量、先进的教学模式、严格的育人管理、亲情的关爱服务、广阔的就业空间、100%的就业率及优质的跟踪服务，获得了社会各界的广泛赞誉和主管部门的充分肯定。1999年以来，连续十年被青岛市教育局评为先进办学单位、A级院校，青岛市文明办授予“诚信办学”单位；荣获山东省首批民办优秀办学单位；“全国先进民办学校”；开发区民办教育“十佳诚信优秀学校”等荣誉称号。

山东经济与城市管理学院

山东经济与城市管理学院于2003年3月设立，其前身为设立于1988年的计划统计系。学院现设有经济学一个本科专业和西方经济学、产业经济学、区域经济学、劳动经济学、国防经济学5个硕士专业。经济学本科专业由原国民经济计划专业调整而来，自1989年开始招生。学院现有“政治经济学”校级重点学科、“微观经济学”和“政治经济学”两门校级精品课程。

学院以培养理论基础扎实、专业素质过硬、实践能力和创新能力强的应用型经济专业人才为目标。通过专业学习，使学生具备比较扎实的经济学功底，能够较熟练地掌握并规范运用现代经济分析方法，富有创新意识与创新能力，能够在综合经济管理部门，政策研究部门，金融机构和企业从事经济分析、预测、规划和管理工作，或在高校、科研单位从事教学科研工作。

学院注重师资队伍建设，拥有一支业务素质好、发展潜力大的教学与科研队伍。现有专任教师86人，其中，教授、副教授34人，具有硕士以上学位的66人，来自国内外重点大学和研究机构的26人，国家有突出贡献的中青年专家、享受国务院特殊津贴专家、省级专业技术拔尖人才1人，全国优秀教师1人，校级专业技术拔尖人才5人，在国内二级以上学术团体担任理事以上职务的11人。

学院下设政治经济学、西方经济学、产业经济学、区域经济学、计量经济学五个教研室和经济技术研究所等研究机构。学院教学设备齐全，学校设有专门的经济学科实验室、计算机基础实验室和专业资料室，各种教学辅助手段齐全。

多年来，学院已为社会各领域输送了大批高素质人才。历届毕业生多在各级政府机构，银行、保险、证券等各类金融部门，大专院校、科研单位以及国内外著名的公司、事务所从事管理与研究工作，也有相当多的毕业生选择了出国留学深造的道路。毕业生的考研比率一直保持在较高水平，众多毕业生考取北京大学、中国人民大学、南开大学、上海财经大学、中央财经大学等国内名校读研。

武汉科技大学城市学院

一、学院简介

武汉科技大学城市学院于2002年经湖北省人民政府批准成立，2004年经国家教育部核准备案。学院坐落于风景优美的武汉市东湖之滨，毗邻规划中的武汉市中环线和武汉新火车站。乘市内公交车可在10分钟内抵达东湖核心景区磨山，15分钟内抵达武汉市武昌和青山主城区，1小时内抵达汉口核心商务休闲区。地理位置独特、环境幽雅，被专家誉为治学修身的绝佳处所。

学院由武汉科技大学与中外合资武汉美华科教发展有限公司合作举办，属本科层次的全日制普通高校，具有独立的法人资格。学院现有校园面积860亩，一期工程总投资达3亿元，学院还建有先进的校园宽带网络、广播电台、英语教学专用无线广播台等，目前已建成包括教学楼、运动场、图书馆、各类实验室、标准学生公寓、教工宿舍、食堂、超市等完备的教学生活设施，建筑面积近30万平方米。

学院师资力量雄厚。目前学院拥有专任教师400余人，其中副高级以上教师占1/3；还聘请了280余名来自武汉大学、华中科技大学、武汉理工大学等重点高校的兼职教师，以及来自美国、英国、加拿大等国的从事英、日、法、韩等外语和部分专业课程教学的10多名专职外籍教师。学院目前设有本科专业18个，专科专业11个，涵盖理学、工学、管理学、经济学、法学、文学和医学七大学科门类，主要以普通本科教育为主，面向全国招生。现有在校生13000余人。

二、办学宗旨

武汉科技大学城市学院坚持以人才培养为根本任务和办学宗旨，以教学质量为生命线，以个性化、特长化教育和半军事化管理为基本手段，把学生培养成为具有良好的综合素质、较强的实践动手能力和进取创新意识的高级应用型人才。武汉科技大学城市学院秉承武汉科技大学“厚德、博学、崇实、去浮”的百年校训，充分利用武汉科技大学优良的教育资源，致力于创造良好学风和人才成长氛围。学院的教学和日常管理工作，由武汉科技大学全面负责。主要干部和骨干教师由武汉科技大学选派。学生完成规定课程，成绩合格者，颁发武汉科技大学城市学院毕业证书、符合武汉科技大学学位授予条件者，授予武汉科技大学学士学位。

学院办学历史不长，但教学管理和人才培养已初见成效。多名同学在全国英语竞赛中获得一等奖，很多同学通过了计算机二级、三级和初、中级程序员考试；2002级学生已有73%的同学通过了国家四级英语考试，20%的同学通过了国家六级英语考试，四、六级考试通过率在全国独立学院中位于前列，甚至超过许多第一批、第二批本科院校同期的平均通过率。

湖南城市学院

一、学院简介

湖南城市学院是2002年3月经教育部批准成立的一所全日制普通本科院校，也是我国内陆省区以“城市”命名的第一所高校，由湖南城建高等专科学校与益阳师范高等专科学校合并组建而成，实行省、市（益阳市）共建，以省为主的管理体制。

二、校容校貌

学校位于湘中偏北的古城益阳。这里山清水秀，素有“鱼米之乡”的美誉，是周谷城、周扬、周立波、叶紫的故乡。北傍如诗似画的八百里洞庭湖，湖南城市学院新校区规划南依遐迩闻名的桃花江“美人窝”，西邻世界风景明珠张家界，东接省会长沙，长石铁路、洛湛铁路在此交会，交通十分便利，古老的资江穿城汇入洞庭湖，优美的自然环境与深厚的人文景观交相辉映，为学校增添了迷人的魅力和夺目的光彩。

三、办学规模

学校是一所涵盖理、工、文、管、教、农等多学科的本科学校。湖南城市学院实验楼立足湖南，面向全国，主要培养城市规划、城市建设、城市管理、城市经营、城市文化等方面的专业人才，兼顾培养具有本科学历的师资。学校现有校园面积1868亩，建筑面积40万平方米。拥有固定资产近7亿元，其中教学仪器设备总值6000多万元，拥有电力拖动实验装置、电子万能试验机、全自动智能流量跟踪控制仪、全自动固结仪、全站仪等先进的教学仪器设备。建有校园网、CNKI知识网络二级站，图书馆藏书总量140余万册。

学校现有全日制普通本专科在校生14000人，成人教育学生6000多人。专任教师770人，其中教授、研究员60人，副高级职称230多人，博士21人，硕士340多人，享受国务院特殊津贴的专家6人。学校突出“城市”主题，围绕“城市”的规划、建设、经营、管理、文化等领域，培养与城市发展和区域经济发展相适应的高级技术型人才。学校现有3个二级学院、12个系、1个教学部，有城市规划、建筑学、土木工程、给水排水、信息与计算科学、汉语言文学、英语、城市管理和社会体育等本科专业36个，建筑设计技术、道路桥梁工程技术、电子信息技术、音乐表演、装饰艺术设计等专科专业。其中结构工程、管理科学与工程为湖南省“十一五”重点建设学科，城市规划、工程管理、化学工程与工艺、社会体育专业为湖南省普通高校重点专业，另有教育部“全国高等工程专科示范专业”2个，还有建筑工程基础实验室被确定为“十一五”湖南省基础课示范实验室建设单位。

东莞理工学院城市学院

东莞理工学院城市学院是经国家教育部批准、由东莞理工学院举办，按新机制运作的全日制本科独立学院，是广东省独立学院中拥有省级精品课程和获得教学成果奖的学校。坐落于中国最具魅力、最具经济活力的现代制造业名城、全国文明城市——东莞。

学院位于市区中心，交通便利，校园环境优美。学院占地494亩，校舍建筑面积26.8万平方米，固定资产总值2.2亿元(土地除外)。

学院现代化教学设备齐全，教学仪器设备总值4780万元，有标准化的田径场、游泳馆、多功能学术报告厅、现代化实验大楼、电子工艺生产线、金工实习工厂等，百余个校外实践基地。图书馆现有纸质图书62万册，各类中外报刊两千余种。投资近亿元、建筑面积近3万平方米的图书信息中心大楼已投入使用。同时还拥有数个学生食堂、教职工食堂，有可容纳1200余人的大礼堂。

学院师资队伍精干，教学管理规范。专任教师中具有高级职称者占教师总数的32%，其中具有硕士、博士学位的中青年教师占58％，部分教师是出国留学、进修人员和享受国务院特殊津贴的专家、学者。目前，学院有本专科专业45 个，涵盖工、文、理、管、经、法、艺等学科门类，本专科生近万人。设有计算机与信息科学系、机电工程系、管理系、财经系、文学与传媒系、政法系、城市与环境科学系、金融与贸易系、艺术系、体育教学部、高等职业技术教学部、思想政治理论课教学部，以及东莞市社区研究中心、东莞市情况调研中心、东莞市青年创业研究中心、东莞市智能技术应用研究中心、东莞市企业管理研究与咨询中心、机械设备振动故障研究中心、东莞市民营企业财务研究中心、信息应用研究中心、语言测试理论与实践研究中心等科研机构。专业设置应用性、针对性强，毕业生就业前景光明。据统计，近三年来，我院学生就业率高达98%。

学院按照广东省规定的相应本专科层次分批招生。按学院规定修完本专业学分的学生，毕业后，颁发由教育部电子注册的东莞理工学院城市学院全日制普通高校毕业证书；符合授予学士学位条件的，授予东莞理工学院城市学院学士学位证书。

如今，东莞理工学院城市学院已经实现了跨越式发展，崛起成为机构健全，功能齐备，结构比较合理的新型本科院校，正朝着省内一流本科独立学院的奋斗目标迈进。

西南科技大学城市学院

西南科技大学城市学院是经中华人民共和国教育部批准建立的独立学院（教发函〔2006〕73号），是采用新模式新机制办学的以本科层次为主的、面向全国统一招生的普通高等学校。西南科技大学是其办学主体，合肥万博社会事业发展集团有限公司作为合作者投资并提供办学设施。

西南科技大学城市学院地处绵阳市风景秀丽的富乐山南侧三江汇合处，离市中心约3公里。占地面积329亩，规划用地面积400余亩，一期校舍面积7万余平方米。有教学大楼、行政大楼、学生公寓、艺术大楼、科技大楼、体育馆、图书馆、餐厅、标准运动场、游泳池等。三面环山一面环水，环境优美宜人，格调高雅，是读书求学的好地方。

学院现有信息工程系、计算机科学与技术系、土木工程与建筑系、管理系、英语系5个系，从2006年开始招收自动化、计算机科学与技术、土木工程、工程管理、市场营销、电子商务、工商管理、会计学、英语9个专业。学院师资力量雄厚，教学经验丰富，拥有一支以高级职称教师为学科带头人、高学历教师为骨干、年轻教师为主体的教师队伍，具有副高级以上职称的占43%，部分教师曾在国外学习、进修、讲学，常年聘有外籍教师和专家任教。学生毕业由西南科技大学城市学院颁发毕业证书，取得学位的由西南科技大学城市学院颁发学士学位证书，符合条件的优秀本科毕业生免试攻读西南科技大学硕士研究生。

学院图书资料丰富，设施齐备。有专业画室、多媒体教室、专业计算机房、练功房、语音室、摄影摄像实验室，有电子阅览室、展览厅、陈列室等。所有教学设备都是按现代化教学要求配置，现代化水平较高。

西南科技大学城市学院在中国高等教育改革创新中应运而生。作为一所新颖的都市型大学，学院秉承名校西南科技大学“艰苦奋斗，自强不息”的校园精神，坚持“育人为本、德育为先、科学理性、开放包容、彰显卓越”的办学理念和“质量立校、人才强校、特色建校、和谐兴校”的办学思路，发扬中国科技城绵阳的科技创新精神，在教学、科研、社会服务与国际交流诸方面，全方位地为现代化城市建设作贡献。

西南科技大学城市学院是一所年轻的学校，因为年轻，她充满激情；因为年轻，她勇于创新。目前，城市学院拥有完备的教学资源和优良的校园环境，更有一支充满活力、爱岗敬业的师资队伍。放眼未来，只争朝夕。我们将以科学发展观统领全局，本着“以人为本，一切为学生成才、为教职员工发展”的办学宗旨，坚持“全员育人、全过程育人、全方位育人，在推动学生素质全面提高的基础上扬长个性发展”的育人理念，努力培养具有社会责任感和较强的综合能力，具有国际视野和参与国际竞争能力的高素质应用型、复合型、创新型人才。

西安交通大学城市学院

西安交通大学城市学院秉承西安交大优良的办学传统，通过改革传统的教学计划，构建了新的人才培养方案，实施了新的人才培养模式，按照“以学生为主体、以教师为主导”的办学理念，贯彻拓宽知识、强化实践、增强能力、提高素质的人才培养指导思想，坚持实践训练四年连续不断线、素质教育贯穿培养全过程，以培养基础好、技能强、素质高的可持续发展应用型人才为目标，实施全员育人、全过程育人、全方位育人。着力构建按社会需求设立专业，按学科类别打好基础，按就业方向设立模块，使学生横向可转移、纵向可提升的本科培养体系，着力提升学生的实践能力、创新意识和创新能力，努力将学生培养成为具有合理知识结构、较高综合素质、持续发展能力、富有责任感和具备竞争力的优秀应用型人才。

西安交通大学城市学院坐落于西安经济开发区草滩生态产业园，校园占地500亩，校舍面积26万平方米。校园周围绿水环绕，花果飘香，空气清新，基本设施先进，办学条件齐备。学院经过四年的发展，已经建立起以主任教授和专业（课程）首席教授为核心，以教授、副教授为骨干的一支专兼结合、德才兼备、学业结构合理的高素质教师队伍。学院现有专任教师260人，其中45%以上具有高级技术职称；60%以上具有硕士以上学位。学院成立4年来，在办学过程中逐渐形成了自己鲜明的办学特色和良好的校风、学风，创建了良好的育人环境，各方面的工作赢得了社会的广泛好评和认可，在社会上树立起了比较好的口碑。譬如在陕西省精品课程评选中，城市学院的《会计学基础》被评为省级精品课程；在2007年陕西省教育厅对全省独立学院教学专项检查中，城市学院名列第一；学院学生辩论队在2006年陕西省大学生辩论赛中一举夺得冠军，2007年赴台湾省参加了第三届亚太华语大专辩论赛打入八强，最近正在备战参加在马来西亚举行的“世界大专华语辩论赛”；在2005年至2007年三年的陕西省大学生网球公开赛中，城市学院张雯霏同学夺得女子单打三连冠；学院的国际合作办学与学术交流工作走在了全国独立学院的前列，与美国内布拉斯加—林肯大学、加拿大纽芬兰纪念大学开展了实质性合作办学与交流等。

陕西省城市经济学校

陕西省城市经济学校的前身是陕西省物资学校，创建于1982年。2002年经省政府批准更名为陕西省城市经济学校。它是一所全日制的公办重点中职学校。建校20多年来，学校在“以服务为宗旨，以就业为导向”的办学方针指导下，大力推动和发展素质教育，先后为社会输送了近万名优秀技术人才，他们凭着良好的综合素质及较强的工作适应能力，为国家的经济建设做出了突出的贡献，深受社会各界的欢迎。

学校现有14个专业，物流管理、物资经营管理、财务会计、计算机应用与维修、计算机网络技术、电工电子、机械加工、印刷技术等。现有在校生1260人。现代物流管理是学校的骨干专业，在此，会聚了一批专业理论水平高、实践经验丰富、具有创新精神的骨干教师，这些教师在教学教研活动中取得了丰硕的成果，先后有多人主编或参编物流教材，教材在全国高职、中职学校和专业普遍使用，在我省物流行业享有较高的知名度。2006年现代物流管理专业被省教育厅批准为陕西省中等职业教育示范专业。同年，学校获全国物流专业十佳中职学校称号。此外，2007年该校郭元萍老师被授予陕西省中职学校知名教师的光荣称号。

学校以培养应用型、技能型人才为目标，实行“双证书”制度，为学生提供了坚实的起飞平台。学校在教学管理、专业建设以及教学设施投入方面逐年加大力度外，还相继建立了财会模拟实训室、现代物流实训室、电子电工实验室、机械加工实习车间、计算机中心、多媒体教室等实训设备，具备了实训的基本条件。此外，学校还设立有国家职业技能鉴定站、计算机信息考试站、开展国家物流师、助理物流师等项目培训。学生可通过报考电大、自考、“三校生”连续大专完成专科阶段的教育，又可通过专升本完成本科学历教育。

学校的教育方针就是“把学生培养成热爱祖国，遵纪守法，具有社会公德和文明行为习惯的公民，进而成为报效祖国、积极进取、诚实守信、敬业乐观，具有社会责任感和创业精神的高素质劳动者”。为了培养学生实践能力，学校与全国几十家企业建立了稳定的联系，把教室搬进了企业，使学生们在校期间就可以对企业有直观全面地了解，从而消除了学生们走向社会后的转型期，既提高了学生们的实践能力又受到企业的欢迎。这一经验推行数年来，效果非常好。

为了使贫困学生顺利完成学业，学校建立了贫困生就学保障体系。该校的在校生依照国家规定每年可享受1500元国家助学金，在此基础上，学校还设立了多项奖学金和助学金，鼓励学生全面发展。该校学生多人多年来，被教育系统评为省级优秀学生、优秀学生干部和优秀团干部、优秀团员。

由于师生辛勤努力，2007年学校荣获陕西省教育系统文明校园及省级重点中等职业学校称号。学校连续多年被省物产集团评为系统先进单位、安全工作先进单位。

为了改善办学条件，学校对校园进行了全面规划、建设。建设学生公寓楼5000平方米，现已完成；建设综合办公楼7000平方米，现已办理施工许可证手续。

近年来，该校先后选派多名骨干教师参加国家级、省级专业教师培训。目前，已有20多名教师参加了国家和省级教师培训。根据学校发展，按照学校师资队伍建设五年规划的要求，学校将不断加大师资队伍建设方面的投入，努力建设一支专业结构合理，业务素质较高，适应能力较强的专业师资队伍。到2010年，使专业师资队伍本科学历达100%，研究生学历达50%，“双师型”教师达90%，专家型教师达20%。

学校荣誉

2006年12月，全国物流协会授予该校“全国物流专业十佳中职学校”。

2007年4月，陕西省人事厅授予该校“先进就业单位”。

2007年10月10日，陕西省教育工作委员会授予该校“文明校园”。

2008年1月31日，陕西省教育厅授予该校“省级重点中等职业学校”。

兰州城市学院

一、学院简介

兰州城市学院是经教育部批准成立的一所普通全日制本科大学。学校位于甘肃省省会兰州市安宁区，风景秀丽、环境幽雅。现占地面积700.6亩，有三个校区，校舍建筑面积35.8万平方米，固定资产总值3.1亿元，教学仪器设备值5680万元，图书馆藏书63.8万册，电子图书15.3万册，各类中外文期刊 2000余种。

兰州城市学院图书馆建于1958年，现馆1991年建成并投入使用，目前藏书已达59万册，中、外文期刊2000余种，涵盖了社会科学和自然科学的诸多专业。合并后馆舍面积达6551平方米，扩建后图书馆将达到11571平方米。现有阅览座位1159 个。馆内行政业务部门有：办公室、流通组、采编组、阅览组和技术组。现有工作人员33人，中高级职称人员占全馆人数56%，大专以上学历人员占全馆人数73%。近年来，完成省级科研课题一项，完成专著两部，并在省级刊物上发表论文50篇，其中8篇在核心刊物上发表。

图书馆内服务部门有五库九室：五库分别为社会科学库、文学库、自然科学库、报纸库和综合类书库；九室为现刊、过刊、报纸、外文书刊、工具书阅览室、文献检索室、视听室、特藏室和电子阅览室，并且设有教师自修室和两个学生自习室。

图书馆已实现了所有行政、业务环节的自动化管理，各书库和阅览室实行了全面开架。为了促进学校教学科研的发展，给师生提供一个现代化的信息服务支撑平台，于2004年6月完成数字图书馆首期工程，建立CNKI《中国全文期刊数据库》“一级检索站”和“书生之家”数字图书馆，并且分步引进了各种类型的适合我校教学和科研需求的网上虚拟数字资源，目前，图书馆网站已经开通，丰富的图书馆资源为师生提供了现代化的信息服务。

二、师资力量

五十载弦歌不辍，半世纪薪火相传，坐落于九曲黄河之滨、十里桃乡的兰州城市学院前身为兰州师范高等专科学校，从1958年建校起，历经停办、合并的坎坷之路。1978年12月，国务院批准恢复办学后获得新生。2006年2月经教育部批准正式成立兰州城市学院。目前，学校已逐步发展成为一所基础条件较好，学科专业齐全，教学和科研力量较强，发展潜力较大的多学科综合性高等院校。自建校以来，已为甘肃的基础教育事业和各行各业培养人才25000余名。

学校现有教职工1068人，教授、副教授320人，博士50人，硕士361人，副教授以上职称教师占教师队伍总数的48.1%，硕士研究生以上学历教师占教师队伍总数的61.8%。学校现设 15个二级学院、10个研究院，并设有甘肃省城市发展研究院、甘肃省职教师资培训中心、甘肃省小学校长培训中心、甘肃省专业技术人员培训基地等省级研究培训机构。有各类本专科专业50个，全日制普通本专科在校学生13097人，专业设置涵盖人文科学、理学、社会科学、管理学和工学等学科门类；有物理、化学、计算机、体育、教育技术、焊接工艺、数控加工中心、汽车故障诊断与检测中心等综合实验室及实训中心25个。计算机1206台，语音实验室座位数520个，设有电化教育中心、语音教学中心、信息管理中心和图书情报信息中心等6个中心。兰州城市学院网络系统与中国教育网、国际互联网连通，图书借阅自动化检索系统、光盘镜像服务系统、办公自动化系统等为教学科研提供良好的服务平台。

学院先后承担并完成国家和省厅级科研项目200余项，有108项科研成果和教学成果获省级以上奖励。在省部级以上学术刊物发表论文2592篇，近年来被SCI收录26篇，出版各类学术专著 77部，主编和参编各类教材184部。先后与哈萨克斯坦国立师范大学及国立音乐学院、新西兰基督城理工学院、加拿大渥太华大学和加拿大纽芬兰大学达成了项目合作协议，与德国汉斯·赛德尔基金建立了合作交流关系，与我国香港公开大学、天津师大、华东师大、西北师大、首都师大、陕西师大等院校建立了长期合作关系。

三、所获荣誉

如画校园陶冶高尚情操，高雅文化培育优秀人才。兰州城市学院不仅环境优美，而且人文气息也十分浓郁，先后被命名为甘肃省文明单位，省、市、区公民道德建设和道德实践示范单位，甘肃省关爱未成年人思想道德建设工作先进单位，全省卫生先进单位，兰州市精神文明建设十大典型单位，兰州市园林绿化美化先进单位等，多次被中宣部、教育部和团中央命名为大学生社会实践先进单位。2005年10月，学院被中央文明委授予“全国精神文明建设工作先进单位”荣誉称号。

四、办学方针

兰州城市学院以服务于甘肃省的城镇化建设和职业技术教育、基础教育为办学宗旨,以“突出和发展城市服务功能，保留和优化师范教育特色，注重和强化应用技能培养”为办学指导思想，立足兰州，面向西部，培养适应城市建设、城市管理、现代服务业需要的各类应用型人才和基础教育、职业教育本科层次师资，为甘肃省城镇化建设做出应有的贡献。

“厚德、博学、慎思、创新”的新校训使年轻的兰州城市学院成为具有培养厚重的传统文化优秀学子的土壤，启迪培育更多的创新人才脱颖而出。学院将以“依托兰州，辐射周边，面向基层，服务城镇”为办学方向，以地方经济社会发展为坐标，使社会各界的期望成为现实。

全国城市经济著名专家学者汇编>>>

本章以姓氏笔画为序。

丁伯康

丁伯康，男，1959年出生，1982年毕业于南京工学院。东南大学工学学士、南京大学工商管理硕士、美国加州州立大学博士，中国资深股份制改革专家和投融资专家。现为江苏现代资产管理顾问公司总经理，江苏省管理咨询协会副会长，曾任中国证券业协会、江苏省证券业协会理事，注册咨询专家等职。

先后领导和主持国内政府和企业与韩国LG、美国Motorola、西班牙Abertis、德国AquaMundo GmbH等工业、IT业、路桥、水务等项目的合资、合作谈判；领导和组织完成了南京长江二桥TOT、南京长江三桥的BOT项目融资以及徐州自来水公司产权转让、京沪高速公路股权转让项目、南京自来水公司改制招商、江宁煤气集团招商引资等项目，以及南京熊猫电子、江西铜业、阳光集团等十多家企业海内外上市项目的咨询。有超过十四年投资银行业务和投融资咨询经验，尤其在经济体制改革、企业改制和融资以及企业管理和政府运作方面有丰富的经验和成果。

近年来，多次受邀出席中国证监会、建设部、全国城市建设公司联络会、中国城市水业联盟及江苏、河南、安徽、湖北等十多个省市举办的经济体制改革和投融资创新会议，并发表专题演讲。在《经济日报》、《中国证券报》、《金融时报》、《新华日报》、《中国建设报》、《中国交通报》、建设部《城乡建设》杂志等公开媒体发表论文和文章数十篇，有不少成果已经在实践中被推广运用。

王力

王力，男，中国城市经济学会常务理事、副秘书长，北京特华财经研究所副所长，经济学博士。

主要研究领域为产业经济资本市场和创业投资。在实务操作方面，参与了多家上市公司的股份制改造、上市融资、兼并收购和战略规划工作，现担任北京创业投资协会常务理事和副秘书长，被多家地方政府和企业集团聘为财务顾问和独立董事。

王云龙

王云龙，男，1945年1月出生，山西平遥人。研究生学历。1966年3月加入中国共产党。

1968年12月毕业于北京工学院航空工程系弹道式导弹设计与制造专业，同年12月参加工作。1985年中共中央党校培训班研究生毕业。1968年12月，在山西省长治市金星化工厂工作，历任车间技术员、副指导员、车间副主任。1971年2月，任山西省长治市第二工业局办公室干事。1974年4月，任山西省地震队办公室干事、机关党支部副书记。1976年6月，历任山西省地震局副处长兼党支部副书记、分析预报室副主任兼野外队代队长、党支部书记。1983年5月，任山西省地震局副局长（其间：1983年9月至1985年7月在中央党校培训部培训班学习）。1985年8月，任山西省科委副主任。1989年4月，任山西省科委主任。1991年1月，任中共山西省晋城市委书记。1992年4月，任中共山西省委常委，中共山西省太原市委书记（至1996年）。1995年5月，任北京理工大学董事会副董事长。1996年2月，任中共山西省委常委、省委副书记。1996年9月，任中共四川省重庆市委副书记。1997年6月，任第一届中共重庆市委副书记，第一届重庆市人大常委会主任。2002年10月，任全国人大常委会副秘书长。十届全国人大常委、十届全国人大农业与农村委员会副主任委员。2008年3月，十一届全国人大农业与农村委员会主任委员，中共第十四、十五届中央候补委员，第十六届中央委员，第十、十一届全国人大常委。

王明浩

王明浩，1942年4月出生，江苏常州人。天津市城乡建设管理委员会副总工程师，天津市城乡建设研究所所长，正高级工程师，中国城市经济学会理事，中国房地产及住宅研究会理事，中国城市科学研究会副秘书长，天津市城市科学研究会副会长兼秘书长。毕业于上海同济大学。从事城市规划的编制、管理与研究工作30多年，对城市规划与建设、城市经济与城市环境和生态等学科有广泛的研究并取得了丰硕的成果。提出了大城市持续发展的观点，在城市科学、房地产业等领域进行了超前研究并取得显著成绩。参与了李瑞环《城市建设随谈》一书的选编工作。近几年来，主持完成了一批科研课题，主要有："天津城市建设发展综合研究"获天津市科技进步三等奖，"住宅商品房价格剖析"获中国房地产及住宅研究会科研优秀奖，"关于培育建设市场的对策研究"、"天津市城市公共政策及实施方案研究"、"实现'两化'是住宅建设和住宅成为'两点'的关键"。课题中的许多观点被天津市有关部门决策时采用。主要作品有：《浅议大城市的发展》、《再议大城市的发展》、《城市基础设施的现代化》、《京津两地经济发展优势分析》、《市政公用设施管理体制和改革》、《城市土地价格随谈》，主编出版《中国大城市》一书等。

王茂林

王茂林，男，1934年12月出生，江苏省南通市人。全国人大常委、法律委员会原副主任委员，中国生产力学会会长，中国城市经济学会第一副会长。

1952年，毕业于上海财经学院（现上海财经大学）专修班。1953年，参加工作。在山西大同矿务局煤峪口矿担任记录员、采煤班长、技术科副科长、调度室副主任、采煤区长、党支部书记、副矿长、矿长。1956年6月加入中国共产党。1963年至1964年，曾在北京煤炭干部管理学院采煤专业班学习。1969年以后，回矿任采煤队队长、区长、矿生产组长、矿党委书记兼革命委员会主任。1973年，任大同矿务局党委常委、副局长，煤炭部赴英国监造组组长、采煤工程师、大同矿务局党委副书记。1976年，任山西省经济领导小组副组长。1977年，任山西省革命委员会副主任、中共山西省委委员。1979年后，任山西省副省长、中共太原市委书记、太原市市长。1985年，任山西省委常委、太原市委书记。1987年，任山西省委副书记，同年在中共十三大上当选为中央委员。1991年3月，任山西省委书记、省军区党委第一书记。1992年10月，在中共十四大上当选为中央委员。1993年1月，当选为山西省政协主席。1993年9月，任湖南省委书记。1997年，在中共十五大上当选为中央委员。1998年1月，在湖南省第九届人大一次会议上当选为湖南省人大常委会主任。1998年9月任中共中央宣传思想工作领导小组副组长。

王振中

王振中，男，1949年6月出生，山西平定人，研究员。主要学术专长是国际投资与贸易，现从事政治经济学研究。现任中国社会科学院经济研究所研究员、副所长，国务院颁发的政府特殊津贴获得者。有关专著、论文、研究报告等先后获得“精神文明建设五个一工程奖”、孙冶方经济科学奖、国家图书提名奖、中国社会科学院优秀科研成果奖、中国社会科学院经济研究所优秀科研成果奖以及中国社会科学院“优秀对策研究成果优秀信息奖”等。主要代表作有：《走向二十一世纪的中国经济》（合著）、《回顾、展望1993–1994年：中国经济与发展》（合著）、《中国经济改革的历史考察》（合著）、《经济特区与出口加工区的比较研究》（独著）、《从封闭型经济走向开放型经济》（合著）等。 现兼任中国期刊协会经济期刊联合会会长、中华外国经济学说研究会副会长、中国《资本论》研究会副会长、《经济学动态》主编兼社长、中国西部研究与发展促进会理事、中国综合开发院理事、中华文化国际交流促进会理事、国光基金秘书长及国光公司独立董事、中国城市发展基金执行委员等。

王梦奎

王梦奎，男，1938年4月出生，河南温县人。中国城市经济学会名誉副会长，国务院发展研究中心原主任。1956年4月加入中国共产党。1964年毕业于北京大学经济系，大学文化，经济学家。北京大学教授，博士生导师。

毕业后先后供职于《红旗》杂志编辑部和第一机械工业部。1979年2月至1987年9月，在中共中央办公厅研究室、中共中央书记处研究室工作，任研究员、经济组副组长。1987年9月，任国家计划委员会经济研究中心常务副主任。1990年7月任国务院研究室副主任、党组成员。1995年5月任国务院研究室主任、党组书记。1998年4月任国务院发展研究中心主任。2007年7月卸任。中共第十四届中央候补委员、十五届中央委员。

长期从事经济理论和经济政策的研究，参加过党和国家一些重要文件的起草工作。主要著作有《论反对官僚主义》（1980年，合著）、《我国经济建设中的若干原则问题》（1982年，合著）、《农村经济概说》（1982年，合著）、《两大部类对比关系研究》（1983年）、《中国经济的回顾和展望》（1983年）、《我国社会主义建设道路的探索》（1984年）、《论厂长负责制》（1986年）、《王梦奎选集》（1987年）、《社会主义初级阶段的经济》（1988年）、《通货膨胀的成因和对策》（1989年）、《谈书说文》（1992年）、《世纪之交的中国经济》（1997年）、《翠微居杂笔》（1997年）等。还编辑出版有《获奖经济学文选》（1986年）和《怎样写文章》（1997年）等。

王琪延

王琪延，男，经济学博士，现任中国人民大学休闲经济研究中心主任，应用统计科学研究中心教授、博士生导师，社会学理论与方法研究中心教授，继续教育学院教授、北京市人民政府顾问。

1983年7月毕业于中国人民大学，后留校任教；1989年10月至1990年10月赴日本一桥大学留学；

1992年5月任日本佐贺大学、信州大学、福冈教育大学副教授；1998年10月任日本东北亚经济研究所客座研究员，并担任日本的英文杂志《JESN》（东北亚经济科学）编辑；1999年10月回国；2000年6月被聘为中国人民大学教授；2001年5月任北京市人民政府顾问；2002年被聘为中国人民大学博士生导师。

主要研究成果有：著有《统计学》、《科技统计学》、《国民生活研究》、《中国人生活时间分配》、《城市居民生活时间分配》、《中国经济结构研究》（日文）、《企业人力资源管理》、《世界名牌企业用人之道》、《世界名牌公司扩张史》等书20余部；在国内外如《ERINA REPORT》、《JESNA》、《管理世界》、《统计研究》、《人民日报》、《光明日报》等刊物上，发表论文如《中国城乡居民消费结构的二重性研究》、《中国城乡居民收入结构研究》、《消费结构的中日比较》、《中国职工生活研究》、《中国城市职工生活时间分配研究》等100余篇。

近年来主持或参与的课题有：国家“九五”社科重点规划项目《中国国际竞争力研究》、北京市“十五” 社科重点规划项目《首都休闲经济研究》、教育部重大项目《统计学在新闻、法律、伦理、政治、文献计量中的应用》等；与美国加州大学合作项目《中国农村能源研究》等；与日本文部省统计数理研究所合作研究《国民意识研究》等。

付晓东

付晓东，男 ，1960年出生，曾在内蒙古建设厅规划处从事城市规划和管理工作，在河南省政府发展研究中心主要从事政策咨询研究（发展战略、工业经济、企业与资产经营、技术经济等）工作。目前在中国人民大学区域经济研究所从事教学与科研工作，副教授、经济学博士。社会学术兼职 ：中国城市科学研究会会员、中国投资环境学会会员、中国自然资源研究会会员。

主要研究方向：城市经济、投资环境。已在正式刊物发表的论文50余篇，编写或参加编写著作10余部，其中获“五个一工程奖”一项，省部级奖5项。曾获“第三届河南省青年科技奖”。

主要科研项目与课题有：奥运经济影响评价（OGGI）；典型城市城乡区域可持续发展评估体系研究（2003DIB3J128）；城市基础设施与政府信用体系建设；松花江水污染事件对哈尔滨市经济影响评估；中国流动人口对城市体系经济社会的影响研究；教育部人文、社会科学研究：公共管理案例；北京市金融服务业发展研究；北京市丰台区生态城区建设规划研究；郑卞一体化研究；滑县经济发展战略研究；国际合作研究项目：太湖流域环境治理与经济社会发展；淮南市经济转型总体规划研究；中国开发区发展的时空序列规律及其投资环境评价研究。

主要科研成果有：北京：环渤海经济区的重要引擎、区域创新系统的构建、对区域经济研究中几个重要问题的认识、CBD有力提升城市竞争力、外商眼中的中国经营环境、关于经营城市的理性思考、惠普在中国的发展轨迹、经营城市需要澄清的几个问题、提升城市质量离不开经营城市、中国投资环境新走向、总部的效力与营造、浅谈重塑城市竞争力的一般途径、迎接世界经济区域化挑战、认识投资环境建设的重要性、五大资本投资性格、中国县域经济发展之路、中国城市土地潜力释放的“三级跳”、新城（区）建设提升城市整体实力、大城市为何没有大的贡献、教材《区域融资与投资环境评价》、教材《投资环境优化与管理》、专著《经营城市与城市发展》、专著《中国城市化与城市可持续发展》、专著《循环经济与区域经济》。

冯更新

冯更新，男，中共党员，北京师范大学毕业，教授职称。现任郑州大学城市经济研究所所长、河南省区域经济研究所所长、郑州大学研究生导师。社会主要兼职有：中国城市科学研究会中小城市委员会副主任、中国城市经济学会常务理事兼学科建设委员会副主任、香港《大公报》经济学专家。创新学术成果：从20世纪70年代末至今先后编出21部著作，独撰4部专著，主持完成国家社科基金重点课题1个、一般课题2个和省部级课题8个，发表学术论文80余篇，共计800余万字。

叶裕民

叶裕民，女，1962年出生，经济学博士，中国人民大学城市规划与管理系主任，教授、博士生导师。兼任中国城市经济学会理事、副秘书长，中国区域经济协会理事兼城市专业委员会副主任、北京城市科学研究会常务理事、中国城市网特邀城市观察家、成都市政府科技顾问等社会职务。

主要研究方向：城市经济学、中国城市化与城市管理、区域经济理论与区域发展。

刘文俭

刘文俭，男，1963年1月出生，1983年毕业于青岛科技大学，获大学本科学历、工学学士学位，1996年获北京大学经济学硕士学位。现任中共青岛市委党校经济学教研部副主任、教授；兼任中国城市经济学会常务理事、副秘书长、学科建设委员会委员，中国海洋大学硕士生导师。

主要研究方向为：城市经济与公共管理。自1996年获北京大学光华管理学院经济学硕士学位以来，先后在《经济管理》、《经济日报》、《理论前沿》、《中国改革》、《管理现代化》、《中国党政干部论坛》、《瞭望》新闻周刊、《中国第三产业》、《中国科技产业》、《中国流通经济》、《中国经济导报》、《中国城市经济》、《中国建设报》、《中国城市化》、《科学学研究》、《武汉大学学报》、《国家行政学院学报》、《未来与发展》、《学习时报》、《大众日报》等中文核心报刊上发表研究论文150余篇，参编著作3部，主持和参加国家、省、市社科及软科学研究课题12项。研究成果曾分别获省、市级奖励19项，其中青岛市社会科学优秀成果一等奖1项、二等奖3项、三等奖2项，青岛市科技进步奖1项，自然科学优秀论文奖2项，全国党校系统、山东省党校系统优秀科研成果一、二、三等奖4项，于2004年荣获青岛市第四届青年科技奖。

刘国光

刘国光，男，1923年11月出生，江苏省南京市人，经济学家。全国社会保障基金理事会理事。1946年毕业于云南昆明国立西南联合大学经济系，后转到天津南开大学经济系任助教。1948年9月转到南京中央研究院社会研究所任助理研究员。

1951年被派往苏联莫斯科经济学院国民经济计划教研室当研究生，1955年获副博士学位。回国后，入中国科学院（后为中国社会科学院）经济研究所从事研究工作，历任助理研究员、研究员、所学术秘书、研究室主任、《经济研究》杂志副主编和主编、副所长、所长等职务。

1975-1980年被借调参与中国国家计划委员会经济研究所工作。1981-1982年期间，兼任中国国家统计局副局长。1982-1993年11月任中国社会科学院副院长，其间在中国共产党第十二次和第十三次全国代表大会上，当选为中央委员会候补委员。1993年11月起，任中国社会科学院特邀顾问。其间1993-1998年任全国人民代表大会第八届常务委员会委员。兼任北京大学、浙江大学、东北财经大学、上海财经大学等大学教授。曾任国家学位委员会委员；中国城市发展研究会理事长；中国生态经济学会会长等职。1988年5月27日被波兰科学院院士大会选为该院外国院士。2001年9月20日被俄罗斯科学院院士大会选为该院荣誉院士。

著有《社会主义再生产问题》、《经济改革与经济调整》，主编有《国民经济综合平衡的若干理论问题》、《中国经济发展战略问题研究》等。

刘树成

刘树成，男，1945年10月出生，河北省武强县人。1962年毕业于天津南开中学，1967年毕业于中国人民大学。1962-1967年，在中国人民大学经济系学习；1967-1978年，先后在4595部队锻炼和在山西省偏关县委、山西省委政策研究室工作；1978-1981年，在中国社会科学院研究生院经济系学习，获硕士学位；1989-1990年，在美国科罗拉多州博德尔经济学院和加利福尼亚州斯坦福大学做访问学者。1985年8月-1998年9月，任中国社会科学院数量经济与技术经济研究所副所长；1998年10月至今，任中国社会科学院经济研究所所长、《经济研究》主编、研究员、博士生导师。多次参加中央经济工作会议和《政府工作报告》起草组工作。国家“十一五”规划专家委员会委员。中央马克思主义理论研究和建设工程《马克思主义政治经济学》教材编写课题组首席专家。长期从事宏观经济学、数量经济学研究，特别是中国经济周期波动问题研究。主要专著有：《中国经济的周期波动》（中国经济出版社1989年），《中国经济周期波动的新阶段》（上海远东出版社1996年），《繁荣与稳定》（社会科学文献出版社2000年），《经济周期与宏观调控——繁荣与稳定Ⅱ》（社会科学文献出版社2005年）等。主编《现代经济辞典》（凤凰出版社、江苏人民出版社2004年）。曾获中国社会科学院第一届（1977-1991年）、第二届（1992-1994年）优秀科研成果奖，中宣部精神文明建设“五个一工程” 第五届作品奖（1996年），国家科技进步二等奖（1996年），孙冶方经济科学第七届（1996年）、第八届（1998年）论文奖等。

吕政

吕政，男，经济学博士，工业经济研究所所长、研究员、博士生导师。美国百林顿大学中国部学术委员会成员。

主要研究方向：工业发展理论与政策。

主要代表作：《对计划与市场机制相结合的再认识》、《九十年代中国工业发展的任务》、《工业结构调整任务的变化》、《九十年代以来中国工业发展的新特点》、《需求约束下的工业增长》、《中国工业经济问题研究》、《工业经济学》、《走向21世纪的中国经济》、《从贫困走向小康》。多项研究成果获得国家级、院级奖励。曾获得“国家级中青年有突出贡献专家”称号，

1993年被评为享受国家政府特殊津贴待遇的专家。1981年9月获“经济学硕士学位”，1990年7月获经济学博士学位，现任中国社会科学院工业经济研究所研究员、学术委员会主任、博士生导师。

主要研究领域是工业发展理论与政策，代表性的著作有：《论住宅商品化》（1981年）；《论90年代中国工业的发展》（1990年）；《论计划与市场的结合》（1992年）；《论中国工业化的道路》（1993年）；《论公有制的实现形式》（1997年）；《从贫困奔向小康》（1999年）。

孙久文

孙久文，男，1956年12月出生，经济学博士。中国人民大学公共管理学院区域与城市经济研究所所长，教授，博士生导师。兼任北京市人民政府顾问，全国经济地理研究会副理事长兼秘书长，中国区域科学协会常务理事，北京市科学技术奖评审委员，北京市行政区划研究会常务理事，北京市宣武区区政府顾问。

朱铁臻

朱铁臻，男，1933年1月出生，江苏省南京市人。中国城市发展研究会副理事长、研究员。1956年大学毕业，中国社会科学院经济研究所研究员，东北财经大学兼职教授，全国小城市发展委员会执行会长、城市生态经济委员会常务副会长、21世纪城市经济论坛执行主席。担任过《中国城市年鉴》（中、英文版）总编辑，《经济研究》副主编，中国城市出版社总编辑兼编辑部主任。长期从事城市发展问题理论研究，在国内外发表过学术论文近200篇。主要著作：《城市发展研究》（专著），主编并撰写《中国城市手册》、《城市生态经济知识全书》、《中国工业产业和发展》、《迈向21世纪的中国新兴城市》等。

朱翔

朱翔，湖南师范大学教授、区域经济发展研究中心主任，湖南省政府顾问、专家咨询组成员。

主持湖南省重点科研项目多项，如《湖南省“十五”期间和到2015年城市化进程研究》、《长株潭经济一体化控制规划研究》、《长沙市橘子洲旅游开发规划》、《南洞庭湖湿地生态旅游开发规划》等；还主持完成了国家社科基金课题《洞庭湖水灾减灾的经济学研究》，系统地提出了构建环洞庭湖经济圈的区域发展战略。这些研究大部分达到了国内领先水平。参与主持湖南省重点科研项目 3 项：《三峡建坝后洞庭湖区环境生态变化趋势及对策研究》、《湖南省山河库湖开发整治规划纲要》、《湖南省信息化带动工业化发展研究》；参与湖南省与长沙市“十五”和中长期发展规划的编制工作。参与国家教育改革重大项目，担任国家新版中学地理教材主编。2001年被评为全国模范教师。现兼任教育部课程核心组成员，湖南省经济发展规划专家组成员，北京大学中国区域经济研究中心兼职教授。

江绵康

江绵康，1954年出生，江苏扬州人。中共党员，博士，教授级高级工程师。1968年初中毕业后参军。1985年毕业于上海第二工业大学，在上海电器科学研究所工作，1999年在华东师范大学获得博士学位。现兼任上海城市发展信息研究中心主任、上海市城市经济学会会长、《上海城市发展》杂志社社长。上海市建设交通委正局级巡视员。

许一友

许一友，1937年8月出生，山西太原人，大专毕业。太原人大常委会副主任、高级经济师。主要学术成果：著作有《太原经济百年史1892–1992年》、《神秘的黄土地》、《太原经济地理》三部（山西人民出版社发行）。撰写《关于股份制问题若干思考》等论文30余篇，先后获人民日报“黄河杯”优秀论文奖，山西省社会科学优秀成果奖，太原市“九个一工程”作品奖。系中国市长协会研究部研究员、中国管理工程科学院（北京）客座研究员、《中国市场经济大全》丛书民营经济卷主编。

吴德春

吴德春，研究员，1992年被评为享受政府特殊津贴专家。历任中共太原市委副书记、山西省社会科学院院长、山西省人大常委会常委，国家哲学社会科学“八五”规划经济学科组成员、中国计划学会常务理事、中国能源研究会经济专业委员会副主任，山西哲学社会科学规划领导小组副组长。

张可云

张可云，男，1964年出生，湖南临湘人。经济学博士，教授，博士生导师，中国人民大学区域经济与城市管理研究所副所长。兼任东中西部区域发展和改革研究院副院长，中国商业联合会专家委员会委员，北京市人民政府顾问，安徽省安庆市人民政府顾问，中国区域科学协会常务理事，中国行政区划与地名学会常务理事，中国区域经济技术合作研究中心副秘书长，广东省委党校、广东行政学院客座教授，浙江师范大学客座教授，湖南理工学院兼职教授等职，是国家“十一五”规划专家委员会中最年轻的一位专家。第二届（2005）中国发展百人奖获得者。

主要研究领域：西方区位理论、区域经济关系与政策、城市与区域公共政策、青藏高原产业布局与宏观经济等，曾于1998年赴英国研究“欧盟国家地区经济关系与区域政策”。

主要著作和文章：完善区域管理 促进协调发展、政府调控社会经济发展的转折点——透视“十一五”规划可能带来的主要变化、区域政策项目评价的基本问题与分析框架，《地域研究与开发》、认识区域经济合作的必然性、“中部崛起与中部地区发展政策问题探讨”、《中国人民大学中国经济发展研究报告2006全面可持续和谐发展的新型工业化道路》（纪宝成、杨瑞龙主编）、《形势教育讲话 2005–2006》、论统筹区域发展与和谐社会建设——构建和谐社会的区域视角、中国区域经济合作方向与发展地方经济的区域方法、中国区域经济合作的背景与未来方向、青藏铁路对高原经济社会发展的影响、区域合作的方向与老工业基地振兴的关键问题、中部崛起政策问题探讨、统筹区域发展的战略问题与政策研究。

张巨功

张巨功，男，1942年12月出生，安徽蚌埠人。1966年毕业于北京师范大学。历任山西太原钢铁（集团）公司第三炼钢厂党委书记、太原市人民政府副秘书长、中共太原市委工业部部长、山西省社会科学院副院长、党组副书记、中国社会科学院服务局局长兼党委书记（正局级）。长期从事企业和城市经济的实际工作及经济理论研究工作。主要著作：《企业管理与改革新论》、《搞活企业十大关系》、《企业素质与企业活力》、《走出困境·企业改革难题研究》、《爱我山西 爱我中华》，在国家和省、部级报刊发表论文多篇。

现任中国城市经济学会秘书长，《中国城市经济》杂志社社长。

张卓元

张卓元，男，1933年7月出生，广东省梅县人。现为中国社会科学院经济研究所研究员，中国社会科学院学部委员。1944年9月至1950年7月在广东省梅县梅州中学学习；1950年9月至1953年7月在广州市中山大学经济系学习；1954年7月中南财经学院经济系毕业，1954年9月分配到中国科学院（后为中国社会科学院）经济研究所工作。先后任实习研究员、助理研究员、副研究员、研究员，《经济研究》编辑部编辑、副主任、主任。1983年7月调中国社会科学院财贸经济研究所任所长、研究员、《财贸经济》主编、博士生导师。1993年12月调中国社会科学院工业经济研究所任所长、研究员、博士生导师。1995年 9 月至1998年10月任中国社会科学院经济研究所所长、研究员、博士生导师、《经济研究》主编。

主要业务专长：政治经济学、价格学、市场学。主要社会兼职：第九届、十届全国政协委员，中国价格学（协）会顾问，中国城市经济学会、中国城市发展研究会副会长，中国成本研究会会长，孙冶方经济科学基金会理事长，国务院学位委员会第二届学科评议组成员。

1990年被评为国家级有突出贡献的中青年专家。1991年7月被评为获政府特殊津贴专家。曾获孙冶方经济科学论文奖、著作奖，中国社会科学院优秀成果奖。著有《论社会主义经济中的生产价格》、《社会主义经济中的价值、价格、成本与利润》、《论孙冶方社会主义经济理论体系》、《社会主义价格理论与价格改革》等。

张跃庆

张跃庆，男，1935年11月出生，山西省左权县人，教授。1954年参加工作，1956年加入中国共产党，先后在北京师范大学、北京经济学院、中央党校、首都经济贸易大学等单位从事教学研究工作。享受国家特殊津贴，系北京市优秀教师，多次获得省部级科研成果奖。

主要从事《资本论》与社会主义经济理论、城市经济理论、房地产经济理论研究。主要专著、主编的教材论著有《资本论概述》（光明日报出版社1988年出版）；《城市土地管理概论》（北京经济学院出版社1988年出版）；《城市住宅管理概论》（北京经济学院出版社1989年出版）；《城市土地经济问题》（光明日报出版社1990年出版）；《城市学》（燕山出版社1990年出版）；《城市管理概论》（北京经济学院出版社1990年出版）；《中国房地产市场》（上海人民出版社1991年出版）；《经济体制改革全书·房地产业改革卷》（大连人民出版社1992年出版）；《经济大辞海》（中国海洋出版社1992年出版）；《新编财经知识大全》（北京工业大学出版社1992年出版）；《房地产大辞典》（红旗出版社1993年出版）；《毛泽东思想研究》（经济日报出版社1993年出版）；《市场经济大辞海》（国际广播出版社1994年出版）；《房地产开发经营》（经济日报出版社1995年出版）；《城市土地经济学》（经济日报出版社1995年出版）；《城市住宅经济学》（经济日报出版社1995年出版）；《房地产估价理论与方法》（经济日报出版社1995年出版）；《物业管理概论》（经济日报出版社1995年出版）；《房地产法学概论》（经济日报出版社1995年出版）；《城市经济学教程》（经济日报出版社1995年出版）；《市场经济理论基石——资本论市场经济理论研究》（人民大学出版社1996年出版）；《中国房地产市场研究》（经济日报出版社1996年出版）；《中国房地产市场中介组织研究》（企业管理出版社1996年出版）；《新世纪住宅与房地产业发展研究》（首都经济贸易大学出版社2003年出版）；《房地产经济学》（建材工业出版社 2004年出版）；《城市基础设施经营与管理》（经济科学出版社2005年3月出版）。《城市社会设施经营与管理》（经济科学出版社2006年3月出版）等50多部。在各类杂志、报刊上发表论文二百多篇。

张锋

张锋，男，1942年11月出生，浙江省绍兴人，中共党员，江苏省城市发展研究院院长，江苏省城市经济学会会长。南京师范大学数学系毕业，1995年春季参加中共中央党校进修部进修二班（24期）学习结业，大学学历，教授，研究员。

先后在中共江苏省委宣传部、省五七干校、省革委会政工组直属政工组、省革委会办事组政工组、江阴县商业局、县五七干校、中共江阴县委党校、江苏省政府办公厅、省政府政策研究室、省政府经济研究中心、省政府研究室工作。曾任江阴县五七干校负责人、江阴县委党校副校长、江苏省政府经济研究中心、省政府研究室副主任。当选为江苏省社科联第五届、第六届理事会副主席。担任江苏省市场经济研究会、省生产力学会、省系统工程学会副会长，江苏省社科联、中国城市经济学会、中国生产力学会常务理事。被聘任过延安市人民政府经济顾问，中共江苏省委党校、省行政学院、省社会主义学院、省干部理论教育讲师团兼职教授、南京财经大学城市经济研究所（专职研究系列）教授。

张颢瀚

张颢瀚，男，1953年12月出生，毕业于南京师范大学、中央党校理论班。现任江苏省社科院副院长、经济学教授，国务院特殊津贴专家，江苏省“333工程”跨世纪学科带头人。中国城市经济学会副秘书长，江苏省城市发展研究院副院长，江苏省城市经济学会常务副会长，东南大学、南京师范大学、扬州大学兼职教授，南京审计学院客座教授。《光明日报》、江苏省委主办《群众》、上海《文汇报》等对其事迹有专文介绍。《中国社会科学家大辞典》、《世界名人录》入选。

研究方向：经济改革、区域经济、城市经济。

代表著作：《运行与嬗变——城市经济运行规律新论》、《中国市场经济的理论与对策探索——我的市场经济观》、《迈向21世纪的长江三角洲》、《苏南发展研究丛书》、《苏南模式的新发展》、《社会主义市场经济运行机制新论》等。

代表论文：论文化产业及其运作规律、长江三角洲经济协调联动发展的战略选择、论城市建设价值导向的转变、《建塑全民企业复（混）合所有体制》、《建立社会主义市场经济的政企关系》、《国有大中企业走出困境新思路》、《论城市区域扩散的三个阶段》、《韩国文化模式与百年现代化》、《在社会主义市场经济中建立社会主义现代企业制度》、《多层规划南京区域发展战略》、《国企改革：一体两翼、协调推进》。

主持课题：现代企业制度经营形式研究（国家社科规划项目94BJL003）、企业管理体制研究（全国党校基金重点项目1992）、国有企业改革理论与实践研究（国家社科重大项目子项目1996）、21世纪初长江三角洲区域发展战略研究（国家社科规划重点项目99BJL044）、国有企业改革阶段性研究（省委333工程资助项目2000.1-2002）、江苏经济结构与经济发展（省委软科学项目）、江苏宏观经济运行态势与规律研究（省社科规划重点工程项目1995）、我国转轨体制中国有企业过渡体制及其阶段性研究（国家社科规划项目01BJL025）、国企改革研究（省社科重点2001年9月 E2-008）。

李光荣

李光荣，男，1963年8月出生，中共党员，中国社会科学院经济学博士。华安财产保险公司董事长、特华投资控股董事长。曾任湖南省财贸办公厅科长、中国银行湖南分行证券部经理、广州国际信托投资公司部门经理、中国光大银行广州分行信贷部经理。现任广州市特华投资管理有限公司董事长、特华投资控股有限公司董事长、总裁，中国博士后特华科研工作站理事长，北京特华财经研究所所长、北京创业投资协会副理事长、铜陵精达特种电磁线股份有限公司董事（实际控制人）。

李扬

李扬，男，1951年9月出生，安徽淮南人。现任中国社会科学院党组成员，副院长，中国人民银行货币政策委员会委员。研究员、博士生导师。中国人民大学、复旦大学、南京大学、中国科技大学等大学兼职教授。太平洋经济合作委员会（PECC）中国金融市场发展委员会委员，中国金融学会常务理事、副秘书长、学术委员会委员，中国国际金融学会常务理事，中国城市金融学会常务理事，中国财政学会常务理事，中国科学院自然科学和社会科学交叉研究中心学术委员会委员，若干省政府顾问。

主要研究领域为货币、银行、金融市场、财税。至今已出版专著12部、译著3部、论文近百篇，主编（或参加编写）大型金融、财税工具书5部。

1992年获“国家级有突出贡献的中青年专家”称号；1992年享受国务院“政府特殊津贴”；论文集《改革大思路》、专著《财政补贴经济分析》、论文《中国城市土地使用与管理》、《国际资本流动与宏观经济管理》分别获得1988年度、1990年度、1994年度、1996年度“孙冶方经济科学”著作奖和论文奖；论文《中国的货币统计及其调控》获中国社会科学院第二届（1996）优秀论文奖等。

曾四次获得“孙冶方经济科学”著作奖和论文奖。已出版专著、译著 23 部，发表论文 400 余篇，主编大型金融工具书 6 部。主持国际合作、国家及部委以上研究项目 40 余部。先后主持（或参与）国际合作、国家及部委以上课题研究16项。现正在主持“中国体制外资金流动”、“中国住宅金融体系的设计”、“中国的储蓄投资机制转换”、“开放经济中的宏观调控”、“中国资本市场的培育与发展”、“中国的资本流动”等课题研究。

主要著述：专著《财政补贴经济分析》获1990年孙冶方经济科学奖著作奖，论文“中国城市土地使用与管理”获1994年孙冶方经济科学奖论文奖。其他代表作还有《中国金融改革研究》、《金融全球化研究》等。

李京文

李京文，男，1933年出生，广西陆川人，技术经济学家及数量经济学家。1951年考入武汉大学经济系，1953年选派留学苏联，就读于莫斯科国民经济学院和莫斯科国立经济学院，1958年毕业并获经济学硕士学位。回国后先后在河北省计委、国家计委、北京经济学院、国家建委、建材部和国家建材总局等单位担任技术员、工程师、教研室主任、处长、司长、总局局长助理。

1985年至1998年任中国社会科学院经济学科片领导组组长兼数量经济与技术经济研究所所长。现任中国社科院学部委员、主席团成员，北京工业大学经济与管理学院院长，国家社科基金应用经济评审组及全国博士后管委会经济评审组召集人，国家中长期科技规划总体组顾问委员会委员，北京经济社会发展研究院院长，（中国）管理科学与工程学会理事长，中国城市经济学会副会长。

李树琮

李树琮，男，江西鄱阳人，1941年2月出生，1962年毕业于江西师范学院，担任行政工作17年，1997年11月调江西财经大学任教。先后担任计划统计系党总支副书记、系副主任、校经济研究所副所长、所长；《城市发展研究》主编。1992年5月评聘为教授,曾兼任江西省经济学会常务理事、江西省人民政府决策咨询委员会委员、长江发展研究院学术专家、上海发展战略研究会理事。1997年底以学科带头人人才引进，调入首都经济贸易大学城市经济系任教,现为首都经济贸易大学城市学院教授。专业技术专长是区域、城市、生态、企业经济研究与咨询；发展战略与规划编制；经营管理策划与运作。曾担任城市经济系党总支书记、研究生导师，北京市重点建设学科《区域经济学》学科带头人，兼任首都文明工程基金会首席顾问。现兼任中国城市经济学会、中国国土经济学会理事、中国城市经济学会学科建设委员会副主任、全国绿化世纪行动专家委员会委员。1993年批准为国家突出贡献专家，享受国务院政府特殊津贴 。

自1979年以来给研究生和本科生讲授“区域经济学”、“城市经济学”、“区域经济学”、

“区域经济发展战略与规划研究”、“中国城市化研究”、“物业管理与实务”、“生态系统与循环经济”、“生态经济与工业布局”等课程。在各类培训班讲授“区域与城市”、“小城镇（乡镇）规划与经济发展”、“生态城市建设与管理”、“城市可持续发展”、“资源型城市经济转型与可持续发展”等课程。在《经济研究》、《财贸经济》、《经济学动态》、《企业经济》、《中国经济导报》、《中国房地产报》等报刊发展论文190余篇；主持主笔完成国家及省部级研究课题18项；公开出版独著和主编学术著作9部。其中“论城市综合效益”、“论名牌战略”、“江西支柱工业的选择、培育和经济增长方式的转变”、“城市经营的实质及冷思考”、“论城市可持续发展”、“小城镇发展与中国城市化道路研究”等38篇（部）分获国家和省部级优秀论著奖；教学、科研、工作业绩载入《世界名人录》等39部辞书。

李明德

李明德，中国社会科学院旅游研究中心副主任。中国法学会知识产权研究会秘书长。自1991年7月到中国社会科学院法学研究所工作，先后担任助理研究员、副研究员和研究员。自2002年起，担任中国社会科学院研究生院博士生导师。

曾参与山西省旅游规划、北京市旅游规划、吐鲁番市旅游规划、大同市旅游规划、沧州市旅游规划等多个项目的制定。

李津逵

李津逵，男，1955年出生，辽宁省大连市金州区人，中共党员，中国综合开发研究院城市经营研究中心主任研究员。中国城市经济学会理事、深圳城市化研究会副会长、清华大学—哈佛大学“中国城市运营商”双向交流计划首席教练。在北方交大从事“科学技术史”、“技术哲学”教学多年，并曾长期研究财政税收、城市设计、旅游规划，在各地主持多项与城市经营、农村城市化相关的研究咨询项目。1993年调入中国综合开发研究院从事社会科学研究工作，2001年，组建中国综合开发研究院城市经营研究中心，并已在北京、上海、江苏、重庆、福建、云南等省市开展城市经营方面的顾问、培训与咨询工作。在联合国工发组织“全球最具创新活力城市论坛”、“高交会城市论坛”、“住交会市长论坛”、“中国西部城市论坛”上讲演的观点被广泛转载。曾主持的研究项目：深圳2030发展策略——城市功能演进与土地经营；福建漳州市城市化战略；重庆永川市城市化发展战略；深圳南山区旅游产业总体策划；重庆九龙坡区西北五镇旅游产业策划。

李德水

李德水，男，1944年7月出生，江西玉山人。1968年7月江西冶金学院（今江西理工大学）毕业，曾任安徽马鞍山钢铁公司工段长、调度员，长期规划司产业规划一处副处长，长期规划司产业规划一处、长期规划和产业政策司处长，国民经济综合司司长，重庆市副市长，国务院研究室副主任、党组成员，国家统计局党组书记、局长，第十届全国委员会委员，第十一届全国政协经济委员会副主任。

杨开忠

杨开忠，男，1962年1月出生，湖南常德市人。师从我国已故著名地理学家林超、陈传康教授攻读自然地理学专业，获理学硕士学位；现任北京大学经济学教授、博士生导师，兼北京大学首都发展研究院常务副院长，北京大学政府管理学院副院长，北京大学中国区域经济研究中心主任，中国区域科学协会会长，全国旅游标准化技术委员会委员、北京市人民政府顾问、中国海外交流协会理事及其他职务。

主要从事区域经济学、城市经济学、发展经济学、环境经济学及战略管理的教学与研究。曾主持完成国家社会科学基金九五重大项目、国家自然科学基金九五重点项目、国家九五重点攻关专题以及教育部跨世纪人才基金项目以及教育部、北京市社会科学基金九五重大项目、江苏省旅游发展总体规划等多项重要研究课题。

他的多项重要研究成果为国家和地方中长期决策采纳，其中有关中国区域发展研究成果为我国区域发展政策90年代以来转向新的阶段提供科学依据。有关中关村科技园区发展战略规划，为国务院和北京市作出加快中关村科技园区建设的决定提供了重要的基础。

具有代表性的专业著作有：《中国西部大开发战略》、《中国可持续发展态势分析》（合著）、《中国区域协调发展战略》（合著）、《迈向空间一体化》、《九十年代中国西部地区发展战略研究》（合著）等，主要中文论文著作有《产业结构演变的动因》、《一般持续发展论》、《农村经济发展与城镇化》（合著）等，主要外文专业论著有《Basic Processes of Regional Economic Development in China》，《Regional Science in Developing Countries》。

杨重光

杨重光，男，1937年3月出生，浙江省诸暨市人。1960年毕业于上海社会科学院（现为上海财经大学），毕业后即到中国科学院经济研究所从事经济研究工作。1978年中国社会科学院成立，转到中国社会科学院财贸经济研究所工作。

曾任财贸经济研究所外贸研究室主任，城市经济研究室主任，所学术委员会委员、学位委员会委员，中国社会科学院经济片专业职务评审委员会委员，中国城市经济学会秘书长，济南市、哈尔滨等城市的政府顾问等职。1995年中国社会科学院成立城市发展与环境研究中心，调任该中心副主任。现为中国社会科学院研究员，中国城市经济学会副会长（法定代表人），中国土地学会名誉理事，担任《中国城市经济》和《中国地产市场》杂志主编。享受国务院特殊津贴。

汪光焘

汪光焘，男，1943年6月出生，安徽休宁人，1965年7月毕业于同济大学，同年参加工作，1983年12月加入中国共产党。研究生学历，工学硕士，高级工程师。原海协会会长汪道涵之子。中共第十六届中央委员，第十一届全国人大常委会委员，原建设部部长，中国城市经济学会名誉副会长。北京工业大学、清华大学、同济大学兼职教授。

曾任徐州市副市长；建设部城市建设司司长、总工程师；黑龙江省哈尔滨市市委副书记、代市长、市长；北京市副市长；建设部党组书记；建设部部长；第十一届全国人大环境与资源保护委员会主任委员。

肖金成

肖金成，男，1955年9月出生，河北省魏县人。经济学博士，研究员。现任国家发改委国土开发与地区经济研究所副所长、中国社会科学院研究生院博士生导师、中国国际工程咨询公司专家委员会委员。曾任国家原材料投资公司财务处处长、国家计委经济研究所财政金融研究室主任等职。毕业于中国社会科学院研究生院，后在南开大学做博士后研究。

1973年12月高中毕业，1982年1月毕业于辽宁财经学院（现东北财经大学）投资经济系，获经济学学士学位。1982年1月至1988年8月，在中国人民建设银行总行工作，从事拨款、贷款和建设单位财务管理业务。1988年9月至1994年7月在国家原材料投资公司工作，从事投资、财务、会计管理业务，历任资金处副处长、财务处处长兼综合处处长、高级经济师。1994年9月，考入中国社会科学院研究生院工业经济系，1997年7月获经济学博士学位。1997年7月，任国家计委经济研究所财政金融研究室主任；1999年11月，被国家计委高级专业技术职务评审委员会评为研究员；2000年4月，任国家计委国土开发与地区经济研究所副所长。

陆大道

陆大道，男，1940年出生，安徽桐城人。中科院院士、经济地理学家。1963年毕业于北京大学地质地理系，1966年于中国科学院地理研究所获得硕士学位，1980–1982年在原联邦德国波鸿鲁尔大学做访问学者，1992–1993年在德国不来梅大学和波鸿鲁尔大学任客座教授。曾任中国科学院地理研究所所长，现任中国科学院地理科学与资源研究所研究员，中国地理学会理事长。

长期从事经济地理学和国土开发、区域发展问题研究，尤其是工业布局影响因素的评价，初步建立了我国工业地理学的理论体系：一方面，在生产力布局、工业地理、国土开发、区域发展领域完成了大量全国性和地区性研究任务；另一方面，在区位论、空间结构理论等方面对我国经济地理学和区域发展研究的学科理论建设做出了重要贡献。

参与了《全国国土总体规划》、《环渤海地区经济发展规划》等多项国家级及地区级规划的制订和战略研究。20世纪80年代中期提出了“点–轴系统”理论和我国国土开发和区域发展的“T”字形空间结构战略，即以海岸地带和长江沿岸作为今后几十年我国国土开发和经济布局的一级轴线的战略，被国家所采纳，并获得学术界广泛引用和推崇。近年来，对我国区域发展、地区差距和区域可持续发展进行了大量实证性和理论研究。2003年当选为中国科学院院士。

陈为邦

陈为邦，男，1939年11月5日出生，重庆人。1957年毕业于重庆一中。1963年毕业于清华大学建筑系。教授级高级规划师，国家特许注册城市规划师，中共党员。

曾任建设部城市规划局副局长、中国城乡建设经济研究所副所长、建设部体改法规司副司长、司长，建设部总规划师。现任：中国城市规划学会副理事长，中国城市科学研究会副理事长，中国城市经济学会常务理事，中国社会学会理事，建设部科学技术委员会副主任委员，建设部专家委员会委员（城乡规划委员会和历史文化名城委员会），中国社会科学院城市发展与环境研究中心特邀顾问。天津大学、华东师范大学兼职教授。杭州、温州、东莞、肇庆、临沂、都江堰、牡丹江等城市政府的城市规划顾问。参与制定国家城市建设技术政策，并获国家重要贡献奖。直接参与制定《中华人民共和国城市规划法》和《中华人民共和国城市房地产管理法》等法规。主持起草我国两次出席联合国人居大会的国家报告。

主持评审过济南、成都、南宁、秦皇岛等城市的总体规划和空间发展战略规划。主持过北京中关村西区、重庆经济技术开发区、重庆市大学园区、济南市大学园区、青岛浮山后新区、广东凤凰城（碧桂园）、中央财经大学校园等多个规划方案的评审。主持过“全国少年服务中心”等大型公共建筑设计方案的评审。

作为主要起草人，参与编写国家标准《城市规划基本术语标准》。主编《城市规划读本》作为国家干部培训教材。学术论文近百篇。主要著作：《城市探索——陈为邦城市论述》。

陈光庭

陈光庭，男，1936年出生，辽宁省人。城市学研究员，政府特殊津贴专家。中国都市人类学学会常务理事，中国城市规划学会外国城市规划学术委员会副主任，中国城市经济学会理事，北京市城市科学研究会副理事长。现任北京市社会科学院中外城市文化研究中心主任，欧洲住宅社会经济网成员，世界社会学联合会住宅与建筑环境研究会成员；中法政府间合作项目《50名建筑师在法国》（1998-2000）中方指导委员会委员。历任北京市社会科学院城市问题研究所所长。《城市问题》杂志主编。1989年3月至9月访法高级访问学者，1990-1998年先后任法国巴黎第八十大学特邀教授和法国高等社会科研究院客座研究员等。

出版的主要著作有：《中国城市住宅的挑战》、《中国城市》、《城市综合管理》等著作十多部及论文50多篇 。

陈栋生

陈栋生，男，1935年10月出生于湖北省应城市，著名区域经济学家，中国社会科学院工业经济研究所研究员、博士生导师，国家级有突出贡献专家，享受政府特殊津贴。曾任中国社会科学院西部发展研究中心主任、中咨公司总经理、内蒙古呼伦贝尔盟副盟长。现任中国社会科学院西部发展研究中心名誉主任，研究生院教授，中国区域经济学会副会长兼秘书长，东中西部区域发展和改革研究院学术委员，武汉市社会科学院名誉院长，10余个市（地）政府经济顾问和深圳大学等几所大学的客座教授，武汉市政府决策咨询委员会委员、中国国际工程咨询公司特聘专家。云南财贸学院区域发展研究所兼职教授。

曾获孙冶方经济科学著作奖，第二届（2005）中国发展百人奖。1991年获国务院颁发的有突出贡献专家证书，享受政府特殊津贴。

主要研究方向：生产力布局与区域经济学研究、宏观经济、产业经济学、环境经济学等。先后承担、主持了《“七五”和后十年（1990－2000年）中国生产力布局战略研究》、《九十年代中国区域经济政策研究》、《中国西部经济发展研究》等国家重大课题和一系列地区发展思路与对策研究，撰写和主编了《西部大开发与可持续发展》等十余部学术著作，参加了《中国大百科全书》、《中国经济辞典》、《中国工业发展报告》等40多部辞书、丛书和高校教科书的撰写，发表论文300余篇。参加撰写《中国工业发展战略问题研究》和《对“六五”时期建设和改革问题的回顾与思考》，近年先后应新加坡、日本有关方面邀请前往讲学。

周干峙

周干峙，男，1930年6月出生，江苏苏州人。中国科学院院士、中国工程院院士。历任国家建委副处长，国家城市建设总局城市规划研究所副所长，天津市规划局代局长，中国城市规划设计研究院院长、高级建筑师，城乡建设环境保护部副部长，建设部副部长、国际建筑师协会理事；现任建设部特邀顾问，清华大学教授、博士生导师。

1952年毕业于清华大学建筑系，长期从事城市规划设计和政策制定工作。曾负责编制西安市的总体规划，天津、唐山市地震后的恢复重建规划，深圳市的总体规划，以及其他一批城市的规划设计指导。曾著有一批城市化、城市规划、城市建设、城市交通、住宅建设、旧城改建、城市房地产以及规划设计改革等方面的论文。

他指导编制的深圳经济特区总体规划获全国城市规划优秀设计一等奖。他提出了“滚动、灵活、深细、诱导”的城市规划指导思想，提高了城市规划的深度和广度，发展了城市规划理论。

曾是中国技术政策中有关城乡建设（国家科委蓝皮书第6号）的主编，因此获得国家科技进步一等奖；也是现行中国城市规划法的主要起草人。

现任多个学术团体的负责人，主要是中国城市规划学会理事长，中国风景园林学会理事长，中国房地产和住宅研究会会长，中国城市科学研究会理事长。

近些年，周干峙在完成建设部顾问工作以外，还承担了若干咨询工作，如有关中国城市化问题的报告；有关改善大城市交通的报告，一些历史文化名城的保护规划、完成了全国政协会议办公楼的规划设计，黄帝陵第一期工程规划设计，以及一些典型的城市设计，并在清华大学每年保持指导2～4名研究生。

周道炯

周道炯，男，1933年12月出生，安徽人。教授，高级经济师，现为全国人大财经委员会委员、国务院稽查特派员、中国建设银行监事会主席。兼任中国陶行知基金会会长、中国投资学会名誉会长、中国投资发展促进会副会长、中国城市经济学会会长、中韩民间经济协会副会长、中国财政学会顾问、中国市场经济学会顾问、中国宏观经济学会常务理事、中国金融学会理事、中国国有资产管理学会高级顾问、中国马克思主义研究基金会常务理事以及北京大学、中国人民大学、中南财经大学、东北财经大学兼职教授等。

1984年12月至1994年4月任中国建设银行行长、中国投资银行董事长。期间，兼任国务院证券委常务副主任。1994年至1995年3月任国家开发银行副行长、中国建设银行监事会主席。1995年3月至1997年6月任中国证券监督管理委员会主席、中国建设银行监事会主席。主编有《最新金融实用全书》、《建设银行投资新业务指南》、《现代企业运作与管理法律规范全书》、《财政金融五十年》以及《投资研究》杂志等。

岳颂东

岳颂东，男，1946 年出生，硕士。历任中国社会科学院新闻研究所助理研究员，国务院发展研究中心经济综合研究部、社会发展研究部副部长，国务院发展研究中心研究员，1992 年获国家级社会科学特殊贡献者称号和特殊津贴。

林兆木

林兆木，1936年10月出生，福建漳州人。曾任国家计委宏观经济研究院常务副院长。现为宏观经济研究院研究员，全国政协委员、全国政协经济委员会委员，国家计委学术委员会委员、研究系列高级职称评委会副主任，国务院研究室特邀研究员，中国城市经济学会副会长。

在报刊上发表过众多经济理论文章和政策评论，曾主编《市场经济体制宏观调控的国际比较》、《跨世纪的发展思路研究》等著作。主持过《社会主义市场经济体制基本框架研究》等课题，研究成果分别获得国家计委科技进步一等奖、二等奖、三等奖等多项奖项。1988年以来经常参加国家计委和党中央、国务院的一些重要文件的起草工作，包括参加了1989年至2001年历次政府工作报告、1994至2000年历次中央经济工作会议文件以及多次党的中央全会关于经济工作方面的决定等文件的起草工作。参与了国家“八五”计划、“九五”计划、“十五”计划的研究和制订工作。

林凌

林凌，男，1926年2月出生，山西平定人。1948年毕业于北京师范大学。曾就职于中共中央华北局、中共中央西南局、中共四川省委、首都钢铁公司、重庆钢铁公司。从事过学生运动、工人运动、企业管理、经济管理、理论研究、政策研究、杂志编辑等工作。1978年任四川省社会科学院副院长，1983年任国家体制改革委员会兼职委员。现任四川省社会科学院学术顾问、研究员，中国工业经济联合会副会长，中国城市经济学会副会长，中国企业改革与发展研究会副会长，中国综合开发研究院副理事长，《经济体制改革》、《开放导报》、《区域经济研究》主编。1998年4–12月在美国印第安纳州立大学做访问学者、讲学。

著述、主编、与他人合作的主要著作有：《中国经济体制改革探索》、《中心城市综合改革论》、《四川经济体制改革》、《产权制度改革与资产评估》、《中国东南沿海经济起飞之路》、《中国与全球经济一体化》、《利润周期与经济周期》、《林凌选集》等。曾两度获孙冶方经济科学奖，多次获四川省哲学社会科学一、二等奖，有几项重大改革方案和政策建议为国务院和四川省政府采纳并实施。被授予国家级有突出贡献专家、四川省劳动模范、四川省十大英才称号。受聘为中国社会科学院研究生院、南开大学、四川大学、西南财经大学、河南大学兼职教授、博士生导师。

赵弘

赵弘，男，研究员，北京市人民政府专家顾问团顾问，北京市社会科学院经济研究所所长、区域经济研究基地主任、中国总部经济研究中心主任、中关村发展研究中心主任，兼任中国城市经济学会副秘书长，中国战略学研究会经济战略委员会委员、全国经济地理研究会常务理事、北京市石景山区人民政府顾问、丰台区人民政府顾问、朝阳区人大财经顾问等。

主要研究方向：区域经济、产业经济、首都经济、总部经济等。

赵弘研究员在国内首次提出“总部经济”理论，出版了我国第一部总部经济理论专著——《总部经济》，在全国引起强烈反响。总部经济已被北京、上海、广州、深圳、青岛、武汉等10多个中心城市确定为城市经济发展的重要战略，写入“十一五发展规划”或《政府工作报告》。

赵弘研究员先后主持省、部级及区级政府委托研究课题30余项，发表学术论文100余篇，出版《总部经济》、《中国总部经济蓝皮书》、《中关村发展蓝皮书》、《中国总部经济发展报告》、《提升民营科技企业创新力》、《北京改革开放三十年（经济篇）》等专著10余部，发表论著300余万字，获“北京市科学技术奖”、“北京哲学社会科学优秀成果奖”等省部级奖5项，入选“北京市新世纪社科理论人才百人工程”。

钮德明

钮德明，男，1929年出生，江苏吴江人，研究员。1952年清华大学经济系毕业。毕业后在北京城市规划局、北京市政府首都发展战略总体研究部，北京决策咨询中心等单位历任研究实习员、副研究员、研究员等职。长期从事城市规划及决策咨询工作。先后参与北京城市建设总体规划调研与起草，京津唐国土规划调研并列出方案。还承担国家计委、科委的研究课题“我国经济社会科技发展中的重大决策研究”、“发挥首都智力为决策服务”。发表学术论文30多篇。

倪鹏飞

倪鹏飞，男，1964年出生，安徽人，副研究员，现任中国社科院财政与贸易经济研究所城市与房地产研究室主任。《中国城市竞争力报告蓝皮书》主编，中国城市经济学会常务理事，华中科技大学兼职教授，深圳社科院客座研究员，广东省中山市、河南省驻马店市等政府经济顾问。

1994-1997年在南开大学经济研究所攻读经济学硕士学位。1997-2000年在南开大学经济学系攻读经济学博士学位。2000年7月，获南开大学经济学博士学位，同期赴中国社会科学院财贸经济研究所工作。2000年10月，被聘为联合国开发计划署“中小企业改革和发展”项目评估专家。2002年兼作金融学博士后。

主要致力于房地产金融、城市竞争力和企业制度和融资等方面的理论与实证研究。近年来关于中国城市竞争力问题的研究引起了国际和国内一些学者、官员、企业家和社会公众的热情关注。

主要论文：中国城市竞争力研究《经济科学》、简述建立中国的住房抵押贷款体系《江淮论坛》、提升中国城市竞争力的理论框架《光明日报》、城市竞争力全球观察与中国战略《经济日报》、竞争力：中国24城市点评《经济日报》、广东和辽宁城市化比较《经济日报》、中国城市竞争力概念框架和分析范式《经济学动态》、中国城市竞争力与基础设施关系实证研究《中国工业经济》、中国城市综合竞争力与观念文化《开放导报》、寻求公平前提下的住房市场均衡模型《财贸经济》、中国房地产周期波动解释转移与相机政策《财贸经济》。

主要著作：《中国城市竞争力理论研究与实证分析》，中国经济出版社；《中国城市竞争力报告NO.1蓝皮书》，社科文献出版社。

徐惠蓉

徐惠蓉，1943年12月出生。1964年8月毕业于四川师范大学政教系。江苏省社会科学院经济研究所研究员，原贸易与市场研究室主任。政协江苏省委员会委员，政协江苏省经济委员会委员。中国城市发展研究会理事，中国城市经济学会大城市专业委员会委员，中国城市经济学会中等城市研究会理事，江苏省城市经济学会副秘书长，江苏省市场营销协会执行理事，江苏省房地产经济学会理事，江苏省旅游局规划专家库专家，江苏省城市发展研究院旅游研究所所长。研究方向：城市经济、旅游经济、房地产经济。主要著作：《城市经济发展论》、《中国区域经济发展的比较研究》、《中国华东沿海开放地区经济发展战略研究》（合著）、《发挥城市的经济中心作用》（合著）、《苏南工业化道路研究》（合著）、《建立现代企业制度的探索》（合著）、《中国经济现代化》（合著）、《中国现代化曲折三十年》（合著）、《江苏经济五十年》（合著）、中国国情丛书——百县市经济社会调查《张家港卷》。

袁钢

袁钢，男，中国人民大学法学博士，讲师。研究领域：律师实务、人权法学、欧洲法。代表作：《欧盟人权机构：巴黎原则的一种尝试》、《欧盟监察专员的产生与运作》、《国家人权机构——促进和保护人权的国内与国际的连接》。科研项目：参加朱力宇教授主持的教育部及中国人民大学欧洲问题研究中心重大课题——《中欧关系发展报告：欧盟对华人权政策与中国的对策研究》的课题研究；参加朱力宇教授主持的北京市哲学社会科学规划项目“北京市地方立法的民主化科学化问题研究”课题研究；参加朱景文主持的国家社会科学基金十五重点项目“全球化条件下的法治国家”课题研究；参加冯玉军副教授主持的世界银行第四期技术合作项目“邯郸市数字化城市建设研究项目”中的电子政务法制化问题。

郭鸿懋

郭鸿懋，1934年出生，天津人。1952年8月毕业于天津津沽大学会计财政学系。曾任南开大学经济学系教授、中国城市经济学会常务理事、学科建设专业委员会副主任委员等职。主要著作有：《政治经济学原理（社会主义部分）》、《城市经济学》、《城市宏观经济学》、《城市空间经济学》、《城市经济理论前沿课题探讨》等。

顾文选

顾文选，男，1942年8月出生，安徽省蚌埠市人，北京师范大学地理学硕士，中国农村城镇化研究中心兼职研究员。现任中国城市科学研究会秘书长，主要研究领域为城市发展与城市规划。近年来曾经主持“中国2020年城市发展和建设科学战略研究”、“我国城镇化城市建设投资需求和信贷风险研究”等多项重大课题。

高尚全

高尚全，男，1929年9月出生，上海嘉定人。高级经济师。江苏嘉定（今属上海市）人。1952年毕业于上海圣约翰大学经济系。研究员、教授。

长期从事政策研究工作。现任中国经济体制改革研究会会长，中国企业改革与发展研究会会长，中国经济改革研究基金会理事长，中国（海南）改革发展研究院院长；第九届全国政协委员、经济委员会委员；联合国发展政策委员会委员；北京大学、上海交通大学兼职教授、博士生导师，浙江大学工商管理学院院长，教授。著有《走我国自己农业现代化的道路》等。

梁本凡

梁本凡，中国社会科学院城市发展与环境研究所研究员、全球低碳城市联合研究中心主任、中国城市经济学会理事、中国土地学会、中国土地评估师协会常务理事、中国城市科学研究会理事。

傅崇兰

傅崇兰，男，1940年12月出生，山东东平人。1964年8月从曲阜师范学院毕业，在本院历史所工作，后转任城市发展与研究中心主任等职。现为北京市人民政府专家顾问团顾问，中国县镇经济交流促进会副会长，享受政府特殊津贴。

长期从事区域、城市与环境等问题的研究工作，主要在城市史、城市规划建设等方面取得了多项研究成果。

代表作有：《中国运河城市发展史》、《世纪之交的城市建设——天津十年建设纪实》、《拉萨史》、《城市个性》、《广东省珠海市东区国民经济与社会发展规划1996-2010年》、《广州城市发展与建设》、《港澳与其周边地区合作关系研究》、《跨世纪的中国广州现代化国际大都市主骨架》、《运河史话》、《城市史话》、《国民经济与社会发展战略》、《曲阜庙城与中国儒学》、《中国特色城市发展理论与实践》、《小城镇论》、《新城论》、《中国城市发展问题报告》、《中国运河传》。

曾坤生

曾坤生，男，1956年1月出生，湖南省常德市安乡县人。广东外语外贸大学国际工商管理学院教授。1982年毕业于湖南师范大学政治系，获经济学学士学位。长期在高等学校从事经济学、管理学科的教学与研究工作，先后担任过产业经济学、区域经济学、教育经济与管理专业的硕士生导师。

现为广东外语外贸大学国际工商管理学院教授、中小企业研究中心主任、企业管理专业硕士生导师。学术兼职：中国区域经济学会理事、中国市场学会理事、中国高等院校市场学研究会理事、中国教育经济研究会理事、中国人力资源开发研究会理事等职。

主要研究方向：区域经济发展与管理、教育与人力资源开发、现代管理理论。

主要科研成果：《区域经济论》、《动态协调发展：迈向21世纪的中国区域经济》、《现代市场营销学》、《佩鲁增长极理论及其发展研究》等曾多次获奖。

主要著作与教材：人力资源管理、经济全球化与中国高等教育产业发展、区域经济论——市场经济与中国区域经济、动态协调发展——迈向21世纪的中国区域经济、教育产业发展与人力资源管理研究、现代市场营销学、形象设计。

主持课题：湖南省哲学社会科学规划课题：“湖南省产业集聚与园区发展研究”（2003-2005）；湖南省自然科学基金课题：“西部大开发与湖南省产业组织模式的调整与优化研究”（2001-2004）；湖南省教育厅课题：“中国高新技术企业人力资源的有效和有序流动研究”（2001-2004）；湖南省哲学社会科学规划课题：“西部大开发与湖南省空间组织模式的调整与优化研究”（2000-2001）；国家邮政总局课题“邮政电子商务中若干网上邮政业务资费策略研究”（2000）；湖南省软科学课题：“湖南省教育产业发展的现状与展望”（2000）；湖南省软科学重点课题：“教育产业发展的障碍与对策研究”（2000）；湖南省软科学课题：“高新技术企业人才流动与知识产权保护研究”（1999）；广西壮族自治区人民政府课题：“西部乡镇企业发展研究”（1993）；湖南省“九五”社科规划课题：“区域经济论”（1996）；湖南省社科规划课题“湖南省经济空间推移与区域调控对策研究”（1998）；湖南省教育委员会科研课题“消费者经济学”（1998）。

雷风行

雷风行，男，1944年出生，福建宁化人，中共党员。1967年毕业于北京师范大学教育系。历任铁道部齐齐哈尔车辆厂工会宣教干事，《人民铁道》报文艺部、特刊部、经济部主任，《中国旅客报》总编辑、主任编辑。1990年加入中国作家协会。著有专集《郭沫若的少年时代》、《名人的第一任老师》、《谜语趣话》、《历代聪慧少年的故事》、《片叶集》、《群星从这里升起》、《姓名与人生》等。《谜语趣话》为全国总工会全国职工读书自学活动推荐的书目。长篇报告文学《神州大动脉》（与才铁军合作）获全国第六届铁路文学奖。

蔡孝箴

蔡孝箴，男，1929年出生，籍贯江苏泰兴。中共党员、教授、博士生导师。

1951年毕业于津沽大学企业管理系并留系任教。1952年院系调整后转入南开大学经济系。先后历任中共南开大学经济系支部书记、经济系副系主任、系主任、经济学院副院长、校务委员会委员、校学位委员会委员、经济学第一分学位委员会主席等职。现任校学术顾问。校外主要兼职有：全国哲学社会科学学科规划经济理论学科组成员、中国城市经济学会常务理事，天津市人民政府咨询委员会委员、天津市社联常委、天津市经济学会副理事长、天津市城市经济学会副会长、天津市环渤海经济研究会副理事长等。

教学与科研的主攻方向为城市经济。是我国该学科最早的耕耘者之一，也是南开该学科的创建者和学科带头人。先后主持完成了国家教委立项的《社会主义城市经济学》、《城镇房地产经济研究》、《房地产市场研究》、《城市经济学（修订本）》等项目。主编出版了《社会主义城市经济学》（1990）、《城市经济学（修订本）》（1998）等著作，发表了20篇论文。获得部委级以上奖励6项。在国内最早培养城市经济学科硕士和博士研究生。开设了《西方城市经济学著作选读》、《西方城市土地经济著作选读》、《社会主义城市经济专题研究》、《社会主义城市土地经济专题研究》、《空间经济研究》等课程。一贯致力于加强城市经济学科建设。南开城市经济学科1990年成为全国第一个硕士点，1994年又成为全国第一个和当时唯一的博士点。1997年申报的《南开大学城市经济学科硕士点博士点的系统建设》的教学成果，获天津市优秀教学成果一等奖、国家级优秀教学成果二等奖。2002年，由原城市经济学科和经济地理学科合并组建的南开区域经济学科被批准为国家级重点学科。

长期从事政治经济学研究与教学工作。主编或作为主编之一出版了《政治经济学（社会主义部分）》（1987）、《社会主义经济理论与经济体制改革研究》（1987）、《当前政治经济学教学的若干理论问题》（1991）、《科技进步与经济发展》（1996）等著作，并发表了多篇论文。主讲过政治经济学、经典著作选读，社会主义理论专题等课程。

魏礼群

魏礼群，男，1944年12月出生，江苏睢宁人。国家行政学院党委书记、常务副院长，中共十六大、十七大代表，中共第十六届、十七届中央委员。1965年5月加入中国共产党，1968年12月参加工作，大学学历，研究员，中国人民大学兼职教授、博士生导师。现任国家行政学院党委书记、常务副院长（正部长级）。

研究领域：中国宏观经济理论与政策。

曾任国家计委体改法规司司长、政策研究室主任；国家计委党组成员、秘书长；中共中央财经领导小组办公室副主任兼机关党委书记；国务院研究室副主任、党组成员兼机关党委书记；国务院研究室主任、党组书记；国家行政学院党委书记、常务副院长（正部长级）；中国国际经济交流中心执行副理事长。

魏后凯

魏后凯，男，1963年12月出生，湖南省衡南县人。先后就读于湖南师范大学、中国科学院地理研究所、中国社会科学院研究生院，获理学学士、理学硕士、经济学博士学位。中国社会科学院城市发展与环境研究所副所长、研究员，研究生院城市发展系主任、教授、博士生导师，享受国务院颁发的政府特殊津贴。兼任中国社会科学院西部发展研究中心主任，中国区域科学协会副会长，中国区域经济学会副会长，中国自然资源学会常务理事，国家社会科学基金项目学科评审组专家，全国中小学教材审定委员会地理组成员，中国与周边国家区域开发专家组成员，《全国土地利用总体规划纲要》修编工作专家顾问组成员，《全国主体功能区规划》编制工作专家组成员，《东北地区振兴规划》综合研究组副组长，《西部开发促进法》起草小组成员，《统计法》修改专家咨询组成员，北京大学、中央民族大学、湖南师范大学、河南大学、西北大学等兼职教授，北京市人民政府顾问。

主要从事城市与区域经济学、发展经济学、资源与环境经济学研究。近年来负责主持了40多项国家重大（重点）、中国社会科学院重大（重点）以及有关部委和地方委托研究项目，撰写和主编学术专著17部，发表中英文学术论文200多篇，主持或参与完成的科研成果获20多项国家和省部级以上奖项。主要学术著作有：《中国产业集聚与集群发展战略》（2008）、《现代区域经济学》（2006）、《东北地区经济振兴战略与政策》（2005）、《中国西部大开发政策》（2003）、《中国外商投资区位决策与公共政策》（2002）、《21世纪中西部工业发展战略》（2000）、《中国地区发展：经济增长、制度变迁与地区差异》（1997）、《区域经济发展的新格局》（1995）。

新中国成立60年中国城市经济发展概况 >>>

新中国成立60年中国城市经济发展概述

中国城市经济学会副会长、中国社会科学院研究员　杨重光

城市经济是国民经济的支柱，重要的组成部分，特别是在现代经济社会和市场经济条件下，城市经济的地位和作用更加突出和显现。中华人民共和国成立以来，我国经济虽经历了曲折发展过程，但取得了辉煌的成就。目前，经济总量达到了世界第三位，在不久的将来，也许在2009年就能超过日本，成为世界第二经济大国。在这过程中，城市经济发挥了巨大的作用。全国655个城市和19249个建制镇，特别是地级以上城市，不仅是中国经济发展的主要载体，更是带动国家经济整体发展的核心力量。本章主要论述60年来，我国城市经济的发展历程、伟大成就和主要特点及对整个国民经济发展的历史功绩。

第一节　新中国成立60中国城市经济发展历史

中华人民共和国成立前的旧中国，基本上是一个农业和手工业国家。国民收入中的68.4%来自农业，工业仅占12.6%。在工业领域内部，手工业又占了工业产值的70%。除了少数大城市之外，多数中小城市和广大农村基础工业和基础设施极其落后，基本上无电力供应，农村普遍使用油灯。受连年战争影响，原来就非常落后的交通运输通信等基础设施被破坏殆尽，主干铁路无一条能够全线通车，勉强能通车的铁路只剩1.1万公里。全国人口中的80%是文盲，现代科技几乎为一片空白，国库里的黄金被蒋介石劫往台湾。真可谓内外交困，矛盾重重，开国之难，可以想见。更为棘手的是，物价飞涨人心动荡。1949年的前八个月，全国的货币发行额从185亿元增加到了4851亿元，增加了25倍，就在开国大典后的一个多月里，京津物价涨1.8倍，上海涨1.5倍，民间资金几乎全数用于疯狂投机。这就是摆在新中国面前的破败和凋敝的景象。

一、改革开放前30年中国城市经济变化过程

中国人民在中国共产党的领导下，经过近30年的艰苦卓绝的斗争和无数英雄烈士流血牺牲，终于推翻了压在中国人民的头上的“三座大山”，1949年10月1日，建立了独立自主、和平发展的人民共和国。然而，经过长期的战乱及帝国主义和反动政府的掠夺和洗劫，新中国面临的是满目疮痍、百废待兴的国家，城市尤甚。同时，新中国又是在一个幅员辽阔、人口众多、经济落后的国度内建设和发展的，没有更多的经验可以借鉴和学习。所以，从1949年至1978年经历了一个非常曲折的发展过程，在“取得了很大的成就”的同时，“遭到过严重的挫折”，在经济发展的政策“方针上有过严重的失误”[①]。

① 《关于建国以来党的若干历史问题的决议》(16、17)。

按照经济社会的史实，并参照史学界对中华人民共和国成立到改革开放的时期划分，对整个国民经济的时期划分为：1949–1952年国民经济恢复发展时期；1953–1956年社会主义改造时期；1957–1966年探索中前进时期；1966–1976年“文革”十年。

城市经济是国民经济的主体和核心，因此，国民经济的时期划分是城市经济发展时期或阶段划分的依据。我们认为，从中华人民共和国成立到改革开放前的30年，城市经济发展经历了四个重要时期或阶段。

（一）城市经济恢复和工业城市初建阶段（1949–1957年）

总的来说，1949–1957年是我国国民经济迅速恢复和较快发展时期，城市工商业恢复和稳定发展时期，是社会主义对私改造时期，是新兴工业城市开始建设时期。

1949–1952年。由于新中国刚刚成立，共产党从国民党手中接过的是一个烂摊子，国民经济亟待恢复。经过几年的努力，在中国共产党的英明领导和正确政策的指引下，全国经济得到迅速的恢复和明显的发展，可以说，到1952年底国民经济得到根本好转。城市经济基本上恢复正常的经济秩序，维持了城市的物价稳定，保障了居民的基本生活，维护了城市的社会安全。

1953–1957年。由于整个国民经济基础的恢复，从1953年开始制订和实施第一五年计划，在当时以苏联为首的社会主义阵营的支持下，开始社会主义工业建设，特别是以建设156个项目为核心的大规模的经济建设。由于当时具体的国际国内形势和政治环境，工业项目多数布局在远离沿海和东部的中西部地区。由于工业建设的蓬勃发展，一些新兴的工业城市拔地而起，如鞍山、长春、兰州等城市。

此时期，是社会主义改造时期，也是在探索中发展的时期。在农村掀起了轰轰烈烈的合作化运动，实现从互助组到农村合作社，再到高级合作社的推进，同时，在城市实行对私的社会主义改造，实现向社会主义过渡，基本上完成了三大改造，开始了国家工业化的初步建设。

从经济制度上说，这一时期基本上是市场经济制度，共产党政府从国民党政府接收的城市经济，依然是市场经济，生产资料私有制仍是经济社会的主流，私有经济的各类主体依然存在，并发挥积极的作用，基本上保留商品生产和流通，各类市场比较活跃，城市居民主要是通过市场来获得生活必需品和其他产品，城市居民的生活水平有了明显的改善和提高，可以说过上了低水平的安居乐业的生活。所以说，是新中国成立之初最好的日子。

（二）城市经济在探索中发展时期（1958–1962年）

1956年召开中国共产党第八次全国代表大会，探索中国经济发展和社会建设的道路，在探索中既有成功的经验，也出现了严重的失误。在八大后不久，从全国上下掀起了总路线、大跃进、人民公社运动，在城市违背城市发展规律，脱离当时的生产力水平，在极“左”的政治思潮和经济理论指导下，取消了商品生产，否定了市场经济，搞绝对平均主义，急于“穷过渡”，因此造成经济秩序混乱，生产停滞不前，消费品短缺，居民生活下降，健康状况突出。直到中共七千人大会上提出了“调整、巩固、充实、提高”的八字方针，才开始初步认识到经济发展和城市建设中的错误。

（三）面临曲折和困难的时期（1963–1965年）

三年困难时期，是新中国成立以来我国经济最困难的三年。这一时期，“左倾”错误在党内泛滥，加上苏联的背信弃义，恶化两国经济关系，以及发生严重的自然灾害，使我国经济陷入严重困难，全国城市无不受到影响。

（四）城市经济动乱和停滞时期（1966–1976年）

动乱的十年。这一时期突出阶级斗争，党内“左倾”错误泛滥，经济遭到严重破坏，社会动荡不定。整个经济处于崩溃的边缘，居民生活每况愈下，过着城市贫民的生活。当然由于人民群众的抵制和广大干部群众的努力，国民经济的某些领域和部门仍有一定发展。

二、新中国成立30年城市经济发展的基本趋势及问题

总结从中华人民共和国成立到改革开放前的30年，城市经济的发展可归纳为以下几点：

（一）中国城市经济取得了一定的成绩和发展

新中国成立30年来我国城市经济取得了一定的成绩和发展，在整个国民经济发展中发挥了一定作用，城市居民的生活水平有了一定改善。

1952年，工业产值占国民生产总值的30%，农业产值占64%；而到1975年，这个比率发生很大变化，工业产值占国民生产总值的72%，农业产值则下降至28%。城市成为第二产业的主要载体。工业产值比重的提高，既说明了城市经济的发展，也说明城市经济地位的提高。下列数据可以说明城市经济的增长（见表1）。

表1 全国工农业总产值指数（以1952年为100，按可比价格计算）

年份	工农业总产值	农业总产值	工业总产值	工业总产值中轻工业产值	工业总产值中重工业产值
1949	56.3	67.4	40.8	46.6	30.3
1952	100.0	100.0	100.0	100.0	100.0
1957	167.8	124.8	228.6	183.2	310.7
1965	268.3	137.1	452.6	344.4	650.6
1976	626.6	207.1	1232.2	764.4	2102.2
1979	845.2	249.4	1734.4	1061.0	2991.6

上表说明，从1949–1979年的30年中，无论是工农业总产值还是工业总产值都有较大的提高。工业的增长速度远远高于农业。从1952年至1979年，农业总产值增长约2.5倍，而工业总产值增长了17倍多。这既说明工业的增长速度远远快于农业的增长速度，又说明了工业的比重越来越占优势，从而说明城市经济地位的提升。在工业生产中，重工业的增长远远高于轻工业，从而使城市经济中，重工业占据着绝对优势的地位。这说明了城市经济的总体的性质及变化。

城市职工人数的增加，同样说明城市经济的发展和地位的上升，从1952年至1979年，全国职工总人数从1603万人增加到9967万人，增长了5.2倍以上，占全国总人口的比例从不到3%提高到超过10%。随着工业的发展和城市人口的增加，城市职工的地位明显提高（见表2）。

表2 全国人口、职工和城镇个体劳动者人数（年底数） 单位：万人

年份	总人口	职工人数合计	其中：职工中全民所有制
1952	57482	1603	1580
1957	64653	3101	2451
1965	72538	4965	3738
1976	93717	8673	6860
1979	97542	9967	7693

职工人数的变化说明了城市经济的发展。当然30年中，城市职工人数的增长是非常缓慢的，全国职工增长不到1亿人，而其中主要是城市国家单位和全民所有制企业职工。

居民经济收入和消费水平反映了城市经济发展的水平，从表3所反映的数据看，从1952年以来，城市居民的消费水平有所提高，但提高极其缓慢，20多年仅仅提高2倍多一点。

（二）城市经济从商品生产、市场经济走向完全的计划经济

表3 居民年平均消费水平（元）、消费指数（以1952年为100）

年份	全国居民消费水平	农民消费水平	非农民消费水平	全国居民消费指数	农民消费指数	非农民消费指数
1952	76	62	148	100	100	100
1957	102	79	205	122.9	117.1	126.3
1965	125	100	237	132.4	124.8	136.8
1976	161	125	340	166.9	151.4	195.7
1976	197	152	406	188.8	168.4	221.8

旧中国是落后的半殖民地、半封建的小商品经济社会，但是从制度和性质上说，仍然属于商品生产和市场经济范畴。新中国成立后，在经济恢复时期，基本上延续了商品生产和市场经济。1953年开始大规模经济建设，特别是工业化建设，学习和引入原苏联的计划经济体制。其新建的工厂和城市基本上是按照计划经济模式建立和建设起来的。但当时由于旧中国遗留下来的私营企业大量存在，整个国家的流通体制依然是市场经济的，居民的生活方式没有根本性改变，因此，这一时期是商品经济与计划经济并存和交叉时期，市场经济与计划经济各自引导经济的发展，相互发生作用，并出现一些新的矛盾。随着工业化的推进，新城市的建设和发展，从生产到分配，从流通到消费的各个领域、各个部门的一系列“社会主义”政策的制定、颁布和实施，对个体小商贩的限制和打击，特别是社会主义改造的最终完成，最后让市场经济退出中国的经济舞台，并彻底转变为计划经济。实行计划经济必然排斥多种经济成分，特别是私营经济和个体经济，使城市经济呈现万马齐喑的局面。

对新中国成立后30年的城市经济制度和体制存在不同的认识。有人认为，这30年总的是搞计划经济，但在实施上存在不同的观点和做法，其中，有的同志坚持计划经济，但以计划经济为主，以市场调节为辅，或搞大计划，小自由。我们认为，即使存在一些差异，但是从整体上说，执行的是计划经济体制。

众所周知，由于城市的建立和建设、城市经济的繁荣和发展与商品生产、市场经济密切相关。市场经济是城市经济的制度基础和发展动力，所以，整个国民经济从自由的市场经济转向彻底的计划经济，城市的发展和城市经济繁荣必然受到极大的抑制。其结果必然是：城市经济总体发展非常缓慢，结构明显失衡，发展不和谐。

（三）城市经济的发展缺乏农村和农业经济的坚强支持

农业是城市发展的物质基础，城市的发展需要农业提供足够的农副产品，特别是粮食。新中国成立后30年虽然国家发展经济的重心是在农村，表面上注意大力发展农业，但是由于经济建设的总方针，政府各项经济政策的失误，以及政治斗争、意识形态等方面的干扰和破坏，这30年没有从根本上解决农业、农村和农民问题，农业不能为城市经济发展和城市全面建设提供丰富的、充分的农

副产品，特别是粮食。由于农业生产受到了严重影响，城市与农村的口粮问题十分突出，抑制了城市和城市经济的发展。由于三年“大跃进”，职工总数在1958年上升到4531万人，比1957年增加了1430万人。城镇人口从1957年的9900万人，增加到1960年年底的1.3亿人，增加3124万人，从而使得1960年吃商品粮的人口占总人口的比例，由1957的15%，提高到20%。在这种情况下，即使加强了对农民的粮食征购，仍然产生粮食的严重短缺，市场粮食供应紧张。据计算，1960年短缺124亿斤，1961年短缺119亿斤。与此同时，1960年的工资总额比1957年增加了68.5%，社会商品购买力增长49.2%，而零售商品货源只增加23%，出现了74亿元的差额。当时的解决办法就是精减职工，减少城市人口。于是中央制定了《对于减少城镇人口和压缩城镇粮食销量的九条办法》，决定在1960年底城镇人口1.3亿人的基础上，3年内减少城镇人口2000万人以上，并且要求1961年至少减少1000万人，于6月至9月内基本完成。同时，压缩粮食销量30亿至40亿斤。之后，中共中央又发出了《关于精减职工工作若干问题的通知》。到1961年年底，全国职工总数据比年初减少了872万人，城镇人口减少了1000万人，粮食销售量减少了40亿斤①。

（四）城市经济走向萎缩，接近于崩溃边缘

进入“文化大革命”时期，由于坚持以阶级斗争为纲，在“宁要社会主义的草，不要资本主义的苗”等错误指导思想和意识形态的导向下，在“抓革命、促生产”口号下，城市的工业、商业、服务、交通等领域和行业，都遭到不同程度的破坏、冲击或抑制，从而使城市经济以致整个国民经济接近于崩溃的边缘。如，工业生产遭严重破坏，开工不足、甚至停工停产；流通领域各种商品和物资供应极度紧张，凭票凭证、限量供应；市政设施和基础产业严重滞后，破旧落后，大量欠账；居民生活十分困难，居住条件恶劣，收支捉襟见肘，对外经贸关系封闭，城乡关系紧张等。总之，城市经济缺乏活力和活气。

到70年代，计划经济的体制性弊端已经暴露无遗。城市经济几乎成了一个封闭自守的、与世界经济体系基本“绝缘”、高度集中而没有活力的经济体。指令性计划经济体系的构筑，使产业经济的效率非常低下。城市的食品和基本消费品实行着自上而下的配给制。国有企业部门对城市经济一统天下，普遍实行着对生产资料的统一分配，对生活资料的严格的价格管制，国民经济的发展受到严重的制约，僵化的计划经济体制已经走到了尽头。人们彻底厌倦于一场接一场的、永无尽头却没有任何实惠的政治运动。

尽管新中国成立30年在经济上取得了一些成就，但显然不是世界上经济增长最快的国家之一，甚至因为政治局势的动荡，特别是“文化大革命”的十年浩劫，使经济成长总是间歇打断和处于停滞的状况。据安格斯·麦迪森对亚洲各国人均GDP增长率的计算，在1952年到1978年，中国与其他国家和地区相比在整体上是落后的。中国人均GDP增长率是2.3%，日本、韩国、新加坡、中国香港和台湾地区分别是：6.7%、6.3%、4.8%、5.4%、6.6%。从1952年到1978年，中国的出口额仅仅增长了一倍。让人感到遗憾的是，二次世界大战后的30多年，国际环境为发展中国家的经济发展和社会进步创造了一个较好的、宽松的国际环境，一些国家正是利用有利的国际环境迅速崛起和发展的，而我国城市经济却在一定意义上失去了时间和机会。

① 丛进著：《1949-1976的中国·曲折发展的岁月》，人民出版社，2009年出版，第281页。

三、改革开放30年中国城市经济发展历程

十一届三中全会后，我国经济社会发展和城乡居民生活进入一个新的春天，同整个经济社会发展一样，在城市经济各个方面都走上全面恢复和逐步发展，进入一个新的发展时期。2008年末我国的城市数量达655个，比1978年增加462个，其中地级及以上城市由1978年的111个增加到287个。我国改革开放30年来城市数量发展的变化，可分为三个阶段：一是较快发展阶段（1978-1983年）。1983年末我国城市数量由1978年的193个上升到289个，比1978年增加96个，增长49.7%，平均每年增加16个城市。二是快速增长阶段（1984-1991年）。1991年末我国共有城市479个，比1983年增加190个，增长65.7%，平均每年增加23个。三是平稳发展阶段（1992-2008年）。截至2008年末，我国城市数量达到655个，比1991年增加176个，增长36.7%，平均每年增加10个。

粉碎"四人帮"后最重要、最迫切的工作是恢复国民经济，提高居民生活水平。所以，1979年和1980年着手对城市经济进行全面恢复，1981年出现了较大起色，还清了许多欠账，增加了住房建设，提高了职工工资水平，解决工农产品的剪刀差，解决财政赤字问题等。之后，全面促进城市经济的发展，充分发挥城市的经济中心作用和加强城市的各项建设，从而使中国城市经济发生了翻天覆地的变化，并屹立于世界城市之林。

综观改革开放30年我国城市经济的发展，大致可以划分以下时期。

（一）恢复和制度建设时期（1979-1983年）

1978年，党的十一届三中全会作出了实行改革开放的重大决策。1979年，党中央、国务院批准广东、福建在对外经济活动中实行"特殊政策、灵活措施"，并决定在深圳、珠海、厦门、汕头试办经济特区。作为吸收外资、学习国外先进技术和经营管理方法的视窗。

十一届三中全会后，国民经济进入调整时期。1979年9月的十一届四中全会通过了《关于加快农业发展若干问题的决定》，允许农民在国家统一计划指导下，因时因地制宜，保障他们的经营自主权，发挥他们的生产积极性。

1979年和1980年国家经济获得一定的恢复，全国农业获得丰收，减少了统购、派购任务，放宽了农业的发展环境和农民的生活环境。

1980年9月，中共中央下发《关于进一步加强和完善农业生产责任制的几个问题》，肯定了包产到户的社会主义性质。到1983年初，农村家庭联产承包责任制在全国范围内全面推广。

1984年4月，又进一步开放大连、秦皇岛、天津、烟台、青岛、连云港、南通、上海、宁波、温州、福州、广州、湛江、北海14个港口城市。

中国城市建设和城市经济的起步和发展是从1980年经第五届全国人民代表大会批准设立深圳、珠海、汕头、厦门四个特区城市开始的。1981年有了较大发展，还清了许多欠账，增加了住房建设，提高了工资水平，解决工农产品的剪刀差，解决了财政赤字问题。

1983年末我国城市数量由1978年的193个上升到289个，比1978年增加96个，增长49.7%，平均每年增加16个城市。

20世纪70年代末和80年代初，以城市经济为重点的经济调整的一个重要经验，就是在压缩基建规模，压缩重工业、钢铁和机械加工的同时，大力发展轻纺日用消费品工业，并结合城市的实际情况放宽了就业政策，允许和鼓励个体户经营，开拓多种服务行业，促使经济发展继续保持了一定速度，促进了市场的不断繁荣，进一步拓宽就业范围，努力提高城市居民生活水平，实现了财政收支

基本平衡，并使人民普遍感到满意。

此阶段城市经济恢复和发展的主要特点是：

1.实施城市的对内对外开放。对内的开放是打破原来对城市经济发展的禁锢，加强城市之间的物资、商品、信息、资金和人才的流通，活跃了城乡经济。对外开放是，对广东、福建两省的对外经济活动实行特殊政策和优惠措施，并决定在深圳、珠海、汕头、厦门设置经济特区，作为吸收外资、学习国外先进技术和经营管理方法的视窗。深圳、珠海利用与香港、澳门有利的区位条件，开展“三来一补”贸易，促进了内地城市与港澳之间的经济贸易联系。

2.发挥中心城市的经济中心作用。城市经济的辐射能力和作用范围是不同的。改革开放之初，虽然特大城市和大城市数量不多，但是其经济实力相对于其他城市来说，显得更为强大，而且成为全国或各地区的经济中心。如，重庆是西南地区的中心，武汉是中南地区的经济中心，天津、北京是北方的经济中心等。重视中心城市的发展，并发挥其经济中心作用，不仅能促进中心城市自身的迅速发展，而且能带动周边地区中小城市和广大农村地区的经济的发展。所以，对全国或地区的经济中心城市赋予一定的特殊经济政策和扩大其权力，是加速中心城市发展的有效之策。在当时，对深圳、重庆、大连、青岛等城市给予计划单列市的称号，赋予副省级的经济地位和权力，从而有利于带动和促进周围地区中小城市的发展。

3.搞渐进式的经济体制改革。城市经济体制改革面临一系列的严重任务，而我们的改革是逐步推进的。企业是城市经济的细胞，也是改革的核心，所以城市经济体制改革首先是对企业进行改革，下放企业的管理权力，扩大企业的自主权，实现企业的独立自主经营和独立核算，成为商品经济条件下的商品生产经营者，逐步建立起新的企业制度。在国有企业改革的同时，积极的支持和扶植私营的、民间的、个体的等非国有企业和组织。

与此同时，加强与企业制度相关的经济核算体系、流通体制、价格形成和定价体系、城市财政和金融体系方面的改革，为企业建立新的市场经济的环境。从经济发展来说，除了继续重视城市经济增长外，从1982年开始注重经济效益，提高企业的经营效益。

4.转变政府职能，改革城市管理体制。扩大企业的自主权，使企业成为独立核算、自主经营的商品生产者，必然导致城市政府从直接地组织和管理经济活动中摆脱出来，需要适时地转变城市政策的管理职能。从管理企业转变为管理社会，管理公共事务。因此，研究和制定城市经济社会发展战略，编制相应的规划，组织和实施基础设施建设，管理城市土地资源、研究和解决居民面临的教育、医疗、社保、救济、卫生、环境等问题成为城市政府的主要职责。

（二）城市经济快速增长阶段（1984–1991年）

1991年末我国共有城市479个，比1983年增加190个，增长65.7%，平均每年增加23个。

1.进一步扩大开放范围，实现全方位的对外开放。继沿海14个开放城市之后，又实现了沿江、沿边和沿线（铁路线和主要交通干线）城市的开放，并不断深入到内地城市。从点到线，再到面的全方位开放，比较彻底的放开了城市发展的手脚，拓展了城市发展的空间。1985年2月，增设长江三角洲、珠江三角洲、闽南三角区为经济开放区。

经过多年的实践，形成了全方位、多层次的开放格局，改革和开放得到了全国人民的拥护，改革开放是强国之路成为人们的共识。

2.大力发展多种经济，支持非国有企业的发展。在继续改革完善国有经济和国有企业的同时，从立法、执法到具体的政策措施，全力支持非国有经济和非国有企业的发展，实施“抓大放小”，能让非国有企业经营的行业、部门都让非国有企业经营，既提高经济效益，又解决更多的就业。因此，在这一时期民营企业、家庭工业和乡镇工业得到前所未有的蓬勃发展。

私营企业和非国有企业的发展。继1984年和1987年两次经商办公司的浪潮之后，1992年华夏大地卷起了第三次经商浪潮。据统计，截至1992年6月底，全国公司总数已达30.4万户，加上分支机构不下81.96万户，许多学者、专家、艺术家等纷纷跳进商海一试身手，弃教从商。

3.建立了具有中国特色的市场体系。城市经济的发展立足于市场经济的建立与发展，而市场经济的建立立足于市场体系的建立。市场体系是极其复杂的、多元的，包含资本市场、劳动力市场、生产资料市场、消费品市场等，国内市场、国际市场等。市场体系是城市经济的框架和内容，只有建立了比较完整的市场体系才能说城市经济已经形成。因为城市从本质上说是流通中心，市场是城市的经济内容，没有市场就没有城市经济。在这一时期是中国城市经济发展的关键时期，因为在这一时期，不仅生活资料市场，消费品市场、服务市场、生产资料市场等初步建立和形成，并成为真正意义上的市场，而且生产要素市场，如住房市场、土地市场、劳动力市场、资本市场等陆续的出现并不断地发展和完善。同时，上述市场成为真正意义上的市场，因为在市场上可以自由、自愿的交易，而且价格由市场的供求关系决定，价格机制发挥了对市场供求的调节作用。

（三）城市经济平稳全面发展阶段（1992–2008年）

截至2008年末，我国城市数量达到655个，比1992年增加176个，增长36.7%，平均每年增加10个。

1.市场经济得到进一步发展和完善。以城市为核心，具有中国特色的社会主义市场经济已经初步建立，各类市场不仅齐全，而且协调组合，相互促进，形成了现代市场经济框架。也就是说，当今经济发达国家城市中的经济内容和经济活动已经在我国城市中，特别是大中城市出现和形成，并且正常和健康的运转。1992年，上海、深圳等地建立了新中国成立以来的股票市场，开辟了证券交易所。从而使中国的城市经济进入了一个新的发展时期。同时，我国是社会主义市场经济，政府对市场的指导、调控作用更为明显和突出，也就是说，市场经济的运行和政府的调控更为和谐，而城市，特别是大城市，无论是在促进市场经济的发育过程中，还是发挥政府的调控作用中都起着重要的作用。

2.城市经济发展从个体走向群体。随着科学技术和社会生产力的发展，城市功能的变化，城市之间的关联性和依存性日益增强，所以，不仅单个城市迅速发展和不断壮大，而且城市群、城市区、城市带迅速形成和发展，并成为经济新的增长极。除了长江三角洲、珠江三角洲、环渤海湾等城市群外，海峡西岸（厦泉漳闽南三角地带）、山东半岛城市群、辽中南城市群、中原城市群、长江中游城市群、川渝城市群和关中城市群也开始形成并发挥作用。

3.梯度推进，促进城市均衡发展。在上述第一和第二发展时期，东部沿海开放地区的城市，无论从城市经济规模、发展速度和产业结构，还是从居民经济收入和生活水平来说都快于中部和西部地区城市，而且其差距在扩大。所以进入21世纪，国家在继续发展东部地区及城市外，需要加快发展中部和西部地区。从1999年到现在，国家先后提出了“西部大开发”、“振兴东北老工业基地”、“加快发展中部地区”等战略措施。城市是各地区经济发展的火车头、发动机、增长极及核心力量。在这一时期中西部地区的一些中心城市，如重庆、成都、西安、昆明、南宁、长沙、郑州、武汉、太原、石家庄、呼和浩特、大连等城市加速发展，并以这些城市为中心形成城市群、城市带，从而带动了周边地区中小城市的发展和整个地区的发展。

在长江中游城市群中，三个特大城市武汉、长沙和南昌作为“首位城市”和“核心力量”（“三核”），形成武汉都市圈、长沙都市圈、南昌都市圈（“三圈”）；三大都市圈，在各省的经济总量中所占比重均在60%以上，是带动周边地域经济发展的拉动力量、是推动三省经济的发动机和“中部崛起”的增长极（“三极”）。

4.以人为本，推动城市经济的全面发展。这一时期城市经济发展的一个重要特点是，明确地提出“以人为本”，注重民生，全面提高居民的生活质量。所以，在发展产业经济的同时，更加注重涉及民生的产业和事业的发展，重视公用事业的发展，建设城市市政设施，重视环境的保护和生态的建设，进一步解决和改善居民的住房。

住房制度改革始于1980年，经过18年的研究、讨论、试验、调整、修改等，于1998年出台新的改革方案。房地产业迅速发展，并成为十多年来城市经济的支柱产业，城市经济的增长点。同时，城市政府又投入大量资金用于经济适用房、廉租房、两限房等保障性住房的建设，以改善居民的居住条件。同时，城市的失业救济、社保、医疗、保健、教育等社会事业得到进一步的重视和建设。

第二节　新中国成立60年中国城市经济取得的成就

一、城市经济实力明显增长

（一）城市规模不断扩大

在城市个数增加的同时，城市规模也在不断扩大，大城市的数量增长迅速。2007年我国地级及以上城市（不包括市辖县）年末总人口37156万人，比1978年增长1.2倍。2007年全国地级及以上城市（不包括市辖县）行政区域土地面积为62.2万平方公里，比1978年增长2.2倍，其中建成区面积达到2.8万平方公里。

2008年我国城市市辖区人口（不包括市辖县）200万以上城市个数达36个，比1978年增加26个；100万至200万人口城市达83个，比1978年增加64个。详见表4。

（二）小城镇建设快速发展

改革开放以来，我国小城镇发展呈现新局面，小城镇数量迅速增长。1978年全国仅有建制镇

表4　我国城市规模变动情况　　单位：个

城　市	1978年	2008年	增加个数	增长（倍）
城市合计	193	655	462	2.39
200万以上人口	10	36	26	2.60
100万～200万人	19	83	64	3.37
50万～100万人	35	118	83	2.37
20万～50万人	80	151	71	0.89
20万人以下	49	267	218	4.45

2173个，而且以县城关镇和工矿镇为主。2007年末全国共有建制镇19249个，比1978年增加17076个。新建的建制镇大多由原乡建制发展而来，是分布广泛的乡村中心，并正在发展成为以农业服务、商贸旅游、工矿开发等多种产业为依托的、各具特色的新型小城镇。与农村工业化推进相伴产生的小城镇发展打破了城乡分割的体制，推动了我国城镇化发展。2007年全国城镇人口达59379万人，城镇人口（居住在城镇地区半年及以上的人口）占总人口比重为44.9%，比1978年的17.9%提高了27个百分点。小城镇人口的比重由1978年的20%上升到45%以上，2007年全国建制镇建成区面积2.8万平方公里，人口密度5459人/平方公里，小城镇聚集效应逐步显现。

（三）城市经济总量增长和壮大

2007年我国地级以上城市（不包括市辖县）第一、二、三产业的增加值分别为5160亿元、79281亿元和72570亿元，2007年第一、二、三产业增加值的结构比重为3.3：50.5：46.2，与1990年相比，第一产业的比重下降3.3个百分点，第二产业的比重下降了9.9个百分点，第三产业比重上升13.2个百分点。

2007年，是增长型经济周期的波峰年度，全年国内生产总值257306亿元，比上年增长13.0%。其中，地级市（统计口径为地级市市辖区，土地面积约占全部国土面积的6.5%。下同）的地区生产总值162103亿元，占国内生产总值的63%，第一、二、三产业增加值分别占全国的18.4%、65.5%和72.6%。

2007年，中国全部工业增加值110535亿元，比上年增长14.9%；规模以上工业增加值比上年增长18.5%；其中，地级市（市辖区）规模以上工业增加值占全国规模以上工业增加值的61.1%。

2008年全国655个城市中，GDP超过1000亿元的城市达88个，占城市总数的13.44%。国内生产总值前100名城市的国内生产总值总量为235875.81亿元，占全国国内生产总值的78.45%。这足以说明，城市在国家经济发展中的地位和作用（见表5）。

2008年，全国社会物流总额达89.9万亿元，比2000年增长4.2倍，年均增长23%；物流业实现增加值2.0万亿元，比2000年增长1.9倍，年均增长14%。2008年，物流业增加值占全部服务业增加值的比重为16.5%，占GDP的比重为6.6%。

（四）经济结构明显改善

表5　2008年GDP前100名的城市的分类

按GDP分类	城市数（个）	GDP总量（亿元）	GDP占比（%）
10000亿元以下	2	24186	8.04
5000亿～10000亿元	5	34172	11.37
4000亿～5000亿元	4	17890	5.95
3000亿～4000亿元	12	43062.2	14.32
2000亿～3000亿元	17	39832	13.25
1500亿～2000亿元	18	30489.14	10.14
1000亿～1500亿元	30	35270.17	11.73
800亿～1000亿元以下	12	10974.3	3.65
100个城市小计	100	235875.81	78.45
全国	655	300670.0	100.0

城市工业经济发展走上高、新、尖型的高速发展之路。随着现代企业制度的逐步实施，特别是邓小平同志南行讲话以后，城市工业发展走进一个持续、快速、稳定增长的新时期。2007年我国地级及以上城市（不包括市辖县）规模以上工业企业达到16.1万个，工业总产值达246945亿元，分别比1978年增长94%和89倍。一批有创新能力和竞争实力的高新技术企业正在成长壮大，大量科技成果在高新区实现了产业化，具有自主知识产权的技术和产品达70%以上。2007年我国高新技术产业开发区已拥有48472个企业，从业人员达650万人，实现产值44377亿元，年出口额达1728亿美元。多数高新区已经成为区域经济新的增长点，为培育所在城市的新兴支柱产业和带动区域经济发展做出了重要贡献。

（五）城市经济对国家经济的贡献进一步增强

随着我国城市化进程的加快和城市经济的迅猛发展，城市经济在我国国民经济中越来越显示出其重要的地位和作用。2007年我国地级及以上城市（不包括市辖县）地区生产总值157011亿元，占全国GDP的比重由1990年的36%上升到63%。2007年我国地级及以上城市（不包括市辖县）地方财政预算内收入14066亿元，是1978年的23倍，占全国地方财政收入的比重由1978年的52%提高到59.8%。

二、城市基础设施建设明显加强

（一）城市基础设施建设投资大幅增加

2007年，全国城市用水人口3.48亿人，用水普及率93.8%，人均日生活用水量178.4升。城市用气人口3.24亿人，燃气普及率87.5%，集中供热面积30.1亿平方米。

在2007年的基础上，2008年得到更大的发展。2008年，全国城镇基础设施完成投资39365亿元，比上年增长21.3%，增幅比上年提高7.6个百分点。其中，电力、燃气及水的生产和供应完成投资10484亿元，增长15.4%；交通运输和邮政业完成投资14689亿元，增长18.6%。

（二）交通运输进入多元化和立体化

居民出行变化显著。一是代步工具由自行车向多种交通工具变化。交通方式显示了多元化和综合性，居民的出行选择性增强。公交、地铁、城铁、出租车极大方便了城市居民的日常出行。2007年我国城镇居民家庭每百户家庭拥有家用汽车6.1辆，2007年末全国城市拥有出租车96万辆，客运总量213亿人次，公交客运总量达533亿人次。二是城市交通设施进一步改善。提高了城市交通规划、建设、管理的水平。路网建设、公交发展加快，城市交通基础设施得到较大改善，城市交通体系逐步完善，城市交通功能得到提升。2007年全国城市道路面积423662万平方米，比1978年增长了16倍，城市人均道路面积11.4平方米。城市平均每万人拥有公共交通车辆10.2标准台。三是轨道交通建设成绩斐然。目前全国已开通运营轨道交通的城市有北京、天津、上海、广州、长春、大连、武汉、深圳、重庆、南京等城市。城市轨道交通的迅速发展，对改善居民出行条件、解决城市交通拥堵、节约土地资源、促进节能减排、引导城市布局调整、推动城市经济发展发挥了重要作用。2007年末全国城市拥有轨道交通运营车辆达3480辆，运营线路长度775公里，客运总量220582万人次。

（三）邮电通信事业向现代化迈进

文化、教育、卫生、邮电、通信设施发展迅速。随着城镇居民生活水平的不断提高，百姓精神文化生活日益丰富。广播电视不仅采用世界上最先进的科学技术成果，而且综合人口覆盖率越来越高。2007年电视节目综合人口覆盖率为96.6%。2007年我国地级及以上城市（不包括市辖县）拥有影剧院数2215个，公共图书馆藏书量39785万册，人均图书馆藏书量1.1册；体育场（馆）达33054个。一批大型文化体育设施相继建成开放，极大地满足了居民文化娱乐和体育健身需求。全民健身工程和基层文化设施的广泛普及，城市整体环境的持续改善，使市民的文化娱乐生活更加丰富多彩，健身娱乐、休闲旅游、网上购物、网上银行交易等逐渐成为现代城市人新的生活内容。

三、居民生活发生质的变化

（一）居民的住房及生活设施有了极大的改善

在计划经济年代，单位职工主要靠福利分配方式来承租公房，自己不用花钱买房，虽有房住，但是面积小、条件差、无产权，住房需求受到压制。在城镇居民住房面积发生巨大变化的同时，居民的生活居住条件也在发生翻天覆地的变化。70年代，城镇居民的住房大多为平房、筒子楼，没有独立的卫生间、厨房、上下水道，取暖、做饭烧煤炉，窄小的楼道内经常被烧火的煤烟和做饭的油烟所笼罩。1998年起，我国实行住房制度改革，国有单位全部停止实物分房，实现住房货币化分配，房屋成为家庭财产的重要组成部分。住房制度的改革，使住宅建设成为新的经济增长点和新的消费热点。2007年全国地级及以上城市（不包括市辖县）商品住宅销售面积达53255万平方米，销售总额达24370亿元，分别占全国的75.9%和95.3%。2007年我国城镇居民人均住宅建筑面积已由1978年的6.7平方米增加到28平方米，2008年全国城镇居民家庭人均住房面积达30平方米，而且绝大部分是独立成套，有卫生间、上下水畅通、设施完善的住房。

中国住宅产品跨入了产品更新换代的时代，百姓正由“居者有其屋”向“居者优其屋”的方向迈进，购房理念由买房子买面积变为买面积、环境、文化和服务。消费者已经把居住的节能、无污染、社区的绿化、周边的设施作为购房的重要参考指数。现在，不仅是居者有其屋，同时成套住房内独立的卫生间、厨房、淋浴房、供暖、供气、供水设备等及各项生活服务设施应有尽有，居民生活居住条件大大得到了改善。

（二）城市居民的可支配收入和消费水平明显提高

通过图1和表6足以说明，我国城市居民生活水平的提高，以及对推动我国消费品市场，以及拉动经济发展的作用和地位。

（三）居民教育娱乐旅游等社会服务享受的提高

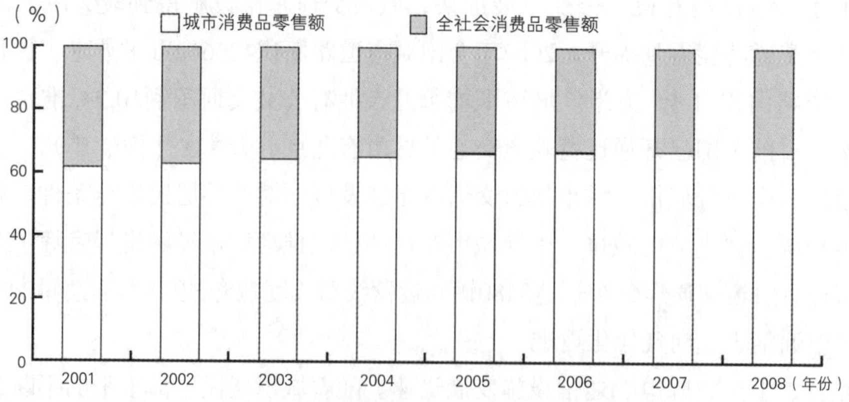

图1 2001-2008年中国城镇居民消费占全社会消费的比重

资料来源：《中国统计年鉴》（2002-2008年）；国家统计局网站统计数据；国家统计局：《2008年国民经济与社会发展统计公报》，2009年2月26日。

表6 居民消费水平

年份	绝对数（元）		指数（1978年=100）	
	全体居民	其中：城镇居民	全体居民	其中：城镇居民
1978	184	405	100.0	100.0
1980	238	425	116.5	110.2
1985	446	765	185.2	141.3
1990	833	1596	229.2	190.2
1995	2355	4931	345.1	303.2
2000	3632	6850	491.0	391.1
2005	5463	9410	682.3	502.8
2008	8181	13519	909.5	677.8

注：1.表绝对数按当年价格计算，指数按不变价格计算。
　　2.居民消费水平按常住人口平均计算的居民消费支出。
资料来源：国家统计局编：《2009中国统计摘要》，中国统计出版社，2009年出版。

城市教育服务水平也在持续提升。2007年我国地级及以上城市（不包括市辖县）普通高等学校数达1865个，普通高等学校在校学生人数达1812万人，分别比1978年增长2.6倍和26倍，成人教育也有了突飞猛进的发展。2007年我国地级及以上城市（不包括市辖县）成人高等教育在校学生达505万人，占普通高等学校在校学生人数的28%。

我国城市公共卫生服务网络加快形成，城镇居民医疗保险制度逐步完善，社区医疗网点不断增多，医疗设施和服务水平不断提高。2007年我国地级及以上城市（不包括市辖县）拥有医院、卫生院21310个，床位数186万张，比1978年增加122万张；执业（助理）医师人数105万人，比1978年增加72.5万人，极大地解决了城镇居民就医难问题。

（四）邮电通信等信息产业飞速发展

邮电通信广泛地进入中国城市社会生活的各个领域，成为我国国民经济基础产业中发展最快的产业之一。2007年我国地级及以上城市（包括市辖县）邮电业务收入9184亿元，邮（政）电局（所）数达5.4万处。比1985年增长3.9倍。家用电话、移动电话、IP电话业务发展突飞猛进。城市每百人拥有本地电话机数从1985年的0.88部增加至2007年的28.3部；移动通信网络已经覆盖了全国绝大多数的县（市），在城市等重点地区基本实现了全覆盖，在主要交通干线和旅游风景区也基本实现了无缝覆盖，室内覆盖也有了明显的改善，大中城市都基本建立了完善的室内覆盖系统。中国移动通信公司在全球200多个国家和地区开通了漫游服务，网络无线接通率达到99%以上，短信接通率也超过了98.5%，GPRS城市覆盖率达到了100%。2007年我国地级及以上城市（不包括市辖县）移动电话用户已达35023万户，城市每百人拥有移动电话机数达94.3部，国际互联网用户达6487万户。

四、对外开放发展迅速，国内外贸易繁荣兴旺

2007年，中国货物进出口总额21738亿美元，比上年增长23.5%。其中，货物出口总额和进口总额分别增长25.7%和20.8%。同期，地级市（市辖区）的货物进出口总额21584亿美元，占全国的99.3%。2008年，中国货物进出口总额25616亿美元，比上年增长17.8%。其中，货物出口总额和进口总额分别增长17.2%和18.5%。

由于仅仅地级市（市辖区）的货物进出口总额就已经占到全国的99%以上，因此，全国的外贸进出口情况基本上可以视为城市的外贸进出口情况。2008年，中国城市外贸进出口主要有以下特点。

随着经济全球化进程加快和城市商品流通体制的改革，一大批国外商贸集团、跨国商业机构先后在国内城市建立分支机构和代理公司，商业连锁店、大型百货超市不断出现在各城市大街小巷，极大地促进了城市国内贸易市场的繁荣兴旺。2007年我国地级及以上城市（不包括市辖县）限额以上批发零售贸易业企业数达42859个，限额以上批发零售贸易业商品销售总额116968亿元，社会消费品零售总额56385亿元，比1978年增长125倍。

城市对外贸易领域进一步拓宽。目前我国企业对外贸易投资已从一般服装、日用品、玩具等低附加值商品扩大到营销网络、航运物流、资源开发、生产制造和设计研发等众多领域。投资范围从欧美、港澳等发达国家和地区，拓展到亚太、非洲、拉美等160多个国家和地区。对外投资方式趋于多样化，国内有竞争力的企业更多地采用收购兼并方式开展对外投资，一批有条件的大型企业和企业集团通过进行专业化、集约化和规模化的跨国经营，在更大范围内优化资源配置，增强了参与国际经济合作与竞争的能力。2007年我国地级及以上城市（不包括市辖县）港、澳、台和外商投资工业企业达43827个，工业总产值95504亿元。分别比1990年增长11倍和172倍。2007年我国地级及以上城市（包括市辖县，海关数）货物进出口总额21566亿美元，比1990年增长21倍，占全国货物进出口总额的99.3%。

进入21世纪以来，城市加大了改善投资软环境的力度，加强了吸引外资的综合优势，为吸引更多优质外资创造了有利的条件。在招商引资步伐加快的同时，注重努力提高利用外资水平，合理有效地利用外资，吸收外资的广度和深度产生了一次飞跃。利用外资不仅表现为总量增加，而且外资质量、投资方向和投资结构也有所改善，城市的招商引资工作进入到了一个新的发展阶段。2007年我国地级及以上城市（不包括市辖县）新签外资项目（合同）数27349个，实际利用外资金额863亿美元；分别是1990年的4.2倍和15.2倍。

五、城市绿化和环保工作得到加强

小城镇聚集效应逐步显现。发展绿色经济、倡导绿色文明、推广绿色生活方式、营造绿色城市环境已成为每个城市发展的首要选择。2006年末我国城市拥有公园7913个，公园绿地面积33.3万公顷，人均公园绿地8.98平方米。分别比1978年增长11倍、3倍和9倍。城市建成区绿化覆盖面积125万公顷，建成区绿化覆盖率35.3%。截至2007年末有89个城市被建设部授予“国家园林城市”称号。

各地市政府对环境保护工作的重视程度进一步提高，多数城市建立起了“城市政府领导，各部门分工负责，环保部门统一监督管理，公众积极参与”的工作机制，加强了城市各类污染控制的力度，加快了城市生活污水、生活垃圾集中处理等环保基础设施建设的投入和进度，城市环境管理与综合整治工作总体上取得了较大的进展。2007年末全国共有城市污水处理厂883座，污水日处理能力7137万立方米，分别比1978年增长25倍和106倍。2007年我国城市污水年处理总量达227亿立方米，城市污水处理率62.8%。排水管道长度29.2万公里。公共厕所11.3万座，市容环卫专用车辆7.2万辆，分别比1978年增长1.1倍和12.6倍。2007年在全国地级及以上城市中，空气质量达到一级标准的城市占2.4%、二级标准的城市占58.1%、三级标准的城市占36.1%、劣于三级标准的城市占3.4%。从1997年到2006年，国家环境保护总局根据“社会文明昌盛，经济快速健康发展，环境质量良好，资源合理利用，生态良性循环，城市优美洁净，基础设施健全，生活舒适便捷”的标准，先后命名了67个国家环境保护模范城市和5个国家环境保护模范城区及6个生态城市，13个城市获国家环保总局颁发的中国人居环境奖。

第三节　新中国成立60年中国城市经济发展的特点

一、坚持以人为本，以发展经济为中心

建设有中国特色的社会主义市场经济是中国经济发展的目标，同样是中国城市经济发展的目标。而经济发展必须坚持以人为本，提高城市居民的物质生活水平和全面生活质量。一方面，是从目标上坚持以人为本，坚持城市经济的发展方向和战略目标，而另一方面以人为本是具体的，而不是抽象的，即以人为本要体现在每一项经济发展和社会建设项目上。几十年来，城市在制定经济社会发展战略和编制经济发展规划时，或安排年度计划时，都会提出一年中为居民（老百姓）办多少件实事，切实解决居民的民生问题，并成为城市政府的中心工作。在以人为本思想的正确指导下，城市居民的经济文化生活得到明显的改善，如居民的住房问题，看病问题，交通出行问题，子女受教育问题等，无不是居民最关心，涉及居民切身利益的问题。

二、坚持改革开放，自主创新发展经济

改革开放三十年来，我国城市经济之所以如此快速的发展，一个根本的原因就是坚持改革开放。改革是经济发展的动力，只有不断的改革才能不断的发展，而开放又是改革的需要，开放是城市经济发展的生命线，城市经济从根本上说是聚集经济，只有各个个体的经济聚合在一起，才能产生新的力量，形成新的生产力。城市如果是封闭的，自闭性的，就不可能发展。改革开放前城市发展之所以缓慢，甚至倒退，其原因之一就是城市经济处于封闭和半封闭状态。所以，城市不仅要对外开放，更需要对内开放，通过开放实现物资、人才、信息、资本的流通，达到城市间、城市与地区、城市与国家的相互促进和发展。

我们的改革是围绕开放而展开的，是为开放扫除障碍，创造条件，经济特区的开辟，沿海开放城市的设立，沿边、沿江城市的协作，流通领域的诸多改革都通过改革为城市开放创造客观的条件和环境。

三、坚持各类和各种规模城市协调发展

大、中、小城市与城镇都是在经济社会发展中不断形成的，形成自己相对固定并具有各自的特点和经济社会结构，各自的优势和弱点，发挥不同的作用，所以，各级规模和类型的城市都需要得到发展，并发挥其作用。所以，人为的、盲目的提出限制某类城市的发展，或特别促进某类城市的发展都是不对的，都值得商榷。在一个时期，有人特别提出，要限制大城市的发展，其结果大城市并没有得到限制，大城市同样得到了发展。相反，特别刺激大城市的发展，优先发展大城市都是不正确的。所以，城市的发展必须顺应城市的发展规律，对我国来说，重要的是使各种规模和各种类型的城市得到和谐的发展，这样不仅可以增加城市的经济总量，而且可以更好的优化产业。

四、坚持市场经济与国家宏观调控相结合

城市经济不仅是生产力的中心，而且是现代先进的经济制度的代表，所以城市经济与农村经济的不同，不仅在于产业区别，产品的不同，而且也在于生产方式经济制度的不同。所以城市经济是最完美的市场经济。现代许多城市不仅是工业基地，而且是各种类型的信息中心、流通中心和贸易中心。在社会经济发展中，金融的地位越来越突出和重要，所以，许多城市，特别是一些大城市、特大城市要建成金融中心。国务院特别制定了上海发展成为世界金融中心的规定和规范。几十年，中国城市经济的发展证明，城市的发展不仅是生产力发展的竞争，而且是市场经济建设的速度和完善的竞争。

同时，在建立和完善市场经济的过程中，同时需要加强国家的宏观调控。在现代市场经济中，国家的宏观调控不再是外加于市场经济的，而是融合于市场经济之内的，或者可以说是市场经济的一个组成部分。所以，从国家来说，在发展市场经济的同时必须通过多种手段和途径加强对市场经济的调控。近几年，国家通过制定区域、城市群、城市的发展战略和规划，来引导城市经济的正确发展和产业结构的调整。

五、坚持地区间城市的均衡发展

我国地域辽阔，民族众多，经济发展极不平衡。无论是经济发达地区，还是经济落后地区，城市都是各地区的经济发展中心和经济发展的动力。实际上城市经济的不平等性低于区域之间的不平等性。也就是说，城市之间的差别要小于地区间的差别。城市之间虽然存在一定的差别，相对来说，其差别较小。如，西宁与南京，银川与广州之间的差别要小于青海与江苏，宁夏与广东之间的差别。所以，加强地区间的协调发展首先是加强不同地区之间的城市的发展。加强城市之间的经济联系和协作。

六、坚持经济、社会、文化与环境的和谐发展

城市是一个综合体，是经济、社会、文化与环境的综合体。城市经济基础在这个综合体中发展。所以经济的发展不能离开社会、文化和环境。在我国城市经济基础的发展过程，单纯的经济的发展，甚至只注重GDP的发展，而忽视社会、文化与环境的发展是时有发生的。例如，只注重经济的发展而忽视解决城市居民的民生问题，居民的住房问题、求医问题、求学问题、交通问题等都没有提到议事日程，因而问题成堆，城市经济发展了，GDP大幅增长，但居民的生活却没有得到明显的改善；城市经济社会发展了，但是没有注重文化的建设和改善，居民的文化素质不高，文化底蕴不深，使整个城市缺乏文化。同时，在发展城市中，放弃了环境的治理和生态的建设更是普遍和突出，垃圾围城、空气污染、水源污染，不适合居民居住，使城市的发展付出高昂的代价。

第四节　中国城市经济面临的挑战

进入21世纪，中国城市经济的发展进入一个新的时期，在这一时期中国际国内的经济格局和态势发生了很大的变化，国与国、城市与城市、区域与区域、企业与企业之间，一方面联系不断加

强，相互渗透，彼此之间互为依存，另一方面相互之间的竞争不断加强，甚至达至经济。

一、发展方式的转变和产业结构的调整

中国城市经济的发展，特别是新兴工业城市，从第一个五年计划起，仿照苏联的模式，采用了依靠要素投入，主要是资金、土地和劳动力的投入来启动国家工业化和城市经济的发展，是注重速度不重效益的，粗放增长的经济模式。改革开放后，虽然一再明确提出“实现由粗放增长方式转变方式到集约增长方式的根本转变”，但是由于旧的增长模式的巨大惯性，体制性障碍严重存在，增长方式的转变始终未能取得明显成效，同时采取“出口导向”的国家对外经济政策，用出口需求弥补由要素驱动造成的消费不足和内需不足。

城市经济增长主要依赖于资源的高投入、高消耗、低效益的方式驱动，所以在经济不断发展的同时，也产生城市经济的一些负面的影响，如，资源短缺，甚至枯竭，城市膨胀、环境恶化、成本激增、职工居民收入低下，下岗人员增加，财政收入下降，失业率增加，内外部经济失衡等。一些资源性城市已经难以为继，难以可持续发展。

发展方式转变缓慢的一个重要原因是城市经济结构不合理，不能随生产力的发展、科学技术的进步，国内需求的变化以及国际市场的变化而与时俱进，进行及时的调整和优化。而且在城市之间的结构趋同化的现象越来越突出和严重，形成结构性的供过于求和结构性供应不足，产品脱销和积压同时存在，造成产品的严重积压。

2008年的世界金融风暴和经济危机使我国城市中产业结构的不合理和调整不及时而造成的问题更加暴露无遗，成为我国城市经济发展，甚至整个国家经济发展中的突出问题和严重的挑战。

所以，调整产业结构，转变经济发展方式是当前我国城市经济发展中面临的最大挑战和需要解决的问题。

二、人口的巨大挑战

改革开放以来，中国的城市化已经有了很大的提高，大约有2亿人口，从农村进入城市，部分变成了城市人口，使2008年全国城镇人口达到6亿多，但是城市化还在继续，并不断加速，城市仍然面临人口压力。

（一）流动人口超出城市负荷

统计显示，我国流动人口从1982年的657万人上升到2005年的1.47亿人，在短短的20多年中增长了21倍。国家人口计生委推算，2008年全国流动人口达到2.01亿人。目前许多城市保持着大量流动人口，如广州市就有流动人口600万人，北京500多万人，约占总人口的三分之一。上海市500万～600万人；深圳市的非户籍人口远远超过户籍人口。据人口专家分析，未来30年，我国还将有3亿左右的农村人口需要转移出去，将形成大约5亿的城镇人口、大约5亿的流动人口和大约5亿的农村人口的“三分天下”的局面。当然，流动人口的结构非常复杂，作用也是两面的，主要成分的是从农村来到城市的农民工。据估计，目前滞留在城市的流动人口总数达到15000万～20000万人。在城市的流动人口不仅是生产者，而且是消费者，他们的就业压力、住房压力和生活压力都很大，城市要全面解决农民工的问题不仅需要巨大的经济发展、财政支出和城市建设，而且需要进行大量的投资和城市用地。

（二）农村对城市的劳动力输出

城市化就是农村人口的减少和城市人口的增加，我国的城市化水平还需要提高，除了现已居住

在城市的流动人口以外，每年还会有大量人口流入城市，估计这一数目每年也有1000万人，流入城市就需要就业，需要提供相应的就业岗位，需要供应各种生活资料，需要建设公共设施建设，如增加水、电、气、交通等的供应，满足其需要。因此而产生发展与需要之间的矛盾。而且这一矛盾将会继续存在。

（三）城市自身人口增长和就业压力

由于城市劳动生产率的提高和产业结构的高速和优化，必然会产生剩余劳动力，需要就业和生活。当然这其中还包含从各类学校毕业的学生。

人口的压力突出地表现为劳动力的增长和就业之间的矛盾，即城市人口，特别是劳动力的增长高于城市就业岗位的增长，城市失业率提高，和失业人群的低龄化和年轻化。目前，我国城镇失业率估计在8%。据福建省统计局日前发布的全省城镇失业人口调查报告指出，16～29岁失业人口占到了全省总失业人口的45.5%。其中，20～24岁失业人口所占比重最高，达22.5%，与2005年相比，比重提高1.6个百分点，失业人口趋于年轻化。其结果影响城市劳动生产力的提高和产业结构的调整和优化。在调整和优化产业结构时，不得不考虑产业对劳动力的承载能力，不利城市经济的发展。

2008年爆发的国际金融危机以及由此引发的经济增长下滑，使一向并不乐观的中国就业形势变得更加严峻。主要表现如下：

1.城镇新增就业岗位减少。2007年，全国城镇就业人员29350万人，净增就业1040万人，新增就业1204万人，年末城镇登记失业率为4.0%。2008年，全国城镇就业人员30210万人，净增就业860万人，新增就业1113万人，净增就业与新增就业人数分别比上年减少180万人和91万人，年末城镇登记失业率为4.2%，同比上升0.2个百分点。新增就业岗位数量近五年来首次出现较大幅度下降（见图2）。

2.农民工失业返乡人数剧增。受全球性金融危机影响，从2008年下半年开始，中国绝大多数产业增速出现较大幅度的下滑，其中吸纳劳动力较多的制造业特别是出口加工制造业遭受沉重打击，大量企业倒闭、停产或减产裁员，农民工失业返乡现象突出。据农业部组织的抽样调查，在1.3亿离乡外出打工的农民工中，大约有2000万农民工因失去工作或不能找到工作而返乡，占外出就业农民工总数的15.3%。

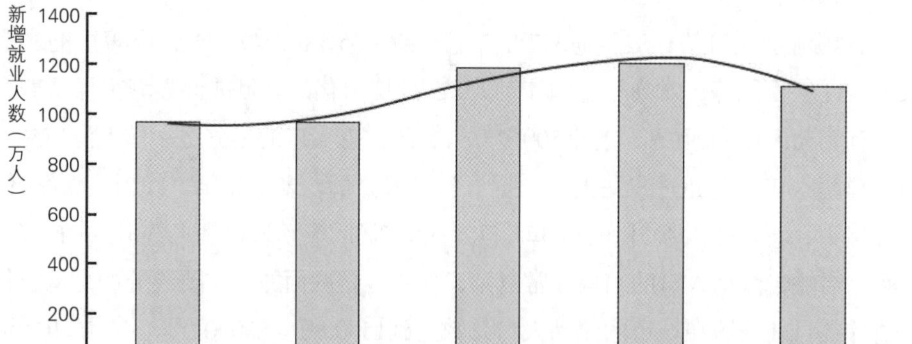

图2　近五年来中国城镇新增就业岗位变化情况

资料来源：《中国统计年鉴》（2000–2008年）。

3.大学毕业生就业难问题比较突出。经济增速下滑、新增就业岗位减少，使原本已经存在的大学毕业生就业难问题更加突出。据有关部门测算，目前，历年积累下来需要解决就业问题的毕业生已经有近100万人，促进以“保就业”为导向的“保增长”成为当务之急。

三、资源的巨大挑战

城市的生存和发展需要各种各样的资料，一是人类生存所需要的资源，如土地、水、能源、空气等；二是人类发展所需要的资源，如，各种生产资料、生活资源和经济、社会资源等；三是城市发展所需要的特殊的资源，如各类专业城市的基础资源，钢铁城市所需要的矿石，石油城市的石油资源，港口城市的沿海和内河港口资源，旅游城市的自然和人文景观资源等。而这些资源都不是取之不竭，用之不尽的，而是在不断地减少、枯竭或功能在弱化等。

（一）对土地的挑战

表7 1995-2006年城市化率提高情况　　单位：万人

年份	全国总人口	城市人口	城市人口增加数	城市化率（%）	增长率（%）
1995	121121	35174	1005	29.04	0.53
1996	122389	37304	2130	30.48	1.44
1997	123626	39449	2145	31.91	1.43
1998	124761	41608	2159	33.35	1.44
1999	125786	43748	2140	34.78	1.43
2000	126743	45906	2158	36.22	1.44
2001	127627	48064	2158	37.66	1.44
2002	128453	50212	2148	39.09	1.45
2003	129227	52376	2164	40.53	1.44
2004	129988	54283	1907	41.76	1.23
2005	130628	56157	1874	42.99	1.23
2006	131448	57706	1594	43.90	0.91

从表7不难看出，从1996年开始，我国城市化迅速加速。1995年城市人口比1994年增加1005万人，而1996年比1995年城市人口却增加2130万人，而以后的8年一直是以每年2100多万的数量增加，共增加了近2亿城市人口。2亿多城镇人口在当年的用地水平下，至少需要2万多平方公里的土地，即每年至少2100平方公里，也就是315万亩土地。

中国是一个人多地少的国家，建设用地十分紧张，可是我们许多城市的人均用地已经高于一些经济发达国家的城市（见表8）。

建设用地供应量的增加，加上其他的原因，从1996年开始，全国耕地减少的速度加速，人均耕地也随之下降（见图3）。截至2006年10月31日，我国共有耕地18.27亿亩，人均占有耕地1.40亩，仅为世界人均数的47%。在人口超过2000万的48个国家中，我国人均耕地占有量排在倒数第七位。

一些经济迅速发展的沿海地区的城市，耕地减少更加剧烈和突出。如，东莞市1978年末实有耕地面积为1183926亩，到2004年末下降到489448亩，共减少694478亩，超过原有土地的一半以

表8 国外部分城市人均土地情况（1992年）

城市指标项	单位	纽约	东京	开罗	新加坡	巴黎	首尔
城区面积	平方公里	824	618	680	219	105	605
人口规模	万人	732.3	812.9	776	293	215.5	1093
GDP	亿美元	1865	3025	688	689	509	816
人均用地	平方米/人	113	76	88	75	49	55
人口密度	人/平方公里	8887	13154	11419	13379	20524	18066

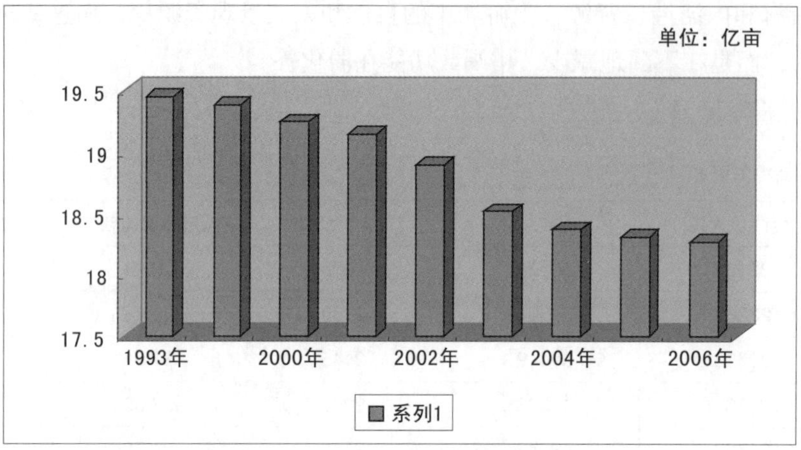

图3 全国耕地面积变化情况图

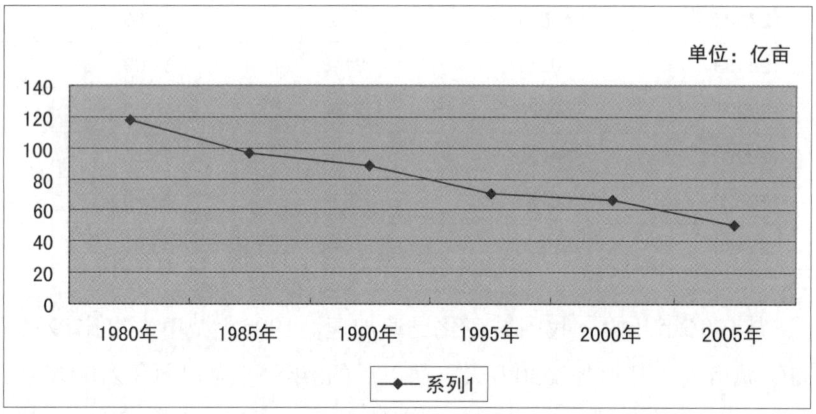

图4 东莞市耕地面积减少情况图

资料来源：东莞市统计年鉴2006年。

上，2004年的耕地仅为1978年的41%（见图4）。

城市人口的增加，城市化率的提高，一方面带来经济的繁荣，GDP的增长，没有一定的经济总量的增长是难以支持偌大的城市人口的增长；另一方面必然造成对资源，特别是土地的巨大压力。所以，从土地承载力分析，单一的、以城市扩张化为主的城市化是否能持续下去是值得研究的问题。由于城市建设用地越来越紧张，人地矛盾越来越突出。

（二）对水资源的挑战

水是城市的生命线，许多城市，特别是沿海、沿河、沿湖城市，因水而产生壮大和发展。所以，目前中国城市的发展面临着巨大的水的挑战。第一，水资源的严重短缺。全国650多个城市中，有近400个城市缺水，其中严重缺水的城市为150多个，不少城市已为水所困，甚至面临城市因缺水而衰败的危机。第二，城市地下水抽取过量、过度，不仅造成地下水枯竭的危险，而且导致地表下陷的恶果。据国家环境部、国家发改委等12个部委局联合发布的《2007年中国环境状况公报》，全国区域性地下水降落漏斗212个，主要集中在华北和东北地区。第三，水体污染严重，水质迅速下降，全国有193个城市的污水集中处理率为零。据国家环境部检测，全国七大水系的407个地表水监测断面中有23.6%为劣Ⅴ水质；28个重点湖泊水库，劣Ⅴ类水湖库达11个，Ⅴ类水质5个，合计占57.2%，基本上丧失使用功能，流经城市河流普遍受污染。

（三）对专业城市的资源的挑战

经过几十年的开采、开发和建设，我国一些资源型城市，由于资源的缺少甚至枯竭，使原有的生产规模下降，设备不能充分利用，职工和技术人员不能就业或发挥作用，已经建立的对外经济联系不能继续，甚至处于中断状态，从而影响城市的经济的持续发展，调整产业面临许多新的问题和困难。许多以矿产资源为基础和原料的城市，如煤矿城市、石油城市等都遇到同样的问题。如，石油城市河南濮阳市就存在这样的问题。

四、城市环境的挑战

60年来，我国城市经济得到了飞速的发展，这是世界上有目共睹的，也是为世界各国所震惊的，但是，同时我们为经济的发展付出了巨大的代价，最明显或最突出的是环境的代价，对某些城市来说是以牺牲环境而求得经济的发展。我国城市环境问题，包括大气污染、水污染、垃圾污染、噪声污染、生态环境失衡等。虽然各城市环境问题有所不同，各有突出的问题，但是，从全国的总的情况来说，环境污染是共同的问题。

城市大气环境逐渐呈现出复合型污染特征，其污染形势严峻。一是可吸入颗粒物污染严重。2007年，39.5%的地级及以上城市（含地、州盟首府）环境质量达不到国家环境空气质量的二级标准。其中，可吸入颗粒物（PM10）超标城市的比例远远高于二氧化硫和氮氧化物超标城市的比例。二是城市臭氧浓度（O_3）升高，产生光化学烟雾污染，直接危害人体健康，能见度下降。三是以二氧化硫（SO_2）为特征污染物的传统煤烟型大气污染依然严重。SO_2污染严重的城市主要分布在山西、内蒙古、新疆、贵州、河北、广西、辽宁、重庆等区域。

城市水污染的突出问题。主要是水资源短缺，地表水严重污染，地下水环境污染等；垃圾污染已经成为城市的痼疾。无害化处理能力低下，露天堆放和简易填埋成为传统的垃圾处理方式，许多城市形成垃圾围城的局面。这样，不仅继续污染环境，城市垃圾引发水源污染、水质下降、土壤污染，而且侵占大量良田，造成巨大的资源和财力的浪费，引发流行病，对人体健康造成直接危害。由于城市建成区越来越尖锐的人地矛盾和昂贵的垃圾处理成本，使城市大量固体垃圾转移至郊区和城乡结合部，造成严重的环境、生态和健康问题。

城市噪声扰民问题突出。噪声污染主要来自于交通、娱乐、餐饮、建筑等，2007年，在国家环保局监测的350个城市中，26.6%的城市声环境质量处于轻度污染水平，1.4%的城市处于中度污染水平。

城市生态环境失衡加剧。由于城市高楼林立，地面硬化率提高，土地开发密度过大，企业、单位和居民消耗热能增加，热能效应大幅度提高，同时由于城市周边和城市内部农田、绿地、林地、湿地减少，使城市的生态自循环系统越来越脆弱，自净化能力不断下降，城市环境承载能力不足，最终导致“城市荒漠”和“城市热岛”，使城市气候变化不正常，居民的居住舒适度下降。

城市环境的变化，甚至恶化，所造成的原因是极其复杂的，许多属于全球、全国的大环境问题，但是与城市自身的经济发展、城市建设不无一定的关系。所以，环境问题是当今城市经济发展所面临的一个重大的挑战。

五、贫富差距的挑战

一方面由于中国人口众多，国情复杂，各地区各城市发展不平衡，另一方面由于我国经济体制和政策的缺陷，除了城乡的贫富差别外，形成城市之间和城市内部的贫富差别，而且改革开放以来，这种贫富差别越来越明显的突出，其差距仍在继续扩大。2008年城镇居民家庭中收入最高的10%家庭的人均可支配收入为43614元，是收入最低10%家庭的人均可支配收入的9.2倍，而2007年是8.7倍。从增长速度看，收入最高10%家庭的人均可支配收入比上年增长18.6%，而收入最低10%家庭的人均可支配收入比上年增长12.9%，比前者低5.7个百分点。

在大中城市中，排在前五位的是深圳26729元、上海26675元、北京26049元、广州25317元，宁波25304元。位于后四位的是拉萨13941元、贵阳13817元、乌鲁木齐12328元、兰州11677元。前者比后者高出一倍以上。收入悬殊，差别扩大，贫富分化不仅成为严重的社会问题，更是突出的经济问题。

如果以“低保线”代表了各城市的“绝对贫困线”标准，那么，据有关方面的统计，全国城市享受低保的人数是逐年增加的，1997年为87.9万人，2006年为2240.1万人，占城镇总人口3.9%。据有的学者的估计，我国城市户籍人口中，绝对贫困人口在1500万～5000万人，而且不包括流动人口中的贫困人口。如果流动人口按照1.5亿人计算，按照城市居民的绝对贫困标准，绝大部分是贫困人口，如果按照农村标准，也至少有2100多万人，当然，形成城市贫困人口的原因非常复杂，而且贫困人口的分布也不平衡，多数集中在中西部地区的城市。解决起来非常困难和复杂。推行最低保障制度只是解决贫困人口的一个方法或制度，而且主要是依靠国家财政，特别是城市财政来解决。所以最重要的不是国家对贫困人口的救济，而是依靠生产的发展和分配的均衡。

在分配的另一方面是，在开放初期，小平同志的“让一部分人先富起来的”的方针下，确有一部分人首先富了起来，但是城市的财富的过分集中，并集中在少数人手里，必然会形成的社会问题。目前，城市中一部分富裕人群，聚集了大量的财富或消费资金，上千万元的豪宅，几百万元的高级汽车，生活奢侈，生活无度。正是由于少数富裕居民，炒高了城市的房地产价格，浪费了城市宝贵的土地、水、能源资源。

到2008年末，中国内地高净值人群达到了约30万人，而这里所说的高净值人群就是指个人可投资资产在1000万元人民币以上的。其中，有5个省市的高净值人数量超过2万，分别为广东、上海、北京、江苏和浙江，而广东省的高净值人数量最多，达到了4.6万，占到内地市场的15%。

同时，在这些高净值人群中，有些人的可投资资产是以亿元计算，他们被称为“超高净值人群”。报告称，2008年超高净值人群也已接近1万人。

就私人财富而言，中国内地高净值人群共持有达8.8万亿元可投资资产，其中，超高净值人群的个人财富总量达到1.4万亿元，在高净值人群内部财富中占比达到16%。据称，预计到2009年底，高净值人群将达32万人，同比增长6%；其持有的可投资资产规模将超过9万亿元，同比增长7%。

现在首先富起来的人，一部分已经成为历史，出现的是“富二代”。“富二代”一般指事业成功的民营企业家子弟，大多出生于20世纪80年代后，他们的父辈往往是改革开放后先富起来的企业家，很多人家财万贯。其中一些“富二代”不务正业，无所事事，开名车、穿名牌、戴名表、举止张狂，挥霍无度，甚至爱飙车、爱闹事、爱炫富，贪图享受，甚至把别人的生命当儿戏。当然有的富二代继续艰苦奋斗，为社会作出贡献。

与此相反，现代的城市中也形成了“穷二代”，他们在城市里仍然过着艰难的生活，工作不稳定，衣食有难，甚至形成思想变态，其数量远远超过“富二代”。贫富的差异已经成为城市社会不稳定的因素，也是城市面临的挑战。所以，建立科学合理的分配制度，扩大城市的广泛就业，缩小城市之间和城市内部的贫富差别是未来城市发展的主要挑战和问题。

现代城市的每一项政策和措施，特别是城市公共政策，都渗透着不同阶层居民的利益，处理好他们的关系和资源财富的合理消费问题，这是一个十分复杂和困难的问题。例如提高水价、油价、电价等，都要照顾好各阶层的消费水平。

六、城市财政与公共支出的矛盾

随着城市规模扩大、城市人口增长和城市经济发展，城市基础设施、市政设施建设规模越来越大，城市居民社会福利保障，各项城市服务项目越来越多，要求越来越高，因此，城市政府必须有越来越多的投入，因而导致城市公共财政支出的增长。城市经济是城市财政的基础，没有城市经济的发展也没有城市财政收入的增长。可是，城市财政的增长还取决于许多因素，包括国家财政政策、分配政策、国家预算等。在当前的情况下，还与城市国有土地的出让收入有一定的关系。在2008年下半年和2009年上半年，由于土地市场的不景气，城市国有土地出让收入减少，导致城市财政收入的减少，甚至“吃紧”，与社会支出的矛盾加大，有的地方财政处于赤字状态。

由于城市财政收入的不平衡，会使城市经济发展更多地注重于财政的增收，什么产业能带来财政增收，就发展什么产业，因而忽视城市产业结构的调整和优化，过多的地方出让城市的土地，提高土地的出让金，甚至巧立名目，乱收费，乱摊派。本来，城市经济发展与财政收入是一致的，但是在现实经济发展中，两者发生了矛盾，忽视了经济发展的正确方向。

七、城市的地区发展不平衡

从全国来看，我国区域间的经济发展和经济水平差异是显而易见的。如2006年我国西部地区人均GDP仅相当于东部地区1997年的水平，大约落后于东部地区10年；西部地区居民消费水平与东部地区相比，也相差10年左右。同时，地区差距在继续扩大，西部地区人均GDP与东部地区的差距由1982年的2.6倍扩大到2006年的2.73倍，居民消费水平由1.52倍扩大到2.52倍。城市是地区的经济中心，一般说，城市之间的差距要小于整个地区间的差距，但是不同的地区间的城市差异也是非常明显的。如，上述2008年GDP最前的100个城市，都是位于东部地区的城市，西部除了中央直辖市重庆、省会城市和特大城市成都、西安外，没有一个地级市的GDP超过1000亿元的。

由于城市经济发展的不平衡和财政收入的差别，形成城市居民间的经济收入与实际生活水平和生活质量的差别。

八、经济全球化国际环境的挑战

城市是开放性非常强的经济体，可是在现代市场经济中，是在国际环境中发展起来的，受到国际经济环境，甚至政治环境的影响和制约。随着全球经济的一体化和国际化，国际环境和各国政策的变化对我国经济的发展和经济运行产生巨大的影响，更是一种挑战。主要从三个方面来说明：

（一）城市与城市互为市场

城市经济发展建立在市场经济的基础上，其市场不仅是国内市场，同时也包括国际市场。我国有的特大城市正朝着建设国际大都市发展，如北京、上海等。同时许多城市，特别是沿海经济发展地区的城市，经济的外向度高达60%，甚至更高。因此，城市经济的发展，GDP的增长与对外经济、与国际市场息息相关。城市经济是世界经济的一个有机组成部分。2008年，随着国际经济危机的扩散和蔓延，发达国家和发展中国家相继陷入衰退或停滞，国内消费下降，进口锐减，缩减或取消对我国企业的订货，压缩了对我国的进口额，从而严重影响我国一些城市的当年对外贸易，导致经济的增长减缓。如2008年由于国际经济的波动和危机，广东的一些城市，如东莞等，出口订货大幅度下降，其影响是非常明显的。

（二）重要产品和原料价格的国际接轨

经济全球化和市场国际化的重要标志之一是形成重要产品和原材料的国际市场，形成世界范围的供求关系，主要供应国和需求国之间，甚至结成供应方和需求方的联盟。我国城市经济发展的既定方针是利用两种资源和两个市场，也就是说既需要利用国内资源，也需要利用国际资源，因此，在出口重要资源和产品的同时，必须进口必要的国际资源和产品，在这一过程中，国家经济和外向度高的城市经济，或以国际资源为基础的城市经济，受到国际经济波动，特别是价格波动的影响就非常明显。我国一些城市，其重要产业或主导产业是以国际重要原料为主要来源，如以进口国外铁矿砂为主要原料的钢铁业主导的城市，以进口原油为主要原料的炼油业、重化工业为主导产业的城市等，受国际市场，特别是价格的制约就十分明显。

（三）国际资本和金融体系对城市经济的挑战

吸引外资促进发展是改革开放以来，我国城市经济迅速发展的有效的、可行的重要途径。许多城市开辟开发区、科学园区、保税区等，其目的之一就是为了更好的、有效的吸引外资。然而，国际资本的引进和使用，不能不受国际经济态势和金融体系的影响和约束。国际资本和金融体系是极其复杂的，币种汇兑、货币结算、金融产品、结算方式、本位确定等五花八门，都会体现一个国家的利益，特别是大国或强势国家的利益，其中的斗争非常激烈，甚至不亚于战争。所以，当国际资本或金融体系发展变化，或一个强势国家的金融政策发生变化时，就会对其他国家产生强烈的影响，构成对国家和城市经济的新的挑战。美国次贷危机所带来的全球性的金融海啸，以及继而产生的经济危机，只是突然爆发的全球范围内的一次严重的挑战，而经常性、暗中的金融和资本的挑战却一直不会中断。在城市经济发展中，特别是国际性城市、特大城市和外向度高的城市，都必须随时应对这种挑战。

第五节　中国城市经济进一步发展的动力机制

一、市场机制是城市经济发展的动力机制

城市是人类社会发展的必然趋势，任何社会都必须经历城市的发展，以中国来说，也不例外。但是，城市发展的动力是商品经济的发展和市场机制的建立和运用。因为，城市是市和城的统一和结合。市是其经济内涵，而城是依托和载体，所以，要促进城市的发展，特别是城市经济的发展，必须建立和发展市场经济。改革开放前的30年，我国城市和城市经济没有得到足够的发展，当然其原因是多方面的，有国际国内复杂的因素，但是从根本上说，最主要是在30年中否定了商品生产和市场经济。所以，从理论到实践，否定商品生产和市场经济的过程，就是抑制城市发展和城市经济繁荣的过程。

在当时，虽然由于实施工业化，促使一批工厂的建设，建立了一批工业基地，同时也建设了一些服务性设施，但是从严格的意义上说，许多城市并不是真正的城市，而是工业基地，仅此而已。

改革开放之后，中国的经济体制从计划经济逐步地向商品生产和市场经济转变，适应商品生产和市场经济发展的需要，不仅许多城市迎来了新的发展，而且大量新兴城市应运而生，像雨后春笋般地成长起来。如浙江省的义乌市，就是适应市场经济的发展而建立和发展起来的。义乌原来就是一个普通的小县城，由于该县的居民自古就有经商的习惯和传统，为了生存和发展，就开拓形式多样、内容广泛的经商活动，从而推动经济的发展和城市的发展。

30年城市发展的每一步都是市场经济的推进。市场体系的不断建设和完善，中国的城市体系也不断完善和发展。在中国，各种类型的城市的建立都和市场发展的需要联系在一起的。当市场经济发展迫切需要，那么各类商品的流通、各类商业中心、外贸中心就纷纷建立起来。当国际和国内经济的发展需要大力发展金融产业，不仅刺激各城市金融业的发展，而且需要在国内建立国内和国际金融中心城市，促进上海等金融城市的建立和发展。

所以，从城市经济的角度来看，许多城市不仅是工业基地，更多是贸易中心、流通中心。

需要说明一点，市场机制的动力表现为商品生产者之间的竞争，为了生产又多又好、价廉物美的商品，而展开竞争，从而不断的提高劳动生产率，进行商品的创新和发展，促使企业的不断扩大和进步。

二、政府的引导规划和政策作用

无论是改革开放前30年还是改革开放后30年，我国经济的发展始终是在政府的指导和引导下进行的，政府对城市经济的发展起了重要的作用，在一定时期或关键阶段起着决定性作用。作用主要表现为三个方面：

（一）编制城市经济社会发展的长期战略和一定期间（5年或10年）的城市发展规划

明确城市的性质、发展方向、发展目标、发展阶段、发展步骤，各阶段的任务等。战略和规划不仅能使居民了解城市的发展前景，而且能起到动员城市居民积极参与城市经济发展和城市建设的作用，使之明确自己的职责和任务，充分发挥人的主观能动性，按照城市发展战略和规划，进行经济发展和城市建设。

（二）实现城市长期发展目标而制定相应的政策和措施

城市经济发展不光是指城市规模的扩大、GDP的增长以及财政收入的增加，而且还包含经济结构和关系的调整和优化，达到城市各阶层居民之间的和谐共处。因此，城市政府必须制定和执行正确的经济政策，特别是分配政策和公共政策，如工资政策、劳动保护政策、社会福利政策、公共产品供应政策、医疗保健政策，公共收费用政策、义务教育政策等。在城市财政政策中需要对低收入和城市弱势阶层和群体给予更多的倾斜的支持。

如果在改革开放前30年，城市政策贯彻“让一部分人先富起来”的精神，那么未来的城市发展政策，更要注重让城市居民达到共同富裕，过上和谐的生活，并形成城市经济发展的新机制。

三、城市间的竞争和合作

竞争是市场经济的核心。企业间的竞争有利于提高劳动生产率，降低成本，改善经营管理，扩大企业销售，从而促进本企业的发展。可以看出，市场经济能促进企业发展，从根本上来说就是发挥竞争机制的作用。而城市间的竞争，是市场机制的延伸、扩大和深化，是市场经济社会中城市经济发展的动力机制，所以我们不能否认城市间的竞争。

城市既是一个行政单位，同时又是一个利益共同体，或利益实体。城市居民的经济利益与生活福利都与城市经济的发展水平，城市政府的经济政策，城市的市政建设水平息息相关。城市发展得越快，经济实力越强，福利待遇越高，就业岗位越多，就能吸引更多的人口、人才、资本和技术。从而创造更多的经济发展动力。所以，要对城市的综合竞争力和其他各项竞争力进行评价，支持和鼓励城市间的竞争。

城市间的竞争从客观上说，是促使国内有效资源的最大限度的高效利用和开发，同时更是吸收国外资源的有效途径。所以城市间的竞争是充分发挥市场机制对资源配置的基础性作用的一个重要方面和内容。

同时，城市经济发展所需要的环境要素，要远远多于任何一个最大型的企业，它是对外全方位开放的经济实体。一个城市的经济发展需要大量企业和城市，以及多个国家的支持，需要在诸多方面进行交换和交流，发生多层面的渗透，甚至是相互融合。所以，城市间不仅需要竞争，也需要进行合作，建立联系紧密的经济区、城市群、城市带、城市联盟、友好城市等，都是城市合作的形式。

不同于企业间的竞争，城市间的竞争是城市政府、企业和居民共同参与的竞争。政府争当上游城市，企业生产品牌产品，居民素质的提高等，都是竞争的内容。所以，城市间的经济竞争内容极其丰富，形式多种多样，没有城市间的竞争也就没有城市经济的发展。

上述三方面的动力是相互影响和共同作用的，必须统一和融合，而从新时期城市经济发展来说，城市间的竞争和合作具有特殊的作用。

第六节　坚持科学发展，城市经济率先实现现代化

一、城市经济发展进入一个新时期

经过改革开放前30年和改革开放后30年，60年的发展，我国城市经济取得了举世瞩目的成就，彻底改变了中国城市的面貌，也改变了整个中国的面貌，使中国的城市屹立于世界城市之林。北京、上海、深圳等国际化城市和特大城市与世界最具有影响的国际城市，如纽约、伦敦、巴黎、东京等城市并驾齐驱，共同对全球经济和市场产生巨大影响，在一定意义上左右世界经济格局和市场态势。第二十九届北京奥运会的成功举办，全世界人民已经对中国城市的全面发展和经济实力刮目相看，所以说，无论从全国城市的总体水平，还是从个别城市的经济实力；无论从城市的经济总量，还是从城市基础设施建设；无论从经济的内涵，还是城市的建筑水平；无论是从生产领域的产品，还是从居民的收入消费水平来说，新中国城市已经进入到一个新发展时期。

二、中国城市正向现代化迈进

按照我国实现现代化分三步走的战略设想，到2050年我国要达到世界中等发达国家的水平，也就是说，基本上实现了现代化。城市是国家和地区的政治、经济、文化、教育、科学和消费中心，城市是经济发展的动力，是前进的火车头。从现实来看，无论是全国，还是各省区，城市是经济最发达的地域，发挥着经济中心和引领经济发展的作用。所以，如果全国按三步走的方略，在2050年基本实现现代化，那么，我国的城市，特别是经济发达地区的城市，或国际化城市，或特大城市，或大城市，应该早于2050年前率先基本实现现代化。在国家发展与改革委员会于2009年1月发布的关于《珠江三角洲地区改革发展规划纲要（2008-2020年）》中，明确提出：珠江三角洲地区，到2012年，率先建成全面小康社会，初步形成科学发展的体制机制，产业结构明显升级，自主创新能力明显增强，生态环境明显优化，人民生活明显改善，区域城乡差距明显缩小，区域一体化格局初步形成，粤港澳经济进一步融合发展。人均地区生产总值达到80000元，服务业增加值比重达到53%；城乡居民人均收入比2007年显著增长，平均期望寿命达到78岁，社会保障体系覆盖城乡，人人享有基本公共服务；城镇化水平达到80%以上，每新增亿元地区生产总值所需新增建设用地量下降，单位生产总值能耗与世界先进水平的差距明显缩小，环境质量进一步改善。

到2020年，率先基本实现现代化，基本建立完善的社会主义市场经济体制，形成以现代服务业和先进制造业为主的产业结构，形成具有世界先进水平的科技创新能力，形成全体人民和谐相处的局面，形成粤港澳三地分工合作、优势互补、全球最具核心竞争力的大都市圈之一。人均地区生产总值达到135000元，服务业增加值比重达到60%；城乡居民收入水平比2012年翻一番，合理有序的收入分配格局基本形成；平均期望寿命达到80岁，实现全社会更高水平的社会保障；城镇化水平达到85%左右，单位生产总值能耗和环境质量达到或接近世界先进水平。

在《国务院关于进一步推进长江三角洲地区改革开放和经济社会发展的指导意见》（国发〔2008〕30号）也明确指出：长江三角洲地区到2012年，产业结构进一步优化，服务业比重明显提高；创新能力显著增强，科技进步对经济增长的贡献率大幅提升；区域分工和产业布局趋于合理，对外开放的质量和水平明显提升；单位地区生产总值能耗低于全国平均水平，重点地区生态环境恶化的趋势得到遏制；社会保障体系覆盖城乡，公共服务能力进一步增强，基本实现全面建设小

康社会的目标。

到2020年，形成以服务业为主的产业结构，三次产业协调发展；在重要领域科技创新接近或达到世界先进水平，对经济发展的引领和支撑作用明显增强；区域内部发展更加协调，形成分工合理、各具特色的空间格局；主要污染物排放总量得到有效控制，单位地区生产总值能耗接近或达到世界先进水平，形成人与自然和谐相处的生态环境；社会保障水平进一步提高，实现基本公共服务均等化。再用更长一段时间，率先基本实现现代化。

在珠三角和长三角的带动下，其他地区的城市都需要赶上时代的发展，把城市现代化推向新的阶段，即在小康社会的基础上实现城市的现代化。

参考文献：

[1]《关于建国以来党的若干历史问题的决议》（16、17）

[2]丛进著：《1949-1976的中国·曲折发展的岁月》，人民出版社，2009年出版，第281页

[3]中国城市发展报告编委会编：《中国城市发展报告 2008》，中国城市出版社，2009年3月出版

[4]中华人民共和国国家统计局编：《2009 中国发展报告》，中国统计出版社，2009年9月出版

[5]国家统计局编：《2009 中国统计摘要》，中国统计出版社，2009年5月出版

[6]汤永安：《地区经济体制改革与发展战略研究》，中国财政经济出版社，2005年8月出版

[7]胡序威：《区域与城市经济》，科学出版社，1998年1月出版

[8]高波：《工业化、城市化与经济发展》，南京大学出版社，1994年出版

[9]曾业松：《新农论》，新华出版社，2004年1月出版

[10]王茂林等主编：《新中国城市经济50年》，经济管理出版社，2000年出版

[11]国家统计局网 http://www.stats.gov.cn

[12]中国政府网 http://www.gov.cn

新中国成立60年城市经济发展的基本经验

（中共青岛市委党校教授　陈玉光）

新中国成立60年来，中国的城市从数量、规模、结构、功能、经济总量到整体竞争优势都获得了巨大的发展。中国城市经济60年可以用“在曲折中前进”来概括。在这一过程中，既有成功的经验，也有值得我们认真吸取的教训，需要我们去加以总结，以便在今后的实践中更好地推动中国城市经济的健康发展。

第一节　新中国成立60年城市经济发展的基本经验

一、对社会发展规律进行了艰难探索，实现了从频繁的政治运动到以经济建设为中心的转移，推动了城市经济社会的全面进步

新中国成立初期，我国城市经济曾经有过短暂的快速发展阶段。但此后在极“左”路线指导下频繁开展的政治运动特别是“文化大革命”严重干扰了城市经济的发展。十一届三中全会确立了以经济建设为中心的战略方针，为城市经济发展奠定了基础。30年中，城市经济保持以较高速度增长，基础设施不断完善，城镇居民的住房、收入和生活水平得到巨大改善，教育文化事业快速发展，欣欣向荣。特别是近些年，各地城镇政府深入学习贯彻落实科学发展观，坚持以人为本，积极推进“民生工程”，着力解决下岗、失业人员等弱势群体的就业和社会保障问题，使更多的城镇居民共同享受到改革发展的成果。

二、对经济发展规律进行艰苦探索，逐步实现了从计划经济体制到市场经济体制的转轨，使城市经济的发展充满活力

新中国成立以后，受意识形态影响以及当时物质的极度匮乏，国家逐步建立了高度集中的计划经济体制。这个庞大的生产和供销体系运行了几十年，在早期它对共和国经济的重建起到了重要作用，而随着时间的延续，到了20世纪70年代，计划经济的体制性弊端已经毕显无遗。指令性计划经济体系的构筑，让产业经济的效率非常低下。城市的食品和基本消费品实行配给制，国有企业部门非常庞大，普遍实行着对生产资料的价格管制。中国成为一个封闭自守的、与世界经济体系基本隔绝的僵化的没有活力的经济体。

在农村土地经营制度成功改革的催生下，在20世纪70年代末期，城市经济体制改革拉开了序幕。城市经济体制改革采取的是先易后难、从外围到核心的渐进式改革，充分考虑到人们的承受能力，避免了大的社会震荡。市场在优化资源配置方面作用的逐步强化，所有制形式、分配方式、就业渠道的多样化、各种保障制度的逐步建立和完善，不仅调动了各种生产要素的积极性和创造性，

激发出巨大的活力，而且化解了改革中因利益调整带来的种种矛盾。与经济体制改革相配套的政治体制改革以及在科技、教育、文化、卫生等方面进行的一系列体制改革，共同推动中国的改革向全面纵深发展，一个充满活力的市场经济体制基本建立。在改革开放进程中，邓小平同志提出的“生产力”标准、三个“有利于”标准、“社会主义本质论”成为解放思想、克服一切僵化的思想观念和体制障碍的锐利思想武器。在改革开放的30年中，中国成为全世界发展最快的经济体，人均GDP增长率达到6.6%，出口增长了28倍，出口占GDP的比例从4.6%上升到26.6%，中国在世界经济体系中的地位不断提高。

三、逐步从封闭走向开放，在外因和内因的共同推动下，城市经济获得快速发展

放眼世界，我们深深感到中国的城市与世界的存在巨大差距，于是我们逐步从封闭走向开放。各级城市党委和政府都把发展地方经济作为中心任务，努力营造良好的投资环境，积极招商引资。城市和城市企业管理者又走出国门，把国外的先进技术、管理和发展经验引进来，紧密结合本地和本企业的实际加以改造、创新和运用。开放还表现在对国内其他城市和地区的开放，包括资金的引进和对先进经验的借鉴吸收。与此同时，城市的各项改革与时俱进，不断深化。内因和外因的有机结合，推动了城市经济的快速发展，综合竞争力和城市影响力不断提升。

四、坚持以工业化带动城镇化，城镇化水平不断提高

城镇化水平是衡量一个国家现代化水平的重要标志之一，可以说没有城镇化就没有现代化。城镇化是工业化发展的必然产物，工业的发展又带动了第三产业的发展，从而加速了人口和其他生产要素向城镇的集聚，进一步推动了城镇化。从制造业和服务业的关系看，按照所占比例大小排序，三次产业结构一般具有从“一、二、三”到“二、一、三”，再到“二、三、一”，最终到“三、二、一”的结构演进特征，工业结构的高级化存在由轻纺工业占优势向重化工业占优势演进，然后再向技术密集型产业占优势演进的规律。在城镇化进程中，特别是在近十几年中，我国一些城镇坚持以工业带动城镇化的战略，优先发展制造业。工业发展不仅创造了大量的就业机会，实现了可观的资本积累，促进了城镇建设和城镇化的发展，而且为服务业的发展创造了条件，而服务业的发展反过来又为城镇发展带来新的活力。从而避免了一些发展中国家在没有产业支持，没有制造业支撑的情况下，通过片面发展服务业的路径，导致大量人口从农村过度涌入城市，出现贫困、失业等城市病的发生。新中国成立60年来，我国的城镇化率不断提高，特别是在近十几年中不断加速。1949年我国的城镇化率只有10.6%，1959年为18.4%，1969年为17.5%，至改革开放之初的1978年只有17.9%,发展速度很慢。而在改革开放之后，我国的城镇化进程逐渐加快，1989年我国的城镇化率为26.21%，1999年为34.78%，截至2008年末，我国城镇化率已经达到了45.68%，城镇人口达6.07亿。改革开放以来，我国城镇化的年均增速为0.93%。

五、从各个城市相对独立地发展逐步走向分工协作，形成或正在形成一批具有整体竞争力的城市群，带动了城乡一体化发展

城市群是指在特定的自然条件、发达的交通信息网络、产业的精细分工与密切协作等因素的共同作用下，由一个或多个大型或特大型中心城市带动，若干不同规模、等级、各具特色的城市之间良性联动、协同发展，构成的庞大城市体系。在城市群区域内，中心城市对其他城市的经济、政

治、社会、文化等均具有较强的辐射和向心作用。由于集聚形成的规模经济和范围经济，加之高速通道缩短了城市间的空间距离和经济距离，企业的生产成本、服务成本、管理成本和交易成本大大降低，投资回报率和要素收益率明显提高。由于经济活动高度密集和在空间上的压缩，城市群往往是一个国家或区域的经济核心区和增长极，也是最具活力和竞争力的地区。21世纪是全球合作与竞争的世纪，从世界范围来看，以纽约、伦敦、巴黎、东京等大城市为中心形成的大城市群正成为这场竞争的主角。

我国的城市在较长的时间里处于相对封闭、各自独立发展的阶段。无论大中小城市都追求功能的多而全，产业和城市功能趋同问题比较突出。这种状况，一方面造成了因重复投资带来的资源浪费；另一方面，在市场经济条件下又会造成恶性竞争和行政壁垒等弊端。近些年来，各级政府已经逐步认识到这些问题，特别是一些区域中心城市注意发挥对周边次中心城市和卫星城镇的辐射带动作用，在产业布局的调整中，注意加强不同城市之间的分工协作，已经或正在形成一批具有整体竞争力的城市群。经过历史的演化和多年的培育，目前我国已经形成了一些在世界、整个国家或区域范围内具有举足轻重地位的城市群，如长三角城市群、珠三角城市群、京津冀城市群、台北城市群、辽中南城市群、半岛城市群、中原城市群、成渝城市群、关中城市群、武汉城市群、长春城市群、徐州城市群、海峡西岸城市群、合肥城市群等。这些城市群的形成和发展，强化了经济活动和生产要素向优势地区特别是沿海都市连绵区集中的趋势，提高了生产要素的空间配置效率，对于促进我国经济的发展发挥了极为重要的作用。同时，城市群的发展也带动了区域内乡村地区的发展，推动了城乡一体化进程。

六、实行分权分税，鼓励竞争，激发城市活力

在处理中央与地方、城市与城市的关系上，改革开放开始后，中央陆续出台了一系列以“放权让利”为主线的重大改革措施，摸索出了一系列旨在尽可能充分体现中央和地方“两个积极性”这一“互动”原则的机制性手段。一方面，在中央和地方的关系上，原有体制下中央集中过多、管得过死的状况已有较大改观，在政府管理的层次上，形成了地方立法制度、分税制等一系列较为充分地考虑地方利益的制度和做法，增强了地方经济活力和地方政府管理的自觉性，同时在许多方面分担了中央政府的调控压力、增强了宏观协调力度，从而促进了中央关于地方发展目标和总体协调目标的实现。地方分权改革取得空前的成效。另一方面，在城市与城市之间，鼓励它们展开竞争，这种竞争使城市政府和城市企业必须千方百计降低成本、改进技术、提高效率、提升质量，从而促进了城市和国家的快速发展。

第二节　主要教训

一、城市的经济增长方式粗放，缺乏可持续发展后劲

目前，我国城市经济的增长方式总体上看仍是粗放式的，高物耗、高能耗、高污染、低产出。这种粗放式经营方式，造成城市的资源日益紧缺，环境污染严重，生态平衡遭到破坏。由污染产生的雾岛、雨岛、热岛、风岛、干岛等负效应，对自然灾害均有放大和诱发作用，加重了局部地区气

象灾害发生的频率和程度，并进而影响到全球气候的变化。各种有害物质通过空气、水、食物链等形式危害着人们的健康。这些问题都严重制约着城市经济的可持续发展。

二、长期实行的城乡非平衡发展战略以及二元经济社会体制，导致城乡发展严重失衡，城乡差距不断扩大

新中国成立60年来，我国经济社会各个方面都获得了较快发展，城乡居民的收入和生活水平都有了很大提高。但是，由于以下几个原因：第一，长期实行城乡非平衡发展战略。新中国成立以后，为了加快工业化发展，我们在很长的时间里实行了以农补工、以乡补城的战略，通过工农业产品剪刀差等形式，农村、农业、农民为国家的工业化、城市化发展做出了巨大的贡献和牺牲，这样就使得原本基础薄弱、落后的农村、农业因缺乏积累和城市工业的支持而发展处于滞缓状态。第二，长期实行“兴工抑农”“兴城抑乡”的体制和政策。自20世纪50年代以后，我国逐步建立了一套城乡分治的二元经济社会体制，严格的户籍制度极大地限制了城乡生产要素的合理流动和优化组合，造成农业和非农产业、农村工业与城市工业发展的机会和条件的不均等。无论是在生产、流通、交换、分配等经济层面，还是在就业、教育、医疗、劳动保护、社会保障、养老、福利等社会层面，国家政策多是向城市居民倾斜，农民享受不到应有的“国民待遇”。在改革开放后的30多年中，这种不合理的二元体制不断受到质疑并在一些方面有所松动，但从总体上说并未得到根本的彻底的改变。加之我国农村人口与土地等资源的矛盾非常突出，农业生产目前仍以一家一户的小规模经营为主，不仅难以形成规模效应，而且也难以实现与大市场的有效对接。农业生产具有天然的弱质性，风险高、比较效益低。农产品结构性剩余的矛盾至今未得到很好的解决，农民增产难增收难。由于城乡在教育投资、师资力量、办学条件等方面存在的明显差异，导致农村劳动力平均受教育水平远远低于城市水平。农民整体科学文化素质不高，严重制约了农业新科技的推广应用和农村剩余劳动力向城镇的转移。上述这些原因，导致城乡经济发展水平和居民收入、生活水平差距较大，而且有不断扩大的趋势。以城乡居民收入水平为例，在改革开放初期城乡居民人均收入比为2∶1，1995年为2.72∶1，2001年为2.92∶1，2003年进一步扩大到为3.23∶1，2005年约达3.22∶1。1978年前我国城乡居民收入的综合基尼系数约在0.20～0.24之间，但此后城乡居民收入的综合基尼系数开始拉大。1990年为0.343，1995年为0.389，2000年后达到0.417。世界银行最新有关中国的发展报告预测，到2020年中国城乡居民收入的综合基尼系数将达到0.474，问题十分严重。

城乡发展水平差距的扩大，将导致一系列的经济社会问题，也背离社会主义发展的价值目标。我国的农村人口占总人口的64%，能否让农民共享社会发展的成果，不仅直接关系到城乡矛盾的缓和与社会的稳定，而且关系到整个国家现代化目标能否最终实现的大局，必须采取有力措施，认真加以解决。

三、由于产业结构调整以及技术更新步伐迟缓，导致许多城市的老城区缺乏活力

城市的发展不会永远处于上升时期，而是表现出从形成—发展—兴盛—衰落—复兴的波浪式前进、螺旋式上升的辩证过程，具有一定的周期性。

在城市发展的一定阶段上，老城区出现不同程度的衰退正是这种周期性的表现。老城区出现衰退，除受到自然资源、区位优势、投资和生活环境变化的影响外，与其主导产业的兴衰和技术发展

的周期性密切相关。

从工业发展的一般规律看，任何工业部门都要经历形成、发展、成熟和衰退的过程。马克思把它称之为“现代工业特有的生活过程”。如果城市的产业结构中主导产业单一就更容易受到这种工业发展周期性的影响，伴随着这种主导产业的兴衰更替，城市的发展也会相应地表现出周期性的特点。

另一方面，科学技术的发展对于经济周期性波动的影响也越来越大，技术创新成为经济周期性波动的重要原因。特别是“二战”以后，不断深化的新技术革命使人类进入信息时代，知识、技术和资本含量极高的微电子、新材料、信息、生物、航天等部门成为制造业的主体，并与服务业相结合，形成城市经济发展的重要动力。而每一项重大的科学发明和技术创新都会使经济的发展出现由盛而衰，由衰而复兴的周期性变化，城市也因此出现复苏繁荣期和萧条衰退期周期交替过程。

实践中，由于我们对工业经济发展中的这种周期性规律认识不足，工作缺乏前瞻性、预见性，未能适时地对产业结构进行调整，技术更新步伐迟缓，导致许多城市的老城区出现不同程度的衰退。加之老城区复兴困难多、任务艰巨、投资大见效慢，一些城市决策者更热衷于轰轰烈烈的新城区建设，从而加剧了新老城区发展的不平衡。

四、由于对城镇化的重要性及城镇化规律认识不清，导致实践中走了很多弯路

纵观世界各国走过的现代化历程，是一个工业化、城市化、市场化、现代化互相推动的过程。在当今世界，城市化程度已成为衡量一个国家经济社会发展状况和现代化水平的重要标志之一。可以说，没有城市化就没有一个国家的现代化。

但是，由于我们对城镇化的重要性以及城镇化的规律认识不清，导致实践中走了很多弯路。从19世纪下半叶到20世纪中叶，由于列强侵略和军阀割据，我国城镇化的发展十分不均衡。有些地区比如上海，城市迅速扩张；另一些地区则完全处在工业化的进程之外。新中国成立后，城镇布局有了比较明确的规划。但自20世纪50年代中期以后，我国建立了城乡二元分割的户籍制度，使得城镇化长期处于停滞状态。更有甚者，在较长的一段时间里，实行的是“反城镇化”战略，也就是说，大规模地将城市人口迁往农村，比较典型的如：知识青年上山下乡、市民返乡、干部下放，等等。此种逆历史潮流的做法，非但不能真正解决城市人口聚集问题，反而使我国的城镇化问题越积越严重，矛盾越来越突出。

在城镇化发展战略的选择上，我国的理论和实践探索中先后提出过五种不同模式，即：大城市模式；中等城市模式；小城镇模式；重点发展大中城市，择优发展小城镇模式；大中小城市和小城镇协调发展模式。从实践上看，自新中国成立以来，我国政府在城市发展问题上一直采取抑制大城市发展的政策。1980年10月，国家建委在北京召开的全国城市规划工作会议上确定了“控制大城市规模，合理发展中等城市，积极发展小城市”的城市发展方针。1989年国家又将城市发展方针修改为“严格控制大城市规模，合理发展中等城市和小城市”的城市发展方针。此后一段时间里，先是优先发展大城市的战略占据主导地位，后来又片面强调小城镇的发展，试图通过小城镇建设解决数亿农民的转移问题，结果导致小城镇建设“遍地开花”，又因小城镇集聚和辐射功能差，在一些地方出现“有城无市”“有城无人”的现象。实践中畸轻畸重的做法，不仅延缓了城镇化的步伐，而且降低了城镇化的内在质量。时至今日，城镇对农民进入的种种限制，仍是阻碍城镇化进程的主要

障碍。这一切都表明，我们对城镇化重要性的认识还不足，对城镇化规律的认识还处在必然王国阶段，值得认真反思。

五、长期存在的户籍壁垒等体制性障碍始终未得到根本破除，严重阻碍着我国城镇化进程的健康发展

长期以来，严格的户籍管理制度人为地把城乡人口划为彼此分割、极不平等且很难逾越的两大社会群体，把农民禁锢于乡村土地之上，拒之于城市大门之外，甚至使一些已进城多年并早已改变了职业身份的农民，仍然被排斥在城市管理体制之外。他们享受不到市民的政治参与权利和福利保障待遇，甚至其人权也常常受到侵害，使其与生活在同一空间、工作在同一单位的城市市民存在着身份与地位的巨大差别，难以融入城市社会。

广大农民对缩小乃至取消这种差别的呼声很高，近年来这种分割体制虽然有所松动，附属于户口上的城乡利益差别也已明显缩小，但是农民进城仍然受到许多限制。一些大中城市要求外来人口（包括农民）必须在本市购买一定标准的房产、投资较高数额的资金或具有大学以上学历才能允许其将户口迁入，甚至一些小城镇也设置了多达数千元的城市增容费，农民进城的成本仍然偏高。这种管理制度不适合市场经济优化劳动力资源配置的要求，极大地阻碍了农民市民化的进程。

六、在城镇化进程中存在片面追求规模扩张，忽视内在质量提高的倾向

城镇化不仅包括土地和人口的城镇化，还包括其他相应设施、措施和政策的配套建设。实践中一些城市大量占用耕地，并通过行政区划的手段（市（县）、镇改区，镇改街道办事处、村改居）使人口的城镇化率以较快的速度扩张，给城镇基础设施配套建设和就业带来巨大压力，进城农民在医疗保障、养老保障、教育等方面没有与城市原有居民在政策上实现很好地衔接，农民的科学文化素质、劳动技能以及生活方式、思维方式、行为方式等与城市的生产、生活环境不相适应，使城镇化的内在质量和水平大打折扣。

七、在因城市发展征占农地过程中损害农民利益，导致群体性事件频发

随着城镇化进程的加快，失地农民的数量在不断增加。本来，因城镇化造成部分农民失去土地是社会进步必然要付出的代价，是正常现象。但实践中由于对城镇化的本质内涵和实现途径存在种种认识上的误区，原有的关于土地征用的政策和法律法规未能根据经济社会迅速发展变化的情况进行适时调整，从而日益暴露出种种缺陷和弊端，缺乏完善的运作机制，没有给予失地农民合理的补偿和安置，造成了大量的“三无农民”——务农无地，上班无岗，保障无份，使失地农民（主要是城郊农民）的利益受到严重损害，引起失地农民的强烈不满，导致矛盾激化，群体上访事件不断发生。

在征占农地过程中出现的主要问题是：调查表明，被征占土地多为良田，数量巨大，且呈逐年急速攀升趋势。有些土地被征占后并未按原定规划进行项目建设并产生相应的效益，而是待价而沽，社会痛斥为“圈地运动”；政府和用地单位征占农地的行为具有不可抗拒性，农民往往处于被动接受的地位，缺乏正常的对话维权渠道，其利益受到严重侵害；幕后的权钱交易导致大量违规占地现象的产生，孳生了政府官员的腐败，农民的合理利益被侵吞；现行土地补偿制度与市场经济规则不相适应，补偿标准的测算办法不够科学合理，标准过低，农民难以靠其维持长远生计；一些地

方对征占农地的补偿费和安置费不能及时足额发放，拖欠或者截留；多数地方在对土地增值收益部分的分配中未考虑农民利益，引起农民群众的强烈不满；在一些地方，“转工转非”政策得不到落实，未将失地农民纳入城市就业和保障体系当中，农民前途堪忧；失地农民居住较为集中，且群体内血缘关系较为密切，由于一些地方政府对征占农地过程中涉及农民利益的某些问题处理不当，使矛盾激化，引发了大量群体性事件，严重影响了社会的稳定。

失地给农民带来多方面的影响，一是就业困难。失地农民有的已农转非有的则未农转非，多数未被纳入城市的就业体系。已就业的由于体制、观念以及农民自身的素质等方面的原因，往往成为首先下岗的对象。对自主创业者来说，往往缺乏门路和足够的资金。二是保障无着。失去土地的农民多数未被纳入城市的生活、养老、工伤、医疗等社会保障体系当中，享受不到社会进步的成果，农民为城镇化承受着过大的风险。三是收入和生活水平下降。失去土地使农民丧失了原本拥有的低成本的生活和发展方式，尤其是对以农业为主的纯农业户的收入影响较大。一方面，失地农民进城后总体收入水平明显下降，另一方面，生活成本却大幅度提高，部分失地农民生活比较困难。四是失地农民在思想观念、文化素质、专业技能、日常生活习惯等方面与城市的环境不相适应，需要有一个较长的调适过程。

上述问题既违背了城乡统筹发展的原则和社会公平，又给国家的政治稳定带来了很大隐患，已引起社会各界的高度重视和广泛关注。如不能妥善解决，必然严重影响我国城镇化的健康发展、工农、城乡差距的缩小与和谐社会建设，已成为摆在理论工作者以及党和政府面前的一项亟待解决的重大现实课题。

第三节　推动我国城市经济健康发展的途径

一、注意资源的集约节约利用和环境保护，走可持续发展之路

城镇发展必须与人口、资源、环境相协调，合理、集约利用土地、水等资源，切实保护好生态环境和历史文化环境，走集约式、可持续发展的道路。

城镇化要按照“产业向园区集聚，人口向城镇集中，农业向规模发展”的思路，通过节约土地、集约发展，迁并整合农村居民点、控制人均居住面积等措施，实现城镇化建设用地增加与农村土地增加的动态平衡。

城镇发展决不能以牺牲环境为代价，要避免过去发达国家走的“先建设，后保护”“先污染，后治理”的弯路。必须注意对生态环境的保护，大力发展绿色经济。在新老企业中全面推行清洁生产，对于新企业，生产过程中采用绿色能源、绿色原材料、绿色工艺流程和绿色包装等，改变传统污染末端治理这种事后处理方式，要从污染源头控制入手，把污染控制同生产过程紧密结合起来，把污染制止在生产过程前或减少最后污染物的排放。对于老企业，进行必要的工艺改进和设备改造，降低生产过程中的污染。并严格执行国家环境保护的法律法规，关停规模小、能耗高、污染严重的“十五小企业”。努力实现经济增长方式的转变，由资源消耗型的粗放经营转向资源节约型的集约经营。通过宣传、教育等途径，使城镇居民树立起环保意识。积极引导城镇居民进行绿色消费，参与环保活动。此外，城镇老城区已有的人文景观也具有不可再生性，而且对于展现城镇的历

史文明，创造良好的招商引资环境和人居环境都具有非常重要的意义，应保护和利用好，严禁破坏。通过实施可持续发展战略，在城镇建设中实现经济效益、生态效益和社会效益的协调统一，努力形成资源节约、环境友好、经济高效、社会和谐的城镇发展新格局。

二、实施以城带乡，以工哺农战略，不断加大对农村、农业、农民的支持力度，积极推进城乡一体化发展

目前我国已步入工业化发展中期阶段，已基本具备了工业反哺农业、城市反哺乡村的能力。要逐步加大公共财政对农村的转移支付力度，资金投向重点为以下三个方面：一是用于农田水利、道路桥梁、输电线路、市场等基础设施建设，切实改善农村的生产条件。二是发展农村教育事业，普及义务教育，强化科学普及和专业技能培训，逐步建立和完善农村成人教育体系，全面提高农民科学文化素质。三是农村社会保障制度建设。农村社会保障制度建设采取政府、社会、村集体和农民个人多元投资的办法，政府发挥重要作用。完善农村居民最低生活保障制度；普遍建立农村居民养老保障制度；完善农村新型合作医疗制度和大病救助制度，切实解决农民看病难、看病贵，因病致贫、因病返贫的问题；经过一个过渡、磨合期，最终建立起城乡一体化社会保障体系。

三、加快产业结构调整和技改步伐，实施文化兴城战略，尽快实现老城区的复兴

如何使老城区重新焕发生机活力是一个世界性难题，各国的城市都进行了积极探索，这一问题值得我们去深入研究和思考。

（一）产业结构调整：老城区复兴的必由之路

1.西方发达国家城市老城区复兴的主要做法和经验

（1）美国的“锈带复兴”

所谓“锈带”通常是指美国中西部的几个州，底特律、匹兹堡、克利夫兰和芝加哥等大工业城市均在这一地区。20世纪中前期，“锈带”既有过制造业兴旺发达的辉煌历史，也有过浓烟滚滚、污染严重的灰暗记录。但是到了七八十年代，随着经济发展格局的变化，该地区工厂大量倒闭，失业率迅速增加，遗弃的工厂设备锈迹斑斑，因此人们形象地称该地区为“锈带”。从20世纪80年代中后期开始，“锈带”地区经历了艰苦的产业转型过程，并于90年代中期基本完成。美国的“锈带复兴”主要依赖于产业结构的调整和制造业的自身改造。

第一，汽车工业的集中和重组。从20世纪中期到70年代初，美国的汽车工业分散发展。以底特律为核心的中西部地区的汽车生产在全国比重逐年下降。随着“锈带复兴”进程的开始，美国的汽车工业向底特律地区集中。通过集中生产、技术改造、分工细化、提高生产率、产品升级等措施，底特律不但保持了原来的汽车城地位，而且成了美国名副其实的汽车工业中心。这不仅使美国工业布局更加合理，并对带动中西部地区经济的快速发展也起到了重要作用。

第二，不断调整制造业结构。美国的伊利诺伊州过去是主要的重工业州之一，拥有芝加哥这样著名的工业城市。经过调整，该州制造业结构已明显多样化。在2000年该州制造业1020亿美元的产值中，十几年前不被重视的食品加工业高居首位，产值为140多亿美元，电脑和电子产品的产值也达87亿美元。制造业多样化和高新技术的运用是“锈带”地区经济复兴的重要因素之一。

第三，大力发展服务性行业。在制造业生产率日益提高、用工人数急剧减少的情况下，该地区

大力发展金融、通信、旅游、医疗等服务业以推动经济增长和促进就业，成效显著。

美国的“锈带复兴”多年来一直是美国和其他西方发达国家经济界深入研究的重要经济现象，因为它对不少国家老工业区的改造有着明显的借鉴作用。

（2）英国老工业城：从以工业为基础向以服务业为基础的转变

历史上，英国曾是世界工业的样板和头号经济强国。从两次工业革命到20世纪末以生物和电子为代表的高科技企业发展，英国走过了几个重要的产业调整阶段。特别是最近几十年，英国经济从以工业为基础向着以服务业为基础不断转变。其产业调整有以下几个特点：

第一，对一些“夕阳产业”进行技术改造、创新和经营改革，使其获得生机，实现新的腾飞。英国的钢铁制造业就是这方面的一个典型。从1967年起，英国政府开始投入巨额资金实施钢铁业的现代化改造。新的科研成果不断应用于冶炼与轧制、设计与生产、管理与营销等方面。从业人数由1967年的26.8万人减少到2003年的2.5万人，但劳动生产率和产品质量极大提高，钢材品种大大丰富。

第二，依靠市场力量、宏观环境和政策措施为结构调整铺路。部分工业企业关闭或转型是产业结构调整的必然结果。在这个过程中，市场力量发挥了决定性作用，新技术的出现带动了新产业的崛起和社会的进步，服务业因此不断加强，自然吸引了大量资本投入。在这方面，英国政府从宏观上予以投资，政策引导和鼓励，促进曼彻斯特等一些传统工业衰落地区的工业改造和区域振兴。把发展高科技经济与改造传统工业生产方式有机地结合起来，逐渐形成一套适应新经济发展的较为合理的产业布局。

第三，在不同行业间引进业绩竞争制度。注重发挥行业监管机构的作用，通过对业绩优劣企业的奖惩对企业行为施加影响。同时，将激励机制纳入行业监管机构业绩制度之中也可以提高这些机构的服务水平。

第四，在企业改革和经济结构调整的同时，逐渐建立和完善现代社会保障机制。国家、企业和保险公司三重养老保险制度的建立、社会救济制度的完善、公费医疗和全国性劳动就业介绍和培训机构的设立，为英国企业改造提供了社会环境方面的有力支持。多次就业以及临时和非全日制就业概念的形成，也使人们的社会心理负担得以减轻。

2.中国老工业城区重新振兴的成功探索：沈阳铁西区模式[①]

铁西新区位于沈阳市中心的西南部，由铁西区、沈阳经济技术开发区和两乡（镇）25个村组成，辖区面积128平方公里，人口总数102万，新区内有工业企业3500多户，其中规模以上企业357户。此前，铁西区跟其他老工业城区一样面临着企业效益低下，技术改造难度大，下岗职工多、社会问题突出等问题。2002年6月18日，沈阳市委、市政府决定铁西区与沈阳经济技术开发区合署办公。两区合署办公后，中共铁西区委、区政府遵循世界城市和工业发展规律，创新思路，按照“全面开放、活化资源、打造环境、产业升级、完善功能、强化管理”的24字发展方针，坚定不移地实施“东搬西建”，把位于城市中心区的工业企业搬迁到开发区，利用铁西区与开发区巨大的土地级差优势，努力破解铁西改造“钱从哪来、人往哪去、国企如何搞好、工业怎样做大做强”等重大问题，对铁西区进行系统性、整体性、协调性和彻底性改造。经过7年的探索实践，使区内的国有企业和铁西工业重新焕发出生机和活力，经济与社会实现快速协调发展，成功地走出了一条老工业城

① 文中所用数据资料均来自课题组于2009年8月赴沈阳铁西区的调查。

区重新振兴之路。

（1）实施系统性的“东搬西建”，解决“钱从哪来、人往哪去”的问题

系统性“东搬西建”就是跳出过去技术改造的局限，按照“搬迁、并轨、改造、升级、就业”10字方针所确定的内容和顺序，对企业进行综合的改革、改造，做到“三个并举”：一是搬迁与改造并举。搬迁的目的是为了进行结构调整、实现产业升级、盘活土地资源、筹集改革资金。凡冗员、内债等问题不解决、产品没有竞争能力、没有可行的产业升级目标的均不搬迁。二是并轨与就业并举。三是改革和保障并举。通过系统性的“东搬西建”，一大批企业实现了合资合作或民营化转制，生产呈现出良好势头。

（2）实施整体性的“东搬西建”，解决结构调整、产业升级问题

实现“三个集中”：一是推进资产向优势企业集中，促进优势企业做强做大；二是推进基础工艺向专业化集中，提升专业化生产水平；三是推进企业向产业集群集中，在开发区全面壮大装备制造、汽车零部件、家电及电器等十大产业集群，打造产业发展新高地。

（3）实施协调性的“东搬西建”，解决二、三产业协调发展、完善城市功能的问题

正确处理了“三个关系”：一是正确处理经济与社会事业的关系，实现全面发展。在企业腾迁的土地上或利用企业腾迁出的厂房、办公楼等兴建学校，改建了总部大楼、中介大楼、档案馆、图书馆、文化馆、高科技创业服务中心、工人会堂等，使社会事业基础设施更加完善。二是正确处理工业与服务业的关系，一方面在开发区做强做大工业；另一方面在铁西区大力发展现代生产性服务业和现代生活服务业，实现“壮二活三”。三是正确处理发展与回报的关系，实现了经济与人民生活水平的同步发展。利用企业搬迁腾出的土地建设了一大批高档住宅小区、工人新村低价房以及公园、绿地等，为广大工人群众提供了良好的居住环境和休闲娱乐场所。

（4）实施彻底性的“东搬西建”，解决好企业主辅分离、完善社会保障的问题

一是实施主辅分离，做强了企业主业。企业办社会、企业办企业是制约企业市场竞争能力的重要因素。铁西区结合“东搬西建”，由政府支付改革成本，彻底实现企业主辅分离，使企业真正具备市场竞争主体的条件。盛世高中压阀门有限公司通过搬迁南厂区，分离了企业的辅线资产，彻底解决了国有怀抱集体企业问题，提升了企业主业的市场竞争能力。二是问题企业彻底退出市场，盘活了企业资源。按照优胜劣汰的市场经济规律，对部分长期处于停产、半停产状态的发展无望的企业，在彻底解决企业的冗员、内债后，促进其不断退出市场。三是完善社会保障体系和社会救助体系。利用“东搬西建”筹集的资金，新区所有国有企业及国有怀抱集体企业养老、失业、医疗保险实现了100%参保；集体企业及已转制的原集体企业养老、失业全部参保，正在推进医疗保险或城市新型合作医疗制度。制定实施了《铁西新区城乡群众特殊困难社会救助办法》50条，区财政每年至少支出1亿元以上，从基本生活救助、医疗救助、就学救助、就业援助等10个方面对城乡特困群众进行救助，使新区群众的各种困难和问题都能在保障体系和救助体系中得到解决。

通过“东搬西建”战略的实施，铁西区实现了经济的持续高速增长，搬迁企业实现了跨越式发展，工业实力显著增强，城市功能结构日趋完善，经济与环境互动发展，失业职工全部实现了再就业，所有国有及国有怀抱集体企业职工养老、失业、医疗“三险”全部参保，职工居住条件得到全面改善。铁西区下一步的发展目标是抢抓机遇、不断创新，努力把该区建设成为具有国际竞争力的世界级国家装备制造业基地、充满活力的商贸服务新城区和环境优良的生态宜居区。铁西区的成功

探索为我国老工业城区的振兴提供了宝贵的可资借鉴的有益经验。

（二）实施文化兴城战略

英国学者G · A dair说过：“文化，就像上帝和政治一样，是无处不在的。”在城市复兴过程中，文化产业同样发挥着举足轻重的作用。

在西欧国家的城市复兴过程中，各种文化活动和文化旗舰项目的运用，发挥着非常重要的作用。这些城市正是利用文化和文化产业，成功地扩展了经济基础、提升了城市形象、改善了基础设施与环境质量，并促进了社会团结与社区凝聚力。文化已经成为城市复兴中不可或缺的重要成分。在提升旧区的活力与品质、为地区发展赢得经济来源等方面，文化的重要性一方面表现在对现有城市遗产结合文化产业及相关文化商业发展的利用；另一方面则表现在引入新的文化地标，以文化带动地区发展。其经验值得我们借鉴：

1.通过文化设施建设复兴城市

作为复兴策略的一部分，欧洲许多城市创建设立了综合文化区，即：一个城市或城镇中，拥有最高密度的文化与娱乐设施的地理区域。在很多情况下，这些文化地区都是综合利用开发区域，其目标是为本地人和旅游者提供参观景点或名胜（如博物馆、画廊或剧院），同时提供办公、住宅、宾馆、餐饮、零售和休闲等设施，这些项目被视为可以最大限度地提升土地价值、繁荣消费、推动就业增长、提升地区形象、吸引投资等多重作用。

文化旗舰项目成为欧洲城市复兴的普遍现象，最著名的城市复兴旗舰项目是西班牙毕尔巴鄂的古根海姆博物馆。毕尔巴鄂自古是商业贸易集散地和通往西班牙南部的重要门户，也是重要工业城市。但是高度的工业化也给它带来严重的环境污染问题，在20世纪中期之后，该市沦为欧洲最不适宜居住的城市之一。随之而来的后工业时代的变化，加剧了该市传统工业的衰败。在毕尔巴鄂的城市复兴探索中，文化发展策略被确定成为城市发展的最中心环节，它的旗舰项目是著名的古根海姆博物馆的建筑。1997年博物馆落成后，人们争相目睹，第一年参观人数就达到136万人次，其中85%以上来自该地区以外，而这其中的84%又是专门为了博物馆而来到毕尔巴鄂，仅博物馆的门票收入就占当年全市财政总收入的4%。截至2000年，博物馆的经济收入已达4.55亿美元，成为带动当地经济的龙头产业。对于毕尔巴鄂更为重要的是，就像悉尼歌剧院赋予了悉尼世人皆知的个性特征一样，毕尔巴鄂也从博物馆的建筑中受益，并成为以文化促进城市经济发展的典范。此外，还有英国伯明翰于1991年建设的国际会议中心，它吸引著名的交响乐团、歌剧团和芭蕾舞团纷至沓来；谢菲尔德市则建立了文化产业区，1991年的世界大学生运动会成为其城市复兴的催化剂，赛会过后，给城市留下了高水准的体育、休闲综合设施；利物浦不仅成功改造了一个包括画廊、海洋博物馆以及电视新闻中心在内的规模宏大的集艺术、休闲和零售商业为一体的综合设施，同时，甲壳虫乐队的丰富文化遗产和英国肥皂剧Brookside的成功，都进一步改善了城市形象。

2.通过盛大庆典活动推动城市复兴

英国的格拉斯哥在19世纪是世界上最知名船舶制造业和海运城市之一，但是由于经济结构的世界性变化，这个城市的制造业和海运都极度地衰落，造成城市人口流失、失业率居高不下、犯罪率高等诸多问题。在城市的再次发展中，格拉斯哥采取了结合文化活动而进行大型文化设施建设的策略。格拉斯哥在1983年开放了伯勒尔珍藏馆，举办了艺术节日和市场开发活动。每年的5月至9月间，格拉斯哥还举行以国际爵士音乐节、合唱节等为标志的文化活动，吸引了大批旅游者，给城市带来巨大收入。特别是1990年举办的“欧洲城市文化节”，以及其他一系列的文化建设与投资，使这个城市不仅重新获得富足的经济实力，而且增强了城市信心,并使格拉斯哥在1999年获得了“欧洲文化城市”的称号。

3.通过文化旅游加速城市复兴

旅游业通过不断地对地域进行差异化，以吸引并保持其市场份额，在日益加强的全球文化趋同化面前，这些城市当地的旅游机构努力维护其地域独特性和文化独特性，以便将每一个地方都作为引人注目的旅游目的地来推销。实践中，他们不断地进行创新性项目、行动方案和景点的开发，力求使旅游开发与城市复兴达成一种协调：在寻求改造传统地域特征的同时，重新创造新的地域特征。旅游目的地的不断创新，可以更好地表达或提升本地文化，这一切都构成了对该地区的个性化和独特魅力的完美注释。

4.通过体育产业推动城市复兴

如今很多城市都意识到，大型活动特别是体育活动是城市复兴的极佳机会，大型赛事能将相关的资源会聚在一起，提供难得的机会，完成复杂的大型项目。那些主办过奥运会的城市留给人们的记忆绝不只是金牌数量，而是人们对这座城市在奥运会期间的各种文化、艺术活动，也包括饮食、节日、语言、生活习惯、自然环境、建筑等方面的记忆。而这些记忆，则构成了人们对这座城市的评价。所以，文化的塑造对城市活力的拉动具有非常重要的意义。此外，在西方，俱乐部对城市形象极具价值，欧洲的足球俱乐部往往成为城市形象的代表之一，英国的曼联足球俱乐部则是英国最为成功的企业之一。

在一个国家或城市的经济处于低迷阶段时，文化产业具有“口红效应”，成本低，大众又消费得起，能满足人们的精神需求，市场吸引力反而会因经济的暂时衰退而得到加强。亚洲金融危机时，韩国的文化产业特别是电视剧制作产业的崛起对韩国经济的复苏就发挥了很重要的作用。在我国老城区复兴过程中，我们也应该高度重视文化产业的作用，通过大力发展文化产业，带动经济和就业，提高老城区的活力和竞争力。

此外，在城市发展中要有全局一盘棋的思想，作为整个城市而言，不仅要重视新城区的建设，更要重视对老城区的改造和提升，防止不同城区发展的严重失衡，逐步缩小差距，实现整个城市的协调、和谐发展。

四、推动我国城镇化健康发展必须遵循客观规律，并采取正确的战略和策略

（一）推进城镇化必须按照客观规律办事

纵观人类社会的发展历史，城市化是任何一个国家都不能超越的必经的过程。而城市化是有一定的规律的，值得我们去认真加以研究。尽管世界各国城市化所走的道路、采取的模式千差万别，但认真分析总结，我们就不难看出，其中蕴藏着以下一些基本规律：

1.人口城市化与城市二、三产业对劳动力的需求相适应的规律

这是一条贯穿城市化进程始终的最普遍、最根本的规律。首先是工业的发展产生了对劳动力等生产要素的需求，吸引农村人口流入工业区；人口的增加和工业的进一步发展又创造出更多的第三产业的就业空间，吸引农村劳动力进入第三产业。城市化进程遵循着工业发展（在初始阶段，第三产业对人口向城市的转移拉动作用不明显）—人口城市化—第二、三产业发展—人口城市化的轨迹

运行。

工业化是最早推动城市化发展的根本力量。城市化进程与工业化发展相互促进，并与经济发展水平高度相关。著名经济学家钱纳里通过对101个国家的相关数据分析，认为在一定的人均GNP水平上总有一定的生产结构、劳动力配置结构和城市化水平相对应。把握城市化规律，客观上要求城市化发展要与工业化程度、经济发展水平相协调。

第二产业和第三产业在城市化发展的不同阶段所发挥的作用是不同的。在城市化的低级和中级阶段，第二产业对农村人口向城市的转移形成巨大拉力；在城市化的高级阶段或成熟阶段上，第三产业的作用明显高于第二产业。

2.城市化发展速度与城市化已达到的现实水平密切关联，使城市化进程呈现出明显的阶段性特征，整体趋势呈现为倒“S”平滑曲线

英国学者范登和美国地理学家诺瑟姆根据对各国城市发展变化的实证研究得出结论：城市发展具有阶段性规律，整体趋势呈现为倒“S”平滑曲线。在初始阶段，农业经济占主导地位，城市化速度缓慢，当城市人口超过10%时，城市化水平逐步加快；当城市人口超过30%时，城市化进入加速阶段，工业规模迅速扩大，农业人口向城市快速聚集，这一趋势一直要延续到城市人口达到70%以后才逐步减缓；此时，城市化开始步入成熟阶段，农业人口经历大规模的迁移后，人口压力减小，而且农村经济和生活条件大为改善，城市就业市场日趋饱和，导致城市对农村的吸引力大大减弱，城乡间人口实现动态均衡。

3.在一般情况下（除政府因政治和军事目的组织人口迁移外），人口城市化实质上是一个生产力要素在利益驱动下优化配置的过程

城乡居民收入水平、生产和生活条件的巨大差距，是农村人口向城市迁移的内部驱力。这对于人口转移的方向和城市的发展规模影响巨大。“逆城市化”和“再城市化”都是这一规律的特殊表现。人口迁徙自由是城市化健康发展的户籍制度保证。

4.良好的区位优势和企业投资环境是城市发展的重要条件

区位优势包括：具有适宜于人类生存居住的地理和气候条件、适宜于农业发展的肥沃土壤、适宜于工业发展的丰富的矿产资源、具有天然水陆运输之便等，具备这些条件的地区将会优先形成城市，并获得较快发展。这一点对于城市规划布局至关重要。

此外，城市政府管理成本和效率的高低，政策是否有利于企业投资后获得较其他地区更多的回报，都将影响企业的投资取向，并进而影响城市发展速度、规模和功能。

5.城市化的发展是一个“聚集效应”和“扩散效应”辩证统一的过程

城市与其周边区域存在各领域的联动关系，并与城市化的发展阶段紧密相关。在城市化的早期和快速发展阶段，呈现明显的“聚集效应”。城市凭借其在劳动技术、工艺、资金、交通、信息等各方面占据的优势，成为区域经济发展的增长极，在规模效应机制的作用下，周边地区的人口、信息和各种生产与生活资源源源不断地流向城市，并进一步推动城市规模迅速膨胀，实现更大程度上的集聚。当城市化步入相对稳定的成熟阶段后，城市更多是向周边地区释放其能量，以点带面，拉动整个区域的经济、文化和政治等全面提升，即由聚集走向扩散，形成“逆城市化”趋势，此时，“扩散效应”占据主导地位，由中心城市和周边卫星城市构成的城市群或城市带开始形成。事实上，在城市化发展过程中，聚集与扩散并无严格的边界区分，这两大机制始终在发挥功效，只是在

特定阶段某一种效应相对另一种效应表现更为显著而已。

6.在增长方式上，城市化的发展都经历了一个从粗放型增长到集约型增长的转变过程

早期和中期的工业化、城市化是以对土地等资源的大量占用、能源的高消耗和对生态环境的严重破坏为代价的；进入高级阶段，开始向集约节约利用有限的资源，保护生态环境转变，以求人类的永续发展。

7.从城乡关系来看，城市化的发展都经历了城乡分离、城乡对立甚至是城市剥削乡村—城乡统筹发展、城乡良性互动、城乡一体化、城乡差别逐渐缩小的过程

上述基本规律反映了城市化进程中各相关系统、要素之间的内在的本质的必然的联系，凝聚了世界各国城市化的宝贵经验，为我国城镇化建设提供了有益的借鉴，我们在推进城镇化的进程中必须严格遵循这些客观规律。

（二）我国城镇化应采取正确的战略和策略

1.在战略上应坚持大中小城市和小城镇协调发展的方向，最终形成合理的城镇化空间格局和多元化城镇体系

（1）以现有大城市为基础带动城市群建设。世界强国在其迅速崛起过程中有一个共同的特点，那就是大城市发展较快。以人口、经济、科学文化高度集中为特征的大城市，对带动区域经济发展和参与国际经济竞争有着举足轻重的作用。在近200年的发展过程中，西方国家已构筑起高效率的城市经济框架，有些城市如美国的纽约、旧金山、英国的伦敦、法国的巴黎、德国的法兰克福、日本的东京等及一大批各具特色的大中小城市群都还是比较成功的。它们已分别成为能够满足社会各阶层需要的功能布局合理、创建世界物质和精神文明的前沿阵地，有些城市已成为世界金融保险服务中心、贸易中心、制造加工中心、科技文化中心等。我国城镇化的关键是以现有特大城市和大城市为基础和龙头，发挥其强大的辐射功能，带动周边次中心城市、卫星城镇的快速发展，形成若干用地少、就业多、要素集聚能力强、交通运输成本低、专业分工相对明确、人口分布合理的城市群格局。

要把城市群作为推进城镇化的主体形态，逐步形成以沿海及京广京哈线为纵轴，长江及陇海线为横轴，若干城市群为主体，其他城市和小城镇点状分布，永久耕地和生态功能区相间隔，高效协调可持续的城镇化空间格局。

已形成城市群发展格局的京津冀、长江三角洲和珠江三角洲等区域，要继续发挥带动和辐射作用，加强城市群内各城市的分工协作和优势互补，增强城市群的整体竞争力。

（2）积极鼓励中等城市的发展。中等城市主要是指 20万人到50万人之间的地区性中心城市。在一些地区，这种城市积聚了相当的经济能量，人气、市气、辐射力都已开始显现，但由于它们尚处于从小到大的转换阶段，上述“两气一力”积聚得比较缓慢，城市扩容能力低，吸纳能力不强。因此，帮助中等城市加速扩容，对国民经济结构调整和推动城镇化具有重要战略意义。要采取多种措施和办法，优先加速中等城市的扩容，为特大城市设置保护带，以减轻特大城市的压力，并培育其逐步成长为大城市。

（3）稳妥发展小城市和小城镇。在离大城市较近的周边地区，小城市和小城镇应确立依托大城市加快自身发展的战略。要注意对大城市辐射的承接，避免在专业分工上与大城市的雷同，走特色发展之路，与大城市形成优势互补的良性互动关系，最终融入大都市圈。

在宏观层面上，要通过东部地区对中西部地区的对口支援、国家的财政和政策扶持等手段，帮助偏远落后地区人口分散、资源条件较差的小城市和小城镇的发展，增强其综合功能，使其成为本地区集聚经济、人口和提供公共服务的中心。

针对小城镇建设中缺乏科学规划，遍地开花，过于粗放，功能不强的问题，实践中一定要坚持注重实效、择优发展的原则。应把县域中基础条件好、发展潜力大的中心镇作为发展重点，并通过相邻建制镇的组团发展，增强其集聚辐射功能。建设景区旅游、绿色农业旅游、专业加工、农业产业化、物资集散等专业化和特色化小城镇是今后一个时期内小城镇发展的主要方向。

2.中国城镇化策略

城镇化的发展需要多方面的条件，其中，最首要的是解决进城农民的就业问题。近年来我国城镇经济发展的成就有目共睹，但相对于广大农民进城就业的需要来说还远不能适应。加上目前我国经济增长的模式正由粗放型加速向集约型转变，靠科技、管理和结构调整促进经济增长的因素越来越大，这就产生了资本和技术替代劳动力的现象，加速了对劳动力需求减少的趋势。随着我国经济改革的深化，企业之间的竞争越来越激烈，部分企业破产，部分企业实行资产重组职工下岗分流，这就使得工业企业就业总量增长进一步减慢，由此造成了近年来城镇失业下岗人员不断增多，使得城镇就业压力加大。如何扩大城镇就业空间就成为影响我国城镇化进程的关键因素，在城镇化进程中必须采取正确的策略解决这一突出问题。

（1）在工业化进程中采取合理的技术选择策略

新中国成立以后，我国工业化路径的偏差严重制约了农村人口城镇化的进程。按照多数国家工业化发展的一般规律，工业化应走轻工业—基础工业—重加工业的有序发展道路。在工业化启动过程中，首先发展的是需要资本投入少而劳动力密集的轻工业，这与工业化初期以农业为积累资源是相一致的。以后随着人均生活水平的提高，居民的消费指向发生了从以农产品为原料的轻工业品向以非农产品为原料的轻工业品的转变，由此诱发了对基础工业的需求，工业化过程相应地进入以资本集约为特征的基础工业主导发展阶段。当基础工业发展到一定阶段，工业化过程就进入到以资本、技术集约为主导的重化工业发展阶段。在这一发展过程中，农业经济向二元经济转变，再由二元经济向现代经济转换，农业内部剩余劳动力的转移也在这一过程中大体完成。这是因为轻工业属于劳动密集型产业，轻工业的发展给劳动力创造了充分的就业空间。世界上那些已经实现工业化的国家，其农业剩余劳动力向城镇的转移，基本上都发生在经济的外延型增长向内涵型增长转变之前。当经济增长由外延型向内涵型增长转变的时候，社会上的大部分人口已经进入城镇，大部分劳动力已经在工业中就业。

1952年，我国农业部门的国民收入在总的国民收入中所占的比重达57.7%，这意味着新中国成立初期我国的国民经济发展正处在以农业为主向二元经济过渡的起步阶段。按照工业化的一般规律，此时我们应以轻工业发展为重心。然而，由于当时历史发展处于特殊的环境，不得不采取直接发展重化工业的工业化战略，不仅超越了以发展轻化工业为重心的阶段，也超越了以发展基础工业为重心的发展阶段。1952–1978年，我国重工业产值增加了28倍，重加工业产值增长了40倍，而轻工业产值仅增长了16倍。在此期间还发生过两次就业转移的回流:1961–1963三年间，总共有2000多万人由城镇返回或下放农村；1966–1976年的10年“文革”时期，政府动员了大约1700多万人到农村安家落户。

由于我国优先发展重工业，跨越了发展轻工业、基础工业的阶段，而这两个阶段正是农村劳动力向城镇积聚并逐步完成转移的时期。而重工业是资本和技术密集型经济，对劳动力的技术要求较高，吸纳能力较弱，农业劳动力不但得不到转移，反而有所回流。

走过去的曲折的历史道路不可能返过头来重新走，在目前的情况下，欲扩大城镇的就业空间，在工业化进程中我们应采取合理的技术选择策略。市场经济发达国家每千人平均50个企业，而我们国家每千人只有5.70个企业。企业数量不足，特别是中小企业少，是我国城镇就业困难和农村人口得不到有效转移的重要原因之一。需要看到的是，人口众多、劳动力过剩是中国的一大劣势，而劳动力便宜也是中国加入WTO后的优势之一。只有通过创办大量的劳动密集型中小企业，将便宜的劳动力变成现实的竞争力，才能使之成为真正的优势。一个国家，大型企业主要承担工业体系、综合技术水平、技术研发、国际竞争力等任务，而中小型企业则主要应发挥解决就业、稳定社会、促进竞争活力的作用。随着大企业资本有机构成和技术水平的提高，必然出现排斥简单劳动力的现象，因此，中国仅仅靠大型企业解决不了就业问题。而且，如果用其解决就业，在资本利润率下降和工资逐年上升规律的作用下，其就要倒闭。按照新增劳动力供给、下岗再就业和农村剩余劳动力转移的情况，中国未来10年每年需要提供1000万个就业机会，只有在坚持以信息化推动工业化、重视发展以资本和技术为依托的大型企业的同时，大力发展中小劳动密集型企业，大中小企业并举，才能使中国既在国际竞争中有优势，又使国内的劳动力资源得到充分利用，同时扩大吸收城乡劳动力的就业容量，降低失业率，使社会成员安居乐业，促进城镇化进程。

（2）大力发展城镇的第三产业

第三产业的发展水平不仅是影响就业的重要因素，而且是衡量一个国家现代化水平的重要标志。美国第三产业中就业人员占就业总数的比重，1935年为43.3%，1950年为51.2%，1960年为56.6%，1970年为67%，1980年达到69%，到现在已达到了80%以上。

改革开放以来，我国第三产业占社会总产值的比重虽有上升，但同发达的市场经济国家相比，依然存在很大差距。目前，我国的就业结构，第一产业、第二产业过高，第三产业过低的状况还没有得到根本性的改变。在总量不足的同时，第三产业内部结构也不尽合理，金融、保险、通信、房地产、信息服务和社区服务等新兴第三产业还处于起步阶段。针对这种情况，各级政府应从战略高度调整产业结构，加快发展城镇的第三产业，大力挖掘第三产业的就业潜力，将扶持第三产业的发展作为一个重要举措，抓好政策落实和组织措施，在资金上给予适当的投入。第三产业中不少行业，如商业零售、交通运输、旅游、信息咨询、物业管理等，都有较大的发展空间，可创造大量的就业岗位。社区和个人服务业的发展，是第三产业中十分重要的部分，其吸收劳动力较多，而且大部分工作岗位就业门槛低，资金投入少，应该大力发展。

五、创新户籍制度，推进农民市民化进程

欲推进我国的城镇化进程，使农民变为市民，就必须彻底打破户籍“坚冰”，对户籍制度进行全方位、大力度的改革。人口迁徙既是市场优化资源配置的必然结果，同时也是人口在利益驱动下对劳动和生活空间进行选择的结果，市场经济的进一步发展必然要求建立与之相适应的人口自由迁徙制度。从现实情况看，农民进城多以民工形式出现，在城乡之间的流动性比较强，能够长期在城镇扎根的是少数，农民进了城，如果没有固定的居所和稳定的生活来源，最终还是要回去。近些年

部分进城农民要求将城镇户口迁回农村的“反城镇化”现象就有力地说明了这一点。因此，担心放开户籍管理制度，大量的农民会一齐涌进城来，对城镇形成巨大的冲击是没有必要的。

户籍制度改革的重点是要取消附着于户口上的各种利益，剔除粘附在户籍关系上的种种社会经济差别，达到户籍与各种福利待遇完全脱节，真正做到城乡居民在发展机会面前地位平等，获得统一的社会身份，达到凭身份证“一证走天下”的目的。农业人口和非农业人口仅仅作为职业划分的依据，不再具有利益分配的功能。改革的最终目标是按照国际惯例，建立统一的、流动的户籍制度。任何人只要在一地有稳定的住所、职业和收入来源就应允许其在当地落户，并依法拥有该市市民应享有的权利和应尽的义务。当然，实现这一目标，需要有一个逐步过渡的过程，可分步进行。改革的先后顺序是：先建制镇和县城，后到中小城市，最后到大城市和特大型城市。

实践中，许多省市已经加快了户籍制度改革的步伐，如湖北、湖南都建立了城乡统一的户口登记管理制度，取消农业户口、非农业户口性质和由此衍生的其他户口类型，统一登记为“居民户口”。湖北省允许在城市有合法固定住所、进城务工3年以上、与用人单位签订2年以上劳动合同并办理就业登记手续的农村劳动力，可申请办理户口迁移手续，在城市落户。这些都是有益的探索。

六、克服过于追求规模扩张的倾向，注重城镇化内在质量的提高

（一）要因地制宜，做好科学规划

在市场经济体制中，城镇的形成和兴衰，是一个在劳动力转移成本、就业机会、劳动力报酬率、投资收益率等信号和机制的引导和调节下，各种生产要素、企业、市场、设施等在地理上自然流动和聚散的过程，不以人们的意志为转移。我国地域广大，各地经济社会发展状况很不平衡，因此，城镇化建设应因地制宜，决不能搞一种模式、一个速度、一个标准。要从各地实际出发，根据当地经济发展水平、区位特点、人口规模、技术优势、主导产业和资源条件，通盘考虑城镇网络体系、产业布局、社会事业发展等各方面的要求，明确各区（县及县级市）、乡镇的功能定位，依据功能区划进行资源配置，逐步建成与多元城镇化相配套的现代化设施，如加工制造工业园区设施、高科技园区设施、便利的城市地上公路地下地铁立体交通网设施、信息、邮电网络服务设施、以金融保险贸易为代表的第三产业服务网络设施、文化教育设施、休闲娱乐设施等，认真搞好近、中、长期发展规划，科学布局，引导城镇化渐次推进，健康有序地发展。避免把城镇化建设搞成运动，导致城镇化的过急和“虚高”。

（二）要把提高农村居民生活质量作为城镇化的根本目的

对于因城市建设完全丧失土地的农民，不仅要将其登记为城镇居民户口，而且要为其做出就业安排，用土地补偿金为其购买失业、养老、医疗等保险，给予资金和政策支持，帮助其自主创业。对于进城农民工，一是要加强对用人单位执行劳动法状况的监督检查，确保用人单位依法为农民工投保；二是要加强宣传引导，培养进城农民工的参保意识，让他们积极投保，提高自保能力；三是要针对进城农民工流动性较大的特点，为他们建立全国统一的个人保险账户，这样当他们在不同的城镇间流动时其保险年限能够连续；四是要强化政府的公共服务职能，在有条件的地方，将在本城镇连续工作3年以上的农民工纳入城镇的社会保障体系当中。要按照统筹城乡发展的原则，进一步完善农村现有的对特殊群体的救济政策、农村居民最低生活保障制度、以大病救助为主要内容的新型合作医疗制度、养老保险制度，多渠道筹措资金，提高农村居民的保障水平，并设计一个便于今

后与城镇保障体系相衔接的操作方案，逐步实现城乡社会保障体系的一体化，为城镇化建设创造制度条件。

（三）积极实施“农民”向“市民”转化工程

进城农民要彻底转变为市民，不仅要有户籍身份和职业的转变，素质的提高、文化的转型更为根本。一是各级政府部门要紧密结合城镇就业岗位的需要，抓好对进城农民的各种职业技能培训，提高进城农民的就业竞争力。二是针对进城农民中的文盲和半文盲群体，举办各种类型的扫盲培训班，提高他们的基本文化素质。三是通过资金扶持，鼓励进城农民中的中青年人通过自学考试、电大、函授教育甚至普通中、高等教育等形式，提高学历水平、改善知识结构。四是通过多种形式对进城农民进行现代观念、文明准则、城市意识、长远意识、全局思想和法制观念教育，引导农民破除小富即安、小打小闹的小农经济思想，树立进城干大事业、求大发展的创业精神；破除封闭保守、头脑僵化、急功近利的思想，树立开拓精神和竞争意识、开放兼容、善于协调的团队精神和可持续发展的观念；破除自由散漫的思想和生活习惯，树立遵时守纪、依法办事的观念；在人际交往上由过去的以血缘与地缘为主向以业缘为主转变，在交往方式上从直面交往、长期交往为主向间接交往与霎时交往为主转变；克服维权意识和政治参与意识淡薄的倾向，学会善于利用自己的权利，进行充分的利益表达，积极参与公共事务，承担市民的政治参与角色；破除陈规陋习，树立体现城市文明的人际关系意识、公共生活意识、规则意识、卫生意识、生态意识等。五是要抓好公共文化设施建设，营造良好的城市文明环境，使进城农民在潜移默化中受到熏陶，逐渐养成市民意识和市民心理，形成好的习惯。只有进城农民的劳动技能、科学文化素质和思想道德素质得到全面提升，才能使他们更好地适应城市的工作和生活，并最终完全融入城市市民阶层，实现从传统的农业文明向城市文明的根本转变。

七、在城镇化进程中妥善解决好失地农民问题

长期以来，农民为国家的工业化、城市化、现代化做出了巨大牺牲和贡献，相对而言，农民又是一个数量庞大的弱势群体。解决失地农民问题，应上升到推进社会公平公正、推进城乡一体化发展、让全体人民共享改革发展成果的高度来认识。第一，要加强土地管理，做好科学规划，遏止占用农地过多过快的现象。坚决惩治腐败，减少在土地交易中对农民利益的损害。第二，必须从根本上调整已不合时宜的现有的政策和法律法规，从多方面考量，对征占农地制定一个科学合理的补偿标准。现行的以土地产值倍数计算补偿费和安置补助费的办法是计划经济时代思维惯性的产物，与市场经济的发展要求不相适应。需引入市场化机制对土地补偿内容进行评估，除了补偿土地价值、劳动力安置、青苗损失及地面附着物损失外，还要至少增加农民在30年内土地正常收益权的损失、土地的潜在收益损失、相邻土地的损害、土地增值的价格损失，以及农民因丧失土地带来的生活成本的提高，就业、养老、医疗保障风险的增加等各项间接损失。要运用市场化办法来评估确定不同地段、不同用地的补偿价格。要确保补偿金发放到位，应发到村级或直接发到农民手中（为每个村民建立专门账户），减少其他中间环节对农民失地补偿金的盘剥。第三，除从国家和城市长远发展规划必须征用农地用于公益性项目建设外，法律应明文禁止各级政府不得以其他任何名义强行从农民手中征占土地用于经营性项目的开发，从中获取巨利。第四，深化农地产权制度改革，完善农村土地流转制度，彻底放开土地市场，让村民根据自身和后代生存发展需要，自由决定如何处置手中

的土地。第五，在农民完全自愿的前提下，农民可将土地折价作为股份，参与经营性项目的开发，获得红利。第六，政府因城市建设征用农民土地时，应允许村集体拥有部分自留地，用于兴办村办企业、建设标准厂房、商业用房以及住房等，用其收益维持和改善村民生活。第七，要破除城镇化进程中的体制性障碍，消除对农民的歧视，将失地农民纳入城市的就业和社会保障体系之中。第八，政府和用地单位要对失地农民进行文化培训和定向职业技能培训，使其适应城市现代生活和就业需要。政府对自主创业者应给予特殊的信贷、税收等政策优惠。

参考文献：

[1]吴晓波. 回望中国经济六十年[EB/OL].
http://www.ftchinese.com/story.php?storyid=001027914, 2009-9-8

[2]苏少之. 1949—1978年中国城市化研究[J]. 中国经济史研究, 1999, (1)

[3]《中国城市经济》杂志社.改革开放30年我国城市发展简表[J].中国城市经济, 2008, (12)

[4]李延霞. 我国城乡居民收入差距的现状及影响因素分析[J]. 集团经济研究, 2006, (12)

[5]世界老工业基地是如何转型的.
http://www.investzj.com.cn/sanji.asp?id_forum=006454, 2009-8-5

[6]吴晨.文化竞争: 欧洲城市复兴的核心[J]. 瞭望, 2005, (7)

[7]程方敏. 制约农业剩余劳动力转移的政策因素分析[J]. 中共浙江省委党校学报, 2003, (1)

[8]陈迪平. 制约我国农村剩余劳动力转移的因素与对策[J]. 湖湘论坛, 2003, (3)

新中国成立60年城市经济的发展方式及经济结构

中国城市经济学会副会长、中国社会科学院研究员　杨重光

一个国家或一个城市可以采取不同的方式来发展自己，速度不同，方式各异，结果也不同。速度可以有快有慢，甚至停滞不前，落后倒退；方式可以采取多快好省的方针，又可采取拼资源、高消耗、高投入、高成本，低产出、低效益等路径。所以，从一定意义上说，经济发展方式对一个国家或一个城市来说，非常重要，具有决定性的意义。经济发展方式的内涵非常深刻，内容十分广泛，表现在许多方面，决定于众多因素。从大的方面说，决定于社会经济形态、政治制度和经济制度，以及国家管理体制等。从经济方面来说，包含经济增长方式、技术创新和应用方式、生产要素比例与组合方式、人才和劳动力素质、现代管理技术和手段等。但是，影响或决定经济发展方式的一个重要因素是经济结构，特别是产业结构。产业结构是经济发展中的重要问题，它表明经济发展的水平和质量。产业结构演变与经济增长具有内在联系。产业结构的高变换频率会导致经济总量的高增长率，而经济总量的高增长率应导致产业结构的高变换率，同时它也影响和决定经济发展的速度和质量，所以，调整和优化产业结构是宏观经济调控的重要内容和任务。同时，产业结构又是国家宏观调控的重要手段和政策。产业结构是由许多因素所决定的。

产业是社会分工现象，作为经济范畴，介于宏观经济与微观经济之间，是属于中观经济的范畴。产业是历史范畴，是伴随生产力发展和社会分工的深化而产生和不断扩展的。在社会生产力发展的不同阶段，由于社会分工的主导形式转换和不断地向深层发展，以致形成了具多层次的产业范畴。

产业作为一个经济单位，并不是孤立存在的。产业和产业之间存在着极其复杂的直接和间接的经济联系，形成自变与应变之间的函数关系，使全部产业成为一个有机的系统。一个产业的存在，会成为其他产业出现和发展的条件，一个产业内部结构的变化会直接或间接引起其他产业的变化。

所谓产业结构是指，在社会再生产过程中，一个国家或地区的产业组成状态，或资源在产业间的配置状态，各类产业按其需要形成的结构比例，以及产业间的技术经济联系或相互依存和相互作用的方式。产业结构可以从两个角度来考察：

一是从“质”的角度动态地揭示产业间技术经济联系与联系方式不断发生变化的趋势，揭示经济发展过程的国民经济各部门中，起主导或支柱地位的产业部门的不断替代的规律及其相应的“结构”效益，从而形成狭义的产业结构理论。

二是从“量”的角度静态地研究和分析一定时期内产业间联系与联系方式的技术经济数量比例关系，即产业间“投入”与“产出”的量的比例关系，从而形成产业关联理论。广义的产业结构理

论包括狭义的产业结构理论和产业关联理论。

在产业结构的调整过程中，存在产业的转型、升级、定位等概念。产业转型通常是指产业界限的改变，产业结构的改变或竞争基础的改变，产业转型过程比产业升级的过程更加彻底，更加痛苦，而产业升级在很大程度上是产业链各个环节的提升和改进，主要是提升自主创新能力，从价值链低端向价值链高端延伸，增加高附加值含量，包括产业集聚、规模效应、科技创新和品牌效应、主导产业的关联效应。

产业结构调整和转型不一定追求大而全，无论是传统产业还是高科技产业在经过一段时期的发展后都存在不断升级和创新问题。

第一节　经济发展方式和产业结构的历史性变化

一、产业结构的一般分类

对产业结构，在理论界根据不同的理解和认识提出各自的定义和解释，经济部门，特别是统计部门按照国情和需要进行不同的划分。而不管理论界如何理解和实际部门怎样划分，对整个经济的产业划分为三个产业具有普遍性，因此为各个国家所认可和采作，是产业的核心，具有重要的意义。在我国对三次产业的划分是：

第一产业：农业（包括种植业、林业、牧业和渔业）。

第二产业：工业（包括采掘业，制造业，电力、煤气及水的生产和供应业）和建筑业。

第三产业：除第一、第二产业以外的其他各业。由于第三产业包括的行业多、范围广，根据我国的实际情况，第三产业可分为两大部分；一是流通部门，二是服务部门。具体又可分为四个层次：

第一层次：流通部门，包括交通运输、仓储及邮电通信业，批发和零售贸易、餐饮业等。

第二层次：为生产和生活服务的部门，包括金融、保险业，地质勘察业、水利管理业，房地产业，社会服务业，农、林、牧、渔服务业，交通运输辅助业，综合技术服务业等。

第三层次：为提高科学文化水平和居民素质服务的部门，包括教育、文化艺术及广播电影电视业，卫生、体育和社会福利业，科学研究业等。

第四层次：为社会公共需要服务的部门，包括国家机关、党政机关和社会团体以及军队、警察等。

二、计划经济时期的产业结构

（一）产业结构与工业化

按照经济发展方式和产业结构理论，产业结构的演进与工业化发展阶段密切相关。产业结构的演进归结为如下几个阶段：前工业化时期、工业化中期、工业化后期和后工业化时期等。在工业化初期，第一产业产值在国民经济中的比重逐渐缩小，其地位不断下降；第二产业有较大发展，工业重心从轻工业主导型逐渐转向基础工业主导型，特别是重工业转变，使第二产业占主导地位；第三产业得到一定发展，但在国民经济中的比重仍较薄弱。在工业化中期，工业重心由基础工业向高加工度工业转变，第二产业仍居第一位，第三产业逐渐上升。在工业化后期，第二产业比重在三次产业中的地位占有支配地位，甚至占有绝对支配地位，第三产业虽然在绝对量上增长迅速，但其比重仍不抵第二产业。在后工业化阶段，产业知识化成为主要特征，第三产业，不论其绝对量和相对量都超过第二产业，特别是现代服务业和文化产业开始占主导地位。

（二）工业化推进产业结构的变化

我国产业结构的变化与工业化的进程是密切地联系在一起的。1949年，即中华人民共和国成立前，中国经济是依靠传统的生产方式进行的农业经济，传统农业，或小农经济占据经济的绝对优势，近代工业非常薄弱，城市经济相当落后。1949年至1952年，用了三年时间进行了恢复性建设，到1952年，国民经济基本恢复到解放前的最高水平。1953年，在工业生产能力非常弱小的基础上艰难起步，开始了大规模的工业化建设。国家经济从以小农经济社会为主向工业社会发展和转变。工业化的过程同时是产业结构的演进过程。在工业化过程中，在三种产业增长的同时，第一产业经济得到恢复和发展，但比重开始下降；第二产业绝对量和相对量迅速上升；第三产业得到一定的发展。可以概括地说，1949年至1978年，我国经济实质上是一种传统的农业经济。农业生产主要依靠传统的生产方式进行。工业基础仍比较薄弱，行业门类较少，已有行业规模显得弱小，技术水平均处于落后状况。第三产业中，传统的商业服务业占较大比重，交通运输、邮电、通信业和金融业十分落后，长期低水平发展。尽管如此，但是改革开放前三十年产业结构仍然发展了巨大的变化（见表1）。

表1　中国产业结构演进与经济增长　（单位：%）

年份	1953	1960	1965	1970	1978	1980
第一产业 第二产业 第三产业	41.10 43.11 15.79	17.06 70.36 12.58	30.91 58.59 10.50	26.87 67.7 58.83	28.37 48.63 23.00	30.40 49.04 20.56
经济增长速度 发展时期	10.9 1953–1957	0.7 1958–1962	14.7 1963–1965	10.0 1966–1970	7.8 1971–1975	7.8 1976–1980

资料来源：《中国统计年鉴》。

（三）1953–1980年产业结构的调整

1953–1980年，在产业结构方面发生了两次超出常规的转换，紧接着是一次大的被动调整。

第一次大的产业结构超前转换是“大跃进”时期，由于重工业超前发展，使国民经济重大比例关系出现严重失衡，农轻重的比例关系由1957年的43.3：31.2：25.5变为1960 年的21.8：26.1：52.1。变化过于激烈，从而出现了一系列的经济社会问题。为了扭转局面，不得不进行调整。在经过5年的被动调整，初步扭转了产业结构的失衡状况后，十年“文革”时期又片面强调为备战服务，使产业结构重又步入“重型化”的轨道。1976–1978年，在经济发展上又出现了“急于求成”，通过大规模引进国外成套设备，发起了对工业化的新一轮强攻。这第二次产业结构的超前转换进一步加剧了各产业间、轻重工业间、重工业内部的结构性的矛盾和比例关系失调，造成生产与消费的尖锐对立，社会经济关系全面紧张。

从理论上说，计划经济时期的产业结构演变呈现非均衡性特点。所谓非均衡性是指在一定的总体收入水平上，三次产业的比重呈非均衡状态，即有的产业比重过大，有的产业比重过小。如果分别从三次产业内部观察，这种非均衡性则更为明显。根据钱纳里的“典型结构”分析，中国在计划经济时期的产业结构状态属于低收入国家的产业结构形态，第二产业的收入比重明显高于一般低收入国家的这一比重，甚至高于一些高收入发达国家的这一比重，而第三产业的收入比重则明显低于一般低收入国家的这一水平。从静态资源配置的结果评价，中国的产业结构是一种非均衡的产业结构状况，一次产业的基础薄弱，抗御自然灾害的能力不强，农业生产的效益比较低，农民收入增长较慢。二次产业比重过大，但内部发展很不平衡。其中，加工工业水平低，市场有效需求不足，水利、能源、原材料等基础工业比较薄弱；建筑业、汽车制造业、机械电子业大而不强；高新技术产业发展不够。第三产业发展相对滞后，第三产业增加值占国内生产总值的比重不高，大大低于发达国家的水平（60%～70%），也低于发展中国家的平均水平（40%以上）。从动态资源转换的角度分析，1980年以前，由于中国人均收入水平较低，居民的潜在需求难于形成现实需求，最终需求对产业结构演变的影响很小，资源配置向第二产业特别是向制造业倾斜，产业结构沿着工业比重过快上升的轨迹演变，并很快形成第二产业比重过高的非均衡产业结构状态。

（四）农轻重比例失衡，重工业一枝独秀

在这一背景之下，重工业一枝独秀，获得远远高于农业和轻工业产业的投资。到1976年，重工业投资一直占总投资额的35%之上，最高时曾达54%左右。虽然，农轻产业的重要性是显而易见的，但出于国家存亡之计和战略考虑，重工业处优先地位，仍是投资的重点，建设的基础，也是不难理解的。

正因如此，工业生产并不像工业投资一样始终处于增长之中。新中国成立初期，经过整顿，以重工业为中心的工业社会的成长一度一帆风顺，工业的年增长率达20%左右。但此时经济过于偏重的危机已经潜在，只是为工业增长外势所掩盖。1958年后，在大跃进运动的推进下，对工业，特别是重工业的投资陡增，经济失控，恰有苏联背信弃义、农业的自然灾害等外在原因，遂使工业既失去了外部的资金、技术援助，又失去了内部农业积累的支撑。于是，在计划体制之下，在完成计划的过程中，国民经济陷入萧条，工业生产业受到打击。1963-1965年间，经过一些调整，工业小有恢复。但随之而来的“文化大革命”，又一次对国家经济和城市经济发展产生伤害，于是，工业与整个国民经济一起陷入长期不振的状态。

1949年，我国农业产值在社会总产值中的比重高达58.5%，在工农业总产值中，工业仅占30%。在1978年前的26年里，农业每年平均仅增长2.7%，为工业年均增长的四分之一。显然，农业的低速增长意味着较少的农产品供给量和较少的工业品需求市场，同时农业资源被大规模强制转移到工业部门，农业的萎缩也是必然的。

就业结构转换严重落后于产业结构的转换。1978年农业产值份额比1953年下降了20.7个百分点，而劳动力份额只下降了12.6个百分点；第二产业产值份额上升了27个百分点，而劳动力份额仅上升了9.4个百分点。

（五）国民经济产业结构决定了城市产业结构

需要指出的是，计划经济时期由于城市化水平低，城市经济尚不发达，城乡分工处于绝对化，城市集中于工业，而农村集中于农业。农村基本上不存在今天所具有的乡镇工业或家庭工业，所以工业与农业的分工其实也是农村与城市的分工，形成非常特殊的城乡结构与产业结构。所以，城市只是在郊区存在第一产业，而城市主要是第二和第三产业，同时城市之外的地区工业发展，不像改革开放后乡村工业和家庭工业得到长足的发展，因此，国家的二三产业集中于城市，加上城市中许多现代服务业和第三产业都没有得到发展，所以城市第三产业的行业，企业都比较少。

三、改革开放以来产业结构的变化

改革开放的30年，我国宏观经济总量及其各个产业都呈快速发展态势。从1979-2001年，全国GDP年均增长9.4%，其中第一产业增加值年均增长4.7%，第二、第三产业增加值分别增长11.3%和10.2%。由于三次产业增长速度不同，导致了产业结构比例关系的明显变化。三次产业增加值在宏观经济总量中的比例关系，由1978年的28.1：48.2：23.7变为1989年的25.0：43.0：32.0，再变为2001年的15.2：51.1：33.6。三次产业的变化的历史过程如下表（见表2）。

表2　三次产业增加值结构变化

年份	GDP（亿元）	第一产业		第二产业		第三产业	
		（亿元）	构成（%）	（亿元）	构成（%）	（亿元）	构成（%）
1978	3624	1018	28.1	1745	48.2	861	23.7
1989	16909	4228	25.0	7278	43.0	5403	32.0
2001	95933	14610	15.2	49069	51.1	32254	33.6
“六五”时期平均	6445	2021	31.4	2851	44.2	1573	24.4
“七五”时期平均	14510	3809	26.2	6265	43.2	4436	30.6
“八五”时期平均	37662	7884	20.9	17628	46.8	12149	32.3
“九五”时期平均	78433	14259	18.2	39100	49.8	25074	32.0

资料来源：相关年度的经济统计资料。

从年度间的连续变化上观察，三次产业增加值在GDP中所占比重的变动规律互不相同。第一产业比重自改革初期到20世纪80年代初期保持上升趋势，此后基本呈稳步下降趋势；第二产业比重自改革初期到20世纪80年代末呈逐年下降趋势，1991年止降转升，近年来呈快速上升趋势；第三产业比重自改革初期到1992年基本呈上升趋势，近年来较为稳定，变化不大（图1）。

图1　三次产业增加值比重变化

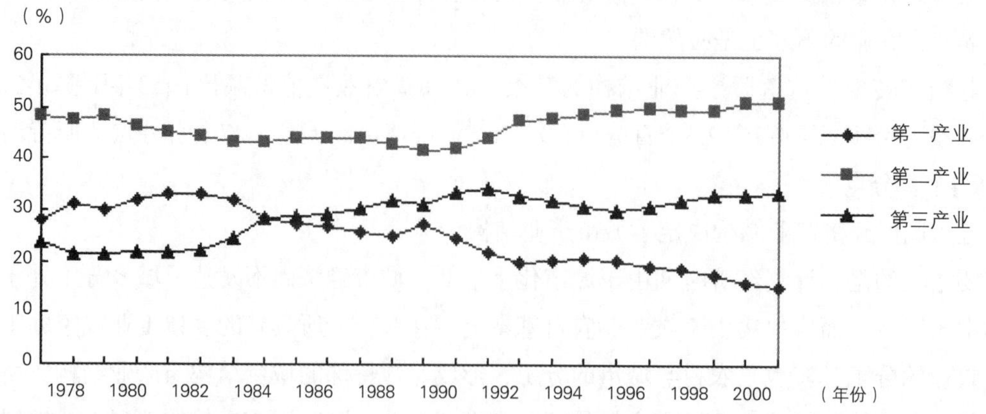

按从业人员在三次产业中的分布衡量，1979-2001年我国产业结构的变化也十分明显。22年间，全社会从业人员总量增加了3亿人，其中第一、第二、第三产业分别增加了7012万人、9453万人和约1.4亿人，这使三次产业在全社会从业人员总量中所占的比重发生了巨大变化：第一产业从业人员比重大幅度下降，由1978年占绝对优势的70.5%下降到1989年的60%，再下降到2001年的一半左右（50.0%），平均每年下降0.9个百分点；第三产业从业人员比重上升幅度较大，由1978年的12.2%上升到1989年的18.3%，再上升为2001年的27.7%，平均每年上升0.7个百分点；第二产业从业人员比重有所上升，但上升幅度不大，23年间仅上升5.9个百分点（表3）。

表3　三次产业从业人员结构变化

年份	总数（万人）	第一产业		第二产业		第三产业	
		（万人）	构成（%）	（万人）	构成（%）	（万人）	构成（%）
1978	40152	28318	70.5	6945	17.3	4890	12.2
1989	55329	33225	60.0	11976	21.6	10129	18.3
2001	73025	36513	50.0	16284	22.3	20228	27.7
“六五”时期平均	46705	30757	65.8	9000	19.3	6948	14.8
“七五”时期平均	55696	33461	60.1	12185	21.9	10049	18.0
“八五”时期平均	66794	37527	56.2	14860	22.2	14407	21.6
“九五”时期平均	70577	35330	50.1	16398	23.2	18849	26.7

动态观察，三次产业从业人员的分布结构呈现明显的规律性：第一产业从业人员比重逐年下降；第三产业比重逐年上升；第二产业比重整体呈上升趋势，但年度间出现变化。自1994年起第三产业从业人员比重开始超过第二产业（图2）。

图2　三次产业从业人员分布结构变化

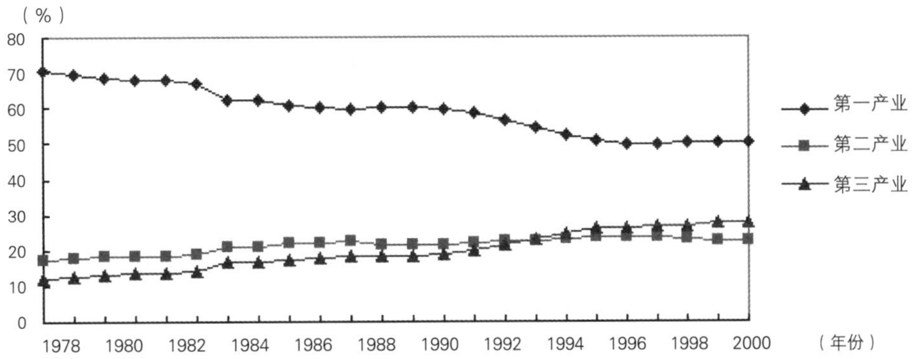

第二节　国家经济发展方式和产业结构的现状

一、全国产业结构的概况和现状

我国产业结构是经济发展的重要内容和标志，任何出现经济活动的地方和部门都存在产业结构，所以，无论研究宏观经济还是研究微观经济都会涉及产业结构，都需要对产业结构进行深入的研究，对其发展及现状进行了解和分析。

进入21世纪以来，我国经济发展很快，进入一个快速发展的周期。从2000-2008年，我国国内生产总值从99214.6亿元增长到2008年的300670亿元，增长2倍多。然而，产业结构的升级和优化却不理想，没有达到预期的目标，变化速度缓慢。而且主要是第一产业比重的不断下降，第二、第三产业的比重有所提高，但是第三产业比重提高特别缓慢。

二、全国产业结构的国际比较

与国际比较，第三产业的比重不仅远远低于经济发达国家，而且明显低于一些经济发展中国家（见表4）。可以说，我国产业结构中第三产业的比重是处于最低水平。

表4　2000年和2004年世界相关国家产业结构表

国家和地区	第一产业		第二产业		第三产业	
	2000	2004	2000	2004	2000	2004
世界	3.7	3.5①	29.3	28.0①	67.0	68.5①
低收入国家	26.8	22.1	26.0	28.1	47.2	49.8
中等收入国家	9.9	10.0	36.3	37.3	53.8	52.7
中、低收入国家	12.2	11.7	34.9	36.0	52.9	52.3
高收入国家	1.8	1.6①	28.1	26.2①	70.1	72.2①
中国②	14.8	13.1	45.9	46.2	39.3	40.7

注：①2003年数据。
②中国为2007年的数字。
资料来源：世界银行世界发展指标数据库。

从表中不难看出，全世界几乎所有国家第三产业的比重都高于第二产业，而我国第三产业的比重不仅低于第二产业，而且几乎是世界上最低的国家，不仅低于经济发达国家和中等发达国家，而且低于发展中国家。足以说明第三产业落后的客观状态，以及存在的问题。

按照世界银行的计算方法，我国2004年修订前的人均GNI（国民总收入）为1290美元，GDP修订后该数据约为1495美元。如使用世界银行关于高中低收入国家分组标准，我国属于下中等收入国家。

表5　部分下中等收入国家三次产业结构及人均GNI

国家	2004年				1993年			
	三次产业比重（%）			人均GNI（美元）	三次产业比重（%）			人均GNI（美元）
	第一产业	第二产业	第三产业		第一产业	第二产业	第三产业	
下中等收入国家	12.0	36.9	51.1	1580	15.9	41.5	42.6	850
中国	13.1	46.2	40.7	1495	19.5	46.6	33.9	418
巴西	5.2	17.2	77.7	3090	7.6	41.6	50.8	2780
哈萨克斯坦	7.3	39.4	53.3	2260	17.5	40.0	42.5	1420
埃及	15.5	32.1	52.4	1310	16.7	33.1	50.2	800
印度尼西亚	16.9	45.6	37.6	1140	17.9	39.7	42.4	810
印度	21.8	26.1	52.2	620	31.0	26.3	42.8	310

注：下中等收入国家：2004年人均GNI在825美元至3255美元之间的国家。

从2004年数据来看，我国的三次产业结构同其他下中等收入国家相比存在一定的差别。在第一产业比重方面，我国高于下中等收入国家的平均水平1.1个百分点，也高于人均GNI大于我国的巴西和哈萨克斯坦两国，同时低于人均GNI小于我国的埃及和印度尼西亚，与其他下中等收入国家相比，处于一个较为合理的水平。在第二产业比重方面，我国高于下中等收入国家平均水平9.3个百分点，同时远高于巴西、哈萨克斯坦和埃及三国，在所有列举的国家中是最高的，这与我国正处于重化工业加速发展的历史阶段有关。在第三产业比重方面，我国低于下中等收入国家平均水平10.4个百分点，同时分别低于巴西、哈萨克斯坦、埃及三国37.0、12.6和11.7个百分点，差距较大，明显偏低。

另一方面，同1993年数据对比来看，我国三次产业结构变动情况也同其他下中等收入国家存在一定差别。在第一产业比重方面，各国都有不同程度的降低，其中我国降低了6.4个百分点，降低幅度高于下中等收入国家平均水平和巴西、埃及、印度尼西亚三国，仅低于哈萨克斯坦，属于降幅较大的国家。在第二产业比重方面，除印度尼西亚外，各国也都有不同程度的降低，其中我国降低了0.4个百分点，降低幅度低于下中等收入国家平均水平和巴西、哈萨克斯坦、埃及三国，属于降幅较小的国家。在第三产业比重方面，除印度尼西亚外，各国都有不同程度的上升，平均上升幅度为8.5个百分点，其中我国上升了6.8个百分点。说明虽然我国第三产业比重上升幅度较大，但与同类发展水平国家总体相比，仍有差别。

就业结构是反映产业结构的重要指标，按照经济发展和人口就业变动规律，不仅从第一产业释放出来的劳动力投向二、三产业，而且随着经济的发展和工业化的推进，第二产业的劳动力逐步向第三产业转移。而实际上，进入21世纪以来，我国第二产业的就业人数不仅绝对量继续增加，而且比重也有所增加，2007年达到新中国成立以来的最高值，达26.8%。详情见图3。

图3 2000-2007年全国就业人口的产业结构

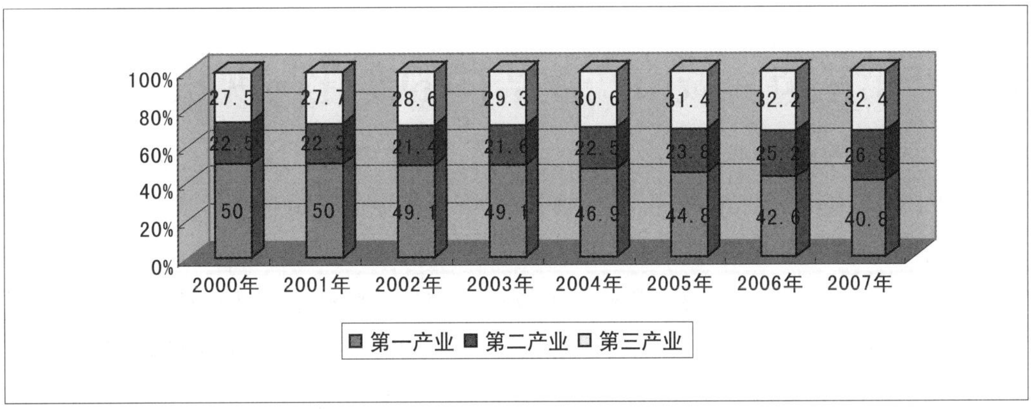

我国是一个地区差异明显，经济发展不平衡，经济增长不同步的国家，但是，从产业结构来看，除了个别的中央直辖市，如北京、上海以外，差异却被掩盖了，全国除北京、上海等城市外，所有省区（自治区）第三产业普遍较低，绝大部分第三产业的比重都在30%～40%。中国经济发展不仅要提高增长速度，而且要提高增长质量，改善增长结构。下表（表6）是全国各省市按照第三产业结构比重高低而排列的。

目前阶段，地区经济发展水平和经济实力的高低一般决定于第二产业的发展程度和第二产业的

表6　按照2006年第三产业比重排列的省（区、市）　单位：%

第三产业的比重	省（区、市）数	具体省（区、市）
39．5	31	全国
70以上	1	北京
60～70		
50～60	2	上海、西藏
40～50	6	重庆、广东、湖南、浙江、天津、安徽
30～40	21	湖北、海南、贵州、宁夏、吉林、广西、甘肃、辽宁、云南、福建、内蒙古、四川 青海、山西、江苏、陕西、新疆、河北、黑龙江、江西、山东
30以下	1	河南

结构。在全国内地31个省区市中，有13个省（区、市）的第二产业增加值的比重超过50%以上。

从上表还可以看出，虽然全国经济实力和增长速度差别非常悬殊，但是其三次产业结构却相差不大，至少没有像经济实力相差那么大。全国除了北京、上海、天津等直辖市外，经济发达的省区与经济发展相对滞后的省区之间的产业结构非常相似。从第三产业来说，2007年最高的广东省是42.35%，而最低的是安徽省为29.6%，相差是12.75%。第三产业比重较高的省区，如西藏等，第三产业高于全国平均水平，也高于沿海经济发达的省区如江苏、山东等省市，并不是其经济发展的结果，而是因为第二产业，特别是工业没有得到相应发展的结果。所以，国内产业结构的差别主要是第二产业的差别。似乎可以得出这样的结论，省区之间的经济发展水平或经济实力的差异，主要决定于工业的发展水平，而不是以第三产业为决定性因素。广东、江苏、浙江、山东等经济发达的省区，第二产业的比重一般都超过50%。可见，第二产业，特别是工业对地区经济发展起关键性的作用。这就是为什么地区和城市都把发展工业放在第一位，甚至成为唯一的手段。

第三节　城市产业结构的变化与现状

城市的产业结构理所当然不同于农村，也就是说，城市的第二、第三产业的比重要远远高于第一产业，而且城市越发达，越是现代化的城市，第三产业的比重越高。从我国大多数城市来说，第一产业的比重多年来已经逐步下降，基本上已经下降到10%以下，但是，许多城市，特别是经济实力较强、经济发达的城市，第二产业有了较快的增长，而第三产业仍然处于较低水平，在45%～50%徘徊。当然，由于我国城市管理体制和行政辖区范围不同，有的城市除了城市市区，几乎没有所辖市县；有的城市不仅有城区，还包含所辖市县，而且市县的数量和情况也不尽相同。

同时，许多城市产业发展中，流动人口，特别是外来农民工发挥着重要的作用，或者说，主要依靠流动人口和新增用地来实现城市经济的增长。

据我们的调查了解，有的城市不仅第二产业占绝对优势，而且在第二产业中仍以传统工业作为城市的支柱产业。这样不仅影响城市的竞争力，而且产生一系列的问题，如环境生态问题、土地利用问题等。下表（表7）可以粗略代表我国主权城市的产业结构现状及特点。

从上述2007年国内生产总值最高，也就是全国经济最发达的20个城市的GDP总量为93179.4亿

表7 2007年国内生产总值最高的20个城市的产业结构表

城市	GDP（亿元）	绝对值(亿元)			结构(%)		
		第一产业	第二产业	第三产业	第一产业	第二产业	第三产业
上海市	12001.16	101.84	5675.49	6223.83	0.85	47.29	51.86
北京市	9006.20	101.3	2479.3	6425.7	1.1	27.5	71.4
广州市	7050.78	161.09	2816.89	4072.80	2.29	39.95	57.76
深圳市	6765.41	6.23	3444.74	3314.44	0.1	50.9	49.0
苏州市	5700.85			1790	1.7	63.7	34.6
天津市	5018.28	102.86	2891.33	2024.09	2.1	57.6	40.3
重庆市	4111.82	531.65	1382.22	1747.95	12.9	44.6	42.5
杭州市	4103.89	167.57	2059.15	1877.17	4.1	50.2	45.7
无锡市	3858.00	55	2256	1547	1.4	58.48	40.1
青岛市	3786.52	203.59	1953.55	1629.38	5.4	51.6	43.0
佛山市	3588.50	80.40	2327.83	1180.27	2.2	64.9	32.9
宁波市	3433.08	153.6	1888.7	1390.8	4.1	45.8	50.1
成都市	3324.36	235.5	1504.0	1584.9	7.1	45.2	47.7
南京市	3275.00	86	1605	1584	2.6	49.0	48.4
东莞市	3151.01	12.28	1790.68	1348.04	0.4	56.8	42.8
武汉市	3141.50	129.15	1440.00	1572.35	4.1	45.8	50.1
大连市	3131.00	247.6	1536.5	1346.9	7.9	49.1	43.0
沈阳市	3073.93	166.5	1451.9	1455.5	5.4	47.2	47.4
烟台市	2878.97	239.03	1755.79	884.15	8.3	60.99	30.71
唐山市	2779.14	286.08	1595.55	897.15	10.29	57.41	32.28

元，占全国经济总量37.8%，20个城市第三产业总量为43896.42亿元，占全国的53.1%。20个城市的产业结构的高级化程度高于全国的水平，也高于所在的省区水平。但是总水平仍然偏低，第三产业的比重一般都在50%上下。有一半城市，即10个城市的第三产业比重在45%以下，其中4个城市低于40%。公认的经济最发达的，GDP排在全国第五位的苏州市，第三产业的比重不到35%，只有34.6%，而无锡市则刚刚达到40%。而上海市第三产业的比重也只达到51.86%。

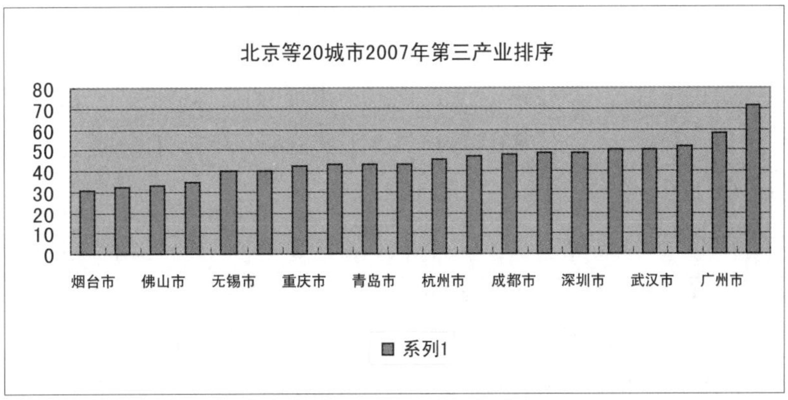

表8　世界部分城市国民生产总值构成比较

城市名称	统计年份	一产比重	二产比重	三产比重
纽约	1989	0	20．0	80．0
巴黎	1988	0．3	27．0	72．7
东京	1988	0．2	27．3	72．5
罗马	1981	4．0	23．0	73．0
首尔	1989	0．4	30．0	68．0
墨西哥城	1989	11．4	29．4	59．2

资料来源：朱庆芳等，《世界大城市社会指标比较》，北京，中国城市出版社，1997。

与世界上同类性质的城市进行比较，同样反映出我国城市产业结构的差别，或第三产业的落后（见表8）。

长三角是我国经济最发达的地区之一，是我国的经济增长极，对我国经济发展不仅起了推动和促进作用，而且发挥了示范作用。也可以说，长三角城市的经济发展和产业结构是全国城市经济发展和产业结构的缩影，从一个侧面反映了全国城市的产业结构情况。

表9　2007年长三角地区16城市产业结构情况

城市	第一产业增加值比重（%）	第二产业		第三产业	
		增加值比重（%）	比上年提高（百分点）	增加值比重（%）	比上年提高（百分点）
全 国	11.7	49.2	0.3	39.1	–0.3
长三角16城市	3.4	54.4	–0.5	42.2	0.9
上海	0.8	47.3	–1.2	51.9	1.3
江苏8城市	3.5	58.3	–0.7	38.2	1.1
南 京	2.6	49.0	0.0	48.4	0.4
苏 州	1.7	63.7	–1.7	34.6	1.9
无 锡	1.4	58.5	–1.2	40.1	1.3
浙江7城市	5.4	54.6	0.0	40.0	0.4
杭 州	4.1	50.2	–0.2	45.7	0.6
宁 波	4.5	55.0	–0.1	40.5	0.4

2007年长三角地区16城市实现地区生产总值46672亿元。从三次产业情况看，第一产业实现增加值1590.56亿元，比上年增加122.14亿元，第二产业实现增加值25368.87亿元，比上年增加3611.48亿元，第三产业实现增加值19712.69亿元，比上年增加3412.78亿元。三次产业结构由上年的3.7：55.0：41.3调整为3.4：54.4：42.2。其中第一产业比重下降了0.3个百分点，第二产业比重下降了0.6个百分点，第三产业比重上升了0.9个百分点。

与全国三次产业结构比例11.7：49.2：39.1比较，长三角地区第一产业比重低全国8.3个百分点，第二产业比重高全国5.2个百分点，第三产业比重高全国3.1个百分点。

其中，2007年江苏省三次产业结构从上年的7.2：56.5：36.3调整为6.7：55.9：37.4。 2007年浙江省三次产业结构从上年的5.9：53.9：40.2调整为5.5：54.1：40.4。

大量数据表明，长三角城市第三产业比重高于全国平均或全国许多城市，并不是第三产业得到了真正的发展，而是第一产业明显低于全国及许多省区的水平。因而使第三产业相对高于其他省区及城市。

1990–2006年北京市的产业结构从8.8：52.4：38.8变化为2006年的1.3：27.8：70.9。2008年北京市第三产业比重达73.2%，第三产业从业人员的比重已经达到70%。

第四节　我国产业结构存在的问题及改革发展方向

表10　2000–2007年全国产业结构的变化表

年度	三次产业的比重（%）			
	第一产业	第二产业	工业增加值	第三产业
2000年	14.8	45.9	39.3	40.3
2001年	14.2	45.1	40.7	39.7
2002年	13.5	44.8	41.7	39.4
2003年	12.6	45.9	41.5	40.5
2004年	13.1	46.2	40.7	40.8
2005年	12.6	47.5	39.9	42
2006年	11.8	48.7	43.2	39.5
2007年	11.7	49.2	43.5	39.1

图4　2000–2007年全国三次产业结构变化图

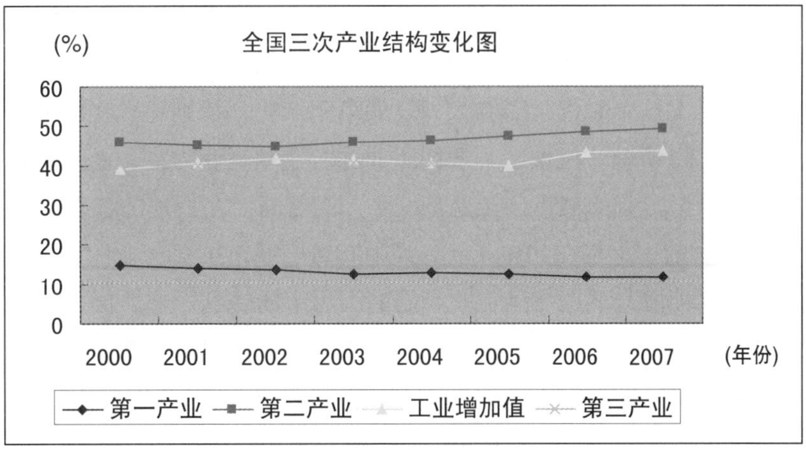

一、全国及城市产业结构存在的问题

（一）全国产业结构升级缓慢

虽然改革开放以来，随着整个国民经济的增长、社会生产力的发展和科学技术的进步，产业结构得到不断优化、升级和改善，各个产业、行业的内部结构也发生了很大的变化。但是，比之经济的快速、整体发展，比之科学技术的进步，产业结构的调整和优化是缓慢的，可以说不能同步和并行发展和改善。特别是进入20世纪90年代后，第二产业和第三产业比例之间的变化显得不尽如人意。表10和图4反映了进入21世纪以来，我国产业结构的变化。

从表10和图4明显地看出，进入21世纪，产业结构的调整和优化不仅十分缓慢，而且反复和徘徊。下降主要是第一产业，从2000年至2007年，第一产业从14.8%，下降到2007年的11.7%，下降了3.1个百分点，而且是逐步地稳步地下降。而第三产业从2000年至2007年，总的不仅没有提高，反而下降了1.2个百分点。其中2001年和2002年都是下降的，从2003 年开始出现了上升，2005年达到最高的水平，为42%，可是2006年开始又出现下降，2007年又回到20世纪的水平，是21世纪的最低点。我国正处于经济快速发展，高新技术和现代服务业兴起和发展的时期，同时，党中央和国务院贯彻实施大力促进第三产业发展的战略和措施。在这种情况下，第三产业得不到稳步的发展和提高，其比重时高时低，出现徘徊和反复，显然是不很正常的，也是违背市场经济发展规律的。

劳动力就业同样说明了第三产业增长缓慢的现象。第二产业容纳的劳动力所占的比例一直处于增加趋势，2007年上升到26.8%。从农村和农业转移出来的劳动力相当部门，至少有一半以上转移到第二产业，主要是工业部门。

产业结构不合理既是经济增长方式粗放的表现，也是造成粗放型增长方式的重要原因。在产业结构重型化的大背景下，高附加值、高技术含量和低污染物排放的现代制造业发展滞后，直接为生产服务的金融、保险、物流、法律、会计等现代服务业发展不足。部分行业生产管理水平低下，依托于市场的专业化水平不高，大而全、小而全的生产组织形式未根本改观，高物料消耗和低技术含量的生产工艺还大量存在，企业缺乏足够的节约动机和有效激励机制。

（二）城市工业结构比重过大

1.工业，特别是传统工业比重过大

虽然我国正处于工业化的中期发展阶段，以制造业为主的工业仍然占经济主导地位，也是经济发展的增长点，但是，在我国经济发达地区，工业的发展已经进入到一个新的时期，从整个社会来说，已经步入信息化带动工业化时代，走上中国特色新型工业化道路，许多新型产业和现代高新技术像雨后春笋般地涌现，在这个时代，需要大力发展第三产业，特别是现代服务业。可是我们的许多城市仍以工业，特别是以纺织、机械、一般加工业等产业和行业为主，而且仍然占城市产业的主要部分，一般都在50%以上，有的城市甚至达到60%，或更高。在上述的20个城市中，除了北京外，几乎所有城市第二产业的比重都在40%以上，其中有11个城市第二产业的比重在50%以下，第二产业比重达到65%。在这种情况下，一旦工业产品的国际市场受到影响，国内消费不足，或原材料涨价等因素，就会使城市经济出现问题，面临新的困难，从而使整个经济受到影响。2008年受世界金融风暴的袭击，使许多劳动密集的传统加工企业，特别是中小企业面临困境，甚至纷纷倒闭，工业失业，与城市以传统工业为主的发展方向和产业结构不无关系。

根据有关方面的资料，一些省区的城市群中，产业结构不合理、低级化和过渡性更为突出。下面是湖北省武汉城市群的产业结构的情况（见表11）：

在工业结构内部，重工业高于轻工业，传统工业高于高新技术产业。

众所周知，重工业的占地、耗能、耗材以及环境污染等都大于轻工业。

从三次产业对经济增长的贡献率来看，在消费结构升级的作用下，第二产业对经济增长的贡献

表11　2004年武汉城市群的产业结构　　单位：%

城市	第一产业	第二产业	第三产业
武汉	5	46	49
黄石	9	54	37
鄂州	13	52	35
孝感	23	42	35
黄冈	25	45	30
咸宁	22	47	31
仙桃	23	41	36
天门	25	45	30
潜江	15	52	33
合计	12	46	42

资料来源：根据《湖北统计年鉴2005》有关数据整理计算而得。

表12　武汉城市圈工业总产值（按轻、重工业分）（2004年）　　单位：亿元

城市	总计	轻工业	重工业
武汉	1679.46	377.97	1301.49
黄石	316.92	30.43	286.49
鄂州	147.40	22.07	125.33
孝感	194.27	83.90	110.37
黄冈	112.56	52.76	59.80
咸宁	109.07	47.96	61.10
仙桃	94.59	73.63	20.95
天门	39.59	20.21	19.37
潜江	118.36	28.48	89.88
合计	2812.22	737.41	2074.78

资料来源：根据《湖北统计年鉴2005》有关数据整理计算而得。

率仍将继续保持在较高水平上。

据统计，进入新世纪以来，第二产业对中国经济增长的贡献率不断上升，已经由2001年的46.7%上升到2005年的54.7%，其中工业的贡献率由42.1%增加到47.9%。第二产业的贡献率年均增加近2个百分点。而同期第三产业的贡献率则由2001年的48.3%下降到2005年的39.0%，年均下降近2.3个百分点。同时，各次产业对国内生产总值增长的拉动情况见表12。

从表13可以看到：国内生产总值增长的拉动主要是依赖于第二产业，特别是工业，工业是拉动经济的主要因素；第三产业对国内生产总值增长的拉动始终低于第二产业，一直没有超过第二产业；第三产业对国内生产总值增长的拉动，时高时低，是不稳定的。

2.城市产业结构的同构现象突出

我国幅员辽阔，地形复杂，人口众多，民族众多，经济发展水平不同，表现在产业结构上各

表13 三次产业对国内生产总值增长的拉动　　单位：%

年份	国内生产总值	第一产业	第二产业	工业	第三产业
1990	3.8	1.6	1.6	1.5	0.6
1991	9.2	0.6	5.8	5.3	2.8
1992	14.2	1.2	9.2	8.2	3.8
1993	14.0	1.1	9.2	8.3	3.7
1994	13.1	0.9	8.9	8.2	3.3
1995	10.9	1.0	7.0	6.4	2.9
1996	10.0	1.0	6.3	5.9	2.7
1997	9.3	0.6	5.6	5.4	3.1
1998	7.8	0.6	4.8	4.3	2.4
1999	7.6	0.4	4.4	4.2	2.8
2000	8.4	0.4	5.1	4.9	2.9
2001	8.3	0.4	3.9	3.5	4.0
2002	9.1	0.4	4.5	4.0	4.2
2003	10.0	0.3	5.9	5.2	3.8
2004	10.1	0.8	5.3	4.8	4.0
2005	10.4	0.6	5.6	4.9	4.2
2006	11.6	0.6	6.2	5.4	4.8
2007	13.0	0.4	7.1	6.4	5.5
2008	9.0	0.6	4.5	4.1	3.8

有特点，然而我国从地区到各个城市，产业结构类同。除了北京以外，几乎所有地区和城市其产业结构都是二、三、一，即第二产业，特别是工业占主导，其次是第三产业，最后是第一产业。而从工业内部来说，一般以传统的工业，特别是纺织、食品、机械、钢铁、冶金、化工等工业为主。城市之间的区别不是表现为第三产业的区别上，而是反映在第二产业的比例和布局上。如，煤矿城市、石油城市、钢铁城市、汽车城市等，城市之间的分工不是非常明显，因此，城市功能相同、结构相似，这样不利于城市的发展和竞争力的提高。出现明显的同构现象。

3.高新技术产业落后于时代的要求

近一二十年，科学技术飞速发展，知识经济的出现、信息的不断发展和网络的普及，形成和出现了许多以现代科学技术，特别是信息网络技术为支撑的新型产业，如，数字产业、现代创意产业、文化创意产业等。但是，综观我国城市，一些新兴产业只有在少数城市，主要是大城市和特大城市已经有了一定的发展，而大部分城市，特别是中小城市，基本上还处于一种观望阶段，并没有列入规划或进行一定的试验性发展。所以，在工业发展中，现代高新技术的比重仍比较低。

（三）第三产业发展迟缓

第三产业是第一、第二产业发展的必然趋势和客观要求，第三产业的发展不仅表明经济发展进入一个新的时期和阶段，而且是反映了居民生活水平的一个重要标志。所以，经济发达国家三次产业的比重，已经从二、三、一变成三、二、一，而且从经济总量到劳动力就业第三产业所占的比重达到了绝对的高度。许多国家和城市超过60%～70%。

可是，正如上说，我国第三产业的比重从进入21世纪以来，一直徘徊在40%上下。按照第十一个五年计划的规定，2010年现代服务业的增加值比重达到43.3%。现在看来，要达到这一目标，存在一定的难度。

同时，在第三产业中主要是传统的商业、餐饮业、旅游业、零售业等，而对于为生产、生活、休闲、娱乐服务的现代服务业却发展缓慢，如文化创意产业、动漫产业、咨询业、金融业等，都没有得到应有的发展，既不能满足生产和生活的需要，又不能容纳更多的劳动力和就业人员。

在经济发达国家中，现代经济的发展主要是依靠第三产业的，依靠第三产业拉动经济的发展，并作出贡献。而我国经济的发展仍以工业拉动为主。第三产业得不到应有的发展。

第三产业得不到应有的发展还表现为第三产业对国民经济增长的贡献率低。城市经济的增长主要是依靠第二产业的发展，而不是第三产业的发展，而第三产业又集中在房地产业和传统的服务业。

二、产业结构低级化产生一系列的问题和后果

产业结构低级化和滞后必然会出现一系列的问题，不仅不利于经济的稳定发展和经济发展质量的提高，而且必然会带来一系列的问题。

（一）经济效率低下

在现代社会再生产过程中，分工出效率。分工越来越细，专业化越来越强，各产业之间处于相互协调、相互制约和相互促进状态。只有协调配合才能提高经济效益，而我国城市仍偏重于第二产业，仍处于低水平的分工上，必然导致效率低下，造成劳动的极大浪费。许多劳动没有充分发挥其作用。市场上出现的某些产品供应不足，而有些产品严重积压；有些部门劳动力供应不足，而有些行业劳动力多余，都是由于产业结构不合理所致，也就是通常所说的结构性矛盾非常突出。

（二）环境污染突出

许多传统工业由于技术落后，工艺水平低，又不注重治理，因此产生大量污染，严重的污染空气和水源，工业废水毒化水源，使许多江河湖海遭到破坏性的污染。如，东部沿海地区的城市经常发生严重的突发性的污染事件，对整个地区的经济社会发展和居民生活造成巨大的损失和恶劣的影响。任何行业和企业都需要重视污染的防治。但是环境的整治和生态的保护，最重要的是产业结构的问题，形成和调整合理的、清洁的、生态的新型产业结构。一是降低产生污染或作为污染源的企业和行业，二是在行业和企业自身提高科学技术水平，进行清洁生产，降低污染源的排放。所以，中央提出减排节能，关键是产业结构。

（三）重复建设严重

工业生产虽然具有多种门类和品种，但是，传统的工业产品仍然是非常有限的，在产业结构的调整上缺乏创新精神的情况下，往往集中于一些传统的产品，因此造成大量重复建设和生产。产能过剩是当前我国经济发展，也是城市经济发展中的一个棘手问题，不仅使有限的市场处于饱和，而且加剧了相互竞争。削弱了城市和地区的经济竞争力。在现代社会中，提高城市和地区的经济竞争力最关键的是建立在科学分工基础上的合理的产业结构。

（四）资源利用浪费

任何的行业和产业要实现再生产都需要一定的资源。从一个国家、一个地区或一个城市来说，资源的合理利用最重要的是资源的合理配置。所谓合理配置就是资源在各产业间的合理分配。而最大的浪费也在于资源在产业间配置不当，进行无谓的生产。实践表明，在我国许多城市对土地资源、水资源、矿产资源、人才资源等，配置不当的情况非常突出，从而造成巨大的浪费。

中国经济结构的特点对城市化发展的影响，至少表现在两个突出的方面，一是从产业的角度来看，非农产业发展对非农就业的拉力不足，从而对城市化发展的拉动弹性过低，我们可以称之为产业结构偏差；二是非农产业在农村地区的分散发展，限制了供给和需求在地理空间上的聚集过程，从而造成城市化发展的动力不足，我们可以称之为非农经济发展的区域性偏差。

三、深化改革，进一步转变经济发展方式和调整产业结构方向

转变经济发展方式和调整优化产业结构是我国国民经济发展所面临的战略性问题，需要在科学发展观的指导下，全国各个地区、各个领域和各个部门贯彻执行中央的大政方针和战略决策，经过长期的努力和奋斗，才能实现经济方式的转变和产业结构的调整优化。城市经济是国家经济的前进方向、核心领域和中坚力量，所以城市处于领先的地位和发挥引领和创新的作用。

（一）独立自主创新发展新兴产业

城市处于国际交往和科技交流的前沿，同时城市又集中了科学技术和文化发展的中心，为新兴产业的创立和发展提供了坚实的基础。所以，城市，特别是特大城市和中心城市就要利用这些有利的基础和条件，来建立创新新兴产业。北京市在近几年之所以能较快地发展第三产业，开创文化创意产业等一系列新兴产业，就是较好地利用科学技术、文化发展和群众创造性等有利的基础和条件，让科学技术和文化发展转化为生产力，转化为实体产业，转化为社会财富，并服务于城市居民。

（二）解放思想，大胆创新，改革体制

从传统的经济发展方式转变为新型的经济发展方式是一次经济领域，特别是生产领域的革命，不仅涉及社会再生产的各个环节，如生产环节、分配环节、流通环节和消费环节，而且关系到人们的思想意识和理念，因此必须在科学发展观的指导下，解放思想树立新的现代科学技术与新兴生产力相适应的理念，破除和改革束缚人们思想和创新的制度和政策。使新兴产业得到理论、政策、资金、人才、资源（如土地等）的支持和扶植。使新兴产业从无到有，从小到大。大量事实证明，一个产业的创立和发展，都是存在一个过程，如果一开始得不到社会的认可和政府的支持，往往会被扼杀在萌芽状态之中。

（三）实事求是，因地制宜，逐步发展

城市的规模、区位、资源、人口、历史、现状各不相同，可以形成不同的产业结构。同时社会的需求是多元化的。所以，各个城市立足于实际，以原有的发展历史为基础，从满足需要出发，特别是满足市场需求，形成和决定自己的产业构成。也就是说，各城市的产业结构要因地制宜、因城制宜。不同的城市需要有不同的特点，而且产业结构本身反映了城市的特点和发展前景。例如，浙江义乌市的产业结构突出了流动产业，贸易产业，所以，义乌市的特点就是小商品市场。大城市如此，小城市更是如此。

如果一个城市脱离了自己的实际，忽视了本身的特点，无视现实的资源，盲目地模仿别的城市的产业结构，或追求时尚，往往得不到预期的效果，恰恰是浪费了资源，浪费了时间，浪费了财力和人力。许多城市在这方面的经验和教训是值得记取的。

产业的建立和发展，特别是新兴产业的开拓需要时间，其发展是逐步的，产业链的延伸是不断的，产品的开发是逐步深化的，新创价值是不断扩大的，所以，既不能一蹴而就，也不能一步到位。

（四）坚持以人为本，有利于扩大就业

在城市的发展过程中，包括经济增长方式的转变和产业结构的调整优化过程中，以人为本是城市发展的灵魂。城市的发展的一切都是为了市民，而就业是城市居民的核心问题，也是最关心的问题。没有就业就没有居民的利益。所以，城市经济方式的转变和产业结构调整要有利于扩大城市的就业，解决城市居民的就业问题。为此需要实现产业的多元化，不仅要发展劳动效率特高的、高度自动化、现代化的现代工业，而且要发展劳动密集，又符合市场需要的工艺产品。第三产业之所以需要不断地提高和扩大，其原因之一就是它可以吸收大量的劳动力，有利于解决城市居民的就业问题。

（五）发展中小企业，支持中小企业转业

中小企业是城市企业的主流之一，它不仅数量多，行业覆盖面广，就业面宽，经营灵活，而且占城市经济的半壁江山，所以中小企业对城市的产业结构的调整和优化具有重要的作用。发展中小企业需要充分利用中小企业经营灵活，“船小好调头”的优势，更好地满足市场的需要。同时，城市第三产业的特点和发展需要中小企业的支持。德国经济发展的成功经验之一就是大力支持中小企业的发展。

参考文献

[1]国家统计局国民经济综合统计司编.《中国区域经济统计年鉴》. 中国统计出版社, 2007年1月

[2]国家统计局编：2005-2009年《中国统计摘要》，中国统计出版社, 2005-2009年

[3]中国市长协会《中国城市发展报告2006、2007、2008、2009》，中国城市出版社, 2006-2009年出版

[4]长江三角洲城市年鉴编辑委员会：《长江三角洲城市年鉴》，中国工商出版社, 2007年11月出版

[5]叶裕民主编：《中国城市化与可持续发展》，科学出版社, 2007年2月出版

[6]魏后凯等著：《中国产业集聚与集群发展战略》，经济管理出版社, 2008年8月出版

[7]中国科学院中国现代化研究中心编：《全球化与现代化　全球背景下中国现代化的战略选择》，科学出版社, 2009年出版

[8]国家统计局编：《2009 中国发展报告》，中国统计出版社, 2009年7月出版

[9]国家统计局网站http://www.stats.gov.cn

[10]中国政府网 http://www.gov.cn

新中国成立60年城市经济的体制和政府职能变化

中国社会科学院学部委员、中国城市经济学会副会长　张卓元

60年来，我国城市经济体制和政府管理经济的职能，随着经济的发展而变化。前30年在社会主义经济制度确立后，主要是探索如何改进传统的计划经济体制和与之相适应的政府职能。1979年以后，对传统的经济体制进行了重大的改革，逐步建立和完善社会主义市场经济体制，与此相适应，政府也逐步转型，从全能型、经济建设型转变为公共服务型。实践表明，经济体制的改进特别是1979年以后的经济体制改革，有力地推动了中国经济的发展；同样，政府职能的改进特别是向适应社会主义市场经济方向转型，也能很好地促进国民经济的健康运行和平稳增长。

第一节　前30年城市经济体制的发展变化

中国城市经济体制的发展变化，总体上反映着整个国家经济体制的发展变化。新中国成立前夕，1949年3月5日，毛泽东在党的七届二中全会上提出，“从现在起，开始了由乡村到城市并由城市领导乡村的时期。党的工作重心由乡村移到了城市。……党和军队的工作重心必须放在城市。”随着工作重心的转移，城市越来越成为社会的政治中心、经济中心、文化中心。

新中国成立之初，我国的主要经济成分包括：没收官僚资本形成的社会主义性质的国有经济；容许存在和发展一切不是于国民经济有害而是于国民经济有利的城乡资本主义成分；占国民经济总产值90%的分散的个体的农业和手工业经济。1949-1952年，为国民经济恢复时期，党和政府致力于推进土地制度改革，稳定物价与统一财经工作，医治连年战争对国民经济的破坏和创伤，恢复正常的经济活动与秩序。经过三年多的努力，到1952年，财政经济状况根本好转，国民经济全面恢复。工业总产值1952年比1949年增长144.9%，主要工业品产量除化肥外都已超过解放前最高产量。农业总产值1952年比1949年增长48.5%，主要农产品粮食、棉花、糖料、大牲畜和猪的年底头数都已超过解放前最高产量。1952年，国家财政收支平衡，并有结余，财政支出中用于建设支出已增加到占50%以上①。

在国民经济恢复时期，我国在有些方面如基本建设、工业和地区如东北地区已经逐步实行计划管理。从1953年起，实行五年计划，第一个五年计划时期为1953-1957年，逐步走上计划经济。“一五”期间，对个体农业、手工业和私人资本主义工商业进行大规模的社会主义改造，个体农业和手工业走合作化道路，到1956年年底，参加高级农业生产合作社的农户已占总农户的87.8%；到1957年年底，全国高级社总数达到75.3万个，入社农户共计11945万户，占农户总数96%以上。在农

① 以上资料见苏星：《新中国经济史》，中共中央党校出版社2007年版，第137-139页。

业合作化带动下，手工业合作化进展迅速。到1956年，手工业合作社社数达74000个，社员占手工业从业人员总数的73.6%，产值占手工业总产值的86.2%。对私人资本主义工商业的社会主义改造则是主要通过公私合营的形式、采取赎买的办法进行。到1956年底，占私营工业总产值99.6%的企业已经完成了所有制的改造，主要形式是公私合营；占私人商业资本额93.3%的商店也完成了所有制改造，其中公私合营部分占资本总额的71.5%。这样，1956年，我国社会主义改造已基本完成，社会主义基本制度已确立起来了。

随着社会主义基本制度的确立，社会主义计划经济体制也在全国范围内建立起来。在当时的国内外条件下，中国建立计划经济体制是一种必然的选择，企求在那个时候建立今天的社会主义市场经济体制是不现实的，也是不可想象的。社会主义计划经济建立后，一方面在一段时间内的确发挥了一定的积极作用，比如在第一个五年计划期间集中力量建设156个项目，建立工业化的初步基础。另一方面，高度集中的、以行政管理为主并主要靠指令性计划安排产、供、销和排斥市场机制的体制，束缚了广大生产经营单位和劳动群众的积极性和主动性，致使整个经济活力不强。

对传统计划经济体制的弊端，党和国家领导人以及经济学家也有察觉，并试图作某些改造。比如，1956年，毛泽东的《论十大关系》，就试图探索适合中国国情的社会主义建设道路。1956年，在中共八大会上，陈云提出了利用市场调节作为国家计划补充的意见。1964年，还借鉴西方发达国家管理企业的组织形式，在工业、交通部门试办托拉斯，共成立了12个托拉斯，其中烟草公司和医药公司具有全行业的性质。一些经济学家也对传统计划经济体制的弊端提出尖锐的批评，如1956年孙冶方提出要把计划和统计建立在价值规律的基础上，1957年顾准提出让价值规律自动调节企业生产和流通等。但是，总的来说，在实际工作中采取的措施都没有突破计划经济的框框，还是在计划经济体制下放权、收权上兜圈子。孙冶方等经济学家的观点比较尖锐，但那时尚未成为主流观点，更难于为领导人接受，相反，在阶级斗争为纲环境下，他们反而受到残酷的政治迫害，“文革”期间更把孙冶方作为“中国经济学界最大的修正主义分子”投进监牢达7年之久。

总之，在新中国成立头30年，在社会主义基本制度确立后逐步形成的计划经济体制，虽在其运行中试图做一些改进，但未走出“一放就乱，一统就死”的怪圈，传统的计划经济体制没有发生重大变化。

第二节　前30年政府管理经济职能变迁

传统的社会主义计划经济体制是高度集中的以行政管理为主的体制，政府管理经济的职能极其强化，政府不仅是经济活动的主角，而且集决策、执行、监督于一身。所以，在社会主义改造基本完成以后，从20世纪50年代中期开始，随着计划经济体制的建立，政府愈来愈全面直接介入经济生活的各个领域，成为整个国民经济的支配力量。

中国是一个大国，政府管理经济要处理中央和地方的关系，还要处理政府同企业与职工的关系。毛泽东在《论十大关系》中，专门讲了中央和地方的关系，国家、生产单位和生产者个人的关系，提出“应当在巩固中央统一领导的前提下，扩大一点地方的权力，给地方更多的独立性，让地方办更多的事情。”“不能只顾一头，必须兼顾国家、集体和个人三个方面，也就是我们过去常说的‘军民兼顾’、‘公私兼顾’。”实际上在改革开放前，更多的是在中央和地方之间放权和收权，政府和企业的关系没有多少实质性变化，所以人们常说在国民经济中占统治地位的国有企业只是政府部门的附属物和算盘珠。

根据毛泽东《论十大关系》讲话精神，1957年9月，党的八届三中全会基本上通过了《关于改进工业管理体制的规定（草案）》、《关于改进财政体制和划分中央和地方对财政管理权限的规定（草案）》和《关于改进商业管理体制的规定（草案）》。同年11月14日，一届人大常委会第84次会议原则批准了这三个规定，自1958年起施行。如《关于改进工业管理体制的规定》提出：适当扩大省、自治区、直辖市管理工作的权限。包括：调整现有企业的隶属关系，把由中央直接管理的一部分企业，下放给省、自治区、直辖市领导，作为地方企业。一切仍归中央各部管辖的企业，都实行以中央各部门为主的中央和地方的双重领导，加强地方对中央各部所属企业的领导和监督。增加各省、自治区、直辖市人民委员会在物资分配方面的权限。原来属于中央各部管理现在下放给地方管理的企业，全部利润的20%归地方所得、80%归中央所得。在人事管理方面，增加地方的管理权限等。这些可以说是初步的有益的探索。可惜的是，这些设想绝大部分被1958年的“大跃进”冲毁了。

以后，在五年调整期间（1961-1965年），1964年9月，中央又决定把19个非工业部门（即农业、林业、水利、文教卫生、交通运输、商业等）属于地方管理的基本建设投资，划给一笔资金，由地方统筹安排。拨给地方的基建投资，在1964年、1965年两年都占预算内投资的20%以上。

“文革”期间，1970年，在批判所谓“条条专政”的情况下，又开始大规模下放中央企事业单位。至9月底，中央工交9个部已下放2237个企事业单位，占总数的73%。这次下放，把鞍钢、大庆油田、长春汽车制造厂、开滦煤矿等都下放了，一机部连一个直属企业都没有了。1965年，中央各部直属企业产值占全国工业总产值的比重为42%，1976年，已下降到6%。商业部门也再次实行政企合一，撤销了全国和省两级公司，商业部直属企业全部下放。这次由于下放过多、过猛、过急，也带来不少问题，突出的是地方自成体系、自给自足倾向发展，盲目建设和重复建设严重，造成浪费。

由此可见，新中国成立头30年，在政府管理经济工作中，主要是在中央和地方之间放权、收权上做文章，而且一直没有得到很好处理。值得一提的是，早在1961年，我国著名经济学家孙冶方在一份研究报告中，已经提出新的不同的思路。他说：“财经管理体制的中心问题是作为独立核算单位的企业的权力、责任和它们同国家的关系问题，也即是企业的经营管理权问题。至于体制中的其他问题，如中央与地方的关系、条条与块块的关系等，在企业的职权问题解决以后，是容易解决的。”①改革开放以后我国经济体制改革实践证明，孙冶方的上述主张是对的，可惜他的主张那时未被采纳和考虑。

第三节 改革开放后城市经济体制改革

中国1979年开始的经济体制改革，首先是从农村开始的，农村实行家庭联产承包责任制，确认农民作为独立的商品生产者的地位，大大解放了农村生产力，农业生产迅速发展。与此同时，城

① 以上资料见苏星：《新中国经济史》，中共中央党校出版社2007年版，第137-139页。

市国有企业也实行扩大自主权试点，并逐步放开市场与价格，国民经济逐渐活跃起来，使改革一开始就给老百姓带来实惠，得到老百姓的衷心拥护。从1984年10月中共十二届三中全会起，中央开始扩大改革范围并将改革的重心由农村转入城市。1984年10月10日，邓小平在会见联邦德国总理科尔时说道："过几天我们要开十二届三中全会，这将是很有特色的全会。前一次三中全会重点在农村改革，这一次三中全会则要转到城市改革，包括工业、商业和其他行业的改革，可以说是全面的改革。"[①]随后党的十二届三中全会通过的《中共中央关于经济体制改革的决定》作出了重大决策，确认社会主义经济是"公有制基础上的有计划的商品经济"，要求"加快以城市为重点的整个经济体制改革的步伐"。

城市经济体制改革可分为以下几个阶段。

一、1979–1992年市场取向改革探索和逐步展开阶段

（一）在企业改革方面，主要是放权让利、探索两权分离

1978年10月，四川省宁江机床厂等6个企业进行了扩大企业自主权的试点，确定企业在增收基础上，可以提取一些利润留成，职工可以得到一定的奖金。允许国有企业从事国家指令性计划之外的生产，允许出口企业保留部分外汇收入自主支配。1983年开始，向政府上缴利润由利润所得税替代。1984年10月，党的十二届三中全会作出了关于经济体制改革的决定，确认社会主义经济是有计划的商品经济。按照发展社会主义有计划商品经济的要求，国有企业改革的目标是：要使企业真正成为相对独立的经济实体，成为自主经营、自负盈亏的社会主义商品生产者和经营者，具有自我改造和自我发展能力，成为具有一定权利和义务的法人。按照这一目标，国有企业改革转向实行"两权分离"，即国家的所有权与企业的经营权分离。1986年12月，国务院提出，要推进多种形式的经营承包责任制，给经营者以充分的经营自主权。1987年，大中型企业普遍推行企业承包经营责任制。到1987年底，全国预算内企业的承包面达78%，大中型企业达80%。1990年，第一轮承包到期的预算内企业有3.3万多户，占承包企业总数的90%。接着又开始第二轮承包。

从扩大经营自主权到承包制的放权让利改革，使企业开始有一定的活力。但是，承包制也有重大缺陷，承包制"一对一"谈判强化了政企不分，只有激励没有约束，所有权和经营权分离了，但所有者缺位，所有权不能约束经营权。经营者滥用经营自主权谋取私利或小集体利益，普遍出现"内部人控制"，短期行为，以致不少企业承包一轮，国有资产流失一轮，富了和尚穷了庙，后果严重。实践告诉我们，国有企业改革不能以承包制为方向，必须另找出路，实行制度创新。

（二）在推进国有企业改革的同时，发展个体、私营等非公有制经济

改革开放后，由于认识到中国仍处于社会主义初级阶段，必须允许个体、私营等非公有制经济发展，以便调动一切积极因素发展社会生产力。同时这也是扩大就业的重要举措。因此，从1980年开始，中央和国务院出台了一系列政策，鼓励、支持和引导个体私营等非公有制经济发展。截至1992年，个体经济已从1978年的14万户、从业人员15万人发展到1533.9万户、从业人员2467.6万人，注册资金600.9亿元，营业额2238.9亿元；私营经济则从零开始，也发展到13.9万户，从业人员232万人，注册资金221.2亿元，营业额113.6亿元。

① 中共中央文献研究室：《新时期经济体制改革重要文献选编》（上），中央文献出版社1998年版。

（三）放开市场，放开价格

改革开放后，城市经济运行的重大改革是放开市场放开价格。全国许多城市从20世纪80年代初就逐步放开一些商品价格。广州市是在20世纪70年代末80年代初最早放开蔬菜、水果、水产品、猪肉等价格的，结果是“放到哪里活到哪里”。放开价格之初，价格有点上涨。但不久由于供应充足很快价格就平抑下来、稳定下来，老百姓拍手称快。放开价格带来的最大变化是取消凭票供应。广州市20世纪六七十年代票证最多时达118种，随着商品价格一样一样地放开，市场供应增加，票证一个一个被取消。1982年还有48种票证，1988年只剩粮票、糖票两种。不久连这两种也取消了[①]。

全国各个城市差不多都在几年的时间走了广州市走的放开价格的路子。1985年开始，国家放开了除国家订购的粮、棉、油、糖等少数品种外的绝大部分农副产品的购销价格。工业消费品价格也逐步放开。1985年放开了缝纫机、收音机、手表等价格，1986年放开了自行车、电冰箱、洗衣机等七种耐用消费品价格，1988年放开了13种名烟名酒价格。在这之前，1982年9月和1983年8月先后放开了160种和350种小商品价格。1992年，随着宏观经济环境改善，政府进一步放开大批商品价格，中央政府管理的商品价格目录大大减少。其中，重工业生产资料和交通运输价格由原来的737种减为89种，农产品价格由原来的40种减少为10种，轻工商品由41种减少为9种。从此，中国的市场价格体制初步形成了[②]。

中国价格改革过程中，20世纪80年代中后期实行工业生产资料价格双轨制并于90年代初并为市场单轨制的实践，是渐进式市场取向改革的生动范例。中国同种工业生产资料在同一时间、地点上存在计划内价格和计划外价格，是1984年开始出现的，1985年后遍及所有产品。据1988年统计，在重工业品出厂价格中，按国家定价销售的比重，采掘工业产品为95.1%，原材料产品为74.6%，加工工业产品为41.4%，其余为计划外价格即市场价销售部分。工业生产资料价格双轨制，是在短缺经济环境下，双重经济体制特别是双重经济运行体制并存的集中表现，是双重生产体制和物资流通体制的集中表现。

双轨制价格能刺激紧缺物资的增产，鼓励超计划的生产，满足计划照顾不到的非国有经济包括乡镇工业企业的原材料等的需要，有助于调剂余缺、调节流通，还有助于了解正常的比价关系等。这是实行双轨价的有利的一面。与此同时，双轨价又常常在利益驱动下影响供货合同的履行，助长投机倒卖、营私舞弊等，这是它的弊端的一面。经验表明，如果双轨价差不那么大，市场价格高出计划价格一倍以内，双轨价的积极作用可以发挥得好一些；而如果价差很大，超出一倍，其消极作用就很突出。20世纪80年代中期，实行双轨价初期，价差不很大，如1985年年底、1986年初估计，价差在一倍左右，属正常范围。但此后在需求过旺推动下，市场价格往往比计划价格高出一倍多，甚至二三倍，造成市场秩序混乱，倒卖生产资料活动猖獗，要求取消双轨制价格呼声很高。1990-1991年，由于宏观经济环境改善，供求关系趋于缓和，双轨价差缩小至一倍以内甚至50%以内。党和政府抓住有利时机，对双轨价进行并轨，主要并为市场单轨价。这说明，工业生产资料价格双轨制及其向市场单轨制过渡，是中国渐进式市场取向改革的又一成功实践。

二、1992-2002年，初步建立社会主义市场经济体制阶段

1992年，党的十四大在邓小平年初南方讲话精神鼓舞下，确定社会主义市场经济体制是中国经

① 广州放开农产品价格——中国价格改革由此开端，粤港信息日报，1988年7月5日。

② 马凯，中国价格改革20年的历史进程和基本经验．价格理论与实践，1999年第1期。

济改革的目标模式，从此，城市市场化改革迅速全面展开，并于20世纪末21世纪初初步建立起社会主义市场经济体制。

（一）从战略上调整国有经济的布局和结构，对国有大中型企业进行公司制股份制改革

1993年，党的十四届三中全会决定明确国有企业改革的方向是建立产权清晰、权责明确、政企分开、管理科学的现代企业制度即现代公司制。1997年，党的十五大进一步提出从战略上调整国有经济的布局和结构，实行“抓大放小”以及对国有大中型企业进行公司制股份制改造的任务。在此指导下，国有企业市场化改革深入推进。1998年，全国国有工商企业为23.8万户，销售收入64685亿元，净资产50371亿元。到2002年，国有工商企业总户数降为15.9万户，但销售收入增加到85326亿元，净资产增加到66543亿元。国有大中型企业公司制股份制改革快步推进，其中作为国有企业主干的中央企业的子企业的股份制改造面2002年已达30.2%。

（二）个体、私营等非公有制经济进一步快速发展

1997年，党的十五大确立以公有制为主体、多种所有制经济共同发展为社会主义初级阶段的基本经济制度，确认个体、私营等非公有制经济为社会主义市场经济的重要组成部分。这样，非公有制经济得到进一步的迅速发展。到2002年，个体经济已达2377万户，从业人员4743万人，分别比1992年增加55%和92%；私营经济已达243万户，从业人员3409万人，分别比1992年增加16.5倍和13.7倍。

（三）初步建立了统一开放竞争有序的市场体系

由于工业生产资料和消费品价格已基本放开，市场关系迅速扩展，生产资料市场消费品市场日益发达，资本、劳动力、技术等生产要素市场也逐步建立。特别需要指出，中国市场化改革经过近20年努力后中国经济出现了“奇迹”，突出的标志是，从1997年起，中国告别了困扰全国人民几十年的短缺经济，市场一片繁荣，人民生活水平大幅度提高，开始形成大家梦寐以求的供大于求的买方市场格局。还要特别提出，2001年11月，中国加入世贸组织，使中国对外开放进入一个崭新的阶段。

（四）主要运用经济手段以间接管理为主的宏观经济管理体系初步形成

向社会主义市场经济体制转型，意味着国家不能再主要用行政手段调控宏观经济的运行，而转为主要采取经济手段、运用财政政策和货币政策，对宏观经济进行间接管理。我国1988年和1993年治理通货膨胀，恢复宏观经济的稳定，就是主要通过从紧的财政政策和货币政策（如大幅度提高利率）同时采取必要的行政手段（如一度冻结个别必要消费品价格）实现的。1998年治理通货紧缩，则采取扩张性的财政政策、增加发行长期建设国债刺激需求等逐步实现的。

（五）实行按劳分配为主、多种分配方式并存的收入分配制度①

早在20世纪80年代末，我国就有经济学家提出了按劳分配与按生产要素分配结合的观点。

当时有一些经济学家不赞成他们的观点，展开过相当热烈的讨论。但不久，随着社会主义市场经济体制改革目标模式的确立，按生产要素分配逐步被党的文件确认。1997年，党的十五大报告提出：“坚持按劳分配为主体、多种分配方式并存的制度。把按劳分配和按生产要素分配结合起来，坚持效率优先、兼顾公平。”2002年，党的十六大报告提出：“确立劳动、资本、技术和管理等生

① 见谷书堂、蔡继明：《按贡献分配是社会主义初级阶段的分配原则》，中共中央宣传部主编：《理论纵横》（上篇），河北人民出版社1988年版；同时发表在《经济学家》1989年第2期。

产要素按贡献参与分配的原则，完善按劳分配为主体、多种分配方式并存的分配制度。”这样，新的收入分配制度逐步建立起来。

（六）着手建立与社会主义市场经济相适应的社会保障制度

1993年，党的十四届三中全会提出，要建立多层次的社会保障制度，为城乡居民提供同我国国情相适应的社会保障，促进经济发展和社会稳定。特别提出，城镇职工养老和医疗保险由单位和个人共同负担，实行社会统筹和个人账户相结合。此后，据此原则，各地着手建立养老、医疗、失业和最低生活等保障制度。

三、2002年以后完善社会主义市场经济体制阶段

2002年，党的十六大提出，21世纪头20年的主要任务是全面建设小康社会，并要求到2020年建成完善的社会主义市场经济体制。2003年，党的十六届三中全会作出了《关于完善社会主义市场经济体制若干问题的决定》，我国新体制进入以完善为主题的阶段。这方面主要的进展是：

（一）建立和完善国有资产管理体制

2002年，党的十六大明确了国有资产管理体制改革的原则，也就是要建立由中央政府和地方政府分别代表国家履行出资人职责，享有所有者权益，权利、义务和责任相统一，管资产和管人、管事相结合的体制。此后，国有资产监管逐步纳入规范轨道，国有企业出资人逐步到位。表1说明2002年以来全国国有工商企业国有资产发展情况。

表1

国有及国有控股的非金融类企业总资产和净资产（亿元）

年份	资产总额	净资产	中央企业总资产	中央企业净资产
2002	180219	66543		
2003	199971	70991	83280	36000
2004	215602	76763		
2005	242560	87387		
2006	290000	122000	122000	53900
2007	355000		148000	
2008			177000	

2002年以后，国有资产管理体制改革加快并取得显著成效。首先是组建机构，继国务院国资委于2003年成立后，到2004年6月，全国31个省（区、市）和新疆生产建设兵团国资委全部成立，目前地（市）级国有资产监管机构组建工作基本完成。这意味着三级政府国有资产监管机构逐步组建完成，“政企分开”和“三统一、三结合”的管理模式初步形成。与此同时，制定了《企业国有资产监督管理暂行条例》和与此相配套的规章。《中华人民共和国企业国有资产法》已于2008年全国人大常务委员会通过，自2009年5月1日起施行。与此同时，国有资本经营预算制度开始建立，中央企业2007年起区别不同行业分类上交5%和10%的利润或暂时不上缴利润。

国有企业改革继续深化。中央企业经过重组已从2003年的196家重组为目前的136家，中央企业下属子公司改制面已从2002年的30.4%上升到70%，已有24家中央企业开展建立规范董事会试点工

作。一批垄断行业开始引入竞争机制的改革。

（二）非公有制经济进一步发展

进入21世纪后，非公有制经济进一步发展。到2009年6月底，全国实有私营企业692.35万户，注册资本12.81万亿元，从业人员8212万人；实有个体工商户3063.63万户，资金数额9851.3亿元，从业人员6099.6万人。①党的十七大提出，要形成各种所有制经济平等竞争相互促进新格局。目前非公有制经济发展中，仍然存在市场准入难、融资难、税费负担重等问题，党和政府正在采取措施，有针对性地解决上述问题，以促进非公有制经济的健康发展。

（三）资本市场股权分置改革和国有大型商业银行上市

股权分置改革对象主要是国有控股上市公司。到2006年年底，全国除国有金融机构控股的上市公司外，801家国有控股上市公司已有785家完成或启动股改程序，占98%，标志着股权分置改革基本完成。这是完善中国资本市场的一个重大步骤。进入21世纪以后，中国工商银行、建设银行、中国银行、中国农业银行等国有大型商业银行经过剥离不良资产、注资本金、引进战略投资者等陆续整体上市，使中国的银行体系比较健全。这就使中国能够较好地抵御2008年爆发的国际金融危机。

（四）社会保障体系迈出大的步伐

党的十七大报告提出到2020年，“覆盖城乡居民的社会保障体系基本建立，人人享有基本生活保障。”“努力使全体人民学有所教、劳有所得、病有所医、老有所养、住有所居，推动建设和谐社会。”这两年，社会保障体系建设大步推进。截至2009年6月，我国城镇基本养老保险参保人数达到2.24亿人，基本医疗保险参保人数达到3.37亿人，失业保险参保人数达到1.23亿人，工伤保险参保人数达到1.4亿人，生育保险参保人数达到0.98亿人，成为世界上参保人数最多的国家。与此同时，农村社会保障也有大的进展。农村最低生活保障享有人数达到4291万人；新型农村合作医疗保险参合农民达到8.14亿人，参合率达91.5%；②目前还在启动农民养老保险工作等。

第四节　改革开放后政府职能转换

计划经济体制转向社会主义市场经济体制后，政府的职能随之相应转变，从全能型经济建设型政府逐步向有限政府服务型政府转变，政府的职能定位为经济调节、市场监管、社会管理和公共服务，实行政企分开、政资分开、政事分开、政府与市场中介组织分开，政府依法行政。作为政府经济支柱的财政，也从经济建设型财政向公共财政转型，要求逐步实现基本公共服务均等化。在上述原则方针指导下，政府职能转换首先表现为从1982年起进行了六次政府机构改革。

1982年的政府机构改革，主要内容是撤并机构、裁减人员，以解决干部副职过多和干部老化问题。同时，注意到了经济体制改革的进一步发展可能对政府机构设置提出的新要求，较大幅度地撤并了经济管理部门，并将其中一些条件成熟的单位改为经济组织。这次共裁掉了39个部门，从原来100个部门缩减为61个部门。

1988年政府机构改革，企求建立一个符合现代化管理要求的、具有中国特色的功能齐全、结构合理、运转协调、灵活高效的行政管理体系，还提出要转变政府职能，实行政企分开。这次改革，

① 见《人民日报》2009年8月3日。
② 参见《光明日报》2009年9月3日。

从全能型政府走了出来，增强了政府调控宏观经济的能力。

1993年的政府机构改革以适应社会主义市场经济发展要求为目标，仍然以转变政府职能为核心，继续推进政企分开。这次改革，从计划经济的政府走了出来，增强政府适应社会主义市场经济的能力。

1998年的政府机构改革，继续推进政府职能转换，优化政府组织机构，大规模调整和减少专业经济部门，适当调整社会服务部门，加强执法监管部门，发展社会中介组织。这次改革，把国务院40个组成部门，一下子拿掉11个，保留29个，把绝大多数直接管理工业的部门都撤销了。

2003年政府改革的一个特点，是按照十六大要求，实行政资分开，成立国务院国资委作为特设机构，代表中央政府履行出资人职责。同时，成立国家发展与改革委员会，撤销原体改办。这项改革至今有不同看法，认为实际上削弱了对改革的领导。成立银监会，组建商务部，加强食品安全和安全生产监管体制建设等。

2008年政府改革的特点则是探索实行大部门体制。这次改革，主要围绕转变职能，合理配置宏观调控部门职能，调整和完善行业管理机构，加强社会管理和公共服务部门，探索实行职能有机统一的大部门体制，如将有关交通运输（铁路除外）部门合并为交通运输部，将原人事部、劳动和社会保障部合并为人力资源和社会保障部，成立环境保护部、工业和信息化部、国家能源局等。

在上述政府机构改革的同时，从2002年起，浙江、湖北、河南、广东等省开始了强县扩权改革，并多从财政入手，探索和扩大省直管县改革。

在政府转变职能的同时，与政府行为最为密切的财政体制进行了重大改革。一是1994年的分税制改革，将维护国家权益、实施宏观调控所必需的税种划分为中央税；将与地方经济社会发展关系密切、适宜地方征管的税种划为地方税；将涉及经济社会发展全局的主要税种（如增值税）划分为中央与地方分享税（增值税中央得75%,地方得25%）。实行分享税制以后，我国财力不断增强，全国财政收入从1993年的4348.95亿元增加到2008年的61316.9亿元，年均名义增长率近20%。从1993年至2008年，中央财政收入占全国财政收入比重，从22%上升到53.3%。二是进入21世纪以后，随着公共服务型政府建设，财政也向公共财政转型。财政支出主要用于公共产品和服务，大幅度提高用于改善民生的各项投入，如教育投入、环保投入、社会保障投入、节能投入、廉租房建设投入、公共医疗卫生投入、就业培训投入等。同时，以实现基本公共服务均等化为取向，进一步完善政府间转移支付制度。

同政府职能转变紧密相关的，还有投资体制改革，特别是审批制度改革。投资体制改革的原则是谁投资，谁受益、谁承担风险。审批制度改革则是减少审批、依法审批、透明审批。这方面改革已取得很大进展。也要看到，发展并不平衡。比如，2009年年初，河北省还暴露出办理一个房地产项目手续要一年多甚至两三年时间，盖166个公章，涉及54项收费。后经清理，河北省政府2009年初作出决定：对147项行政审批、备案办理事项，取消119项；166枚审批公章，取消139项；54个收费项目，停收、取消23项，放开由市场调节9项；审批流程缩短为18天。[①]这说明，投资和审批体制改革尚未到位，有待今后继续推进。

我们相信，随着改革的深化，2002年党的十六大提出的到2020年建成完善的社会主义市场经济体制的目标一定能如期实现，行政管理体制改革主要是政府职能转换也一定能如期到位。

① 见《经济参考报》2009年2月25日。

新中国成立60年城市经济发展科学评价的进步

江苏省城市发展研究院院长、中国城市经济常务理事　张锋
江苏省城市发展研究院《城市评论》编辑部副主任、博士　曹小磊

第一节　城市经济发展科学评价的两大方面

随着城市化的不断加快和深入，城市在经济社会中的主导作用不断加强，城市已经成为人类生活和生产最重要和最主要的场所，城市在全球政治、经济、文化中占有绝对主导的地位。21 世纪是城市的世纪，城市的成功将代表着国家的成功。新中国成立60年来，在中国共产党的领导下，我国城市经济发展迅速，取得了举世瞩目的辉煌成就。当今世界正处于大变革和大调整中，信息化和全球化是世界经济的两大趋势，城市所受到的冲击和影响是最为集中且最为深刻的。当前，我国经济建设正进入新的发展阶段，如何科学评价城市经济发展，对贯彻落实科学发展观，走自主创新道路，建设和谐社会，进而促进城市经济的科学发展、和谐发展、可持续发展、一体化发展具有重要意义。

一般而言，对城市经济发展的科学评价可从定性和定量两个方面进行，定性评价主要从宏观层面、多角度对城市某一时期的经济发展情况进行综合评价，而定量评价则更多的是从某一个角度，通过建立评价指标体系、搜集数据、运用相关方法工具进行定量评价。

一、城市经济发展定性评价内容实例

从相关文献和具体实践看，对城市经济发展定性的评价并没有固定或规范的评价体系、评价流程和评价方法。一般对城市经济发展定性评价主要体现于政府的相关规划、计划、统计公报、政府工作报告、相关研究报告等文件中，主要的评价方面包括城市规模、城市经济、社会事业发展、城市建设管理、经济体制改革、人民生活水平、对外开放水平等。下面以国家统计局的改革开放30年我国经济社会发展成就系列报告之七——城市社会经济建设发展成绩显著和上海市相关文件为例进行说明。

（一）国家统计局《改革开放30年我国经济社会发展成就系列报告之七——城市社会经济建设发展成绩显著》（30年评价）

该报告主要对我国改革开放30年来城市社会经济建设发展进行了评价，主要方面包括：第一，城市数量和规模不断加大。①城市数量较快增长，2007年末我国城市数量655个，比1978年增加462个；②城市规模不断扩大，2007年我国地级及以上城市（不包括市辖县）年末总人口37156万，比1978年增长1.2倍，行政区域土地面积为62.2万平方公里，比1978年增长2.2倍；③小城镇建设快速

发展，2007年末全国共有建制镇19249个，比1978年增加17076个。第二，城市基础设施建设明显加强。①居民住房及生活设施有了极大改善，2007年我国城镇居民人均住宅建筑面积已由1978年的6.7平方米增加到28平方米；②居民出行变化显著，代步工具由自行车向多种交通工具变化，城市交通设施进一步改善，轨道交通建设成绩斐然；③文化、教育、卫生、邮电、通讯设施发展迅速，随着城镇居民生活水平的不断提高，百姓精神文化生活日益丰富，城市教育服务水平持续提升，医疗设施和服务水平不断提高，邮电通讯业成为我国国民经济基础产业中发展最快的产业之一；④城市绿化和环保工作得到加强，各地市政府对环境保护工作的重视程度进一步提高。第三，城市经济实力不断增强。①城市经济快速发展，经济结构明显改善，2007年我国地级以上城市（不包括市辖县）第一、第二、第三产业增加值的结构比重调整为3.3∶50.5∶46.2；②城市工业经济发展走上高、新、尖型的高速发展之路；③对外开放发展迅速，国内外贸易繁荣兴旺；④城市经济在国民经济中地位和作用进一步增强。2007年我国地级及以上城市（不包括市辖县）地区生产总值157011亿元，占全国GDP的比重由1990年的36%上升到63%。

（二）上海《国民经济和社会发展第十一个五年规划纲要》（5年评价）

该规划主要对上海市“十五”期间的城市经济和社会发展进行了评价，主要方面包括：第一，经济保持持续较快平稳增长，GDP年均增长率达到11.5%，2005年全市生产总值达9125亿元。第二，人民生活持续改善，城乡居民收入保持较快增长，2005年城市和农村居民家庭人均可支配收入分别达到18640元和8340元。第三，城市建设管理和环境整治取得重大进展，枢纽型、功能性、网络化的基础设施建设实现重要突破，信息基础设施综合服务能力明显提升，环境建设与保护取得阶段性突破。第四，科技教育等各项社会事业实现新发展，科教兴市战略向纵深推进，科技创新动力进一步增强，政府财政性教育投入明显增加，公共卫生体系建设三年行动计划和建设健康城市三年行动计划全面完成，公共卫生应急处置能力进一步提高，医疗机构门急诊条件得到改善。第五，经济体制改革不断深化，政府、企业、市场、社会综合配套改革深入推进。第六，对外开放和区域合作提高到新水平，对外开放领域不断拓展，与长江三角洲及全国其他地区的经济合作领域不断扩大，与中国香港、中国澳门和中国台湾地区的经贸交流与合作进一步深化。

（三）上海《2008年国民经济和社会发展计划执行情况与2009年国民经济和社会发展计划草案的报告》（年度评价）

该计划主要对上海市2008年度经济社会发展进行了评价，主要方面包括：第一，积极应对严峻复杂的外部环境，努力保持经济平稳较快发展。集中出台了一批扶持企业发展和促进产业升级的政策措施，及时制定了扩大内需八项措施。第二，大力推进结构升级，经济发展方式转变取得进展。产业结构调整继续推进，国际金融中心和国际航运中心建设加快推进，自主创新能力不断提高，节能减排工作力度进一步加大。第三，全面推进世博会筹办，城市建设和管理水平进一步提高。世博园区建设和招展运营进展显著，城市基础设施建设加快推进，城市管理水平不断提升。第四，着力改善农村生产生活条件，新农村建设取得成效。现代农业发展势头良好，农村薄弱环节建设得到加强，农民收入持续增长。第五，着力解决好民生问题，人民生活进一步改善。积极的就业政策成效继续显现，分配保障体系不断完善，住房保障体系建设加快推进，公交优先战略加快实施。第六，深化社会事业改革与发展，公共服务和社会管理水平继续提高。教育事业加快发展，重点领域改革深入推进，对外开放进一步扩大，国内合作与对口支援进一步加强。

二、城市经济发展定量评价类型与方法

对相关文献和出版物的查询与分析表明，与城市经济发展定性评价不同的是，定量评价一般而言具有相对规范的评价类型、评价流程和评价方法。

（一）评价类型

由于城市经济是一个很大的范畴，也是一个很复杂的系统，很难对城市经济发展做出一个全面而综合评价，因此无论是理论还是实践更多的是从不同角度对城市经济发展做出定量评价。通过对相关文献和出版物的查询分析，目前对城市经济发展定量评价的类型主要有：（1）城市可持续发展评价：城市可持续发展是指在一定时空中，以长期持续的城市增长及其结构优化，实现高度发达的城市化和城市现代化，从而既满足当代城市发展的现实需求，又满足未来城市的发展需要。对城市可持续发展进行评价，可明确城市可持续发展能力及存在问题，为城市可持续发展提出相应发展建议。（2）创新型城市评价：创新型城市是一种将创新作为城市经济和社会发展核心驱动力的城市发展模式。通过对创新型城市评价，一方面可以对创新型城市建设进行考核，另一方面，可以发现问题，指导创新型城市建设，提升城市创新能力，推进创新驱动发展。（3）城市竞争力评价：城市竞争力是个相对概念，主要是指一个城市在竞争和发展过程中同其他城市相比较所具有的多、快、好、省、优地创造财富和价值的收益，为居民提供福利的能力。通过竞争力评价，可以明确被评价城市与其他城市竞争中的位置，同时可以分析影响竞争力的关键因素，并针对这些关键因素，提出提升城市竞争力的具体途径。（4）城市投资环境评价：投资环境是指围绕着投资主体存在和变化发展的并足以影响或制约投资活动及其结果的一切外部条件的总称。投资环境评价一方面可以让投资方更了解被投资地的情况，为其做投资决策提供依据，另一方面，可以帮助一个国家或城市明确自身投资环境的水平和问题，优化投资环境，促进经济发展。（5）宜居城市评价：宜居城市是指经济、社会、文化、环境协调发展，人居环境良好，能够满足居民物质和精神生活需求，适宜人类工作、生活和居住的城市。2007年我国《宜居城市科学评价标准》正式发布，用以指导全国各城市规划、建设、管理，其主要内容包括社会文明、经济富裕、环境优美、资源承载、生活便宜、公共安全六个方面。此外对城市经济发展定量评价的角度还包括城市科学发展水平评价、城市经济活力评价、城市经济发展效率评价、城市现代化水平评价、城市旅游竞争力评价、城市综合实力评价、城市房地产投资环境评价等方面。

（二）评价流程

从对城市经济发展评价的流程来看，一般而言，主要包括以下几个阶段：（1）界定评价的角度，如明确可持续发展、城市竞争力、创新型城市等的内涵。（2）确定评价指标体系构建的原则。（3）构建评价指标体系并确定权重。（4）选择评价方法。（5）根据评价指标搜集相关数据。（6）进行评价，得出相关结论并提出相关建议。

（三）评价方法

从对城市经济发展评价的方法来看，该评价属于多指标综合评价。多指标综合评价的原理就是，把多个描述被评价事物不同方面的统计指标转化成无量纲的相对评价指标，然后将这些价值换算成一个综合值，以实现对该事物的整体评价。目前，国内外建立的多指标综合评价方法有上百种之多，但总体来讲可归为两大类：主观赋权法和客观赋权法。主观赋权法采取综合咨询评分的定性

方法确定权重，然后对标准化后的数据进行综合，如综合指数法、德尔菲法、层次分析法、环比法、模糊综合评判法等。客观赋权法则是根据各指标间的相关关系或者根据各指标的变异程度来确定权重，如主成分分析法、因子分析法、变异系数法等。在城市经济发展评价中，最常用的主观赋权法是德尔菲法和层次分析法，最常用的客观赋权法是主成分分析法、因子分析法。

在新的形势下，如何建设创新型城市，提高城市综合竞争力，实现城市的可持续发展是下一轮城市发展的关键。因此，从创新型城市、城市综合竞争力、城市可持续发展三个角度对城市经济发展进行科学评价是城市经济发展科学评价的主流，对城市下一轮发展具有重要指导意义。

第二节　创新型城市评价

一、创新型城市的内涵

在现代科学技术的引领和推动下，人类社会正经历从工业经济时代向知识经济时代的快速演进，科学技术在经济和社会发展中的引领作用日益凸现，创新越来越成为经济和社会发展的核心驱动力。作为城市发展知识化的产物，创新型城市成为一种全新的城市发展理念和发展模式。

国外关于创新型城市的研究起源于20世纪90年代，为应对城市的衰退以及适应全球化的发展，西方学者开始认真思考城市未来的发展和出路，并由此开展了一系列关于城市创新战略的研究，涉及的领域包括：城市规划、城市文化、城市营销、城市治理等，提出了一些非常具有实践意义的观点，比较有代表性的包括学习型城市、高科技城市、创新型城市等。自20世纪90年代以来，国外许多城市开始实施“创新城市”战略，如美国的波士顿、澳大利亚的悉尼、德国鲁尔地区、芬兰的赫尔辛基、英国的格拉斯哥、韩国大田等。国内有关创新型城市的理论与实证研究近年来刚刚兴起，尤其是党十六届五中全会提出走“自主创新道路，建设创新型国家”重大战略举措后，全国先后有 200 多个城市提出要建设高水平的创新型城市。但是，由于我国整体经济发展水平和发展阶段的限制，这些研究大都停留在个案的分析上，缺乏系统的理论体系。此外，各地的提法较为不统一，而内容却有所雷同。总的来看，我国对创新型城市的研究才刚刚起步，与国外相比差距较大。

从目前文献研究来看，创新型城市的英文表述有两种：“Creative City”和“Innovative City”。从文字上来看，前者有“创造性、创意”的含义，因此译为“创造性城市”或“创意城市”，后者则包含“创新的、革新的”意思，因此被称为“创新型城市”或“革新型城市”。相对于“Creative City”，“Innovative City”的提法包含了目前关于创新型城市研究的主流含义，主要研究“创新（Innovative）”作为一种城市经济增长和经济发展模式，并不断融合社会发展的理念和思想。从目前文献研究来看，国内外学者们对创新型城市内涵的理解各有不同，对创新型城市的内涵还没有形成一个比较明确的理论界定，但在有些方面已达成了共识，例如都强调创新是城市未来发展的内生变量和核心驱动力，创新型城市的建设应当注重培育内生动力，要注重整个城市自主创新能力的不断提升；以自主创新为核心的科技创新在创新型城市中的地位应不断上升等。通过归纳国内外对创新型城市内涵的观点，我们认为，创新型城市是一种将创新作为城市经济和社会发展核心驱动力的城市发展模式，依靠人才、知识、技术、资本、环境、文化等创新要素在城市的有效聚集，通过营造良好的创新环境，推动和促进整个城市在新知识运用、新技术突破及其产业化的基础上实现经济社会更大的发展。

二、创新型城市的评价指标体系

目前，国内关于创新型城市的理论研究和实践探索尚处于起步阶段，对创新型城市评价指标体系的研究就更显薄弱。尽管如此，截至目前国内也涌现出了一些较具影响力和代表性的研究成果，根据提出者的不同，大致可以归纳为两大类：一类是学术界提出的关于创新型城市的评价指标体系，一类是政府部门制定的关于创新型城市的评价指标体系。

（一）学术界创新型城市评价指标体系研究状况

学术界提出的关于创新型城市的评价指标体系大都采用“目标层——准则层——子准则层——指标层”的多层次结构。代表性的研究有：（1）杨华峰、邱丹等构建了包含54个指标的评价体系。目标层为创新型城市可持续发展指标体系；准则层包括知识创新能力、技术创新能力、管理与制度创新能力、服务创新能力、文化创新能力以及创新综合效绩6个方面；子准则层包括知识创新主体、知识创新投入、知识积累、技术创新主体、技术创新投入、技术转出与转化能力、政府管理创新能力、制度创新、基础设施、市场环境、金融环境、人文环境、城市知名度、产业结构、经济增长、社会进步16个方面；指标层则包含54个具体评价指标。（2）杨冬梅博士基于创新型城市的概念模型构建了包含35个指标的评价体系。目标层为城市创新度；准则层包括城市知识创新能力、城市创新环境支撑能力、城市经济社会发展对创新的支撑能力3个方面；领域层包括知识创造与流动、企业创新、基础设施、教育文化、创新制度、经济增长水平、产业结构优化、增长方式转变、城市环境改善9个方面；指标层则具体包含35个具体评价指标。（3）王仁祥等以创新投入、创新过程、创新环境和创新产出四个方面为主要内容，提出了一套共29个指标的综合评价指标体系来反映创新型城市的实现程度。（4）蒋博构建了一套4层次、28个指标的综合评价指标体系。目标层是创新型城市评价指标；准则层包括城市知识创新能力、城市技术创新能力、城市产业创新能力、城市创新支撑能力4个方面；子准则层包括知识创新投入能力、知识流动能力、知识创新产出能力、技术创新投入能力、技术创新效率指标、产业结构优化、产业国际竞争力、创新文化支撑能力、创新制度支撑能力、城市发展水平10个方面；目标层则包含28个具体评价指标。

（二）政府部门创新型城市评价指标体系制定状况

政府部门制定的关于创新型城市的评价指标体系一般以创新型城市建设评价考核的形式出现在政府文件中。例如《宁波市人民政府关于开展创新型城市建设评价考核工作的意见》提出，对全市的评价考核体系由3类共30个较具权威性和代表性的指标组成（表1），从创新综合考评、创新能力与过程考评、创新产出考评三个方面反映创新型城市建设的进程与成效。县（市）、区建设创新型城市的指标体系由22个重点指标构成。《济南市创新型城市建设综合评价指标体系（试行）》提出，济南市创新型城市评价指标体系由3个一级指标、9个二级指标、44个三级指标组成，从创新主体、创新环境、创新绩效三个方面反映创新型城市建设情况。《济南市创新型城市建设县（市）区、高新区考核办法（暂行）》提出，县（市）区、高新区创新型城市建设评价指标体系由19个指标组成。

表1　宁波市人民政府关于开展创新型城市建设评价考核指标体系

类别	序号	指标	权数
创新综合指标（40）	1	地均二、三产业增加值	5
	2	人均GDP增长率	4
	3	全市财政一般预算收入增长率	4
	4	亿元固定资产投资新增GDP	4
	5	服务业增加值占GDP比重	5
	6	进出口总额与GDP比率	4
	7	万元GDP综合能耗	4
	8	年化学需氧量减排量	3
	9	年二氧化硫减排量	3
	10	信息化综合指数	4
创新能力和过程指标（30）	11	市级以上高新技术企业数	3
	12	企业工程技术中心数	3
	13	市级以上重点实验室数	2
	14	国际主要标准认证企业数	3
	15	独立法人的科技研究和服务机构数	3
	16	每十万人口人才数	3
	17	从事服务业劳动力比重	3
	18	全社会R&D经费支出占GDP比重	3
	19	创业与风险投资额	3
	20	市级以上立项支持的高新技术成果转化项目数	2
	21	认定登记的技术合同成交额	2
创新产出指标（30）	22	年度市级以上科技成果登记数	3
	23	年度授权专利数	4
	24	中国驰名商标数	3
	25	中国名牌数	3
	26	主持和参与研制国际、国家、行业标准数	3
	27	规模以上工业高新技术产品产值率	4
	28	规模以上工业企业利税增长率	4
	29	规模以上工业品牌产品产值率	3
	30	规模以上工业企业劳动生产率	3

三、创新型城市的评价

在学术界，我国很多学者通过构建创新型城市评价指标体系，进而选取样本城市、搜集数据进行实证分析和评价，对我国创新型城市建设具有较强的指导作用。其中，比较典型和具有代表性的是杨冬梅博士2006年进行的实证分析。该实证分析基于创新型城市的概念模型构建了包含35个指标的评价体系（表2）。基于收集数据可获得性和考虑到城市的可比性，该实证选取了我国各区域

表2 创新型城市评价指标体系

目标层	准则层	领域层	指标层
城市创新度	知识创新能力（K）	知识创造与流动	R&D支出占GDP比率
			万人R&D科学家和工程师数量
			万名就业人员发明专利授权量
			万名R&D活动人员科技论文数
			万人技术成果成交额
			万人吸纳技术成果金额
			人均实际利用外资
		企业创新	企业R&D支出占销售收入比重
			企业R&D科学家和工程师占全社会科学家和工程师比重
			新产品销售收入占产品销售收入比重
			技术消化吸收经费与引进经费比重
	创新环境支撑能力（E）	基础设施	万人国际互联网用户数
			家庭电脑普及率
			固定电话和移动电话普及率
			单位R&D活动人员新增仪器设备费
城市创新度		教育文化	科研和综合技术服务业新增固定资产占全社会新增固定资产的比重
			教育经费支出占GDP比率
			平均受教育年限
			万人拥有高等学校在校学生数
			百人拥有公共图书馆藏书量
		创新制度	私营和个体就业数占全社会就业数比重
			地方财政科技拨款占地方财政支出比重
	经济社会发展对创新的支撑能力（S）	经济增长水平	人均GDP
			人均GDP增长率
		产业结构优化	制造业就业人口占总就业人口比重
			第三产业增加值占GDP比重
			高新技术产业增加值占工业增加值比重
			高新技术产品出口占出口产品总值比重
			知识服务业就业人口占三产就业人口比重
		增长方式转变	就业人员劳动生产率
			亿元投资新增GDP
			综合能耗产出率
		城市环境改善	空气质量指数
			城市环境污染综合治理指数
			人均公共绿地面积

表3 16城市创新型城市实现指数比较和排名

样本城市	得分	排序
深圳	0.186276812	1
北京	0.145510739	2
青岛	0.117810571	3
上海	0.112485507	4
苏州	0.056417813	5
西安	0.009890158	6
宁波	−0.008132329	7
天津	−0.009301826	8
大连	−0.030407318	9
沈阳	−0.039959346	10
广州	−0.053435748	11
南京	−0.065213251	12
成都	−0.074034147	13
杭州	−0.105896931	14
重庆	−0.119720666	15
武汉	−0.120235933	16

表4 16样本城市聚类表

类别	城市
第一类	北京、上海、青岛、深圳、苏州
第二类	天津、沈阳、大连、南京、宁波、广州、成都、西安
第三类	重庆、武汉、杭州

中心城市作为样本进行评价，包括北京、天津、上海、重庆、沈阳、大连、南京、苏州、杭州、宁波、青岛、武汉、广州、深圳、成都、西安16个城市。

杨冬梅博士首先运用因子分析法对16个城市创新城市实现程度进行了综合评价和排名（表3），次序依次为：深圳、北京、青岛、上海、苏州、西安、宁波、天津、大连、沈阳、广州、南京、成都、杭州、重庆、武汉。接下来，又采用聚类分析的方法，对样本城市实现创新型城市的程度进行进一步的聚类分析（表4）：第一类包括五个城市，分别为北京、上海、青岛、深圳、苏州。这五个城市在样本城市中创新型城市实现程度最高，它们或科技资源密集，研发实力雄厚，如北京；或市场完善，开放程度高，如上海、深圳；或民营企业发展迅速，企业创新能力强，知名品牌众多，如青岛、苏州。总的来看，它们在知识创新能力、创新环境支撑能力和经济社会发展对创新的支撑能力几个方面都具有一定优势，并在某些方面表现较为突出，如北京、上海的知识创造与流动能力、教育和研究机构创新等，深圳、青岛的人才创新能力、企业创新等，苏州的新产业创新能力和经济结构转型等。此外，五个城市比较起来，苏州的创新型城市实现程度较其他四个地区略差，究其原因，主要是由于苏州知识创新能力过于薄弱的缘故。第二类包括天津、沈阳、大连、南京、宁波、广州、成都、西安八个城市，它们占样本城市总数的一半，代表了目前大多数城市的发展水平。这些城市虽然已经具备了建设创新型城市的基础，但总体实力仍显薄弱，特别是在某些领域存在薄弱点，如沈阳的创新环境、经济结构转型，南京的城市创新环境支撑能力，广州的知识创新能力等，这就需要在未来制定创新型城市发展战略的过程中有所侧重。第三类包括三个城市，分别为重庆、杭州、武汉，它们的创新型城市实现程度相对较差，无论是知识创新能力还是环境支撑能力的基础均相对薄弱。因此，与其他城市相比，就需要在建设创新型城市的过程中，针对城市发展的薄弱环节，采取更加有力的战略措施，强化政府主导和制度创新，充分利用现有资源，提高城市开放水平，激发城市创新活力，显著提高城市发展的综合创新水平。

第三节　城市综合竞争力评价

一、城市综合竞争力的内涵

随着经济全球化的加剧，城市在国家和区域中的地位日益突出，城市之间的竞争日趋激烈。伴随着城市重要性的提升及城市在全球化过程中所面临的机遇和挑战，城市竞争力的研究越来越受到诸多学者和政策制定者的重视。然而，城市竞争力是一个具有明确直观含义却又不易精确把握的概念，尽管国内外的学术界已经做过许多有益的探索，但到目前还远未形成一个一致性的框架来定义、理论化和经验分析城市竞争力（Michael Kitson，2005）。总体来看，国内外关于城市竞争力概念的主要观点包括：（1）美国哈佛大学商学院 Michael Porter 教授指出，“竞争力在国家水平上仅仅有意义的概念是国家生产率。”推及到城市，一个城市的竞争力乃是城市的生产效率。（2）世界经济论坛（WEF）认为，国家竞争力是一国能够实现以人均 GNP 增长率表示的经济持续增长的能力，它在强调提高经济增长率的同时，也强调要持续提高人民生活水平。（3）瑞士洛桑国际管理发展学院（IMD）认为，国家竞争力是一国持续稳定创造增加值及增加国民财富的能力，它认为国家竞争力是依靠国家形成的持续创造增加值环境的能力，它包括教育、价值体系等方面。（4）倪鹏飞博士认为，城市竞争力是个相对概念，主要是指一个城市在竞争和发展过程中同其他城市相比较所具有的多、快、好、省、优地创造财富和价值的收益，为居民提供福利的能力。（5）宁越敏认为，城市竞争力是在社会、经济结构、价值观、文化、制度、政策等多个因素综合作用下创造和维持的，一个城市为其自身发展在其从属的区域中进行资源优化配置的能力，从而获得城市经济的持续增长。（6）郝寿义认为，城市竞争力是一个城市在国内外市场上与其他城市相比所具有的自身创造财富和推动地区、国家和世界创造更多社会财富的现实和潜在的能力。

总体来看，虽然国内外学者对城市竞争力的概念表述各有不同，但就其内涵而言，一般包括以下重要方面：（1）竞争力的层次。国际竞争力可分为 3 个层次，即宏观层次的国家竞争力，中观层次的区域（或城市）竞争力以及微观层次的企业竞争力。这 3 个层次的竞争力相互关联、密不可分。研究城市竞争力，必须同时考虑国家竞争力和企业竞争力。（2）城市竞争力的系统性。城市竞争力涉及城市经济、文化、政治、科技、环境等因素，是一个复杂的混沌系统。（3）城市竞争力的主体。参与竞争的主体是城市，但和国家相比城市政府的经济宏观调控能力还是明显小于中央政府，很多因素不是单个城市可以控制的。因此，现阶段城市竞争力的研究很多还是运用微观经济学和产业经济学的原理进行中观层次的经济研究。（4）城市竞争力的实质。城市竞争力本质上表现为城市在其所属的区域内进行资源优化配置的能力。因此，研究城市竞争力不能忽略城市所在的大区域。区域是城市发展的大环境，脱离区域的支撑，城市难以发展；另一方面，没有城市的发展，区域同样难以进步。只有通过区域整合，资源优化配置，才能提高城市的竞争力，同时促进整个区域的发展与进步。（5）城市竞争力的最终目标。城市是人口聚居的地方，居民是城市生产和生活活动的核心力量，人类生活质量的提高与否，是城市竞争力的指示器。生活质量不仅指基本的生活需求方面的满足，还包括高层次的精神生活需求的满足。

二、城市综合竞争力的评价指标体系

国外对于竞争力的研究始于20世纪80年代，其中具有代表性研究包括WEF-IMD的国际竞争力研究、迈克尔·波特的国际竞争力研究和彼得的城市竞争力研究等。国内城市竞争力研究是在20世纪末开始的，其中比较有影响的机构包括中国城市竞争力研究会、南开大学中国城市与区域经济研究中心、上海社会科学院城市综合竞争力比较研究中心、中国社会科学院财贸研究所的倪鹏飞博士和北京国际城市发展研究院等。

中国城市竞争力研究会创建的城市竞争力指标体系包涵了城市综合实力、资源潜力、经济活力、成长能力的表现性指标和结构性指标，反映了规模（总量）、效率（均量）、增长（动态发展量），并体现了政府、企业、居民三大主体在整个城市系统中的不同作用，涵盖了经济、社会、文化、环境四大系统。具体由综合竞争力、产业竞争力、财政金融竞争力、商业贸易竞争力、基础设施竞争力等10大一级指标、60个二级指标、176个三级指标综合构成。

南开大学城市与区域经济研究中心以郝寿义为代表，构建了包含了综合经济实力、资金实力、开放程度、人才及科技水平、管理水平、基础设施及住宅6个一级指标和18个二级指标的城市竞争力评价指标体系。

上海社科院城市综合竞争力比较研究中心对城市竞争力指标体系的设置主要从集聚和扩散功能比较上着手，并把城市综合竞争力划分为总量、质量和流量3个一级指标，在3个一级指标下分列14个二级指标和79个三级指标。

北京国际城市发展研究院2002年提出了城市竞争力的评价系统和“城市价值链模型”，他们提出的城市竞争力评价指标体系由城市实力、能力、活力、潜力、魅力5个一级子系统、23个二级指标和140个三级指标构成。

中国社会科学院财贸研究所的倪鹏飞博士在其发表的《中国城市竞争力：理论研究与实证分析》中提出了城市竞争力的概念和弓弦箭模型及研究方法，并在日后每年出版的《中国城市竞争力报告》（已连续出版7年）中不断完善。倪鹏飞博士认为城市竞争力可以从解释（投入）和表现（产出）两个方面来理解和把握。从城市竞争力的解释框架看，城市竞争力=F（硬竞争力、软竞争力），硬竞争力=人才竞争力+资本竞争力+科技竞争力+环境竞争力+区位竞争力+基础设施竞争力+结构竞争力，软竞争力=文化竞争力+制度竞争力+政府管理竞争力+企业管理竞争力+开放竞争力。为了从解释角度计量和评估城市竞争力，倪鹏飞博士建立了一套三级的解释性城市竞争力的指标体系，指标总数220个。从城市竞争力的显示框架看，城市的显示竞争力可表示为：城市竞争力=F（经济增长、经济规模、经济效益、产业层次、生活质量、发展成本），其指标体系由10个具体指标构成。在此基础上，倪鹏飞博士提出了城市竞争力的弓弦箭模型（图1）：硬竞争力要素可比作

图1　城市竞争力弓弦箭模型

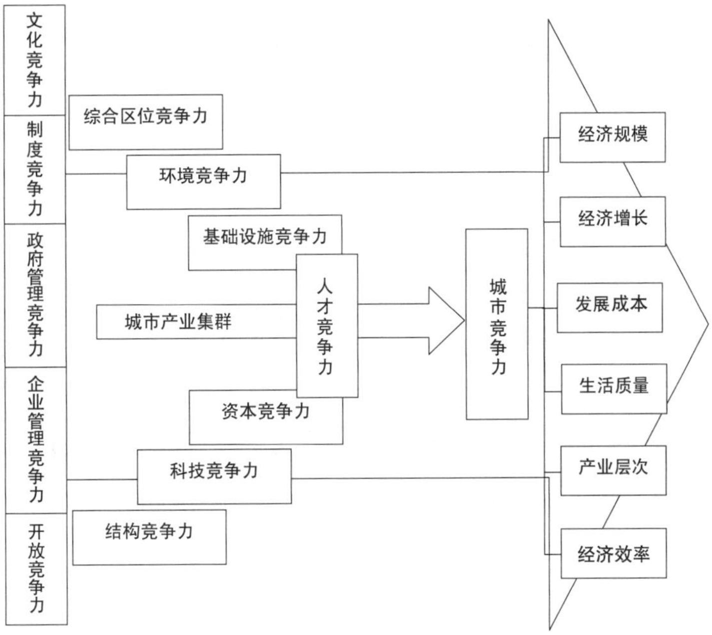

弓，软竞争力要素可比作弦，城市产业可比作箭，它们相互作用，形成城市竞争力。

三、城市综合竞争力的评价

自20世纪末以来，我国很多学者和相关机构都通过构建城市竞争力评价指标体系，对样本城市竞争力进行了实证分析和评价，其中比较典型和具有代表性的是倪鹏飞博士每年出版的《中国城市竞争力报告》，至今已连续出版7年。

倪鹏飞博士对城市竞争力的评价分为显示性（综合）竞争力评价和解释性（分项）竞争力评价。他分别构建了城市竞争力显示性指标体系（表5）和城市竞争力解释性（分项）指标体系（表6），对我国294个城市的显示性（综合）竞争力和51个城市的解释性（分项）竞争力进行了计量和评价，主要结论包括：第一，从综合竞争力看，东南高西北低的格局没有改变，环渤海城市提升速度最快。第二，从综合增长来看，95%的城市综合增长率超过10%，内蒙古城市综合增长竞争力全国第一。第三，从经济规模看，有11个城市GDP总量超过3000亿，河南城市间经济规模差异最小。第四，从经济效益看，中国城市发展水平地域差异巨大，在各省（自治区）中江苏省经济效益最高。第五，从发

表5　2008年城市竞争力显示性指标体系

综合指标	具体指标
经济规模	GDP总量
经济增长	GDP增长率
经济增长	地均GDP，人均GDP
生活质量	人均可支配收入，人均财政收入
发展成本	单位GDP耗电，“三废”污染程度
产业层次	人均三产，现代服务业比例

表6　2008年城市竞争力解释性指标体系

一级指标	二级指标	三级指标
人才竞争力	人力资源数量指数、人力资源质量指数、人力资源配置指数、人力资源需求指数、人力资源教育指数	15个三级指标
资本竞争力	资本数量指数、资本质量指数、金融控制力指数、资本获得便利性指数	12个三级指标
科学技术竞争力	科技实力指数、科技创新能力指数、科技转化能力指数	9个三级指标
结构竞争力	产业结构高级化程度指数、经济结构转化速度指数、经济体系健全度指数、经济体系灵活适应性指数、产业集聚程度指数	15个三级指标
基础设施竞争力	市内基础设施指数、对外基础设施指数、信息基础设施指数、基础设施成本指数	12个三级指标
区位竞争力	自然区位便利度指数、经济区位优势指数、资源优势度指数、政治文化区位优势指数	10个三级指标
环境竞争力	城市环境质量指数、城市环境舒适度指数、城市自然环境优美度指数、城市人工环境优美度指数	12个三级指标
文化竞争力	价值取向指数、创业精神指数、创新氛围指数、交往操守指数	12个三级指标
制度竞争力	产权保护度指数、个体经济决策自由度指数、市场发育度指数、政府审批与管制指数、法制健全程度指数	14个三级指标
政府管理竞争力	政府规划能力指数、政府推销能力指数、政府社会凝聚力指数、政府财政能力指数、政府执法能力指数、政府服务能力指数、政府创新能力指数	19个三级指标
企业管理竞争力	管理应用水平、管理技术和经验、激励和约束绩效、产品和服务质量、管理经济效益	12个三级指标
开放竞争力	经济国际化程度、经济区域化程度、人文国际化程度、社会交流指数	9个三级指标

表7　2008年中国294个城市综合竞争力前十名

排名	综合排名	经济增长	经济规模	经济效益	发展成本	生活质量	产业层次
1	香港	鄂尔多斯	上海	台北	香港	香港	北京
2	深圳	河源	香港	香港	海口	上海	香港
3	上海	清远	北京	高雄	亳州	澳门	深圳
4	北京	铁岭	深圳	新竹	鄂尔多斯	深圳	上海
5	台北	辽源	广州	台中	基隆	北京	台北
6	广州	海拉尔	天津	新竹	台北	台北	新竹
7	青岛	营口	台北	深圳	成都	克拉玛依	台中
8	天津	通化	佛山	东莞	高雄	厦门	高雄
9	苏州	包头	杭州	东营	三亚	马鞍山	澳门
10	高雄	巴彦淖尔	东莞	台南	延安	新竹	台南

表8　2008年中国51个城市分项竞争力前十名

排名	人才竞争力	资本竞争力	科学技术竞争力	结构竞争力	基础设施竞争力	区位竞争力
1	香港	香港	北京	香港	上海	香港
2	北京	上海	上海	深圳	香港	上海
3	上海	北京	深圳	上海	北京	北京
4	广州	深圳	香港	广州	广州	广州
5	深圳	广州	天津	杭州	深圳	天津
6	澳门	青岛	长沙	北京	青岛	重庆
7	杭州	杭州	武汉	南京	天津	杭州
8	南京	天津	广州	佛山	澳门	长春
9	重庆	澳门	成都	澳门	大连	澳门
10	天津	南京	重庆	台州	厦门	沈阳

续表8

排名	环境竞争力	文化竞争力	制度竞争力	政府管理竞争力	企业管理竞争力	开放竞争力
1	苏州	温州	香港	香港	佛山	香港
2	威海	深圳	中山	上海	中山	深圳
3	香港	青岛	佛山	北京	香港	苏州
4	杭州	台州	苏州	澳门	扬州	东莞
5	东莞	绍兴	无锡	苏州	无锡	珠海
6	厦门	东莞	东莞	青岛	唐山	天津
7	扬州	惠州	扬州	无锡	上海	厦门
8	无锡	香港	常州	常州	合肥	上海
9	大连	扬州	珠海	深圳	成都	北京
10	绍兴	长沙	澳门	扬州	苏州	大连

展成本看，港澳台竞争力最高，旅游城市表现最突出。第六，从产业层次看，北京名列产业层次竞争力第一名，资源型城市产业层次竞争力较差，区域城市间差异明显。第七，从生活质量看，发达城市最具优势，资源类城市表现优异，小城市差异最大，河北省城市差异最小。

第四节　城市可持续发展评价

对城市经济发展的科学评价最为重要的应当是对城市经济发展中实践以人为本，全面协调可持续发展的科学发展观的评价，其核心是对城市可持续发展的评价。

一、城市可持续发展的内涵

20世纪80年代，联合国环境与发展委员会在《我们共同的未来》一书中正式提出“可持续发展”——“既满足当代人要求，又不对后代人满足其自身需求的能力构成危害的发展”的命题后，迅速成为各国资源、环境、经济、社会等学科研究的焦点和前沿课题。2002年8月在南非约翰内斯堡召开的可持续发展世界首脑会议上，各国首脑对全球可持续发展方面取得的成就和遭遇的困难进行了评价，并制订了切实可行的行动计划，这为实现全球可持续发展提供了新的动力。中共十六大把实施可持续发展战略，实现经济发展与人口、资源、环境相协调，写入了党领导人民建设中国特色社会主义必须坚持的基本经验。随后又提出了以可持续发展为核心的科学发展观。我国正处在城市化和城市现代化快速推进的阶段，如何将科学发展观贯彻在全面建设小康社会和基本实现现代化的全过程，坚持走城市可持续发展道路，就显得尤为重要、极其迫切。

城市可持续发展要求以城市长期、稳定、持续的经济增长及其结构的优化来实现城市化和城市现代化。在满足现在城市人对生存与发展需要的同时，又要考虑到未来城市人的生存与发展的需要，保持相应的潜能储备，使城市始终保持均衡发展的态势。城市应当成为最有利于经济社会协调发展，最有利于人类自身不断发展，最有利于人类生活和居住，同时与自然生态环境恒久和谐的人类住区，建立起可持续发展的城市价值观。

城市可持续发展，从资源角度看，应是一个城市不断追求其内在的自然潜力得以实现的过程，其目的是建立一个以生存容量为基础的绿色花园城市，实现资源及其开发利用程度的平衡；从环境角度看，是其公众应不断努力优化自身社区及区域的自然、人文环境，同时为全球可持续发展作出贡献的过程，积极利用环境生态规律来解决城市环境问题；从经济学角度看，是在全球实施可持续发展过程中城市系统结构和功能相互协调，围绕生产过程这一中心环节，通过政府的规划，均衡地分布农业、工业、交通等城市活动，促进城市新的结构、功能与原有结构、功能及其内部的和谐一致；从社会角度看，是在社会方面追求一个人类相互交流、信息传播和文化得到极大发展的城市，以富有生机、稳定、公平为标志，而没有犯罪等；从总体上看，应是城市在一定的时空尺度上，在一定地域内与其外部相和谐、统一，城市内部组织结构和运行机制协调优化，以公平的原则实现城市资源和环境的管理，促进城市资源、城市经济、城市社会和城市环境之间协调发展的过程。

城市可持续发展是一种新的城市发展模式。1992年联合国环发大会通过的《21世纪议程》提出的城市可持续发展的总目标是：改善城市社会、经济环境和所有人的生活质量和工作环境。《中国21世纪议程》提出的我国城市可持续发展的目标是：建设成规划布局合理、配套设施齐全、有利工作、方便生活，住区环境清洁、优美、安静，居住条件舒适的城市。

城市可持续发展追求城市社会、经济、生态三者的持续协调发展，其中生态持续发展是基础，经济持续发展是条件，社会持续发展是目的。现代城市可持续发展总目标是实现经济系统、社会系统、生态系统可持续发展的结合和统一。通过加强生态经济的综合管理，调整城市经济系统、城市社会系统和城市生态系统的内部结构及城市生态经济系统的总体结构，实现对城市各子系统协调互动的总调控，促进城市整体生态经济全面优化。运用城市规划管理、计划管理等宏观调控手段，发挥市场机制作用，制约城市经济系统、社会系统和生态系统间发展的比例关系，限制那些对生态经济良性循环不利的要素增长，鼓励那些薄弱系统和有利要素的增长，并使各种要素的子系统有合理的空间布局，实现城市经济、人口、生态再生产的综合协调，实现经济、社会和生态三效益的同步提高。

我国城市可持续发展还应以注重人口、经济、社会、资源、环境协调，实现社会文明公正、经济高效繁荣、环境优美洁净、生态良性循环为总体目标；以包括人口结构、基础设施、城市环境和城市绿化4个方面的结构目标；以包括物质还原、资源配置和生产效率3个方面的功能目标；以包括社会保障、城市文明及可持续发展性3个方面的协调度目标。各城市应从本市实际出发，确定具有综合性、可比性、可操作性和阶段性的可持续发展目标。

二、城市可持续发展的评价指标体系

从城市可持续发展概念的提出到可持续发展程度的量化，指标体系的构建是重要一环。衡量城市发展是否可持续，首先就要建立城市可持续发展评价模型和一套评价指标体系，唯有如此，才能使城市不偏离可持续发展的轨道，才能了解城市发展与可持续发展目标之间的差距，找出存在问题，校正发展方向。

（一）国内外可持续发展指标体系研究状况

自从1992年联合国《21世纪议程》要求各国、各国际组织和非政府组织建立和运用可持续发展的指标体系以来，有关可持续发展的指标体系不断提出，如：联合国可持续发展委员会（UNCSD）的“驱动力—状态—响应”（DSR）指标体系、联合国统计局（UNSTAT）的可持续发展指标体系框架（FISD）、国际环境问题科学委员会（SCDOPE）的可持续发展指标体系，以及联合国开发计划署（UNDP）的人类发展指数（HDI）等。同时，国家、区域层次上的可持续发展指标体系也不断涌现。特别是20世纪90年代以来，国际上提出了一些直观的、较易操作的可持续发展指标体系及其定量评价和计算方法与模式，如世界银行的“国家财富”指标体系，Wackernagel等提出的“生态足迹”（ecologica footprint）的概念及模型，Daly和Cobb提出的“可持续经济福利指数”(ISEW)，Cobb等提出的“真实发展指标”(GPI)，Prescott-Allen提出的“可持续性的晴雨表”（Barometer of Sustainability）模型，等等。由于研究的理念、方法和侧重点不同，众多的指标体系可大致划分为四类：一是强调经济—社会因素的指标体系；二是强调社会—制度因素的指标体系；三是强调生态—资源—环境因素的指标体系；四是以系统理论和方法构建的指标体系。

我国学者对可持续发展指标体系的研究始于20世纪90年代初。中国科学院可持续发展战略研究组（牛文元为组长）在世界上独立地开辟了可持续发展研究的系统学方向，依据系统理论和方法设计了一套“五级叠加，逐层收敛，规范权重，统一排序”的可持续发展指标体系。该指标体系分为总体层、系统层、状态层、变量层和要素层五个等级，共采用45个指数、219个指标。

林祥荣在《生态与环境——城市可持续发展与生态环境调控新论》一书中，建立了由3个层次、30项指标组成的上海城市可持续发展评价指标体系。其中，最高综合指标为城市可持续发展综合指数（ECI）（亦称城市生态综合指数）；一级指标包括结构、功能、协调度3个方面的指标；二级指标包括人口结构、基础设施、城市环境、可持续性等10项具体亚指标；三级指标包括人口密度、人均期望寿命、万人大中专人数、城乡收入比等30项评价指标。该指标体系以城市复合生态系统的观点为基础，侧重从城市生态建设的角度评价城市的可持续发展水平。

赵国杰等选择38个指标构成天津市可持续发展评价指标体系。目标层为城市发展度；二级指标包括发展水平、发展效率、发展潜力、发展协调度、发展开放度、发展调控度和发展均衡度7项指标；三级指标包括千人拥有医生数、万元工业能耗、工业产值密度、机关行政人员平均学历等38项指标。该指标体系较为全面地体现了可持续发展的思想和要求，指标较全，而且给出了各指标、各系统所占的权重，便于综合计算和评价城市可持续发展的水平和能力。

刘耀彬等根据可持续发展的理论和城市特征，结合城市可持续发展能力评价指标选取的统一性、可持续性、科学性、主导性、简捷性和可操作性等原则，并利用AHP分析法将武汉市可持续发展指标体系分为5个层次：目标层、分目标层、领域层、调控层和指标层。分目标层包括发展能力和可持续协调支持能力；领域层包括人文资本和自然资本；调控层包括人造资本发展能力、人口压力、人力资本支持能力、社会环境协调能力、自然资源支持能力、自然环境支持能力；最底层目标层由人均固定资产投资、社会负担系数、科技教育投资率、社会犯罪率、土地生产指数、环保投入产出系数等40项具体指标构成。该指标体系从资本的角度出发，提法新颖，针对性强，但有些指标可采集性不高，影响了其借鉴推广的价值。

江苏省城市发展研究院张锋等根据江苏实施可持续发展战略的要求，针对江苏的省情特点，遵循协调性、公平性、持续性、内在性、共同性几个准则，建立了由综合指标可持续发展度为内容的目标层，包含了可持续发展水平、可持续发展能力2个一级指标的准则层，包含经济规模、经济效益、经济结构、经济外向度、人口素质等15个二级指标的领域层及包含人均GDP、GDP年均增长率等35个三级指标的指标层构成的江苏城市可持续发展评价体系（省辖市），还建立了由2个一级指标、13个二级指标、29个三级指标构成的江苏县级市可持续发展评价体系。由于针对性强、可采集性强、可操作性强，对实际工作的推动作用也就显得较强。

长江三角洲城市发展研究中心谭清美等，采用主成分分析法，通过对经济、社会、资源环境3个子系统26项指标数值，进行标准化处理，用SPSS软件计算出相对于平均值的偏离程度，得出可持续发展水平量值的方法建立了长三角城市可持续发展评价体系和评价方法，较好地进行了对长三角城市可持续发展水平的评价。

从现有资料中可见，我国的城市可持续发展指标研究一般参照层次分析法的指标框架，利用系统理论和方法，以经济、社会、环境三大方面作为整体目标层，然后加以指标细分和权重分配，最后根据数据进行计算校正。也有一些指标体系虽具有较为全面的优点，但由于体系庞大而且复杂、指标难以综合、计算量大，往往受到统计数据的限制，使此类指标体系不易操作。

（二）城市可持续发展指标体系设置的原则与功能

综合国内外学者有关可持续发展评价指标体系的研究成果，建立切实可行、有利于城市可持续发展的指标体系应遵循以下原则：一是科学性原则；二是可比性原则；三是可操作性原则；四是层次性原则；五是系统性原则；六是代表性原则。一个科学、客观的城市可持续发展指标体系有助于了解城市发展现状，有助于制定城市发展规划，有助于提供分析和预测模型的基本数据及对城市发展进行检测和解释。概括起来城市可持续发展指标体系具有评价功能、规划功能、导向功能。

三、城市可持续发展的评价

（一）2008江苏城市可持续发展综合评价

江苏省城市发展研究院城市评价中心已连续6年对江苏城市可持续发展进行综合评价。这6年的评价报告分别刊在《城市评论》2004年第9期、2005年第4期、2006年第6期、2007年第2期、2008年第2期和2009年第3期。《2008江苏城市可持续发展综合评价报告》基本上沿用了前几年江苏城市可持续发展的评价指标体系（表9），依据《江苏统计年鉴（2008）》载2007年统计数据进行测算评估，测定2008年江苏城市可持续发展综合评价得分（可持续发展度），前五名为南京（74.45）、苏州（72.63）、无锡（71.81）、南通（70.41）、常州（68.37）。全省13市中，综合评分在70分以上有4座，60分到70分之间的有5座，60分以下的有4座。位列可持续发展水平前五位的是苏州、无锡、南京、镇江、常州；位列可持续发展能力前五位的是南京、南通、连云港、无锡、常州。

（二）2008长江三角洲城市可持续发展评价

中国城市经济学会与江苏省城市发展研究院联建的长江三角洲城市发展研究中心已连续2年对长江三角洲地区25城市可持续发展进行评价，分别刊在《城市评论》2008年第4期和2009年第4期。《2008长江三角洲城市可持续发展评价报告》基本沿用该中心上年度的指标体系与评价方法，大部分数据引自《上海市统计年鉴（2008）》、《江苏省统计年鉴（2008）》和《浙江省统计年鉴（2008）》，部分数据选自2007年各地区的统计公报。2008长江三角洲城市可持续发展综合评价名列前十名的是：上海、苏州、南京、无锡、杭州、南通、常州、扬州、徐州。

表9 江苏县级市可持续发展评价指标和权重表

综合指标	一级指标	权重	二级指标	权重	三级指标	权重	综合权重
可持续发展度A	可持续发展水平B_1	0.5	C_1经济规模	0.14	D_1 人均GDP（元/人）	0.5	0.035
					D_2 GDP年增长率（%）	0.5	0.035
			C_2经济效益	0.14	D_3 产值利税率（%）	0.5	0.035
					D_4 资金利税率（%）	0.5	0.035
			C_3经济结构	0.14	D_5 二产增加值占GDP比重（%）	0.5	0.035
					D_6 三产增加值占GDP比重（%）	0.3	0.021
					D_7出口占GDP比重（%）	0.2	0.014
			C_4经济外向度	0.07	D_8 外贸依存度（%）	0.5	0.0175
					D_9 利用外资占GDP比重（%）	0.5	0.0175
			C_5人口素质	0.12	D_{10}人口自然增长率（%）	0.5	0.03
					D_{11}初中毕业生升学率（%）	0.5	0.03
			C_6居民生活质量	0.13	D_{12}在岗职工平均工资（元）	0.6	0.039
					D_{13}国际互联网用户占总户数比重（%）	0.1	0.0065
					D_{14}居民人均教育卫生支出（万元）	0.3	0.0195
			C_7社会保障	0.13	D_{15}城镇登记失业率（%）	0.6	0.039
					D_{16}万人拥有病床数（床/万人）	0.4	0.026
			C_8环境质量	0.13	D_{17}建成区绿化覆盖率（%）	0.5	0.0325
					D_{18}市区人口密度（人/平方公里）	0.5	0.0325
	可持续发展能力B2	0.5	C_9经济发展能力	0.17	D_{19}人均财政收入（元）	0.5	0.0425
					D_{20}全社会固定资产投资总额占GDP比重（%）	0.5	0.0425
			C_{10}科技支撑能力	0.23	D_{21}医疗卫生占财政收入比重（%）	0.6	0.069
					D_{22}万人拥有各类专业技术人员数（人）	0.4	0.046
			C_{11}社会发展能力	0.17	D_{23}教育占财政收入比重（%）	0.5	0.0425
					D_{24}社会保障就业占财政收入比重（%）	0.5	0.0425
			C_{12}资源利用效率	0.21	D_{25}万元工业产值电耗（KWh/万元）	0.5	0.0525
					D_{26}单位土地面积内GDP（万元/公顷）	0.5	0.0525
			C_{13}环保治理能力	0.22	D_{27}“三废”综合利用产品产值（万元）	0.3	0.033
					D_{28}环境综合治理投资占GDP比重（%）	0.4	0.044
					D_{29}工业废水排放量达标量（亿吨）	0.3	0.033

表10 2008年江苏县级市城市可持续综合评分

	昆山	张家港	江阴	常熟	吴江	新沂	太仓	邳州	金坛
A	68.372	60.172	58.906	57.201	54.627	54.386	53.69	53.401	52.352
名次	1	2	3	4	5	6	7	8	9
B1	37.146	36.712	32.975	33.808	35.04	26.764	35.045	27.797	31.298
名次	1	2	6	5	4	25	3	24	7
B2	31.226	23.46	25.931	23.393	19.587	27.622	18.645	25.604	21.054
名次	1	5	3	6	11	2	15	4	7

续表10

	宜兴	溧阳	东台	江都	启东	通州	兴化	仪征	泰兴
A	52.284	51.23	47.49	47.39	47.254	47.161	45.945	45.901	45.767
名次	10	11	12	13	14	15	16	17	18
B1	31.296	31.18	28.423	27.871	28.506	30.264	27.945	28.601	28.507
名次	8	9	19	23	18	12	22	16	17
B2	20.988	20.05	19.067	19.519	18.748	16.897	18	17.3	17.26
名次	8	10	13	12	14	20	17	18	19

续表10

	海门	如皋	高邮	扬中	大丰	姜堰	靖江	丹阳	句容
A	45.638	45.386	45.366	45.120	44.308	43.640	42.718	42.462	42.288
名次	19	20	21	22	23	24	25	26	27
B1	24.655	29.362	26.726	30.424	29.449	28.177	30.286	29.568	28.25
名次	27	15	26	10	14	21	11	13	20
B2	20.983	16.024	18.64	14.696	14.859	15.463	12.432	12.894	14.038
名次	9	21	16	24	23	22	27	26	25

表11 2006-2008年江苏县级市可持续发展综合评价排名

年份	昆山	张家港	江阴	常熟	吴江	新沂	太仓	邳州	金坛
2008	1	2	3	4	5	6	7	8	9
2007	1	3	5	6	2	8	4	27	17
2006	1	4	3	2	5	11	6	21	9

续表11

年份	宜兴	溧阳	东台	江都	启东	通州	兴化	仪征	泰兴
2008	10	11	12	13	14	15	16	17	18
2007	9	18	23	13	15	10	20	25	21
2006	7	8	24	12	23	15	22	19	18

续表11

年份	海门	如皋	高邮	扬中	大丰	姜堰	靖江	丹阳	句容
2008	19	20	21	22	23	24	25	26	27
2007	7	12	22	14	24	16	11	26	19
2006	17	26	10	14	20	25	13	16	27

表12　长江三角洲城市可持续发展评价指标体系

目标系统	准则子系统	具体指标
城市可持续发展水平	经济子系统	GDP（亿元）
		全社会固定资产投资总额（亿元）
		社会消费品零售总额（亿元）
		外贸出口总额（亿美元）
		实际利用外资额（亿美元）
		人均GDP（元）
		人均地方财政收入（元）
		第二产业占GDP比重（%）
		第三产业占GDP比重（%）
	社会子系统	非农人口比重（%）
		每十万人拥有医生数（人）
		居民人均生活用电量（千瓦时）
		在岗职工平均工资（元）
		人均社会保障补助额（元）
		工业用电量（亿千瓦时）
		每万人拥有公交车数（辆）
		各类专业技术人员人数比重（%）
		高校学生数占人口比重（%）
		科教支出占GDP比重（%）
		第三产业人员比重（%）
	资源与环境子系统	人均绿地面积（平方米）
		单位土地面积GDP（万元/平方公里）
		建成区绿化覆盖率（%）
		生活垃圾无害化处理率（%）
		污水处理率（%）
		治理污染投资额占GDP的比重（%）

表13　2008长江三角洲城市可持续发展水平综合得分

城市	经济子系统得分F_1	社会子系统得分F_2	资源环境子系统得分F_3	总和得分	排名
上海	2.724	0.895	0.704	1.441	1
南京	0.531	0.697	0.518	0.582	3
无锡	0.527	0.464	0.386	0.459	4
徐州	−0.306	0.299	0.142	0.045	10
常州	0.053	0.325	0.434	0.271	7
苏州	0.857	0.505	0.808	0.723	2
南通	−0.033	0.511	0.443	0.307	6
连云港	−0.306	0.253	−0.155	−0.069	13
淮安	−0.532	−0.454	−0.013	−0.333	20
盐城	−0.472	−0.411	−0.007	−0.297	19
扬州	−0.155	0.154	0.587	0.195	8
镇江	−0.236	0.160	0.163	0.029	11
泰州	−0.399	−0.060	−0.024	−0.161	14
宿迁	−0.722	−0.650	−0.509	−0.627	25
杭州	0.625	0.332	0.145	0.367	5
宁波	0.483	0.095	−0.245	0.111	9
嘉兴	−0.133	−0.066	−0.564	−0.254	17
湖州	−0.362	−0.376	−0.045	−0.261	18
绍兴	−0.141	−0.243	0.263	−0.041	12
舟山	−0.275	−0.267	−0.186	−0.243	16
温州	−0.183	−0.418	−0.970	−0.524	22
金华	−0.252	−0.341	−0.072	−0.222	15
衢州	−0.555	−0.552	−0.502	−0.536	23
台州	−0.240	−0.326	−0.549	−0.372	21
丽水	−0.499	−0.522	−0.749	−0.590	24

表14　2007、2008年长江三角洲城市可持续发展水平得分排名

城市	经济子系统得分排名		社会子系统得分排名		资源环境子系统得分排名		综合得分排名	
	2008	2007	2008	2007	2008	2007	2008	2007
上海	1	1	1	1	2	16	1	1
南京	4	6	2	3	4	5	3	4
无锡	5	4	5	6	7	4	4	3
徐州	17	18	8	19	11	11	10	15
常州	7	8	7	9	6	6	7	9
苏州	2	2	4	2	1	2	2	2
南通	8	7	3	7	5	3	6	8
连云港	18	22	9	24	17	15	13	21
淮安	23	23	22	21	13	22	20	23
盐城	21	20	20	22	12	12	19	19
扬州	11	12	11	12	3	8	8	11
镇江	13	11	10	10	9	7	11	10
泰州	20	13	13	13	14	9	14	12
宿迁	25	25	25	25	21	17	25	24
杭州	3	5	6	4	10	10	5	5
宁波	6	3	12	5	19	13	9	6
嘉兴	9	10	14	11	23	25	17	18
湖州	19	17	19	15	15	14	18	13
绍兴	10	9	15	8	8	1	12	7
舟山	16	19	16	14	18	19	16	16
温州	12	15	21	17	25	24	22	20
金华	15	16	18	18	16	18	15	17
衢州	24	21	24	20	20	21	23	22
台州	14	14	17	16	22	20	21	14
丽水	22	24	23	23	24	23	24	25

参考文献：

1. 张锋，寇有观等. 城市可持续发展：目标·途径·创新[M]. 北京：中国工商出版社，2006

2. 杨华峰，邱丹，余艳. 创新型城市的评价指标体系[J]. 统计与决策，2007，（6）

3. 厉无畏，王振等. 创新型城市建设与管理研究[M]. 上海：上海社会科学院出版社，2007

4. 杨冬梅. 创新型城市的理论和实证研究[D]：[博士学位论文]. 天津：天津大学，2006

5. 倪鹏飞，侯庆虎，王有捐等. 中国城市竞争力报告NO.7. [M]. 北京：社会科学文献出版社，2009

新中国成立60年中国城市经济理论的沿革与发展

中国人民大学区域与城市经济研究所党委书记、副教授　付晓东

城市是经济发展的据点，也是经济发展的焦点。城市中演绎着现代文明与传统文化的碰撞融合，交织着人类各种活动（经济、政治、宗教、文化等）的盛衰沉浮。城市自然也就成为学者们关注和研究的重要领域。

理论源自于实践，却又是指导实践的方向标。60年的历程，尤其是改革开放以来，中国学者在城市经济理论领域开展了精彩而深刻的探索，取得了大量的成果，主要涉及城市化、城市群、大都市、城市产业（产业集聚、结构类型、转型优化）、竞争力、生态保护、开发区、住宅与土地经济、城市经营与管理等方面。

第一节　新中国成立60年中国城市经济理论的发展脉络

中国城市经济理论研究具有强烈的时代特征，它是伴随着中国国民经济发展和城市建设的进程而展开的，始终没有脱离经济建设的主战场，围绕不同时期全国经济建设的主要任务和特征（背景），开展了不同性质、不同类型、不同地域、不同发展任务的城市研究。

一、理论研究的简要溯源

从世界范围看，城市经济发展固然是伴随着城市产生而产生的，但是真正关注到城市经济问题的则时间很短，城市经济理论研究活动较早散布在有关学科和学者中（地租理论、区位理论〈工业、商业〉、增长极理论、产业集聚理论、规模效益和外部效益理论、田园城市与乌托邦等）。

第一次产业革命开启了具有近现代意义的城市发展，城市与城市经济迅速扩张，产业活动与产业结构不断升级变迁，城市面貌和城市空间结构也经历了巨大的变化。

二战以后西方国家随着农村人口的增长，农业机械化逐渐普及和农民劳动生产率的提高，大量剩余劳动力涌向城市，导致城市人口急剧膨胀，出现了所谓的城市爆炸（Population explosion），于是一系列日益严重的城市病症状相继发作，地价昂贵、能源短缺、住房紧张、交通拥挤、供水不足、环境恶化、失业上升、犯罪猖獗、贫富悬殊、阶级矛盾尖锐等等。因此最先涉及城市经济问题的是20世纪20年代对城市土地经济和土地区位的研究。

随着1965年美国经济学家威尔帕·汤普森（Wilbur Thompson）编写的《城市经济学导论》（A preface to Urban Economics）的问世，城市经济学从广义的经济学科群体中分离了出来，这也标志着

城市经济的新时代的来临，随后的70年代英国、美国、日本、苏联等多国纷纷成立城市经济学的研究团体。

与大多数西方国家不同的是，中国经济学理论脱胎于马克思主义经济学，这是中国经济学的本质属性。在社会性质上我国属于社会主义国家，经济发展的道路有别于一般资本主义国家，新中国成立以来的经济建设一直是边摸索边发展，边发展边总结。在此期间尽管遇到很多困难，经济发展的脚步却始终没有完全停滞过，尤其是改革开放以后，城市经济获得了前所未有的解放和发展，经济理论的发展和总结也开始从单一的研究马克思主义经济学基本理论，引进苏联经济模式转向了以马克思主义的开放胸怀吸收借鉴其他西方经济学流派的科学成分，百花齐放，百家争鸣，结合发展中的经验，不断提炼进行实证结果，丰富完善自主理论的创新。

我国城市经济理论发展大致可以分为两个阶段：一是建国至改革开放前的马克思主义经济学研究主导，苏联模式模仿改进式阶段，二是改革开放以后，学习多种经济理论，去芜存菁，逐步在经验总结上自主创新阶段。

二、理论研究的萌芽酝酿期：1949–1978

尽管两千多年中国“重农抑商”的思想根深蒂固，尽管中国共产党走的是有别于苏联城市革命的“农村包围城市”革命道路，城市由于其多种资源的集中度高，能产生出巨大的发展爆发力，成为带动整个社会经济的发动机而受到了重视。

在我国，新中国成立初期，防御外来侵略这一政治因素和国民经济恢复这一时代特征主导了这一阶段的经济发展。国家工业化理论（重工业优先发展）上升为指导方针，主张中国必须实现工业化，才能彻底摆脱对发达国家的依赖，实现独立自主的发展目标。以苏联为代表的后起工业化国家取得赶超世界先进水平的经验，增强了中国政治家和中国人民对以重工业发展拉动全国工业化的信心。

面对“一穷二白”，百废待兴的城市建设，新中国成立初期，对城市发展实行了两大战略措施，第一就是转变城市的性质，明确提出“变消费城市为生产城市”的要求；第二就是在全国推广的工业化造城运动，重点是“建立和扩建电力工业、煤矿工业和石油工业，建立和扩建现代化的钢铁工业、有色金属工业和基本化学工业，建立和制造大型金属切削机床、发电设备、冶金设备、采矿设备和汽车、拖拉机、飞机的机器制造工业”①。这一时期特点是计划特色突出，国民经济有计划按比例发展；大项目拉动，重化工引导，其影响深远。后来的“以钢为纲，大炼钢铁，建设矿业城市，农村人口盲目进城流动”等是其延续。

对城市的类型认识、划分标准和设置，成为国家政策的实施依据②。当时，把城市分为四类：第一类是有重要工业建设的新工业城市，即重点工业建设项目安排较多的城市；第二类是扩建城市；第三类是可以局部扩建的城市；第四类是一般中小城市。随着经济建设的发展，不仅出现了一批新的城市和新的工业区，旧的城市也不断扩大郊区的范围。在1955年6月、11月，国务院两次颁布设置市、镇以及城乡划分的标准。可以看出城市研究在城市化与城市建设的规制方面做了有益的探索。

① 中共中央文献研究室编. 新中国成立以来重要文献选编（六）. 中央文献出版社,1993。
② 董志凯. 关于新中国经济增长与发展阶段（1949–2004）的探索. 中国经济史研究,2004（4）:103–106。

此外，区域均衡发展观点得到中央采用。156项苏联援建项目主要布置在中西部的大中城市，当时划分的内地安排了118项，约占全部项目的79%，沿海地区只占约21%。“一五”计划694项建设项目中有65%的项目分布在京广铁路以西的45个城市和61个工人镇；35%的项目分布在京广铁路以东及东北地区的46个城市和55个工人镇。[①]这种项目布置不仅从根本上调整了工业建设的空间布局，同时也为中国城市特别是内地城市的建设和发展奠定了基础。由此，我国以工业为主导的城市建设重点转移到了内地。先后形成了以沈阳、鞍山为中心的东北工业基地，以京、津、唐为中心的华北工业区，以太原为中心的山西工业区，以武汉为中心的湖北工业区，以郑州为中心的郑洛汴工业区，以西安为中心的陕西工业区，以兰州为中心的甘肃工业区，以重庆为中心的川南工业区等内地的工业城市体系。这种空间布局，一方面改变了旧中国工业集中在东南沿海开放通商口岸，而内地极度贫困、极度不发达的情况，从而在内地建立起重工业为主体的城市工业经济体系；另一方面，中央大量的资金项目投入建设业也为内地城市经济的启动打开局面。（熊建林，2006）[②]

随着项目建设的发展，一批新兴城市拔地而起。已有城市进行了社会主义工商业化改造，重生产轻消费，城市经济发展导向由消费性城市转为生产性城市。这一时期的城市经济研究十分薄弱，主要散落或附属于大型项目上（156个项目的论证、实施）、生产力布局的原则、原理、布局思想（均衡、非均衡等）。

当时，一些大中院校在为项目建设献计献策的带动下开始小范围的翻译、引进国外理论。如1951年中国人民大学率先在全国建立了经济地理学教研室。新中国第一部经济地理教科书——《经济地理学》以及后来组织编写的《中国经济地理》、《世界经济地理》、《自然地理》等，均被教育部指定为全国高等学校经济地理专业教学参考书。新中国成立初期经济地理教研室先后举办了7期经济地理专业研究生班，培养出了150多名研究生，这些人不仅直接参与了当时的生产力布局（重大项目论证）工作，后来也都成为各高等学校或研究单位城市与区域经济学专业方向的骨干。那时社会上也出现了多种介绍城市经济的读本，如1957年由北京城市建设出版社出版的苏联科学家B. 魏谢洛夫斯基的《市政经济教程》等。

“文化大革命”十年不仅是我国国民经济停滞的阶段，也是城市经济基本停滞的时期。更由于“三线”国防经济建设的实施，项目进山、分散、入洞（山、散、洞），虽然也推进了一些偏远地方、山区的城市建设，但以国防安全为第一原则下，总体上降低了经济效益，延缓了城市的发展和城市经济的成长。一些山区城市至今仍面临着用地狭窄、项目难以落脚（甚至原有项目外迁）、市场狭小、成本费用大等难题。

新中国成立以后近30年是以重工业带动的城市经济发展时代，新中国的城市体系在项目的建设推动下，城市规模不断扩大，城市经济也由新中国成立初期的极其低下到初具规模。尽管期间遇到政治斗争的影响，中国城市经济发展一度低迷，但仍比同期世界各发达国家的发展速度高出许多[③]，随着城市经济的发展，越来越多的人意识到城市的经济发展是需要理论来指导的，在以往的发展中，被动的摸索经验已经不再适应城市经济发展的速度，城市经济的发展呼唤着对城市经济理论的总结和更深入的研究。

① 曹洪涛，储传亨主编. 当代中国的城市建设. 中国社会科学出版社，1990：24-25。
② 熊建林. 以工业化为前提的初期城市发展史及我国当代城市化道路选择，2006（3）:71-73。
③ 张风波. 中国宏观经济结构与政策. 中国财政经济出版社，1988 :342-345。

三、理论研究的破冰初创期：1978–1992

真正的中国城市经济学研究是从改革开放以后起步的。一位日本学者越泽明（1978）在《中国城市建设—非城市化的工业化道路》的前言中写道："中国25年来的经济建设也是实现快速工业化的过程，在近代社会中城市化现象是工业化的必然结果。关于这点，中国的情况如何，几乎完全没有研究。"[①]这从一个视角反映出我国在改革开放前对城市经济的研究尤其是理论化体系的方面是相当薄弱的。

打倒"四人帮"后，农村率先改革取得成效，改革的重心迅速转向城市，城市工作日显重要。当时，城市经济学在国内非常单薄，主要面临三大主要任务：

一是拨乱反正，总结教训。我国的经济学界开始反思改革开放前30年的历程，主要观点有：我国的经济体制是以中央高度集权、计划行政管理、排斥市场机制为特征；生产建设思想方法是以"生产关系决定论"为特征的，忽视生产力的作用，片面强调生产关系的决定性作用；盲目模仿原苏联的经济理论和方法；对经典原理采取教条主义的态度（不切实际的推行均衡布局、否定商品生产）。另外，我国城市建设者也认真总结了城市建设发展中的教训，诸如：城市要有城市规划，要按规划建设；基础设施要先行；坚持配套建设；城市政府要把工作重心转移到城市规划、建设、管理上来（内蒙古自治区城乡建设环境保护厅《内蒙古自治区城市建设1947–1987》p6）。

二是开展城市经济研究，创建国内城市经济学研究体系。当时，赵紫阳提出了城市经济的重要性，要求在中国社会科学院开展城市经济研究。1986年，我国以企业为核心，建立了商品经济体制，开展了企业体制改革。作为城市经济学不可能全力研究企业改革问题，但企业改革和发展是城市经济的主要内容。充分认识城市作为交流、消费中心的功能规律，必须深入研究企业。在这样的背景下，当时的中国社科院财贸研究所的杨重光等人编写了《城市流通中心论》、《社会主义城市经济学》[②]。

三是发挥城市经济应用研究的作用，为国家建设谏言献策。此期，城市经济学（者）积极参与中国的城市经济体制改革，如著名学者蒋一苇先生探讨了中心城市的作用，提出了重庆作为计划单列市的方案。国内各种研究机构纷纷根据宏观发展形势，调整力量，中国社会科学院财贸经济研究所率先成立城市经济研究室，各省的社会科学院也相继成立城市经济研究所和研究室将中国城市经济研究逐步推进。此时，有关高校也开始进行城市经济理论研究，并设立城市经济学（硕士、博士）专业[③]，为我国的城市经济学理论的研究和城市经济学人才储备做出了巨大的推动和贡献。1986年中国社科院财贸所还组织筹建了中国城市经济学会。

历史进入改革开放阶段，城市经济理论研究的春天到来了，思想得到解放，大量引进西方城市经济理论和实践经验。研究内容拓展迅速，从国有企业到个体工商户；从财政税收到金融外资；从物价到生产资料（基础设施）；从工业到服务业；从加工制造业到房地产、旅游休闲、文化创意（技术、研发）；从开发区、特区到保税区出口加工区自由贸易区；从中心城市到计划单列城市；从千城一面到特色形象各异等等；各种思潮和理论层出不穷；反思控制大城市，积极发展中小城市的政策；均衡与非均衡的策略；产业发展到城市经营；以资本为最基本生产要素到以知识为最基本

① 越泽明.中国城市建设—非城市化的工业化道路（油印本）1978年。
② 杨重光，刘维新.社会主义城市经济学.中国财政经济出版社.1986年。
③ 南开大学、中国人民大学、兰州大学等在全国较早成立了城市经济学硕士点和博士点。

要素的发展；经济增长效率和方式、网络经济、虚拟经济、循环经济、可持续发展等。

城市经济研究逐步受到重视，也涌现出了一批重要成果（包括引入国外的理论）：1984年由上海社会科学院翻译最早引进了英国经济学家巴顿的经典著作《城市经济学理论和政策》，1987年刘世庆等翻译了沃纳·赫希《城市经济学》[①]，以这两部著作为开端，大批国外城市经济学著作如伊文思《城市经济学》；美国的Hirsh Werner 的《城市经济分析》、《城市经济学》；Mills Edwin 的《城市经济学》；日本山田浩之的《城市经济学》等被翻译引进。[②]1992年北京大学城市与环境学系的孟晓晨博士出版了《西方城市经济学—理论与方法》是国内第一部系统地介绍了西方城市经济学的专著。

一批城市经济学教材也应运而生，尤其是一些强调社会主义特色的城市经济学教材得到了很大的发展，如朱林新的《中国社会主义城市经济学》（上海社会科学出版社，1986年），高秉坤等编写的《城镇经济学》（1988年），常宝林等编写的《社会主义城市经济学》（吉林大学出版社，1988年），蔡孝箴、郭鸿懋编写的《社会主义城市经济学》（南开大学出版社，1990年）等，开创了城市经济研究的新一步。

四、理论研究的深化发展期：1993-2000

进入90年代，尤其是邓小平南巡之后到世纪之初（1993-2000），是中国市场经济体制的确立和急速发展时期，城市经济研究不断向纵深方向迈进，目标上以城市发展为中心，方式上以经济要素为内容展开研究。城市化研究、产业结构升级、开发区创新发展等成为主流。

以城市化研究为例，其内容极为丰富。城市化是传统落后的农业社会向现代文明的城市社会转变的一次深刻革命，其过程中会遇到制度、文化、经济各个层面的难点问题。对其研究主要表现在如下几方面：城市化水平与结构、城市化阶段及演进特征、中国城市化进程缓慢的制度性障碍（户籍制度、用工制度、住房制度等）、中国城市化的道路选择（大城市化、乡村城市化）、城市化大系统内部结构的协调性研究、我国城市化制度支持系统的创新与宏观调控问题、中国城市化动力机制评价指标体系的构建、逆城市化现象、城市化发展对经济发展的作用[③]等。

城市化研究结论的不同，导致实践上的不同模式。在选择我国城市化道路和推进城市化的政策上，明显存在着两种不同的观点：大城市观点是主张我国经济社会发展的战略重点应在大城市和特大城市，认为大城市有规模优势、中心职能作用、带动性强。不赞成“控制大城市规模”的方针。中小城市观点是主张“积极发展小城市”，靠小城镇转移和吸纳从农村分离出来的剩余劳动力，走“离土不离乡、进厂不进城”、“就地转化”的农村城市化道路。一些地方走农村就地城市化道路，通过增加建制镇、建制县，大力发展乡镇企业，大幅提高了城市化率。一些地方选择大城市化模式，积极开展国有企业改制和壮大非国有经济，进入计划单列城市或副省级城市。

在社会主义市场经济体制目标确立之后，开发区建设与研究成为又一个热点（详见（六））。

这一时期城市经济研究迅猛发展。但是城市经济学研究尚有较大分歧，例如：是否把城市中各部门的经济学研究放在一起就是城市经济，还是应该把城市经济中的共性问题提出来进行研究。

---

① 张敦富. 城市经济学原理. 中国轻工业出版社,2005：12。
② 郭鸿懋等. 城市空间经济学. 经济科学出版社,2002.2：14。
③ 陈甬军. 中国的城市化与城市化研究—兼论城市化道路. 东南财经,2004(4)：23-29。

五、理论研究的提升创新期：2001-至今

新世纪可谓是发展的重要转折，城市经济理论的主要问题是对信息化时代城市现代化问题的研究。城市是创新源泉，在知识经济时代，我国城市经济如何发展，既要研究工业化时期的城市经济问题，也要对后工业化、知识经济时代城市经济问题进行研究。

伴随着多年学习西方知识，城市经济理论的研究也因为多年的本土经济运行实践的积累，来到了厚积薄发的创新提升阶段。对各种城市经济问题的认识和研究也达到了空前的繁荣。对此前忽略的问题也一一增补，使得城市经济理论的研究更加丰富更加枝繁叶茂。尤其是城市功能特征、城市运行优化、城市产业结构、城市集聚扩散以及城市经济的部门深化等方面，学者们投入了无穷的热情和精力，也获得了很多成果。

至此城市经济理论的研究已经发生了巨大的变化。无论是从发展的主题，探讨的对象还是研究的方法上都获得了大量的突破和创新，不仅是中国经济发展的经验和实践的总结，也是未来中国经济发展创新的指导基石。

——从发展的主题上看

从追求经济单纯增长已经转变为到经济社会和谐发展（科学发展观）即从越快越好到越好越快。

理论研究的一个重要内容，是对城市本质的认识，城市不仅是一个物质经济实体，一个人工的物化环境，而且是一个能满足人类生存发展需要的社会场所，能够为人类社会创造出丰富物质和精神财富的高效率聚居地和空间。因此，研究城市，首先要研究人，仅对物的研究是远远不够的，更不能本末倒置，以物的研究取代对人的研究①。我国对于城市本质和特征的最权威的提法已经写入1984年的十二届三中全会上通过的《中共中央关于经济体制改革的决定》之中："城市是我国经济、政治、文化、教育的中心，是现代工业和工人阶级集中的地方，在社会主义现代化建设中其主导作用。"对城市的基本认识不再停留在政治中心、经济中心、文化中心这样的表层面上，而是以人为本地凝练出了城市的目的是方便于人，服务于人，造福于人。而城市的基本功能就应该为养育功能、教育功能、生产功能、娱乐功能、记忆功能和管理功能等。这些认识为城市经济的研究和发展指明了方向。

"仓廪实而知礼节，衣食足而知荣辱"，在改革开放多年经济有所积累的基础上，人们将更多的关注投向城市发展的方方面面。研究者们也越来越深刻的意识到经济发展只是城市众多功能中的重要组成部分，不仅要重点关注作为城市基础的城市经济，也要关注其他能对城市经济发展起到作用的各个方面，只有城市的各方面获得和谐平衡的发展，城市经济才能实现长期稳定可持续的运转。特别是"十五"计划纲要第一次明确提出"以发展为主体"而改革开放与科技进步并列放在发展动力的位置上，发展成为了总揽全局的重点，而改革也被纳入到发展的框架中去，特别是科学发展观的提出，成为了统领全国经济发展，也是城市经济发展的核心价值观。城市经济的发展也从越快越好的要求转变到又好又快上来。

——从探讨的对象上看

进入新世纪，随着我国市场经济体制的建立和发展，国民经济规模和速度的递进，城市经济

① 纪晓岚. 论城市本质. 中国社会科学出版社, 2002年5月: 3。

的研究对象和热点不断发生着转换和转移。已经由单个城市（小城镇）逐步过渡到城市群、城市圈（带）以及城市体系和空间结构，预示着我国城市内在的发展动力和活力。

关于城市群研究。城市群是一种城市空间形态，它既是城市和区域经济演进的必然产物，也是实现区域与城市间分工合作的重要手段。这方面的研究成果主要体现在如下几方面：城市群形成与发展机制研究、城镇化到都市化的战略提升、郊区化与逆城市化，中国都市群发展的重要模式以及一些具体城市群（长株潭城市群、武汉城市圈、环鄱阳湖城市群、中部三大城市群、中国十大城市群、京津冀都市圈）研究。

中国的城市群战略萌芽于改革开放初期，形成于21 世纪初期。它不仅将主导中国经济与社会发展的长期方向，而且，从区域层面上看，东、中、西部及东北地区之间竞争的焦点亦将越来越多的集中于城市圈或城市群的建设上。在2005年后，城市群建设的目标开始变成坚持大中小城市和小城镇协调发展，以特大城市和大城市为龙头，通过统筹规划，形成若干用地少、就业多、要素集聚能力强、人口分布合理的新城市群①。

在城市群的内涵上，城市群是被高速交通轴缩短了时空距离的大城市空间②，是由多个大城市圈聚合而成的一个高密度的、关联紧密的城市空间③，城市群是由一个中心城市及其周围与中心城市保持高度的社会、经济、文化联系的中小城市及小城镇共同组成的城市体系。几个在空间上相互连接的城市群组成一个城市带④。

关于大都市（圈）区研究。学者们注意到，随着经济社会发展，大城市的地域空间组织开始从单体型城市的简单形态，向以中心城市为核心的诸多城市和地区相互交融形成的都市圈的复杂形态转变。在中国经济版图上，已经形成了三大都市圈：以粤港为中心的珠三角、上海为龙头的长三角都市圈和由京津领衔的环渤海都市圈。在城市空间分布上，中国大陆城市空间从1949年的3个城市集聚区发育至2003年的20个⑤。学者们探讨了都市圈概念的内涵、都市圈的类型、级别和功能⑥、一般城市融入都市经济圈一体化进程的路径选择、省级都市圈高位协调机构的建立与实施机制、世界第六大都市圈（泛长江三角洲）的未来“一体两翼”格局、武汉城市圈功能提升研究等。从都市经济圈一体化进程研究看，关键是确定一体化的基本方向和主要路径，为了促进这一进程，需要培育统一的要素市场，对接产业分工与协作，打造都市圈快速交通干线网和通用信息平台，创新政府协调机制，交流与共享人才资源，遵循区域发展总体规划等。

——从研究的方法上看

城市经济的研究是古老的，从城市诞生之初就和城市的发展血脉相连，这个学科的研究也是年轻的，真正从经济学体系中剥离，不过区区几十年，但却充满活力。

纵观60年中国城市经济的研究，经历了由参与现实经济建设、引进学习，然后是理论实证检验，到目前的实践提炼创新理论。中国城市经济学的研究承袭了马克思主义经济学的科学方法论，并以此为基础，将计量经济学、统计学、西方经济学等学科杂糅其中，取其精华，去其糟粕，辅以现代科学技术。

① 张贡生. 中国的城市群思想及新城市群建设. 佳木斯大学学报, 2008 :28–31。
② 田炳信, 周牧之. 中国财富聚焦两大宝鼎. 新快报, 2004–11–25。
③ 陈胜昌. 发展城市群和城市带——中国城市化的新方向. 江西财经大学学报,2005 , (4): 47–50。
④ 顾朝林, 庞海峰. 新中国成立以来国家城市化空间过程研究. 地理科学, 2009 (1) :10–14。
⑤ 顾朝林, 庞海峰. 新中国成立以来国家城市化空间过程研究. 地理科学, 2009 (1) :10–14。
⑥ 袁家冬, 周筠, 黄伟. 我国都市圈理论研究与规划实践中的若干误区 地理研究 2006 (1) : 112–120。

中国城市经济学的主流方法也经过多次演进，从经验的摸索发展，到引入西方的理论，从按照理论进行实证分析，到运用逻辑推演进行新观点的提炼创新。中国经济体制改革的不断深化以及中国经济的巨大发展，为城市经济理论研究创造了巨大的空间和无限的可能，中国城市经济理论的研究逐步进入了从实践中提炼观点到自主创新的新时期。

这表现为两个方面，一是从中国实践经验检验西方城市经济经典理论，实践经典理论的中国模式，拓宽经典理论的适用范围，修正经典理论限制因子，突破理论的时空局限性，发展经典理论的实践性，在经典理论中加入中国元素，成为推动中国城市经济发展的指导；二是从中国城市经济发展实践中找到新规律新理论。中国城市经济发展，尤其是改革开放以后的城市经济迅速发展和中国城市经济的特殊性也已经成为理论研究的沃土，中国城市经济研究者们开始逐步尝试从研究中国城市经济的今昔纵向对比和中外城市经济的横向对比等多方面多维度的思考开始，进行理论的提炼和创新。

此外，由于科学技术方法的进步，更多新颖的研究方式被运用到中国城市经济的研究上。如C-BOT系统论①、非线性动力学模型②等。

第二节　新中国成立60年中国城市经济理论重要领域探索

一、城市经济的功能与特征

马克思和恩格斯在《德意志意识形态》中曾经指出：城市本身表明了人口、生产、工具、资本、享乐和需求的集中，而在乡村则看到完全相反的情况，孤立和分散。

列宁曾指出，城市是经济、政治和人民精神生活的中心，是前进的主要动力。城市的经济作为发展的基础主导着政治、文化、教育等上层建筑的形态，城市经济不仅影响着人民，也从各个方面影响着城市本身发展、区域发展，甚至国家发展的未来。

城市的特征主要有密集性（包括人的密集、物质和资产的密集、文化的密集等）、高效性（高效率和高效益）、中心性（吸引力和辐射力）、多元性（多功能和多类型）以及系统性（复合宏观大系统和动态开放大系统）③。城市作为一个经济实体，城市内部的经济活动必然具备生产、分配、交换和消费4个功能环节。然而，由于受到地理位置、气候条件、人文历史和行政区划等因素的多方面作用，以及其内部多种机制的互相运作影响，各个城市经济的功能呈现出不同的发展强度，城市经济也呈现出不同特色。

美国经济学家哈里斯在《美国城市职能分类》中提出美国的城市可以分为7大类：工业城市、混合城市、批发商业城市、运输业城市、矿业城市、大学城市、游览疗养城市等。而日本经济学家矶村英一则更进一步细分，在他的《城市问题百科全书》中将日本城市细分为12类：综合城市（普通城市）、政治城市（首都、地方行政中心）、文化城市、学园城市、观光城市、住宅城市（卧城）、渔业城市、卫星城市、产业城市（工业、矿业）、疗养城市、军事城市、港湾城市等④。

---

① 刘波，陈荣德. C－BOT系统论：一种崭新的城市化发展理论的建构. 中国软科学,2005(4):138–146。
② 陈彦光，周一星. 中国城市化过程的非线性动力学模型探讨. 北京大学学报(自然科学版)，2006 :82–88。
③ 谢文蕙，邓卫. 城市经济学(第二版) 清华大学出版社，2008 : 17–21。
④ 谢文蕙，邓卫. 城市经济学(第二版) 清华大学出版社，2008 : 18。

在充分研究中国城市特色的基础上，中国学者对城市功能划分运用了多种测度方法，更侧重于对城市未来发展方向指导，较早的有Nelson方法，和其后的聚类多变量分析和统计分析相结合的方法，这一方法被我国学者借用最多[①]。近年，随着计算机软件开发技术的发展，人工神经网络[②]、聚类分析和纳尔逊统计分析相结合[③]以及运用Morre 回归方法、多变量聚类分析和Nelson 统计分析相结合[④]等方法相继被应用到城市职能分类研究中。

当然，城市的类型是个历史概念，并非固定的模式，目前对城市的分类研究也都是基于历史数据进行一系列的数据分析得出的结果，随着城市主导功能的变化，城市的类型也在变化中。必须指出的是城市的发展沿着全面提高综合竞争力且在专业化（优势）特色化的道路前进的总趋势是不会变的。

二、城市经济的增长、运行与优化（城市经营、竞争力、管制）

关于经济增长理论。有学者提出：俱乐部趋同是城市与区域经济增长趋同的一种重要类型，自20世纪90年代后期以来该研究已经成为国外城市与区域经济增长研究的热点。目前，该领域的研究主要集中在俱乐部趋同的概念、假说的实证检验以及对趋同机制的分析等方面，但同时，在对俱乐部趋同的概念界定、类型划分、趋同机制和有关检验框架等方面，还存在一些疑问和有待深入探讨的课题。还有学者提出增长极的“漂移与叠加”两种成长模式，认为增长极的区位变化，带动不同城市经济的增长，形成增长极的漂移；增长极在原来的区位继续成长，并结合环境的变化带动城市经济的进一步发展，就形成增长极的叠加。因此，促进经济增长必须创造适合增长极进一步成长的基本条件。

关于市场主体塑造研究。针对市场经济要求，探讨如何建立企业、政府、中介机构等市场活动的主体，发挥他们各自在市场中重要的不可替代的作用。初期的改革，首先要解决城市经济中最具活力的主体——企业问题，使其逐步建立起来，主要塑造途径：国营企业下放承包；“无上级、无级别”企业的建立或引进；发展民营与个体私营企业；引入外资企业等。此后，股份制企业、上市企业、大型跨国公司等逐步发展。此外，还探讨了现代企业制度建立，责权利分离与结合、企业分配与股权激励制度等。

政府是十分重要的市场主体，这方面主要是探讨各级政府的职能与改革，建立高效、廉洁的政府决策、执行机制与形象；建立政企分开、党政分开、科学民主的管理体制。

中介机构是市场经济中不可缺少的一类主体，学者们探讨的是其如何建立、运行和管理（自律），使得市场经济体系更加完善、效率更加提高。

关于城市经营与管理研究。城市经营与管理是城市形象的重要标志，核心是其效率与文明的体现。城市经营或者说经营城市是90年代末至今的热门话题，前者侧重于概念意向，而后者则更重视

---

① 徐红宇，陈忠暖，李志勇. 中国城市职能分类研究综述. 云南地理研究，2005（3）：33–36。孙盘寿(1984 年) 在《西南三省城镇的职能类型》研究中，利用Nelson方法作为分类的定量标准将22个城市划分为工业城市和综合性城市两大基本职能类型和9个工业职能类型；周一星，田文祝等人（1988）先后对中国城市的工业职能进行了两次分类。在《中国城市（包括辖县）的工业职能分类——理论、方法和结果》中将全国295个城市的16个反映城市工业部门产值结构的变量（冶金、电力、煤炭、石油、化学、机械、电子、建材、森林、食品、纺织、缝纫、皮革、造纸、文教艺术制品和其他工业16个部门的产值比重）3个反映城市工业规模的变量（工业总产值、工业职工数、工业企业数）进行聚类多变量分析和统计分析相结合,先利用沃德误差法的聚类分析取得分类结果，再借助于纳尔逊统计分析的原理对划分出的城市组群进行特征概括和命名。

② 刘耀彬,宋学锋. 基于SOFM 人工神经网络的长江三角洲地区城市职能分类. 云南地理研究，2005（6）:19–22。该文以人工神经网络（ANN）作为城市职能聚类的模型工具，结合实际，建立了包含城市规模、职能活动和产业活动的分类指标体系，并应用ANN 模型分析中自组织特征映射网络对长江三角洲地区的主要城市进行了职能分类。

③ 薛莹. 地级以上城市的城市职能分类——以江浙沪地区为例. 长江流域资源与环境，2007（6）：695–699。该文对江浙沪地区25 个地级以上城市的城市职能分类进行了研究，指出该地区城市的未来主要职能以及城市规模控制方案。

④ 闫卫阳，刘静玉. 城市职能分类与职能调整的理论与方法探讨一以河南省为例. 河南大学学报，2009（3）：265–270。该文以河南省为例，将河南省38 个设市城市进行分类，并提出河南省城市未来发展的不同城市的职能调整方案。

经营的过程。近几年，伴随着城市竞争加剧和城市政府职能转变，城市经营成为多学科竞相参与研究的领域，尤其以城市规划学、经济学的研究为甚。针对城市经营的概念、内涵、如何经营等问题展开了激烈的讨论，进行了积极的探索。

学者们在概念辨析上就经营资产、经营资本和经营公共物品和公共资源等不同角度阐释了他们对城市经营的认识。经营城市是城市政府遵循、运用市场规律，把无力做到或者不该做的一些投资和经营领域，交由市场去配置和完成。基于对概念的认知再深入地探讨城市经营的主体、客体，经营方式以及经营中存在的注意点等①。

城市经营的具体做法很多，主要有财政投入、政策性收费和集资、银行贷款和负债经营、土地使用权的拍卖出让、城市建设项目经营特许权的经营、BOT和ABS融资等等。

在这一领域，学者们展示了独特的视角，更多的研究包括：城市经营发展历程、研究进展、城市建设与城市管理体制及机制研究、我国城市化管理的市场化运行、中国大都市区管治研究、基于健康城市视角的城市管治路径选择、城市治理研究的最新进展及一般分析框架、论城市基础设施市场化改革中政府监管等。其中，市场化的管理理念就值得引起我们的关注。

关于城市竞争力方面的研究。竞争力是一个城市内在素质的综合反映。因此，对竞争力的要素判别、竞争内容、竞争层次和领域仍然是学者们的研究主题。比如：城市竞争力关键要素的识别方法、城市整体交易效率与中国城市间竞争分析、基于城市竞争力的城市资产经营、新形势下城市核心竞争力探析、城市尺度的网络竞争力研究、中国城市竞争力评价量化模型研究等。

三、城市产业结构的提升与主导产业塑造

城市产业发展方面的研究。对产业结构的认知，在我国由来已久。新中国成立初期，毛泽东把农、轻、重生产部门的划分提到了十分重要的地位，指出，中国工业化道路的问题，主要是重工业、轻工业和农业的发展关系问题。并提出了以农、轻、重为序安排国民经济计划的著名思想②。改革开放之前的研究，都是基于马克思的再生产理论，关注的对象是“两大部类”或“农轻重”关系；改革开放之后，产业结构的研究多以西方产业结构理论作为方法基点，对象一般是三次产业或产业结构与经济发展阶段、经济周期、政府行为之间的关系。③

进入新世纪以来，我国学者在这一领域开展了较为广泛的探索，主要包括：产业集群理论（集群的类型、特征、形成机制、竞争优势、集群战略与政策等）、新型区域产业分工理论（产品内分工、模块化生产；部门内分工和产业链分工；新型分工的影响因素）、城市竞争力理论（竞争力内涵、理论基础、决定因素、评价指标体系以及作用）和产业转移理论（转移动因、转移模式、转移效应、转移战略）等。比如关于不同的转移模式：扩张性转移和衰退性转移、整体转移与部分转移、技术转移和资本流动、企业协作性转移与并购性转移等。

对于城市的产业结构升级目前研究集中在：资源性城市如何培育接续产业，摆脱“萧条病”；先发展的沿海城市如何在新一轮的产业升级中调整自身的产业结构，如珠三角地区城市长期依赖廉价劳动力和简单“三来一补”发展的模式开始显得力不从心，创新发展、提升产业质量成为主题。

在产业研究中，对于浙江产业集群的研究可谓是一个新亮点，80年代兴起的浙江温州、宁波

① 王勇，李广斌，钱新强. 国内城市经营研究综述，城市问题，2004(1)：8–13。
② 刘月季. 产业结构理论综述. 河南教育学院院报(社科版)，1997 61(3)：65–68。
③ 程锦锥. 改革开放三十年我国产业结构理论研究进展，湖南社会科学，2009(1)：101–107。

等多种模式，获得了巨大的成功，而关于浙江产业集群的研究也始于80年代费孝通的“块状经济”。表面上看，有温州的鞋类、服装、眼镜、打火机，以及义乌的小商品市场、绍兴的轻纺、永康的五金、海宁的皮革、鄞县的服装、永嘉的纽扣、嵊州的领带、金乡的标牌、大唐的袜业、乐清的低压电器等。理论上分为：（1）空间集聚集群发展模式；（2）专业化生产区域；（3）民营企业的群落式发展模式；（4）以家庭关系和共同的文化背景为基础而形成的中小企业集群模式。浙江产业集群形成的主要资本基础是本土资本而不是国外资本，集群延续的主要途径是通过国际市场而不是国内市场①。

随着时代的发展，对产业集群的各个方面研究都受到了越来越多的关注，学者们从形成机制，动力机制，技术扩散方式，竞争力提升，全球产业链，金融融资，可持续发展等方面展开讨论。如探讨企业家对产业集群发展演变的影响，这不仅表现为其企业自身较好的经济绩效，更重要的是他们对地方主体产生的直接或间接的作用。一方面，地方企业家的行为引发外部效应（即示范效应和竞争效应），激励地方持续创新；另一方面，地方企业家通过创建地方产业网络，重新配置地方要素资源，并促进资源、技术与信息在整个地区的流动与传递。地方企业家联盟亦是重要的网络关系，可能导致竞争实力的强弱交替，并引发地区市场结构改变。内外企业家联盟（尤其是与海外投资商的联盟）是推动集群纵深演进的另一重要网络关系，他们共同推动集群技术水平提升、增强集群品牌效益，并引发浙江集群系统效应。②

四、城市经济的集聚与扩散（理论、空间）、城市规模经济

（一）城市集聚经济理论

有学者在梳理和研究国内外前人研究成果的基础上，包括知识外溢、劳动力蓄水池、投入品共享、国内市场效应、消费经济性和寻租等，提出了城市集聚经济多样化的微观基础，较全面地阐述了城市集聚经济产生的原因和趋势。

关于经济要素传导机制的研究，要素的合理流动是财富生发、经济协调发展的重要条件，是解放与发展生产力的基本要求。区域要素的传导机制成为解释区域经济发展内涵的重要工具，这方面的探索，包括区域要素的传导机制的概念与构成（主客体、媒介体、目标、工具等）、流动与市场机制及其机制实现方式。

（二）城市经济规模效益、社会规模效益、环境规模效益、建设规模效益

城市的成长和它的规模是受城市生长机制和调节机制制约的，其中经济机制是它的基础，是决定性的，因而城市发展的合理规模存在着客观标准，但是，不存在固定不变的和只存在于一定范围的合理规模。任何规模的城市都有它存在的一定合理性以及它的发展规律性。城市化与工业化同步发展规律；大城市化或集中型城市化规律；城市发展过程中的不平衡规律。

五、城市经济的部门深化研究

城市是一个巨型复杂系统，即使在经济系统内也包含诸多内容，产业部门众多，发达城市以第三产业为重要内容，如住宅、基础设施和交通、物流、安全、市场、福利、环境、旅游等。

关于城市土地与住宅经济研究。这一领域一直是城市经济中的难点和热点，学者们锲而不舍的

① 张一力,林俐,吴晓棠 浙江产业集群模式：本土资本与国际市场结合型. 特区经济, 2003（8）：43-44。
② 吕文栋,朱华晟. 浙江产业集群的动力机制——基于企业家的视角. 中国工业经济, 2005（4）：86-93。

钻研，结出了累累硕果，比如：我国住房保障制度改革与模式创新、廉租房制度改革及其方向、中等收入人群住房供应体系与限价房政策、房价与我国居民福利效应分析等。

其中，两个重大问题是土地体制改革和住房体制改革。改革初期，针对土地资源、属性功能及不合理利用土地的现象，一些学者进行城市土地有偿使用的研究①。力求运用土地经济规律去指导土地的使用和管理，不同土地类型要征收使用费，才能合理城市规划和旧城改造。1987年受世界银行委托，中国社会科学院城市经济研究室开展了“土地有偿使用”的研究课题。提出如何遏制城市土地无偿使用和扩张问题，在山东和上海等地展开调研，以企业土地使用为主要内容，包括土地在企业中的成本、级差地租如何体现等，为后来国家土地局发出土地有偿使用的决定奠定了基础。随后又与美国公共政策研究所合作，得到了福特基金会支持（60万美元），出版了《城市土地有偿使用》（中英文）一书，1988年4月由中国城市经济学会、中国土地学会等在武汉联合召开“城市土地有偿使用专题讨论会”，就我国城市土地使用制度改革，特别是对实行城市土地有偿使用问题，展开了充分的研究和讨论，分析了现行土地使用制度存在的弊病和问题，估测了在改革中可能出现的矛盾和难点，提出了建设性的意见和建议。1990年，中央发布了城市土地有偿使用的有关文件。

我国从计划经济向市场经济过渡，城市土地也从无偿、无限期使用向有偿、有限期使用 转变，使土地使用权成为商品，可以买卖和转让。取消住房的福利分配制度，实行货币化分配制度推行居民住宅的社会化、商品化、市场化是城市经济体制改革的重要内容，学者们围绕土地使用制度和城镇住房改革在理论上展开了深入和系统的研究和讨论。

问题主要集中在城市土地的属性，土地价格形成理论，随着经济的进一步发展，房产经济成为最重要的探讨部分。在土地属性的探讨上，对土地是否为商品存在不同意见，但是无论如何在市场经济条件要对土地实行有偿使用和有偿转让形成土地市场，必须对使用权赋予商品属性和价值，这成为推进改革和实践基础，并且在理论界取得了共识。

而讨论最为热烈的房产经济问题则由一开始的房产价格的探讨不断延伸到房产经济的地位和作用，房产业能否成为支柱产业以及住房价格水平的探讨等。②

关于开发区研究。开发区，作为城市的窗口和改革的前沿，它们往往是城市建设和城市经济最为活跃的地方，学者们对此问题的探讨更是乐此不疲。开发区在经过大胆探索后获得了空前的成功，我国批准开发区的集中阶段在上世纪90年代初期，尽管还存在着问题，开发区普遍还是符合市场经济之规模经济效应规律和不平衡发展规律，符合邓小平理论和对外开放政策，符合国际惯例和我国经济发展的需要的，具有强大的生命力和发展前景。这方面研究不仅针对宏观的管理体制、规划决策、土地管理的体制机制提出了改进建议，而且对微观的城市基础设施资金来源、市场竞争机制和信息管理平台建立等也提出了对策。

我国的开发区已经步入“后开发区时代”，有学者提出其制度创新以企业型管理模式代替行政区管理模式，即从政府主导向市场主导过渡，使开发区改变其作为当地政府属下的一个行政区或行政机构的身份，成为企业型组织，开发区管理者成为独立的市场利益主体，开发区成为以土地开发经营、产业投资、管理服务等为主业的经济实体，并以实现企业的内在价值为其经营目标。这样既可有效避免各级政府从自身利益出发而导致滥设开发区、恶性竞争等现象，又可实现市场化配置开发

① 赵洪才，董黎明. 城市土地经济评价初探，1985：12–15。
② 宗迪. 二十年来我国城市经济研究进展. 城市经济理论，1998：47–51。

区资源。[①]

关于资源型城市转型发展研究。诸多学者纷纷探讨着资源枯竭型城市产业转型的定位与实践、资源型城市的集群创新与战略取向、资源型城市衰退症结与经济转型的中外比较、中国资源型城市经济转型问题与战略等现实亟待解决的问题。

对于资源型城市的研究，几乎是和城市产业结构升级联系在一起的，全国118个资源枯竭性城市,涉及总人口1.54亿,[②]都面临着相似的问题：赖以生存的资源一旦消耗完，城市将用什么产业来推动其继续发展成了一个亟待解决的问题。

依照新兴资源型城市与原有城市的关系,可以把这些资源型城市分成两类:无依托型和有依托型资源型城市。无依托型资源型城市是指在原先没有城市的地方，因资源开发活动而形成的资源型城市，如大庆、攀枝花等；有依托型资源型城市是指原先已有城市，后因附近地区发现和开发矿产，因而使早先的普通城市具有资源型城市的功能，如大同、徐州等。[③]针对不同的城市要以不同的对策进行调整。[④]有学者在整理国内外学者对于资源型城市产业结构调整相关问题研究成果的基础上,通过分析我国资源型城市的现状,对我国的资源型城市进行了综合分类,并提出应根据不同城市的类型选择合适的产业调整策略：产业链延伸策略、产业转型策略和“边延边转”策略。并利用法国北加莱海峡“煤矿大改造”，德国鲁尔传统产业转型，美国芝加哥多元化经济战略等国际案例进行解说。

关于创意城市的研究。近年来创意城市的理念日益受到重视，并被运用于城市建设、产业升级之中。总体而言，众多研究主要从宏观层面罗列出构建创意城市所需要的要素，并未深入探讨创意城市的本质等相应内容。因而，这一领域成为学者们纷纷进入探讨的空间。主要观点有：我国创意城市发展理论需要反思；我国城市创意创新发展战略应作根本性调整；推动创意创新发展的主力往往不是政府，而是一些非主流、边缘化、体制外的力量等。

首先认识国外的创意产业园区、创意城市现象。国际著名创意城市的特点主要包括发达的创意产业、密集的创意阶层、强大的技术创新能力、宽松开放的创意氛围、众多知名大学、高效的知识产权保护体系和完善的制度结构等7个方面[⑤]。

其次，对国内的创意产业园区、城市进行解析。其中尤以创意城市指标体系的研究较多。例如，于2006年率先提出上海城市创意指数是一套较为完整的创意城市指标体系，该指数包括:产业规模、科技研发、文化环境、人力资源、社会环境等5个方面共33个指标。随后北京等城市也纷纷提出自己的创意产业划分体系。还有学者提出创意城市评价主要是3个方面:创意能力、创意活力和创意环境[⑥]。

创意产业概念从1998年提出以来发展不过区区十年，创意城市的研究也还处于起步阶段，但总体上滞后于创意城市建设的实践。创意城市理论还不是许多城市的“创意城市”建设的理论向导，主要体现在，评价性研究多，关于对策与政策措施方面的研究少。此外，从研究视角来看，从社会学与城市规划角度开展的较多，从经济学的角度进行研究的还较少。从研究方法上看，定性研究

① 庄美燕. 经济开发区将何处去. 魅力中国, 2008 (11)：54-55。
② 徐凯. 短暂繁荣后病症重重. 中国资源枯竭型城市艰难转身. 中国新闻网, 2009-5-26。
2007年10月15日，“帮助资源枯竭地区实现经济转型”首次出现在中共十七大政治报告中，多个深陷枯竭困境的城市开始尝试转型。
③ 张以诚. 我国矿业城市现状和可持续发展对策. 中国矿业大学学报(社会科学版) ,1999 (10) :75 - 80。
④ 刘刚，陈真. 资源型城市的产业结构调整策略研究 .资源产业经济, 2008 (11)：24-26。
⑤ 盛垒，杜德斌. 创意城市:创意经济时代城市发展的新取向. 经济学前沿, 2006 (6)：21-25。
⑥ 汤培源、顾朝林. 创意城市综述. 城市规划学刊, 2007 (3)：17。

多，定量研究较少[①]。创意城市的研究将和未来城市发展还会有更大的空间。

关于城市或区域创新的研究。每个城市或区域都有其区别于其他城市的特性，它既是一个城市或区域获得持续的竞争优势和发展动力的重要源泉，也是催生创新成果的内生基因。将发扬城市特色与推进城市创新相结合，建设具有特色的创新城市是一项更加理性、优化的选择。学者们的研究也展现了新的创意，如：中国省区市创新能力动态趋势及决定因素研究、“创意产业、创意城市、创新型城市与创新型区域”的划分与递进发展、由城市创新转向创新型城市的约束条件和实现途径、创新城市的差异化战略。

关于城市文化与经济发展方面的研究。影响城市经济发展的因素很多，近些年文化因素的重要作用凸现出来。一些学者认为，城市、地域文化的差异导致了城市或区域间经济的差距。这方面研究着重探讨了城市文化的产生和形成、内容及内涵、功能与作用，指出弘扬先进文化对促进经济发展的重要意义。这方面的研究触及了经济社会的深层驱动问题，有待学者进一步的探索。

城市文脉是一个城市独有的魅力和价值，一旦断裂，城市原有的文化积淀和传承将消失殆尽，城市也就缺失了底蕴深厚的文化内涵及灵气。城市文脉延续的关键在于处理好城市历史文化的保护与开发。西方社会越来越重视对城市历史文化的保护，概念范畴也逐渐扩大，已从单体建筑、建筑群、街区的保护扩展到对整个城市的保护。文化创意产业正是这种对旧城进行科学更新的动力，是城市健康发展的新的激励因素[②]。只有不断提高科技、文化在城市建设和经济投入产出中的贡献率，走内涵式发展之路，实施集约型经济增长方式，才能真正达到城市经济投入少、产出多、三废排放少、综合效益高的目标。民族传统文化精华的发扬光大，外来文化精华的融合，社会主义新文化的注入，是城市产业结构不断升级、名牌产品的不断涌现的重要前提，也是城市化稳步推进、城市高质量发展和作用发挥的重要保证[③]。

关于城市安全体系的研究。由于城市是人口、产业、财富高度聚集的地方，是现代经济社会活动最集中、最活跃的中心场所，也就构成了防灾减灾的重点区域。这方面的研究表现在：城市灾害的类型、发生的原因机理、灾害的防范与控制、灾后的应对和处置、应急系统的建设与预案等内容。

2001年美国遭遇9·11恐怖分子袭击，伦敦地铁大爆炸，2003年中国多个城市出现SARS，2008年年初中国多个城市遭遇大雪灾，2008年5月中国发生汶川大地震，2009年全球遇袭H1N1传染病等等，城市的安危成了一根脆弱的弦，拨动了许多人的心。

早在1994年中国保安杂志就曾刊登过赵连茂介绍的《瑞士警方的城市安全措施》介绍瑞士的城市安全措施，尤其是瑞士警方的做法[④]。

应该说，城市综合防灾在我国理论界提了有很长时间。但是实际的城市综合防灾研究和规划的进程很缓慢，成果很少，近些年有了大幅增长。国家自然基金研究课题“基于的城市综合减灾评估与对策研究”、“厦门市城市建设综合防灾规划”（北京工业大学编制）、上海防灾减灾研究所的“上海综合防灾对策及系统集成研究课题”研究等[⑤]。

随着一些突发事件的发生，国家对于城市的安全问题也越来越重视，将安全隐患影响降到最

① 陈旭，谭婧. 关于创意城市的研究综述. 经济论坛，2009（5）：26。
② 田相辉，温晓丽. 奥运创意经济引领创意城市发展. 经济研究导刊，2008（6）：148–149。
③ 韩东. 城市化战略与城市经济文化一体化. 北京经济瞭望，2000：48–49。
④ 赵连茂. 瑞士警方的城市安全措施. 中国保安，1994：23–24。
⑤ 张翰卿，戴慎志. 城市安全规划研究综述. 城市规划学刊，2005 156（2）：38–44。

低是对城市经济的最大支持。目前较多的研究来自于科学技术支持等方面开展的城市安全网络建设，但随着城市经济学者们的关注，未来从城市经济角度出发看城市安全保障体系也会更加直观和现实。

关于城市生态方面的研究。当前中国城市化各种问题中，生态环境恶化与人居环境脆弱尤为突出，成为制约城市可持续发展的主要桎梏。由此，强调与自然生态融合的“生态导向”的城市空间结构研究成为城市可持续发展研究的热点。其中，有学者将城市空间研究历史划分为“生态自发”、“生态失落”、“生态回归”、“生态革命”四个阶段的“生态脉络”，为把握该领域的研究奠定了基础；也有学者力图解决自然生态环境与经济发展的冲突，对生态城市建设提出了构想。生态城市的概念日益受到关注，尤其是科学发展观循环经济提出以后，人地和谐，生态优美的城市建设更是受到人们的认同，许多学者也开始探究生态城市建设理论。

“生态城市”的思想渊源可归纳为：（1）中国古代的“天人合一”观；（2）“理想城市”与乌托邦；（3）霍华德的“田园城市”；（4）沙里宁的有机疏散理论与新城建设运动；（5）城市社会学与芝加哥学派；（6）人居环境科学与城市规划思想的新进展[①]。

事实上国内城市生态系统研究从20世纪80年代开始起步。著名生态学者马世骏和王如松（1984）提出了“社会—经济—自然复合生态系统”的理论，明确指出城市是典型的社会—经济—自然复合生态系统。王如松等（1994）研究了城市问题的生态学实质，提出了建设天城合一的中国生态城思想，认为生态城市的建设要满足以下标准：人类生态学的满意原则、经济生态学的高效原则、自然生态学的和谐原则。还提出了生态城市建设所应依据的生态控制论原理，认为城市生态调控的具体内容是调节城市生态关系的时、空、量、序四种表现形式。还进行了大量的实践，比较突出的有江苏省大丰县的生态县建设和安徽省马鞍山市的生态城市规划等。还有学者对生态城市评价体系作出贡献[②]。

与国外研究相比，国内的生态城市研究更多地强调继承中国的传统文化特征，注重整体性，理论更加系统，但国内生态城市的已有实践和理论对当前城市规划的影响还相当有限。我国是发展中国家，综合国力、科技水平、人口素质、意识观念等与发达国家相比有很大差距，这些因素都将影响到各地生态城市的建设。生态城市无论从理念、理论形成到建设发展，都应该是一个长期、渐进的过程，生态城市的建设绝非可以一蹴而就。在城市化快速发展的今天，我们应以社会主义新农村建设为契机，汲取西方发达国家先进的科学技术和进步的发展理念，弘扬祖国优秀的传统文化，开辟出一条既非传统又非完全西化的、具有浓郁“中国特色”的生态城市建设与发展之路。[③]

第三节　城市经济理论研究的展望

城市是一个开放的大系统大体系，和周围不断进行着物资、人员、文化、技术、资金、信息的交流，在不停的输入输出中吐故纳新、趋利避害从而具有旺盛的生命力，构筑其上的城市经济发展才能日新月异，城市经济理论研究才能人才辈出。

① 董宪军（2002）。
② 马交国，杨永春. 生态城市理论研究综述. 兰州大学学报，社会科学版，2004，32（5）：110-112。
③ 杨伟，宗跃光. 生态城市理论研究评述. 生态经济，2008：137-140。

如今中国城市经济的研究已经度过漫漫60年，在社会主义中国这片沃土上成长为一棵欣欣向荣的大树。“路漫漫其修远兮，吾将上下而求索。”世界经济、科技发展迅速，在城市经济的研究中还存在着许多问题等待我们去解决，也还会出现更多的问题值得我们去关注。

一、城市经济十大重点研究领域

60年的学习与探索匆匆而过，城市经济的研究仍将继续，城市经济发展中的许多难点需要攻克，其产生的机理、原因、要害需要明白。主要研究领域归纳如下：

（一）城市化支撑条件与战略布局

作为世界上人口最多的发展中国家，中国处在全面建设小康社会的工业化中期，东中西自然条件差异和经济社会发展水平差距较大，如何在经济全球化与网络化背景下，看待城市之间相互依赖和补充，城市分工的细化；如何根据不同的基础条件和未来趋势建立合理的城市体系问题。特别是分析城市密集地区资源环境支撑条件，为城市可持续发展规划提供科学依据，还有中小城市在不同地域组建类型，等级不同城市各自功能特色、区域城市模块化等等。

（二）经济全球化、网络化和城市新形态

新的技术革命所带来的交通、通信的便捷使得可流动的要素全球配置，以跨国公司为载体的经济全球化使得经济活动超出了国界，跨国公司在世界中心城市设立公司总部和分支机构，催化了现代化的世界城市形成与发展，并以世界城市为核心形成了都市密集区与城市网络体系。研究信息化对城市经济要素聚散的作用与效益影响，构建我国现代化世界城市和城市网络体系成为重要问题。

（三）城市特色和功能定位

发展战略和主导产业的确立和转换。如何根据所在的地域环境条件确立在城市网络中的功能，如何将资源优势转化成经济优势并制定基于比较优势与竞争优势的发展战略，如何根据地区特色确定具有比较优势的主导产业，如何适应市场变化及时促进产业结构升级转换并处理好主导产业辅助产业和基础产业互相关系，保持城市可持续发展。

（四）城市现代化

城市现代化是一个经常提出的研究领域。实现现代化的赶超（上台阶）需要与经济发展的循序渐进规律；现代化道路与选择，虽然研究成果众多，但仍然意见差异较大。城市现代化与国家现代化的关系；现代化指标体系的确立（经济、社会、人口、基础设施）。还需要关注城市的郊区化（反、逆城市化）深厚背景和趋势研究。

（五）合理的利用和配置资源，重建城市经济结构

调整只是洗牌，重建是更新产业内容。知识经济下，城市经济结构重建不同于工业社会，知识经济时代会有大量的新型产业崛起，如教育、旅游、体育、文化、信息产业等，成为城市经济研究的新领域，在新世纪主要体现在追求城市质量结构的功能发展上。产业结构升级与优化（调整）是这一方面的主题。

（六）城市与地区协调发展

随着城市的发展，城市群、城市带等发展起来了。各地城市群的比较、联系、发展前景、如何振兴等。如东北工业基地问题；统筹城乡发展与消除二元经济结构问题；城市的合作与竞争。

（七）城市文化建设与发展

城市社会文化、人力资源产业开发与城市经济发展。通过城市文化传承和城市文明的熏陶及加强城市文化基础设施的建设和管理。

（八）城市基础设施建设、生态环境治理和可持续发展

城市的发展投资环境的改善与城市的基础设施建设息息相关，城市建设与发展中又与生态协调人地和谐分不开，充分实现城市经济发展与环境优美协调，全面实现可持续发展。城市公共事业与基础设施建设主要是怎样建设、资金从哪里来的问题。在国外，市政债券是城市建设的重要资金来源，也是居民的重要投资手段。城市环境治理与生态建设。如何与各城市特点相结合。

（九）城市经营与管理

我国城市经济的发展模式基本为政府主导型，而对市场力的发挥需要深入。目前理论前提和理论基础都尚未成熟，经营主体、对象（土地）都需要考虑。涉及市场—政府二元结构调整和市场经济条件下政府新职能，以及政府职能的转换问题。[①]还有城市土地开发收益分配。土地是城市发展的平台，是城市政府最大的资产。经营配置稀缺的土地资源确立合理的城市功能空间布局与土地开发模式，协调土地矛盾问题。

（十）城市可持续发展

许多城市面临各种资源的限制，尤其是资源型城市面临资源枯竭的压力更大。如何发展循环经济，如何集约发展成为发展的关键问题。此外，城市经济发展的能力和竞争力评价也是热点。城市发展能力是国家发展能力的集中体现，尤其是增强城市竞争力，城市之间的竞争与合作问题，如何客观评价城市发展能力，落实科学发展观，找出限制城市发展的限制因素并加以改进。

近些年来，我国城市经济的理论著述层出不穷，在探讨城市经济问题时，基本延续了相似的框架之中又寓于不同侧重，更多更新的内容如城市环境学、城市生态学等也随着经济的发展而补充到整个框架中去，这标志着中国城市经济的理论已经从零散的不成体系的个别理论经过多位研究学者的努力，已经形成了基本研究框架和理论体系。随着经济的发展和社会的进步，这个理论体系还将更加丰富和完善。

二、城市经济理论研究的一个突破口：虚拟城市经济

由纵横交错的交互式网络构筑的无形（电子）空间也称网络空间或虚拟世界已经扑面而来，在这个空间以微电子技术为核心，以信息网络为平台的空间里，各类经济主体进行着信息（包括思想、知识等）的交流和共享，分享着新技术带来的新生活。

在虚拟世界的带动下，人们的生产生活方式（包括思想观念、理论、生产方式、行为方式、生活方式、管理方式等等）已经受到了巨大的冲击，无线网络、3G技术，网络计算机将空间距离压缩成可以以光速穿梭，甚至可以忽略不计的元素。城市的边界开始因为这些技术模糊，甚至可以扩大成一个巨大的由网络沟通连接的“超级城市”。

早在1970年美国专家Smith就在《工业区位：经济地理分析》（Industrial location: An economic geographical analysis）提出在研究工业区位选择时，更有效的方向是研究企业之间的无形连接，尤其是信息流网络。近些年国外专家更多的关注是从网络、高级计算机等技术层面的变化影响，随着这些影响的深入，中国的学者也开始关注到虚拟（网络）经济对城市，乃至区域的影响。

① 张敦富. 城市经济学. 中国轻工业出版社, 2005：5–6。

刘豫川，黄勤（2002）就关注到网络对城市（区域）经济的重要性，他们认为，首先，虚拟（网络）经济使经济区域的地域构成要素和发展要素结合更为紧密。虚拟（网络）经济作为一种新经济形态，其内核是以信息技术为代表的科学技术。在网络经济中，知识和信息技术作为一种重要的生产要素而在区域发展要素系统中被置于突出地位，从而改善了区域生产力要素系统。其结果是，一方面使得经济区域构成要素结合更紧密，另一方面使区域经济发展要素更趋合理、完整。其次，网络经济使区域经济系统结构发生积极变化并进而优化了区域系统功能①。

时洁（2005）认为，虚拟经济的发展将对城市规划产生重要影响，由于虚拟网络的存在，将加速城市郊区化的进程，传统的圈层式发展将为城市结构分散化所逐步取代，同时信息高速公路作为未来城市的信息基础设施工程，需要在城市规划中全盘考虑，促使信息高速公路建设有重点、有步骤的展开。尽量减少由于信息建设的不公造成的城乡之间的更大的差距；还有就是要注意到虚拟经济对于社会居住分层化带来的差距。进入信息社会，信息互联网络的同时效应使居住地与交通距离呈现越来越弱的相关关系，而与环境和收入更加密切相关。人们的居住地在从中心城市疏散出去的同时，因收入水平和环境质量不同而形成居住分层化，进而影响社会服务差异，贫富社区形成甚至形成社会隔离造成诸多的社会问题。要消减这样的问题就要在城市规划中将虚拟网络的对居住分散化情况考虑其中②。

付晓东（2009）认为网络技术使人类的经济活动超越“距离”的约束，距离成本的支出也不是必不可少，在虚拟空间中，在不同的空间位置进行交易，距离成本的耗费近乎忽略不计。这就使得我们对空间“距离”、“区位”的概念要作重新审视，“区域”的概念和原理要修正，“空间维”的思考也需要更新观念。对于城市经济而言，这个新的虚拟空间从三大方向影响着区域经济活动：一是通过新技术产生的新产业、新经济活动方式推动着区域经济加快发展，以及经济结构的转换与提升；二是通过网络新技术的渗透，深刻影响着城市经济发展，包括城市经济增长机制、城市产业空间布局、区域贸易与合作方式、城乡协调发展模式；三是通过虚拟空间的自身的特质（不同于实体空间的），影响原有的区位理论、梯度推移理论、分工与要素流动理论、空间组织理论、城市经济干预与布局理论等主题内容等。

三、总结

60年的城市经济理论研究，取得了令人瞩目的成就，可概括为：（1）建立起了这个特色的市场经济下的城市经济理论框架；（2）实践了以政府行政力量推动的经济建设模式，推动了城市的发展；（3）对外开放，学习、引进、借鉴国外的先进成果；（4）贯彻以人为本的重要理念，践行和谐发展思想，探讨了各具特色的城市发展道路；（5）城市与地区的共同发展。（6）战略与规划先行，有步骤的实现城市化。

横看成岭侧成峰，城市经济理论博大精深，奥妙无穷。在城市这个包罗万象的万花筒中，城市经济的理论研究者们学贯中西，继往开来，不断孜孜以求，在多个重点领域深入研究。目前中国已进入加快改革创新步伐，推进社会主义现代化的新的发展阶段。而城市是国家的经济、政治和文化中心，担负着一个国家的发展重任，中国的城市经济在全面建设小康社会和现代化建设中发挥着中

① 刘豫川，黄勤. 论网络经济对区域经济的变革性影响. 理论与改革，2002（1）：107–108。

② 时洁. 信息经济时代城市规划的思索. 设计艺术，2005：74–75。

心作用。这将是一个城市的时代，全世界城市发展不仅数量明显增加，城市化率迅速提高，而且城市的结构、形态和布局，城市的现代化、信息化将伴随着经济发展的浪潮将人类带入一个全新的时代，世界经济将以城市为节点，撑起未来发展的支架，在城市经济发展日新月异的时代，城市经济理论研究也将迎来新的辉煌。

新中国成立60年中国城市经济的学科建设与发展

首都经贸大学教授、中国城市经济学会理事　李树琮

第一节　城市经济学科的引进、建设与发展

一、城市经济学的由来

任何学科的建立和发展都是适应科技进步，经济发展，社会变革需求的必要产物。它既是生产力发展中的经验教训上升到理论高度的提炼，更是指导经济社会向更高层次发展的体现。理论来自实践，理论又指导实践。人类财富的增长与生活水平的提高，社会文明的推进与人类发展环境是永无止境的。同样，在理论与实践有机结合良性循环螺旋提升的互动中，任何学科的发展和实际运用也都会是无穷无尽的。在人类与大自然和谐共处所结晶的人类文明，会在永恒中不断向更高更美的方向推进。其非常重要、不可或缺的支撑，就是自然与社会科学数以千计学科的不断繁荣，以及实际运用中的大放异彩。

在全球经济社会发展和国别竞争中，近代和现代经济史的事实告诉我们：各类学科的建立、发展以及实际运用西方国家一直走在前头。不管是大国或小国，城市经济社会发展总是处于国家和区域发展的中心地位和发挥带头作用。这是由其拥有相对先进的生产力水平和与之相互适应的生产关系决定的。国家和区域经济社会的实际需要，城市在发展中各种矛盾和问题解决对城市经济理论的渴求，为城市经济学科建立提供了适宜的孕育温床。

早在19世纪20年代，在西方国家，城市经济学科已经出现雏形。当时主要集中在城市土地、城市建设、城市交通、城市规划等方面的研究（实为城市科学研究）。第二次世界大战后，各国经济需要复苏，社会需要管理，环境需要治理，科技需要提升。其中，需要城市发挥中心的更大作用尤为显现。20世纪五六十年代，城市经济作为一门独立的学科，开始从地区经济学、城市科学分离出来，从经济角度探讨城市问题的著作也应运而生。较为突出的有：美国的沃尔特·艾萨特等人于1956年出版的，将经济分析应用于地区规划的著作；1961年洛登·温哥和1964年威廉·阿郎索所著的土地利用原理。而1965年美国威尔伯·汤普逊的《城市经济学——导言》的问世，可以说是城市经济学科建立的重要标志。之后，英国巴顿的《城市经济学》、美国西格尔的《城市经济学》、理查森的《新城市经济学》，以及日本山田浩之的《城市经济学》又相继出版，将城市经济学科推向了世界。应该说，20世纪60年代是城市经济学科发展的重要时期。不仅大学开办了城市经济专业，开设了城市经济课程，创办了城市经济学科的专业杂志；而且成立了各种学术团体和研究机构，出版了大量的城市经济学科的教科书、专著和论文集，国际交流也日益频繁和活跃。

城市经济学科的建立和发展还得益于地理学，尤其是城市地理学和理论经济学。德国学者艾尔弗·雷德·韦伯1909年发表的《工业区位论》中，就对城市聚集效益和城市化的基本机制有过精辟的阐述，为城市经济学科奠定了理论基础；1942年美国《经济学周刊》发表的弗兰克·费特尔的《市场区域的经济规律》一文中提出的“城市的经济潜力”命题，1933年德国学者克里斯特勒提出的“城市中心地学说”和1940年德国学者廖什论证的“生产区位经济景观”，以及区域经济学和土地经济学的发展，又为城市经济学科的建立和发展创办了条件，并提供了可能。

正是第二次世界大战后，西方大城市在经济复苏中产生的一系列“城市病”把经济学理论引入到解决城市问题的研究中（美国W. Z. 哈修《城市经济学》），而罗伯特. L的《城市经济学与公共政策》，以空间分析为基础，研究城市房地产、城市贫困和更新、运输、污染和城市财政等问题，又为提炼和充实城市经济学科体系和内容提供了极好的理论支撑点。

二、城市经济学科的引进

中国城市经济学科是从西方国家引进的“舶来品”。新中国建立后，饱受战争创伤的国家开始了大规模的经济恢复和发展。尤其是“一五”规划的156项重大工程建设，城市在其中的作用尤为显现，城市建设和经济发展都急需有关理论给予指导。当时上海曾成立城市经济研究组，试图引进西方相对成熟的城市经济理论，并结合中国实际开展研究。但由于各种原因和相关条件的限制，不久就停止了相关工作，这是我国开展城市经济研究的前奏。真正在国内引进西方国家城市经济学科研究成果，并结合实际开展中国城市经济学科研究，是在党的十一届三中全会以后。正是党的改革开放政策实施，唤醒并振奋了对城市经济学科的需求。4个经济特区的建立，14个沿海开放城市的实行，让国内学者开阔了眼界，拓展了思路。西方城市经济学科的研究成果更是让人眼前一亮，渴望建立自己的城市经济学科更加紧迫，1981年中国社会科学院财贸经济研究所成立了城市经济研究室。之后，北京、天津、上海、辽宁、四川、黑龙江、山西、江苏、湖南、安徽等省市先后成立了城市经济学会，组织了多次城市经济学术研讨会，倾力介绍西方城市经济学科研究成果，广泛开展了城市经济学科研究和学术研讨，出版发行相关文集。与此同时，《建设经济》、《城市经济研究》、《城市经济》、《城市问题》、《城市开发》、《中国城镇》、《城市发展研究》等期刊先后出版发行，为城市经济学科研究成果的发表、传播提供了极好的平台。一批热心于城市经济学科研究的学者也陆续翻译出版了英国巴顿、日本山田浩之、苏联N. A. 伊利英、美国W. Z. 哈修的城市经济著作，并发表学术论文，对著作做了系统介绍和科学解析。无疑，这都对中国城市经济学科建立起到了促进和推动作用。

从认知城市本质开始，科学把握城市经济概念，确立城市经济学科研究对象、学科性质和任务、学科的作用、地位、内容及体系结构，是城市经济学科引进、消化、吸收、创新的首要任务和基础工作。全盘照搬西方国家的研究成果肯定不行。更何况有多种版本，研究视角、研究方法和内容体系也各不相同，你照搬谁的呢？为此，国内城市经济学者在出版自己的著作和研究论文中倾注了大量心血，做出了很大的贡献。与此同时，城市科学及分支学科城市地理学等研究也更加深化，共同为国内城市发展发挥了学科的应有作用，做出了自己的贡献。

三、中国城市经济学科建设和发展评述

城市经济学作为一门新兴的交叉综合学科，在实际经历了30年的发展，可以说学科体系已初步建立、理论研究逐步深化、学术队伍日趋成熟、研究成果质量不断提高，并较好的为城市经济发展提供依据。同时，也培养了数以千计的城市经济中、高级人才，为国家经济社会发展做出了一定的贡献。

回顾中国城市经济学科建立和发展历程，大致可划分为三个阶段。

（一）引进和初始起步阶段（1978–1989）

城市经济学是城市科学和经济学的交叉学科，经济学在当时已是较为成熟的学科；城市科学及其城市地理学也是先于城市经济学研究和发展较有成效和起色的学科。在改革开放浪潮中，部分城市科学和经济学的学者，除翻译、编辑国外城市经济学教科书和专著外，也开始组织各种类型的讲习班和学术研讨会。发表和出版了城市经济学科的研究论文及学术著作，广泛开展了城市经济学科基本理论、城市化问题、城市经济发展战略、城市土地有偿使用与住宅商品化、城市经济体制改革、城市中心作用发挥、城市经济规模与空间结构、城市功能与产业结构、城市经济本质与城市聚集经济、城市财政调控等研究。

这里值得一提的是，1982年在安徽合肥召开了的“中等城市经济发展战略性讨论会”；1984年饶会林、刘光璞、王金亮、魏浩光等在《建设经济》上发表了城市经济方面的论文；1984年和1985年成都市社会科学研究所及城市科学研究会和山西太原市社会科学研究所举办了城市经济讲习班，主讲学者有饶会林、杨重光、鄢淦五、刘增录、魏炳坤、过杰和刘维新等。这段时期，先后陆续出版城市经济学科著作的朱林兴（《中国社会主义城市经济学》，1986年12月，上海社会科学出版社），杨重光、刘维新（《社会主义城市经济学》，1986年12月，中国财政经济出版社），陈坤石、毛月平、阎玉英（《城市经济学入门》，1987年1月，山西人民出版社），杜闻贞（《城市经济学》，1987年10月，中国财政经济出版社），过杰（《城市经济学》，1989年6月，四川人民出版社），他们是中国城市经济学科建立和发展的先导者，为学科的建立、传播和发展做出了众所公认的贡献。

在这一阶段，经过城市经济学科研究先行学者和所有热心于城市经济学科研究人员的不懈努力和为之奋斗，确立了城市经济学的学科地位，并发挥出在城市经济改革和发展中不可替代的作用。可以说，城市经济学科引进、传播是卓有成效的，初始研究也是颇有起色的。

1986年5月，中国城市经济学会在上海成立，标志着中国城市经济学科发展新阶段的开始。它凝聚了全国广大城市经济理论和实际工作者的力量，围绕中国城市经济改革与发展的实际，全方位地开展了城市经济理论和学科体系研究，取得了很大的成效。

（二）研究热潮阶段（1990–1999）

随着我国改革开放进一步深化，城市建设与发展日新月异。到20世纪90年代，城市经济学科研究也由初始起步阶段进入研究热潮阶段。此期间，广泛开展了对城市对外开放与国际化、城市特色与城市形象、城市聚集经济与城市效益、城市产业结构优化与升级、城市基础设施建设与政府经济职能转变、城市土地经济与房地产、城市行政区划与综合配套改革、城市信息化与数字城市、城市经济学科建设与发展等研究以及城市发展方针与中国特色城市化道路的研究与争论。尽管在此期

间，城市经济学科由二级学科降为三级学科，但这并未造成学科研究人员的大量流失和研究成果的减少。反而从另一角度，更加激发城市经济学科研究人员研究探索的积极性和责任感，以拿出更加有说服力、更能应用和指导实际的科研成果，去体现其真正价值，从而更好论证城市经济学科地位。

这期间，有代表性的科研成果以蔡孝箴的《社会主义城市经济学》（南开大学出版社，1990年6月）为起点，到饶会林的《城市经济学》（东北财经大学出版社，1999年8月）为终点。期间，城市经济学科理论研究成果之多，研究问题之深，研究质量之高都是空前的。《社会主义城市经济学》借鉴西方城市经济理论与方法，从中国改革开放的实际出发，体现了中国经济社会发展与中国城市中心作用的实际需要，适应培养城市经济研究和建设人员的急需，对社会主义城市经济学科研究对象、研究内容，尤其是对中国城市化推进和城市经济增长进行了较为系统的阐述，是一部多次再版，深受城市经济专业学生和读者欢迎，颇有影响的城市经济教科书。长达72万字的《城市经济学》是饶会林教授毕生耕耘城市经济学科的结晶，倾注了他大量的心血。全书对城市经济学科体系进行了大胆的探索，成效显著、反响很大，是一部难得的城市经济学科的力作。尤其难能可贵的是在书的后记中，列出了城市经济学需继续研究和深入探讨的69个问题，充分体现了其学者风范和致力于城市经济学科的强烈责任感。这对于城市经济学科的发展，对同仁和读者的启迪，无疑都是十分宝贵的。

《中国城市经济》杂志于1999年10月创刊，标志着全国城市经济学科研究和实际运用成果有了自己的发表园地和平台、期刊广泛宣传了党和国家的城市经济改革和发展的方针政策，追踪城市经济学科热门话题，发表了大量学科理论和实际运用的研究文章，推广了典型城市经济社会发展的成功经验，为中国城市经济学科建立和发展，发挥了学界广泛认可的作用。

（三）深化研究阶段（2000–至今）

随着经济全球化和区域经济一体化的不断发展，城市经济国际化的推进，全球信息化、网络化的突飞猛进，可持续发展观更加深入人心，以及国内市场经济体制改革的不断深化，进入21世纪以后，城市经济学科面临极好的发展机遇，同时城市经济实际发展中也带来各种问题的挑战。如何促使城市经济又快又好发展，尤其是经济实力雄厚的大城市，在努力提升自身国际化水平的同时，不断提高在区域经济发展中的中心地位和更好发挥火车头的引领作用，这既是时代的呼唤，也是国家经济社会发展的要求和实际需要。城市经济学科理论和实际工作者为此做出了努力，开展了理论的深化研究和前沿课题的探索。尤其是对城市信息化与网络经济、城市群优化整合与大都市经济圈、城市经营与管理、城市竞争力、国际性城市与CBD建设、城市可持续发展、城市公共财政与管理、城市化与城市现代化等开展了深化研究。党的十六届三中全会提出的科学发展观及五个统筹，到党的十七大后全面贯彻实施科学发展观后，在城市经济学界，掀起以科学发展观为指导，更加深化城市经济学科理论创新和学科体系的研究。在城市空间与城市市场、城市经济改革与创新、城市与区城协调及整合、新农村建设与小城镇发展、城乡统筹与城乡一体化、城镇经济文化一体化、科学发展观与城市经济理论前沿、城市经济学新动态与新任务等进行了深入探讨。

期间，全国创办的城市科学和城市经济期刊发表了大量理论研究论文和研究报告，出版了不少著作和文集，充分显示了全国城市经济学者对学科的热爱、执著和研究实力，以及为学科发展做出的努力，也体现了中青年学者的后来居上和雄厚实力。期间，较有影响的城市经济学教科书和专著主要有：周伟林、严冀的版本（复旦大学出版社，2004）、饶会林等的版本（《现代城市经济学概论》.上海交通大学出版社，2008.1）、王雅莉的版本（2008年首都经济贸易大学出版社）、冯云廷的版本（东北财经大学出版社（第二版）2008.9）；对学科内容大胆探索和创新的专题研究著作主要有：《新中国城市经济50年》（王茂林，龙永枢，杨重光. 经济管理出版社，2000.9）、《运行与嬗变——城市经济运行规律新论》（张曾芳.张龙平. 东南大学出版社，2000.1）、《城市市场与经济发展研究》（程红. 华文出版社，2000）《城市发展的经济学分析》（吕玉印. 上海三联书店，2000.9）、《中国城市化之路——经济支持和制度创新》（叶裕民. 商务印书馆，2001.5）、《中国城市经济创新透视》（杨重光，梁本凡. 中国社会科学出版社，2002.7）、《中国城市化与小城镇发展》（李树琮. 中国财政经济出版社，2002 .7）、《城市现代化研究》（朱铁臻. 红旗出版社，2002.9）、《中国特色城镇化道路》（王梦奎等. 中国发展出版社，2004）、《城市经营理论与实务》（李淳燕. 亚太国际出版有限公司，2004 .l2）、《城市化经济运行分析》（王雅莉. 上海三联书店，2004.11）、《中国城市化与可持续发展》（付晓东. 新华出版社，2005）、《都市圈发展—理论演化・国际经验・中国特色》（李廉水. 科学出版社，2006）、《中国城市竞争力报告》（倪鹏飞. 社会科学文献出版社，2006.3）、《城市可持续发展：目标・途径・创新》（张锋，寇有观等. 中国工商出版社，2006.9）、《均衡城市化理论与中外城市化比较研究》（周铁训. 南开大学出版社，2007.1）、《信息化城市—信息技术发展与城市空间结构的互动》（孙世界，刘博敏. 天津大学出版社，2007.1）、《现代西方城市经济理论》（郑长德，钟海燕. 经济日报出版社，2007.4）、《城镇化与经济发展热点问题探索》（辜胜阻. 科学出版社，2007.12）、《中国：加速城市化的考验》（李津逵. 中国建筑工业出版社，2008.1）、《城市经济与城市政策》（丁成日. 商务印书馆，2008.1）、《集聚发展：城市化发展进程中小城镇的发展之路》（张俊. 中国电子出版社，2008.1）、《中国特色城镇化论纲》（马保平，张贡生. 经济科学出版社，2008.6）、《资源枯竭型城市产业转型问道研究》（于立等. 中国社会科学出版社，2008.10）、《中国城市化质量差异与其影响因素研究》（李林. 农业出版社，2008.10）、《走向国际大都市》（左学金等. 上海人民出版社，2008.11）、《大城市卫星城研究》（王圣学. 社会科学文献出版社，2008.12）、《优化之道. 城市新产业空间战略》（李程骅. 人民出版社，2008.12）、《城市经济预警机制》（陈秋玲. 经济管理出版社，2009.1）、《统筹城乡经济协调发展与科学评价》（赵保佑. 社会科学文献出版社，2009.2）、《城市经济与城市群》（李晓雷. 上海人民出版社，2009.3）、《中国新型城市化报告》（牛文元. 科学出版社，2009.6）。

在中国城市经济学科建立和发展的30年来，中国城市经济学会、各省市城市经济学会和学科建设委员会，充分发挥民间学术团体带领、团结全国城市经济理论与实际工作者，开展城市经济学科研究的功能和作用，为学科发展做出了应有的贡献。中国城市经济学会在成立20周年之际，与《中国城市经济》杂志社联合推出,由张巨功主编的《实践科学发展观优秀文集》、《中国市长论城市经济》、《中国城市经济前瞻性问题研究》三部文集（中央文献出版社，2006.8），汇集了城市经济理论和实际工作者的优秀研究成果，对促进城市经济学科发展，丰富学科内容都具有很好的引导作用和实际价值。中国城市经济学会学科建设专业委员会，在其成立前后召开了11次学术研讨会。不仅广泛开展了城市经济学术交流，而且编辑出版了多部文集，其中影响较大的有《城市经济理论的前沿课题研究》（饶会林. 东北财经大学出版社，2001.9）。

第二节　城市经济学科发展现状及其评价

一、城市经济学科发展的过去和现在

城市经济学科自改革开放从西方国家引进后30年来，无论是公开出版发行的城市经济著作，还

表1　城市经济学科各版本研究对象及理论内容体系对照表

作者	书名.出版社.版次	研究对象	理论内容体系
杨重光 刘维新	社会主义城市经济学 (中国财政经济出版社，1986.12)	揭示城市经济的产生、发展，最后达到城乡融合的整个历史过程及其规律，以及体现在其中的生产关系	1. 城市经济学基本理论的研究对象内容和方法；2. 城市的产生和发展；3. 社会主义城市体系的形成、特点和类型；4. 城市经济结构与经济关系；5. 城市外部经济联系；6. 城市经济中心作用；7. 城市的市场经济与环境保护；8. 城市经济管理；9. 城市经济体制改革
朱林兴	中国社会主义城市经济学 (上海社会科学出版社，1986.12)	研究城市经济的科学，它以一定生产关系下城市经济的运行规律作为研究对象	1. 总论(研究对象、城市化道路、城市的职能和性质、城市经济发展战略、城市经济结构、城市空间结构、城市经济效益)，2. 城市对外联系(中心城市和经济区)，城市问题(城市财政、城市交通运输、城市土地、城市住宅、城市环境)
蔡孝箴	社会主义城市经济学 (南开大学出版社，1990.6)	是以社会主义城市化和城市经济增长为主要内容的社会主义城市经济发展的规律性	1. 研究对象；2. 城市发展与城市化；3. 中国社会主义城市化；4，城市规模；5. 城市经济增长；6. 城市产业结构；7. 城市基础设施；8. 城市交通；9. 城市土地规划；10. 城市住宅；11. 城市生态环境；12. 城市财政与城市资金；13. 城市管理与城市经济
谢文蕙 邓卫	城市经济学 (清华大学出版社，1996.9)	是以经济学基本理论为基础的应用科学，它的研究对象是城市经济	1. 城市与城市经济；2. 城市化普遍规律；3. 世界城市化进程与我国城市化道路；4. 经济区、城镇体系与中心城市；5. 城市经济发展战略；6. 城市经济结构；7. 城市人口经济；8. 城市土地经济；9. 城市住宅经济；10. 城市基础设施经济；11. 城市环境经济；12. 城市财政与金融；13. 城市开发区的发展与建设；14. 城市现代化与国际化的思考
饶会林	城市经济学 (东北财经大学出版社，1999.8)	是研究城市系统、城市运行、经济关系及其规律的科学	1. 绪论：城市经济学概述(基本理论)；2. 城市经济发展(城市化和城市现代化、城市经济发展机制、城市经济发展过程)；3. 城市经济结构(城市经济结构的形成与发展、城市产业结构、城市空间结构)；4. 城市经济环境(城市建设环境、城市居住环境、城市生态环境)；5. 城市经济效益(城市经济整体效益、城市土地效益、城市规模效益)；6. 城市经济区域(城市经济区域的形成与发展城市经济区域的辨别与城市体系、城市经济区域建设)；7. 城市经济管理(城市管理思想、城市政府职能、城市发展战略)
王雅莉	城市经济学 (首都经济贸易大学出版社，2008.3)	是研究以城市空间要素利用为核心的城市资源配置和城市经济福利最大化的经济科学	1. 绪论(基本理论)；2. 城市与城市经济；3. 城市经济基础理论；4. 城市经济增长与发展；5. 城市土地利用与内部空间结构；6. 城市基础设施经济；7. 城市住宅经济；8. 城市交通经济；9. 城市福利经济；10. 城市安全经济；11城市环境经济；12. 城市物流经济；13. 城市地方社会财力与城市财政；14. 城市发展战略与政策
冯云廷	城市经济学 (东北财经大学出版社，2008.9.第二版)		绪论(城市经济学的历史沿革、城市经济学的发展趋势、本书的框架结构与特色)；1. 城市与城市经济；2. 城市化；3. 城市经济增长；4. 城市规模；5. 城市土地利用与空间结构；6. 城市基础设施；7. 城市产业经济；8. 城市劳动经济；9. 城市环境经济；10. 城市交通经济；11. 城市物流经济；12. 城市区域经济；13. 城市财政与社会融资；14. 城市现代化与国际化

是召开各种类型的城市经济学术研讨会，以及发表的数以千计的学术论文看，可以说，建设有中国特色的城市经济学科体系和学科内容，一直是致力于中国城市经济研究的理论和实际工作者为之奋斗的目标。除去城市经济学科引进初期，乃至以后翻译和介绍的城市经济学的各种版本和文章外，从1984年3月《建设经济》杂志发表的三篇对城市经济研究对象讨论的论文开始，到中国社会主义城市经济学问世，乃至之后的几十年的时间里，对城市经济学科基本理论，尤其是对学科体系研究，一直都没有停止过。城市经济学科专著版本不断推陈出新，都试图在学科体系和内容上有所突破。不少学者，尽管尚无学科专著问世，也都热心对学科体系进行探索，期待能引起热烈讨论。毕竟学科发展才30年的历史，在学科体系和内容的探索上倾注了心血，做出了很大的努力，也确实取得了看得见的成效。但完善学科体系，真正建立有中国特色的城市经济学科体系又谈何容易！它需要时间、执著和全国城市经济学者的共同努力。

从上述列表所述可以看出，城市经济学科理论体系，经过30年的研究探索，正朝着更为科学、更有特色和更加务实的方向发展。应该说，饶会林教授的版本是众多版本的佼佼者。其学科理论内容，不仅归纳科学，逻辑系统性强，更主要的是城市经济学科特色明显，学科边界也较清晰。这部著作以马克思主义经济理论为指导，并借助西方经济学的合理部分，在科学把握城市经济系统的内在本质基础上构筑起脉络清晰、逻辑严密的理论体系。作者认为城市经济学是研究城市系统经济运行、经济关系及其规律的科学，换言之，城市经济研究的客体是城市系统，研究的过程是经济运行，研究的本质问题是经济结构，研究的根本任务是发现经济规律。这一表述非常精彩，恰如其分的勾画出了城市经济学应有的“地盘”使之与经济学的其他分支学科明显地区别开来了（朱林兴，2001.9）。只是专著出版发行距今已10年之久，在当前知识更新日新月异的时代，学科内容的补充、调整，学科理论体系的突破和创新势在必行。

二、城市经济学科理论研究的“得”与“失”

城市经济学在我国是一门新兴学科，自建设30年来，走出了一条从认知-研究-较快发展-逐步成熟的路子。党和国家经济社会发展方针和政策的实施，城市化进程的加快，农村变革和新型工业化步伐的加快，振兴东北老工业基地、中部崛起、西部大开发的实际需要，经济特区、沿海开放城市对外经济的发展和产业结构优化升级，以及城市综合配套改革与经济技术开发区的发展，还有城市行政区划改革，国际性城市建设和大都市圈经济发展对理论的寻求和渴望，都为城市经济学科理论发展创造了条件，提供了机遇，使之理论研究在借鉴、实践、探索中不断扩展和深化。同时，培养的城市经济学科硕士和博士也遍布全国各地。他们是学科研究的后起之秀和有生力量。全国新老学科理论与实际工作者团结合作、密切协同。从传播介绍到研究探索、从浅到深、从研究一般到不断深化、从单纯理论研究到理论与实践相结合的深入探讨，理论探讨的深度和质量、科技含量和创新程度都在不断提高，研究新视角和新方法更是不断被注入。尤其是对城市经济学科基本理论、学科特色和理论体系、城市经济的中心地位和作用、城市经济结构优化升级和城市经济效益提高、城市经济开发区投资与效益、城市可持续发展、城市经济与区域经济协同、城市化道路选择、城乡统筹与城乡一体化、国际性城市与CBD建设、城市群与城市圈、城市经营与管理、城市公共财政与城市基础设施建设、数字城市与城市信息化、城市综合配套改革等重点、热点和难点问题研究取得了显著的成效，点燃了城市经济学科发展的不少亮点。不断完善学科发展的理论基础，也开创了学科理论研究和实际运用的新局面，学科理论体系也正朝着有中国特色方向发展。同时，更雄辩的证明了城市经济学科的理论价值和实践意义。而且学科也越来越被更多的人所认知、所热爱，并积极参与，它为城市经济学科理论队伍的不断扩大成为可能和现实。这是有目共睹的事实，也是城市经济学科发展取得的最大的“得”。它是学科发展的最大希望所在，世界万事万物，只要后继有人，并后来居上，其发展就铁定了。

当然，城市经济学科发展至今，其“失”也是明显且突出的，必须认真的正视它。因为它关系到学科的健康发展，关系到学科生命力的“兴”和“衰”。

（一）学科的研究对象与具体展开内容不对称

很多城市经济学教科书都认为该学科是研究“城市经济产生、发展及其运行规律”的科学，但这些教科书在提出以经济规律为研究对象以后，一般就没有了下文。全书内容几乎与城市经济运行规律不相干，全是一些相关理论介绍和各种城市经济现象的分析，而缺乏实际对城市经济运行规律形成和演变的论述。（龚唯平，2003）也几乎没有相关城市经济规律的理论概括和展开阐述，尽管有的学者在撰写的论文中，将城市经济规律概括为“价值规律、共生规律、聚集与扩散规律、阶段性规律、城市社会总供给与总需求平衡规律”（冯更新，2001）及“聚集与扩散互动互促规律、产业升级与空间优化协调规律、城市经济与城市建设互补循环规律、城市价值与阶段提升规律、经济运行耦合规律”（李树琮，2003）。但都没有具体展开阐述和科学论证规律存在的客观性。这种学科研究对象与实际阐述内容的不对称性和彼此脱节，不能说不是城市经济学科发展的一大缺憾。

（二）学科内容体系还显庞杂、边界模糊、缺乏特色

尽管城市经济学科著作有精品之作，但多数版本学科边界模糊，缺乏学科特色。有的教材则认为城市经济学是研究城市经济现象的学科，并把产业经济学、交通经济学、劳动经济学、环境经济学等都搬进来，结果使城市经济学成了一锅“大杂烩”。丢掉了城市经济学自身的学科特色，造成各经济学科之间的重复混乱，城市经济学与其他学科的边界也不清晰。（龚唯平，2003）教材的编写基本上仿照国外形式，是城市问题各专题研究的汇总和延伸，不同专题相互独立，缺乏完善的理论体系和贯穿其中的研究主题。有的教材则通篇都是国外的有关理论和模型，对我国城市的分析涉及很少（陈东强，2007）。由于城市经济学还缺乏科学的学科体系结构，研究的空泛性和模仿性较为突出，至今不少研究成果仍是城市科学及其分支城市地理学、城市社会学和城市生态学的翻版。有的对城市文化、城市贫困和就业、城市住宅、城市防灾减灾、城市交通、城市科技与人才等问题的研究有研究视角上的错位和分析阐述上的不到位。

（三）学科理论超前研究不足，滞后实践需求有余，难以指导实践

学科理论研究不少是事前冷，事后才热，为城市经济的实际发展提供理论依据滞后。城市经济学由原来的二级学科降为三级学科，其重要原因之一，是城市经济研究自身的不足。缺乏完善的理论体系，独特的内容，以及停留于现象的描述，难以用于指导实践。（朱林兴，2001）比如，从城市经济学视角对国际性城市建设和城市CBD发展的研究，是理论研究落后于实践发展的典型。国际性城市理论在国际上早已相对成熟，尽管国内研究世界城市体系时也曾提及，但基本上是城市地理学者所为。由于城市经济学相关理论的缺失，对此几乎没能涉及。随着城市对外开放的不断扩大和外向型经济的快速发展，到20世纪末或21世纪初，由于城市领导对国际性城市相关理论认知很少，故而一风吹的形成国际性城市建设热，先后有40多座城市将建设国际性城市列入规划目标。出于责

任，不少城市经济学界一度形成国际性城市研究热，通过理论阐述引导，进行质疑和纠偏。尽管也能发挥作用，但毕竟是马后炮似的咨询和指导，较比事前效果当然要差。同样，城市CBD发展研究，早在1992年学者楚又芳就发表了《CBD与城市发展》论文，对CBD的概念，基本特征，CBD内部结构，西方发达国家CBD形成的历史、发展现状，以及国际性现代化大城市CBD的发展趋势进行了探讨。遗憾的是，城市经济学科没能研究和运用有关理论进行实际咨询和指导。以致出现北京规划建设CBD之后，全国出现的CBD规划建设热。尽管针对这种盲目随意作为，不少城市经济学者撰文予以纠正，总归仍是事后诸葛亮。

（四）学科门槛低，研究队伍分散，缺乏统一、合作、讨论与共识，研究成果良莠不齐

城市经济学科与区域经济学科一样，似乎门槛很低，谁都可以入门进行研究。致使一些所谓的研究成果观点怪异，搅乱了城市经济理论的权威性。加上分散在全国各高校、科研机构、城市政府部门，从事城市经济研究的理论与实际工作者多是各自为政，最多也只是同一城市的彼此联系和合作。至今，全国远没有科学、规范、有吸引力的学科争辩氛围。尤其是对城市化道路选择和城市发展方针的不同看法，更是缺失运用辩证唯物主义观点的全面的、平和的冷静思考，常常轻易给对方观点扣上"误区"的帽子。甚至出现如下文字表述："城镇化概念的提出，自以为是标新立异，殊不知是画蛇添足，造成了城市经济学基本概念的混乱"。不少高校为了某些需要，纷纷编写自用的城市经济学教科书（甚至是系列教科书），参编人员甚至主编专业杂乱，必然造成良莠不齐，直接影响学科的正常发展和人才的培养。

第三节　建立有中国特色的城市经济学科理论体系

一、城市经济学科理论体系和理论前沿的界定及其原则

城市经济学者陈东强在其《关于城市经济学科建设的几点看法》（《城市问题》，2007.3）一文中，就城市经济学科内容的确立，提出了从解决城市经济问题和从城市经济活动的两个视角进行界定。认为界定原则是，要从解决城市经济问题出发；从城市经济发展要素分析，城市经济定位和空间结构的特色出发；要从城市所在区域内的中心作用和经济地位出发；要科学进行城市经济系统和经济活动的分析和评价；要突出城市经济学科任务的经济学分析、评价、预测、判断方法。这无疑是正确的，它可以给人以启迪与思考。

城市经济学科理论前沿的界定及原则，学者李树琮在其《对城市经济学理论前沿研究的几点思考》（《上海市经济管理干部学院学报》，2007.2）一文中，也有较为详尽的阐述。认为应该从世界城市经济学研究现状和发展趋势，从经济全球化和加入WTO大背景，从分析我国国情，围绕学科研究对象，联系学科的作用和地位，以及城市科学各分支学科发展趋势等5个方面进行界定和判断。指出了理论前瞻性与实际运用性相结合，以前瞻性为主；学科原创与延伸深化相结合，以原创性为主；学科特色与边缘交叉相结合，以特色性为主；学科体系与理论突破相结合创新，以学科体系为主；依据国情与国际借鉴相结合，以依据国情为主等5条界定原创。考虑篇幅关系，这里就不展开阐述。

理论研究是学科体系建立和发展的支撑，是确保城市经济理论内容体系传承、突破的关键。因

此，依据理论前沿的界定和原则，对当前城市经济学科理论前沿的确立至关重要。综合近年来对城市经济理论前沿研究成果，积极而深入的开展对城市经济学科体系研究、城市可持续发展研究、城市经济区域与大城市圈研究、城市经济规律研究、城市经济开发区比较研究、城市经济文化一体化研究、城市产业结构优化与经济运行机制研究、城市现代化发展与城市化质量提升研究、城市竞争力提升的经济保障研究等问题研究对学科发展至关重要，也更加迫在眉睫。

二、城市经济学科基本理论的科学性、实用性、共识性和规范化

任何学科的研究对象、学科性质、学科任务和学科内容体系等基本理论，是学科本身赖以生存和发展的根本，是学科生命力得以延续和强盛的关键。其根本和关键的体现又在学科基本理论的科学性、共识性、实用性和规范化上。当然，城市经济学科也不例外。

城市经济学科通过30年的建设和发展，其基本理论正逐步走向成熟，但距真正成熟仍有很长的路要走。全国城市经济学科理论和实际工作者的任务仍很繁重。

首先，要以科学发展观为指导，始终坚持马克思的辩证唯物主义和历史唯物主义。要在城市经济学界重新掀起一次对城市经济学科基本理论的研究热潮和大讨论，认真、负责、慎重的以城市经济学科新视角，总结、审视、分析、权衡现有学科基本理论研究成果的科学性和利弊得失。遵循“百花齐放、百家争鸣”的方针，通过开创性的研究和有益争论，在强化科学性的基础上，力争取得绝大多数学者认可的概括、设计和表述。

其次，内容体系的设计和阐述，要与学科基本理论的研究对象和学科任务的概括和表述相对应。实际上，学科内容体系的设计和阐述是学科研究对象和学科任务的更为详尽的展开、扩充和不同视角、不同表达形式的理论诠释。

再次，学科任务和内容体系要突出理论联系实际，理论运用于实际。理论概括和阐述要紧密相结合一定时期可能或正在出现及显露的城市经济问题（既有共性问题，也有个性化问题），提出预防和解决的思路和方法。

要规范学科相关概念和内容的理论表述、使用和融通，避免曲解对方观点的钻牛角尖，拒绝武断的不规范阐述的做法，以利于科学而活跃的观点争辩氛围的形成、扩展和延伸。只有在对理论问题不断良性争辩中，善于发现对方观点（只要不是误区）的价值和闪光点，同时虚心寻找和发现自身的不足。只要城市经济学者治学严谨，理论探索视角清晰，又十分注重在传承基础上的突破和创新，规范、统一、共识的理论概括和表述是可以做到的。当然，其中的不断提高自身文字和专业表达水平及其由表及里、去伪存真必不可少。

同时，要特别重视学科人才的培养，以确保城市经济学科理论研究后继有人。要认清当前城市经济学科人才的严峻情况。自从城市经济学科研究生授予点划为区域经济学科以后，城市经济学科只能成为区域经济学科其中的一个研究方向招收培养硕士和博士生。尽管目前全国区域经济学科授予点不会少，但真正设置有城市经济学研究方向的恐怕不会很多，且课程设置、教材使用也各不相同。为此，高校和研究机构彼此互通有无，交流合作必不可少。更为重要的是，要引起各级政府和相关高校的足够重视，要创造条件，以科学发展观为指导，编制城市经济学科发展和人才培养规划，并围绕做一系列行之有效的工作，包括强化城市经济学研究方向；鼓励举办相关强化培训班；召开相关研讨会；广泛听取意见和建议，并研究确立有实力的高校或研究机构或全国学术团体牵头

实施。

三、城市经济学科中国特色的体现及延伸

任何学科发展的关键在于学科特色的体现和实际作用的发挥。作为中国城市经济学科其发展当然要体现中国特色，只有这样，学科才能真正为中国城市经济发展服务，从而充分体现学科的作用和价值。因此，城市经济学科发展必须将有中国特色放到重中之重、关键之关键的核心地位。要齐心合力为建设和发展有中国特色的城市经济学科而奋斗。它既是当今城市经济学科理论工作者的光荣使命和神圣任务，也是中国城市经济实际工作者的责任和义务所在。

要从城市经济学发展视角，分析、研究、审定和体现学科的中国特色。它至少包括社会主义初级阶段与经济全球化、信息化时代并存的时代特征；以城市为中心的行政区域经济刚性与加快城市行政区划改革并存的国情特征；城市经济发展的硬道理与环境污染仍然严重并存的经济特征；城市竞争排名与强化城市特色的城市特征等四个方面。

当今世界，科学技术日新月异，以信息技术、生物工程、生命科学、航天技术为代表的高新技术迅猛发展。尤其是现代通信和交通的发展，使世界时空距离发生了巨大的变化，使城市间经济联系更为方便、更加紧密，为经济全球化提供了条件和物质手段，也使城市和区域相互依赖性增强，相互竞争也更加剧烈。期间的可持续发展观在全球的普及、推广和日益深入人心。这都为城市经济学科发展提供了理论依据和实践指导。党的十七大强调贯彻实施的科学发展观更是为学科发展指明了方向。

中国是世界最大的发展中国家，又正处在社会主义初级阶段。经济发展的总量大，但人均量却很小。在国际社会和信息时代中，又处在合作与竞争并存、和谐与争夺并存、发达与落后并存、机遇与挑战并存、走向世界与吸引外资并存、缩小和扩大二元差距并存、追踪及拉大与世界科技差距、全球经济危机影响与经济增长并存之中。为此，在适应时代需要的同时，还要充分考虑国家所处发展阶段的特征，在城市经济理论探索中，尤其是时空布局选择上要更加科学，更加切合实际。

计划经济的实行，使我国城市经济发展的行政色彩十分浓厚。在深化行政体制改革，转变政府职能中，不断推进市场化进程是方向。其实施需要时间和不断摸索，更需要政策创新和取向上的除弊趋利。况且我国仍处在社会主义初级阶段，改革的过分理想化难以达到。从目前城市经济运行和发展看，以城市为中心的行政区域经济仍呈刚性，还可能会延续一段时间。但打破行政界限，发展以城市为中心的经济区域经济是必须坚持的改革方向。城市经济学的学科任务决定必须为此提供理论和实践依据。为此，学科发展和理论研究必须认识到这一国情特征，切实把握好一定时期学科发展方向，并围绕理论重点、热点、难点和亮点问题，广泛而深入的开展研究和探索。

城市经济发展以污染环境为代价的所谓理论早已被人唾弃。但在实际城市经济发展中，发展是硬道理与环境污染难以避免仍然并存，这是与科学发展观背道而驰的。尽管可持续发展观已深入人心，但现实中的相悖却见怪不怪。城市经济学科发展和理论研究要为寻求更为科学合理的城市经济发展模式和方式倾其全力。针对不同城市提出经济发展的理论依据、方略及对策，让学科发展更切合实际和运用实际。

在国际竞争和城市竞争不断加剧的当今社会，强化城市经济竞争力研究和进行城市竞争力排名是必要的。但是，对任何城市来说，其特色发展，则更是其生命力所在和在竞争中取胜的法宝，它

比城市竞争力排名更为重要。可以说，一个城市没有特色，就不会又快又好的发展，在城市竞争日趋激烈的情况下更是如此。为此，如何以辩证的发展眼光，处理好重视城市竞争力排名和强化特色发展的关系，要在城市经济学科发展和理论探索中得到充分体现。况且城市竞争力有不少方面是不可比的，为城市竞争排名所进行的经济社会发展导向肯定是不可取的。

四、适应学科发展要求的研究方法的尝试和创新

尊重差异、突出特色是城市经济学科研究的重要理念。要在研究方法上勇于创新，在传承现有成熟研究方法的基础上，通过尝试和突破，更好摸索和取得更为科学和行之有效的研究方法。

首先，要强化综合研究。城市是一个集自然、生态、资源、人口、历史、文化、科技、教育、经济、社会等于一体的综合体。无论是大城市，还是小城镇，都包含众多的因素和变量，构成错综复杂的综合系统，而且彼此发生千丝万缕的联系。所以城市经济研究是一个整体性、综合性研究。对城市任何要素及其产业、部门和企业研究都要有整体观和综合观。不能简单的就事论事，就某个问题研究某个问题。同时，城市是区域的中心，城市经济发展状况在一定程度上能反映区域经济发展状况，亦即城市经济是区域经济的缩影。因此，要将城市经济扩展到所在区域进行研究，要树立全面的区域观。要丢弃就城市论城市的研究思路和方法，有机地将城市经济研究融汇到区域经济研究之中，并恰当科学的把握两个学科交叉的视角和力度。尤其是当今我国以市带县的行政区划现状，更要求将城市经济置于城乡统筹的思路上通盘进行。并通过与相关自然科学和管理科学的协作研究，以及多学科、多部门的交叉研究，从理论与实际的结合上，将城市经济问题研究深、研究透。

其次，要重视个性化研究，即重视城市差异和特色研究。个性化研究是相对于“千人（城）一面”、“众口一词”研究方式而言的，是与力戒浮躁学风，注重学术规范，讲究治学严谨联系在一起的。个性化意味着多样化和差异性，它将促进城市经济学科的创新和突破。（饶会林，2004）

城市特色研究不能仅仅局限于文化景观特色和历史环境特色研究，对城市经济学科而言，更加关注的应该是城市的功能特色和产业特色。在对城市特色研究上，要大力提倡和鼓励新思想、新观点、新方法和新人才涌现，在理论上突破和超越前人，敢于去做前人没有做过的事，要设想和鼓励形成学派。

再次，是现代化和系统论的研究方法的运用。要采取网络化、数字技术和电脑技术等手段运用于城市经济学科的研究，并采用实际研究与规范研究相结合、理论演绎对策研究相结合、相关分析与比较研究相结合、理论借鉴与开拓创新相结合，系统性和实证性研究相结合、定性研究与定量研究相结合、运行机制研究与建立模型相结合的研究方法，确保城市经济发展历史逻辑和研究方法逻辑的统一。

参考文献：

[1]朱林兴. 中国社会主义城市经济学. 上海社会科学院出版社, 1986.12

[2]杨重光, 刘维新. 社会主义城市经济学.中国财政经济出版社, 1986.12

[3]陈坤石, 毛月平, 阎玉英等. 城市经济学入门. 山西人民出版社, 1987

[4]杜闻贞. 城市经济学. 中国财政经济出版社, 1987.10

[5]过杰. 城市经济学. 四川人民出版社, 1989.6

[6]蔡孝箴. 社会主义城市经济学. 南开大学出版社, 1990.6

[7]谢文蕙, 邓卫. 城市经济学. 清华大学出版社, 1996.9

[8]饶会林. 城市经济学. 东北财经大学出版社,1999.8

[9]王茂林. 新中国城市经济50年.经济管理出版社, 2000.9

[10]饶会林, 郭鸿懋. 城市经济理论前沿课题研究. 东北财经大学出版社, 2001.9

[11]叶焕民，雷仲敏. 城市经济发展规划与发展战略. 中国言实出版社, 2007.10

[12]王雅莉. 城市经济学. 首都经济贸易大学出版社, 2008.1

[13]冯云廷. 城市经济学. 东北财经大学出版社, 2008.9(第二版)

[14]楚义芳. CBD与城市发展. 城市规划, 1982.3

[15]刘光璞. 对城市经济学研究对象问题的几点看法. 建设经济, 1984.3

[16]王金亮. 浅论城市经济学的研究对象和任务. 建设经济, 1984.3

[17]魏浩光. 社会主义城市经济学的研究对象. 建设经济, 1984.3

[18]饶会林. 城市经济学科建设断想. 财经问题研究, 1995.9

[19]饶会林, 苗丽静, 王晓玲等. 加强城市经济学科的建设和发展. 上海市经济管理干部学院学报, 2000.1

[20]李树琮. 对城市经济学理论前沿研究的几点思考. 上海市经济管理干部学院学报, 2003.2

[21]龚唯平. 关于城市经济学研究对象的探讨. 经济前沿, 2003.8

[22]李树琮. 深化研究城市和区域理论. 上海市经济管理干部学院学报, 2007.2

[23]陈东强. 关于城市经济学科建设的几点看法. 城市问题, 2007.3

中国市长论城市经济 >>>

本章以行政区划为序。

深入推进改革创新　加快建设服务型政府

北京市市长　郭金龙

2009年4月，市政府发布实施《关于深化改革、转变职能、提高效率，进一步建设服务型政府的意见》。这是深入贯彻党的十七大和十七届二中全会精神，加快行政管理体制改革、建设服务型政府的重要举措。我们要不断推进政府自身改革和建设，在应对国际金融危机冲击和影响中，提高政府行政能力、公信力和服务水平，为保持经济平稳较快发展，建设“人文北京、科技北京、绿色北京”提供坚实保障。

一、充分认识深化行政管理体制改革的重要性和紧迫性

行政管理体制改革，是深化改革的重要环节，是加快建设服务型政府的根本途径。对此，党中央、国务院高度重视。党的十七大对“加快行政管理体制改革，建设服务型政府”提出了新的要求。十七届二中全会审议通过《关于深化行政管理体制改革的意见》，对深化行政管理体制改革作出了全面部署，提出要在2020年建立起比较完善的中国特色社会主义行政管理体制。

近年来，北京市紧抓奥运筹办机遇，加大政府服务和管理创新力度，调整、合并组建了园林绿化局、水务局、交通委等部门，建立并不断完善城市应急管理体系，推行办事公开制度、一站式服务、全程办事代理制等新的服务管理方式，行政管理体制逐步理顺，政府职能转变迈出重要步伐，科学民主决策水平不断提高，为北京奥运会成功举办和首都经济社会发展提供了有力保障。但也要看到，行政管理体制改革是一项长期而艰巨的任务。目前我市行政管理体制与首都经济社会发展还有很多不相适应的地方，政府服务管理水平与群众、企业、基层的需求和期望还有一定差距，人大代表、政协委员提出了许多意见和建议。当前，我们要深入贯彻落实科学发展观，全面落实《关于深化行政管理体制改革的意见》，以政府机构改革和行政审批制度改革为突破口，以服务管理创新为动力，切实推动政府职能转变，努力建设服务型政府。重点把握好以下几个方面：

（一）全面履行四个服务职责

北京作为首都，享受了首都的优势，必须增强做好服务工作的自觉性，全面提升政府在城市建设、经济发展和社会服务管理等方面的工作水平，使首都的各项工作走在全国前列，更好地为中央党政军领导机关的工作服务，为国家的国际交往服务，为科技和教育发展服务，为改善人民群众生活服务。要建立健全服务平台、工作机制和工作体系，加强沟通联络，明确责任，把服务中央单位、驻京部队和各类企业的各项工作落到实处。要积极主动地探索首都工作的规律和特点，进一步丰富“四个服务”的内容，延伸和拓展服务职能，创新服务模式和工作方式，不断提高服务效率和水平。

（二）继承巩固发展奥运成果

北京奥运会留下了大量弥足珍贵的物质精神财富，特别是奥运筹办过程中，全市积极探索、大胆创新，在政府管理和体制机制方面积累了许多有益的经验。要积极借鉴奥运筹办“双进入”体制，建立推进重大事项、重大工程、重点工作和重点问题的综合协调工作机制，加强部门和层级间的工作融合、力量整合、协调配合，形成工作合力。城市建设管理和举办重大活动，要坚持国际化、专业化和规范化的运作模式，紧密结合国情市情寻找政策平衡点，探索建立行之有效的工作标准、政策法规、运行机制，更加注重运用法律手段加强管理。坚持权力下放和工作重心下移，把基层作为履行职能、提供服务、解决问题的前沿和平台，赋予必要的资源和保障手段，切实夯实基层基础。健全社会组织动员等方面工作机制，发扬光大志愿者精神，完善“志愿北京”信息平台，发挥广大市民在城市管理、和谐社区、平安北京建设中的主体作用。要在继承巩固发展奥运成果的基础上，加大改革创新力度，再造首都体制机制新优势。

（三）不断提高政府行政效能和服务水平

要全面正确履行政府职能，改善经济调节，强化公共服务，严格市场监管，加强社会管理，加快建设服务政府、法治政府、效能政府和廉洁政府。要把发挥市场机制作用，激发和释放企业、社会发展活力作为改善政府服务管理的重要内容，通过简化手续、缩短时限、主动服务、改进管理，提高政府对企业、群众和基层的服务质量，优化发展环境，增强首都的吸引力。要进一步完善公共服务体系，创新政府提供公共服务的模式，把更多的资源投向公共服务领域，不断扩大公共服务规模，着力推进基本公共服务均等化，为人民群众提供更加优质、便捷的公共服务。

二、深入推进政府机构改革

深化机构改革是转变政府职能的途径，也是建设服务型政府的关键。2008年12月以来，全市各级政府各部门全面落实市委十届五次全会审议通过的《关于深化北京市行政管理体制改革的实施意见》和《北京市人民政府机构改革方案》，认真开展“三定”工作，市政府机构改革各项任务基本完成。下一步，要继续深化政府机构改革成果，促进政府部门职能转变，稳步推进乡镇机构改革和事业单位分类改革，不断增强政府体系服务职能和履职效率。

（一）进一步推动政府部门职能转变

本届政府机构改革的核心目标是转变职能和理顺关系，力求实现机构职能的有机整合与统一。无论是新组建或调整变动的部门，还是机构未作调整的部门，都要把落实转变职能的要求作为首要任务。通过认真开展“三定”工作，在对原有职能进行逐一梳理分析的基础上，按照权责一致的原则，合理配置各部门职能，明确职责权限。同时，更要重视部门内部的职能、权责、机构与编制的科学合理配置，保证职能有机统一行使。

评价政府机构改革是否取得成效，就看政府转变职能是否取得明显进展，理顺关系是否取得明显突破，部门责任是否得到明显强化。市区政府及部门要认真对照这三个方面的要求，检验自身改革成效，确保改革达到预期目标。合并而成的新部门，要加快职能融合、业务整合，实现工作有效衔接，增强部门的凝聚力，提高整体工作水平。新组建部门的领导班子要根据新机构的职能和工作特点，探索形成统一高效的工作机制，努力做到精神上有新面貌、机制上有新创造、效率上有新提高。不涉及调整的部门也要创新工作思路，完善内部职能机构设置，努力开创新的工作局面。

（二）扎实推进乡镇机构改革

2009年1月，中央出台了关于深化乡镇机构改革的指导意见，这标志着新一轮乡镇机构改革全面启动。要认真贯彻落实中央的指示精神，从首都经济社会发展实际出发，适时总结在6个区县的12个乡镇开展的试点工作，制订实施乡镇机构改革方案。特别是要根据农村经济社会事业发展特点，调整整合事业站所，加强制度建设，推进机制创新，提高乡镇社会管理和公共服务能力与水平，力争2012年基本完成全市乡镇机构改革，建成行为规范、运转协调、公正透明、廉洁高效的基层行政管理体制和运行机制。

（三）稳步开展事业单位分类改革

事业单位分类改革是转变政府职能、优化资源配置方式、改进公共服务的重要环节。要根据中央关于事业单位分类改革工作的部署要求，学习借鉴兄弟省市事业单位改革试点经验，研究制定北京市事业单位分类改革意见。进一步理顺事业单位与政府部门、企业的关系，着手研究本市承担行政职能、从事公益服务和从事生产经营活动事业单位的分类标准。继续开展“政事分开、管办分离”改革试点，积极稳妥地推进分类改革各项工作。通过推进事业单位分类改革，厘清政府服务管理行为边界，发挥政府和社会组织的优势，提供更丰富、更优质的公共产品和服务。

政府机构改革是一个渐进的过程，不会一蹴而就。随着政府服务管理实践的不断发展，政府职能也处于不断调整优化过程中。这次机构改革是一个新的起点，要认真总结改革经验，继续深入探索实行职能有机统一的大部门体制，在实践中及时优化政府机构设置，使之更好地适应首都经济社会发展的要求。

三、深化行政审批制度改革

行政审批制度改革，是行政管理体制改革的重要内容，是提高行政效能、建设服务型政府的重要着力点和突破口。近年来，北京市一直高度重视行政审批制度改革工作，特别是2008年10月以来，按照“加快、简化、下放、取消、协调”的要求，各部门、各区县在下放权限、简化流程、搭建服务平台、建立沟通协调机制等方面作出了积极探索，建立重大项目绿色审批通道机制，取消审批事项24项，下放审批权限82项，审批时间压缩一半以上，有效促进了项目早开工、早落地。但是，行政审批制度改革是政府的“自我革命”，任重而道远。必须进一步解放思想，破除部门利益束缚，让企业、群众和基层参与到行政审批改革过程中来，在权限下放、审批事项取消上迈出更大步伐，在审批职能归并整合上创出新的思路，在网上审批上取得更大进展。

（一）切实做好行政审批的精简和规范

一是下决心继续取消一批审批事项。全面梳理审批事项，特别是对行政许可以外的审批事项要逐项核查，建立台账。对属于地方管理权限、不适应经济社会发展的事项，要打破部门利益，积极依法进行调整。特别是要注意巩固取消审批事项的工作成果，坚决防止已取消事项以备案、核准等名义进行变相审批，坚决杜绝“许可性”备案。二是坚决落实审批权限的下放。要结合实际情况和需求，加强部门协调联动，完善配套措施，使相关审批事项实现同步下放。同时，对那些法规规定不能下放的事项，有关部门也要积极探索，找出方便基层、企业和群众的具体途径。三是进一步优化行政审批流程，加强审批协调。完善绿色审批通道机制，建立长效机制。大力推行并联审批、联合审批等方式，探索多部门审批的协调沟通机制。进一步规范部门内部审批流程，简化审批手续，规范自由裁量，减少随意性。完善全程办事代理制，加强部门内审批事项的并联办理和工作衔接。

（二）积极探索行政审批职能归并改革

要按照决策权、执行权、监督权既相互分离、相互制约又相互协调的总体思路和要求，将各部门多个处室的行政审批事项和职能归并到一个处室，使多数业务处室从个案审批中解脱出来，将主要人力、精力集中到制定规则、标准和后续监管及服务上来。在此基础上，重新梳理并整合审批权限，减少内部不必要的流转环节。集中审批权限，实行“一家牵头、一口受理、抄告相关、同步审批、限时办结”，有效解决审批过程中的信息沟通和推诿扯皮，大大提高行政审批效率。结合政务公开，进一步增强审批透明度，实行有力的监督制约，确保审批权力规范行使。

（三）充分运用信息技术，推动网上审批服务

在知识经济的时代背景下，行政审批制度改革离不开以计算机和网络为特征的信息技术的广泛应用。从长远来看，建立电子政务平台、实施网上审批和网上便民服务，实现申报、审批、反馈全程网络化和政府管理服务的公开透明，是行政审批制度改革的发展目标。当前，需要我们探索建设全市统一的网上行政审批管理和应用平台，不断扩大网上申请和远程审批范围，完善各部门间、市与区县之间的信息共享交换机制，切实增强政府网上服务功能和跨部门协同服务能力。探索推行设立行政审批呼叫中心，为行政相对人提供准确完整的咨询服务。继续健全北京市行政审批网上监察系统，充分发挥实时监控审批进度的功能和作用。强化信息公开、推动行政审批的“阳光”操作，加强社会监督。

四、大力探索政府服务管理方式创新

建设服务型政府，必须适应首都现代化建设新形势、新任务、新要求，不断创新政府服务与管理的理念、机制和方式，寓管理于服务之中，深入推进依法行政，切实转变工作作风，不断提升政府行政效能和服务管理水平。

（一）搭建和完善综合服务平台，创新政府服务与管理的方式和手段

一是完善服务中央单位和驻京部队的综合服务平台。坚持资源统筹的原则，依托现有行政管理体系，建立政府主导、主管部门牵头、相关部门联动、市区两级条块结合的长效服务工作体系。二是深化政务公开，加快推进电子政务建设。全面落实政府信息公开条例，及时向社会公开事关民生的行政决策事项、政策规定、办事程序。积极运用网络信息技术，提升机关办公自动化、管理信息化、服务现代化水平，促进部门间信息共享，提升政府门户网站政务信息发布、网上办事服务的平台功能。三是充分发挥市民主体作用。进一步加强政府与市民和社会组织的沟通，健全社会参与城市管理的机制，在行政决策、社区治理、公共产品供给、外部监督、政府效率评价等环节完善公民参与途径。借助城市服务管理广播、政府会议公开直播等多种形式，促进市民意见表达与政府回应的良性互动。同时，要建立激励机制，倡导市民关注公共事务、参与社会管理和公共服务。

（二）创新公共服务提供模式，提升公共服务水平

提供优质公共服务是现代服务型政府的重要职责。要强化政府的公共服务职能，完善公共服务体系，进一步明晰市及区县、乡镇政府在公共服务中的职责，探索公共服务新的提供模式。对于应该由政府承担的纯公共产品供给，如基础教育、基本医疗、公共卫生和社会保障等，要明确公益性质，依法保障投入；对于那些准公共产品的供给，要学习借鉴国内外成功经验，推行市场化方式，

政府提供基础条件，支持引导和鼓励社会力量参与。要创新公共服务供给监督和管理体制，充分运用间接管理、动态管理和事后监督管理等手段，以及行政规划、行政指导、行政合同等管理方式，逐步建立统一、开放、公平、公正的现代公共服务监管体制，提高公共产品提供的效率和水平，为公众提供更多、更好的服务。

（三）坚持依法行政，加强政府绩效管理

依法行政是建设服务型政府的前提和基础。要深入贯彻落实国务院全面推进依法行政实施纲要，进一步将政府管理经济社会行为纳入依法运转的轨道。一是着重围绕搞好优化经济发展环境、维护市场秩序、保障和改善民生等方面，提高政府决策科学化、民主化水平。二是严格按照法律授予的权限管理经济社会事务和其他行政事务，切实把握行政执法的依据、权限、目标和任务，严格依法定程序办事。三是要加快推进和逐步完善行政问责制，明确问责范围、问责程序，增强行政问责的针对性、操作性和时效性，坚决纠正行政不作为和行政乱作为。四是要加强行政复议能力建设，创新行政复议办案审理方式，增强行政复议解决行政争议的作用。五是要完善政府绩效管理制度，结合部门年度考评，改进评估方法，实行内部评估与外部评估相结合，开展公众测评、网上评议、专家评议，不断提高外部评价在总评中的权重。把评估结果与行政效能监督结合起来，与干部使用、评优、奖惩挂钩，并予以制度化和规范化。

（四）加强作风建设，服务好基层、企业和群众

2009年是全市作风建设年，各部门各区县要大力弘扬奥运精神，围绕促进首都经济平稳较快发展，明确责任，密切配合，创造性地开展工作，把各项政策措施逐一落实到位。各级政府工作人员特别是领导干部要增强宗旨意识、大局意识、首善意识、责任意识，进一步改进工作作风，坚持深入实际、深入基层，问政于民、问需于民、问计于民，帮助企业和群众排忧解难。要自觉加强党性修养，始终保持不骄不躁和艰苦奋斗的作风，始终保持奋发有为的精神状态和优良作风，忠于职守，尽职尽责。要认真贯彻落实第十七届中央纪委第三次全会精神，深入开展廉政风险防范管理工作，坚持勤俭办一切事务，切实做到进取有为、勤政廉政、务实高效，努力建设人民满意的政府。

加快建设繁华舒适现代一流省会城市

河北省石家庄市市长　艾文礼

21世纪是城市的世纪。面对百舸争流、千帆竞发的逼人态势，省委省政府主要领导审时度势、高屋建瓴，从主动适应经济社会发展规律，全面落实科学发展观的战略高度，为石家庄提出了建设繁华舒适现代一流省会城市的殷切期望。这既是在新的历史起点上为省会未来发展提出的宏伟目标，也是在新一轮竞争中把省会驶入"第一方阵"的战略抉择。对此，我们必须以抢占发展先机的危机感、时不我待的紧迫感、负重奋进的责任感，自我加压，只争朝夕，后发先至，举全市之力迈出赶超发展新步伐，聚全民之智实现省会发展新跨越。

一、建设繁华舒适现代一流省会城市是顺应经济社会发展规律的现实选择

城镇化是现代化的必由之路，而中心城市是推动城镇化进程的重要引擎。站在新的历史起点，放眼未来省会发展，加速把石家庄建设成为繁华舒适现代一流的省会城市，必将对省会的科学发展、率先发展、引领河北发展起到重要的推动作用。

建设繁华舒适现代一流省会城市，是加快城镇化进程、实现城乡可持续发展的战略选择。马克思早在100多年前就指出，"现代化的历史就是乡村城镇化的历史"。经济社会发展的一般规律也表明，城镇化不仅是现代化的主旋律，也是区域经济增长的动力和源泉，城镇化率越高其发展水平就越高。省会城市作为一个区域城镇化的"火车头"和"领头羊"，其发展速度的快慢和增长质量的高低，对于该区域的城镇化有着至关重要的影响。因此，加快把省会建设成为繁华舒适现代一流的省会城市，不仅是解决省会城市规模小、城镇化率低的必由之路，也是融入环渤海、打造京津冀第三增长极的战略选择。

建设繁华舒适现代一流省会城市，是提升省会首位度乃至河北形象的重要举措。石家庄市作为拥有7000万人口大省的省会，其建设和发展的状况不仅是自身现代化程度的体现，而且直接反映着河北的形象、河北现代化建设的成果、河北财富积累的水平。近年来，随着"三年大变样"各项举措向纵深推进，省会整体面貌发生了巨大变化，但与现代省会形象相比还有明显差距。因此，尽快从根本上改变省会面貌，打造宜居舒适的城市生活环境，是适应改革开放新形势，在新的历史条件下实现经济社会又好又快发展的必然要求。

建设繁华舒适现代一流省会城市，是优化经济结构、促进社会转型的迫切需要。工业化与城镇化的共同特征是促进结构转型，即工业化使产业结构发生变化，而城镇化则使社会结构发生变化，两者相辅相成，互为促进。因此，尽快按照繁华舒适现代一流的目标，全面推进省会的建设和管理，有利于优化资源配置，推进经济结构优化升级；有利于拓展第三产业发展空间，提高服务业在国民经济中的比重；有利于促进社会结构加快转型，为经济发展提供广阔的市场和持久的动力。

二、建设繁华舒适现代一流省会城市必须加速向“第一方阵”迈进

建设繁华舒适现代一流的省会城市，必须认真贯彻党的十七届四中全会精神，以科学发展观统领各项工作全局，按照既定发展目标，抓住难得机遇，坚定必胜信心，凭借后发优势，全力实现繁荣富华的经济发展，努力创造宜居宜业的生活环境，倾力打造时代特色鲜明的城市形象，全面增强省会的带动力、贡献力、影响力，着力提升省会的知名度、美誉度、首位度，加快跻身全国省会城市第一方阵。具体讲就是要努力实现以下“八个一流”目标：

（一）一流的综合经济实力

以实力、活力、竞争力为标志，面向全省比增长，放眼全国定标杆，经济总量增加、所占份额扩大、人均位次前移，综合经济实力进入全国省会城市先进行列。到2015年，城市综合竞争力排位在全国26个省会城市中由2008年的第16位上升到第11位；地区生产总值年均增长13%以上，经济总量在全国26个省会城市排位由2008年的第11位前进到第8位，占全省的比重由2008年的17.5%提升到20%以上；全部财政收入年均增长20%以上，其中地方一般预算收入年均增长23%以上，超过全国省会城市平均水平，占全省的比重由2008年的11.7%提高到15%以上；全社会固定资产投资年均增长35%左右，占全省的比重由2008年的19.5%提高到25%以上。

（二）一流的现代产业体系

按照一产集约、二产集聚、三产集优的思路，积极融入京津冀都市圈，强力打造中国现代药都、现代循环化工、现代装备制造、现代商埠，做大做强电子信息、纺织服装等传统优势产业，加快构建以高新技术产业为引领、传统优势产业为依托、先进制造业为支撑、服务业全面发展的现代产业体系。力争到2015年，主导产业增加值实现两个翻番，服务业占GDP的比重超过50%，主导产业的支柱地位基本确立，品牌效应进一步强化提升，传统产业与新兴产业融合度大幅提高。到2020年，三次产业结构进一步优化，产业布局更为合理，主导产业的竞争力和品牌知名度实现质的提升，电子信息、纺织服装等传统优势产业实力显著增强，能源、交通、通信等基础产业支撑作用明显提高，基本形成符合繁华舒适现代一流省会发展定位要求的现代产业体系。

（三）一流的规划建设水平

按照近期300万、远期500万人口规模的要求，拓展城市发展空间，拉开城市建设框架，推进主城区与四组团同城化发展，构筑“一城三区三组团”（即现状主城区、正定古城及京珠高速公路以东地区的中心城；老城区、滨河新区、东部新区三个建设区；鹿泉、栾城、藁城三个外围组团）结构的城市中心体系。明确城市发展主导方向，全力实施北跨战略，在京珠高速公路以东、机场路北延线以西、张石高速公路东延线以南、滹沱河以北130平方公里的区域，开发建设新区，重构城区格局。通过一流的规划设计，提升城市建设水准，全力打造一批具有视觉冲击力和心灵震撼力的标志性建筑群和彰显省会风采的新地标。

（四）一流的城市承载功能

依托高速公路、高速铁路、内陆港和民航机场，全力打造陆运、海运、空运一体化的现代交通网络体系。推进高速外环公路、“穿城入地”铁路建设，实施城区高架路、轨道交通及市区“微循环”工程，构建内外贯通、方便快捷的城市路网格局。到2015年，城市邮电通信、供水供热、供气供暖、污水和垃圾处理等基础设施配套能力与工业发展和民用需求相适应，集中供热率达到100%，

天然气用户实现全覆盖，数字城市建设及信息化程度达到国内先进水平；石家庄机场成为国内一流的冀中南区域性航空枢纽和空港物流园区；建成高标准的会展中心、文化中心和体育中心，全面提升承办国际国内重要展会和赛事的能力。

（五）一流的生态环境质量

调整优化生态建设布局，加大环境污染治理力度，加强造林绿化和自然生态保护，让城市居民真正拥有一个天蓝、地绿、水清、气爽、景美的生活环境。到2015年，大气和水环境综合整治取得明显成效，城市空气质量稳定达到国家二级控制标准，集中式饮用水源水质达标率达到100%，市区污水处理率达到100%，工业用水重复率达到90%，噪声区域达标区覆盖率达到95%，公众对环境的满意度达到90%以上。提高城市生态建设的系统性与协同性，建成点线面结合的生态网络系统，森林覆盖率、绿化覆盖率、人均绿地面积等指标在省会城市中跨入先进行列，整体生态功能大幅提升，生态环境质量达到国内一流水平，基本建成国家生态园林城市。

（六）一流的生活居住条件

以生活便捷、居住舒适作为城市宜居宜业的重要标准，全面提升居民生活质量，大力改善城市居住条件。到2015年，全部完成主城区城中村、危陋住房和旧小区改造，城市住宅实现提档升级，人均住房建筑面积达到国内一流水平；建立起有效的住房保障机制，经济适用住房、廉租住房受益面进一步扩大，对低收入困难家庭住房实现应保尽保；全面改善城市公共服务，高标准配套社区管理、学校医院、文化娱乐等公共服务设施，城市居民生活便宜度、舒适度大幅提升，基本形成设施完善、功能完备、环境优美的居住环境。

（七）一流的社会保障水准

全面加强社会保障建设，城市社会保障水平与经济发展相适应。到2015年，在国内同类城市中达到一流的城市就业、社会保障和公共安全水准。健全人力资源市场体系、就业培训体系、再就业援助体系、优惠扶持政策体系和目标责任考核体系，基本建成充分就业城市；全面构建与经济发展水平相协调的社会保障体系，达到资金来源多元化、制度保障规范化、管理服务社会化，成为全国社会保障水平较高的城市；大力加强安全保障体系建设，有效解决人民群众最关心、最直接、最现实的利益问题，强化食品药品、生态环境、安全生产管理，全面提升应对各种突发公共事件和风险的能力，打造食品最放心和安全最有保障的城市。

（八）一流的精神文化氛围

以彰显“千年古郡、百年新城，新中国从这里走来”的石家庄特色文化为基点，大力弘扬以爱国主义为核心的民族精神、以改革创新为核心的时代精神和以“两个务必”为核心的西柏坡精神。切实加强思想道德建设，全面实施市民素质提升工程，全力打造诚信石家庄，加速跨入全国文明城市行列。进一步加大历史文化古迹修缮保护力度，规划建设一批标志性文化工程，着力塑造石家庄文化名片。大力发展文化产业，形成一批在全国有影响的文化产业群体。整合市区和四组团近、现代文化教育资源，深入挖掘历史文化，提炼和谐文化，彰显文化魅力，聚合核心文化理念，提升文化竞争力，用文化打造城市的软实力。

三、建设繁华舒适现代一流省会城市必须大力破除观念和体制障碍

打造繁华舒适现代一流的省会城市，必须创新工作理念，完善推进机制，努力变机遇为动力，

变动力为行动，变行动为大变样的实际效果。

（一）强化省会意识

建设繁华舒适现代一流的省会城市，必须深入开展学习实践科学发展观活动，进一步强化省会意识，为实现石家庄又好又快发展打下坚实的思想基础。要强化率先发展意识，切实增强发展的紧迫感和责任感，立足我市实际，勇于解放思想，勇于跨越前进，努力提高我市在全省经济、科教、文化、卫生等方面的首位度；要强化示范引领意识，在经济社会的各个方面，尤其是城市建设上作表率，努力建设全省社会秩序最好、城市环境最优、市民素质最高的城市；要强化主动服务意识，主动为省委省政府、省直机关、中央驻石单位以及全市960万人民、全省7000万人民作好服务，努力创造良好的工作和生活环境；要强化资源统筹意识，统筹省市两级在文化、教育、科技等方面的资源，统筹全市城乡经济社会发展，最大限度地发挥省会优势，努力把省会建设成为全省各种资源的最高集聚区和优化整合的示范区。

（二）提升“石家庄精神”

在2009年城市建设“三年大变样”工作实践中，我市创造了以解放思想、转变作风、科学决策、开放市场、统筹兼顾为主要内容的“石家庄速度”，展现了以“石家庄速度”为基本内涵的“石家庄精神”。在推进繁华舒适现代一流省会城市建设过程中，必须将“石家庄速度”向城市建设和经济社会发展的各个领域和各个层面拓展延伸，贯彻落实到工作的各个方面和各个环节，进一步提升以“石家庄速度”为基本内涵的“石家庄精神”，大力破除一切阻碍发展的旧机制，大胆探索加快科学发展的新机制，加快提速各项工作过程，提升各项工作效能，以顽强拼搏的精神、敢打硬仗的作风、勇往直前的勇气，用一个个突出的业绩，推进省会跨越式发展，努力实现繁华舒适现代一流省会城市各个阶段的建设目标。

（三）提高对外开放水平

要把扩大对外开放作为建设繁华舒适现代一流省会城市的根本动力，抓住经济全球化和世界金融危机新形势下的历史机遇，以产业集聚区建设为载体，面向社会公开招聘高层次投资专业人才，建立公司化、专业化、国际化招商团队，进一步加大招商引资的力度和强度，大力度、大规模引进战略投资者，努力在省会经济结构调整、城市建设等方面取得突破性进展。积极创新招商理念和方式，坚持引进项目、资金与引进人才、资源并举，全面加强与世界500强企业和中央企业、国内知名企业的联系与合作，吸引更多的大企业地区总部落户石家庄，切实提高利用和引进外资的质量和水平；创造条件主动承接发达国家产业转移、服务外包，提升城市产业发展的国际化水平。大力实施出口市场多元化战略，调整出口产品结构，努力提高外贸依存度。

（四）完善城市经营机制

加快建立多元化的城市建设融资机制，坚持搭建平台融资、打开“石门”引资、活用政策聚资，积极引进战略投资者，吸纳多种资本参与城市建设。要利用市城建投、财茂和地产集团三大融资平台，为省会城市建设多方融通资金，提供财力支持；充分发挥土地在保障项目建设、扩大融资规模等方面的重要支撑作用，进一步完善政策措施，改进收储方式，扩大收储规模，促进城市建设又好又快良性发展。同时，不断深化公用事业单位改革，整体或部分转让基础设施经营权，构建“以城兴城、以城建城、以城养城”的市场经营机制。

（五）大力优化发展环境

建设繁华舒适现代一流省会城市，必须加强政府管理体制创新，进一步转变政府职能，在优化发展环境上实现新突破。全面推行服务承诺制，以关键部门、岗位、环节、人员为重点，进一步理顺职责分工和服务标准，公开办事程序和办事结果，切实增强服务意识，最大限度地提高行政工作效率和服务水平。继续深化行政审批制度改革，大幅度削减审批收费项目，简化整合审批程序，努力营造亲商、安商、富商的浓厚氛围，创造规范严明、诚实守信、竞争有序、宽松和谐的创业环境。改革创新项目审批方式，畅通项目审批绿色通道，实行投资项目跨部门横向联合审批制、收费打包制和全程代办制，构建项目审批保姆式服务体系，打造"项目审批程序最简、办理最快、费用最低、服务最优"的省会城市。

基础设施建设与政府投融资

安徽省合肥市市长　吴存荣

从经济性质上来看，基础设施可以归类为混合品，可以由市场提供，也可以由政府提供。但是像城市路网以及河道治理等外溢性很强的项目，由于难以通过收费来弥补成本，一般需要由政府来承担。因而，地方政府的职能之一就是进行基础设施建设，优化当地经济发展环境，促进经济社会又好又快地发展。在我国当前的财政体制下，由于基础设施的特殊性，地方政府举债进行基础设施建设成为必然的选择。

一、基础设施建设与政府投融资

（一）基础设施为什么需要政府投资

任何社会投资都可以分为政府投资和非政府投资。与政府投资相比，非政府部门投资具有以下特点：（1）投资目标是追求可以直接计算的盈利。（2）难以顾及非经济的社会效应。基础设施特别是大型基础设施，大都属于资本密集型行业，需要大量的资本投入，而且城市路网及河道治理等基础设施项目外部效应大，直接经济效益难以测算，因而必须由政府投资建设，免费提供使用。

（二）基础设施建设为什么需要融资

基础设施是处于“上游”的产业部门，是一种“社会先行资本（Social Overhead Capital）”。它所提供的产品和服务构成其他部门必需的投入品和服务，例如水电气和交通等。一般来说，基础设施的感应度强，感应系数较高。这也决定了基础设施需要适度超前发展。

“适度超前发展”也就意味着通过当期的财力难以满足城市基础设施发展的需要。如果按照当期财力来确定基础设施建设规模，必然意味着作为公共产品的基础设施供给不足，作为“共同生产条件”的基础设施就会成为制约经济社会发展的“瓶颈”。如何筹集基础设施建设资金？各国经济发展的实践表明，政府投融资是最合适的选择之一。

二、地方政府投融资体制改革的主要内容

（一）地方政府投融资性质

地方政府融资战略与中央政府不同。中央政府的融资战略既是应对短期经济波动、熨平经济周期的重要手段，又是在经济发展的某些阶段借以扩大公共投资、保持国民经济持续协调增长的重要方式。地方政府融资的目的主要是从事基础设施建设，优化地方投资发展环境。地方政府投融资进行基础设施建设是资本形成的重要渠道，这对私人部门发展相对滞后的中西部地区而言更是如此，政府投资对一个地区经济长期发展起到了推动与保障作用。

地方政府的融资方式与中央政府差异较大。中央政府一般主要是通过发行国债的方式来进行。地方政府不允许出现财政赤字，因而目前各地的财政平衡基本都是通过将部分政府活动转移到预算

外来达到的。以前一般的做法是政府相关部门均向金融机构贷款，多头举债；或者在基础设施建设过程中采取拖欠工程款的做法，容易导致社会的不稳定。因而必须要理清地方政府融资发展思路，正视地方政府在基础设施建设过程中融资的现实，适时进行地方政府投融资体制改革，统一债务管理，控制地方政府财政风险。

（二）改革的总体思路

以科学的发展观为指导，按照社会主义市场经济体制的总体要求，立足地方实现跨越式大发展和优化投资发展环境的实际，对政府投融资实行统一管理，实现借、用、还一体化，建立管理决策、执行、监督相分离的投融资管理体制。

（三）改革的主要内容

1. 建立政府投融资审批制度，健全决策机制。成立政府投融资管理领导机构，作为政府投融资管理的决策层。其主要职能是确定政府所融资金的投资方向和投资方案，审批政府投融资资金的平衡计划，决策投融资过程中的重大事项，防止政府过度投资，确保政府所融资金投入的有效性。

2. 建立统一的政府投融资管理平台，健全执行机制。成立统一的政府债务管理机构，作为投融资管理的执行层。其主要职责是统筹管理政府项目的投融资业务，编制政府年度以及滚动的投融资计划，建立政府债务风险预警机制，构建科学合理的政府投资资金管理体系。

3. 整合城市建设资源，组建投资公司，作为政府投融资的运作平台。符合政府经济社会发展目标的基础，设施建设项目，要按照轻重缓急的原则，由政府相关部门提出投资需求，由承担政府基础设施建设投融资职能的投资公司按照市场化方式进行融资建设，同时由政府与该公司签订分期付款协议，该公司以此作为向金融机构融资的担保条件。

4. 加强资金监管，健全政府监督机制。财政、监察、审计部门作为政府投融资管理的监督层，依据职能分工，加强对政府投融资的监管。

三、风险防范与融资创新

（一）地方政府债务性质

债务风险是指债务人不能如期按约定偿还债务本息的可能性。企业和个人的债务风险可以按照市场化的方式来解决，例如资产变现等。然而，政府与一般债务人相比具有明显的差异，一般债权人与债务人的关系受法律和国际公约的制约，而政府作为法律的制定人，掌握制定和执行法律的国家机器，使得一般债权人在政府不能履约的情况下难以具有强迫政府履行债务合约的强制力。但是我国地方政府债务风险与中央政府债务风险有着显著的差别。一是由于地方政府一般不掌握法律制定和执行的权力。二是绝大多数金融机构都不属于地方政府管理。因而地方政府债务在某种程度上也是按照市场化原则形成并偿还债务。

（二）地方政府风险评价标准

分析和评价政府债务规模风险的指标很多，其中主要是国债相对规模，即政府债务余额与GDP的比率，以及赤字率，即当年财政赤字额与GDP的比率。例如欧盟《稳定与增长公约》中就明确规定，入盟国家的赤字率应低于3%，国债相对规模不得超过60%。

但是地方政府债务风险控制并不能简单地以上述两个指标为标准。一是由于地方政府GDP当中所产生的税收不完全归地方政府支配，其中一半以上要上缴中央和省财政。由于基础设施建设还款来源主要依赖地方政府性可支配收入，因而如果按照国债相对规模来计算地方政府债务余额，必然会导致地方基础设施供给过度，或者地方政府将难以按约定还本付息。例如，合肥市2006年GDP超过1000亿元，理论上的政府债务余额可以达到600亿元。这在实践上是不可行的，因为政府难以承担还本付息责任，金融审批机构也不可能放款。考虑到地方政府财政在全部税收中的比重，以及地方财政的支出重点，我们认为地方政府债务余额按照10%~15%进行控制比较可行。二是要考虑地方基础设施建设不足问题。由于体制原因，我国多数地方基础设施建设供给不足，难以支撑经济社会可持续发展。由于地方政府债务余额明显偏低，同时考虑到地方政府可支配收入中有相当一部分是来自于土地出让收入的现实，因而地方政府当年新增债务在一定时期内平均5%~6%比较合适。例如，如果合肥市用于基础设施建设的债务规模在未来10年内年均增加60亿元10年期的项目贷款，10年内贷款规模将达到600亿元，但是10年内还本付息额将达到300亿元。那么到2015年，合肥市政府债务余额将接近300亿元，GDP将接近4000亿元，政府债务余额占GDP的比重也不到10%，风险是可控的。

从定性上来说，只要不存在下述行为，那么就表明地方政府债务是可控的：（1）在保证其他项目正常支出的情况下，政府不能按期偿还到期债务。（2）在偿付到期债务时，挪用其他正常财政支出资金，造成其他支出项目资金保障程度下降。（3）开辟不正常的资金来源渠道，例如拖欠工程款等。

（三）科学测定地方政府债务规模

投资既是经济增长的动力，又要受到当前生产和收入水平的制约，政府投资也不例外。政府投资项目由于不具有直接的经济效益，需要通过一定时期内财政性资金安排来还本付息。因而科学测定政府可融资规模，计算出一定时期内政府有效贷款需求，对于合理安排政府投资项目的规模，防范金融风险具有重要的意义。计算地方政府一定时期内可融资规模公式如下：

一定时期内的融资规模＝一定时期内可用于偿债的资金数量×1.5

“一定时期”我们假定为10年，因为基础设施产生的效益是长期的，基础设施项目贷款也在10年以上。现行的财务管理制度对于基础设施的折旧没有具体的规定，可以高达70年。按照谨慎性原则，我们规定10年收回投资。乘以1.5是由于10年以后政府依然存在一定的可控的债务余额。

一定时期内可用于偿债的资金数量包括以下几个部分：（1）在一定的增长幅度下，地方财政综合预算安排的可用于基础设施建设的资金数量。（2）土地出让收入中可用于基础设施建设的资金数量。

按照上述计算公式，合肥市本级在未来10年具有还款能力的融资规模在600亿元以上，每年可以融资60亿元。每年还本付息平均为30亿元，到2015年债务相对规模低于10%，与上述控制指标一致。

（四）清理政府融资思路，优化政府融资结构

首先要正确认识基础设施建设的作用。城市路网建设以及河道整治等环境治理工程并不是政府的形象工程，其建设对于提高居民的生活质量、优化投资发展环境具有重要的作用。因而进行基础设施建设，地方政府责无旁贷。在进行基础设施建设过程中，仅仅依靠当期政府可支配财力，必然导致基础设施供给不足。因而基础设施建设需要通过政府投融资的方式进行。由于基础设施发挥作用是长期的，因而基础设施融资必须一改过去依赖短期资金甚至是流动资金的方式，要加大长期

项目融资的比重。通过合理安排政府融资结构，在满足建设资金需求的同时，降低融资成本，有效地防范财政风险。合肥市投融资体制改革以后，优化了贷款结构，目前长期项目贷款资金比重达到70%。在扩大政府对基础设施投资规模的同时，降低了还本付息的压力，有效地防范了财政风险。

（五）融资途径的实现与融资创新

按照上述方法计算出的地方政府可融资规模，并不等于地方政府的融资平台一定能够实现该融资规模以及投融资计划。地方政府的融资要受市场融资规则的制约，例如贷款项目的完备性，贷款的抵押担保等方式必须要落实。因而，虽然很多地方政府都期望和加快本地基础设施建设步伐，但是由于融资过程中的种种制约而难以进行。地方政府在基础设施建设过程中有以下几种可供选择的融资方式。

1. 政策性银行融资。例如国家开发银行的主要任务是支持基础设施建设与基础产业的发展，以及新农村建设和科技创新等领域。政策性银行一般以政府信用为依托，贷款期限长，符合基础设施和基础产业性质。

2. 商业银行融资。要改变过去城市基础设施建设资金过于依赖商业银行流动资金贷款的局面，在向各家商业银行充分披露地方财政可支配资金尤其是可用于经济建设资金数量及增长趋势的同时，基础设施项目贷款时间一般都要在10年以上，并争取在基准利率基础上有所下浮。

3. 积极开展资产证券化以及企业债券发行工作。除了收费性的资产可以进行资产证券化以外，对于城市路网资产，也可以通过政府补贴收益的形式进行资产证券化工作。资产证券化和企业债券的发行，不仅可以为城市基础设施建设筹集资金，还可以大大节约融资成本。例如，合肥市城投公司2006年10月以4.32%的票面利率顺利发行10年期企业债券10亿元，与银行同期贷款利率相比，在使用期内可节约融资成本近2.5亿元。

4. 积极引入保险资金投资地方基础设施建设。保险资金投资的要求是安全性和长期性，与政府基础设施性质非常吻合。在项目选择以及担保方式落实的情况下，保险资金与同期银行贷款相比，可以节约资金成本20%左右。

5. 积极争取外国政府和国际金融机构贷款。要积极研究各国对华贷款政策，积极引入外国政府和国际金融机构对地方基础设施和基础产业的贷款支持。在同等条件下，可以有效地降低融资成本。合肥市已经落实亚洲开发银行环境整治项目贷款1.5亿美元，与同期银行贷款利率相比，在贷款期内预计可以节约资金近2.5亿元人民币。

四、政策建议

地方政府债务除了国债转贷、经过中央批准的外国政府贷款和国际金融组织贷款、社保资金缺口以外，通过政府性的投资公司来为基础设施建设筹集资金已经是不争的事实，这部分资金主要依赖财政性资金安排来进行偿还。在财政部门统计口径中，这部分债务大都没有统计在内。因而，我们在高度关注地方政府债务规模的同时，更应该顺势而为，承认地方政府债务存在的合理性，通过科学的制度安排，在促进地方基础设施建设适度超前的同时，关注地方政府债务风险，促进经济社会全面协调发展。

（一）地方政府举债的合法性问题

上面的分析说明基础设施建设需要政府通过融资的方式来解决。但是在我国当前的体制下，除非中央政府授权批准，否则地方政府不能作为举债主体。然而，现有的分灶吃饭的财政体制，决定了地方政府所进行的基础设施建设资金来源主要依靠地方财政性资金来解决，而地方性的财政资金使用是在国家有关政策规定的前提下，由地方人大决定。因而除了国债转贷以及外国政府贷款和国际金融组织贷款以外的政府债务管理，地方政府不需要获得上级政府授权。因而，在当前的形势下，通过构筑政府投融资平台，按照市场化融资方式来为政府基础设施建设进行投融资，具有合理性。

（二）辩证地看待我国地方政府债务风险

当前关于地方政府债务研究文献过于强调地方政府债务风险问题。原因有二：一是地方政府进行基础设施建设融资完全是按照市场化方式进行的。目前的操作方式是政府性的投资公司投资建设城市路网以及进行河道整治等项目，同时与政府签订分期付款协议。政府付款能力是基于当前的财政资金状况以及未来的增长情况。相关金融机构也是按照市场化方式对政府性投资公司进行的信用评估。由此，金融机构已经在贷款审批中锁定了政府债务风险。二是相关研究过于关注地方财政收入，而忽略了地方政府偿债资金来源的其他渠道。政府偿债资金不仅依赖于财政预算中可用于基础设施建设的资金规模，而且更主要的是依靠土地增值收益部分。如果将政府债务规模与当期地方可支配财政收入相比，必然会出现严重的不对称。因而，在对地方政府债务风险进行控制的同时，需要全面分析地方政府偿债资金来源，这样既可以从政策上控制地方政府债务风险，也能够为扩大地方政府投资基础设施建设规模提供相关的政策支持。

（三）地方政府债务管理模式选择

世界上大多数国家的地方政府拥有合法的举债权，但是都受到不同程度的限制。限制的方式一般可以分为市场型、合作型、制度型、行政型。市场型是指地方政府举债只受制于金融市场规则的制约；合作型是指通过中央政府和地方政府协商来达到控制地方政府债务风险的目的；制度型是指建立在各种规章制度上的对地方政府举债行为的一种控制方法，例如制定地方政府偿债比率的上限规定，或者对地方政府举债的种类和目的进行某些限制等；行政型是指中央政府采用行政手段对地方政府举债行为进行直接控制，例如地方政府举债必须得到中央政府的授权和审批等。建议对中国地方政府债务管理在合作型模式的基础上，按照市场化方式来进行。这样，既可以避免地方政府提供公共基础设施不足问题，又可以实现中央政府宏观调控的目标。

海西先行　贵在于先　重在于行

福建省福州市市长　苏增添

建设海峡西岸经济区，是2004年初福建省委、省政府为服务全国发展大局和祖国统一大业，在历届省委探索实践的基础上，集中全省人民智慧提出来的，得到了党中央、国务院的充分肯定。目前“海西”已经成为中央决策和国家战略的重要组成部分，受到海内外广泛关注和积极呼应。经过近几年的积极探索，努力实践，海西影响正不断扩大，海西效应正日益拓展，经济社会发展已呈现出良好的形势、趋势、态势和气势。为进一步全面推进海西建设，2007年11月，福建省委八届三次全会认真贯彻党的十七大精神，以科学发展观为指导，明确提出了建设科学发展的先行区、两岸人民交流合作的先行区的新要求。建设“两个先行区”，就是要更加突出科学发展，更加突出对台交流合作，更加突出海西建设发展的方向和重点。举办“两个先行区”高层论坛，就是请各位专家从更高的层次、更宽的视野、更独到的见解献计献策，进一步深化对建设“两个先行区”重要性、紧迫性、全局性、长远性的认识，共同探讨“两个先行区”建设的现实基础、有效途径和对策措施。

建设科学发展的先行区、两岸人民交流合作的先行区，这是福建经济社会发展进入跃升阶段的新要求。两个“先行区”贵在于“先”，重在于“行”。“先”，它代表着时间和次序在前的一种维度，一种责任要求；“行”，它代表着行为、动作实施的一种力度，一种运作要求。“两个先行区”具有丰富的内涵和实际的要求，两者既有机联系，又相辅相成。

首先，贵在于“先”。就是要“先”走一步，积极探索，积极实践；“先”干起来，不等不靠。就是要求我们在贯彻落实科学发展观上、在实践两岸人民交流合作上，不断提高谋划水平和运作能力，大胆创新、大胆运作、大胆实践，以实际行动体现先行的要求、展示先行的作为。

(一)思想要领先。思想领先在于解放思想，要以改革开放三十周年的经验为法宝，在践行“两个先行区”中勇于变革、勇于创新。要有攻坚克难的闯劲。“两个先行区”建设没有现成的路子可供选择，面对经济社会发展的新形势、新情况、新问题，必须善于迎接挑战，敢于突破思想框框，大胆寻求发展途径和解决问题的办法。要有担当风险的勇气。在谋求发展中不断增强责任意识、机遇意识和危机意识，增强克服困难、承担责任、敢为天下先的意志和魄力。

(二)创新要率先。福建是率先实行改革开放政策的区域之一，先行先试的意识较强。在推进“两个先行区”建设中应深化改革，力争在完善基本经济制度、健全现代市场体系、完善政府调控方式等重点领域和关键环节改革上取得新突破，着力构建充满活力、富有效率、更加开放、有利于科学发展的体制机制。应创新创造，把增强自主创新能力作为转变经济发展方式的首要任务和关键举措，建立健全区域创新体系，提升各类创新平台，完善鼓励创新和科技成果产业化的政策体系、激励机制和市场环境，加快提升区域创新能力。

(三)规划要优先。建设“两个先行区”是政策性很强的全局工作、系统工作，要实现有效的运作，必须作深入的研究探索，在此基础上制定实施的规划、计划。为此，一要增强对规划的认识。制定一个高起点、高层次、高标准的先行发展的规划，一个科学、全面、详细、能把发展落到实处的规划。二要体现规划的整体性。既突出福建作为海西的主体地位，又涵盖粤浙赣12城市；既强调经济又好又快发展，实现速度和结构质量效益相统一、经济发展与人口资源环境相协调，又着力促进对台交流合作，为促进祖国统一大业作出更大贡献。三要注重规划的前瞻性。以适应当今世界快速变化的形势，通过深入的分析研究，科学把握未来发展趋势，努力做到超前谋划、科学布局。对面临的困难和问题要有所预测，有所预见，有所预案。

其次，重在于“行”。重在于“行”就是运作，就是要在建设科学发展先行区和两岸人民交流合作先行区方面，学会运作、善于运作、有效运作。

(一)“行”要靠“两个带动”。项目带动与品牌带动是贯彻落实科学发展观的重要抓手，是促进经济社会又好又快发展的重要举措。一要以项目带动集聚要素、落实工作、增强后劲，不断完善项目策划、生成、储备、跟踪、落地机制，持续生成先进高效、节能低排的大项目、好项目，为“两个先行区”建设提供源源不断的项目支撑。二要以品牌带动提升质量、增进效益、提高水平，培育更多实力强、影响大、层次高的产业、产品、企业、服务品牌，形成“海西先行”的品牌支撑体系。三要用项目带动的机制实施好品牌带动，用品牌带动的理念提升项目带动，把两个带动延伸、运用到海西建设各个领域，推动各项工作争先创优，体现好的要求，实现好的目标。

(二)“行”要依托“五缘六求”。海西地处对台前沿，特别是闽台“五缘”优势不可替代，在促进两岸交流合作中优势独具、责无旁贷。要把握当前两岸关系出现的积极变化，不断拓展“六求”作为，争取在若干领域取得新的突破。一要着力抢占两岸“三通”的先机。在厦门机场成为两岸包机首航点的基础上，争取福州机场成为新的航点，同时推动开辟武夷山至金门、武夷山至澎湖和厦门至澎湖的空中旅游包机航线。争取沿海开放口岸成为海上直航港口，推动两岸货物和人员通过直接往来航线直航台湾本岛。着力开通各类邮件总包邮路和两岸互发邮件的终端接口，建设“两门”海底直接电缆，争取闽台直接通邮、通信先行一步。二要着力打造“海峡旅游”品牌。做深做透东西岸旅游对接这篇大文章，抓紧推进连接闽台两地旅游线路的包装、推介，吸引两岸游客取道直接往来航线双向旅游，力争在全面开放赴台旅游的格局中保持和扩大海西的旅游特色。三要着力建设两岸经贸和农业合作紧密区域。进一步发挥台商投资区、保税港区、农业试验区、林业实验区、农民创业园、沿海农产品销售集散基地等平台作用，加强东西岸项目策划和推介工作，进一步打造成为台商投资集聚区。积极推动两岸金融合作，继续探讨建立海西发展基金，争取在闽设立两岸货币清算中心，推动两岸金融合作取得新突破。四要着力扩大载体平台效应。把重大涉台活动与对台交流合作具体项目结合起来，用项目来带动、支撑。对现在的涉台活动进行整合，提升层次和功能，突出特色，增强实效，密切闽台交流交往，形成两岸命运共同体的重要纽带。

(三)“行”要重视新的增长区域。新经济增长区域区位优势明显，产业基础较好，要素集聚比较充分，发展前景广阔，对区域经济的发展能起龙头带动作用。一要明确功能定位。科学确定重点区域周边城市发展、土地利用、港口开发及产业发展的总体方向和主要任务。二要扎实有序推进开发。加快基础设施建设进度，大步推进铁路、高速公路、重点港口建设；明晰产业发展重点，加快推进产业项目建设；重视环境综合整治和生态保护，推进资源节约和综合利用，确保重点区域集约开发和可持续发展。三要积极落实相关扶持政策。加大政府性资金的扶持力度，优先安排土地、海域及林地使用指标，支持各类生产要素的整合优化配置，促进这些地区加快发展，形成产业集聚，提高产业竞争力，增强对区域经济发展的带动力。

(四)“行”要注重环境优化。和谐的发展环境是海西先行的重要保障。要突出重点，及时发现和解决软硬环境中存在的问题，把海西的投资环境、发展环境和社会环境营造好。一要进一步完善基础设施，加快出省高速公路通道建设、沿海铁路通道建设及大型深水港口建设，逐步改善城市交通、给排水、污水垃圾处理等系统。二要深入推进机关效能建设，突出服务企业、服务基层，注重树立严谨的工作作风，注重提高政府执行力和公信力，注重营造良好的政务环境，注重群众满意和社会认可，为两个先行区建设提供有力的组织、作风和纪律保证。三要加快生态省建设步伐，强化节能减排工作，建立健全投资项目节能评估和审查制度，推进循环经济示范园区和示范项目建设，大力发展循环经济，积极推进资源节约型和环境友好型社会建设。

(五)“行”要集聚各方合力。要抓住中央继续鼓励东部地区率先发展和支持海峡西岸经济发展的重大机遇，集聚各方优势资源，不断拓展海西效应。一要继续争取国家支持。积极争取国家正式出台支持海西发展的系列政策措施，力求海西建设在全国大格局中强化定位、在大项目中合理布点、在大政策中体现支持。要用好用足国家部委和央属企业支持海西发展的各项举措，努力把支持的意见转化成具体的政策措施，把合作的协议细化成具体的项目。二要完善区域协调发展机制。主动向中西部省份推介港口和进出口服务，鼓励内陆省份通过海西这一通道，拓展对台合作，促进沿海港口与腹地联动发展。推进产业、市场、基础设施等对接，形成促进区域整体发展的市场机制、协作机制、互助机制和扶持机制，推进海西一体化进程。当前特别要加强包括海西21个城市在内的区域经济协作体系建设，推动海西资源共享、优势互补，实现海西共同先行。三要不断扩大在海内外的影响。通过中国国际投资贸易洽谈会、中国海峡项目成果交易会、世界闽商大会、世界福建同乡恳亲大会、海峡西岸经济区论坛等系列活动，大力宣传海西战略，进一步凝聚海外华人华侨、台港澳同胞的力量。

特区发展的厦门经验

福建省厦门市市长　刘赐贵

1981年，厦门被国务院批准为经济特区。经过30年的发展，厦门经济社会发展取得了辉煌成就。厦门GDP年均增长18%，2007年常住人口人均GDP为7398美元。厦门已经从昔日的海防小城发展成为闻名遐迩的现代化滨海城市。

厦门经济特区的成功之道究竟在哪？30年改革开放的实践让我们深深体会到：必须坚持全面协调可持续发展、坚持改革开放创新、坚持做好对台工作、坚持以人为本的执政理念。只有这样，才能走出一条符合厦门实际、又好又快建设经济特区的科学发展之路。

一、坚持全面协调可持续发展

在发展原则上，秉持“发展与保护并重，经济与环境双赢”的理念，转变经济增长方式、优化产业结构、依靠科技进步提升城市综合竞争力，保持速度、质量和效益相统一，保持经济发展与社会事业进步同步，走出了一条具有厦门特色的内涵型、效益型、开放型、集约化的发展路子。

在发展思路上，始终坚持“东南沿海重要中心城市”、“港口及风景旅游城市”、“海峡西岸重要中心城市”的定位，把发展工业作为推进厦门发展的突破口，通过工业的快速发展，壮大第三产业，提升第一产业，促进三种产业在更高层次上的协调发展。

在发展方式上，坚持“规划先行，基础设施建设先行”的方针；坚持“以港立市”，大力推进海港、空港、信息港建设，构筑和完善现代化综合交通体系。

在发展步骤上，坚持先岛内后岛外，在岛内发展进入较高级阶段后，再通过调整行政区划，实施建设重点从本岛向岛外拓展的战略性大转移，推进岛外工业集中区开发建设，推进城乡一体化发展步伐，使厦门进入了新一轮跨越式发展阶段，厦门作为海峡西岸重要中心城市地位更加凸显。

二、以开放提升城市影响力

坚持解放思想、实事求是的思想路线，敢于实践、开拓创新，率先在众多方面、众多领域进行了一系列的改革和探索，发挥了特区“试验田”示范带动作用。全国第一个利用外资修建机场，第一家地方航空公司，第一家中外合资银行……这些具有超前性的先行先试，在我国改革进程中发挥了示范带头作用。

坚持以开放促改革，以开放促发展，以开放促合作交流，以开放提升城市影响力。率先设立外资银行，最早允许外资银行开办人民币业务；最早进行实施自由港某些政策的探索，率先设立台商投资区，通过设立保税区、出口加工区、台商投资区、高新技术产业区等特殊开放区域，增强利用国际、国内两个市场、两种资源的能力，努力改善投资环境，促进形成全方位、宽领域、多层次、有重点的对外开放格局。

坚持创新工作策略和方法。以宽广的眼光、战略的思维、科学的方法来谋划和推进特区的建设发展，始终坚持把中央赋予经济特区的政策同厦门的具体实际结合起来，创造性地开展工作。坚持“先谋后动，谋事力成”，“有所为、有所不为”，“尽力而为，量力而行”，调动一切积极因素，稳步推进工作落实。

三、在两岸关系上发挥了桥梁、窗口和风向标作用

厦门经济特区因台而设，必须始终坚持服务祖国统一大业。厦门先后设立了集美、杏林和海沧三个台商投资区，使厦门成为台商投资祖国大陆最早、最密集的地区之一，同时，创下许多对台工作“第一”的纪录。

自台湾当局开放台湾同胞赴祖国大陆探亲旅游以来，厦门率先设立台商投资区，率先实行台胞“落地办证”和“落地签注”政策，率先实行两岸航空“一票到底、行李直挂”业务，率先开辟两岸间“换班不换机”的空中变相直航……这些举措有效地开辟了两岸人员、货物往来的通道，搭建了两岸经贸交流合作的平台，打造了两岸民间交流的品牌，在两岸关系上发挥了桥梁、窗口和风向标作用。

四、符合人民群众根本利益的事，努力先为、多为、快为

坚持把人民群众的根本利益作为制定各项政策的出发点和归宿。始终坚持以人民群众的满意度作为检验工作的标准。对事关经济社会发展全局、有助于经济社会快速发展、符合人民群众根本利益的事，努力先为、多为、快为，尽力而为，而对大多数群众不赞成的事坚决不为。

在制定政策时，既充分考虑群众的眼前、局部、现实利益，又综合衡量其长远、整体、预期的利益。如，在国企改革中，率先提出了少破产、多兼并，少关闭、多嫁接改造的改革指导方针。

在“三农”工作方面，创造性地实施“土地换社保”、“土地换发展”，在全国率先推行最低工资线、最低生活保障线、社会保障、农村合作医疗、被征地农民养老保险、大病救助等，最早在外来员工中实行工伤、医疗、养老保险，最早取消外来员工的就业证和子女寄读费。

在加快经济建设的同时，注重经济社会、城乡、人与自然等方面的协调发展，注重科技、教育、文化、卫生等社会事业发展，不断提高公共服务水平，厦门被誉为最温馨的城市之一。

构建特大城市　实现追赶跨越

江西省赣州市市长　王平

党的十七大报告指出，要走中国特色城镇化道路，培育新的经济增长极。省委根据新形势发展需要，也作出了加快城镇化建设，以中心城市崛起带动全省崛起的战略决策。赣州是江西省域副中心城市，市委、市政府经科学论证，决心将中心城市崛起战略落实在构建特大城市操作层面，以此推动全市经济社会科学和谐地追赶与跨越。

一、赣州构建特大城市是推动区域共同发展的现实需要和战略抉择

特大城市，是指非农人口在100万以上的大城市。目前，全国共有50多座。专家预计，2010年全国百万非农人口以上城市将达125个左右，其中200万非农人口以上城市达50个左右。做强、做大、做美中心城市，已成为区域之间集聚生产要素，抢占发展制高点的重要手段。赣州构建特大城市，是大势所趋和战略抉择。

从建设科学城镇体系看，赣州构建特大城市能进一步优化江西城镇体系格局。江西国土面积居华东各省（市）之首，版图呈长方形，南北长于东西130公里。11个设区市中，仅南昌是特大型城市，且区位偏北，辐射带动全省能力有限。要实现以中心城市崛起带动全省崛起的战略意图，必然要从区域上科学布局和打造新兴特大城市。赣州是我国东南部最大设区市，国土面积、人口分别占全省1/4和1/5，是江西南大门和对接珠三角、海西经济区“桥头堡”，也是连接江西、广东、福建、湖南四省的枢纽城市。经济学理论表明，200公里半径将崛起一座特大城市，50公里半径将建成一座中小城市。以赣州为中心，以200公里半径画圆的10万平方公里近2000万人口区域内，目前尚无一座特大城市，形成经济塌陷区。同时，赣州处在长三角、珠三角中国最活跃两大经济板块沟通的主要通道上，与南昌、厦门、广州、深圳、长沙距离均400公里左右，是这一区域几何中心，区位优势独特。把赣州打造成特大城市和现代经济中心，不仅可实现区域经济对接和覆盖，还可优化江西城镇体系格局，带动全省崛起。

从发展形势任务看，构建特大城市是赣州实现经济社会科学和谐追赶跨越的现实需要。一方面，构建特大城市是赣州加快城镇化进程的希望所在。马克思认为，现代化的历史就是乡村城镇化的历史。近年来，赣州通过加大新型工业化和城镇建设力度，城镇化增速超过全省平均水平，但经济欠发达的现状并未根本改变，城镇化率与全省、全国相比仍有较大差距。究其根本原因，就是辖有18个县（市、区）、3.94万平方公里面积、870多万人口的赣州，中心城区“首位度”偏低，辐射带动力不强，成为制约全市城镇化提速的主要短板。要实现整个区域的崛起，就必须改变这种“小马拉大车”的状况，通过建设特大城市打造新的经济增长极。另一方面，做大中心城市是赣州提高产业承载能力的现实需要。随着经济全球化和区域经济一体化加速，得区位和资源优势之先的赣

州，正迎来承接长珠闽产业转移的历史机遇。机遇稍纵即逝，千载难逢。构建特大城市，能为赣州打造承接沿海产业转移最好载体，加速融入区经济一体化进程，进而借助区域经济一体化力量实现经济社会科学和谐的追赶与跨越，确保与全国一道如期步入全面小康社会。

从城镇演化规律看,赣州已具备规划建设特大城市的基础和条件。表现在：一是交通区位优势恢复。历史上，赣州曾依托赣江黄金水道，在中国城市发展史上成为唐宋时期全国36大城市之一，后又因交通而衰。上世纪90年代以来，随着京九铁路、韶赣龙铁路和赣粤高速、赣大高速通车，四省八市最大机场——赣州机场通航，赣州已形成以“二纵一横”铁路网、“二纵三横二联一环”高速公路网、“三纵三横一环”干线公路网等为主体的立体交通网络，其南北承接、东进西出的四省通衢交通枢纽地位再次凸显。二是拓展空间广阔。赣州中心城区属盆地，市域范围1000平方公里，其中建设用地280平方公里，城市发展空间很大。三是创业宜居环境优良。赣州先后荣膺国家科技创新基地、中部六省加工贸易梯度转移重点承接地、中部最佳投资城市、粤浙深港企业最佳投资城市和国家园林城市等荣誉，是客商投资兴业热土和粤港澳旅游休闲后花园。四是经济实力增强。近年来，赣州GDP、规模以上工业增加值、城镇以上固定资产投资、外贸出口总额等多项经济指标增速，均高于全国或全省平均水平；与河源等周边八市比，GDP、地方财政收入和实际利用外资总量高居第一。五是城镇化建设提速。中心城区已突破50万人口和50平方公里，迈入大城市行列，是省内第二个大型城市。这些，为赣州打造特大城市奠定了坚实基础，创造了有利条件。

二、以科学发展观为指导，开创性推进赣州特大城市建设

赣州根据区位特点、资源禀赋和现实条件，将城市目标定位为力争用3至5年拉开特大城市框架，用20年左右把中心城区打造成200～300平方公里、200万～300万人口的特大城市，确立赣州四省通衢区域性现代化中心城市地位。实践中，我们以科学发展观为指导，着力提高城市规划、建设和管理水平。

1.着眼前瞻规划，对城市进行高品位规划设计。今天的规划就是明天的城市。规划设计的标准，决定了城市品位的高低。赣州在操作中，一是高层次进行概念性规划。通过国际招标，投资2500万元邀请国际一流专业公司，高标准完成了城市总体发展概念性规划，把赣州定位为建成文化内涵丰富、生态环境优美、城市功能完善、交通运输便捷、产业经济集聚、辐射带动力强、最适合人们居住和创业发展的赣粤闽湘四省通衢的区域性现代化中心城市，成为我国城镇化进程追赶跨越的典范。同时，将相邻的赣县、南康与中心城区规划链接，推进基础设施、产业布局、区域市场一体化建设，形成“一核两区”格局。二是分功能片区组团规划。将中心城区划分为章江新区、河套老区、开发区、水东、峰山五大组团和赣县—赣州主城区—南康城市连接干线，分功能片区进行拓展规划，构建资源共享、优势互补、功能齐全、协调发展的组团式网络化生态型都市新区。各组团规划定位分别是集行政、商务、文化、博览、居住等多功能一体的综合新区；以传统商业、居住、文化教育和旅游博览为主的特色功能区；工业经济增长极、产业承接基地和高新技术、新材料研发基地和生态园林式城市综合新区；佛教文化、生态旅游、低密度住宅的山水园林景观区；国家森林公园、城市植物园、城市体育公园、堪舆文化发祥地、生态屏障和文化旅游、低密度住宅的城市自然景观区。三是高品位展城市设计。着手投资数千万元，以国际招标方式对城市整体形象及建筑物进行精品设计，完善建筑设计方案专家咨询审查制度，加强城市建筑风格风貌管理，打造建筑语言

和地方文化特色鲜明，文化品位和艺术个性彰显的城市景观，实现城市建筑群的和谐统一。

2.着眼跨越发展，以超常规手段推进城市建设。一是创新城市发展模式。改革传统城市由单一中心向外层层拓展的固式，实行章江新区、河套老区等六大片区组团推进，同步发展，迅速拉开特大城市框架，加速城市“起飞”。成立总指挥部和六大片区分指挥部，市政府主要领导任总指挥长，有关市领导任分指挥长，并组建工作班子赋予职权。各片区在整体规划指导下，根据片区功能定位，充分挖掘本区域内土地等一切可用资源，自主进行城市开发建设，实行资金、用地等自求平衡。二是落实重大项目带动。成立城市项目运作公司，精心催生和策划重大城建项目，并通过特许经营、银行贷款、土地资本运作等手段，建立多元化投融资体系，以项目为抓手推进城市建设。目前，一大批民生保障、宜居休闲、便捷交通、生态水景、文博展示、商务地标、环境净化、城市安全、精品绿地、公共服务等项目在中心城区迅速启动，仅核心区章江新区，2008年就有268个总投资200亿元的城建项目开工建设。三是做大产业园区扩张。与香港建设（控股）有限公司联手，高标准建设赣州香港产业园，再造一个新赣州。该园区计划8～10年建成，总面积50平方公里，基础设施前期投入150亿元，建设后可容纳企业1000家，企业固定资产投资1000亿元，园区主营业务收入、税收将达3100亿元和150亿元，届时中心城区面积和人口将在现有基础上翻番。四是打造产业集群支撑。转变经济发展方式，发挥赣州“钨土王国”和“世界钨都”等资源优势，着力打造钨、稀土、氟盐化工和脐橙四大特色优势产业集群，其中钨和稀土力争用5年产值实现超千亿元。同时，加快培育电子电器、铜业加工、新型能源等新兴产业集群，为特大城市建设提供强大产业支撑。五是多措并举聚集人气。制定承接沿海产业转移优惠政策30条，依托高校园区组建高校航母，整合职教资源打造四省边际最大职教基地，激活资源建设粤港澳旅游休闲后花园，在全省实行最宽松的户籍转迁制度，在全省首创建设新市民公寓住房工程，促进农村土地流转和鼓励外出务工人员回乡创业，进一步创优发展环境，降低商务和生活成本，吸引八方人才和客商到赣州创业安居。

3.着眼体制创新，推进现代城市精品管理。管理是城市发展的永恒课题，是建设和谐城市的关键。赣州借鉴先进城市管理理念，着力建立城市管理长效机制，提升城市管理水平。一是实施以法治市。出台城市管理规范性文件，开展“城市管理年”活动，通过严格管理保障城市井然有序，通过纪律严明保证城市安定文明，打造文明和谐的城市环境和整洁美丽的城市风貌。二是深化城市管理体制改革。实行重心下移，建立属地化城市管理模式。推动城管行政执法相对集中，健全综合执法与专业执法、统一执法与分级执法、日常执法与专项整治相结合的执法体制，形成责、权、利相统一的管理体系和制约机制。三是创新设施投融资体制。通过TOT、BOT、BT等方式，鼓励引导各类投资主体参与城市公共交通、供水供气、道路桥梁、环卫保洁、绿地养护和污水处理等市政公用设施的建设运营。四是加快“多城同创”进度。实行环保、文明、卫生等城市“多城同创”，建设一个集环保、卫生、优美、内涵于一体的新赣州，塑造城市名片。突出用绿色发展理念建设花园城市，把园林绿化作为城市品牌培育，发挥赣州气候宜种多种树种优势，实行一街一景、一景一树，并用体现客家风情、宋城文化的城市雕塑小品进行点缀，使城市灯饰、色彩与赣州城市风格协调一致。五是推进“数字城管”项目建设。通过数字化城市管理平台，把市政管理养护、市容环境卫生、园林绿化、夜景景观以及霓虹灯设置等问题纳入统一管理。通过加强软件建设和城管创新，提高有形空间和有形资源的配置效能，提升赣州大综合城管水平。

三、把握城镇化建设规律，推动特大城市又好又快发展

实践中，赣州借鉴国内外特大城市建设经验得失，将城镇化规律自觉运用到推动特大城市又好又快发展中。

正确处理好历史与现代的关系。文化是城市的灵魂。一个没有厚重历史文化沉淀的城市，没有魅力可言。同时，城市也是时代和空间地域的产物，每个时代都将在城市打上鲜明烙印。凝固不变不是城市的进步，而是不幸。赣州具有2300多年建城史，特大城市建设中，我们在传承历史文脉的同时勇于推进时代创新。一方面，下大力气保护挖掘赣州博大精深的宋城文化、客家文化、红土文化和堪舆文化。加强对历史文化名城和历史文化名街区的保护，投巨资打造杨仙岭堪舆文化著名景区和储潭和妈祖岩佛教文化名山，以峰山国家森林公园拓展江南宋城外围风貌，通过厚重的历史文化展示人文特色，作为赣州特大城市的风范、根基和灵魂。另一方面，在城建中以开放胸襟吸纳一切优秀文化成果，彰显时代特色。成立雕塑设计等城市景观专家委员会，对所有重要城市建筑都邀请国际一流专业机构招标设计，并以多套方案向市民征求意见，高品位现代建筑装点城市，使每座建筑都注入时代元素，成为城市地标和时代缩影，成为经得起历史和时间检验的精品，将中心城区建成现代文明的栖所。例如，正在建设的赣江大桥，就强调既突出现代和简约特色，又彰显客家厚重沉稳和内敛顽强的品格。在大桥附近，我们还将建设一富有时代气息的公园，安装一座瑞典定制的世纪大钟。它将成为赣州主城区沿江眺望第一眼看到的标志性建筑，敲响赣州迈向新世纪的钟声，展现赣州追赶跨越的时代气魄和风采。

正确处理好经济与生态的关系。建设特大城市，就是要通过城镇化聚集生产要素，以“极化效应”提速经济社会发展。但是，若没有处理好经济与生态的关系，就易造成环境破坏。赣州中心城区地处赣江源头，山清水秀，环境优美，保护生态对赣州“两型社会”建设乃至环鄱阳湖生态经济区建设都具有重要意义。一是严格落实环保责任制。在赣江两岸一定区域内杜绝批建污染企业，并搬迁现有部分企业。同时，加强城市生活和垃圾无害化处理设施建设，两年内实现生活污水零排放。二是建设园林城市彰显生态文明。加大城市绿化进程，兴建占地1000多亩的中央生态公园，使之与峰山国家级森林公园、杨梅渡森林公园等一道，成为城市“绿肺”。三是注重城市建筑与自然环境和谐。城市与组团之间的建设，坚持不推山、不填塘、不砍树，通过绿地、山林、农田和河流进行柔性分割与过渡，以快速干道连接，保留和建立多元化的乡土生态系统，维护和强化整体山水格局，使赣州城市镶嵌于自然环境，成为一个城在林中，路在绿中，房在园中，人在景中的大生态城市。

正确处理好物的建设与人的需求的关系。和谐是城市发展的最高境界。在特大城市的建设中，赣州既注重物的建设，又注意满足人的需求，凸显以人为本、人文关怀和改善民生理念。首先，在应急体系建设上体现以人为本。建立和完善了城市应急交通、城市完整教育、应急饮用水源、应急物资储备等体系，极大提高了中心城区生产生活安全系数。如即将竣工的应急饮用水源体系一期工程——峰山饮用水源工程，就能满足70万人3至5天的应急饮用水需要。其次，在市政公用设施上体现以人为本。加强水、电、气等民生工程和防洪、污水处理、绿化屏障等环保工程建设，提高城市基础承载条件、环境治理能力和可持续发展潜力。对小街小巷、公交场站、购物娱乐、求学就医等基础设施的设置和配套，一律要求做到方便、舒适、安全、和谐。再次，在优

化人居环境上体现以人为本。创建“宁静工程”和“畅通工程”，取缔非法“摩的”，避免因城市快速扩张带来拥堵、污染等问题，把赣州创建成为一个宜居宜业的美好家园，让广大市民共享城市升级、快速发展的成果。

正确处理好城市与农村的关系。城镇化的过程，就是农村劳动力向第二、三产业转移、资源向城市集中、农民转变为市民的过程。处理好这个过程，能有效推进农业文明向工业文明转变，富裕农民和减少农民。处理欠妥，就会导致农业衰败和大量贫困人口涌向城市。据测算，到2020年全国全面实现小康社会的时候，赣州将有200万～300万农村人口转移到城镇，其中，中心城区将转移200万左右。为实现城市与农村经济社会共荣，在特大城市建设中，赣州坚持统筹城乡发展。每年集中市本级财政八分之一财力，纵深推进以“五新一好”（即发展新产业、建设新村镇、培育新农民、组建新经济组织、塑造新风貌和创建好班子）为主要内容的社会主义新农村建设，继续推进农村改革，大力发展现代农业，不断完善农村基础设施，促进城乡基本公共服务均等化，提高农村生产生活水平。同时，投资数百万元深化推进公民职业化和农民知识化培训“两化工程”，促进农村生产要素合理流动和科学配置，进而推动“四集中”，即大力引导农村人口向城市和城镇集中，积极引导农村务工人员向工业园集中，有序引导土地向种养能手和大户集中，逐步引导就学向县城和乡镇集中，加快城乡一体化进程，实现城乡协调发展。

让“食在青岛最安全”成为亮丽的城市名片

山东省青岛市市长　夏耕

“民以食为天，食以安为先”，解决吃饭问题始终是关系人们生存和发展的头等大事。现在，老百姓的温饱问题已经解决，更加关心吃得安全、吃得营养、吃得健康。作为一个国际城市、旅游城市和奥运城市，青岛提出了创建“全国食品最安全城市”的目标，努力让广大市民、来青游客真切感受到“食在青岛最安全”。

一、保障食品安全政府责无旁贷

党的十七大强调，要把实现好、维护好、发展好最广大人民的根本利益作为一切工作的出发点和落脚点，努力实现以人为本和全面协调可持续的科学发展。食品安全已经成为广大群众普遍关心的热点问题，各级政府应当把保障食品安全作为加强社会管理与公共服务的重要内容，主动担当维护群众利益的重任。

科学发展的核心是以人为本，落实到食品安全上，就是不仅要提供数量充足、品种丰富的食品，而且必须符合相关质量标准和技术规范。要实施从种植养殖、生产加工到流通销售、餐饮消费全过程的安全监管，建立保障体系和追溯体系，提供优质、绿色、安全的食品，让老百姓吃得放心、安心、舒心。这都需要政府从政策引导和法律监管方面创造良好环境和条件。

政府是百姓生命安全的守护者，保障食品安全是一项体现人文关怀、促进社会和谐的民生工程。要引导生产者和经营者合法经营，规范操作，诚实守信，鼓励消费者增强维权意识，理性选购食品，科学安排饮食，使不同的社会群体、不同的利益主体以诚相待，和谐相处。只有这样，才能加快构建和谐社会。

执政为民是政府的本质要求，解决好食品安全问题，是执政为民的直接体现。面对群众保证食品安全的呼声、担忧食品质量的现实、提高健康水平的愿望，各级政府有义务、也有责任把这项工作抓紧、抓实、抓好，让消费者放心，让人民群众满意。

二、青岛具备创建“食品最安全城市”的良好基础

青岛是一个品牌荟萃的城市。我们能够制造出享誉中外的家电、醇香美味的啤酒、靓丽时尚的纺织品，也一定能够创造出高品质、高标准的各类食品。多年来，我们坚持抓重点、打基础、建机制，建立起比较完整的食品产业体系，形成了比较完备的食品安全监督体系和长效管理机制。

突出“三个重点”：一是抓重点产品。突出抓好菜果茶、肉蛋奶、水产品等生活必需的“菜篮子”产品质量安全。二是抓重点环节。突出抓好生产基地、加工企业等生产环节和批发市场、农贸市场、超市等流通环节的食品安全监管，建立覆盖“从产地到餐桌”全过程的食品安全监管链条。三是抓重点区域。突出抓好城乡结合部、居民社区、农村市场等生产经营比较集中而监管力量相对

薄弱的区域。

严把“四道关口”：一是严把“源头关”。开展农资打假护农行动，严厉打击制售假劣农资的不法行为。加快高毒、高残留农业投入品的禁用、限用和淘汰进程，推广使用低残留高效农药、兽药、渔药和无污染饲料及添加剂、优质肥料等农业投入品，推行良好供应规范（GSP）试点。强化产地环境监测和污染治理，普及农业投入品安全使用知识，从源头上解决农业投入品乱施滥用问题。二是严把“生产关”。实施“无公害食品行动计划”和“出口农产品绿卡行动计划”，大力推行区域化、专业化和标准化生产，建成了一批无公害生产基地、标准化生产示范区、出口产品生产基地，建成了无规定动物疫病区，建成了以龙头加工企业为支撑的食品产业体系。三是严把“流通关”。实施“三绿工程”和“万村千乡”市场工程，加快“农改超”、“农+超”步伐，加强检验检测体系建设，实施市场准入制度，建立主体准入、索证索票、购销台账、不合格食品退市等制度，确保批发、配送、零售等环节的食品安全。四是严把“消费关”。全面推行食品卫生监督量化分级管理制度和餐饮单位原料进货台账溯源制度，着力加强对餐饮业、集体食堂、配送餐企业等消费环节的食品安全监管，引导规范和清理取缔中小餐饮、流动餐饮摊点无证经营行为，普及食品安全法律法规和食品安全知识，努力营造安全、公平、和谐的食品市场消费环境。

建立“四个机制”：一是食品安全工作机制。组建了市食品安全委员会，将办公室设在市政府办公厅，日常工作由经贸委承担，建立食品安全工作联席会议制度，形成“全市统一领导、区市政府负责、部门组织实施、各方联合行动”的工作机制。二是食品安全管理机制。坚持集中整治与制度建设、严格执法与科学管理、打假治劣与扶优扶强、专项整治与日常监管“四个结合”，形成“纵向到底横向到边、重心下移、关口前移”的管理机制。三是食品安全责任机制。出台了《青岛市食品安全责任目标考核办法》、《青岛市食品安全事故行政责任追究规定》等规章制度，把每一项任务、每一个目标、每一份责任层层分解落实，形成“激励、约束、监督”相结合的责任机制。四是食品安全监督机制。强化生产单位和企业法人作为食品安全第一责任人的责任，充分发挥行业协会联系政府和企业的纽带与桥梁作用，在新闻媒体开设食品安全栏目，实施食品安全举报奖励制度，营造“人人关心食品安全、人人支持食品安全、人人参与食品安全”的社会环境，形成“行政监管、企业主体、行业自律、全民参与”的监督机制。

三、抓好载体，完善体系，努力创建“全国食品最安全城市”

创建“全国食品最安全城市”的主要目标：用1~2年的时间，在全市建立起更加完善的食品安全监管体制，食品安全保障基础全面加强，“食品放心工程综合评价”主要指标列全省首位、居全国前列，全力完成奥帆赛食品安全保障任务；再用2~3年的努力，建立起完善的食品安全保障体系，做到“体系健全、管理科学、监督有力、风险可控、品质优良、群众满意”，食品安全监督管理水平、各类食品检测合格率、市民食品消费满意度在全国领先。

为实现以上目标，我们将大力实施“六大工程”，完善“八项体系”。

1. “六大工程”

一是实施百姓当家食品放心工程。突出市民喜爱、生活必需的大米、面点、油条、肉、蛋、菜、鲜奶、豆类制品、水产品、饮用水等10种（类）标准化程度较低的高风险食品，制定统一的质量标准，培育一批达标示范生产经营单位和示范品牌，让广大市民明明白白放心消费。特别针对肉品消费安全问题，争取国家大型屠宰企业技改项目，扶持1~2家骨干屠宰加工企业技术改造；面向五市偏远乡镇，升级改造一批标准化生猪定点屠宰厂；依托骨干企业，大力发展肉品连锁配送，升级改造一批规范化肉品专卖店，让城乡居民长期稳定地吃上“放心肉”。

二是实施优质农产品基地建设工程。深入推进“无公害食品行动计划”，加强产地环境监测管理，规范种植、养殖行为。突出抓好粮食、花生、蔬菜、果茶四个百万亩优质农产品示范区和无规定动物疫病示范区建设，大力发展蔬菜、果品、茶叶、奶牛、肉蛋鸡、生猪、肉牛、肉羊、肉兔、水产品等10类标准化示范种养殖基地（场）。开展“三品”（无公害、绿色食品和有机农产品）基地建设与产品认证，提高优质农产品自给率。充分发挥龙头企业、农民专业合作组织的作用，积极推广“统一标准、统一规程、统一标识、统一销售、分户管理”的集约化生产经营模式。继续实施“出口农产品绿卡行动计划”，推广良好农业操作规范（GAP），加强出口备案基地管理，加强出口农产品区域化建设。

三是实施优质食品品牌推进工程。加强食品品牌经营，引导行业协会、生产基地和企业统一产品标识（包装标识、品牌标识、质量标识），鼓励地方名、特、优农产品申请地理标志产品保护、注册商标申请，以品牌开拓市场、占领市场，把品牌优势转变为市场优势、经济优势。加大区域品牌整合力度，着力解决食品品牌“杂、乱、弱、小、散”的问题。建立优质食品品牌培育机制，做大做强一批有市场、有特色、有潜力的农产品和加工食品品牌，不断提升我市食品企业在国内外两个市场的核心竞争力。

四是实施食品流通安全现代化建设工程。深入实施“三绿工程”，加快批发市场、农贸市场升级改造步伐，大力培育生鲜食品综合物流配送中心和专业配送公司，壮大运销大户和经纪人队伍。发展“直供、直销、配送”等新型流通组织形式，开辟绿色通道，发展冷链运输，开设优质食品批发市场直销专区、超市直销专柜、品牌连锁专卖店和社区直销点，不断扩大市场占有率。对主要来源于外地的大米、蔬菜和肉蛋奶等生鲜食品，主动与主产区建立跨区域的质量监管和产销订单合作机制，发展一批稳定安全的协议货源供应基地。推进“万村千乡市场工程”，建设农村食品安全流通网络，着力解决农村消费不安全、不放心、不方便等问题。

五是实施集团消费阳光食品工程。面向全市学校、工厂、机关、部队和配餐等集团消费单位，探索组建跨区域、跨行业的食品采购与供应战略联盟，加强食品采购远程网络招投标服务平台建设，解决集团消费领域采购渠道混乱、信息不对称、劣质高价等问题。培育壮大新兴配餐帮厨行业，组织评选全市10大配餐企业，积极发展绿色早餐、营养学生餐等快餐连锁系列工程，提高集团配餐和快餐连锁业标准化水平，有效解决中小学生、工薪阶层的“就餐难”问题，为楼宇经济、总部经济、旅游经济、会展经济发展提供后勤保障。

六是实施奥运食品工程。着眼奥运、惠及百姓，制定完善2008年奥帆赛食品安全监控计划与应急方案，全力做好生产供应、物流配送、加工配餐、餐饮服务等各个环节的电子备案、网络监控与质量查验等工作。强化奥帆中心、定点接待单位及其周边、旅游景区、商业街区、交通枢纽等重点区域的食品安全综合治理，为奥帆赛提供健康营养、安全卫生、方便快捷、体现青岛特色的餐饮服务，确保赛事期间食品安全运行万无一失。

2. “八大体系”

一是完善食品安全政策法规体系。全面落实《食品卫生法》、《农产品质量安全法》、国务院《特别规定》等法律法规，组织实施即将出台的《食品安全法》。抓紧修订《青岛市食用农产品安全监管暂行办法》，加快《青岛市委托生产加工食品备案管理办法》、《青岛市流通环节食品安全监督管理办法》、《青岛市集体配送餐监督管理办法》等地方规章立法进程。对“五小”（小作坊、小商店、小餐馆、小食杂店、小摊点）生产经营单位，本着区别对待、疏堵结合的原则，研究制定基本生产条件、卫生准入要求等地方规章与技术标准，有效解决无证经营问题。组织力量对现行的国家、部门、行业、地方食品安全法规和标准进行梳理、汇编，率先建立比较完善的地方食品安全政策法规和标准体系，确保食品安全监管有法可依、有标可循。

二是完善食品安全检验监测体系。加大对食品检验检测研究和应用的投入，推进市、区市两级食品安全监测机构和重点批发市场检测室升级改造，提高检测仪器装备、资质能力和技术水平。加快关键检测技术特别是以现场控制为目的的快速检测技术的研究、开发和使用。进一步整合优化全市检验检测资源，理顺现有检验检测机构的职能，筹建全市食品安全检测中心，逐步将检测机构推向社会，采用社会资金投入和政府管理的模式运行。制订全市食品安全例行监测与监督抽查计划，加强执法监督队伍建设，增加流动检测设施，加大抽检力度，扩大监测品种范围，形成部门例行监测、企业自检、中介检测与流动巡查抽检相结合，覆盖食品供应链全过程的动态监测体系。

三是完善食品安全市场准入体系。坚持“以质量换市场”的原则，在全市推行食品安全准入制度，严把食品安全和经营主体市场准入关，对食品生产经营主体的“两证一照”（卫生许可证、生产许可证和营业执照）实行联合并单审查。全面实施检验检测、市场巡查、不合格食品销毁、召回和退市、责任追溯等制度，完善落实进货查验、索证索票、购销台账和质量承诺制度。对可能危及人们生命健康的食品以及重点整治和清查的食品，实行特殊商品进货报告制度。鼓励开设名、特、优食品销售专柜、专区和专卖店，加强“场厂挂钩”、“场地挂钩”管理。适时向社会公布监测信息和退市公告，坚决把不合格食品挡在市场大门之外。

四是完善食品安全风险评估体系。组建食品安全危害分析与风险评估专家队伍，建立统一、科学、规范的危害评估和风险预警指标体系。采取专家风险评估与部门风险管理相互独立又密切结合的方式，对全市食品安全状况定期进行综合风险评估，对潜在问题做到早发现、早预防、早整治、早解决。建立食品污染物和食源性疾病监测评估体系，加强对与食品有关的化学、微生物及新的食品相关技术等危险因素的评价。全面推行食品卫生监督量化分级管理制度，运用危险性评估原则，对全市餐饮经营单位进行食品卫生信誉度分级评定，按A、B、C、D四个等级进行分类监管。

五是完善食品安全应急处置体系。建立健全应急管理机构和运行机制，完善相关保障设施，形成统一指挥、功能齐全、反应灵敏、运转高效的应急机制。完善重大食品安全事故应急预案和操作手册，健全突发事件报告时限、响应程序和控制消除措施，定期组织开展针对各种重大食品污染、群体食物中毒及食品安全恐怖事件的应急处置演练，确保物资、技术和人员储备到位，做到快速反应、科学决策、果断处置。完善食品安全信息收集、处理和发布机制，编制年度食品安全白皮书。

六是完善食品安全追溯体系。实施食品安全关键技术科技专项，综合利用IC卡、电子标签、条形码、视频监控、网络查询等信息技术，建立食品安全电子信息备案追溯系统，提高食品安全监管信息化水平。整合各部门信息资源，拓展市、区市两级“食品安全网”功能，建立全市统一的食品安全信息平台框架，逐步建成覆盖全市的食品安全GPS电子监管地图和电子档案数据库。建立入市重点食品电子监管备案系统，在重点批零市场、餐饮单位设置食品安全自助查询机，方便市民查询食品安全信息。在此基础上，逐步建成覆盖入市重点食品的质量追溯体系以及遍布城乡主要流通餐饮场所的食品安全查询系统，基本实现入市食品来源可查、流向可追、数量可计、质量可控。

七是完善食品安全信用体系。作为全省首批食品安全信用体系建设试点城市，深入开展食品安全示范点、示范线、示范镇、示范区（市）创建活动。制定《食品行业生产经营企业档案示范文本》，对全市食品生产经营单位集中进行排查、登记造册，建立全市统一的企业经营信用电子档案库和食品安全信用公共信息平台。加强部门执法监管信息互联互通和企业信用资质信息实时共享，探索建立黑名单制度，将企业食品安全信用与信贷信用挂钩，严厉惩戒失信行为，形成较为完善的食品安全信用征集、分类管理、分级评价、信用披露、责任追溯和失信惩戒体系。

八是完善食品安全宣传教育体系。坚持“食品安全、教育先行”。实施农产品安全生产教育培训计划，组织农技人员、监管人员进村入户进行面对面培训，提高农业生产者的质量意识与安全生产习惯。建立企业食品安全教育培训机制，突出抓好食品安全法律法规的普及工作。深入开展“绿色消费进社区、进农村、进学校”等系列宣传教育活动。启动市民膳食营养与食品安全知识教育行动计划，大力普及食品安全鉴别知识，培育健康科学的消费方式，增强群众的监督维权意识和自我保护能力。深入开展食品安全主题宣传活动，建立食品安全新闻发言人制度，既要客观、公正地曝光食品违法案件，又要大力宣传优质食品、优质品牌和优秀企业，营造良好的社会氛围。通过全市各方共同努力，一定能让“食在青岛最安全”成为最亮丽的城市名片，率先建成全国食品质量最安全城市。

以新一轮的思想大解放
深入推进政府自身建设

河南省安阳市市长　张笑东

河南省委决定在全省开展以“新解放、新跨越、新崛起”为主题的解放思想大讨论活动，是新形势下做出的重要战略决策，对于统一全省思想，推动经济社会发展实现新跨越、新崛起，具有十分重要的意义。我们要把思想和行动统一到省委的要求上来，以新一轮的思想大解放，深入推进以转变政府职能、转变工作作风、提高行政效能、提高公务员素质为重点的政府自身建设。

一、解放思想，用思想的大解放推动经济社会的大发展

解放思想是发展中国特色社会主义的一大法宝，是马克思主义的精髓，是我们认识新事物、适应新形势、完成新任务的根本思想武器。我国改革开放30年的历程，就是一个思想不断解放的历程，就是一个从突破发展禁区到明确发展方向、再到科学发展的渐进历程。30年前开展的真理标准大讨论，冲破了“两个凡是”的禁锢，打开了思想解放的闸门，开启了改革开放的伟大航程。30年来，安阳市同全国、全省一样，迈着思想不断解放的脚步，在中国特色社会主义理论体系的指引下，沿着中国特色社会主义道路奋勇前进，进入了加快发展的新时期。特别是近年来，在改革开放已取得较大成绩的基础上，我们不断解放思想，抢抓机遇，拓进取，经济社会进入了历史上最好的时期。可以说，安阳市在发展实践中取得的每一次重大突破、每一个重要进步，无不与解放思想、与时俱进、改革创新息息相关，无不是运用解放思想这个利器冲破束缚、破除障碍、超越自我的结果。

但是也应看到，同沿海发达地区、同全省先进地市相比，安阳思想解放的程度还不够，开放意识、机遇意识、创新意识还不强，大改革、大开放的气氛还不浓，存在着小富即安、小进即满思想等。这些都迫切需要我们进一步解放思想，把思想认识从传统发展观念的束缚中解放出来，从以往成绩经验模式的局限中解放出来，从过时条条框框的阻碍中解放出来，从部门权力、局部利益的羁绊中解放出来，着力转变不适应、不符合科学发展观的思想观念，着力解决影响和制约科学发展的突出问题，努力在发展思路、工作措施上有所开拓、有所创新，在抓住机遇、加快发展上有所作为、有所建树。

二、履职有为，用奋发有为的工作创造良好的业绩

路线方针确定之后，干部是决定因素。领导干部作为一个地区、一个部门的负责同志，既是政策措施的制定者和推动者，又是经济社会发展的组织者和落实者，必须牢固树立责任感和使命感，以“夙夜在公，寝食难安”的公仆之心对待自己的一职一责，在其位、谋其政、尽心尽力、尽职

尽责地干好党和人民的事业。一方面，要具有过硬的自身素质和工作能力。良好的素质是履行职责的基础。必须始终把加强学习当做人生的第一需要、工作的第一动力、提高素质的第一手段，牢固树立不断学习、终身学习的理念，加强理论学习和业务知识学习，完善知识结构，拓宽知识领域，提升知识层次，提高理论思维、战略思维和创新思维的水平，增强把握规律、按客观规律办事的能力。善于研究和分析发展的条件与环境，敏锐发现、积极创造、及时抓住发展机遇，转变发展观念，创新发展方式，提高发展质量，推动经济社会走上率先发展、科学发展、和谐发展的道路。敢于应对和战胜挑战，以新的思路谋划工作，以新的举措推进工作。另一方面，要创造经得起历史和实践检验的工作业绩。遵循客观规律、按客观实际办事，把握规律性、提高科学性、减少盲目性、克服片面性，用创造性的思维加快发展，推进工作。多干打基础的事情，多干对长远发展起作用的事情，多干福泽后人、功在千秋的事情，不搞哗众取宠的“表面文章”，不搞劳民伤财的“形象工程”，不搞饮鸩止渴的短期行为。始终把人民群众的安危冷暖放在心上，认真解决好人民群众最关心、最直接、最现实的利益问题，努力为人民群众谋取实实在在的利益，创造出让广大人民群众真正满意的工作业绩。

三、狠抓落实，用求真务实的作风干好各项工作

实干兴邦，空谈误国，“一步实际行动胜过一打纲领”。当前，安阳市的发展正处在承前启后、继往开来的关键时期，正处在厚积薄发、实现跨越的崭新阶段。要想实现本届政府的预期目标，需要我们狠抓落实；要想实现全面建设小康社会、建设豫北区域性中心强市的宏伟目标，更需要我们狠抓落实。

天下大事必作于细，古今事业须成于实。每一位干部特别是领导干部，要把抓落实看作工作的起点，集中精力抓落实，一门心思抓落实，一以贯之抓落实，在落实上下功夫，在落实上求实效。要健全目标责任机制、协调配合机制、监督检查机制和干部绩效考评机制，对安排部署的每一项工作，逐项落实到人，事事落实到底，让人人头上有指标、肩上有担子、心里有压力。对工作完成情况要严格督促、严格检查、严格问责、严格奖惩，使大家带着任务去工作，带着压力比贡献。要大力弘扬求真务实的作风，坚决克服“以会议贯彻会议、以文件贯彻文件”、不深入基层、不调查研究、不抓落实的不良现象，重实干、戒空谈，将“实”字贯穿于工作的始终，把发展的各项举措落实到具体的行动上和实践中。

四、令行禁止，用顾全大局的态度抓好各项决策部署

顾全大局、令行禁止，历来是我们党对领导干部作风方面的一项严格要求，也是我们党不断取得胜利的重要保障。做到顾全大局、令行禁止，不仅是做好全局工作的需要，也是最终实现局部利益的需要；不仅是各级领导干部应有的工作作风，也是各级领导干部应有的政治觉悟，事关党的路线、方针、政策的贯彻落实，事关党的执政地位的巩固。

令严方可以肃兵威，令重始足于整纲纪。各级干部特别是领导干部一定要从讲政治的高度，深刻领会保持政令畅通的极端重要性，切实树立大局意识、纪律意识、责任意识和使命意识，真正做到顾全大局、令行禁止、和衷共济、团结奋斗。一要自觉服从大局。一切从大局出发，不论是想问题、办事情，还是定思路、作决策，都要认真执行党的路线、方针、政策，坚决贯彻上级党组织的

决策部署，在思想上、政治上、行动上与党中央和上级党组织保持高度一致，做到对党忠诚、对人民负责，确保各项工作始终在中央的大政方针和上级党委的统筹决策指导下健康运行、协调发展。二是自觉服务大局。一切以大局为重，在事关大局和自身利益的问题上，必须坚持少数服从多数、下级服从上级、局部服从全局、小道理服从大道理，必要时牺牲个人和眼前利益，服从长远和整体利益，决不能借口地方特殊性或情况的特殊性而有令不行、有禁不止，更不能各自为政、各行其是。三是自觉维护大局。一切为大局着想，对事关全局的事情要雷厉风行、抓紧实施；对已部署的工作应督促检查、一抓到底；对一些关键的、重要的环节，应率先垂范、靠前指挥，优质高效地完成各项任务，积极主动地维护发展大局。

五、敢于负责，用勇挑重担的责任心开展工作

敢于负责，既是一种精神状态，也是一种工作作风，更是共产党人事业心和责任心的体现。只有勇于进取、敢于负责，才能面对挑战，攻坚克难，才能不辱党和人民交给的责任和使命。当前，有些干部对发展中的困难、前进中的盲区、改革中的硬骨头，不敢碰硬、不敢探索、不敢突破，放不开手脚、迈不开步子，怕出乱子、怕担责任、怕丢“帽子”，有的干部主政一方，几年下来，工作没起色、发展上不去，总是强调客观，强调资源，强调其他条件；有些干部凡事都按习惯、按传统、按书上讲的，习惯于走老路，文件上没有规定的不敢做，别人没做过的不敢试，宁可安安稳稳落后，也不敢越雷池半步；有的干部习惯于照抄照转、照套照搬，靠会议、靠文件、靠口号、靠一般性的方法来推动工作，其结果只能是低效率、低效益、不进步。

一个地方的发展，没有良好精神状态的人、没有强烈事业感的人是不行的。一定要敢于承担责任，敢于去开展工作。特别是各级领导干部，面对困难和挑战、遇到矛盾和问题，决不能推诿扯皮、揽功诿过，应当敢做敢当、勇于负责。对重要的改革和发展问题，一定要亲自拿在手上，紧紧抓住不放，一步一步地往前推进，一项一项地落到实处。特别是对事关社会大局稳定的突出矛盾和问题，一定要不回避、不上交，早发现，早解决。

六、廉洁自律，用清正廉洁的品格干干净净做好党和人民的事业

党的十七大报告强调：“坚决查处违纪违法案件，对任何腐败分子，都必须依法严惩，决不姑息!”这既是对腐败分子的严正警告，也充分表明了我们党加强党风廉政建设和反腐败斗争的坚强决心。各级领导干部手中的权力，是党和人民赋予的，只有严格自律，廉洁从政，才能公而忘私，干净干事，才能始终保持与广大人民群众的血肉联系，把群众的呼声当做第一信号，把群众需要当做第一选择，把群众满意当做第一标准，做到权为民用、情为民系、利为民谋，真正把人民群众的利益实现好、维护好、发展好。

“物必自腐，而后虫生”。抵御腐朽思想侵蚀，必须筑牢廉清自律的防线，自觉加强党性修养，牢同树立马克思主义的世界观、人生观、价值观和正确的权力观、地位观、利益观，常修为政之德，常思贪欲之害，常怀律己之心。必须发扬艰苦奋斗的优良传统和作风，做到吃苦在前，享受在后，淡泊名利，甘于清贫，真正做到一身正气、一尘不染，始终保持共产党人的高尚品格和革命气节。必须坚持原则、秉公办事，正确处理好亲情与党性的关系，始终做到自尊、自省、自警、自励、慎微、慎独。必须自觉遵守党的纪律和国家的法律法规，严格执行党风廉政建设的各项规定，

自觉接受党内外的监督，时刻警惕权力、金钱、美色的诱惑，勿以善小而不为，勿以恶小而为之，真正树立起立党为公、执政为民的良好形象。

做一个负责任的政府官员

湖北省咸宁市市长　任振鹤

当前，受国际金融危机的影响，我国经济社会发展正处在形势严峻复杂、矛盾相对集中的非常时期。作为一级负责任的地方政府，必须更加自觉地贯彻落实科学发展观，克难奋进，开拓创新，"危"中寻"机"，化"危"为"机"，推动经济社会又好又快发展。作为一个负责任的政府官员，必须更加自觉地增强责任意识，勇于担责，积极履责，解放思想，抢抓机遇，顽强拼搏，狠抓落实，做实做好各项工作。

一、培养负责任的为官治政操守

政府官员是人民公仆，务必尽心竭力对人民赋予的职权负责任。在"责任风暴"不断掀起、"治庸计划"不断实施、执行力建设不断强化的大环境下，我们务必更加自觉地培育和弘扬负责任这一为官治政操守。

锻造负责任这一为官治政品格。负责任是治政者应有的基本品格。美国著名思想家爱默生说得好：责任具有至高无上的价值，它是一种伟大的品格，在所有价值中它处于最高的位置。天地生人，有一人当有一人之责；人生在世，生一日当尽一日之责。诸葛亮做事"鞠躬尽瘁，死而后已"；林则徐铭志"苟利国家生死以，岂因祸福避趋之"；郑板桥喟叹"衙斋卧听萧萧竹，疑是民间疾苦声"；胡锦涛总书记在全党同志中倡导：讲党性、重品行、作表率；温家宝总理一直要求自己：用心思考、用心讲话、用心做事、用心写文章；美国著名总统林肯抱定这样一种信心：人所能负的责任我必能负，人所不能负的责任我亦能负。所有这些，无不闪烁着古今中外优秀治政者明责、担责的品格光芒。"为官避事平生耻"。作为政府官员，应常常思量工作岗位来之不易，常常掂量所负责任之不轻，始终对改革、发展、稳定这个大局负责任，不论想什么事、做什么事，都要心中有"谱"，都要心怀大局；始终对本职工作负责任，发扬只争朝夕、忘我工作、连续作战的精神，创造性地做好每项具体工作，以日保月，以月保季，以季保年，确保工作目标任务全面超额完成；始终对群众负责任，切实解决群众最关心、最直接、最现实的利益问题，切实推进边建边享、共建共享，改善民生质量，提升普惠水平。

激发负责任这一为官治政动力。负责任是一种义务、一种勇气、一种智慧，是做好一切工作的原动力。作为政府官员，必须抱定"富一方经济，保一方平安"的责任心，从中获取克难攻坚的力量。当前，我们既处于发展的黄金期，又处于矛盾的凸显期、困难的叠加期，既要看到发展的机遇多多、发展的基础不错、发展的态势良好，又要看到发展的要求更高、发展的任务更重、发展的难度更大，务必强化"责任本位"理念，增强负责任的意识。一方面，自觉加强主观世界改造，激发负责任的内在动力，解决好"我要负责任"的问题；另一方面，自觉加强理论学习和实践锻炼，不断提升工作能力和水平，解决好“我能负责任”的问题，以克难制胜之法、开拓创新之能，于挑战中寻求对策，于困难中找到办法，于无望中创造可能，于可能中办好事情，全力做好保增长、保民生、保稳定的各项工作。

恪守负责任这一为官治政准则。奥地利精神医学家维克多·弗兰克认为，能够负责任是人类存在最重要的本质。无论法定责任、社会责任或道德责任，都不以个人意志为转移，没有理由和借口。负责任是对政府官员履行职权的硬约束。负责任就要想干事、会干事、干成事、能共事、不出事，敬业爱业、敬民畏民，戒浮止躁、真抓实干，不甘落后、锐意进取，干净做事、清白做人。负责任就要把发展作为第一要务，把加快发展与科学发展有机结合起来，在注重总量扩大的同时着力提升发展质效；把加快发展与改善民生有机结合起来，在注重经济增长的同时着力提升共建共享水平；把加快发展与促进和谐有机统一起来，在注重效率优先的同时着力促进社会公平正义。

二、笃行负责任的为官治政理念

责任成就人生。美国著名小说家、诺贝尔文学奖得主辛克莱·刘易斯曾说过：“尽管责任有时使人厌烦，但不履行责任，只能是懦夫，不折不扣的废物。”每一个政府官员都应像温家宝总理那样，事不避难，勇于担当，奋勇向前，把负责任这一为官治政理念落实到具体工作中去，视责如山，守责如城，履责如冰。

把负责任体现在对上负责与对下负责的统一上。对上负责与对下负责从本质上讲是统一的，二者高度统一于党的立党为公、执政为民理念之中。作为政府官员，务必时时保持清醒头脑，讲原则，顾大局，认真贯彻执行上级决策，保持政令畅通，如发现上级部署要求不太切合当地当时的实际情况，就应以对党和人民高度负责的态度，向上级提出合理化建议，使人民群众的呼声及时反映上去；务必处处维护群众利益，凡有利于改革发展稳定的事、有益于广大人民群众的事，都要尽力去做；务必事事体现民主集中制要求，凡涉及当地经济社会发展的重大决策，都应广泛征集方方面面的意见和建议，提高决策的科学化、民主化和制度化水平。

把负责任体现在务实与创新的统一上。求真务实、创新创优，是深入学习实践科学发展观、加强政府自身建设的题中之意。每一个政府官员都必须雷厉风行抓落实，察实情、讲实话、办实事、出实招、求实效，坚决反对形式主义、官僚主义，坚决反对只谈不干、欺上瞒下；必须旗帜鲜明抓改革，更加自觉地倡导革新鼎故精神，以科学的理论做指导，认真研究新阶段经济社会发展的特征和规律，善于用改革的方法破解发展中的矛盾和难题，既严守大政方针，又创造性地开展工作，尝试新办法、解决新问题、创造新经验、推出新机制；必须克难奋进抓发展，面对困难和挑战，不是妄自菲薄、观望等待，而是主动出击，抢抓机遇，集中攻坚，尤其在破解土地制约、资金短缺、就业紧张、环境不优、体制不畅等制约发展的瓶颈问题方面，力求取得实实在在的成效，努力推动保增长、扩内需、调结构、重民生、促和谐的有机结合，促进经济社会又好又快发展。

把负责任体现在高效率与低成本的统一上。按照科学发展观要求加强政府建设，必须在政府工作运行的高效率与低成本的有机统一上下工夫。一方面，既要强化执行力建设，推进管理创新，以更高的标准、更硬的作风、更实的措施，推进政府工作持续协调高效运转，尤其要善于学习和借鉴优秀企业的经营理念，在依法行政、保障公平的同时，追求效率、效能和效益，更优更多地提供公共产品和公共服务，更好更快地发展经济和社会事业；另一方面，又要强化廉价政府、廉洁政府建设，厉行节约，勤俭持家，切实做到工作程序简化、召开会议简短、公文材料简练、工作汇报简洁、语言表达简明、接待应酬简单、公务生活俭朴、下乡调研简从，切实牢记“两个务必”，艰苦奋斗，廉洁从政。

三、坚守负责任的为官治政底线

权力与责任成正比，有多大的权力就有多大的责任。没有任何一种权力是可以滥用的，没有哪一个官位是不用负责任的。我国在抗击“非典”中启动的官员问责，从非常时期的非常举措逐步走向制度化轨道。“问责”已经成为我国新一轮政治改革的亮点。2008年的“毒奶粉”事件发生后，中央再掀问责风暴，相关官员引咎辞职或受到免职。每一个政府官员都应从中央为民负责、从严治官的坚定决心中汲取政治营养，坚守负责任这一为官治政底线。

信守工作责任制，增强做好工作的责任心。掉落一块马掌，会亡失一个帝国。负责任，是增强责任心与信守责任制的有机结合。每一个政府官员在履行职权、开展工作的全过程中，都应始终信守责任制，增强责任心，像热爱自己的家庭一样看待工作，顾大局，作奉献；像爱惜自己的生命一样对待工作，重细节，求实效；像培养自己的小孩一样经营工作，精雕细琢，打造精品。

接受多方监督，增强做好工作的使命感。负责任既需要自律，也需要他律。每一个政府官员在用权履职的具体活动中，都要自觉接受来自法律、组织、社会、群众等方方面面的监督，将党和人民的信任和厚望转化为自己尽心尽力做好工作的神圣使命，在其位，谋其政，履其职，尽其责，以义不容辞的责任担当、无怨无悔的人生追求，做出一番经得起实践、人民和历史检验的政绩。

正视问责常态化，增强做好工作的主动性。现代法治框架下的官员问责，不是封建王朝的恐怖吏治，也不是苛刻地对待干部，而是对人民负责，对党的事业负责，对官员本人负责。每一个政府官员都应正确看待官员问责走向常态化这一现实，增强做好工作的主动性，忠于职守，诚于事业，不推诿，不马虎，不耍滑，用心思考问题，用心做好工作，确保各项目标任务保质保量完成，收到良好的经济效益和社会效益。

加快建设具有珠海特色的现代产业体系

广东省珠海市市长　钟世坚

改革开放30年来，珠海的产业发展和“珠三角”其他城市一样，经历了快速起步——加快发展——调整转型——优化升级四个发展阶段，从主要承接港澳产业转移，以加工贸易起步并快速发展，形成了轻型外向型的产业结构；又经过承接国际产业转移和调整转型，形成了适度重型化和高级化的产业体系。但与现代产业体系的要求仍存在相当差距，产业结构仍不尽合理，产业多处于价值链的中低端，大多缺乏自主核心技术和知识产权，对外依赖性较强。如何加快建设具有珠海特色的现代产业体系值得思考。

一、加快建设现代产业体系对破解发展难题、实现科学发展意义重大、影响深远

党的十七大报告明确提出，“要发展现代产业体系，大力推进信息化与工业化融合，促进工业由大变强，提高服务业比重和水平”。省委、省政府认真贯彻落实党的十七大精神，高瞻远瞩、审时度势，在全国率先制定和出台了《中共广东省委、广东省人民政府关于加快建设现代产业体系的决定》(以下简称《决定》)，对广东破解发展难题、实现科学发展具有十分重大的意义。

《决定》创造性地界定了“现代产业体系”的基本内涵，指出“现代产业体系是以高科技含量、高附加值、低能耗、低污染、自主创新能力强的有机产业群为核心，以技术、人才、资本、信息等高效运转的产业辅助系统为支撑，以环境优美、基础设施完备、社会保障有力、市场秩序良好的产业发展环境为依托，并具有创新性、开放性、融合性、集聚性和可持续性特征的新型产业体系”。这个定义准确地体现了党的十七大的精神，表述清晰，内涵丰富，指向明确，澄清了人们对现代产业体系的认识误区。《决定》同时还明确了全省构建现代产业体系的指导思想、主体产业、重要载体和保障措施。省委、省政府在短期内连续出台了推动产业转移和劳动力转移、建设现代产业体系等多个具有全局意义的重要文件和相关配套文件，还专门召开座谈会研究加快“珠三角”地区现代产业体系建设工作。我们相信，随着《决定》的出台和一系列政策措施的贯彻落实，必将在全省掀起新一轮现代产业体系建设高潮，推动广东又好又快发展。

珠海市委、市政府按照省委、省政府的要求，认真贯彻落实《决定》精神，切实把建设现代产业体系作为重中之重来抓，力争在“珠三角”构建现代产业体系中走在前面，率先走出一条具有地方特色的现代产业体系建设新路子，争当科学发展的示范市。

二、珠海已经初步形成建设现代产业体系的良好基础和条件

珠海经济特区成立以来，在省委、省政府的领导下，在省直各部门的大力支持下，历届市委、市政府高度重视加快产业发展工作。在产业发展中充分发挥科学技术的重要作用，牢牢把握环境保护这条底线，以扩大经济总量、优化产业结构为目标，以工业园区为载体，以体制创新为动力，以

增强产业活力、提高核心竞争力为手段，重点发展高附加值产业、高新技术产业和优势特色产业，大力培育产业集群，逐步形成了产业体系相对完备、结构布局日趋合理、整体技术先进适用、市场主导作用明显的产业发展格局，为加快建设现代产业体系奠定了良好的基础和条件。主要体现在：

1. 产业规模不断壮大，质效逐步提升。到2007年底，珠海市三次产业分别实现增加值22.7亿元、501.4亿元、362.8亿元，占国内生产总值的比重分别为2.6%、56.5%和40.9%。全市高新技术产品总产值983.9亿元，同比增长26.20%，全市工业总产值的40.7%。规模以上工业企业实现利润总额105.5亿元，增长70.8%。

2. 优势产业加快发展，逐步形成规模。珠海市通过产业技术升级和结构调整，积极培育和发展优势特色产业，初步形成了一批具有相当规模和竞争力的产业集群。2007年，我市电子信息、家电电气、石油化工、电力能源、生物医药、精密机械制造六大优势产业实现工业产值2041.9亿元，占全市规模以上工业总产值的83.6%。旅游、海洋、港口、科教等特色产业发展加速。香洲南屏科技工业园的打印耗材、高新区的软件、斗门新青科技工业园的电子信息、金湾三灶科技工业园的生物医药、金湾平沙的游艇制造和旅游、高栏港区的石油化工和装备制造等产业集群初具规模。旅游休闲、会议展览、仓储物流、文化创意、软件设计等服务业日益发展，增加值逐年增长，占本地生产总值的比重稳定在40%以上。

3. 产业发展自主性不断增强，为实施名牌带动战略奠定了基础。在加快产业发展的同时，不断增强企业自主创新和自主品牌的能力，名牌名标产品不断涌现。截至目前，珠海市拥有国家和省级“名牌名标”85个。其中，“中国世界名牌”1个，“中国名牌产品”、“中国驰名商标”9个，“广东省名牌产品”、“广东省著名商标”75个。2007年，全市专利申请量2217件，其中10项专利技术被纳入广东省专利技术实施计划，9项获国家技术创新基金支持。珠海连续第四次被评为“全国科技进步先进市”。

4. 一批工业园区加快建设，为产业的发展构筑良好的载体。我们大力推动工业园区的建设与发展，使园区成为产业发展的重要载体和招商引资的主阵地。目前，我市共有省和国家认定的工业园区6个。国家留学生创业园、科技创新海岸、国家软件产业基地、高科技成果产业化示范基地、集成电路设计生产基地等已经发展成为我市推动产业进步、实施产学研合作的重要载体。

5. 基础设施建设不断完善，环境比较优越。珠海地处“珠三角”，毗邻港澳，已经形成了较为完善的基础设施条件。目前，随着广珠铁路、广珠城际轨道等一大批重大交通基础设施的加紧推进，珠海的区位优势更加明显，为建设珠江西岸的交通枢纽城市奠定了基础。同时，珠海还拥有较为丰富的土地、人文、高等教育等优质资源，具有加快建设现代产业体系的后发优势。

三、珠海进一步加快现代产业体系建设的主要目标和举措

建设现代产业体系是一项十分重要而艰巨的战略任务。我们将按照省委、省政府的要求，坚持“制造与创造相促进，制造业与服务业相配套，信息化与工业化相融合”的原则，努力做到“五个结合”：一是把现代产业体系建设与建设生态文明新特区结合起来，按照生态文明的发展要求做好产业规划；二是把现代产业体系建设与利用珠海现有产业基础优势结合起来，充分发挥现有产业集群和优势资源的基础作用；三是把现代产业体系建设与环境保护结合起来，促进产业发展与生态环境保护“双赢”；四是把现代产业体系建设与推进产业转移结合起来，抓住机遇，调整产业结构，

推动产业优化升级；五是把现代产业体系建设与节能减排结合起来，重点发展技术强、效益好、能耗低、污染少的优质项目，确保现代产业体系建设目标顺利实现。我们的主要措施是：

1. 提高认识，明确目标。充分认识加快建设现代产业体系对珠海实现科学发展的重要意义，加强领导，精心谋划，切实做好建设现代产业体系的各项工作。按照省委、省政府对珠海提出的“率先探索建设生态文明的发展道路，争当我省实践科学发展观的示范市”要求和《决定》精神，结合珠海实际，我们提出了建设现代产业体系的发展目标，即：坚持“高端起步、双轮驱动、合理布局、集聚发展”的方针，把珠海打造成为全省新兴的重化工业基地、富有特色的高新技术产业基地、面向粤港澳的现代服务业基地、综合发展的生态农业基地，努力争当现代产业发展的排头兵。

2. 规划先行，明确产业总体布局和主体框架。高度重视强化和发挥规划的先导作用，按照建设生态文明新特区、科学发展示范市的战略部署，根据主体功能区规划，修订《珠海市产业发展导向目录》，加快制订和完善重点产业规划，实施区域差别化发展的产业政策，引导珠海市东部地区大力发展现代服务业和高新技术产业，打造珠海服务品牌；西部地区以“双港”为引擎、大项目为龙头，大力发展先进制造业和现代物流业，做大做强临港产业和临空产业；斗门北部限制建设区域适量发展现代农业，努力构建具有地方特色、与人口分布和资源环境承载力相适应的产业空间布局。

3. 突出重点，着力打造以八大产业集群为代表的先进制造业。坚持产业集群化发展方向，按照布局集中、产业集聚、土地集约的要求，充分发挥龙头项目的带动作用，着力打造八大产业集群：一是以高栏港石化基地为龙头的石化产业集群；二是以格力为龙头的家用电器产业集群；三是以伟创力为龙头的电子信息产业集群；四是以高栏港为依托的重型装备制造业产业集群；五是以发动机维修、国际航展、航空培训为基础，航空产业园为载体的航空产业集群；六是以三灶生物医药专业镇为龙头的生物医药及医疗器械制造产业集群；七是以金山、炬力为代表的软件与集成电路产业集群；八是以天威飞马和纳思达为代表的打印耗材产业集群。通过培育和发展集群产业，提高产业集聚能力，延长产业链条，促进生产要素合理配置，形成功能优势互补、区域产业布局科学的发展新格局。

4. 双轮驱动，大力发展现代服务业。统筹规划建设现代物流园区、现代商贸服务区、金融服务区、文化创意产业园区、服务外包基地和总部经济基地等一批现代服务业集聚区和重大项目。发挥区位和“双港”优势，建设空港、海港物流中心，培育发展会议展览业。加快旅游基础设施建设，推动观光旅游向休闲度假旅游、旅游过境地向旅游目的地转变。大力发展金融保险、信息和法律服务、技术服务、咨询服务、外包服务、产品及管理体系认证等现代服务业。以《内地与香港关于建立更紧密经贸关系的安排》补充协议五签署实施为契机，进一步深化珠港澳合作，充分发挥先行先试作用，主动承接港澳高端服务业。

5. 整合资源，不断提高园区集聚力和竞争力。对全市24个工业园区（片区）进行并、转、撤，重点建设高栏港区、高新区、航空产业园、富山工业园“四大园区”，做精做强南屏、三灶、新青、平沙“四个特色园区”，充分发挥珠海保税区（跨境工业区）“一个特殊功能区”作用，形成“4+4+1”的园区发展格局，实现布局集中、产业集聚、土地集约，提高产业竞争力和综合经济实力。加快主城区旧工业区用地“退二补公进三”，结合工业项目技改，有序搬迁香洲区旧工业小区的工业项目，承接港澳高端服务业的拓展和延伸。积极与对口市县共同办好产业转移工业园区。

6. 创新举措，继续加大招商引资和自主创新工作力度。构建现代产业体系，必须继续做好招商引资特别是招商选资工作。瞄准欧美、日韩等发达国家，着力引进产业体系中的高端项目。继续加大对中央企业、国内科技民营企业和港澳台招商引资力度。设立产业发展(引导)专项资金，重点投向现代服务业、先进制造业及高新技术产业。加强市、区两级财政资金投入，加大园区配套资金，支持园区加快基础设施建设，提升配套水平和竞争力。结合产业集群发展重点和方向，开展专题招商、定向招商、网上招商、上门招商，提高产业招商水平和成效，引进一大批“两少两有两高”(用工少、占地少，有研发、有品牌，高技术、高效益)项目。充分发挥珠海大学教育资源、产业集群资源和园区经济资源的重要作用，加快建立健全有珠海特色的以企业为主体、市场为导向、产业化为目标、高新区和大学园区为依托的自主创新体系，加快建设“广东省教育部科技部产学研结合基地”示范市，努力推动“珠海制造”向“珠海创造”转变，打造名牌珠海。

7. 优化环境，为现代产业体系建设提供坚实保障。一方面要加强政务建设，优化现代产业发展的“软环境”。要多渠道、多形式加强人才教育和培训，为建设现代产业体系和企业发展提供各种人才保证。加强行政服务中心建设，创新政府公共服务平台，年内全市推行电子公文协同处理系统，有效提升行政效能。建立重大项目审批服务“绿色通道”，推行网上协同审批制度，提高审批效率。政府对项目建设，要切实做到全天候服务、全过程跟踪、全方位协调，提供高效优质服务，促进经济又好又快发展。另一方面要切实强化基础设施建设，优化现代产业发展的“硬环境”。围绕建设生态文明新特区、科学发展示范市，认真组织实施港口枢纽、骨干路网及水利水源、环境生态、文化教育等基础设施建设工程。着重推进广珠铁路、广珠城际轨道交通和4个10万吨级集装箱码头等港口枢纽工程、骨干路网工程以及数字珠海工程建设。

8. 落实责任，狠抓节能减排工作。严格落实节能减排约束性任务工作责任制，加快建立节能减排的统计、监测和考核指标体系。严把项目准入关，对新上的工业项目全部实施项目预审制度，实现节能降耗工作关口前移。推动企业加快节能降耗技术改造，抓好重点单位的能耗管理。以推动工业项目技改和火电厂脱硫、关闭5万千瓦以下小火电为重点，削减二氧化硫排放总量。以排污许可证为核心，强化污染源监督管理，实现污染物排放全面达标。

9. 加强区域合作，实现错位发展。一是促进“珠三角”城市发展一体化。“珠三角”是广东产业化和城市化发展水平最高的区域，也是全省建设现代产业体系条件最成熟的地区。建议省委、省政府根据“珠三角”各市目前的发展阶段，大力推进城市发展一体化，在交通、市政、文化等基础设施建设方面，进一步加强协调和配合，密切各城市之间的“无缝”链接，实现各种基础设施资源效益的最大化，实现区域的协调发展。二是加快“珠三角”西岸地区产业发展。“珠三角”东岸的平均发展速度远远超过西岸地区。目前，西岸的资源承载力优势已经逐渐凸显，更有条件引进大型装备制造业、重化工业、港口物流等重大项目。三是加快粤港澳现代服务业合作进程。《内地与香港关于建立更紧密经贸关系的安排》补充协议五签署后，粤港澳合作将进一步提速和深化。珠海有经济特区的区位优势，我们要为争取先行先试权，制定相关政策措施，做好承接港澳服务业转移工作。

构建现代产业体系是一项全面系统工程，是对经济发展模式和发展手段的一场新的革命。我们将切实做好建设现代产业体系的各项工作，加快建设生态文明新特区步伐，努力争当科学发展的排头兵，积极为广东的发展作出新贡献。

论“首位城市”建设
——兼论强化南宁城市功能作用

广西壮族自治区南宁市市长　黄方方

建设综合实力雄厚的广西“首位城市”，并通过首位城市实力雄、效率高、辐射面广、影响力大、牵动力强作用的发挥，来带动广西北部湾经济区、乃至全广西经济社会又好又快发展，是紧跟全国发展形势，缩短与先进省市的差距，建设富裕文明和谐新广西明智之举，十分重要，十分必要。

一、“首位城市”与广西发展

首位城市，是在一个相对独立的地域范围内（一个国家或一个区域）或相对完整的城市体系中，处于首位（包括人口、综合实力等）的城市。首位城市的城市首位度必须高，它首先要将自身做强、做大、做好、做美、做活，以影响、辐射、帮助、带动周边县市的发展，以至推动整个区域的发展进步。广西是后发地区，城镇化水平在不断提高，城镇体系在不断完善。

（一）广西城市体系及其功能作用的发挥

城市体系是指一个国家或一个区域一系列规模不等、职能各异、相互联系、相互制约的城市空间分布结构的有机整体。由于不同规模的城市本身就是不同范围内经济社会活动的聚集区，因此，随着经济的发展，各种规模的城市之间的经济联系必然不断加强，大中小城市之间的合理分工和联系就成为区域经济发展中的核心问题。

目前，广西城镇布局的特点：一是沿江。百色、崇左、南宁、贵港、来宾、河池、桂林、梧州等地级市都在广西西江上游或支流岸边。二是沿铁路和公路干线。随着经济发展和社会进步，区域城镇间往往会建成不断升级的铁路和公路连接，共同形成网络结构。三是沿海。北海、钦州、防城港三市便都建设在沿海。至今，全自治区城镇已形成以铁路和高速公路为轴线，密如蛛网的道路和内河水路相联结的网状空间城镇布局。并体现为以地级市为中心呈块状分布，通过以市级行政中心为聚集点，以沿江沿线为扩展轴，以经济区为支撑面的经济空间分布格局。划分为：以南宁、北海、钦州和防城港四个地级市为核心，以港口经济、海洋产业、高新技术产业为重点的桂南沿海经济区；以柳州、来宾为核心，以成套装备、机械和冶金工业为重点的桂中经济区；以桂林为核心，以旅游和农林为重点的桂北经济区；以梧州、玉林、贵港、贺州为核心，以现代农业、乡镇工业和外向型经济为重点的桂东经济区；以百色、河池、崇左为核心，以种养业、矿业为重点的桂西经济区等五大经济区域。通过发挥各中心城市的比较优势，形成全区的整体优势。在这一战略规划下，广西各城市经济获得了较快的发展，规模实力得到了一定程度的提高。但总的看来，广西的城市规模并不大，上档次的城市不多。与全国相比，广西撤地改市抓得较晚，到2002年才全部完成地区改设地级市行政体制转变，这固然与广西区域经济发展长期相对落后有关，但也与地区建制布局不合理（曾经有4个地级市与地区同驻一地，没有有意识地培育出新区域中心城市），城乡差距大有关。按地级市建成区（不含市辖县）非农人口统计，每个城市有人口，南宁130.81万人，柳州、桂林80万人，梧州、玉林、贵港25万人左右，防城港、钦州、百色、贺州、河池、来宾、崇左均约14万人。广西没有超大城市（>200万人），只有一个特大城市（100万～200万人），2个大城市（50万～100万人），4个中等城市（20万～50万人），7个小城市（<20万人）。其他县城及建制镇规模就更小了。由于城市规模偏小，其规模经济和集聚效应就不明显，从而难以带动周边县市和所在区域的发展。南宁市城市人口刚超过100万，其首位度只有1.47，与标准值相差0.53，加上其综合经济实力有限，因此省级区域中心城市作用并不明显。这在一定程度上意味着广西“首位城市”的缺失。

长期以来，由于没有核心城市的带动，广西各区域中心城市之间缺乏有机联系。在旧的体制机制作用下，城市体系内存在分工不明确，城市间产业趋同现象严重，整体效益不高，缺乏有机联系等弊端，城市建设存在着条块分割，自成体系的倾向，“大而全、小而全”现象普遍存在。而在市场经济条件下，趋同产业的城市、企业之间又相互争投资、争资源，形成恶性竞争，这从根本上降低了广西城市体系的整体竞争能力。正是由于这种现实，因而广西在事实上难以承接来自我国东部沿海地区在对外开放与推进西部大开发过程中，所产生的自东向西的扩散辐射带动效应。致使广西只能处于长期“被辐射”的不正常状况，拉大了广西沿海应作为开放开发前沿与西南腹地之间经济联系的距离。严重影响了中心城市经济转轨进程，最终造成城市经济总量小，辐射能力差，带动能力不强，起不到应有的先导作用。这种“首位城市的缺失”，不仅是一种内部发展的危机，更是一种外部发展的危机。可以说，如今广西在华南经济圈、泛珠经济圈和中国—东盟经济圈内，正受到来自以中国内地发达地区为主的核心经济带和以原东盟六国代表的南部优势经济带在空间布局上形成的经济夹击，从而出现了广西明显地形成三者间的“经济洼地”景象。在这种情况下，作为工业不发达地区，广西面临着更为残酷的现实：很容易只是成为华南、中南甚至西南与东盟大市场的交通枢纽，同时又要固化广西为“原料和初级产品输出地”的窘境。

（二）历史的遗憾和现实需求：对建设“首位城市”的思考

回顾过去，我们发现，广西城市发展留下了两个历史的遗憾。

其一，门户城市经济没有及时做大做强。改革开放之初，优越的地理位置使深圳成为了中国改革开放的“窗口”，“门户城市”深圳发展速度惊人，成为中国经济的“闪亮之星”，在其“星光”照耀下，珠三角各城市纷纷搭上经济发展的快速列车。事实生动地诠释了“门户城市”深圳的巨大作用。享有沿边、沿江和沿海之利的广西，有两大“门户城市”，即“广西水上门户”的“岭南重镇”梧州和“广西海上门户”的“万吨级港口群”防城港。曾有专家提出，广西应利用门户城市的优越地理区位，建立起推进经济增长的动力机制、导向机制和传递机制，不断增强和发挥其经济中心、文化中心、信息中心功能作用，承接发达国家和我国发达的东部地区技术和产业转移，建立起有极大吸引力和辐射力的产业基地和城市经济。并以此为基础，推进整个广西区域经济发展，吸引和辐射我国大西南地区，为全国发展作出贡献。但是，广西“门户城市”并没有得到很好的发展，“水上门户”和“海上门户”依然是经济总量小，辐射能力差，带动能力不强，起不到应有的先导作用。广西失去了先行一步的大好机会。

其二，小城镇遍地开花。改革开放之初，农村经济改革，使大量的农村劳动力解放出来，走上一条以乡镇企业为主体的“乡村工业化”之路，乡镇工业获得了迅猛发展，在“积极发展小城镇”城市化方针下，一大批小城镇快速成长，小城镇在广西呈遍地开花之势。然而事实告诉人们，由于整体上经济落后，缺乏大城市的辐射带动，小城镇存在交通瓶颈、资金瓶颈和生态瓶颈，其经济发展是弱质的，乡镇企业的数量、规模、增加值非常有限，广西的小城镇没有吸引和聚集农村剩余劳动力的能力。大量的农业剩余劳动力并没有被量大面广的小城镇所接纳，而是主要流向了我国东部地区城市。廉价农民工不断涌入沿海地区，维系着沿海地区人力成本低的态势，使得当地低层次的劳动密集型产业无须转移出去就可获利，人为地切断了产业梯度转移的链条。在某种程度上，这实在是广西的一种“财富流失”。同集中化发展的客观规律有所背离。广西现共有小城镇1400个左右，平均每个小城镇有非农业人口7935人。这种布局规模，显然不利于改变广西目前工业分散，缺少协作的格局，众多的“开发区”使众多的中小企业难以实现集中生产、集聚效益，低水平的重复建设难以建成发展快、效益高的专业区。

两个遗憾使广西至今缺少与东部沿海地区实力城市相抗衡的大城市和特大城市。不利于广西接受东部沿海发达地区生产要素的等级扩散，造成自东向西的扩散辐射带动效应，在广西出现断裂。最终是导致广西经济社会发展遭受阻滞。在中国—东盟自由贸易区建立中，由于广西城市的“极化效应”不明显，使同处于东亚经济圈和中国—东盟自由贸易区中心位置越南的“洼地效应”比广西更强，更有利于吸引外资。使广西在同东盟国家中心城市竞争中难有优势可言。

因此，广西必须加快首位城市的建设。要不断将区域经济要素向首位城市集中，实现首位城市的内部集聚经济和外部集聚经济，提高其集聚力。同时，让首位城市通过交通网络、商品网络、技术网络、金融网络、人才网络、文化网络、信息网络等向广西区域中心城市传递要素，带动它们发展。中心城市又带动小城镇发展，层层递进。在全广西形成层次分明，分工明确，生机勃勃的发展新格局。从而建立起综合实力雄厚、竞争力强、发展后劲足、大中小城市和小城镇协调发展的较为完善的城市体系。

（三）谁来担当首位城市的重任——南宁市责无旁贷

广西并不缺少区内的次级中心城市，柳州、桂林、北海、梧州、贵港等作为次级城市都有一定规模，但缺少像武汉、南京甚至昆明那样在省内具有中心辐射能力的首位城市。正是由于实力不足，辐射力吸引力不大，因而在实际上尚未形成组织严密、分工明确、运转协调、效益较高的城市群。城市运行成本很高，制约了广西的发展。广西要将有限的力量用在“刀刃”上，造就区内经济增长带头的首位城市。这一重任谁来担当?毋庸置疑，南宁市责无旁贷。南宁市是广西规模最大、经济产出水平较高的城市。改革开放以来，南宁市经济规模和人口规模迅速扩大。以GDP表示的城市经济规模，已由1978年的14.74亿元增加到2007年的1062.99亿元，增长了71.12倍。2007年，在广西14个主要城市（南宁、柳州、桂林、梧州、北海、防城港、钦州、贵港、玉林、百色、贺州、河池、来宾和崇左）中，南宁市GDP已占全自治区的18.06%，在广西各主要城市中占有绝对的优势，在广西经济中占有特别重要的地位；以城市人口规模论，南宁市也是广西最大的城市，2007年，南宁市区非农业人口达到133.47万，居全区首位；从技术创新的角度来看，南宁市云集了广西80%以上的高校和科研机构，30%以上的科技人才；南宁市拥有因交通枢纽而汇集的信息流、资金流、人力流、物质流，等等。这些为推动南宁市开发、建设、科研、生产经营创新发展，转变经济发展方式，提高劳动生产率，壮大综合实力，增强服务能力，强化竞争力提供了无可替代的综合条件。

此外，南宁市对广西未来经济发展五个方面的作用不可忽视：第一，作为全区的政治、经济、信息、科技、金融、文化中心和最大的城市，以及中国—东盟博览会的永久举办地，对推动、带动全区经济成长将产生巨大作用；第二，能够利用拥有的条件和优势，推动全区经济结构调整升级，改变目前广西经济结构具有比较明显的传统性和城市结构趋同性、制约广西发展的状况；第三，成为全区最重要的技术、产业创新基地，能够有力地支撑全区结构调整、区域分工和持续发展；第四，依托其聚合能量，利用其强大的辐射力，通过技术、产业向欠发达区域扩散，帮助提升这些区域的发展水平，缩小区域间差距，促进统筹协调发展；第五，能够整合以至优化利用南北钦防城市群、乃至全广西城市资源。因此说，南宁市最有条件和能力担当建设广西首位城市的重任。

二、南宁的现实及其差距

建设首位城市，南宁还有一定差距。具体体现在以下几个主要方面。

（一）城市综合实力不大

南宁市与国内同类一些大城市相比，其经济规模和聚合力偏小。2007年，南宁市完成GDP1062.99亿元，2006年，南宁市市区GDP为南京的31.36%、武汉的33.59%、东莞的33.16%，第二产业增加值不足长沙等工业重镇的一半，甚至低于经济总量落后于南宁的贵阳等城市，表明工业无法成为南宁城市经济发展的强力推进器，吸纳农村剩余劳动力能力弱，促进第三产业发展推力不足。

与此同时，南宁市辖各县之间发展不平衡，差异比城区间更明显。如地区生产总值指标，2007年，6个县中最高水平为85.60亿元，人均12869元，最低水平为21亿元，人均4217元，相差1倍多。各县经济发展水平差异过大，必然影响县域经济综合水平的提高，也会对市域经济结构的优化调整带来困难。

据2005年中国社会科学院《中国城市竞争力报告》，南宁市在全国200个重点城市中的综合竞争力只排第55位。由《21世纪经济报道》和广东省社会科学研究院共同发起的“2005年度中国区域城市综合竞争力排行榜”，把城市发展后劲作为评选的主要参数。南宁在三线中心（省会）城市中排名第10位，其发展的后劲令人担忧。这表明，经济总量小，城市影响力就小，意味着城市的市场容量不会太大，对周边地区的辐射力和聚集力不强，会严重影响吸纳资本、引进科技、招揽人才的能力和空间，成为制约建设区域性国际都市的关键因素。

（二）产业聚集能力弱

南宁工业企业总体规模小，大企业少。全市目前拥有全部国有和年主营业务收入500万元以上的非国有企业4051家，其中大型企业占0.61%；中型企业占10.89%；小型企业占88.5%，小型企业在数量上占绝对优势。量大面广的小型企业普遍规模不大。从企业的发展来看，许多中小企业都是一些全能企业，功能单一，结构简单，生产技术落后，管理水平低，人员素质较低，缺乏技术创新和新产品开发能力，产品结构以劳动密集型为主，经济效益不高，承受风险能力很弱，示范性较差，缺乏带动功能，难以承担龙头作用，一些行业出现“小马拉大车”的不正常局面。这种结构状况，既影响产业集聚力增强，也制约企业素质提高，难以实现规模效应。

从产业内的分工来看，大型企业与中小企业之间缺乏有机联系，大中小企业间缺乏专业化分工协作，许多中小企业都是一些全能企业，企业产品结构基本雷同，于是，同城产业大中小企业相互争原料，争市场，甚至相互仿冒的情况就出现了。在这种环境下，产业和企业都很难获得效率效益和形成竞争优势。

（三）经济增长方式比较粗放

目前，南宁市尚处于对资源的集聚阶段，2006年全社会固定资产投资447.22亿元，增幅达到23.24%；2007年是560.22亿元，增长25.3%（其中城市固定资产投资增长27.0%）。与国内重点城市比较，除北京因奥运会建设固定资产投资达到19.3%以外，上海、广州等中国特大型城市固定资产投资增幅仅为10%左右，表明南宁经济增长仍主要依靠投资拉动，经济增长方式比较单一。同时，南宁的经济结构比较老化，虽然近年来作了调整，但变化不大。一是传统产业比重大，从工业产品结构看，仍然是“三多三少”，即“大路”产品多，名优产品少；低档次初加工产品多，高附加值深加工产品少；平滞销产品多，畅销产品少。即使是拥有先进设备和工艺技术的企业，主要也以生产加工一般的资源性产品为主，加工层次低、深加工转化差、附加值不高、高档优质产品少、产品竞争力不强；二是工业企业的融合度低，多数产业尚未形成符合社会化大生产要求的经济规模和专业化分工协作。产业内普遍存在“小、散、乱”的布局特点，各主体之间各自为政，联系松散，封闭运行，企业的专业化水平不高，分工合作关系脆弱，技术创新与产品开发能力弱，生产规模难以扩大，企业素质无法提高，难以从根本上改变产业结构扁平化的问题。产业和企业都难以进入规划共绘、基础共建、生态共保、信息共享、优势共创的良好生态发展模式。

（四）影响力小，贡献偏低

由于城市背后复杂的历史、地理、经济以及文化的原因，长期以来，南宁对外界几乎没有一个完整的印象。尽管在经济上，量多面广的中小企业是南宁一道亮丽的风景线，不容忽视。然而产业内大部分企业，都无法单个创建品牌，尤其是国家、国际性品牌的创建、培育。即使是有一定基础的骨干企业，实施国家级品牌战略困难也很大，难以形成与国内外市场上现有品牌抗衡的竞争力。城市品牌的长期缺失，使得以广州为核心的珠三角经济圈、桂林得天独厚的旅游资源、北海、防城港和凭祥在旅游、海运与边贸等方面的优势，纷纷抢占了南宁作为一个自治区首府应有的地位。近年来，南宁成为中国—东盟博览会的永久举办地，并通过举办“国际民歌节”，获得了一定的知名度，但对国内、国际的影响力仍然很弱，还不能充分吸纳和利用城市本身及周边地区、国内外的各种资源要素和积极因素来增强城市经济实力和发展潜力，特别是对产业和人才的集聚程度还比较低，更谈不上通过扩散将城市经济的各种优势辐射到周边地区及更广大区域，带动周边地区的发展。

三、建设首位城市，强化南宁城市功能作用的思考

南宁市要抓住我国实施西部大开发战略、国家批准实施《广西北部湾经济区发展规划》，及泛珠、泛北国内外合作方兴未艾，建设我国沿海地区经济发展新一级，建设国际区域中心城市的机遇，围绕实现影响、辐射、帮助和带动全区经济成长，推动全区经济结构调整升级，促进全区协调发展的目标，将南宁市建设成为广西北部湾经济区龙头城市，成为广西的首位城市。需要从以下几个方面着手，不断强化南宁城市的功能作用。

（一）做大做强产业企业，不断增强产业的聚集力

产业是发展的基础，要以振兴产业为抓手，把企业做大做强，不断提高产业聚集能力，解决好

目前南宁市存在的结构扁平化的问题，改变南宁市由于产业不大、企业不强的状况，极大地提高南宁市的综合实力。

1. 营造项目生成机制，培育优势产业链。具体做好：（1）依托内源型项目生成和外源型项目的引进，扶持、做大一批龙头企业；（2）内源、外源一齐上，加快上下游配套企业的就地生成和引进，促进相关投资项目的配套、集聚；（3）引导和鼓励本地中小企业更多地融入到产业链中；（4）围绕发展重点，对引进和本地生成的上下游配套企业追踪跟进，做好后续协调服务；（5）通过财政、金融、人才等政策扶持重点项目和推动产业链形成；（6）在搞好市场调查的基础上，建立产业链项目库、客户群体联络网，促进项目生成机制完善。

2. 增进企业协作，构建新型产业分工体系。要充分正视南宁中、小企业量大面广、实力薄弱、抗风险能力差等特点，又要肯定它们是市域经济发展的难得的重要推动力量，更要看到导致大多数中小企业困难的主要原因并不在于其规模小，而是因为它们的孤立经营，未能形成凝聚力。要通过引导产业行业产品生产进行科学的专业化分工，加强企业间联合、合作与交流、协作，形成企业集聚，结成企业网络，在政府及有关部门帮助下，主要依靠企业自己的力量，克服困难，走出困境，提高创新能力和竞争能力。具体要在深化分工，加强协作，以龙头经营组织的发展壮大带动中小企业协同发展上下功夫。引导龙头经营组织通过合作、契约、参股等形式，把部分生产经营环节转移给中小企业，从而能更多更好地把企业资源集中用于技术开发、市场扩张、品牌建设、标准创新，增强核心优势。同时引导中小企业向专业化加工和服务方向发展，自觉自愿地为大企业提供产品加工、原材料、零部件等配套服务，促进“配套集群”的形成，增强本地配套能力。实现既有家族模式的优势和小企业的活力，又有大企业进行资源整合，在国内外建立经营渠道，创新品牌的产业扩张能力。形成比较理想的南宁市特色企业生态。

3. 以特色工业园为重要载体，推进企业集群化，提高产业的聚集水平。下气力引导已有内源同类企业进入产业园。同时，努力做好招商项目和开发项目特色化、系统化、集群化，将外源新生企业引进产业园。形成同类企业有机结合的集群发展，增强产业聚集能力，推动集群发展优化升级。从而达到深化分工，加强合作协作，提高效率效益，增强竞争能力的发展目的。

4. 树立品牌意识，实施品牌发展战略。发展企业品牌俱乐部，以品牌为纽带发展现代生产协作体系，实现生产环节的横向一体化和营销环节的纵向一体化，使规模企业在分享外部经济的同时获取内部规模经济和品牌收益，使中小企业共享品牌批发经销上的规模经济，实现集群与企业形象共升华。通过品牌战略的成功振兴产业。

（二）强化综合服务功能，提高为发展服务的水平

首位城市影响、辐射、帮助、带动周边市县发展，乃至更广区域的发展进步，往往是通过提供服务来实现的。南宁市要通过不断强化综合服务功能，为本身、为周边市县、为全广西发展提供优质服务，促进和带动全区又好又快发展。

1. 主要围绕：（1）建立畅通的信息通信网络，提高信息化水平；（2）推进经济结构调整；（3）营造公平、公正、公开的市场竞争环境，充分发挥市场机制配置资源的基础性作用；（4）转变政府职能，使政府真正地从社会资源的分配者变为监管者、引导者；（5）建立健全社会保障体系，减缓激烈的市场竞争带来的风险冲击；（6）提高科技创新、产业企业创新、管理创新、产品创新水平；（7）培育和造就高水平人才队伍和高素质技能劳动力群体；（8）便捷的交通运输和完

善的物流服务；（9）便利的资金融通和各类优质的保险服务，特别是为实体经济服务等等，进一步强化南宁市的服务功能。

2. 创新政府管理体制。加大改革力度，创新体制，改革政府，使政府由全能型向服务型转变，进一步清除影响科学发展的体制性障碍。（1）转变职能，做好服务；（2）明确权责，规范行为，提高效能，不能乱管也不能不作为；（3）完善监督评价制度，充分发挥人大、纪检监察机关、媒体以及社会公众的监督作用，将政府行政行为置于监督网络之下，帮助政府机关转变作风，切实提高政府服务水平。

3. 加快培育和完善市场体系。要从大市场大流通带来大发展大繁荣的高度，在加快交通、通信等基础设施建设的同时，有目的地大力建设、培育和发展商品市场和资本、技术、劳动力、信息、产权交易等各种要素市场，努力使市场在规模、档次、水平、功能、便利程度上有较大提高，并通过活跃各种交易市场，把星罗棋布的企业联系起来、带动起来、发展起来，最终实现产业关联结构优化和产业优势互补。通过南宁市的市场体系，将全区各市县有机联结在一起。

4. 大力整顿和规范市场经济秩序。加大力度，标本兼治，切实整顿和规范市场经济秩序。（1）抓市场主体规范。清理官商、废商，严格注册登记，把好入门关。（2）抓市场运行秩序。打击假冒伪劣产品，严禁商业欺诈和地区封锁、地方保护主义以及行业垄断等行为，构建绝佳的市场信用。（3）抓规范管理。在明确权责的基础上，规范管理行为，实行管理目标责任制等，维护消费者、生产者和经营者的合法权益以及公平公正的市场秩序。

5. 充分发挥工商联和行业协会的作用。政府必须学会放权，把一些事宜交由工商联和行业协会来管理和行使，充分发挥工商联和行业协会桥梁纽带的功能和作用。通过工商联和行业协会，制定行业守则，进行规范管理，开展生产经营指导，组织联购分销，信息咨询服务，融通资金，举办产品展销会，经验介绍会，进行技术培训等。扩大人民民主，让群众自己管理自己，发展自己。

6. 加强政策的制定，严格执法。第一，加强政策的制定。抓紧制定出台优惠政策，如出台和进一步完善《南宁投资优惠政策》、《南宁市关于加快传统产业发展的若干规定》、《南宁关于加强现代服务业发展的规定》等政策，对企业税收、社会保障、外来人员的子女就学、土地和水电适用、金融信贷、工商登记等方面都要作出具体规定。在抓“好”上狠下功夫，在转变办事作风上狠下功夫，在提高行政效能上狠下功夫。第二，严格执法。严格执法和司法，打击执法过程中的违法乱纪行为，严惩司法腐败，使民营企业的市场活动权、正常经营权以及财产等各项权利得到应有的保障，使广大投资者和经营者安心、舒心、顺心，从而能不遗余力地发展自己的事业，促进共同事业的大发展。

（三）夯实教育基础，大规模培育和向外输送人才智力

发展需要资源、资金、技术、人才、环境等要素和条件的支撑。人才是关键因素，是第一资源。在经济发展中，自然资源的开发、资金的筹措、技术的创新、良好环境的营造等等，都要靠人才来实现。建设首位城市，必要组建一支高素质的人才队伍。南宁目前尚无对人才的强大吸引力，需要在千方百计创造好条件引进人才的同时，要在用好人才、培育人才上下功夫，特别要夯实教育基础，立足自身培养，从根本上解决人才问题。

1.进一步深刻认识教育。教育是素质的台阶，教育是创新的基础和源泉。今天的教育，是明天的生产力和经济发展现实。教育不仅是科技进步和创新的先行一步，更是为推进科学发展奠基铺

路、提供动力。教育是提高人的素质，造就人才的基本工程，而且是全面、协调、可持续发展的根本，是促进发展不可或缺的、最为重要而又实实在在的抓手，是我们实现既定战略目标的动力和依持所在。任何时候，教育都是发展的翅膀。

2. 重视中小学基础教育。要从中小学教育是解决好教育面向社会主义现代化建设，为社会主义现代化建设服务问题的基础的高度上来看待和搞好中小学教育。要充分认识中小学教育担负着提高人口素质，为高等教育输送德育、智育、体育、美育、劳动技术教育诸方面都得到发展的受教育者的重任，是推动劳动者素质提高和大量合格人才培养的基础工程。只有极为重视中小学教育，才能极大地提高南宁市民的素质，为建设南宁首位城市源源不断输送充足的初中级技术人才和高级人才预备队伍。

3. 注重搞好高等教育和职业教育，为企业提供和打造一批人才。世界进入了以现代科学为核心，大力推进知识的生产、处理、传播和应用的知识经济时代，搞好和提升高等教育和职业教育非常重要。要通过搞好和提升高等教育和职业教育，培养建设南宁首位城市的高素质、创造性人才。具体不仅是挖掘潜力，推进同南宁市区域范围内众多高等院校、职业技术学院（校）的人才培养工作和产学研工作，还要采取请进来、送出去的办法，多形式、多渠道、多层次地开展同市外、自治区外、境外、国外高等院校、职业技术学院（校）的合作与协作，培育更多的为社会所适用、成为推动发展中坚力量的人才。特别要为企业培养输送一批可塑性强、发展潜力大、创新能力强，而又富有责任心的科技和管理人才。

4. 努力提升现有人才的素质能力。现有人才是建设首位城市南宁的重要人才群体，也是未来建设的引领者，必须重视他们的示范作用和作用的发挥。要在使用好他们的同时，不断创造机会和条件，继续提高他们的素质和能力。具体做好：（1）加强与国内外高等院校的合作，有针对性地帮助企业选派人员去学习培训，有目的为企业培养紧缺人才，以提高企业管理水平，促进“产学研”结合；（2）重视运用广西区内干部教育培训，提升各级领导干部领导发展的意识和能力，提高企业经营管理者的管理水平；（3）每年选派部分机关领导干部到企业工作锻炼，在帮助企业协调各种关系的同时，丰富自己的知识，提升领导发展的自觉性和能力；（4）有计划、有针对性地选派部分年轻干部到国内外有关高等院校进修、学习，学成回来，派到企业工作锻炼，企业应当自觉配合政府做好此项工作；（5）建立南宁人才库，并积极与国内外经济发达地区的人才机构联系合作，建立人才库的互动机制，以便为企业及时提供急需的人才；（6）市、县政府领导要分工负责联系产业企业，帮助发现、培养人才和使用好人才。

（四）着力于创业创新，建设好科技、企业的孵化基地

中央要求实施扩大就业的发展战略，这是民生之本源。中华民族历来倡导和鼓励创新，强调推陈出新，革故鼎新。建设首位城市南宁，必须充分调动全体人民群众和各个方面创业创新的积极性。群众积极性调动起来了，几十家大中专院校、数十间研究机构作用发挥了，事情就好办了。

1. 组织起来和执行有关政策，激发全体市民的创业积极性。主要通过：（1）借助中央减免工商两费的机会，大力倡导和鼓励市民自主创业，自谋职业；（2）千方百计拉长产业链，让更多的大中型企业将耗能少、污染少，便于分散操作，有利取得更高经济效益的生产制造环节溢出，转移到小企业，或个体经营上；（3）重振轻工业，尤其是发展食品和农副产品加工，以小企业大产业的办法做大做强支柱产业；（4）研究制定和执行有利于振兴轻工业，拉长产业链，发展循环经

济，发展可再生资源加工制造工业的政策；（5）以积极态度应对当前国际金融危机，鼓励群众振奋精神，努力创业，发展实体经济。

2. 极大地提升高等院校自主创新能力。南宁市要主动联合、帮助高等学校加强重点学科、重点实验室、重点科研基地建设，努力构建科技自主创新平台。高等院校要积极开展多学科交叉研究，牢固树立服务经济建设观念，自觉成为南宁产业和企业自主创新的技术依托、技术源头和技术创新基地。

3. 鼓励多种形式的产学研合作。支持有条件的高等学校、科研院所与地方政府或企业联合建设研究开发院、科技研发中心、产品研发中心、博士后工作站。鼓励企业在高等学校设立实验室或研发机构，促进产学研结合点前移。

4. 加快建设技术研发成果转化基地。建设一批符合南宁产业发展需要、开放性、社会化的共性产业技术创新基地，使之成为面向企业的工程研究开发中心、人才培训中心、信息中心、产品分析检测中心。建设一批示范性大中型企业中试基地，加强企业中试基地与科研院所的紧密合作，为企业规模生产提供配套的技术工艺、装备和系列产品创新成果。

5. 加强科技服务和创新平台建设。以市场化为主要运作模式，加快科技基础条件平台建设，政府、企业、高校、科研机构、行业组织等多元投入，共同参与，建设面向社会、资源共享的创新技术平台。重点建设科研中心和公共实验室。以产业集聚基地为主要依托，建设以高新技术改造传统产业为重点的公共技术平台，提高行业技术水平和竞争力。依托现有质量检测机构，合理整合资源，建设公共检测平台，提供全方位的检测服务。依托现有科技信息情报机构、标准研究机构、高等院校和图书馆，建设专业化的科技体术馆和科技信息平台，提供科技文献、标准、情报、信息服务。依托行业协会及行业技术中心等机构，为中小企业技术创新提供支持，提高中小企业的竞争力。

6. 进一步建设好南宁市两个国家级高新技术开发区和经济技术开发区。支持、鼓励、引进和吸引高新技术产业企业进入园区发展，努力将园区建设成为南宁市科技、企业的孵化基地，为南宁市产业振兴、企业做大做强，为全区企业提供技术、管理、智力的支持。

（五）以人为本，全面发展，极大地增强城市综合经济实力

建设首位城市，是为了更能集中力量，用集群集约的办法加快推进经济社会实现又好又快发展，更好地不断满足人民群众日益增长的物质文化需要，包括生存的需要、发展的需要和享受的需要。因此，必须坚持以人为本，始终把人民群众的利益放在第一位，自觉地增强为人民服务的意识，从人民群众最现实、最关心、最直接的问题入手，把人民群众的根本利益实现好、维护好、发展好，把人民群众拥护不拥护，赞成不赞成，高兴不高兴，满意不满意，作为以科学发展观指导建设首位城市南宁的根本尺度。

1. 推进城市化与工业化互动发展。通过加快推进新型工业化，保持经济持续快速协调健康发展，创造更丰富的社会物质财富，使城市的整体综合实力不断增强，使人民群众的生活水平不断提高。坚持以工业为动力，以工业园区为载体，大力发展第二、三产业，发展高新技术产业，促进产业结构优化升级，以此构建城市化的支撑点和内在动力，推动城市化建设。

2. 大力发展县域经济，推进城乡统筹发展。建设首位城市南宁，难点在农村。形成城乡经济社会发展一体化格局，彻底打破城乡二元结构、加快农村和农业发展、促进农民增收和逐步富裕起

来，这是建设首位城市南宁的希望所在，是重要的动力之一。建设首位城市南宁，要从四个方面努力：（1）着力推进城乡发展规划一体化，通过规划引导城乡一体化发展；（2）更为重视县域基础设施建设，着力推进城乡公共服务一体化；（3）创造条件和环境，着力推进城乡劳动就业和社会保障一体化；（4）着力推进城乡社会管理一体化，壮大所辖六县县域经济，形成众星拱月之势，全面增强市域经济内循环功能。在县域经济发展上，要突出特色性，保持整体性，从调整产业结构，提高竞争力入手，以培育特色产业与调整县域经济结构相结合为主线，按照比较优势选择产业和确定布局的原则，促进各县形成基地化、规模化、专业化生产，以小产品构建大产业、大市场。具体做好：按照“一县一产、一乡(镇)一业、一村一品”的方针，依据不同的生产要素特点，走宜工则工、宜农则农、宜林则林、宜牧则牧、宜商则商之路。做到规划科学化、布局区域化、培育定向化、经营集约化、竞争市场化，致力于把资源优势转化为产业优势、产品优势和效益优势；通过引进技术和产品发展特色经济，把引进的产品和技术与当地的资源、技术和市场等要素融合，形成当地特色经济优势；进行综合改革，扩大县域经济和社会发展管理权限；推进县域综合配套改革，激活县域自我服务、自我管理、自我发展的能力。

3. 实施扩大就业的发展战略，做好社会保障工作。这是民生要旨，是构建和谐社会要点。建设首位城市南宁，需要追求“高、新、精、尖”的成功和成效，非此不能形成南宁市的辐射力、吸引力。在这同时，又要注意改进我们推进发展的组织方式、就业方式和分配方式，以协调好各个方面关系，化解社会矛盾和冲突。要从五个方面努力：（1）大力发展具有劳动密集型特点的现代轻工业，注重开发技术和发展劳动双密集产业，实现城市人口就业和农村剩余劳动力的有序转移；（2）制定和完善支持自主创业、自谋职业政策，引导、鼓励劳动者积极创业；（3）加强对劳动者就业观念教育，不断提高劳动者创业的积极性；（4）加快健全面向全体劳动者的职业教育培训制度，提高劳动者的素质，提高创业的成功率；（5）加快建立以基本养老、基本医疗、最低生活保障制度为重点的覆盖城乡居民的社会保障体系。

在科学技术进步突飞猛进、竞争日趋激烈的当今世界，建设首位城市，对于南宁市、对于广西来说，都是非常重要和必要的。任务是艰巨和困难的。需要我们进一步解放思想，努力奋斗，勇敢前进。只有这样，南宁市才能争取率先在全区实现全面建设小康社会奋斗目标，才能成为真正的龙头城市，带动全广西实现全面建设小康社会的奋斗目标，为广西发展进步，为我国发展作出应有贡献。

继续解放思想　促进经济大发展

广西壮族自治区崇左市市长　黄　克

国务院批准实施《广西北部湾经济区发展规划》，把崇左的物流和交通纳入其中，既给地处北部湾经济区和大湄公河次区域合作区等多区域合作区交会点上的崇左市带来了千载难逢的发展机遇，也给崇左市全面参与多区域开放开发带来极大的挑战。面对新形势，我们必须以继续解放思想为武器，强化发展意识，破解发展难题，抢抓发展机遇，促进崇左经济大发展。

一、树立新思维，培育支柱产业，加快发展新经济

思路决定出路，视野决定高度。要促进崇左市经济大发展必须树立新思维，用世界的眼光，抢占思想制高点，选准解放思想的角度，突破狭隘视野，构筑宽广的发展平台，迅速集聚新的产业，加快发展新的经济。

（一）用新的思维深刻认识自己。要促进经济大发展，必须树立新思维，抢占思想制高点，突破狭隘视野，强化战略和忧患意识，培养全面开放的世界眼光。首先，要树立全局意识。着眼于经济全球化发展竞争的总态势、总规律，深刻审视我市经济社会发展的外在政策、市场等环境因素和内在条件变化，深刻分析区位、资源等优势与产业布局、结构调整等存在的顽症，理清发展思路，明确发展重点；其次，要树立忧患意识和危机意识。以全面开放的世界眼光找准自己的位置，增强落后就要被淘汰的危机感和加快发展的紧迫感，解放思想，变革创新，以进取的心态、开放的视野、战略的思维谋划经济发展这篇大文章。

（二）筑新的平台加快发展自己。崇左作为北部湾经济区4＋2成员，以交通和物流为重点纳入了北部湾经济区发展规划，使崇左参与区域合作的发展地域得到了延伸和扩大，从陆地扩大到海洋，从内地向沿海延伸，实现了边与海的优势互补，更加突出崇左国门城市和南宁至新加坡经济走廊中的一个重要节点的战略地位，突出了崇左在北部湾经济区中的国际性和开放性，进一步深化了崇左的国际国内合作领域，拓展了开放合作的新空间。要充分利用这一重要新平台，立足“边”的优势，做足“边”的文章，坚持“走出去、请进来”，利用“两种资源、两个市场”，以构建“T”型经济发展格局（即以大新—龙州—凭祥—宁明533公里边境沿线为横轴的口岸经济带，以南友高速公路沿线为纵轴的交通物流经济带）为依托，以“一区两园三基地”（即建设中国—东盟凭祥边境综合保税区、中国—东盟凭祥物流园和崇左国际物流园以及蔗糖业基地、以锰铝等加工为重点的有色金属产业基地、边关旅游文化产业基地）建设为重点，以六大农业支柱产业（粮食、甘蔗、畜牧水产、剑麻、林果、瓜菜）和六大工业产业（蔗糖、矿业、建材、剑麻、林果加工和民营企业）为支撑，深化改革创新，扩大开放合作，优化经济结构，提高经济质量，推动全市经济社会又好又快发展。

（三）抓新的项目迅速壮大自己。面对新形势、新任务，要研究新对策，采取新举措，创造新经济。要在确保粮食安全和巩固发展糖业、锰等支柱产业的基础上，多研究新对策，采取新办法，创造新产业，推动新发展。要树立加快开发意识，立足矿产、口岸和旅游等资源优势，以资源规划项目，以项目引企业，以企业带产业，重点谋划和推进一批重大项目，以点带面把各种资源优势转化为产业优势、经济优势、市场竞争优势，着力培育新的经济增长点。一是大力发展矿业生产。充分发挥矿产资源优势，结合实际，加强勘察，科学规划，加大招商引资力度，使矿产资源开发利用更趋于科学合理化，促进资源优势向经济优势转变。在抓好锰矿开发的基础上，重点搞好铝土矿和膨润土矿的勘察开发工作。要紧紧抓住崇左新探明1.39亿吨优质铝土矿的有利时机，加速推进勘探开发力度，利用沿海大石化和崇左铝产业，发展以塑钢型材、铝塑管材为主要产品的铝塑材加工业，为沿海开发提供优质铝材；崇左是全国最大膨润土矿区，沿海油脂工业、石油工业和钢铁工业发展为大规模工业开采和深度利用膨润土提供了广阔的市场空间，要积极关注关联产业的发展动向，认真抓好膨润土资源的开发利用工作，推动崇左企业主动寻求配套合作开发，与沿海油脂石化工业实现对接。二是大力发展口岸经济。崇左市新的发展优势在口岸。要以凭祥市为龙头做好口岸经济发展规划，以打造中国—东盟最便捷的陆路大通道为目标加强口岸基础设施建设，以中国—东盟凭祥边境综合保税区为引擎发展壮大口岸特色产业，以“两种资源、两个市场”为载体加强口岸区域经济合作，构筑进出口加工园区平台，促进物流现代化，实现过境贸易转变为加工贸易，提高口岸对边境地区经济发展的贡献率，把崇左口岸区域建设成为中国—东盟最繁荣的陆路口岸经济带，以口岸经济大发展带动全市经济大繁荣。三是大力发展旅游产业。创新旅游管理体制，整合旅游资源，完善基础设施建设，培育建设“五大景区”（左江旅游大景区、德天跨国瀑布大景区、凭祥友谊关历史人文景观大景区、边关红色旅游大景区、崇左中心城市旅游大景区），构建“边关文化旅游基地”，提升边关旅游知名度，使旅游业逐步成为重要的支柱产业。当前重点要整合左江流域旅游资源，把握左江水面观光游览和两岸开发这一重点，推出左江两岸旅游文化内涵的亮点，加快左江旅游开发，全力打造广西“北有漓江，南有左江”旅游文化品牌。

二、摒弃旧观念，提高服务能力，努力营造新环境

（一）扫除畏难怕苦思想，营造大干快上、加快发展的良好氛围。“实干兴邦，空谈误国”，必须坚定意志，准确认识我市的区位优势、资源优势和后发优势，在克服困难中抓住机遇，在迎接挑战中张扬优势，敢闯敢冒、敢为人先，知难而进，迎难而上，营造大干快上、加快发展氛围。坚持好字优先、努力提高质量效益，发展速度能快就不要慢，能发展多快就发展多快，促进全市经济社会跨越式发展。

（二）清除招商引资障碍，创造公平公开、高效务实的投资环境。一是制定落实优惠政策，增强招商引资吸引力。要进一步用足用好用活西部大开发、边境地区、少数民族地区的优惠政策，让优惠政策成为发展经济的强力杠杆，通过政策、法规、财税制度提供对企业经营的优惠条件，吸引外资，激活内资，内联外引，使得经营企业进得来、留得住、发展快，通过各类企业的发展带动全市经济大发展。二是强化园区基础建设，打造招商引资洼地。工业园区是加速产业集聚、培育产业集群的主要载体，有利于优化资源配置、共享基础设施、集中治理污染、集约利用土地。要探索多元化投资手段，建立和完善投入机制，抓好园区基础设施建设，发挥基础设施的先导效应，增强吸

引力和凝聚力，筑巢引凤，使工业园成为招商引资洼地。三是提高行政服务效率，营造招商引资软环境。深化行政管理体制改革，进一步完善体制机制，推进国有企业改革，深化财税、金融、投资体制改革。简化行政审批程序，全面实行“一条龙、一站式”服务，开展“马上办、主动办、上门办、透明办”活动，更好地为企业、基层和群众服务，提高部门和干部抓落实能力。严格执行首问责任制、限时办结制和责任追究制，形成高效畅通的招商项目引进、审批、服务综合体系，提高办事效率，加快项目的落实和推进。全面落实优化投资环境的各项规定和招商引资有关政策，认真清理，规范收费标准和收费行为。建立外来投资投诉共管机制，坚决制止扰乱经济秩序的违法行为。

（三）解除僵化思维定式，破解投资融资的瓶颈问题。要用多种办法来保证项目用地，打造基础设施建设平台和投资建设融资平台，开辟多融资渠道，破解融资瓶颈。要善于依托项目资源，打造融资平台，运用资产置换、经营权转让等市场化运作方式，实现开发资源、集聚资金、盘活存量、扩大总量的目的，不断探索重大项目融资的新路子。要协调好政、银、企各方面的关系，帮助银行有效防范金融风险，为企业、银行牵线搭桥；要进一步开放投资领域，加大市场融资力度，激活民间资本，积极引导社会各类资金、国内外投资者以独资、合资合作等多种方式参与重大项目建设，不断拓宽投融资渠道。

以思想大解放推动海口大发展

海南省海口市市长　徐唐先

一、充分认识继续解放思想的重要性和紧迫性

以进一步解放思想引领改革的新突破、发展的新跨越，已成为当前全国各地贯彻落实科学发展观、抢夺发展新机遇的鼎力行动。作为特区省会城市的海口，如何继续在新一轮的解放思想中用新的思想、新的改革开放、新的发展表现诠释经济特区新的使命，在改革开放和实践科学发展观中担当排头兵的作用，这是考验我们是否有闯关破局的胆识与智慧。

纵观全国大势，竞相发展一浪高过一浪。以长三角、珠三角、京津唐地区为第一集团的沿海沿江发达地区，正大踏步乘势而上。中部地区正以只争朝夕的精神奋力追赶迅速发展，力图实现中部崛起。西部地区正在利用国家倾斜政策千方百计加快发展，全面实施西部大开发战略。上海提出，要不背过去成绩的包袱，跳出上海看上海。树立世界眼光、增强大局意识，不能小富即安；天津提出，创新才能发展，守旧没有出路，不进则退，小进则退；重庆提出，要解放思想、扩大开放，把“314”总体部署落到实处；湖南提出，要以更大的“容量”、“气量”和“度量”来扩大开放；山西提出，思想解放的空间决定发展的空间；四川提出，努力建设辐射西部、面向全国、融入世界的西部经济发展高地；广东提出，不能捧着“总量第一”的金字招牌，要向“对手”学习，向“追兵”学习，还查找出“五条差距”。反观海口，建省办特区20年来虽然有了很大的发展，特别是进入“十一五”以来发展速度加快，综合经济实力有了明显提高。但从整体上看，欠发达地区的局面仍未改变。主要经济发展指标在全国35个大中城市中排名大都靠后，而且有些指标的差距还有不断扩大的趋势。实践告诉我们，海口工作中存在的问题，深层次的是思想解放不够的问题；海口与其他地区的差距，从根本上看还是思想解放不够的差距。

与全国先进地区相比海口明显落后，与全省其他市县比也不容乐观。作为省会城市的海口，目前在全省的份额却在逐步减少，主要经济指标的排名也在下滑。很显然，这与海口作为中心城市的地位不相称，与省委、省政府对海口的要求还存在差距。省委、省政府提出海口要在加快经济结构战略性调整、做大经济总量和提升经济发展质量，在搞好城市规划和建设、完善中心城市功能，在深化改革、扩大开放，在推进社会主义新农村建设，在发展社会事业、促进社会全面进步等五个方面继续走在全省前列，这迫切需要我们在继续解放思想上迈出更大的步伐，在全省勇当快速发展、深化改革的排头兵。

往深处看，海口还面临着一系列深层次矛盾和问题。比如，城乡之间发展不平衡、不协调的问题仍然比较突出，农村远远落后于城市，收入水平有较大差距，城镇居民收入是农民的2.68倍。农村基础设施投入不足，安全饮水、行路难等问题还没有彻底解决。农村的教育、医疗、卫生、文化等公共服务严重滞后。又如，产业升级还不够快，在三次产业中，农业现代化的任务还相当繁重，

特色工业体系还没有完全建立，产业链延伸还不够充分，过分倚重少数大企业，一有风吹草动就会导致工业的下滑和影响经济的增长，现代服务业的开放水平还不够，还没有真正形成服务全省的现代服务业体系。再比如，体制机制不活，行政管理体制改革滞后特别是政府职能转变、提高执行力的任务相当艰巨，要素改革滞后特别是资本市场发育不快，经济外向度还不高，对外经济对经济增长的拉动还不明显。同时，海口面临的资源环境约束问题日益突出，转变经济增长方式，节约资源能源，有效利用土地，高标准保护生态环境的压力持续增大；促进民生社会事业发展的任务还相当艰巨，特别是住房、医疗、教育等人民群众关心的热点问题还有待进一步解决。要破解这些发展难题，必须要有新思路、新举措，这就首先需要我们继续解放思想，突破影响科学发展的思想观念、思维定式和体制机制障碍，用科学发展的新理念分析问题，寻找对策。

二、继续解放思想要在重点领域、关键环节取得新突破

抓住重点，在更高层次、更深程度、更广范围上继续解放思想，准确把握市情，探寻发展规律，找出影响发展的主要矛盾，突破发展瓶颈，增强解放思想的针对性，在坚持改革开放、推动科学发展、促进社会和谐上取得新的成效。海口将以此启动新一轮的思想解放。

第一，在推动加快发展上继续解放思想。加快发展是海口当前最硬的道理、最紧迫的任务。在产业发展上，要充分利用省会城市综合优势，高起点调整产业结构，打破条条框框，抓紧制定有针对性的产业扶持政策，招商引资的鼓励政策，增强政策的协调性。特别是积极应对全球金融危机的影响，针对大项目建设、房地产市场、旅游市场、农产品市场、资源加工型企业出台实施一批优惠政策和扶持措施；针对承接产业转移、吸引高科技产业、招商引资等重点领域，出台一批扶持优惠政策；针对中小企业发展、农民增产增收创业致富的关键环节，出台一批扶持和优惠政策，努力形成发展新的政策优势。

在放大园区聚集和辐射作用上，进一步理顺园区的体制机制，加大园区基础设施的投入，提高园区的项目承载力和产业支撑力。在投资规模上，要以重大项目带动产业升级，特别是集中优势资源，培育高科技支撑带动力强的产业集群，加快港口建设步伐，带动物流和旅游业的快速发展。在打造投资环境上，要紧紧抓住行政效能这个关键，加快构建服务型政府，缩短审批时间，提高办事效率，降低企业运行成本，促进项目尽快尽早落户投产。

第二，在建设最精最美的省会城市上继续解放思想。建设全国最精最美的省会城市，是省委对海口的新要求，是年轻省会城市的必然选择，是建设国际旅游岛的客观需要，我们完全有理由、有条件把海口建设得最精最美。但目前海口离最精最美还有较大差距，城市的规划、建设和管理还存在着许多问题，特别是在城市管理上还没有实施精细化管理，这影响了海口的城市档次和城市品质的提升。如，还存在卫生状况不好、背街小巷脏乱差、占道经营、交通堵塞等问题。要缩短这些差距，解决这些问题，必须解放思想，在新区开发和旧城改造中，以国际理念、国际视野、国际标准谋划城市发展，认真借鉴先进城市经验，创新管理理念、创新管理模式、创新管理手段，有系统地、有针对地采取对策措施，加快建设最精最美城市。

第三，在推进改革创新上继续解放思想。体制改革是推动发展的一种成本最低、动力最足、效果最好的办法。过去我们实现快速发展是靠改革，现在推动科学发展更要靠改革。今后一段时期，海口在深化体制改革上，要坚持宏观改革与微观改革相结合、经济改革与社会改革相结合、政府推

动改革与引导群众创新相结合、改革发展稳定相结合，继续破除制约科学发展的旧观念、旧体制，紧紧围绕服务型政府的建设、推动城乡一体化、切实改善民生、加强社会建设等深化各项改革，加快建立促进科学发展的新体制、新机制。

第四，在深化开放合作上继续解放思想。经济全球化和区域经济一体化已不可阻挡地成为当今世界的潮流，我们必须顺应这种潮流，全方位扩大开放，不断拓展对外开放的广度和深度，在深化开放合作上取得新突破。首先是要增强省会城市意识，强化与周边市县在基础设施、产业配套、公共服务、旅游合作等方面的优势互补，使海口真正成为带动琼北发展的增长极。其次是加强对外交流和经贸合作，力争在中国东盟自由贸易区、9+2泛珠三角区域、环北部湾等区域合作中谋得更大的份额。

第五，在切实改善民生上继续解放思想。目前，海口正处于“黄金发展期”与“矛盾凸显期”并存的时期，机遇与挑战同在，动力和压力共生。我们必须在以人为本，改善民生的问题上大胆解放思想，多想办法、多出实招、多出成效。把加快发展、增加物质财富、推动GDP增长的落脚点放在改善民生上，顺应人民群众的愿望和诉求，着眼于提高群众生活质量和幸福感，在就业促进、教育公平、社会保障、全民健康、文体普及、惠民安居、农村公用设施、人居环境和公共安全工程等九大民生方面多出台一些利民惠民的政策措施，不断扩大利民惠民的政策覆盖范围，增强发展成果的普惠性，努力让全市人民在共建和谐社会中共享发展成果。

第六，在加快建设服务型政府上继续解放思想。建设服务型政府必须切实转变施政理念、行政职能和运作方式，明确政府职责，摆正政府位置，切实履行好经济调节、市场监管、社会管理和公共服务职能。为此，要大力推行政务公开，加强行政效能建设，严格按照法定权限和程序履行职责，强化政府责任，建立落实科学发展观的评价指标体系，制定完善领导干部政绩考核评价办法，确保科学发展观真正落到实处。

在建设服务型政府上，尤其是要把解放思想和依法行政结合起来。解放思想需要我们不断冲破条条框框和现行体制机制方面的束缚障碍，建设服务型政府首先要依法行政，按章办事，必须处理好特事特办和依法行政的关系，把握好分寸，既要使工作的运行机制和运行方式更能符合实际、更能促进工作，又要与现行的体制机制和各种规定都有明文规定相符合。

促进城乡比较充分就业是政府的重要责任

四川省成都市市长　葛红林

就业是民生之本。改革开放以来，国有和集体企业由于体制机制变革等原因使大批工人下岗失业，农村因为组织生产方式变化和农业生产效率提高出现大量剩余劳动力，工业化和城市化进程的加快产生不少失地农民，农村剩余劳动力不断涌入城市，高等院校扩招后又使不少大学毕业生面临就业困难，社会就业压力愈来愈大，就业供需矛盾更加突出。解决就业与失业的矛盾已成为当前就业工作的重中之重。成都是国家人力资源和社会保障部确定的全国统筹城乡就业试点城市。近年来，成都市委、市政府全面贯彻落实科学发展观，深入实施城乡统筹、“四位一体”科学发展总体战略，努力探索统筹城乡比较充分就业路子，把扩大就业放在经济社会发展的突出位置，作为改善民生的重要内容，科学制定就业目标，强化就业政策支撑，创新就业服务机制，城乡就业工作取得明显成效。

一、制定就业发展目标

“社会就业比较充分”是构建社会主义和谐社会的九大目标和主要任务之一。我们运用政府调控这只有形的“手”，通过科学制定就业发展目标推动城乡比较充分就业。

1. 明确阶段目标

坚持把促进就业纳入城乡统筹、“四位一体”科学发展总体战略和经济社会发展总体规划。在较好解决城镇就业和再就业问题的同时，着力打破城乡二元结构，拓宽城乡就业渠道，更加关注农村劳动力转移就业问题。2005年，率先提出到2008年实现全市城乡比较充分就业，建成城乡就业比较充分城市的目标。把实现城乡比较充分就业总体目标分成两个阶段：第一阶段是2006年至2008年，为初步实现城乡统筹比较充分就业目标阶段；第二阶段是2008年到2010年，为城乡统筹比较充分就业目标巩固和完善阶段。

2. 明确量化指标

结合成都经济社会发展实际，提出统筹城乡比较充分就业目标三个量化指标：一是全市城镇登记失业率控制在4%以下；二是全市有就业能力和就业要求的失业人员再就业率达到92%以上，其中就业困难人员再就业率达到80%以上；三是全市农村富余劳动力和失地农民每年向非农产业转移就业不低于8万人。根据成都区（市）县经济社会发展水平的差异，制定不同的工作进度安排。2006年，中心城区建成“比较充分就业区”，90%以上社区建成“充分就业社区”；2007年，近郊区建成“比较充分就业区县”，90%以上社区建成“充分就业社区”，70%以上农村富余劳动力向非农产业转移就业；2008年，远郊区80%以上社区建成“充分就业社区”，60%以上农村富余劳动力向非农产业转移就业。

3. 明确主要任务

实现城乡比较充分就业目标必须坚持就业的可持续方向，明确新的历史时期就业工作的主要任务。一是开发就业。突出产业发展，开发就业岗位，鼓励劳动者自主创业，创造更多就业机会。开展劳务输出，组织有就业愿望和能力的城乡劳动者到经济发达地区就业。二是平等就业。消除歧视差别，把包括外来农民工在内的农村劳动力纳入就业管理服务范围，缩小直至消除城乡劳动者差别，就业政策实现普惠共享。三是素质就业。加强职业教育尤其是职业培训工作，特别是把农民工职业技能培训纳入培训计划，全面提高城乡劳动者的就业能力和技能素质。四是稳定就业。加强法制建设和制度建设，建立长效机制，从根本上保护劳动者的权益，促进劳资关系的和谐稳定。分步骤推行农民工的社会保险项目。

二、强化就业政策支撑

促进城乡比较充分就业是政府的重要责任。成都在全面落实国务院和省委、省政府相关政策的基础上，结合经济社会发展和就业实际，出台了一系列政策推动城乡比较充分就业。

1. 优化产业结构推动就业

坚持就业为导向的经济发展方式，着力优化产业结构，实行高新技术产业与劳动密集型产业相结合、第三产业偏重的产业政策，大力发展中小企业和民营经济等就业门槛较低的经济业态，依托产业促进就业，实现经济发展与扩大就业良性互动。近年来，成都三次产业从业人员比重由2003年的44.2：25.7：30.1变成2007年的26.1：30.6：43.3，第三产业已成为吸纳城乡就业的主要产业。民营经济快速发展，从业人员达390.6万人，占全社会从业人员的70%，是推动城乡比较充分就业的重要渠道。全市二、三产业平均每年新增就业人员达14.3万人。同时，通过招商引资促进就业，要求引入企业优先解决本地人员特别是失地农民就业。

2. 加大财政投入促进就业

不断增长的公共财政投入，是城乡比较充分就业工作有效开展的必要物质保障。2003年以来，全市筹集再就业资金18.7亿元，其中各级财政投入5.6亿元，用于就业服务体系建设。目前，全市已建立公共人力资源市场21个，街道（乡镇）和社区劳动保障平台1929个。其中，市财政投资2亿多元建成的集职业介绍、技能培训、计算机信息网络于一体，面积1万多平方米的市人力资源市场，是西部最大的人力资源市场。市财政投入10多亿元建成的市职业技师学院和9所远郊技工学校，是成都职业技能培训的重要基地，每年可为各类企业培养2万名中高级技术人才。

3. 实施社保补贴稳定就业

针对各类不同人群，实行有针对性的社保补贴政策，鼓励用人单位扩大用工。对用人单位招用本市非城镇户籍从业人员，给予本地农村劳动力进城务工补贴；对社区安排的公益性岗位，给予社区公益性岗位安排就业补贴；对其他用人单位安排就业，签订1年以上劳动合同、参加社会保险并足额缴费的，给予用人单位社保补贴和岗位补贴。此外，对低保人员、残疾人、“4050”人员等城镇就业困难群体的自主创业或灵活就业，都有相应的社保补贴政策。

4. 增强金融支持服务就业

加强信用担保体系建设，鼓励和支持非公有制经济发展，市财政先后向市中小企业担保公司注入资本金6亿多元，为中小企业和民营经济发展提供融资服务，通过担保贷款，解决了相当部分自谋职业者资金困难问题。开展创建信用社区活动，建立信用社区与小额担保贷款联动机制，下岗失业人员申请小额担保贷款并与信用社区签订《借款承诺书》的，可免除反担保手续。

5. 实行税收优惠激励就业

认真贯彻国家有关促进就业的法规，全面落实就业税费优惠政策，鼓励下岗失业人员从事个体经营，从没有限额改为在限额内减免。对企业吸纳下岗失业人员实行税收优惠，并适时调整税收优惠方式，由按比例减免调整为按实际招用人数定额依次减免。同时，规定新建商贸市场要安排摊位优惠租售给下岗失业人员。

三、创新就业服务机制

就业机制建设是实现城乡比较充分就业的重要保障。近年来，成都从加强就业机制着手，不断探索创新，初步建立起统筹城乡比较充分就业服务机制，有力促进了城乡劳动者持续稳定就业。

1. 建立就业实名机制

全面推行就业实名制，按照属地化管理原则，对312万户家庭进行入户调查，建立全市城乡劳动力资源基本信息数据库，对全市628.5万名适龄劳动力的就业状况进行动态管理，把公共就业服务落实到每一位劳动者。统筹城乡适龄劳动力资源，建立健全城乡失业人员、失地农民、有转移愿望的农村富余劳动力转移到非农产业就业、农村外出务工人员电子信息档案，通过城乡劳动力就业失业“进”、“出”数据库的动态信息，及时清理隐性就业，对劳动力就业进行跟踪服务和管理。完善登记制度，建立工作台账，做到城乡劳动者情况“六个清”，实现就业管理到社区、到家庭、到个人，使隐性就业显性化。通过就业实名制建设，为全面落实灵活就业、社保补贴、小额贷款、技能培训、公益性岗位安置等各项就业扶持和优惠政策提供可靠依据。

2. 建立就业督导机制

组织广大机关干部深入各街道、乡镇、社区和农民集中居住区，分片定责入户促进就业，为就业困难人员实现再就业提供就业援助。成立市政府就业督察专员办公室，从市级各部门抽调100名局、处级干部，组成20个工作督导组，深入区（市）县指导督促城乡比较充分就业工作。2007年，市编办又下达督察专员办公室30个行政编制，建立就业督导长效机制。各区（市）县参照市政府的做法，抽调1800余名机关干部分片负责就业工作，指导创建充分就业社区，深入下岗失业人员和失地无业农民家庭，帮助其实现再就业。

3. 建立就业援助机制

实现城乡比较充分就业目标，难点是就业困难人员就业工作。只有把就业困难人员就业问题解决了，促进比较充分就业才能真正落到实处。成都市的城镇登记失业人员中，“4050”等就业困难人员占了近一半，必须采取特殊政策和特殊手段帮助其就业，这是“政府促进就业”的直接体现和必然要求。2006年，成都开通“就业援助962110”热线。依托市、县两级就业援助热线，建立市、区（市）县、街道（乡镇）、社区四级联动的再就业援助体系，重点帮助“4050”人员、“零就业家庭”、单亲家庭、残疾人、低保户以及其他就业困难人员，保证其在不挑不拣的情况下两个工作日内实现就业。截至2007年底，已成功援助3501名就业困难人员。

4. 建立就业培训机制

整合部门培训职能，建立健全统筹城乡就业培训体系，围绕项目、企业、市场和农民需求开展培训，不断增强培训的实用性、有效性和针对性。一是加强公共培训机构建设。政府择优确定培训机构后，根据培训协议及培训成果给予培训经费补贴，鼓励用人单位、具有资质的各类职业教育和培训机构积极参与职业技能培训。二是开展订单培训和定向培训。搞好引导性培训、职业技能培训和创业培训，实现就业培训一体化。同时，对被征地农民和下岗分流职工等困难群体，做到征地拆迁、企业改制与就业培训安置同步进行，强化培训实效。4年来实施农村劳动力引导性培训近130万人次。三是增强自主创业培训，引导下岗失业人员、失地农民树立正确的择业观和创业观，帮助其实现多形式就业和自主创业。四是推行劳动预备制度和职业资格证书制度。完善大中专毕业生就业指导服务制度，启动“大中专毕业生职业资格培训工程”，建立了154个青年职业见习基地。

5. 建立就业特殊机制

针对下岗失业人员、失地无业农民、农村富余劳动力、大中专毕业生和军队复员干部的不同特点，有针对性地开展特殊就业扶持，推动各类就业人群就业和再就业。对城镇下岗失业人员主要是落实好各项再就业扶持政策，积极开展再就业援助。对失地无业农民和农村富余劳动力主要是加强培训，提高其就业能力。对失业登记大学生，主要是加强职业见习基地建设，提供职业指导。对军队转业干部和复员退伍军人及时发放《再就业优惠证》，享受各项再就业优惠政策，并开设专门窗口，为军队转业干部和复员退伍军人再就业提供职业指导、职业培训、职业介绍等“一站式”服务。

6. 建立就业监察机制

市政府颁布《成都市劳动用工和社会保险管理暂行规定》，规定用人单位录用劳动者必须与其签订劳动合同，并为其办理相应社会保险。为把相关规定落到实处，在全市实施劳动保障监察网格化管理，配备专兼职劳动保障监察员，针对所有用人单位执行规定情况建立电子信息档案，对用人单位遵守劳动保障法规情况进行监控和信息采集，督促用人单位实现全员签订劳动合同、全员参加社保足额缴费、按时足额支付工资、遵守劳动保障法规，变被动监察为主动监察、有限监察为全面监察、静态监察为动态监察，形成市、区（市）县、街道三级联动执法的新格局。同时，开通农民工维权投诉举报热线，受理投诉结案率达95%以上。

“5·12”汶川特大地震发生后，成都的都江堰、彭州、崇州等地遭受了重大损失，就业工作面临巨大挑战。灾情发生后，各地立即启动就业援助，帮助受灾群众尽快实现就业，恢复正常生产生活。在灾区设立就业援助点，主动到灾区安置点上门登记服务，免费开展技能培训和劳务输出，开发公益性岗位，举行“献爱心，送岗位”援助受灾群众现场招聘会，在较短时间内为灾区群众开发就业岗位15.6万个，同时承诺对岗位不挑不选的灾区群众当日帮助实现就业或带薪培训。目前，灾区群众实现本地就业271253人，其中，公益性岗位安置就业2522人，企业吸纳就业15316人，自谋职业和自主创业184946人，灵活就业34947人，解决零就业家庭25784人，组织劳动输出7738人。极大地支持了抗震救灾和灾后恢复重建工作。

宜宾打造长江上游川、滇、黔结合部商贸物流中心的战略构想

四川省宜宾市市长　吴光镭

宜宾地处三江交汇、三省通衢处，具备发展商贸物流中心得天独厚的天然优势。为了深入贯彻省委九届四次全会和市委三届四次全会精神，全面落实市政府工作报告做出的战略部署，顺应把握四川打造西部综合交通枢纽和建设西部商贸物流中心的战略机遇，新一届市委、市政府在工作中做出了“活商”的战略部署，明确了将宜宾打造成长江上游川、滇、黔结合部商贸物流中心的战略目标。

一、宜宾打造长江上游川、滇、黔结合部商贸物流中心的基础和条件

宜宾自古以来就是长江上游川、滇、黔结合部的物资集散地，是川南的重要通商口岸、南丝绸之路的必经要道、长江上游水系的中转枢纽码头，史载“西南半壁古戎州”，素有“填不满的叙府”之美誉。特别是改革开放以来，宜宾经济有了长足发展，完全具备打造为长江上游川、滇、黔结合部商贸物流中心的基础和条件。

（一）区位优势得天独厚

宜宾是国家南北交通干线和长江经济轴线的交会点之一，是川、滇、黔结合部和攀西六盘水地区出入长江黄金水道、成渝经济区连接南贵昆经济区走向东南亚的门户，具有交通枢纽和商贸物流中心的基础和条件。宜宾处于川、滇、黔结合部城市群的中心位置，距离自贡70公里、泸州125公里、内江102公里、乐山190公里、昭通249公里、毕节200公里，从区位上看，如果宜宾成为长江上游川、滇、黔结合部商贸物流中心可直接辐射2000多万人口，间接辐射5000多万人口。此外，在川、滇、黔结合部城市群中，只有宜宾与泸州可依托长江黄金水道，但泸州离昭通、凉山、攀枝花距离太远。综合来看，只有宜宾具备打造为长江上游川、滇、黔结合部商贸物流中心唯一的、不可替代的区位优势。

（二）资源禀赋富集配套

宜宾是国家战略资源富集区攀西—六盘水地区的重要组成部分。已探明矿产资源53种，煤炭、硫铁矿、石灰石、石英砂等储量丰富，其中煤炭储量53亿吨，可开发的水能资源716万千瓦，具有发展大型水火核电站、高载能产业的显著优势和巨大潜力。随着西部大开发向纵深推进，矿产、水能、旅游等优势资源逐步进入大规模开发期，必然产生大量物流，大量人流、资金流、信息流等也将相伴产生，这些都将成为宜宾打造为川、滇、黔结合部商贸物流中心的有力支撑。筠连煤田鲁班山南、北矿建成后，煤炭运量将激增猛涨，据测算，每天约有2400辆货车、10个火车皮在运煤，日运量在3万吨以上。

（三）经济活力持续增强

近年来，宜宾经济发展较快，经济实力不断增强，经济总量已连续多年在四川省排名第四，在川、滇、黔结合部城市群中居于首位。2007年，宜宾地区生产总值529.05亿元，地方财政一般预算收入24.92亿元，消费品零售总额176.26亿元，全年完成货运总量4224万吨、货运周转量287323万吨公里、客运总量11553万人次、客运周转量426249万人公里，全年累计银行现金收入963.75亿元、现金支出970.97亿元、货币投放7.22亿元。从经济实力、购买力以及人流、物流、资金流情况来看，宜宾完全可以打造成为川、滇、黔结合部的商贸物流中心。

（四）交通网络日臻完善

宜宾已初步建成铁路、公路、水运、航空配套完善的立体交通体系，已基本能支撑商贸物流中心的需要。高速公路直通成都、重庆，乐宜高速公路、宜水高速公路建成后，宜宾将成为四川、云南连接东南亚的重要节点。宜宾铁路运输可直通昆明、成都、重庆等大城市，内昆铁路与成渝线、南昆线相连，形成了四川经宜宾至广西最便捷的出海通道。宜宾机场有至北京、上海、广州、昆明和深圳等重要城市的多条航线。宜宾港是长江航道的起点，是国家规划的长江六大枢纽港之一，1000～5000吨级编组船队可直达上海。随着经济快速发展，宜宾现有港口的货物吞吐量大幅上升，2004年以来连续四年突破700万吨大关，其中2007年达765万吨，全市船舶运力已近10万吨。

（五）开放型经济基本形成

随着对外开放的日益扩大，宜宾经济开放度不断提高，开放型经济格局初步形成。2007年，全市共实现进出口总额6.42亿美元，其中出口实现4.18亿美元，在全省21个市州中排名第三。宜宾对外贸易依存度达到9.20%，对全市生产总值贡献率达到14.73%。目前，宜宾已经成立了成都海关驻宜办事处、四川出入境检验检疫局宜宾办事处，宜宾港安阜码头二类水运口岸已正式对外开放。引进了“世界500强”企业中的沃尔玛、拉法基等跨国公司，三峡总公司、葛洲坝集团、中电国际等国内大企业已相继进入，宜宾的知名度和商气、人气得到不断提升。

二、宜宾打造长江上游川、滇、黔结合部商贸物流中心的机遇

宜宾能不能在周边城市竞相发展的态势中抓住机遇、快速崛起，直接关系到长江上游川、滇、黔结合部商贸物流中心的目标能不能实现。当前，宜宾发展商贸物流业主要有以下大好机遇。

（一）长江经济带发展强劲

上海作为长江经济带的龙头，已经明确提出，到2010年，要把上海建设成为国际经济中心、国际金融中心、国际贸易中心、国际航运中心，龙头的腾飞必将进一步拉动包括宜宾在内的整个长江经济带新一轮快速发展。交通部长江航道局已加快了长江上游航道建设的速度，总投资超过2亿元并已开工的叙泸段航道建设工程，是目前交通部在长江上游投资规模最大的航道建设项目。工程完工后将使宜宾至重庆370公里航道全部达到3级航道标准，1000吨级船舶和3000吨级船队可以常年昼夜通航，该段水域将成为真正意义上的水上快速通道，从而为长江上游承接“珠三角”产业转移，及加强与上海、南京、武汉、重庆等长江沿岸城市产业配套和经济联动奠定坚实的基础。届时，攀西地区、川滇黔结合部、川南甚至成德绵地区的物流将通过金沙江、岷江会聚于宜宾进入长江黄金水上通道。按照四川省委、省政府的规划，四川将在攀枝花、凉山、宜宾、泸州一线建设沿江经济带，这将成为四川省四大经济板块之一。宜宾市紧紧抓住历史性机遇，正在积

极推进宜宾港建设，大力构建连通白沙—罗龙—阳春坝的沿江经济开发区，力争通过长江黄金水道更好地融入长江经济带。

（二）金沙江水电开发不断进展

随着金沙江水电开发的进展，三峡总公司已将战略重点转向金沙江下游梯级电站开发。已开工建设的装机容量分别为600万千瓦和1260万千瓦、动态投资约991亿元的向家坝、溪洛渡电站施工区，距宜宾仅分别为30公里和200公里，宜宾作为金沙江水电滚动开发的前指中心、依托城市和后勤基地，大量的商流、人流、物流、资金流、信息流等各种经济要素将空前聚集宜宾，使宜宾在区域经济中的地位得到极大提升，从而为宜宾打造成长江上游川、滇、黔结合部商贸物流中心创造了有利条件。据统计，向家坝电站总投资430亿元，建设工期5年，平均每天投资近2400万元，宜宾县作为向家坝电站建设的后勤基地，仅县城每天流动人口就达2万多人，有外地大型建筑、机械等企业20多家在县城挂牌租房办公，每年要为电站建设提供大约价值2000多万元的粮油、肉食、蔬菜、水果等。电站建设还将有力地促进宜宾成为长江上游川、滇、黔结合部区域建材中心，到2010年，全市水泥生产能力达到600万吨。特别是向家坝电站建成后新增航道300公里，宜宾以上400公里河段千吨级船队可畅通无阻。乌东德、白鹤滩电站建成后，宜宾至攀枝花之间的782公里全部通航。航道级别的提升和航运条件的改善，将进一步扩大宜宾作为川、滇、黔结合部区域性物流中心的辐射带动范围。

（三）成渝经济圈加速构建

2007年4月，川、渝两省市共同签署了《关于推进川渝合作共建成渝经济区的协议》，川、渝将加强合作，共同争取成渝经济区列为国家重点开发区，共同争取国家编制成渝经济区发展规划，共同将成渝经济区建成中国经济第四增长极。2007年6月7日，国家发展和改革委员会下发《国家发展改革委关于批准重庆市和成都市设立全国统筹城乡综合配套改革试验区的通知》，要求成都市和重庆市从实际出发，根据统筹城乡综合配套改革试验的要求，全面推进各个领域的体制改革，并在重点领域和关键环节率先突破，大胆创新，尽快形成统筹城乡发展的体制机制，促进城乡经济社会协调发展，为推动全国深化改革、实现科学发展与和谐发展，发挥示范和带动作用。成渝经济区未来的空间布局是“两圈、两群、四带”。其中“两群”中的川南城市群和“四带”中的长江上游经济带都涵盖了宜宾，成渝经济圈的加速构建为宜宾打造长江上游川、滇、黔结合部商贸物流中心提供了更多机遇。

（四）泛“珠三角”区域合作深入发展

泛“珠三角”区域合作自2004年实施以来，各省（区）经济增长呈加速之势。2007年该区域九省（区）生产总值约7.95万亿元，约增长14.3%，增速超过全国平均水平2.9个百分点。成功举办了两次泛“珠三角”区域行政首长与东盟国家商务部官员对话会，积极探索建立泛“珠三角”区域与东盟地区互利双赢的稳定合作机制。与此同时，泛“珠三角”各省（区）加快推进建设连接东盟的国际大通道，连接云南和泰国的昆曼铁路将于2008年年底通车，正重点建设从南宁经越南、老挝或柬埔寨、泰国、马来西亚到新加坡的铁路和高速公路网。此外，各省（区）还通过泛“珠三角”平台加强与欧洲、北美、非洲、中东及俄罗斯的合作，泛“珠三角”的国际影响力逐步增强。宜宾作为成渝经济区连接南贵昆经济区走向东南亚的门户，在泛“珠三角”区域合作深入发展的背景下，商贸物流战略转换要地的地位更加凸显。

（五）川南城市群加速构建

省第九次党代会报告提出建设川南经济区等“五大经济区”，省委九届四次全会进一步明确要重点发展川南等“四大城市群”，这是宜宾加快发展商贸物流产业谋划区域中心的又一机遇。宜宾、乐山、自贡、泸州、内江川南五市将融合为区域一体化的城市群，并有望成长为四川省第二大经济区，特别是宜宾和乐山经济总量会逐渐赶上绵阳和德阳。专家林凌认为，要加快发展成都、重庆两个特大城市中间地带的城市群，目前最适合成为成、渝两地能量交换的是川南城市群。省委九届四次全会提出四川将打造西部综合交通枢纽，这也为宜宾打造长江上游川、滇、黔结合部区域综合交通枢纽和商贸物流中心创造了机遇和条件。

三、宜宾打造长江上游川、滇、黔结合部商贸物流中心的战略构想

战略目标：到2010年、2015年、2020年，全市社会消费品零售总额分别达到255亿元、410亿元、1050亿元，年均增长10%以上；经营面积在1万平方米以上的购物中心或批发市场分别建成3个、5个、8个以上；年销售5亿元的流通企业分别培育3家、5家、8家以上；全市进出口总额分别达到10亿美元、20亿美元、40亿美元以上，年均增长15%。

战略步骤：第一阶段（2008–2010年）：战略启动期。完成打造长江上游川、滇、黔结合部商贸物流中心的总体规划和相关专项规划，初步形成市域内科学合理的市场体系和商业格局。第二阶段（2011–2015年）：战略攻坚期。全面实施打造长江上游川、滇、黔结合部商贸物流中心的总体规划和相关专项规划，逐步形成辐射川、滇、黔结合部区域的市场体系和物流网络。第三阶段（2016–2020年）：战略完善期。不断优化市场体系和升级物流产业，成功打造成长江上游川、滇、黔结合部商贸物流中心。

战略措施：推进大开放，搞活大流通，建设大市场，构建大物流，做好大服务。

（一）加强区域协作，推进大开放

市委、市政府坚持把开放作为战略来抓，通过实施开放战略带动经济社会全面发展。以开放的姿态、宽阔的胸怀、市场的理念、多赢的意识，积极参与和推进长江流域、金沙江流域、泛“珠三角”区域、成渝经济圈、沿江经济带、川南经济区、川滇黔结合部等多层次、多区域的合作与协作，探索建立协作各方信息沟通的平台和协商议事的机制。当前尤其要以积极的姿态牵头研究论证川、滇、黔结合部区域构建的必要性和可行性，适时发起召开川、滇、黔结合部区域三省九地行政负责人会议，在合作共赢的基础上打破行政壁垒、突破市场封锁、整合地理概念、配置优势资源，共同构建统一开放的交通网络、市场体系、物流渠道、旅游环线和产业链条，增强区域经济要素内部流动的活力和外部竞争的实力。

（二）把握时代趋势，搞活大流通

1. 提升流通业态

积极发展大型交易市场、连锁商业配送、电子商务物流，加快发展航空快递、电子商务业务，积极培育连锁经营、仓储式商场、特色商业街区和专卖店等新型流通业态。积极发展商品总代理、总经销和联营、联销等国际通用的营销方式。加快推进连锁经营由传统零售商业向餐饮、医药、美容美发、洗浴、修理、旅游、健身、书刊等服务业发展，由中心城区向县城、社区、集镇、农村发展，使连锁经营规模保持年均20%以上的增速，力争到2010年连锁经营销售占社会消费品零售总额

的20%以上。同时，鼓励大型连锁商业建设配送中心，加快全市零售商业连锁化、网络化进程。整合各种流通业资源，提高流通业服务质量，实现规模化、规范化发展。在立足市内市场资源的基础上，瞄准川、滇、黔结合部区域广阔市场，逐步向周边地区渗透、拓展流通业务。积极运用现代技术手段改造传统农贸市场，大力推进“农改超”，发展以生鲜食品为主的农产品超市。

2. 壮大流通企业

积极引进或培育一批带动力强、辐射面宽的商品流通企业。大力发展一批农工商结合、商贸结合、商商联合的跨地区、跨部门的大型企业集团。争取引进麦当劳、欧尚等国际知名企业在宜宾开店，积极推动沃尔玛购物广场、太平洋财富广场、肯德基等尽快建成营业。大力支持成商、叙府、绿源、燕君、国美、苏宁等现有商贸企业在宜宾做大做强。积极引进深圳泛华、中集物流、华宇物流等国内知名物流企业，努力培育壮大安吉物流、天畅物流等本土物流企业。逐步形成一批支撑宜宾商贸流通业快速发展的大企业集群，不断增强宜宾对川、滇、黔结合部区域的辐射和集聚能力。

3. 优化流通结构

随着国际化、区域化进程的加快，世界各国经济贸易交往与合作更加密切。因此要瞄准国际、国内两个市场，畅通流通渠道，优化流通结构，促进内贸、外贸协调发展。通过调整和优化出口商品结构，推进实施贸易多元化出口战略，积极发展出口基地和出口品牌，扩大提升海关商检的业务规模和水平，积极争取建立电子口岸和设立国家级开发区或出口加工区，不断壮大宜宾市外向型经济，增强口岸对周边地区发展外贸的吸引力和带动力。

（三）瞄准战略空间，建设大市场

1. 科学编制市场发展规划

组织力量深入开展市场基本状况调查，在摸清家底、准确把握市情的基础上，从区域协调、长远发展的大局出发，以大市场促大发展为理念，因地制宜，适度超前，高起点科学编制宜宾市场体系发展规划，同时配套完善城市商业网点规划、专业综合市场规划、特色商业街区规划和现代物流产业规划，尽快形成宜宾市商贸物流业发展开放统一的规划体系，引导和保证全市各类市场健康、有序发展。

2. 整合提升现有市场资源

整合提升现有市场资源是市场建设的首要任务，要按照城市总体规划和商业网点规划，加快改变宜宾市中心城区商业单中心的格局，尽快形成江北、南岸等组团新的商业中心，疏解老城区商业要素和人口聚集的压力。并借机重新组合散落在城区的、历史形成的各个市场，通过分类布局、集中成片整合，聚集整体优势，达到相互支撑、相互促进、共促共荣。力争在“十一五”期间将城区现有散乱的各类批发市场整合迁建到城郊结合部，形成由若干专业市场组成的市场群。

3. 引导培育现代市场体系

主动打破市场壁垒和地区封锁，以开放的姿态积极联合周边省、市加强区域合作，积极推进长江上游川、滇、黔结合部经济一体化，共同建设连通云贵川、辐射大西南的区域市场体系。一是构建现代批发体系。加快钢材、化工、纺织、汽配、工程机械等生产资料和工业品、小商品、农副产品等消费品市场建设，逐步形成以重点批发市场和地区性总代理、总经销企业为主体的商品批发格局，增强骨干批发市场对周边区域的集聚和辐射能力，把宜宾建设成区域性的商品集散中心、流通加工中心、价格形成中心和信息发布中心。二是构建物流配送体系。以骨干连锁企业为龙头，按照供应链管理的方式，建设以企业内部配送为主兼顾社会商业的工业原材料及产品、粮食及农副产品、日用消费品等区域物流配送体系。三是构建农村商业体系。大力开展“万村千乡市场工程”，力争“十一五”期间各县至少建立一个配送中心，所有乡镇和规模较大的行政村全面建设规范的日用消费品“农家店”和农业生产资料“农资店”。四是构建社区商业体系。按照便民、利民的原则，开展社区商业“双进工程”，建设一批功能配套、设施齐全的社区商业。五是发展各具特色的专业市场。结合宜宾实际，重点发展白酒展销中心、茶叶交易中心、旧货交易中心、家具展销中心、汽车4S店等较大规模的特色和专业市场。

（四）夯实基础设施，构建大物流

1. 构筑立体交通网络

积极执行省委关于打造西部综合交通枢纽的战略部署，充分发挥宜宾的地理区位优势，尽快形成“一道、两港、三铁、四路、五码头、六高速”的交通格局，加快把宜宾打造为长江上游川、滇、黔结合部的综合交通枢纽。一是坚持“以港兴市”战略，突出打造长江“黄金水道”和宜宾港。一方面，积极配合长江航道局加快推进长江叙泸段航道整治工程，尽快使宜宾—泸州—重庆航道全线达到Ⅲ级航道标准，成为四川和川、滇、黔结合部通江达海的水上运输大通道。同时，加快推进金沙江、岷江航道整治项目的争取和前期工作。另一方面，抓住省上重点推进宜宾港大吨位、集装箱码头建设的重大机遇，进一步加快以志诚作业区为中心的宜宾港码头建设，力争打造成为长江上游、四川最大的航运中心组合港。同时，配套发展以码头仓储、保税物流、出口加工、配送联运、商务贸易等为主的港口物流业，充分集聚川南和川、滇、黔结合部的物流、资金流、信息流，把宜宾港打造成为开放式综合交通枢纽。二是构建四通八达的高速公路网络。积极支持宜宾—昭通高速公路尽快竣工通车，形成与云南昭通的快速连接；推进沿金沙江流域高速公路项目运作，构建连通六盘水、攀枝花、凉山等区域的沿江经济带快速通道；加快乐宜高速公路、宜渝高速公路的建设，积极做好成贵高速公路宜宾—叙永段工作，尽快融入成渝经济圈高速公路网络；加快城市环线和市、县半小时经济圈快速通道建设，疏导和缓解城区公共交通、人货拥挤的压力，尽快建设县城、工业集中区、物流园区与市区和高速公路网络连接通道。三是打造区域性铁路运输枢纽。充分发挥内昆铁路、宜珙铁路、金筠铁路的作用，合理规划调整铁路货运场站布局，加快建立铁路快捷货运网络体系。积极助推成都—乐山—宜宾—贵阳、西昌—宜宾—遵义等铁路建设项目，协力打造四川向南通达“珠三角”地区的铁路大通道。积极争取成绵峨城际铁路快速客运专线项目向南延伸到宜宾。四是建设区域性航空港。积极做好项目前期工作，加快推进宜宾机场迁建，在完善现有航空运输综合配套功能的基础上，积极开辟新的航线航班，逐步形成宜宾与国内主要大中城市相连接的空中走廊，为周边区域提供方便快捷的航运服务。五是积极实施“大通关”工程。不断完善宜宾港、安阜码头等口岸建设，增强海关、商检等部门的配套服务功能，建立良好的外贸通关环境，积极发展临港工业和物流，全面提升宜宾对外开放水平，不断增强宜宾区域经济竞争力和外向型经济发展潜力。

2. 打造区域物流中心

完善和实施《宜宾市现代物流发展规划》，加快城北、城南、城东、江安二龙口等物流园区建设，逐步构建以现代化物流基地为核心，以综合性及专业性物流配送区为节点，以第三方物流为发展方向，以企业物流和行业物流为主体，共同打造高效的区域物流网络体系。现阶段重点发展五粮液、天原、丝丽雅等重点企业的企业物流以及川南粮食物流中心、宜宾烟草物流中心等重点行业的行业物流。根据市场需求情况，在条件成熟时发展第三方物流。同时，依托黄金水道和交通干线优势，加快发展口岸物流和产业基地型物流，着力提高集装箱运输和多种方式联运业务比重。

3. 建设电子商务平台

加快建设物流公共信息平台，重点建设物流信息管理系统、物流电子商务平台和物流配送信息系统，全面提高物流管理效率。鼓励现代流通骨干企业和龙头企业积极探索电子贸易，发展电子商务，实现无店铺销售。

（五）改善政务环境，做好大服务

1. 营造重商氛围

宜宾地处西部内陆盆周山区，历来受农耕文化和僰苗文化影响较深，重农抑商的传统意识根深蒂固。要充分挖掘和宣扬“筠连人在柯桥”的崇商文化和创业精神，在全市努力营造重商、亲商、厚商、安商以及全民创业的社会环境和舆论氛围。各级领导干部要牢固树立“商贸活市”的发展观念，及时发现和解决流通业发展中的困难和问题，组织力量对流通业发展情况进行督促检查，以创新的理念、务实的作风，按照现代化目标和“推进大开放，搞活大流通，建设大市场，构建大物流”的要求，扎扎实实地推进宜宾市现代商贸物流业发展，努力实现建设长江上游川、滇、黔结合部商贸物流中心的战略目标。

2. 完善政策体系

根据国务院《关于促进流通业发展的若干意见》及四川省的有关精神，结合宜宾实际及时制定出台《关于促进宜宾商贸物流业发展的意见》，对宜宾市如何优化商贸流通业结构和业态、加快市场体系和基础设施建设、加大扶持商贸物流骨干企业等方面做出具体的政策性规定，从产业引导、证照办理、税费减免、财政扶持、信贷融资以及行政监管等方面为商贸物流企业提供有力的政策和服务支持。财政、国税、地税、工商、质监、卫生、电力等部门结合自身实际配套制定具体的执行方案和实施意见。认真落实国务院、省政府、市政府关于促进商贸物流业发展、促进连锁经营发展、促进西部大开发及“万村千乡”、“双百”、“双进”市场工程等相关政策性规定。

3. 健全激励机制

整合所有支持商贸物流业发展的财政引导和激励政策，在财政预算中专项安排促进商贸物流业发展资金，进一步增强和加大全市发展商贸物流业的工作力度。在全市范围广泛、深入开展“十大流通企业”、“十大物流企业”、“十大外贸企业”、“十大批发市场”、“十大专业市场”、“十大农贸市场”、“十大连锁店或超市”、“十大创业明星”、“十大外出务工人员”评比活动和表彰奖励。积极鼓励商贸物流企业做强、做大，并通过连锁经营方式向周边拓展市场。

4. 营造政务环境

加强机关行政效能建设，创造规范、高效、诚信、开放的政务环境和创业环境。进一步转变政府职能，减少行政审批项目，简化行政审批程序，提高行政审批效率，加强综合监管，保护公平竞争，保障企业、消费者的合法权益。坚决取消不利于促进商贸物流业发展的歧视性政策，严格规范收费和税收征管，杜绝乱摊派、乱罚款及部门间重复检查和重复收费，切实为商贸物流业发展创造良好的社会环境。大力实施“人才强商”工程，加大商贸物流人才培养引进力度，为商贸物流业的发展提供强有力的智力支持和人才保障。

做好就业再就业工作

西藏自治区拉萨市市长　多吉次珠

我们召开全市就业再就业工作会议，主要任务是认真贯彻落实党中央、国务院和自治区党委、政府关于促进就业的一系列方针政策，深入分析我市当前就业再就业工作面临的严峻形势，研究部署今后一个时期的就业再就业工作。

一、统一思想，提高认识，进一步增强做好就业再就业工作的紧迫感和责任感

就业再就业工作是一件关乎国运、涉及民生和关系拉萨经济社会发展和局势稳定全局的大事。做好就业再就业工作，不仅是重大的社会问题，也是重大的民生问题。市委、市政府历来高度重视就业再就业工作，始终把就业再就业工作作为全市各项工作的重中之重，从推进社会局势长治久安、经济社会跨越式发展和人民群众安居乐业的战略高度，科学规划，明确要求，狠抓落实，从制定政策、落实资金、加强组织协调等方面积极支持相关职能部门做好就业再就业工作，取得了明显成效，城镇登记失业率始终控制在4.3%以内，较好地实现了保增长、保民生、保稳定的目标。

客观地说，我市就业空间还是比较大的，但是由于就业观念落后、就业技能缺乏、组织化程度较低、培训力度不够，劳动者不想干、不能干、干不好的问题比较突出。同时，随着席卷全球的国际金融危机的冲击，随着我市国有企业改革、农牧区产业结构调整力度的进一步加大、高校毕业生分配制度改革工作的逐步深入、城市化进程的逐步推进，劳动者充分就业需求与劳动力总量较大的矛盾将长期存在，农牧区富余劳动力、失地农牧民、高校毕业生就业再就业问题相互交织，就业形势较为严峻。2008年，我市农牧区富余劳动力达到4.5万人，各县（区）失地农牧民达到9557人，特别是城关区和堆龙德庆县尤为突出，两县（区）失地农牧民达到8172人，占全市失地农牧民总数的85%以上，全市累计未就业高校毕业生达到500多人，2009年又将新增高校毕业生4118人，占全区的31.5%。每年不断增加的城镇失业人员、失地农牧民和农牧区富余劳动力中，大多数文化水平偏低、职业技能缺乏、就业观念陈旧、自谋职业和自主创业竞争能力不强；高校毕业生逐年增加，许多高校毕业生家长和毕业生自身的就业观念存在误区，上了大学就等于“跃过龙门”的单向思维仍然根深蒂固，抱读书走仕途观念的人不在少数，实际经验欠缺、就业期望值过高等也是他们自主择业的短板；我市劳动力市场发育不够成熟，就业再就业工作机制尚不健全，社会保障体系尚待进一步完善，用工单位对劳动者的侵权行为时有发生；“3·14”事件的影响在一定程度上阻碍了我市第三产业的迅猛发展，降低了对劳动力的需求；培训工作跟不上就业形势的需要，尤其是有针对性的培训有待进一步加强。以上这些问题，都成为制约我市就业再就业工作顺利推进的瓶颈因素。

温家宝总理非常重视就业再就业工作，并提出三条具体明确的要求：一是进一步提高认识，切实加强领导，把就业再就业工作放在经济社会发展的突出位置；二是加快发展，推进改革，实施积

极的就业政策，特别是要重视发展能够广纳就业的劳动密集型产业和个体、民营等非公有制经济；三是继续认真落实党中央、国务院制定的各项再就业扶持政策，努力帮助下岗失业人员实现再就业，让更多的人找到岗位，改善生活。党中央、国务院之所以把就业再就业工作提到这样的高度和层次，主要是由我国的基本国情和经济社会发展所处的特定历史时期决定的。我国人口多、劳动力富足，社会又处于经济转型的特殊时期，旧体制的影响尚未彻底消除，新的市场经济体制又没有完全成熟发育，因体制转轨引起企业组织制度变革所形成的就业矛盾非常突出，很多失业人员，还不能适应劳动者自主择业、市场调节就业和政府促进就业的新制度，再加上新增就业需求和就业供给数量、结构之间的双重矛盾，给社会稳定带来了很大隐患，给经济发展也带来了一定影响。因此，在目前社会保障体系不健全、国际金融危机尚未见底的情况下，由政府大力促进和推动的就业再就业工程就成为分流安置下岗、解决富余职工和失业人员再就业，解除职工后顾之忧的最现实选择。做好就业再就业工作不仅是现实的紧迫问题，而且是长远的战略问题，是当前关系改革、发展、稳定的头等大事。自治区主席向巴平措同志曾经指出：群众利益无小事，就业再就业工作对群众来说是天大的事，对政府来说是职责所在。做好就业再就业工作是坚持立党为公、执政为民的实际行动，是贯彻落实科学发展观的具体体现，是当前改进机关作风和提高行政效能建设的重要内容，更是将改革发展成果惠及广大人民群众的具体举措。全市各级各部门务必要从讲政治、讲大局的高度，充分认识做好就业再就业工作的重要性、必要性和长期性，切实增强做好就业再就业工作的紧迫感和责任感，把做好就业再就业工作作为深入贯彻落实科学发展观，实现好、维护好、发展好最广大人民群众根本利益的具体行动，认真抓好落实。

二、找准差距，总结经验，努力探索符合拉萨特点的就业再就业工作新路子

我市就业形势严峻的现状还会延续较长时间，这是人口、资源和产业结构调整等矛盾在就业再就业领域的综合反映，也是劳动者就业观念陈旧、素质不高的综合反映。既是摆在我们面前一项亟待解决的现实问题，也是摆在我们面前的一项长远任务。各级政府和相关职能部门必须做好打硬仗的思想准备，按照“以人为本、用好政策、抓住重点、统筹兼顾”的要求，将就业再就业工作与深化改革、调整结构、促进发展有机结合起来，纳入全市经济社会发展的全局，通盘考虑，统筹安排，有力地促进就业再就业工作。

（一）推动经济发展，创造就业岗位，实现发展经济与扩大就业的良性互动。解决就业问题，关键在于开发就业岗位，创造就业机会。既要通过发展经济来扩大就业，又要通过扩大就业来促进经济发展，努力实现发展经济与扩大就业良性互动。要按照区党委提出的“一产上水平、二产抓重点、三产大发展”的经济发展战略，充分发挥我市作为自治区政治、经济、文化中心的区位优势，大力发展劳动密集型产业，科学合理地开发旅游资源，积极培育以旅游业为龙头的商贸业、餐饮业和民族手工业等岗位增长型行业，做大做强优势产业，不断开辟新的就业途径。各县（区）要立足本地实际，积极发展县域经济，加快小城镇建设，大力发展具有地方特色的民族工业和特色产业，就近就地消化农牧区富余劳动力，减轻城市就业压力，统筹城乡就业。

充分挖掘社区就业潜力。目前，我市社区就业工作还比较薄弱，社区就业发展空间很大。要以社区为依托，积极发展社区服务业，大力开发社区治安、流动人口服务、市场管理、环境维护、卫生监督、车辆看管、物业管理、快递服务、家政服务、文化娱乐、劳动保障等就业平台，大力促进

社区就业，最大限度地吸纳城镇居民就业，促进就业再就业工作与社区建设协调发展。

继续深化经济体制改革，优化招商引资环境。通过多种优惠政策措施筑巢引凤，招商引资，积极扶持非公有制经济实体，培育新的经济增长点，拓宽就业渠道，增加就业岗位。同时，我们要因势利导，积极引导企业改变用人用工观念，积极吸纳就业，为拉萨的就业再就业分忧解难，使他们在参与经济建设的同时，为建设小康、平安、和谐、生态拉萨作出积极的贡献。

（二）加强职业技能培训，增强劳动者市场就业竞争能力。劳动者是就业再就业的主体。要实现劳动者自主择业，必须把提高劳动者素质与扩大就业紧密结合起来，提高劳动者科学文化素质和职业技能。由于诸多因素的影响和制约，我市劳动者劳动技能素质普遍偏低，主要从事技术含量不高的体力劳动，在劳动力资源相对过剩的情况下，缺乏参与市场就业竞争的能力。近年来，市委、市政府对农牧区富余劳动力转移的技能培训工作非常重视，成立了由市委分管副书记和分管副市长挂帅的专门工作领导小组进行指导，并确保了培训资金及时到位。2008年，全市共培训农牧民25740人，其中市直单位培训农牧民7240人，县（区）培训农牧民18500人，转移培训的就业率比较高，取得了明显成效。下一步，要进一步整合培训资源，按照“面向市场，服务就业，整合资源，强化培训”的工作思路，打破条块分割，建立各具特色的培训基地。要结合实际，探索培训促进就业，就业拉动培训的有效办法。坚决杜绝培训流于形式、培训与就业脱钩、一训了之等不良现象，进一步增强职业技能培训的针对性。要把培训就业率的高低作为衡量培训质量好坏的标准，真正把培训作为促进就业的有效手段。建立科学合理的培训质量考核体系，鼓励有实力的职业技能培训机构积极参与到培训工作中来。要扩大培训覆盖范围，尽量把城镇失业人员、失地农牧民和高校毕业生以及企业在岗职工纳入培训范围，培养一批知识技能型人才，积极有效地改变我市知识技能型劳动力资源短缺的现状。

（三）以贯彻落实就业再就业优惠政策为主线，建立健全就业援助长效机制，统筹兼顾做好就业再就业工作。为切实做好就业再就业工作，从中央到地方都制定出台了关于大龄城镇失业人员、高校毕业生、农牧民工就业再就业的优惠政策措施。各职能部门要学透政策、用活政策、落实好政策，结合拉萨实际，对中央和自治区出台的各项政策再细化、具体化，放宽政策优惠范围，增强政策的可操作性。市县两级财政要从本地实际需要出发，加大财政对就业再就业工作的支持力度，确保列入财政预算的就业再就业资金按时足额到位，形成就业再就业资金的制度性安排。同时要加强就业再就业资金管理，切实做到专款专用，提高专项资金的使用效益。力争在落实小额担保贷款、税费减免等扶持政策上有大的突破。我市在落实小额担保贷款政策和税费减免政策上启动晚，规模小，政策促进效应不明显，银行等金融部门要进一步简化放贷程序，降低门槛，搞好放贷服务，尽快开展业务，改变目前的被动局面。税务部门要将税费减免政策落实到实际工作中，使就业困难对象真正感受到党和政府的温暖，使政策效应得到尽快释放和充分发挥。最近，自治区财政厅、国税局已下发通知，把已到期的就业再就业优惠政策延长到2009年12月31日，各相关部门要抓住机遇，用好机遇，全力落实好优惠政策，大力促进就业再就业工作。拉萨晚报、市电视台要广泛深入地宣传就业再就业政策，让就业者和企事业单位了解、掌握相关政策，对自主创业的优秀个人和吸纳当地劳动力较多的企事业单位，要大张旗鼓地宣传，积极营造良好的就业再就业工作氛围。

要将“零就业家庭”、“3545”人员、失地农牧民和困难家庭的高校毕业生作为就业困难对象进行重点帮扶，在政策咨询、职业指导、就业信息、技能培训和社会保险关系接续、生活保障等方面给予全方位援助，在政府出资购买的公益性岗位中优先考虑予以安排。

以劳务输出为手段，狠抓农牧区富余劳动力转移就业工作，提高劳务输出的组织化程度。劳务输出是发展地方经济、增加农牧民现金收入、解决就业、改善人民生活的重要途径。目前，我市劳务输出规模小，基地少，缺乏叫得响的劳务输出品牌。2009年要结合拉萨实际，研究培育劳务输出品牌，积极拓展区内区外两个劳务市场，加强对输出人员的技能培训，变简单体能型输出为技能型输出，由零散式输出向规模化输出发展。做好农牧区劳动力就业信息的采集和发布工作，搞好劳务输出地和输入地的协调对接，做好劳务输出指导和服务，提供必要的法律援助。增加用工单位的信任度，减少农牧区富余劳动力的无序流动。

（四）进一步完善就业服务体系，提高公共就业服务质量。要不断健全和完善劳动力市场体系，按照“科学化、规范化、现代化、专业化”的要求，加强劳动力市场基础设施建设，建立统一、开放、公平、诚信的劳动力市场体系，逐步实现市场化就业和网络化服务管理。建立劳动监察、仲裁、信访三位一体维权机制，提高劳动合同签订率，切实维护广大劳动者的合法权益。加强就业基础工作的管理。通过深入细致的工作，全面掌握城镇“零就业家庭”、城镇下岗失业人员、失地农牧民、农牧区富余劳动力、高校毕业生这五类人员的基本情况，实行实名制管理，搞好就业和失业登记，做到情况明、底数清。建立社区劳动保障平台，并逐步向乡（镇）延伸，完善就业服务功能，充分发挥基层劳动保障平台在促进就业方面的重要作用。树立以人为本服务理念，切实提高服务质量，使职业介绍机构成为求职人员信得过、满意度高的服务窗口。以方便服务对象为目标，简化手续，开展求职登记、职业指导、职业介绍、招聘洽谈、培训申请、鉴定申报、劳动保障事务代理等“一站式”服务。制定服务标准，规范服务操作程序。改进服务态度和工作作风，实行“首问负责制”和适应求职人员需要的灵活服务方式。

（五）采取有效措施，扎实做好高校毕业生就业工作。我们要把高校毕业生就业工作作为各项工作的重中之重，通过开展职业技能培训和创业培训，提高高校毕业生就业竞争能力和自主创业能力。目前，通过组织人事部门安排的高校毕业生就业岗位有限，要采取有效措施，拓展就业空间，鼓励高校毕业生自谋职业和自主创业，鼓励他们到基层、企业和区外就业。及时向自谋职业、自主创业的高校毕业生和吸纳高校毕业生就业、符合条件的企业兑现各种优惠政策，为高校毕业生自谋职业和自主创业提供便利条件，增强高校毕业生自谋职业、自主创业和各类企业吸纳就业的积极性。各级人事局、劳动保障局、教体局要进一步理清影响高校毕业生就业的制度性障碍和限制，为他们提供档案管理、人事代理、社会保险办理和接续、职称评定以及权益保障等方面的服务。市财政局要根据高校毕业生就业形势和实际需要，统筹安排资金用于促进高校毕业生就业。各级劳动保障局要采取举办招聘会、设立见习基地等方式，扎实做好高校毕业生就业服务工作。其他有关部门要认真履行职责，加强协调配合，共同推动工作，千方百计促进高校毕业生就业。

三、加强领导，强化责任，全面推进就业再就业工作

做好就业再就业工作，既离不开市场配置劳动力资源的基础性作用，更需要发挥政府扶持就业、促进就业的职能作用。党中央、国务院、自治区关于做好就业再就业工作的方针政策已经确定，各项任务已经明确，关键是抓好落实。全市各级各部门要进一步提高对做好就业再就业工作重要意义的认识，按照科学发展观的要求，强化一把手负责制和部门责任制，真正把这项工作作为一

项重大的政治任务来对待。党政主要领导要亲自抓、负总责，确保工作责任到位，政策落实到位，措施实施到位。党政主要领导要经常听取劳动保障等有关部门的工作汇报，帮助解决实际困难，支持他们做好工作。要建立落实就业再就业政策的部门协调机制，加强联席会议制度。各相关部门要密切协作，相互配合，形成各尽其能的强大合力。要进一步明确部门职责，劳动保障部门要主动做好请示汇报、沟通协调工作；发改、财政、金融、税务、工商、城建、民政、教育等部门要切实履行职责。继续发挥工会、共青团、妇联等群团组织和工商联的积极作用，动员全社会都来关心和支持就业再就业工作，形成全社会齐抓共管的新格局。要建立自上而下的定期检查制度和群众自下而上的监督举报机制，对全市就业再就业工作进行督办、督促和检查评估，确保各项工作落到实处。

解决就业再就业问题，既要立足当前，明确重点，采取有效措施，集中力量打好攻坚战，又要着眼长远，积极探索符合拉萨实际的就业再就业发展新路子，打好持久战。各级各部门一定要统一思想，提高认识，将就业再就业工作作为一项雪中送炭的德政工程抓紧抓好、抓出特色、抓出成效，以实际行动谱写我市就业再就业工作的新篇章。

以城市规划为指导推动科学发展率先发展

陕西省西安市市长　陈宝根

城市总体规划是引导和调控城市建设，保护和管理城市空间资源的重要依据和手段，在指导城市有序发展、提高建设和管理水平等方面有着重要作用。国务院批复的《西安城市总体规划（2008—2020年）》是西安城市发展、建设和管理的基本依据，对统筹城乡发展、促进社会和谐，建设"人文西安、活力西安、和谐西安"具有十分重要的意义。总体规划确定了西安"以经济发展为主线，以建设宜居城市为核心，以凸显城市特色为骨架"的发展思路，提出了"逐步把西安市建设成为经济繁荣、社会和谐、设施完善、生态良好，富有历史文化特色的现代化城市"的发展目标。未来一个时期，全市上下要严格执行城市总体规划，凝聚力量，形成合力，努力把规划的宏伟蓝图变为经济社会发展的现实，促进西安又好又快发展。

一、统筹区域发展，提升城市核心竞争力

统筹区域发展就是要根据各区域的环境承载能力，合理划分、优化开发、统筹谋划经济布局、人口分布、资源利用、环境保护和城镇化格局，逐步形成可持续发展的开发格局。实施区域统筹发展是落实科学发展观、构建和谐社会的重要内容，也是进一步提高城市核心竞争力，实现西安又好又快发展的重要举措。我们要按照第四轮城市总体规划部署，在科学发展观指导下，统筹西安区域发展，努力提升城市核心竞争力。

一是科学引导城市空间布局。在总体规划确定的10108平方千米的城市规划区域范围内，实行城乡统一规划管理。按照城乡统筹发展的要求，根据市域内不同地区的条件，有重点的发展县城和基础条件好、发展潜力大的建制镇。按照"一城多心"的空间布局形态，在优化主城区功能的同时，大力发展4个组团（六村堡、常宁、新筑、洪庆）、3个新城（临潼、阎良、泾渭）、4个中心城镇（户县、高陵、周至、蓝田），重点发展50个职能特色突出的建制镇及街办。

二是加快城乡一体化进程。以城乡统筹发展、经济社会统筹发展为切入点，积极引导城镇、农村经济健康、有序发展。大力推进社会主义新农村建设，实现全市新农村规划的全覆盖，促进农业产业化和农村经济快速发展，通过调整城乡经济结构和生产力布局，加速人口、用地、产业的集聚，引导村庄合理布局，合理安排村庄道路、供排水等基础设施，提高农村居民的生活品质；改善村庄的教育、文化、医疗、环卫等公共服务设施条件，合理安排各类村庄建设用地，促进农业产业化和农村经济快速发展，缩小城乡差别，促进整个社会和谐发展。

三是带动关中城市群建设。按照省委、省政府的统一要求，与关中各兄弟城市发挥各自的资源特点、区位条件，建立各具特色、各展所长、合理分工、优势互补的关中城市群经济体系框架，建设大西安。加快西（安）咸（阳）共建区建设，进一步推进西咸一体化的步伐，按照规划同筹、交

通同网、信息同享、市场同体、产业同布、科教同兴、旅游同线、环境同治的框架，逐步实现城市一体化、经济一体化、交通一体化和环保一体化。

二、传承历史文脉，彰显城市特色

城市特色是一个城市重要的无形资产，是城市生命力和竞争力所在，西安作为世界著名的古都，历史文化的传承和彰显是城市重要特色和优势。西安在发展中要统筹协调古代文明与现代文明、老城区与新城区、人文资源与自然资源的关系，彰显西安城市特色。

一是在城市布局特色上，要延续“棋盘路网、轴线对称”的传统格局，进一步优化主城区布局结构，把不适合在主城区发展的城市功能逐步向外围地区疏散，主城区与外围组团、新城之间以交通轴、大遗址、生态林带、楔形绿地等为间隔，形成功能各异、虚实相当的“九宫格局”布局模式。同时重点建设设施完善、环境优美、功能各异的城市新区。

二是在城市文化特色上，要进一步整合历史资源，把市域划分为城区历史名城保护带，中部历史地貌、河湖水系保护带，南部自然与人文景观保护带，东南部古遗址、古陵墓保护带等四个保护带进行整体保护。同时采取新旧分治的理念，老城继续实施“唐皇城复兴计划”，疏解老城功能，降低人口密度，保护与恢复历史街区、人文遗存，重点保护北院门、三学街和七贤庄等3个历史文化街区，建设环城西苑二期工程，完成顺城巷环境综合整治等工程；保护好西安事变旧址、八路军西安办事处旧址等重要革命遗址和文物。要加强对地下文物埋藏区的保护，保护好周丰镐、秦阿房宫、汉长安城、汉杜陵、唐大明宫等大遗址，建设遗址公园。

三是在产业特色上，要发挥资源优势，重点发展高新技术产业、现代装备制造业、旅游产业、文化产业、现代服务业五大主导产业，加快建设高新技术产业开发区、经济技术开发区、曲江新区、浐灞生态区、阎良国家航空高技术产业基地和西安国家民用航天产业基地。加快高新区世界一流科技产业园、经开区泾渭工业园千亿元先进制造业基地、西飞飞机起落架制造基地等项目建设；加快推进新筑、引镇等物流园区，建成七个物流中心、十个配送中心；完成浐灞金融商务区建设，实施东大街、解放路改造，提升西大街、骡马市、小寨等特色商业街区的人气、商气；以城墙景区、大唐不夜城、大唐西市、楼观台道文化展示区、关中影视基地等重点工程为龙头，培育文化产业品牌；老城内发展商贸旅游服务业，建设国际化游客集散中心。

四是在生态特色上，要延续八水绕城和秦岭绿色屏障形成的山水城市格局，构筑“三环八带十廊道”的绿化主骨架，形成城乡一体的生态体系。通过秦岭北麓生态区保护及利用、大水大绿工程等一系列规划的实施，恢复城市历史上的“八水绕长安”的盛景，恢复太液池、曲江池、兴庆湖、护城河等历史生态景观；依托浐灞流域水资源、生态资源和人文资源，在浐灞加快建设一批重大生态和基础设施项目；加快团结水库治理、渭河城市段综合治理等工程；加强水土保持和天然林保护工程建设，严格控制和管理秦岭北麓区域内的各类建设项目；推进大绿二期工程、泾渭湿地自然保护区、渭河滨河新区生态带、灞河入渭口万亩生态湿地等工程建设，使城市功能布局与自然生态系统功能协调发展。

三、完善城市功能，建设宜居城市

完善城市功能，建设宜居城市是总体规划的重要任务，也是城市竞争力的核心。构建高效便捷的交通网络体系和安全高效的现代化市政基础设施体系，建设适宜人居住的环境，为西安市可持续发展提供支撑和保障，是今后城市建设发展的重要任务。

一是构筑便捷的交通体系。加快构筑以航空、铁路、高速公路为骨架的综合交通运输网络，确立辐射全国的快速、便捷的客货运交通枢纽地位。完善航空港配套基础设施。对火车站进行扩能改造，新建西安北客站，完善西安长安站，远景建设西安南站，建设货运北环线、陇海线扩能改造等。建立以轨道交通、普通公共交通为主，多种交通方式相结合的城市综合交通系统。完善主城区道路系统，加快地铁一、二号线的建设，打通城市断头路，改造背街小巷，建设人行天桥和地下通道，形成“一高一绕两轴，三环六纵，七横八射线，加旅游环线”的道路网格局，改善居民出行条件。

二是健全公共配套设施。加大财政投入力度，完善供水、排水、垃圾处理等基础设施，城镇自来水普及率达到98.7%，城市集中式饮用水水源水质达标率保持100%。污水处理率达到95%，城市集中供热普及率达到50%以上。关心居民物质文化日趋多元的需求，使大多数人能够平等享有公共服务设施，合理安排市民必需的教育、医疗、交通、绿化、休闲等必要的公共空间，建立覆盖城乡的公共服务设施体系。在旧区改造和新区建设中，依据规模配套建设中小学、医院、商业、文化和体育设施、广场、绿地等，同时考虑进城务工人员在就业、居住及其子女教育在公共设施与基础设施配套等方面的需要，满足其生存和发展的需求。要加快廉租住房、经济适用住房和中低价位、中小户型普通商品住房的建设，稳步推进城市危旧房改造，提高城市居住和生活质量。

三是努力改善人居环境。严格划定蓝线、绿线，保护田园、森林、公园绿地、湖泊、河流、湿地等，恢复原有的河流水系；新建大雁塔曲江风景区、唐大明宫国家遗址公园、汉城水上公园等大型综合性公园等，近期建成曲江池遗址公园、唐城林带、贞观文化广场及近200个休闲绿地小广场。加快水环境和大气环境污染防治，实施“蓝天碧水”工程，使城市空气质量二级以上天数逐年提高。

四、合理配置资源，建设资源节约型和环境友好型城市

西安的发展建设要从战略和全局的高度，把建设资源节约型和环境友好型社会摆在更加突出的位置，以资源的高效和循环利用来促进西安的可持续发展。总体规划结合西安的实际情况，综合考虑了城市职能和经济社会发展目标，分析了城市资源、环境的承载能力，城市的就业保障等多方面因素，提出要坚持合理配置城市资源，加强环境保护和生态建设，建设资源节约型和环境友好型社会的目标。我们要按照总体规划的要求，坚持节流、开源、保护并重的原则，节约和集约利用资源，走节约资源、保护环境的集约化发展道路。节约和集约利用土地，严格保护基本农田，到2020年，全市耕地保有量为3082.51平方公里，基本农田保护面积达2552.11平方公里。加强地表水源地和水系的环境保护，严格控制地下水的开采和利用，促进农业种植结构调整和先进高效灌溉技术应用。充分考虑污水处理再生利用，提高工业中水利用比率、用水重复利用率。坚持能源节约和开发并重，调整产业结构，因地制宜开发利用新能源和可再生能源，强化工业、公共交通和建筑节能，大力发展循环经济，建设资源节约型和环境友好型社会。

新一轮城市总体规划描绘了西安未来发展的宏伟蓝图。我们要严格执行总体规划，切实把西安规划好、建设好、管理好，努力把西安市建设成为经济繁荣、社会和谐、设施完善、生态良好，富有历史文化特色的现代化城市。

提升城市竞争力的思考

陕西省咸阳市市长　庄长兴

竞争是市场经济的主题。城市竞争力是指一个城市与其他城市相比，在参与市场竞争的过程中，通过资源配置来获得竞争优势的能力。特别在当前全球金融危机中，城市竞争力的强弱成为衡量一个地区是否具有可持续发展能力的关键因素。咸阳作为西部欠发达地区，能否转“危”为“机”，实现“弯道超越”，必须挖掘与培育城市竞争优势，提升咸阳城市竞争力。

一、实施项目带动，着力提升产业竞争力

项目是城市产业竞争力的主要支撑。一要招引大项目。要在国家的宏观政策框架内找项目，在区域性经济规划内找项目，在具有比较优势的产业上找项目，在市场需求上找项目，在高新科技领域上找项目。要切实做到跑、抢、创、争，要“跑步”进京、抢抓机遇、创造条件、多方争取，使咸阳项目库项目总投资始终保持在1000亿~1500亿元。二要壮大产业集群。提升咸阳城市产业竞争力，关键在于强化“工业强，全市强；工业兴，全市兴”的认识，进一步做大做强工业经济。要围绕能源化工、电子光伏、装备制造、建材等支柱产业，实施“百亿工程”，用3～5年时间，组建一批年产值过100亿元的大型企业集团和年产值过500亿元的产业集群。从2009年起，市县两级财政每年从工业发展资金中列支不少于20%的资金用于支持大企业（年销售收入10亿元以上）。三要做好园区承载。按照区域产业布局和城市空间布局，以高新区、泾渭新区、沣渭新区、彬长旬能化基地四大工业园区为龙头，在管理上放权，在机制上创新，赋予市级所有经济权限，创新园区管理体制，精心打造产业聚集新平台。在渭河北岸，加快建设兰池大道、渭河横桥、咸兴大道、秦汉大道等一批基础设施项目，打造由西向东近50公里的现代生态产业长廊；在渭河南岸，加强与西安路网的对接，提升园区承载能力。同时，制定相关政策，拓宽社会融资渠道，完善基础设施，建设标准化厂房，鼓励支持各县市区加快工业园区建设。

二、主动融入西安，着力提升区位竞争力

紧挨西安是咸阳突出的区位特征和最大的地理便利。主动融入西安是咸阳发展的大战略，面对推动率先发展、跨越发展的迫切需要，我们要比其他任何方面，都要更加坚定地重视西咸一体化，更加积极地推动西咸一体化，更加切实地加快西咸一体化。一要观念先行。以观念接轨为先导，要素接轨为载体，政策接轨为保证。在发展理念上，主动走进西安、研究西安、学习西安，强化经济区域观念，全面提高融入西安的新认识。二要错位发展。在协作配套中求发展，处理好区域经济一体化与咸阳经济自主的关系，因地制宜地在区域性的产业结构中寻找自己的位置，以自己的比较优势为出发点，错位借势发展。实现与西安资源互补、利益共享、互利双赢。三要落差承接。采取有所放弃的原则，发展“配角经济”、“补充经济”。要对区域一体化规律、西安总体发展趋势以

及咸阳自身情况进行战略分析，对咸阳引进西安产业的方式、时机、布局进行长远清晰规划。目前，要以“产业一体同构、城市功能互补”为目标，发展两河（泾河、渭河）经济，推进咸阳城市沿渭河东进、沿沣河南扩，向西安靠拢，每年建成区不低于1平方公里，加快建设咸阳大城市。按照“建高楼、腾空间、增绿地、造景观”的要求，完成22个城中村的无形改造和12个项目的拆迁改造。四要多层吸纳。不遗余力地承接和放大西安的要素辐射，推进各种要素的有序流动，加快交通和通信等基础设施的建设，加强两市间的沟通协调，在每个层次、每个产业、每个领域乃至每个机会中，体现接轨西安的主动性。关中—天水经济区建设是国家西部大开发战略中的重要组成部分，加快建设以西安都市圈为核心的关中经济区是国家推进区域发展的重大部署。咸阳是关中第一农业强市、第二科教强市和第三工业城市，主动接轨西安经济，以融入西安为战略突破，以区位的竞争力确立在关中—天水经济区中的率先领跑，从而实现咸阳的快速崛起。

三、突出科教创新，着力提升人才竞争力

创新是一切工作的基本要求和永恒主题。推进创新，关键在人才。未来的城市竞争在本质上是人才要素的竞争，是人才资源获取和利用效率的竞争。人才成为当前城市竞争力的核心，人才争夺战、保卫战等成为当前城市竞争的主要特征。因而，要提升咸阳城市的综合竞争力，核心就是要提升咸阳的人才竞争力，要充分发挥咸阳的科技教育资源优势，使咸阳成为西部的人才高地。咸阳是西安都市圈的核心城市，有着仅次于北京、上海而位居全国第三的高等教育和科研机构。咸阳境内有陕西科技大学等八所高等学校，有40多所职业学校，有兵器工业第二零二研究所、西北橡胶塑料研究所设计院等16所部省属科研院所，有彩虹集团、陕柴重工等一大批大中型骨干企业，形成了咸阳科教创新的重要元素。一要整合提升创新资源。加快市属科研院所改制，充分调动辖区内科研机构和科技人员的积极性，制定优惠政策吸引西安以及杨凌科研院所和科技人员在咸阳创业，把咸阳变成西安、杨凌科技成果实验推广基地。二要发展形式多样的创新中心。鼓励大中型企业和龙头企业建立技术中心和研发机构，吸引和争取跨国公司在咸阳建立研发中心，培育形成一批国家级企业技术中心、工程研究中心。在主导产业中重点扶持培育面向行业服务的共性技术研发中心、生产力促进中心和技术创新服务中心，构筑产业技术创新支撑体系。加快发展猎头公司、科技中介机构、风险投资担保机构等科技创新服务业。三要加强创新人才和机构培养引进。引导辖区高等院校根据咸阳产业需要调整学科设置，吸引省内高等院校、科研院所在咸阳设立分校、实验室、科研基地和博士后工作站。大力发展职业教育，把咸阳建成西部职业教育基地。认真实施“人才强市”工程，抓好教育、培训、实践和引进四个环节，实行公平竞争，完善激励机制，形成党政人才、企业经营管理人才和专业技术人才等各展其长、各尽其能的局面。

四、弘扬秦汉文化，着力提升特色竞争力

特色是城市提升知名度所具备的一种内在特征和外在表现。咸阳要在西三角城市群体中率先发展，就必须具备咸阳魅力的特色竞争力。文化产业是被誉为21世纪最具潜力的产业之一。咸阳是中国第一帝都，历史文化底蕴厚重，传统文化资源丰富，具有发展文化产业得天独厚的基础和优势。咸阳要借此提升全市在文化上的竞争力，用独有的旅游文化优势打造城市个性。省十一次党代会将“文化强”作为建设西部强省的重要目标。陕西省委书记赵乐际反复强调文化产业发展拖不得，也

拖不起。我们将按照“政府主导、文化提升、项目支撑、板块启动”的思路，加快发展文化产业，提升咸阳品牌形象竞争力。一要准确把握定位，奏响秦汉主题。准确的定位是文化产业发展的基准点和首要条件。秦王朝在咸阳建都，设立郡县，实行车同轨、书同文，统一度量衡，形成了具有先导意义的政治文化、制度文化。汉朝很多帝王陵墓建在咸阳，形成了独一无二的帝陵文化。因此，咸阳要明确秦汉文化的定位，着力培育具有咸阳特色的历史文化品牌。二要深度挖掘历史，彰显人文底蕴。首先要以保护利用乾陵、茂陵、昭陵、汉阳陵等世界级历史遗存为重点，深度挖掘历史人物、民间传说、民风民俗，开发泥塑、剪纸、皮影等民俗文化，从市级层面统筹、通盘考虑，精心策划包装。特别是对秦汉史进行深入研究考证，积极推动五陵塬申报世界文化遗产，让帝陵文化走向世界。三要通过政府扶持、企业自筹、招商引资等措施，加快明清古城改造和咸阳博物院建设，依托咸阳湖景区谋划咸阳优势文化产业园区，建设咸阳文化旅游、演艺娱乐、健身休闲等文化产业基地，使其成为咸阳文化产业发展的核心区域。要通过项目建设，规划建成一批商鞅变法、郑国问秦、荆轲刺秦、刘邦入宫等大型雕塑，规划建设富于秦汉特色的街区，推出秦汉歌舞、电影、电视剧等一批重大文化产品，组织一系列有特色、有影响的文化宣传活动，大力推动更多的特色品牌走出去，形成咸阳独有的城市标识。

五、做好融资文章，着力提升资本竞争力

加大融资力度，突破资金瓶颈制约，是推动咸阳城市科学发展、跨越发展的有效措施。面对宏观形势的变化，我们必须创新经营城市理念，有效解决融资难题，全力提升城市资本竞争力。一要积极开展资本运营，健全完善基础设施。资本向城市流动聚集，因为城市充满商机。经营城市要实现城市与资本双赢，甚至多赢，避免“资本拿走了利润，城市背上包袱”。二要改革投融资体制。地方政府债券的发行预示着政府投融资体制的重大变化。2009年我们利用市城投公司平台申请发行企业债券。通过重组注资，做大做强市城投公司，积极有序、规范高效做好申请发行企业债券的有关工作，使之成为我市城建和重点项目融资的一个正常渠道。三要重视民间资本吸纳。一是凡是能够让民间资本上的项目，尽可能让民间资本上，要推出一些能有效吸引和带动民间资本跟进的项目招商。二是根据不同项目的不同特点，大胆运用BOT、BT（建设—转让）、TOT（转让—经营—转让）、BLT（建设—租赁—转让）、BOOST（建设—拥有—运营—补贴—移交）、PPP（公共部门与民间资本合作）、PFI（政府从私人处购买服务）等方式，拓宽民间资本进入基础设施和民生工程的渠道。要通过各种市场化的手段，尽可能地盘活基础设施资源，提升资本投资效率。三是积极大胆地发展基础设施投资基金和产业投资基金，提高将民间资金转化为投资资本的能力。四要切实解决中小企业融资难问题。扩大为中小企业贷款担保数量。推进银企合作，积极推进企业上市工作。

六、转变政府职能，着力提升环境竞争力

环境也是生产力。发展环境是一个城市软实力的具体体现。环境优势是加快发展的最大优势。必须持之以恒用硬措施来改善软环境，把软环境打造成硬资源。围绕打造西部最优环境的目标，全面推行效能建设，着力打造“一言九鼎”、“诚信咸阳”、“法制咸阳”的品牌。一是加强金融生态环境建设。加强全社会诚信教育，按照完善法规、特许经营、商业运作、专业服务的方向，加快建设企业和个人信用服务体系。设立征信机构，建立全市统一的企业和个人信用信息基础数据库，

逐步开放征信服务市场，通过市场化的方式提供信用信息服务。二是加强政务环境建设。深化行政审批制度改革，切实把审批减到位、环节压到位、收费降到位。适时调整、充实和完善现有政策，使政策更加符合市场规律、更加符合国际惯例、更加符合发展需要，形成政策的“洼地效应”。深入开展以促进解放思想、促进依法行政、促进提高效能为主要内容的行政工作“三促进”活动，不断提高全体机关干部的服务意识。建立优化投资发展环境评议督察机制，实行专业部门与群众评议相结合，在纪检监察部门和招商部门分别设立优化投资发展环境办公室、客商投诉中心，坚决维护投资者的合法权益。三是加强法制环境建设。加强全社会法制教育，提高政府依法行政的能力和水平。以创建平安活动为抓手，抓基层、打基础，把社会防控的力量向基层延伸，健全社会防控网络，提高全社会的安全感，使每一位投资者在咸阳放心投资、安心经营、舒心生活、专心发展。

资源枯竭型城市与可持续发展

甘肃省白银市市长　吴仰东

一、城市的魅力主要取决于她的个性

城市的个性体现了本地人的意识和性格，是城市的精气神、主心骨，也是城市的信心之源。城市之所以在一定的时空条件下产生、发展，是因为每一个城市都是不可替代的。差异即美，有差异才有丰富，每个城市的自然条件不同，界定的空间不同，城市理念和行为形象也就不同。建筑构成了城市的视觉景观，建筑个性是城市精神最直观的表达，是一个地域、一个时代的风格、时尚及技术条件在建筑上的反映。建筑的个性必须是从城市灵魂里自然而然流露出来的。正因为如此，建筑的个性才体现了城市的活力。个性还是一种思想，是经过深思熟虑而逐步积累的结果，它反映了一个城市的文化基因及价值取向。没有个性、没有灵魂的城市，不管外表多么张扬，骨子里却显露出文化上的苍白。

白银市地处不发达地区，无论从地理区位，还是从人文积淀来看，都有诸多先天不足，但工业的发展、城市的兴起，对改造带动相对落后的地域经济系统产生了深远历史影响。形成了独特的城市个性。集中体现在四个方面：

资源开发催生了一座工业新城。铜硫资源开发唤醒了这片沉寂的荒原。1956年的矿山大爆破拉开了白银开发建设的序幕，国家“一五”计划156项重点工程有两项在白银布局。同年，国家批准设立白银市。逐步形成了包括地质、采矿、选矿、冶炼、加工、科研、综合利用等比较完整的有色金属生产体系，曾创造了铜硫产量、产值、利税连续18年全国同行业第一的业绩。目前，拥有铜、铝、铅、锌生产能力40万吨，被誉为中国“铜城”，黄金、白银和稀土金属生产也有一定规模。最高年份有色金属工业增加值占地区生产总值的60%以上，并多年保持在50%左右。新中国最早建设的大型有色金属基地和“艰苦奋斗”的白银精神，在中国史册上留下了永久记忆。有色金属以其稀缺性和巨大价值，彰显着白银的魅力，寄托着白银的希望。

黄河孕育了白银独有的人文特点。黄河过境258公里，滋养着这片干渴的土地，是白银的生存之本、希望之源。早在5000年前，黄河沿岸就有先民繁衍生息。明清之际，沿岸人民修建引水渠道8条，开创了灌溉农业的先河。新中国成立以后，随着提灌技术的发展，大片荒原变成良田，水地面积达到136万亩。黄河水电、航运、旅游开发全面跟进，黄河沿岸成为城市扩张的重要空间和人居中心。同时，白银是河西走廊的门户，自古以来是异域与中原民族碰撞交融的前沿地带，形成了白银人豪放豁达的民风特点。随着资源的大规模开发，来自祖国各地的建设者会聚白银，各种文化在这里交流融合，赋予白银人兼容并包、勤劳吃苦的精神品格。

会师胜地是中国革命走向胜利的象征。白银具有光荣的革命传统，是甘肃建立地下革命组织最早的地方之一，土地革命时期的两次“靖远兵暴”被载入革命史册。1936年10月，中国工农红军

一、二、四方面军胜利会师会宁，标志着中国革命实现了战略大转移。会师楼、会师联欢会址、将帅碑林、长征胜利景园、会师纪念馆等记载着革命英雄的光辉足迹，1986年，邓小平同志亲笔为红军会师纪念塔题写塔名。会宁会师旧址被纳入全国“30条红色旅游精品线”、“100个红色旅游经典景区”和“20个红色旅游城市”之列，是全国重要的爱国主义教育基地和国家安全教育基地，是国家4A级景区。红四方面军从靖远虎豹口渡河西征，并在景泰县正式组建西路军指挥部。长征精神是激励白银人民战胜困难、走向繁荣的巨大动力，会师胜地也赢得无数人的神往。

白银具有极其重要的战略地位。白银位居祖国版图中心位置，不仅是河西走廊东端门户，也是兰州、河西通向华北的重要通道。交通便利快捷，包兰、甘武两条国铁干线和靖远矿区铁路支线，以及京藏、青兰高速公路通过白银，中心城区距离兰州中川机场50多公里，地处兰白核心经济区。工业基础比较雄厚，形成了有色、能源、化工、建材等多门类产业体系；有色金属外围找矿前景广阔，非金属矿储量可观，煤炭16亿吨，凹凸棒50多亿吨，石灰石10亿吨，陶土20亿吨。能源供应充裕，城市用水富足，建设用地充足，组合条件良好，是甘肃乃至西北地区重大工业布局的最佳区域，是西部很有发展潜力的城市之一。

五千年的绵长历史和现代工业文明的嵌入造就了白银，悠悠黄河、丝绸之路、红军会师更加点亮了白银，如同她的名字一样，白银既充满无限神奇，也蕴涵着巨大希望。立足现实，放眼未来，白银未来发展必须因地制宜，突出特色、彰显个性，突出黄河经济带建设，依托京藏、青兰、定武高速公路发展通道经济，切实在做大做强有色金属工业上下功夫，在充分开发利用黄河上做文章，在发挥红色胜地优势上花气力，构建经济繁荣、宜居和谐、文化昌明的西部高原新城，努力打造西部以有色金属冶炼加工为主的工业重镇、黄河上游重要风情旅游基地和农畜产品生产基地。

二、塑造城市个性必须以科学规划为保证

城市规划是一项政策性、科学性、区域性和综合性很强的工作。它要预见并合理确定城市的发展方向、规模和布局，从而使城市建设和发展达到技术先进、经济合理、环境优美的综合效果。塑造城市个性必须充分发挥规划的引领作用。

我们正处于城市化加速发展的时代。城市可持续发展不仅需要大容量的市政基础设施，如高速干道、水电管网等。而更重要的是，城市的健康和可持续发展依赖于一个大地生命系统，经久不息地为城市居民提供免费的生态服务，如新鲜空气、食物、安全和健康保障、艺术灵感，等等。构筑这样一个生态基础设施系统，我们的首要任务是必须知道哪些地方是不该建的，哪些地方需要建什么建筑，怎样建设才能整体上协调，而现在关心最多的则是建设什么，如何吸引开发商投资。所以应该制定另一套方法来禁止干什么，也就是反过来进行城市规划，是先做不建设规划、先进行土地生态格局的研究，做出一个城市和区域的生态基础设施的规划，再去考虑城市的建设规划，并不是不做规划，而是让规划更具有科学性、权威性和严肃性，对城市建设、管理、保护更好地发挥引领控制作用。城市领导者和城市规划人员必须兼顾当前利益与长远发展，吸取国内外城市规划发展的经验教训，站得更高一些，看得更远一些，落得更实一些，给后人留下更多想象的空间。罗马不是一天建成的。只有世世代代的不断积累和有机更新，才能积淀深厚的历史文化底蕴，才能形成鲜明的城市个性，提升自身的影响力。

由于资源所在地的特定环境，白银城市选址在靠近矿山的面积100平方公里的白银盆地，总体

地貌特征为荒漠丘陵，自然环境恶劣，基本是不毛之地。1955年国家建委批准在郝家川地区规划建设“铜城”，1960年编制完成《白银市总体规划》，在不到30年的时间里先后进行三次变更，由于历史原因，这些规划执行得不是很好，留下了诸多缺憾。恢复建市后，随着城市腹地的扩大和城市功能定位的变化，1987年编制了《白银市城市总体规划（1987—2000年）》，这也是白银第一个城乡一体化规划。进入新世纪以来，适应市场经济发展，邀请中国城市规划设计研究院对该版规划进行修编，提出了新版《白银市城市总体规划（2001—2020年）》。中心城区规划面积扩展到72平方公里，平川城区规划面积36平方公里。该版城市规划比较充分地考虑了城市定位、功能区划分和城乡联系。规划确定白银区按东城区、西城区、南部中科院白银高技术产业园三大板块规划建设，平川区以东部片区和西部片区为重点规划建设，各有侧重，错位发展，并以黄河、刘白高速公路、白宝铁路支线为联系通道，促进两个城区一体化发展，构建甘肃中部地区经济增长中心。

白银市先有企业、后有城市。建市之初，两大主体企业跑马圈地，占地面积超过40平方公里，形成城市发展的基本格局，规划的控制作用十分微弱。加之大企业、小地方的建设管理体制，以及一度成为兰州市一个远郊工矿区的历史影响，造成白银城市规划先天不足。恢复建市为白银的发展振兴提供了新的机遇，但受到主体资源枯竭和向市场经济体制转轨的双重影响，主体企业生存发展受到很大冲击，城市自身积累能力不足，发展动力严重受限，历史积累的问题不断暴露，环境污染问题日益突出，绿化滞后和侵占绿地的现象屡有发生，悲观情绪曾经一度蔓延。出于尽快改变现状的迫切愿望，城市转型过程中的“招商饥渴症”，导致房地产开发和工业项目布局出现一些盲目性，对城市规划执行带来不利影响，无论是老城改造，还是新区开发，都未能很好地体现时代性和前瞻性，必须很好地吸取教训。

白银进入加速发展的新阶段，当前面临新一轮扩张发展和提升品位的诸多机遇。进入首批全国资源枯竭转型城市和中央实行扩大内需政策，为城市可持续发展提供了新的外部动力；一大批国内知名品牌企业入驻白银，为培育多元化支柱产业增添了新生力量；包兰铁路增建二线工程选线穿越城市经济核心地带，为城市空间扩展和加强对外联系创造了更加便利的条件；甘肃省确定突出建设兰白都市圈，为我们在协作联合中发展壮大开辟了更加广阔的空间。关键是要登高望远，准确定位，抢抓新机遇，再造新优势，实现新发展。结合实际，着眼未来，下一步，我们要从四个方面着力：

一是立足当前、放眼长远，优化城市空间布局。发展通道经济、注重滨水地带开发，是各地开发建设的宝贵经验。有水就有灵气、就有活力。南通市100多公里沿江岸线和200多公里沿海岸线开发尤其具有代表性。对白银这样一个地域辽阔、干旱缺水的地方而言，这一经验更具有现实针对性。要结合包兰铁路二线工程建设，在城区和黄河之间建设城市客运站，以快速通道连接城区，推进城市向黄河沿岸扩展，并在黄河沿岸人口较为集中的城镇，规划建设高档住宅区和休闲度假基地，进一步放大城市空间。以中科院白银高技术产业园为依托，利用相对平缓的荒山荒坡，规划较大规模的城市工业集中区，为工业企业出城入园和发展循环经济提供充足空间。同时，以刘白高速公路和新建包兰铁路二线为轴线，构建刘白高速公路经济带，带动两翼景泰、会宁两县发展。

二是完善功能、提升品位，努力营建宜居环境。白银建市历史较短，长期以来以工矿区功能定位建设，基本上是一个原材料、能源生产基地，基础设施欠账很大，物流、金融、文化、旅游、信息中心的功能不强，聚集辐射能力十分有限。实现城市可持续发展，必须适应新的城市定位，坚持以人为本理念，着力强化城市功能建设。在城市功能配置中，尤其要强化公共文化、高等院校、医疗卫生、物流仓储、金融服务、生态环保等功能，吸引人流、物流、资金流、信息流。

三是高点定位、主动融入，推动兰白都市圈建设。大都市圈建设成为城市发展的基本趋势，粤港澳、长株潭、京津、西咸一体化，都对提升城市和区域竞争力提供了巨大动力。白银与兰州两市不仅空间上接近，产业上互补，而且具有很深的历史文化渊源关系。目前，兰州、白银两市人口占全省的19.33%，生产总值占34.33%。要积极争取国家和省上支持，逐步推进白兰一体化，主动接受人才、技术和物流辐射，把白银建设成为兰白都市圈工业发展中心、物流仓储基地和兰州能源、建材、副食品的供应后方，逐步形成以兰州为中心、白银为副中心的双城式都市圈，形成经济增长极。

四是完善机制、严格管理，维护规划的严肃性。惠州市严格执行城市规划，为了引进重大项目，城市中心地区几十平方公里土地预留了十多年；深圳市中心区规划了大片绿化用地，形成大面积城市绿肺，充分显示出规划的前瞻性和严肃性。要切实增强规划即法的理念，从完善监督管理机制着眼，坚持一张蓝图绘到底，统筹考虑当前与长远、局部与整体、共性与个性的关系，强化规划执业人员队伍建设，高度重视控制性详细规划和城市设计，利用规划设计手段塑造城市特色。从严执行“一书两证”制度，加强规划执法监管，确保各项建设经得起历史检验，让人民群众普遍受益。

三、城市建设管理必须体现以人为本理念

城市是经济活动的基本载体，宜居环境是城市凝聚力的重要保证。作为欠发达地区的资源枯竭型城市，城市建设管理水平直接决定城市核心竞争力，关系城市可持续发展。面对激烈的市场竞争和各种要素短缺的严峻现实，要占据竞争的有利位置，迫切要求在营造发展环境上付出更加艰巨的努力，努力实现城市建设和产业发展的协调推进。

建设上要解决突出矛盾。环境问题是制约白银发展的突出问题，2005年，白银市从下决心解决白银公司环境污染问题入手，拿出当年市级财政收入的四分之一，支持白银公司治理环境污染，并延伸拓展为实施“四大民心工程”，即城市大气环境治理、城乡清洁水源建设、洁净能源建设、人居环境建设工程，努力让人民群众呼吸上新鲜空气、喝上清洁饮用水、用上清洁能源、在良好环境中生产生活。通过几年的努力，城市二氧化硫排放量削减44%；兰银输气管线白银支线建成投运，天然气进入居民家庭；解决了30万农村人口饮水不安全问题，引大入银城市生活水源工程将向城区供水；先后改造新建社区休闲广场和小游园10多个，建成区绿化覆盖率21.55%，环境改善的效应初步显现。当前和下一步，应该集中在六个方面强化建设：

一是加快构建城市道路网框架。实施好银行贷款城市发展项目，拉开城市道路网基本框架；争取发行基础设施建设债券，实施后续建设项目，构建城市外环快速通道，完善城市道路网络体系；同时，逐步改造整修背街小巷。二是着力构筑城市生态绿地系统。借鉴南通市在“水、山、绿”上做文章的经验，在落实庭院、社区绿化责任的同时，依靠全社会力量，强化城市大环境绿化，形成城市生态屏障；以城区自然排洪河道金大沟治理和张家岭公园建设为重点，以橡胶坝构筑人工水体，在新老城区之间形成占地3000多亩的“城市绿肺”；加快实施占地2000多亩的金大沟综合治理项目，建设人工湿地，带动周边土地升值。三是继续加大城市环境污染治理。积极争取国家节能减排和循环经济专项资金补助，加快实施白银公司三大冶炼厂污染治理、银光公司硫酸雾治理、燃

煤电厂脱硫改造等工程，逐步淘汰市区燃煤小锅炉，实现生活垃圾集中处理、工业固体废弃物再生利用和城市、城镇生活污水达标排放及中水回用。四是推进公共服务设施建设。加快文化馆、科技馆、博物馆、体育中心、少儿活动中心“三馆两中心”建设，完善公共文化服务体系；积极创造条件，兴办高等院校。五是搞好棚户区和“城中村”改造。抓住国家实施保障性住房建设的政策机遇，以企业为重点推进棚户区改造，配套更新供水、供热管网，完善社区服务设施和居民休憩场所；利用市场机制，推进“城中村”改造。六是强化城市对外交通建设。配合做好兰州至惠农铁路二线选线工作，力争实施东线方案，贯通全市核心经济区域，构筑发展大通道。争取国家支持，建设中心城区至兰州中川机场高速公路。改造提升城市出口路，实施白银至黄河石林、白银至四龙、白银至水川等高等级公路工程。

管理上要坚持依法办事。正如南通等地的成功经验，城市管理一靠机制，二靠创建。工矿城市特殊的产业结构，导致脏乱差是影响白银城市形象的突出问题。近年来，白银市从治理脏乱差问题着眼，健全完善各项管理制度，着力理顺城市管理体制，按照“建管分离、属地管理”的原则，上收城市规划和建设职能，将城市管理职能下移，由区级政府和社区承担，合理划分市区两级事权、财权，充分发挥基层和社会在城市管理中的主体作用。同时，筹资1200多万元，率先在西北地区建成“数字化城市管理综合信息系统”，将城市各部位的日常管理置于具体责任人的全天候监管之中；在此基础上，又整合建设公安、环保、城管“三网合一”数字化平台，有效提高了城市综合管理水平，白银市被建设部列为全国第三批数字化管理试点城市。深圳等发达城市对电线杆实行编号管理，精细化管理可见一斑，尤其值得学习借鉴。要不断优化完善数字化城市管理综合信息系统，对重点设施实行编号管理，强化专业人员管理队伍，采用现代技术手段，推行精细化管理，努力实现城市管理最优化。

提高城市管理水平，重在全民参与。南通市开展“五城同创”活动，营造全民参与城市管理的浓厚氛围，有效提高了城市管理水平和文明程度。近年来，白银市也把创建工作作为城市管理的重要抓手，连续三次被评为省级卫生城市，2005年开始，启动了创建国家卫生城市活动，注重过程，让机关、企业、学校、驻地部队共同承担城市管理责任，使市民在参与中增强文明、卫生和环境意识，提高自身素养，努力激发全民热爱家园、建设家园的热情和力量，形成城市管理的整体合力，只要持之以恒，必将产生应有的功效。

保护文化遗产要切实尊重历史。城市的本质从来都是人的精神的外化。历史建筑和历史人物就是城市的“名片”。有多少不同的精神风貌，就会有多少不同风姿的城市，资源型城市也不例外。一方面，资源型城市多形成于新中国成立之初，那是激情燃烧的岁月，无数仁人志士、热血青年把他们对祖国的热爱和对美好生活的向往奉献给国家建设；而城市也留下了中华民族最美好的理想和最纯朴的情感，可以看到一个民族不屈不挠和战胜艰难险阻时的磅礴气势。从这个意义上讲，保护好资源型城市就等于保留了这个时代最美好的记忆，也为子孙后代留下一份最珍贵的精神财富。另一方面，资源型城市留下大量人类活动的印记，其中如矿坑、工厂等都具有重要历史价值，它们代表了一个时代，是工业文明的象征。保护并开发利用好这些人类遗产，责无旁贷。

与众多资源型城市一样，白银也保存了诸多这类文化遗产。火焰山国家矿山公园已被国土资源部确定为全国首批28个国家矿山公园之一，也是目前我省唯一的国家级矿山公园。露天矿坑、深部铜矿等矿区遗迹向世人展示了人类挑战自然、艰苦创业的磅礴气势，原地质矿产部建立的“铜城的开拓者”纪念碑，寄托了人们对老一辈建设者的无限情思，是进行爱国主义、革命传统教育的生动教材。为充分发挥这些遗址、遗迹的文化传承教化作用，决定配套建设主题公园景区，包括矿山公园博物馆、雕塑群等。同时，全面开展工业遗产、标志性建筑的普查、认定、记录与研究等工作，实行保护性开发，挖掘工业遗产在社会、科技、经济和美学等方面的价值，赋予其新的内涵与功能，实现与城市经济社会环境的良性互动发展，为明天留下历史记忆。

四、产业支撑是城市可持续发展的核心动力

工业化是城市化的直接动力，城市化反过来促进工业化。人口向城市集中，最基本的前提是有事可做、有业可就、有钱可赚，进而提高生活质量。良好城市环境又是决定人口集中、要素聚集的必要条件。白银市经济发展水平还很低，2008年，人均GDP总值仅为13954元，城镇居民人均可支配收入12158元，农民人均纯收入只有2676元。资源枯竭型城市最要害的问题是支撑城市发展的工业经济陷入困境，尤其对处于自然条件严酷地区的白银市而言，城市转型的核心是产业转型升级，构筑可持续发展的产业支撑是当务之急。对白银而言，贯彻落实科学发展观，必须始终坚持经济建设这个中心，必须辩证地看待好和快的关系，没有快就谈不上好，前进中的困难和问题必须用发展的办法去解决。有色类资源型城市，不同于以煤炭、森林为主导的单一资源开发城市，长期的积淀形成了比较雄厚的加工生产能力，为产业技术提升奠定了坚实的基础。正是基于这种考虑，市委、市政府提出从八个方面培育发展多元支柱产业，努力促进经济结构由单一产业主导向多元支柱产业发展转变，城市发展由工矿基地向区域中心城市转变。多年来，坚持一手抓国有企业改造重组提升，一手抓招商引资，相继引进了大唐集团、中信集团、中材集团、中铝集团、南京雨润、蒙牛乳业、北方三泰、中集华骏、中科宇能等国内知名品牌企业，实施了一批重大项目，一度陷入困境的工业经济呈现恢复性增长。

进一步强化产业基础建设，必须坚持改造提升传统产业与培育发展接续产业的有机统一，依托主导产业和主体企业，以延伸产业链为核心，以发展循环经济为方向，按照“大项目—产业链—产业集群—产业基地”的模式，强化一个主体，即有色金属产业；突出两个重点，即能源和化工产业，推进落实多元支柱产业战略，加大科技投入和技术创新力度，努力提高产品附加值，推动经济发展从粗放型、外延型向集约型、内涵型转变，实现产业发展和城市建设互促互动。

着力做大做强有色金属及稀土新材料产业。白银有色集团公司与中信集团的协作联合，中铝集团控股红鹭铝业公司，甘肃稀土公司国内一流的稀土分离和深加工研发能力，加上白银多年形成的工业基础，为白银有色金属工业振兴注入了新的生机。要立足现有基础，拓展原料组织渠道，运用高新技术和先进适用技术，改造现有主导冶炼企业，提升有色金属冶炼能力和技术水平，确保2012年有色金属产能由40万吨提高到100万吨，力争扩大到200万吨（铜铅锌135万吨，铝50万吨，废渣冶炼电解锌15万吨）以上。坚持把发展的重点转向产业链延伸，推动产业转型升级。据有关资料显示，原料铜加工成铜箔会增值3到5倍，铜箔再加工成敷铜板又会增值3到5倍；铝锭加工成型材和汽车配件，也能增值3到5倍。2008年，白银有色金属产量37.39万吨，实现增加值31.88亿元。如果能实现精深加工，行业增加值可以翻几番。要大力发展铜基铝基铅基锌基产业链、稀贵金属产业链、稀土新材料产业链，引进建设高档电解铜箔生产、高速铁路接触线用铜合金、高精度专用铝板材、高温超导电缆、纳米级活性氧化锌等深加工产品，争取有色金属转化增值率达到50%以上。同时，

积极争取建设废旧有色金属拆解回收利用基地，开发再生铜铝铅锌加工利用示范工程、废弃蓄电池预处理集成系统、废旧家电拆解生产线、废旧汽车集中拆解处理等项目，促进资源化利用上规模、技术上水平、产品上档次。采用先进适用工艺技术，开发利用铜铅锌低品位矿、共伴生矿、难选冶矿、尾矿和熔炼渣等，提高资源综合利用水平。

精心培育发展特色优势化工产业。白银化工产业基础较强，特色明显，具备进一步做大做强的基本条件。银光化学工业集团是国家重点保军和军民结合型国防特种化工骨干企业，形成了高水平的含能材料生产、研发体系，拥有硝化、光化、氢化等特种化工核心技术和TDI自主知识产权，军用高能炸药和主导民品TDI产销量居全国第一，产业链延伸前景广阔。中国兵器工业集团确定依托银光公司，充分利用白银优势资源，以TDI产业为核心，促进产业链延伸，建设“军转民化工基地”。要以此为契机，突出建设精细化工园，延伸以银光公司TDI、光气为龙头的异氰酸酯产业链；发展氯碱产业链，为TDI装置配套建设大型烧碱、氯气、氢气生产线，大力发展PVC、甲烷氯化物、氯化聚氯乙烯等耗氯产品；用原煤合成煤制气、煤制气化合形成尿素、硝酸、甲醚、醋酸、甲醇等系列产品，打造煤化工产业链；实施1万吨三氯氢硅和5000吨多晶硅项目等项目。力争2012年化工产业增加值达到40亿元；2020年达到150亿元。

加快建设西部大型复合型能源基地。充分发挥煤炭、火电、水能、风能等资源优势，坚持适度超前、优化结构、多能并举的原则，做大做强三大板块，开发一个系列，壮大新能源产业，建设复合型能源基地。到2020年，力争电厂总装机达到1000万kW以上。优化火电结构，建成大唐景泰电厂二期超临界火电机组工程，建设白银公司热电联产、靖远煤业公司煤矸石发电厂。扩大水电规模，积极落实黄河黑山峡水电三级开发方案，力争“十二五”开工建设，水电能装机容量增加到200万kW以上。大力开发风电，白银可供开发风电资源200万kW左右，加快开发风电后续项目，争取风电装机容量达到100万kW以上。开发可再生能源及新材料系列产品，支持发展太阳能光伏产业，发展锂离子电池、锌空气电池、铅酸电池和镍氢电池等新能源产业。

国内外资源型城市发展经验也一再证明，在资源短缺和市场通开的大背景下，资源枯竭型城市构筑新的产业支撑，既需要自身的不懈努力，更需要国家的强力支持。一方面，要积极争取国家重大产业项目布局，加快培育新的经济增长点；争取国家实行差异化税收政策和更加优惠的电价和土地政策，吸引发达地区产业转移。另一方面，要切实吸取历史教训，转变发展理念和发展方式，顺应产业发展规律，扩大招商引资，实现优势互补；大力发展循环经济，延伸产业链条，提高资源综合利用水平；促进产业集群发展，强化产业园区建设，注重产业协作配套；推进产学研联合，有针对性地开展研究开发，提高产业科技含量，增强企业核心竞争力；发展面向企业的物流服务，降低企业物流成本。

五、在城乡统筹中增强城市发展的持续活力

城市是区域经济发展的龙头，农村是城市发展的广阔腹地。优势资源枯竭使白银面临诸多发展难题，但同时，广阔的农村腹地，又是城市可持续发展的巨大空间。在地广人稀、生态脆弱的落后地区，城市的带动作用显得尤其重要。简单地算一笔账，像白银这样一个城市，幅员2万多平方公里，人口规模基本稳定在180万人左右，如果中心城市能够容纳50万~60万人口，三个县城人口规模达到10万人左右，并在交通、经济条件较好的地区形成20万~30个万人规模的小城镇，城市和城

镇人口即可达到100万人左右，城镇化水平可达到60%。人口向城市和城镇集中，不仅可以消除城乡二元结构、改善生存质量，而且能够放大市场消费空间，促进城市发展，还能够收到生态改善和土地集约经营等多重功效。美国地理学家诺瑟姆研究认为，一个国家或地区城市人口比重超过20%时，城市化进程出现加快趋势，直到城市人口比重超过70%时，这一趋势才能减缓。白银城镇化率已达到了35%，进入城市化加速发展的阶段。实现可持续发展，必须坚持统筹城乡发展，实现城乡资源优势互补。

以农业产业化经营为重点，促进城乡经济联系。按照不同区域特点，因地制宜，在沿黄自流灌溉区突出发展设施高效农业和观光农业，在高扬程灌溉区突出发展粮食、特色林果、肉羊、生猪生产，在干旱、半干旱地区扩大马铃薯、小杂粮等耐旱作物种植，建设特色化、专业化、规模化农产品基地。同时，大力培育种养专业大户、农民专业合作组织和农畜产品加工龙头企业等经营主体，推进农畜产品转化增值，提高农业比较效益，让更多农民在参与产业化经营中增加收入。

以特色小城镇建设为依托，搭建城乡交流桥梁。小城镇不仅是城乡市场联系的纽带，也是农村商品生产的载体和人居环境建设的重点。要以县城和干线公路沿线、黄河沿岸小城镇为重点，强化基础设施配套完善，并以其为依托，推动农村学校、文化、卫生、市场、信息等公共服务设施建设，引导农村人口集中居住、非农产业集聚发展，使小城镇成为城乡联系的重要纽带、新农村建设的主要阵地。

以突破体制障碍为切入点，完善城乡一体化发展机制。统筹城乡发展规划、产业布局、基础设施、公共服务、劳动就业，尤其要以放宽入户条件为重点，让城市成为农民就业、居住的主要选择，成为农村人才、技术的基本源泉，让农村成为城市基本食品和工业原料的生产供应基地，逐步形成以城带乡、以工促农的良性互动机制。

作为资源型城市，白银具有自己的个性特点，在城市建设管理和推进转型中也积累了一些成功经验和做法，但与发达地区城市相比还有很大差距。在白银转型发展实践之中，我们要努力把白银的各项事业不断推向前进。

统筹解决人口问题
推动经济社会跨越式发展

宁夏回族自治区银川市市长　王儒贵

坚持计划生育基本国策、统筹解决人口问题，是建设中国特色社会主义和全面建设小康社会的重要内容。多年来，银川市委、市政府始终把人口和计划生育工作摆在重要位置，不断健全完善体制机制，坚持多策并举，齐抓共管，综合治理人口问题，人口和计划生育工作取得了显著成绩，连续5年荣获自治区人口和计划生育目标管理责任制考核“特别奖”，全市5个县(区)荣获国家级优质服务先进县(区)，1个县(区)荣获自治区级优质服务先进县(市)，为促进银川经济社会又好又快发展，建设“两个最适宜”城市营造了良好的人口环境。

低生育水平持续稳定。坚持“条块结合、以块为主”的方针，结合实际、突出重点、突破难点，以建立人口流入流出协作机制、强化人口信息统计管理、规范移民地区户籍、宅基地及承包地管理为手段，逐步解决婚姻登记、人户分离、早婚早育、非婚生育和超计划生育问题，引导群众自觉自愿地实行计划生育。截至2008年年底，全市人口出生率和自然增长率分别下降到9.77‰和6.08‰，计划生育率达98.55％。

人口素质明显提高。大力实施“幸福工程”、“少生快富”、“奖励扶助”等优惠政策，以促进人口素质的提高和人口结构的调整。组织实施人口发展战略研究工作，《银川市2006—2020年人口趋势预测》、《银川市中长期人口发展战略目标研究》等重点课题研究取得阶段性进展。积极开展“生育关怀·生殖健康教育”项目试点工作，以避孕节育优质服务、生殖道感染防治、出生缺陷干预为重点的“三大工程”稳步推进。启动国家计生协“提高穆斯林人群生殖健康水平和预防性病、艾滋病能力项目”试点工作，深入开展优生四项检测试点，6个县区服务站和42个乡服务所取得执业许可证并被授予规范化服务站。

服务平台进一步拓展。开展了“进村入户服务月”、计划生育家庭才艺大赛、广场文艺演出等活动，举办了生育文化节、岗位练兵技术比武竞赛和流动人口知识竞赛，制作了温馨和谐的人口计划生育广告牌，建立了以纳家户、蓝山名邸为示范的45个生育文化大院，开办了“人口和计划生育栏目”、“人口和计划生育网站”、“168计划生育服务热线”，形成浓厚的人口和计生工作宣传氛围。

同时，我们清醒地看到，当前银川市人口总量仍处在一个快速增长的阶段，总人口每年净增4万人左右，将迎来总人口、劳动年龄人口、流入人口和老年人口“四大高峰”，人口素质、人口结构等新情况、新问题不断出现，稳定低生育水平的任务十分艰巨，人口和计生工作面临的形势依然严峻。为此，在今后的工作中，我们要切实做到“六个加强”，不断完善制度，创新机制，大力推进人口发展战略转移，构建统筹解决人口问题的长效机制，不断提高全市人口计生工作水平，努力保持计划生育工作长期稳定发展的良好局面。

切实加强党政“一把手”责任落实。坚持计划生育基本国策和稳定现行生育政策不动摇，坚持把稳定低生育水平作为首要任务，把统筹解决人口问题提上重要议事日程，把人口和计划生育工作纳入全市经济社会发展的全局来谋划和推动、各级党政一把手要亲自抓、负总责，分管领导要具体抓、直接负责，建立起“政府主导、部门协同、社会参与、综合治理”的工作机制，推动人口和计划生育工作整体水平的提升。一要落实计划生育领导小组各部门职责。建立和完善部门间协作配合、分工负责体系，解决好政策完善、执法协调、管理服务、信息共享、人财物投入等问题，最大限度地调动各相关部门履行职责的积极性。二要落实机关、企事业、社会团体法定代表人计划生育工作责任制。拓展责任范围，将责任部门由7个增加到37个，签订《人口和计划生育综合治理目标管理责任书》，充分发挥责任部门的职能作用。三要创新考核机制，实行目标管理责任制，是做好人口计生工作一大“法宝”。要把人口计生工作成效作为考核各级、各部门工作实绩和干部政绩的重要内容，形成有效的激励约束机制。今后，银川市政府将对超额完成目标任务，工作成绩突出的给予重奖；对仅仅完成责任书规定任务的不予奖励；对没有完成目标任务的坚决实行“一票否决”。

切实加强重点群体人口和计划生育工作。目前，银川市约有12万移民，集中在我市8个乡镇。必须要把移民地区作为全市人口计生工作的重中之重，坚持不懈地抓紧抓好。要强化流动人口计划生育的管理服务。按照“属地化管理、市民化服务”的要求，把流动人口全部纳入计划生育管理和服务范围，落实工作责任，健全服务网络，强化社区登记管理，实现流动人口信息适时变动、异地查询和跟踪服务，力争消除工作的盲点和死角，为流动人口提供平等、高效、优质的计划生育服务。要大力推进农村计划生育工作。要进一步强化镇、村两级的责任，前移关口，下移重心，切实做好宣传动员、管理服务等工作。着力解决“富人”超生等新情况、新问题。对“富人”和外来投资经商人员超生问题，必须引起重视，提前着手，研究制定一些好的办法和措施，解决好极少数人的超生问题，防止扩大和蔓延。

切实加强计生技术服务体系建设。“十一五”期间，计划完成银川市计划生育服务中心新建项目，强化银川市计划生育服务中心功能建设，实施三区计划生育服务站改扩建，落实社区公共卫生“六位一体”服务功能，健全城市社区计划生育服务体系，实现计生、卫生共建共用、资源共享。完成市、县、乡三级人口和计划生育服务站规范化建设，达到“环境优美、技术优良、服务优质、管理优秀、群众满意”的标准。

切实加强计划生育利益导向机制建设。全面落实农村计划生育家庭奖励扶助制度、独生子女父母奖励政策，加快“少生快富”工程，积极探索建立生育保险、节育手术保险等制度，在制定各项惠民政策和社会管理措施同时，注重与计划生育政策协调配套，让计划生育家庭在政治上有荣誉、经济上有实惠、生活上有保障。

切实加强人口和计划生育投入保障。把人口计生事业费作为公共财政的必保项目，建立稳定的财政投入增长机制，做到“足额预算，分级负担，专项列支，逐年增长”，力争到“十一五”末银川市人口和计划生育事业费达到人均30元的标准，为人口计划生育事业发展提供有力保障。通过整顿生育秩序，治理生育环境，落实责任追究制度，确保计划生育政策和法律法规的落实。坚持对提拔任用的党员干部、提名的人大代表、政协委员、评先评优等人员进行严格审查。严格执行《银川市人口计划生育工作举报奖励管理办法》，充分发挥广大人民群众的参与、监督作用，强化人口和计划生育民主监督，维护人口和计划生育工作的严肃性。

中国城市竞争力研究

一、国内城市竞争力研究现状

20世纪90年代末，国内有关城市竞争力的研究开始出现，内容主要包括对城市竞争力的概念和含义的界定、城市竞争力测度的指标体系及其评价方法、我国城市的竞争力状况、影响我国城市竞争力的关键因素等展开，提出了城市竞争力的提升战略。国内学者对于城市竞争力的研究主要集中在以下几个方面：城市竞争力的影响因素、城市竞争力的评价方法、我国城市竞争力实践工作等。学者们对于影响城市竞争力的因素意见并不统一，但是大致都包括了经济、发展水平、基础设施、人才培养、社会环境、政府管理、制度等多个方面。

一些学者将城市竞争力的影响因素分为硬环境和软环境两大类进行考虑，倪鹏飞提出了更加详细的影响因素，并进行了系统分析，他在《中国城市竞争力的理论研究与实证分析》一书中提出了全新的竞争力理论框架、分析方法和提升战略，是国内第一部规范系统研究城市竞争力问题的专著。此外，王兆华、武春友、张米尔将城市竞争力的影响因素分为四个方面，具体又分成了多个方面：产业优化、再造能力；城市国际化水平；塑造城市文化风格的能力；提升集聚环境质量的能力。有的学者则从城市竞争资本和城市竞争环境两个方面来对城市竞争力的影响因素进行分析。城市竞争力的评价方法争议较大。不同学者提出的指标体系有很大不同。宁越敏、唐礼智、黄旭成等提出城市竞争力的测度指标体系包括：城市综合；经济实力；产业竞争力；企业竞争力；科学技术竞争力；对外、对内开放程度；基础设施；国民素质；政府作用；金融环境；环境质量。郝寿义等在综合经济实力、资金实力、开放程度、人才及科技水平、管理水平、基础设施及住宅六个方面选择了21个原始指标或生成统计指标，组成了城市竞争力评价指标体系。

对城市竞争力理论研究的同时，实践工作也得到开展。徐康宁、施海洋提出中心城市是我国经济发展的一个重要增长极，并综合运用指标分析、数量模型系统以及专家系统等科学方法，深入分析并比较研究了国内中心城市的经济发展环境与竞争力。石忆邵、张洪武构建了城市综合竞争力指标体系，并运用计量方法和模型得出了长江三角洲地区15个地级以上城市的综合竞争力评价结果。在此基础上，分析了该区域新的比较优势，最后，提出了发挥区域优势，提高区域整体竞争力的主要对策。郝寿义、倪鹏飞选取我国七大城市进行了评价分析工作。郝寿义、成起宏对上海等四个城市的城市竞争力和城市建设发展情况进行了实证及比较分析。尹继佐提出要以国际标准提升上海城市综合竞争力。田涛、李言提出要用城建推动大连经济发展，全面提高城市综合竞争力。屠启宇探讨了增强城市综合竞争力与培育社会资本之间的关系，提出上海要加强社会资本的培育工作，以提高城市综合竞争力。

综上所述，国内关于城市竞争力研究的现状可以概括为这样几个特点：一是刚刚起步；二是起点较低；三是各自为政；四是一家之言，包括城市竞争力指标体系的建立，多数城市或机构都是从自己的需要出发设置的，还没有形成一个权威、科学、实用、统一的完整的评价系统。

二、城市竞争力研究的渊源及相关理论

（一）城市竞争力研究的渊源

城市竞争力从概念提出到现在，时间并不是很长。但是城市之间的竞争却是由来已久。纵观城市的发展史，从城市诞生之日起，各个有联系的城市间存在协作的同时也存在不同程度的竞争，只是各个阶段、各个地区城市间竞争的程度、方式、目的、过程及影响不同而已。

对于城市竞争力研究而言，究其渊源，可以追溯到19世纪。19世纪80年代，城市竞争力研究开始兴起，从事研究的主要代表是美国哈佛大学商学院的波特教授。波特教授是国际上研究竞争力问题的著名专家，19世纪80年代他连续发表了《竞争战略》、《竞争优势》和《国家竞争优势》三部著作，创立了竞争优势理论，并提出城市和区域更适合作为竞争优势分析的基本单元。90年代他又发表了《城市竞争力：美国》、《城市竞争力决定因素：一个评论》和《竞争力和城市经济：24个美国大城市区域》三篇论文，对城市竞争力的一些问题作了开拓性的探索。

（二）城市竞争力研究的理论基础

1. 竞争力理论

城市竞争力的研究源于对竞争力的研究。竞争在现象上表现为产品和价格竞争，实质上是争夺资源的竞争。现代市场竞争的内涵是对最有价值的生产要素的争夺，只有在配置生产要素方面占有优势，才能在市场竞争中具有优势。竞争力内涵随着经济社会的发展而日益丰富，具有多角度、多层次的含义。竞争力的概念主要有以下几类：

（1）成本优势理论。其代表是亚当·斯密基于资源禀赋而建立起来的绝对成本优势与李嘉图的相对成本优势和马歇尔的集聚优势理论。在这些理论分析中，市场竞争主要是产品竞争，产品成本是竞争占优的决定性因素。亚当·斯密和李嘉图的成本优势理论认为，竞争力的强弱取决于是否占有和控制世界上的资源产地，是否具有生产上的高效率技术和组织方式等。马歇尔认为当企业集聚时，由于大量生产要素的集聚所产生的相互积极影响，可以大大降低生产成本，从而提高竞争力。但是，今天的成本优势被认为是科技创新能力、管理水平、制度因素、人力资源素质等多种因素作用的结果。在同类型产品竞争中，成本仍是一个综合性的竞争力指标。

（2）体制优势理论。在资源禀赋意义逐渐减退的情况下，竞争力优势理论的研究转向更深入层次的体制性方面。体制优势理论主要是以世界经济论坛和瑞士洛桑国际管理开发学院的观点为代表，他们认为竞争力是指一个国家或公司在世界市场上能够均衡地生产出比竞争对手更多财富的能力，是一国的企业或企业家用以比国内外竞争者更具吸引力的价格和质量来进行设计、生产和销售产品与劳务的能力。这样，在自由公平的市场环境下，国家不仅能够在国际市场上提供好的产品、好的服务，同时又能提高本国人民生活水平的能力。这个定义强调贸易竞争力的重要性，即一国生产的产品和服务必须接受国际市场的检验，才能证明是否有竞争力。这些观点主要是从现代市场竞争的基本体制性因素——国际化、政府管理、金融体制、公共设施、企业管理、科学技术、国民素质、服务水平等进行的综合评判。

（3）创新优势理论。以熊·彼特理论为基础的技术创新理论，认为竞争力优势主要是以技术组织的不断更新为依托；以波特为代表的系统性竞争力优势理论，认为竞争力在于技术创新，更在于国内各方面经济资源和要素分工协作的体系化；以道格拉斯·诺斯为代表的制度创新竞争力优势

理论认为竞争力在于通过制度创新营造促进技术进步和发挥经济潜力的环境，强调竞争力优势是制度安排的产物。虽然这些理论主要是针对企业竞争力和国家竞争力而展开的，不过他们从各个方面丰富了城市竞争力的理论，为城市竞争力理论的发展提供了很好的借鉴。

2. 可持续发展理论

随着对城市竞争力研究的逐步深入，一些学者越来越注重城市的可持续发展能力的获得，如宁越敏、徐康宁等，于是，可持续发展理论逐渐成为城市竞争力研究新的基础理论。可持续发展的根本是经济、社会的发展要与资源、环境相协调，其核心是生态与经济的协调。在研究城市与区域的可持续发展问题上，首先必须解决好区域与城市的资源在当代人与后代人之间的合理配置，既要满足当代人所必需的合理要求，做到合理开发合理利用，又要为后代人留下生存和发展所必须的条件，同时也应注意资源区域与城市间的合理分配问题。

3. 创新理论

美国经济学家熊・彼得在1912年《经济发展理论》一书中，提出了“创新理论”，后来对创新理论加以补充和完善，形成了以创新理论为基础的理论体系。他以“创新”来解释经济周期和经济发展，明确提出创新是经济发展的本质，创新就是不断打破经济均衡的过程，经济研究的重心不是探讨如何实现均衡，而是探讨如何打破均衡，均衡的破坏就是创新。

4. 区位理论

多数研究者相信，“地方特性”对地区经济发展很重要。提高城市竞争力，就是培养或利用好的“地方特性”产生吸引力，进而引发集聚，增强已有优势产业或加快新兴产业本地化的过程。“地区特性”试图解答何以有些城市能吸引大量资金，生机勃勃，而有些城市却不能。一些解释虽然涉及了相似的因素，但对区位优势的形成给出了不同原因。Mike Raco相信在新兴产业区，参与者通过交互式学习网络提高创新潜力，获得竞争优势、城市管治与政策的重要性。克鲁格曼认为，集聚在地区发展中具有普遍性，空间集聚（规模经济）源于地区外部经济，外部经济又产生于效益递增，即：效益递增是经济活动本地化的关键。通过建立正规经济模型，克鲁格曼演绎空间集聚形成与发展过程，强调规模经济、市场和运输成本、历史基础和偶然事件、累计效应、预期和突变在集聚中的作用。

5. 城市竞争力的基本理论与模型

（1）IMD的国际竞争力理论

国际竞争力评价体系于1980年由世界经济论坛和瑞士洛桑国际管理学院创立。国际竞争力评价和分析的计量指标共有244项，具体反映了经济学和管理学中的企业理论、产业理论、新经济增长理论、制度经济学理论公共经济理论、金融理论、国际经济与发展经济学等多学科理论的应用。国际竞争力体系评价设计的原则之一就是要保持运用上述最新理论去观察、测度世界国际竞争力的发展及其过程与趋势。国际竞争力的核心内容是建立在新经济增长理论的基础上，包括创造增加值和国民财富的生产理论，这是构成国际竞争力发展的基本目标。此外就是人力资本、高技术和高风险资本、社会组织资本对经济增长的推动作用以及在增长模型中变量内生化理论，这是构成国际竞争力发展过程中现实推动的重要因素（见图１）。

（2）迈克尔・波特的产业竞争理论

波特的竞争战略理论乍看复杂，其实脉络清楚，他的学说重点主要有：五力模型、三大一般性

图1

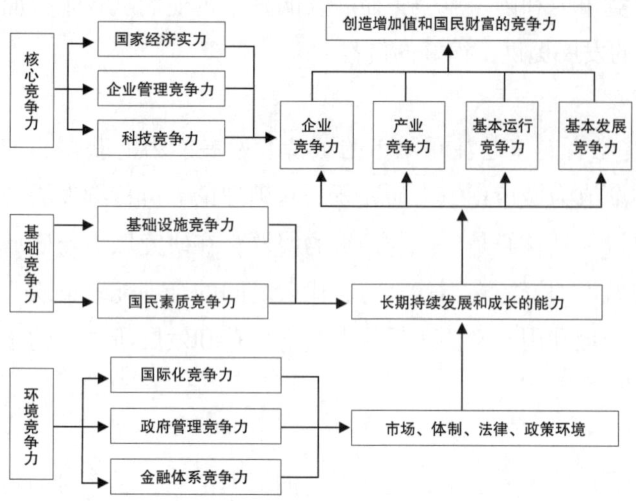

图2

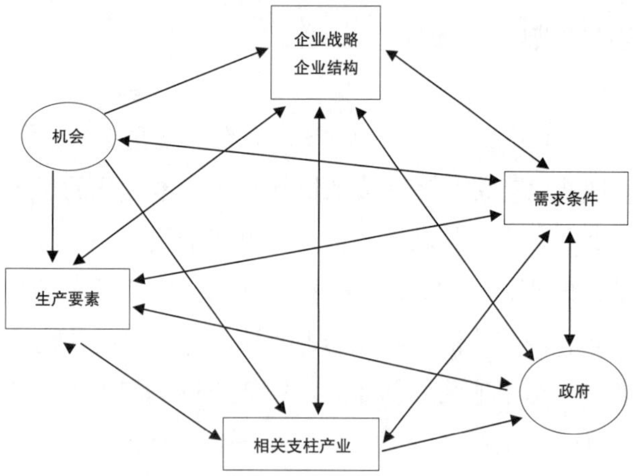

战略、价值链、钻石体系、产业集群。波特认为，国家或地区竞争环境如何与其生产率的增长密切相关，一个国家经济发展及其国际竞争力水平，并非只与政治环境和宏观经济条件相关，微观经济基础也起重要作用。国家的竞争力集中体现在其产业在国际中的竞争表现，而一国的特定产业是否具有竞争优势取决于国内四个关键要素，即生产要素、需求条件、相关产业和支持性产业的表现、企业的战略、结构和竞争对手。此外，政府的作用以及机遇因素也具有相当的影响力。这六大要素互动形成了“钻石”架构，将影响企业在某个地理环境下能否发展出持续创新、不断进步的能力（见图2）。

迈克尔·波特强调，产业若要建立国家竞争优势，必须善于利用四大关键要素，加上机会、政府角色，彼此互动。通过这些关键要素，可以评价国家环境对产业竞争的可能效果，它们也会引导企业创造并保持本身的竞争优势。

在波特的“钻石”理论中，他特别强调，当今的竞争已经处于一种动态多变的状态中，在基础科技迅速扩散、交通和传播成本降低的情形下，仅仅将生产活动迁移到廉价地区已经不能保持长期的竞争优势。企业维护竞争优势的唯一方式就是持续不断地升级和创新，而这种创新的基础就是高素质的劳动力和强大的科研基础。

（3）Douglas Webster的城市竞争力模型

Douglas Webster指出，由于经济全球化使得商品贸易和资本流动给城市带来的机遇和威胁一同增长，而城市应对冲击所能利用的资源是有限的，同时，国家政策和经济状况对城市竞争力的影响变得越来越重要。因此，他将决定城市竞争力的要素分为四个方面：经济结构、区域性禀赋、人力资源和制度环境。经济结构作为竞争力评价体系的焦点，属于这方面的关键性要素的有经济成分、生产率、产出和附加值以及国内的国外投资；区域性禀赋是一个专属于一个特定区域、基本上不可转移的地区性特征；人力资源是指劳动力技能水平、实用性和劳动力成本。在提升一个城市的价值链上，人力资源决定其所达到的程度，所以，提升城市竞争力要求新生的部门必须有适宜的人力资本相匹配；制度环境是指企业文化、管理框架（包括激励机构）、政策导向和网络行为倾向。在一定意义上说，竞争力是制度的产物（见图3）。

由于Douglas Webster侧重考查的是各种因素的动态变化对城市竞争力的影响，特别是经济和就业结构的变动使得城市的未来地位变得难以捉摸。因此，他认为再复杂的竞争力评价体系也难以预测一个城市未来的发展道路，而对信息收集方法的适应性训练则可以显著地改善城市竞争力的评价体系。

图3

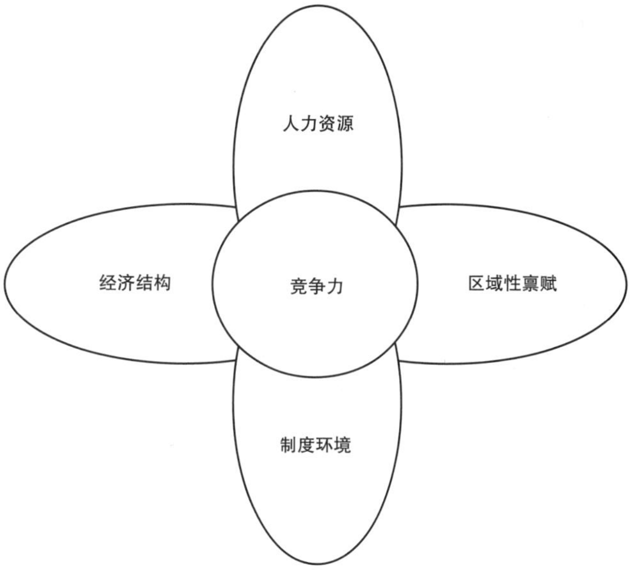

（4）Linnamaa的城市竞争力模型

进入21世纪，网络、共享的观念开始深入人心，在网络条件下，全球和地区的各类功能和活动以网络的方式来组织，而不是以纯粹的科层方式和市场方式来完成的。传统的在国家与市场、公有与私有之间取其一的思维方式已经被超越，竞争与合作受到重视，认为各城市之间既有激烈的竞争又有紧密的合作（见图4）。

图4

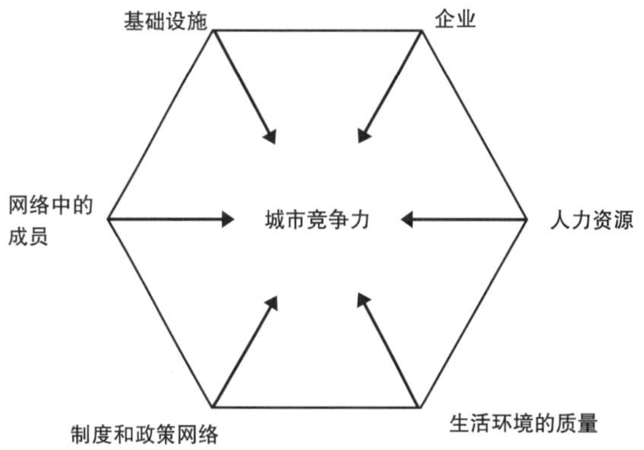

Linnamaa不再把政策的目标直接定在企业等单个方面，而是有意识地发展城市的核心竞争优势，将城市作为一个整体来经营。根据Linnamaa的研究，一个城市的竞争力主要由六个要素决定，即基础设施、企业、人力资源、生活环境的质量、制度和政策网络、网络中的成员。

（5）Iain Beg的城市竞争力模型

Iain Beg综合了有关城市竞争力的概念和评价方式，将城市竞争资本和潜在竞争结果两者结合起来分析城市竞争力。1999年，他通过提出一个复杂的“迷宫”来说明城市绩效的“投入”（自上而下的部门趋势和宏观影响、公司特质、贸易环境、创新和学习能力）和“产出”（就业率和生产所决定的具体生活水平）的关系，将城市竞争力的显性要素和决定要素的分析结合了起来。

（6）IUD的城市价值链理论

北京国际城市发展研究院依据国际竞争力理论和国家竞争优势理论，建立了适合WTO背景下中国城市竞争力需要的“城市价值链模型”。

城市价值链模型强调，一个企业的价值取决于它的现金流，一个城市的价值取向主要取决于它的价值流。一个城市的价值链包括其价值活动和价值流。价值活动是城市价值创造过程中实现其价值增值的每一个环节，包括城市实力系统、城市能力系统、城市活力系统、城市潜力系统、城市魅力系统。价值流是指一个城市以相应的平台（基础平台、操作平台、服务平台）和条件（政策体制、政府管理、市场秩序、社会文化），吸引区外物资、资本、技术人力、信息、服务等要素重组、整合来促进和带动相关产业的升级和扩充，并将形成和扩大的竞争优势向周边和外界扩张和辐射，在资源要素高效、规范、快速、有序的流动中实现价值，再在循环往复中不断扩大规模和持续增长，从而使个人提升城市竞争力。这样，城市价值链模型将城市的资源配置过程描述成一个价值链，各种竞争不是发生在城市之间，而是发生在城市的各自的价值链之间，只有对价值链各个系统有效的分解与整合，才有可能获得真正的竞争优势（见图5）。

图5

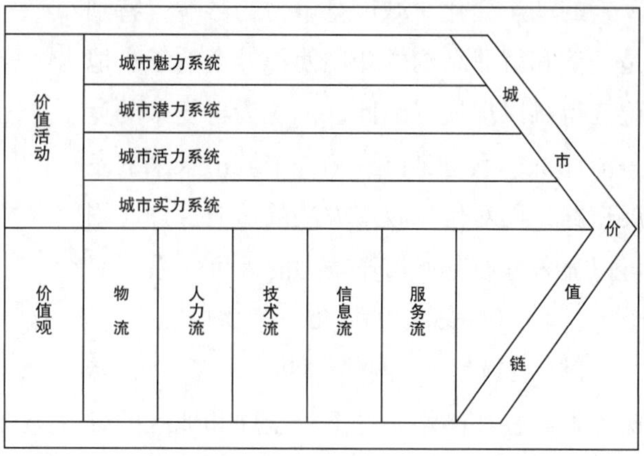

（7）倪鹏飞的城市竞争力模型

该模型在假定城市竞争力与城市价值收益的关系后，将城市竞争力归结为城市的产业竞争力，具体表现为创造有价值产品的产业增加值。制约产业增加值的约束条件分为两类:硬分力和软分力。其中硬分力主要包括劳动力、资本力、设施力和环境力等；软分力主要包括文化力、制度力和管理力等。这样，城市竞争力的概念框架便确立为：城市竞争力=硬分力+软分力。在这一框架中，硬分力比作弓，软分力视为弦，城市产业则比作箭。

描述城市竞争力的多维指标在这一模式中各就各位，构成一个有机整体，将城市竞争力以一种非常简明而系统的方式表达出来。显然，国外对城市竞争力的研究已经在一些方面初步达成一致：国家和城市的竞争是关于其财富（或价值）及其增长的竞争，包含着多个侧面；竞争力的评价指标体系要有一个令人信服的理论基础和框架，指标选取应避免随意性；城市竞争力的多数关键指标应是软指标即问卷指标；城市竞争力研究是城市竞争力表象和构成要素的统一。相比而言，国内目前在城市竞争力方面的研究还没有形成一个权威、科学的评价系统，在指标体系设置方面也存在多种意见（见图6）。

图6

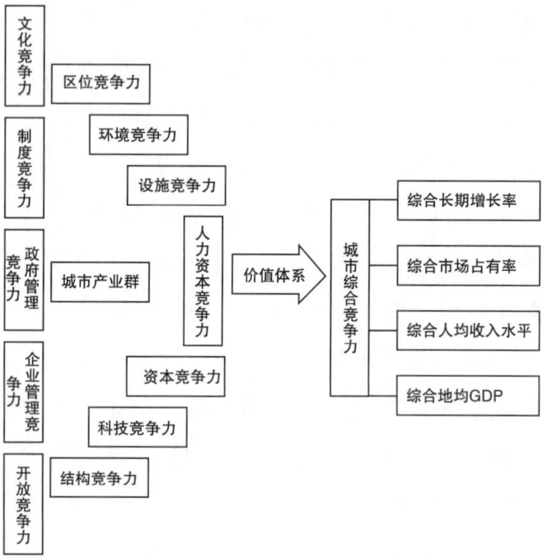

（三）城市竞争力的概念和内涵

1、城市竞争力的概念

近年来，关于城市竞争力的研究文献大量涌现，国内外学者在国际竞争力和产业竞争力等问题的研究成果的基础之上，逐步建立了城市竞争力的理论体系。但是，由于城市竞争力还是一个新的研究领域，在学术界还未能形成公认的理论体系，对于城市竞争力的概念，目前也没有一个比较统一的定义，学者们根据自己的研究从各个不同的角度对城市竞争力进行定义。

（1）国外关于城市竞争力的概念

国外学者关于城市竞争力的研究要早于国内，提出的城市竞争力的概念主要有以下几种：

（a）Kresl于1995年提出了对城市竞争力有重要影响的6个因素：能给居民提供高技术、高收入的工作；生产的产品符合环保要求；生产的产品质量优良，并且其需求的收入弹性较大；经济增长率能够满足充分就业的需要；城市在专业化发展中能够控制自己的未来，而不是被动地接受命运的安排；城市政府能够不断改进行政管理绩效。

（b）Douglas Webster指出，城市竞争力是指一个城市能够生产和销售比其他城市更好的产品。非交易性劳务也是竞争力的一个重要组成部分。

（c）Ivan和William（1999）借鉴英国政府白皮书关于企业竞争力的定义、23OECD关于国家竞争力的定义，总结出城市竞争力的定义，认为城市竞争力就是城市生产产品和提供服务，能够满足区域、国家和国际市场，同时能够提高居民实际收入、改善居民生活水平和促进可持续发展的能力。

（d）Iain认为城市竞争力是一个城市在自由、公平的市场经济条件下，为满足国际、区际或者城市间市场的需要而生产产品和提供服务的能力，并且能够同时增加其居民长远的实际收入。

（2）国内关于城市竞争力的概念

在国内，关于城市竞争力的研究还是一个比较新的课题，较早提出城市竞争力概念的是南开大学的郝寿义教授等人，然后一些科研机构和高等院校研究者也相继提出了城市竞争力的概念，其中主要的有以下几种：

（a）南开大学的郝寿义教授（1999）认为，城市竞争力是指一个城市在国内外市场上与其他城市相比所具有的自身创造财富和推动地区、国家或世界创造更多社会财富的能力。城市竞争力反映的是一个城市的生产能力、生活质量、社会全面进步以及对外影响。

（b）上海社科院（2001）通过研究认为，一个城市的竞争力是指该城市在一定区域范围内集聚资源、提供产品和服务的能力，是城市经济、社会、科技、环境等综合发展能力的集中体现。

（c）北京国际城市发展研究院认为，所谓的城市竞争力是指一个城市在经济全球化和区域一体化背景下，与其他城市比较，在资源要素流动过程中，所具有的抗衡甚至超越现实的和潜在的竞争对手，以获取持久的竞争优势，最终实现城市价值的系统合力。

（d）华东师范大学城市与区域发展研究所的宁越敏教授（2001）认为，城市竞争力是指在社会、经济结构、价值观、文化、制度政策等多个因素综合作用下创造和维持的，一个城市为其自身发展在其从属的大区域中进行资源优化配置的能力，从而获得城市经济的持续增长。

（e）中国社会科学院的倪鹏飞博士指出，城市竞争力是一个城市在竞争和发展过程中与其他城市相比较所具有的吸引、争夺、拥有、控制和转化资源，争夺、占领和控制市场，以创造价值，为其居民提供福利的能力。

（3）国内外城市竞争力概念的比较

国外关于城市竞争力的解释归纳起来有三类观点：一种是着眼于一个城市的综合实力，这与世界经济论坛评价国际竞争力的内容和方面相类似，认为城市竞争力是社会、经济、科技、资源等方面的实力和经济体制、运作机制等方面的能力；另外一种是着眼于一个城市的市场竞争力。认为城市竞争力是指在市场经济条件下，一个城市最终体现在国内和国外市场上所应有市场份额的竞争能力，并借此提高城市的经济水平和居民收入；第三种则是着眼于城市的区域竞争力，如Gordan和Cheshire认为一个城市的城市竞争力是城市之间在区位、本城市企业的优势与劣势相互比较中的所具有的优势和竞争能力，区域竞争力就是一种能够增进区域优势，提升地区价值力量。国内关于城市竞争力的解释，不论是南开大学还是IUD等提出的城市竞争力，均着眼于一个城市的整体竞争能力。同时，我们也可以看出，尽管国内外的不同学者、不同研究人员对城市竞争力概念的认识莫衷一是，但都使用了以下一些标准：

（a）以城市获得持续发展能力为标准，如宁越敏、徐康宁等。

（b）以城市生产产品和提供服务并能增加居民实际收入的能力为标准，如Ivan和William、Iain、上海社科院等。

（c）以城市具有吸引、争夺、拥有、控制和转化资源的能力为标准，如倪鹏飞等。

无论国外还是国内，目前对城市竞争力理论的研究还不成熟，一方面是因为我国城市竞争力研究起步较晚，另一方面也是因为城市竞争力本身是一个具有明确直观含义却又不易精确把握的概念，难以对其进行精确的定义。城市竞争力其本质是一种系统合力，不是现象上的种种比较优势，也不是作为城市要素的种种资源，城市竞争力是受经济、社会文化、政策制度等诸多因素综合作用的，其发展也是一个渐进的过程，不可一蹴而就。

2. 城市竞争力的内涵

不同的时代，城市竞争力的内涵是不同的。在农业经济时代，城市的竞争力表现在粮食的仓储，农副产品交易，交通运输等条件因素上，有许多城市之所以建在河边，就是因为粮食通过水路运输成本最低；工业经济时代，城市的竞争力表现在矿产资源的获得、劳动力获得的难易以及产品距离消费市场的远近等因素条件上；知识经济时代，城市竞争力的核心又发生了变化，科技创新成为城市的核心竞争力。但不同时代的城市竞争力的内涵都应包含以下几个方面：

（1）城市竞争力的主体。城市竞争力的主体是城市而非国家。城市竞争力实质上是运用微观经济学的原理进行较为宏观的经济研究，即一个城市仿佛是一个“企业”，区域内城市相互之间的竞争相当于企业与企业之间在市场上的竞争，因而城市竞争力体现为一个“企业”在国内外市场上较竞争对手获取更多财富的能力。

（2）城市竞争力具有系统性。城市竞争力是由各种因素构成的有机统一整体，它的大小取决于各个要素综合作用的结果，如果只强调其中某一个因素或几个因素，都会陷入盲目性和片面性。因此，营造城市竞争力将是一项系统工程，必须从整体出发，全面考察，始终把握系统的整体特性和功能，从而达到在整体上增强城市竞争力的目的。

（3）自然禀赋、非自然资源是城市竞争力的基础。条件独特的区位优势，拥有丰富的自然禀赋往往是构成城市竞争力的一个重要条件。20世纪80年代深圳的崛起，与紧靠香港有着内在的联系；20世纪90年代苏州开放性经济的迅速发展，也和临近上海有很大关系。非自然资源与环境构成城市竞争力条件的因素更多，有经济方面的，如产业基础、城市规模、人力资源、市场体系等；有制度方面的，如企业制度、政府服务、市场规范等；也有文化方面的，如价值观、教育水准、文化意识等。

（4）城市竞争力的核心是集聚、吸收和利用各种资源和文明要素。城市竞争说到底是竞争中的城市占有和争取有限资源的一种过程，目的在于促进本地经济、社会的更快和更好的发展。在促进经济和社会发展的过程中，这些资源就转化成各种文明要素，这里既包括有利于物质文明增长的要素，如资本、技术、人力、信息等，也包括有利于城市精神文明积累的要素，如先进观念、先进文化、先进思想等。一个集聚、吸收和优化配置这些文明要素的能力比较强的城市，其竞争力就会较强，因为所集聚、吸收的文明要素，通过合理的配置及优化，能转换成巨大的生产力和文化力，最终超越其他城市。

（5）城市竞争力的高低，最终反映在城市的快速发展和可持续的能力和趋势上。这里需要特别界定两点：一是城市竞争力既是一个结果，又体现于一个过程，而更多的是体现于一个过程。因此，城市竞争力的高低主要是决定了城市的发展潜能和发展趋势（但并不会因此而否定竞争力静态状况对城市竞争的意义）；二是城市竞争并不是单纯取决于发展速度，尤其是经济发展速度，而是更多地体现于开放、协调和可持续的一种发展状态和趋势。城市竞争力的战略是促进区域和经济的高效可持续的发展，城市竞争力的最终目标是实现城市价值。

（6）城市竞争力是综合性的、多层次、多方面的。无论是构成竞争力的条件，即城市为形成竞争优势而提供的环境，还是构成竞争力主体的集聚、吸收和优化各种城市文明要素的能力，都是综合性的、多层次、多方面的。这些环境和文明要素不仅涉及经济领域方面，而且也涉及政治、文化、人才等多个领域，因此，城市竞争力本质上是一个城市的综合发展的能力，所以，用城市综合竞争力概念也是准确的。同时，城市竞争力是组织的系统合力，而不是局部或某一层次上的能力，也不是城市职能活动，城市竞争力本质上是为城市发展其所从属的区域进行资源优化配置的能力，战略目标是促进区域城市经济的高效运行和持续高速增长。

（7）城市竞争过程具有动态性。尽管静态的竞争状况对一个城市竞争力十分重要，但城市竞争力还是更多地表现为动态的发展和变化。这和前面所论述的城市竞争力体现于一个发展过程之中是一致的。只有从一个动态发展过程来看不同的城市，城市的竞争力才具有意义。换言之，一个城市现在的经济发展格局和文化特征，可能关系到该城市5年乃至10年后竞争力的大小。另一方面，从动态角度看，现在竞争力强的城市5年或10年后未必能保持住这种优势；反之亦然。这是由于经济运行过程中，各种因素总是处于不断的发展变化之中，导致城市竞争力的内涵也会不断的发生变化，因此城市竞争力是一个动态平衡的开放系统。同时，动态性也决定了提高竞争力将是一项长期性的工作，在实践中应注意克服存在的不利因素，不断调整和理顺因素之间的相互关系，从而保持较高的城市竞争力水平。

（8）城市竞争力是一个相对性的概念。从某一时点去观察城市的竞争状况，各个城市的竞争力都是相对的。这种相对性可能体现于某一空间范围内，即在区域内或国内比较，看某个城市是属于某一区域竞争力较强的城市，还是国内竞争力较强的城市，当然我们也可以确定一些城市在国际上的竞争力；这种相对性同时表现在各个城市的横向比较上，由此而排列出竞争力的高低。如果把10个城市作为一组样本来研究，在相互比较的情况下，有竞争力相对较强的城市，也有竞争力相对较弱的城市。显然，城市竞争力是一个比较的概念，而不是一个绝对的概念。那种得出所有城市竞争力水平都提高了的结论，实际上把城市的竞争力看成了城市的发展水平。城市竞争力是抗衡和超越竞争对手的一种力量，其强弱或大小，不仅取决于城市自身，还与对手的竞争态势以及与总体竞争态势相关；城市竞争力是一个相对的概念，强调与其他城市的横向比较，因为只有进行比较才能体现出竞争力的大小。另外，随着作用因素的不断改变，同一城市在不同的发展阶段竞争力水平也各不相同。

3. 城市竞争力的本质

城市竞争力的本质是吸引、集聚功能。对于“集聚”一词的概念，哈佛大学的波特教授是这样定义的：集聚（Cluster）是指在地理上一些相互关联的公司、专业化的供应商、服务提供商、相关的机构如学校、协会、研究所、贸易公司、标准机构等在某一地域、某一产业上集中后，既相互竞争又相互合作的一种状况。波特教授还认为，集聚对经济发展能产生良好的功能，这主要表现为：第一，可以更经济的获得专业化的投入要素和人力；第二，可以以更低的成本获取相关信息；第三，通过集聚可以增强企业间的互补性；第四，低成本的获取公共产品；第五，集聚可以提供更有效的激励。从实际情况来看，城市作为区域经济中心，确实明显地表现出了集聚的功能，主要表现在以下几个方面。

（1）城市是重要的资源转换中心。通过城市庞大的生产体系加工着自然资源、原材料以及知识和信息，并将它们转换成各种产品、货物及信息知识产品。

（2）城市是价值增值中心在资源要素的转换过程中城市创造出新价值，成为利润中心。

（3）城市是物资集聚和流转中心。资源要素的转换促使城市必须对资源要我国城市竞争力的理论研究与实证分析素、原材料的输入和产品货物的输出进行运作，使城市成了实物分配的枢纽。

（4）城市是资金配置中心。一方面，城市的生产体系对资金有大量的需求，另一方面，随着实物的流转和分配，资金的流转和分配也在同时进行。

（5）城市是信息交换处理中心。由于重要的经济活动大多数都是在城市进行的，所以各种信息主要是在城市内产生、交换、然后进行扩散。

（6）城市是人才集聚中心。城市的生产体系运作需要大量人才，同时大量人才也被城市充满活力的发展环境所吸引。

（7）城市是经济增长中心。通过以上几点内容，我们可以自然而然地认为城市是经济活动的中心，当然也是经济增长的中心。

我们必须指出的是城市不仅具有集聚功能，同时也具有扩散功能，这两种功能是相辅相成的、互为促进的，集聚功能增强了城市实力，扩散功能扩大了城市的影响和控制范围，两者共同作用于城市，吸引和获得新的资源，增强了城市的竞争力。城市的扩散功能主要表现在以下几点：一是扩张城市的市场性占有以及城市配置和利用资源的权利范围；二是构筑更大空间的经济协作体系和建立更大的经济区域；三是扩散城市的优势如观念、技术、管理等，带动和提高周边地区的经济发展能力和发展水平，从而更进一步确立城市对周边地区的主导性作用和吸引力。

通过上述分析，我们认为城市的集聚就是城市吸纳城市本身、周边地区及国内外的资源要素，并充分利用这些要素来增强城市的经济实力和发展潜力。同时，把在经济、文化等各方面的优势，有计划地、系统地渗入到周边地区甚至更大的区域，从而带动这些区域的发展，并在渗透的过程中进一步增强以城市为中心的区域经济的整体实力，形成新的、更强更广的集聚能力。所以说，中国城市经济的主要功能在于集聚与扩散，而城市竞争力的大小则集中表现为集聚和扩散能力所带来的资源的吸引力的强弱。

以上内容为根据倪鹏飞、王兴平、仇保兴、王兆华、郝寿义、唐礼智、尹继佐、迈克尔·波特、李怀建、刘鸿钧、 Martin Boddy 、Jensen-Butler 、Ian Gordon 、Baden Wurttemburg 、Peter Kresl 、Jeremy.R.L.Howells 、Iain Beg等人相关参考文献整理。

2009年中国城市竞争力度述评

2009年，由金融危机带来的市场信心下降逐渐得以恢复，全球经济出现复苏迹象，经济波动导致中国经济的结构性发生变化，中国城市在国际地位提升的同时，竞争力格局也发生了重要的变化。本次报告主要基于2008年及以前的数据进行的分析，报告将从国家、区域、省区和重点城市等不同层面，从城市规模、行政等级和发展阶段等不同视角，从城市竞争力构成的不同方面，来分析中国城市竞争力格局。本次报告将主题确定为国家竞争力，不仅从国家的视角比较分析了中国的竞争环境、机遇挑战和优势劣势，而且分析了国家竞争力与城市竞争力的关系，提出了通过城市集群发展提升国家竞争力的政策建议。同时，报告有关区域和省域城市竞争力的比较数据，为相关省区和具体城市分析自身竞争力，制定提升竞争力的战略提供了启示和参考。

一、综合竞争力：东南沿海相对下降，北部中部快速提升

城市综合竞争力是一个综合概念，指的是一个城市多快好省创造财富的能力。城市综合竞争力排名先后，意味着城市在市场占有率、经济增长率、综合生产力等方面表现的好坏。

（一）五区域分享前十名，沿海城市北进南退

五区域城市分享前十名。2009年前十名城市依次是：香港、深圳、上海、北京、台北、广州、天津、高雄、大连、青岛。前十名的城市来自珠三角、台湾、长三角、环渤海、东北。其中，珠三角3个，环渤海3个，台湾2个，长三角、东北各1个。

沿海城市南降北升。比较前十名城市5年历史变化还有重要发现：香港虽仍然领先，但深圳、上海越来越向其逼近；天津持续从15跃进到第7，直逼广州；青岛从2007年开始迈入前十；大连进步最快，从18提到第9；苏州、杭州分别退出前十名。从区域看，5年来，北方的环渤海和东北急速提升，东北城市开始挤进前十名，环渤海前十名城市增加；长三角下降最快。总体上，城市间的竞争力差距在逐渐缩小（见表1）。

（二）全国城市整体起飞，潜力城市各具特色

过去五年竞争力稳步提升的十个城市各具特色。这十个城市分别是：防城港、清远、赣州、通化、鄂尔多斯、乐山、廊坊、咸阳、澳门、大连。分别属于不同的区域、规模和发展阶段，这反映出中国城市竞相争先的态势，不同类型的城市都有提升最快、潜力最大的城市（见表2）。

大连利用产业转型的契机，大力发展服务业和高新技术产业，是全国唯一一个增长较快的特大型城市。澳门自1999年回归以来，发展迅速，在过去5年，GDP增长一直处于前列。咸阳依托资源优势，发展多层次产业，在过去5年的发展可圈可点。廊坊介于北京和天津之间的特殊地理位置，使得其快速发展。乐山地处西南地区的中等城市，通过发展产业集群，迅速提升区域经济竞争力，发展势头迅猛。鄂尔多斯凭借其资源优势和创新战略，推动当地经济发展，是蒙古草原上一只展翅腾飞的雄鹰。通化是东北地区的中等城市，依靠优势产业支撑通化发展，在众多东北城市中异军突

表1　2009年排名前十位城市的综合竞争力指数及排名五年变化

城市	2005年		2006年		2007年		2008年		2009年	
	指数	排名	指数	排名	指数	排名	指数	排名	指数	排名
香港	0.863	1	0.899	1	0.896	1	0.898	1	0.895	1
深圳	0.712	3	0.747	3	0.757	2	0.778	2	0.760	2
上海	0.731	2	0.753	2	0.755	3	0.778	3	0.759	3
北京	0.666	5	0.721	4	0.725	4	0.745	4	0.748	4
台北	0.681	4	0.683	6	0.691	5	0.725	5	0.705	5
广州	0.638	8	0.666	7	0.668	7	0.684	6	0.666	6
天津	0.590	15	0.622	12	0.631	10	0.647	9	0.652	7
高雄	0.661	6	0.694	5	0.676	6	0.670	7	0.646	8
大连	0.584	18	0.597	18	0.62	12	0.631	12	0.643	9
青岛	0.606	12	0.617	14	0.636	8	0.656	8	0.639	10

表2　5年来竞争力持续增长最快的10座城市及其排位变化

城市	省份	区域	发展阶段	城市类型	2005年排名	2006年排名	2007年排名	2008年排名	2009年排名
防城港	广西	西南	工业化初期	小城市	244	225	207	188	169
清远	广东	东南	工业化初期	大城市	198	166	146	133	127
赣州	江西	中部	前工业化阶段	中等城市	241	220	215	209	192
通化	吉林	东北	工业化初期	中等城市	192	180	160	158	144
鄂尔多斯	内蒙古	西北	资源型城市	小城市	73	56	52	38	30
乐山	四川	西南	工业化初期	中等城市	197	187	177	175	168
廊坊	河北	环渤海	工业化初期	中等城市	103	88	88	79	75
咸阳	陕西	西北	工业化初期	大城市	146	141	131	127	125
澳门	粤港澳	东南	工业化后期	小城市	23	22	20	15	13
大连	辽宁	东北	工业化后期	特大型城市	18	18	12	12	9

起。赣州是京九沿线的中等城市，利用产业转移优势，实现跨越式发展。清远地处广东北部山区，利用经济转移之机，同时保护生态环境，增长势头不容小觑。防城港是西南地区的小城市，处于工业化初期，占据北部湾崛起的先机，竞争力提升迅速。

事实上，过去5年全国城市呈现出整体起飞的态势，不同区域、不同类型城市的领跑者跃升速度不相上下。除了以上城市稳步提升之外，在环渤海、中西部、东北、西部地区一些交通便利、资源富集的城市也表现出显著的跨越发展态势。例如：包头、邯郸、汕头、合肥、沈阳等特大城市提升较快；大城市中宿迁、阳江、四平、丹东、日照、聊城、阜阳提升较快；中等城市松原、乌海、三亚、辽源、赣州、通化较快；小城市中吕梁、玉溪、张家界提升最快。

（三）东南优势略有下降，全国城市间差距缩小

东南优势略有下降。尽管2008年由于国际金融危机竞争力有所下降，东南区占据明显优势，2009年前50强中东南城市占据40%。环渤海地区竞争力提高也较快，在城市差异缩小后，成为中国经济的又一亮点。中部、东北、西南地区利用有效时机获得发展，竞争力稳步提升。西北地区同样

获得发展，但城市差异拉大。受金融危机影响，台湾城市竞争力有所下降，由于各地比较优势的差异，产业转型导致城市间的差距拉大。

全国城市间差距缩小。从竞争力基尼系数上看，中部、环渤海地区的城市差异性明显缩小，对比突出城市竞争力，两地竞争力呈现突出城市带领下的整体提升。与中部、环渤海地区相比，西南地区竞争力还存在差距，基尼系数缩小，一批特色性城市正在成长。西北地区城市间竞争力差距拉大，这种情况常出现在一些经济迅速发展的地区（见表3）。

（四）浙江竞争力全面下滑，内蒙古吉林连续领先

省区城市竞争力逆转，中西部省份增长迅速。省区[①]综合竞争力排名方面，前五位被台湾、江苏、粤港澳、浙江、山东所占据，但是在省区竞争力排名增长中，内蒙古和吉林增速最快，相对2005年，2009年名次均上升三位（见表4）。

表3　5年来七大区竞争力基尼系数

年度	环渤海	中部	西北	东北	东南	西南	台湾	总体
2009	0.095	0.092	0.155	0.119	0.116	0.112	0.065	0.133
2008	0.098	0.096	0.152	0.121	0.12	0.118	0.067	0.137
2007	0.096	0.097	0.154	0.12	0.121	0.117	0.060	0.138
2006	0.096	0.102	0.154	0.123	0.122	0.118	0.041	0.141
2005	0.103	0.108	0.143	0.129	0.127	0.124	0.032	0.145

二、综合增长：城市增长位次变动剧烈，吉林位居全国第一

城市增长竞争力衡量的是城市价值扩展的速度及潜力，主要是用城市综合经济增长速度来测度，指标是GDP综合增长率。

（一）吉林、内蒙古和辽宁共有15个城市位列综合增长竞争力20强

1. 鄂尔多斯、通化和铁岭位列综合增长竞争力并列第1名。2009年，这3强城市较2008年有所变化，鄂尔多斯继续保持3强地位，通化异军突起进入3强，铁岭综合增长竞争力提升一位也进入3强。辽源跌至第4位，河源则跌至了第30位（见图1）。

2. 吉林、内蒙古和辽宁共有15个城市进入20强。这三个省份各有5个城市进入20强。此外，广东和广西各有2个城市进入20强，而山东只有烟台进入20强。吉林、内蒙古和辽宁城市经济增长强健，吉林城市综合增

图1　2009年综合增长竞争力前20名城市

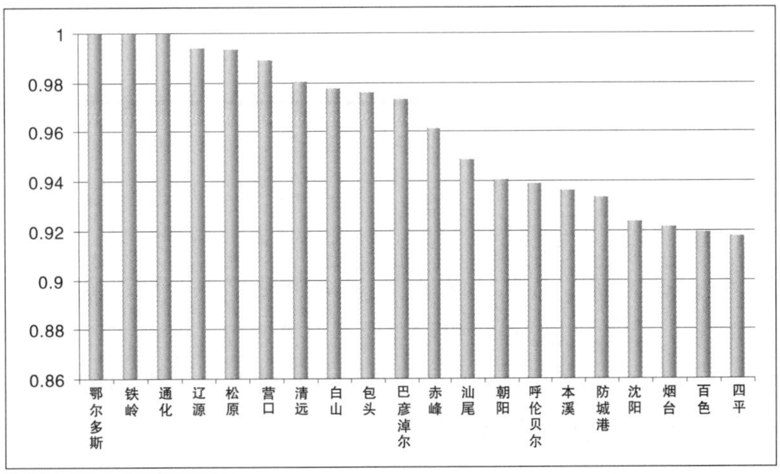

① 因为城市太少的省区将影响省区的竞争力基尼系数和省区城市竞争力指数，从而影响可比性。因此，对于省区比较，去掉了4个直辖市和2个特区，去掉了海南、新疆、青海、贵州、宁夏和西藏6个省区。故只有22个省区参与省区排名。

表4　中国省区综合竞争力分布比较

省区	1～50	51～100	101～150	151～200	201～250	251～294	城市总数（个）	2009年综合竞争力	排名	2005年综合竞争力	排名
河北	1	4	3	3	0	0	11	0.451	8	0.423	8
山西	0	1	2	4	2	2	11	0.377	17	0.340	19
内蒙古	3	0	1	2	2	1	9	0.435	9	0.369	12
辽宁	2	3	6	2	1	0	14	0.458	7	0.423	7
吉林	1	1	2	2	2	0	8	0.418	11	0.359	14
黑龙江	2	0	0	1	6	3	12	0.368	18	0.348	16
江苏	6	4	2	1	0	0	13	0.516	2	0.490	2
浙江	3	6	2	0	0	0	11	0.510	4	0.483	3
安徽	1	3	1	4	5	3	17	0.395	13	0.361	13
福建	2	3	2	1	1	0	9	0.465	6	0.432	6
江西	1	0	3	2	3	2	11	0.387	15	0.351	15
山东	5	8	2	1	1	0	17	0.489	5	0.451	5
河南	1	2	2	7	4	1	17	0.408	12	0.388	10
湖北	1	0	4	1	4	2	12	0.392	14	0.377	11
湖南	1	2	3	3	4	0	13	0.420	10	0.391	9
广东	8	3	7	3	2	0	23	0.511	3	0.467	4
广西	0	3	2	2	4	3	14	0.386	16	0.341	18
四川	1	0	3	4	3	7	18	0.366	19	0.342	17
云南	0	1	1	1	2	3	8	0.364	20	0.333	20
陕西	1	0	1	2	2	4	10	0.358	21	0.319	21
甘肃	0	1	0	1	1	9	12	0.313	22	0.296	22
台湾	6	0	0	0	0	0	6	0.600	1	0.639	1

长率提升较快，山东城市则有所下滑。

3. 中国城市发展迅速惊人，95%的城市综合增长率超过10% 。中国共有279个城市在2005年至2008年间的综合增长率超过10%，占全部城市总数294个的95%；共有107个城市综合增长率超过15%，占全部城市数的36%；共有23个城市综合增长率超过18%；东北地区城市综合增长率最高，这表明了我国东北振兴取得了显著的成效。

4. 三门峡、青岛和防城港五年来综合增长竞争力进步最大。三门峡、青岛和防城港2009年综合增长竞争力排名分别比2005年前进了226位、215位和213位，进入50强；绍兴、宁波和焦作则分别下滑215位、199位和185位。吉林、渭南和长春2009年综合增长竞争力相比2008年则提高最多，分别前进190位、134位和128位。濮阳、贺州和沧州则下滑最多，分别下滑265位、262位和182位。

5. 35个大城市或特大城市中，青岛和南宁综合增长竞争力提升最快。在35个大城市中，青岛、南宁、武汉、沈阳和福州综合竞争力排名提升较多，分别提升215位、99位、76位和76位，天津、西宁和乌鲁木齐综合增长竞争力排名有所提升。其他城市排名则有不同程度的下降，长三角城市宁波、杭州和南京下降最多。

6. 35个大城市或特大城市中，沈阳、合肥和青岛晋级三甲。继沈阳、合肥、青岛之后，呼和浩特和南宁分排第4位和第5位。就比较而言，上海综合增长竞争力超过了北京，武汉超过了长沙，兰州超过了银川，南宁超过了贵阳，天津则超过了南昌、厦门和长沙等城市。单列市中，青岛和大连综合竞争力超过了深圳和宁波，特别是青岛，迅速实现了对其他三个单列市的超越。

7. 五年来城市综合增长竞争力前20强变动较为剧烈，反映了中国城市追求经济增长方面的激烈竞争。2005年城市综合增长竞争力排名前20强城市中，只有4个城市在2009年仍留在20强，分别是鄂尔多斯、营口、包头和烟台；而2009年的前20强城市中，有8个2005年排在100名之外。2008年城市综合增长竞争力排名前20名的城市中，有7个在2009年排在了20强之后。剧烈的排名变化表明中国城市在追求经济增长方面的激烈竞争。

（二）五年来吉林和广西城市综合增长竞争力100强城市数量增加最多

1. 吉林、内蒙古、辽宁和广东分享前10强城市。综合增长竞争力前10强城市中，吉林有4个城市，内蒙古有3个城市，辽宁有2个城市，广东有1个城市。东北部省份城市综合增长竞争力较强。

2. 吉林、内蒙古和辽宁省区域城市综合增长竞争力名列前3强。吉林综合增长竞争力指数为0.924，内蒙古综合增长竞争力指数为0.921，辽宁为0.830。这三个省份进入前50强的分别有6个、8个和6个城市。综合增长竞争力排在前10位的省份还有山东、广西、江西、江苏、福建、广东和陕西。这10个省份104个样本城市共有25个城市进入前50强（见表5）。

3. 江苏、江西和福建城市综合增长竞争力差异较小，台湾、山西和粤港澳城市综合增长竞争力差异较大。江苏、江西和福建城市综合增长竞争力基尼系数最小，这些地区城市增长率相对来说

表5 中国省区综合竞争力分布比较

省区	1～50	51～100	101～150	151～200	201～250	251～294	城市总数（个）	2009年综合增长竞争力	排名	2005年综合增长竞争力	排名
河北	0	1	1	3	5	1	11	0.663	17	0.635	9
山西	1	1	0	1	3	5	11	0.623	21	0.575	14
内蒙古	8	1	0	0	0	0	9	0.921	2	0.860	1
辽宁	6	5	0	2	0	1	14	0.830	3	0.661	6
吉林	6	2	0	0	0	0	8	0.924	1	0.675	5
黑龙江	0	2	2	3	1	4	12	0.657	19	0.508	21
江苏	1	0	10	2	0	0	13	0.747	7	0.779	2
浙江	1	0	2	4	4	0	11	0.695	13	0.778	3
安徽	2	2	1	2	7	3	17	0.684	15	0.580	13
福建	0	4	2	2	1	0	9	0.747	8	0.573	16
江西	1	4	3	3	0	0	11	0.753	6	0.659	7
山东	7	7	1	2	0	0	17	0.824	4	0.729	4
河南	2	1	3	3	5	3	17	0.690	14	0.612	11
湖北	0	2	2	1	3	4	12	0.653	20	0.529	19
湖南	0	3	3	3	2	2	13	0.707	12	0.547	17
广东	7	3	4	4	1	4	23	0.743	9	0.644	8
广西	4	3	3	1	2	1	14	0.777	5	0.574	15
四川	0	5	6	3	2	2	18	0.720	11	0.587	12
云南	0	1	0	4	1	2	8	0.670	16	0.516	20
陕西	1	2	1	3	2	1	10	0.721	10	0.534	18
甘肃	0	0	2	2	6	2	12	0.658	18	0.628	10
台湾	0	0	0	0	0	6	6	0.135	22	0.141	22

差异较小。台湾、山西和粤港澳城市呈现两极分化的局面，基尼系数偏高，落后城市亟须赶超先进城市。

4. 五年来吉林和广西城市综合增长竞争力100强城市增加最多，江苏和浙江城市则减少最多。2009年城市综合增长竞争力排名中，吉林和广西100强城市分别增加了5个和4个，其次是山东、陕西和辽宁，都增加了3个，而江苏和浙江则分别减少了9个和8个，都只有1个城市进入100强。相对于2008年的排名，吉林和湖南100强城市分别增加了3个，而江苏则减少了8个。山东城市综合增长竞争力100强城市数量一直保持在第1位，表明山东城市具有较强的增长竞争力。

5. 五年来广西、陕西和福建综合增长竞争力平均提升最快。广西、陕西和福建在所比较的22个省份中，综合增长竞争力2009年排名比2005年排名分别提升了10位、8位和8位，进入前十强省份。浙江、河北和甘肃排名下降较多，2009年比2005年分别下降10位、8位和8位。山东和台湾排名保持不变。

（三）五年来中等城市综合增长竞争力进入100强的城市增加最多

1. 综合增长竞争力前10强城市中等城市最多。综合增长竞争力前10强城市中有6个中等城市，有2个大城市，小城市和特大城市各有1个。即使相对于对应样本城市总数而言，中等城市进入综合增长竞争力前10强的比重也远远高于其他规模的城市。这表明部分中等城市具有很强的综合增长竞争力。

2. 大城市平均综合增长竞争力最强。从所有样本城市情况来看，2009年排名中大城市综合增长竞争力最强，达到0.724；其次是小城市和中等城市。特大城市综合增长竞争力较弱，这在一定程度上是由于受到金融危机较大影响所致。这样的格局体现出大城市和小城市抵抗风险冲击的能力较强。小城市的竞争力基尼系数最低，特大城市竞争力基尼系数最高，表明在金融危机的冲击下规模较大的城市受影响程度不同，从而导致综合增长率差异相对较大。

3. 五年来中等城市综合增长竞争力进入100强的城市增加最多。中等城市综合增长竞争力100强城市数量由2005年排名的30个增加到2009年排名的38个（不过2005年至2008年排名并没有变化），特大城市则减少最多，由32个减少到20个。与2008年排名相比，中等城市100强数目一年增加8个，大城市和特大城市都减少了3个。

三、经济规模：内地城市纷纷追赶港台，中小城市变动最为明显

城市规模竞争力指的是一个城市创造价值的相对规模，指的是一个城市的产品在全部城市产品市场中的份额，也就是综合市场占有率。在这里我们主要用地区GDP总量指标来衡量。

（一）香港、上海和北京GDP超万亿

1. 规模竞争力20强城市GDP总量全部进入了2000亿元俱乐部。中国前20强城市，GDP总量全部进入了2000亿元俱乐部，有14个进入了3000亿元俱乐部，规模竞争力前3甲香港、上海和北京进入10000亿俱乐部。从省区看，广东有5个城市进入规模竞争力20强，席位最多；从区域看，东南地区共有10个城市进入20强，占半壁江山；从发展阶段看，工业化后期有10个城市进入20强，也占了半数；同时，进入20强的绝大多数是特大型城市，只有东莞作为大城市进入规模竞争力20强（见图2）。

2. 3000亿元俱乐部拥有14个城市，122个城市进入300亿元俱乐部。除了14个城市进入了3000亿元俱乐部外，中国城市共有47个城市进入1000亿元俱乐部；81个城市进入500亿元俱乐部；122个城

图2 2009年经济规模竞争力前20名城市

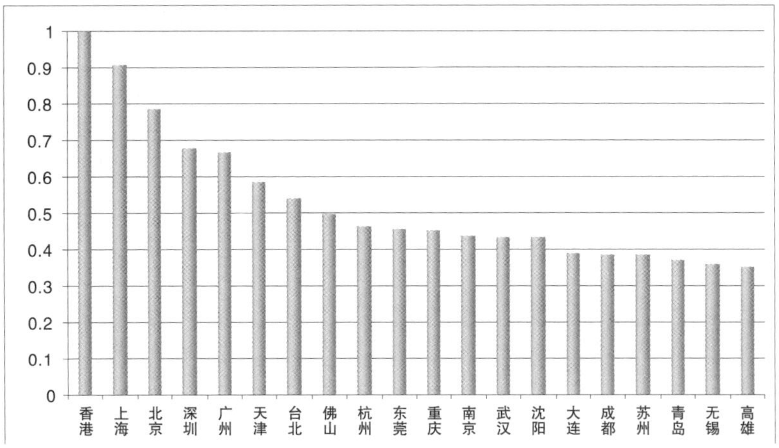

市进入300亿元俱乐部。可以看出，中国的城市规模日益扩大。2009年全国城市经济规模竞争力指数为0.133，比2005年指数0.108有所增长，反映出中国大部分城市经济规模继续向排名第一位的香港靠拢，而与最后排名城市规模差异有所扩大。上海和北京经济规模竞争力指数分别由2005年的0.744和0.552上升到2009年的0.907和0.786，与香港的差距显著缩小。

3. 五年来经济规模竞争力较强的城市变动相对较小，而较弱的城市排名变动较大。2005年城市经济规模竞争力排名前20强的城市中，在2009年只有宁波和台中排在20强后，而前50强中，2009年只有新竹和基隆排在50强后。2005年城市经济规模竞争力排名后20名的城市中，2009年有4个排名走出后20名，排名后50名的城市中，2009年有17个走出后50名。这反映了经济规模较小的城市由于经济增长差异大，导致经济规模变化也较大。此间，北京取代了台北，与香港、上海成为前3强城市。

（二）港、澳、台城市经济规模较大，内蒙古和广西扩张最为迅速

1. 规模竞争力前10强城市广东最多。广东共有5个城市进入前10强，远远超过其他省份。杭州、台北和三大直辖市北京、上海、天津也进入前10强。

2. 台湾、广东和江苏三省经济体量最大，占据省份城市规模竞争力前3强。所比较的22个省份中，前10强省份依次还有山东、浙江、辽宁、河北、福建、湖北和内蒙古。江西、云南和甘肃暂居最后三位（见表6）。

3. 五年来内蒙古和广西城市规模竞争力提升最快。内蒙古和广西城市规模竞争力2009排名比2005年排名分别提升4位和3位，分别列第10和第18位。黑龙江则下降最多，2009年比2005年下降了3位。河北、吉林、山东和台湾各提升1位，山西、浙江、福建、江西、河南、湖南和云南各下降1位，其余省区保持不变。

4. 五年来广东、山东和江苏在经济规模竞争力100强中席位一直保持最多，稳居三甲，而广东、台湾和江苏平均经济规模竞争力保持最大。2009年广东、山东和江苏经济规模竞争力100强中城市个数共比2005年排名增加了3个，但由于山东城市数目较多，平均经济规模竞争力台湾一直排在山东之前。

四、经济效率：山东城市竞争力上升较快，大城市规模效应显著

城市经济效率竞争力是城市创造价值的投入产出效率的集中表现。本报告认为：人均GDP和地均GDP均可以较准确的表达城市的综合生产率。

表6 中国省区经济规模竞争力分布比较

省区	1～50	51～100	101～150	151～200	201～250	251～294	城市总数（个）	2009年经济规模竞争力	排名	2005年经济规模竞争力	排名
河北	2	3	1	4	1	0	11	0.130	7	0.109	8
山西	1	1	0	4	2	3	11	0.078	19	0.061	18
内蒙古	1	1	3	1	2	1	9	0.111	10	0.074	14
辽宁	3	4	3	2	2	0	14	0.156	6	0.125	6
吉林	1	1	1	3	1	1	8	0.110	11	0.082	12
黑龙江	2	0	1	1	6	2	12	0.098	13	0.089	10
江苏	5	6	2	0	0	0	13	0.216	3	0.175	3
浙江	3	3	3	1	1	0	11	0.179	5	0.150	4
安徽	1	2	3	4	7	0	17	0.088	16	0.070	16
福建	2	2	2	1	1	1	9	0.129	8	0.112	7
江西	1	0	2	3	1	4	11	0.078	20	0.060	19
山东	5	8	2	2	0	0	17	0.185	4	0.142	5
河南	1	1	6	5	2	2	17	0.095	14	0.081	13
湖北	1	2	3	3	1	2	12	0.115	9	0.100	9
湖南	1	3	2	3	3	1	13	0.104	12	0.082	11
广东	8	4	4	2	1	4	23	0.236	2	0.190	2
广西	0	2	1	4	5	2	14	0.078	18	0.058	21
四川	1	0	6	3	5	3	18	0.088	15	0.071	15
云南	1	0	2	0	0	5	8	0.067	21	0.059	20
陕西	1	1	1	0	4	3	10	0.082	17	0.062	17
甘肃	0	1	0	2	3	6	12	0.049	22	0.041	22
台湾	4	2	0	0	0	0	6	0.286	1	0.319	1

（一）中山、大连进入经济效率竞争力前20强

1. 香港、台北和高雄位居2009年经济效率竞争力前3强。其余前10名依次是：新竹、台中、澳门、深圳、东营、台南和东莞。深圳、东营和东莞位居2009年中国内地经济效率竞争力前3强。在内地前3强中，除东营外，深圳和东莞都是珠三角地区的城市。在经济效率竞争力前20名中，还有中山、佛山、广州等珠三角城市，体现了珠三角作为中国改革开放前沿的先发优势（见图3）。

图3 2009年经济效率竞争力前20名城市

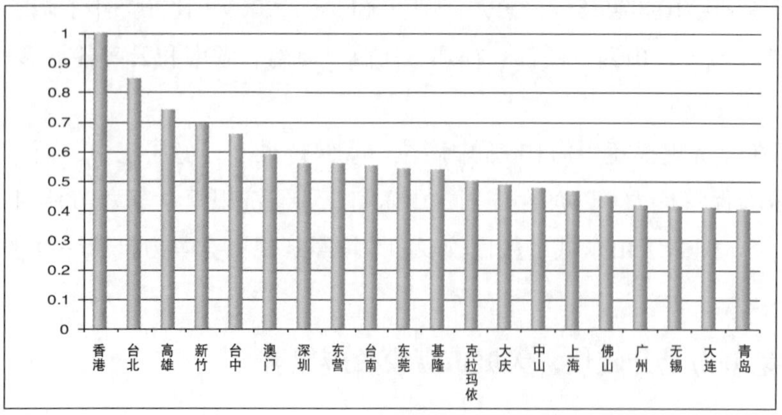

2. 与2005年相比，经济效率竞争力前20强的变动较小，表现出强者恒强的态势，其中前6名历年都来自港澳台。近5年的20

强榜单中，东营的效率竞争力呈上升趋势，盘锦的效率竞争力呈下降趋势。澳门的效率竞争力排名近3年来上升较快。与上年相比,苏州和盘锦今年跌出前20名，前20名中新增了中山、大连。2008年前8名全部来自港澳台，而2009年则新增了深圳和东营，表现出了内地城市的追赶与崛起趋势。

3. 在294个城市中，近5年来，鄂尔多斯、嘉峪关、松原、清远、营口、呼和浩特、新余、朔州、通化和呼伦贝尔效率竞争力增长最为突出。三亚、咸阳等城市排名也有显著的上升。如鄂尔多斯由2005年的第80名上升至2009年的第27名，嘉峪关由第138名上升至第62名，松原由第146名上升至第71名。在这些城市中，资源型城市与工业化初、中期城市较多，内蒙古城市也不少。

（二）山东、辽宁、山西城市的排名上升较快

1. 台湾、广东和江苏名列省区2009年城市效率竞争力前3强。效率竞争力位居前10位的省区依次是：台湾、广东、江苏、山东、辽宁、浙江、河北、福建、内蒙古和湖南。省区城市效率竞争力后3名分别是四川、陕西和甘肃。经济效率竞争力排名居前的省区基本上都处于东部沿海地区，而排后的省区基本上都处于西部地区。在经济效率前50位的城市中，广东占8个，台湾、江苏各占6个（见表7）。

2. 山东、辽宁、山西的排名上升较快，福建、黑龙江的排名下降较快。与2005年相比，山东由第7位上升到第4位，辽宁由第8位上升到第5位，山西由第18位上升到15位，福建由第4位下降到第

表7　中国省区经济效率竞争力分布比较

省区	1～50	51～100	101～150	151～200	201～250	251～294	城市总数（个）	2009年经济效率竞争力	排名	2005年经济效率竞争力	排名
河北	2	3	6	0	0	0	11	0.260	7	0.217	6
山西	0	1	3	3	2	2	11	0.169	15	0.127	18
内蒙古	3	0	2	3	1	0	9	0.243	9	0.158	11
辽宁	4	4	2	2	2	0	14	0.263	5	0.203	8
吉林	0	2	3	1	1	1	8	0.202	11	0.144	13
黑龙江	1	1	0	1	5	4	12	0.148	19	0.133	15
江苏	6	3	1	2	1	0	13	0.289	3	0.244	3
浙江	2	5	1	3	0	0	11	0.261	6	0.223	5
安徽	3	1	0	3	5	5	17	0.168	16	0.135	14
福建	1	5	1	1	1	0	9	0.252	8	0.229	4
江西	1	1	3	1	2	3	11	0.180	14	0.132	16
山东	5	4	6	0	1	1	17	0.273	4	0.211	7
河南	0	4	4	3	5	1	17	0.189	12	0.171	9
湖北	1	3	0	3	4	1	12	0.184	13	0.153	12
湖南	1	3	2	3	4	0	13	0.207	10	0.160	10
广东	8	5	2	8	0	0	23	0.333	2	0.266	2
广西	0	1	3	3	4	3	14	0.159	17	0.114	19
四川	0	2	2	3	6	5	18	0.147	20	0.110	20
云南	1	0	2	0	1	4	8	0.154	18	0.132	17
陕西	0	0	3	1	2	4	10	0.136	21	0.099	21
甘肃	0	2	1	1	2	6	12	0.129	22	0.093	22
台湾	6	0	0	0	0	0	6	0.671	1	0.746	1

8位，黑龙江由15位下降到19位。在经济效率前50位的城市中，内蒙古增加3个，安徽增加2个，福建、河南各减少2个。

（三）特大城市效率竞争力水平继续提升

1. 特大城市的效率竞争力最高，小城市的效率竞争力最低，城市规模大小和效率竞争力成正比。在经济效率前50名的城市中，特大城市占了30个，小城市仅2个。这表明，我国城市的最优经济规模较大，中小城市大都没有达到最优经济规模。

2. 小城市之间，经济效率水平参差不齐，差距较大，而大城市之间差距相对较小。小城市的效率竞争力基尼系数最大，大城市的效率竞争力基尼系数最小。中等城市和特大城市介于二者之间。

3. 城市规模大小和效率竞争力之间具有稳定关系。与2005年相比，城市规模大小与竞争力之间的关系没有发生变化。在经济效率前50位的城市中，中等城市减少2个，特大城市、小城市各增加1个。

4. 特大城市、大城市的效率竞争力水平仍在上升。与上年相比，在经济效率前50位的城市中，小城市和中等城市各减少1个，大城市和特大城市各增加1个。

五、发展成本：旅游城市竞争力表现好，陕西城市上升快

城市发展成本竞争力指的是城市创造价值时所节约的能源量以及环境的保护，体现了城市在发展过程中环境资源成本节约的程度。可以用工业固体废物综合利用率，工业废水排放达标率，单位用电GDP（元/千瓦时），单位二氧化硫面积（平方公里/吨）等指标来表示。

（一）前20强中旅游城市剧增，内地城市排名上升

1. 海口夺得2009年发展成本竞争力榜首。发展成本竞争力位居前10名的城市依次是：海口、亳州、三亚、香港、成都、咸阳、随州、常德、长春、基隆（见图4）。

2. 旅游城市表现较好。前20强中，三亚、张家界、黄山等都属于旅游城市，体现了旅游业对城市经济推动的可持续性。5年的历史比较发现，发展成本竞争力前20强中，旅游城市增多且排名呈总体上升趋势。

3. 内地城市经济发展的可持续性增强。与2008年比较发现,发展成本竞争力前20强中，港澳台城市排名总体下降，而内地城市排名总体上升。

4. 在294个城市中，近5年来，梧州、襄樊、宜春、资阳、泰安、佛山、钦州、邵阳、遂宁和大连近5年发展成本竞争力增长最为突出。成都由2005年的第17名到2009年的第5名，上升也较显著。在这些城市中，西南城市最多，前工业化阶段城市也较多。

图4 2009年发展成本竞争力前20名城市

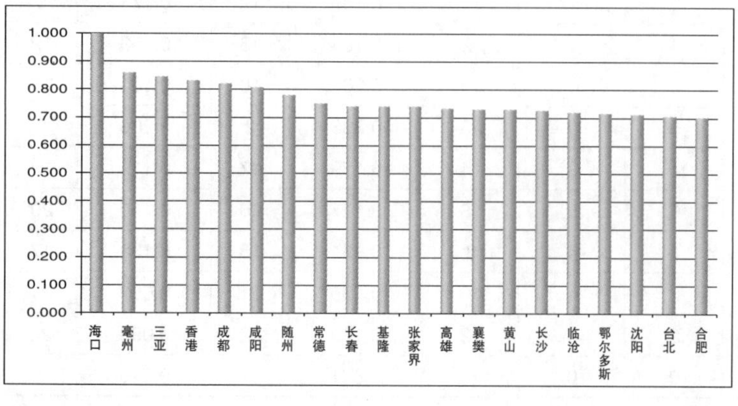

（二）陕西提升较快，江苏内地最好

1. 台湾、江苏、安徽城市位居省区2009年发展成本竞争力前3名。发展成本竞争力位居前10位

表8 中国省区发展成本竞争力分布比较

省区	1～50	51～100	101～150	151～200	201～250	251～294	城市总数（个）	2009年发展成本竞争力	排名	2005年发展成本竞争力	排名
河北	0	2	2	2	2	3	11	0.421	18	0.494	15
山西	0	0	0	2	3	6	11	0.309	22	0.317	21
内蒙古	1	1	0	0	2	5	9	0.374	20	0.301	22
辽宁	2	1	0	1	5	5	14	0.396	19	0.441	17
吉林	1	2	1	0	1	3	8	0.434	17	0.373	20
黑龙江	0	1	3	3	4	1	12	0.466	16	0.615	6
江苏	5	6	2	0	0	0	13	0.614	2	0.695	2
浙江	2	3	4	2	0	0	11	0.566	5	0.656	3
安徽	5	3	4	4	1	0	17	0.587	3	0.656	4
福建	1	3	1	3	1	0	9	0.526	10	0.605	7
江西	0	2	4	3	2	0	11	0.501	12	0.495	14
山东	6	1	8	2	0	0	17	0.586	4	0.639	5
河南	1	2	3	6	2	3	17	0.467	15	0.507	12
湖北	3	2	3	1	2	1	12	0.546	7	0.590	9
湖南	3	1	3	4	2	0	13	0.546	6	0.538	10
广东	2	7	4	3	7	0	23	0.531	9	0.593	8
广西	2	5	0	3	1	3	14	0.477	14	0.449	16
四川	4	3	1	6	3	1	18	0.532	8	0.535	11
云南	1	0	2	2	3	0	8	0.493	13	0.499	13
陕西	3	1	1	1	3	1	10	0.505	11	0.411	18
甘肃	1	1	1	1	2	6	12	0.349	21	0.375	19
台湾	5	0	0	0	1	0	6	0.650	1	0.772	1

的省区依次是：台湾、江苏、安徽、山东、浙江、湖南、湖北、四川、广东、福建。山西发展成本竞争力最低，其次是甘肃、内蒙古，这些省区城市应加强增长方式的转变，以维持经济增长的可持续性（见表8）。

2. 江苏省城市发展成本竞争力差异最小，甘肃省差异最大。结合发展成本竞争力的排名，可以认为江苏城市经济发展的可持续性普遍较高，甘肃普遍较低。

3. 陕西、湖南城市发展成本竞争力上升显著，黑龙江发展成本竞争力下滑明显。与2005年相比，陕西发展成本竞争力由第18位上升到11位，湖南由第10位上升到第6位。而黑龙江由6位下降到第16位。

（三）前50名中大城市和特大城市增多，中等城市减少

1. 城市规模与发展成本竞争力呈正相关关系，特大城市和大城市的发展成本竞争力强于中小城市。从基尼系数看，大体上城市规模越大，城市间发展成本竞争力的差异越小。

2. 城市规模与发展成本竞争力的关系具有稳定性。与2005年相比，城市规模与发展成本竞争力间的正比关系没有发生变化。在前50名城市中，特大城市由15个增加以17个，大等城市由8个增加到11个，中等城市由18个减少到13个。

图5 2009年产业层次竞争力前20名城市

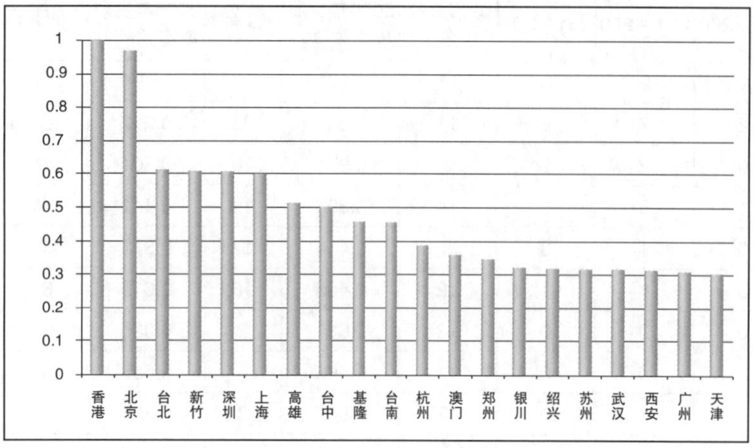

六、产业层次：北京逼近香港，内蒙古提升最快

城市产业层次竞争力是城市经济竞争力的结构表现，主要是指产业体系和产业环节的技术含量和知识水平。主要表现为高端制造业和高端服务业的比重，可以用人均第三产业增加值等指标来衡量。

（一）港澳台城市占先，内地城市京沪深居优

1. 香港、北京和台北名列产业层次竞争力前3名。位列4到10名的城市依次为：新竹、深圳，上海、高雄、台中、基隆、台南。其中，台湾省城市的此项指标表现突出，在10强城市中占据6席。内地城市中北京、深圳、上海位居前3名（见图5）。

2. 澳门、武汉、西安进入产业层次20强。2008年前20强城市只有三个跌出前20名，分别是青岛、济南和鹰潭。其中山东占了2位。取而代之的分别是湖北的武汉、陕西西安和澳门。与2008年相比，澳门的升幅最大达到14个位次；降幅最大的城市是鹰潭，降幅达30个位次。从发展阶段的分布看，前20名的城市有15个城市处于工业化后期和后工业化时期，占比达75%。

3. 前工业化时期和资源型城市产业层次竞争力亟待提升。后20名城市中有一半分布在前工业化时期，另一半分布在工业化初期和资源型城市。值得特别注意的是，资源型城市在后10名中占了4位，反映资源型城市的产业层次竞争力大多处于样本城市的最低水平，需要走出资源依赖的误区。后20名城市中有13个城市集中在中部区域，其中有4个分布在安徽，3个分布在河南，反映我国中部地区的产业层次竞争力亟待提升。从近5年的下滑趋势看，有6个城市处于持续下滑过程中，分别是抚州、遂宁、朔州、绥化、常德和眉山。

（二）内地浙江产业层次最高，内蒙古提升最快

1. 台湾、广东和浙江位列产业层次竞争力前3名。三者的竞争力指数都在0.22以上，台湾地区城市的产业层次竞争力指数甚至超过了0.5。而位列末三席的省份分别是安徽、湖北和四川。同2008年相比，大部分省份的产业层次竞争力位次变化不大，排名上升较快的省份有两个，分别是内蒙古和河北，较2005年均上升了7个位次。甘肃则恰好相反，较2005年下滑9个位次（见表9）。

2. 五年来，台湾、浙江和广东的城市产业层次竞争力不仅优势明而且相当稳定。位居第4名的江苏省便是如此，这四个省份中有18个城市进入前50名，占比达36%。台湾所有的城市进入10强行列，显示出超强的竞争力。但其他绝大多数省份却是表现出较强的波动性，显示这些省份城市的产业层次竞争较为激烈。内蒙古城市产业层次竞争力在近5年里也是持续攀升达7个位次，由2005年的第14名攀升至2009年的第7名，前100名的城市占比超过40%，显示出这个曾经是落后的西北省份超强的追赶能力。而下滑幅度比较大的省份是甘肃和湖南，下降幅度分别为9和7个位次。另外湖北省城市产业层次竞争力的下滑幅度也较大，由5年前的16为一路下滑到21位，下降幅度达5个位次。

表9 中国省区产业层次竞争力分布比较

省区	1～50	51～100	101～150	151～200	201～250	251～294	城市总数（个）	2009年产业层次竞争力	排名	2005年产业层次竞争力	排名
河北	2	5	3	0	1	0	11	0.146	5	0.109	12
山西	1	3	2	4	0	1	11	0.115	11	0.105	13
内蒙古	2	2	1	1	2	1	9	0.135	7	0.103	14
辽宁	2	2	4	2	3	1	14	0.123	9	0.137	7
吉林	1	1	1	1	3	1	8	0.105	14	0.110	11
黑龙江	0	3	1	2	2	4	12	0.089	19	0.074	22
江苏	3	5	2	1	2	0	13	0.160	4	0.154	4
浙江	5	5	1	0	0	0	11	0.226	3	0.170	3
安徽	1	1	5	1	3	6	17	0.086	20	0.075	21
福建	2	1	4	2	0	0	9	0.144	6	0.116	10
江西	2	0	1	3	2	3	11	0.100	16	0.087	20
山东	2	2	6	5	1	1	17	0.126	8	0.144	5
河南	3	0	2	5	3	4	17	0.108	12	0.095	17
湖北	1	0	1	2	4	4	12	0.086	21	0.098	16
湖南	1	0	5	3	2	2	13	0.103	15	0.124	8
广东	5	9	3	3	2	1	23	0.226	2	0.202	2
广西	1	3	3	2	3	2	14	0.108	13	0.100	15
四川	1	1	1	3	6	6	18	0.080	22	0.092	19
云南	1	1	2	2	2	0	8	0.119	10	0.140	6
陕西	1	1	0	1	3	4	10	0.096	17	0.095	18
甘肃	0	3	1	2	4	2	12	0.091	18	0.121	9
台湾	6	0	0	0	0	0	6	0.524	1	0.633	1

七、收入水平：沿海城市互相赶超，内地城市总体较弱

城市收入水平竞争力指的是城市居民的享受到的生活质量水平，体现在享受公共服务的收入水平，因此报告中反映收入水平的主要指标是城市人均财政收入。

图6 2009年收入水平竞争力前20名城市

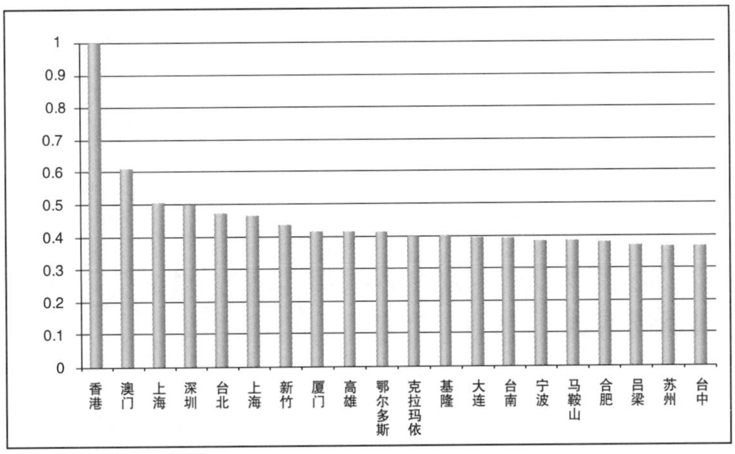

（一）资源城市提升最快，台湾地区有所下降

1. 港、澳、沪名列前三。紧跟其后的深圳、台北、北京、新竹、厦门、高雄和鄂尔多斯也挤入了前十位。与2008年相比，克拉玛依和基隆的2009年收入水平排名退出前十位（见图6）。

2. 台湾地区城市排名有所下降。香港一直位居榜首，澳门、上海、深圳、台北、新竹和高雄也表

表10 中国省区收入水平竞争力分布比较

省区	1~50	51~100	101~150	151~200	201~250	251~294	城市总数（个）	2009年收入水平竞争力	排名	2005年收入水平竞争力	排名
河北	1	4	5	1	0	0	11	0.220	8	0.181	6
山西	2	3	2	0	2	2	11	0.192	10	0.115	14
内蒙古	3	1	0	1	4	0	9	0.194	9	0.139	10
辽宁	4	3	6	1	0	0	14	0.234	5	0.174	8
吉林	0	2	1	4	1	0	8	0.169	12	0.111	15
黑龙江	1	1	0	5	2	3	12	0.137	15	0.105	17
江苏	7	3	0	3	0	0	13	0.265	3	0.197	4
浙江	3	3	4	1	0	0	11	0.252	4	0.205	3
安徽	3	1	2	4	3	4	17	0.164	14	0.121	12
福建	3	2	1	1	1	1	9	0.228	6	0.189	5
江西	0	1	2	4	1	3	11	0.134	16	0.105	18
山东	3	6	4	3	1	0	17	0.221	7	0.178	7
河南	1	4	5	3	4	0	17	0.184	11	0.155	9
湖北	0	1	1	2	7	1	12	0.128	17	0.105	16
湖南	1	2	2	5	2	1	13	0.169	13	0.137	11
广东	7	4	6	2	4	0	23	0.275	2	0.223	2
广西	0	2	2	2	4	4	14	0.125	18	0.116	13
四川	0	2	1	2	4	9	18	0.100	20	0.080	21
云南	1	0	0	2	2	3	8	0.119	19	0.096	19
陕西	0	0	1	2	3	4	10	0.095	21	0.083	20
甘肃	0	2	1	1	1	7	12	0.090	22	0.074	22
台湾	6	0	0	0	0	0	6	0.413	1	0.476	1

现优异，一直稳居前十。北京也从2005年的第12位提升到2009年第6位。相比之下，台北、高雄、台中的收入水平竞争力有所下降。

3. 资源型城市提升最为迅速。吕梁的收入水平竞争力提升最快，从2005年的第234位飞跃到2009年的第18位。鄂尔多斯的排名从2005年的第55位提升到第10名。马鞍山、合肥也是后起之秀，2009年均进入前20名。

（二）苏辽城市稳步增长，中部城市相对较弱

1. 台湾仍居第一，山西提升最快进入前十。2009年收入水平竞争力进入前十名的省份依次为台湾、广东、江苏、浙江、辽宁、福建、山东、河北、内蒙古和山西。与2005年相比，山西提升最为迅速，2009年排在第10名（见表10）。

2. 江苏、辽宁收入水平竞争力逐步增强，区域差异不断缩小。江苏的13个样本城市中，10个城市列入100名以内，辽宁省14个样本城市中，13个城市列入前150名以内。此外，近5年来吉林和黑龙江发挥后发优势，竞争力有稳步提升且区域差异也在变小。

表11　分项竞争力前十名城市

排名	人才本体竞争力	企业本体竞争力	主要产业本体竞争力	公共部门竞争力	生活环境竞争力	商务环境竞争力	创新环境竞争力	社会环境竞争力
1	香港	上海	北京	上海	北京	香港	上海	香港
2	北京	苏州	东莞	北京	上海	上海	北京	中山
3	深圳	唐山	上海	绍兴	香港	珠海	深圳	珠海
4	天津	深圳	杭州	香港	广州	苏州	香港	厦门
5	上海	北京	香港	深圳	武汉	深圳	广州	大连
6	澳门	广州	重庆	重庆	南京	青岛	天津	澳门
7	杭州	武汉	武汉	杭州	重庆	澳门	大连	杭州
8	中山	包头	成都	澳门	澳门	宁波（并列第七）	长沙	深圳
9	东莞	绍兴	广州	南通	西安	天津	宁波	东莞
10	武汉	南京	济南	天津	杭州	厦门	东莞	沈阳

八、分项竞争力

综合竞争力通过城市竞争力的显示框架对294个城市进行了分析比较并形成了各区域、各省区的报告。分项竞争力则根据城市竞争力的解释框架，详细分析了56个重要城市的本体和环境竞争力系统，形成了8个分项竞争力报告（见表11）。

在人才本体竞争力报告中，香港、北京、深圳位列三甲，人才竞争力整体的空间分布呈现“东高、中中、西低”的特点。中部的武汉进入前十，为中部崛起带来人才利好信号。建议各城市政府加强人才建设，建议对人才依赖程度较高的产业选择人才竞争力强的城市；求职者则应选择人才竞争力相对弱于综合竞争力的城市，以便得到更多机会，如昆明、海口等城市。

在企业本体竞争力报告中，东南区域表现最好在前20名中占据9席，环渤海表现不俗，占据5席，同时苏州、唐山、绍兴等地级市依靠灵活体制、较强活力进入前十，可以预示这些城市在产业升级和经济转型方面，将可能率先突破，并建议国内外风险投资及科技人才关注这些城市的企业。

在主要产业本体竞争力报告中，总体呈现北京夺魁，副省级省会势头强劲，东南区域发展不平衡的状况。东莞作为唯一入选的地级市排名第2。在排名前十的城市中，东南占据五席，但有一些东部城市排名靠后。

在公共部门竞争力报告中，上海、北京以绝对优势占据前2位，随后绍兴、香港、深圳表现不俗。排名前十的城市中，东南区域优势明显，直辖市、特区竞争力强劲。公共部门竞争力反映公共部门的工作效率和服务质量，影响企业的经营成本，这个比较结果可以成为投资和就业的参考，建议选择竞争力较强的城市。

在生活环境竞争力报告中，北京力压沪港排名第1，呈现东强西弱的地域特点。建议国内外对生活环境较为敏感的企业和高端人才参考这个研究进行投资和创业决策。

在商务环境竞争力报告中，特区香港位居榜首，东南区域明显占优，省会城市分布相对靠后。对于一般性投资和创业的决策者，本报告愿以研究结论为依据，推荐目标城市。

在创新环境竞争力报告中，直辖市上海、北京分居第1第2，行政级别较高的城市，竞争力相对较强。

在社会环境竞争力报告中，东南地区独领风骚，在排名前十的城市中占据8席；环渤海区域排名中上，中部城市相对落后，但芜湖以黑马姿态排名17。

九、重点城市报告

课题组根据过去五年全国城市发展的格局，以及未来全球、中国发展的主导力量及其趋势，比较各城市内外环境，从294个城市中按城市规模分三类遴选了24个城市进行深入的案例研究分析。需要指出的是：这24个城市分属不同的城市规模。因此，这三个类别的城市具有不可比性；无论是哪个类别的城市都具有跨越的可能。另外，该判断是基于课题组在定量研究基础上的定性判断，其准确性还有待检验。

（一）一线城市

北京：今朝首善之地，明日世界城市。全球格局变化，中国迅速崛起。北京以首都地位对内会聚全国资源，对外有广泛的国际联系。目前北京城乡差距较大，环渤海城市群尚未形成整体聚焦效用，未来发展空间大。另外，政府立足现实，战略高远。

上海：借重中国崛起，建设世界中心。开放的国际市场拓宽了上海获取资源的途径与潜在的发展空间，其全球战略地位日益突出。长江三角城市群实力强劲，上海作为长三角中心城市将崛起成为世界级大都市。此外，上海世博会的举办进一步提升上海的国际影响力，吸引更多的高端要素。

天津：机遇优势集于一身，北方中心指日可待。京津都市圈的形成和京津同城化的趋势紧密了天津与京城的通力合作。加之天津旧有的工业基础雄厚，传统产业优化升级，电子信息等高新技术发展势头强劲，为天津的崛起创造了条件。

重庆：老树逢春发新花，迈向国际大都会。国家将重庆定位为西部的重要增长极，使重庆获得有力的政策支持。在沿海工业梯度转移及重工业加速的双重机遇下，重庆将依托雄厚的基础进行产业升级。此外，城乡统筹发展，拉动了强劲的内需。

（二）二线城市

台中：把握产业转移机遇，营造优质文化新都市。地理区域位置居中，台湾本土出现产业空洞化现象，产业转型出现端倪。优美和谐的生态环境和璀璨夺目的多样性文化，为台中高科技和文化产业的发展积累了人力资本。政府对台中进行行政区划的战略性调整，将台中提升为台湾第三大县级市，为台中的经济转型和发展创造了机遇。

成都：昔日“中华天府之城”，明日“世界田园之都”。成都提出了建设“世界现代田园城市”的全球定位和长远目标，并继续贯彻落实西部大开发战略。成都的历史文化浓郁，生态环境优越。信息技术发展，赢得了与沿海地区城市相近的发展机会。

沈阳：借振兴东北机遇，展“东方鲁尔”雄风。沈阳的基础条件良好，城市环境优美。国有企业改革率先完成，民营企业与国际接轨。国际投资和国内产业转移，为腾飞提供硬件支持。辽宁沿海经济带发展规划，为沈阳的崛起提供了难得的机遇。

南京：科教发达奠基础，制度优势促活力。南京基础坚实，现代化交通体系完善。市场化改革空间巨大，城市活力即将激发。地处上海都市区辐射边缘，联动长江中下游城市群整体发展。

合肥：承接转移高歌猛进，全面创新破浪前行。合肥拥有良好的产业基础，在沿海向内陆产业转移的框架下，将成为承接转移的战略要地。合肥引领自主创新，产业不断升级。同时，推动体制创新，实现了政府效能革命。

武汉：乘国家多重战略之势，展黄鹤青云直上之翼。武汉交通网络快捷发达，区位优势得天独厚。工业基础实力雄厚，城市集群效应显著。引领中部整体崛起，“两型社会”和谐发展。打造科教文化中心，人力资本无限增值。

长沙：集约发展助升级，两型都市占先机。长珠潭一体化趋势明显，社会形态转型获得国家支持。区位优势明显，是两个三角洲至西北、西南的必经之路。工业基础雄厚，具有较为成熟的装备制造业。

南昌：产业转移促增长，绿色生态谋崛起。随着低碳经济时代的临近，南昌的自然生态环境对低碳产业和高端人才产生了较大吸引力。此外，南昌地理位置卓越，产业梯度转移。政府着眼发展战略，目标定位较高。

宁波：港通天下添虎翼，书藏古今奠基石。宁波民营企业在做大做强的基础上，创新投资与创新实践走在全国前列。宁波港是天然的良港，杭州湾大桥进一步凸显了其交通腹地优势。政府力推宁波经济增长方式、经济体制和社会结构的战略转型，在科技和教育方面投资力度加大。

苏州：官民齐心促发展，古韵今风新姑苏。苏州人文底蕴深厚，创新意识强烈。外资和民企发展创新、充满活力，内生增长动力强劲。苏州的五个县级市全部进入全国百强县前十名。此外，政府管理不断完善，力求中心与周边均衡发展。

（三）三线城市

三亚：瞄准国际旅游市场，争创国际旅游城市。三亚滨海风光优美独特，旅游资源得天独厚。随着亚太中国经济起飞，休闲旅游市场扩大。中央“海南国际旅游岛战略规划”的高定位，为三亚经济发展搭建了广阔的平台。

东营：而立之年黑金城，高效生态增长极。东营油区产业聚集效应与地方开放引资效应，持续提升了东营的经济实力。《黄河三角洲高效生态经济区发展规划》赋予东营新的发展机遇。此外，东营资源雄厚，加工制造业成本比较优势突出。

唐山：“北方深圳”助飞跃，环渤中心展新颜。唐山市具备工业化和城市化的地理优势，雄厚的工业基础和丰富的焦煤产业，为唐山实现区域工业化、城市化的跨越式发展打下坚实的基础平台。

吉林：内部基因借壳发展，工业基地重振雄风。长吉一体化规划为吉林更好地融入东北产业分工和区域协作体系。雄厚的产业基础使其具备较强的生产制造能力和综合配套能力。此外，吉林省自然资源和人力资源丰富，人均受教育程度相对较高，专业技术人才多。

柳州：天然盆景市，宜居工业城。柳州人文、自然环境独特，发展现代服务业空间巨大。工业发展基因优良，产业发展集聚凸显。良好的政府机制，保障了多元化的发展。

东莞：以转型再促发展，以升级再塑辉煌。东莞受益《珠三角地区改革发展规划纲要》，同时，粤港澳经济一体化进程明显。经济基础雄厚，制鞋、塑胶等30多个行业集群，有助于区域内行业稳定和企业的转型升级。

开封：乘天时地利之势，再现古都之繁华。开封地处城市群中心区，产业布局优化，成本洼地优势明显，一体化进程加速。此外，全省工业化提速，开封乘势而起。

嘉兴：昔日璀璨富庶地，明朝美丽创新城。嘉兴市区位优势卓越，良好的环境成为高端企业、人才、财富等要素的重要积聚磁力。滨海新区的高速完善建设将推动城市跨越发展，同时，创新推动嘉兴在金融危机中逆势上行，城乡统筹和谐发展。

佛山：激发民企创新精神，尽显空间发展优势。佛山区域地理位置优越，经济发展空间广阔。民营企业实力强劲，企业创新能力突出。在政府坚持发展实业理念的指导下，产业转型成功在望。

咸阳：千年古城逢新机，敢比夸父试逐日。咸阳区位优势明显，是关中城市群的重要城市，也是多条公路和铁路干线的汇合处。工业体系完善，纺织、电子、煤炭、石油化工机械等产业强强组合。虽然咸阳经济发展起步晚，但地方政府以国际化标准谋发展，打开建设国际化大都市的良好局面。

十、主题报告

城市竞争力与国家竞争力之间存在着互促共进的关系。作为组成国家竞争力的微观基础，研究城市竞争力有助于提升国家竞争力。而对国家竞争力进行研究，则可以为城市竞争力带来更广阔的研究背景。

（一）国家竞争力的研究框架与指标体系

课题组在对国内外国家竞争力研究的相关文献进行回顾基础上，将国家竞争力定义为国家在竞争和发展过程中与其他国家相比较所具有的吸引、争夺、拥有、控制、转化资源和争夺、占领、控制市场，以创造价值、为其国民提供福利的能力，指出为国民提供福利是国家竞争力的最终目标。并且，通过对国家竞争力的定义厘清，将国家竞争力的驱动要素归结为主体素质、国内供给、国内需求、国内联系、全球联系、公共制度六个方面，这些要素通过整合形成系统的国家竞争力框架，其中，主体素质在该框架中起核心作用。基于新的研究框架，遵循系统性、通用可比性、实用可操作性的原则，在借鉴其他国家竞争力评价指标体系基础上，设计出新的国家竞争力评价指标体系，共有6个一级指标，37个二级指标，199个三级指标，根据这个指标体系，采集了来自众多国际权威机构的大量数据，并通过科学的数据处理程序和计量运算方法，对20国集团组成国家的国家竞争力进行了评价。

（二）国家竞争力的实证分析

选取G20国家的样本数据，从主体素质、国内供给、国内需求、国内联系、全球联系和公共制度六个方面来对国家竞争力进行实证分析，结果表明：

总体来看，欧美国家竞争力较强，排名稳居前列，中国排名第9，居中等水平。虽然中国名次没有变化，但竞争力指数增长显著，与排名第一的美国差距不断缩小，凸显后发优势，赶超势头强劲。

从二级分项指标来看，主体素质竞争力全球两极分化严重，中国处于优势，进步明显。国内供给竞争力中国居中等水平，与发达国家差距较大，尤其在教育与健康、科学技术等指标。但总的来看中国竞争力排名上升，具有优势。国内需求竞争力表现为总量占优潜力巨大，但结构落后层次不高，需求水平在G20中还比较低，需要进一步改善和调整。国内联系竞争力中国位居中游，与发达国家差距明显，有待进一步加强。全球联系竞争力中国整体水平不断进步，位居中上游，但未来在国际上面临较大挑战。公共制度竞争力中国排名落后，公共制度体系还十分薄弱，诸多指标面临挑战，改革开放任重道远。

（三）城市对国家竞争力的贡献

21世纪的国家竞争突出表现为城市的竞争，城市与城市群正日益成为国家参与全球竞争的基本空间单元，国家竞争力在很大程度上由城市与城市群竞争力所决定。

城市发展与国家竞争力提升之间存在密切联系：从单个城市角度看，城市发展有助于提高主体素质、扩大国内供给能力和需求规模、优化国内供求结构、增强国内国际联系度、完善公共制度框架，从而起到提升国家竞争力的作用；而从城市集群角度看，城市集群作为空间与经济上高度关联的数个城市所组成的有机整体，通过单位扩大效应和群体优化效应能够增强城市之间的协同性，使城市发展对国家竞争力的贡献度获得进一步的提升。

选取G20国家的样本数据，对城市发展与国家竞争力间的关系进行实证分析发现：城市发展与国家竞争力之间存在正相关关系，城市发展水平越高，国家竞争力越强；提高城市化率对公共制度和国内需求的贡献度最高，而增强城市集群化程度对公共制度和主体素质的贡献度最高；中国城市发展水平相对滞后，这是制约中国国家竞争力提升的重要因素。

（四）国家竞争力战略的国际经验

在国家竞争日趋激烈的背景下，形成明确的国家竞争战略，努力提升国家竞争能力已经成为各国发展的必然选择和关键所在。

美国、日本、欧盟、韩国、新加坡、爱尔兰、克罗地亚、圭亚那、希腊等许多国家都系统性地提出了国家竞争力战略，典型的如美国前总统布什在其发表的《国情咨文》中正式宣布的“美国竞争力计划”、日本产业竞争力战略委员会提出的《振兴日本经济六大战略》、欧盟委员会推出的“欧洲2020战略”等；英国、德国、法国、俄罗斯、印度、巴西等一些在世界上有影响力的大国虽然没有明确系统地提出国家竞争力战略，但也从不同角度提出了某一领域的竞争战略，例如，英国提出了2020年低碳国家战略、德国提出了高科技发展战略、俄罗斯提出了能源超级大国战略等。

世界各国竞争力战略的共同点在于：重视增强国家竞争力主体的素质、重视培育国家竞争的供给要素、重视挖掘和扩大国内需求、重视强化国家的内部联系、重视参与全球竞争与合作、重视完善公共制度。

（五）提升中国国家竞争力的战略建议

1. 整体战略：梯次追赶

中国到2020年的国家竞争力战略目标定位是：迈向全球经济、科技、文化的重要中心，成为世界上最富有竞争力的国家之一。

为实现这一战略目标定位，中国应当实施梯次追赶战略，这是一种细分的追赶战略，即将经济、社会、科技、文化和环境等多方面发展内容分层分级，根据不同的内容设计高低不同的追赶目标和长短不一的追赶时间表，同时针对梯次的目标采取不同的追赶路径和策略。梯次追赶战略的主要路径包括：高端引领与重点跨越、成本领先与整体渐进、规模竞争与多层合作、提升品质与营销品牌、扩大开放与内外互动。

中国还应当仔细分析在六大国家竞争力要素上的优势与不足，扬长补短，持续不断地提升国家竞争力。

2. 城市战略：城市集群

根据全球城市化发展的基本趋势，结合中国的实际国情，走城市集群化发展道路是推动城市化进程、进而提升国家竞争力的重要战略路径。

城市集群化发展的意义是实现大中小城市协调发展、推动城市的集约化与可持续发展、增强城市化发展的经济效应；城市集群化发展的战略目标是通过实施集群化式的城市发展战略，到2030年形成多层次的、开放性的城市群体系；城市集群化发展的基本原则是集中发展、协调发展、集约发展、网络发展、梯度发展、功能紧凑与硬件完善。

要促进城市集群化发展，应当采取以下对策措施：将城市集群化发展作为国家区域政策的中心、制定面向2030年的城市群体系发展规划、建立并完善城市群的治理机制、改革行政管理体制、改善城市集群化发展的制度环境、优化城市集群化发展的政策支持体系、构建城市集群化发展的基础设施网络。

（中国社科院财贸所　倪鹏飞 博士 供稿）

循环经济研究

一、循环经济的基本理论

（一）循环经济的概念

所谓循环经济，就是一种以资源的高效利用和循环利用为核心，以“减量化、再利用、资源化”为原则，以低消耗、低排放、高效率为基本特征，符合可持续发展理念的经济增长模式，是对“大量生产、大量消费、大量废弃”的传统增长模式的根本变革。发展循环经济的根本目标是转变经济增长方式，实现可持续发展。循环经济要求运用生态学规律来指导人类社会的经济活动，合理利用自然资源和环境容量，在物质不断循环利用的基础上发展经济，使经济系统和谐地纳入到自然生态系统的物质循环过程中，形成与环境和谐的经济发展模式，以尽可能少的资源消耗和尽可能小的环境代价实现最大的经济社会发展效益，实现可持续发展。循环经济与传统经济不同之处在于：传统经济是由“资源—产品—污染排放”所构成的线性经济，以高消耗、低效率、高排放为主要特征，其目标是提高劳动生产率，对资源的利用通常是粗放的和一次性的，导致自然资源的短缺与枯竭，并酿成了灾难性的环境污染后果，是一种非可持续的经济发展模式；循环经济是由“资源—产品—再生资源”所构成闭环经济，以低消耗、高效率、低排放为主要特征，其目标是提高资源生产率，对资源进行节约、集约和循环利用，使整个经济系统以及生产和消费的过程基本上不产生或者只产生很少的废弃物，消解了资源和环境压力，是一种可持续的经济发展模式。

（二）循环经济的原则及层次

1. 循环经济的原则

循环经济一般包括减量化、再利用和再循环三个原则。以资源投入最小化为目标的减量化原则，是指通过最大限度地减少对不可再生资源的耗竭性开采和利用，并应用替代性的可再生资源，尽可能地减少进入生产、消费过程的物质流和能源流，对废弃物的产生和排放实行总量控制；以废弃物利用最大化为目标的再循环原则，是指尽可能多次或以多种方式使用物品，延长产品和服务的时间，避免其过早地成为垃圾；以污染排放最小化为目标的再循环原则（或资源化原则），是指提高绿色工业技术水平，通过对废弃物的多次回收利用和资源闭合式良性循环，把废弃物再次变成资源，实现废弃物的最小排放。

2. 循环经济的层次

循环经济具体体现在经济活动的三个重要层面上，分别通过运用“减量化、再利用、再循环”原则实现三个层面的物质闭环流动。循环经济的企业层面，要求企业实行清洁生产，减少能源和原材料使用量，减少有毒物质排放，强化物质的循环使用能力，最大化地可持续利用不可再生资源，提高产品的耐用性和产品与服务的强度。园区层面上的循环经济，即通过建立生态工业园区，把多个企业链接起来，形成共享资源、梯次利用和废物交换的产业共生组合，使单个企业的废气、废物、废水、废热、废渣在自身循环利用的同时，成为另一个企业的能源或资源，从而获得企业经营的规模效益和生态效益，提高资源和能源利用效率。社会层面上的循环经济，即建立起与发展循环经济相适应的循环型经济社会，通过最大限度地减少对资源过度消耗的依赖，保证对废物的正确处理和资源的回收利用，实现生产与消费之间的循环，保障环境安全，使经济社会走向持续、健康发展的道路。

（三）循环经济的内涵

循环经济的概念从提出到实践已经在不同的国家有所发展，成为当前政府、学术界、企业界等都颇为关注的热门话题。有关循环经济的理论和实践的研究也比较多，对于循环经济的内涵理解也呈现出多样化，世界银行在2004年一篇为《循环经济——一种解释》中认为，很难对循环经济给出确切的定义，但目前在学术界比较普遍认同的最通常的是指经济行为过程中“资源的高效利用和废弃物的循环利用”，以我国学者吴季松对循环经济的定义较为典型：“循环经济就是在人、自然资源和科学技术的大系统内，在资源投入、企业生产、产品消费及其废弃的全过程中，不断提高资源利用效率，把传统的、依赖资源净消耗线性增加的发展，转变为依靠生态型资源循环来发展的经济”。具体在以下几个方面越来越达成共识。

1. 循环经济是一种全新的经济运行模式，是一场对传统的“资源利用—生产—废物排放”线性式经济的革命，循环经济的活动组成“资源—生产和消费—再生资源”的闭环物质流动过程。传统的线性经济，其内部是一些相互不发生关系的线性物质流的叠加，由此造成出入系统的物质流远远大于内部相互交流的物质流，形成“高开采、低利用、高排放”的经济特征，是造成当代资源环境问题日益恶化的根本原因。而循环经济则要求“资源—产品—再生资源”系统内部以互联的方式进行物质交换，以最大限度地利用进入系统的物质和能量，组织生产，达到“低开采、低消耗、高效率、高利用、低排放”的结果。由于存在反馈式、网络状的相互联系，系统内不同行为者之间的物质流远远大于出入系统的物质流；所有的物质和能源要在一种不断进行的经济循环中，得到合理和持久的利用，从而，最大限度地减少能源和原材料的消耗，把经济活动对自然环境的影响降低到尽可能小的程度。这种理念倡导下的循环经济就是改变传统工业经济“最大限度地开发自然资源、最大限度地创造社会财富和最大限度地获得利润的生产目标”为“最大限度地优化配置自然资源、最大限度地提高自然资源利用效率和最大限度地提高自然资源利用效益”。实现经济与资源环境的“双赢”。

2. 循环经济本质上也是一种生态经济。这是由我国循环经济先驱曲格平首先提出的。循环经济以生态学理论为基础，借助于对生态系统和生物圈的认识，特别是产业代谢研究，模拟自然生态系统的运行方式，利用自然资源和环境容量，遵循其特有的运行规律——生态学规律，而不是机械论规律来指导人类的经济活动。

通过以下两种使经济体系与生物生态系统正常运行相匹配的革新途径，建立理想的经济生态系统：① 通过将不同的企业、不同类别的产业之间形成类似于自然生态链的产业生态链，从而达到充分利用资源、减少废弃物产生、人与自然和谐相处和提高经济发展规模与质量的目的；② 通过两个或两个以上的生产体系之间的系统耦合，使系统内的经济要素和资源配置效率得以提高，从而达到效益的最大化。在这种复合生态经济环境中，社会、经济以及各种物质、能量和信息等组成要素得到整合、多极利用和循环利用。从而从根本上消解长期以来资源、环境和发展之间的矛盾和冲突，将经济系统和谐地纳入到自然生态系统的物质循环过程中。实现特定资源的可持续利用和总体资源的永续利用，促进经济活动的生态化。

3. 循环经济是一种技术范式革命。循环经济是在生态环境成为经济增长制约要素，良好的生态环境成为一种公共财富阶段的一种新的技术经济范式，着眼于整个经济系统，将环境由经济外部性因素、制约因素，移植到经济内部变为经济健康发展的内在要素、促进因素，并将其核心化，从经济制度和技术范式层次，追求经济发展与环境保护的共赢。因此，循环经济是建立在良好的环境基础上，以全体社会成员生活福利最大化为目标，主要通过对传统行业的技术改造，最大限度地减少资源消耗和废弃物排放。

4. 有广义、狭义两种理解。广义的循环经济指所有的社会生产活动，包括经济、自然、社会的优化组合，相互作用及相互衔接，是以高素质劳动力、高级化的产业结构、低污染的环境质量以及可持续利用的资源等来保障长期持续的经济增长及其结构优化。它涵盖了经济发展、社会进步、生态环境三个方面，追求这三个系统之间达到一种理想的优化组合状态。这个意义上的循环经济可以被理解为与可持续发展的和谐社会所涵盖的范畴相同。

狭义循环经济主要是指废弃物减量化和资源化，是以经济的可持续发展为中心，强调经济与自然环境之间的协调发展。从生产环节入手，包含能源、矿产等不可再生资源的利用、经济过程之内的循环使用以及所产生的废弃物对环境的排放等，兼顾经济与环境之间的协调和互利。循环经济是以减量化、再利用、资源化为原则（所谓3R原则），以低消耗、低排放、高效率为基本特征，符合可持续发展理念的经济增长模式。

5. 循环经济的运行原则。“减量化（Reduce）、再使用(Reuse)、再循环(Recycle)”，即3R原则，是循环经济中经济活动的准则和实际操作基本原则，贯穿于经济活动的全过程。

① 减量化，是旨在对输入端进行控制，减少进入生产、服务和消费过程的物质量、能源流量、废弃物排放，用减少的原料、能源投入和废弃物的产生来达到既定的生产目的或消费目的，从而在源头上节约资源和减少废弃物的排放。对废弃物的排放，是通过预防的方式而不是末端治理的方法来加以避免。② 再使用，是旨在从过程上进行控制，使物品尽可能以初始的形式多次或多种方式地使用或修复、翻新或再制造后继续使用，避免物品过早地成为垃圾，尽可能地延长产品和服务的时间强度和使用周期，提高产品和服务的使用频率和利用效率。它属于过程方法。③ 再循环，又叫资源化原则，是旨在对输出端进行控制，使废弃物最大限度地再次转化为资源“变废为宝、化害为利”，要求生产出来的物品在完成其使用功能后能重新变成可以利用的资源而不是无用的垃圾。以减少末端处理负荷——减少最终处理量。它是输出端方法把废物再次变成资源。随着形势的变化和研究的深入，3R原则得到了补充和完善，增加了“再思考”和“再修复”原则，变成5R。

6. 循环经济要求从微观、中观、宏观三个层次构建循环经济的完整体系。

① 微观层次，即小循环，旨在推行企业清洁生产（包括清洁生产过程和清洁产品），构建企业内部循环经济产业体系，来节省能源、降低原材料消耗、减少污染物的产生量和排放量，进而减少废弃物的排放和空气污染；② 中观层次，即中循环，旨在构建产业内循环经营，通过产业系统内物质封闭循环、减量化和能源节约化等方法实现生态重组，把产业内上、中、下游企业连接起来，形成共享资源和互换副产品的产业共生组合；③ 宏观层次，即大循环，旨在构建循环经济社会，培育绿色消费市场和发展资源回收产业，在追求科学、文明、健康、舒适生活的同时，注重节约资源、

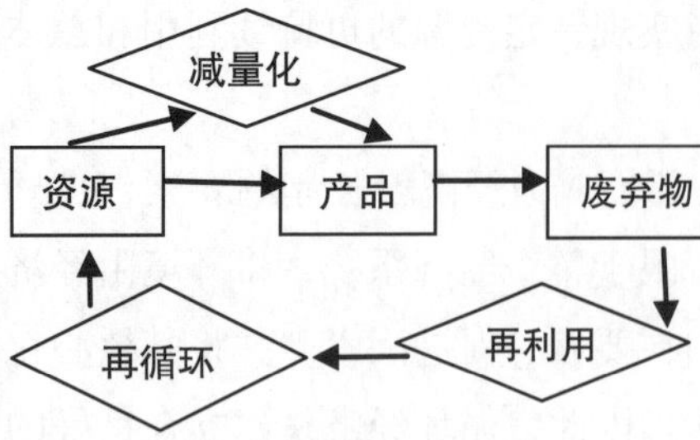

图1　循环经济运行模式

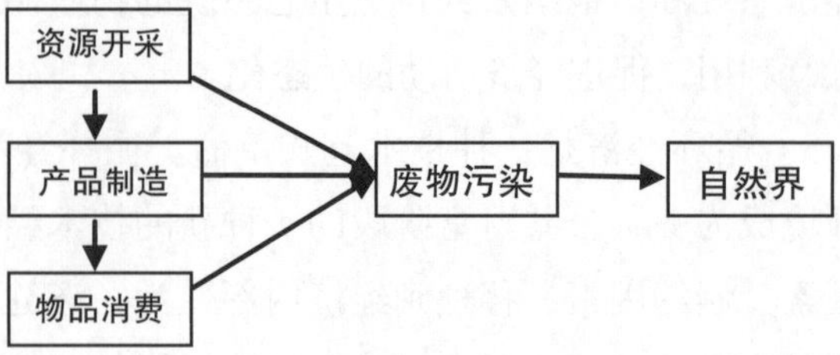

图2　传统经济运行模式

表1　循环经济与传统经济的比较

比较项目	循环经济	传统经济
废物排放	废物零排放或低排放	废物高排放
对环境的影响	对环境友好	成本外部化，对环境不友好
经济增长方式	内涵式发展	数量型增长
支持理论	生态学和生态系统理论	西方经济学、政治经济学等
评价指标	绿色等核算体系（绿色GDP等）	单一经济指标（GDP，人均消费等）
对资源利用状况	低开采、高利用、循环利用，科学管理	高开采、低利用、一次性利用，粗放经营
环境治理方式	预防为主，全过程控制	末端治理
追求目标	经济、环境和社会三方和谐	经济利益，资本利润最大化
运动方式	封闭型物质能量循环的网状经济（资源利用-绿色产品-资源再生）	物质单向流动的开放式线性资源消耗（资源消耗-产品-污染排放）

保护环境、治理污染以及人和自然的和谐统一。

总之，循环经济是一种完全区别于传统经济的新型经济，它要求把经济活动组织成一个“资源—产品—再生资源”的反馈式流程，以“低开采、高利用、低排放”为特征，以“减量化、再利用、再循环、再思考、再修复”为原则。通过清洁生产、生态工业、持续农业、绿色消费、废物处理等环节，使物质和能量在企业内、企业间、社会内得到合理和持久的循环流动和利用，达到能量平衡。使物质资源得到充分利用，把对自然环境的影响降到最低程度，以最小成本获得最大的经济效益和环境效益。为工业化以来的传统经济转向可持续发展的经济提供了战略性的理论范式，根本上解决了经济发展无限性和自然资源环境有限性的矛盾。

基于对循环经济的认知和我国的国情，在我国发展循环经济具有更加深远的战略意义。我们必须深入研究我国发展循环经济的约束因素和对策，真正走出一条生产发展、生态文明、生活富裕的可持续道路。

二、城市循环经济发展综合评价体系及方法研究

目前，我国高消耗、高排放、高污染的粗放型经济增长方式仍较明显，严重的资源、环境问题成为制约城市可持续发展的瓶颈。大力发展循环经济，建立循环型产业体系，形成节约型消费方式，减少资源能源消耗、提高经济产出、减少污染排放，转变城市经济发展模式，是实现城市可持续发展的根本途径。构建城市循环经济发展综合评价指标体系，对城市循环经济发展水平进行科学

评价，及时掌握城市循环经济运行状况、发展态势及存在的问题，对于促进城市循环经济良性发展，进而提高城市可持续发展能力具有重要意义。

（一）城市循环经济评价指标体系构建原则

城市循环经济综合评价体系是以城市循环经济系统为评价对象，依据循环经济理论，运用科学的方法和手段来评价城市循环经济系统的发展状态、发展水平和发展趋势。在设计城市循环经济评价指标体系时，需要根据一定的原则和思路，使得指标系统全面、简要明了地反映城市循环经济的建设现状和发展潜力。

1. 科学性原则

城市循环经济指标体系要能够客观地反映循环经济的概念内涵和基本原则，指标的设计应建立在充分认识、系统研究的科学基础上，每一个指标的名称、定义、解释、计算方法、分类等要讲究科学性与规范性。

2. 系统性原则

城市循环经济涉及城市自然资源、生态环境、社会和经济等各方面，是一个复杂的综合系统。所以指标体系必须能够全面地涵盖与城市循环经济相关的资源、环境、经济和社会等各个子系统发展的指标，并突出重点。

3. 动态性原则

构建城市循环经济总的评价指标体系，就是要反映经济的总体发展状况和资源利用的循环程度，为城市循环经济发展决策服务。城市循环经济评价指标体系既要引入静态指标反映系统的现实生产能力和水平，也要引入动态评价的指标反映系统的可持续发展能力。

4. 可比性原则

城市循环经济指标体系要尽可能采用国际上通用的名称、概念与计算方法，具有统一的量纲和可比性。这样既可以形成循环经济系统的时间序列，分析城市循环经济建设的发展状况，又可以比较城市间在同一时期循环经济建设的水平。

5. 可操作性原则

在构建循环经济的指标体系过程中，尽量以政府历年统计数据为基础，选取的指标数值可以直接获得或者通过计算、修正等数学方法间接得到，对于有些难以采集地数据尽可能地以其他指标代替。

6. 地域性原则

各城市具有不同的资源、环境条件和经济发展水平，循环经济建设和评价的重点也不同，这就要求评价的方法、指标体系和指标的权重也因地区差异而不同。所以在循环经济建设和评价时应遵循地域性原则，因地制宜地进行客观和准确的评价。

（二）城市循环经济发展评价指标体系构建

依据指标体系的构建原则，结合循环经济的概念内涵和基本原则，本文构建了城市循环经济评价指标体系。

1. 评价指标体系的构成

整个城市循环经济发展评价指标体系可分为四个层次：目标层、准则层、领域层、指标层，具体指标体系见表2。

表2　循环型经济建设评价指标体系

目标层	准则层	领域层	指标层
城市循环经济发展状况	资源利用状况	资源效率	单位GDP用水量(吨/万元)
			单位GDP能耗量(吨/万元)
			单位土地面积产值(万元/平方公里)
			清洁能源占总能源的比例(%)
			城市集中供热普及率(%)
		资源回收	中水利用率(%)
			城市污水集中处理率
			工业固体废弃物综合利用率(%)
			工业废气综合利用率(%)
			工业废水循环利用率(%)
			城市污水处理回用率(%)
			城市垃圾及废弃物回收和综合利用率(%)
	环境保护状况	环境治理	环保投资占GDP比重(%)
			单位GDP二氧化硫排放量(吨／万元)
			单位GDP污水排放量(吨/万元)
			城市噪声达标区覆盖率(%)
			烟尘控制区达标覆盖率(%)
			油烟达标排放率(%)
			汽车尾气达标排放率(%)
			城市垃圾无害化处理率(%)
			城市垃圾分类处理率(%)
		生态建设	建成区绿化覆盖率(%)
			人均公共绿地面积(平方米/人)
			年大气质量指数好于二级的天数(天／年)
	经济社会状况	经济水平	第三产业增加值占GDP比重(%)
			高新技术产业占第二产业比重(%)
			人均GDP(元/人)
		科技水平	人口中科技人员比例(%)
			科研投入占GDP比重(%)
			科技进步对GDP的贡献率(%)

（1）目标层

目标层是指标体系的最高层，它代表城市循环经济发展的整体目标，主要通过各级指标加权得出城市循环经济发展的综合评价值，反映城市循环经济发展的整体状况。

（2）准则层

准则层是指标体系的第二层，它主要包括构成城市循环经济系统的资源、环境、经济社会三个一级子系统，主要包括资源节约和综合利用、环境保护和生态建设、经济社会支撑状况三个方面。

（3）领域层

领域层是指标体系的第三层，它主要包括构成城市循环经济系统的六个二级子系统，它们又分别是城市循环经济三个一级子系统的下一层子系统。具体包括：资源利用状况下面的资源效率和资源回收两个子系统；环境保护状况下面的环境治理和生态建设两个子系统；经济社会状况下面的经济水平和科技水平两个子系统。

（4）指标层

指标层是指标体系的最后一层，它主要由能够突出表征城市循环经济发展水平的30个可定量化指标构成。这30个指标又分属于六个不同的二级子系统，共同反映城市循环经济发展程度。

2. 评价指标体系的解释

（1）资源利用评价指标

资源利用评价包括对城市资源利用效率和资源循环利用进行的评价，主要从城市节能、节水、节地等，以及工业三废、城市垃圾污水循环利用方面选取重点指标进行评价。

单位GDP用水量：指每产出万元GDP所消耗的水资源，反映城市生产节水状况。

单位GDP能耗量：指每产出万元GDP所消耗的能源（可以吨标准煤或千瓦时电量表示），反映城市生产节能状况。

单位土地面积产值：指每平方公里土地上生产的万元GDP，反映城市经济发展中的土地集约程度。

清洁能源占总能源的比例：指太阳能、风能、水能、地热、海洋能等能源消费占总能源消费的比例，反映城市新能源利用状况。

城市集中供热普及率：指城市集中供热用户占城市总户的比例，反映城市供热集中程度。

中水利用率：指城市中水利用量占中水总量的比例，反映城市中水利用程度。

城市污水集中处理率：指经过污水处理厂二级或二级以上处理，且达到排放标准的生活污水量与城市生活污水排放总量的比例，反映城市污水集中处理程度。

工业固体废弃物综合利用率：指工业固体废物处置利用量占工业固体废物总量的比例，反映对工业固体废弃物的循环利用程度。

工业废气综合利用率：指工业废气处置利用量占工业废气排放总量的比例，反映对工业废气的循环利用程度。

工业废水循环利用率：指工业废水处置利用量占工业废水排放总量的比例，反映对工业废气的循环利用程度。

城市垃圾及废弃物回收和综合利用率：指城市垃圾及废弃物回收利用量占生活垃圾及废弃物总量的比例，反映对生活废弃物的回收利用程度。

（2）环境状况评价指标

环境状况评价包括对城市环境治理状况和生态建设状况进行的评价，主要从城市环保投入、工业三废治理、垃圾废弃物治理等，以及城市绿化、生态建设、空气质量方面选取重点指标进行评价。

环保投资占GDP比重：指用于保护环境、综合治理污染的工程或设施投资占GDP的比例，反映环保投入状况。

单位GDP二氧化硫排放量：指每生产万元GDP二氧化硫的排放量，反映城市废气排放程度。

单位GDP污水排放量：指每生产万元GDP污水的排放量，反映城市废水排放程度。

城市噪声达标区覆盖率：指城市建成区内已建成的环境噪声达标区面积占建成区总面积的百分比，反映噪音污染治理程度。

烟尘控制区达标覆盖率：指城市建成区内烟尘控制区面积占建成区总面积的百分比，反映烟尘治理程度。

油烟达标排放率：指油烟排放达标量占油烟排放量的百分率，反映油烟治理程度。

汽车尾气达标排放率：指汽车尾气排放达标量占汽车尾气排放量的百分比，反映汽车尾气治理程度。

城市垃圾无害化处理率：指城市危险垃圾废物处置利用量占全部垃圾危险废物总量的比例，反映城市垃圾无害化处理程度。

城市垃圾分类处理率：指城市垃圾处理量占全部城市垃圾总量的比例，反映城市垃圾分类处理程度。

建成区绿化覆盖率：指城市建成区内绿地面积与建成区面积的比率，反映城市的绿化状况。

人均公共绿地面积：指供游憩休闲的各种公园、动植物园、花园、游园、林荫道绿地、广场绿地等人均面积，反映城市的生态环境状况。

年大气质量指数好于二级的天数：指每年大气质量指数达到一级和二级的总天数，反映城市的空气质量状况。

（3）经济社会状况评价指标

第三产业增加值占GDP比重：指第三产业增加值与GDP的比值，反映城市经济结构的优化状况。

高新技术产业占第二产业比重：指高新技术产业增加值与第二产业增加值的比值，反映城市工业结构的高级化状况。

人均GDP：指GDP的绝对值与该年平均人口的比值，反映城市发展循环经济的综合经济实力。

人口中科技人员比例：指科技活动人员占总人口的比例，反映城市科技人力资源情况。

科研投入占GDP比重：指科技投入与GDP的比值，反映城市发展循环经济的科技支撑能力。

科技进步对GDP的贡献率：指科技进步对经济增长的贡献率，反映城市发展循环经济的科技潜力。

（三）城市循环经济发展综合评价方法

1. 指标标准化处理

考虑到各原始指标的量纲、级差、趋向不尽相同，必须对其进行规范化和同趋化处理。一般采用极差正规化法对原始指标数据进行无量纲化处理，将所有指标实际值归一化到[0，1]的单位区间。

2. 指标权重的确定

确定指标权重就是衡量各项指标和各领域层对其目标层的贡献程度大小，指标权重的合理与否直接影响着评价结果的科学性与准确性。权值确定可分为主观赋权法和客观赋权法以及两者相结合的方法。主观赋权法是研究者根据其主观价值判断来指定各指标权重的方法，主要包括专家评判法、层次分析法等；客观赋权法则按照计算准则得出各指标权重，主要有熵值法、主成分分析法、因子分析法等。两种方法各有优点，实际中根据研究和应用需要而确定所采取的方法。比较常用的是层次分析法和因子分析法。

（1）层次分析法

层次分析法是一种定性与定量相结合的多指标综合评价的方法，主要用于求解递阶多层次问题。层次分析法解决问题的基本思路，是从系统的层次性特征出发由高到低划分成若干层次，建立一个如金字塔的树状层次结构以描述元素之间的相互关系。根据对一定客观现实的判断，就每一层次的元素相对于上一层次元素的重要性给予定量表示，利用数学方法，确定表达每一层次的全部元素的相对重要性次序的权值，通过排序结果对问题进行分析和决策。该方法由于让评价者对照一相对重要性函数表给出因素集中两两比较的重要性等级，因而可靠性高、误差小；不足之处是遇到因素众多、规模较大的问题时，该方法容易出现问题，如判断矩阵难以满足一致性要求等，因此它的应用也就基本上限于诸因素子集中的因素不超过9个的对象系统的综合评价问题。

（2）因子分析法

因子分析法，是把原来多个变量划为少数几个综合指标的一种统计分析方法。因子分析试图在力保数据信息丢失最少的原则下，对这种多变量的截面数据表进行最佳综合简化，也就是说，对高维变量空间进行降维处理，即研究指标体系的少数几个线性组合，并且这几个线性组合所构成的综合指标将尽可能多地保留原来指标变异方面的信息，这些综合指标就称为因子。因子分析法的基本思想是通过降维，把多项指标转化为少数几个综合指标的多元统计方法。此方法的核心是通过主成分分析，选出主因子。主因子个数多少取决于能够反映原来变量85%以上的信息量为依据，即当累积贡献率≥85%时的主成分的个数。然后对主因子进行分析，考察各主因子与原始指标集之间的联系和数量关系，特别是可以考察主因子与哪些指标关系密切，从而确定各主因子的内部结构以及认定各主成分的经济含义。之后根据各主成分的方差贡献率，即为权重。

3. 综合评价分析

各指标数据消除量纲影响和明确权重后，必须进行综合得分值的计算，才能进行优劣评价。在得到权重和指标（或因子）值后，可以构建城市循环经济综合评价模型。

$$X=\sum\omega_i X_i$$

式中，X为城市循环经济综合得分值，ω_i为第i个指标（或主因子）的权重，X_i为第i个指标（或主因子）数值。

（四）局限与不足

构建一套可定量化标准的城市循环经济发展评价指标体系，从而既可对城市循环经济整体发展状况进行综合评价，也可对资源利用、环境保护、支撑能力等分项进行局部评价；既可通过时间纵向比较评价城市循环经济发展过程，也可通过空间横向比较评价城市间循环经济发展程度差异。

但这套城市循环经济评价指标体系也存在不足，如循环经济观念普及情况、循环经济政策支持状况、循环经济法规标准完善状况、循环经济服务体系建设情况等一些对城市循环经济发展具有重要作用的指标，由于无法定量化未纳入本文构建的指标体系。一个理想的指标体系，应当能够全面、客观、准确地反映对城市循环经济发展程度。所以，有必要通过一定途径将这些指标定量化后纳入指标体系。一般来说，可选取可以定量化的指标间接地反映这些指标的内容，或通过设计问卷让公众打分，将这类指标进行定量化处理。

2009年循环经济发展述评

2009年，是我国有组织有规划在全国范围开展循环经济试点示范工作的第5个年头。如果从引入循环经济概念的1997年算起，2009年是循环经济理念在中国逐步传播的第13个年份。

2009年，也是世界金融危机对我国实体经济产生严重冲击，直至下半年经济才露出复苏迹象的艰难年月。在国内外大环境如此严峻的背景下，循环经济发展的总体态势，依然呈现出稳步推进，逆势而上，科学发展的局面。纵观这一年的发展全局，具有以下特点。

一、注重制度化建设，在增强法律意识中推进

2009年1月1日，《中华人民共和国循环经济促进法》开始实施。这是2009年发展循环经济的一件大事，也具有长久的深远意义。在178个企业、园区和省（市）已经列入国家级循环经济试点示范几年之后，开始施行循环经济促进法，对试点示范工作个体的制度化建设和全国循环经济发展，增添了新的推动力和约束力。因为这部《循环经济促进法》是以“减量化、再利用、资源化”为主线，设计了五项法律制度和一项强化措施。包括规划制度、总量控制制度、评价和考核制度、生产者为主的责任延伸制度、高耗能和高耗水企业的重点管理制度，以及强化激励措施。为更好地普及和宣传这部法律，由国家发改委、全国人大环资委、环境保护部共同发起，于2008年11月至12月举办了学习《循环经济促进法》电视大赛活动，促进了人们对“促进法”内容的了解，推动了各项实施工作的进展。“促进法”实施还必须有相关的配套法律法规。2月下旬，温家宝总理签署国务院令公布《废弃电器电子产品回收处理管理条件》。为运用标准化的手段，加快循环经济技术的推广应用，国家标准委、国家发改委于6月初联合印发了《循环经济标准化试点工作指导意见》（征求意见稿）。一些省（市）特别是被列入国家试点示范的单位，结合学习宣传“促进法”在提高发展循环经济的法律意识的同时，进一步完善和强化制度和机制建设。江苏省是农业大省，年产秸秆量在4000万吨以上，其中水稻、小麦、油菜、玉米秸秆占资源总量的80%以上。经过近几年努力，2008年全省农作物秸秆综合利用率近60%，2360多万吨。在工作举措上，着力强化了五个机制：一是法律保障机制；二是组织领导机制；三是规划引导机制；四是政策扶持机制；五是科技支持机制，包括加强技术研发、依托重点项目带动和强化技术服务。甘肃省针对循环经济地方标准体系存在标准缺失、相对滞后、水平不高、标龄过长等制约循环经济工作进展，制订了《甘肃省循环经济地方标准体系规划》，涵盖全省第一、二、三产业的循环经济产业体系，包括循环工业、循环农业、循环型经济园区和循环型第三产业4个子体系。既推动了全省试点示范单位的考核指标制度化建设，也为衡量全省循环经济工作质量提供了科学依据。2009年2月北京市出台了《北京市循环经济试点工作实施意见》，制定了在政策、资金、税收、土地申请、政府采购等对试点单位进行支持的规定，并对24个试点单位集体授牌。2009年5月，深圳市公布了《建筑废弃物减排与利用条例》，并定于10月1日起正式实施。辽宁省、贵阳市等，在循环经济促进法宣传学习中，对以往制

定的有关保障循环经济发展的条例、规章制度，根据“促进法”相关条款进行修改和完善。总之，由于“促进法”从年初开始实施，大大回应了为循环经济发展的各方面法规、条例以及规章制度建设，有利于在法律框架内，健康有序发展。

二、用提升技术含量破解难题，培育“产学研”一体化的新形式

2009年，为促进循环经济发展，及时解决发展中的问题特别是技术性问题，由国家发展改革委员会、中国工程院共同组织开展了“循环经济专家行”活动。是一件着眼于总结经验，解决发展中遇到的难题具有创新意义行动。第一批“循环经济专家行”从4月下旬开始，先后对北京市、天津市、山西省、上海市、浙江省、江苏省、山东省列入国家级循环经济试点示范的一些单位进行考察与总结，充分发挥院士和专家群体的技术优势、知识优势，开展技术诊评和咨询，解决遇到的问题，提高试点示范单位、项目的技术含量和技术水平。由中国工程院徐滨士院士带领的循环经济专家行小组，从6月11日开始在山东省列入国家试点示范的中国重汽济南复强动力有限公司、济南钢铁集团有限公司、山东省新汶矿业集团公司、山东海化集团有限公司等10个单位进行了8天调研、诊评。现场解决遇到的管理特别是技术方面的问题。山西省是列入国家第二批循环经济试点示范的省份。“循环经济专家行”小组选择煤炭、钢铁行业列入国家试点示范的企业进行调研。他们发现山西省循环经济发展没有因为应对金融危机而遭遇“冷落”放缓步伐，反而把循环经济作为新的突破口逆势而上。安泰集团去年初开工的建设项目因为受金融危机影响停了一段时间，4个循环经济项目一直坚持施工，其中两个年底可以建成投产。专家小组在总结山西循环经济发展经验时指出：试点企业发展循环经济有很多共同之处，其中之一是注意技术创新。技术升级，也为企业探索循环经济的新模式奠定了基础。他们诊评中针对看到的问题向企业指出：先进技术是发展循环经济的关键。循环经济是一个复杂的系统工程，强调各个部分之间的协调，以达到物质和能量的最佳配置，各个企业的发展情况都不相同，从这个角度讲不存在统一的技术模式，企业必须依自身需求选择先进技术。还提醒企业：发展循环经济，第一要看能不能循环，也就是技术上有没有可行性。第二要看能不能持续发展，也就是要有经济效益。中国农业大学资源与环境学院生态系主任孙振钧参加了黑龙江、吉林“循环经济专家行”小组活动。他指出：“农业循环经济有3种基本模式：一是农牧结合；二是工农的中循环；三是综合循环，即生产和生活、生态的综合考虑，实现三位一体。农业的循环经济最终结果，不仅只是废弃物的利用，而且还是农业的综合生产力的提高，以及无公害绿色产品或有机食品为最终方向。循环经济要使农民受益，农民不挣钱不增收，模式再好农民也不一定用。

中国农业大学教授、沼气专家林聪在考察北京密云十里堡镇的沼气池时，针对产生沼气率低，给出了进行技术改造的具体建议：可以再加一个工业分离机对废弃物进行前期处理。类似这样就地“会诊”当场研究解决大大小小不同技术问题的事例还有许多。

“循环经济专家行”活动，在循环经济领域是带有创新因素的工作行为。把科研院所、大专院校的院士、学者组织起来，下到从事循环经济试点示范企业，深入园区、项目的现场，工程技术、经济理论方面的专家、学者与产业的实践共同进行诊评，分析中解决问题，倾听考察中深化认识，总结经验，丰富理论。“循环经济专家行”活动方式，似乎孕育着循环经济前沿的“产学研”相结

合的新形式。

三、多种发展模式趋于成熟，形成了明显示范效应

几年来，循环经济试点示范工作的稳步推进，在重点领域重点行业，以及被列入国家级试点的省市，培育出一批发展循环经济的典型案例、成功的模式。这些典型在自身发展的同时，也在本地区、本行业产生了广泛影响，提供了借鉴的做法。

安徽省铜陵市，是国家第一批循环经济试点示范城市。这个城市因铜而生，因铜而建的典型资源型城市。当今已被国家列为资源枯竭城市转型试点单位，因此被称为“双试点”城市，已经形成“铜陵模式”。几年来，他们本着发展循环经济是城市转型的根本出路的认识，在循环经济试点中走的是一条：逐步拓展试点规模，在企业小循环、园区中循环、社会大循环三个层面发展的路子。同时以“理念、科研、投入”三个突破推进项目、园区建设。几十年开采铜矿资源选铜形成的铜尾矿、铜炉渣、磷石膏构成三座黑、红、白大山。通过在循环经济工业试验园中建设了80万吨硫酸项目，以铜矿山的尾矿（硫精砂）废渣为原料，每年生产80万吨硫酸、120万吨铁球团。今年他们已经“吃干”多年积累形成的“黑山”和“红山”，由磷石膏形成的“白山”很快也被“榨尽”，三条循环工业链已经形成。全市有12家企业与15家高校院所签订了循环经济产学研合作项目18个，合同金融1740万元。市财政每年拿出不少于500万元设立发展循环经济引导资金。2009年11月28日举行的第四届“中国金融生态城市发展年会”上，铜陵市被授予“中国金融生态市”称号。铜陵模式已经成为全国118个资源枯竭城市转型的样板。

山西省循环经济试点示范单位同煤集团塔山工业园区。2009年8月1.2亿块煤矸石烧结砖项目竣工投产，实现了循环经济产业链闭合，标志着我国首个煤炭循环经济园区经过6年建设已经正式建成。塔山园区内的塔山煤矿年设计能力1500万吨，园区用10个循环经济项目，将一矿八厂的生产活动科学链接形成了“煤电—建材”和“煤—化工”两条产业链，实现了每一个上游企业产生的废弃物都是下游企业的原材料，形成从资源到产品、从废弃物到再生资源的循环利用。目前国有大煤矿、地方煤矿、小煤矿的煤炭开采回收率（资源回收率）分别为50%、30%、10%左右，塔山矿资源回收率为85%，废弃物资源利用率为95%，工业固体废弃物利率为100%，废水零排放。塔山循环经济工业园区循环经济模式，在同煤集团乃至煤炭行业，被许多人称之为“黑色煤炭、绿色开采”模式。同煤集团准备将所属的7个千万吨级和4个500万吨级矿井，陆续建设塔山模式的循环经济园区。

黑龙江省望奎县，是全省唯一的县级国家循环经济试点示范县，也是国家生态农业建设先进县。从2008年7月被确定为国家级第二批农业循环经济试点示范县以来，在以往工作基础上，遵循“减量化、再利用、资源化”发展理念，推进农业循环经济，实施了5大循环经济产业链条、3大循环经济示范园区和3大循环经济项目建设，建成了“四位一体”（日光节能温室、猪舍、厕所、沼气池）的生态富民小区。目前有5000多户农民用上沼气，年产沼气100多万立方米。每年种植120万亩玉米产生的秸秆80多万吨，以往每年要剩余近50万吨未被利用，引进生物能发电项目，使秸秆得以充分利用，成功发电并网后，初步测算2007年至2012年减排二氧化碳150万吨。这个CDM减排项目建成后仅减排方面可以增加800万~1000万元的收益。

由于国家级、省级循环经济试点示范工作不断推进，在前几年工作基础上，在开展试点示范

工作较早的钢铁、煤炭、化工、电力、建材、石化，有色金属、资源再生、包装等产业中，从各自生产工艺特点和生产现状出发，数量不一的形成一批发展循环经济的典型单位和具有推广价值的模式。如济南钢铁集团、首钢曹妃甸、天津北疆模式、临港模式、子牙模式等。农业、林业战线以及农产品加工等也有些典型案例，如陕西的杨陵、安徽的阜南县、河南沈丘县付井镇、北京密云县十里堡镇等。这些典型案例、成型模式在当地产生了很好影响。它们用事实传播循环经济理念，带动起周围许多企业、社区和城镇自发的发展循环经济。

四、理论探索在实践发展中深化

循环经济在多领域大范围深入发展的实践活动，为中国化的循环经济理论探索和研究，提供了前所未有的理论研究空间和丰富的素材，以及形式多样、特点鲜明、寓意深刻的案例。一批热衷于循环经济理念研究的学者，随着循环经济试点示范工作的发展，已经把注意力和工作重点，从前些年研究和介绍国外循环经济发展的历史、理论、政府颁布的相关法律法规，转向关注和研究具有中国特色的循环经济实践和理论探索。而且通过多种渠道和方式与循环经济实践者建立密切联系，使理论研究成果来自实践又指导实践。据不完全统计，仅2009年出版循环经济专著39部，在国家级期刊杂志发表循环经济学术文章1813篇。安徽省科协名誉主席、省循环经济研究会会长、上海大学循环经济研究院副院长季昆森教授，在出版《创意与创意经济》之后又出版了《循环经济原理与应用》。2009年6月季昆森教授在中央报刊发表题为《整合三个经济 提升三个效益》的研究文章。提出“创意经济+循环经济+服务经济”的发展思路。国务院发展研究中心社会发展部主任周宏春博士，在2009年10月发表的题为“循环经济中隐藏的‘学问’”论文中指出：循环经济的科学原理可以表述为：新陈代谢、过程耦合和设施共享。他还用一名词俗语来形容循环经济就是：效仿食物链，延伸产业链，提升价值链。循环经济核心动力是技术支撑，人们从实践中总结归纳出发展循环经济要研发15大类技术，其中包括生态产业链的链接技术；节能和能源效率改进技术；可再生能源技术；能源高效存储及转换技术；绿色制造技术；海水淡化及综合利用技术，等等。

回顾2009年我国循环经济的发展经历，虽然面对世界性金融危机，但总体上发展势头未减，而且在许多地区、行业成为新的经济增长点，为应对金融危机取得成效做出了贡献。当然也有个别单位、局部地区出现过发展一时停顿的现象。2009年上半年，我国单位GDP能耗下降了3.35%。循环经济在节能减排中显示出的作用，使很多人把循环经济看成是我国经济发展现阶段的低碳经济。

（北京现代循环经济研究院　刘兴利 院长 供稿）

低碳经济研究

一、概念

所谓低碳经济，是指在可持续发展理念指导下，通过技术创新、制度创新、产业转型、新能源开发等多种手段，尽可能地减少煤炭石油等高碳能源消耗，减少温室气体排放，达到经济社会发展与生态环境保护双赢的一种经济发展形态。发展低碳经济，一方面是积极承担环境保护责任，完成国家节能降耗指标的要求；另一方面是调整经济结构，提高能源利用效益，发展新兴工业，建设生态文明。这是摒弃以往先污染后治理、先低端后高端、先粗放后集约的发展模式的现实途径，是实现经济发展与资源环境保护双赢的必然选择。

二、提出的背景

低碳经济是以低能耗、低污染、低排放为基础的经济模式，是人类社会继农业文明、工业文明之后的又一次重大进步。是国际社会应对人类大量消耗化学能源、大量排放二氧化碳（CO_2）和二氧化硫（SO_2）引起全球气候灾害性变化而提出的能源品种转换新概念，实质是解决提高能源利用效率和清洁能源结构问题，核心是能源技术创新和人类生存发展观念的根本性转变。低碳经济定义的延伸还含有降低重化工业比重，提高现代服务业权重的产业结构调整升级的内容；其宗旨是发展以低能耗、低污染、低排放为基本特征的经济，降低经济发展对生态系统中碳循环的影响，实现经济活动中人为排放二氧化碳与自然界吸收二氧化碳的动态平衡，维持地球生物圈的碳元素平衡，减缓气候变暖的进程、保护臭氧层不致蚀缺。广义的低碳技术除包括对核、水、风、太阳能的开发利用之外，还涵盖生物质能、煤的清洁高效利用、油气资源和煤层气的勘探开发、二氧化碳捕获与埋存等领域开发的有效控制温室气体排放的新技术，它涉及电力、交通、建筑、冶金、化工、石化、汽车等多个产业部门。“低碳经济”提出的大背景，是全球气候变暖对人类生存和发展的严峻挑战。随着全球人口和经济规模的不断增长，能源使用带来的环境问题及其诱因不断地为人们所认识，不止是烟雾、光化学烟雾和酸雨等的危害，大气中二氧化碳（CO_2）浓度升高带来的全球气候变化也已被确认为不争的事实。

在此背景下，“碳足迹”“低碳经济”“低碳技术”“低碳发展”“低碳生活方式”“低碳社会”“低碳城市”“低碳世界”等一系列新概念、新政策应运而生。而能源与经济以至价值观实行大变革的结果，可能将为逐步迈向生态文明走出一条新路，即摒弃20世纪的传统增长模式，直接应用新世纪的创新技术与创新机制，通过低碳经济模式与低碳生活方式，实现社会可持续发展。

作为具有广泛社会性的前沿经济理念，低碳经济其实没有约定俗成的定义。低碳经济也涉及广泛的产业领域和管理领域。

三、历史发展

“低碳经济”最早见诸政府文件是在2003年的英国能源白皮书《我们能源的未来：创建低碳经济》。作为第一次工业革命的先驱和资源并不丰富的岛国，英国充分意识到了能源安全和气候变化的威胁，它正从自给自足的能源供应走向主要依靠进口的时代，按目前的消费模式，预计2020年英国80%的能源都必须进口。同时，气候变化的影响已经迫在眉睫。

2006年，前世界银行首席经济学家尼古拉斯·斯特恩牵头做出的《斯特恩报告》指出，全球以每年GDP1%的投入，可以避免将来每年GDP5%~20%的损失。斯特恩呼吁全球向低碳经济转型。

2006年年底，科技部、中国气象局、发改委、国家环保总局等六部委联合发布了我国第一部《气候变化国家评估报告》。

2007年6月，中国正式发布了《中国应对气候变化国家方案》。

2007年7月，美国参议院提出了《低碳经济法案》，表明低碳经济的发展道路有望成为美国未来的重要战略选择。

2007年7月，温家宝总理在两天时间里先后主持召开国家应对气候变化及节能减排工作领导小组第一次会议和国务院会议，研究部署应对气候变化工作，组织落实节能减排工作。

2007年9月8日，中国国家主席胡锦涛在亚太经合组织（APEC）第15次领导人会议上，本着对人类、对未来的高度负责态度，对事关中国人民、亚太地区人民乃至全世界人民福祉的大事，郑重提出了四项建议，明确主张“发展低碳经济”，令世人瞩目。他在这次重要讲话中，一共说了4回“碳”：“发展低碳经济”、研发和推广“低碳能源技术”“增加碳汇”“促进碳吸收技术发展”。他还提出：“开展全民气候变化宣传教育，提高公众节能减排意识，让每个公民自觉为减缓和适应气候变化做出努力。”这也是对全国人民发出了号召，提出了新的要求和期待。胡锦涛主席并建议建立“亚太森林恢复与可持续管理网络”，共同促进亚太地区森林恢复和增长，减缓气候变化。

同月，国家科学技术部部长万钢在2007中国科协年会上呼吁大力发展低碳经济。

2007年12月3日，联合国气候变化大会在印尼巴厘岛举行，15日正式通过一项决议，决定在2009年前就应对气候变化问题新的安排举行谈判，制订了世人关注的应对气候变化的“巴厘岛路线图”。该“路线图”为2009年前应对气候变化谈判的关键议题确立了明确议程，要求发达国家在2020年前将温室气体减排25%～40%。“巴厘岛路线图”为全球进一步迈向低碳经济起到了积极的作用，具有里程碑的意义。

2007年12月26日，国务院新闻办发表《中国的能源状况与政策》白皮书，着重提出能源多元化发展，并将可再生能源发展正式列为国家能源发展战略的重要组成部分。不再提以煤炭为主。

联合国环境规划署确定2008年“世界环境日”（6月5日）的主题为“转变传统观念，推行低碳经济”。

2008年6月27日，胡锦涛总书记在中央政治局集体学习上强调，必须以对中华民族和全人类长远发展高度负责的精神，充分认识应对气候变化的重要性和紧迫性，坚定不移地走可持续发展道路，采取更加有力的政策措施，全面加强应对气候变化能力建设，为我国和全球可持续发展事业进行不懈努力。

2008年，应低碳经济的趋势，深圳市宗兴环保科技有限公司技术研发中心开发了新的项目《减碳技术咨询服务》，项目包括评估减碳空间、实施减碳措施、评价减碳效果、形成减碳报告。

2008年7月，G8峰会上八国表示将寻求与《联合国气候变化框架公约》的其他签约方一道共同达成到2050年把全球温室气体排放减少50%的长期目标。

系统地谈论低碳经济，还应追溯至1992年的《联合国气候变化框架公约》和1997年的《京都协议书》。

2008年“两会”，全国政协委员吴晓青明确将“低碳经济”提到议题上来。他认为，中国能否在未来几十年里走到世界发展的前列，很大程度上取决于中国应对低碳经济发展调整的能力，中国必须尽快采取行动积极应对这种严峻的挑战。他建议应尽快发展低碳经济，并着手开展技术攻关和试点研究。

2009年1月，清华大学在国内率先正式成立低碳经济研究院，重点围绕低碳经济、政策及战略开展系统和深入的研究，为中国及全球经济和社会可持续发展出谋划策。

2009年，深圳市能博特科技有限公司受邀参加沃尔玛2009年供应商能效提升项目启动大会并作大会发言。与会者对提出的低成本节能思路和方法非常感兴趣，给予了积极评价，纷纷咨询。 作为世界500强之首的沃尔玛，实施了一项可持续发展计划，作为计划的一个部分，要求其供应商2009年相对2007年单位产品能耗下降7%，2012年下降20%。 鉴于大多数供应商对达成节能目标可能缺乏方案，沃尔玛本次大会也邀请了十几家能源服务商为供应商提供节能咨询服务。 深圳市能博特科技有限公司凭借顾问多年的服务经验，可以为企业的节能减排，提供优质的服务。

中国社会科学院6月在北京发布的《城市蓝皮书：中国城市发展报告（NO.2）》指出，在全球气候变化的大背景下，发展低碳经济正在成为各级部门决策者的共识。节能减排，促进低碳经济发展，既是救治全球气候变暖的关键性方案，也是践行科学发展观的重要手段。

在低碳经济问题上，人们需澄清一些认识上的误区。第一，低碳不等于贫困，贫困不是低碳经济，低碳经济的目标是低碳高增长；第二，发展低碳经济不会限制高能耗产业的引进和发展，只要这些产业的技术水平领先，就符合低碳经济发展需求；第三，低碳经济不一定成本很高，温室气体减排甚至会帮助节省成本，并且不需要很高的技术，但需要克服一些政策上的障碍；第四，低碳经济并不是未来需要做的事情，而是应从现在做起；第五，发展低碳经济是关乎每个人的事情，应对全球变暖，关乎地球上每个国家和地区，关乎每一个人。

2009年9月，胡锦涛主席在联合国气候变化峰会上承诺，“中国将进一步把应对气候变化纳入经济社会发展规划，并继续采取强有力的措施。一是加强节能、提高能效工作，争取到2020年单位国内生产总值二氧化碳排放比2005年有显著下降。二是大力发展可再生能源和核能，争取到2020年非化石能源占一次能源消费比重达到15%左右。三是大力增加森林碳汇，争取到2020年森林面积比2005年增加4000万公顷，森林蓄积量比2005年增加13亿立方米。四是大力发展绿色经济，积极发展低碳经济和循环经济，研发和推广气候友好技术。”

2009年12月，深圳市高交会中，深圳市宗兴环保科技有限公司作为我国第一家专业从事节能减排诊断服务、节能量验证、ISO14064GHG温室效应气体排放量盘查、减排、验证服务商也参加在其中，有5年历史的宗兴环保是首次参加高交会，它们原来服务对象主要面向专业市场，现在要面向大众市场了。

四、重要途径

“低碳经济”的理想形态是充分发展“阳光经济”、“风能经济”、“氢能经济”、“生态经济”、“生物质能经济”。但现阶段太阳能发电的成本是煤电水电的5~10倍，一些地区风能发电价格高于煤电水电；作为二次能源的氢能，目前离利用风能、太阳能等清洁能源提取的商业化目标还很远；以大量消耗粮食和油料作物为代价的生物燃料开发，一定程度上引发了粮食、肉类、食用油价格的上涨。从世界范围看，预计到2030年太阳能发电也只达到世界电力供应的10%，而全球已探明的石油、天然气和煤炭储量将分别在今后40、60和100年左右耗尽。因此，在“碳素燃料文明时代”向“太阳能文明时代”（风能、生物质能都是太阳能的转换形态）过渡的未来几十年里，“低碳经济”“低碳生活”的重要含义之一，就是节约化石能源的消耗，为新能源的普及利用提供时间保障。特别从中国能源结构看，低碳意味节能，低碳经济就是以低能耗低污染为基础的经济。

“戒除嗜好！面向低碳经济”的环境日主题提示人们，“低碳经济”不仅意味着制造业要加快淘汰高能耗、高污染的落后生产能力，推进节能减排的科技创新，而且意味着引导公众反思哪些习以为常的消费模式和生活方式是浪费能源、增排污染的不良嗜好，从而充分发掘服务业和消费生活领域节能减排的巨大潜力。

转向低碳经济、低碳生活方式的重要途径之一，是戒除以高耗能源为代价的“便利消费”嗜好。“便利”是现代商业营销和消费生活中流行的价值观。不少便利消费方式在人们不经意中浪费着巨大的能源。比如，据制冷技术专家估算，超市电耗70%用于冷柜，而敞开式冷柜电耗比玻璃门冰柜高出20%。由此推算，一家中型超市敞开式冷柜一年多耗约4.8万度电，相当于多耗约19吨标煤，多排放约48吨二氧化碳，多耗约19万升净水。上海约有大中型超市近800家，超市便利店6000家。如果大中型超市普遍采用玻璃门冰柜，顾客购物时只需举手之劳，一年可节电约4521万度，相当于节省约1.8万吨标煤，减排约4.5万吨二氧化碳。

转向低碳经济、低碳生活方式的重要途径之二，是以“关联型节能环保意识”戒除使用“一次性”用品的消费嗜好。2008年6月全国开始实施“限塑令”。无节制地使用塑料袋，是多年来人们盛行便利消费最典型的嗜好之一。要使戒除这一嗜好成为人们的自觉行为，单让公众理解“限塑”意义在于遏制白色污染，这只是“单维型”环保科普意识。其实“限塑”的意义还在于节约塑料的来源——石油资源、减排二氧化碳。这是一种“关联型”节能环保意识。据中国科技部《全民节能减排手册》计算，全国减少10%的塑料袋，可节省生产塑料袋的能耗约1.2万吨标准煤，减排31万吨二氧化碳。关联型环保意识不仅能引导公众明白“限塑就是节油节能”，也引导公众觉悟到“节水也是节能”（即节约城市制水、供水的电能耗），觉悟到改变使用“一次性”用品的消费嗜好与节能、减少碳排放、应对气候变化的关系。

转向低碳经济、低碳生活方式的重要途径之三，是戒除以大量消耗能源、大量排放温室气体为代价的“面子消费”“奢侈消费”的嗜好。今年第一季度全国车市销量增长最快的是豪华车，其中高档大排量的宝马进口车同比增长82%以上，大排量的多功能运动车SUV同比增长48.8%。与此相对照，不少发达国家都愿意使用小型汽车、小排量汽车。提倡低碳生活方式，并不一概反对小汽车进入家庭，而是提倡有节制地使用私家车。日本私家车普及率达80%，但出行并不完全依赖私家车。在东京地区私家车一般年行使3000至5000公里，而上海私家车一般年行使1.8万公里。国内人们无节制地使用私家车成了炫耀型消费生活的嗜好。有些城市的重点学校门口，接送孩子的一二百辆私家车将周围道路堵得水泄不通。由于人们将“现代化生活方式”含义片面理解为“更多地享受电气化、自动化提供的便利”，导致了日常生活越来越依赖于高能耗的动力技术系统，往往几百米的短程或几层楼的阶梯，都要靠机动车和电梯代步。另外，人们的膳食越来越多地消费以多耗能源、多排温室气体为代价生产的畜禽肉类、油脂等高热量食物，肥胖发病率也随之升高。而城市中一些减肥群体又嗜好在耗费电力的人工环境，如空调健身房、电动跑步机等进行瘦身消费，其环境代价是增排温室气体。

转向低碳经济、低碳生活方式的重要途径之四，是全面加强以低碳饮食为主导的科学膳食平衡。低碳饮食，就是低碳水化合物，主要注重限制碳水化合物的消耗量，增加蛋白质和脂肪的摄入量。目前我国国民的日常饮食，是以大米小麦等粮食作物为主的生产形式和“南米北面”的饮食结构。而低碳饮食可以控制人体血糖的剧烈变化，从而提高人体的抗氧化能力，抑制自由基的产生，长期还会有保持体型、强健体魄、预防疾病、减缓衰老等益处。但由于目前国民的认识能力和接受程度有限，不能立即转变。因此，低碳饮食将会是一个长期的、艰巨的工作。不过相信随着人民大众普遍认识水平的提高，低碳饮食将会改变中国人的饮食习惯和生活方式。

人们要实现宏大的节能降耗战略，或许要取决于很多细微之处。人们应看到，这“细微之处”不只是制造业、建筑业中许多节能技术改进的细节，也包括日常生活习惯中许多节能细节。对于世界第一人口大国来说，每个人生活习惯中浪费能源和碳排放的数量看似微小，一旦以众多人口乘数计算，就是巨大的数量。科技工作者和社会科学工作者都有责任从日常生活的方方面面向公众开展低碳经济、低碳生活的创意活动和普及工作，使党的十七大提出的“节能减排”，“建设资源节约型、环境友好型社会”，“加强应对气候变化能力建设，为保护全球气候做出新贡献”的科学发展决策，变为全民的实际行动。发展低碳经济，是中国的“世界公民”责任担当，也是中国可持续发展，转变经济发展模式的难得机遇。推行低碳经济，需要政府主导，包括制定指导长远战略，出台鼓励科技创新、节能减排、可再生能源使用的政策，减免税收、财政补贴、政府采购、绿色信贷等措施，来引领和助推低碳经济发展；但也需要企业认清方向自觉跟进，促进低碳经济发展的“集体行动”。只有更多企业改变目前的被动状态，自觉跟进低碳经济的发展步伐时，中国向低碳经济转换才有现实的基础和未来的希望。

五、低碳经济链

到 2020 年，我国单位GDP的碳排放比2005年下降40%～45%，作为约束性指标纳入国民经济和社会发展中长期规划，并制定相应的国内统计、监测、考核办法。据摩根士丹利预测，中国潜在的节能市场规模达8000亿元。

长期以来，我国不少地区一直单纯强调GDP的增长，如今减排目标公布后，这种局面就需要在短时间内得到有效控制，由此也需要新能源行业更快地发展与成熟。

比如，光伏电池从最前端的硅材料，到生产多晶硅的原料，到铸锭、切片，生产电池，到生产组件，到建立电站，有完整的产业群，通过政府宏观政策推动和市场机制的导向下，我们的基础力量已经开始形成了。

但是，与此相对应，传统行业的既有发展模式将遭到严峻挑战。除了传统的钢铁、水泥、电力、铝业等排放大户外，航空业也将可能面临挑战。鉴于全球航空业每年大约排放6.5亿吨二氧化碳的现实，欧盟已经做出规定，在2012年以前，所有进出欧盟市场的全球2000多家航空公司都必须承担减排责任。这意味着包括国航、东航、南航在内的11家拥有欧洲航线的国内航空公司都将付出巨额成本。

因此，我们需要要打造新的低碳产业链来解决这一问题，目前我国产业链的价值分布是向资源型企业倾斜的，低碳经济的发展将改变这一分布。

首先是缩短能源、汽车、钢铁、交通、化工、建材等高碳产业所引申出来的产业链条，把这些产业的上、下游产业“低碳化”；其次是调整高碳产业结构，逐步降低高碳产业特别是“重化工业”在整个国民经济中的比重，推进产业和产品向利润曲线两端延伸：向前端延伸，从生态设计入手形成自主知识产权；向后端延伸，形成品牌与销售网络，提高核心竞争力，最终使国民经济的产业结构逐步趋向低碳经济的标准。

同时，要推进全球碳交易市场的发展。历史经验已经表明，如果没有市场机制的引入，仅仅通过企业和个人的自愿或强制行为是无法达到减排目标的。碳交易市场从资本的层面入手，通过划分环境容量，对温室气体排放权进行定义，延伸出碳资产这一新型的资本类型，而碳市场的存在则为碳资产的定价和流通创造了条件。

碳交易将金融资本和实体经济联通起来，通过金融资本的力量引导实体经济的发展，因此它本质上是发展低碳经济的动力机制和运行机制，是虚拟经济与实体经济的有机结合，代表了未来世界经济的发展方向。

总之，节能环保、新能源产业必将是未来各国产业发展的主要方向和新的利润增长点。我们必须通过各方面的不断努力，大步向低碳经济迈进。

中国城市低碳经济发展问题与展望

低碳经济是一种以高碳生产力，低碳排放为特征的环境友好型新经济。大量化石能源消耗带来的环境问题，尤其是温室气体排放带来的全球气候变化，迫使世界经济发展向低碳转型。低碳经济既是发达国家经济转型的方向，也是发展中国家应遵循的发展途径。发展低碳经济是一场涉及生产模式、生活方式、价值观念的革命。城市是国家与区域的政治、经济与文化中心。在国家与区域经济向低碳转型过程中，城市起着非常重要的作用。中国是碳排放大国，而中国城市是低碳减排的主力军。因此，研究城市低碳经济发展，具有十分重要意义。

一、2010年是中国低碳经济年

2010年是中国低碳经济年，主要表现在，在哥本哈根世界气候峰会，中国勇敢地与西方国家集团进行气候博弈，引起了国内民众的广泛关注与支持；世界气候博弈惹怒了一个半世纪以来，企图殖民中国、统治世界的西方新老列强，引起了全世界的震惊；3月“两会”期间，低碳经济与低碳发展成为参会代表热议的话题；进入4、5月份，民间与地方低碳活动风起云涌， 低碳经济概念在国内广泛传播。以世博零碳馆开放为标志，2010年中国低碳经济发展达到高潮。

1. 哥本哈根引爆中国低碳热

减缓与适应气候变化，已演变为一个国际政治问题。国际气候谈判的实质，是分配稀缺的温室气体容量资源。2009年年底哥本哈根世界气候峰会之所以能引爆中国低碳热，在于中国在气候谈判中的角色不同于此前的任何一次。中国以非常积极主动的态度，站到了谈判桌前，从过去世界游戏规则的接受者、参与者，转变为世界游戏规则的制定者与主导者。

2009年11月2日，国务院总理温家宝在与欧盟委员会主席巴罗佐通电话时表示，哥本哈根会议成功的关键，是要坚持《联合国气候变化框架公约》及《京都议定书》，坚持发达与发展中国家“共同但有区别的责任”。

但是，西方国家却不愿意这样做。它们不仅不理中国政府的建议，而且脱离巴厘岛路线图，在气候峰会上，背着中国与众多发展中国家，抛出所谓丹麦议案，置中国于不义，置发展中国家于不利。

我国代表团在温家宝总理的领导下，团结印度等发展中国家， 采取了针锋相对的措施，勇敢地与西方国家集团进行博弈，抛出了新方案，挫败了对方的阴谋。

最终，哥本哈根世界气候峰会以我国主导的气候方案取代丹麦等发达国家方案而结束会议，赢得了谈判的主动权，赢得了尊严，赢得了发展中国家的广泛赞誉，赢得了全国人民的广泛支持。由此，引爆2010年中国低碳热。

2. “两会”热议中国低碳经济

全国人大与全国政协，在“两会”期间，收到了大量有关如何落实我国减排承诺的低碳经济议案。九三学社中央有“关于推动我国经济社会低碳发展的建议”，民盟中央有建议适时开征碳税的提案。到3月9日，全国人大常委会委员长吴邦国作《全国人大常委会工作报告》时，“两会”热议中国低碳经济达到高潮。《报告》全面总结了全国人大常委会2009年积极推动应对气候变化工作，进一步阐明发展低碳经济的重要意义。在全国政协十一届三次会议新闻发布会上，新闻发言人在回答记者提问时表示，“低碳经济”这个词是这一届政协委员提案当中的关键词。

大多数“两会”代表已经意识到：气候变化是全人类面临的重大挑战，需要国际社会合作应对。加大应对气候变化工作力度，是我们推动科学发展、提高可持续发展能力的内在要求。在以低碳技术和产品为核心的新一轮国家竞争力角逐中，谁领先一步，谁将引领世界经济发展潮流，并成为国际市场最大赢家。作为最大的发展中国家和碳排放大国，中国的选择不仅决定未来自身核心竞争力的发展前景，也决定着世界的未来。

我国正处于加速工业化、城市化进程中，对资源尤其是能源矿产资源的消耗仍有较大增长需求，资源供给与经济发展需要间的矛盾会越来越突出，环境保护和应对全球气候变化的压力也越来越大。要实现我国社会经济的各项发展目标，解决目前存在的环境和发展矛盾，走低碳经济发展道路是最佳选择。

3. 民间低碳活动风起云涌

“两会”以后，我国民间低碳活动风起云涌。其中，影响面较大的主要活动类型有：

• 创立“低碳联盟”

武汉首批54家企业签订“低碳联盟”，共同倡导生产加工与产品质量以低碳为准绳，做“绿色低碳企业”。“绿色低碳企业”需要满足以下几个条件：主要产品服务质量水平高、组织质量保证能力高，绿色环境管理与绿色能源利用水平高，社会权益保护、节能减排指标好。

• 低碳企业培育

武汉市质量技术监督局汉阳分局成立了低碳专家组，帮助企业建设质量管理体系，实现节能降耗增效。为低碳企业培育，邀请技术含量高的中关村节能公司，为武汉企业设计、组织与实施低碳方案。

• 主办低碳论坛

大自然地板（中国）有限公司等企业创办“零碳联盟”，在上海世博园零碳馆主办“零碳在中国”领袖论坛。通过购买碳汇及种树等形式，大自然地板（中国）有限公司成为了国内制造行业首家“零碳”企业。

• 签订自愿节能减排协议

江西共青城开放开发区管委会及所属企业，向九江市政府签署自愿节能减排协议，承诺模范遵守国家节能减排的相关法律法规，积极参与节能减排工作。以2009年为基准，到2010年12月，规模以上工业增加值能耗实现下降6%，万元GDP能耗降低到0.275吨标准煤；到2012年12月，规模以上工业增加值能耗实现下降12%，万元GDP能耗降低到0.255吨标准煤。

综上所述，自哥本哈根会议以后，国家、政府、企业、民间组织，广泛参与到低碳经济中来，节能减排更深入地渗透到了人们的日常生活之中。2010年可以堪称中国低碳经济年。

二、中国城市低碳经济已经起步

我国城市低碳经济发展正呈星星之火，可以燎原之势。地方城市政府是低碳经济发展的坚定支持者与推动者。但各地的做法各有不同特点。这里仅选一些有代表性的做法进行介绍。

1. 西宁：环境工程引领低碳经济

西宁以环境工程引导低碳经济发展。开展了“煤烟型锅炉综合整治”、“违法排污企业整治，保障群众健康”等环保专项行动，完成了29公里长的南川河、湟水河治理，修建了近10公里长的滨河游园，形成了近200万平方米的水面，增加绿化面积近100万平方米。新建了湟水森林公园、鲁青公园、南凉虎台遗址公园、浦宁友好公园和青藏高原野生动物园。青海洁神环境能源产业有限公司开发餐厨垃圾与“地沟油” 回收利用项目。从2008年6月开始，每天集中处理全市近3000家餐饮企业每天产生的餐厨垃圾100余吨、废弃油脂约3吨，树立了餐厨垃圾变废为宝的“西宁模式”。

2. 中山：打造新能源产业基地

中山市将培育和发展新能源产业，把新能源产业打造成中山市具有核心竞争力的优势支柱产业，将中山建设为广东省新能源产业基地、全国新能源产业示范基地。目前中山市已编制出《中山市加快新能源产业发展的若干政策规定》和《中山市新能源产业发展指导目录（2010年版）》。中山市人民政府和广东省发展改革委员会还联合主办中山市新能源产业发展论坛，宣传推介中山市新能源产业的发展规划和政策措施。

3. 重庆：建造节能低碳楼宇

重庆市渝中区政府与西门子签订了建筑节能合作谅解备忘录，双方将积极探索利用西门子领先的节能楼宇技术和解决方案，推进渝中区的节能减排工作，把渝中区打造成重庆市“低碳经济”的示范窗口。

4. 随州：建筑倡导绿色节能

随州市城市建筑倡导绿色节能，大力推广新型材料的应用，走“低碳经济”之路。主要行动有三项：一是自2006年以来，重拳打击黏土砖厂。截至2009年年底，该市城市规划区范围内已关闭黏土砖厂5家，推广使用新型墙体材料砖12亿标块，节约土地1980亩，节约标准煤7.44万吨，减少二氧化硫排放1711吨。二是推广使用太阳能光热系统提供热水。市烟草公司综合楼顶，面积达125平方米的太阳能光热系统已经安装完毕，并配备了空气能热泵系统，在连日阴雨天和冬天阳光不够强烈时提供热水，1年平均有10个月不需要其他能源，节能率达70%以上。三是申报省级建筑节能示范工程。目前在建的长盛大厦，按照节能65%的标准设计，采用太阳能光热光电系统、雨水回收系统、空气能系统等国内先进的建筑节能技术，每天可提供35吨生活热水。

5. 成都：打造“零碳成都”品牌

成都正在实施打造“零碳成都”城市品牌工程，发展低碳经济既做减法又做加法。“做减法”就是让经济运行的各个环节、各个企业节能减排，实现低碳化；“做加法”就是要加强新能源、可再生能源等非碳基能源的开发、研发，培育以低碳排放为特征的新的经济增长点。虽然理论上“零碳成都”欠科学,实践上“零碳成都”目标难以实现,但是,作为一种愿景,还是十分美好的。

6. 镇江：打造太阳能产业基地

镇江规划做大做强薄膜太阳能产业，打造中国建材光伏产业基地。目前，中国建筑材料集团有限公司与镇江实行战略合作，计划用三年左右时间，在镇江开发建设1万平方米以上的新型太阳能房屋，形成全国最大的薄膜太阳能电池组件和TCO玻璃生产能力，设立太阳能应用研究院，从源头开始，把整个薄膜太阳能产业链完全打通，用最低的成本做出最好的产品，建设新能源应用研究基地。

7. 金华：设立异地开发区

金华市在当地经济开发区内划出一片土地，设立异地开发区，给地处上游区域经济欠发达的磐安县开发，所得税收等收益均归磐安县。在异地开发区内，金华市委市政府充分授予磐安县县级经济管理权限，分期给予磐安县开发空间，由磐安县人民政府组建开发区管委会，独立行使园区内的县级经济管理权。园区内的建设管理也由磐安县开发区管委会自主实施。但园区总体规划、税收等经济政策，要与金华市区接轨，避免不协调和不公平竞争。土地征用由金华市开发区统一组织实施。

2009年，金华异地开发区内企业为磐安县创造了1亿多元的税收，提供了1万余个就业岗位，区内企业的员工多数是磐安人。同时，磐安县原来乡乡镇镇办工业，境内生态环境处处受威胁的局面，得到极大改善。目前，磐安县已成为“国家级生态示范区”，森林覆盖率达75.4%，98%的河道水质保持在Ⅰ类标准，空气质量常年保持在国家Ⅰ级标准。

8. 延安：试点“太阳能屋顶”

为发展低碳经济，延安市政府出台了《延安市民用建筑节能管理办法》，推广建筑节能技术，扶持太阳能技术的开发与推广。延安新建建筑施工图须审查备案、从材料的购买到安装完成都将由专门部门进行检测。不但要采用供热分户计量、按量收费，而且还将大力实施“太阳能屋顶”计划。延安规划局综合办公楼的太阳能光伏发电项目，是全省第一个“太阳能屋顶”试点工程，计划一次性投资735.56万元，年限内维护费90万元，寿命25年，建成之后年发电量约为232449度，相当于标准煤83.68吨的发电量，减少二氧化碳排量约220吨。延安市的国家机关、学校、宾馆、医院等公共建筑，也将成为太阳能光热光电技术的首批推广对象。全市城镇区域内新建12层及以下住宅和新建改建的宾馆、酒店、医院、公共浴室、商住楼等有热水需求的公共建筑，统一设计和安装太阳能热水系统。

9. 潍坊：打造新能源产业发展基地

潍坊积极推进新能源产业发展，打造胶东半岛太阳能、风能、生物质能、地热能等新能源生产基地。电源结构已从单一煤电，向风电、太阳能、生物质能发电并举的方向发展。自2009年年初，昌邑、滨海、安丘等风电场并网发电，同时昌邑生物质发电项目和沼气发电项目等也并网发电。装机容量为22.4万千瓦，预计年底达到48万千瓦，年可发电12亿度，节约标准煤37万吨，减少二氧化碳排放量百万吨。

10. 深圳：“减排节能”电动出租车试行

电动出租车投放市场，标志着深圳在全国率先进入电动汽车元年，也标志着我国出租车开始进入电动车时代。深圳比亚迪自主研发的E6纯电动车采用了“绿色之芯”ET－Power铁电池，不会对环境造成危害，百公里能耗为21.5度电左右，相当于燃油车能耗费用的三分之一至四分之一，充满电后可以跑300公里左右，是目前世界上续航里程最长的纯电动汽车。深圳已有40辆E6电动出租车为市民提供出行服务，是全球首个正式运营电动出租车的城市。

11. 天津：发展集中供热，贷款节能减排

近年来天津不断优化投资结构，积极协助符合条件的天津市企业争取国外优惠贷款，加大节能减排、环境保护、社会事业等领域投入。天津将利用法国开发署4000万欧元贷款建设大任庄项目，总投资7.6亿元人民币，规划建设装机容量700兆瓦热源厂一座，53公里一级热水管网和82座小区热力站。项目建成后替代小锅炉房，每年可节煤13.8万吨、节水21.8万吨、节电1000万千瓦时，能减少灰渣排放量1.4万吨、烟尘排放量5700吨、二氧化碳排放量2200吨。

三、主要问题与发展方向

1. 主要问题

纵观中国城市低碳经济发展形势，分析各地低碳经济发展策略与行为，存在的主要问题有：大部分城市没有低碳发展规划就开始行动，有行动的城市项目选择定位不当，公共投入不计成本，国民福利浪费严重。

例如，上海世博园太阳能发电应用项目，创下了世博历史上“太阳能发电应用规模之最”。但由于太阳能发电技术还处于示范阶段，发电成本每度2至2.5元，比目前水火发电成本高1.5至2元。“高价”太阳能的应用，需要高额政府支出与补贴。这必然导致国民福利的损失。目前，太阳能发电越多，国民福利损失越大。太阳能发电工程实施过早，资本锁定闲置浪费越严重。

现在，国内的一些公共太阳能示范项目，如太阳能路灯，太阳能发电供热，投资大，效果不好。北京十渡风景区太阳能路灯的地面亮度，远不及初十的月亮。白天好看，形成了路灯风景线，晚上仍然漆黑一片，老百姓称之为浪费工程。

延安规划局综合办公楼的太阳能光伏发电项目，注定是全省第一个财政与公民福利浪费工程。因为每度电的发电资金成本高达4.5元(不计利息)， 国民福利浪费约2690万元。延安是一个经济并不富裕的地区，如果太阳能发电项目在全市推广，将会对政府财政造成负面影响。

2. 发展方向

要从城市市情和发展阶段出发，探索适合各地自己特色的低碳经济发展道路。

（1）开展低碳发展规划研究

一个城市，如何发展低碳，需要在科学研究的基础上，编制城市低碳发展规划。明确低碳发展目标、定位、原则、方向、任务、重点项目、工作时序，等等。应结合节能减排工作，鼓励城市建立低碳经济示范区，开发低碳居住空间，实验低碳城市公交系统等，为公众深度参与创造便利条件。同时，通过广泛的宣传动员，进一步倡导企业和公民开展绿色生产，绿色经营，绿色消费，实践低碳生活方式，特别是戒除以大量消耗能源、大量排放温室气体为代价的“面子消费”、“奢侈消费”等。碳排放强度应纳入城市“十二五规划”中。根据规划，各城市的政府部门应制订发展低碳经济的指导意见，明确低碳试点的区域与地点、项目与行业；开展行业或流程的能源强度与碳排放标准统计工作，规定可再生能源使用比例，筛选和推广国家重点低碳技术及示范工程。

（2）公共低碳项目必须考虑投入产出效率

私人资本搞低碳经济项目，一定会考虑投入产出比。政府投入的公共低碳项目，也必须考虑投入产出效率。目前，中国投入产出效率高的低碳经济项目，有水电、核电开发、传统产业的改造升级转型与旅游文化产业的发展等。我国水能理论蕴藏量超过6.7亿千瓦，居世界第一位，但开发率不

到30%，现阶段进一步实施水电开发是一个必然的选择和紧迫的任务。全世界正在运行的核电机组有439台，发电量占世界发电总量的17%。欧洲1/3的电力来自核能，占其发电总量的80%左右。而我国目前正在运行的核电机组只有12台，占全国发电总量的比重仅有1.92%。所以，核电还有巨大发展空间。太阳能发电、风能等新能源造价高，供给不稳定，经济效益不高，暂时仍不属于大规模发展范围。

（3）创建可以有效减低减排成本的碳市场

排放交易天然不只应用于温室气体，但温室气体天然适合排放交易。其原因是：温室气体排放结果与减排效果在全球具有无地区差异性，无时间差异性。所以，它可以设计为一种规模极大，成本极小的金融工具，可以储存，可以进行现货与期货买卖。

和其减排措施相比，通过碳市场实现GHG减排，成本很低，效果很好。目前国内节能减排，没有让企业承担具体的量化减排指标，也没有对各行业、各地区、各企业的初始排放配额进行分配，没有建立碳市场。国内的CDM碳交易，是以国外买家为主的碳项目初级市场，其本质是远期合约交易。企业只能通过CDM来换取部分减排收入，并且受到国外机构的严格审核和限制。所以，建立碳市场，尤其是建立全球碳市场，是降低减排成本的重要方式。

（4）建立并完善“碳足迹”标识和产品认证制度

建立并完善“碳足迹”标识和产品认证制度，可以倡导低碳消费模式，促进企业加快低碳产品的研发，以市场需求导向，低成本引领产业经济向低碳经济转型。

（5）加强低碳经济立法工作

要对可再生能源法进行修改，进一步明确编制可再生能源开发利用规划的原则和主要内容，完善规划编制、审批与备案制度，从法律上确立国家实行可再生能源发电全额保障性收购制度，建立电网企业收购可再生能源电量费用补偿机制，设立国家可再生能源发展基金，要求电网企业提高吸纳可再生能源电力的能力等，对推动我国可再生能源产业的健康快速发展，促进能源结构调整，加强资源节约型、环境友好型社会建设具有重要意义。

（6）制定适合市情的低碳经济发展政策

一般性建议的政策有：通过改革能源价格形成机制，构建反映市场供求关系、资源稀缺程度和环境损害成本的价格体系；改革资源税制度，将碳税纳入环境税范围，来部分反映传统化石能源生产和使用所导致的气候变化等外部成本；给予补贴，鼓励新能源的发展。

这里需要提醒的是，无论是税收政策、补贴政策，还是减排配额政策设计，都不可过于激进，否则，不是补贴全世界，就是破坏产业的出口竞争力和就业岗位贡献力。对私人太阳能发电上网电价进行补贴，不能高于发达国家标准。一个全民社会保障制度还没有建立起来的发展中国家，用百姓的税收去补贴全世界是不对的。

（中国社会科学院城市发展与环境研究所研究员、全球低碳城市联合研究中心主任　梁本凡供稿）

总部经济研究

20世纪90年代以来，伴随着信息技术革命的兴起，知识成为推动世界社会、经济和文化发展的重要引擎，创造和应用知识的能力与效率成为影响一个国家和地区综合竞争力的重要因素，这标志着知识经济时代的来临。在知识经济时代，越来越多企业借助信息网络技术，通过调整企业组织结构，将企业总部与生产制造基地在空间上进行分离，将总部布局在中心城市，生产制造基地布局在制造成本较低的其他区域，以实现知识要素和其他要素的优化配置，并对区域经济的发展产生深刻的影响。这样一种越来越普遍的新的经济现象引起学术界的关注，笔者经过多年的理论探索和实际调研，用新的经济学概念"总部经济"来对这一经济现象背后的内在规律进行概括和描述。

一、基于知识经济视角的总部经济形成机制分析

虽然总部经济现象在20世纪五六十年代就已经开始出现，一些企业为获取优势资源而将总部迁移到中心城市，但是随着知识经济时代的到来，特别是信息网络技术的快速发展，总部经济现象日益普遍。将总部经济置于知识经济视角下予以分析，能够更深刻理解总部经济内涵及其对经济社会的价值与作用。

（一）知识经济的深刻内涵

1996年世界经济合作与发展组织（OECD）第一次在所发表的研究报告《以知识为基础的经济》（*The Knowledge-based Economy*）中提出知识经济概念，认为继农业、工业经济之后，人类社会开始进入知识经济时代。根据OECD的定义，知识经济是建立在知识和信息的生产、分配和使用之上的经济。这里所指的知识包括人类迄今为止所创造的所有知识，其中科学技术、管理和行为科学的知识是最重要的部分。OECD主张，知识经济将改变全球经济发展形态；知识已成为生产力提升与经济增长的主要驱动力，随着信息通信科技的快速发展与高度应用，世界各国的产出、就业及投资将明显转向知识密集型产业。

我国最早研究知识经济的吴季松教授认为，知识经济就是"以智力资源的占有、投入和配置，知识产品的产生（生产）、传播（分配）和使用（消费）为最重要因素的经济"。其中智力资源包括人才、信息、知识、技术、决策和管理方法等，创新是其最高的投入形式；知识产品主要指知识含量高、技术含量高、附加值高的高技术产品和高技能服务。知识经济的主要特征包括社会知识化、生产者劳动智力化、经济发展可持续化、支柱产业高技术化、社会组织信息化网络化等。

知识经济可以从三个层面来理解：第一，知识本身可以直接开发为产品创造经济价值，比如文化、教育、咨询等服务业以及高技术产业就是知识直接产业化的结果，这些知识产品具有知识（技术）密集度高、附加价值高的特点，将成为知识经济时代创造社会财富的主要形式。第二，利用知识来开发新的资源，替代原有的稀缺自然资源。知识经济是以智力资源为主导要素的经济，通过新能源与可再生能源技术，太阳能、风能、地热能、生物能等一系列的相对富有的、可再生利用的

新型资源，逐步取代工业经济时代作为命脉的、已经面临枯竭的传统自然源，实现资源的可持续利用。第三，利用知识来进行科学决策，实现资源优化配置和经济的持续发展。通过知识（技术）在经济决策、生产经营、生活消费等各领域广泛应用，提高全社会知识的应用能力，全面形成以知识（技术）引领经济社会发展的格局。

（二）知识要素地位的提升与总部经济的形成机制分析

总部与制造环节分离现象在跨国公司出现后就已经存在但不普遍。随着知识经济在世界范围内的兴起，技术、信息、人才等知识要素成为企业发展的关键资源，区域间知识要素分布不均衡使企业产生了总部——制造基地空间分离的强烈需求，同时信息网络技术的发展使企业空间分离成本大为降低，越来越多的企业采取将总部和生产制造基地分离的布局方式，以实现资源优化配置。总部经济正是对知识经济背景下总部与制造基地分离现象产生、发展及其内在规律的揭示。

1. 知识要素的重要性日益凸显

在工业经济时代，资本、有形资产（设备）和劳动力是核心生产要素，知识的重要性并未凸显出来。而进入知识经济时代，知识对于促进经济发展的重要性超越了传统的生产要素，技术、信息、人才等知识要素越来越成为经济增长，社会发展以及企业成长的关键性要素。正如彼得·德鲁克所言，“真正具有控制力的资源与绝对决定性的‘生产要素’，现在既不是资本，也不是土地和劳动力，而是知识”。由于知识已经成为最有力的竞争武器，发达国家和跨国公司在国际经济合作发展中凭借知识获取了更多的知识收益和财富分配。比如在我国生产的芭比娃娃，在美国售价高达9.99美元，而出厂价仅有0.35美元，绝大部分利润由拥有知识产权的美国公司取得。在知识经济时代，知识获取财富的例子不胜枚举。

全球财富鸿沟越来越由于知识鸿沟的存在而呈加剧趋势。发达国家由于拥有更多的知识，在全球竞争中占据着更主动的地位。目前全世界86%的研发投入、90%以上的发明专利都掌握在美国、日本、欧盟等发达国家手里。知识产业在发达国家GDP中所占的比重不断增加，对经济的影响日益深刻。据统计，知识产业化带动的高新技术类产品，已经占世界贸易的72%，德国的知识产业占总产出的58.6%，美国的知识产业占总产出的55.3%。可见，知识要素在全球经济发展中起着决定性的作用，善于创新知识、把新的知识转化为新技术和新产品是经济发展的内在推动力。

2. 知识要素区域分布不均衡产生总部——制造基地空间分离的需求

全球知识要素分布不均衡，特别是随着知识经济的来临，发达国家与发展中国家相比，拥有更多的知识和技术存量，拥有更多的人力资源，因此发达国家的科技进步表现得更为迅速，生产率提高更快，产品的更新周期也更快。20世纪90年代以来，由于发展中国家的新兴市场规模扩大的速度快、劳动力成本低廉，许多跨国公司纷纷将制造组装业务转移到新兴市场或者最适宜加工组装的地区。在低成本国家建立制造基地极大地降低了产品成本，提高了跨国公司的竞争力。同时，跨国公司为了进一步管理生产、控制更大的市场以及利用发展中国家低成本的人力资源，出现了把管理、研发、设计业务向发展中国家转移的趋势，如微软、英特尔、宝洁、惠普等众多知名跨国公司在我国设立了地区总部、研发中心。据统计，跨国公司在华设立研发机构约1000家，其中400家是最近几年建立的。

知识要素区域分布不均衡在中国、印度等发展中国家内部不同区域间也很明显。随着我国城市化进程的加快和市场化程度的加深，信息、技术、人才等知识要素在不同地区间的流动性日益加强。欠发达地区、中小城市由于发展阶段、整体经济社会环境与大城市相比存在较大差距，对知识要素特别是对高素质人才的吸引力较弱。资料显示，近年来高校毕业生在大中城市就业人数占总数的80.8%，而在县、镇和农村就业人数仅占19.2%。同时，在快速城市化过程中，中心城市规模急剧膨胀、人口不断增加，使这些城市尤其是中心城区土地资源严重紧缺，劳动力成本不断提高，交通和环境压力日益加大。面对知识要素区域分布不均衡的矛盾，一些企业为充分利用不同区域的知识要素与其他要素，尝试将总部与生产制造基地分离布局，把总部和研发、营销等高端环节布局在大城市特别是中心城区，而把制造基地布局在中小城市，如杉杉集团总部从宁波迁往上海，二汽总部从十堰迁往武汉，联合利华生产基地从上海迁往合肥等。

3. 信息技术的发展使总部——制造基地空间分离更具普遍性

总部与制造环节分离现象在跨国公司兴起后就已经存在，但由于当时信息通信技术不发达，企业总部与生产制造环节分离之后的组织协调成本较高，一般来说规模实力很强的跨国公司才能够采取这种组织模式。进入知识经济时代之后，信息技术的发展，特别是网络技术和通信手段的发展与广泛应用，大大降低了总部与制造基地空间分离导致的组织管理成本、信息成本及市场交易成本等，总部与各地区总部或分支机构、制造基地等能够保持及时的信息沟通，企业组织结构因而发生了极为深刻的变化——企业总部与生产制造基地分离布局的现象不但广泛存在于跨国公司，一些非跨国的大公司也普遍采取这种模式，以实现资源最优配置、获取最大利润。越来越多企业把总部与生产制造基地分离布局的直接结果是，企业总部向中心城市聚集，加工制造基地则向成本较低的欠发达地区集中，并呈现集群化发展趋势。

现实发展需要一种新的经济学理论对企业总部与生产制造基地空间分离，特别是总部在中心城市集群布局，对区域资源配置所产生的深刻影响及其内在规律给予解释和理论指导，总部经济理论应需而生。

二、总部经济的核心思想

（一）总部经济的概念

在界定总部经济的概念之前，首先有必要对“总部”这一概念进行界定。一般来说，总部是指企业组织结构中承担管理、研发、营销、投融资、采购等全部或其中几种职能的组织机构的统称。企业根据需要往往将研发、营销、采购等一些职能独立出来，设立职能性总部，如研发中心、营销中心、采购中心等；或者为了加强对不同地区营利性关联机构或市场的控制和管理，设立地区总部，如欧洲总部、亚太总部、中国区总部等。

在实际经济生活中，随着知识经济的发展，信息网络技术日益发达，交通条件不断改善，越来越多的制造业企业将总部职能与生产制造职能在空间上进行分离，由此对区域资源配置和区域经济发展产生深刻影响。笔者用“总部经济”来描述这一经济现象。总部经济是指某区域由于特有的优势资源吸引企业总部集群布局，形成总部集聚效应，并通过“总部—制造基地”功能链条辐射带动生产制造基地所在区域发展，由此实现不同区域分工协作、资源优化配置的一种经济形态。总部经济概念由研究制造业而提出，但是总部经济理论不仅适用于制造业，也适用于服务业等其他行业。

（二）基于知识经济视角对总部经济内涵的理解

基于知识经济视角，总部经济的内涵可以从三个层面来理解：

第一，总部经济模式下，不同区域资源得到优化配置，企业则通过总部与生产制造在不同空间的布局获取资源再配置收益。总部经济通过企业将总部与生产制造功能在空间上进行分离——总部布局在中心城市，生产制造布局在欠发达地区——充分利用中心城市的人才、技术、信息等知识要素丰富的优势和欠发达地区的土地、能源、原材料、一般劳动力等常规要素丰富且成本较低的优势，实现企业功能链、价值链与不同区域资源的最优化配置，进而实现企业综合效益最大化。

第二，总部集群对知识要素密集的中心城市特别是中心城区经济发展产生积极而深刻的影响。企业总部出于对信息、技术、高端人才等知识要素的巨大需求，在中心城市集群发展，通过规模效应、产业带动效应、知识外溢效应、学习效应等，加快中心城市产业结构优化升级，提高经济发展质量和效益，提升城市服务功能，增强区域参与国际竞争的能力。

第三，中心城市通过“总部—制造基地”功能链条将知识要素辐射到生产制造基地，带动其所在区域发展。总部经济虽然重点反映总部聚集对所在中心城市产生的集聚效应，但总部经济通过企业总部与生产制造基地的联系，也辐射带动生产制造基地所在区域经济社会的发展，促进两个区域的分工合作。并且，这种区域合作是基于市场机制的合作——总部经济以企业为载体，以区域资源差异为前提，以利益共享为基础，发展总部经济的最终目标是要实现总部和生产制造基地所在区域共同发展。

三、总部经济在我国的发展

“总部经济”理论提出以来，在北京、上海、广州、深圳等大城市引起了强烈的反响，我国总部经济进入快速、全面发展阶段，呈现出以下发展特点：

（一）知识密集的大城市成为总部经济发展的主要空间载体。我国总部经济发展中一个较为突出的特点是，人才、技术、信息等知识要素密集的大城市，如北京、上海、广州、深圳、重庆、南京、武汉等，成为总部经济发展的主要空间载体，总部经济发展较成熟、规模较大、层次较高。例如，北京已吸引了众多跨国公司地区总部、研发中心和国内大企业集团等总部聚集，有各类跨国公司地区总部42家，如ABB、爱立信、摩托罗拉、三星等，外商投资性公司153家，占全国投资性公司总数的50%以上；2007年发布的《财富》世界500强，我国大陆22家企业入选，其中有18家总部设在北京，北京成为世界500强中国企业总部聚集数量最多的城市。又如，深圳市将《关于加快总部经济发展的若干意见》作为2008年政府1号文件发布。据深圳发改局统计，深圳现有企业总部350余家，其中本地企业224家，还吸引了沃尔玛、家乐福、飞利浦等一批跨国公司地区总部、研发中心、采购中心。

这些知识密集的大城市逐渐形成了一些特色总部聚集区，如北京CBD、金融街、中关村、上海陆家嘴、重庆解放碑CBD等，成为城市总部经济发展的重要聚集区域。例如，北京CBD以跨国公司地区总部为特色，聚集了世界500强企业102家、跨国公司600余家，其中经商务部或北京市认定的跨国公司地区总部20多家；中关村科技园区海淀园以研发总部为特色，有IBM、Intel、Microsoft等近40家跨国公司研发机构和70多家国内企业研究机构；上海陆家嘴金融贸易区有包括银行、证券、保险在内的476家金融机构，以及近300家有影响力的国内外大集团、大企业，其中跨国公司地区总部31家。

（二）跨国公司为控制市场和获取低成本的知识资源在我国设立地区总部和研发中心，由此成为推动我国总部经济发展的重要力量。近年来，越来越多跨国公司在我国设立地区总部及研发中心、营销中心等，这些跨国公司除了出于管理投资、控制市场、拓展业务的目的之外，更重要的一个原因在于这些跨国公司要寻求低成本的创新资源。联合利华（中国）公司副总裁曾锡文曾介绍过这样一个案例，就联合利华的研发创新来说，在英国聘请一位从事研发创新的博士所花费的工资，是在上海聘请同样水平博士的6倍，而英国博士的工作效率只有上海博士的一半，综合来看在上海进行研发创新的人力成本只有英国的1/12。因此，联合利华已经将联合利华英国总部所承担的部分研发工作放到上海研发中心来完成。现在，我国每年都有大量的留学归国人员回国发展。1978—2006年年底，我国各类出国留学人员回国总数达27.5万人，占出国留学总人数的25.8%。这些留学生不仅带回了国外先进的知识、技术和管理经验，而且也带回了许多新的理念和文化，这些高素质、低成本的人力资源是跨国公司在中国进行研发创新非常看重的因素。

截至2006年年底，我国有经国家商务部认定的跨国公司地区总部有40多家，外资研发中心超过800家。一些地方政府也对跨国公司地区总部进行认定，截至2007年底，上海市共认定跨国公司地区总部184家，外资研发中心244家。同时，随着我国在亚太地区乃至全球经济发展中的地位逐步上升，越来越多的跨国公司将亚太总部搬迁到我国，如通用汽车亚太总部由新加坡迁到上海，美国铝业亚太总部由东京迁到北京等。随着我国国际竞争力的继续提升，将会有越来越多的跨国公司在我国设立地区总部、研发中心等。据商务部发布《2005—2007年跨国公司对华产业投资趋势调研报告》，82%的跨国公司将继续扩大对华投资，46%的企业倾向于建独立的研发中心。大量向我国转移的跨国总部资源，将成为中国总部经济发展的重要组成部分和重要推动力量。

（三）基于城市间、区域间知识要素差异出现了中小城市企业总部向大城市迁移，大城市企业生产基地向欠发达地区转移的“双向流动”趋势。我国城市间、区域间知识要素分布不均衡、知识成果转化的成本差异较大。中小城市由于其经济社会发展水平与大城市存在着较大差距，在聚集高端人才等知识要素方面处于劣势地位，企业的发展壮大面临着知识要素缺乏的瓶颈。有不少企业将总部或研发、营销等高端环节向北京、上海、广州等大城市迁移，以寻求更好更快的发展。例如，吉利汽车总部从宁波迁到杭州，经纬纺机总部从太原迁到北京，等等。总部等高端环节向大城市搬迁使企业发展动力更加强劲，蓝星集团总部迁京后，集团资产从1996年的5亿元增长到2005年的300亿元，10年间企业资产就扩张了60倍。

大城市在规模快速扩张过程中，空间资源日益紧张，生产制造成本快速上升，一批制造企业为降低生产成本，将制造基地从大城市向郊区县甚至外地迁移，但仍把企业总部和研发、营销等高端环节留在大城市，以利用大城市知识要素密集的优势。例如，上海大众将赛欧生产基地移至山东烟台、桑塔纳生产基地迁至江苏仪征；北京爱慕内衣将生产基地全部迁到吴江，等等。生产制造环节从大城市外迁给企业带来更大的发展空间，联合利华把生产基地转到合肥后，因运输成本、员工工资成本下降和生产整合效率提升，综合成本较原生产基地下降了30%。

中小城市企业总部向大城市迁移、大城市企业生产基地向欠发达地区转移，这种“双向流动”现象反映了同一种趋势，即企业原有的组织模式正在被打破，企业特别是大企业通过总部与制造基地的空间分离，实现知识要素在企业内部的最优配置，寻求知识成果转化成本最低化，取得最大竞争优势。

四、总部经济对我国知识经济发展的推动作用

总部经济是体现知识经济特征的一种经济形态，对于提升我国经济在全球的竞争地位，推动我国自主创新能力提升，带动知识密集型产业发展，推动区域协调发展等具有重要的思路借鉴作用。

（一）发展总部经济有助于提升我国经济在全球知识经济竞争中的地位

知识经济时代，国家竞争的实质体现为科技水平的竞争，核心技术的竞争越来越成为国家竞争力的核心。面对知识经济时代的新挑战，我国急需改变当前的发展模式，增强利用知识和信息的能力，不断提高我国的综合竞争能力。总部经济有助于我国实现资源效益最大化和区域协调发展，逐步占据产业价值链高端，提升我国在全球价值链体系中的地位。

第一，发展总部经济有助于改变我国在全球产业价值链分工中的地位。从企业内部价值链看，总部主要集中在企业价值链两端的高附加值环节，如技术创新、产品设计、市场营销等，核心职能是制定企业长期发展战略，配置企业内部资源，对企业的生产、销售、研发等活动进行统筹管理和协调。总部经济通过企业总部的聚集发展，能够推动制造业由一般的生产制造向研发、设计、营销、品牌等“微笑曲线”两端的价值链高端环节延伸和升级，既提高了制造业的生产效率和创新能力，实现由“制造”向“创造”的转变，也能够促进经济发展方式转变和产业结构优化升级。

第二，总部经济有助于我国区域资源的合理配置，实现资源效益最大化和国家利益最大化。我国城市间、区域间的资源差异较大，经济发展不平衡。“总部经济”提出了区域间功能分工与功能配套的新思路——大城市发展设计、研发、营销等企业总部环节，中小城市发展企业生产制造环节，这种基于功能链的垂直分工与合作，能够实现不同区域资源的优势互补，产生资源再配置收益，实现资源效益最大化。

第三，总部经济是我国企业“走出去”在海外投资建立生产体系取得全球资源配置效益的重要模式。随着我国经济的不断发展，越来越多的本土企业自身实力不断增强，具备了“走出去”参与全球资源配置的能力。截至2006年年底，我国5000多家境内投资主体共在全球172个国家（地区）设立境外直接投资企业近万家。例如，华为2006年已完成亚太、欧洲、中东、北非等八大区布点，跻身英国电信、法国电信、德国电信、荷兰KPN等全球顶级通信运营商的供货商行列；海尔从1996年开始实施海外投资战略，在印尼、菲律宾、马来西亚、南斯拉夫、伊朗等国投资设厂；联想集团也在墨西哥、印度、波兰等国外地区建立了生产工厂。这些企业通过“总部—制造基地”模式，将总部留在国内，在海外更具成本优势和广阔市场的地区投资建厂，实现了企业在全球范围的资源最优配置。

（二）发展总部经济有助于推动我国自主创新能力提升

随着知识经济时代的到来，自主创新能力成为经济社会发展的重要支撑。一个国家能否在激烈的国际竞争中长久保持优势，根本上依赖于科技进步与自主创新能力的提升。因此，把经济社会发展建立在自主创新的基础上，提升自主创新能力、建设创新型国家，是我国在知识经济时代背景下做出的重要战略选择。

发展总部经济能够使企业充分利用科技、知识等创新资源，降低创新成本，提高创新效率，促

进城市间、区域间合作创新体系的构建，进而推动我国自主创新能力的提升。总部聚集推动自主创新能力提升主要表现在以下方面：一是搭建创新平台，提升创新资源的利用效率。总部集聚有助于企业共享创新资源，搭建一批创新资源配置更优、联合创新能力更强、具有良性自我发展机制的创新平台，最大程度地提升创新资源的利用效率。二是完善创新体系，产生创新资源的集群效应。总部的创新活动，对专业技术服务、信息服务、咨询服务等服务业提出强烈需求，不断推动区域服务体系的完善；而完善的创新服务体系，能够形成良好的创新链条和创新网络，有效降低创新过程的时间成本、配套成本，促进总部集聚与创新服务体系进入相互促进的良性循环。三是产生知识溢出效应。总部员工之间通过正式和非正式的交流，为分享创新信息、理念和知识提供了更多机会，有利于专业化知识的传播和扩散，激发新思维、产生新方法、取得新成果；企业总部的聚集能够营造良好的创新文化，使区域内企业总部能够在创新生态环境中获取更多的创新营养。四是通过总部创新成果的辐射，在更具成本优势的区域进行成果转化。总部通过将创新成果向具有生产成本优势的区域辐射，以更低的成本完成创新成果产业化。

（三）发展总部经济能够带动知识密集型产业发展

企业总部集中了研发、营销、资本运作、管理决策等企业价值链中知识含量最高的区段和环节。企业总部的聚集发展，能够形成强大的服务需求，带动金融保险、会计法律、中介咨询、信息服务、教育培训、会议展览等知识型服务业的发展，形成企业总部服务的产业链。实证研究表明，一个制造业跨国公司总部的迁移，会带动几个甚至是十几个与其有紧密业务关联的知识型服务公司伴随发展起来。据北京市社会科学院中国总部经济研究中心2007年对全国近300家企业总部的调研显示，企业总部发展所需要的服务业排在前五位的分别是“金融服务”、“会计审计服务”、“法律服务”、“信息技术服务”和“广告服务”等；企业总部对各类服务业的年支出约占企业总部年销售额的1/10。比如，国内某大型企业集团总部，每年对广告、会议、展示、论坛、会计、审计、法律、咨询等各类服务业的年支出达1.2亿元。围绕企业总部的需求，金融保险、会计审计、法律服务、信息技术、广告、中介咨询等服务业将得到快速发展，形成较为完整的知识型服务业体系。

（四）发展总部经济对缩小我国区域间知识经济发展水平的差距具有积极作用

当今，知识资源已成为一个国家或地区经济发展中最重要的优势资源。在我国，各地区之间存在明显的知识差距，经济和社会发展较落后的小城市知识经济发展水平远远落后于发达的大城市。胡鞍钢研究指出，我国知识资源分布极不平衡，东部地区综合知识能力指数明显高于中西部地区，中西部除吉林、湖北、黑龙江和陕西综合知识能力为中下水平之外，其余省份全部为低水平地区，西部一些地区、一些少数民族、部分人群面临知识隔离。我国知识经济成熟化程度的地域差异很明显，东部地区综合知识发展水平明显高于中西部地区，直辖市明显高于其他地区。

知识要素分布不平衡是导致区域发展不平衡的一个重要原因。近年来，为了解决我国区域发展不平衡的问题，政府通过实施生产力布局调整、投资倾斜、财政转移支付等多种措施，加快欠发达地区经济发展，努力缩小区域发展差距。但是，解决区域发展不平衡问题更重要的是发挥市场机制的资源配置和调节作用，寻求市场机制下区域合作发展的路径与模式。总部经济是一种基于区域间发展水平和资源禀赋差异，以企业为载体、以市场机制为基础的区域间合作模式，为找到不同区域合作的切入点和利益的共同点、缩小区域知识经济发展水平差距、促进区域经济协调发展提供了一条新思路。

实践中，不同区域、城市之间通过总部经济模式进行分工合作，缩小知识经济发展差距的例子很多。比如香港与深圳。1979年，香港知识经济的发展已相当成熟，而深圳还是一个小渔村，当年香港GDP是深圳的549倍。20世纪80年代初，香港制造业北移，大批企业把生产制造转移到深圳，大量“三来一补”企业在深圳聚集。以“三来一补”为起点，深圳经济发展经历了蛙跳式的演进，与香港的差距不断缩小，2007年深圳GDP已接近香港的一半。深圳知识经济发展水平大为提高，最直接的表现是高技术产业得到巨大发展。1991年深圳高技术产品产值仅为22.9亿元，而2007年深圳实现高技术产品产值预计为7500亿元，高技术产业增加值预计为2100亿元，占全市GDP的32%。不仅是深圳，整个珠三角知识经济水平的起飞在很大程度上得益于香港与珠三角之间形成的“总部—制造基地”区域经济合作关系。

当前，世界各国都朝着知识经济时代迈进，我国处于知识经济发展的初期阶段，正从劳动密集型向集约型转变，从资源消耗型向资源节能型转变，从世界加工厂向拥有自主知识产权的创新型国家转变。知识经济的发展给我国带来了新的挑战，也意味着前所未有的巨大机遇。总部经济作为知识经济时代产生和发展的一种新的经济形态，能对知识经济的发展产生明显的推动作用。我国应积极把握并继续保持总部经济发展的良好态势，提升自主创新能力，推动知识密集型服务业快速发展，促进全国知识要素的合理布局，从总体上提升我国知识经济的发展水平，并使总部经济和知识经济进入互动发展的良性循环。

（北京市社会科学院经济研究所所长、中国总部经济研究中心主任　赵弘 研究员 供稿）

总部经济理论的研究历程及其战略意义

总部经济自提出以来，在全国学术界和社会各界引起强烈反响，并产生了积极的经济效应和社会效应。这个理论的创立者就是赵弘研究员——北京市社会科学院经济研究所所长、中国总部经济研究中心主任。

一、研究历程

（一）总部经济理论的提出

总部经济理论的提出是在2002年，但赵弘研究员对总部经济理论的思考和探索始于1997年初。当时赵弘研究员带领一个课题组到山西南部一家企业进行课题调研，在与公司老总谈话时，他提出一个问题，他说，现在企业虽然取得了很大的发展，但由于企业所在的城市小，知名度低，引进高素质的优秀人才十分困难，企业的发展因而受到很大的限制。这位老总的问题让赵弘研究员思考了整整六年。

2002年，北京市政府提出振兴北京现代制造业之后，赵弘研究员承担了北京市社会科学院设立的“振兴北京现代制造业难点及其对策”课题研究工作。在课题研究过程中，他发现北京制造业发展面临着土地资源、水资源相对紧缺，劳动力成本高，环保条件要求高等约束瓶颈。北京发展现代制造业的困惑与山西南部企业的需求结合，使得他的思考出现突破性进展。在详细调研的基础上，赵弘研究员提出“以总部经济理念创新北京制造业的组织模式”——“对不适宜在北京发展的制造业将总部留在市区，而将生产制造基地迁移至郊区及北京周边地区，实现企业总部和生产基地的分离”——由此引出“总部经济”概念。之后，他撰写了“用总部经济打造北京现代制造业”一文，通过北京市社会科学院《看一眼》上报市委、市政府，得到了刘淇书记的批示。这更坚定了赵弘研究员进行总部经济理论探索的信心和决心，主持完成了北京市科委设立的“北京发展总部经济理论与对策研究”课题。之后，又经过大量理论研究和论证，形成了较为系统的总部经济理论，2004年出版了专著《总部经济》。

（二）总部经济理论的影响

总部经济作为一个经济学概念和理论提出之后，在国内外学术界产生了积极反响。赵弘研究员承担的“北京发展总部经济理论与对策研究”课题获得了2006年“北京市科学技术奖二等奖”，《总部经济》专著获得了“北京市第九届哲学社会科学优秀成果奖二等奖”。2008年，他申报的课题《以总部经济模式推动大城市与中小城市分工合作协调发展研究》，获得了国家社科基金资助。总部经济已经成为区域经济的一个新的研究领域，并作为独立的一章写入国家教育部组织编写的硕士研究生教材《区域经济学》。除了国内专家学者，还有美国、英国、日本、意大利、乌克兰等一些国家的学者专家，也先后来跟他进行总部经济理论交流。

总部经济理论来源于实践，又反过来指导实践，对我国实践发展产生深刻的影响。我国许多城市尤其是中心城市都进入了城市转型期，它们通过发展总部经济，积极推动城市产业结构转型升级，取得了很好的成效。北京、上海、重庆、广州、深圳、南京、武汉、成都、杭州、沈阳、青岛等城市都把“发展总部经济”写入城市“十一五规划”或“政府工作报告”；上海、广州、深圳、南京、杭州等城市还专门发布了政府文件，鼓励发展总部经济。

（三）总部经济理论的深化

总部经济理论有一个深化的过程。比如说概念，赵弘研究员2002年写《总部经济——北京制造业发展需要组织创新》文章的时候，第一次提出总部经济定义，2004年在《总部经济》专著中，对定义进行了修订，后来在前两次定义的基础上，赵弘研究员又做了一些改进和提升，更加突出总部经济的效应及辐射带动作用。现在大家看到的定义是：总部经济是指某区域由于特有的优势资源吸引企业总部集群布局，形成总部集聚效应，并通过“总部—制造基地”功能链条辐射带动生产制造基地所在区域发展，由此实现不同区域分工协作、资源优化配置的一种经济形态。

在出版《总部经济》专著之后，赵弘研究员每年选择一个主题进行深化研究，出版一部《中国总部经济蓝皮书》，已经连续出版了五部。每一部蓝皮书都是由联合全国知名高校、科研机构的专家学者，还有政府部门的官员来共同研究，研究力量非常强大。同时，蓝皮书还设计出一套城市总部经济发展能力评价指标体系，对全国35个主要城市总部经济发展能力进行评价，引起了社会各界的广泛关注。

总部经济理论是从实践中来的，赵弘研究员在研究深化过程中，也在不断努力，推动总部经济理论在社会上更加广泛地传播。在全国建立了一批总部经济研究实践基地，如北京的朝阳区、海淀区、丰台区，广州的越秀区，青岛的市南区，重庆的解放碑CBD，南京的鼓楼区，等等。

为了让更多的人了解总部经济，推进总部经济在社会的传播，每年借总部经济蓝皮书发布的机会，举办一次中国总部经济高层论坛，到现在已经连续举办了五届，参与的人很多，取得了不错的效果。近年来，应全国很多政府部门、高校院所、企业、学术论坛的邀请，赵弘研究员还做了200多场总部经济专题讲座和主题演讲。同时还建立了中国总部经济网，以网站的形式来传播总部经济理论和思想。此外，赵弘研究员还参与一些地方政府总部经济发展规划的制订，比如北京市、青岛市南区、南京鼓楼区、沈阳沈河区、重庆渝北区、重庆茶园CBD、通州金桥产业园区、顺义临空经济区等。

二、在我国现阶段，发展总部经济的指导意义

我国现阶段正处于经济转型升级的关键时期，一些中心城市更是如此，发展总部经济的有三方面重要意义：

（一）发展总部经济对于提升我国国际竞争力具有重要战略意义

新中国成立60年来，特别是改革开放30多年来，我国经济社会取得了举世瞩目的巨大成就。2007年中国已经超越德国成为世界第三大经济体。2008年中国和日本GDP分别为4.4万亿美元和4.9万亿美元。当今世界国与国之间的经济竞争其实就是各国企业之间的竞争，尤其是跨国公司之间的竞争。凡是经济大国，必然拥有一大批具有国际竞争力的世界级企业。如果以进入“世界500强”企业作为衡量世界级企业的标准，2009年《财富》世界500强中，美国有140家，占28%；日本有68家，占13.6%；中国大陆有34家（其中北京26家，上海4家，广州1家，长春1家，石家庄1家，张家

港1家），占6.8%；世界前三大经济体拥有的世界500强企业占48.4%。随着我国经济实力的增强，将有越来越多中国企业以总部经济模式走向世界，成为跨国公司。

但是我国经济发展中遇到的问题也不可回避，我国经济发展面临着四大挑战：一是资源挑战。我国人均资源拥有量比世界平均水平低很多，其中人均矿产资源占有量不足世界平均水平的1/2，人均水资源占有量不足世界平均水平的1/3，人均森林资源占有量仅为世界平均水平的1/6。但是在全球分工体系中，我国主要承担的是加工制造的角色分工。这种以制成品提供为主要角色的我国制造业必然面临着巨大的资源约束挑战，构成对我国可持续发展的严重威胁。特别是粗放式的经济发展方式，更使我国资源约束愈益加强。我国单位GDP能耗比世界平均水平高2.1倍，比美国高3.2倍，比德国高5.6倍，比日本高6.2倍；2008年中国GDP约占世界的5.4%，而《BP世界能源统计2009》显示，2008年中国一次能源消费消费量占全球的17.7%，居于美国之后，位列全球第二；当年全球能源消费增长的3/4来自中国。

二是成本挑战。近年来，我国劳动力、资源等要素价格不断上升，2008年我国城镇职工平均工资是2000年的3倍多。大城市制造业成本急剧攀升，制造业“空心化”现象日益突出，如北京“十五”期间外迁工业企业144家，“十一五”前期（至2008年6月）关闭搬迁工业企业141家；从2006年至2008年2月，深圳已整体外迁工业企业599家，涉及工业总产值108亿元。

三是环境问题。我国生态环境污染严重，据耶鲁大学《环保表现指标》，中国环保表现在149个国家和地区中排在第103位。以水环境为例，我国地表水污染严重，2008年七大水系水质总体为中度污染。全国目前有3.2亿农村人口喝不上符合标准的饮用水，其中因水污染造成9000多万人饮用水不安全。中国水污染事件层出不穷，2004年沱江特大水污染事故导致四川5个市区近百万群众陷入无水可用的困境，直接经济损失高达2.19亿元。今年江苏盐城“2·20”特大水污染事故造成近20万居民生活饮用水和部分企事业单位供水被迫中断60多个小时。

四是贸易摩擦。据世贸组织统计，2008年中国遭受反倾销调查73起,反补贴调查10起，分别占全球同类案件总数的35%和71%。至此，中国已成为连续14年遭遇反倾销调查最多，连续3年遭遇反补贴调查最多的国家。特别是金融危机以来，发达国家更是借金融危机借口对我国商品出口设置种种壁垒，2009年1～11月，美国对中国的反倾销、反补贴和特保调查就达23起，涉案金额同比增长800%。我国珠三角地区低端、低层次加工制造业遭受重创。2008年前三季度，广东省共关闭企业7148家，主要集中在珠三角地区，其中，东莞1464家，中山956家，珠海709家，深圳704家，汕尾587家，佛山526家，潮州432家。关闭企业主要集中在纺织服装、五金塑料、电子产品、陶瓷建材等产业附加值低、创新能力不强的行业领域。

面对经济发展中的挑战和问题，面对复杂多变的国内外经济形势，我国比以往任何时候都更加需要提升自主创新能力，实现由“制造大国”向“创新强国”转型。这是改变我国在全球产业分工体系中的地位的根本之策，也是应对金融危机的根本之策。

发展总部经济有助于提升自主创新能力。总部经济抓住了提升自主创新能力的关键——创新资源优化配置。总部经济模式下，企业总部、研发中心等在发达地区和大城市聚集发展，充分利用这些区域密集的人才、技术、信息等创新资源，使得创新资源效能更好地释放，产生更多的创新成果；同时通过“总部—制造基地”链条，将创新成果向制造基地所在区域辐射，降低创新成果产业化成本。通过对创新资源和创新过程的有效整合，总部经济模式将众多企业纳入创新及产业化链条，在提升企业自主创新能力的同时，也推动了总部及制造基地所在区域自主创新能力的提升。

从应对复杂多变的国际形势角度分析，发展总部经济有助于增强区域经济稳定性和抗风险能力。总部经济体系十分庞大，既涵盖总部所在区域，又涵盖生产基地所在区域，而生产基地可以遍布全国乃至全世界，起到分散风险的作用。总部经济的发展，能够产生强劲的服务需求，带动并促进服务业尤其是生产性服务业的快速发展。作为这样一种跨区域、跨国界、跨产业经济形态，总部经济在稳定经济发展、抵御经济风险方面的作用非常明显。

（二）发展总部经济是优化区域资源配置，深化区域间、城市间分工合作的有效途径

改革开放30多年来，我国经济社会总体上得到了快速发展，但是区域之间的差距仍然较大，特别是沿海地区和内陆地区、东部和中西部地区、大城市与小城市的差距尤为明显。从经济发展水平来看，2007年东部GDP比中部、西部GDP之和还高6.21万亿，人均GDP的区域差距则更大，2007年东部地区人均GDP是西部的2.4倍，是中部的2倍。区域发展不平衡已成为今后一个时期制约我国经济发展的重要问题。

与经济发展差异相伴而生的，是资源禀赋差异，我国发达地区与欠发达地区、中心城市与中小城市之间在人才、信息、技术等战略资源与土地、能源、材料、人工等常规资源的分布上呈现明显的不均衡格局。以人才资源为例，根据《2009 中国大学生就业报告》，2008年211院校的毕业生中期望在直辖市就业的比例高达81%。

科学发展观要求我们统筹区域发展、统筹城乡发展，实现均衡协调发展，要将深化区域分工、加强区域合作，缩小区域差距、实现共同发展放在更加突出的地位。近年来，我国不断推进区域发展，继浦东新区之后，国家又提出加快滨海新区建设，实施中部崛起战略，推进“五点一线”沿海经济带、海峡西岸经济区等区域发展，这都是落实科学发展观要求的具体举措。

总部经济的基本思想是运用区域经济的理论，站在区域分工合作的角度，充分体现了实现区域资源优势互补、共同发展的理念。总部经济利用不同城市之间的资源差异、成本差异，将总部集中布局在大城市，生产制造环节布局在具有生产成本优势的其他区域，并将两个区域联系起来。这一联系是以企业为载体、以市场经济为动力机制而形成的合作，符合经济发展的基本规律，更具持久性。发展总部经济，是落实科学发展观，创新区域合作模式、深化区域合作领域，促进区域经济协调发展的效途径。

（三）发展总部经济是中心城市实现城市经济转型和可持续发展的战略选择

城市转型是世界各大城市发展过程中面临的共同课题。当城市传统产业逐渐衰落，寻求经济增长的新动力，实现城市产业升级和经济转型，是保持城市持续发展和繁荣的关键。美国学者J.O.威勒分析了美国20座大城市的资料，发现有60%的城市在制造业转移出去之后，保持了持续繁荣的局面，主要原因是城市实现了产业总部化和服务化。

国际大城市经济转型的模式一般有三种：一是产业替代模式，如三产替代二产，高新技术产业替代传统产业，高附加值产业替代低附加值产业等。巴尔的摩在城市经济转型过程中，原来的钢铁、造船、化工产业，被会展、旅游等产业替代，从一个衰退的港湾城市，转型为著名的旅游休闲城市。二是产业多元化模式，即由原来资源采掘加工或传统制造业等单一产业向制造业、高技术产业、现代服务业等多元产业格局转变。鲁尔曾是德国最大的工业区，从20世纪60、70年代起，随着传统的煤炭和钢铁工业走向衰落，鲁尔区全面改造传统产业，大力扶持生物制药、化学工业、旅游

和文化产业等新兴产业，实现产业结构多样化。三是总部经济模式，即通过发展企业总部和研发、营销等价值链高端环节，带动现代服务业发展，实现城市产业升级和功能提升。新加坡是从“制造基地”走向“总部基地”的典范。全球有7000多家跨国公司到新加坡投资，其中超过4000家在新加坡建立了地区总部。大量跨国公司和外国企业的进入，带来了大量资金、科技、管理经验和国际人才，使新加坡逐步成为全球企业总部之都。

近年来，随着我国城市化进程不断加快，大城市生产制造成本不断上升，水、土地等资源日益短缺，中心城区制造业“空心化”现象严重，面临着经济转型和可持续发展的压力。总部经济为我国中心城市实现经济转型提供了一个重要的战略选择，原因在于总部经济切中城市在转型中困惑与难题：如何突破土地空间资源约束，实现高效发展？如何应对“空心化”，实现持续发展？如何发挥人才、科技、信息、资源优势，实现与其他区域的联动发展？总部经济明确了中心城市产业结构调整的方向——发展高端产业与产业高端环节，找到中心城市实现经济转型的有效路径。

（北京市社会科学院经济研究所所长、中国总部经济研究中心主任　赵弘 研究员 供稿）

总部经济助推中心城市产业结构升级和经济发展的实证分析——以北京为例

北京的经济发展战略进行了多次调整，在对北京资源特点、功能定位进行充分研究和探索的基础上，北京市逐步将经济发展从以重工业为主的工业经济向以服务业、高技术产业等为重点的“首都经济”转型。同时，不断深化和丰富“首都经济”的内涵，提出了“总部经济”发展战略，将其作为“首都经济”的重要组成部分。“总部经济”发展战略的提出和实施，促进了北京第三产业特别是现代服务业的快速发展，推动了北京产业结构优化升级和经济持续稳定增长。

一、北京总部经济发展战略的提出

（一）北京经济发展与产业结构演变历程

从总体上看，北京的经济发展可以以改革开放和1997年为界分为三个阶段：第一阶段是改革开放前，以重化工业为核心的工业经济发展战略。该阶段，北京经济发展的总体指导思想是将北京建设成为一个工业化城市，发展重心是工业，特别是冶金、机械、化工等重工业。在“二五”初期，北京市提出了建设一批基础工业，主要是原材料工业的计划，改变原材料依赖外地供应的被动局面，争取在5年内把首都建设成一个现代化工业城市。加强基础工业的提出，使北京的冶金工业和重化工业得到发展，北京因而成为重工业占主导地位的首都。

第二阶段是改革开放到1997年，北京开始对城市定位进行新的思考和探索。以重化工业为核心的工业经济发展战略，既不符合北京的首都城市功能定位，又没有充分利用北京的资源优势，规避北京的资源劣势，二者存在着尖锐矛盾。针对这些矛盾和问题，北京开始对城市发展定位特别是经济发展进行了新的思考和探索，指出北京要围绕作为首都这个城市性质和功能定位来安排经济发展，逐步将经济发展重心从重化工业向旅游、服务、电子等行业转变。

第三阶段是1997年至今，“首都经济”概念的提出和内涵的不断深化。在第二阶段思考和探索的基础上，北京于1997年底明确提出了“首都经济”发展战略，指出：“首都经济是立足首都、服务全国、走向世界的经济；充分体现北京城市的性质和功能，充分发挥首都比较优势，充分反映社会主义市场经济规律的经济”。首都经济是符合首都特点的经济，其本质是知识经济，核心是发展高新技术产业。“首都经济”理念和战略的提出，有力地推动了北京经济的增长和产业结构调整。同时，“首都经济”理念也在实践中不断深化其内涵和外延。近几年，北京又立足发展实际，提出大力发展现代服务业和高技术产业，走高端、高效、高辐射力的产业发展之路，加快经济发展方式转变，实现经济社会可持续发展。“首都经济”的内涵不断丰富和深化（见表 1 ）。

可见，围绕重点发展产业的变化、工业布局的调整和城市功能的完善等重大课题，北京市的经济发展战略经历了一个不断摸索、不断调整、优化和提升的过程。在这一过程中，北京市主要在以

表1　北京经济发展战略的三个阶段

阶段	时间	经济发展主要战略
第一阶段	改革开放前	建设工业化城市，以工业特别是冶金、机械、化工等重工业为发展重点
第二阶段	改革开放到1997年	重新思考和探索城市定位，经济重心逐渐由重工业向旅游、服务、电子等产业转变
第三阶段	1997年至今	明确提出“首都经济”战略，大力发展现代服务业、高技术产业，走高端、高效、高辐射力的产业发展之路

下两个方面进行了重大战略调整：

第一，积极推进工业郊区化、园区化，对全市工业布局进行重大调整

改革开放前，北京以优先发展重工业的战略方针为指导，先后建立并发展了冶金、机械、电子、汽车、化工等骨干行业，成为全国重要的工业基地。1978年北京的工业总产值达193.2亿元（1970年不变价），按可比价格计算，比1949年增长了175倍，年均增长19.5%。工业增加值占全市GDP的比重高达64.5%，比1952年提高30.4个百分点[①]。1983年，北京方圆87平方公里的旧城区范围内，就集中了1020家工业企业，平均每平方公里11.7家。在北京市内四城区中，除东城区外其他三个城区的工业用地均高达50%左右。重工业的快速发展使北京的经济总量迅速增长，经济实力不断增强，但是随着重工业特别是市区重工业比重的不断加大，城市中心区地域扩展与城市功能之间的矛盾也日益显现。

从20世纪80年代起，北京市开始实施以解决污染扰民为目的的企业搬迁，并在郊区县组建工业科技园区，积极进行工业布局调整。特别是进入90年代以后，市区土地价格调整、“首都经济”发展战略的提出，以及市场经济条件下企业自身的组织结构调整等，进一步加快了北京城区工业企业外迁的步伐，市区工业产值及工业用地占全市比重呈现明显的下降趋势（见表２）。

据不完全统计，从1985年到1997年，从市区搬迁的污染扰民工业企业有91家，其中旧城区78个；腾出用地59.23公顷，其中旧城区41.78公顷（占70.53%）[②]。1999年更进一步做出四环内738家国有工业企业将陆续外迁的决定，转让占地面积达600多万平方米。到2003年年底，工业企业用地占规划市中心区的比例降到了6.29%[③]。从1995年到2003年的8年间，东城、西城、崇文、宣武四城区工业总产值占全市比重从11.2%下降到6.5%，而门头沟、房山、通州、顺义等北京远郊区2003年

表2　北京市区工业布局的变化（1978-1995年）

	市区工业产值占全市的比重（%）	市区工业用地占全市的比重（%）
1978年	71.01	42.40
1987年	72.06	47.34
1989年	68.88	45.20
1995年	64.61	43.63
1978-1987年增长情况	1.05	4.94
1987-1995年增长情况	-7.39	-3.71

资料来源：冯健等，《1990年代北京工业郊区化的最新趋势与对策》。

① 国家统计局相关资料。
② 冯健等. 1990年代北京工业郊区化的最新趋势与对策. 规划研究，2004年第28卷第3期。
③ 《北京工业年鉴2004》。

表3 北京市各区县工业总产值及占全市比重的变化情况

地区	工业总产值（亿元）		占全市工业总产值比重（%）	
	1995年	2003年	1995年	2003年
旧城区	161.79	243.8	11.2	6.5
东　城	27.45	51.9	1.9	1.4
西　城	31.78	73.2	2.2	1.9
崇　文	21.67	28.9	1.5	0.8
宣　武	80.89	89.8	5.6	2.4
新城区	806.859	1846.5	55.9	48.4
朝　阳	308.92	671.8	21.4	17.6
海　淀	246.28	576.2	17.1	15.1
丰　台	95.34	176.5	6.6	4.6
石景山	156.32	422.0	10.8	11.1
远郊区	475.26	1872.8	32.9	49.2
门头沟	15.89	35.1	1.1	0.9
房　山	111.23	421.3	7.7	11.1
通　州	59.23	151.6	3.3	4.0
顺　义	67.89	405.2	4.7	10.6
昌　平	47.67	329.5	4.1	8.6
大　兴	43.34	142.9	3.0	3.8
平　谷	40.45	83.0	2.8	2.2
怀　柔	43.34	174.6	3.0	4.6
密　云	34.67	100.3	2.4	2.6
延　庆	11.56	29.3	0.8	0.8

数据来源：《北京市第三次全国工业普查公报》，《2004年北京统计年鉴》。

工业总产值比1995年翻了四倍，占全市比重达到45.8%，比1995年增长了16.1个百分点（见表3）。

结合工业企业布局的搬迁与调整，北京先后在四个旧城区以外的地区建立了中关村科技园区、北京经济技术开发区、北京天竺出口加工区等若干个经济开发区和工业园区，这些园区已成为北京工业企业的主要聚集地。同时，旧城区的经济结构中虽然还有一定比例的工业，但是从其内部构成来看，已经基本没有传统意义上的工业企业，而主要是高新技术企业和工业企业的总部、研发、营销等分支机构。

第二，大力发展现代服务业，促进产业结构优化升级，推进北京向服务经济转型

在大量工业企业外迁的同时，北京的经济发展重心开始向第三产业转移，特别是1997年“首都经济”战略提出后，第三产业成为北京经济发展的重点。从1978年到2007年的29年间，北京第三产业实现增加值由25.8亿元提高到6425.6亿元。2007年，三次产业结构为1.1：27.5：71.4，与1978年的5.2：71.1：23.7相比，发生了巨大的变化（见图1）。

特别是北京提出“大力发展总部经济”的战略后，企业总部需求的金融保险、信息咨询、IT服

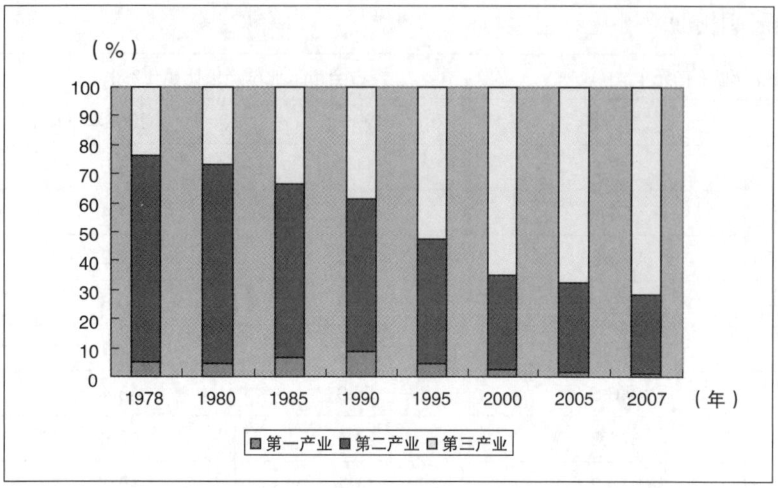

图1　1978-2007年主要年份北京地区生产总值产业构成情况

务、旅游、现代物流、中介服务及文化会展等现代服务业取得了迅速发展，其发展速度远远高于交通运输、餐饮等传统服务业。据统计，2007年北京市现代服务业实现增加值4372.8亿元①，占全市GDP的48.6%，占服务业产值的68.1%。从地区分布上看，第三产业特别是新兴的现代服务业主要集中于东城、西城等城市中心区以及朝阳、海淀等新兴城区，成为带动北京第三产业增长的主要地区。在金融、商务服务、文化创意等现代服务领域，金融街、CBD和中关村海淀园、软件园等一批特色鲜明的现代服务业集聚区逐步发展并不断成熟。

（二）北京总部经济发展战略的提出

进入21世纪后，北京经济发展面临着许多新课题，如作为全国的政治、文化和对外交往中心，如何实现城市功能与经济发展的和谐统一？在制造业企业大量外迁、中心城区“制造业空心化”现象日益严重的情况下，如何实现城区经济的可持续发展？作为环渤海经济圈的核心城市，如何发挥首都特有的资源优势，与经济圈内其他城市之间形成合理的产业和功能分工，促进环渤海经济圈作为全国“第三极”迅速崛起，等等。

针对北京经济转型升级过程中面临的这些重要课题，北京市对经济发展战略作了进一步调整，不断深化和丰富“首都经济”的内涵，1999年就出台了《关于鼓励跨国公司在京设立地区总部的若干规定》，鼓励跨国公司在北京投资并设立地区总部。2002年笔者在主持“振兴北京现代制造业难点及其对策研究”课题中，提出“以总部经济理念创新北京制造业组织模式”，由此提出“总部经济”概念。2002年12月18日，时任北京市长的刘淇同志在北京市社会科学院要报《看一眼》上对笔者撰写的《总部经济——北京制造业发展需要组织创新》给予批示，要求有关部门进一步研究总部经济。总部经济概念正式提出后，北京市政府及时将总部经济作为“首都经济”的重要组成部分，提出大力发展总部经济的战略。刘淇书记在北京市委九届十次全会的讲话中指出：“进一步完善投资环境和政策环境，大力发展总部经济，积极吸引跨国公司在京设立地区总部、研发中心、结算中心、采购中心和营运中心，积极争取国际组织在京设立分支机构和总部”。《北京市国民经济和社会发展第十一个五年规划纲要》中也指出要“立足调整经济结构促进发展，注重增强消费拉动作用，充分发挥首都资源优势，做大做强总部经济，逐步形成高端、高效、高辐射力的产业群”。总部经济发展战略提出以后，北京充分利用其丰富的科技、人才、信息等资源优势，通过吸引企业总部聚集带动金融、保险、法律、会计、信息、咨询等现代服务业发展，推动产业结构升级，促进经济持续稳定增长和区域统筹发展。近几年来，北京总部经济发展迅速、态势良好，逐步成为北京经济转型升级的重要力量。

① 北京市统计局、国家统计局北京调查总队：北京市2007年国民经济和社会发展统计公报，2008-01-30。

二、北京总部经济发展现状与特点

北京具有独特的首都城市功能，拥有丰富的人才、信息、技术等资源，具有吸引企业总部、发展总部经济的得天独厚的条件。目前，北京总部经济发展已经初具规模，吸引了众多跨国公司地区总部、研发中心、国内大企业集团等各类企业总部聚集发展，总部经济规模居全国前列。空间布局上，北京初步形成了商务中心区CBD、金融街、中关村海淀园、丰台总部基地等若干典型总部经济聚集区，成为北京总部经济发展的重要载体。

（一）北京总部经济发展基本情况

北京的总部资源大致可分为两类，一类是以跨国公司地区总部为代表的国际总部资源；另一类是以国内企业集团总部为代表的国内总部资源。其中，国内总部资源除包括众多大型中央企业集团总部外，还包括在北京成长起来的企业总部和从外埠迁入北京的企业总部。

第一，跨国公司地区总部等国际总部资源是总部经济发展的重要力量

北京利用外资的数量和质量不断提升，2002–2006年新批外商投资企业8780家，合同外资262.1亿美元，实际吸收外资总额150.9亿美元，2006年高达45.5亿美元。大量外资进入的同时，北京聚集了一大批跨国公司地区总部和分支机构。目前，北京有各类跨国公司地区总部42家，如ABB、爱立信、摩托罗拉、三星等，其中经商务部认定的跨国公司地区总部有20家。北京有跨国公司地区总部性质的投资性公司153家，占全国投资性公司总数的50%以上，位居全国城市首位，这些投资性公司担负了重要的总部功能。跨国公司在北京设立的一些职能性总部如研发中心、营销中心等也成为重要的总部资源，北京有外资研发中心239家。此外，北京还有12000多家跨国公司设立的各类办事处和代表机构，主要负责跨国公司的信息、联络、服务等事务，这些机构将成为北京总部经济发展的潜在资源和力量。

第二，国内企业集团总部等国内总部资源是总部经济发展的另一重要力量

除了进入北京的大量跨国公司地区总部、研发中心等总部资源外，北京还拥有一批国内大型企业集团总部，成为北京总部经济发展的另一重要力量。国内企业集团总部可分为三种主要类型：一是中央大型企业集团。目前，北京有大型中央企业集团160余家，其中金融企业集团41家，成为北京最主要的国内总部资源。2007年发布的《财富》世界500强，我国大陆共有22家企业入选，其中中石化、国家电网、中国工商银行、中国移动通信等18家总部设在北京，占我国入选企业的81.8%，北京成为世界500强中国企业总部聚集数量最多的城市。二是北京本土成长起来的企业集团。随着北京经济的快速发展，也成长起联想、首钢、方正等一批本土性企业总部，如联想集团，除北京外联想还在上海浦东、广东惠阳等建立了现代化的生产基地，并在墨西哥、印度、波兰等国外其他地区建立了生产工厂。三是从外省市迁入北京的企业总部。从国内其他省市迁移过来的企业集团也成为北京总部经济的一支重要力量，如经纬纺机总部从太原迁到北京，远大空调总部从长沙迁到北京，蓝星集团总部从兰州迁到北京，冰山集团总部从大连迁到北京，等等（见表4）。

（二）北京总部经济的空间布局

北京总部经济的空间集聚特征明显，初步形成了商务中心区（CBD）、金融街、中关村科技园区海淀园、丰台总部基地等几大特色总部经济聚集区，成为北京总部经济发展的重要空间载体。这些总部经济聚集区定位明确、特色突出，如CBD定位为跨国公司地区总部和国际性金融机构的聚集

表4　2007年世界500强主要城市分布数量

排名	城市	拥有500强企业数
1	东京	50
2	巴黎	26
3	纽约	22
	伦敦	22
4	北京	18
5	首尔	10
6	多伦多	9
7	马德里	8
8	苏黎世	7
	斯敦	7
9	慕尼黑	6
	大阪	6
10	罗马	5
	亚特兰大	5

地、金融街是金融总部聚集区、海淀园是以IT产业为主的高技术产业总部及研发中心聚集区。

商务中心区（CBD）。北京商务中心区（简称CBD）位于朝阳区东三环路与建国门外大街交会的地区，范围为西起东大桥路、东至西大望路，南起通惠河、北至朝阳路之间约3.99平方公里的区域。

CBD 依托朝阳区丰富的涉外资源和浓厚的国际化氛围，吸引了大量跨国公司地区总部入驻，初步形成以跨国公司地区总部和外资金融总部为特色的总部经济聚集区。截至2007年12月底，入驻CBD区域的各类法人机构共计4866家[①]，其中世界500强企业117家，跨国公司800多家，拥有经国家商务部或北京市认定的跨国公司地区总部20多家，外资投资性公司88家。同时，CBD还聚集了150多家外资银行、保险、证券公司及办事机构，以及200多家中外律师、会计师、投资咨询等中介服务机构。CBD已经成为促进朝阳区经济发展的重要力量，CBD占地面积不到朝阳区总面积的1%，但2007年CBD企业入库区地税收入54.2亿元[②]，同比增长34.83%，占全区地税入库各项收入的38.3%。

在产业发展上，CBD形成了以高端商务服务业为主导、以国际金融业为龙头、文化创意产业聚集发展的产业格局。一是外资金融机构聚集，国际金融业发达。CBD已有法国东方汇理银行、蒙特利尔银行、巴西银行、德国商业银行、法国安盛保险集团、苏格兰皇家银行、日本第一生命保险公司、意大利商业银行等百余家金融机构。CBD外资银行数已占北京市外资银行总数的80%左右，北京综合竞争力排名前10名的中外资银行中有7家都已入驻CBD。北京CBD国际金融总部功能区的聚集效应正在得到加强。二是传媒等文化创意产业成为北京CBD的重要产业。中央电视台将在近期内进驻CBD，同时CBD还聚集了北京广播影视集团及其所辖的歌华集团、歌华有线网络、北京电视台、北京电台、北京信报、房地产报等一批文化传媒业巨头，以及90%的外国驻京新闻机构。

金融街。金融街位于长安街北侧，南起复兴门内大街，北至阜成门内大街，西自西二环路，东邻太平桥大街，南北长约1700米，东西宽约600米。金融街中心区以金融办公为主，占地34公顷，总

① 园区经济拥抱奥运之春.投资北京，2008年第三期。
② 北京CBD是引擎更是品牌.财经时报，2008年2月14日。

建筑面积141万平方米，形成了一个围绕3万平方米的超大绿荫广场——北京金融街中心广场，集办公、公寓、酒店、休闲、商业于一体的综合性建筑组群。

金融街是我国金融资产最密集的区域，其功能定位是国家金融管理中心，充分发挥金融资源的集聚效应，提高金融服务水平，把金融街逐步建设成为资金最密集、市场最活跃、资讯最发达、环境最优美的国家级金融决策监管中心、资产管理中心、金融支付结算中心、金融信息中心，并着力打造国际金融中心。

经过10多年的开发建设，金融街逐渐发展成为典型的金融业总部经济聚集区。目前，金融街集中了几乎所有国有金融机构的总部，包括中国人民银行、中国工商银行、中国建设银行、中国银行等11家全国性、地区性银行总部或地区总部，110多家股份制银行、证券、保险公司总部和分支机构，以及纽约银行、亚洲开发银行、瑞士银行、澳大利亚西太平洋银行、美国道富银行等20多家外资金融机构。同时，金融街还拥有80多家中央直属企业，包括中国网通、中国移动、中国联通、长江电力、中国电力投资公司等，2007年进入《财富》全球经济500强的22家中国企业中，有8家总部在西城区，有7家设在金融街。

目前，北京市政府已经原则批准了金融街的拓展方案，西扩工程将以原规划面积1.18平方公里为基础，向东、西、南拓展约1.41平方公里，核心区将拓展到2.59平方公里。随着金融街西扩工程的逐步推进，将有效解决金融街现有空间的“拥挤”问题，更好地弥补现有金融街配套设施的不足，为北京金融业的进一步发展营造新的空间载体。

中关村科技园区海淀园。海淀园的前身是全国第一个国家级高新技术产业开发区，它以北大、清华、中科院等著名高校和研究机构为依托，规划占地面积217平方公里。历经20余年的发展，目前在园企业总数突破1万余家，经济总量在全国53个国家级高新区名列前茅。联想、方正、同方等一批高新技术企业不断发展壮大，并在国际市场中占有一席之地。

中关村科技园区海淀园是以IT产业为主的高技术产业企业总部及研发总部聚集区。目前，海淀园有总收入10亿元以上的企业60多家，1亿～10亿元的企业430多家，这些企业多数属于总部型企业；聚集了世界500强企业分支机构113家，其中地区总部和研发中心50余家，包括微软、IBM、甲骨文、SAP（思爱普）、赛门铁克、EMC等世界最知名的软件企业、信息服务业企业①。此外，海淀园还有国内大企业设立的研发机构70余家。IT产业已成为海淀园的主导产业，拥有联想、方正、同方、紫光、用友、大唐电信、港湾网络等一批知名企业总部。

依托中关村电子信息等高技术产业总部的发展，园区各类配套服务业也步入了快速发展期，服务业的规模、实力不断扩张，对区域经济发展的带动效应也逐步显现。首先，带动了创新型服务业的发展。中关村计算机服务、软件、专业技术服务、科技交流和推广服务以及电信和其他信息传输服务五大创新型服务业成长较快，2006年实现总收入2091.4亿元，占整个园区总收入的31%。其次，金融、法律、中介等现代服务业也得到较快发展。海淀园不仅是高科技企业总部、研发中心的聚集地，还集中了一批为高科技产业发展服务的金融机构、投资机构、律师事务所、会计师事务所、管理咨询公司等服务机构，如国民人寿保险、花旗银行北京分行、中国银行海淀支行总部、中智外企服务中心、北大纵横管理咨询公司等。

此外，丰台总部基地、（望京）电子城西区、北京经济技术开发区、顺义临空经济区和东二环

① 《信息存储领军企业EMC落户海淀》，海淀区人民政府网站，2007年11月8日。

交通商务区等新的总部经济聚集区正在形成并逐步发展起来。

丰台总部基地项目总占地约60公顷，规划建设500栋企业总部楼，自2003年6月开工建设以来，目前303栋总部大楼已全部竣工，总建筑面积达1万平方米的21个总部会所也已建成并投入使用。总部基地全部总部楼的入驻率已超过80%，聚集了中国铁路工程总公司、中国航天时代、建龙钢铁、中牧股份等200多家企业和企业总部，领域涉及生物医药、新材料、电子信息等高科技行业。

电子城西区以电子通信跨国公司研发中心聚集为特色，聚集了摩托罗拉、北电网络、索尼、爱立信、朗讯、三星、西门子等10余家跨国公司地区总部、研发中心，以及双鹤药业、中材国际、大唐电信、金汉王集团等一批国内知名企业总部。

北京经济技术开发区凭借电子信息、生物医药、装备制造、汽车等雄厚的产业基础，吸引了诺基亚、GE、施耐德、松下电工、中芯国际、Bayer等80多家著名跨国公司，其中世界500强40余家，2006年开发区平均每公顷土地吸引投资1009万美元，创造工业产值1.74亿元，实现税收694万元。

顺义临空经济区以航空和物流行业企业总部为特色，拥有国航货运、中航材和国航、德国汉莎等一大批国内外航空公司，航空及相关企业达158家，还集聚了松下、索爱、JVC、TNT、空中客车、日本邮船等30家世界500强企业和550余家中外企业。2006年临空经济区实现增加值253.3亿元，占北京GDP的3.2%。

东二环交通商务区总部集群特征逐步显现，聚集了中石油、中海油、北京移动、国华电力、中铁物流、中青旅等10余家大型企业总部，涵盖了能源、电信、金融、旅游等支柱产业。2007年底，入驻商务区的企业达3741个，实现增加值218.4亿元，占地区生产总值的33%，在带动区域经济发展、吸引上下游企业集聚方面发挥着重要作用。

北京这些典型总部聚集区各具特色，既充分发挥了各城区的资源优势和产业特色，又通过差异定位、特色发展避免了城区之间的恶性竞争，形成了优势互补、协调发展的总部经济发展格局。

三、总部经济对北京产业结构升级和经济发展的影响

总部经济在北京产业结构升级和城市功能提升中发挥了重要作用，成为首都经济的重要组成部分和推动北京经济转型升级的重要力量。总部经济对北京产业结构升级和经济发展的影响，主要体现在以下几个方面：

（一）总部经济成为北京新的经济增长点

企业总部的聚集促进了北京经济总量的增长和经济效益的提高，成为北京新的经济增长点。由于企业总部具有占地小、产出大的特点，总部经济聚集区内企业密度一般都比较大，CBD、金融街每平方公里的企业个数都达到600～800个，聚集区内单位面积产生的GDP和税收大大高于其他地区。因此，吸引企业总部聚集、发展总部经济规避了北京土地、水等常规资源短缺的劣势，有效提高了经济效益、增强了北京的经济实力。例如，北京CBD在发展中逐渐展示出经济质量高度集约、产业结构高端发展、辐射带动能力强等特征。2007年，北京CBD的70座商务楼宇平均每平方米建筑面积约创造税收871元，年度每平方米税收超过1000元的楼宇有20座。其中，华艺写字楼、嘉都大厦、国贸中心、嘉里中心等九座楼宇每平方米税收贡献均超过3000元。2007年度，企业数超过100家的30座楼宇共创造税收收入47亿元。又如金融街，2007年实现三级税收858.6亿元，金融街以西城区1/33的土地贡献了全区1/4的税收。同时，企业总部的聚集为所在区域带来了大量高收入的工作岗位，大大增加了所在区域的个人所得税收入，优化了区域税收结构，如北京CBD集中了北京65%的

白领和80%的海归高层经理人员。

（二）总部经济促进了北京创新能力的提升

密集的科技资源、良好的创新环境是北京吸引国内外企业研发总部的重要优势，目前北京有各类外资企业研发中心239家，仅中关村就有跨国公司研发中心70余家。大量国内外企业研发机构特别是跨国公司研发中心的入驻进一步促进了高级人才向北京聚集，扩大了北京研发投资的规模，推动了北京的技术创新。除跨国公司研发中心本身的研发资本投入和人才集聚作用外，各类研发机构还对北京本土企业产生溢出效应、示范效应、模仿效应等，促进了本土企业的自主创新活动，并营造了良好的创新氛围，使北京成为全国自主创新能力最强的技术创新中心。中关村已经形成了一批技术创新主体，有以微软、松下、朗讯等知名跨国公司为代表的国外研发机构，以联想、中星微为代表的国内创新型高新技术企业等，形成了较强的技术创新能力，涌现出一批重大创新成果，如以“龙芯”为代表的芯片技术以及世界三大3G标准之一的TD－SCDMA标准等[①]。

（三）总部经济促进北京产业升级

总部经济的加快发展，既有助于推进北京高技术产业、现代制造业等向高端、高附加值环节升级，同时又对各类现代服务业形成强劲的需求与带动，促进北京知识密集型服务业的发展，进而加快了北京产业结构优化升级的步伐。

第一，总部经济推进北京制造业向高端环节升级，优化制造业内部结构。北京通过实施总部经济发展战略，鼓励企业总部、研发等高端环节聚集，同时将生产制造等低端环节外迁，有力地推动了制造业向研发、设计、品牌等价值链高端延伸和升级，优化了制造企业的内部结构。以首钢搬迁为例。首钢的搬迁结构调整中采取了总部经济模式，将总部留在北京，将涉钢部分整体迁到河北曹妃甸。这一模式对首钢产业结构调整升级、自主创新能力提升具有重要意义。一方面，总部经济模式的运用，有助于充分利用首钢的品牌资源，首都丰富的人才和科技研发资源，加强首钢新技术、新产品研发，增强钢铁产业的自主创新能力，做大做强首钢钢铁产业链。曹妃甸现代化精品钢生产基地，也能通过采用最新的设备和生产工艺，提升钢铁产品的档次，向高端产品推进。另一方面，涉钢部分搬迁到曹妃甸后，首钢总部能够通过利用涉钢外迁后的空间资源实现企业的多元化发展，重点培育工业设计、工业旅游、文化创意和商务服务等新产业，有助于首钢非钢产业结构调整、优化升级，实现产品和服务由中低端向中高端提升。

第二，总部经济带动了北京知识型现代服务业的发展。企业总部的聚集发展，能够产生强劲的现代服务业需求，进而带动一大批为总部服务的现代服务企业的迅速崛起，促进区域产业结构的优化和升级。2007年北京现代服务业实现增加值4372.8亿元，占服务业增加值的68.1%。金融保险、信息服务和软件业、会计法律、中介咨询等服务业发展迅速，其中金融业2007年实现增加值1126.3亿元，占服务业的17.5%。软件、计算机、移动增值、研发设计、电子商务等高技术服务业、现代服务业新业态不断涌现，成为服务业发展的新动力。2007年，北京信息传输、计算机服务和软件业实现增加值824.8亿元，占地区生产总值的9.2%。

同时，大量企业总部的聚集发展，也促进了北京现代服务业集群发展的效应日益明显。实证研究表明，在北京总部聚集密度越高的区域，其现代服务业发展的规模越大、质量越高。目前，金融保险、信息服务、科技服务和商务服务等高端知识型服务业，已成为北京主要总部经济聚集区的主

① 北京市科学技术委员会：《北京重点产业技术竞争力提升主题实施方案（试行）》，2006年1月。

导产业。例如，北京CBD聚集的现代服务业企业占全部法人单位的60.33%，聚集了麦肯锡、普华永道等近200家中外律师、会计师、投资咨询、广告、会展服务等中介服务机构。2007年1－10月，北京CBD现代服务业入库税收38.3亿元，占CBD入库税收的84.9%。中关村科技园区的软件、动漫游戏、电子商务、移动增值服务等成为服务业发展的主导领域，涌现出用友、联众、当当网、空中网等一大批知名的创新型服务业企业，有力地推动园区产业结构的优化和综合竞争力的提升。仅中关村创意产业先导基地就聚集了新浪、百度、腾讯等百余家创意企业，2006年基地文化创意产业产值超过了40亿元。

（四）总部经济提升北京在区域经济中的地位

在总部经济模式下，企业总部通过指挥其在各地的工厂、办事处、子公司以及其他相关机构，进行资金、生产、贸易、人才和信息的集中运作与管理，并通过产业价值链、空间价值链和市场链不断强化和扩展企业的发展空间。总部集群的形成能够强化一个城市和地区对相关产业和区域发展的影响力和控制力。北京聚集了大量的跨国公司地区总部、研发中心和国内大企业总部，并形成特色总部经济聚集区，这不仅提升了北京的城市服务品牌和现代化、国际化形象，提高了城市知名度和美誉度，而且增强了北京对周边区域的控制力和辐射力，提升了北京在区域经济发展中的地位。

第一，外埠企业总部的迁入，增强了北京总部经济的规模和实力。近年来，先后有经纬纺机、远大空调、蓝星集团、建龙钢铁，以及海尔电脑总部、宁夏红营销总部等众多国内企业特别是民营企业将总部迁到北京，成为北京总部经济发展的一支重要力量。这些从其他省市和地区迁入北京的大型企业总部，不仅使企业自身的实力和竞争力得到提升，而且还增强了北京总部经济的发展规模和实力。例如，"经纬纺机"总部从太原迁到北京后，企业不断壮大，总资产由2000年的36亿元增加到2005年的54亿元；年销售收入从18亿元增加到42亿元。同时为北京带来了一定的经济社会效应，投资4000万元购买总部大楼，投资1亿元建设经纬科技园作为研发基地，还从北京招聘了约300名研发和技术人员，为北京提供了新的就业机会。

第二，北京大型企业在外埠设立生产制造基地，增强了北京的经济控制力和辐射力。随着北京总部经济的发展，越来越多的大型本土企业走出北京甚至走出国门，在国内其他地区和海外设立生产制造基地。如：中科三环通过参股、控股等方式向外扩展，在全国拥有6家控股公司和5家参股公司；联想集团，除在上海、广东建立生产基地外，还在印度、波兰和墨西哥等海外地区建立了制造基地。波兰生产基地及配送中心，主要向欧洲、中东及非洲的客户提供产品组装和配置、分发和物流服务，波兰新厂投产后，联想在波兰雇佣的员工将达到1000人[①]。

北京具有独特的首都资源优势，拥有丰富的人才、信息、技术等战略资源，具有吸引企业总部、发展总部经济的得天独厚的条件。目前，北京总部经济发展已初具规模，吸引了众多跨国公司地区总部、研发中心、国内大企业集团等总部聚集；总部经济集群布局特征明显，在空间布局上，初步形成了商务中心区（CBD）、金融街、中关村科技园区海淀园、丰台总部基地及电子城西区、顺义临空经济区、北京经济技术开发区、东二环交通商务区等几大典型的特色总部聚集区，成为北京总部经济发展的重要空间载体。

（北京市社会科学院经济研究所所长、中国总部经济研究中心主任　赵弘 研究员 供稿）

① 联想集团首次在欧洲建厂，总投资逾2000万美元。

旅游经济研究

旅游经济（Tourism Economy）是指由旅游者的旅游活动引起的，旅游者同旅游企业之间以及旅游企业同相关企业之间的经济联系。旅游企业为旅游者提供相应吃、住、行、游、购、娱乐等服务，而旅游者给付一定报酬，从而形成了旅游者与旅游企业之间的经济联系。旅游企业为安排好旅游者的旅游活动，需要同有关其他企业或部门发生经济联系。这些经济联系便构成了旅游经济的内容，它是国民经济运行的一部分。

旅游经济是以旅游活动为前提，以商品经济为基础，依托现代科学技术，反映旅游活动过程中，旅游者和旅游经营者之间，按照各种利益而发生经济交往所表现出来的各种经济活动和经济关系的总和。

一、旅游经济的特点

1. 逐步宽松的经济条件

随着近几年的经济改革和发展，国家和地方的财政收入有了较大的增长，人民收入也在不断提高，因此一方面可以有更多的资金用于发展旅游业所需的资金投入，另一方面居民的旅游消费支出也有很大的增长潜力，这些良好的市场条件为今后几年中国的旅游业提供了较为宽松的发展空间。

2. 趋于成熟的旅游经济政策

国家近几年大力支持和推动旅游业的发展，各地政府也积极维护和推进旅游产业的发展。大西部开发战略，更以生态建设和环境保护为根本点和切入点。重视生态环境保护的方针政策同时也为旅游经济发展提供了政策性的指导方向。

3. 加快旅游生态环境建设的步伐

这几年，国家把生态环境建设、结构调整和资源开发结合起来，不断加强对自然生态环境的建设和保护，制定了《全国生态环境建设规划》，并要求各级地方政府，明确建设目标、任务和重点，全面实施天然林资源保护工程，精心组织生态环境的综合治理，实施退耕还林等工程。坚持生态环境建设与水利、水电资源开发相结合，与发展林业、畜牧业相结合，与旅游资源开发相结合的原则，从根本上保证了旅游业的发展。

4. 大力发展地方旅游经济

以深圳为代表的国内旅游经济产业，在短短的几年时间迅猛发展。具有原创风格的世界文化主体公园、世界之窗等优秀旅游景点，为国内旅游业发展起了创新和带头作用。每年接待大批国内外游客，为该地区的经济发展起了相当大的促进作用，也使人们看到旅游经济在拉动内需、促进经济发展过程中所起的重要作用。沿海经济发达地带，无一不是旅游业发达地带。海南、深圳、珠海、东莞、上海、大连、青岛等著名旅游地区，积极维护和培育旅游经济的发展。尤其是大连在近几年声名日盛，被誉为“北方的香港”。

5. 走向全国的旅游市场

近几年国家将继续加快发展旅游产业，完善旅游市场法制建设，依法治理和规范旅游市场秩序。在加强生态环境保护和建设的基础上，大力发展基础设施建设，加强对航空业的投入和标准化管理工作；对铁路系统进行提速和电气化改造，并在西部地区增加了许多支线；高速公路的建设也加快了步伐。与此同时，大力整顿旅游公司及中介机构，以提高服务质量，保护消费者权益。这些措施对于开发旅游资源，促进全国旅游市场的健康发展具有重要的意义。

二、国内旅游经济的投资方向

1. 基础设施

中国的基础设施与发达国家相比相差太远，无论是硬件设施，还是软件服务方面都应加大投资力度。必须继续在交通运输、城市规划建设、改善卫生条件、信息服务设施等方面上一台阶才行。

2. 生态环境建设和维护

可持续发展是旅游经济发展的重中之重，中国在生态环境建设和保护方面，需要大量的投资。中国正急需解决的生态问题有如下几点：

（1）森林面积。由于过度的滥砍滥伐，中国的森林面积每年以5000km²的速度减少，森林覆盖面积仅为14%，远远低于世界平均的25%的水平。

（2）草原面积。目前中国草原的1/3由于过度放牧，只放牧不养草，许多草原被毁于一旦，联合国开发计划署警告称，再不采取紧急措施，到明年中国草原的沙化率将上升30%，势必严重破坏在西部地区的部分自然景观和人文古迹。

（3）珍稀动植物保护。由于人口的增长，不断侵占动物栖息地，在国际上登记的630种濒临灭绝的珍稀动物中，中国有56种。

（4）垃圾处理。目前中国各旅游城市及景区的垃圾处理尚未有一完善的处理方法和流程，每到旅游旺季，人多之时，漫山遍野，人过之处，垃圾成堆，有待制定措施采用法律形式加以规范。

（5）大气污染。许多城市的空气污染严重到令人害怕的程度。例如北京，这座具有悠久历史的古城，前不久据BBC报道的消息称：由于严重的污染，北京很难看到蓝天。许多外国游客一提到北京的环境问题，都为之可惜。又如山西的著名旅游景点，从市区到景点的途中，一路烟雾腾腾，日本游客不得不戴着口罩坐在封闭的旅游车里，怨声四起。

3. 旅游经济的服务意识

服务意识的培养，关系到一个地区旅游市场的兴旺发达，沿海旅游城市无不将此视为重要环节。中国旅游经济发展的薄弱环节之一就是缺乏服务意识，游客所到之处，常常被欺骗和挨宰，导致游客也不爱护当地的风景和设施，乱扔垃圾，乱割乱划，破坏设施，形成恶性循环。优良的服务意识和水平是保持和维护旅游市场健康发展的源泉。

4. 古建筑遗迹的保护

中国在推行城市化建设的进程中，应小心谨慎地保护古代文明遗址与周边生态环境，不可因城市建设而损坏和毁灭古代建筑及遗迹。当地政府要切实采取措施使城市建设与文物古迹的保护协调一致。

5. 咨询和中介业

随着旅游市场的发展，咨询业和中介业将大力发展。同时，完善的咨询和中介业有赖于当地政府的培育和规范管理，唯此方能确保游客在当地的旅游过程中，得到详尽和正确的信息服务，从而加大对游客的吸引力。

三、中国旅游经济的调整重点

旅游经济发展应以提高服务质量和水平为中心。在现阶段中国经济发展和生活水平有所提高后，旅游市场服务质量和水平必须相应提高，才能实现旅游业的较快增长，而这种提高不是很容易实现的，往往需要对旅游市场中的各个环节加以规范和管理。在旅游市场的培育和建设方面，要以提高服务质量和水平为中心，注重服务意识和服务效率的提高。具体应注意以下几点：

首先，把重点放在提高服务质量上。服务质量的提高主要表现在自然环境和人文环境方面的均衡提高。在投入有限的情况下，充分利用已有的资源，通过服务质量的提高，来获取最大的经济效益，保持旅游经济的可持续发展。

其次，注重提高旅游市场发展的水平。长期以来，中国由于经济落后和生活水平较低，基础设施较差，旅游环境和旅游市场的整体服务水平一直处于一种脏乱差的状况，对旅游经济的发展极为不利。如果各地的服务水平总是如此，旅游经济的发展将很难提高。目前中国的各地旅游市场环境状况不佳，并存在乱投资、低水平模仿建设、制造人文景点的现象（例如北京的世界公园）。只有在创新和管理上有较大提高，才能保证旅游经济的适当发展。

四、旅游经济的作用

1. 增加国家外汇收入，平衡收支

随着国际政治、经济、文化交流发展，作为国家支付手段的外汇，其作用日益显著。作为外汇收入的旅游业在国家创汇，平衡国际收支方面起到了重要作用，这已经为各国实践所证明，为人们所认识。人口3900万，面积50平方公里的西班牙，是世界第一个旅游大国，被称为“旅游王国”。它充分利用其得天独厚的自然环境；阳光、海水、沙滩的优势以及一流的服务吸引来自世界各地的游客。1972年至1977年，该国旅游收入平均占全部出口收入的26%，其中1975年，西班牙进出口贸易逆差达78亿美元，而旅游收入31亿美元，补偿了40%贸易逆差。旅游业发达的瑞士也是如此。

2. 回笼货币，积累资金

旅游收入的另一重要部分是国内旅游收入。国内旅游收入对于国家回笼货币，积累资金起着积极的作用。据统计，我国在群众手里的结余资金超过2万亿元人民币，而且每年以30%左右幅度增长。如何引导消费，更有效地回笼货币，渠道很多，而旅游就是一个新的渠道。随着人们物质生活水平的提高，闲暇时间的增多，人们对精神的需求和消费日益迫切。

事实上，我国国内旅游业已经出现了迅猛发展的势头，其经济作用也日益显著。据统计，1985年，我国国内旅游人数约2.4亿人次，总收入80亿元，到1994年，国内旅游点人数上升到5.24亿人次，总消费为1023.5亿元人民币。

3. 带动相关行业促进地区经济发展

据法国旅游业协会主席菲利普·邦贝尔热分析：“43%的旅馆、咖啡店和饭店的收益同旅游直接有关；航空运输收益的42%同旅游有关，铁路运输收益的23%、汽车的12%、农业的8%、建筑业的6%同旅游业有关。”

旅游业是一个综合性很强的产业，吃、住、行、游、购、娱是旅游的六大要素。要有吃、有住、进得来，出得去，有物可购，有处去乐。因此，旅游的发展，必然不断带动与这要素直接相关的饮食、建筑、交通、邮电通信、园林、商业、轻纺、保险等行业的发展。

据澳大利亚官方统计，旅游业涉及29个经济部门中的108个行业。仅以建筑业为例，十多年前，住店难在我国许多城市是普遍现象，那时人们在外有个地方住就算不错，有的甚至在车站过夜。但短短十几年，到1998年底我国已有各类旅店21万家，涉外饭店约4000家，星级饭店2000多家，其中五星级45家，四星级117家，三星级近1000多家，二星级和一星级1000多家。游客住的地方数量多，档次全，再已不是原来的情景了。期间建筑业获得的发展可以想象。

美国夏威夷的瓦胡岛，开发前是一片荒凉的海滩，五十年代成为旅游区后，建成的旅游、商业街，密布小岛。目前，该岛已成为年接待世界旅游者约400万人次的世界著名旅游区。建筑业的发展，又带动与之相配套的水、电、煤气、暖气、通信等行业，饭店内的装饰、家具、餐饮、卫生用品等，工业及所需的农产品的生产自然也相应地发展起来，其连锁效应是巨大的。

游客每到一地总要买些纪念品、土特产等带回去。即旅游要素中的“购”，旅游对商品的需求带动了工艺品、纪念品及有民族特色的产品的生产与开发。据测算一位旅客在异国旅行购物所花费用一般约占全部旅费的1/2。旅游业的发展对相关产业的带动作用可用一句话来概括，即“一业兴百业旺”。

4. 增加就业机会

由于旅游业促进了许多行业的发展，使整个社会就业机会增多。旅游业是一种综合性的行业，它不但能直接向社会提供就业机会，而且能间接地为社会提供就业机会。按国际的习惯测算，旅游业直接就业与间接就业的人员比例大约为1：5。每增加旅游业的一间客房，可以直接提供0.75的就业机会，并间接地为2.5人在有关部门（饭店、商业、交通业）提供就业机会。目前，我市直接从事旅游业工作的人数已达3万之多，间接的达20万，占全市总人口的五分之一。

5. 旅游经济的扶贫功能

旅游业是见效快、永久性的扶贫开发项目。从国际国内旅游业的发展过程可以看出，旅游业发展的速度，远远快于各种产业发展的速度。旅游是第二次世界大战以后才成为一个产业的，在不到半个世纪的时间里，就迅速发展成世界第一大产业。这种发展速度，是任何一个产业都难以比拟的。邻近我们国家的新加坡和泰国，经过不到20年的苦心经营，就发展成为亚洲的旅游强国，成为世界著名的旅游胜地。我国少数民族地区的许多旅游点，也是在很短的时间内热起来的。如云南的西双版纳和德宏，四川的九寨沟，湖南的张家界，贵州的龙宫，从开发、宣传到变成热点，都只有几年的时间。广西的北海更快，仅两、三年就热起来了，1992年游客已达150万人。较小的旅游点如龙胜的一个温泉，一片梯田；融水的一段贝江，开发一、两年就分别引来了十余万游客。由于人们旅游欲望的强烈，信息传递的现代化和交通工具的发达，所开发的旅游区只要有独特的景观和丰富的内容，能满足人们要求，并把宣传工作做到五洲四海，千家万户，就可以在较短的时间内大见成效，并且变成永久性的财源。因此，旅游业是短、平、快，永久性的扶贫开发项目。

五、中国旅游经济发展前景

随着社会的发展，旅游业已成为全球经济中发展势头最强劲和规模最大的产业之一。旅游业在城市经济发展中的产业地位、经济作用逐步增强，旅游业对城市经济的拉动性、社会就业的带动力以及对文化与环境的促进作用日益显现。旅游业是中国经济发展的支柱性产业之一。

作为国民经济的新兴行业，中国旅游业在发展初期就明确了开发建设的基本方针。一方面坚持对外开放，广泛吸引海内外各界资金；另一方面，充分利用社会资源，鼓励国家、集体、个人投资建设旅游项目。这种开放的投资方针推动了中国旅游投资市场的活跃和旅游接待能力的提高，为旅游业的繁荣发展创造了条件。尽管中国旅游业的发展仍存在诸多问题和障碍，特别是旅游业管理体制和投资机制的市场化程度较低，但总体上看，中国旅游业的投资环境呈不断优化的趋势。

2009年旅游经济运行报告

说明：国家旅游局季度旅游经济分析会议制度，建立于2009年第二季度，相关数据库建设还在不断完善过程中，其中企业经营和区域旅游经济运行数据还有待进一步充实。该报告是根据现有数据资料进行整理分析并首次发布。

日前，国家旅游局召开四季度旅游经济分析会，依据公安部出入境管理局提供的入出境统计数据、国家旅游局与国家统计局城市司和农村司联合开展的城镇居民和农村居民国内旅游抽样调查资料、国家旅游局各司室调查研究资料和中国旅游研究院的旅游经济分析报告，对2009年全年旅游经济运行情况进行了分析。主要情况如下：

一、旅游业总体发展情况

2009年，我国旅游业总体保持较快增长，旅游总收入实现较大幅度增长。预计全年旅游总收入约为1.26万亿元，比上年增长9%。其中，国内旅游市场持续快速增长，入境旅游市场逐步恢复，出境旅游市场平稳发展。同时，旅游投资规模大幅增长，企业经营业绩开始回升，旅游产业对经济社会带动作用进一步加强。

二、旅游业发展环境

全球国际旅游随经济复苏开始景气回升，国内经济稳定增长奠定了国内旅游快速增长的基础。

持续受金融危机影响，预计2009年全球经济将下降2.2%。联合国世界旅游组织公布，随着经济复苏的迹象日渐明显，全球入境旅游景气指数开始攀升，第四季度达到92%，比第一季度提高35个点。世界旅游组织对全年全球入境旅游者人数的最新预测也从年初的下降8.4%调整为下跌5%左右。

在党中央、国务院的正确领导下，我国全面实施并不断丰富完善应对国际金融危机冲击的一揽子计划，经济回升向好趋势不断巩固，经济社会发展取得显著成效。预计2009年我国GDP增速将超过8%。国内经济稳定增长，支撑了我国旅游业的较快发展。大众化国内旅游市场成为我国旅游业发展的坚实基础，一直保持蓬勃发展的势头。

三、三大市场“两升一降”，国内旅游市场持续快速增长

1. 国内旅游市场

根据国家旅游局和国家统计局城市司与农村司联合开展的城镇居民和农村居民季度国内旅游抽样调查资料，2009年前三季度，国内旅游人数为14.3亿人次，比上年同期增长9.4%；国内旅游收入7673亿元，增长15.4%。据此预测，全年国内旅游人数约为19亿人次，比上年同期增长11%；国内旅游收入有望突破1万亿元，增幅超过15%。

2009年，城镇居民出游率大幅攀升，前三季度出游率分别为56.8%、50.6%和49.9%，比上年同期的42.2%、39.4%和41.3%分别高出14.6、11.2和8.6个百分点；过夜游人均花费分别为1445元、1539元和1677元，低于上年同期的1642元、1651元和1690元；一日游人均花费分别为306元、279元和283元，第一、二季度与上年同期基本持平，第三季度小幅上扬，增幅为9.5%。

农村居民出游率整体稳定，前三季度出游率分别为35.8%、25.6%和24.6%，与上年同期基本持平；人均花费分别为311元、275元和287元，比上年同期分别增长16.2%、2.2%和7.8%。

2. 入境旅游市场

根据公安部出入境管理局提供的入境统计数据，以及2009年在全国31个省（自治区、直辖市）开展的入境游客花费抽样调查资料，2009年1月至11月，我国入境旅游人数为1.15亿人次，同比下降3%；入境过夜人数4645万人次，下降4.8%；旅游外汇收入362.3亿美元，下降3.9%。据此预测，全年入境旅游人数约为1.26亿人次，同比下降3%；其中过夜旅游人数约为5050万人次，下降5%；外汇收入约为390亿美元，下降4.5%。

2009年，入境旅游市场整体处于低位运行状态，除 4月份和8月份分别出现2.2%和3.1%的短暂性增长，其他月份均呈下降态势，最大跌幅出现在3月的-11.3%，最小跌幅为10月的-0.8%。但是从全年态势来看，月度降幅在不断收窄，整体入境旅游市场在逐步恢复。预计全年入境外国游客下降12%左右，香港和澳门游客分别下降1%左右，台湾游客增长约2%。

3. 出境旅游市场

根据公安部出入境管理局提供的出境统计数据，2009年1月至11月，我国公民出境4341万人次，同比增长3.3%。据此预测，全年出境旅游人数约为4750万人次，同比增长3.6%。

2009年，出境旅游市场总体运行平稳，尽管5月至7月连续3个月同比下降，但从第三季度开始加速增长，第四季度增速接近9%，保持了全年出境人数实现一定幅度的增长，增长的总体趋势没有发生改变。

四、旅游产业供给：投资规模大幅增长，产业发展更具活力

根据国家统计局发布的统计数据，2009年1月至11月，全国城镇固定资产投资额同比增长32.1%，其中与旅游业密切相关的住宿和餐饮业增长38.6%，批发零售业增长45.4%，铁路运输业增长80.7%，道路运输业增长48.7%，城市公共交通运输业增长55.0%，水上运输业增长35.5%，均高于全国平均水平。旅游相关产业投资规模的大幅度增长，直接带动了旅游投资的快速增长，各地旅游投资出现了生机勃勃的繁荣景象，为旅游业发展注入了新的活力。

五、企业经营业绩：企业经营业绩开始回升，景区类企业经营状况较好

根据国家统计局发布的统计数据，与旅游密切相关行业经营效益保持较快增长。2009年1月至11月，住宿和餐饮业销售收入同比增长16.9%，批发和零售业零售额增长15.3%，民用航空旅客运输量增长19.6%。

旅游管理部门监测的行业信息显示，景区类企业经营状况好于旅行社和饭店行业。其中，西部地区企业经营状况要好于受金融危机冲击较大的中部地区和东部地区；城市和城市周边景区比长线旅游景区经营形势要好；成熟的顶级景区的经营状况比无资源优势的一般景区要好。

旅行社方面，由于入境旅游业务锐减，纯粹的入境游地接社和以入境旅游业务为主的小型旅行社，因产品结构单一，抗风险能力较弱，经营最为困难，而随着对台旅游的兴起，具有台湾游组团社资质的旅行社经营情况普遍较好。

饭店方面，受金融危机影响，以商务客人为主的饭店受到的冲击大于以休闲度假团队客人为主的饭店；以入境客源市场为主的饭店受到的冲击大于以国内客源市场为主的饭店；外资饭店受到的冲击普遍大于内资饭店。

附1　2009年外国人入境旅游市场情况

2009年，外国人入境市场整体呈低迷态势，第一季度降幅明显，除俄罗斯、韩国和蒙古外，日本、美国、马来西亚、新加坡、菲律宾、澳大利亚、加拿大、英国、泰国、德国、印尼、印度和法国等主要客源市场今年最大同比跌幅出现在1月至3月。进入下半年后，外国人入境市场总体逐月回升，降幅逐步收窄。7月份以后，部分主要客源市场实现连续四个月单月正增长，U字形甚至V字形轨迹较为明显。

预计全年外国人入境市场降幅在12%左右。16个主要客源市场中，俄罗斯、韩国、蒙古下降幅度将达到两位数，其中，俄罗斯下降超过40%，韩国下降20%左右；印尼、加拿大和马来西亚有望实现正增长；新加坡、印度有望持平；其余主要客源市场降幅收窄至5%左右。

主要客源市场情况：

日本市场进入7月份以来恢复较快，增幅较大，整体复苏态势较为明显。从10月起，入境总人数超过韩国，重新成为第一大客源市场。预计全年入境人数约为330万人次，同比降幅在4%左右。

韩国市场降幅为20%左右。11月同比降幅收窄为0.7%,未来走势有待观察。

俄罗斯市场在经历自2008年11月以来的连续下挫后，自2009年第二季度开始，出现稳定复苏的趋势。4月至8月份，连续四个月保持环比增长，但同比降幅仍超过40%。

美国市场前三季度同比下降6.4%，11月同比增长4.0%。12月，受美国经济复苏乏力及圣诞假期等的影响，入境人数不会有明显增加。预计全年入境人数约为170万人次，同比降幅在5%左右。

马来西亚、新加坡、菲律宾、泰国和印尼市场上半年较去年都有不同程度的下滑，9月份以后明显恢复。预计上述五国全年入境人数与2008年基本持平。

澳大利亚、加拿大等市场7月份以来连续四个单月实现增长，市场呈U字形或V字形走势，正逐步走回正常增长的轨道。

英国、德国、法国等市场在经历年初的大幅下滑后，11月已全部实现同比正增长，复苏态势明显。

附2　2009年港、澳、台与内地入出境旅游市场情况

2009年港、澳、台入境旅游市场呈现“一升两降”，即台湾市场小幅上升，港澳市场小幅下降。出境旅游市场呈现“两升一降”，即大陆居民赴台旅游人数大幅增长，内地居民赴港旅游稳定增长，赴澳门旅游人数尽管近期有小幅反弹，但累计仍呈下降态势。

一、港、澳、台入境旅游市场

1．香港：香港同胞出境赴内地的市场变化特点，一是受全球金融危机和甲型流感影响明显，1月至3月、5月至7月呈下降态势；二是假期出游已是香港居民必要的内容，4月复活节、8月暑假、12月圣诞节等来内地增长较好；三是经济的复苏，就业形势见好，令香港同胞来内地的整体跌幅趋势收窄。

预计全年香港同胞入境人数约为7730万人次，比上年下降1.3%。

2．澳门：澳门同胞入境人数呈先扬后抑态势。其市场变化特点，一是在经济不景气时，北上消费明显增加；二是经济好转时，用工紧张，就业充分，收入增加，出游减少。澳门第三季度本地生产总值回升，政府收入增加，博彩旅游收入好于预期，就业形势好转。同时，下半年澳门政治活动较多，特首选举、第四届立法会选举、庆祝回归十周年等大型系列活动，澳门同胞留在当地积极参与，出游减少。

预计全年澳门同胞入境人数约为2270万人次，同比下降1.0%。

3．台湾：2009年，台湾同胞赴内地人数呈震荡上扬态势，进入第四季度后，增速加快。一是两岸关系改善，令更多台湾同胞对大陆经济率先复苏及其未来发展充满信心，商务旅游正日益增多；二是2009年两岸直航点、班次大幅增加，多样、便捷、经济的交通有效降低成本，促使台胞直航大陆市场快速成长；三是海峡两岸双向旅游交流与合作的不断深入，有效调动台湾业界组团赴大陆旅游的积极性。

预计全年台湾同胞入境人数超过445万人次，同比增长1.5%。

二、内地（大陆）居民出境赴港、澳、台旅游

1．内地居民赴香港：2009年针对香港的“个人游”政策落实到位和CEPA补充协议六的签署，是内地居民赴港旅游人数总体稳步上升的主要因素，其间虽然有甲型流感疫情对内地赴港旅游影响较大，但在深圳实施非户籍居民赴港“个人游”、深圳居民可签注一年多次往返香港“个人游”证件等利好因素带动下，全年内地赴港旅游人数呈稳定增长态势。

预计全年内地居民赴港旅游人数将超过1750万人次，同比增长3.8%，“个人游”旅客升幅预计超过8%。

2．内地居民赴澳门：受全球金融危机和甲型流感的影响，同时，内地自2008年下半年实施赴澳“个人游”新签注政策，内地居民赴澳旅游人数大幅度下滑。

预计全年内地居民赴澳旅游人次数将超过1090万人次，同比下降6%。

3．大陆居民赴台旅游：据台湾方面统计， 2009年大陆居民赴台旅游60.6万人次（不包括因公考察交流团人数），实现年初60万人次的发展目标，但各月变化幅度较大。3、4月份井喷式增长、5、6月份受甲型流感影响跌至低谷、7月份开始反弹、8月份受“8.8水灾”影响再次下滑，11月开始全面复苏。随着赴台旅游交通的多样便捷以及两岸交流的不断深入，大陆居民赴台旅游人数迅猛增长的态势仍将延续。

2009年中国旅游业回顾

2009年是我国旅游业经受严峻考验和挑战的一年；是党中央、国务院和各级政府对旅游业发展高度重视，旅游产业地位和发展环境明显提升的一年；是全国旅游行业化挑战为机遇，迈向历史新起点的一年。面对一系列自然灾害、突发事件接踵而至的不利影响，面对国际金融危机、甲型流感疫情持续蔓延的巨大冲击，面对国内消费信心不足、国际需求急速下滑的复杂局面，面对旅游企业经营困难加剧、旅游经济运行压力加大的严峻形势，在金融危机的背景下，中国旅游业总体上保持了平稳较快增长。

据国家旅游局公布数字，2009年我国旅游业总体保持了平稳较快增长。全年国内旅游人数达19.02亿人次，增长11.1%；国内旅游收入1.02万亿元，增长16.4%；入境旅游人数1.26亿人次，下降2.7%；入境过夜旅游人数5088万人次，下降4.1%；旅游外汇收入397亿美元，下降2.9%；出境旅游人数4766万人次，增长4.0%；旅游总收入1.29万亿元，增长11.3%。

一、2009年中国旅游产业整体情况

（一）成功应对危机，旅游业保持平稳较快增长

1. 及时调整工作重心，促进国内旅游较快增长

面对金融危机背景下国际市场需求萎缩，全行业及时把工作重点由入境旅游调整到国内旅游上，变入境旅游——国内旅游——出境旅游为国内旅游——入境旅游——出境旅游。各地明显加大了旅游宣传促销力度，激发居民旅游消费热情。国家旅游局在186个城市开展了“全国百城旅游宣传周”活动，增强了居民旅游消费信心。大力培育各类旅游消费热点，促进了城乡居民旅游消费潜力的释放。以杭州为首，各地旅游行业管理部门充分运用价格杠杆，通过发放旅游消费券、价格优惠打折等方式，有效拉动了居民旅游消费。

2. 及时出台政策措施，为旅游企业减轻负担

全国旅游系统共退还旅行社质量保证金23亿元，推动落实宾馆饭店与一般工业企业享受水电气同价政策，努力减轻企业经营负担。推动金融系统加大对旅游企业信贷支持，采取加强培训、鼓励弹性就业、岗位补贴等方式，稳定困难企业职工队伍。

3. 及时调整国际市场开发战略，遏制入境旅游急速下滑

充分利用各种大型国际活动平台，充分发挥“奥运后”旅游效应，全力推广世博旅游；成功举办中国国际旅游交易会。采取“走出去”和“引进来”相结合的方式，积极开展多种形式的国际旅游宣传推广活动，全年共参加21个重要国际旅展，开展10次海外大型推广活动，组织邀请50批次海外旅游记者和旅行商来华采访考察，为危机过后入境旅游恢复发展创造有利条件。

（二）抓住历史机遇，旅游业发展环境明显优化

1. 党中央、国务院高度重视旅游业发展

一年中，胡锦涛总书记、温家宝总理等中央领导多次考察旅游工作，对旅游业发展做出了一系列重要指示。春节期间胡锦涛总书记专门考察井冈山旅游业发展，“十一”期间又考察北京旅游景区，在中央经济工作会议上，强调要增加休闲旅游等消费，引导消费结构升级。温家宝总理4月18日在海南就加快发展旅游业发表了重要讲话，全面、系统阐述了发展旅游业对保增长、扩内需、调结构、促就业等方面的重要作用；11月25日，主持召开国务院常务会议审议通过《国务院关于加快发展旅游业的意见》。王岐山副总理先后10次考察旅游工作，亲自主持《意见》制定，3次系统听取旅游工作汇报，对旅游业发展作出重要指示。

2. 旅游业发展纳入国家战略体系

2009年12月1日，国务院正式下发的《国务院关于加快发展旅游业的意见》，确立了把旅游业培育成为国民经济的战略性支柱产业和人民群众更加满意的现代服务业的战略定位，提出了新时期旅游业发展的基本原则、发展目标、主要任务和支持政策。《意见》的出台，标志着旅游业进入了国家战略体系，预示着中国旅游业将迎来新一轮发展高潮。去年，国务院还出台了《关于推进海南国际旅游岛建设发展的若干意见》，在国务院下发的推进广西等省区市经济社会发展的一系列文件中，都把旅游业发展摆上重要位置，提出了明确要求。

3. 地方政府推动旅游业发展的力度明显加大

随着旅游业的发展和战略性支柱产业地位的确立，各级党委政府对旅游业发展更加重视。北京充分发挥奥运旅游效应，推动奥运后旅游业快速发展；上海紧抓世博契机，着力打造国际一流旅游目的地城市；广东积极推动国民休闲旅游；四川在灾后重建中加快发展旅游业，全省旅游业总体已恢复到地震前水平；西藏采取多种措施使旅游人数和收入都恢复到了“3·14”之前的水平。山东、河南省委省政府出台了促进旅游业发展的意见。北京、浙江、江西、河南、湖北、湖南、云南、青海、贵州、陕西、宁夏等省区市召开了旅游产业发展大会，并出台了相关的指导性文件。

（三）乘势而上，基础性工作获得突破性进展

1. 旅游法规建设快速推进

全行业企盼多年的《旅游法》制定工作已列入全国人大立法程序，起草工作正式启动。全行业大力宣传贯彻新的《旅行社条例》，促进旅游市场规范有序发展。上海出台了《旅馆业管理办法》，江西出台了《旅游条例》，成都颁布了《旅游业促进条例》。

2. 旅游标准化得到加强

一度停滞不前的旅游标准化工作重新启动。国家旅游局制定了《全国旅游标准化发展规划》和《全国旅游标准化工作管理办法》，组织制定、修订了21项国家标准和行业标准。北京市在全国率先编制了《北京市旅游标准化规划》，出台了乡村旅游八大新业态标准，云南、山东等地也以各种形式大力推进旅游标准化建设。

3. 区域旅游发展规划编制完成

进一步加强对重点省区市旅游业发展的分类指导，全年与11个省区市政府签订了推动旅游业发展的合作协议。国家旅游局明显加强了规划引导，编制完成了中部地区、北部湾、丝绸之路、海峡西岸、东北老工业基地、环渤海、大运河等区域旅游规划，引导旅游业科学发展。

（四）旅游产业建设有新突破

1. 乡村旅游取得了新进展

国家旅游局召开了历史上第一次全国乡村旅游发展工作会议，制定了《全国乡村旅游发展纲要》和《乡村旅游服务指南》，推进乡村旅游蓬勃发展。国家旅游局和建设部联合开展了“全国特色景观旅游名镇（村）评选”工作。这项工作，在工作机制、工作内容、服务对象等诸多方面做出了有益探索和尝试，将对全国乡村旅游业的发展和深化起到重大推动作用。

2. 产业创新举措不断

国家旅游局和文化部首次联合下发了《关于促进文化与旅游结合发展的指导意见》，对旅游与文化的结合，对文化旅游产品的建设做出了详细的规定和要求；与环保部共同推进生态旅游标准实施；成立了中国旅游协会温泉分会、休闲农业与乡村旅游分会、休闲度假分会。广东、云南、海南及部分城市和地区推动旅游综合改革或专项改革试点取得新进展。首届中国旅游产业节和中国国际旅游商品博览会的举办，推动了旅游装备制造业和旅游商品发展。

3. 旅游产业融合发展不断深化

红色旅游与绿色旅游紧密结合，实现了快速发展。全年红色旅游接待人数3.53亿人次，增长29.8%；红色旅游综合收入1385亿元，增长11.8%。旅游业与农业、旅游业与工业、旅游业与现代服务业、旅游业与文化创意产业的融合领域不断拓展、深度不断加大。经济建设、社会建设、生态建设为旅游业提供了全新的资源，在此基础上诞生了许多全新的旅游业态。

（五）旅游学术研究工作开辟了新领域，取得了新成果

中国旅游研究院，作为旅游学术研究的“国家队”，该院初步建立了旅游经济运行分析制度和预警机制，开展了城市游客满意度调查。

中国城市经济学会在2006年全国第一次城市旅游竞争力评价研究基础上，于2009年启动了第二次全国范围的城市旅游竞争力评价研究，将全国287个地级市全部纳入到此次评价研究范围。研究成果于2009年3月在钓鱼台国宾馆举行的“第二届中国旅游竞争力年会”，向社会进行了公布，引起了行业的广泛关注。

二、由2009年中国旅游产业运行特点引发的思考

（一）旅游业要由“靠天吃饭”向“看天吃饭”转变

旅游业是对大自然和人类社会高度依赖的产业，对自然环境和社会政治的变化极为敏感。在安然度过2009年的金融危机等社会危机后，今后旅游业发展中各种不确定和不可预见因素仍将存在，旅游与危机同行将成为常态，需要密切跟踪形势变化，早预见、早准备、早行动，提高全行业应对危机和突发事件的能力。

（二）旅游业的可持续发展首先要立足于国内旅游

旅游业已经和正在成为中国人民的日常消费之一。中国国情决定了中国旅游市场不仅是世界上规模最大的旅游消费市场，也是发展最为迅速、结构最为多元化的旅游消费市场。在相当长的一段时间内，大众观光旅游仍将是中国旅游市场的主流。但是与此同时，乡村旅游、文化旅游、休闲度假旅游等新兴市场快速发展，蕴藏着巨大商机。

（三）“快交通”将带给中国旅游业革命性的变化

与旅游业发展紧密相关的高速公路、高速铁路建设，从2009年开始进入了一个前所未有的高潮期，中国将成为世界上高速铁路运营里程最大的国家。高速铁路、高速公路、支线机场等交通

领域革命性的建设将从根本上改变全国旅游产业空间格局，催生消费者全新的旅游消费习惯，给旅游企业的运营带来全新的机遇和挑战。“快旅慢游”时代即将来临，传统的旅游目的地将面临“同城化”，偏远地区将与客源地“无缝对接”，行政区划对旅游资源的割裂将为区域功能的一体化而消泯。

（四）信息化已成为旅游竞争力的重要指标

世界旅游组织商务理事会（WTOBC）预计，今后几年间世界主要旅游客源地约四分之一的旅游产品订购都将通过互联网进行。我国机票网上预订从2008年开始快速发展，2008年机票市场占7.6%，2009年达到11.1%，但距离北美的56%、欧洲的41%以及亚太地区的20%还有很大差距。

据中国互联网信息中心（CNNIC）第25次《中国互联网络发展状况统计报告》，截至2009年12月，我国旅游预订的使用率为7.9%，用户规模3024万人，年增长77.9%。2009年中国网上旅游预订市场规模为37.4亿元，相比2008年的29.4亿元同比增长27.2 %。以2008年为转折点，网络预订渠道开始快速发展。旅游信息化发展水平，体现了旅游业发展的现代化和国际化程度。中国要想从旅游大国走向旅游强国，旅游信息化的作用至关重要。

（中国城市经济学会休闲旅游专业委员会秘书长　张晓军 供稿）

临空经济研究

一、概念界定

（一）临空经济

国内外学者从不同角度给出了临空经济概念，这在研究综述部分已经介绍，不再赘述。在借鉴吸收国内外研究成果的基础上，笔者认为，临空经济是与经济发展阶段、交通运输方式变革、产业结构演进历史相联系、依托于机场要素流而发展起来的一种新型区域经济形态。传统上，机场的功能只是用作旅客、货物的运输，是航空运输的一个节点，随着社会经济的发展，机场的规模逐渐扩大、客货运量增长、航线网络扩展到全世界，特别是最近二三十年以来，随着信息产业、高新技术产业的发展，采购生产销售国际化加强、柔性化生产方式出现，基于时间的竞争成为市场竞争成败的关键，使更多具有临空指向性企业将其区位选择于机场及其周边，导致机场及其周边集聚效应与扩散效应增强，从而改变了机场周边土地开发利用的模式，改变了机场附近区域的经济结构，机场与周边地区逐渐融合，形成一个临空经济高度集中的区域，最终演化成为具有自我组织能力的区域经济增长极，即临空经济区。因此，笔者给出临空经济概念：临空经济是一个依托航空枢纽要素、具有特定的产业结构和空间形态，与特定经济演进阶段相联系，在经济演进到一定阶段之后，在机场周边地区发展起来的，依靠机场的吸引力和辐射力，促使资本、劳动力、技术、知识、管理等生产要素向机场及其周边聚集，形成由航空运输业、航空运输服务业和具有航空指向性的产业组成的，具有巨大影响力的新型区域经济形态，是技术进步、产业结构演变、交通运输方式变革和社会经济发展的产物。这个概念可以从四个方面来理解，一是机场，临空经济产生的最原始条件是机场的存在，没有机场也就无从谈起临空经济；二是空间，临空经济位于机场及其周边地区，该空间内的资源禀赋、功能定位、规划影响临空经济的发展；三是产业，航空运输业、航空服务业、具有航空指向性的产业等组成主要的临空产业，航空指向性产业包括高新技术产业、现代制造业、现代服务业、现代园艺农业、总部经济等；四是新型性，临空经济是一种新型的区域经济形态。

（二）临空经济区

关于临空经济区概念，国内外学者尚未对其作过明确界定，大多数学者只是对航空城、空港大都市、临空经济区等现象进行表面描述。本文笔者认为，临空经济区是临空经济赖以存在与发展的地理空间，其以机场为中心，沿交通线向外扩张，形成一定的地理区域，临空型产业布局于该区域内。对于该概念也可以从两个方面来理解，一是临空产业的载体，航空运输业、航空服务业、临空指向性产业位于临空经济区内，一系列临空经济活动在该区域内进行；二是空间地理，其包含以机场为核心、机场周边区域为外围的大片地区。

二、临空经济特征

（一）临空指向性特征

临空指向性是临空经济的显著特征。进入21世纪，产业高端化趋势明显，高新技术与信息技术得到前所未有的发展，其在产业领域的应用导致了电子信息、计算机硬件与软件、核心电子芯片、精密仪器、生物工程等新兴产业迅猛兴起，这些产业的产品具有科技含量高、重量轻、生命周期短等特征，新产品问世，必须迅速销售送达到消费者，否则产品很快贬值，因此，时间对于这类产业来说十分重要，时间成为竞争成败的重要因素，速者生存是高新技术产业在21世纪的显著特征，这时，企业改变了区位选择方式，由传统的运费指向、市场指向、成本指向转变为时间价值指向，为了获得由时间价值带来的收益，高新技术企业向机场及机场附近聚集，以便利用航空运输的便捷性，从而形成了临空经济。这种产业向临空经济区聚集的特性就是临空指向性，故临空经济具有显著的临空指向性。

一个产业是否具有明显的临空指向性由许多因素决定，张军扩等①认为，主要取决于三个因素，第一是便捷的航线连接性，临空经济的产业发展需要利用航空枢纽丰富的航线资源和方便达到多个目的地的优势；第二是运输的快速性和时效性，临空经济产业的从业人员和货物运输对于时间要求高，需要利用航空运输的快速性优势；第三是所运输产品的高价值性，由于航空运输的高成本，临空经济产业提供的产品和服务的单位体积或者单位重量必须具有高价值。

可以用函数形式来表征临空指向性，即$y=f(t,p,v)$，进一步可以把该隐函数显性化为$y=a\frac{p}{tv}$，式中y表示产业的临空指向性，a表示系数，对于给定的产业，该系数是常数，p表示单位产品或者单位服务的价格，t表示产品或服务送达消费者或销售终端的时间，v表示单位产品或服务所占用的飞机舱位数。由临空指向性显函数可知，当v和t越小，p越大时，y就越大，表示临空指向性越强，该产业对航空枢纽的依赖程度越高，向机场及其周围聚集的愿望越强。

以高新技术应用为特征的现代制造业、现代服务业、现代园艺产业具有显著的临空指向性。特别是以电子信息、计算机硬件、精密仪器、核心芯片制造为代表的现代制造业，临空指向性很强，因为这些产业科技含量高，所占用的体积非常小，通常在一块很小的芯片上面聚集了大量的元器件，这类产品单位体积或单位重量价值非常高，时间价值是该类产品取得市场竞争胜利的关键。在现代社会，信息服务、金融、产品研发设计等现代服务业也越来越具备临空指向性特征。以产品设计服务业来说，其产品是对某一产业产品如何生产所进行的设计，在实物上，表现为设计图纸、或是存储在电脑笔记本中的文档，体积非常小；在价值上，由于其是运用现代信息技术、高新技术与人脑智慧的结果，因而具有很高的价值；在时间上，要求在极短的时间内送达用户，符合速者生存理念，因而现代服务业也是临空指向性很强的产业。现代园艺产业渗透了以高技术为特征的生物工程技术，其产品附加值高，高效、外向、生态、观光是其特征，产品对时间的要求高，例如花卉必须以最快的速度销售完毕，否则就会枯萎，所以该产业也具有临空指向性，趋向于机场及机场附近布局。

（二）产业聚集特征

产业聚集是临空经济的重要特征。临空产业聚集形成离不开机场，机场是临空产业聚集的内

① 张军扩，刘云中，侯永志. 临空经济的内涵及发展中国临空经济的重要性. 中国经济时报，2007年2月6日。

核，机场的直接和间接影响促使产业向临空经济区聚集。（1）机场的直接影响吸引航空核心产业聚集于临空经济区。直接利用机场设施资源和服务资源进行生产、制造活动的产业构成航空核心产业，该产业包括航空运输业、航空服务业与航空制造业。这些产业的生产活动离不开机场，机场已经成为其产业链上的重要物质基础，例如，机场跑道资源是新生产飞机试飞的场所，同时，机场跑道资源也是航空运输过程得以实现而必不可少的服务设施，机场货站是航空物流活动赖以实现的重要设施资源。因此，航空运输业与航空制造业对机场的设施资源和服务资源有很强的依赖性，临空指向性极高，通常需要布局于机场及机场周边。航空服务业是为航空运输业和航空制造业提供服务的产业，该产业存在的目的是保证航空公司和飞机制造企业的正常运营，为其提供配套服务，主要包括航油航材、航空器维修、航空培训、航空食品等类型的服务型产业，其发展依赖于航空运输业和航空制造业的发展状况，如果没有航空运输、航空制造与航班飞行活动，航空服务业也就失去了存在的意义，因此，航空服务业也有较高的临空指向性，具有向临空经济区聚集的内在动力。（2）机场的间接影响导致以高科技产业、现代制造业、现代服务业、旅游业和总部经济为代表的航空关联产业聚集于临空经济区。21世纪，随着信息产业、高新技术产业、现代物流产业的高速发展，经济全球化趋势显现，突出表现就是分工与专业化得以加强，为了充分发挥各地比较优势，降低成本，产业链各个环节在全球不同地方分布，以发挥各地专业化优势，在制造环节，元配件可以在不同地方生产，然后在某地进行组装，分工与专业化深化导致产业链各环节分离，并且在不同的地域分布，这就导致产品的远距离运输成为生产正常进行的必要条件，产品的航空运输需求出现了，为了节约运输成本，在客观上，产业向临空经济区聚集成为可能。高科技产业和现代制造业的产品具有体积小、重量轻、价值量高、生命周期短特征，一种新产品问世，必须在极短的时间内销售送达顾客，否则会很快贬值，因此，对于这些产业来说，速度是其市场竞争成败的关键，因而，客观上这些产业选择了航空运输，产业向临空经济区聚集成为必然。（3）航空核心产业与航空关联产业在临空经济区的聚集吸引航空引致产业也向临空经济区聚集。航空核心产业和航空关联产业在临空经济区聚集引发了大量的人流、客流和货流，这些产业的从业人员和机场的旅客、员工对居住、教育、娱乐、购物、生活消费产生了需求，为了满足这些需求，导致住宿餐饮、休闲娱乐、教育科研等航空引致产业也在临空经济区聚集。

产业在空间中的聚集能够带来外部规模经济①，而这种外部规模经济可以为企业带来三个方面的利益，马歇尔对该利益进行了描述，他认为②：

一是聚集提供了一个专业技术工人共享的劳动力市场。“地方性工业因不断地对技能提供市场而得到很大的利益，雇主们往往会到他们所需要的有专门技能的优良工人的地方去；同时，寻找职业的人，自然到有许多雇主需要像他们那样的技能的地方去，因而技能在那里就有良好的市场。”集聚所形成的专业技术工人劳动力市场，减少工人失业的概率，同时无论在经济形势好或者坏时，都确保企业对技术工人的需求。这种潜在的专业技术工人供需关系又进一步强化了原有的产业集聚。

二是集聚提供专业化生产所需的中间投入品。“在同一种类的生产总量很大的区域里，即使用于这个行业的个别资本不是很大，高价机械的经济使用，有时也能达到很大的程度。因为，辅助

① 外部规模经济指厂商的平均生产成本随着行业生产规模的扩大而降低的情形。
② 马歇尔. 经济学原理[M]，北京：商务印书馆，2005。

工业从事于生产过程中的一个小部门，为许多邻近的工业进行工作，这些辅助工业就能不断地使用具有高度专门性质的机械，虽然这种机械原价也许很高，折旧率也许很大，但也能够本。”也就是说，众多使用中间投入品的企业集聚在一起，才能使生产中间投入品的辅助性工业使用专业化、高成本的机械设备，从而确保这些中间投入品的供应，降低使用中间投入品企业的交易成本。

三是集聚能够产生技术外溢。“行业的秘密不再成为秘密，而似乎公开了，孩子们不知不觉地学到许多秘密。优良的工作受到正确的赏识，机械上以及制造方法和企业的一般组织上的发明和改良成绩，得到迅速的研究，如果一个人有了一种新思想，就为别人所采纳，并与别人的意见结合起来，因此，它就成为更新的思想之源泉。”这种技术外溢性使产业区的企业很容易获得生产所需要的技术，提高其生产效率，并对思想、技术进行不断创新，促使产业区经济持续增长，这反过来又吸引更多的相关产业的企业加入集聚产业区。

正如马歇尔所描述的那样，航空核心产业、航空关联产业和航空引致产业在临空经济区聚集会导致外部规模经济，共享的技术工人劳动市场为企业招聘符合其要求的科技人员降低了搜寻成本，专业化生产所需的中间投入品提供提高了企业的效率，生产技术和知识的外溢提高整个产业的技术水平，所有这一切使临空经济区生产效率得到很大提高，降低了企业的生产成本，使临空经济自我增强机制得到充分发挥。

临空产业聚集形成后，临空经济区对腹地经济的辐射力变强，促进资本、劳动、技术、知识、管理等要素在临空经济区和腹地之间流动，带动腹地经济的快速发展。

（三）空间布局圈层性特征

空间布局圈层性是临空经济的空间特征。在临空经济区内，不同类型的经济单元利用机场的程度不同，这种不同造成了经济单元与机场联系的紧密程度是有区别的。通常，与机场联系紧密度高的经济单元布局于距离机场较近的区域时，能够获得较大的收益，与机场联系紧密度较低的经济单元布局于距离机场较远的区域时，能够获得较大收益。机场附近的土地价值是昂贵的，距离机场越近，土地价值越贵，因此，企业布局于距离机场较近的区域，其承担的成本较大，企业布局于距离机场较远的区域，其承担的成本较小。当企业在临空经济区内选址时，其会根据成本收益的原则进行，自然会造成不同的位置具有不同的净收益，企业当然会选址于其能够获得较大净收益区域，结果形成了机场周边地区呈现为圈层空间布局结构，当然，机场通往市区的交通干道以及联系成本会影响这种圈层空间结构，使圈层空间布局结构呈现不同程度的变形。

《临空经济发展战略研究》课题组认为①，依据国际上机场的空间结构模式，通常临空经济区以机场为核心形成四个圈层区域，即空港区、紧邻空港区、空港相邻地区与空港交通走廊沿线地区、外围辐射区，见图1。

1. 空港区。这一区域范围通常在机场周边1公里之内，是直接服务于机场的经济功能区，包括机场基础设施机构、与空港运营相关的产业。该区域聚集了三种类型的企业：（1）航空服务企业，包括航空客运服务（包括航空旅馆业）、航空货运服务、飞机后勤服务、停车场服务、航空公司的办事机构、餐饮、酒店、休闲娱乐、航空商贸等企业；（2）航空支持性企业，如航空食品、清洁、飞机修理维护、航空材料、航空通信等供应商；（3）航空物流企业，重量轻、体积小、价值高的精密仪器和高档电子产品及零部件、加急航空快件、黄金宝石、鲜活产品、高级冷冻食品、

① 《临空经济发展战略研究》课题组. 临空经济理论与实践探索[M]，中国经济出版社，2006。

花卉、贵重药品、救援性航空运输服务等需要物流企业为其提供物流服务。

2. 紧邻空港区。该区域通常在机场周边1～5公里范围内，这个区域主要是空港商业活动区，满足空港的正常运营与空港就业人员对服务的需求，为空港运营、旅客、航空公司的职员提供相应服务，例如生活服务设施和居住的公寓等。与空港区相比较，紧邻空港区空间范围大、土地价格相对较低、交通体系发达、运输时间短和成本低，因此，紧邻空港区内的产业有如下特点：（1）聚集了航空货运物流、航空制造、高科技、现代制造、研发设计、公司总部或公司地区总部、商贸、休闲和购物等产业，同时部分金融、旅游、会展等现代服务业也在该区域布局；（2）是电子信息、通信、精密仪器、精细化工等现代制造业的首选区位，大约有40%的临空经济现代制造业落在该区域；（3）紧邻空港区的人流、物流和能量流强大，研发机构配套发展，跨国公司、总部经济和商务在此聚集；（4）商业和制造业发展繁荣，增长速度快，吸收劳动力就业能力强，一般是其他地区的3倍左右。

3. 空港相邻区与空港交通走廊沿线地区。该地区通常在机场周边5～10公里范围之内，或在空港交通沿线15分钟车程范围内，通过城市快速路和高速公路与机场相连，是紧邻空港区产业延伸和扩展的区域。该地区的产业类型有：（1）满足空港衍生需求的附属产业，如住宅、大型超市、教育机构、金融机构、航空公司总部等，该产业的发展直接与空港运营水平相关，只有空港发展到一定程度后，附属产业才能够得到充分发展。（2）航空吸引产业，该产业与空港运营没有直接关联，主要是利用航空运输的快速性和航空航线网络全球辐射性，使产品或服务扩展到更大的空间范围，临空经济区内60%的现代制造业、50%的研发机构、部分高新技术产业、部分会展与商贸业、跨国公司总部或区域总部落户于这一地区。

4. 外围辐射区。外围辐射区范围在机场周边10～15公里之内，随着与机场的距离变大，空港对该区域的影响逐渐变小，临空产业的临空指向性逐渐收敛，在空港影响力减为零的边界就是临空经济区的边界，超出这个边界，经济活动不受空港影响，不属于临空经济，在临空经济区边界上，产业临空指向性为零，也即位于该边界上的产业已经不属于临空产业。在该区域，主要聚集了会展中心、商务中心和休闲中心，同时，在这个区域，航空指向性产业和城市郊区化产业逐渐融合。

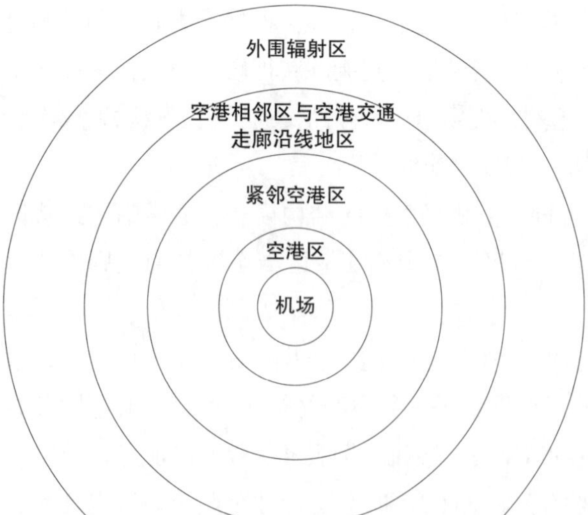

图1　临空经济空间结构示意图

（四）市场速达与空间易达特征

21世纪，科学技术迅速发展，促进了高新技术、电子信息、精密仪器、核心芯片、计算机硬件与软件产业的兴起，这些产业的产品更新速度快，生命周期短，为了取得市场竞争胜利，必须做到对市场反应快速、产品尽快投放市场，速度对企业来说至关重要，以时间为基础的竞争成为行业竞争的规则，“速者生存”是企业生存与发展的法宝。随着网络化、数字化、全球化、航空运输的发展，为“速者生存”规则的适用提供了物质基础，在临空经济区内布局的临空指向性企业，其目的就是为了利用航空运输的快捷性，使其产品能够快速到达市场。所以，临空经济具有市场速达特征。

枢纽机场拥有通往世界各地的航线网络，使得人员或货物通过航空运输到达世界各城市空间变得容易。随着分工与专业化的深化，为了充分利用世界各地的比较优势，寻求成本最小化，产业链各个环节在全球不同地方布局成为常态，在这个过程中，跨国公司往往是产业链各环节在不同区域布局的掌控者，因此，跨国公司将其分公司和子公司开设在具有比较优势的区域，为了适应当今世界高效快速物流的要求，利用航空进行零配件、产品和人员的运输，工厂和公司设在临空经济区成为必然的选择。所以临空经济具有空间易达性。

（五）区域经济增长极特征

临空经济作为一种新型经济形态，其本质上是增长极，具有显著的区域经济增长极特征。

1. 增长极理论

法国经济学家弗朗索瓦·佩鲁[①]（F.Perroux）首先提出了增长极，他从抽象的经济空间开始，认为经济空间存在若干中心、力场、或者极，类似于磁极那样，产生各种作用的向心力和离心力，形成相互联合的一定范围内的“场”，并处于非平衡的极化过程当中。“增长并非同时出现在所有地方，它以不同的强度首先出现在一些增长点或增长极上，然后通过不同的渠道向外扩散，并对整个经济产生不同的最终影响”[②]。经济之所以会如此增长，这是因为经济发展的动力在于技术创新，而创新性主要集中于一些重要的特殊企业或产业，这就是推进型产业或具有创新能力的企业，它们在一些地区或城市集聚并得到优先发展，形成类似磁极的增长极。增长极内的推进型产业的经济增长速度高于国民生产总值的增长速度，是主要的创新源泉，推进型产业具有很强的连锁效应和推动效应，当这种推进型产业增加产出时，能够带动与其关联的产业大幅度增加产出。佩鲁把这种推进型产业称为诱导单元，而受到诱导单元影响的产业就是被推进型单元，佩鲁认为，增长极通过支配效应、连锁效应、乘数效应和分配效应四大效应促进区域经济增长。支配效应就是推进型产业对被推进型产业的支配作用；连锁效应就是推进型产业通过前向、后向连锁关系与被推进型产业形成产业关联，推动区域经济的发展；乘数效应就是推进型产业产出增加后，通过连锁效应影响被推进型产业，导致整个国民生产总值的数倍增加；分配效应指占支配地位的产业通过连锁效应和乘数效应带动其他产业或地区经济发展，实现分配的均衡。佩鲁指出，增长极促进自身发展的同时，通过吸引作用和扩散作用推动其他地区经济发展，这种吸引作用和扩散作用是通过资本的集中和输出、技术的创新和扩散、规模经济和集聚经济效应形成的。佩鲁[③]分析了形成产业支配关系的原因，认为创新能力在产业之间、经济元素之间的差异导致支配关系的形成，指出富于创新的经济元素处于支配地位，而其他经济元素处于受支配地位，处于支配地位的经济元素具有“推动效应”，其创新导致的增长会诱导其他经济元素的增长。推进型产业的推动效应大小与产业关联性正相关，推进型产业与被推进型产业前向、后向、旁侧关联性大，则推动效应就大。缪尔达尔提出增长极的两种效应，一种是回波效应，这种效应促成生产要素由落后地区向发达地区回流，产生使区域之间发展差距进一步扩大的运动，使发达地区成为阻碍周围落后地区发展的不利因素；另一种是扩散效应，该效应促成在一段时间内生产要素由发达地区流向不发达地区，因而形成了缩小区域发展差距的运动

① 佩鲁. 经济空间：理论与应用[J]，《经济学季刊》，总64期，1950。
② 佩鲁. 略论增长极概念[M]，《经济学译丛》，1988 (9)。
③ 佩鲁. 增长极概念[M]，《经济学译丛》，1989。

趋势。赫希曼也提出了类似于缪尔达尔的观点，即增长极的极化效应和涓流效应，极化效应对应于缪尔达尔的回波效应，涓流效应对应于缪尔达尔的扩散效应。赫希曼强调，极化效应和涓流效应同时起作用，但是极化效用起支配作用①。

区域经济增长极可以通过由市场力量自下而上和政府力量诱导培育自上而下两种方式形成，不管是什么原因，只要增长极形成后，具有创新能力的推进型单元（企业、产业或区域）促进自身发展的同时，能够带动被推进型单元发展，进而带动整个区域经济发展，这是通过极化效应和扩散效应达到的。在增长极建立初期，由于推进型产业的快速增长，形成了规模经济，使增长极区域有较高的收入水平和利润率，吸引腹地资本、人才、技术等生产要素向增长极流动，使更多的产业向增长极集聚，形成集聚经济效应，这更进一步吸引腹地生产要素流向增长极。这个阶段极化效应起主导作用，极化效应迅速扩大极点的经济实力和人口规模，形成极点规模经济效应和集聚经济效应，促进增长极的发展，同时，由于腹地资源要素被吸向增长极，会阻碍腹地经济的发展。当发展到一定时期后，扩散效应起主导作用，在学习示范效应、产业关联效应、规模经济弱化和过度集聚不经济作用下，生产要素由增长极流向周围腹地，带动腹地经济发展。

2. 临空经济本质是增长极

临空经济本质上是区域经济增长极，具有显著增长极特征。例如，在临空经济形成期，临空经济中的航空运输业是主导产业，起着推进型单元的作用，航空运输业广阔的市场前景和持续的发展，必然扩大对飞机及其零配件、航空材料、航空油料、航空通信等产品的需求，通过后向关联作用，推动临空经济区内的航空制造业、航空材料业、航空通信业迅速发展；航空运输业产业关联性强，其快速发展能够为现代航空物流业发展创造更好的条件，为现代制造业、高新技术产业、会展业、总部经济、研发设计等生产性服务业提供高效、优质的航空运输服务，通过产业的前向关联作用，推动这些产业发展；航空运输业通过旁侧关联作用，引起临空经济区一系列经济、社会、文化变化，促进临空经济区市场繁荣，推动基础设施建设与其他产业形成和发展。

在临空经济发展初期，极化效应起主要作用，通过产业的关联作用，航空运输业的快速发展推动与其关联产业的发展，形成了外部规模经济，使得临空经济区的收入水平和利润率较腹地和城市高，吸引腹地和城市的资本、人才、技术等要素流向临空经济区，促使更多的临空产业向临空经济区聚集，形成多个产业集群，产生了集聚经济效应，这进一步吸引生产要素流向临空经济区，临空经济在这种自我增强的机制作用下，经济实力得到增强、人口规模得以扩大。当临空经济发展到一定时期，扩散效应起主要作用，在学习示范效应、产业关联效应、规模经济减化效应以及过度集聚产生的拥挤效应作用下，资本、技术、人才由临空经济区流向腹地和城市，带动腹地和城市经济发展。

三、临空经济发展阶段及其特征

生命周期是生物学中的概念，是指有机生命体从出生、成长、成熟、衰老直至死亡的整个生命历程，美国学者Booz等人（1957）将生命周期理论引入市场营销学，认为产品的生命周期可分为投入期、成长期、成熟期和衰退期，随后许多学者进行了产业的生命周期研究工作，大多数学者认为，从产业产生、成长到衰退的生命历程分为四个阶段：初创阶段（导入期）、成长阶段、成熟阶

① 转引自颜鹏飞，邵秋芬. 经济增长极理论研究[J]，财经理论与实践（双月刊），2001。

段和衰退阶段[①]。作为一种新型的经济形态，临空经济与有机生命体一样，也有一个生命演进过程，杨友孝（2008）将这一过程分为准备阶段、成长阶段、成熟阶段、瓶颈阶段、航空城开发阶段[②]，本文借助于该研究成果，将临空经济分为初创阶段、成长阶段、成熟阶段、瓶颈阶段和航空城开发阶段，并深入研究这些阶段及其相应的特征。需要说明的是，这五个阶段是临空经济发展的一般规律，当具体到某一临空经济时，可能会发生改变，可以直接跨越到某一阶段。

（一）初创阶段

临空经济与城市化紧密联系，是随着所依托城市的城市化进程加快而逐渐形成的。首先，所依托城市的城市化加速促进了区域经济发展，为临空经济的出现奠定了基础。在城市化过程中，资本、人才、技术和管理等生产要素向城市聚集，产生了聚集经济效应，客观上降低企业的生产成本和交易成本，提高企业的效率，促进工业化进程加快，服务业比重不断提高，就业人数在三次产业中的比重基本满足二、三、一的结构，区域产业结构比较合理。经济的快速发展要求所依托的城市与其他地区和国家加强联系，加强商品、原材料在区域之间的交流，所依托的城市成为本地区城市群的核心，是区域生产要素、商品和服务的输出、中转和接受的中枢，具备区域经济增长极的条件。因此，建立机场、发展临空经济是实现与其他地区、国家进行经济、文化交流的内在要求。其次，城市过度聚集导致的不经济促使城市产业向机场周边地区转移。在城市化加速过程中，人口和产业在城市中高度聚集，引发了一系列社会、经济、生态环境问题，产生了拥挤效应，使得聚集经济效应显著降低，以致一部分产业和人口由城市中心向城市边缘转移，而一般情况下、机场距离城市20～30公里，机场基础设施比较完善，机场周边地区理所当然成为城市产业和人口转移的理想之地，这客观上催生了临空经济。

在临空经济初创阶段，临空经济的形成与临空经济的产业构成、布局具有自发性，为了发展临空经济，政府对所依托的城市以及腹地进行经济发展水平评估，预测是否具备大型空港承载能力，为空港建设规划做好准备。在该阶段，临空经济具有以下特征：

1. 临空产业以航空运输业为主导产业，航空服务业初步形成

在临空经济初创阶段，所依托城市和腹地经济的快速发展产生了航空人流和航空物流，航空货运和航空客运产业成为临空经济区的主导产业。除了航空运输业外，出现了以机场为核心、服务于机场和航空公司的航空服务业，包括机务维修、航油航材供应、地面运输、地勤服务、候机楼服务、行旅运送、客货代理、旅客配餐等。此外，为了空港工作人员与旅客生活便利，还有少量餐馆、零售、宾馆业等。但是，该阶段客货流量小，起降的航班数量少原因，航空服务业规模小，服务功能比较单一，处于初步形成阶段。

2. 传统制造业在临空经济区尚存，临空指向性差

在城市化加速过程中，人口和产业在城市过度聚集导致了交通日趋恶化、用地日益紧张、环境问题突出，聚集经济效应明显降低，正是这种拥挤效应促使原来位于城市中心的工业企业开始向城市外围寻找更好的发展空间，而距离城市20～30公里的机场周边土地价格便宜、交通便利、生态环境良好，自然而然成为城市工业部门的最佳选址。因此，在临空经济初创阶段，这种基于疏散城市工业而进行的产业转移，使临空经济中存在第二产业，而且以传统制造业为主，临空指

① 张会恒. 论产业生命周期理论[J]，财贸研究，2004（6）。
② 杨友孝，程程. 临空经济发展阶段划分与政府职能探讨[J]，国际经贸探索，2008（10）。

向性差。

3. 临空经济产业关联性弱

在临空经济发展初期，临空产业由航空运输业、为机场和航空公司提供服务的航空服务业、从城市中心迁出的传统制造业构成，传统制造业处于纵向一体化阶段，其从城市中心转移到机场周边是从自身经营决策角度考虑的，与航空运输业、航空服务业无关，而那些刚出现的航空服务业主要是为了机场和航空公司提供服务，相互之间关联度低，其与传统制造业不存在关联关系。

（二）成长阶段

临空经济经过初创阶段的发展，为临空经济的进一步成长创造了基础，在临空经济成长阶段，有两方面因素促进临空经济成长。首先，新兴产业的兴起，对航空运输需求加大。随着城市化向郊区扩展，城市外围的快速交通环线体系不断完善，促进了城市边缘地区发展，使得位于城市边缘的机场地区发展潜力变大，企业进一步向机场地区聚集，大量企业聚集于临空经济区促使产业结构调整和产业结构优化升级，传统制造业得到改造，高新技术产业和现代制造业不断涌现，高科技产品具有体积小、重量轻、单位产品承担运费高、生命周期短等特点，特别适合航空运输，这就决定了高新技术产业和现代制造业对航空运输依赖性较强和对航空运输需求较大，这促进了临空经济成长。其次，经济发展促使航空运输供给增长。由于航空运输需求加大，机场加强了自身建设，机场规模得以扩大、功能逐渐完善，航线网络覆盖面增大，航空运输供给能力得到提高，因此，对航空运输需求较大的企业倾向于在临空经济区选址，从而提高了临空经济区产业聚集程度。在这个阶段，临空经济具有的特征为：

1. 高新技术产业和现代制造业在临空经济区出现，临空指向性增强

随着科学技术进步和科技成果的广泛应用，极大提高产业技术水平，导致高新技术产业和现代制造业的兴起。这些产业的产品生命周期短、更新速度快，为了在市场竞争中取得胜利，要求企业尽可能加快原材料、零配件和产品的运送速度，“速者生存”成为这些产业竞争成功的法宝。另外，诸如电子信息、核心芯片、计算机硬件和软件、生物工程、精密仪器等高科技产品，具有体积小、重量轻、单位产品承担运费能力强等特征，十分适合航空运输。机场及其周边区位优势独特、交通便利、基础设施相对完善，吸引高新技术产业和现代制造业在该区域布局，显著提高了临空产业的临空指向性。

2. 航空服务业迅速发展，成为临空经济的重要组成部分

在临空经济成长阶段，大量临空指向性强的产业在临空经济区聚集，增加了航空运输需求，致使机场规模扩大、航线网络扩张，航空物流和客流增加，导致航空公司运营业务增加，以及航空公司的运营水平提高，促进航空服务业迅速发展，形成了门类齐全的航空服务业，包括：（1）与航空地勤有关的服务业，如加油、消防、导航、紧急医疗、保安；（2）航空物流服务业，如货物集散、货物仓储、货物转运、货运代理；（3）与航空公司作业有关的服务业，如客票代理、行李运送。此外还有飞机修理、餐饮住宿、商业零售、汽车租赁、机舱清扫等服务业①。航空服务业为航空运输业提供了优质的服务，促进航空运输效率的提高，使临空经济区对临空指向性企业具有更大吸引力，同时，随着航空服务企业数量增多，服务水平提高，使航空服务业成为临空经济的重要组成部分，促进临空经济发展。

① 《临空经济发展战略研究》课题组. 临空经济理论与实践探索，中国经济出版社，2006

3. 航线网络向全球扩张，临空产业外向性突出

随着经济全球化和跨国公司在全球经营，对航空运输的需求显著增加，航空运输重要性与日俱增，迫使机场规模扩大，服务功能完善，枢纽机场航线网络向全世界重要城市扩张。机场成为一国通往世界各国的重要窗口和沟通全球市场的渠道，因此，外向型临空产业在临空经济区布局，以利于利用航空运输其原材料、零部件、产品和职员，实现向全球抢占市场的目的，特别是跨国公司利用机场这一渠道，在全球范围内建立经营生产网络，实现生产销售全球化。

（三）成熟阶段

临空经济经过成长阶段的发展，产业技术水平显著提高，产业规模逐渐扩大，机场基础设施完善，临空经济区通往城市和腹地的快速交通网络形成，这进一步吸引生产要素和产业向临空经济区聚集，使产业结构进一步得到优化，进入了临空经济成熟阶段，在这一阶段，临空经济的特征如下：

1. 现代服务业充分发展

在现代经济中，制造业与服务业是相互促进的，制造业产业水平的提高促进服务业发展，服务业的高端化促进制造业产业水平高度化，特别是以信息、物流、金融、会展、研发设计为代表的现代服务业，对制造业成本的降低、效率的提高起到非常重要的作用。信息产业渗透到制造业中，改造制造业的生产工艺，扩大机器加工产品的广度，节约企业搜寻信息的成本，提高制造业的生产效率；现代物流产业与制造业结合，节约制造业的物流成本，提高原材料、零部件和产品在仓储、包装、运输、配送环节的效率；金融业与制造业结合，拓展企业融资的途径和范围，解决企业发展所需资本不足的难题，为企业资本运作提供一个良好的环境；现代会展业与制造业结合，为企业提供展示自身产品和企业文化机会，节约企业宣传和产品营销成本；研发、设计与制造业结合，促进制造业产品的多样化，改进产品的性能，开发出更多符合市场需求的产品，提高企业竞争力。

在临空经济成熟阶段，高新技术产业、现代制造业、航空物流业、航空运输业的快速发展，迫切需要为之提供服务的生产服务业得到充分发展，以降低成本、提高效率，促进这些临空产业的升级和优化，因此，信息、金融、现代物流、会展业、研发设计和法律服务的现代服务业在临空经济区布局，为临空制造业提供充分、便利的生产服务。

2. 柔性生产方式得以应用，稳固产业链形成

在现代经济社会，新技术革命层出不穷，高新技术产业、现代制造业、生物工程和高档服装业的产品生命周期短、更新速度快，产品需求日趋多样化和复杂化。于是，为了应对市场变化，提高反应能力，许多企业采取了以柔性生产组织和柔性生产技术为特点的柔性生产方式。在柔性生产方式条件下，柔性生产技术的采用，使一条生产线可以生产多种产品，降低了购买机器设备成本，提高生产效率；柔性生产组织方式的采用，企业可以根据订单进行生产，减少产品库存，克服大规模生产方式具有的产品保管、仓储费用高的缺点，此外，柔性生产组织的运用，使企业可以专注于核心业务，将非核心业务外包出去，使分工与协作得到深化。因此，柔性生产方式的采用，促使企业间形成一种新型的分工与协作关系，构筑核心企业与配套企业协调发展的产业链条。在临空经济成熟阶段，高新技术产业、现代制造业、生物工程和高档服装业是临空产业的重要组成部分，柔性生产方式的应用成为必然，这就要求建立以临空核心产业为主体、配套产业为辅助的稳固临空产业链，通过产业链的协调运行实现临空核心产业带动配套产业快速发展。

3. 总部经济初显端倪

在临空经济成熟阶段，连接机场和城市、腹地的快速公路、轻轨，以及围绕机场的环线交通修建完毕，机场航线网络向全球扩展，形成了便捷的立体交通体系，临空经济区的基础设施已经完善，从而，大幅度增强临空经济区的区位优势，吸引大量临空指向性产业在临空经济区聚集，产业聚集提高临空经济区人才、技术、管理、资本等要素的丰度。由于临空经济区存在丰富的生产要素以及便利的立体交通系统，跨国公司的总部或其地区总部也将其区位选择于临空经济区，使临空经济区成为研发设计中心、产品和服务营销中心、公司财务结算中心，充分显示了总部经济特性。

4. 群簇式产业集群形成

临空经济成熟阶段，临空经济区内存在若干产业集群。在航空运输产业集群中，航空客运和货运是核心产业，通过产业后向关联，吸引航油、航材、机务维修、航空制造、航空食品等产业在临空经济区聚集，通过产业前向关联，为其他产业提供航空客运和货运服务，促使高新技术产业、现代制造业、部分传统制造业、生物工程、总部经济等产业向临空经济区聚集，形成以航空运输业为核心，规模宏大的航空运输产业集群。在大的产业集群下面，存在若干子产业集群，例如，对于核心芯片产业来说，其通过产业后向关联和产业前向关联，吸引生产与之配套的零部件产业、芯片研发设计产业、电子信息产业在临空经济区聚集，通过产业旁侧关联，吸引辅助性产业也向临空经济区聚集，这样就形成了以核心芯片产业为中心，由零部件和研发设计服务等专业化投入的供应商、核心芯片使用商构成的产业群落。因此，通过产业间的关联，最终使航空运输产业集群、高新技术产业集群、现代制造产业集群、航空制造产业集群、现代物流产业集群、生物园艺产业集群、群簇式产业集群得以形成。

产业集群形成后，在外部规模经济和外部范围经济作用下，使企业的生产成本和交易成本大规模降低，提高了临空产业的整体效率，促进临空经济发展。

5. 区域经济增长极作用显现

在临空经济成熟阶段，高新技术产业、现代制造业、现代服务业、现代物流产业、总部经济充分发展，群簇式产业集群形成，导致临空经济区生产要素高度聚集，临空经济区经济总量快速增长，致使临空经济区成为名副其实区域经济增长极，在扩散效应的作用下，资本、人才、技术、知识、管理等生产要素由临空经济区流向腹地和所依托的城市，促进腹地和城市产业结构升级，带动经济快速发展。

（四）瓶颈阶段

随着临空经济的继续发展，形成产业和人口在临空经济区过度聚集，导致土地价格上涨、交通堵塞、生产和居住空间拥挤、竞争无序、生产和生活质量下降现象，聚集经济效应明显降低，临空经济进入瓶颈阶段。在这一阶段，临空经济呈现如下特征：

1. 拥挤效应迫使部分企业外迁

经过成熟阶段的发展，产业和人口在临空经济区聚集程度非常高，产生诸如用地紧张、交通拥挤等类似于城市病的现象，拥挤效应迫使企业重新考虑其区位选择。对于高新技术产业、现代制造业、现代服务业、总部经济来说，其普遍实力较强，在临空经济区从事生产活动所获得的正效应，比如技术的溢出、创新能力的提高，远大于拥挤效应带来的负效应，因此，这些产业不会外迁。对于传统制造业和餐饮、购物、法律咨询、电子商务、贸易等辅助产业来说，其经济实力普遍不强，拥挤效应造成的高成本超过了聚集带来的正效应，因此，这部分企业迁出临空经济区。企业的外迁，减少了临空经济区的人力资本，影响临空经济区的收入，导致经济发展速度降低，对临空经济整体产业竞争力产生消极影响，经济发展出现瓶颈。

2. 对政府干预产生迫切需求

企业外迁造成的发展瓶颈，不利于临空经济的健康发展，迫切需要政府这只有形之手进行干预，编制临空经济长期发展规划，颁布相应的产业政策，指导临空产业布局。

（五）航空城开发阶段

临空经济瓶颈阶段问题，引起政府高度重视，为了促进临空经济长期健康发展，政府对临空经济进行干预，制定长期统一发展规划，作了促进临空经济发展的制度安排，促使临空经济步入航空城开发阶段， 并使之成为最有利于发挥增长极对腹地和城市经济发展带动作用的阶段。因此，在航空城开发阶段，临空经济的特征如下：

1. 临空经济区空间极度扩展、城市功能完备

在政府制定的临空经济区发展规划的指引下，临空产业按空间布局结构规划进行梯度向外扩散。由于服务对象、运输方式等特点，航空运输业和航空服务业在空港区以及紧邻空港区布局；距离空港近的区域，土地价格昂贵，同时考虑到运输成本，企业区位不能距离机场太远，因此，临空指向性较强的产业，如高新技术产业、现代制造业，将其区位选择在距离机场较远的紧邻空港区和空港相邻区；现代服务业、消费服务业、公益性服务业布局于临空经济区的外围，以降低其土地成本，同时又能为临空指向性产业提供相应的服务。

临空产业除了临空指向性产业外，还吸纳了为临空产业提供生产服务以及为职员提供生活服务的辅助性产业，包括现代服务业，例如信息、金融、会展、现代物流、法律服务；生活服务业，如商品零售、旅游、房地产、餐饮、娱乐休闲等；公益性服务业，比如基础教育、培训、医疗保健、市政管理等。临空产业和辅助产业的协调发展， 使临空经济区成为拥有主导产业、配套产业、基础产业功能完善、空间布局合理的航空城市。

2. 增长极对区域经济的带动作用显著发挥

航空城内的高新技术产业、现代制造业、航空制造业、现代服务业科技含量高，资本和人才充裕，辐射力极强，通过增长极的扩散效应，促使优良生产要素向腹地和所依托的城市扩散，改造产业结构，促使产业结构优化升级，从而促进腹地和所依托的城市经济又好又快发展。

（中国城市临空经济研究中心　练振中博士、马剑 供稿）

我国临空经济发展解读

在人类的历史长河中，任何交通运输方式的革命性变化都将对人类的经济增长、社会变迁和生活方式产生深远的影响。蒸汽机和铁路技术的变革导致铁路沿线“煤铁复合型经济”的兴起；航海技术的成熟导致沿海、沿江地区“临海经济”的繁荣；航空运输的普及和新技术革命的兴起导致机场附近“临空经济”的大发展。

临空经济作为以大型机场为依托，通过直接服务于航空运输业以及集聚相关产业，在空港及空港周边实现经济集聚的一种新兴区域经济模式，有着极其广阔的发展空间，其产生的经济效益和增加的就业是巨大的。据20世纪90年代国际机场协会的研究显示，每年100万航空旅客运输量将产生1.3亿美元的经济收益和增加2500个就业岗位。

一、近年来我国临空经济获得蓬勃发展

经过20多年尤其是近10年的快速发展，我国临空经济初具规模，在一些核心城市初步形成了临空经济集聚区，成为当地经济的新的增长点。

北京顺义区是我国临空经济的先发地区。目前已形成以航空产业、高新技术产业、现代物流业等为代表的临空产业群，集聚了松下、空中客车等30余家世界500强企业和80余家跨国企业，其中航空相关企业达到170余家，64家重点航空企业上缴税收38.8亿元。近5年来，顺义临空经济区增加值年均增长25%左右，税收年均增长35%左右，均高于北京市平均水平。2008年，顺义临空经济区实现增加值约350亿元，占全市经济总量3.4%；预计到2020年，临空经济区经济总量将占全市经济总量10%。

上海浦东临空经济区包括航空工业服务带、城市型高科技产业区、农业生态平衡带、中高档居住区、航空城中心区和旅游观光区六大板块，具备了产业功能、商贸功能、旅游功能、办公、科研和会展功能。

广州市花都区围绕新白云国际机场，规划了华南地区最大的航空物流中心、机场高新技术产业园区和机场西南部7～8平方公里的机场商务区，美国联邦快递公司已将新的亚太快件转运中心设在新白云国际机场。

深圳的临空经济区以航空物流业为主要特色，深圳机场物流园区总用地面积达150多万平方米，其定位是建成面向全国的高科技新产品开发、生产的配送中心，形成依托华南、连接东亚、欧美等国家和地区，辐射内地的国际、国内航空物流网络，使深圳机场成为中国四大航空货运中心之一，区域性航空货运枢纽港及航空物流园区示范基地。

此外，重庆市渝北区做出了建设航空城的规划；成都双流县依托双流国际机场实现了迅速发展；天津滨海新区雄心勃勃地提出了打造“海陆空”一体化的物流和产业发展方向；郑州、武汉、西安、沈阳等区域性中心城市也都有依托机场，带动区域经济发展的计划。可以预见，围绕大中型

机场发展起来的临空经济将成为我国经济中一道亮丽的风景。

二、未来一段时期我国临空经济将会进入一个快速发展期

第一，民航业的快速发展为临空经济的增长注入强劲动力。改革开放以来，民航业始终保持着持续、强劲、快速的发展态势，民航客运量年均增长速度达到20%，这在世界民航史上都是罕见的。截至2008年，中国民航业拥有1235条国内航线和297条国际航线，运输飞机1259架，航班运输机场150多个，实现了运输总周转量376.8亿吨公里，位列国际民航组织所有缔约国的第二名。预计未来10年，我国民航业仍将保持在10%以上的年均增长速度，到2020年实现由航空大国向航空强国的转变。

第二，宏观经济的快速增长为临空经济提供广阔的发展空间。临空经济是一种需要经济纵深和经济腹地的经济模式，它的产业驱动力来自两条链条的合力，一个是机场产业链，一个是区域经济链。缺少了机场资源的产业开发，就难以形成临空经济的内核；而少了经济腹地的产业支持和布局，所谓的航空经济就很容易成为一座“经济孤岛”，发展举步维艰。在这种“果核型”的模式下，外围经济规模的深度和广度，决定了发展的持久力和突破力。我国作为世界第三经济大国，连续30年保持10％左右的高速增长，有着巨大的经济总量和发展潜力，这必将让临空经济的发展一起步就站在巨人的肩膀上，为临空经济包裹了一个坚实、厚重的“外壳”；另外，我国作为世界制造工厂，有着系统的产业体系和雄厚的产业基础，这必将让临空经济区域的产业发展根基扎实，跳出经济孤岛的恶性怪圈。

第三，临空经济与科学发展理念相契合，有着先天的政策优势。临空经济的发展要求在区域和产业上推行两个转移，也就是在空间上由城区向远郊区县的转移；在产业发展方向上，向高端、高效、高辐射力的“三高”产业转移。这与科学发展观中“统筹城乡发展、统筹区域发展”理念以及新型工业化道路中“优化经济结构、提高经济增长的质量和效益，切实改变高投入、高消耗、高污染、低效率的增长方式，努力走出一条科技含量高、经济效益好、资源消耗低、环境污染少、人力资源优势得到充分发挥的新路子”思想不谋而合。因此，大力发展临空经济，不仅有利于产业结构的升级调整，还有助于实现城乡、区域的协调发展，是落实科学发展观的生动实践，具有先天的政策优势。

三、抢抓机遇，推进临空经济又好又快发展

当前我国临空经济正处于一个快速发展期，面临着许多机遇和挑战。如何在现有的基础上继续推进我国临空经济又好又快发展，笔者认为宏观层面上需要做好以下五点：

第一，规划先行，注重特色和差异。临空经济对我国来说还是一个新生事物，其发展不过短短20年，发展规律和特点还未被完全认识。因此，为了保证临空经济的持续健康发展，在发展前期，应做到规划先行。同时，每个区域的产业和经济结构不一样，每个机场的定位和发展模式也不尽相同，规划一定要广泛借鉴国内外发展临空经济的成功经验，结合当地和机场实际，因地制宜，因场施策，突出地方特点和差异，避免“千区一面”。

第二，形成布局合理、产业特色突出的产业集群。发展临空经济必须在当地整体发展目标和产业方针下形成布局科学合理、产业特色突出、集约节约发展的产业集群，这是判断发展临空经济成

功与否之关键。一是要巩固发展航空服务业和相关产业，把这些产业做大做强，特别要形成产业集聚，扩大辐射效应；二是要培育临空经济新产业。特别注重发展电子信息、生物科技等有利于发挥航空运输的优势和区域整体优势的高科技产业，发展深加工、高附加价值的产品；三是提升现代物流产业，扩大物流产业规模，延伸产业链条，增加技术含量，提高物流服务业的支撑带动能力。

第三，临空经济园区建设要量力而行、适当超前。在临空经济增长的不同阶段中，不同的机场规模会产生不同的影响效应，其周边的临空经济的需求结构特点也会发生变化。如果临空经济太超前，会造成投资超前，设施利用率太低，增加现阶段成本，降低收益；如果临空经济发展迟缓，则容易造成基础设施满足不了机场日益增长的需求，因此，临空经济区建设要详细研究机场的发展阶段与规模，做到量力而行，避免脱离实际，不考虑当地的经济发展水平和承受能力，为规划而规划，搞一些不切实际的大拆大建和盲目攀比，造成“建一片，荒一片”的问题。但考虑到未来一段时期我国国民经济和民航业仍会保持快速增长，临空经济区建设应在量力而行的前提下，做到适度超前。

第四，加强临空经济园区的软硬件建设。加强区内基础设施建设，提升配套能力。特别重要的是提升政府服务能力，服务水平。真正建立起公平、竞争、透明和可预见的市场环境，为各类企业提供优质服务，增强临空经济区的投资吸引力和竞争力。

第五，走集约化、生态型的发展道路。发展临空经济必须把节约资源，包括节约能源、土地、水资源等放在更加突出的位置，走集约型、节约型、生态型发展的路子，努力构建资源节约型和环境友好型园区。加快临空经济区的污染防治和环境保护，大力加强节能、节水、节地、节材和资源综合利用，做好节能减排工作，促进资源消耗的减量化、再利用、资源化和废弃物的无害化，实现人与自然、经济与社会与生态环境的和谐发展。

（空港经济研究中心　杨银海 博士 供稿）

轨道交通研究

一、轨道交通含义

根据国民经济行业分类（GB/T4754-2002）的规定，轨道交通属于城市公共交通业，行业代码为F5320。轨道交通包括地铁交通、轻轨交通、有轨电车交通、各种索道／缆车的经营管理活动。

在中国国家标准《城市公共交通常用名词术语》中，将城市轨道交通定义为“通常以电能为动力，采取轮轨运转方式的快速大运量公共交通之总称”。国际轨道交通有地铁、轻轨、市郊铁路、有轨电车以及悬浮列车等多种类型，号称“城市交通的主动脉”。轨道交通是一种独立的有轨交通系统，它提供了资源集约利用、环保舒适、安全快捷的大容量运输服务方式，能够按照设计的能力正常运行，与其他交通工具互不干扰，具有强大的运输能力、较高的服务水平、显著的资源环境效益。因此，轨道交通的应用首先是表现在经济发达的城市中，并且在城市应用中有140多年的历史，于是人们也习惯地把轨道交通称之为城市轨道交通。其实，根据轨道交通的特性，从广义上讲，车辆运行在导轨上的交通都应称之为轨道交通。但是，在轨道交通发展的历史进程中，人们又把铁路运输称之为大铁路，与轨道交通区别开来。因此，轨道交通不包括大铁路。

轨道交通起源于1863年的英国伦敦市，自从1863年1月10日伦敦开通第一条城市地铁以来，至2009年，世界上城市轨道交通发展已有146年的历史，已有近50个国家的320座城市修建了轨道交通。在20世纪50年代前，只有少数国家的城市修建了轨道交通，那时轨道交通还没有形成产业。在此之后的几十年中，由于轨道交通具有速度快、运量大的优势，得到了迅速发展，产业规模也逐步形成。我国轨道交通的产业规模是从20世纪90年代后开始形成的，目前发展比较成熟。

任何事物的发展在不同时期都有它不同的内涵与定位，轨道交通也同样符合此规律。在世界轨道交通发展的今天，各国对轨道交通都有不同的应用和理解，同时也赋予了不同的内涵。在我国，自改革开放以来，我国的经济增长和城市化水平都有了迅速提高，并且向都市圈和城市群方向迈进。要建设都市圈和城市群，必然要以某种科学合理的交通方式将它们联结起来，而轨道交通快速、安全、舒适、无污染、运量大的特性，比较符合建设都市圈和城市群的要求。因此，我们把这种城际间的有轨交通系统称之为轨道交通。

轨道交通属于基础性产业，其建设投资规模大、工程复杂，涉及运营管理、车辆运用、通信信号控制等多个方面，因而会从建设、运营、设备采购等不同角度影响到多个产业。比较直接的产业主要包括：城市轨道交通运营业、工程建筑业、工程机械制造业和机电设备制造业。间接的产业主要有：房地产业和服务业等。根据以上轨道交通的定义和内涵，结合经济发展的需要和趋势，我们主要研究对象确定为地铁、轻轨列车和城际列车。

二、轨道交通的特征

（一）性质

轨道交通的行业性质属于准公共性。轨道交通是公共客运交通的重要组成部分，是一种准公共产品，具有公益性、福利性和商品性等属性。产品服务价格受国家政策控制较强，其发展直接关系到城市经济的发展和人民生活水平的改善，对国民经济及地区经济的快速增长有明显的支持和拉动作用。

轨道交通是国家重要的基础设施。轨道交通建设是国民经济可持续发展的重要物质基础，始终得到国家产业政策的重点扶持。轨道交通建设对于促进国民经济及地区经济快速健康发展、改善投资环境、强化城市综合服务功能、加强区域交流与协作等有着积极的作用，其发展一直受到中央和地方各级政府的高度重视。

（二）特征

1. 网络经济性

轨道交通的行业基本特征表现为网络经济性。轨道交通的网络经济性，指只有当轨道交通网络达到一定规模，客运量才会显著增长，从而消化各种建设成本，降低平均成本。轨道交通的网络经济性来源于规模经济和范围经济。轨道交通基础设施（主要是线路）网络具有较强的统一性和联动性，同时它还具有规模经济和范围经济的特点，路网拆分打破统一会影响到它的规模经济效益，同时也会影响到它的范围经济。因为，规模经济的原理在于生产要素的不可任意分割性，它要求生产经营规模必须足够大，才能有效地降低单位产品的固定成本；范围经济的原理在于成本的弱增性，它要求企业必须将密切相关的业务，有效地聚合起来进行一体化经营，才可以节约市场交易费用、加强企业的市场竞争力。另外，由于路网的拆分也会给运输组织和行车调度带来困难。一般从轨道交通网络的经济性而言，一个城市的可经营网络具备80～100公里的线网长度，就具备赢利条件。根据目前中国经济和社会发展水平，以及各城市已建和已规划将建的轨道线网长度，大多数都已超过100公里以上，因此中国的轨道交通已具备网络经济性，初步进入赢利期。

2. 投资规模大、回收期限长

中国的大部分轨道交通的行业特点表现为公益性高，基础性强，投资规模大，回收期长。在现代城市发展中，由于高密度的结构和各种建筑设施，在地面上建设轨道交通的可能性较小，而地下结构的建设费用比高架结构高出2倍多。因此，线型方式的选择是影响轨道交通投资的决定性因素。在运营方面，运营成本也偏高。如：系统每年承运每100万乘客，每个乘客平均运营成本在0.8～1.6元。因此，要投资轨道交通实现财务平衡，主要取决于合理规划、严格的成本控制和多元化的收入渠道。同时，客流量的增长和合适的价格也是非常关键的，还需要寻找长期性的融资工具。轨道交通的主要收入来源主要是车票收入。因此，在考虑加快轨道交通建设速度时，不可盲目地追求规模，应以客流为依据，否则轨道线路建成后，每年会给运营公司带来巨大的财务负担，影响投资收益。

3. 公共投资依赖性

分析国际上轨道交通投资收益情况可以看到，大运量轨道交通系统的投资，在正常情况下需要大量公共投资的注入。目前，世界地铁规模排名前10名的城市轨道交通系统，仍部分依赖于政府的

部分国家城市地铁营运情况表（%）

国家	城市	车票收入	其他收入	政府补贴
英国	格拉斯哥	33.5	1.0	63.5
法国	巴黎	36.0	10.0	54.0
德国	汉堡	55.0	10.0	35.0
中国	香港	95.0	5.0	0
瑞典	斯德哥尔摩	34.1	3.2	62.7
西班牙	巴塞罗那	44.0	4.0	52.0
	马德里	51.0	1.0	48.0
日本	东京	46.0	31.0	23.0

投资及补贴进行运营。

从上表可以看到，除中国香港外，其他各城市地铁几乎都有营业性亏损，各地铁城市地方政府都给予了补贴。中国目前已开始地铁运营的城市，有北京、上海、广州及天津等，从目前各城市地铁运营情况看，只有上海轨道交通系统的运营有赢利。因此，轨道交通运营、维护及建设费用依赖于政府。

4. 技术资金密集

轨道交通设备是技术型密集产品，涉及机械、电气、计算机、声学等技术领域，与工业基础有密切联系。它主要包括机车车辆、通信系统、电气传动系统、计算机系统和自动检票系统等。由于城轨交通系统技术复杂，国内仅有4家工厂具有车辆生产条件，有能力承担信号控制系统集成的公司只有3家，而轻量化车辆大断面铝型材则仅有西南铝厂1家能够生产。因此，轨道交通技术引进多，国产化率较低，车辆和信号国产化方面没有突破性进展，关键技术和设备还需要从国外进口，城轨交通装备工业仍是国家重点支持发展的产业。

在轨道交通投资中，轨道交通技术装备国产化程度的高低对投资也有很大影响。一般土建工程造价占50%～55%；技术设备的建设、购置、安装费用占45%～50%。作为构成技术装备主要部分的车辆、牵引供电、通信信号应占总造价的30%～35%。在国内城市中，已建成的轨道交通线路以地铁形式为主，地铁投资造价较高，由于控制及运营设备国产率低，需要进口大量设备。进口地铁A型车的价格在150万～180万美元/辆。

系统、信号系统等均很昂贵，使整个地铁造价大幅度提高。上海、广州1号线地铁平均造价为6亿～7亿元/公里。深圳地铁目前的投资概算是每公里5.3亿元，国产化率高于广州地铁。上海在“十五”期间每年投资200亿元，建设40公里轨道；广州每年投资40亿元，修建10公里轨道线路。这些城市的投资回收期会明显偏长。

根据计算统计，我国从1990-2010年已完成和建设线路已有投资估算金额总计达到3500多亿元。因此，轨道交通由于技术要求高而形成资金密集度高。

三、轨道交通行业的地位和作用

（一）轨道交通在国民经济中的地位和作用

国际大都市建设发展轨道交通经验表明，轨道交通作为现代化的客运交通方式，对带动城市经济综合发展、调整城市空间结构、引导城市土地合理运用，起着重要而积极的作用。世界各国拥有地铁和轻轨系统的城市已有300多个，这些城市都是政治、文化、经济中心，有良好的客运市场需求和坚实的经济基础，轨道交通已经成为大城市经济发展和聚集辐射能力的重要力量。

轨道交通最显著的作用就是促进了城市与城镇的发展。城市的发展演变经历了自由村落市场——城市——城市圈——城市带的过程。在这个发展过程中，交通起了很重要的作用。当交通满足城市要求、适应城市发展需要时，这个发展过程就会得到加速，否则就会衰落。从这个意义上讲，城市轨道交通的功能不再仅仅是为了满足人们出行的需要，而是一种资源，其与土地资源、人力资源、文化资源、环境资源等一起成为现代化城市建设的主要资源。

轨道交通是现代化城市框架的支撑，轨道交通在城市发展中不仅是追随者，而且是引导者，在某种程度上引导着城市的发展方向。它不仅可以优化城市的结构，还可以调整城市的布局和功能，不仅有利于城市文化中心、经济中心、政治中心、工业中心、生活中心的科学建设与形成，还有利于周边中小城市的发展。使城市发展由摊饼式发展向组团式和带式方向发展，有利于建设和谐的生态城。

轨道交通可以极大地发散中心城市、区域性城市的辐射带动作用，带动一省甚至某一区域的经济社会发展，是城市——城市圈——城市带的组合纽带。轨道交通系统的水平直接体现了一个城市和区域的现代化水平，是现代化城市和区域的主要标志之一。轨道交通建设投资带动的产业链影响较大，如带动原材料、建筑、机电、电子信息、金融和相关服务等产业的发展。根据测算，轨道交通建设投资对GDP的直接贡献为1：2.63，加上带动沿线周边物业发展和商贸流通业的繁荣等间接贡献则更高。因此，通过投资建设轨道交通，将促使居民出行和消费增长，直接带动GDP增长。轨道交通促进相关产业链发展，可为财政收入开创新的增长点，又可为自身的发展提供更多的资金保障。如果政府主管部门调控得当，轨道交通建设经营可望进入良性循环。轨道交通的辐射功能可促进社会经济协调发展。为了实现“和谐社会与小康”目标，我国社会经济已进入一个高速发展时期。发展轨道交通能够促进城市化和都市化进程，从而扩大内需，增加就业，满足社会有效需求。轨道交通的投入资产属于第三产业，因此，轨道交通的存量资产越多，能够为第三产业带来的商机和就业机会就越多，城市化水平就越高。

轨道交通可加速城市区域一体化进程。城市的发展离不开区域的支撑，区域城市一体化的进程，能更好地促进中心城市的发展。从区域层面考虑，尤其是相对密集的城市群或城市连绵区，轨道交通线路可将它们连接起来，缩短时空，相互协调发展。通过城际轨道将城市周边主要城镇与城市次中心联系起来，以利于城镇体系的合理发展。市区层面的地铁与轻轨主要是依据客流要求进行抉择，客运量大的城市可以选择地铁或与轻轨相互形成轨道网络，客运量相对较小的城市可选择投资较少的轻轨交通。发展轨道交通对城市规划具有导向作用。现代城市规划发展了带形城市理论，出现了沿主要交通轴线的带状发展理论。现代带状城市理论的具体应用是经济带，如拉动了全国经济的日本东京——大阪经济带、韩国汉城——釜山经济带等。在经济带上的各城市间，除了有高速铁路联络之外，还建有公交型城市轨道交通网，使各城市间大大缩短了时空距离，这样有利于突破行政区划的羁绊，实现资源配置的最优化；调整产业结构，使各城市间优势互补，实现整体经济利益的最大化。长江三角洲的南京——上海——杭州——宁波城市带，通过过江大桥上的轨道交通线路，跟长江以北的扬州——泰州——南通城市带相连接，形成一个“乏”字形的公交型城际轨道交通网，到2010年上海举办世博会时，整个长江三角洲就会活起来。

在交通供需矛盾十分尖锐的情况下，城市交通存在的新问题日益增多，城市交通拥挤的现象，从特大城市逐步向大城市和中小城市蔓延。在实践中，城市交通规划的观念发生了重大的变化。人们意识到，要缓解城市交通拥挤，仅仅靠修道路已无法满足日益增长的交通需求，必须调整不合理的交通结构和道路设施结构，优先发展轨道交通。特别是随着城市汽车化的起步，交通污染和能源消耗问题日益突出，可持续发展作为一个新的课题摆在了我们的面前，由此可促使轨道交通进入理性化发展。

轨道交通引导城市发展。城市有序的外延拓展，需要依托某种交通方式来实现。在快速化城市发展过程中，城市空间布局模式从圈层式外延发展，走向轴向发展、紧凑式布局的城市格局，已成为城市可持续发展的空间表征。一方面，城市的轴向发展与紧凑布局可以为城市发展提供更大的发展空间，有利于减少城市交通堵塞、改善城市生态环境，实现城市发展的可持续性；另一方面，轨道交通为城市轴向发展和紧凑型布局提供了良好的交通导向。从区域层面看，多个轴向发展的城市通过轨道交通的相互连通，也有利于实现真正意义上的网络城市。

发展轨道交通的最终目的，是合理引导城市的空间布局。通过城市交通的合理布局，引导不同的交通资源实现空间的合理配置，以达到城市可持续发展的目的。世界上很多大城市的地下都已构筑起一个上下数层、四通八达的地铁网，有的还在地下设立商业设施和娱乐场所，与地铁一起形成了一个地下城。地铁车站建筑构思新颖，气势磅礴，富有艺术特色。乘客进入地铁车站，犹如置身于富丽堂皇的地下宫殿。地铁车站以其迷人的魅力吸引着各国旅行者，并成为该地的重要旅游景点。还有很多国家的地铁与地面铁路、高架道路等联合构成高速道路网，以解决城市紧张的交通运输问题。地铁现代化的发展，已成为城市交通现代化的重要标志之一。

（二）轨道交通在交通体系中的地位和作用

1. 城际轨道交通

“城市是经济活动的中心，是文明的中心，是社会财富的聚集地”。当代世界经济的一个很明显特征就是城市群、都市圈的涌现。在城市带的形成与发展中，为方便城市间的经济和文化联系，加强城市间的联结，形成快速、通达的快速运输通道，促进经济高速发展，加强交通设施最为重要。而轨道交通，以其快速、准时、安全、舒适、无污染、运量大、运输效率高等优点，能够解决高密集度客流的出行问题，使城市之间交通实现公交化，使得中心城市的积聚功能和核心作用更为显著，也带动了中小城市的繁荣，城市布局和城市分工更为合理，成为联结都市圈内城市间最佳的联系方式。而世界各城市带的发展实践也证明了轨道交通在城市带内的重要性。

在日本东京城市群，轨道交通占到整个交通体系的55%，东京都市区内更高达80%以上，是一个十分庞大、发达的都市密集区轨道交通系统。日本东京都市圈，即以东京站为中心，包括横滨、千叶、大宫3县市，半径约50公里的范围圈，人口约3000万人。东京圈城市群轨道线网以东京市商业文化中心的东京站、秋叶原和新桥为辐射中心，呈环形的放射型线网布局，总长度约2560公里，充分发挥了轨道交通占地少、无废气、准时、快捷、舒适、大运量的优势。东京都市轨道线网主要有3个速度层次：新干线时速200多公里，主要承担大中城市间中长途客运；快速城际线时速100公里左右，如AGT海鸥新交通系统、单轨交通羽田机场线等；中速地铁线和普速轻轨线密布于市中心区承担市内客运，时速30～60公里。轨道交通线路及各线路相交的换乘节点星罗棋布，地铁平均站距1公里左右，许多地区已实行不出站换乘。目前，东京都市圈每天的客运量为6390万人次，轨道交通成了很多市民出行工具的首选。

日本东京圈城市群轨道不但大大缓解了中心城市的交通压力，而且带动了沿线的房地产、商业、广告业及观光事业的发展，成为当地一道亮丽的风景线。在我国，城市带也正在形成与发展中，长三角、珠三角、京津唐与环渤海已经初步形成。而三个区域内的城际轨道交通网络建设规划也已经得到国务院批准。可以预见，城际轨道交通将在我国迎来一个发展高峰。

2. 城市轨道交通

城市交通系统是城市重要的基础设施，其发展水平和发展速度对城市的规模、形态布局和功能特点起着决定性的作用。在城市交通系统中，包括轨道交通、公交车、有轨电车、出租车以及私人汽车等各种交通方式。

在城市交通系统中，公共汽车是最基本的居民出行工具，满足着大多数人的出行需求。公共汽车具有票价低等优势，但在大城市中，随着交通拥挤程度的提升，公共汽车的时间成本越来越高。

有轨电车运输能力差、运量低，难以满足急剧增长的城市客流，且挤占日益拥挤的城市道路，目前国内仅剩下长春、大连和鞍山3座城市的有轨电车没有拆除，并一直保留至今，继续分担着正常的公共客运任务。

出租车，具有速度较快、能够实现精确的点对点服务的优势，但同时服务价格较高，不是普通城市居民的首要选择。

城市内地铁和轻轨比公共汽车速度快，并且准时、方便、快捷。与出租车相比，虽然不具有点对点的优势，但在成本方面具有优势。整体来看，轨道交通，以其快速、准时、舒适等优势，正在成为大城市中重要交通方式。

我国城市轨道交通发展环境

一、宏观经济环境

2009年，我国经济社会发展经受住了重大挑战和考验。国民经济继续保持平稳增长。在此条件下，我国轨道交通建设得到了提速，十几个城市增加了新开工线路，郑州市、宁波市轨道交通建设规划提前得到批复。在扩大内需、促进经济增长的利好政策下，我国轨道交通线路建设比原计划增加了300多公里，车辆采购增加460辆，通信信号等设备、设施需求也增长了29%，轨道交通市场环境进一步看好。2009年，我国政府坚持灵活的调控方针，提高宏观调控的应变能力和实际效果，保持经济平稳较快发展。

一是实施积极的财政政策，大幅度增加政府支出，这是扩大内需最主动、最直接、最有效的措施。二是保持投资较快增长和优化投资结构。轨道交通是重点建设领域，在积极的财政政策和优化投资结构的政策推动下，2009年，我国轨道交通建设进一步得到发展。

二、法律法规及政策环境

（一）管理体制

根据2008年年底国务院部委“三定方案”中的分工与职责划分，我国目前的城市轨道交通管理体制从总体上讲，由国家发改委和交通运输部按职责管理，其发展、规划与建设由国家发改委管理，行业管理是交通运输部，在职能上有交叉和联系的相关部门有城乡建设部、铁道部和公安部等部门。

在地方省级政府和城市中，基本按照中央政府的部门管理机构及其职能对应设置，各司其职。从管理权限上看，地方管理部门基本上以执行上级对口行业管理部门的政策为主，在城市规划、交通基础设施建设项目安排、运输价格变动等方面都基本没有自主决策权。

根据《国务院办公厅关于加强城市快速轨道交通建设管理的通知》规定，轨道交通规划由国家发展和改革委员会会同建设部（现已改为交通运输部）组织审核后报国务院审批。城轨交通项目的审批，要依据国务院批准的建设规划进行。原则上，城轨交通项目的资本金须达到总投资的40%以上。要进一步开放城轨交通市场，实行投资渠道和投资主体多元化，鼓励社会资本和境外资本以合资、合作或委托经营等方式参与城轨交通投资、建设和经营，并采取招标的方式公开、公正地选择投资者。在融资渠道上，鼓励和支持企业采取盘活现有资产、发行长期建设债券和股票上市等方式筹集资金。城轨交通沿线土地增值的政府收益，应主要用于城轨交通项目的建设。

国务院正在改革城市轨道建设审批制度，即对北京、上海、广州、深圳的城市轨道交通路网整体规划作出批准后，今后这4座城市的每条城轨线路均无须再报批国务院，只需报国家发改委审批即可。目前，北京、上海的新建地铁线路项目都是直接报国家发改委立项，而不再报国务院。将来这种方式也可能推广到其他城市。

（二）我国轨道交通规划

我国轨道交通规划始于1956年，当时，上海市编制了《上海城市轨道交通规划》，用于指导城市轨道交通建设。根据规划方案，上海市要建设3条直线和1条环线。通过几十年的发展和变化，到1996年，广州市推出了《广州市城市快速轨道交通线网规划》，在此项规划中，提出了一套方法体系和内容体系，对我国大城市轨道交通线网规划产生了深远的影响。此后，全国各地具备规模经济的相关城市，对轨道交通的建设进行了规划，并以指导城市轨道交通建设。

截至2009年底，全国获得批准和已作出规划建设轨道交通的城市共计达到38个，其中，省会城市已有90%以上的编制了轨道交通规划；10%的计划单列城市和地级城市编制了轨道交通规划。下一阶段，随着我国优先发展公共交通政策和节能环保政策的深入，地级城市编制出台轨道交通规划的数量会快速增加。

（三）政策发展趋势

我国城市轨道交通现已进入快速发展阶段，在把握机遇、快速发展的同时，更应重视政策的指导作用，因此，研究和分析有关轨道交通的政策走向十分必要。

1. 管理体制改革

我国的轨道交通从建设和管理上，涉及国家发改委、交通运输部、公安部、铁道部，以及规划管理部门、土地管理部门等，由于政出多门，政策上很难协调统一，对城市轨道交通的规划、建设、相互衔接，一体化运输带来较大影响。由于管理体制上的条块分割，使得规划建设与其他交通运输方式间缺乏有效的衔接配合，使得城市综合交通运输总体效率较低。因此，在未来5年中逐步整合交叉部门的职能，归口到相对统一的管理部门是明确的方向。

2. 用地调整及城市布局政策

对于用地规划，应赋予轨道交通建设一定的优先权，同时要对轨道线周边用地性质进行适当的调整，实现土地使用与轨道交通建设“捆绑式”的综合性开发利用。建议国家有关部门组织力量，总结经验，制定其他有关标准和规范。各城市可根据各自特点，制定适合本地的地方标准和细则。为适应今后城市的发展，轨道交通规划建设作为城市总体规划的重要组成部分，在政策制定上要充分发挥轨道交通对城市布局的宏观引导作用，促进城市合理布局。

3. 国产化和标准化政策

制定我国大城市轨道交通发展战略的相关产业政策、技术政策、建设标准。我国对轨道交通技术装备的国产化已制定了相关的政策，为了促进我国轨道交通可持续发展，其相关的国产化和标准化政策还有待于进一步深化和完善。尽快制定各种轨道交通方式标准模式的政策法规，以控制轨道交通品牌繁多的发展局面。同时针对我国的具体情况，制定切实可行的轨道交通技术标准，建立和健全各项配套技术工业的标准化、国产化生产体系。负责城市轨道交通设备国产化的工作及监督、检查。依法规范业主行为，加强对城市轨道交通建设标准和工程质量的监督和管理。加强产业服务，发挥行业组织作用。

4. 轨道交通一体化政策

制定我国大城市轨道交通系统的发展战略、发展规划及实施计划。根据未来区域和城市交通发展趋势，对城市交通和对外交通进行综合交通运输规划，重点将城市轨道交通与外部快速轨道交通及对外交通枢纽有机地衔接起来，实现轨道交通场站布局的合理化、旅客运输高效化。以城市轨道网为基础骨架，并通过对外快速轨道网向外辐射，逐步形成现代化的一体化城市轨道交通网络体系。

制定相关的法规，保证城市轨道交通系统建设事业的快速、有序、健康的发展。协调城市轨道交通发展中的重大问题。

5. 投融资政策

制定城市轨道交通系统的相关产业投融资政策，指导建设资金的筹措、管理和使用。目前，我国的轨道交通投融资已基本走向市场化，但是，现有轨道交通建设的投资来源主要还是政府投资和政府担保贷款。因此，需要投融资政策进一步完善与创新。一是要制定合理的票制票价，建立可行的投资与回报机制；规范投融资标准，在用地、税收、政府贴息和担保等方面，建立系统化和长期有效的政策法规；二是要健全轨道交通建设的投融资评价体系，对轨道交通项目的引进外资，应制定专项引资政策，建立与政策配套的投融资体制；三是要建立轨道交通建设债券和其他投融资产品的发行制度，以便拓宽融资，促进轨道交通建设的快速发展。

2009年轨道交通发展现状

第一篇　城市轨道交通行业发展现状及预测

一、线网总体供给情况

从新世纪开始，国家首次把“发展轨道交通”列入国民经济“十五”计划发展纲要，并作为拉动国民经济，特别是大城市经济持续发展的重大战略。轨道交通发展开始强调与城市环境的协调统一。

“十五”期间，我国轨道交通建设总规模约达740公里，其中，已有10个城市建成轨道交通线路达416.14公里；在建线路有12个城市，20余条线，线路总长约320公里。上海轨道交通目前开通运营的线路总长230公里。在建线路总长193公里，到2010年将实现400公里的轨道交通网络，为成功举办上海世博会提供便捷的交通服务。广州目前运营线路总长116公里，在建129公里，2010年将达到182公里。轨道交通线网总体供给还处于初期阶段。经过多年的快速发展，我国的轨道交通线网规划、线路建设都取得了重大突破。截至2009年，开展轨道交通线网规划编制的城市有福州、厦门、昆明、南宁、乌鲁木齐、徐州等近10个城市；已批准轨道交通建设规划并开工建设的城市有成都、杭州、沈阳、西安、哈尔滨、苏州等十几个城市；已开通轨道交通线路运营并正在大量建设的城市有北京、上海、广州、天津、武汉、南京、重庆、深圳、大连、长春等城市。

二、客运总体需求情况

（一）市场规模及发展速度

自2000年以来，在我国城市公共交通中，已有10个城市开通了轨道交通运营业务。其中：具备客运量规模的有北京、上海、广州、香港4个城市和地区，这些城市保持了客运量的持续高增长，增长率在20%～30%；新开通轨道交通运营的城市有天津、重庆、大连、武汉、南京、深圳、长春7个城市，开通运营时间分别为3～5年，因为这些城市大多只开通一两条线，目前还不具备客运量市场规模。随着未来线路的不断增加，客运量市场规模会产生较大幅度的增长。

在北京、上海等具备客运量规模的城市中，2001年客运量市场总规模达到8.15亿人次，2003年总规模达到17.64亿人次，比2001年翻了一番。而2005年在2003年的基础上又增长了32.72%。由此可以看出，轨道交通的客运量保持了高速增长，占城市公共交通总量的比重也在不断扩大。

（二）客运量完成情况

2009年，我国城市轨道交通完成客运量总计33.31亿人次，比2007年24.19亿人次增长37.7%。在有线路运营的城市中，完成客运量最高的是北京市（12.16亿人次），其次是上海市（11.28亿人次）、广州市（5.94亿人次）。完成客运量超过5亿人次的城市有3个，超过1亿人次的城市有2个，不到1亿人次的城市有5个。总的来看，我国城市轨道交通完成客运量还是较低，处于发展初期。

第二篇　重点城市轨道交通发展现状及预测

从2005年开始，我国加快了轨道交通线路建设的审批速度。到2009年底，我国确定建设轨道交通线路的城市达到了38个。

一、北京市轨道交通发展现状及预测

（一）线路建设发展情况

北京是国内建设地铁最早的城市，一期工程于1965年7月开工，1969年10月建成通车。目前，北京地铁已建成8条运营线路，运营里程200多公里。

自20世纪90年代以来，随着北京地面交通的拥挤度不断快速升高，交通压力越来越大。为了缓解这一局面，轨道交通线路的建设也迅速加快。逐步完善城市轨道交通网，着力建立一个以公共运输网络为主体、以快速轨道交通为骨干、与城市发展进程相适应的现代化城市综合交通体系。

1999年12月，北京快速轨道交通线网中的第13号线开工建设，仅用了3年多一点的时间就全线竣工，总投资67.7亿元。

2000年12月18日，作为地铁1号线向东延长的“八通线”工程正式开工，总投资34亿元。

2007年10月7日北京地铁5号线开通试运营。

2008年，北京市轨道交通新开通高水平线路3条共计58.6公里，即：地铁10号线一期、8号线一期和机场线于2008年7月19日顺利开通试运营，全市轨道交通线路达到200多公里。

2008年，历时几年时间的北京地铁1、2号线综合改造的主体工程在奥运会前全部完成，在世界地铁运营史上创造了不停运情况下，对运营线进行大规模改造的成功先例。地铁1、2号线更新改造包括车辆、信号、通信、供电、机电、线路等系统的11大项，总投资84.3亿元。通过改造，显著提高了1、2号线地铁运营的安全可靠度，并提高了运输能力。改造后的地铁1、2号线列车最小行车间隔达到了2.5分钟，其中2号线是北京地铁首次启用的“无线移动闭塞模式”信号系统，实现了列车“有人自动驾驶”,标志着北京地铁信号系统技术跃上新的台阶。此外，通过改造，更新了车站向导标志，改造了车站卫生间，增设了车站乘客服务中心，更新并增购了地铁列车，使站、车环境更加亮丽温馨。

2008年6月9日，北京地铁原有的5条运营线路的车站自动售检票系统全部投入使用，这是北京地铁划时代的一项工程，从此结束了38年纸质车票的历史，北京地铁进入刷卡时代。2008年7月19日，地铁10号线一期、8号线一期和机场线3条新线在开通试运营时也同步启用了自动售检票系统。

北京目前在建线路13条，到2015年，将基本形成“三环、四横、五纵、七放射”总里程561公里的轨道交通网络。2015年后的轨道交通建设规划也正在制定当中，远期北京轨道交通线路将达到28条以上，轨道交通将真正成为首都城市公共交通的骨干系统。

2009年，北京市在轨道交通上的预计投入达到了389亿元。

（二）市场运营情况

2008年，北京有3条轨道交通线路同时开通运营，使北京轨道交通运营线路增长到了8条，运营里程达到了200公里，运营车站123座，乘客选择地铁出行可以在16个换乘点实现不同线路间的换乘，通达京城的东南西北，北京轨道交通运营网络格局基本形成。在运营线路增加的带动下，客运量实现了大幅度增长。

据统计，2008年北京全线网运送乘客突破12亿人次，比2007年提高了75%以上。其中2008年内新开通的地铁10号线（一期）运送乘客7733万人次，8号线（一期）运送乘客1013万人次，机场线运送乘客217万人次。地铁全线网共安全行车14691万车公里，比2007年增长约73%。特别是在北京奥运会期间，累计运送乘客15693.5万人次，承担了奥运主场馆区近80%的赛事客流疏散任务，起到了其他交通方式无法替代的作用。

二、上海市轨道交通发展现状及预测

（一）线路建设发展情况

“十五”期间，上海市委、市政府根据经济发展的重要战略地位，审时度势地提出了城市轨道交通要实现跨越式发展的新思路。截至2008年年底，上海市轨道交通运营里程达到262 公里，共有9条线投入运行。上海城市轨道交通事业的迅速发展，不仅有助于推进上海新一轮的经济发展，同时也给上海金融业的发展带来了新机遇。

2008年，上海市在建轨道交通线路共有8条近200公里，其中有5条是续建线路，新开工线路3条，其中大部分线路于2010年世博会前建成通车，部分线路将于2012年建成通车。

2008年上海轨道交通基础设施建设全力推进，在建线路共有8条近200公里，其中有5条是续建线路，新开工线路3条。具体线路建设进展情况如下：

2号线东延伸段。2007年7月25日起开工建设，预计2009年底完成站点装修和安装工程，在2010年世博会召开前全面完工。建成后，2号线东、西延伸将串联起两大机场，形成虹桥国际机场和浦东国际机场间的快速直达通道，单程运营时间预计在1小时20分钟左右。

2号线西延伸段。2008年7月16日，2号线西延伸段开工建设，西延伸段起始站为淞虹路站—诸光路站，全长约8.58公里。截至2008年底，全线结构贯通60%，预计在2009年上半年实现结构全部贯通，2010年上海世博会召开前实现试运行。届时，2号线西延伸段将和虹桥国际机场、高铁、城际铁路、地面公交等一起组成上海虹桥综合交通枢纽。

7号线。由上海久创建设管理有限公司负责管理建设。线路全长35公里，起自宝山外环路站，终至新国际博览中心，设站点28个，可与14条轨道交通（含规划）线路换乘。工程于2005年开工，预计2010年建成。

10号线一期。西起虹桥交通枢纽，东至新江湾城，正线全长36公里，设30座地下车站，途经8个行政区，是上海世博会期间的一条重要运送大客流的地铁干线，也是上海轨道交通基本网络中一条重要的骨干线路。10号线一期工程为规划中的七宝高速铁路客运站至新江湾城站，二期工程将由新江湾城延伸至外高桥保税区。10号线一期工程于2006年年底开工建设。

11号线北段。于2007年3月1日全面投入开工建设。11号线北段工程主线北起嘉定区的城北路，南至上南路，全长58.97公里，其中主线长46.16公里，支线（嘉定新城经上海赛车场至安亭）长

12.81公里，全线共设27座车站。根据计划，2010年世博会前将先建成11号线北段一期工程，从嘉定城北至长宁区的江苏路，共20座车站，长45.1公里，为2010年成功举办上海世博会和上海国际赛车场的运营提供便捷的交通服务；2012年将完成剩余的从江苏路到浦东三林站的13.87公里。

12号线。2008年12月30日，轨道交通12号线正式开工，目前正在进行隧道开挖，计划2012年建成。工程线路全长40.4公里，共设31座车站，正线起点为闵行区的七莘路，工程终点为金海路，是一条纵贯中心城区的“西南—东北”轴向的直径线。

13号线。2008年12月28日，13号线一期工程正式开工，预计2012年建成。线路正线全长16.4公里，共设14座车站，起点为华江路站，一期工程终点南京西路站。轨道交通13号线工程是上海市城市轨道交通路网规划中的一条纵贯中心城区的“西北—东南”轴向的直径线，也是轨道交通路网中的一条重要的主干线。

上海轨道交通项目正进入建设高潮，从近期来说按照规划，到2010年世博会举行前，上海轨道交通运营里程将达到400公里，计划通车的线路为：

2009年7月上旬，轨道交通8号线浦东延伸段（成山路—航天博物馆站）将率先于建成投入试运营。

2009年10月以后，7号线、9号线二期、11号线北段一期也将相继建成通车试运营。2009年底，轨道交通10号线、2号线东、西延伸段、7号线北延伸、13号线世博段将实现车辆上线运行调试，2010年世博会前也将投入通车试运营。

2009年4月，国家发改委批准上海市轨道交通11号线南段工程可行性研究报告，同意建设上海市轨道交通11号线南段工程。该工程自龙阳路站引出，经华夏西路站、罗山路站、康桥东站、周浦东站、航头站、新场站、野生动物园站、惠南站、浦东火车站、临港新城北站，止于临港新城站。线路全长59.334公里，其中地下线长约6.734公里，高架线长52.6公里。共设车站12座，其中地下车站1座，高架车站11座。按规划，到2012年建成510公里左右、13条线的基本网络。

（二）市场运营情况

为满足日益增长客流需求，2008年，上海地铁不断挖潜增能，采取缩短行车间隔、延长运营时间、上线8节列车编组、调整大小交路运行方式等多种手段，全年累计增能达15次，全网络平均增能达50%。2008年，上海地铁“1环7射”8条线路、8个换乘枢纽、161座车站，充分发挥大容量公共交通优势，共运送乘客11.28亿人次，日均客流306.5万人次，单日最高客流达到430.7万人次，最高换乘客流达116.7万人次。轨道交通全网络共投入上线列车及备用车187列，其中8节编组列车53列；列车开行总列次达94万列次，运营里程超过1.32亿车公里，数据均突破历史纪录。同时，轨道交通配套硬件设施、网络化运营，以及地铁服务品牌创建等工作也取得了长足进步。随着上海轨道交通的快速发展，多线运营格局的形成，客流持续攀升，近年来，客运量更是居高不下。

2007年内6号线、8号线一期、9号线一期、4号线修复段和1号线北北延伸段等“三线两段”投入试运营，轨道交通进入网络化运营阶段，市民出行条件明显改善。全年市内公共交通客运量45.17亿人次，比上年增长1%。其中，轨道交通客运量8.14亿人次，增长24.1%。至2008年末，公交优先战略加快实施。全市轨道交通线路达到9条，运营线路长度达到262.83公里（含磁悬浮线路29公里），形成环线换乘格局。全年市内公共交通客运量49.04亿人次，比上年增长8.6%。其中，轨道交通客运量11.28亿人次，增长38.6%。

三、天津市轨道交通发展现状与预测

（一）线路建设发展情况

自2006年4月以来，天津市地铁2、3、9号线先后开工，线长共计58.92公里。截至2008年年底，线路施工进展顺利，在建线路共有30个车站实现开工，超过了2、3、9号线车站数量的一半，天津市地铁建设已全面提速。

预计2号线2010年底通车、3号线2011年6月底通车、9号线2009年底通车。

具体线路情况如下：

2号线。自2007年6月6日开工以来，截至2008年年底工程已掘进5.6公里，占全年计划总量的75%，15个车站正在紧张施工。其中，西南角、红星路、沙柳路、翠阜新村、津赤路5个车站已完成主体工程，正在进行隧道施工；靖江路、博山道、李明庄、新开路、鼓楼、东南角、建国道、青年路8个车站正在进行围护结构及管线切改工作。预计2010年底通车。

3号线。自2007年6月开工以来，截至2008年年底工程已掘进1500米，占计划总量的28%,11个车站正在紧张施工。其中，华苑、营口道2个车站已完成主体工程；王顶堤、红旗南路、水上公园、小树林、水上北路、和平路、解放北路、北站、铁东路9个车站正在进行主体结构及管线切改工作。3号线预计2011年6月底通车。

9号线。自2006年4月开工以来，截至2008年年底，4个车站已全部实现开工，年内完成了土建施工。9号线定于2009年底通车。

根据天津市快速轨道交通线网规划，天津快速轨道交通的9条线路将覆盖市内六区、环城四区及滨海新区。全部建成后，将通过直达、多点换乘等方式，为市民出行提供便利。

到2020年，全市轨道交通将形成由市域与城区两部分线路组成的网络。规划市域线4条，覆盖双城区和11个新城，同时连接机场和铁路。规划城区线17条，连通中心城区、滨海新区核心区和海河中游地区，将实现两个城区之间1小时通勤目标。

（二）市场运营情况

天津地铁1号线于2008年1月3日开始采用新运行图以来，每天增加4辆上线列车，每天列车开行列数由原来的228列增加至242列。新运行图缩短了晚高峰时段（17点至19点）的行车间隔，从原来的9分钟缩短至6～7分钟。地铁1号线全年实现客运3578万人次，日均客运量从原来的8万人次增长到9.8万人次。天津轻轨2008年实现客运2770万人次，日均客运量7.56万人次。

（三）规划建设规模预测

天津市共规划建设9条轨道线路，包括地铁8条，轻轨1条，总长度约227公里。其中，地铁1、2、3号线为轨道交通骨干线；4、5、6号线为轨道交通填充线；7、8号线为轨道交通外围线；9号线为津滨轻轨。目前，地铁1号线已实现运营，2、3、9号线都在建设中。

为了加大投入，扩大内需，促进经济平稳较快增长，天津市提出，2009年将启动地铁4号线、5号线、6号线建设。

4号线。引河北至张贵庄，全长35.7公里，共设车站28座。

5号线。大寺至北仓，全长31.2公里，共设车站24座。

6号线。李七庄至大毕庄，全长21.4公里，共设车站18座。

7号线。该线为轨道交通外围线。北辰区南淀风景区至梨园头，全长25.5公里，线路沿贺兰路、沙柳路、东江道布设。该线主要加强城市外围东南部各大居住区间的联系。

8号线。该线为轨道交通外围线。小淀组团至中北镇，全长20公里，线路沿南仓道、密云路、芥园西道布设。该线主要加强了城市外围西北部各大居住区、工业区间的联系。

四、广州市轨道交通发展现状与预测

（一）线路建设发展情况

广州市将拥有1、2、3、4、5、8号线共6条地铁线路，运营里程达到200公里。届时，在多条线路组成的地铁线网的有力支撑下，将有超过80%的亚运场馆通达地铁。具体线路建设进展情况如下：

2号线北南段延长线。长23.90公里，设车站16座。工程自2007年8月开工以来到2008年年底，正线16个土建施工标段和嘉禾车辆段全部进行实体工程施工，16座车站已进场施工，其中10座车站进行土方开挖，6座车站进行主体结构施工。预计2009年下半年建成。

3号线北延段。2008年8月，广州市轨道交通3号线北延段（火车东站—新白云国际机场）在前期工作的基础上全面铺开建设。3号线北延段全长30.9公里，共设车站11座，工程估算总投资为103.22亿元，计划于2010年10月建成开通。该线路是广州北部地区第一条轨道交通线路。

4号线北延段。北延段黄村至万胜围，全长16.3公里，共设车站8座，工程于2007年开工以来，截至2008年年底，隧道全部贯通，并进入铺轨阶段；全线车站主体结构已封顶，计划于2009年底建成开通。

5号线。5号线西起芳村洛口，东至黄埔文园。全长31.9公里，设24个车站。首期工程于2004年开工，截至2008年年底，隧道全部贯通，并进入铺轨阶段；全线24座车站中有20座车站主体结构已封顶，力争2009年10月份建成并开通。

6号线。首期工程从得峰岗—长碰，全长24.4公里，整个线网呈U形走向。共设22座车站。工程自2007年8月开工以来到2008年年底，正线21个施工标段中已全部进场开工。22座车站中4座（坦尾、北京路、东湖、区庄站）车站主体已封顶，3座车站因前期问题仍未进场，15座车站进行施工，其中8座车站进行围护结构施工，5座车站进行主体结构施工，2座车站进行车站暗挖隧道施工。6号线首期得峰岗至长碰站，力争2012年年底开通。

8号线西延长线。起点自2号线的晓港站，终点站则到凤凰新村站，线长4.65公里，均为地下线，共设4座车站。工程自2007年8月开工以来到2008年年底，全线隧道都已进行土方开挖，4座车站进行主体结构施工。西延长线预计2010年下半年广州亚运会前建成。

（二）市场运营情况

自2006年年底开通3、4号线以来，广州地铁线网客运量每年以25%以上的幅度持续增长。2008年1～10月，日平均客运量为161.53万人次。实施公交地铁优惠票价政策后，11～12月，日平均客运量达185.3万人次，每天多吸引了20多万人次，表现了惊人速度的增长。

公交地铁票价优惠实施后，车次明显加密。地铁公司预计地铁线网客流将有10%～15%的增长。因此，地铁公司在1至3号线高峰期分别增加上线列车1列，行车间隔分别缩至3分20秒、3分11秒和2分57秒，乘客等候时间大大缩短。另外，新型的站台排队候车线也在6个重点站启用。

基于多种利好因素，2008年，广州地铁客运量达到59408.42万人次，日均客运量162.76万人次。铁运营票务总收入达9.85亿元。

（三）规划建设规模预测

为满足城市发展对轨道交通的需求，广州市适时启动了新一轮轨道交通线网规划深化研究及2011年至2020年轨道交通建设规划的编制工作，至2020年广州将建成15条超过500公里轨道交通线网。通过进一步优化地铁线网以及地铁和各类公交的接驳。未来5年，广州市按照“交通疏散型”和“规划引导型”理念建设城市轨道交通，着重向重点发展区域延伸，力争覆盖各区，并与重大城市基础设施相衔接，到2013年建成290公里左右的城市轨道交通线网。

具体线路情况如下：

7号线。线路全长约27.83公里，均为地下线路，共设14座车站，其中换乘站6座。线路西起番禺区的广州新客站，止于黄埔区的大沙地，并预留远期延伸至萝岗中心区的条件。7号线分两期进行建设，一期工程为广州新客站至新造段，全长约17.711公里，共设9座车站，其中，换乘站3座。首期段已获国家发改委批复。

9号线。全长17.4公里，设有14座车站。西起花都区汽车城，东止于白云区人和镇，与3号线交会，预计于2013年底开通。

14号线。广州地铁14号线是一条长远并规划中的地铁线路，初步规划是由花都区的汽车城，经广州白云机场，至从化市街口镇。全长46公里，设有17座车站。

五、重庆轨道交通发展现状与预测

（一）线路建设发展情况

截至2009年，重庆市地铁2号线已建成通车，1、3、6号轨道交通线正在建设中，其他几条轨道交通线的前期工作也在筹备之中。2008年没有运营线路开通。

为了解决重庆交通拥堵问题和促进城市经济发展，1988年，重庆市政府宣布将建设市中心区到新山村的轨道交通线路。2000年，重庆轨道交通2号线一期工程被列为国家西部开发10大重点工程，12月正式全面开工。2号线东起市区商业中心较场口，西至大渡口区钢铁基地新山村。线路全长19.15公里（地下2.2公里），设18座车站（含地下车站3座），维修基地1座，控制中心1座，主变电站两座，一期工程初期配车21列84辆。全线工程总投资43亿元，平均每公里造价2.3亿元。其中，日本政府贷款271亿日元（约折合20亿元人民币），内配资金23亿元人民币。

重庆轻轨2号线一期工程较场口—动物园段共长14.35公里，设有13座车站。从2000年12月开建，2004年11月6日开始收费观光运行，2005年6月20日正式开通投入运营。2005年年底全线19公里通车，是国内第一条高架独轨线路。

2007年6月8日，轨道交通1号线一期实验段工程动工建设。一期工程朝天门至沙坪坝（购物广场）段全长约16公里，连接朝天门与沙坪坝车站13座，设主变电站一座，在马家岩设停车场一处，用地约26公顷，所需资金将利用重庆城市开发投资公司与国家开发银行达成的一笔60亿元资本金软贷款。2007年9月，1号线获得国家批准。随后，隧道、车站建设逐步展开。根据规划，1号线全长36.08公里，工程总投资约125.14亿元。呈东西走向，东起朝天门，西至大学城。预计2010年前建成通车。

2007年4月6日，重庆轨道3号线一期工程开工。3号线南起鱼洞，北至江北机场及江北环城北路，全长约60公里，工程一次设计，分三期实施建设。一期工程为二塘至龙头寺，全长21.16公里，项目投资估算为58.15亿元人民币，计划于2010年建成运营；二期工程从龙头寺到江北机场，并延伸到机场远期航站大楼、空港开发区支线（两路中学到环城北路），全长20.40公里，争取2012年全线建成投运；三期工程从二塘向南延伸至鱼洞。

2008年12月，重庆轨道交通6号线一期全面开工建设。6号线一期工程由上新街站至礼嘉站，线路长约23.21公里，共设16个车站。主体工程计划2011年10月完成，2012年建成通车。6号线全长60.55公里。全线分两期建设。

从2009年开始提速实施2、3、6号线延伸段工程。到2014年，重庆市的轨道交通建设总规模将达到174.49公里，投资额达到573.39亿元。

（二）市场运营情况

2008年，重庆市轨道交通2号线（较场口—新山村）客运量实现4016万人次，最高客运量达到20万人次。作为重庆市首条投运的轻轨线，轻轨2号线日运量已从4年前的1万人次增加到2008年的11万人次，累计达到1.2亿人次，位居世界同类轻轨线之首。

（三）规划建设规模预测

轨道交通是“畅通重庆”的重要建设项目，重庆市政府计划从2009年开始提速实施2、3、6号线延伸段工程。到2014年，轨道交通建设总规模将达到174.49公里，投资额达到573.39亿元。逐步形成核心城区轨道交通线网；引导和促进主城区与周边组团的协调发展，实现日客运量百万人次。线网总长354公里。

按照新规划，2号线延伸段是新山村—鱼洞，将与2号线鱼洞—二塘的南延伸段相接，整个线路全长29.3公里，初步设计沿途将设置12个车站点，包括一个换乘站。

3号线将从双龙东路站延伸到环城北路站，沿途设3个站。

6号线，原规划南起上新街、北至礼嘉站。按照调整方案，6号线南端将从上新街延伸到茶园南站，沿途设4个站点；北端将从礼嘉站，延伸到北暗的五路口站，沿途设置9个站点，包括1个换乘站。

6号线二期是茶园南—上新街、礼嘉—五路口。

轻轨5号线。呈东西走向，该线全长约90公里，途经江北区、九龙坡区、大渡口区、江津市4个行政区域，线路的起点在江北区龙头寺，经冉家坝到中梁山再至新山村，然后向东到外围组团内的鱼嘴，向西到外围组团内的西彭，通往江津。

8号线。规划起于大渡口区跳蹬，止于江北鱼嘴，贯穿主城大渡口、巴南、南岸、江北四区，线路全长约为54.4公里。

六、武汉市轨道交通发展现状与预测

（一）线路建设发展情况

武汉市的轨道交通建设与管理由武汉市轨道交通有限公司全面负责。该公司是经武汉市政府批准，由武汉市城市建设投资开发总公司、武汉市三镇基建发展有限责任公司和武汉市轨道交通建设公司等单位投资组建。

1999年，武汉市轻轨1号线一期工程得到国家批准立项，2000年底，一期工程正式开工。1号线自吴家山—堤角，全长28.7公里，设26座车站，其中一期工程10.2公里，总投资21.99亿元。于2004年7月建成。

2006年年初，1号线二期工程开工建设，为一期工程的东、西向延伸线，全长19.468公里，设16座车站。计划2009年底通车。

2008年2月，武汉市2号线一期工程开工建设，工程线路由常青花园北侧的马池路起，至终点站鲁巷光谷广场结束，全线均为地下线，全长27.985公里，共设车站21座。线路计划2010年底通车。

2008年，4号线一期依托两个火车站的改造、新建以及和2号线共线部分开工，2009年3月，国家发展和改革委员会正式批准武汉市轨道交通4号线一期工程可行性研究报告，同意建设武汉市轨道交通4号线一期工程。该工程位于武汉市江南，自武昌火车站起，途经紫阳东路、傅家坡一路、中南路、洪山广场、中北路、岳家嘴、中北路延长线、二环路、武青四干道，至武汉火车站。线路全长16.482公里，均为地下线路，共15座车站。工程总投资94亿元左右。一期工程将于2012年完工。

2008年武汉轨道交通建设明显提速，在建轨道交通线路3条共63.45公里，完成工程建设投资32.62亿元，完成年度计划29.26亿元的111.48%，是2007年建设投资8.97亿元的3.64倍。截至2008年年底，1号线二期工程已完成9公里主体工程；2号线一期工程（常青花园—光谷广场）范湖站等16个站点已开工，最重要的控制性工程—越江隧道开工建设；4号线一期工程（武昌火车站—武汉火车站），已开工建设武昌火车站、武汉火车站。

2009年武汉城市圈4条城际铁路开工。按照规划，4条城际铁路等级全部为客运专线，列车设计运行时速为200公里及以上，工程完工后，武汉与周边城市均可在半小时内到达。4条城际铁路的总投资预计为500亿元，投资来源主要包括中央财政投入、铁路系统企业的融资和地方政府的投入等三个部分，其中湖北省地方政府需自筹资金约125亿元。

（二）市场运营情况

武汉轻轨1号线通车3年以来，越来越受到市民欢迎。2008年，轨道交通1号线共运送乘客1196万人次，处于不断增加的趋势，比2007年926万人次增长约30%。日均客流达3.28万人次，日最高客流达7.8万人次。

2008年武汉轻轨运营公司安全工作全面完成了安全生产考核目标，全年安全运营810741列公里，客车正点率99.90%，运行图兑现率99.91%，设备完好率99.90%，完好车率为99.99%。

（三）规划建设规模预测

武汉市计划在2012年前建设完成1号线二期工程、2号线一期工程和4号线一期工程，总投资约273亿元，形成总长约70公里轨道交通线网，3条线路正在建设过程中。其中3号线一期、4号线二期将在2009年开工。到2020年前，建成227公里的轨道交通线网，形成覆盖三镇中心城区并与主要交通枢纽有机衔接的轨道交通网络系统；到2040年，建成总里程达540公里的轨道交通线网，包括3条市域快线和9条市区线，形成完善的轨道交通网络体系。

七、大连市轨道交通发展现状与预测

（一）线路建设发展情况

大连市是我国规划发展轨道交通较早的城市。20世纪80年代以来，在国家产业政策的指导下，大连市结合有轨电车线路改造，开始了快速轨道交通规划研究。1999年，完成了《大连市轨道交通路网规划方案》，规划大连市轨道交通线路5条，路网全长123公里，线网密度为0.43公里／平方公里，通过建设部评审。其中，大连市轨道交通试验线路和快速轨道交通工程建设项目，相继付诸实施。

在大连市最先实施的是快轨3号线。快轨3号线起自大连火车站北广场至金石滩国家旅游度假区，全长49.15公里，高架桥20座。全线设14座车站，其中地面站6座，高架站8座。快轨3号线工程分两期建设，一期工程全长46.66公里，工程投资18.6亿元。2000年9月动工，2002年10月1日竣工试通车，11月8日载客试运营，2003年5月1日正式投入运营。二期工程从香炉礁至火车站北广场，全线长2.385公里，全部为高架桥，投资概算4.8亿元（含一期改造工程1.3亿元，车辆10列2.2亿元）。2003年7月开工，2004年底竣工通车。根据规划，大连快轨下一步将向西延伸至旅顺，向北延伸至金州。

2008年，大连市城市快速轨道交通建设处于前期推进阶段。1月3日《大连市城市快速轨道交通建设及线网规划环境影响报告书》正式通过国家环保总局审查。按照2007年12月编制完成的《大连市城市快速轨道交通建设及线网规划》，大连市将在2015年完成南关岭—河口、南关岭—胜达以及后盐—辛寨子三段地铁线路建设。

《规划》范围覆盖中山、西岗、沙河口、甘井子、旅顺口、金港及金州7个区。轨道交通线网形态为以换乘枢纽—青泥洼、西安路、南关岭为核心，交通走廊为骨架—核心区域向四周放射，沿城市发展方向向西、北辐射的无环放射式，网络由中心城区轨道交通线路、组团间快速线、连接线和有轨电车线路组成，线路总规模254公里。2008年，完成了地铁1号线和2号线工程的环境影响评价。

大连地铁1、2号线将于2012年12月全线建成通车。大连市地铁工程建设指挥部有关负责人昨日接受本市媒体采访时说，通车不等于载客运营。一般而言，一个城市的地铁建成通车后，至少需要3个月至10个月的试运期。他估计大连地铁建成通车后，将试运行半年左右方可载客运营。试运行期间，地铁—包括机车在内的主要性能将得到充分检验。

根据城市总体规划和综合交通规划，大连市中心城市规划快速轨道交通线路9条，线网总规模262.9公里。其中，中心城区地铁线总长71.3公里，组团间快速轨道交通线路总长191.6公里。

（二）市场运营情况

2003年5月1日，大连快轨3号线香炉礁至金石滩段正式投入运营，2003年客运量达到449万人次。2004年，快轨列车增加到10列，客运量首次超过1000万人次。2008年，大连经济技术开发区的发展继续扩大，游客持续增加，受此影响，快轨列车客运量达到1502万人次，比2007年增长11.39%。

（三）规划建设规模预测

根据大连建设规划，2009年将加紧启动城市地铁1号线和2号线工程建设。其中，地铁1号线为姚家至河口，一期将规划建设南关岭至会展中心段。地铁2号线为南关岭至东海公园，一期将规划建设辛寨子至港湾广场段。

2015年前计划建设1号线一期、2号线一期，以及4号线中心城区段线路，总长58.1公里。其中1号线自姚家至南关岭，线路全长约27.4公里，地下部分北起南关岭，南至河口。2号线自胜达至张家，全长35.4公里，地下部分北起哈大客运专线南关岭站，东至东海公园。4号线自辛寨子至旅顺，全长58.4公里，地下部分自后盐至辛寨子。

八、长春市轨道交通发展现状与预测

（一）线路建设发展情况

根据《长春市快速轨道交通建设规划》，长春市轨道交通一期工程2001年5月27日正式开工，2002年10月30 日试运营，总投资决算12.94亿元。轨道交通二期工程线路全长16.3公里，全线共设15个车站，是长春市快速轨道交通线网中3号线的一部分，是连接市中心区与高新开发区、经济开发区以及净月旅游开发区的重要客运走廊。该线路在2005年投入运营。

2008年10月7日，长春轻轨三期工程（试用段）正式开工，轻轨主体土方项目正在进行施工。该项目预计2010年完工，届时，轻轨三期工程将与轻轨一、二期建成的3号线主体形成换乘，构筑起长春市轨道交通的环状合围线。

轻轨三期工程是规划中的轻轨4 号线，工程起点为南四环，沿临河街，经过南三环、卫星路、南湖大路、自由大路、吉林大路、惠工路立交桥、伪满皇宫东侧，到达长春站北广场，线路全长16.33公里，其中地下隧道3.3公里，其余为高架线。全线设车站15座，配备电动客车42辆。三期工程完工后，长春轻轨线路总长将达到52公里。

（二）市场运营情况

长春已运营的轻轨一期、二期工程是轨道交通规划中的轻轨3号线，是经国家批准的我国第一批兴建并运营的轻轨线路。两期工程于2006年12月投入运营后，配备国标C型轻轨电动客车74 辆，2008年已到位36辆，日客运量5.7万人次，全年客运量2480万人次，比2007年2307万人次增加173万人次，高峰时达到日客运量11万人次，票款收入4000余万元。

（三）规划建设规模预测

2010年至2020年，长春将建设地铁1、2号线市区段工程，地铁线路总长42公里。规划中的长春地铁1 号线，位于长春市区中部，线路沿城市南北中轴线人民大街布置，线路规划全长37.8公里。

《长春市快速轨道交通建设规划》提出，至2010年，长春市城市轨道交通近期新建工程全长37.5公里，估算总投资约38.98亿元，综合指标1.04亿元／公里。长春市中心城区远景轨道交通线网总长179公里，由3条放射线、2条半环线共5条线组成，其中1、2、5 号线为贯通市中心的核心层主干线，属大运量等级线路；3、4 号线为第二层次的辅助线，属中运量等级线路。

九、深圳市轨道交通发展现状与预测

（一）线路建设发展情况

深圳地铁的建设与管理由深圳市地铁有限公司全面负责。该公司已建成深圳地铁一期工程并投入运营。

一期工程由1号线东段和4号线南段组成，全长21.86公里，全线共设车站20座。其中：1号线设15个车站，线路全长17.119双正线公里。4号线南段包括5个车站，线路全长4.479双正线公里。

另有竹子林车辆段出入段线1.291单线公里，1号线与4号线西北联络线0.447单线公里。深圳地铁一期工程由深圳市政府投资，总投资为115.53亿元。工程于2001年3月全线动工，于2004年12月28日建成运行。

2008年，深圳市地铁建设处于全面进入推进期。共有5条轨道交通线路在建，总长达156.6公里。1号线续建工程、2号线、5号线建设取得重大进展，已开工在建的工点达150多个，1万多名工人参与，2008全年完成投资80.53亿元。其中5号线主体工程12月开工，1 号延长线的部分站点已经完成了土建。

2009年全市轨道交通建设完成190亿元的投资计划和形象进度，并基本完成地铁土建主体工程。要全力抓好轨道交通车站周边的配套工程建设；要为全线110个车站下一步进入辅助工程建设做好全面准备；同时积极推动轨道交通三期工程部分线路的前期工作。

（二）市场运营情况

深圳地铁一期工程于2004年12月28日建成运行，日发送旅客12万人次，实现了99.14%的运行正点率和100%的运行图兑现率。

2008年，深圳地铁采取了有力措施，确保客运、行车安全顺畅。一是提前组织了各类应急预案，做好大客流疏导、控制及应对突发事件的准备工作；二是增购了4列车，使地铁一期工程运营车辆达26列，增加了运力；三是在票务服务方面，采取增设临时售票点、提高兑零能力等办法减少乘客的购票时间。

在三项措施的推动下，客流量节节攀升。2008年深圳地铁完成客运量1.35亿人次，比2007年增长15.38%，日均客流量近36.98万人次，黄金周等节假日的客流量高达63.4万人次／日，列车正点率为99.9%。

（三）规划建设规模预测

从2009年开始，深圳市政府还将进一步加大道路交通方面的投资，在现在地铁建设的基础上，2009年年底前将继续增加两三条地铁线的开工建设，未来深圳地铁总长度将达到250公里，争取到“十二五”期末初步形成比较完善的轨道交通基本网络。

十、南京市轨道交通发展现状与预测

（一）线路建设发展情况

1999年4月15日，国家计委正式批准南京地铁1号线立项，2000年12月12日工程正式开工，南京地下铁道有限责任公司全面负责南京地铁的建设与管理工作。南京地铁1 号线共长24.8公里。线路为主城区中轴主干线，穿越市中心并向西端工业区放射。1号线一期工程全长21.82公里，项目投资概算约85亿元。工程于2000年12月12日正式开工建设，2005年全线正式建成试运营。

2008年，南京市正在建设的地铁线路有3条，即地铁1号线南延、2号线一期、2号线东延，总长约56公里。

1号南延线。全长17.99公里，设车站12座。工程概算总投资约69.36亿元，总工期将历时4年。截至2008年年底，南延工程完成投资15亿元，累计完成投资24亿元。南延线全线13个标段均已进入实质性施工阶段；全线18个区间，其中7个区间已贯通，其余11个正在掘进之中；全线共4个高架区间正在进行基础或墩柱、承台施工。南延线的秦淮河大桥已跨越秦淮河实现南北对接，为地铁全线的早日贯通发挥关键作用。计划2009年12月开始全线联动调试及试运行。随着1号线南延线的完工，今后1号线还将北延到达燕子矶。

2号线。南京地铁2号线一期工程是一条连接主城中心和城市副中心的东西向骨干线，线路全长约25.145公里，总投资约105亿元人民币。截至2008年年底，18座车站均已全部完成主体工程建设，马群等站开始轨道铺设。按照目前的工程进度，2009年9月各站点有望实现轨通。

2号线东延线。东延线工程长度约为12.9公里，其中地下线0.905公里，高架线10.3公里，地面线1.665公里；设车站7座，其中高架站6座，地面站1座。地铁2号线东延线建设2008年10月7日正式开工，到2009年12月全线正式通车调试。南京地铁2号线计划总长42.845公里，将分3期进行建设。根据规划，地铁2号线二期还将计划东进至仙林大学城，三期计划西延至雨花台区板桥地区。2010年5月1日，南京地铁1号线南延线、2号线、2号线东延线3条地铁线同时通车。

（二）市场运营情况

南京地铁2005年9月3日试运营以来，1号线累计安全运营612.64万列千米，运送乘客1.89亿人次。日均客流量逐步攀升，2005年日均客运量为13.21万人次，2006年日均客运量为15.88万人次，2007年日均客运量为21.96万人次。

2008年，南京地铁安全运送乘客1.03亿人次，日均客运量达28.13万人次。其中5月1日安全运送乘客44.77万人次，创运营以来最新纪录。

（三）规划建设规模预测

南京市优先发展向“一城三区”延伸的轨道交通线路，2010年5月1日，开工2条地铁建设。这两条过江地铁新线分别为地铁2号线西延线、地铁3号线，将在2015年前完工。

2号线西延线。根据规划，南京地铁2号线西延线起自位于江东南路与集庆门大街交叉路口的集庆门大街站，集庆门大街站为地铁2号线先期实施车站，线路出站后沿江东南路南下，至纬七路路口后右拐，从已建成的积善新寓前进入规划纬七路高架桥南侧，沿纬七路向西，过夹江、江心洲、长江主干道后进入江北地区，过长江段线路基本与正在实施的纬七路过江通道邻近。进入江北地区后线路沿纬七路江北连接线向北上，过宁合高速公路后左拐进入浦珠路，沿浦珠路、文德东路、文德西路、城西路向南，在城西路设终点站。

十一、杭州市轨道交通发展现状与预测

（一）线路建设发展情况

截至2008年年底，杭州地铁在建线路2条，其中续建1条、新开工2条，长度共78.47公里。

地铁一期工程。自2007年3月28日正式开工以来，到2008年年底，地铁1号线工程30个车站（含3个高架站）全部进场施工，各站点之间的隧道挖掘工作也进展顺利，现在已有5台盾构机进行区间隧道施工。下沙西站、九堡东站、城站、乔司南站、滨江站、滨河路站已完成主体结构。下沙西站的盾构机工作效率极高，每天能推进十三四米，而滨江站方向的盾构机由于地形条件复杂，每天推进10米左右。地铁1号线长度为47.97公里。

地铁2号线一期。2008年9月28日，杭州2号地铁线一期工程首批施工点开工，工程起于市心南路与通惠路交叉口的朝阳村站，经萧山、江干、下城、拱墅、西湖五个城区至文二西路与丰潭路交叉口的丰潭路站，线路长度为30.5公里，全部为地下线，共设24座车站。一期工程预计在2014年前

完成。

杭州地铁2号线南起蜀山车辆基地，西止良渚瓶窑片区，路线全长49.43公里。地铁2号线将分朝阳村站至丰潭路站、丰潭路站至新月路站、新月路站至瓶仓大道站三期工程施工。

（二）规划建设规模预测

杭州市加快地铁一期、二期工程建设，力争到2010年前基本建成投入试运行。开展将城市轨道交通系统延伸到富阳、临安和萧山国际机场等地的前期可行性研究。地铁1号线是一条“Y”状半环形骨干线，线路总长82.20公里。

十二、成都市轨道交通发展现状与预测

（一）线路建设发展情况

《成都市城市快速轨道交通建设规划》于2005年8月9日获国务院批准。11月21日，国家发改委行文正式批准成都地铁1号线一期工程开工建设。截至2008年年底，成都地铁在建线路2条，都是续建线路，长度共39公里。

地铁1号线一期。工程北起红花堰，南至孵化园，全长15.99公里，全部为地下线，共设15座地下车站，工程估算总投资为69.87亿元。工程于2005年12月28日正式动工建设。到2008年年底，全线土建工程完工，六站五区间短轨线路贯通13公里，长轨焊接与无缝线路开始施工，随后即开始疏散平台及线路信号标志制作安装等施工。2009年1号线将加快铺轨，确保2010年投入运营。

地铁1号线工程北起大丰站，南至广都站，规划线路全长约31.6公里，设23个站，其中地下站18座，高架站5座，一座控制中心，一处停车场，一处车辆段，两座主变电站。

地铁2号线一期建设。西起三环路外侧成灌客运站，东止于绕城高速内侧的经济干部管理学院，线路全长约23公里，设车站20座，车辆段1座，主变电站2座，控制中心与1号线共用，工程投资约97亿元。2007年12月29日，地铁2号线开工建设。到2008年年底，除天府广场站外的19座车站已开工10座，其中将军衙门站、成灌客运站、春熙路站、通惠门站进行主体结构施工。隧道贯通了15公里，2号线一期工程将于2012年完工。

（二）规划建设规模预测

根据《成都市2008—2015年城市快速轨道交通建设规划修编方案》，在2015年以前，成都市将建成地铁1号线一期工程、2号线全线及3、4号线的一期工程。2008年，成都地铁集团完成了地铁2号线二期工程、地铁3号线、4号线的建设规划，并已上报国家有关部门等待批准。2009年开工建设。

规划建设线路情况如下：

2号线二期工程。线路全长19.485公里，其中地下线长11.412公里，高架线长8.073公里。采用与一期工程相同的地铁制式B型车。工程估算总投资为87.64亿元。二期工程的西延伸线始于三环路北侧的成灌客运站，止于郫县的犀浦站，并在犀浦站与成灌铁路换乘；东延伸线始于渝路北侧的经干院站，止于龙泉的龙泉东站。西延伸线拟于2009年6月动工建设，2012年10月1日试运行；东延伸线拟于2010年4月动工建设，2013年10月1日试运行。

2号线（龙泉东站—石牛站）为东西方向主干线，东起龙泉东，经龙泉镇西行，过东三环路后，穿过沙河，西至于石牛附近，线路全长为50.65公里，设26座车站。一期工程为成灌客运站至经干院站，已开工建设。

3号线（红星车站—板桥南站）为东北—西南向骨干线，东北起自规划红星车站附近，南止于板桥南站，线路全长为49.28公里，设车站22座。

4号线（温江站—西河站）为东西方向内部填充线，西起温江，东止于西河站，线路全长38.9公里，设车站19座。

十三、西安市轨道交通发展现状与预测

（一）线路建设发展情况

根据西安市城市快速轨道交通线网规划，其目标是形成以公共交通为主体，轨道交通为骨干，其他公交为辅助的多元化、快速、高效、环保的城市公共交通体系，实现公共交通的可持续发展，形成“棋盘加放射型”的城市快速轨道交通线网布局。西安地铁2号线工程2006年9月开工以来，经过一年多紧锣密鼓的施工建设，2007年8月10日已进入全线开工建设阶段。全线8台盾构机都在正常作业，北客站、北大街站、钟楼站、永宁门站等重点车站和控制性工程都得到快速推进。截至2008年年底，2号线主城区段（行政中心—会展中心）11座车站已实现全面封顶，未实现封顶的仅剩北大街、钟楼、小寨三座施工难度较大的换乘车站。隧道工程方面，北客站至行政中心、大明宫西站至北大街、永宁门至北大街、小寨至会展中心4个盾构区间已累计掘进8545米，占设计总长的38%;4个暗挖区间累计开挖掘进7942米，占设计总长的86%;全线累计土方开挖量228万方，占总量的64%。

2009年9月底，2号线将实现“洞通”、年底实现“轨通”、2010年建成试运行。西安地铁2号线构成市轨道交通南北方向骨干线，由铁路北客站至韦曲，全长26.4公里，设车站20座。

（二）规划建设规模预测

在2009—2015年期间，西安市将建设地铁1号线，形成西安市主城区“十字”形轨道交通骨架网，以缓解城市东西向及南北向主客流走廊的交通压力，同时双方向拓展城市空间，加快城市郊区经济发展，为西咸一体化及临潼旅游区的发展创造便利的交通条件。

2009年，1号线一期工程开始全线开工建设，后围寨至纺织城段，正线长25.36公里，设19座车站、两座主变电站、一座车辆段与综合基地，一座停车场，控制中心与在建2号线合设。建设总工期4年9个月，2011年完成土建工程，2012年至2013年初完成机电设备安装，2013年9月建成通车。

1号线是西安市轨道交通线网规划中位于东西方向的轨道交通主干线，规划线路西起森林公园，东至纺织城，线路全长31.825公里。远期规划，东端与临潼线换乘衔接。西安地铁1号线一期工程建成后，将对西安市城市产生较大影响：首先，建立的轨道网十字骨架，将促进公交发展，缓解城市交通拥堵；其次，能够弘扬古城文脉、支持旅游产业发展，提高城市形象和地位；最后，地铁1号线的建设，是支持西安格局按总体规划意图发展，并可为促进“西咸一体化”发展奠定良好的交通基础。

十四、沈阳市轨道交通发展现状与预测

（一）线路建设发展情况

沈阳市于1998年编制完成《沈阳市快速轨道交通线网规划》，线网由5条线组成，总长度为182.5公里。1999年由沈阳市政府批准，并纳入城市总体规划，于2000年由国务院一并批复。

2008年，沈阳地铁在建2条，即1、2号线，线路共长47.14公里。地铁1号线及延伸线工程，线路全长27.89公里，设车站22座。

2005年11月18日，地铁1号线一期工程开工建设。一期工程线路全长22.2公里，全部为地下线路。设车站18座、车辆段和综合维修基地1处、运营控制中心1处、主变电所2处。车辆采用国家标准B型车、6辆编组，最高运行时速为每小时80公里。工程总概算88.8亿元，其中沈阳市地方财力投入建设资本金和国内银行贷款各占50%。计划于2009年月12月底建成通车。截至2008年年底，1号线土建工程完成90%以上，区间隧道完成总长度的80%。除沈阳站、青年大街站、中街站3座暗挖车站及云峰北街站6个区间外，其余车站区间工程主体结构全部完成。运营控制中心、综合办公楼土建工程全部完成。

2006年5月13日，沈阳地铁1号线一期延伸线工程获国家发改委批准，随后开工建设。截至2008年年底，土建工程完成60%以上，隧道完成长度的40%。地铁1号线一期延伸线自开发区13号街站至张士站。线路全长5.685公里，全部为地下线，共设4座车站。地铁1号线及延伸线计划2009年底通车。

2006年11月18日，沈阳地铁2号线一期开工建设，工程北起白山立交桥和北松山路，南至浑南世纪广场。线路总长19.25公里，全部为地下线。全线设17座地下车站。该工程总投资828021万元，其中项目资本金为419110万元，全部由沈阳市财政资金安排，资本金以外部分由国家开发银行贷款解决。截至2008年年底，车站和区间土建工程进展顺利，完成18%，区间隧道累计掘进3.9公里，占区间总长度的11%。除松山路站和市府广场站外，2号线其余17座车站已全部开工建设，并且奥体中心站和会展中心站已完成主体结构施工。地铁2号线计划2010年通车。

2009年11月18日，沈阳地铁2号线延长线在年内正式开工建设，预计在2012年年底完工。

（二）规划建设规模预测

2008年6月26日，沈阳重新编制了地铁线网规划蓝图，由11条线组成，线网长度为400公里。2009年沈阳将积极争取国家批准地铁3、4号线开工建设，初步形成城市快速轨道交通线网结构。

十五、哈尔滨市轨道交通发展现状与预测

（一）线路建设发展情况

经过多年的紧张筹备和公开招标，哈市地铁一期工程于2008年9月29日正式开工建设，该工程预计2012年完成。目前，理工大学、清滨公园、南直路等地铁车站工程已破土动工，地铁主体土方项目正在进行施工，到2010年11月末，主体工程就将完工。哈市地铁一期工程全长14.33公里，设车站16座，1座车辆段、1处控制中心和2座变电所，共有5座换乘车站。

（二）规划建设规模预测

2003年，哈尔滨市向国家发改委递交了地铁建设规划，10月，哈市轨道交通建设办公室组织完成了《哈尔滨市城市轨道交通及其建设规划》，年底通过了“中咨”公司和建设部的评审。2005年初，哈尔滨市将地铁规划再次上报到国家发改委。《哈尔滨市轨道交通一期工程总体设计》完成，5月进行了专家咨询评审，在得到国家发改委的同意后，又上报到国务院。2005年6月30日，国务院正式审批了哈尔滨地铁工程近期10年规划。

按照国家要求和城市总体规划，哈尔滨市确定近期轨道交通建设期限为10年。规划期内将完成1号线哈尔滨铁路东站至哈尔滨铁路南站（长17.48公里）和3号环线（长28.05公里），总长45.53公

里，其中利用已建成的防空隧道工程10.1公里。共设41座车站、1处车辆段、2处停车场，形成“一线一环”城市快速轨道交通网络，估算总投资163亿元。

建设轨道交通1号线二期工程（哈医大二院站至哈铁南站，3.07公里）和3号线一期工程（和兴路站至汽轮机厂站，7.1公里），全长10.17公里，设8座车站和1处停车场。

十六、合肥市轨道交通发展现状与预测

2008年，合肥市完成了《合肥市城市快速轨道交通建设规划》专家评审。根据规划，合肥市城市轨道交通线网分近期、远期和远景三个建设阶段。

2009年2月，《合肥市城市快速轨道交通建设规划》顺利通过专家评审，拟自今年起投资279亿元开建两条轨道交通线，预计2016年底两线正式运营。建设分别贯穿城市南北和东西轴向的轨道交通1、2号线，线路总长55.95公里，共设置45个车站和1座换乘车站。总投资近241亿元。远期规划到2020年，再建设4条轨道交通线路，形成城市轨道交通骨干线路；远景规划轨道线网322.5公里，对“141”组团形成网络覆盖。

早在1996年，合肥市就提出建设“轨道交通”，但当时合肥市的不论是城市规模、人口，还是城市综合实力，都无法满足轨道交通建设条件，而一度搁浅。近年来，合肥市经济社会发展迅速，城市空间结构已由过去的单中心内聚式发展模式，向多中心组团式发展模式转化。城市轨道交通可通过大运量、快速度等优势，引导城市空间结构有序发展。因此，合肥推行公共交通优先发展战略，加快确立公共客运交通在城市日常出行中的主导地位，建设轨道交通势在必行。

根据建设安排，合肥市首条城市轨道交通1号线将在2009年开工，2014年底有望建成通车。1号线城市中心区采用地下线，中心城区外采用高架线路。2号线计划于2012年开工，2016年底建成通车。1、2号线将在大东门地区交会，形成轨道交通“十”字形核心线路。同时在大东门配套建设一座大型换乘中心，配套建设维修和停靠站点。

十七、南昌市轨道交通发展现状与预测

2008年初，南昌市政府编制完成了《南昌市城市快速轨道交通建设规划（2009-2016）》，2008年9月该规划上报国务院审批。

根据南昌市轨道交通规划方案，该市于2009年至2016年进行轨道交通1号线和2号线的一期工程建设，线路总长50.6公里（其中地下线47.8公里、高架线2.8公里）,共设车站41座（其中地下车站39座、高架车站2座），设1座车辆综合基地，1座定修段，1座停车场，1座控制中心，估计总投资264.24亿元。

1号线一期工程（双港大道至奥体中心段），总长28公里，其中地下线25.2公里、高架线2.8公里，项目投资约139.58亿元。

2号线一期工程（高速铁路客站至洪都大道段），总长22.6公里，均为地下线，项目投资约124.66亿元。

2009年7月29日，南昌市在红谷滩新区丰和北大道珠江路口举行南昌市城市快速轨道交通工程开工奠基仪式，这也标志着地铁1号线正式破土开建。

十八、长沙市轨道交通发展现状与预测

2008年，长沙市完成了轨道线路建设批复。根据国家发改委批复，长沙确定在2015年或之前，首先建成轨道交通1号线一期工程和2号线一期工程，两大项目线路总长为53公里，估算总投资逾220亿元人民币，在2009年内动工建设，5年内建成。

2009年年初，国家发改委正式批准长沙地铁2号线近期建设规划。根据长沙市城市快速轨道交通近期建设规划，2020年前轨道交通建设分两个阶段实施，2015年前实施2号线一期工程和1号线一期工程；2020年前实施2A线工程和3号线一期工程。2号线连接大河西先导区的高新开发区和武广新长沙站，经过五一大道，1号线沿芙蓉路修建，2A线连接长沙星沙—马坡岭城市东次中心和武广新长沙站，3号线沿劳动路连接河西高校区和武广新长沙站。

1号线。浏阳河站—万家丽站，总长为20.61公里。1号线支线为10公里。2号线。主线高新路站—黎托站，总长为22.78公里。

根据规划，长沙城市快速轨道交通项目包括1号线及支线、2号、3号、4号线四条线路，构成网络加放射形状的线网总体构架。当中1号、2号线形成长沙南北和东西向轨道交通“十”字形骨架，与城市最大交通走廊对应，而2号线亦将与京广铁路长沙火车站、武广客运专线新长沙火车站等对外交通枢纽点连接。

十九、郑州市轨道交通发展现状与预测

2006年，根据城市总体规划和社会发展需要，郑州市组织编制了《郑州市城市快速轨道交通近期建设规划（2008-2015）》，并上报国家发改委和建设部。之后经过不断的补充完善、技术论证、审核、评审等相关程序，2008年第四季度通过国家发改委审查、住房和城乡建设部会审，上报至国务院。

2009年2月12日，郑州市城市快速轨道交通近期建设规划（2008-2015）获得国务院批准。此次获得国家批准的是1、2号线的一期工程，两条线总长度为45.39公里。郑州地铁、1号线一期工程计划2009年上半年正式开工，2号线一期工程有望2009年下半年开工建设。

1号线一期工程自西流湖公园站至穆庄站，途经站点有西流湖公园、西三环、华山路、桐柏路、碧沙岗、郑州大学、京广路、火车站、二七广场、市体育馆、紫荆山、东明路、黑庄路、会展中心、通泰路、黄河东路、农业东路、七里河、新客站、博学路、明理路、穆庄共22个站点。线路长度26.34公里，建设工期为2009年至2013年，项目总投资155.44亿元。

2号线一期工程线路起于花园路北段的广播台站，经花园路、紫荆山向南，穿过陇海铁路，止于向阳路站。线路全长19.05公里，其中地下线17.25公里、高架线1.8公里，共设16个站点（地下站14座、高架站2座），线路平均站间距1270米。总投资113亿元。

两条线路均建设车辆基地、车辆段、停车场各1座，在2015年前同步规划建设郑州站、新郑州站两座综合交通换乘枢纽。

1、2号线的一期工程，两条线分别贯穿城市的东西和南北方向，建成后，初步构成了地铁交通线网的“十”字形骨架。

二十、福州市轨道交通发展现状与预测

福州的轻轨建设起于20世纪80年代，当时，福州在编制城市总体规划时就已考虑城市轨道交通的线路规划。1995年，福州开始轨道交通规划的具体运作，在城区规划了6条主线和2条支线。

2002年7月，福州市规划局和上海交研所共同编制了《福州市轨道交通网络规划》，围绕建设“一中心，6组团”的城市布局结构，提出远景形成两纵一横一环（4条线）网络架构，总长约136.2公里。

2007年9月，福州市政府批复同意了《福州市轨道交通网络规划》修编。为加快推进前期工作，市政府还成立了福州市城市轨道交通建设领导小组，下设办公室挂靠市发改委开展工作，具体负责福州城市快速轨道交通网络规划工作。

2008年5月11日，《福州市城市快速轨道交通建设规划》通过了评审，备受关注的快速轨道交通项目前期工作取得实质性进展。

根据福州轨道交通建设规划，在2009年至2018年间建设1号线和2号线，其中1号线长28.8公里，计划2014年建成通车；2号线长26.5公里，计划2018年前建成通车，形成城市快速轨道交通“十”字形构架骨架网。1号线和2号线安排地下线48.5公里，高架线6.8公里；共设站46座，其中地下站41座，高架站5座；还设有1座车辆基地、1处定修段、2座停车场、1座控制中心。

二十一、石家庄市轨道交通发展现状与预测

2008年11月24日，《石家庄市综合交通规划（2008-2020年）》通过了评审。根据该规划，2015年左右建成快轨1号线局部、2号线局部，形成首期轨道交通线路，发挥对石家庄新客站地区、东部新城中心区开发的支撑作用，有效增强中山路沿线的城市功能聚集。线路全长约18公里。

1号线轨道交通线路从中华大街—高新区北部中心区，设计全长12公里，其中地下5公里，高架5公里，地面2公里。车站12座，维修、停车场各一个，初期计划配置低地板列车40辆。预计项目总投资将达4.2亿美元，设备1.8亿美元。资金来源为市政府划拨土地和现金方式投入2.4亿美元，拟利用外资1.2亿美元。建成后年客运量达到7200万人次以上，可大大缓解目前省会的交通压力，方便市民出行。

2号线从中山路—石家庄新客站东部商务区，设计全长6公里，车站4座。

《石家庄站地铁方案》已初步完成，地铁站厅将会建于新客站东广场下方，两站“T”形换乘。到2012年6月，一个具有现代气息的新客站将在市区南部崛起，这座新客站将汇集客运专线、普速铁路和城际铁路等于一体，成为石家庄最大的交通枢纽。根据《石家庄城市轨道交通线网规划》，站区将有两条城市轨道交通线引入，其中2号线南北走向，3号线东西走向，为方便换乘，地铁车站将与石家庄新客站结合设置。

二十二、昆明市轨道交通发展现状与预测

随着昆明市经济社会的快速发展，主城区人口急剧增长、城市规模日益扩大，人口与交通资源、机动车辆与道路交通设施矛盾日益加剧，交通拥堵、群众出行不便等问题突出，严重影响着人民群众经济活动、社会交往和生活水平的提高。为贯彻落实科学发展观和建设节约型社会，坚持走城市可持续发展的道路，从根本上缓解昆明市交通拥堵状况，体现公共资源占用的社会公平性，昆

明市委、市政府决定实施公交优先发展战略，大力发展以轨道交通为骨干的城市公共交通。并于2008年3月编制完成《昆明市城市快速轨道交通建设规划（2008—2015）》。

根据该规划，线网由6条线路组成放射式线网，线网中主城骨干线2条，主城与呈贡骨干线1条，辅助填充线2条，机场线1条，总长162.6公里。

根据昆明市城市发展和交通需求情况，结合昆明市财政能力，昆明市政府明确提出2008—2015年轨道交通建设任务：建成贯通线（1号线一期工程、2号线一期工程、1号线二期工程）长度43.5公里；建成3号线，长度19.1公里。总建设规模62.6公里，共建设车站46座，车辆基地5处，期间总投资260.61亿元。

二十三、南宁市轨道交通发展现状与预测

2008年6月，国家发改委对南宁的轨道建设规划进行正式评审。评审认为，从经济发展和交通需求等多方面综合分析，南宁市很有必要建设轨道交通。目前提交的轨道交通建设规划的安排也比较合理，符合近期城市建设发展和交通发展的需要。南宁市不但具备建设城市轨道交通的条件，而且建设时机也已经到来。

按照南宁市城市轨道交通建设的规划，2015年之前，南宁将建成轨道1号线一期和2号线。1号线和2号线分别是两条贯穿南宁东西和南北的交叉线路，其中，一号线计划2009年开工，2013年建成，2号线计划2011年开工，2015年建成。两线项目总投资181亿元。

1号线一期工程（西乡塘客运站—三屋），线路连接西乡塘客运站（规划）、火车站、朝阳广场、五象广场、会展中心、琅东客运站等重点区域，线路全长23.5公里，设19座车站，地下线15公里，高架线8.5公里，总投资100.5亿元。计划2009年开工建设，2013年建成。

2号线工程（玉洞—西津），线路纵贯主城区南北，联系了北部的产业园区以及良庆组团、江南组团、中心组团和城北组团等区域，并连接了安吉客运站、火车站、江南客运站和玉洞客运站，线路全长20.5公里，设16座车站，地下线9.5公里，高架线11.0公里，总投资80.5亿元。计划2011年初开工建设，2015年建成。

二十四、乌鲁木齐市轨道交通发展现状与预测

2008年乌鲁木齐市轨道交通还处于线网规划推进期，本年度对已编制的《乌鲁木齐市城市快速轨道交通建设规划》进行了评审、修编，并上报国务院。2009年加快推进轨道交通建设的前期和报批工作，预计2010年动工建设。

2009年，乌鲁木齐将扩大公用基础设施投资规模，重点建设公路铁路、水利设施、供排水、气暖电、园林绿化和生态治理等一批基础设施项目。今年，乌鲁木齐将完善首府“九横四纵”的主干道系统，建设中心城区与甘泉堡、五家渠、昌吉市之间的快速交通通道，尽快形成区域一体化和城乡一体化相适应的快速交通网络。启动乌准铁路规划建设，争取兰新铁路第二复线乌鲁木齐站落地米东区一线；抓紧城市轨道交通的前期和报批工作，力争年内动工。

乌鲁木齐市城市轨道交通线网共规划有5条线路，总长度151.2公里，根据《乌鲁木齐市城市快速轨道交通建设规划》安排，预计在2010年先期实施其中的1号线、2号线一期工程、4号线一期工程，建设规划线路长度52.7公里。

1号线：起点位于主城区南部的三屯碑，以地下线方式沿胜利路、解放南路、解放北路、新民路、南湖南路、克拉玛依东路、友好北路、新医路、北京路，过喀什路后过渡为高架线，跨铁路线至城北新区，终点止于种苗场北。长24.2公里，设站21座，线路南端设南郊停车场，北端设中营宫车辆段。估算投资总额25亿元。

2号线一期工程：起点位于安宁渠路与城北干道交叉口，沿城北干道、天津路、规划道路、乌奇路、稻香南路、谷牧地路、乌奇路布设，终点止于东山站。长19.0公里，全部为高架线。设站15座，线路西端设地窝堡车辆段。

4号线一期工程：起点位于新疆水泥厂家属院北的十二中站，沿过境路向北、经长江路、扬子江路、友好路，穿西虹路高架，终点人民会堂站与1号线平行换乘。长9.7公里，全部为地下线。设站9座，线路南端设仓房沟停车场。

二十五、苏州市轨道交通发展现状与预测

为解决现代城市交通与古城保护的矛盾，苏州从1996年就着手轨道交通的研究，历时10余年。该规划在2004年前后正式编制完成后，江苏省、国家有关部门先后多次派出专家进行会审并获通过，2006年9月报送国务院办公厅。国务院在听取了国家发改委、财政部、国土资源部等部门意见并协商后，于2007年2月5日正式批准。苏州成为全国首个被批准建设快速轨道交通项目的地级市。

根据交通需求预测、城市财力状况等因素，苏州市确定近期（2007—2012年）首先实施东西方向1号线和南北方向2号线。初步确定工程建设方案为：1号线西起灵天路向东至苏州工业园区钟南街，全长25.74公里，设站24座，预计于2011年建成。2号线自京沪高速铁路站起，由北向南，止于吴中经济开发区南大外环路，全长27公里，设站22座，预计2009—2012年建设。

2007年12月26日上午，苏州市地铁1号线在乐桥站正式动工。首期开工建设的东西向1号线，全长25.74公里，共设24座车站，全部为地下站，总投资达到126亿元。1号线属于交通疏导型线路，位于苏州城区的东西向轴线。

2号线自相成区京沪高速铁路站起，由北向南，止于吴中经济开发区南大外环路，长约27公里，设车站22座，在原鑫口镇设车辆段，占地22公顷，初期配车26列／78辆。这条线路属交通疏导兼城市引导型线路，有利于向南北方向延伸并与京沪高速铁路接驳，为平江新城、沧浪新城、吴中经济开发区等的发展提供条件。

苏州轨道交通项目包括1号线、2号线、3号线及支线、4号线四条线路，总长141公里，车站107座，形成两纵两横“井”字形架构的综合交通骨架。项目分近期和远期实施，到2020年全部建成，城市快速轨道交通出行量占城市公交出行总量将超过40%,占城市总出行的27.8%。据城市客运交通远景预测显示，至2010年，苏州日出行次数达905万人次。

目前，苏州轨道交通项目已报到国家发展与改革委员会，并将由国家发改委报送到国务院审批。列入省规划后，苏州轨道交通项目的报批、建设将得到省政府支持，包括苏锡常的400多亿元投资和南京的170亿元投资，该项资金将用于启动苏州地铁1号线、无锡地铁1号线、南京地铁3号线，并完成南京地铁2号线。

二十六、无锡市轨道交通发展现状与预测

2008年11月，经国务院批准，国家发改委正式下文批复《无锡市城市快速轨道交通近期建设

规划》。同时，无锡市轨道交通1号线、2号线的工程可行性研究报告已编制完成，其中1号线工程可行性研究报告已经江苏省发改委初审。轨道交通1号线建设将于2009年正式启动，预计2014年通车，轨道交通2号线建设将于2011年开工，预计2015年通车。这将成为无锡市迄今为止最大的市政建设工程。

轨道交通1号线、2号线，总长度56.11公里，两条线路估算总投资254.54亿元，其中政府性项目资本金114.54亿元，占总投资的45%。

1号线为南北向交通骨干线，北起堰桥，南至雪浪，线路全长30.73公里，设车站25座。线路连接中心城和南北部的城市重要地区，贯穿城市最重要的交通和商业发展轴，串联了北部惠山区行政中心、无锡火车站、三阳广场核心商业区及南部太湖新城无锡市新行政中心。2009年3月，启动胜利门广场站、三阳广场站、市民广场站等先行站点建设，9月前启动轨道交通1号线全线建设，预计2014年通车。轨道交通1号线不仅承担南北方向的大量交通需求，缓解现状交通问题，支援重要城市功能建设，并能促进无锡近期重要发展目标“南拓”的实现。

2号线为东西向交通骨干线，西起梅园，东至安镇，线路全长25.38公里，设车站20座，估算投资104.94亿元。线路连接中心城和西部地区以及锡东新城，沿无锡东西向发展轴布置，串联了西部滨湖区行政中心、东部锡山区行政中心、京沪高铁无锡站，并与1号线在三阳广场站形成换乘。2号线建设2011年开工，预计2015年通车。主要承担中心城区和新区、鑫湖新城以及对外交通枢纽的东西向交通，使中心城的功能得到进一步提高。

两条线建成后，将形成东西向和南北向的“十”字形轨道交通网络骨架，实现与京沪高铁、沪宁城际铁路以及其他交通方式之间“零换乘”。

根据无锡市城市轨道交通线网规划，至远景年2050年，无锡市城市快速轨道交通网络将以主城区为核心，由“三主两辅”5条线构成放射＋环形线网，其中1、2、3号线为骨架线路，三线呈放射状，4、5号线为辅助线路。规划线网总长157.77公里，设车站111座。

地铁建设带动了沿线地区的开发，尤其是一些城郊结合部将一扫破旧面貌。目前，针对1号线永丰路站、刘潭站、雪浪停车场三种不同区域，市轨道办已先后与港铁、九龙仓、华润等开发商洽谈，探索站点建设带动周边地块土地增值最大化的运作模式。

二十七、青岛市轨道交通发展现状与预测

2008年9月，青岛市完成了全市轨道交通线网规划方案。依据该方案，青岛市将建设12条轨道交通线路，总规模为519.4公里，力争2009年底或2010年初启动一期工程。目前，《青岛市快速轨道交通建设规划》及相关材料已上报国家发改委审批。

根据青岛市轨道交通近期建设规划总体安排，2020年前将规划建成87公里轨道交通线路，建设总投资445.5亿元，拟分三期工程实施。其中一期工程线路走向初定，基本上兼顾了东西、南北的顺畅。一期工程长27.9公里，线路基本走向为：由西镇经火车站、中山路、泰山路、台东，沿延安三路至市政府，再沿南京路、黑龙江路过李村后转向京口路、振华路至终点青岛火车站北站，计划2009年开工，2014年建成；二期工程长26.8公里，工程时间为2013年至2017年；三期工程长32.3公里，工程时间为2016年至2020年。三期工程全部建成后，青岛市城铁日客流量将达到122万人次。

2009年8月，经国务院同意，国家发改委印发《青岛市城市轨道交通近期建设规划（2009—2016

年）》，至此，青岛城市轨道交通建设规划获得国家批准。根据规划，2016年前，青岛将投资292亿元，建成55公里的轨道交通线。其中一期工程3号线，由西镇—台东—市政府—青岛铁路北站，全长25公里，全部为地下线，总投资130亿元，2014年建成。二期工程2号线一期，由火车站—市政府—金水路，线路全长30公里，其中地下线27公里，总投资162亿元，2016年建成。

二十八、宁波市轨道交通发展现状与预测

2008年9月2日，国务院正式批准国家发改委《关于审批宁波市城市快速轨道交通近期建设规划（2008-2015年）的请示》。

根据国务院批复精神，宁波市轨道交通以三江片为核心，以跨三江、连三片（即三江片、北仑片和镇海片）、沿三轴为指导思想，构成三主三辅共六条线、放射状的轨道交通线网。线网全长247.5公里，共设换乘站19座。

2008年12月22日，国家发改委批复同意宁波市轨道交通1号线一期工程可行性研究报告，一期工程即将全面开工建设。

根据《宁波市城市快速轨道交通近期建设规划（2008-2015年）》，建设目标为在2015年之前，建成线路总长72.1公里的轨道交通1号线全线和2号线一期工程，形成轨道交通“十”字形骨架，其中，东西向由高桥至东外环路的1号线一期工程，2009年开建，2014年建成通车；西南—东北走向的2号线，其一期工程争取2010开工建设，其可行性研究工作目前已经展开。

宁波市轨道交通1号线一期工程西起高桥镇，沿望春路与后塘河之间规划绿化带以高架方式，向东经芦港、徐家槽，至机场公路西侧转入地下，沿中山西路向东，经汽车西站、大卿桥、西门口、鼓楼、市政府、天一广场，过奉化江后沿中山东路向东，经樱花公园、世纪大道，折入宁穿公路向东，经海晏路、盛莫路至东外环路站。工程线路总长21.3公里，其中高架线5.63公里、地下线路15. 32公里，工程总投资额123.88亿元。2号线一期工程机场—东外环，长27.5公里。

二十九、济南市轨道交通发展情况

2008年12月9日，济南市规划局召开专题会议，研究轨道交通规划问题，围绕尽快启动1号线建设，对发展轨道交通的条件和作用、规划内容和审批程序、编制周期和经费、工作思路和工作组织、工作计划等问题进行了认真研究论证。根据初步设想，济南市可能建设6条轨道交通线。

作为介于客运专线与城市轨道交通之间的新轨道交通形式，城际轨道交通承担的客流平均出行距离，比客运专线短、比城市轨道交通长，应城市群、都市圈发展需要而产生，是城市群内部各经济体节点之间便捷、快速的公共交通工具。近年来，环渤海、长三角、珠三角、长株潭、成渝地区以及中原城市群、武汉城市圈、关中城镇群、海峡西岸城镇群、济南都市圈等经济发达和人口稠密地区，纷纷筹建以“一日往返”为基本需要的城际轨道交通。

城际轨道交通一方面将济南都市圈“7+1”组合紧密加固在一起，另一方面强化了与外部区域的连接。在实现济南都市圈内城际轨道交通互联互通的同时，通过山东省“四纵四横”铁路规划的实施，济南都市圈从东、西、南、北四面八方打通了各经济带之间的联系：北部，通过京沪高铁连接北京、天津，与京津冀、环渤海经济圈形成一体；东部，通过胶济客专连接胶东半岛城市群，与日韩经济体隔海相望；南部，通过京沪高铁连接南京、上海，接通鲁南经济带、长三角经济区；西部，通过拟建的太青客专沟通石家庄、太原，联系我国中西部地区；此外，通过拟规划建设济南至

郑州客运专线，连接郑州，直达中原城市群……

在地理区位上，济南都市圈历来被看做山东内陆经济圈，与周边经济区互动的通道较少，因此发展受到一定制约。济南都市圈城际轨道交通建设不仅将结束这一状况，还将进一步强化与周边区域的连接，对该区域参与更大范围内的产业分工与合作，互补与融合，实现错位发展，提升整体竞争力，具有重大促进效应。

三十、厦门市轨道交通发展情况

厦门市政府发展轨道交通的原则是：以轨道交通为骨干，连接岛内外及周边地区的大容量客运通道。

根据此原则，2009年厦门市政府完成了两种轨道交通规划方案。

方案一：从城市空间结构的大转换、城市规模的扩大、经济的高速发展和面向台湾经济圈功能等方面，提出加强轨道交通的重要性与必要性。规划了3条线路，纵贯岛内外，总长96.7公里，车站58个（本岛41个，岛外17个），日客流量为196万人次。1号线（杏林—鼓浪屿—厦门站—集美—海沧线），纵贯本岛内的市中心、江头新区中心，重点解决市内交通拥堵问题，引导马銮副中心与本岛结合部的开发。2号线（岭兜至西堤），提高市中心到会展中心的进出功能，并利用轨道交通优势，促进本岛东部住宅区的开发。

3号线（厦大至大同），途经厦大、和平码头、中山公园、市政府、七星路、体育中心、江头西、江头东、中孚、林后、机场、厦门北站、风林、西柯、同安、大同等。

方案二：轨道交通系统包括区域轨道交通系统，采用市郊铁路；市区大容量运输系统，采用地铁；市区中容量运输系统，采用轻轨；特色旅游交通系统，采用地面有轨电车。规划了8条线路：

1号线：高崎机场—马銮东蒲，途经高崎机场、金尚路、厦门站、厦禾路、鹭江道、海沧次中心、环马銮湾；

2号线：鹭江道—内厝，途经鹭江道、市政府、湖里、钟宅湾、环东坑湾南岸、新店、马巷；支线行经钟宅湾、东北部发展区、机场、高殿生活区、保税区；

3号线：厦门站—后溪铁路客站；

4号线：和平码头—何厝；

5号线：马銮第一农场—集美东安；

6号线：集美孙厝—马巷车站；

7号线：莲河—同安梵天寺；

8号线：琼头—莲河—泉州都市区。

第三篇　我国城际轨道交通发展现状及预测

一、区域轨道交通建设特点分析

（一）我国城市群的发展状况

区域发展主要是以城市群为主体的。现代意义的城市群概念，是城市发展到成熟阶段的最高空间组织形式，是在地域上集中分布的若干城市和特大城市集聚而成的庞大的、多核心、多层次城市集团，是大都市区的联合体。

20世纪末期以来，伴随着市场经济的深入发展和工业化、城市化的推进，中国以大中城市为核心的城市群在一些经济较为发达的地区获得了快速发展。

目前，中国具有一定规模的代表性城市群主要是：以上海为中心、南京和杭州为次中心的长江三角洲城市群，共有大中城市50个；以广州为中心、深圳和珠海为次中心的珠江三角洲城市群，共有大中城市20个；以北京和天津为中心的环渤海地区城市群，共有大中城市48个。这三大城市群不论从人口和产业的集聚程度，还是从中心城市规模和总体城市数量而言，都已具备大都市连绵区的基本特征，是正在形成中的中国大都市连绵区。

此外，中国还出现了一大批正在形成中的城市群，如以武汉为中心的江汉平原城市群、以成都和重庆为中心的四川盆地带状城市群、以长沙为中心的湘中地区城市群、以郑州为中心的中原地区城市群、以西安为中心的关中地区城市群、以沈阳为中心的辽宁中部城市群、以哈尔滨为中心的松嫩平原城市群、以福州和厦门为中心的海峡西岸城市群，等等。由于中国的城市化是在城乡隔离制度的独特背景下推进的，城市群的发展相对较慢，还有许多的城市群正在发育过程中。

促进区域协调发展，是我国现代化建设中的一个重大战略问题。因此，现阶段党中央、国务院提出，以加快城镇化进程为核心，坚定不移地推进城乡统筹、区域协调和经济、政治、文化、社会“四位一体”科学发展。在政策的催化下，我国的城市群会得以加速发展和形成。

（二）区域轨道交通建设特点

长期以来，我国大城市有着严重的结构性缺陷。近些年伴随着经济的发展、居民收入水平的提高、流动人口和机动车数量的增加，这种缺陷暴露得更加充分，引发的问题也越来越多。比如，出行速度下降、空气质量下降、人均居住面积狭小、停车场地缺乏等一系列严重问题，影响了居民生活质量的提高。这些问题实际上与大城市的交通运输结构缺陷有着密切的关系。

根据国际经验，建设快速轨道交通设施是提高公共运输供给能力和效率，完善城市群立体交通系统的必由之路。快速轨道交通在客运方面共同的优点是容量大，准点快捷、安全舒适，人均占用道路少，能根据不同路段的地面交通和土地供应状况，从地面、高架、地下三种通行方式中选择一种，尽量少与其他建筑物和运输方式争夺用地。因而特别适合我国城市群人口密度高、高峰期对交通需求量大、污染严重的特点。更为重要的是，建设合理布局的快速轨道交通系统，加上适当的配套措施，有助于消除我国大城市其他方面的结构缺陷，从而为实现全面结构升级奠定基础。比如，连接城市中心区与卫星区的快速轨道交通线，有助于那些居住和工作在中心区的居民，将居住或工作地点转移到卫星区，从而降低中心区的人口密集及交通需求密度，改善大城市的空间布局。中心区地下铁路的开通，能降低中心区因为交通拥堵而带来的成本，提高中心区通行能力，有助于中心区作为生产服务中心功能的完善和发挥。中心地带居住区与工业区之间的快速轨道交通，更是有助于城市向卫星区的扩展和辐射，促进卫星区与中心区的均衡发展。卫星区更大的人均土地面积，更广的活动空间，更低的居住和停车费用，有助于居民扩大住房消费，增加对汽车的购买，从而促进城市消费结构的升级并带动相关工业及服务业的发展。

近几年来，随着中国经济的高速发展与产业互补，环渤海京津冀、长江三角洲和珠江三角洲等地区成为我国经济发展的龙头，也是区域经济发展最具活力的地区。这些地区综合经济实力、发展规模、城镇化水平均位居全国前列，交通基础设施建设也取得显著成就。但交通运输在总体上仍不适应区域经济和社会发展需要，存在的主要问题是：主要交通走廊旅客运输能力不足，运输服务质量得不到保障，各种运输方式发展不均衡等。建设地区城际轨道交通网，建立以城际轨道交通为主导的新型区际旅客综合运输体系，对于促进区域经济和社会发展具有重要意义。

为此，2005年3月，国务院审议并原则通过《环渤海京津冀地区、长江三角洲地区、珠江三角洲地区城际轨道交通网规划》。随后，中国第一条城际客运专线—北京至天津城际轨道客运专线于2005年7月开工，2008年7月投入运营。天津—秦皇岛、南京—杭州、广州—佛山、广州—珠海、广州—深圳、海南东环城际快速客运专线也先后开工建设，目前正在加速推进。

从上述已建成和在建的城际快速客运专线看，线路所经过的城镇是经济最发达和人口最稠密的地区，这也是目前我国区域轨道交通建设最显著的特点。从和担当铁路干线的客运专线的关系看，城际轨道交通有部分的线路和铁路干线的客运专线是共线运营，但大多数线路是独立运营。如：广州—深圳与广深港、上海—杭州与沪深线是共线运营；北京至天津城际轨道客运专线与京沪高速铁路是分线运营。这一特点在其他区域都有类同。因此，在线路的称呼上，有称“城际轨道交通”、也有称“城际铁路”，在本质上没有区别。原则上，以开行干线列车为主的，称之为城际铁路；以开行城际列车为主的，称之为城际轨道交通。

2008年11月，国务院又在《中长期铁路网规划调整》中，增加了城际客运系统规划，批准了武汉城市圈、长株潭城市群、中原城市群以及渝蓉、关中城镇群、海峡西岸城镇群等经济发达和人口稠密地区，建设城际客运系统，覆盖区域内主要城镇。

二、建设城际轨道交通网的必要性和规划原则

城际轨道交通是联结某一区域内大城市与中小城市之间，承担城市密集地区城际中短途旅客运输的一种快捷交通方式，是城市和城市化可持续发展必不可少的基础交通设施，是解决未来城市群交通问题的一种现代化的轨道交通方式。

城际轨道交通的特点为：首先，用地省、运能大。据测算，一条双线轨道交通线路与一条16车道的公路运能相当，而占地仅为公路的1／4；其次，节约能源。轨道交通每一单位运输量的能源消费量仅为公共汽车的60%，小汽车的16%。此外，还有安全、舒适、环保、高速、便捷等特点。

（一）建设城际轨道交通网的必要性

1. 建设城际轨道交通网是适应区域旅客运输需求快速增长的需要环渤海京津冀、长江三角洲和珠江三角洲等地区经济规模总量大，城镇密集，人口众多，发展潜力大。随着全面建设小康社会目标的实施，这些地区经济社会已进入新的发展阶段，产业结构升级和城市化、经济一体化进程加快，区内各城市间及对外经济交流将更加密切，人员流动更加频繁。现有以公路为主的客运结构和线网规模难以满足客流密集地区的运输要求。建设运力大、速度快、成本低、全天候的城际轨道交通网络，是完善旅客运输网络，优化综合运输结构，满足旅客运输需求快速增长的迫切要求。

2. 建设城际轨道交通网是建立资源节约型和环境保护型现代化运输体系的需要能源及土地资源矛盾突出、环境保护压力大已成为这些地区共同面临的问题。目前这些地区内运输最繁忙的广深、广珠、沪宁、沪杭和京津等交通走廊，已经或即将形成多条高速公路并行格局。由于公路完成单位运输量消耗的能源、占用的土地和引起的环境污染及交通事故较多，更多地依靠公路运输来解

决城市间快速增长的客运需求已难以为继。借鉴世界发达国家都市群发展经验，建设能耗低、占地省、污染少、安全性好的城际轨道交通网络，是实现区域交通可持续发展的客观要求。

3. 建设城际轨道交通网是加快区域经济一体化进程的需要

城际轨道交通将为城市间旅客运输提供正点、便捷、快速的交通服务，形成区域内"1～2小时交通圈"，从整体上提高公共交通系统的效率和服务水平，缩短城市之间的时空距离，进一步加快区域城市化进程。

（二）城际轨道交通网规划规划遵循的原则

城际轨道交通网规划规划遵循的原则是：

（1）与地区经济和社会发展规划目标协调一致或适当超前；

（2）统筹考虑各种交通运输方式的合理分工和布局；

（3）线网构架要最大程度地连接区域内主要客流集散点，满足沿线密集客流需求；

（4）因地制宜，采取合理的技术制式方案、技术标准和运行组织模式，实现快速度、公交化、大容量运输；

（5）以人为本，与城市轨道交通和其他运输方式保持有机衔接，实现零距离或最短距离换乘，方便旅客出行；

（6）大力推进装备国产化工作，提高城际轨道交通装备水平。

三、城际轨道交通发展现状及预测

"十一五"期间，中国将完成包括国家和地方9800公里客运专线建设任务，其中时速在300公里以上的达5457公里，要建成的城际轨道交通在15条以上。预计未来5年将是全国的城际轨道建设高峰期。经过"十一五"期间的建设，我国将形成一个初具规模的客运网主骨架。

（一）环渤海地区轨道交通发展现状及预测

1. 环渤海地区轨道交通发展现状

自2005年3月国务院批准《环渤海京津冀地区城际轨道交通网规划》以来，该地区政府积极推进城际轨道交通线路建设。截至2008年年底，共开工建设线路3条，其中：

北京至天津城际轨道交通客运专线已于2008年7月投入运营，北京至石家庄城际客运专线2008年10月7日正式开工建设，天津至秦皇岛城际客运专线于2008年11月8日正式开工建设，京石、津秦专线计划2012年投入运营。

（1）京津城际客运专线

北京和天津是京津冀都市圈的两个特大城市，往来频繁的京津间道路利用率已接近饱和，铁路通道京山线京津段利用率已超过90%，现有运力已远远不能满足运量增长的需要，而未来京津两地间人员往来将更加频繁，因此，为了有效缓解日益增长的交通压力，强化京津两市的联系与分工，节约成本，促使整个区域的产业升级和转型，必然要尽快建设两市之间的快速轨道交通。

根据《环渤海京津冀地区城际轨道交通网规划》建设安排，北京至天津城际轨道客运专线于2005年7月开工，2007年12月建成，2008年7月投入运营。京津城际轨道客运专线连接首都北京和天津两大直辖市，全长115.2公里，设北京南站、亦庄站、永乐站、武清站、天津站5座车站，工程总投资133.24亿元人民币。

京津城际轨道交通设计时速300公里／小时，最小发车间隔3分钟，最大通过能力20对／小时，每列车定员900人，最大输送能力18000人／小时。建成通车后，京津两地30分钟之内直达。根据国家发展和改革委员会、铁道部通知，2008年8月1日起，京津城际轨道交通实行试行运价；试行运价水平，由京津城际铁路有限公司根据市场供求状况自主确定；试行满一年后，将按法定程序制定正式运价。京津城际铁路公司随后将试行运价水平确定为：一等车票价69元，二等车票价58元。

京津城际轨道交通的开通运营，为2008年北京奥运会提供了旅客优质服务，促进了京津冀区域进一步协调发展，加速了京津冀都市圈的真正形成。

京津城际轨道客运专线不仅可以拉近社会经济往来的距离，还会促使交通沿线的综合开发，形成“点线布局”、大中小城镇相结合的经济带。在沿线适宜的地方开发商业网点和大型开发项目，如大型房地产社区、大型娱乐园、大型比赛场馆、大型综合超市等。根据沿途各市、区、镇的经济特点，发展特色市场。

（2）京石城际客运专线

2008年10月7日，北京至石家庄城际专线在冀京两省市交界处的涿州市码头镇正式开工建设。正线全长283.7公里，其中：北京境内长度48.7公里、河北境内长度235公里。线路自北京西站，经海淀、石景山、丰台、房山四区，河北省泳州、保定至新石家庄站，共设北京西、涿州、高碑店、保定、定州、石家庄南6个车站。铁路等级为客运专线、双线，设计区段旅客列车速度为线下部分350公里／小时、线上部分200公里／小时及以上。初期运营速度300公里／小时，届时，北京至石家庄间旅行时间将1小时30分到达京石客运专线由铁道部和河北省、北京市共同投资建设，项目投资估算总额438.7亿元。同时，项目还将新建石太客运专线直通线28.7公里，与即将通车的石太铁路客运专线相连接。建设总工期为4年，计划2012年前后建成通车。

京石客运专线与未来的京港客运专线共线运营，成为北京—广州—深圳—香港客运专线的一部分，石家庄现有铁路枢纽也将按照“客进货出、穿城入地”的建设方案进行改造，迁建货运系统和建设石家庄新客站。待石家庄至武汉、石家庄至济南铁路客运专线建成后，京石客运专线将与武汉—广州—深圳—香港客运专线和胶济客运专线连接起来，共同构成快捷的高速客运网。

目前，既有的京广铁路运输能力十分紧张，对经济社会发展的瓶颈制约严重。京石客运专线与既有京广线基本平行，建成后将实现客货分线运输，有效释放既有线货物运输能力，大大缓解现有京广铁路北段运力紧张状况，提高铁路运输服务质量，促进环渤海区域经济的协调发展。

（3）天津至秦皇岛城际客运专线

2008年11月8日，天津至秦皇岛城际客运专线正式开工建设。津秦铁路客运专线自天津站引出，经天津滨海新区、唐山、北戴河引入秦皇岛站，正线全长261.2公里，其中天津境内69.1公里，河北省境内192.1公里。全线设天津、滨海、滨海北、唐山、滦河、北戴河、秦皇岛7座车站，设计时速350公里，单向输送能力8000万人次／年。通车后，天津至秦皇岛全程运营时间1小时30分以内，比现有线路缩短1.5小时。根据国家发展和改革委员会对新建天津至秦皇岛铁路客运专线项目的批复，铁路等级为客运专线、双线，设计区段旅客列车速度为线下部分350公里／小时、线上部分200公里／小时及以上。电力牵引，动车组机车，列车运行采用自动控制方式，行车指挥方式采用综合调度集中。

津秦客运专线的建设，能够进一步完善环渤海地区的交通基础设施，促进环渤海地区经济社会发展和滨海新区的开发开放；能够在津秦铁路通道实现客货分线运输，并与其他铁路相配合，大幅度提升进出关铁路运输能力，彻底打通进出关这一铁路运输的最大瓶颈，为经济社会又好又快发展提供可靠的运力保障；能够与已经通车运营的京津城际铁路和正在建设的哈大、京沪、京广铁路客运专线相衔接，构成联结东北、华北、华东、华南和广大中部地区的快速客运网。

津秦客运专线的建设不仅有利于加快河北沿线地区的工业化、城市化进程，优化河北产业结构和生产力布局，而且对进一步密切冀津两省市的联系，推动京津冀地区一体化发展乃至环渤海地区加速崛起，具有十分重要的意义。

津秦客运专线由铁道部、天津市和河北省合资建设，项目投资估算总额为338亿元，建设总工期4年。

2. 环渤海地区轨道交通发展预测

环渤海京津冀地区将加快建设以北京为中心，以京津为主轴，以石家庄、秦皇岛为两翼的城际轨道交通网络，覆盖京津冀地区的主要城市，基本形成以北京、天津为中心的“两小时交通圈”。到2020年，线网布局满足区域经济社会发展要求，主要技术装备达到国际先进水平。

根据环渤海京津冀地区城际轨道交通网建设的进度与计划，2009年，开工建设天津至塘沽、天津至保定2条城际轨道交通线；到2011年，将建成天津—塘沽城际轨道交通线，构筑京津冀城际轨道交通网的主轴，营业里程达到160公里；到2012年，将建成北京—石家庄、北京—唐山—秦皇岛、津保城际轨道交通线，推进“京石”、“京秦”经济带的发展，营业里程达到861公里。

（二）长三角地区城际轨道交通发展现状及预测

1. 长江三角洲地区轨道交通发展现状

长江三角洲地区是世界六大都市圈之一，每隔30公里就拥有一座城市，然而长期以来，长三角的交通状况却与其地位不相称。长三角区域内有沪宁、沪杭和萧甬3条铁路干线，共有铁路2100公里，仅占全国铁路总长度的2.8%，人均拥有铁路仅2.7厘米，与现代化的要求及世界发达国家的水平还有很大差距。

长期的交通制约，强化了区内各个省市、城市之间因行政区划造成的“楚河汉界”。一方面，长江三角洲区域间各种运输方式缺乏有效衔接，信息不能共享，各种交通资源的综合利用率不高，不能适应经济一体化的要求；另一方面，长江三角洲城镇、产业、人口高度密集，运输需求量大，土地、岸线资源非常紧张。因此，建设长江三角洲城际快速轨道交通，整合各种交通资源，实现其利用效率最大化势在必行。2005年3月，国务院批准了《长江三角洲地区城际轨道交通网规划》。随后，线路建设得到了快速推进。截至2009年3月初，共开工建设线路5条，共计1118公里，其中：沪宁、沪杭2条城际将在2010年上海世博会前开通；宁杭、宁安、杭甬3条城际计划于2012年前建成通车。

在我国人口最密集、城市化水平最高、经济总量最大、运输需求最旺盛的长三角地区建设全天候、大能力、现代化的轨道交通网，对于推动长三角区域一体化发展，建设世界级的城市群，提升长三角国际竞争力具有重要战略意义，同时对世博会的举办也将发挥重要作用。

（1）沪宁城际轨道交通专线

2008年7月1日，沪宁城际轨道交通在南京正式开工建设。正线全长300公里，其中上海市境内32公里，江苏省境内268公里。全线设21个车站。沪宁城际轨道交通由铁道部、江苏省和上海市三方合资建设，将在2010年7月1日前通车运营。工程投资估算总额394.5亿元，线路等级为客运专线，速度目标值每小时200公里以上。根据国家发改委的立项批复建议，该项目与京沪高速铁路在功能定位上进行了明确分工，即京沪高速铁路开行中长途高速旅客列车，沪宁城际轨道交通则开行小编组、高密度、公交化客运列车，在沪宁线的六大城市间进行公交化运营。

线路走向基本并行于既有沪宁铁路北侧，起自上海站，经苏州、无锡、常州、镇江至南京，沪宁城际轨道交通建成后，将开行大站直达和中间停站两种列车，实行公交化运营，沿线停靠站点多，发车班次多，密度高，最小发车间隔可达到3分钟。开工建设沪宁城际轨道交通，有利于完善区域综合交通运输体系，推进长江三角洲经济一体化发展；有利于进一步形成长三角“同城效应”，增强上海对江苏特别是沪宁沿线的辐射带动作用；有利于长三角地区的资源整合、优势互补，提升国际竞争力。

（2）宁杭城际轨道交通专线

2008年12月27日，宁杭城际轨道交通建设大会在宜兴市召开，标志着宁杭城际轨道交通正式拉开了建设的帷幕，工程建设工期3年。

宁杭城际轨道交通专线线路全长248公里，其中江苏境内143公里，浙江境内105公里。全线共设南京南、郭庄、上坊、漂水、上兴、漂阳、新宜兴、新长兴、湖州南、德清和杭州东11个车站，并预留徐舍、余杭开站的条件，预留郭庄连接禄口国际机场的条件。专线旅客列车设计运行时速为350公里，设计时速350公里，建成后南京至杭州将在一小时到达，单项输送能力每年8000万人。工程投资总预算313.8亿元，由铁道部与江苏省、浙江省共同出资，并组建合资公司负责项目建设。

南京、杭州地区是长三角的核心腹地，沿线经济增长迅速，社会经济发达，多项经济指标居全国前列。随着区域经济一体化进程的加快，沿线各城市间人员往来及对外联系日益密切，客货运输需求潜力巨大。建设南京至杭州城际轨道交通，可以直接沟通杭州、南京两个中心城市及沿线城镇，提供一条方便快捷、安全舒适、节能环保的大能力运输通道，大大缩短两地的时空距离，为两地经济文化交流和人员往来提供强大的运力支持，并将进一步带动宁、杭两地及铁路沿线经济社会的发展。它与沪宁城际铁路、沪杭雨客运专线等共同构成长三角快速城际轨道网，并衔接京沪高速铁路、沪汉蓉快速通道、杭长客运专线等路网干线，是我国铁路快速客运网的重要组成部分。

（3）沪杭城际轨道交通专线

2009年2月26日，沪杭城际轨道交通开工仪式在上海枫径举行，计划2010年4月建成。

沪杭城际轨道交通是《中长期铁路网规划》的重点项目，是全国铁路快速客运网和长三角城际轨道交通网的重要组成部分。该工程连接上海、杭州两大城市，由上海虹桥站引出，经松江南、金山北、嘉善南、嘉兴南、桐乡、海宁西、余杭南引入杭州东站，并通过联络线与上海站、杭州站相接，正线全长160公里，其中87%为桥梁工程，全线设车站9座。

沪杭城际轨道交通上海至杭州段沿沪杭高速公路北侧展开，北起上海虹桥站枢纽，南至杭州东站枢纽，浙江省境内长度108公里。全线另在上海虹桥站枢纽建设至上海南站的连接线11公里，在杭州东站枢纽建设至杭州站的连接线4公里。线路建设标准为双线电气化，设计行车时速为每小时最高350公里，规划年输送旅客量为单向8000万人次。设计最小列车发车间隔时间3分钟，初期每日开210对列车，远期每日235对，将使杭州至上海的最快运行时间从现在的1个多小时缩短到38分钟。

沪杭城际轨道交通计划总投资296.8亿元，由铁道部、上海市、浙江省及宝钢集团共同出资建设。在浙江段和上海段两个分段中，铁道部和地方政府的股比为5：5,然后由上海市、浙江省按照境内线路的长度比例出资。宝钢集团出资20亿元，占有少量股份。

沪杭城际轨道交通位于长三角人流、物流、信息流最为密集的地区，拉动沿线城乡经济发展的能力强大，沪杭雨客运专线与在建的沿海铁路客运专线和规划中的杭州至长沙客运专线汇接成网后，大力提高区域内的通达性和经济活力。

（4）宁安城际轨道交通专线

2008年12月18日，南京至安庆城际轨道交通在安徽铜陵宣布正式开工建设。线路为新建客运专线，全长258公里，其中江苏省境内33公里，安徽省境内225公里，沿线设11站。工程建设工期4年半。宁安轨道交通建成后，安庆至南京、上海的旅行时间将由原来的5.5小时、10.5小时分别缩短至1.5小时和3小时。

南京至安庆城际轨道交通连接江苏和安徽两省，是长三角城际客运铁路网的延伸，是国家骨架网“八纵八横”沿江通道的组成部分。项目地处华东苏皖南地区，居长江以南，走向基本平行于长江。东起铁路南京南站，经南京南、板桥、江宁、进入安徽省马鞍山市，过当涂县进入芜湖市，由芜湖枢纽引出沿长江南岸向西经过铜陵市、池州市，跨过长江终于安庆市；该线向东通过南京枢纽沟通上海、苏南，向西通过芜湖枢纽通往江西并向中南、西南地区辐射。线路规划运输能力为日通过旅客列车125对。路段直达旅客列车设计行车时速达250公里，基础设施速度目标值为每小时300公里。南京至安庆城际轨道交通设计概算投资总额为268亿元，其中资本金134亿元，铺地流动资金0.3亿元，机车车辆购置费为20亿元，经济技术指标约为1亿元／正线公里。项目由铁道部、安徽省、江苏省共同筹资建设，其中安徽省境内部分投资209亿元。铁道部占资本金50%，安徽省、江苏省各自出资境内资本金的50%（含征地拆迁费用）。

建设宁安轨道交通，将大大促进沿线人流、物流、资金流、信息流的快速流动，实现同城效益，大幅度提升工业化、城镇化水平，加快现代化进程；将在苏皖两省之间构建起一条世界水平的铁路运输大通道，把两省更加紧密地联系在一起，既有利于拓展苏南和长三角的发展腹地，又有利于安徽对接长三角，促进区域协调发展；将与京沪高速铁路、南京至成都客运专线等相衔接，构成覆盖我国广大地区的快速客运网。

（5）杭雨城际轨道交通专线

2008年12月27日，杭州至宁波城际轨道交通正式动工建设。专线全长152公里，其中杭州东至宁波庄桥段新建线路144.7公里，庄桥至宁波段改造利用现有线路7.3公里，设萧山、新绍兴、新上虞、余慈、庄桥、宁波等车站。预计2011年建成通车，届时，杭州到宁波乘火车不到1个小时即可到达；专线延伸至上海，宁波到上海的车程时间约为80分钟；延伸至南京，宁波到南京的车程时间约为100分钟。

杭雨城际轨道交通为双线铁路客运专线，旅客列车速度目标值为250公里／小时，并预留了进一步提速条件；规划运输能力为客车160对／日，单向输送能力8000万人／170年。批复同意项目投资估算总额213.9亿元，由铁道部和浙江省及社会资本按多元化投资模式共同出资，并组建合资公司负责项目建设。其中铁道部出资60%，浙江省出资40％。杭雨交通走廊是我国最繁忙的交通走廊之一。随着区域经济一体化的快速发展，以及京沪高速铁路、雨温厦深沿海快速铁路、沪汉蓉、宁杭快速铁路的建设，杭甬通道承担的中长途客货运量和城际客流将迅猛增长。建设杭甬城际轨道交通，并与沿海快速铁路衔接，实现通道内铁路客货分线，可提供一条方便快捷、安全舒适、节能环保的大能力运输通道，大幅提高运输能力和运输质量，完善区域交通运输结构，加快区域经济一体化进程。

杭甬城际轨道交通是全国快速铁路客运网和长江三角洲城际轨道交通网的重要组成部分，与沪杭、沪宁、宁杭等线路共同形成长三角地区城市间交通圈。

2. 长江三角洲地区轨道交通发展预测

长江三角洲地区城际轨道交通网统一规划，分期建设，逐步建设投产。2010年是长三角城际轨道交通建设的阶段目标节点。2010年，将建成南京—镇江—常州—无锡—苏州—上海城际轨道交通线、上海—嘉兴—杭州城际轨道交通线，构筑长江三角洲地区城际轨道交通网的主轴，区域城际轨道交通营业里程达到455公里。2015年前，将建成常州—江阴—常熟—苏州、苏州—嘉兴等城际轨道交通线。

长三角城际轨道交通不同于客货混跑的沪宁、沪杭等既有铁路，也不同于城市内地铁和轻轨，它是以城际中短途客流为主，主要承担城际铁路沿线各个城市和中心城镇之间的客流，兼顾城市组团、次中心城镇间的客流。预计到2020年，城际轨道交通承担的客流为44580万人次，全部为区域内部城市之间的客流。

根据长江三角洲地区城镇间的客流需求和轨道交通网规划，到2015年，长三角地区将有7条城际轨道交通线路开工建设，总里程达815公里，形成以上海为中心，沪宁、沪杭（甬）为两翼的城际轨道交通主构架，覆盖区内主要城市，主要技术装备达到国际先进水平。

长三角城际轨道交通网建成后，铁路运输分工将更加合理和细化，实行客货分线。长三角城际轨道交通将全部是快速客运专线，主要开行江浙沪地区城际间的中短途快速旅客列车，兼顾借道开行的跨区域长途快速旅客列车；既有的沪宁、沪杭、杭甬线将以货车为主，同时开行少量的普速中长途直通客车。

（三）珠三角地区轨道交通发展现状及预测

1. 珠江三角洲地区轨道交通发展现状

为适应珠江三角洲地区旅客运输需求快速增长的需要，缓解区域交通运输紧张状况，推进城镇化和经济一体化的进程，2005年3月，国务院通过了《珠江三角洲地区城际轨道交通网规划》。规划确定了建设以广州为中心，以广深、广珠城际轨道交通为主轴，覆盖区内主要城市，衔接港澳地区的城际轨道交通网络。

自规划出台以来，珠江三角洲地区不断加快线路建设。首先开建的是广州—深圳、广州—珠海的城际轨道交通线工程。截至2009年3月初，共开工建设线路3条，共计254公里，预计在2010年前建成通车。

（1）广佛城际轨道交通专线

2002年，连接广州和佛山两大城市的城际快速轨道交通线路试验段开工建设。2007年6月28日，线路全线正式开工建设。广佛线横跨广州的海珠区、荔湾区和佛山的禅城区、南海区，呈东西走向。总长32.16公里，全部为地下线路，佛山市境内14.70公里，广州市境内17.46公里。全线共设车站21座，其中广州设车站10个，佛山设车站11个。设1处车辆段及综合基地，控制指挥中心

1座，扩建、新建主变电所各1座。广佛线工程将于2010年上半年全线土建工程完工，2009年底全线车站完成装修和设备安装。2010年10月完成全线大联调，2010年底全线建成通车，总工期66个月。广佛线的列车为B型车，采用4辆编组，最高设计时速为每小时80公里，平均旅行速度为每小时39公里，全程旅行时间为49分钟。远期设计运输能力为单向高峰小时253万人次，高峰期间最小行车间隔为129秒。

广佛线由广东省、广州市、佛山市和南海市共同出资建设，项目法人公司是广东广佛轨道交通有限公司。项目总投资146.75亿元，由广州、佛山两市按51：49的股比共同出资建设，广东省政府给予一定补贴。

广佛线是促进珠江三角洲中部城市群一体化发展的战略线路。是完善广州至佛山的交通体系，促进城市群结构重组与发展，进一步促进珠江三角洲地区的经济发展的需要，对广东省政府提出的珠江三角洲要在2010年率先基本实现社会主义现代化具有十分重要的意义。广佛线与广州市地铁1、2、3号线组成了快速轨道交通的基本骨架，有利于完善广佛线的功能，形成轨道交通规模效益和整体效益。广佛线的建设对推动珠江三角洲城际快速轨道交通网的建设积累经验将起到示范作用。

（2）广深城际轨道交通专线

广州至深圳城际铁路（延伸至香港后成为广深港高速铁路），起于广州铁路新客站，途经东莞、虎门、深圳机场、深圳皇岗至西九龙，线路全长145公里，总投资167亿元，于2005年12月18日开工，预计在2010年建成。截至2008年年底，广深段已完成线路土建工程。2009年进入铺轨阶段。

广深港铁路客运专线广深段，是国家《中长期铁路网规划》中全国铁路客运专线网的重要组成部分，是我国未来北京—武汉—广州—深圳—香港铁路快速客运通道的一部分，处于线路的最南端，同时也兼顾了珠三角地区城际快速轨道的功能，也是内地与香港大型基础设施协作的主要项目之一。

广深港铁路客运专线香港段全长40多公里，向南经皇岗延伸至香港。2006年2月，香港特区政府确定了共用通道方案，经由香港西铁、北环线路段，再接驳专用路轨直达皇岗。香港段计划在2009年底动工，2015年之前完工。由九龙至广州，新铁路需时约一小时，较目前的广九直通车快了近40分钟。

这条客运专线建成后，能高效满足广深港间直达客流快速增长需求，承担沿线地区与京广铁路客运专线和东南沿海快速铁路干线的长途旅客交流，同时还能兼顾部分城际客流。广深港铁路客运专线将显著改善香港和其他珠三角城市的联系，北环线将可打破新界东西没有铁路贯通的局面，并为新界西居民多提供一个进出边境的途径。乘客日后从香港前往武汉，仅需5个多小时，并可转乘铁路前往上海、重庆、成都等地。待北京至武汉客运专线竣工后，旅客更可直接由香港前往北京，全程只需10小时。

（3）广珠城际轨道交通专线广州至珠海城际快速轨道交通工程是广东省重点工程，由铁道部和广东省联合出资，将成为珠江三角城际轻轨交通主干线之一。工程于2005年12月18日正式动工，2010年投入使用。此外，在建设新客站的同时，将建设一条从广州火车站到新客站的联络线，将京广线的部分客车引入新客站。

广珠城际轨道交通线全线总长143公里，其中广州至珠海主线长117公里，小榄至江门支线长约

26公里，全线共设车站21座，项目总投资195亿元。终点的珠海拱北，还预留连接澳门的条件。

该线与位于番禺石壁的新广州火车站同时开建，在此实现与京广铁路等国铁网络、地铁等城市交通网络的无缝连接。工程按260公里／小时的时速标准建设，列车最高运行时速可达200公里，建成后珠海至广州只需40分钟。

2008年3月，广珠城际轨道交通工程延伸线通过预可行报告。线路设计为：自珠海站起，沿途设有珠海站、湾仔站、下湾站、莲花站、横琴站、三灶站和珠海机场站7个站点，预留鹤州南站。延伸线全线总长35公里，先后跨越前山水道、马骝洲水道、磨刀门水道和泥湾门水道，设计时速160公里，通行能力每小时24000人次。在横琴岛下湾站预留直通澳门的接轨条件，以便将来与广珠城际轨道和横琴至澳门铁路，共同构成澳门—珠海—广州的快速客运通道。

2. 珠江三角洲地区轨道交通发展预测

广东珠三角城际轨道交通体系工程建设正在加速推进。按照计划，到2010年，广珠城轨和广佛地铁建成，期末线网总长254公里，投资273多亿元；从2009年开始，将先后开工建设东莞—惠州线、广州—花都—清远线、中山—南沙—虎门线，建设线路总长340公里，建设线路投资700亿元，至2015年建成，线网总长614公里。线网布局满足区域经济社会发展要求，主要技术装备达到国际先进水平。

2008年7月，广东省提出了《珠三角城际轨道交通同城化规划》的构想，这一新规划与2005年获得国务院批准的《珠江三角洲地区城际轨道交通网规划》原方案不同，其线网总长度由近600公里扩容至接近2200公里，规模扩张约2.5倍。新规划基本覆盖珠三角所有县级以上城市，线网密度达到4.8公里／百平方公里，加上城市轨道交通、普通铁路等，珠三角的轨道交通网络密度将达到12.2公里／百平方公里，接近巴黎都市圈和东京都市圈的水平。远期，路网还将向粤东、粤西、粤北延伸。

根据广东省的时间安排，以广州为中心的快速交通体系建设将加速，会率先推动广州至清远、惠州、肇庆的工程。从2009年到2012年，将新开工建设轨道交通538公里，投资746亿元。计划在2015年以后建设轨道交通总长1443公里，投资2670亿元。

（四）武汉城市圈轨道交通发展现状及预测

武汉作为全国特大中心城市之一，是中南地区唯一的副省级城市，是中南地区经济社会发展的龙头。“一城独大”是武汉城市圈有别于其他城市圈（群）的显著特征。

武汉城市圈是以武汉为中心，由武汉及其周边100公里范围以内的8个城市（黄石、鄂州、黄冈、孝感、咸宁、仙桃、潜江、天门）构成的区域经济联合体（简称“1+8”）。以2008年为基年，城市圈人口占湖北省人口的52%，面积占31.2%,GDP占61.3%，地方财政收入占53%。

基于武汉被国务院批准为“全国资源节约型和环境友好型建设综合配套改革试验区”，以及在中南地区发展的重要性，2008年11月，国务院在《中长期铁路网规划调整》中，批准了武汉城市群可以规划建设城际客运系统。2008年年底，湖北省编制完成了《武汉城市圈城际铁路网规划（2008-2030年）》，并报国务院审批。

根据规划，武汉城市圈城际铁路将以武汉为核心，由“放射线加一个环线”6条线路组成，规划总里程约1070公里、时速200公里。“1+8”城市圈中的8个城市一到两个小时内即可到达武汉市区。

按照湖北省编制的《武汉城市圈城际铁路网规划（2008-2030年）》安排，2009年3月22日4条城际铁路在武汉正式开工建设，分别是：武汉—咸宁、武汉—鄂州—黄石、鄂州—黄冈、汉口—孝感，项目总投资预计约500亿元。建设资金中，中央政府和地方各出资约50%，其中湖北省地方政府需自筹资金约125亿元。

建成后，周边城市与武汉之间，均可在30分钟以内到达。这将使武汉城市圈各城市真正成为“半小时经济圈”，极大地改变该地区原有的产业、经济布局，对湖北未来的发展具有深远影响。

武汉是全国四大铁路枢纽城市之一，铁路资源丰富，现有京广线、武九线、汉丹线及京九铁路麻汉联络线，2010年前还将建成京广客运专线和沪汉蓉快速客运通道，扩能改造武九线和汉丹线，形成客货分离、功能完备、机动灵活的特大型铁路枢纽格局。目前，武汉市已开行武汉至黄石、宜昌、襄樊、麻城等地的短途列车，但其运行速度、开行密度、舒适性均达不到城际铁路公交化、高速化、人性化、网络化的要求，未来将对车辆、售检票系统、站台、出入口通道等设施进行改造。

按照规划，在2015年以前，还将利用汉宜线开通武汉到潜江城际列车，途经仙桃，辐射天门；利用京广线开通武汉到咸宁城际列车；利用武合线开通武汉到麻城城际列车。

（五）长株潭城市群轨道交通发展现状及预测

长株潭城市群包括长沙、株洲、湘潭三市，位于我国京广经济带、泛珠三角经济区和长江经济带的综合部，区位优势明显，交通条件优越，产业和科技基础良好，是我国得天独厚的城市群资源，发展潜力巨大。

长株潭三市之间交通仍是主要制约三市城市扩容以及经济发展的主要因素。2008年11月，国务院在《中长期铁路网规划调整》中，批准了长株潭城市群可以规划建设城际客运系统。为此，湖南省经过多年的研究与论证，确定了长株潭城市群城际轨道线网规划方案，并报国务院审批。

根据线网规划方案，长株潭城市群线网由4条线路组成，线网总长150公里，设站42个（含接轨站4个）。其中长沙至株洲48公里，设站12个；易家湾至湘潭30公里，设站9个；湘潭至株洲50公里，设站17个；长沙西至湘潭22公里，设站4个。总造价估算为192亿元。

湖南省还与铁道部合作，规划新建和改造7条既有铁路。湖南省目前已形成京广、焦柳、湘桂、洛湛等“三纵一横”的铁路路网结构，但依然存在质量不高、路网不完善等问题。根据利用规划确定：改造和新建湘桂复线、衡茶吉铁路、荆岳铁路、怀邵衡铁路、安常铁路、怀永郴铁路等铁路干线，极大地完善湖南省铁路路网结构。另外，还将利用正在建设的武广客运专线和杭长（杭州—长沙）客运专线，届时将根据需要开行城际客运列车。

（六）成渝城市圈城际轨道交通发展现状及预测

1. 成渝城市圈轨道交通发展现状

成渝经济圈位于四川盆地内，南达长江，北抵成南高速公路，西接宝成、成昆铁路，东连襄渝、渝黔铁路等范围的经济区域。成渝经济圈的面积约17万平方公里，人口8730万，分别占西南地区的6.6%和36%。

成渝经济区的实质是以重庆、成都两个超大城市为中心，以重庆城市群、成都城市群、成内（遂）渝经济带、成德绵城市带以及川南城市群等多个城市群落为主体的大城市群。

成都城市群、重庆城市群的形成和发展，需要进一步合理规划和建设以成都、重庆为中心的城际快速交通体系，使中心城市与周边城市城镇形成一定密布的物质流、能量流、信息流、人口流和资金流，提高中心城市与周边城市的通勤率，扩大通勤空间。目前，成都与重庆间有五条通道：民航成都至重庆空中距离280公里，空中飞行时间40分钟；成渝铁路，全长504公里，属国铁二级，旅客列车旅行时间10小时左右；2006年开通的成都经遂宁至重庆的快速铁路351公里，运行时间4小时；成渝高速公路全长340.2公里，旅行时间约4个小时；成遂渝高速公路全长295公里，旅行时间约3.5小时。现有经济带内成渝之间的交通，已极不适应两市之间的密切交往。为加强经济带内快速交通体系建设，应加快新建成渝快速铁路客运专线，构建成渝两市间快速轨道交通体系，使成渝两地之间的客车旅行时间缩减为1.5小时左右。

基于成渝地区在西部的核心作用，2008年11月，国务院在《中长期铁路网规划调整》中，批准了渝蓉可规划建设城际客运系统。因此，已研究多年的成渝快速铁路客运专线很快纳入了建设规划之中。截至2008年年底，已开工建设线路1条。2008年12月29日，成绵乐铁路客运专线正式开工建设。线路等级为双线客运专线，全长319公里。全线近期设车站20座，桥隧比为51%，工程投资估算总额为392亿元。成绵乐是整个西南地区第一条客运专线，由铁道部和四川省共同出资，并组建公司负责项目建设。建设工期4年。全线以四川省会成都为中心，江油、乐山发出的列车均以新成都东站为终点站，设计列车运行时速250公里，单向输送能力8000万人次／年。江油、乐山到成都只需1小时。

成绵乐铁路客运专线位于我国西部人口稠密、经济发展迅速的成都平原，是未来川渝地区城际铁路网的主轴之一。它以成都为核心，向北由德阳、绵阳连接成都至西安铁路客运专线，向南由眉山、乐山延伸至峨眉、宜宾、毕节、贵阳，与贵广铁路相连。建设成绵乐铁路客运专线，能有效增强成都市的经济辐射能力，加快铁路沿线城乡一体化进程和成都经济圈的进程，整合和开发沿线丰富的旅游资源，形成快速、方便的城际铁路网；对于促进区域经济的协调发展，拉动内需，振兴经济，推动经济社会又好又快发展具有极其重要的意义。

2. 成渝城市圈轨道交通发展预测

成渝经济圈是国家西部大开发战略中重点支持发展的核心区域。2008年，成渝经济圈实现国内生产总值占西南6省（市、区）的48%，人均GDP明显高于西部地区平均水平。成渝两市需要通过发展快速轨道交通，以解决有效地缩短两地间的时间成本。成渝经济圈交通运输的发展，必将优先发展轨道交通网络。根据成渝经济圈内各城市的经济发展基础和目标，未来成渝经济圈可建设轨道交通的线路如下：

（1）峨宜线（峨眉山—乐山—宜宾）、渝宜线（重庆—宜宾）

规划建设峨宜线、渝宜线，使沿江铁路进一步延伸，由重庆经泸州、宜宾至乐山，把四个港口城市连接得更紧密，并连通内昆线、成昆线；对成都铁路枢纽、重庆铁路枢纽和重庆港枢纽进行改建并建设配套换乘枢纽，实现紧密的直接换乘。

（2）成都—内江—重庆快速客运专线

规划建设成都—内江—重庆快速客运专线，可为川渝地区提供高速度、大运能、公交化、环保型的交通出行方式。与川渝地区其他的准高速铁路，普通既有线铁路，城市轨道交通有机协调整合发展，构建了川渝现代化快速运输体系，为旅客提供快捷的出行方式。可以以此为主线，将一小时经济圈的边界扩展到最西到宜宾，最南到泸州、合江。从而推进渝蓉城乡统筹试验区的区域经济一体化进程，实施可持续发展战略的需要。成渝快速铁路客运专线，沿途可经过简阳、资阳、资中、内江、隆昌、荣昌、永川、江津等几个区市县，线路长度315公里，列车运行60分钟左右。

成渝客运专线建成后，最大双向客流可以达到1.6亿～2亿人次／年，最小发车间隔3分钟，缓解地区交通运输紧张状况，满足沿线城镇之间旅客快速出行需要。根据沪汉蓉快速客运通道发车的设计，成遂渝段每天将发车上百对客车，其中：成渝直达快车20～30对、沪蓉长途本线车60～70对。成渝客运专线建成后，可将这上百对客车转移到成渝客运专线上来，从而将成遂渝段庞大的货运运输能力解放出来，实现成渝快速通道北通道货运专线化，南通道客运专线化。从而客货分线，效率最优化，方便川渝人民前往华东、华中、华北地区。

在新渝黔快速铁路建成以后，成渝客运专线将与新渝黔快速铁路，贵广快速铁路一起，构成四川到珠三角的快速客运通道。

（七）中原城市群轨道交通发展现状及预测

中原城市群就是以郑州为核心，以洛阳、开封为支撑，包括新乡、焦作、许昌、平顶山、漯河、济源9个城市构成的城市群体。其中，有特大城市2个、大城市4个、中等城市2个、小城市15个、县城34个、建制镇374个，城镇密度为7.3个／平方公里、城镇化水平为31.8%，土地面积5.88万平方公里，人口3836万，分别占河南省总量的35.2%和40.1%。中原城市群建设不仅是国家整体产业空间发展格局的重要一环，也是中西部地区发展崛起的关键支撑点，更是中原经济隆起的根本途径和必由之路。中原城市群产业集群的发展主要依托中心城市，大多分布在郑州，产业集群化趋势明显，带动了相关产品和产业的发展。

2008年11月，国务院在《中长期铁路网规划调整》中，批准了中原城市群可规划建设城际客运系统，以满足中原城市群内快速交通的需要。

在未来加快中原城市群发展、构建现代城镇体系、促进中原崛起中，中原城市群总体框架的构建是“一极两圈三层”。

“一极”即构建带动河南全省经济社会发展的核心增长极，就是“郑汴新区”，包括“大郑东新区”和“汴西新区”。

“两圈”即加快城市群轨道交通体系建设，在全省形成以郑州综合交通枢纽为中心的“半小时交通圈”和“一小时交通圈”。“半小时交通圈”就是以城际快速轨道交通和高速铁路为纽带，实现以郑州为中心、半小时通达开封、洛阳、平顶山、新乡、焦作、许昌、漯河、济源8个省辖市；“一小时交通圈”就是以高速铁路为依托，形成以郑州为中心、一小时通达安阳、鹤壁、淮阳、三门峡、南阳、商丘、信阳、周口、驻马店9市的快速交通格局。

“三层”即中原城市群核心层、紧密层、辐射层。核心层指郑汴一体化区域，包括郑州、开封两市区域；紧密层包括洛阳、新乡、焦作、许昌、平顶山、漯河、济源7个省辖市区域；辐射层包括安阳、鹤壁、淮阳、三门峡、南阳、商丘、信阳、周口、驻马店9个省辖市市区。

从2006年开始，中原城市群城际轨道规划提上日程，历经3年，《中原城市群城际轨道交通网规划》进入报批阶段，预计2009年中期得到批复。

根据规划，线网规划为“十”字半环形架构。以洛阳—郑州—开封、新乡—郑州—许昌—漯河两条主轴线，将重点城市和具有发展潜力的产业带联系起来；以新乡—焦作—济源—洛阳、洛阳—登封—禹州—平顶山—漯河两条发展线，发挥城际轨道的引导功能，扩大城际网覆盖范围，促进中原城市群总体规划目标的实施。

（八）关中城镇群城际轨道交通发展现状及预测

关中城镇群是我国十大城市群之一，是历史最悠久、中华文化积淀最丰厚、西部经济最发达、枢纽地位最突出的城镇群。它包括西安、咸阳、宝鸡、渭南、铜川和杨凌五市一区，是陕西省经济的核心区。

在未来的10到20年内，该城镇群的经济总量将有巨大的发展。目前，陕西省关中城镇群交通网与其经济的高速发展不相适应，各城市之间联系主要依靠公路运输，造成自然及环境资源浪费、城际交通结构单一，难以满足不同层次旅客出行需求。适时加快关中城际铁路网的建设，发挥城际铁路大能力、高密度、全天候、公交化的特性，对于交通网络的优化和完善极为必要，对实现关中城镇群快速崛起，促进区域经济协调发展具有十分重要的意义。

2008年11月，国务院在《中长期铁路网规划调整》中，批准关中城镇群可规划建设城际客运系统。

2006年，陕西省就启动了《关中城市群城际铁路网规划》的编制工作，规划范围西起宝鸡、东至华阴、南临秦岭、北到铜川和蒲城，涵盖关中地区5市1区共54个县。到2008年年底，规划基本编制完成，进入审批程序中。

根据规划，关中城镇群城际铁路呈“一轴一环三走廊”结构形式，总规模规划为1204公里。分初（2015年前）、近（2020年）、远（2030年）期分步实施。关中城镇群城际铁路线网的主骨架初步确定为：以西安为中心，沿陇海线，西起宝鸡，经咸阳、西安，东至华阴的“一”字形东西主轴，和西安—铜川、西安—阎良—韩城的2个辐射轴线组成的“V”字形主骨架。远期还将建成连接西安—礼泉—乾县—扶风—眉县—周至—户县—长安—临潼—渭南—阎良—三原—径阳的环线。线路初步确定为：西安—蓝田、临潼—渭南、西安—周至、西安城区—机场—法门寺、西安—高陵—阎良—富平、西安—铜川6条城市区县间铁路交通线，形成关中地区一小时经济圈。

关中城镇群城际铁路建设，还将与铁路客运专线、干线铁路、高速公路、城市轨道交通以及关中地区骨干公路等有机结合起来，形成分工明确、互为补充、便捷通畅的立体交通体系。

2008年12月，国家发展和改革委员会批准新建西安至宝鸡铁路客运专线项目建议书。建设该项目，有利于完善路网结构，扩大运输能力，提高服务质量，促进区域协调发展。线路自西安枢纽在建的客车北环线（咸阳西站）引出，经兴平、武功、杨陵、常兴、蔡家坡（五丈原）至宝鸡枢纽新宝鸡站，接既有陇海线，正线全长约150公里。西安—宝鸡客运专线在2009年开工，总工期42个月。

（九）海峡西岸城镇群城际轨道交通发展现状及预测

海峡西岸位于长三角和珠三角的结合地带，连接我国两个经济最发达的三角洲，并与祖国宝岛台湾隔海相望，地理位置非常特殊。海峡西岸还拥有3300多公里大陆海岸线、20多个优良港口和沿海产业群。

海峡西岸城镇群是海峡西岸的核心部分和经济发达地带，其包括福州、厦门、泉州三大中心城市，宁德市、南平市、三明市、莆田市、漳州市和龙岩市若干个次中心城市。随着海峡西岸经济带的繁荣，由福州、厦泉漳共同组成的沿海发达城市密集区，在不久的将来将连绵成片，形成一条辐射面更宽的海峡西岸经济繁荣城市群。这一区域经济发展带将在更高的层面上，参与和对接沿海长三角、珠三角在产业上的分工与协作，并创造条件与海峡东岸经济圈组合成我国又一经济增长极。因此，对城际轨道交通的需求越来越迫切。

2008年11月，国务院在《中长期铁路网规划调整》中，增加了规划，批准海峡西岸城镇群可规划建设城际客运系统。目前，海峡西岸城镇群城际轨道交通规划正在编制之中。根据规划方案设想，将先期规划建设宁德—福州—厦门—漳州—龙岩、福州—南平—三明、龙岩2条城际铁路。向东对接长江三角洲地区，向西与珠三角和港澳台经济区对接。另外，海峡西岸城市群还将利用温州—福州—厦门客运专线以及海峡西岸通往内地的快速通道向塘—莆田铁路等，开行城际列车。

（十）辽宁中部城市群城际轨道交通发展现状及预测

辽宁中部城市群是辽宁省的经济核心地带，是东北亚地区少有的都市密集区，更是我国最重要、最具发展潜质的经济区之一。辽宁中部城市群是以沈阳为中心，通过中心城市沈阳的经济辐射和吸引，与周围经济社会活动联系紧密的地区，形成了“区域经济共同体”发展趋势。范围包括沈阳、鞍山、抚顺、本溪、营口、辽阳、铁岭7个城市，总面积65040平方公里，占全省的44%。经济区突飞猛进的发展，经济一体化的形态和特征日益凸现，是中国主要的重工业发展基地之一。

由7市及其所辖的各市、县、镇构成的辽宁中部城市群，为了实现区域资源共享、优势互补、统筹区域性重大基础设施建设，改善生活环境和投资环境，促进经济与社会快速持续发展，辽宁省组织编制了《辽宁中部城市群城际轨道交通规划》。目前，该规划正在报批之中。

根据该规划，线网以沈阳为中心，辐射抚顺、本溪、辽阳、铁岭四市的城际轨道共227公里，其中沈抚运距最短为42公里，沈辽（阳）、沈本、沈铁分别为59公里、62公里和64公里。建成后，从沈阳地铁黎明文化宫站出发至抚顺的盛城街仅为30分钟。

同时，沈阳到辽阳、本溪、铁岭的时空距离，也将史无前例地缩短为1小时，这样就形成了以沈阳为中心，辐射周边四市的“一小时交通圈”。

（十一）山东半岛城市群城际轨道交通发展现状及预测

为加快山东半岛城市群及胶东半岛制造业基地建设，山东省政府组织编制了《山东东部地区快速轨道交通系统规划》，将建设青岛、烟台、威海之间的城际快速交通。青威城际轨道是一条双轨四线的客运专用线，它的修建将彻底解决山东半岛青烟通道运输能力紧张、运输质量不高的问题。目前，该规划正在报批之中。

按照规划，烟台和威海之间将直接轻轨相连，并成为城际轻轨线路之一，青岛轻轨则主要连接中心市区与卫星城。最终，烟威、青岛两大轻轨系统将与蓝烟线、桃威线电气化铁路和青岛地铁连成一片，共同构成胶东半岛的高速轨道交通网络。青威城际轨道交通的车站设置将覆盖沿线主要城镇，实现铁路公交化运营，使烟台通往青岛、威海任何一地都能1小时到达。在设计中，城际轻轨的线路走向充分考虑了与沿线城市总体规划和对枢纽及重点经济地区发展的配套。青岛是整个线路的起点，沿线分别依托青岛、烟台、威海、荣成四个主要的经济据点。烟台作为衔接蓝烟铁路和烟大铁路轮渡的重要交通枢纽城市，承担着“青威”城际线上重要的中间站作用，烟台市区轨道交通的规划将直接影响到全线走向。

根据《新建青岛至荣成城际轨道交通可行性研究》报告，青岛—烟台—威海—荣成的城际轨道交通在2009年开工建设。青威城际轨道交通正线长度295.53公里，投资313亿元，预计于2012年建成。

青岛至荣成城际轨道交通起自青岛地区的青岛北站，终至威海地区的荣成站。其中，烟台地区126公里。全线设青岛北、机场、城阳、即墨东、夏格庄、新莱西、新莱阳、山前店、新桃村、福山南、烟台南、牟平、北店子、威海北、威海南、桥头、荣成共17个车站。青威城际列车设计运行速度：站站停列车运行速度可达200公里／小时，直达列车运行速度可达250公里／小时。青岛到烟台、威海的任何一个沿线重要城镇均能在一个小时内到达。

首先开工建设的是青荣轨道交通一期工程烟台至威海段。两市之间的轻轨起点，分别在烟台火车站和威海火车站，总长度79公里，途经旅游胜地养马岛，在烟台市域内长度为56公里。项目已确定资金51亿元，其中铁道部26亿元，山东省25亿元，项目建设资金以面向社会融资的方式来筹集。2010年之前，烟、威两市有望实现轻轨直接连接。线路建成后，预计城际轨道交通全日客运总量2020年将达到19.9万人，2030年29.3万人。高峰小时最大断面客流量位于福山—烟台区间，2020年6040人／小时，2030年7822人／小时。最大区段设计客车对数2020年91对，2030年122对。

2010年之后，烟台、威海两市将再各自增建120公里的轻轨线路。烟威轻轨将从烟、威两市沿半岛海岸线向两边延伸，最终形成连接龙口、蓬莱、烟台、威海、成山头、文登的沿海轻轨线路，总长度达319公里。

（十二）海南城际轨道交通发展现状及预测

海南东环城际快速客运专线是海南省“十一五”发展规划重点建设重大基础设施项目之一。2007年9月29日，海南东环铁路在海口市正式开工建设。建设工期4年，预计2011年9月底建成通车。

海南东环铁路正线长度308公里，北起海口市，途经文昌市、琼海市、万宁市、陵水县，南至三亚市，全线近期共设14个车站，设计为国家工级双线电气化铁路，速度目标值为200公里／小时，主要开行动车组列车。

海南东环铁路总投资约192.2亿元，将按照政府主导、多元化投资、市场化运作的方式，由铁道部与海南省共同筹资建设。建设资金的资本金由铁道部与海南省各出资50%，海南省出资额为16多亿元，征地拆迁补偿费及相关费用经双方认可后作为海南省资本金入股。

东环铁路施工进展顺利。截至2008年年底，已累计完成投资71亿元。全线路基土石方施工已进入高峰期，完成量占设计总量的63%，路基附属工程已全面启动，软基加固基本完成。134座特大、大、中桥已全面开工，累计完成5万多延长米，占设计总量的49%。其中，已完成下部结构的特大桥3座、大桥14座、中桥5座，重点控制工程南渡江特大桥水中墩已全部完成。18座隧道已全部开工，贯通1座。海口特大桥等重点控制工程全面施工。

海南东环铁路功能定位为以客运为主、兼顾海口市内轨道交通和少量轻快货运。线路设计充分体现“以人为本”的理念，线路走向尽量靠近旅游景点和经济中心，可以方便旅客乘降、换乘及游览。预计近期运量为1800万人次／年，远期运量为2500万人次／年。海南东部沿海地区集中了全省78%的旅游资源和90%的客流，城际间人员流动频繁。海南东环铁路的建设将为旅客提供快速、环保、大容量的现代化轨道交通服务，大大提高海南东部沿海地区旅客运输能力和服务质量，对完善海南省立体交通体系，保护沿海生态环境，促进海南经济社会快速发展具有重要意义。

海南东环铁路建成后，乘客从海口至三亚仅需90分钟，较高速公路平均旅行时间3小时缩短一半，同时旅客还可以在舒适快速的列车上，饱览海南东海岸旖旎的自然风光和人文景观。

海南是一个旅游大省，城际列车环保的特点，非常适宜在海南的发展。未来，海南省将规划建设海南西环铁路、海南中线铁路，线路规模达600多公里，以尽快构建环岛旅游观光铁路，发挥中心城市的辐射作用。

典型城市推介 >>>

WEN MINGCHENGSHI 2009年全国文明城市/区

文明城市是指在全国建设小康社会。推进社会主义现代化建设新的发展阶段，坚持科学发展观，经济和社会各项事业全面进步，物质文明、政治文明与精神文明建设协调发展，精神文明建设取得显著成就，市民整体素质和文明程度较高的城市。全国文明城市称号是反映我国城市整体文明水平的综合性荣誉称号。

测评体系包括基本指标和特色指标。基本指标反映文明城市创建的基本情况，共分廉洁高效的政务环境、公正公平的法治环境。规范守信的市场环境、健康向上的人文环境、安居乐业的生活环境、可持续发展的生态环境、扎实有效的创建活动等7大项、37个子项，119个小项，分值为100分。特色指标反映城市精神文明创建工作的特色、城市整体形象。共有4个子项，分值为20分。

（该材料由中央精神文明建设指导委员会提供）

全国文明城市/区名单

省会、副省级城市	成都市、南京市、南宁市、厦门市、大连市、深圳市、宁波市
地级市	惠州市、南通市、东莞市、马鞍山市、苏州市、大庆市、包头市、烟台市、中山市
直辖市城区	北京市东城区、北京市西城区、天津市和平区、上海市静安区、重庆市渝北区
县级市	新疆库尔勒市、内蒙古满洲里市、江苏张家港市

多彩大连 浪漫之都

文明美丽的包头欢迎您

东方水城 天堂苏州

海上花园 温馨厦门

山与海的情怀　你和我的烟台

城市让生活更美好
静安为世博添光彩
海康保险
寺安靜

和谐和平

天津·和平区

沙漠戈壁变绿洲
半城梨花半城水

新疆 · 库尔勒

东方商埠 时尚水都 港城宁波

山城北大门 发达经济圈
重庆 · 渝北区

皇城根下的现代文明
北京 · 东城区

古韵 时尚 魅力 文化
北京 · 西城区

成都 文明让我们来了就不想走

东莞因你而文明

文明惠州 后起之秀

一半是山水 一半是诗歌
安徽 · 马鞍山

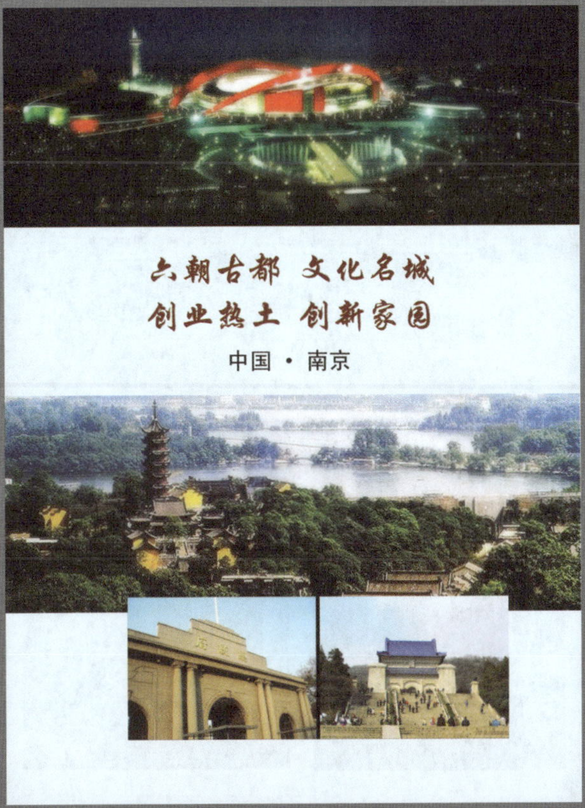
六朝古都 文化名城
创业热土 创新家园
中国 · 南京

壮乡歌海 会展之城
美食天堂 旅游胜地
中国 · 南宁

文博之乡 苏中名城
中国·南通

中国·深圳
改革的先锋
开放的门户

文明之城 欢乐之港
江苏·张家港

伟人故里 锦绣中山

2009年中国旅游竞争力百强城市

BAI QIANGCHENGSHI

城市旅游竞争力评价指标体系在总结已有研究的基础之上，广泛参考来自旅游部门及高校等各方面专家的意见，以评价指标的科学性、代表性、综合性和全面性为指导思想，以数据的权威性和可获得性为主要指导原则，把总的指标体系分成A、B、C、D四个级别，分别在旅游的市场竞争力(B1)、服务竞争力(B2)、产品及资源竞争力(B3)及城市发展竞争力(B4)4个层面上，从旅游贡献力(C1)、旅游接待力(C2)、酒店竞争力(C3)、旅行社竞争力(C4)、旅游资源垄断力(C5)、旅游产品竞争力(C6)、旅游形象竞争力(C7)、交通承载力(C8)、经济竞争力(C9)、生态竞争力(C10)10个方面，选取了52项测量指标，反映总的城市旅游综合竞争力指标（A），最终构建了本次旅游竞争力的评价体系。

（该材料由中国城市经济学会休闲旅游专业委员会提供）

2009年中国旅游竞争力百强城市名单（按行政区划排列）

省、自治区	城市
河北省	石家庄、唐山、秦皇岛、保定、承德
山西省	太原、大同
内蒙古自治区	呼和浩特
辽宁省	大连、本溪、丹东、锦州、盘锦
吉林省	长春、吉林、通化、延吉
黑龙江	哈尔滨、牡丹江
江苏省	南京、宿迁、扬州、南通、镇江、无锡
浙江省	杭州、宁波、温州、嘉兴、湖州、绍兴、金华、舟山
安徽省	合肥、黄山、池州
福建省	福州、厦门、泉州、漳州
江西省	南昌、景德镇、九江、鹰潭、赣州、宜春、上饶
山东省	济南、淄博、潍坊、烟台、威海、泰安、日照
河南省	郑州、洛阳、焦作、濮阳、安阳、南阳、商丘
湖北省	武汉、襄樊、宜昌
湖南省	长沙、岳阳、张家界
广东省	广州、深圳、珠海、汕头、韶关、江门、佛山、肇庆
广西壮族自治区	南宁、柳州、桂林、北海
海南省	三亚
四川省	成都、自贡、泸州、绵阳、乐山、宜宾
贵州省	贵阳、安顺
云南省	昆明、丽江、大理
西藏自治区	拉萨
陕西省	西安、宝鸡、延安
甘肃省	兰州、酒泉
青海省	西宁
宁夏回族自治区	银川
新疆维吾尔自治区	乌鲁木齐

河北省·石家庄

河北省·秦皇岛

河北省·承德

山西省·太原

山西省·大同

辽宁省·大连

辽宁省·盘锦
中国最美的辽河三角洲湿地之都

吉林省·长春

冰雪香格里拉

吉林省·吉林

吉林省·通化

吉林省·延吉

黑龙江省·哈尔滨

江苏省·南京

江苏省·南通

江苏省·无锡

浙江省·宁波

浙江省·嘉兴

浙江省·湖州

安徽省·合肥

福建省·厦门

江西省·南昌

江西省·宜春

山东省·烟台

河南省·郑州

芙蓉国里尽朝晖
湖南省·张家界

江西省·宜春

山东省·烟台

河南省·郑州

芙蓉国里尽朝晖
湖南省·张家界

广东省·广州

广东省·珠海

广东省·江门

云南省·昆明

高原明珠　雪域圣地
西藏自治区·拉萨

陕西省·西安
西安
雄劲屹立的西部强市

PIN PAICHENGSHI 2009年中国十大品牌城市

品牌城市的主要特征是：地域文化卓具特色，品牌个性鲜明可爱，品牌建设科学有效，品牌价值较高，成功商业品牌较多，危机事件处理得当，知名事件与个人影响积极健康，整体美誉度高。

《GN中国品牌城市评价指标体系》由包括城市品牌资产指数、品牌个性指数、品牌建设指数、品牌管理指数、品牌效用指数等在内的5项一级指标，17项二级指标，71项三级指标构成。

（该排行由中国城市竞争力研究会提供，GN体系是该会自主创立的评价指标体系。）

2009年中国十大品牌城市

城市	品牌定位
南京	六朝古都　博爱之城
沈阳	东北杠杆　活力之都
厦门	海峡梦幻　鼓浪琴韵
西安	历史古都　东方罗马
桂林	山水美景　誉甲天下
郑州	黄帝故里　中原绿城
济南	神州泉城　齐鲁首府
洛阳	千年帝都　牡丹花城
徐州	山水汉韵　古彭徐州
宁波	东方商埠　时尚水都

2009年中国十大美满度城市

MEI MANDUCHENGSHI

城市美满度是一个相对指数，主要指城市市民主体对所在城市的认同感、归属感、安定感、幸福感，以及外界人群的向往度、美誉度。美满度城市的主要特征是：市民普遍感到城市宜居宜业，地域文化独特、空间舒适美丽、生活质量良好，生态环境优化，社会文明安全，社会福利及保障水平较高。2009年中国十大美满度城市排行是依据指标体系，主要采取实地、口碑、媒体、统计数据、外界印象调查等方式，跟踪采集中国城市有关情况，综合评价遴选出十个入选城市。

《GN美满度城市指标体系》由幸福美满感受指数，生活质量指数，生态环境指数，社会文明指数，经济福利指数5个一级指标，21个二级指标构成。

（该排行由中国城市竞争力研究会提供）

2009年中国十大美满度城市

排名	城市	得分	排名	城市	得分
1	丽江	78.8885	6	成都	67.7550
2	杭州	74.0142	7	香港	66.2995
3	澳门	72.5565	8	苏州	64.1270
4	大连	71.1855	9	哈尔滨	62.9365
5	青岛	69.8865	10	昆明	61.3550

2009年中国十佳城市色彩定位范例

CHENGSHISECAI DINGWEI

城市色彩就是城市公共空间中所有裸露物体外部被感知的色彩总和。包括土地、植被等自然环境色彩，生活的常用色彩等人文色彩，建筑物、广告、交通工具等人工色。城市色彩是一种系统存在，完整的城市色彩规划设计，应对所有的城市色彩构成因素统一进行分析规划，确定主色系统或辅色系统。城市的色彩是城市形象，也是城市的品牌之一。城市色彩定位是指结合地域文化、地理特征、城市发展现状、城市建筑特征等因素，综合考虑确定的城市主色调。2009年中国城市色彩定位十佳范例主要依据色彩定位的系统性、适用性、创意性等指标来评价衡量。

依据《中国城市地产竞争力评价指标体系》中的一级指标“城市地产特色指数”及二级指标“景观指数”，以及以2008－2009年度确定的城市色彩规划或正在实施的城市色彩建设范例；能体现地理环境特征；能体现人文历史要素；融入城市形象建设；系统的城市色彩未来规划；侧重于创新性、实用性、系统性等指针的评价衡量等为补充评价条件进行研究评价。

（该排行由中国城市竞争力研究会提供）

2009年中国十佳城市色彩定位范例

排名	城市及色彩定位
1	厦门——大色淡渲、彩墨画意、六区六色
2	广州——中明度、中纯度的色调
3	北京——灰色调为主的复合色
4	兰州——暖色调中低彩度
5	长沙——红橙色
6	哈尔滨——米黄、黄白
7	无锡——清新淡雅的浅色调
8	成都——复合灰
9	西安——灰色、土黄色、赭石色
10	石家庄——微红和米黄

2009年中国十佳创建低碳生态城市

CHUANG JIANDITAN SHENGTAICHENGSHI

低碳生态城市是指将低碳和生态目标相结合，在经济、社会、文化等领域全面进步，人民生活水平不断提高的前提下，减低二氧化碳排放量，努力创建低能耗、低排放、高效能、高效率、高效益的中国城市特色发展模式。低碳城市正在成为一个世界城市品牌的新亮点和新坐标，在全球范围城市软实力的竞争中发挥着日益关键的作用。

《GN中国创建低碳生态城市指标体系》由资源与环境系统、经济系统、社会系统3项一级指标，11项二级指标，44项三级指标构成。

（该排行由中国城市竞争力研究会提供）

2009年中国十佳创建低碳生态城市

排名	城市	得分	排名	城市	得分
1	上海	75.68	6	大连	64.66
2	香港	71.91	7	珠海	63.20
3	北京	68.56	8	深圳	63.03
4	台北	67.33	9	南昌	62.94
5	杭州	65.09	10	保定	61.88

2009年中国十佳历史古城保护开发利用范例

LISHIGUCHENG BAOHUKAIFALIYONG

中国历史悠久，历史古城镇遍及全国、类型多样，全国约有2000多个。这些古城古镇拥有优美的自然环境，保存了名胜古迹和各具特色的乡土建筑，它们体现了中华民族灿烂的历史文化。历史古城保护利用范例是指在中国历史古城的开发利用中，能够做到保护古城历史文化和历史遗迹、发扬文化传统，并使古城在现代城市运营、产业经营中发挥良好社会效益和经济效益的改造项目。

依据《中国城市地产竞争力评价指标体系》中的一级指标“城市地产软实力指数”及二级指标“人居文化特色指数”并以2008-2009年度在建、开建或竣工的古城保护建设项目，包括依托古城开发的旅游地产、城建项目；对古城保护有积极的促进作用；对古城传统资源开发、利用得当；侧重于创新性、实用性、经济效益、社会效益等指标的评价衡量为补充评价条件进行研究评价。

（该排行由中国城市竞争力研究会提供）

2009年中国十佳历史古城保护开发利用范例

排名	城 市
1	肇庆城西小区——传扬宋文化、包公文化
2	成都宽窄巷子——老成都底片，新都市客厅
3	丽江束河古镇酒吧街——老文化、新理念
4	山西皇城村皇城相府——整体保护，逐步开发
5	绍兴越王城——千年老城、重焕新颜
6	大同古城——原样修复、重现光彩
7	河北霸州胜芳古镇——江北水乡、商旅古镇
8	许昌市禹州神垕古镇——钧瓷之都
9	四川广元昭化——经历大地震考验的两千年古镇
10	聊城东昌古城——保护开发建设，延伸文化纹脉

DIAO SUCHENG 2009年中国十佳雕塑城

雕塑城是指在街道、广场、公园、庭院、公共绿地、居民住宅区、风景名胜区、各类建筑所在地等区域拥有较多体现文化内涵、特色的室外雕塑作品的城市。

依据《中国城市地产竞争力评价指标体系》中的一级指标“城市地产特色指数”及二级指标“景观指数”，以及以雕塑的数量、规模、文化内涵、特色、口碑等为补充评价条件进行研究评价。

（该排行由中国城市竞争力研究会提供）

2009年中国十佳雕塑城

排名	城市	排名	城市
1	长春	6	台州
2	大连	7	青岛
3	上海	8	广州
4	北京	9	苏州
5	深圳	10	铜陵

2009年中国十佳耕地保护城市

GENGDIBAOHU CHENGSHI

耕地是人类赖以生存和发展的基础，面对我国耕地严重不足的严峻形势，在城建与地产加速开发的同时，采取各种措施，预防和消除危害耕地及环境的因素，稳定和扩大耕地面积，维持和提高耕地的物质生产能力，预防和治理耕地的环境污染，是保证土地得以永续和合理使用，稳定农业基础地位和促进国民经济发展的重大问题。耕地保护是指运用法律、行政、经济、技术等手段和措施，对耕地的数量和质量进行的保护。

依据《中国城市地产竞争力评价指标体系》中的一级指标“城市地产业绿色指数”及二级指标“土地资源有效利用指数”以及以城市保护耕地的面积、质量、措施、取得的成果及荣誉等为补充评价条件进行研究评价。

（该排行由中国城市竞争力研究会提供）

2009年中国十佳耕地保护城市

排名	城市	排名	城市
1	重庆	6	广东雷州
2	湖北荆州	7	吉林九台
3	河南潢川	8	江西吉安
4	江苏金坛	9	福建武平
5	河北魏县	10	湖南娄底

ZUI ANQUANCHENGSHI 2009年中国最安全城市

安全城市的主要特征是当年无重特大安全事故，社会治安良好，投资环境优越，生产事故少发，消费品安全，生态可持续发展，能为市民、企业、政府提供良好的信息网络环境和强有力的信息安全保障。《GN中国最安全城市评价指标体系》由包括社会安全、经济安全、生态安全、信息安全在内的4项一级指标、10项二级指标、59项三级指标构成。

通过运用《GN中国最安全城市评价指标体系》对中国290个城市的“安全指数”进行口碑调查、计算和排名，得出2009年中国最安全城市排行榜。

（该排行由中国城市竞争力研究会提供）

2009年中国最安全城市

排名	城市	得分	排名	城市	得分	排名	城市	得分
1	香港	92.08	11	南京	82.00	21	珠海	74.28
2	大连	89.78	12	重庆	81.95	22	西安	71.34
3	苏州	88.42	13	上海	81.77	23	无锡	70.59
4	烟台	87.81	14	威海	81.48	24	金华	70.21
5	北京	86.17	15	台北	81.21	25	徐州	68.74
6	天津	83.86	16	厦门	81.13	26	南昌	67.23
7	鄂尔多斯	83.22	17	南通	80.55	27	连云港	64.10
8	青岛	82.88	18	宁波	79.67	28	武汉	62.31
9	杭州	82.16	19	沈阳	78.49	29	长沙	62.17
10	澳门	82.08	20	昆明	77.13	30	信阳	61.77

2009年中国城市综合竞争力排名

ZONGHEJINGZHENGLI

《GN中国城市综合竞争力评价指标体系》涵盖经济、社会、环境、文化四大系统，由包括综合经济竞争力、产业竞争力、财政金融竞争力、商业贸易竞争力、基础设施竞争力、社会体制竞争力、环境/资源/区位竞争力、人力资本教育竞争力、科技竞争力和文化形象竞争力等在内的10项一级指标、50项二级指标、217 项三级指标综合计算而成。（该排行由中国城市竞争力研究会提供）

2009年中国城市综合竞争力排名（前30名）

排名	城市	得分	排名	城市	得分	排名	城市	得分
1	香港	4767.164	11	澳门	1782.634	21	昆明	1192.551
2	上海	4552.851	12	青岛	1644.642	22	烟台	1075.862
3	北京	3870.879	13	大连	1625.491	23	厦门	1048.033
4	深圳	3206.028	14	重庆	1569.939	24	郑州	997.577
5	广州	2880.328	15	宁波	1434.556	25	佛山	979.328
6	台北	2772.909	16	东莞	1377.671	26	福州	962.203
7	苏州	2274.059	17	武汉	1361.559	27	济南	951.071
8	天津	2062.505	18	沈阳	1350.661	28	长春	929.076
9	杭州	1823.457	19	无锡	1321.180	29	哈尔滨	885.229
10	南京	1798.006	20	成都	1266.871	30	西安	885.065

2009年中国区域中心城市

QUYUZHONGXIN CHENGSHI

区域中心城市就是在一定的地域范围内，以城市体系为依托，经济发达、功能完善，具有较强的聚集力、辐射力和综合服务能力，以市场对资源的合理配置为基础，通过支撑、示范、关联和磁场作用，能够引导和带动区域经济快速发展的城市，也是区域经济的增长中心、枢纽中心和文明辐射中心。

《GN中国区域中心城市评价指标体系》通过该城市在区域中的经济发展水平、产业发展水平、基础设施建设水平、金融业发展水平、科教发展水平、综合服务能力、区域辐射力、区域聚集力等指标进行衡量。

（该排行由中国城市竞争力研究会提供）

2009年中国区域中心城市

序号	经济区域	中心城市
1	泛珠“9+2”经济区	香港、广州
2	长三角经济区	上海
3	珠三角经济区	广州、深圳
4	环渤海经济区	北京、天津
5	海峡西岸经济区	福州、厦门
6	东北三省经济区	沈阳、长春、哈尔滨
7	中部经济区	武汉、郑州
8	西部经济区	重庆、成都、西安
9	北部湾经济区	南宁
10	深莞惠经济区	深圳
11	江苏沿海经济区	南通、盐城、连云港
12	关中一天水经济区	西安
13	辽宁沿海经济区	大连
14	图们江经济区	长春
15	黄河三角洲高效生态经济区	东营
16	武汉“1+8”经济区	武汉
17	长株潭经济区	长沙
18	呼包鄂城市经济区	呼和浩特
19	滇中城市经济区	昆明
20	山东半岛蓝色经济区	青岛、烟台

2009年全国35个主要城市总部经济发展能力排行榜

ZONG BUJINGJIFAZHAN NENGLI

本排行榜由北京市社会科学院中国总部经济研究中心在《中国总部经济发展报告(2009-2010)》中向全国发布。

全国35个主要城市总部经济发展能力排行榜（2009-2010）

能级	排名	城市
第Ⅰ能级	1	北京
	2	上海
	3	广州
	4	深圳
第Ⅱ能级	5	杭州
	6	南京
	7	天津
	8	成都
	9	青岛
	10	武汉
	11	宁波
第Ⅲ能级	12	厦门
	13	大连
	14	重庆
	15	沈阳
	16	长沙
	17	济南
	18	西安
	19	郑州
	20	合肥
第Ⅳ能级	21	太原
	22	长春
	23	哈尔滨
	24	福州
	25	海口
	26	石家庄
	27	南昌
	28	昆明
	29	南宁
	30	呼和浩特
	31	乌鲁木齐
	32	兰州
	33	贵阳
	34	银川
	35	西安

支持单位展示 >>>

沈阳科普公园

沈阳市2009年经济社会发展情况

2009年，是新世纪以来我市经济发展最为困难的一年。面对严峻复杂的国际国内经济形势，在省委、省政府和市委的坚强领导下，市政府带领全市人民戮力同心，共克时艰，全力以赴保增长、保民生、保稳定，完成了市十四届人大二次会议确定的各项任务。

全市地区生产总值实现4359.2亿元，比上年增长14.1%；全社会固定资产投资完成3676亿元，增长22.2%；社会消费品零售总额实现1778.6亿元，增长18.1%；实际利用外商直接投资54.1亿美元，增长2.3%；地方财政一般预算收入完成320.2亿元，增长10%；规模以上工业增加值实现2017.5亿元，增长19.1%。预计主要经济指标在全国副省级城市中继续位居前列。

（一）以保增长为首要任务，全力推动经济平稳较快发展

坚持立足当前、着眼长远，把保增长与调结构结合起来，努力增强经济发展后劲。

全面实施保增长各项政策措施。及时出台支持企业发展促进经济增长30条，筹集30亿元产业发展资金，减轻企业负担16.4亿元，加强生产要素调度，开展“进企业解难题、实施保增长工程”，有

第七届中国(沈阳)国际装备制造业博览会现场

效扭转了经济增速下滑态势。出台促进开发区和城区加快发展的若干意见，激发活力，释放潜力。压缩行政开支，全力保证重点支出，发挥了财政对经济增长的促进作用。

努力扩大投资促进消费。坚持以项目建设带动投资增长，全年开工建设投资3000万元以上项目1849个。争取中央投资项目322个，总投资97.5亿元，争取地方债券15亿元，发行信托计划15亿元、企业债券12亿元，与中国建设银行等5家银行签订2700亿元贷款战略合作协议，金融机构本外币贷款增加1204亿元。推动“家电下乡”、“汽车摩托车下乡”和“汽车以旧换新”，进一步挖掘消费潜力。房地产开发投资完成1188.7亿元，增长17.6%；商品房销售面积达到1532.9万平方米，增长4.6%，充分发挥了拉动投资、带动消费的双重作用。

积极推动产业结构优化升级。加快建设具有国际竞争力的先进装备制造业基地，规模以上装备制造业增加值占全市比重达到48%。《沈阳铁西装备制造业聚集区产业发展规划》获国家批准，北方重工新基地、沈化集团50万吨CPP等重点项目竣工投产。现代建筑产业园全面启动，航高基地建设步伐加快。汽车产业扭转下滑局面，实现大幅回升。加快服务业集聚区建设，服务业增加值实现1948亿元，现代服务业比重达到52.4%。全国第一个金融外包服务中心在沈揭牌，金融要素市场建设取得突破性进展，金融商贸开发区正在成为全市第五大发展空间。泗水科技城、华强文化科技产业园等重大项目扎实推进，浑南动漫产业基地综合实力进入全国前列，保税物流中心封关运行，商务会展交易额突破1200亿元。大力发展县域经济，新增设施农业20万亩，农业生产战胜严重旱灾、再获丰收，于洪五金等8个县域产业集群达到百亿规模，县域地区生产总值增长16.7%，占全市比重达到39.8%。

进一步提升自主创新能力。全市高新技术产品增加值实现840亿元，增长22%。中科仪罗茨干泵等20个项目列入国家重大科技专项。成功并购9家海外科技型企业，引进海外研发团队50个。辉山农业科技园跻身国家级行列，我市成为“国家知识产权工作示范城市”。

（二）以创建“样板城”为契机，加快推进生态市建设

坚持资源节约和生态保护，推进城乡重大基础设施建设。城建投资完成360亿元，增长26.8%。

启动全国环境建设样板城创建工作。制定了五年建设总体目标，规划了100平方公里国家现代环保产业园，中钢北方金属资源加工等一批静脉产业项目成功签约。我市被联合国环境规划署列为全国唯一的生态城示范项目。

加强城乡基础设施建设。哈大客运专线、沈铁城际铁路等重点工程取得积极进展，沈抚城际铁路、

沈阳机床(集团)有限公司生产线

沈阳华晨金杯汽车有限公司中华轿车生产线

沈阳市科学宫

沈阳棋盘山风景区

沈康高速二期实现通车，地铁1号线全线通轨，1号线东延线、2号线北延线开工建设。94座危旧桥梁完成改造，沈北、五爱客运枢纽全面竣工。沈阳展览中心开工建设，奥体中心网球馆、游泳馆投入使用。启动大伙房水库输水配套工程，康平电厂并网发电。

着力改善城乡生态环境。建成22座辽河流域污水处理厂和一批村镇污水、垃圾处理设施，高标准实施浑河生态提升工程。植树1205万株，造林49万亩，完成500个中心村绿化建设。东陵区通过国家生态区验收，沈北新区、棋盘山开发区通过国家技术核查，和平区成为全省首个生态城区，30个乡镇通过国家环境优美乡镇验收。

深入推进节能减排。金山热电、沈西热电“上大压小”项目开工建设，新北热电等6家企业脱硫工程全面展开，沈海热电脱硫改造全面完成。全市单位地区生产总值能耗下降4.5%，化学需氧量、二氧化硫排放量分别减少3.2%和4.5%，提前完成“十一五”减排目标。

（三）以增强发展动力和活力为目的，不断深化改革开放

坚持用改革的办法解决前进中的问题，通过扩大开放谋求发展机遇，不断创新体制机制，努力提高对外开放水平。

加快重点领域和关键环节改革。完成商业城集团整体改制。新松机器厂等5家企业成功上市。组建和完善基础产业集团等5家投融资平台，沈阳联合产权交易所获得金融企业省级国有产权交易机构资格，首家村镇银行和15家小额贷款公司正式开业，法库成为“全国农村金融产品和服务方式创新试点县”。出台促进非公有制经济和中小企业发展20条，沈北新区成为全国唯一的国际中小企业创业基地，非公有制经济增加值占全市地区生产总值比重提高到65.1%。开展农村土地承包经营权流转市场建设试点，政策性农业保险工作全面推进。积极稳妥实施水价和环保收费改革，圆满完成政府机构改革，医药卫生体制改革走在全国前列。

努力扩大对外开放。创新招商方式，优化引资结构，全年引进超千万美元外资项目64个，新增世界500强企业6家，引进投资500万元以上内资项目1809个，调入资金617.2亿元。成功引进日本精工、安川电机、油研工业等一批世界著名装备制造企业，世界最大的现代建筑及开发企业日本鹿岛建设进入我市。积极开展对外经贸合作，全市实现外贸出口35亿美元，新签对外工程承包与劳务合作合同

沈阳世博园

沈阳浑南大学城

额10.2亿美元，沈阳动力集团参与兴建美国第二大风能项目，并在美国投资建厂。成功举办制博会、“德中同行”等10余项大型活动，沈阳国际知名度和影响力显著提升。

加快沈阳经济区一体化进程。道路交通等基础设施建设扎实推进，旅游集散中心正式挂牌运行，沈抚连接带浑河南岸工业园区建设步伐加快。积极发挥沈阳经济区首位城市作用，推动国家新型工业化综合配套改革试验区申报工作取得重大进展。

（四）以保障改善民生为重点，全面加强社会建设

坚持把保障和改善民生作为政府工作的出发点和落脚点，克服财政减收增支的突出矛盾，完成民生工程投入226.6亿元，增长13.2%。

千方百计稳定和扩大就业。出台促进就业创业70条，推动以创业带动就业，加大就业援助力度，全市实名制就业25.1万人，城镇登记失业率控制在3.2%。10万名高校毕业生实现就业，困难家庭大学生全部安置工作。扩大集体合同覆盖面，加强农民工工资清欠和困难职工帮扶，促进了劳动关系和谐发展。

沈阳市政府广场夜景

中共中央政治局常委李长春视察沈阳市儿童活动中心

沈阳金融商贸开发区

不断完善社会保障体系。启动新型农村社会养老保险试点和大学生参加居民医保工作，实施农民工医疗工伤综合保险，新型农村合作医疗参合率达到99.3%，人均筹资标准提高到150元以上。11类低收入居民及部分特殊群体待遇标准得到进一步提高。建设5个中心城区示范性区域养老中心，新建和改扩建12所农村区域性中心养老院。为2.2万户城市低收入住房困难家庭新建经济适用住房和发放货币补贴，为农村贫困户建房2250套。

切实提高城乡居民生活质量。城市居民人均可支配收入达到18560元，增长9.1%，农民人均纯收入实现9129元，增长14%。推进事业单位工资制度改革，在全省率先实施义务教育学校教师绩效工资制度，落实义务教育阶段教师津贴补贴政策。发放农资综合直补等政策性补贴。改造256个老旧小区、149条

街巷路，新开和调整60条城市公交线路和农村客运班线，新建511公里农村公路，建成395处农村饮水安全工程。

大力发展社会事业。全面完成104所农村九年一贯制学校建设和质量再提升工程，完成20所普通高中标准化建设，6所万人规模职业技术学校全部投入使用。市四院、七院、奉天医院交付使用，市骨科医院和妇婴医院完成主体工程，儿童医院完成改扩建一期工程，新建和改扩建35所乡镇卫生院和14个社区卫生服务中心，甲型H1N1流感得到有效防控。文化事业蓬勃发展，8部文艺作品获得13个国家级奖项，我市荣获“全国文化体制改革先进地区”称号。沈阳体育健儿在全运会上取得12.5枚金牌的骄人战绩。

全面加强社会管理。积极探索信访工作新模式，加大调处力度，解决了4万多户居民无法办理房证、“荷兰村” 历史遗留问题等一大批信访积案，全市信访稳定形势发生根本性好转，得到国家充分肯定，“沈阳经验”在全国推广。沈河区、大东区被评为全国和谐社会建设示范单位。96123“一号通” 市民服务热线开通，铁西区数字化城管系统通过国家验收。加强食品药品等安全监管，有效防范重特大安全事故发生。深入开展社会治安综合整治行动，加大对各类严重刑事犯罪打击力度，国庆安保实现了“大事不出、小事也不出、万无一失”的庄严承诺，人民群众的安全感和满意度明显上升。

全面推进法制政府建设，依法行政能力和水平进一步提高，拥军优属、军民共建活动深入开展，民兵预备役工作不断加强，人口与计划生育、统计、监察、审计、参事、民族、宗教、侨务、广播、电视、新闻、出版、税务、工商行政管理、气象、防震减灾、人防、档案、修志、文史、红十字会、残疾人事业和老龄工作也都取得了新成绩。

江苏省南通市通州区

【城市简况】

通州位于江苏省东南部长江入海口北岸，东临黄海，南依长江，是清末状元、中国近代实业家和教育家张謇先生的故里，民族工业的发祥地之一，素有“鱼米之乡”、“纺织之乡”、“建筑之乡”和“崇学之乡”的美誉。全境面积1526平方公里，其中陆域面积1351平方公里，人口124万，辖19个镇区和一个省级经济开发区。

【经济发展概况】

近年来，通州坚持科学发展，经济总量保持高速增长态势，地区生产总值、财政收入等重要经济指标跻身江苏省前列。2009年，实现地区生产总值437亿元，完成财政总收入55.4亿元，其中地方一般预算收入24.2亿元，首次跻身江苏省10强，列第9位。 连续10届获“全国社会经济综合发展百强县（市）”称号，连续9次进入“全国县域经济基本竞争力50强”。

【城市建设和生态环境建设】

近年来，通州以创建文明城市、卫生城市为契机，拉开城市框架，加大城乡建设力度，城市综合功能进一步完善。充分发挥规划引领作用，加快规划全覆盖进程，城市基础设施建设进一步完善。小城镇建设步伐加快，初步形成了以城带镇、以镇促乡、城乡联动、整体推进的良好局面，涌现出一批功能配套，环境优美的新型小城镇。以数字化城管为平台，建立

撤市设区

部门联动机制，加大环境秩序专项整治力度，城市长效管理水平进一步提升。积极推进工业企业污染减排，节能目标责任考评连续多年居于江苏省前列。

【城市就业和社会保障】

通过举办企业用工免费招聘洽谈会、打造就业信息服务平台、开展校企合作办学等方式促进充分就业。落实社会保险补贴、税收优惠、小额担保贷款等扶持政策，鼓励市民自主创业。城镇登记失业率稳定在3%以下，并连续六年下降。通过住房保障救助、精神疾病救助、扶贫结对帮扶等渠道，扩大救助范围，提高救助标准。推行社区居家养老服务，城区居家养老服务实现全覆盖。2009年农村养老保险参保率

行政中心

南通家纺城

达95.2%，企业职工参保率达97.2%，在江苏省保持领先。

【城市特色产业】

通州工业经济起步较早，市场机制日益完善，产业布局日趋合理，现已形成了“5+2”的产业格局。“5”即五大支柱产业，包括家纺服装、机械电子、船舶海工、轻工食品和新能源。家纺产业是通州的传统产业，历史悠久，现有家纺服装企业3000多家，从业人员10万多人，产能约占全国的10%。先后荣获“中国纺织产业基地”、“中国家纺名城”、江苏省唯一“家纺出口基地”等称号。机械电子产业整体实力强，产业集聚优势突出，被授予国家级“电子电器及原材料特色产业基地”称号。船舶海工产业年造船能力80万载重吨，钢结构产能60万吨，被命名为“中国船舶及钢结构之乡”。轻工食品产业现已形成大富豪啤酒、南山面粉、新中腐乳等一批“中国名牌”产品。近年来，通州新能源产业以风电、太阳能、光伏产业为基础，抢占新兴产业发展高端，涌现出如综艺光伏太阳能、通达动力科技、球墨风电等一批全国知名企业。“2”即建筑业和现代物流业。通州建筑业实力强大，建筑业经济总量和运行质量一直位居江苏省领先地位。“铁军”称号名扬四海，共获鲁班奖39个，位居全国县（市、区）之首。与机场、铁路、港口配套的现代物流产业园和与工业区相配套的第三方物流及其传统仓储物流蓬勃发展，现已形成中国家纺城物流配送园区等五大物流产业园。

【新农村建设】

优化农业产业布局，促使高效农业、设施农业向农业示范园、示范基地集聚，加速高效农业规模化。通过建立与市场需求相适应的培训体制、加快发展农民专业合作组织、引导农民将承包土地以入股形式向高效农业流转等方式，多渠道增加农民收入。加大农村基础设施投入力度，加快供水供电、排水排污、公共交通、环卫环保等公共基础设施向农村延伸。全面推进区域供水、污水处理、农村垃圾集中处置、农村公路通达等全覆盖工程，农村生产生活条件进一步改善。

郑州国际会展中心夜景

河南省郑州市概况

【基本市情】

郑州是全国第一人口大省河南省省会，地处中华腹地，九州之中，十省通衢，北临黄河，西依嵩山，东、南接黄淮平原，现辖6区5市1县（金水区、二七区、中原区、管城区、惠济区、上街区、巩义市、登封市、荥阳市、新密市、新郑市、中牟县）和郑东新区、航空港区、2个国家级开发区、1个国家级出口加工区。全市总面积7446.2平方公里，总人口752.1万人，其中建成区面积336.6平方公里，城镇人口476.9万人。郑州是国家历史文化名城、国家卫生城市、国家园林城市、全国绿化模范城市、全国优秀旅游城市、全国科技进步先进城市、全国最佳会展城市、全国“双拥”模范城市、全国创建文明城市工作先进城市。

郑州是一座历史悠久和文化底蕴深厚的城市。早在3600年前，这里就是商王朝的重要都邑，郑州是中国八大古都之一和“世界历史都市联盟”成员。郑州历史悠久，是中华民族的发祥地之一，孕育了中华民族及其光辉灿烂的文化，曾5朝为都、8代为州。辖区内发现有距今8000年的裴李岗文化，距今5000年的大河村、秦王寨等

多种类型的仰韶文化与龙山文化遗址。据史籍记载，中华民族始祖黄帝的出生地轩辕之丘，位于郑州市境内的新郑。我国历史上第一个奴隶制王朝夏代曾建都于阳城（今郑州市登封），周武王封叔鲜于管（今郑州市区），表明郑州地区在历史上相当长的时期内曾是国家的政治中心。

新郑黄帝故里

郑州是一座区位和交通优势凸显的城市。现代郑州被称为“铁路拉来的城市”，素有中国“铁路心脏”之称，京广、陇海两大铁路干线在此交汇，郑州北站是亚洲最大的铁路编组站，郑州东站是全国最大的零担货物中转站。郑州已成为中国重要的集铁路、公路、

少林寺之晨

航空、邮电、通信等功能于一体的综合性交通通信枢纽，是全国七大公路交通主枢纽城市之一，国内六大通信枢纽城市之一，全国第三大邮政电信枢纽，在全国经济发展格局中具有承东启西、贯通南北的重要作用。作为国家一类航空口岸和八大枢纽之一的4E级新郑国际机场，已开通国际国内航线82条，通达全国各大城市及56个国家和地区，并开辟有至中东、北非、欧洲的国际货运航班，国际航空出口货运量位居全国前列。随着高速公路客运枢纽站、铁路客运专线枢纽站、郑州铁路集装箱中心站、国家干线公路物流港、南水北调、西气东输等重大工程的建设，郑州区位交通优势将更加凸显。

王文超书记、赵建才市长关心社会保障工作

郑州是一座自然和人力资源丰富的城市。目前，已探明的矿藏有煤炭、铝矾土、耐火黏土、油石等34种，其中煤炭储量50亿吨，居全省第一位；耐火黏土储量1亿吨，占全省储量的一半；铝土矿储量1亿吨，占全省的30%；天然油石矿质优良，是全国最大的油石基地之一。郑州是全国重要的电力基地，总装机容量超过1000万千瓦；郑州是西气东输工程的一个重要节点，储气能力240万立方米。作为全国第一人口大省的省会，劳动力资源丰富；拥有科学研究与技术开发机构538个，国家级企业技术中心9个，研究生培养单位11个，普通高校42所。丰富的自然资源和优质低廉的要素成本，必将转化为企业发展的成本优势和竞争优势，为企业做大做强提供强有力的支撑。

郑州是一座市场广阔和消费潜力巨大的城市。以郑州为中心的“1小时经济圈”，覆盖中原城市群9个城市3600万人口，经济总量6300亿元、消费总额3500亿元；以郑州为中心的“2小时生活圈”，可覆盖包括北京、武汉、西安、徐州在内的4.2亿人口、经济总量10.8万亿元、消费总额4.1万亿元。以郑州为中心，500公里半径范围内的“配套供应圈”，可覆盖人口3.6亿，经济总量9.3万亿元、消费总额3.5万亿元；1000公里半径的“市场辐射圈”，可覆盖人口7.9亿，经济总量20.4万亿元、消费总额7.6万亿元；“2小时航空圈”可覆盖除新疆、西藏、海南之外的全国内地所有经济中心城市，涵盖全国12亿人口、96%的经济总量和社会消费。广阔的市场空间和强大的市场消费潜力，为企业深耕中国、开拓市场、扩大内销提供了巨大的发展空间。

郑州是一座产业配套体系完备的城市。郑州是我国重要的有色冶金工业基地、食品工业基地、客车生产基地、煤炭工业基地、耐火材料基地和纺织工业基地。中铝河南分公司氧化铝产量位居亚洲第一，宇通公司城市豪华客车和城市公交车国内市场占有率位居第一，速冻食品年产量居全国第一，郑州化纤女裤国内市场占有率位居第一。郑州高新技术产业发展迅速，在电子信息、新材料、光机电一体化、生物医药等领域具有较强的竞争实力。郑州金融业发展势头良好，汇丰银行、民生银行等20多家银行类金融机构在郑州设立分支机构。郑州商品交易所是全国三大

商品交易所之一，是我国第一家期货市场，“郑州价格”一直是世界粮食生产和流通的指导价格。郑州会展经济繁荣发展，是中国十大品牌会展城市之一。

郑州是一座适宜承接国内外产业转移的重要城市。随着国内和世界经济的进一步复苏，国内外资本流动、产业转移的趋势日益明显。郑州作为中部地区特别是中原城市群的核心城市，在新一轮承接国际国内产业转移中具有得天独厚的优势。郑州的区位、交通、综合配套、产业聚集、消费市场、劳动力资源等优势凸显，完全有能力、有条件满足国内外资本流动、产业转移的战略需求，郑州已成为我国中部地区引进战略性产业转移、促进国际战略合作、承接国内发达地区产业转移的重要节点城市。

【经济社会发展概况】

郑州是一座充满生机和极具发展活力的城市。改革开放30多年来，经过勤劳、智慧的郑州人民的不懈努力，郑州脱胎换骨，化蛹为蝶。尤其是进入新世纪的10年间，是经济发展速度最快、质量最优的时期。2003年，郑州的GDP过千亿元，2006年突破2000亿元，2008年突破3000亿元。郑州的经济总量从100亿元到1000亿元用了13年，从1000亿元到2000亿元仅用了3年，从2000亿元到3000亿元也仅仅用了2年。2009年郑州经济总量达到3308.5亿元，同比增长11.4%，人均生产总值达到4.4万元；财政一般预算收入达到301.9亿元，财政一般预算支出达到353.1亿元。金融机构存款余额6540.3亿元，比年初增长33.1%。今日郑州已从一个相对落后的内陆省会城市一跃而成为知名度、美誉度、竞争力和影响力不断提升的我国中部地区重要的中心城市，跻身于全国最佳投资城市、全国最具竞争力城市和世界特色魅力城市200强行列。在中国城市竞争力研究会公布的“2009中国城市分类优势排行榜”中，郑州市分别位居“2009中国城市十佳诚信政府排行榜”和“2009中国国际化城市排行榜”第5名和第22名。

工业经济快速增长。工业是全市经济发展的主导产业。2009年共完成工业增加值1551.8亿元，其中规模以上工业完成增加值1298.5亿元，同比增长11.2%；实现销售收入4727.4亿元，同比增长9.3%；实现利税785.3亿元，同比增长10.4%；实现利润501.1亿元，增长12.4%。工业投资完成926.4亿元，郑煤机高端液压支架生产基地、海马（郑州）年产30万台节能发动机等260个重点项目开工建设。工业产业结构不断优化，电子信息、先进装备制造、生物制药和新材料等

郑州宇通客车股份有限公司生产线

三全公司生产线

高新技术产业迅速发展。2009年，全市高新技术产业实现产值1683亿元，增长22%；完成工业增加值525.7亿元，占全市规模以上工业增加值的39.5%，被认定为国家科技进步示范城市和国家知识产权工作示范城市。扶优扶强建设工程加快推进，全市57户扶优扶强企业完成销售收入1213亿元。2009年全市超亿元企业达到1133户，其中超百亿元企业6户，5户企业入选2009年中国企业500强。以企业为主体的技术创新体系建设取得新进展，2009年全市累计建成市级以上企业技术中心297个，其中国家级10 个、省级141个。企业品牌建设成果突出，“金星”、“三全”、“宇通”、“红旗渠”、“黄金叶”等8个品牌被认定为中国驰名商标，“金苑”牌小麦粉、“正星”牌速控燃油加油机等12个产品荣获“中国名牌”产品，全市中国驰名商标数和中国名牌产品数均居中西部城市首位。产业集聚效应明显提高，2009年全市39个重点产业集聚区累计完成销售收入2845.7亿元，同比增长20.92%；累计完成工业增加值773.39亿元，同比增长5.02%。目前，全市拥有3个国家级产业园区、11个省级重点产业集聚区，实现销售收入50亿元以上的24个，其中超百亿元的7个、超200亿元的2个、超300亿元的1个。

服务业发展实现新突破。2009年，全市第三产业增加值达到1418.9亿元，增长11.4%。商贸流通业发展迅速，编制了《郑州市现代化商贸城建设总体规划》，有10家商贸流通企业年销售额超10亿元。“万村千乡”市场工程积极推进，“家电下乡”工作深入开展，新农村现代流通网络工程加快实施。区域性金融中心建设取得新进展，郑州市商业银行升级为郑州银行，由地方性商业银行转变为区域性商业银行；入驻郑州新区和签订入驻协议的金融机构累计达到53家；郑州商品交易所成交金额19.1万亿元，增长22.8%。物流枢纽建设不断加快，编制完成了《郑州国际物流中心战略规划》，努力打造中西部领先的综合内陆无水港、重要的航空货运基地、辐射全国的区域分拨中心；铁路集装箱中心站场站工程等一批重大项目顺利竣工，国家干线公路物流港、河南进口物资公共保税中心（B型）等项目进展顺利。会展经济繁荣发展，全年举办全国药品交易会、全国汽车配件交易会、全国糖酒商品交易会等大型展会84场，拉动经济增长100亿元以上。文化旅游业加快推进，国家动漫产业发展基地（河南基地）等项目进展顺利；全年接待国内外游客4167.7万人次，旅游业总收入达到398.6亿元，增长16.6%。房地产销售形势较好，中介咨询、动漫创意、服务外包等新兴服务业快速发展。

农业和农村经济稳步发展。全年粮食总产量

淮河流域最大的污水处理厂——王新庄污水处理厂建设规模为日处理污水40万吨

现代化的数字化城市管理大厅

达到166.1万吨，再创历史新高。市级以上农业龙头企业达到289家，实现销售收入300亿元；新建现代农业示范园区2个，新发展农民专业合作社160个。改造中低产田10.5万亩。农村基础设施建设得到加强，新修改造农村公路1007公里；新增有效灌溉面积34万亩，治理水土流失面积101平方公里，解决了37万人的饮水安全问题；新增农村户用沼气3万座、大中型沼气工程61处。新农村建设稳步推进。2009年，全市按照综合整治村、中心村、农村新型社区三种建设模式，共完成102个项目实施村（151个行政村）的建设任务。全市新农村建设共投入资金55.12亿元，其中农民投资37.63亿元，占68.27%。

节能减排和生态建设成效显著。积极推动重点领域节能减排，大力发展循环经济，全年单位生产总值能耗预计下降5.8%；SO_2、COD排放量分别控制在14.9万吨和5.42万吨。编制出台《郑州市耐火材料行业节能减排技术改造实施方案》；推广节能灯110万只；积极上报耗能企业技术改造项目29个，争取国家节能减排专项资金4647.5万元。全市共拆除27家电力企业的小型火电机组73台，共计221.3万千瓦。生态环境质量明显改善，森林生态城建设成效明显，提前4年超额完成100万亩的栽植任务；建成2个林业生态县、100个林业生态村和8个林业生态模范村。城区环境空气质量优良天数达到322天，全市饮用水源地水质达标率保持100%。生态水系建设取得阶段性成果，七里河、魏河、十七里河、十八里河、索须河二期、南部河道输水等主要河流河道治理工程全部完工。第二届中国绿化博览会绿博园基础设施工程基本竣工。南水北调工程郑州段全面开工，移民安置工作进展顺利。

民生得到持续改善。2009年，全市城镇居民人均可支配收入17417元，实际增长9.5%；人均消费性支出10224元，增长8.2%。农村居民人均纯收入8121元，实际增长7.8%；人均生活消费支出5372元，增长17.4%。继续加大对民生领域的投入，全年用于民生方面的财政支出达到171.6亿元，增长28.3%，占一般预算支出的48.6%。实施积极的就业政策，全年实现城镇就业再就业12.6万人，农村劳动力转移就业12.5万人，城镇登记失业率为2.1%。坚持扩大就业与稳定岗位并重，采取阶段性降低失业保险、工伤保险费率，多措并举，减轻企业负担，帮助企业渡过难关并鼓励企业不裁员或少裁员。郑州市城乡居民养老和城镇居民医保“双保”工作继续全国领先，城乡居民养老全市参保43.6万余人，33万城乡居民按月领取养老待遇和高龄补贴；城镇居民医疗保险工作成效明显，基本做到了“应保尽保”。进一步完善破产（困难）企业退休人员医疗保障政策，将全市国有和集体破产、困难企业退休人员全部纳入基本医疗保险；新农合报销比例提高10%，报销封顶线由3万元增至5万元。在全省率先建立了城乡低保标准自然增长机制和市区城乡低保一体化机制，并再次提高城乡低保标准。为全市1万名白内障患者免费实施了复明手术，为符合条件的低保家庭精神病患者和“三无”残疾人发放了生活救助金。新建、改扩建敬老院30所，农村五保对象集中供养率达到55%。全年累计开工建设经济适用房156万平方米，竣工103.7万平方米；廉租住房新开工15万平方米，建成2.04万平方米。教育事业投入进一步加大，新建、改扩建中小学校18所。卫生事业发展步伐加快，完成96所建制乡镇卫生院急救车及车载设备配置，新建标准化村卫生室1000所。大力实施文化惠民工程，新建了50个乡镇文化站和800个农村文化大院。

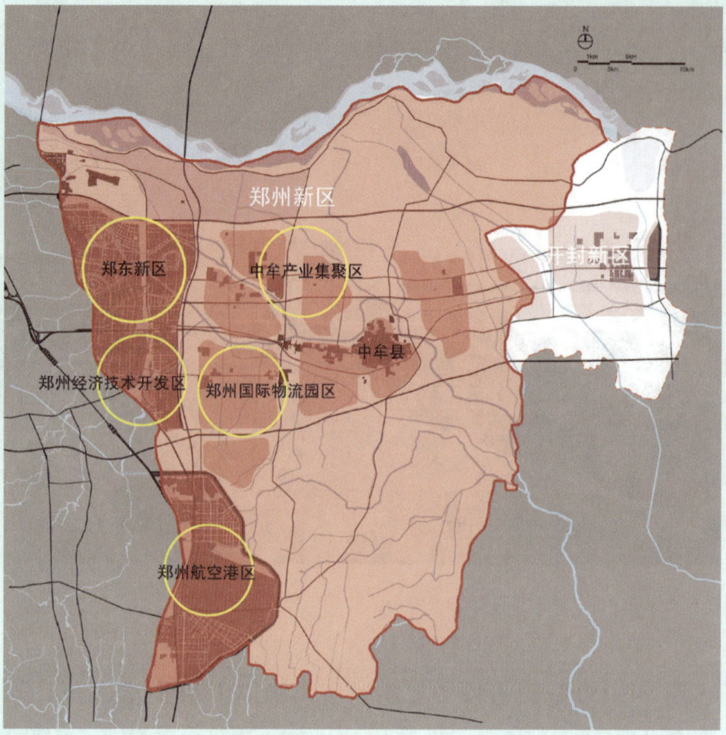

郑州新区——五区一县

【城市建设和发展前景】

郑州是一座极具吸引力和影响力的城市。近年来，郑州市坚持高起点规划、高质量建设、高水平管理，不断加大城市建设与管理的投入力度，城市的枢纽地位不断强化，综合承载能力和城市品位显著提升。一是不断加大中心城区保护改造力度。在中心城区保护改造方面，充分考虑历史文化名城的特点，着力加强对历史文化遗产的保护和利用，使中心城区既富有历史文化内涵，又兼具时代特色，城市基础设施进一步完善。建成区道路达到1032公里，中心城区生活污水、生活垃圾无害化处理率分别达到87.4%和87.38%；城中村改造面积726.9万平方米。着力加强生态建设，2003年以来，完成森林生态城工程造林100多万亩。2009年，市区新建公园3个、游园16个，植物园一期竣工开园，新增绿地561万平方米，全市绿化覆盖率达34.5%；人均公共绿地达9.7平方米。二是强力推进郑州新区核心区郑东新区的建设。郑东新区自2003年开建以来，建成区面积已达50多平方公里，累计完成固定资产投资766.6亿元，在建和建成房屋面积突破2300万平方米，景观绿化面积1200万平方米，进驻企业3600余家，其中引进各类金融机构50多家，金融集聚效应凸显。目前，郑东新区基础设施逐步完善，城市功能日益增强，成为我市集商业、居住、现代服务业、教育、科研、物流等现代化功能为一体的新城区。三是加快中小城市和小城镇建设。近年来，郑州市坚持抓住龙头，科学规划，重点突破，不断加大对中小城市和小城镇建设的投入，全力支持重点镇的建设，加快卫星城基础设施建设步伐，形成了以郑州中心城区为核心、各卫星城和中心镇众星拱月、有序发展的城市化格局。

郑州是一座潜力巨大和前景美好的城市。今后一个时期，郑州市将按照《郑州市城市总体规划（2010-2020年）》，强力实施中心城市带动战略，不断强化郑州作为中原城市群核心城市的战略地位，加快产业转型和升级，提升综合经济实力和城市竞争力，增强对周边城市的辐射力、带动力。郑州市将依托铁路客运专线、城际轨道交通、高速公路、快速道路等交通干线，形成以郑州为中心，包括开封、洛阳、许昌、焦作、新乡等城市的半小时核心经济圈和覆盖中原城市群的1小时紧密经济圈，实现交通共建、产业合作、服务协调的区域一体化发展格局。郑州市将依托交通干线及沿线城镇，构建现代城镇布局结构，逐步形成以中心城区和外围组团为主体、中等城市为支撑、重点镇为节点、其他小城镇拱卫的层级分明、结构合理、互动发展的网络化城镇体系。到2020年，郑州将建设成国家综合交通、通信枢纽和现代物流、商贸中心，区域性金融中心，区域性科研、教育、文化、体育、医疗卫生中心，先进制造业基地和科技创新基地。到2020年，郑州将建设成为彰显中华文化传统和中原城市特色、适宜创业发展和生活居住的现代化、国际化、信息化和生态型、创新型城市，引领中原城市群的发展。

今后一个时期，郑州市将紧紧围绕省委省政府加快建设中原城市群工业化、城镇化和农业现代化“三化”协调科学发展示范区和强力打造“郑汴新区”核心增长极的战略构想和部署，加快推进郑州新区的建设与发展。郑州新区是郑汴新区的主要空间区域和发展重心，西起中州大道，东至中牟县东边界，南至郑州航空港区，北至黄河大堤，包括郑东新区、郑州经济技术开发区、中牟产业园区、郑州航空港区、郑州国际物流园区和中牟县等“五区一县”，面积约1840平方公里，占郑汴新区总面积的87%。郑州新区的功能定位是中原城市群“新型工业化、城镇化、农业现代化”协调科学发展先导示范区，国家综合交通枢纽、物流中心，区域服务中心，全省经济社会发展的核心增长极。郑州市将着力把郑州新区建设成为科学发展先导示范区、现代产业集聚区、现代复合型新区、对外开放示范区、环境优美宜居区和区域服务中心。到2020年，新区城市功能区建设用地控制在330平方公里左右，人口达到330万人左右。

金水路互通式立交

城市规划篇——规划先行 如椽大笔绘蓝图

60年沧桑巨变，60年风雨兼程。60年来，天门以无与伦比的气魄破浪前行，城市规划画卷起伏跌宕，辉煌卓越！古代文明与现代文明交相辉映，老城区与新城区各展风采，人文资源与生态资源相互依托，茶圣故里笔墨流韵，激情飞扬！

城市规划决定着一个城市的发展方向和思路，对城市的发展规模加以引导是城市规划的重要作用之一。随着国家“中部崛起”战略号角的响起，湖北省提出了武汉“8+1”城市圈发展策略。在武汉城市圈跨越发展的新背景下，天门市的城市发展现状得到重新审视，天门市人民政府再次对城市总体规划进行了修编。总体规划确定：天门市城市结构为主副结构（中心城区为主城区，岳口为副城区）；到规划期末，城市用地规模达到52平方千米，人口53万人，其中，中心城区45平方千米，45万人；城市发展方向为以向南发展为主，适度向西，远期向东；城市性质为以轻纺、机械为主的水乡园林城市。

一、宜居宜业 水乡园林自然美

建设水乡园林城市，打造宜居生态环境，提高城市居住品位，是天门人民多年来的追求与梦想。武汉城市圈建设的快速推进，为科学规划水乡园林城市，打造“实力天门、和谐天门、活力天门”又迎来了新的历史性机遇。城市规划在指导城市扩张的同时，进一步提升城市形象、拓展发展空间、优化人居环境，天门“水网之城”、“绿网之城”、“古文化之城”科学发展之路更加宽阔。

2009年，天门主城区人口达34.5万人，岳口城区人口达7.0万人；城市建设用地3920公顷，城市建设用地94.5平方米/人。天门主城区以北部生活新区为主城区主要中心，以老城片区中心和南部工业新区的商业市场贸易区作为两个副中心，与主中心互相支撑城市功能；主城区内依托天门河、河山支渠、杨家新沟三条水系和滨水绿地形成天门主城区的三条生态绿带，沿岸布置市民休闲场所和活动场地；以天岳路和天横路之间的主城区作为南北向城市发展主要轴线，布置行政、商业金融、文化娱乐、医疗、教育等市级公共设施，作为主城区发展的主要轴线，以南洋大道和健康大道之间的主城区作为东西向城市发展次要轴线，联系产业园区、居住、仓储片区。天门已构架起了“一主两副，三带两轴”的中等城市空间格局。

保护水乡特色，加强水网规划建设，不断提高绿化水平，重视城市风貌的塑造，突出了东湖—西

茶经广场效果图

湖—天门河围成的城市景观中心，县河改造、姜家河安居工程、陆羽广场、汉北河森林公园、华泰商贸城等重大民心工程相继完成。老城片区、城南片区承担政治、金融贸易、商业、文化娱乐、生活职能；生活新区承担生活职能；工业新区承担生产、经济职能，打造了安全、舒适、宜人的生产生活环境。

城市供水规划、城市排水规划、电信发展规划、邮政发展规划、广电发展规划、燃气工程规划、燃气管网规划、环卫设施规划等30多项城市基础设施专项规划相继完成编制。天门主城区一、二水厂联网，日供水能力13.8万吨；兴建110千伏以上变电站5座；电话装机容量达到22.23万门，电话普及率达到55.5%；完成了骨干局域网及中心局信息中心建设，开通了上网运行邮政综合网的应用子系统；广播电视完成向数字化整体平移，电信线路与广电线路同管沟敷设；兴建天然气门站2处，规模为1万立方米/日；人均公共绿地主城区达到15.0立方米/人，绿化覆盖率达到35%以上。

优化区域交通网络，编制完成了武荆、随岳高速公路天门段及其连接线建设规划；完成省干线公路中心城区绕城路建设，完善天仙一级公路和通乡公路配套建设，初步形成“六纵六横两循环”的交通格局。规划完成了市区到长荆铁路天门站一级公路通道。规划完成了天门—武汉之间城际火车线路。国家规划的沪蓉高速铁路的建设将在天门境内通过，并在仙北设置客货运站点。完成了汉北河万台至南垸52公里Ⅳ级航道、皂市河皂市大桥至水陆李15公里Ⅴ级航道疏浚工程、汉江天门段航道整治工程。汉江河道改造为Ⅲ级航道。

二、以文为魂 陆羽故园放异彩

天门市承古开今、保持风貌、突出生态、注重人文，通过陆羽茶文化的超强规划建设，大力弘扬茶文化、开发茶产业、发展茶经济，创造了天门的新城市形象，创造了天门的核心竞争力（品牌），创造了天门的“注意力经济”，提升了天门的文化软实力。

陆羽故园文化休闲旅游区项目位于天门市中心城区，项目规划占地面积为86.5公顷，总投资1.52亿元。陆羽故园文化休闲旅游区是以茶文化休闲为主题，集文化休闲、观光娱乐、商贸会展于一体的国家AAAA级旅游景区,是天门市标志性的核心景区。

陆羽故园文化休闲旅游区主要规划项目建设内容：两区：茶文化展示区，水上游乐园。三湖：龙井湖、普洱湖、茉莉湖。两岛：观音岛、碧螺岛。一心：“茶博会”多功能会展中心。一寺：西塔寺。一市：陆羽茶市。

陆羽故园遗迹众多，现有陆羽纪念馆、文学泉、涵碧堂、陆羽亭、西塔寺等景点，陆羽文化旅游资源特色明显，影响巨大，是世界茶文化的发源地和茶文化交流的中心地区。

三、彰显特色 新城风光共潮生

“千羡万羡西江水，曾向竟陵城下来。”改革开放，西江潮涌。城水相依，人水相亲，成为天门规划的不变主题。

天门新城位于天门市西南部，紧依天门河滨，占地1000多亩，总建筑面积近百万平方米，总投资约人民币15亿元。高标准规划，高质量建设，从2006年1月3日开工至今，短短三年多，天门新城书写了从无到有、从荒芜到热土的鸿篇巨制。新城阳光丽景湾、水岸颐景湾、滨江美景湾、嘉华御景湾，造型大气，风格独有，环境舒适，一座集居住、购物、教育、休闲、市场贸易等多功能的新型城区耸立在天门河畔。天门新城已成为天门城市规划的一张耀眼名片，成为天门城市的一道靓丽风景线！

四、发展为本 “一区三园” 慨而慷

天门市规划部门抢抓“工业强市”的发展战略，对原有的城市格局进行了全面规划和合理完善，高起点规划建设“一区三园”发展平台,编制完成了17平方公里天门经济开发区、16.69平方公里仙北工业园、2.09平方公里岳口工业园、2.8平方公里龙尾山工业园的总体规划。“一区三园”控制性详细规划覆盖率达80%左右。引导产业、项目、要素向园区集聚，“一区三园”优势互补、错位发展的工业格局正在形成。

风生水起，天门大门，茶圣故里将是数不尽的春花秋月，道不完的翰墨飘香！

一个活力四射、魅力无限、充满朝气的新天门正崛起在荆楚大地！

天门新城鸟瞰图

城市建设篇——靓丽天门 盛世城建铸辉煌

改革开放以来，从发展滞后到经济复苏，从经济复苏到步入发展快车道，天门走过了一个艰难求索的过程。与此同时，城市建设也从传统式的修修补补发展到了现代化的大开发大建设，特别是近几年，响应中部崛起战略的号角，伴随着武汉城市圈加速建设的步伐，天门市的城市建设与发展更是高潮迭起，城市面貌发生了巨大变化。

一、道路建设突飞猛进，城市交通网络渐成

1987年，城区的道路还比较狭窄，连接城区与乡镇的几条路口也显得非常狭小，市政府决定拓宽城区内的四条主干道，即：人民大道、鸿渐路、胜利二路、四牌楼路，打通“五口”，即：天黄口、天横口、天岳口、天皂口、天卢口，当时号称“五口四道”工程，为近郊及城市向外辐射提供了交通方便。

2003年以后，天门市的城市道路建设如火如荼。先后新建、扩建了陆羽大道、汉北路、钟惺大道等城市主干道；高标准完成了开发区汉北路、西湖路、中心路、天门路、汇侨大道、南洋大道和创业大道；开辟了天门新城内的西湖路、公旺大街、中山大街；刷黑了陆羽大道、人民大道、东湖路、天岳路等城市主干道；完成了旧城区百花路、四牌楼街、西寺路、文学泉路、元春街等主次干道的升级改造，拉通了“断头路”,改造了后壕；重点对老城区的小街小巷进行了建设改造，建成了一道道便民通道。

近五年，天门市城市道路建设投入3亿余元，各主要街道、道路出口已全部贯通，城市道路网络已初步形成，中心城区的区位优势更加明显，市区各主要道路、街道、建筑物上增设了富有特色的灯饰，提升了城市亮度。

二、亮点工程锦上添花，城市特色日趋显现

园林绿化不仅是一个城市的美丽风景，而且是一个城市对外开放的亮丽“名片”。天门市的园林绿化起步于1989年，当时城区绿化覆盖率仅3.8%，人均公共绿地面积仅0.2平方米。到2006年，城区绿化覆盖率达到30.4%，绿地率约25%，人均公共绿地面积4.8平方米，分别比1989年增加8倍、9倍和24倍。城市绿化基本形成了以河渠绿化为外围，以路网绿化为骨架，以庭院绿化为依托，以街头绿化为点缀，以广场绿化为重点的立体绿化体系。

近几年，天门市委和市政府把绿化、美化工作列为重点，作为改变城市面貌的重要一环，园林绿化事业实现了飞速发展。2007年政府投入近1500万元，用于园林绿化建设，相当于前十年投资的总和。2008年又投资1780万元，实施了前所未有规模巨大的绿化工程。两年新增绿地面积38万平方米，打造了陆羽大道、汉北路、钟惺大道、汇侨大道、天岳路等景观

大道，完善了广场绿化，建设了西湖小游园、实验高中转角、市政府门前等街景绿化，带动了电信公司、天门新城等庭院绿化，基本形成了一街一景、乔灌木相结合、常绿和落叶相结合的城市园林景观，达到了“春有花、夏有荫、秋有果、冬有绿”的绿化效果。

公园、广场不仅是市民休闲娱乐的场所，更是城市展示自我、吸引游客的重要窗口。市政府采取多形式、多渠道建设公园、广场，着力塑造亮点工程。1995年新建陆羽公园，以原西湖为依托，以陆羽在竟陵的生活轨迹为经，以陆羽纷繁多彩的社会名胜为纬，打造了一个陆羽文化群落，供本市百万人民和中外游客游览参观、休息娱乐。

三、公用事业日新月异，城市功能整体提升

城市公交一直是市民出行的重要工具，城市公交的发展无异给居民带来了居多便利。天门市于1995年11月正式开通城区公交线路，为加强城市公共交通工作，市建设委员会不断强化公交营运管理工作，尽量延长公交营运时间，最大限度地满足市民出行需要。2005年，按照建设部、湖北省政府等部门《关于优先发展城市公共交通的实施意见》，对市公汽公司实施整体改制，在公交企业国有身份不变的情况下，实行了对全员职工转变身份后的一次性安置，并通过政府采购，对现有车辆实行统一更换。2006年元月,90辆新公共汽车投入营运，5条公交线路以全新的面貌为市民出行提供了优质便捷服务。如今，全市实有公交车辆90辆，城市公交线路网络基本形成，做到城乡沟通、有利生产、方便生活，并起到了美化城市的作用。

水是城市赖以生存与发展的必需条件，又是制约城市发展的一个重要因素。1979年，天门市城区水厂为泊船取水，随着社会经济的发展，日供2000立方米生产规模已远远不能满足群众日益增长的用水需求。1984年，市政府选址在汉北桥附近的江家河口征地建设第一水厂，经过三期工程建设，到2004年形成了日供水5万吨的规模。考虑到城区用水量日益增加，汉北河水源减少，水质污染越来越严重，市政府积极争取利用国债资金,引进武汉凯迪水务公司筹建第二水厂，从汉江岳口段引水到二水厂一期工程已于2006年8月8日建成投入使用，直接从汉江取水，实现了一水厂、二水厂联网运营，日供水能力达到15万吨，达到了中等城市双水源供水的要求，全面提升了中心城区和岳口镇30万居民的饮水质量。与此同时，城区水网改造和居民户的户表改造也全面展开。随着城市供水基础配套设施的日趋完善，城市供水保障能力明显增强,供水水压明显提高,供水水质明显改善。

气是现代城市生活的重要能源，与人们的生产、生活息息相关。天门市的供气事业起步于1988年，发展至今，已有液化气企业总数27家，年供气总量达3000万立方米。2005年，天门市启动天然气工程，由中国燃气股份有限公司投资兴建，设计年供气量为876万立方米,整个工程分二期建设。2005年12月28日设立在城区北郊的天然气门站，实现首批点火通气，108户用上了环保、经济的天然气。截至目前，已建起CNG卸气站、CNG汽车加气站各一座；敷设中低压燃气管道66公里；供气区域已从老城区延伸至新城区，居民用户近1万、工商业用户55户、CNG天然气汽车310辆，日供气量2万余立方米。

如今的天门，魅力四射，光彩照人，城市化进程明显加快，城市的规模结构和空间分布日趋合理，人居环境大为改善，城市特色日益凸现。好风凭借力，扬帆起远航。天门的城市建设工作者正以只争朝夕的精神打造着更加亮丽的天门。

道路建设——城区道路

亮点工程——陆羽广场

广东省江门市

【城市建设的发展】

江门市位于广东省中南部，濒临南海，毗邻港澳。是珠江三角洲西部的中心城市之一。江门市区面积1818平方千米，人口135万。市区中心城区（蓬江、江海、会城）建成区面积108平方千米。江门是全国著名侨乡，江门五邑籍的华侨、华人、港澳台同胞达380万人，遍布世界107个国家和地区，有“海内海外两个江门”之称和“中国第一侨乡”的美誉。

江门市以建设现代化生态宜居城市为目标，充分发挥自然条件和人文条件的优势，通过调整经济结构、优化城市功能布局、强化环境及基础设施建设、扩大公众参与等手段，全面推进城市规划建设管理可持续发展，形成了“山、水、城、林”融为一体，“城在林中、城中有林”的城市生态环境格局。全年河流水质维持良好标准；大气环境质量达到国家2级标准水平；空气质量日报优良率达97%以上；城市饮用水源水质达标率100%；城市绿化覆盖率超过40%，绿地率38.20%；人均公共绿地面积9.37平方米。先后荣获“中国优秀旅游城市”、“国家园林城市”、“国家卫生城市”、“中国人居范例奖”、“国家环保模范城市”、“广东省文明城市”、“中国人居环境奖（水环境治理优秀范例城市）”等称号，被世界银行认定为发展中国家可持续发展的典范城市，成为珠三角令人瞩目的一块“绿洲”，城市建设逐年上一个新台阶,人居环境不断得到有效改善。

近年来江门市区全面贯彻落实“珠江三角角洲改革发展规划纲要”，一方面通过大力推进滨江新区建设，高起点规划建设江门新城市中心区，另一方面加大对老城区实施全面整治和“三旧”改造，有效地改善了旧城区面貌，全面塑造了江门城市新形象。努力把江门市区建设成为珠三角现代化生态宜居城市的典范，成为珠三角先进制造业重点发展区。

【城市就业及社会保障】

2009年，为贯彻落实国家和省关于促进就业、扶持企业积极应对金融危机、稳定农民工就业、鼓励高校毕业生基层就业等政策，我市先后

滨江大道

广电中心

国华台电码头

制定出台了促进就业、鼓励创业、稳定就业等22个配套政策文件。全市新增就业53289人，城镇失业人员再就业42995人，其中就业困难人员再就业4404人；全市城镇登记失业率为2.42%，比既定目标低0.88个百分点。开展农村富余劳动力培训45152人，培训后转移就业36885人，培训后转移就业率达81.7%。全市共推荐介绍各类劳动力就业141750人次，开展职业指导113400人次，成功实现就业63245人。创建的“18大型招聘会”制度成功举办各类主题招聘会11场，为1940家企业输送劳动力26244人。全市共举办“南粤春暖”农民工“零收费”专场招聘会553场，进场企业12893个，提供岗位151646个，进场求职人数285536人，成功实现就业人数57354人。

开平水口工业集中区海鸿公司

为积极应对国际金融危机，从2008年12月起，我市陆续临时下调了基本医疗、失业、工伤和生育保险企业缴费标准，累计为全市企业减负1.8亿元。出台了《江门市失业、工伤、生育保险市级统筹实施方案》，从2010年1月1日起实现失业、工伤、生育保险市级统筹。实现全市社会保障卡“一卡通”，确定全市203家定点医疗机构和596家定点零售药店为统一使用社会保障卡个人账户刷卡消费。2009年，全市参加企业基本养老保险、城镇基本医

五邑华侨广场

花海长街

疗保险（含城居医保）、失业保险、工伤保险、生育保险人数分别为61.03万人、115.27万人（其中城居医保43.95万人）、49.47万人、46.36万人、33.56万人。企业养老、职工基本医疗、失业、工伤、生育保险总收入分别为21.50亿元、12.35亿元、1.67亿元、5658万元、2541万元。

【城市特色产业】

摩托车产业。目前，我市共有国家发展改革委公告的摩托车整车生产企业16家，零部件及相关配套生产企业300多家。主要生产的零部件包括发动机、轮毂、轮胎、车架、轴承、车座、塑料件等，这些配套企业跟整车企业的互相促进发展，形成了我市摩托车工业发展的综合优势。我市摩托车产业主要集中在蓬江、江海、新会三区和鹤山市，以江沙工业走廊、市高新技术开发区和新会经济开发区为主，而且大部分零部件生产企业聚集在距离整车生产企业几千米的范围内，可以随时为整车生产企业配套提供用于生产的零部件，可以说，已经形成了较为完整的产业链。

2003年，江门市被中国汽车工业协会授予全国第一个“中国摩托车产业示范基地”称号。2005年，广东省促进产业集群发展联席会议决定，江门市摩托车产业集群入选广东省第一批产业集群升级示范区。2009年，我市摩托车产业完成工业总产值：249.70亿元，同比增长28.51%。工业增加值：55.05亿元，同比增长23.61%。摩托车整车产量：431.17万辆，同比增长3.09%，占全省产量的47.55%，全国产量的15.68%。摩托车出口额达6.5亿美元，同比增长24.1%。目前，我市现已初步形成了专业技术服务、检测服务、会展服务等产业支撑体系。

绿色（半导体）光源产业。近年来，我市大力发展以半导体照明（LED）、节能灯为代表的绿色光源产业。2009年，绿色（半导体）光源产值66.29亿元，同比增长16.99%，近三年年均增速超过30%。全市从事绿色（半导体）光源生产的企业有100多家，相关联企业1000多家，形成了从外延—芯片—封装—应用的由上游到下游一条龙的半导体照明产业链。上中游外延芯片产量和技术水平在省内处于领先水平，拥有MOCVD设备5台，并实现了量产。下游封装和应用企业已经形成了一定的集聚效应，有较高的品牌效应和较强的自主创新能力，逐渐成为能代表我市产业水平的特色产业。同时已形成较为完备的配套体系，灯具设计、模具制造、零配件生产和采购、包装运输等已经形成一条龙供应体系，灯具生产需要的所有材料和部件基本都可以在本地得到供应。在半导体照明封装及电源管理方面，引线框架、键合金丝、电源模块、电源驱动和控制芯片等都具有一定产业基础。2009年底，我市出台了《关于印发江门市绿色（半导体）光源产业发展规划的通知（江府[2009]41号）》，日本、德国、我国台湾和上海、深圳、中山等共30多批客商前来考察，意向投资项目18个，投资总额约170亿元，投资强度680万元/亩以上。其中签订合同和

省、市领导参加摩博会

书香节

美术馆

开平赤坎古镇

意向书的LED外延片生产项目5个，引进专门用于生产外延片的MOCVD（金属有机外延炉）设备超过200台（全国目前约有180台）。鹤山和市高新区已逐渐成为我市绿色（半导体）光源产业的聚集地。其中，高新区作为我市发展绿色（半导体）光源产业的核心园区，目前已签投资协议书的有真明丽集团有限公司、深圳市奥伦德光电有限公司等三个项目，引进MOCVD设备70台。意向投资项目12个，用地约1500亩，投资总额约120亿元，投资强度800万元/亩以上。目前，我市按照“一个核心园区，多个辐射区”的发展布局，以高新技术产业开发区为核心园区，蓬江区荷塘灯饰产业园、鹤山共和工业区和台山工业园等区域为辐射园区，通过部省、省市共建的方式，争取建成在国内外有影响力的绿色（半导体）光源产业基地，使绿色（半导体）光源产业成为我市工业的支柱产业。2008年我市被授予“广东省（江门）绿色（半导体）光源产业基地”称号，并逐渐成为广东省绿色（半导体）光源的重要生产基地之一。

化纤纺织产业。化纤纺织产业是江门市主要支柱产业之一，在我市工业经济中具有举足轻重的地位。近年来，我市采取多方面的措施来促进纺织化纤产业发展，尤其是在与省经信委举办省市共建先进制造业基地以来，江门市化纤纺织产业得到了快速发展，该产业规模以上工业总产值由2006年的237.24亿元增长到2009年的437.9亿元，年均增长28.1%。2009年，全市化纤纺织产业企业1600多家。其中，规模以上企业近500家，其工业总产值占全市规模以上工业产值的14.59%；规模超亿元的企业有68家，亿元企业产值合计230亿元。

目前，江门市已发展成为广东省最大的化纤纺织产业生产基地。2009年，江门市化纤纺织产业工业总产值超过600亿元，约占广东省纺织产业产值的20%。在江门市获得的14个国家级产业基地称号中，纺织类的就有3个，它们分别是“中国纺织产业基地”、“国家火炬计划江门纺织化纤产业基地”和“国家火炬计划江门新材料产业基地”。

在品牌方面，广东新会美达锦纶股份有限

浪琴踏波——台山浪琴湾

公司“锦帆”锦纶长丝和广东彩艳股份有限公司“彩艳”间位芳纶纤维被评为中国名牌产品；广东彩艳股份有限公司“彩艳”色母粒等4个化纤纺织产品商标被评为广东省著名商标；广东美雅集团股份有限公司“美雅”拉舍尔毛毯等8个化纤纺织品牌被评为广东省名牌产品。

【新农村建设】

近年来，江门市委市政府紧紧围绕新农村建设“二十字方针”的要求，以夯实农村基础作为主线，以解决农村突出问题作为重点，着力推进“五化”建设，取得了一定的成效。农业现代化。江门市已成为珠三角重要的粮食、水果、蔬菜、水产和畜禽等农产品生产基地。全市无公害农产品认证146个，无公害农产品基地251个，总面积100.21万亩，无公害农产品个数、基地数和覆盖面积位于广东省前列。城镇化。目前，全市66个建制镇中29个进行了新一轮的总体规划修编，其中14个中心镇已全部完成。以实施“千企扶千村”就业工程为载体，有效促进农村富余劳动力向城镇集聚。全市累计免费培训农村劳动力19.1万人，实现转移就业15.3万人。城乡一体化。着力城乡统筹，推进城乡一体化发展，城乡公共基础设施建设取得明显成效。全市完成农村公路硬底化建设1751千米，改造农村危房5729户，农村卫生户厕普及率达77.14%，农村20.74万人的饮水难问题基本解决，并启动农村饮水安全工程。公共服务均等化。以解决农村民生问题为切入点，不断推进城市的公共服务向农村延伸。全市农村卫生站建设和服务覆盖率达100%，农村低保实现了“应保尽保”的目标，新农合覆盖率达到99.36%，所有进城务工的农民已纳入城镇职工社会保险体系覆盖范围，全面实现城乡免费义务教育。基层组织管理规范化。江门市不断发展和完善党领导的村级民主自治机制，加强村“两委”规范化建设，大力推进“能人治村”和村干部年轻化。从转业退伍军人、务工回乡青年、致富能手等党员中选拔村党支部书记；按“一村一大学生”的目标，三年选聘高校毕业生890名到村任职，培养农村有知识、有文化的新农村建设带头人。

面向东盟开放合作的区域性新兴城市

崇左市位于广西壮族自治区西南部，成立于2003年8月6日，行政区域面积1.73万平方公里，辖扶绥县、大新县、天等县、宁明县、龙州县、江州区，代管县级凭祥市。崇左市人民政府所在地为江州区。崇左境内居住着壮、汉、瑶、苗、仫佬、水、侗、京、回、满、土家等各族人民，2008年末总人口240万，其中少数民族人口占全市总人口的88.6%，壮族人口占88.3%，是广西少数民族人口比例最高、全国壮族人口最集中的地级市。

区位优势独特。崇左具有沿边、近海港、邻首府、连东盟的地缘优势，大新、宁明、龙州、凭祥4县（市）与越南广宁、谅山、高平3省10县接壤，陆地边境线长533公里，是广西陆地边境线最长的地级市，有国家一类口岸3个，二类口岸4个，边民互市点13个。市区距首府南宁市97公里，距中越边境友谊关80公里，友谊关距越南首都河内170公里。湘桂铁路穿境而过，是河内—北京—莫斯科国际铁路联运的必经之路。南宁至友谊关高速公路与越南一号公路对接。全市实现了县县通二级以上公路的目标，以崇左市区为中心，出边、出海、连首府、通各县（市）的“一小时交通圈”基本形成。目前正在修建的崇左—钦州高速公路使得崇左距广西最大的海港仅有123公里。2010年国家将投资11亿元，修建南宁至友谊关高速铁路，26分钟就可以从崇左直达首府南宁，80分钟左右就可以直达越南的首都河内。不久的将来，泛亚铁路东线、大湄公河次区域公路东线以及航空港宁明机场等项目建成后，崇左将成为中国尤其是广西通往东盟的海、陆、空立体大通道。

物产资源丰富。崇左属亚热带湿润季风区，气候温和、四季常青，具有丰富的农业、矿产等资源。素有“绿色宝库”之称，盛产甘蔗、松香、八角、荔枝、龙眼、香蕉、苦丁茶、桑蚕、剑麻等，是全国商品糖和亚热带水果生产基地，是全国闻名的指天椒之乡和苦丁茶之乡。被誉为中国的“糖都”和“锰都”，是中国最大的甘蔗种植和蔗糖生产基地，年产蔗糖量占全国的20%、广西的30%，居全国、广西第一位；锰矿储藏量1.49亿吨，居全国首位，占广西的62%；膨润土储藏量6.5亿吨，占世界总储量的五分之一，居世界第一位；铝土矿资源潜力1.39亿吨。

自然环境优美。崇左旅游资源类型多、等级高、品位独特，居广西第二位，是我国喀斯特地貌发育最完全、保护最完整的地区。旅游产品“红、绿、边、画、猴、情”兼有并存，可谓“梦幻山水、神奇边关；花山文化，壮族瑰宝；赤色龙州，左江风云”。主要景点有亚洲第一大跨国瀑布——德天瀑布，被列入世界文化遗产预备名录的宁明花山岩画，“中国九大名关”之一的凭祥友谊关，世界二十五种

中国—东盟自由贸易区凭祥物流园

列入世界文化遗产预备名录——宁明花山岩画

濒危珍稀动物之一的白头叶猴栖息地——崇左弄宫生态公园，素有“北有漓江、南有左江”和“崇左天下美”的美称。

优惠政策叠加。2008年1月，国务院批准实施《广西北部湾经济区发展规划》，崇左市以交通和物流为重点纳入了北部湾经济区发展规划。2008年12月，国务院批准成立广西凭祥综合保税区，是我国第一个设立在边境线上的综合保税区。崇左属边境地区、少数民族地区，边境对外开放政策多重叠加，拥有国家西部大开发、广西北部湾经济区开放开发、边境贸易、扶持少数民族地区、综合保税区等特殊优惠政策。

中国九大名关之一——友谊关

投资环境优化。崇左被评为“2001—2004年全国社会治安综合治理优秀地市”，连续7年被评为“广西综治先进地市”和“广西铁路护路先进地市”，被广西评为2005—2007年平安市。2007年被评为“中国西部最具投资吸引力城市”；2008年被评为“中国金融生态城市”；2009年被评为“中国魅力中小城市200强”。2008年国家统计局调查结果公布，企业对崇左的经营环境满意度居广西前列；广西政务服务中心认定崇左政务服务中心运行成效居广西前列。

当前和今后一个时期，崇左市要全面贯彻党的十七届三中、四中全会精神，以邓小平理论和“三个代表”重要思想为指导，深入贯彻落实科学发展观，抓住中国—东盟自由贸易区即将建成的机遇，继续解放思想，深化改革，扩大开放，以科学发展、加快发展、跨越式发展为主题，以工业化、城镇化为主导，以发展口岸经济为突破口，以建设“一区两园三基地”（即中国—东盟凭祥边境综合保税区；中国—东盟自由贸易区凭祥物流园和崇左（东盟）国际物流园；蔗糖业生产基地、以锰铝等加工为重点的冶金产业基地、旅游文化产业基地）为重点，深入实施“三个百亿”工程（即到2010年，蔗糖业产值、锰铝等冶金产业产值和建材、电力、农副产品及林产林化等产业产值分别超100亿元），加快融入广西北部湾经济区开放开发，切实保障和改善民生，促进社会和谐发展，努力实现经济社会平稳较快发展，加快建设面向东盟开放合作的新兴城市。

海口市概况

【城市概况】

历史沿革 海口历史悠久。早在西汉元封元年（前110）海南开郡置县，地属珠崖郡玳瑁县；唐贞元五年（789）设白沙津。宋开宝五年（972）迁津建浦，设海口浦，熙宁四年（1071）属琼山县，“海口”一名自此始。明洪武三年（1370）扩浦建都，设海口都；洪武七年（1374）设海口所。1912年置海口镇，属琼山县；1926年12月9日设市（县级），称海口市政厅，属广东省。1950年4月23日海口解放。1950年6月1日，成立海口市人民政府，为广东省直辖市（地级）。1958~1974年，海口市为县级市，1975年11月升为地级市，1983年降为县级市，1986年经国务院批准升格为地级市。1988年，海南建省办经济特区，海口市成为海南省省会，是全省政治、经济、科技、文化中心，交通邮电枢纽。1990年11月，经民政部批准，设立振东、新华、秀英3个市辖区（县级）。2002年10月16日，国务院批复海口、琼山合并，成立新海口市，设立秀英、龙华、琼山、美兰4个市辖区（县级），海口市的发展翻开了新的一页。

自然环境 海口市位于祖国的南疆，地处热带滨海，热带资源呈现多样性，富于海滨自然特色风光景观。位于北纬19° 32′ –20° 05′，东经110° 10′ –110° 41′。地处海南岛北部，北濒琼州海峡，隔18海里与广东省海安镇相望。东与文昌市相邻，南与文昌市、定安县接壤，西邻澄迈县。春季温暖少雨多旱,夏季高温多雨,秋季湿凉多台风暴雨,冬季干旱时有冷气流侵袭带有阵寒。全年日照时间长，辐射能量大，年平均日照时数2000小时以上，太阳辐射量可达11万-12万卡；年平均气温23.8℃。地形略呈长心形，地势平缓。海南岛最长的河流——南渡江从海口市中部穿过。西北部和东南部较高，中部南渡江沿岸低平，北部多为沿海小平原。全市除石山镇境内的马鞍岭（海拔222.2米）、旧州镇境内的旧州岭（199.9米）、甲子镇境内的日晒岭(171米)、永兴镇境内的雷虎岭(168.3米)等38个山丘较高外，绝大部分为海拔100米以下的台地和平原。马鞍岭为全市最高点。全市土地面积2304.84平方公里。

人口 2009年底，海口市常住人口187.85万人，比2008年增长2.37%，其中，秀英区34.5万人，龙华区50.07万人，琼山区44.24万人，美兰区59.04万人。全市户籍户数480342户，158.24万人。其中，秀英区83539户，27.59万人；龙华区132521户，43.04万人；琼山区111641户，38.11万人；美兰区152641户，49.51万人。

【社会经济发展概况】

2009年海口市认真落实中央、省一系列宏观政策，抢抓机遇，主动作为，化危为机，全力以赴“保增长、保民生、保稳定”，经济继续保持平稳健康发展。2009年，全市实现地区生产总值(GDP)489.6亿元，增长10.8%，超出年初预期目标0.3个百分点。其中，第一产业完成增加值34.1亿元，增长8.1%；第二产业完成增加值119.8亿元，增长9.1%；第三产业完成增加值335.7亿元，增长11.7%。三次产业结构为7.0：24.5：68.5。完成财政总收入123.1亿元，增长23.1%；全社会固定资产投资达277亿元，增长25.1%，超出年初预期目标11个百分点；社会消费品零售总额277.2亿元，增长18.5%，超出年初预期目标3.3个百分点；进出口总值38.1亿美元，增长5.6%。城市居民人均可支配收入15237元，农民人均纯收入为5643元，分别增长7.7%、8.2%，分别低于年初预期目标2个百分点和1个百分点。城镇登记失业率实现2.5%，比年度目标下降2个百分点。每万元GDP能耗下降2.8%，超额完成年度目标0.3个百分点。

积极发展现代农业，安排农林水支出6.8亿元，增长147.9%。加快推进生态循环农业示范区、羊山特色产业带和花卉产业标准化基地建

中国热气球挑战赛暨海口热气球节在海口万绿园举行开幕式

设，畜牧业、渔业、花卉、水果等特色优势产业全面发展。全市农业完成总产值54.86亿元，比上年增长8.2%。完成农业增加值34.08亿元，增长8.1%。其中，种植业增加值16.23亿元，增长4.5%；林业增加值1.80亿元，增长13.2%；畜牧业增加值10.74亿元，增长11.4%；渔业增加值4.05亿元，增长10.1%；农业服务业增加值1.26亿元，增长8.3%。以特色热带作物为主的种植业完成的增加值占全市农业增加值的47.6%，畜牧业完成的增加值占全市农业增加值的31.5%，水产业完成的增加值占全市农业增加值的11.9%。

认真落实加快工业发展和促进医药产业、高新技术产业发展等方面的政策措施，成功引进光伏项目，兑现扶助医药产业发展的第45号政府令，扶持发展新型工业。海口综合保税区的规划建设和招商选资工作加紧推进，狮子岭工业园、海马工业园、海口药谷、云龙产业园等园区基础设施进一步完善。全年完成工业增加值83.11亿元，比上年增长5.7%。完成工业总产值335.78亿元，增长6.5%，其中规模以上工业累计完成产值

中国铁人三项赛在海口举行。图为在南渡江边举行的开幕式

311.44亿元，增长6.7%。从轻重工业看，重工业完成产值170.0亿元，增长6.0%；轻工业完成产值141.43亿元，增长7.8%。从主要行业看，汽车制造业实现产值67.8亿元，下降2.3%；医药制造业实现产值50.3亿元，增长44.8%；食品制造业实现产

国务院总理温家宝（右二）视察海口市琼山区本立村

全国人大常委会副委员长乌云其木格（左一）视察火山口，市人大副主任胡德智（右一）陪同

值72.4亿元，增长268.6%。全年规模以上工业产销率99.2%，比上年下降2.3个百分点；出口交货值19.8亿元，下降24.9%。

积极推动旅游业转型升级，推出“印象·海南岛”大型实景演出，大力发展自驾游、高尔夫游、乡村游等旅游新业态，促进旅游与节庆、文体活动的融合，成功举办亚洲沙滩排球锦标赛、中国合唱艺术周等大型活动25个，旅游业稳步发展。全年接待海内外游客672.28万人次，比上年增长5.4%。其中，旅游饭店接待入境旅游者10.32万人次，下降35.0%；国内游客661.96万人次，增长6.4%。旅游饭店客房平均开房率为58.0%。实现旅游总收入65.01亿元，增长8.3%。

加快发展物流业，开通海口至营口集装箱绿色航线，建成海南花卉大世界、钢材交易市场，开工建设海南中商农产品中心交易市场。积极发展会展经济，共组织冬交会、旅交会等大型会展62场。全年社会消费品零售总额达277.20亿元，比上年增长18.5%。其中，批发业零售额18.63亿元，增长26.3%；零售业零售额219.79亿元，增长19.1%。在批发零售贸易企业中，限额以上批发零售贸易企业零售额154.57亿元，增长26.6%。消费结构不断升级，汽车、高端家电、金银珠宝、家具和通信消费成为消费热点。

抢抓中央扩大内需的重大机遇，共争取中央四批新增投资、省配套资金及地方债券9.15亿元，中央新增投资项目总体开工率超过92%；深化与国家开发银行等金融机构的合作，全年政府投资93亿元，增长74.58%，全年投资对经济增长的贡献率达73.8%。强力推进项目建设，成立“市重点项目办”，落实联席会议制度，建立“绿色通道”。海口港二期、货运大道一期、海新大桥等26个项目顺利完工，海南国际会展中心、马村港一期、电网改造等一批项目加快推进。全年完成全社会固定资产投资277.03亿元，比上年增长25.1%。其中，第一产业投资8.5亿元，增长241.3%；第二产业投资13.28亿元，增长123.9%；第三产业投资255.25亿元，增长22.0%。电力、燃气及水的生产和供应业，农林牧渔业，住宿和餐饮业，科学研究技术服务和地质勘察业，文化、体育和娱乐业，卫生、社会保障和社会福利业增长较快，分别增长314.8%、241.3%、233.5%、167.5%、140.5%、113.8%。

开展旅游、房地产大促销，组织企业到东北、华北、台湾以及东南亚等地举办大型推介活动24场，房地产业平稳发展。全市完成房地产开发投资78.0亿元，比上年增长9.5%。其中，住宅投资67.9亿元，增长27.9%。新开工面积206.02

海南省人大副主任吴昌元（左三）、符桂花（右二）视察我市污水垃圾工程

海南省副省长姜斯宪到海口城市建设和重点项目建设方面开展调研

万平方米，增长5.0%。房屋竣工面积80.03万平方米，下降26.9%。房屋销售面积190.68万平方米，增长12.9%；房屋销售总额102.35亿元，增长32.4%。

继续推进交通和信息服务业基础设施建设，进一步优化交通和邮政发展环境，交通邮电业较快发展。全年完成旅客运输量23535.1万人，货物运输量8139.6万吨，分别比上年增长13.3%和6.7%；旅客运输周转量293.5亿人公里，增长28.0%；货物运输周转量477.23亿吨公里，下降14.1%；港口货物吞吐量4013.9万吨，增长5.3%；电信业务总量86.8亿元，增长13.02%；邮政业务总量2.04亿元，增长15.5%。

应对国内外经济形势，深化重点领域和关键环节改革，推进体制机制创新，进一步提高对外开放水平，对外经济保持较快发展。全年外贸进出口总值38.1亿美元，比上年增长5.6%。其中，进口总值28.12亿美元，增长22.4%；出口总值9.98亿美元，下降23.7%。全年实际外商直接投资6.48亿美元，比上年增长15.7%。其中，合资企业投资4.48亿美元，增长19.4%。

着力培植税源，夯实税基，强化财政管理，贯彻落实国家金融政策，完善金融服务，财政金融较快增长。全年财政总收入达到123.12亿元，比上年增长23.1%。其中，地方一般预算收入38.44亿元，增长23.9%。营业税、增值税、企业所得税和个人所得税等主体税种分别增长33.3%、8.6%、24.5%和16.7%。全年地方一般预算支出66.614亿元，比上年增长42.4%。各项存、贷款继续增加。年末全市本外币各项存款余额1750.07亿元，比年初增长28.4%；全市本外币各项贷款余额1558.87亿元，比年初增长42.4%。

【社会发展】

坚持把执政为民的理念转化为保民生的各项具体措施，大幅增加民生投入，加快发展各类社会事业。全年共投入36.5亿元，增长58.4%，20件“为民办实事”事项基本完成。启动创业型城市创建工作，投入1225万元，帮助困难群体实现就业；把城市环境整治与人性化疏导相结合，设置疏导点101个、摊位6893个，解决了2.1万人的就业。积极推进保障性住房建设，全年廉租房竣工1242套、5.78万平方米，正在建设的有3554套、17.31万平方米；新增经济适用房3710套、38.29万平方米。进一步提高社会保障水平，企业退休人员基本养老金月人均增加110元；调高城镇居民医疗保险支付标准和新型农村合作医疗筹资标准，参合农民住院补偿比例提高15个百分点；安排1961万元，建成4个乡镇敬老院和5个五保之家。

海口骑楼老街获首批十大“中国历史文化名街”称号

“中国历史文化名街——海口骑楼老街”揭牌仪式

国务院批准设立海口综合保税区新闻发布会

捷星亚洲航空公司（新加坡）—海口首航新闻发布会在海口召开

全市城市居民人均家庭总收入16511.48元，比上年增长8.6%；人均可支配收入15237元，增长7.7%。农村居民人均现金收入6762元，增长7.3%；人均纯收入5643元，增长8.2%。

推进创新型城市建设，跨入“国家科技进步示范市”，有国家级企业技术中心4家、省级重点实验室22家、省级工程技术研发中心37家，获得国家各类科技计划项目98个，共取得重大科技成果11项，其中科学技术进步奖9项，科技成果转化奖2项；获得省级科技奖励56项，其中科学技术进步奖53项；全年专利申请844件，增长24.5%，其中发明专利375件，增长43.1%，占申请量的45%；专利授权484件，增长88.3%，其中发明专利授权63件，增长43.2%。推进基础教育均衡发展，全市共有普通高等院校10所，全年招收普通本科、专科学生32992人，在校学生94153人，毕业学生24091人，分别比上年增长16.4%、2.4%和25.6%；各类中等专业学校28所，全年招收学生8674人，在校生1.94万人；高中24所，招生人数11602人，在校学生32201人；初中72所，招生人数29163人，在校学生84903人；小学346所，招生人数31472人，在校生176553万人；幼儿园270所，在园人数41962人。普通高考录取率89.6%，居全省首位。全市适龄儿童入学率达100%，初中毕业生升学率为75.1%。

积极引进国内外文艺精品，加强文艺创作交流，群众文化体育活动空前活跃繁荣，全市拥有各类艺术表演团体41个，全年各艺术团体国内演出5366场次，观众430万人次；艺术表演场所2个，艺术表演场所演（映）出1201场次，其中艺术表演185场，观众合计39.8万人次；文化馆3个，博物馆1个，文物保护管理机构5个，公共图书馆2个，公共图书馆图书总藏量达42.5万册（件），全年总流通48万人次。全市共有广播节目3套,电视节目3套，人口综合覆盖率分别达到99.11%和99.01%。先后举办了《城市之间》国内总决赛、2009H1热气球飞越琼州海峡挑战赛暨第三届海口热气球节、2009中国铁人赛等。圆满完成承办第十一届全运会举重预赛暨全国男子举重锦标赛、